DICTIONNAIRE DE POCHE

FRANÇAIS ITALIEN

ITALIEN FRANÇAIS

par Claude Margueron
professeur à la Sorbonne (Paris-IV)

et Gianfranco Folena
professeur à l'université de Padoue

21, rue du Montparnasse 75283 Paris Cedex 06

Réalisé par / Realizzato da

LAROUSSE

21, rue du Montparnasse
75283 Paris Cedex 06, France

ISBN 2-03-401161-9
Larousse, Paris
Distributeur exclusif au Québec : Messageries ADP, 1751 Richardson, Montréal (Québec)

LAROUSSE

DIZIONARIO TASCABILE

FRANCESE ITALIANO

ITALIANO FRANCESE

di Claude Margueron
Professore alla Sorbonna (Paris-IV)

e Gianfranco Folena
Professore all'Università di Padova

21, rue du Montparnasse 75283 Paris Cedex 06

AU LECTEUR

La gamme LAROUSSE DE POCHE est un compagnon idéal pour le travail scolaire, l'auto-apprentissage ou le voyage.

Le POCHE Français & Italien apporte une réponse rapide et pratique au plus grand nombre des questions posées par la lecture de l'italien d'aujourd'hui. Avec plus de 55 000 mots et expressions éclairés par plus de 80 000 traductions, il permet d'accéder à un large éventail de textes et de traduire l'italien courant de manière rapide et précise. La préférence a été donnée à l'usage moderne dans les deux langues, y compris aux termes techniques et scientifiques les plus courants. L'ouvrage comprend également une liste des sigles fréquents et actuels.

Par le traitement clair et détaillé du vocabulaire fondamental, les exemples de constructions grammaticales, les tournures idiomatiques, les indications de sens soulignant la ou les traductions appropriées, il permet de rédiger dans une langue simple sans risque de contresens et sans hésitation.

Une présentation, une typographie et un format très étudiés concourent à rendre plus aisée la consultation. Pour tous ceux qui apprennent l'italien, qu'ils soient débutants ou d'un niveau déjà plus avancé, le POCHE constitue la référence idéale.

N'hésitez pas à nous faire part de vos observations, questions ou critiques éventuelles, vous contribuerez ainsi à rendre cet ouvrage encore meilleur.

L'ÉDITEUR

AL LETTORE

La gamma LAROUSSE DE POCHE offre uno strumento di lavoro ideale per lo studio, l'apprendimento personale o il viaggio.

Il POCHE Francese & Italiano propone una risposta rapida e pratica al maggior numero di domande originate dalla lettura del francese contemporaneo. Con più di 55 000 parole ed espressioni illustrate da più di 80 000 traduzioni, permette di avere accesso ad un ampio ventaglio di testi e di tradurre il francese corrente con rapidità e precisione. In entrambe le lingue si è data la preferenza all'uso moderno, comprendente i termini tecnici e scientifici più comuni. L'opera include inoltre una lista di sigle frequenti ed attuali.

Attraverso l'esposizione chiara e dettagliata del vocabolario fondamentale, gli esempi di costruzioni grammaticali, le espressioni idiomatiche, le indicazioni di senso che sottolineano la o le traduzioni appropriate, il POCHE permette di scrivere esprimendosi in una lingua semplice senza rischi di controsensi e senza esitazioni.

La presentazione, la tipografia ed il formato accuratamente studiati contribuiscono ad agevolarne la consultazione. Per tutti coloro che imparano il francese, siano essi principianti o ad un livello già più avanzato, il POCHE costituisce il riferimento ideale.

Non esitate a farci parte delle vostre osservazioni, domande o critiche eventuali : in tal modo contribuirete a rendere quest'opera ancora migliore.

L'EDITORE

Abréviations — Abbreviazioni

abréviation	Abr., abr./abbr.	abbreviazione
absolu(ment)	Abs., abs.	assoluto, assolutamente
adjectif	adj.	aggettivo
adverbe	adv.	avverbio
adjectif	agg.	aggettivo
anglais	angl.	inglese
vieux	Antiq., antiq.	antiquato
vieux	Arc., arc.	arcaico
argot	Arg.	gergale
article	art.	articolo
absolu(ment)	Assol., assol.	assoluto, assolutamente
auxiliaire	Aus., aus.	ausiliare
auxiliaire	aux.	ausiliare
adverbe	avv.	avverbio
cardinal	card.	cardinale
circonstanciel	circ.	
comparatif	compar./comp.	comparativo
complément	compl.	complemento
conditionnel	cond.	condizionale
conjonction	cong.	congiunzione
subjonctif	congiunt.	congiuntivo
conjugaison	coniug.	coniugazione
conjonction	conj.	congiunzione
conjugaison	conjug.	coniugazione
consonne	cons.	consonante
coordination	coord.	coordinazione
défini	déf.	determinato
défectif	défect.	difettivo
démonstratif	dém.	dimostrativo
dérivé	dériv./deriv.	derivato
défini	det.	determinato
dialectal	Dial.	dialettale
défectif	difett.	difettivo
diminutif	Dim.	diminutivo
démonstratif	dim.	dimostrativo
direct	dir.	diretto
et cetera	ecc.	eccetera
elliptique	ellipt./ellitt.	ellittico
emphatique	emph./enf.	enfatico
environ	env.	circa
exemple	es.	esempio
exclamation	esclam.	esclamazione
	Euf., euf.	eufemismo,
euphémisme	euph.	eufemistico
exemple	ex.	esempio
exclamation	exclam.	esclamazione
féminin	f.	femminile
familier	Fam., fam.	familiare
figuré	Fig.	figurato
français	fr.	francese

futur	fut.	futuro
gallicisme	gall.	gallicismo
gérondif	gér./ger.	gerundio
argot	GERG., gerg.	gergale
imparfait	imparf./imperf.	imperfetto
impératif	impér./imper.	imperativo
impersonnel	impers.	impersonale
indirect	ind.	indiretto
indéfini	indéf./indef.	indefinito
indicatif	indic.	indicativo
infinitif	inf./infin.	infinito
anglais	ingl.	inglese
interjection	interj./interiez.	interiezione
interrogatif	interr.	interrogativo
intransitif	intr.	intransitivo
inusité	inus.	inusitato
invariable	inv.	invariabile
hyperbolique	IPERB.	iperbolico
ironique	IRON., iron.	ironico
	it.	italiano
latin	lat.	latino
langue commune	L.C.	lingua comune
littéraire	LETT., lett.	letterario
littéraire	LITT., litt.	letterario
locution(s)	LOC., loc.	locuzione
locution(s) adverbiale(s)	loc. adv./loc. avv.	locuzione avverbiale
locution(s) conjonctive(s)	loc. conj./loc. cong.	locuzione congiunzionale
locution(s) prépositive(s)	loc. prép./loc. prep.	locuzione preposizionale
masculin	m.	maschile
nom	n.	nome
néologisme	NÉOL., néol./NEOL.	neologismo
nom propre	n. pr.	nome proprio
numéral	num.	numerale
objet	obj./ogg.	oggetto
onomatopée	onomat.	onomatopea, -ico
ordinal	ord.	ordinale
par extension	PAR EXT.	per estensione
participe	part.	participio
particulièrement	PARTICUL./ PARTICOL., particol.	particolarmente
passif	pass.	passivo, passato
passé simple	pass. rem.	passato remoto
péjoratif	PÉJOR., péjor./ PEGG., pegg.	peggiorativo
	PER ANAL.	per analogia
par extension	PER EST.	per estensione
personne, personnel	pers.	persona, personale
pluriel	pl.	plurale
plaisamment	plais.	scherzoso

poétique	Poét., poét./Poet.	poetico
populaire	Pop., pop.	popolare
possessif	poss.	possessivo
pronominal	pr.	riflessivo
propre	Pr., pr.	proprio
préfixe	préf./pref.	prefisso
préposition	prép./prep.	preposizione
présent	prés./pres.	presente
pronom	pron.	pronome
	prop.	proposizione
proverbe	Prov.	proverbio
quelque chose	qch./qlco.	qualcosa
quelqu'un	qlcu.	qualcuno
quelqu'un	qn	qualcuno
réciproque	récipr./recipr.	reciproco
réfléchi	réfl.	riflessivo
régionalisme	rég./Reg., reg.	regionalismo
relatif	rel.	relativo
pronominal	rifl.	riflessivo
dialecte romain	Rom., rom.	romano
plaisamment	Scherz., scherz.	scherzoso
singulier	sing.	singolare
sujet	sogg.	soggetto
	sostant.	sostantivato, sostantivamente
espagnol	sp.	spagnolo
	spec.	specie
subjonctif	subj.	congiuntivo
subordonnée	subord.	
suffixe	suff.	suffisso
sujet	suj.	soggetto
superlatif	superl.	
superlatif absolu	superl. abs./superl. ass.	superlativo assoluto
superlatif relatif	superl. rel.	superlativo relativo
allemand	ted.	tedesco
toscan	Tosc., tosc.	toscano
transitif	tr.	transitivo
trivial	Triv.	triviale
verbe	v.	verbo
voir	V.	vedi
vénitien	vén./Ven., ven.	veneto
voyelle	voy./voc.	vocale
vulgaire	Vulg./Volg.	volgare
vieux	Vx	arcaico

RUBRIQUES — CATEGORIE LESSICALI

Rubriques		Categorie lessicali
Administration	ADM.	Amministrazione
Agriculture, Agronomie	AGR.	Agricoltura
Administration	AMM.	Amministrazione
Anatomie	ANAT.	Anatomia
Antiquité	ANTIQ.	Antichità
Héraldique	ARALD.	Araldica
Archéologie	ARCHÉOL./ARCHEOL.	Archeologia
Architecture	ARCHIT.	Architettura
Art	ART/ARTI	Arti
Astronomie, Astrologie	ASTR.	Astronomia, -logia
Automobilisme	AUT.	Automobilismo
Aéronautique, Aviation	AV.	Aeronautica, Aviazione
Biologie	BIOL.	Biologia
Botanique	BOT.	Botanica
Chimie	CHIM.	Chimica
Chirurgie	CHIR.	Chirurgia
Cinéma	CIN.	Cinema
Commerce	COMM.	Commercio
	COSTR.	Costruzione
Art culinaire	CULIN.	Cucina, Culinaria
Économie	ÉCON./ECON.	Economia
Électricité	ÉLECTR./ELETTR.	Elettricità
Électronique	ÉLECTRON./ ELETTRON.	Elettronica
Pharmacie	FARM.	Farmacia
Philologie	FILOL.	Filologia
Philosophie	FILOS.	Filosofia
Finances, Banque, Bourse	FIN.	Finanze, Banca, Borsa
Physique	FIS.	Fisica
Physiologie	FISIOL.	Fisiologia
Photographie	FOT.	Fotografia
Géographie	GÉOGR./GEOGR.	Geografia
Géologie	GÉOL./GEOL.	Geologia
Géométrie	GÉOM./GEOM.	Geometria
Jeu	GIOCHI	Giochi
Journalisme	GIORN.	Giornalismo
Science et pratique du droit	GIUR.	Giurisprudenza
Grammaire	GR.	Grammatica
Histoire	HIST.	Storia
Histoire littéraire	HIST. LITT.	Storia letteraria
Industrie	IND.	Industria
Informatique	INF.	Informatica
Jeu	JEU.	Giochi
Journalisme	JOURN.	Giornalismo
Science et pratique du droit	JUR.	Giurisprudenza
Linguistique	LING.	Linguistica
Logique	LOG.	Logica

Marine	MAR.	Marina
Mathématiques	MATH./MAT.	Matematica
Mécanique	MÉC./MECC.	Meccanica
Médecine	MÉD./MED.	Medicina
Métallurgie	MÉTALL./METALL.	Metallurgia
Météorologie	MÉTÉOR./METEOR.	Meteorologia
Art militaire	MIL.	Arte militare
Mines	MIN.	Miniere
Minéralogie	MINÉR./MINER.	Mineralogia
Mythologie	MIT.	Mitologia
Mode	MODE/MODA	Moda
Musique	MUS.	Musica
Mythologie	MYTH.	Mitologia
Optique	OPT./OTT.	Ottica
Pharmacie	PHARM.	Farmacia
Philologie	PHILOL.	Filologia
Philosophie	PHILOS.	Filosofia
Photographie	PHOT.	Fotografia
Physique	PHYS.	Fisica
Physiologie	PHYSIOL.	Fisiologia
Poésie	POÉS./POES.	Poesia
Politique	POL.	Politica
Psychologie	PSYCH./PSIC.	Psicologia
Psychanalyse	PSYCHAN./PSICAN.	Psicanalisi
Radio	RAD.	Radio
Religion	REL.	Religione
Rhétorique	RHÉT./RET.	Retorica
Sport	SP.	Sport
Statistique	STAT.	Statistica
Histoire	STOR.	Storia
Théâtre	TEAT.	Teatro
Technique, Technologie	TECHN./TECN.	Tecnica, Tecnologia
Télécommunications	TÉL./TEL.	Telecomunicazioni
Théologie	TEOL.	Teologia
Textiles	TESS.	Tessili
Textiles	TEXT.	Tessili
Théâtre	TH.	Teatro
Théologie	THÉOL.	Teologia
Transports, Chemins de fer	TR.	Trasporti, Ferrovie
Télévision	T.V./TV	Televisione
Typographie	TYP./TIP.	Tipografia
Écoles, Université	UNIV.	Università
Art vétérinaire	VÉTÉR./VETER.	Veterinaria
Zoologie	ZOOL.	Zoologia

PHONÉTIQUE — FONETICA

Voyelles françaises — Vocali italiane

Français	Italiano
[a] l**a**c, p**a**pillon	[a] (a centrale) st**a**lla
[ɑ] t**a**s, **â**me	
[ø] av**eu**, j**eu**	
[œ] p**eu**ple, b**œu**f	

Français		Italiano
m**e**, j**e**	[ə]	come **e** e **o** finali in napoletano
ann**ée**, p**a**ys, pr**é**	[e]	st**e**lla, v**e**tro
b**e**c, **ai**me	[ɛ]	b**e**llo, m**e**tro
v**i**lle, **î**le	[i]	st**i**lla, **i**dea
s**o**t, dr**ô**le, **au**be	[o]	b**o**tte, m**o**lti
n**o**te, h**o**nneur	[ɔ]	b**o**tta, m**o**rta
m**u**r, **u**sage	[y]	come **ü** lombardo e piemontese
m**ou**, g**oû**t	[u]	m**u**to, **u**dito

Nasales françaises

[ɑ̃] **an**ge, ch**am**p, **en**nui
[ɛ̃] m**ain**, l**im**be
[ɔ̃] m**on**, **on**gle
[œ̃] br**un**, parf**um**

Semi-consonnes — Semiconsonanti

Français		Italiano
l**i**eu, **y**eux	[j]	f**i**era, ba**i**a
oui, **ou**est	[w]	f**u**ori, **u**omo
n**u**it, l**u**i	[ɥ]	

Consonnes — Consonanti

Français		Italiano
pot, gri**pp**e	[p]	co**p**ia, **p**adre
beau, ros**b**if	[b]	a**b**ate, **b**om**b**a
train, **th**éâtre	[t]	fa**t**o, **t**reno
deux, ron**d**e	[d]	ca**d**e, **d**ieci
co**q**, **qu**atre	[k]	e**c**o, **c**apo
gant, épilo**gue**	[g]	se**g**a, **g**ola
fable, **ph**ysique	[f]	**f**are, a**f**a
voir, ri**v**e	[v]	**v**ia, na**v**e
savant, **c**ela	[s]	**s**edia, **s**or**s**o
zèle, frai**s**e	[z]	ro**s**a, **s**degno
chat, **sch**éma	[ʃ]	fa**sc**ia, **sc**ena
	[tʃ]	pa**c**e, **c**ibo
	[dʒ]	gri**gi**o, **g**ioco
	[ts]	raga**zz**a, pa**zz**ia
	[dz]	a**zz**urro, a**zz**erare
â**g**é, **j**abot	[ʒ]	
ri**r**e, a**rr**acher	[r]	(uvulare)
(roulé)	[r]	(arrotata) ca**r**o, **r**uota
lettre, ha**ll**e	[l]	pa**l**a, ca**l**cio
	[ʎ]	mo**gli**e, fo**gl**ia
main, dra**m**e	[m]	fu**m**o, **m**ano
nuit, trô**n**e	[n]	ca**n**e, **n**aso
vi**gn**e, a**gn**eau	[ɲ]	ca**gn**a, **gn**omo

CONJUGAISONS

Légende: *ppr* = participe présent, *pp* = participe passé, *pr ind* = présent de l'indicatif, *imp* = imparfait, *fut* = futur, *cond* = conditionnel, *pr subj* = présent du subjonctif

acquérir: *pp* acquis, *pr ind* acquiers, acquérons, acquièrent, *imp* acquérais, *fut* acquerrai, *pr subj* acquière

aller: *pp* allé, *pr ind* vais, vas, va, allons, allez, vont, *imp* allais, *fut* irai, *cond* irais, *pr subj* aille

asseoir: *ppr* asseyant, *pp* assis, *pr ind* assieds, asseyons, *imp* asseyais, *fut* assiérai, *pr subj* asseye

atteindre: *ppr* atteignant, *pp* atteint, *pr ind* atteins, atteignons, *imp* atteignais, *pr subj* atteigne

avoir: *ppr* ayant, *pp* eu, *pr ind* ai, as, a, avons, avez, ont, *imp* avais, *fut* aurai, *cond* aurais, *pr subj* aie, aies, ait, ayons, ayez, aient

boire: *ppr* buvant, *pp* bu, *pr ind* bois, buvons, boivent, *imp* buvais, *pr subj* boive

conduire: *ppr* conduisant, *pp* conduit, *pr ind* conduis, conduisons, *imp* conduisais, *pr subj* conduise

connaître: *ppr* connaissant, *pp* connu, *pr ind* connais, connaît, connaissons, *imp* connaissais, *pr subj* connaisse

coudre: *ppr* cousant, *pp* cousu, *pr ind* couds, cousons, *imp* cousais, *pr subj* couse

courir: *pp* couru, *pr ind* cours, courons, *imp* courais, *fut* courrai, *pr subj* coure

couvrir: *pp* couvert, *pr ind* couvre, couvrons, *imp* couvrais, *pr subj* couvre

craindre: *ppr* craignant, *pp* craint, *pr ind* crains, craignons, *imp* craignais, *pr subj* craigne

croire: *ppr* croyant, *pp* cru, *pr ind* crois, croyons, croient, *imp* croyais, *pr subj* croie

cueillir: *pp* cueilli, *pr ind* cueille, cueillons, *imp* cueillais, *fut* cueillerai, *pr subj* cueille

devoir: *pp* dû, due, *pr ind* dois, devons, doivent, *imp* devais, *fut* devrai, *pr subj* doive

dire: *ppr* disant, *pp* dit, *pr ind* dis, disons, dites, disent, *imp* disais, *pr subj* dise

dormir: *pp* dormi, *pr ind* dors, dormons, *imp* dormais, *pr subj* dorme

écrire: *ppr* écrivant, *pp* écrit, *pr ind* écris, écrivons, *imp* écrivais, *pr subj* écrive

essuyer: *pp* essuyé, *pr ind* essuie, essuyons, essuient, *imp* essuyais, *fut* essuierai, *pr subj* essuie

être: *ppr* étant, *pp* été, *pr ind* suis, es, est, sommes, êtes, sont, *imp* étais, *fut* serai, *cond* serais, *pr subj* sois, sois, soit, soyons, soyez, soient

faire: *ppr* faisant, *pp* fait, *pr ind* fais, fais, fait, faisons, faites, font, *imp* faisais, *fut* ferai, *cond* ferais, *pr subj* fasse

falloir: *pp* fallu, *pr ind* faut, *imp* fallait, *fut* faudra, *pr subj* faille

FINIR: *ppr* finissant, *pp* fini, *pr ind* finis, finis, finit, finissons, finissez, finissent, *imp* finissais, finissais, finissait, finissions, finissiez, finissaient, *fut* finirai, finiras, finira, finirons, finirez, finiront, *cond* finirais, finirais, finirait, finirions, finiriez, finiraient, *pr subj* finisse, finisses, finisse, finissions, finissiez, finissent

fuir: *ppr* fuyant, *pp* fui, *pr ind* fuis, fuyons, fuient, *imp* fuyais, *pr subj* fuie

haïr: *ppr* haïssant, *pp* haï, *pr ind* hais, haïssons, *imp* haïssais, *pr subj* haïsse

joindre: *comme* **atteindre**

lire: *ppr* lisant, *pp* lu, *pr ind* lis, lisons, *imp* lisais, *pr subj* lise

mentir: *pp* menti, *pr ind* mens, mentons, *imp* mentais, *pr subj* mente
mettre: *ppr* mettant, *pp* mis, *pr ind* mets, mettons, *imp* mettais, *pr subj* mette
mourir: *pp* mort, *pr ind* meurs, mourons, meurent, *imp* mourais, *fut* mourrai, *pr subj* meure
naître: *ppr* naissant, *pp* né, *pr ind* nais, naît, naissons, *imp* naissais, *pr subj* naisse
offrir: *pp* offert, *pr ind* offre, offrons, *imp* offrais, *pr subj* offre
paraître: *comme* **connaître**
PARLER: *ppr* parlant, *pp* parlé, *pr ind* parle, parles, parle, parlons, parlez, parlent, *imp* parlais, parlais, parlait, parlions, parliez, parlaient, *fut* parlerai, parleras, parlera, parlerons, parlerez, parleront, *cond* parlerais, parlerais, parlerait, parlerions, parleriez, parleraient, *pr subj* parle, parles, parle, parlions, parliez, parlent
partir: *pp* parti, *pr ind* pars, partons, *imp* partais, *pr subj* parte
plaire: *ppr* plaisant, *pp* plu, *pr ind* plais, plaît, plaisons, *imp* plaisais, *pr subj* plaise
pleuvoir: *pp* plu, *pr ind* pleut, *imp* pleuvait, *fut* pleuvra, *pr subj* pleuve
pouvoir: *pp* pu, *pr ind* peux, peux, peut, pouvons, pouvez, peuvent, *imp* pouvais, *fut* pourrai, *pr subj* puisse
prendre: *ppr* prenant, *pp* pris, *pr ind* prends, prenons, prennent, *imp* prenais, *pr subj* prenne
prévoir: *ppr* prévoyant, *pp* prévu, *pr ind* prévois, prévoyons, prévoient, *imp* prévoyais, *fut* prévoirai, *pr subj* prévoie
recevoir: *pp* reçu, *pr ind* reçois, recevons, reçoivent, *imp* recevais, *fut* recevrai, *pr subj* reçoive
RENDRE: *ppr* rendant, *pp* rendu, *pr ind* rends, rends, rend, rendons, rendez, rendent, *imp* rendais, rendais, rendait, rendions, rendiez, rendaient, *fut* rendrai, rendras, rendra, rendrons, rendrez, rendront, *cond* rendrais, rendrais, rendrait, rendrions, rendriez, rendraient, *pr subj* rende, rendes, rende, rendions, rendiez, rendent
résoudre: *ppr* résolvant, *pp* résolu, *pr ind* résous, résolvons, *imp* résolvais, *pr subj* résolve
rire: *ppr* riant, *pp* ri, *pr ind* ris, rions, *imp* riais, *pr subj* rie
savoir: *ppr* sachant, *pp* su, *pr ind* sais, savons, *imp* savais, *fut* saurai, *pr subj* sache
servir: *pp* servi, *pr ind* sers, servons, *imp* servais, *pr subj* serve
sortir: *comme* **partir**
suffire: *ppr* suffisant, *pp* suffi, *pr ind* suffis, suffisons, *imp* suffisais, *pr subj* suffise
suivre: *ppr* suivant, *pp* suivi, *pr ind* suis, suivons, *imp* suivais, *pr subj* suive
taire: *ppr* taisant, *pp* tu, *pr ind* tais, taisons, *imp* taisais, *pr subj* taise
tenir: *pp* tenu, *pr ind* tiens, tenons, tiennent, *imp* tenais, *fut* tiendrai, *pr subj* tienne
vaincre: *ppr* vainquant, *pp* vaincu, *pr ind* vaincs, vainc, vainquons, *imp* vainquais, *pr subj* vainque
valoir: *pp* valu, *pr ind* vaux, valons, *imp* valais, *fut* vaudrai, *pr subj* vaille
venir: *comme* **tenir**
vivre: *ppr* vivant, *pp* vécu, *pr ind* vis, vivons, *imp* vivais, *pr subj* vive
voir: *ppr* voyant, *pp* vu, *pr ind* vois, voyons, voient, *imp* voyais, *fut* verrai, *pr subj* voie
vouloir: *pp* voulu, *pr ind* veux, veux, veut, voulons, voulez, veulent, *imp* voulais, *fut* voudrai, *pr subj* veuille

Coniugazioni

Legenda: *pp* = participio passato, *ind pr* = indicativo presente, *imp* = imperfetto, *p rem* = passato remoto, *fut* = futuro, *cond pr* = condizionale presente, *cong pr* = congiuntivo presente

accendere: *pp* acceso, *p rem* accesi
accludere: *pp* accluso, *p rem* acclusi
AMARE: *pp* amato, *ind pr* amo, ami, ama, amiamo, amate, amano, *imp* amavo, amavi, amava, amavamo, amavate, amavano, *p rem* amai, amasti, amò, amammo, amaste, amarono, *fut* amerò, amerai, amerà, ameremo, amerete, ameranno, *cond pr* amerei, ameresti, amerebbe, ameremmo, amereste, amerebbero, *cong pr* ami, ami, ami, amiamo, amiate, amino
andare: *pp* andato, *ind pr* vado, vai, va, andiamo, andate, vanno, *imp* andavo, *p rem* andai, *fut* andrò, *cond pr* andrei, *cong pr* vada, andiamo, andiate, vadano
assistere: *pp* assistito
avere: *pp* avuto, *ind pr* ho, hai, ha, abbiamo, avete, hanno, *imp* avevo, avevi, aveva, avevamo, avevate, avevano, *p rem* ebbi, avesti, ebbe, avemmo, aveste, ebbero, *fut* avrò, avrai, avrà, avremo, avrete, avranno, *cond pr* avrei, avresti, avrebbe, avremmo, avreste, avrebbero, *cong pr* abbia, abbia, abbia, abbiamo, abbiate, abbiano
bere: *p rem* bevvi, *fut* berrò
chiedere: *pp* chiesto, *p rem* chiesi
chiudere: *pp* chiuso, *p rem* chiusi
cogliere: *pp* colto, *ind pr* colgo, colgono, *p rem* colsi
comporre: *pp* composto, *ind pr* compongo, componi, compongono, *p rem* composi, componesti
comprimere: *pp* compresso, *p rem* compressi
concludere: V. **accludere**
conoscere: *p rem* conobbi
cuocere: *pp* cotto, *p rem* cossi
dare: *ind pr* do, dai, dà, diamo, date, danno, *p rem* diedi (detti), desti, *fut* darò, *cong pr* dia
decidere: *pp* deciso, *p rem* decisi
dipingere: *pp* dipinto, *p rem* dipinsi
dire: *pp* detto, *ind pr* dico, *p rem* dissi, dicesti
discutere: *pp* discusso, *p rem* discussi
disporre: *pp* disposto, *ind pr* dispongo, disponi, dispongono, *p rem* disposi, disponesti, *fut* disporrò
dovere: *ind pr* devo (debbo), dobbiamo, dovete, devono, *p rem* dovetti, *fut* dovrò, *cong pr* debba, dobbiamo, dobbiate, debbano
eleggere: *pp* eletto, *p rem* elessi
emergere: *pp* emerso, *p rem* emersi
escludere: V. **accludere**
essere: *pp* stato, *ind pr* sono, sei, è, siamo, siete, sono, *imp* ero, eri, era, eravamo, eravate, erano, *p rem* fui, fosti, fu, fummo, foste, furono, *fut* sarò, sarai, sarà, saremo, sarete, saranno, *cond pr* sarei, saresti, sarebbe, saremmo, sareste, sarebbero, *cong pr* sia, sia, sia, siamo, siate, siano
fare: *pp* fatto, *ind pr* faccio, fai, fa, facciamo, fate, fanno, *imp* facevo, *p rem* feci, facesti, *fut* farò, *cong pr* faccia

fingere: *pp* finto, *p rem* finsi
FINIRE: *pp* finito, *ind pr* finisco, finisci, finisce, finiamo, finite, finiscono, *imp* finivo, finivi, finiva, finivano, finivate, finivano, *p rem* finii, finisti, finì, finimmo, finiste, finirono, *fut* finirò, finirai, finirà, finiremo, finirete, finiranno, *cond pr* finirei, finiresti, finirebbe, finiremmo, finireste, finirebbero, *cong pr* finisca, finisca, finisca, finiamo, finiate, finiscano
fondere: *pp* fuso, *p rem* fusi
friggere: *pp* fritto, *p rem* frissi
giungere: *pp* giunto, *p rem* giunsi
illudere: *pp* illuso, *p rem* illusi
intendere: *pp* inteso, *p rem* intesi
interrompere: *pp* interrotto, *p rem* interruppi
leggere: *pp* letto, *p rem* lessi
mettere: *pp* messo, *p rem* misi
morire: *pp* morto, *ind pr* muoio, muori, muore, moriamo, morite, muoiono, *p rem* morii
muovere: *pp* mosso, *p rem* mossi
nascere: *pp* nato, *p rem* nacqui
nascondere: *pp* nascosto, *p rem* nascosi
offendere: *pp* offeso, *p rem* offesi
offrire: *pp* offerto, *p rem* offrii (offersi)
parere: *pp* parso, *ind pr* paio, pari, pare, paiamo (pariamo), parete, paiono, *p rem* parvi (parsi), paresti, *fut* parrò
perdere: *pp* perso (perduto), *p rem* persi (perdei, perdetti)
permettere: V. **mettere**
piacere: *ind pr* piaccio, piaci, piace, piacciamo, piacete, piacciono, *p rem* piacqui, piacesti, *cong pr* piaccia
piangere: *pp* pianto, *p rem* piansi
porgere: *pp* porto, *p rem* porsi
porre: V. **disporre**
potere: *ind pr* posso, puoi, può, possiamo, potete, possono, *fut* potrò, *cong pr* possa
prendere: *pp* preso, *p rem* presi
rimanere: *pp* rimasto, *ind pr* rimango, rimani, rimangono, *fut* rimarrò, *p rem* rimasi, rimanesti, *cong pr* rimanga
produrre: *pp* prodotto, *ind pr* produco, *p rem* produssi, *fut* produrrò
proteggere: *pp* protetto, *p rem* protessi
radere: *pp* raso, *p rem* rasi
raggiungere: V. **giungere**
reggere: *pp* retto, *p rem* ressi
ridere: *pp* riso, *p rem* risi
rompere: V. **interrompere**
sapere: *pp* saputo, *ind pr* so, sai, sa, sappiamo, sapete, sanno, *p rem* seppi, sapesti, *fut* saprò, *cond pr* saprei, *cong pr* sappia
scegliere: *pp* scelto, *ind pr* scelgo, scelgono, *p rem* scelsi, *cong pr* scelga
scendere: *pp* sceso, *p rem* scesi
scrivere: *pp* scritto, *p rem* scrissi
SERVIRE: *pp* servito, *ind pr* servo, servi, serve, serviamo, servite, servono, *imp* servivo, servivi, serviva, servivamo, servivate, servivano, *p rem* servii, servisti, servì, servimmo, serviste, servirono, *fut* servirò, servirai, servirà,

serviremo, servirete, serviranno, *cond pr* servirei, serviresti, servirebbe, serviremmo, servireste, servirebbero, *cong pr* serva, serva, serva, serviamo, serviate, servano

spegnere: *pp* spento, *ind pr* spengo, spegni, spengono, *p rem* spensi

spingere: *pp* spinto, *p rem* spinsi

stare: *ind pr* sto, stai, sta, stiamo, state, stanno, *p rem* stetti, stesti, stette, stemmo, steste, stettero, *fut* starò, *cond pr* starei, *cong pr* stia

stringere: *pp* stretto, *p rem* strinsi

TEMERE: *pp* temuto, *ind pr* temo, temi, teme, temiamo, temete, temono, *imp* temevo, temevi, temeva, temevamo, temevate, temevano, *p rem* temetti, temesti, temette, tememmo, temeste, temettero, *fut* temerò, temerai, temerà, temeremo, temerete, temeranno, *cond pr* temerei, temeresti, temerebbe, temeremmo, temereste, temerebbero, *cong pr* tema, tema, tema, temiamo, temiate, temano

tenere: *pp* tenuto, *ind pr* tengo, tieni, tiene, teniamo, tenete, tengono, *p rem* tenni, tenesti, *fut* terrò, *cong pr* tenga, teniamo, tengano

togliere: *pp* tolto, *ind pr* tolgo, togli, toglie, togliamo, togliete, tolgono, *imp* toglievo, *p rem* tolsi, togliesti, tolse, togliemmo, toglieste, tolsero, *cong pr* tolga, togliamo, togliate, tolgano

vedere: *pp* visto, *fut* vedrò, *p rem* vidi, vedesti

venire: *pp* venuto, *ind pr* vengo, vieni, viene, veniamo, venite, vengono, *imp* venivo, *p rem* venni, venisti, venne, venimmo, veniste, vennero, *fut* verrò, *cond pr* verrei, *cong pr* venga, veniamo, veniate, vengano

vivere: *pp* vissuto, *p rem* vissi, *fut* vivrò, *cond pr* vivrei

volere: *pp* voluto, *ind pr* voglio, vuoi, vuole, vogliamo, volete, vogliono, *imp* volevo, *p rem* volli, *fut* vorrò, *cond pr* vorrei, *cong pr* voglia

ABRÉVIATIONS ET SIGLES FRANÇAIS

A	autoroute
AG	assemblée générale
ANPE	Agence nationale pour l'emploi
AS	association sportive
ASSEDIC	Association pour l'emploi dans l'industrie et le commerce
av.	avenue
BCG	bacille Calmette-Guérin
BD	bande dessinée
bd, boul.	boulevard
BEP	brevet d'études professionnelles
BP	boîte postale
BPF	bon pour francs
BT	brevet de technicien
BTP	bâtiments et travaux publics
BTS	brevet de technicien supérieur
c.-à-d.	c'est-à-dire
CAP	certificat d'aptitude professionnelle
CAPES	certificat d'aptitude au professorat de l'enseignement du second degré
cc	charges comprises
CCP	compte chèque postal, compte courant postal
CD	corps diplomatique Compact Disc
CDD	contrat à durée déterminée
CDI	contrat à durée indéterminée
CE	comité d'entreprise Communauté européenne
CEDEX	courrier d'entreprise à distribution exceptionnelle
CEE	Communauté économique européenne
CEI	Communauté d'États indépendants
CES	collège d'enseignement secondaire
cf.	confer, voir
CFDT	Confédération française démocratique du travail
CFTC	Confédération française des travailleurs chrétiens
CGC	Confédération générale des cadres
CGT	Confédération générale du travail
Cie	Compagnie
CIO	Comité international olympique
CNPF	Conseil national du patronat français
CNRS	Centre national de la recherche scientifique
CP	cours préparatoire
CRS	Compagnies républicaines de sécurité
CV	curriculum vitae
DDASS	Direction départementale d'action sanitaire et sociale
DEA	diplôme d'études approfondies
dép.	département
DESS	diplôme d'études supérieures spécialisées
DEUG	diplôme d'études universitaires générales
DEUST	diplôme d'études universitaires scientifiques et techniques
DGSE	Direction générale de la sécurité extérieure
DOM-TOM	Départements et Territoires d'outre-mer
Dr	Docteur
DUT	diplôme universitaire de technologie
ECU	European Currency Unit
EDF-GDF	Électricité de France-Gaz de France
ENA	École nationale d'administration
EPS	éducation physique et sportive
etc.	et cetera
É-U	États-Unis
FEN	Fédération de l'éducation nationale
FIV	fécondation in vitro
FMI	Fonds monétaire international
FN	Front national
FO	Force ouvrière
HLM	habitation à loyer modéré
HS	hors service

HT	hors taxe
IUFM	institut universitaire de formation des maîtres
IUT	institut universitaire de technologie
IVG	interruption volontaire de grossesse
JO	Journal officiel jeux Olympiques
LEA	langues étrangères appliquées
LP	lycée professionnel
M	Monsieur
MJC	maison des jeunes et de la culture
Mlle	Mademoiselle
MM	Messieurs
Mme	Madame
MST	maladie sexuellement transmissible
NB	nota bene
N-D	Notre-Dame
NDLR	note de la rédaction
OCDE	Organisation de coopération et de développement économique
OMS	Organisation mondiale de la santé
ONG	Organisation non gouvernementale
ONU	Organisation des Nations unies
OPA	offre publique d'achat
OPEP	Organisation des pays exportateurs de pétrole
OTAN	Organisation du traité de l'Atlantique nord
PCF	Parti communiste français
P-DG	président-directeur général
PIB	produit intérieur brut
Pl.	place
PME	petite et moyenne entreprise
PMU	Pari mutuel urbain
PNB	produit national brut
pp	pages
PS	Parti socialiste
P-S	post-scriptum
QG	quartier général
QI	quotient intellectuel
RAS	rien à signaler
RATP	Régie autonome des transports parisiens
réf.	référence
RER	réseau express régional
RIB	relevé d'identité bancaire
RMI	revenu minimum d'insertion
RN	route nationale
RP	relations publiques
RPR	Rassemblement pour la République
RSVP	répondez, s'il vous plaît
R-V	rendez-vous
SA	société anonyme
SAMU	Service d'aide médicale d'urgence
SARL	société à responsabilité limitée
s/c	sous couvert de
SDF	sans domicile fixe
SIDA	syndrome immuno-déficitaire acquis
SME	système monétaire européen
SMIC	salaire minimum interprofessionnel de croissance
SNCF	Société nationale des chemins de fer français
SPA	Société protectrice des animaux
St(e)	saint(e)
Sté	société
svp	s'il vous plaît
tél	téléphone
TGV	train à grande vitesse
TVA	taxe à la valeur ajoutée
UDF	Union pour la démocratie française
UER	unité d'enseignement et de recherche
UNESCO	United Nations Educational, Scientific and Cultural Organization: *Organisation des Nations unies pour l'éducation, la science et la culture*
UV	unité de valeur ultraviolet
VF	version française
VO	version originale
VTT	vélo tout terrain

Sigle e abbreviazioni italiane

a.C. avanti Cristo
A.d. Alleanza democratica
A.D. Anno Domini
AGIP Azienda Generale Italiana dei Petroli
AIDS acquired immune deficiency syndrome: *sindrome da immuno-deficienza acquisita*
all. allegato
A.N. Alleanza Nazionale
ANAS Azienda Nazionale Autonoma delle Strade Statali
ANSA Agenzia Nazionale Stampa Associata
B.C.I. Banca Commerciale Italiana
B.d'I. Banca d'Italia
B.N.L. Banca Nazionale del Lavoro
BOT Buono Ordinario del Tesoro
BTP Buono del Tesoro Poliennale
B.U. Bolletino Ufficiale
c. circa
c.a. corrente anno
CAP Codice di Avviamento Postale
CAR Centro di Addestramento Reclute
CC Carabinieri
c.c. conto corrente
c.c.p. conto corrente postale
C.D. Corpo Diplomatico
C.d.A. Corte d'Appello
Corte d'Assise
C.d.L. Camera del Lavoro
C.E. Comitato Esecutivo
Consiglio d'Europa
CEE Comunità Economica Europea
C.G.I.L. Confederazione Generale Italiana del Lavoro
C.I. Credito Italiano
CISL Confederazione Italiana Sindacati Lavoratori
CIT Compagnia Italiana Turismo
CNEL Consiglio Nazionale dell'Economia e del Lavoro
C.N.R. Consiglio Nazionale delle Ricerche
CONI Comitato Olimpico Nazionale Italiano
C.P. Casella Postale
C.T. Commissario Tecnico
d.C. dopo Cristo
D.O.C. Denominazione di Origine Controllata
D.P. Decreto Presidenziale
Democrazia Proletaria
ECU European Currency Unit: *Unità di Conto Europea*
E.I. Esercito Italiano
ENEL Ente Nazionale per l'Energia Elettrica
ENI Ente Nazionale degli Idrocarburi
ENIT Ente Nazionale per il Turismo
ENPA Ente Nazionale per la Protezione degli Animali
FAO Food and Agriculture Organization: *Organizzazione per l'Alimentazione e l'Agricoltura*
FF.AA. Forze Armate
FF.SS. Ferrovie dello Stato
F.I.G.C. Federazione Italiana Gioco Calcio
F.M.I. Fondo Monetario Internazionale
G.d.F. Guardia di Finanza
G.U. Gazzetta Ufficiale
ICE Istituto per il Commercio Estero
ILOR Imposta Locale sui Redditi
INAIL Istituto Nazionale per l'Assicurazione contro gli Infortuni sul Lavoro
I.N.P.S. Istituto Nazionale per la Previdenza Sociale
IRPEF Imposta sui Redditi delle Persone Fisiche
IVA Imposta sul Valore Aggiunto

LL.PP.	Lavori Pubblici
NATO	North Atlantic Treaty Organization: *Organizzazione del Trattato Nord Atlantico*
N.B.	Nota Bene
N.d.A.	Nota dell'Autore
NN	Paternità ignota
ns.	nostro, nostra
OCSE	Organizzazione per la Cooperazione e lo Sviluppo Economico
ONU	Organizzazione delle Nazioni Unite
OPEC	Organization of Petroleum Exporting Countries: *Organizzazione dei Paesi Esportatori di Petrolio*
p.c.	per conoscenza
P.D.S.	Partito Democratico della Sinistra
p.es.	per esempio
p.f.	per favore
P.I.L.	Prodotto Interno Lordo
P.I.N.	Prodotto Interno Netto
P.L.I.	Partito Liberale Italiano
P.P.I.	Partito Popolare Italiano
PP.TT.	Poste e Telegrafi
P.R.I.	Partito Repubblicano Italiano
P.S.	Post Scriptum Pubblica Sicurezza
P.S.D.I.	Partito Socialista Democratico Italiano
P.S.I.	Partito Socialista Italiano
p.v.	prossimo venturo
RAI-TV	Radio Televisione Italiana
S.A.	Società Anonima
SIAE	Società Italiana degli Autori e degli Editori
Sig.	Signor
Sig.na	Signorina
Sig.ra	Signora
SIP	Società italiana per l'esercizio telefonico
s.l.m.	sul livello del mare
SME	Sistema Monetario Europeo
S.p.A.	Società per Azioni
S.S.	Sua Santità
s.s.	strada statale
UIL	Unione Italiana del Lavoro
UNESCO	United Nations Educational, Scientific and Cultural Organization: *Organizzazione delle Nazioni Unite per l'Educazione, la Scienza e la Cultura*
UNICEF	United Nations International Children's Emergency Fund: *Fondo Internazionale di Emergenza per l'Infanzia delle Nazioni Unite*
U.S.L.	Unità Sanitaria Locale
vs.	vostro, vostra

FRANÇAIS-ITALIEN
FRANCESE-ITALIANO

a

a [ɑ] m. a f. ou m. ‖ Loc. *prouver par A + B,* provare come due e due fanno quattro. | *ne savoir ni A ni B,* non sapere un'acca. | *de A à Z,* dall'a alla zeta. ‖ *bombe A,* bomba atomica.

à [ɑ] prép. **1.** Lieu : a, in. | [où l'on va] *aller au Danemark, au Japon, à Cuba, à Rome,* andare in Danimarca ; nel, in Giappone ; a Cuba, a Roma. | *aller à l'école, à la maison, à l'église, au secrétariat de l'université,* andare a scuola, a casa, in chiesa, alla segreteria dell'università. ‖ Fig. *tendre à la perfection,* mirare alla perfezione. ‖ [direction] *au nord, au sud,* a nord, a sud. ‖ [où l'on est] *vivre à la campagne,* vivere in campagna. | *vivre au Mexique, aux États-Unis,* vivere nel Messico, negli Stati Uniti. **2.** Temps : a, in, di. | *à sept heures,* alle sette. | *à minuit,* a mezzanotte. | *au seizième siècle,* nel Cinquecento. | *au printemps,* di primavera. | *à jamais,* per sempre. **3.** Appartenance : di. | *ce livre est à Pierre,* questo libro è di Pietro. | *il est à moi,* è mio. | *un ami à moi,* un amico mio. ‖ [tour] *c'est à moi,* tocca, spetta a me. | *c'est à toi de jouer,* spetta a te giocare. ‖ [devoir] *c'est à toi de te sacrifier,* tocca a te, ti tocca sacrificarti. **4.** But ; usage : da, per. | *salle à manger,* sala da pranzo. | *tasse à café,* tazza da caffè. | *boîte aux lettres,* buca delle, per le lettere. **5.** Caractérisation : con, da, a. | *l'enfant aux yeux bleus,* il bambino cogli, dagli occhi azzurri. | *une table à trois pieds,* un tavolo a tre gambe. **6.** Moyen ; instrument ; manière : a, con. | *taper à la machine,* battere a macchina. | *fermer à clef,* chiudere a chiave. | *couper au couteau,* tagliare col coltello. | *chauffage au gaz,* riscaldamento a gas. | *œufs au plat,* uova al tegame. | *café au lait,* caffè e latte. | *cuisine à l'huile,* cucina all'olio. | *sardines à l'huile,* sardine sott'olio. | *à pied, à bicyclette,* a piedi, in bicicletta. | *à la nage,* a nuoto. | *à pieds joints,* a piè pari. | *à peu de frais,* con poca spesa. ‖ [façon] *à la française,* alla francese. | *prendre au sérieux,* prendere sul serio. | *travailler à la hâte, à contrecœur,* lavorare in fretta, di mala voglia. ‖ *reconnaître qn à son air,* riconoscere qlcu. dall', all'aspetto. **7.** Agent : da. | *mangé aux vers,* roso dai vermi. | *je l'ai entendu dire à un ami,* l'ho sentito dire da un amico. | *à lui seul,* da solo. | *à nous deux nous y arriverons,* in due ce la faremo. **8.** Origine ; point de départ : da, a. | *puiser à la source,* attingere dalla, alla sorgente. | *acheter un livre à qn,* comprare un libro da qlcu. | *aller à la ligne,* andare a capo. **9.** Valeur ; prix : da. | *une place à dix francs,* un posto da dieci franchi. | *acheter à cent lires le kilo,* comprare a cento lire il chilo. **10.** Conséquence : da. | *il n'est pas homme à le faire,* non è uomo da farlo. **11.** Obligation : da. | *leçon à apprendre,* lezione da imparare. **12.** Distribution : a. | *cinq litres aux cent,* cinque litri ogni cento chilometri. | *rouler à cent à l'heure,* correre a cento all'ora. | *un à un,* a uno a uno. | *(au fur et) à mesure,* a mano a mano, man mano. **13.** [introduisant un compl. d'attribution] *donner à un ami,* dare a un amico. ‖ [introduisant un compl. ind.] *dire à qn,* dire a qlcu. | *parler à qn,* parlare con qlcu. ‖ [introduisant le compl. d'un adj.] *facile, difficile à comprendre,* facile, difficile da capire, a capirsi.

abaissant, e [abɛsɑ̃, ɑ̃t] adj. avvilente, degradante. | *conduite abaissante,* condotta avvilente.

abaissement [abɛsmɑ̃] m. abbassamento. ‖ Fig. abbassamento, decadenza f. ‖ Comm. ribasso.

abaisser [abɛse] v. tr. abbassare, sbassare. | *abaisser les yeux,* abbassar gli occhi. | *abaisser un mur,* sbassare un muro. ‖ [réduire] | *abaisser les impôts,* ridurre le imposte. | *abaisser les prix,* ribassare i prezzi. ‖ Géom. abbassare, tirare, calare. ‖ Fig. sbassare, umiliare, deprimere. ◆ v. pr. scendere, calare v. intr. ‖ Fig. abbassarsi, umiliarsi, avvilirsi.

abandon [abɑ̃dɔ̃] m. abbandono. | *être à l'abandon,* essere in abbandono. ‖ [renonciation] *abandon de ses droits,* abbandono dei, rinuncia (f.) ai propri diritti. || [relâchement] *abandon dans les mœurs,* rilassatezza (f.) dei costumi. || [confiance] *abandon à Dieu,* rassegnazione (f.) alla volontà di Dio. | *parler avec abandon,* parlare fiduciosamente. || JUR. abbandono. | *abandon d'actif,* cessione (f.) dell'attivo.

abandonné, e [abɑ̃dɔne] adj. abbandonato, derelitto.

abandonner [abɑ̃dɔne] v. tr. [quitter] abbandonare, lasciare. | *je vous abandonne ce point,* vi concedo questo punto. || [renoncer à] abbandonare, rinunciare a, desistere da. || [négliger] abbandonare, trascurare. || [confier] lasciare. || [laisser aller] abbandonare. || [livrer] abbandonare. ◆ v. pr. [céder] abbandonarsi. | *s'abandonner à la joie,* darsi alla pazza gioia. | *s'abandonner à la douleur,* lasciarsi vincere dal dolore. || [se laisser aller] lasciarsi andare, perdersi d'animo, avvilirsi. || [se confier] *s'abandonner entre les mains de qn,* (ri)mettersi nelle mani di qlcu.

abasourdir [abazurdir] v. tr. assordare, stordire. || FIG., FAM. sbalordire.

abâtardir [abɑtardir] v. tr. imbastardire. || FIG. imbastardire, avvilire, degradare. ◆ v. pr. imbastardirsi.

abat-jour [abaʒur] m. inv. paralume m.

abats [aba] m. pl. [de boucherie] frattaglie f. pl. ; [de volaille] rigaglie f. pl.

abattage [abataʒ] m. [arbres, murs] abbattimento, atterramento. || [animaux] macellazione f. || MIN. taglio. || FIG., FAM. brio, maestria f., estro (L.C.).

abattement [abatmɑ̃] m. abbattimento, spossatezza f. || FIG. abbattimento, accasciamento, prostrazione f. || COMM. abbuono, sconto, defalco. || FIN. *abattement à la base,* deduzione (f.) alla base (dell'imponibile). | *abattements fiscaux,* detrazioni (f. pl.) fiscali.

abattoir [abatwar] m. macello, mattatoio, ammazzatoio. || FIG. macello.

abattre [abatr] v. tr. abbattere, atterrare, buttar giù. || [tuer] ammazzare, uccidere, freddare. || FIG. [affaiblir, décourager] abbattere, fiaccare, spossare. | *se laisser abattre,* perdersi d'animo. || [faire cesser] *abattre la résistance de l'ennemi,* vincere la resistenza del nemico. || FAM. [accomplir] *abattre des kilomètres,* divorare i chilometri. ◆ v. pr. [tomber] abbattersi ; cadere, precipitare v. intr. || [fondre sur] avventarsi, piombare v. intr. | *s'abattre sur qn,* piombare addosso a qlcu.

abattu, e [abaty] adj. abbattuto, accasciato, spossato. || FIG. accasciato, avvilito.

abbaye [abei] f. abbazia.

abbé [abe] m. abate. || [séculier] prete, sacerdote, reverendo. | *oui, monsieur l'abbé,* sì, reverendo.

abbesse [abɛs] f. badessa.

abc [abese] m. PR. et FIG. abbicci inv.

abcès [apsɛ] m. ascesso, postema f. || PR. *crever un abcès,* incidere un ascesso. || FIG. *crever, vider l'abcès,* svuotare l'ascesso, togliere il marcio.

abdication [abdikasjɔ̃] f. abdicazione.

abdiquer [abdike] v. tr. et intr. abdicare. | *abdiquer (la couronne),* abdicare (al trono). || [céder] cedere, desistere.

abdomen [abdɔmɛn] m. addome.

abdominal, e, aux [abdɔminal, o] adj. addominale.

abécédaire [abesedɛr] m. abbecedario, sillabario.

abeille [abɛj] f. ape. | *abeille mâle,* fuco m. | *reine des abeilles,* ape regina.

aberrant, e [abɛrɑ̃, ɑ̃t] adj. aberrante, sbagliato.

aberration [abɛrasjɔ̃] f. aberrazione.

abêtir [abetir] v. tr. abbrutire, istupidire, incretinire. ◆ v. pr. rimbecillire, incretinire v. intr.

abhorrer [abɔre] v. tr. aborrire, odiare.

abîme [abim] m. abisso. || FIG. abisso, perdizione f., rovina f.

abîmé [abime] adj. guasto, rovinato, sciupato.

abîmer [abime] v. tr. guastare, rovinare, sciupare. ◆ v. pr. [se détériorer] guastarsi, sciuparsi. || [s'engloutir] inabissarsi, sprofondarsi.

abject, e [abʒɛkt] adj. abietto, ignobile, vile.

abjection [abʒɛksjɔ̃] f. abiezione, viltà.

abjuration [abʒyrasjɔ̃] f. abiura.

abjurer [abʒyre] v. tr. et intr. abiurare.

ablation [ablasjɔ̃] f. CHIR., GÉOL. ablazione.

ablette [ablɛt] f. ZOOL. alborella.

ablution [ablysjɔ̃] f. abluzione.

abnégation [abnegasjɔ̃] f. abnegazione, sacrificio m. | *faire abnégation de qch.,* rinunciare a qlco.

aboiement [abwamɑ̃] m. abbaio, latrato. || FIG. *les aboiements de la presse,* lo sbraitare della stampa.

abois [abwa] m. pl. *être aux abois,* essere ridotto agli estremi, alle strette.

abolir [abɔlir] v. tr. abolire, annullare, abrogare.

abolition [abɔlisjɔ̃] f. abolizione, annullamento m.

abominable [abɔminabl] adj. abominevole, nefando, esecrando. || FAM. *temps abominable,* tempaccio m.

abomination [abɔminasjɔ̃] f. abominazione, abominio m. | *avoir en abomination qn, qch.,* detestare, aborrire. | *dire des abominations,* dire cose orrende. | *l'abomination de la désolation,* il colmo dell'orrore.

abondance [abɔ̃dɑ̃s] f. abbondanza, copia ; dovizia (litt.). | *corne d'abondance,* corno (m.) dell'abbondanza, cornucopia. | *parler avec abondance,* aver facondia. | *parler d'abondance,* improvvisare. | *en abondance,* in abbondanza.

abondant, e [abɔ̃dɑ̃, ɑ̃t] adj. abbondante, copioso.

abonder [abɔ̃de] v. intr. abbondare. || FIG. *abonder dans le sens de,* condividere a pieno il parere di.

abonné, e [abɔne] adj. et n. abbonato. || [électricité, gaz, téléphone] utente.

abonnement [abɔnmɑ̃] m. abbonamento.

abonner [abɔne] v. tr. abbonare. ◆ v. pr. (à) abbonarsi (a), fare l'abbonamento (a).

abord [abɔr] m. accesso. || MAR. abbordo, approdo. || FIG. *homme d'un abord facile,* uomo di facile accesso. ◆ pl. dintorni, vicinanze f. pl. ◆ ***d'abord,*** prima, anzitutto. || ***au premier abord,*** a prima vista, alla prima, di primo acchito. || ***tout d'abord,*** sulle prime, a tutta prima, all'inizio, subito.

abordable [abɔrdabl] adj. abbordabile, accessibile, accostabile. || FAM. [coût] accessibile ; conveniente.

abordage [abɔrdaʒ] m. MAR. abbordaggio, abbordo, arrembaggio.

aborder [abɔrde] v. intr. MAR. (dans) approdare (a), sbarcare (su). ◆ v. tr. [prendre d'assaut] abbordare. || [heurter] investire ; scontrarsi (con). || [attaquer] assalire, assaltare. || [accoster] accostarsi (a) ; rivolgere la parola, il discorso (a). || *aborder un virage,* abbordare una curva. | *aborder une ligne droite,* entrare in, infilare un rettilineo. || FIG. [entamer] cominciare, iniziare. || [s'attaquer à] *aborder un problème,* affrontare un problema. | *aborder une difficulté,* prendere a trattare una difficoltà.

aborigène [abɔriʒɛn] adj. et n. aborigeno.

aboucher [abuʃe] v. tr. [joindre] abboccare. || FIG. *aboucher deux personnes,* mettere due persone in relazione. ◆ v. pr. *s'aboucher avec qn,* abboccarsi con qlcu.

aboulique [abulik] adj. et n. abulico.

aboutir [abutir] v. tr. ind. (à, dans) [chemin] far capo (a), riuscire (in), sboccare (in). || [cours d'eau] sboccare (in), sfociare (in). || FIG. approdare. ◆ v. intr. riuscire, aver buon esito. || MÉD. risolversi.

aboutissement [abutismɑ̃] m. esito, risultato, riuscita f. || MÉD. risoluzione f.

aboyer [abwaje] v. intr. abbaiare, latrare. ◆ v. tr. ind. (à, après, contre) abbaiare (contro, dietro). | *aboyer à la lune,* latrare, abbaiare alla luna. || FIG. [invectiver] abbaiare (addosso a), inveire (contro).

abracadabrant, e [abrakadabrɑ̃, ɑ̃t] adj. FAM. strampalato, stravagante.

abrasif, ive [abrazif, iv] adj. et m. abrasivo.

abrégé [abreʒe] m. riassunto, sunto, compendio. || [ouvrage] compendio, prontuario. ◆ ***en abrégé,*** in compendio, in breve.

abréger [abreʒe] v. tr. abbreviare, accorciare, compendiare. | *pour abréger,* per farla breve.

abreuver [abrøve] v. tr. abbeverare, far bere. || FIG. *abreuver d'injures,* coprire d'ingiurie. ◆ v. pr. abbeverarsi, dissetarsi.

abreuvoir [abrøvwar] m. abbeveratoio.

abréviation [abrevjasjɔ̃] f. abbreviatura, abbreviazione.

abri [abri] m. PR. et FIG. riparo, rifugio, ricovero. | *être à l'abri,* essere, stare al sicuro. | *chercher abri à l'étranger,* riparare all'estero. || *les sans-abri* (inv.), i senzatetto.

abricot [abriko] m. albicocca f.

abricotier [abrikɔtje] m. albicocco.

abriter [abrite] v. tr. riparare, proteggere. | *abriter de la pluie,* riparare dalla pioggia. || FIG. ricoverare, ospitare. ◆ v. pr. riparare v. intr.

abrogation [abrɔgasjɔ̃] f. abrogazione, revoca.

abroger [abrɔʒe] v. tr. abrogare, annullare, revocare.

abrupt, e [abrypt] adj. scosceso, dirupato, ripido. || FIG. [caractère, style] aspro. | *manières abruptes,* modi bruschi, sgarbati. ◆ m. GÉOGR. pendio, dirupo, scoscendimento, balza f.

abruti [abryti] adj. FAM. stupido, imbecille.

abrutir [abrytir] v. tr. abbrutire, istupidire. || FIG., FAM. *abrutir qn de travail,* sovraccaricare, opprimere qlcu. di lavoro (L.C.). ◆ v. pr. abbrutirsi. || FIG., FAM. *s'abrutir de travail,* ammazzarsi di lavoro.

abrutissant, e [abrytisɑ̃, ɑ̃t] adj. [travail] massacrante.

abrutissement [abrytismɑ̃] m. abbrutimento.

abscisse [apsis] f. ascissa.

absence [apsɑ̃s] f. assenza. | *en l'absence de,* in assenza di. || FIG. assenza, mancanza. || [distraction] distrazione, disattenzione.

absent, e [apsɑ̃, ɑ̃t] adj. assente. || FIG. assente, distratto, disattento. ◆ n. assente.

absentéisme [apsɑ̃teism] m. assenteismo.

absenter (s') [sapsɑ̃te] v. pr. (de) assentarsi (da), allontanarsi (da).
abside [apsid] f. abside.
absolu, e [apsɔly] adj. assoluto. || FIG. *ton absolu,* tono reciso, imperioso. ◆ m. PHILOS. assoluto.
absolument [apsɔlymɑ̃] adv. [complètement] assolutamente. || [nécessairement] di necessità ; necessariamente. || GR. assolutamente.
absolution [apsɔlysjɔ̃] f. REL. assoluzione. || JUR. assoluzione, proscioglimento m.
absorbant, e [apsɔrbɑ̃, ɑ̃t] adj. et m. assorbente.
absorbé, e [apsɔrbe] adj. assorto, astratto.
absorber [apsɔrbe] v. tr. [s'imbiber de] assorbire, succhiare. || [manger, boire] assorbire, inghiottire, ingoiare, ingerire. || [faire disparaître] assorbire. || FIG. [consommer] assorbire, consumare. || [occuper fortement] assorbire, occupare. || [assimiler, lire] assorbire, ingerire. ◆ v. pr. FIG. immergersi, sprofondarsi, tuffarsi, ingolfarsi.
absorption [apsorpsjɔ̃] f. PR. et FIG. assorbimento m., ingerimento m., ingestione.
absoudre [apsudr] v. tr. JUR., REL. (de) assolvere, prosciogliere (da). || [pardonner] assolvere, perdonare.
absoute [apsut] f. REL. assoluzione.
abstenir (s') [sapstənir] v. pr. *(de)* astenersi (da). | *s'abstenir de fumer,* astenersi dal fumare.
abstention [apstɑ̃sjɔ̃] f. astensione.
abstentionnisme [apstɑ̃sjɔnism] m. astensionismo.
abstentionniste [apstɑ̃sjɔnist] adj. et n. astensionista.
abstinence [apstinɑ̃s] f. astinenza.
abstinent, e [apstinɑ̃, ɑ̃t] adj. et n. astinente.
abstraction [apstraksjɔ̃] f. [action d'abstraire] astrazione. || [ce qui est abstrait] astrattezza. || *faire abstraction de,* prescindere da, fare astrazione da. | *abstraction faite de cette exception,* prescindendo da, a prescindere da questa eccezione.
abstraire [apstrɛr] v. tr. astrarre. ◆ v. pr. (de) astrarsi (da), sottrarsi (a).
abstrait, e [apstrɛ, ɛt] adj. astratto. | *art abstrait,* arte astratta ; astrattismo. || [difficile] astruso. ◆ m. astratto. || [artiste] astrattista.
absurde [apsyrd] adj. et m. assurdo. | *démonstration par l'absurde,* dimostrazione per assurdo.
absurdité [apsyrdite] f. assurdità.
abus [aby] m. abuso, eccesso. || [injustice] abuso, prepotenza f., sopraffazione f., sopruso, soverchieria f. || POP. *il y a de l'abus !,* esageri (*ou* esagera, esagerate, esagerano) [L.C.] !
abuser [abyze] v. tr. [tromper] ingannare, gabbare. ◆ v. tr. ind. *(de)* abusare (di). | *abuser de la bonne foi de qn,* abusare, approfittarsi della buona fede di qlcu. ◆ v. pr. ingannarsi. | *si je ne m'abuse,* se non sbaglio, se non erro.
abusif, ive [abyzif, iv] adj. abusivo. | *mère, veuve abusive,* madre, vedova invadente.
acabit [akabi] m. FAM., PÉJOR. genere, risma f.
acacia [akasja] m. acacia f.
académicien, enne [akademisjɛ̃, ɛn] n. accademico m.
académie [akademi] f. accademia. | *académie de musique,* scuola di musica. | *académie de billard,* circolo (m.) di biliardo. || ART accademia, nudo m. || UNIV. circoscrizione scolastico-amministrativa. | *inspecteur d'académie,* provveditore agli studi.
académique [akademik] adj. accademico. | *inspection académique,* provveditorato (m.) agli studi. || PÉJOR. accademico, retorico.
acajou [akaʒu] m. [arbre] anacardio, acagiù. || [bois, couleur] mogano.
acariâtre [akarjɑtr] adj. scontroso, permaloso.
accablant, e [akablɑ̃, ɑ̃t] adj. opprimente. | *indices accablants,* indizi schiaccianti.
accablement [akabləmɑ̃] m. abbattimento.
accabler [akable] v. tr. [écraser] opprimere. || [vaincre] sopraffare. || [abattre] accasciare. || [surcharger] aggravare, sovraccaricare. | *accablé de dettes,* oberato di debiti. | *accablé d'années,* carico d'anni. || [combler] caricare, colmare, coprire. || [fatiguer] *accabler de questions,* tempestare di domande.
accalmie [akalmi] f. MÉTÉOR. accalmia, bonaccia ; [éclaircie] schiarita. || FIG. tregua, schiarita.
accaparement [akaparmɑ̃] m. incetta f., accaparramento.
accaparer [akapare] v. tr. COMM. incettare, accaparrare. || FIG. accaparrare ; impossessarsi di. | *accaparer qn,* impossessarsi di qlcu. | *accaparer la conversation,* monopolizzare la conversazione.
accapareur, euse [akaparœr, øz] n. incettatore, trice ; accaparratore, trice.
accéder [aksede] v. tr. ind. (à) [arriver à] accedere (a). || [consentir à] accedere (a), aderire (a), acconsentire (a).
accélérateur [akseleratœr] m. acceleratore.
accélération [akselerasjɔ̃] f. accelerazione m., accelerazione.

accéléré [akselere] m. CIN. accelerato.
accélérer [akselere] v. tr. accelerare, affrettare. ◆ v. intr. accelerare.
accent [aksɑ̃] m. accento. ‖ FIG. *mettre l'accent sur,* porre l'accento su, insistere su, dar risalto a. ◆ pl. accenti.
accentuation [aksɑ̃tyasjɔ̃] f. [prononciation] accentazione. ‖ FIG. accentuazione, (l')accentuarsi.
accentué, e [aksɑ̃tye] adj. GR. accentato. ‖ FIG. accentuato, marcato.
accentuer [aksɑ̃tye] v. tr. GR. accentare. ‖ [renforcer] accentuare, aumentare, accrescere. ◆ v. pr. accentuarsi ; aumentare, crescere (v. intr.).
acceptable [aksɛptabl] adj. accettabile.
acceptation [aksɛptasjɔ̃] f. accettazione.
accepter [aksɛpte] v. tr. [admettre, consentir à] accettare, ammettere. ‖ [supporter] accettare, tollerare. ‖ [agréer] gradire. | *veuillez accepter l'expression de mes sentiments respectueux,* gradisca i miei rispettosi saluti.
acception [aksɛpsjɔ̃] f. GR. accezione. | *dans toute l'acception du mot,* in tutta l'estensione del vocabolo. ‖ LITT. *sans acception de personne,* senza riguardo alle persone.
accès [aksɛ] m. accesso, accostamento, adito, ingresso. | *accès interdit,* vietato l'accesso, l'ingresso. | *avoir accès aux archives,* avere libero accesso all'archivio. | *donner accès à une carrière,* dare adito ad una carriera. ‖ FIG. *personne d'accès facile,* persona di facile accesso. ‖ [attaque, crise] accesso, attacco. | *accès de fièvre,* accesso febbrile. ‖ [impulsion] accesso, impeto.
accessible [aksɛsibl] adj. accessibile.
accession [aksɛsjɔ̃] f. accessione. | *accession à l'indépendance, à la propriété,* accessione all'indipendenza, alla proprietà. | *accession à l'O. N. U.,* ammissione all' O. N. U. | *accession au pontificat, au trône,* assunzione al pontificato, al trono.
accessoire [aksɛswar] adj. et m. accessorio. ◆ m. pl. [d'auto, de bicyclette] accessori. ‖ TH. attrezzi, attrezzeria f.
accessoiriste [aksɛswarist] n. attrezzista ; trovarobe m. inv.
accident [aksidɑ̃] m. [événement fortuit] accidente, caso. | *les accidents de la vie,* le vicende della vita. ‖ [malheur] incidente, sciagura f., disgrazia f., infortunio, sinistro. | *un grave accident de la route,* una sciagura stradale. | *accident du travail,* infortunio sul lavoro. | *accident de chemin de fer, d'avion,* incidente ferroviario, aereo. ‖ GÉOGR. accidente, ineguaglianza f. ‖ MUS., PHILOS. accidente.
accidenté, e [aksidɑ̃te] adj. [inégal] accidentato, vario, ineguale, tormentato. ‖ [victime d'un accident] infortunato. | *voiture accidentée,* macchina sinistrata. ◆ n. infortunato. | *un accidenté du travail,* un infortunato sul lavoro.
accidentel, elle [aksidɑ̃tɛl] adj. [fortuit] accidentale, casuale, fortuito.
accidentellement [aksidɑ̃tɛlmɑ̃] adv. [par accident] accidentalmente. ‖ [par hasard] accidentalmente, fortuitamente, per caso.
accidenter [aksidɑ̃te] v. tr. [personne] investire. ‖ [voiture] danneggiare.
acclamation [aklamasjɔ̃] f. acclamazione, applauso m., plauso (litt.) m. | *élire par acclamation,* eleggere per acclamazione.
acclamer [aklame] v. tr. acclamare ; inneggiare (a).
acclimater [aklimate] v. tr. acclimatare. ◆ v. pr. acclimatarsi, assuefarsi, ambientarsi.
accolade [akɔlad] f. abbraccio m. | *donner l'accolade à,* abbracciare v. tr. ‖ HIST. accollata. ‖ TYP. graffa.
accoler [akɔle] v. tr. [joindre] congiungere, accoppiare, appaiare. ‖ TYP. (ri)unire con (una) graffa.
accommodant, e [akɔmɔdɑ̃, ɑ̃t] adj. [complaisant] accomodante, conciliante, remissivo.
accommodation [akɔmɔdasjɔ̃] f. adattamento m. ‖ OPT. accomodazione.
accommodement [akɔmɔdmɑ̃] m. accomodamento.
accommoder [akɔmɔde] v. tr. accomodare, adattare, aggiustare. ‖ JUR. *accommoder un différend,* accomodare una lite ; appianare, comporre una vertenza. ‖ CULIN. [apprêter] preparare, ammannire. ‖ IRON. *il l'a bien accommodé !,* l'ha conciato per le feste, per il dì delle feste ! ‖ PSYCH. adattare, ambientare. ◆ v. pr. (à) [s'adapter] adattarsi (a), abituarsi (a). ‖ (de) [se contenter] (ac)contentarsi (di).
accompagnateur, trice [akɔ̃paɲatœr, tris] adj. et n. accompagnatore, trice. ◆ m. TR. agente di scorta.
accompagnement [akɔ̃paɲmɑ̃] m. accompagnamento.
accompagner [akɔ̃paɲe] v. tr. accompagnare.
accompli, e [akɔ̃pli] adj. [terminé] compiuto. ‖ [parfait] perfetto, provetto, consumato, finito.
accomplir [akɔ̃plir] v. tr. [achever] compiere, compire. | *accomplir un travail,* compiere un lavoro. ‖ [exécuter] compiere, adempire, eseguire, espletare. | *accomplir un devoir, une promesse, un vœu,* compiere, adempire, adempiere un dovere, una promessa,

un voto. | *accomplir une démarche,* espletare una pratica. | *accomplir une mission,* compiere una missione. ◆ v. pr. compiersi, compirsi, effettuarsi. || [se réaliser] compiersi, adempirsi, adempiersi, avverarsi, verificarsi.

accomplissement [akɔ̃plismɑ̃] m. [achèvement] compimento, adempimento. || [exécution] compimento, esecuzione f., espletazione f.

accord [akɔr] m. [harmonie, entente] accordo, intesa f. || [convention] accordo, patto. | *ne pas respecter un accord,* non stare ai patti. || GR. concordanza f., accordo. || MUS. accordo. | *faux accord,* stonatura f. ◆ FAM. *d'accord !,* d'accordo ! | *tout à fait d'accord !,* d'accordissimo !

accordéon [akɔrdeɔ̃] m. fisarmonica f.

accordéoniste [akɔrdeɔnist] n. fisarmonicista.

accorder [akɔrde] v. tr. [mettre d'accord] accordare, conciliare. || MUS. accordare. || FAM. *accordez vos violons,* mettetevi d'accordo (L.C.). || GR. concordare. || [octroyer, concéder] accordare, concedere. || [admettre] ammettere. ◆ v. pr. [se mettre d'accord] accordarsi. || [être d'accord] concordare ; andare d'accordo. || GR. concordare v. intr.

accordeur [akɔrdœr] m. accordatore.

accorte [akɔrt] adj. f. leggiadra, avvenente, piacente.

accostage [akɔstaʒ] m. attracco, accostata f., accostamento.

accoster [akɔste] v. tr. et intr. MAR. accostare (a), attraccare (a), approdare (a) v. intr. ◆ v. tr. *accoster qn,* accostare, avvicinare qlcu.

accotement [akɔtmɑ̃] m. [routier] banchina f. (stradale) ; [ferroviaire] pista f.

accouchée [akuʃe] f. puerpera.

accouchement [akuʃmɑ̃] m. parto. | *accouchement sans douleur,* parto indolore. | *clinique d'accouchement,* clinica ostetrica.

accoucher [akuʃe] v. intr. et tr. ind. (de) partorire v. tr., sgravarsi v. pr. || FIG., FAM. *accoucher d'une souris,* partorire un topo. ◆ v. tr. *accoucher une femme,* assistere una partoriente.

accoucheur, euse [akuʃœr, øz] n. ostetrico m. ; [sage-femme] ostetrica f., levatrice f.

accouder (s') [sakude] v. pr. appoggiarsi sul, col gomito. | *s'accouder à la fenêtre, au balcon,* affacciarsi alla finestra, al balcone.

accoudoir [akudwar] m. appoggiatoio, bracciolo.

accouplement [akupləmɑ̃] m. accoppiamento.

accoupler [akuple] v. tr. accoppiare. ◆ v. pr. accoppiarsi.

accourir [akurir] v. intr. accorrere, correre.

accoutrement [akutrəmɑ̃] m. abbigliamento ridicolo.

accoutumance [akutymɑ̃s] f. assuefazione.

accoutumé, e [akutyme] adj. abituato, assuefatto, avvezzo. || [habituel] solito. ◆ f. *à l'accoutumée,* di solito, abitualmente, consuetamente.

accoutumer [akutyme] v. tr. abituare, avvezzare, assuefare. ◆ v. pr. (à) abituarsi (a), avvezzarsi (a), assuefarsi (a).

accréditer [akredite] v. tr. accreditare. ◆ v. pr. diffondersi, propagarsi, accreditarsi.

accroc [akro] m. squarcio, strappo. || FIG., FAM. intoppo, inciampo. | *l'affaire n'alla pas sans accroc,* la cosa non andò liscia.

accrochage [akrɔʃaʒ] m. (l')appendere. || FAM. [querelle] battibecco. || MIL. scontro. || MIN. sbocco. || TR. [chemin de fer] agganciamento. | scontro, urto.

accroche-cœur [akrɔʃkœr] m. inv. tirabaci.

accrocher [akrɔʃe] v. tr. [suspendre] appendere. | [attacher] agganciare, attaccare. || [heurter] urtare contro, investire. || [retenir] aggrappare. || MIL. attaccare. || FIG., FAM. [saisir] carpire, arraffare. ◆ v. pr. attaccarsi. || [se heurter] scontrarsi. || FIG., FAM. [importuner] appiccicarsi (a). || [ne pas céder] puntare i piedi.

accroire [akrwar] v. tr. *faire, laisser accroire,* dare ad intendere. | *en faire accroire à qn,* darla a bere ad uno.

accroissement [akrwasmɑ̃] m. incremento.

accroître [akrwatr] v. tr. accrescere, incrementare. ◆ v. pr. crescere, aumentare v. intr.

accroupi, e [akrupi] adj. accoccolato.

accroupir (s') [sakrupir] v. pr. accoccolarsi.

accu [aky] m. FAM. = ACCUMULATEUR. | *les accus sont à plat,* la batteria è scarica.

accueil [akœj] m. accoglienza f. | *centre d'accueil,* centro d'assistenza. | *terre d'accueil,* paese ospitale.

accueillant, e [akœjɑ̃, ɑ̃t] adj. accogliente, ospitale.

accueillir [akœjir] v. tr. accogliere, ricevere. | [héberger] ospitare, albergare. || [accepter] accettare, gradire.

acculer [akyle] v. tr. stringere (a), mettere con le spalle (a). | *acculer au mur,* mettere con le spalle al muro. | *accu-*

ler au suicide, spingere, ridurre al suicidio. | *être acculé,* essere alle strette.

accumulateur [akymylatœr] m. accumulatore.

accumulation [akymylasjɔ̃] f. accumulazione, ammucchiamento m., cumulo m. || GÉOGR. sedimentazione.

accumuler [akymyle] v. tr. accumulare, ammassare, ammucchiare. ◆ v. pr. accumularsi, ammucchiarsi.

accusateur, trice [akyzatœr, tris] adj. accusatorio. ◆ n. JUR. accusatore, trice.

accusation [akyzasjɔ̃] f. accusa. | *lancer une accusation,* muovere un'accusa. || JUR. *(arrêt de) mise en accusation,* (sentenza di) rinvio a giudizio. | *chambre des mises en accusation,* sezione d'accusa.

accusé, e [akyze] n. [personne] accusato. || JUR. imputato. | *accusé libre,* imputato a piede libero. ◆ m. [attestation] *accusé de réception,* ricevuta f. | *recommandée avec accusé de réception,* raccomandata con ricevuta di ritorno.

accuser [akyze] v. tr. [inculper] accusare, incolpare, imputare. || [révéler] accusare, svelare, dimostrare. || [accentuer] accentuare; dare risalto a. || COMM. *accuser réception,* accusar ricevuta. ◆ v. pr. accusarsi. || [s'accentuer] accentuarsi.

acerbe [asɛrb] adj. acerbo, aspro.

acéré, e [asere] adj. [pointu] acuto, aguzzo. || [tranchant] tagliente, affilato. || FIG. mordente, pungente.

acétylène [asetilɛn] m. CHIM. acetilene.

achalandé, e [aʃalɑ̃de] adj. FAM. [approvisionné] ben fornito, ben avviato (L.C.).

acharné, e [aʃarne] adj. accanito.

acharnement [aʃarnəmɑ̃] m. accanimento.

acharner (s') [saʃarne] v. pr. accanirsi.

achat [aʃa] m. acquisto, comp(e)ra f. | *achat au comptant, à crédit,* acquisto in contanti, a credito. | *l'achat et la vente de marchandises,* la compravendita di merci.

acheminement [aʃminmɑ̃] m. avvio, avviamento, inoltro. | *acheminement des trains,* avvio dei treni. | *acheminement du courrier, d'un dossier,* inoltro della posta, di una pratica.

acheminer [aʃmine] v. tr. [trains] avviare. || [courrier, dossier] inoltrare. || [marchandises, troupes] convogliare. ◆ v. pr. avviarsi, incamminarsi.

acheter [aʃte] v. tr. comprare, acquistare, acquisire. || FIG. [payer] comprare, pagare. || [corrompre] corrompere, subornare.

acheteur, euse [aʃtœr, øz] n. compratore, trice.

achevé, e [aʃve] adj. compiuto, perfetto.

achèvement [aʃɛvmɑ̃] m. compimento, completamento; ultimazione f.

achever [aʃve] v. tr. [terminer] compiere, terminare, ultimare. | *achever de parler,* finire di parlare. || [tuer] finire; dare il colpo di grazia a. ◆ v. pr. finire, terminare v. intr.

achoppement [aʃɔpmɑ̃] m. ostacolo, inciampo, intoppo.

acide [asid] adj. et m. acido.

acidité [asidite] f. acidità.

acidulé, e [asidyle] adj. acidulo.

acier [asje] m. acciaio.

aciérie [asjeri] f. acciaieria.

acné [akne] f. MÉD. acne.

acolyte [akɔlit] m. accolito. || PÉJOR. complice.

acompte [acɔ̃t] m. acconto. | *en acompte,* in acconto.

acoquiner (s') [sakɔkine] v. pr. PÉJOR. *s'acoquiner avec qn,* incanagliarsi, ingaglioffarsi con qlcu.

à-côté [akɔte] m. (pl. **à-côtés**) aspetto secondario. || [dépenses] spese (f. pl.) extra. || [gains] (guadagno) extra; gli extra.

à-coup [aku] m. (pl. **à-coups**) scatto, strappo; scossa f. || FIG. inciampo, intoppo.

acoustique [akustik] adj. acustico. ◆ f. PHYS. acustica.

acquéreur [akerœr] m. acquirente, compratore.

acquérir [akerir] v. tr. acquistare, comprare, acquisire.

acquiescement [akjɛsmɑ̃] m. consenso.

acquiescer [akjɛse] v. tr. ind. (à) assentire (a), (ac)consentire (a). ◆ v. intr. annuire, assentire.

acquis, e [aki, iz] adj. [dévoué] devoto. || [obtenu] acquisito, acquistato. || FIG. *c'est un fait acquis que,* è un fatto accertato, certo, è pacifico che. ◆ m. cognizioni f. pl., esperienza f.

acquisition [akizisjɔ̃] f. [action] acquisto m.

acquit [aki] m. quietanza f., ricevuta f. | *pour acquit,* per quietanza. || FIG. *par acquit de conscience,* per sgravio di coscienza.

acquittement [akitmɑ̃] m. pagamento (liberatorio). | *l'acquittement d'une facture,* il quietanzare una fattura. || JUR. assoluzione f., proscioglimento.

acquitter [akite] v. tr. pagare, quietanzare. || [libérer] liberare. || JUR. assolvere, prosciogliere. ◆ v. pr. liberarsi, sdebitarsi. | *s'acquitter d'une tâche,*

assolvere un compito. | *s'acquitter d'une mission,* compiere una missione.
âcre [ɑkr] adj. acre, aspro.
âcreté [ɑkrəte] f. acredine.
acrimonie [akrimɔni] f. acrimonia, asprezza.
acrobate [akrɔbat] n. acrobata.
acrobatie [akrɔbasi] f. acrobazia. | *exercices d'acrobatie,* esercizi acrobatici ; acrobatismi m. pl. || [profession] acrobatica ; acrobatismo m.
acte [akt] m. atto. | *faire acte de présence,* far atto di presenza. || JUR., TH. atto. | *dresser un acte,* stendere un atto. || *dont acte,* ne diamo atto.
acteur, trice [aktœr, tris] n. attore m., attrice f.
actif, ive [aktif, iv] adj. [personne] attivo, operoso, laborioso. || [chose] attivo, energico, efficace. || MIL. *l'(armée) active,* l'esercito attivo. | *service actif,* servizio permanente. | *officier d'active,* ufficiale effettivo. ◆ m. COMM. attivo ; attività f. || FIG. *porter à l'actif de qn,* ascrivere a merito di qlcu.
action [aksjɔ̃] f. azione ; atto m., gesto m. | *action généreuse,* gesto generoso. | *l'action du poison, du temps,* l'azione del veleno, del tempo. | *être, mettre en action,* essere, mettere in azione, in moto. || MIL., SP. azione. || LITT. azione. | *unité d'action,* unità d'azione. || JUR. causa, azione, processo m. || FIN. azione. || REL. *actions de grâces,* azioni di grazia, ringraziamenti m. pl.
actionnaire [aksjɔnɛr] n. azionista m.
actionner [aksjɔne] v. tr. MÉC. azionare, mettere in moto. || JUR. promuovere un'azione contro.
activer [aktive] v. tr. [accélérer] accelerare, affrettare, sollecitare. || [rendre actif] attivare, attizzare. || FAM. *activez !,* presto ! (L.C.). ◆ v. pr. affaccendarsi, affrettarsi.
activité [aktivite] f. attività, operosità. | *en pleine activité,* in piena attività. | *volcan en activité,* vulcano attivo.
actuaire [aktɥɛr] m. attuario.
actualité [aktɥalite] f. attualità. ◆ pl. CIN. cinegiornale m.
actuel, elle [aktɥɛl] adj. attuale, presente.
acuité [akɥite] f. acutezza.
acupuncteur ou **acuponcteur, trice** [akypɔ̃ktœr, tris] n. MÉD. chi pratica l'agopuntura.
acupuncture ou **acuponcture** [akypɔ̃ktyr] f. agopuntura, acupuntura.
adage [adaʒ] m. adagio.
adaptation [adaptasjɔ̃] f. adattamento m., riduzione.
adapter [adapte] v. tr. adattare, ridurre. ◆ v. pr. adattarsi, accomodarsi, conformarsi, uniformarsi.
addition [adisjɔ̃] f. aggiunta, addizione. || MATH. addizione, somma. || [au restaurant] conto m.
additionner [adisjɔne] v. tr. addizionare, sommare. || [ajouter] aggiungere.
adepte [adɛpt] n. adepto m., seguace m.
adéquat, e [adekwa, at] adj. adeguato, adatto.
adhérence [aderɑ̃s] f. aderenza.
adhérent, e [aderɑ̃, ɑ̃t] adj. et n. aderente.
adhérer [adere] v. tr. ind. (à) aderire (a). | *la voiture adhère bien dans les virages,* la macchina tiene bene le curve.
adhésif, ive [adezif, iv] adj. et m. adesivo.
adhésion [adezjɔ̃] f. adesione.
adieu [adjø] interj. addio ! ; FAM. ciao ! ◆ m. addio. | *faire ses adieux (à),* dire addio (a), prendere commiato (da), accomiatarsi (da).
adjacent, e [adʒasɑ̃, ɑ̃t] adj. adiacente.
adjectif [adʒɛktif] m. aggettivo.
adjoindre [adʒwɛ̃dr] v. tr. aggiungere, associare. ◆ v. pr. aggiungersi, associarsi.
adjoint, e [adʒwɛ̃, ɛ̃t] adj. aggiunto. ◆ m. ADM. *adjoint au maire,* assessore delegato.
adjonction [adʒɔ̃ksjɔ̃] f. aggiunta, giunta.
adjudant [adʒydɑ̃] m. [sous-officier] maresciallo. | *adjudant-chef,* maresciallo capo. | *adjudant de gendarmerie,* maresciallo dei carabinieri. || FAM., PÉJOR. *c'est un véritable adjudant !,* è un vero caporale !
adjudicataire [adʒydikatɛr] m. [entreprise] appaltatore, aggiudicatario. || [aux enchères] aggiudicatario.
adjudication [adʒydikasjɔ̃] f. JUR. aggiudicazione. || [marché] appalto m.
adjuger [adʒyʒe] v. tr. [jugement ou vente] aggiudicare, assegnare. || [concours] dare, concedere in appalto. || [récompense] assegnare. ◆ v. pr. [s'approprier] appropriarsi, attribuirsi ; impadronirsi (di). || [gagner] vincere, riportare.
adjurer [adʒyre] v. tr. [supplier] scongiurare, implorare, supplicare.
admettre [admɛtr] v. tr. [recevoir] ammettere, accogliere, ricevere. | *être admis dans la classe supérieure,* essere promosso alla classe superiore. || [reconnaître] ammettere, riconoscere (per valido). || [supposer] ammettere, supporre. | *en admettant que,* ammesso che, concesso che, posto che. || [permettre] ammettere, permettere.
administrateur, trice [administratœr, tris] n. amministratore, trice.

administratif, ive [administratif, iv] adj. amministrativo.

administration [administrasjɔ̃] f. amministrazione. || JUR. allegazione, produzione. || MÉD. somministrazione. || REL. amministrazione.

administrer [administre] v. tr. amministrare. || JUR. addurre, allegare, produrre. || MÉD. somministrare. || REL. amministrare. || FAM. [infliger] mollare, somministrare.

admirable [admirabl] adj. ammirabile, meraviglioso, mirabile, ammirevole. || IRON. sorprendente, stupendo.

admirateur, trice [admiratœr, tris] n. ammiratore, trice.

admiratif, ive [admiratif, iv] adj. ammirativo.

admiration [admirasjɔ̃] f. ammirazione, meraviglia.

admirer [admire] v. tr. ammirare. || [s'étonner] meravigliarsi (di), stupirsi (di). ◆ v. pr. ammirarsi.

admissibilité [admisibilite] f. ammissibilità. || UNIV. ammissione agli orali.

admissible [admisibl] adj. ammissibile, accettabile. || UNIV. ammesso agli orali. || TECHN. *charge admissible,* carico consentito. ◆ n. UNIV. candidato (a) ammesso (a) agli orali.

admission [admisjɔ̃] f. ammissione.

admonester [admɔnɛste] v. tr. ammonire, rimproverare, riprendere, sgridare. || JUR. ammonire.

adolescence [adɔlɛsɑ̃s] f. età dello sviluppo ; sviluppo m. ; adolescenza (rare).

adolescent, e [adɔlɛsɑ̃, ɑ̃t] adj. et n. giovane ; ragazzo, a n. ; adolescente n. (rare).

adonner (s') [sadɔne] v. pr. darsi, dedicarsi, applicarsi. | *s'adonner au vice,* abbandonarsi al vizio.

adopter [adɔpte] v. tr. JUR. adottare. || *adopter une opinion,* adottare, sposare un'opinione. || *adopter un projet de loi,* adottare, approvare un disegno di legge. || *adopter une mode,* seguire una moda.

adoptif, ive [adɔptif, iv] adj. adottivo.

adoption [adɔpsjɔ̃] f. adozione.

adorable [adɔrabl] adj. adorabile.

adorateur, trice [adɔratœr, tris] n. adoratore, trice.

adoration [adɔrasjɔ̃] f. adorazione.

adorer [adɔre] v. tr. adorare, idolatrare.

adossé, e [adose] adj. *village adossé à une colline,* paese a ridosso di un colle.

adosser [adose] v. tr. (à) addossare (a), appoggiare (a). ◆ v. pr. addossarsi ; appoggiarsi (con la schiena).

adouber [adube] v. tr. HIST. dare l'investitura (di cavaliere) a. || [échecs] aggiustare.

adoucir [adusir] v. tr. addolcire, indolcire. | *adoucir l'eau,* dolcificare l'acqua. || FIG. addolcire, mitigare, lenire ; [animal] ammansire ; [homme] ammansire, rabbonire. || *adoucir une critique,* temperare una critica. | *la musique adoucit les mœurs,* la musica addolcisce i costumi. | *adoucir les angles,* smussare gli angoli. ◆ v. pr. addolcirsi, raddolcirsi, mitigarsi.

adoucissement [adusismɑ̃] m. addolcimento. || FIG. alleviamento ; mitigazione f.

1. adresse [adrɛs] f. [dextérité] destrezza, abilità, scioltezza. | *tour d'adresse,* gioco di prestigio.

2. adresse f. [lettre] indirizzo m., recapito m. || FIG., FAM. *se tromper d'adresse,* sbagliare porta, indirizzo. || [vœux d'une assemblée] indirizzo, messaggio m.

adresser [adrɛse] v. tr. [envoyer] mandare, inviare. | *adresser une demande au ministère,* inoltrare una domanda al ministero. || [exprimer] *adresser la parole, une question,* rivolgere la parola, una domanda. ◆ v. pr. rivolgersi, dirigersi, indirizzarsi.

adroit, e [adrwa, at] adj. [corps] abile, destro, agile. || [esprit] sveglio, abile, accorto, avveduto, scaltro.

adulation [adylasjɔ̃] f. adulazione.

aduler [adyle] v. tr. adulare.

adulte [adylt] adj. et n. adulto.

adultère [adyltɛr] adj. et n. adultero. ◆ m. [action] adulterio.

adultérer [adyltere] v. tr. adulterare, falsificare, manipolare, manomettere. || [aliments] sofisticare. || PHILOL. alterare, manipolare.

advenir [advənir] v. impers. avvenire, accadere, succedere, capitare. | *advienne que pourra,* sarà quel che sarà. || [résulter] risultare, conseguire.

adverbe [advɛrb] m. GR. avverbio.

adversaire [advɛrsɛr] n. avversario m. | [dans une dispute] contendente m., litigante m. | [dans un duel] duellante m.

adverse [advɛrs] adj. avverso, contrario.

adversité [advɛrsite] f. avversità, traversie pl., disgrazia.

aération [aerasjɔ̃] f. aerazione, ventilazione.

aéré, e [aere] adj. aerato, arieggiato, arioso, ventilato.

aérer [aere] v. tr. aerare, arieggiare. ◆ v. pr. FAM. prendere una boccata d'aria.

aérien, enne [aerjɛ̃, ɛn] adj. aereo. | *ligne aérienne,* aviolinea f. | *transport*

aérien, aerotrasporto m. | *photographie aérienne,* aerofotografia f. | *navigation aérienne,* aeronavigazione f. | *couloir aérien,* aerovia f. || FIG. [vaporeux] aereo. ◆ m. TECHN. antenna f.
aérodrome [aerodrom] m. aerodromo.
aérodynamique [aerodinamik] adj. aerodinamico. ◆ f. aerodinamica.
aérogare [aerogar] f. aerostazione. || [lieu de regroupement des voyageurs en ville] air terminal m. (angl.).
aéroglisseur [aeroglisœr] m. hovercraft (angl.).
aéronautique [aerɔnotik] adj. aeronautico. ◆ f. aeronautica.
aéronaval, e, als [aeronaval] adj. aeronavale. ◆ f. aviazione di marina.
aérophagie [aerofaʒi] f. aerofagia.
aéroport [aeropɔr] m. aeroporto.
aéroporté, e [aeropɔrte] adj. aviotrasportato.
aéropostal, e, aux [aeropɔstal, o] adj. aeropostale.
aérosol [aerosɔl] m. aerosol.
aérostat [aerosta] m. aerostato.
affabilité [afabilite] f. affabilità, cortesia, amabilità.
affable [afabl] adj. affabile, cortese, amabile.
affabulation [afabylasjɔ̃] f. affabulazione. || PÉJOR. invenzione, menzogna.
affadir [afadir] v. tr. rendere insipido, scipito. ◆ v. pr. diventare insipido, scipito.
affaiblir [afɛblir] v. tr. [rendre faible] indebolire, affievolire, infiacchire. || PHYSIOL. debilitare. || [atténuer] smorzare, indebolire, temperare. ◆ v. pr. indebolirsi, affievolirsi, infiacchirsi.
affaiblissement [afɛblismɑ̃] m. indebolimento.
affaire [afɛr] f. 1. [occupation] faccenda, fatto m. || FIG. *avoir son affaire bien en main,* avere il coltello per il manico. | *faire son affaire de qch.,* incaricarsi, occuparsi di qlco. | *j'en fais mon affaire,* ci penso io. | *il connaît son affaire,* sa il fatto suo. 2. [intérêt] affare m. | *s'occuper de ses propres affaires,* badare ai fatti propri. | *il est à son affaire,* è nel suo elemento. | *j'ai votre affaire,* ho quel che fa per Lei. | *affaire d'État,* affare di Stato. || [querelle] *affaire d'honneur,* vertenza cavalleresca. || [but] *ce livre ne fait pas l'affaire,* questo libro non fa per me. | *cet homme ne fait pas l'affaire,* non è l'uomo adatto. 3. [problème] affare m., faccenda, questione. | *c'est une autre affaire,* questa è un'altra faccenda. | *tirer une affaire au clair,* chiarire una faccenda. | *cela ne change rien à l'affaire,* non cambia nulla. | *cela ne fait rien à l'affaire,* questo non c'entra. | *il aura affaire à moi,* dovrà fare i conti con me. || FAM. *l'affaire est dans le sac,* è fatta ; l'affare è a buon porto. 4. [désagrément] faccenda, impiccio m., guaio m. | *la belle affaire !,* cosa importa ? | *le malade est tiré d'affaire,* il malato è fuori pericolo. || POP. *faire son affaire à qn,* far fuori uno ; freddare uno. 5. [entreprise] azienda, impresa. || [transaction] affare m. 6. [procès] lite, causa. | *affaire contentieuse,* vertenza. 7. MIL. azione, combattimento m., scontro m. 8. [intérêts publics ou privés] affari. | *ministère des Affaires étrangères,* ministero degli Esteri. | *l'expédition des affaires courantes,* l'inoltro delle pratiche. | *toutes affaires cessantes,* sospeso ogni affare, senza por tempo in mezzo. | *parler affaires,* parlare d'affari. | *les affaires sont les affaires,* gli affari sono affari. | *chiffre d'affaires,* cifra d'affari ; fatturato m. || [objets personnels] roba, vestito.
affairé, e [afɛre] adj. affaccendato, indaffarato.
affaissement [afɛsmɑ̃] m. [terrain] cedimento. || [corps] spossamento.
affaisser [afɛse] v. tr. [faire baisser] sprofondare, far avvallare. ◆ v. pr. avvallarsi, sprofondarsi, cedere v. intr. || [tomber] rovinare, crollare. || [personne ou animal] accasciarsi. || FIG. [s'affaiblir] accasciarsi, infiacchirsi.
affaler [afale] v. tr. MAR. calare, mollare. ◆ v. pr. FAM. [se laisser tomber] buttarsi giù, stravaccarsi.
affamé, e [afame] adj. et n. affamato. || FIG. affamato, avido.
affamer [afame] v. tr. affamare.
1. affectation [afɛktasjɔ̃] f. [destination] destinazione, assegnazione. || FIN. stanziamento m. || [désignation] destinazione, nomina, comando m.
2. affectation f. [manière peu naturelle] affettazione, smanceria.
affecté, e [afɛkte] adj. [peu naturel] affettato, artefatto.
1. affecter [afɛkte] v. tr. (à) [destiner] destinare (a), assegnare (a). || FIN. stanziare. || [fonction, poste] destinare (a), comandare (presso).
2. affecter v. tr. affettare. | *affecter de grands airs,* darsi delle grandi arie. || [feindre] affettare, ostentare, fingere. | *affecter la forme d'un cône,* assumere, prendere la forma di un cono.
3. affecter v. tr. [frapper] colpire, danneggiare. || FIG. commuovere, turbare. ◆ v. pr. (de) affliggersi (di).
affectif, ive [afɛktif, iv] adj. affettivo.
affection [afɛksjɔ̃] f. [sens fort] affetto m. || [sens atténué] affezione. | *prendre qn en affection,* affezionarsi a qlcu.

affectionné, e [afɛksjɔne] adj. [à la fin d'une lettre] *votre très affectionné,* aff. mo (affezionatissimo) suo.
affectionner [afɛksjɔne] v. tr. amare ; voler bene a, portare affetto a. ‖ FIG. *affectionner la musique,* dilettarsi di musica.
affectueux, euse [afɛktɥø, øz] adj. affettuoso, amorevole.
afférent, e [aferɑ̃, ɑ̃t] adj. [relatif à] attinente, relativo. ‖ [qui revient à] spettante. ‖ ANAT. afferente.
affermer [afɛrme] v. tr. affittare.
affermir [afɛrmir] v. tr. assodare, rinforzare, rafforzare. ◆ v. pr. rinforzarsi, assodarsi.
affichage [afiʃaʒ] m. affissione f.
affiche [afiʃ] f. manifesto m., cartello m., affisso m., cartellone m. | *affiche lumineuse,* insegna luminosa. ‖ TH. cartellone.
afficher [afiʃe] v. tr. [placarder] affiggere. | *défense d'afficher,* è proibita l'affissione. ‖ [annoncer] annunciare. ‖ FIG. ostentare, sfoggiare ; fare sfoggio di. ◆ v. pr. mettersi in mostra, farsi scorgere, farsi notare.
affilé, e [afile] adj. *avoir la langue bien affilée,* essere chiacchierone ; [péjor.] essere linguacciuto.
affilée (d') [dafile] loc. adv. di seguito, senza interruzione ; filato adj.
affiler [afile] v. tr. affilare, arrotare, aguzzare.
affiliation [afiljasjɔ̃] f. affiliazione.
affilier [afilje] v. tr. affiliare, associare. ◆ v. pr. affiliarsi, iscriversi.
affinage [afinaʒ] m. MÉTALL., TEXT. affinazione f. ‖ *affinage des fromages,* stagionatura (f.) dei formaggi.
affiner [afine] v. tr. MÉTALL., TEXT. affinare. ‖ [mûrir] stagionare. ‖ FIG. affinare, assottigliare.
affinité [afinite] f. affinità, attinenza.
affirmatif, ive [afirmatif, iv] adj. affermativo ; asseverativo (litt.). ◆ f. affermativa. | *répondre par l'affirmative,* rispondere affermativamente. | *dans l'affirmative,* in caso affermativo.
affirmation [afirmasjɔ̃] f. affermazione, asserzione.
affirmer [afirme] v. tr. affermare, asserire. ‖ FIG. affermare. ◆ v. pr. affermarsi, imporsi.
affleurer [aflœre] v. intr. affiorare, emergere.
affliction [afliksjɔ̃] f. afflizione ; accoramento m.
affligé, e [afliʒe] adj. et m. afflitto.
affligeant, e [afliʒɑ̃, ɑ̃t] adj. affliggente, doloroso.
affliger [afliʒe] v. tr. [frapper] affliggere, tormentare. | *être affligé de,* essere affetto, colpito da. ‖ [causer de la douleur] affliggere, accorare, addolorare. ◆ v. pr. affliggersi, accorarsi, addolorarsi.
affluence [aflyɑ̃s] f. affluenza ; afflusso m., affollamento m. | *les heures d'affluence,* le ore di punta.
affluent, e [aflyɑ̃, ɑ̃t] adj. et m. affluente.
affluer [aflye] v. intr. affluire.
afflux [afly] m. afflusso.
affolé, e [afɔle] adj. [éperdu] sbigottito, sgomento, smarrito. ‖ [rendu comme fou] impazzito, pazzo.
affolement [afɔlmɑ̃] m. sbigottimento, sgomento.
affoler [afɔle] v. tr. sbigottire, sgomentare. ◆ v. pr. sbigottirsi, sgomentarsi. ‖ [sens atténué] confondersi.
affranchi, e [afrɑ̃ʃi] adj. affrancato. ‖ FIG., FAM. spregiudicato (L.C.). ◆ n. liberto.
affranchir [afrɑ̃ʃir] v. tr. (de) affrancare, liberare (da). ‖ [correspondance] affrancare. ◆ v. pr. affrancarsi, liberarsi, esimersi.
affranchissement [afrɑ̃ʃismɑ̃] m. affrancamento. ‖ [timbre] affrancatura f.
affres [afr] f. pl. affanno m., tormento m., strazio m.
affréter [afrete] v. tr. MAR. noleggiare.
affreux, euse [afrø, øz] adj. pauroso, spaventoso, orrendo, raccapricciante.
affront [afrɔ̃] m. [offense] affronto ; ingiuria f., offesa f., oltraggio. ‖ [déshonneur] smacco, scorno. ‖ [honte] rimprovero, biasimo.
affronter [afrɔ̃te] v. tr. affrontare, fronteggiare. | *être affronté à,* essere alle prese con. ◆ v. pr. affrontarsi, scontrarsi ; venire alle mani.
affubler [afyble] v. tr. (de) PÉJOR. infagottare, imbacuccare (in). ◆ v. pr. conciarsi ; infagottarsi, imbacuccarsi (in).
affût [afy] m. affusto. ‖ [chasse] agguato ; posta f.
affûter [afyte] v. tr. affilare, arrotare.
afin de [afɛ̃də] loc. prép. a fine di, per, allo scopo di.
afin que [afɛ̃kə] loc. conj. affinché, acciocché, perché.
africain, e [afrikɛ̃, ɛn] adj. et n. africano.
agaçant, e [agasɑ̃, ɑ̃t] adj. [irritant] irritante, seccante, molesto. ‖ [provocant] provocante, procace.
agacement [agasmɑ̃] m. irritazione f., fastidio ; seccatura f. ‖ [dents] allegamento.
agacer [agase] v. tr. [irriter] irritare, infastidire, seccare ; [dents] allegare. ‖ [exciter] provocare, eccitare, aizzare.
agacerie [agasri] f. moina, lusinga.
agape [agap] f. REL. agape.
agate [agat] f. MINÉR. agata.

âge [ɑʒ] m. età f. | *retour d'âge,* climaterio. | *doyen d'âge,* decano. | *quel âge as-tu ?,* che età hai ?, quanti anni hai ? | *du même âge,* coetaneo. || [époque] età, epoca f., era f. | *d'âge en âge,* di secolo in secolo. | *le Moyen Âge,* il medioevo. || GÉOL., MYTH. età. | *l'âge d'or,* l'età dell'oro.

âgé, e [ɑʒe] adj. in età di. | *âgé de seize ans,* in età di sedici anni ; sedicenne. | *le moins, le plus âgé de,* il minore, il maggiore di. || [vieux] attempato, anziano.

agence [aʒɑ̃s] f. agenzia.

agencement [aʒɑ̃smɑ̃] m. sistemazione f., ordinamento, assestamento ; distribuzione f., disposizione f.

agencer [aʒɑ̃se] v. tr. sistemare, assestare, ordinare. ◆ v. pr. combinarsi.

agenda [aʒɛ̃da] m. agenda f.

agenouillement [aʒnujmɑ̃] m. inginocchiamento.

agenouiller (s') [saʒnuje] v. pr. inginocchiarsi.

agenouilloir [aʒnujwar] m. inginocchiatoio.

agent [aʒɑ̃] m. agente. | *agent de change,* agente di cambio. | *agent de liaison,* portaordini inv., staffetta f. | *agent (de police),* agente (di polizia).

agglomération [aglɔmerasjɔ̃] f. agglomerazione. || [groupe d'habitations] abitato m.

aggloméré, e [aglɔmere] adj. et m. agglomerato.

agglomérer [aglɔmere] v. tr. agglomerare. ◆ v. pr. agglomerarsi.

agglutiner [aglytine] v. tr. agglutinare. ◆ v. pr. agglutinarsi.

aggravant, e [agravɑ̃, ɑ̃t] adj. aggravante. || JUR. *circonstances aggravantes,* aggravanti f. pl.

aggravation [agravasjɔ̃] f. aggravamento m.

aggraver [agrave] v. tr. aggravare, peggiorare. ◆ v. pr. aggravarsi.

agile [aʒil] adj. agile, svelto, pronto, vivace.

agilité [aʒilite] f. agilità, sveltezza, prontezza.

agio [aʒjo] m. FIN. aggio.

agir [aʒir] v. intr. agire, operare. | *remède qui agit,* medicina efficace. || [se comporter] agire, comportarsi. ◆ v. pr. impers. (de) trattarsi (di). ◆ *s'agissant de,* in quanto a.

agissant, e [aʒisɑ̃, ɑ̃t] adj. [personne] attivo, operoso. || [chose] attivo, operante, efficace.

agissements [aʒismɑ̃] m. pl. PÉJOR. mene f. pl.

agitateur, trice [aʒitatœr, tris] n. PÉJOR. agitatore, trice ; arruffapopoli m. inv.

agitation [aʒitasjɔ̃] f. agitazione ; movimento m. || FIG. agitazione, smania. | *être en proie à une vive agitation,* dare in smanie. || [troubles] agitazione ; subbuglio m.

agité, e [aʒite] adj. agitato, mosso. || [inquiet, instable] *enfant agité,* bambino irrequieto. | [nerveusement] agitato, smanioso, furioso. ◆ n. agitato.

agiter [aʒite] v. tr. agitare, scuotere. | *agiter un drapeau,* sventolare una bandiera. || FIG. agitare, turbare, commuovere. | *agiter un problème,* agitare, dibattere un problema. ◆ v. pr. agitarsi, gesticolare v. intr. || FIG. agitarsi.

agneau, elle [aɲo, ɛl] n. agnello, a. | *agneau de lait,* abbacchio m.

agonie [agɔni] f. agonia. | *être à l'agonie,* essere in agonia.

agoniser [agɔnize] v. intr. agonizzare.

agrafe [agraf] f. fibbia ; fermaglio m., gancio m. || [crampon] grappa. | *agrafe de bureau,* graffetta. || [broche] fermaglio m.

agrafer [agrafe] v. tr. affibbiare, agganciare ; [papiers] cucire. || TECHN. aggraffare.

agrafeuse [agraføz] f. cucitrice (a punto, a filo). || TECHN. aggraffatrice.

agraire [agrɛr] adj. agrario.

agrandir [agrɑ̃dir] v. tr. ingrandire. || FIG. ingrandire, innalzare. ◆ v. pr. ingrandirsi.

agrandissement [agrɑ̃dismɑ̃] m. ingrandimento, accrescimento, ampliamento, incremento.

agréable [agreabl] adj. piacevole, gradevole, gradito, dilettevole. ◆ m. dilettevole.

agréé, e [agree] adj. *expert agréé,* perito.

agréer [agree] v. tr. gradire, accettare, accogliere. || [formule de politesse] *veuillez agréer,* gradisca, voglia gradire. ◆ v. tr. ind. (à) gradire, piacere, aggradare (a).

agrégation [agregasjɔ̃] f. aggregazione. || UNIV. concorso (m.) a cattedre.

agréger [agreʒe] v. tr. aggregare.

agrément [agremɑ̃] m. [approbation] assenso, consenso ; approvazione f. ; gradimento. || [qualité agréable] attrattiva f. ; fascino ; delizia f. || [plaisir] diletto, piacere, diporto. || MUS. ornamento. ◆ pl. ornamenti, abbellimenti.

agrémenter [agremɑ̃te] v. tr. ornare, adornare, abbellire, fiorettare.

agrès [agrɛ] m. pl. MAR. attrezzatura f. sing. || SP. attrezzi.

agresser [agrɛse] v. tr. aggredire, assalire.

agresseur [agrɛsœr] adj. m. et m. aggressore.

agressif, ive [agrɛsif, iv] adj. aggressivo.

agression [agrɛsjɔ̃] f. aggressione. | *agression à main armée,* grassazione.
agreste [agrɛst] adj. agreste, campestre.
agricole [agrikɔl] adj. agricolo, agrario. | *ouvrier agricole,* operaio agricolo ; bracciante m. | *coopérative agricole,* consorzio agrario.
agriculteur, trice [agrikyltœr, tris] n. agricoltore m. ; coltivatore, trice.
agriculture [agrikyltyr] f. agricoltura. | *école d'agriculture,* scuola agraria.
agripper [agripe] v. tr. afferrare, arraffare, ghermire. ◆ v. pr. aggrapparsi, appigliarsi.
agronomie [agronɔmi] f. agronomia.
agrumes [agrym] m. pl. agrumi.
aguerrir [agɛrir] v. tr. agguerrire. ◆ v. pr. agguerrirsi.
aguets (aux) [ozagɛ] loc. adv. in agguato.
aguicher [agiʃe] v. tr. FAM. stuzzicare, adescare, provocare.
ah ! [a] interj. et m. inv. ah !
ahuri, e [ayri] adj. et n. stordito, stupido ; sbalordito adj. | *tout ahuri,* trasecolato.
ahurissant, e [ayrisɑ̃, ɑ̃t] adj. FAM. sbalorditivo.
ahurissement [ayrismɑ̃] m. sbalordimento, stupore.
aide [ɛd] f. aiuto m., soccorso m. | *l'Aide sociale,* l'assistenza sociale. | *à l'aide !,* aiuto ! | *venir en aide à qn,* dare, portare aiuto a qlcu. ◆ *à l'aide de,* con l'aiuto di, per mezzo di, grazie a, mediante. ◆ n. aiutante m., aiuto m., assistente.
aide-mémoire [ɛdmemwar] m. inv. promemoria ; compendio m.
aider [ede] v. tr. aiutare, soccorrere, assistere. ◆ v. tr. ind. (à) aiutare ; giovare (a). ◆ v. pr. aiutarsi, giovarsi, servirsi.
aïe ! [aj] interj. ahi !
aïeul, e [ajœl] n. nonno, nonna. | *les aïeuls,* i nonni. | *les aïeux,* gli antenati, gli avi.
aigle [ɛgl] m. aquila f. || FIG. aquila f., cima f. ◆ f. aquila femmina. || [enseigne] aquila.
aiglon [ɛglɔ̃] m. aquilotto.
aigre [ɛgr] adj. agro ; [odeur] acre ; [fruit] aspro, acerbo ; [vin] acido. || FIG. stridulo, stridente, aspro. ◆ m. agro. || FIG., FAM. *ça tourne à l'aigre,* le cose prendono una brutta piega (L.C.).
aigre-doux, -douce [ɛgrədu, dus] adj. agrodolce.
aigrefin [ɛgrəfɛ̃] m. imbroglione, farabutto.
aigrelet, ette [ɛgrəlɛ, ɛt] adj. acidulo.
aigrette [ɛgrɛt] f. ZOOL. sgarza. || [touffe de plumes] ciuffo m. || [ornement] pennacchio m.
aigreur [ɛgrœr] f. agrezza, acidità, acredine, asprezza. || FIG. asprezza, acredine, acrimonia, acidità.
aigri, e [egri] adj. astioso.
aigrir [egrir] v. tr. inacidire, inacerbire, inasprire ; [vin] inacetire. ◆ v. intr. ou v. pr. inacidirsi, inasprirsi, inacerbirsi ; [vin] inacetire.
aigu, ë [egy] adj. acuto, aguzzo. ◆ m. acuto.
aiguillage [egɥijaʒ] m. [rails] scambio ; [manœuvre] avviamento.
aiguille [egɥij] f. ago m. ; [montre] lancetta. || FIG. *pointe d'aiguille,* bazzecola, inezia. || ARCHIT., GÉOGR. guglia. || BOT., MÉD., TR. ago.
aiguiller [egɥije] v. tr. TR. avviare, dirigere. || FIG. avviare, dirigere, incanalare.
aiguilleur [egɥijœr] m. scambista, deviatore.
aiguillon [egɥijɔ̃] m. [bâton] pungolo. || [dard] pungiglione, aculeo. || FIG. pungolo, stimolo.
aiguillonner [egɥijɔne] v. tr. pungere, pungolare.
aiguisage [eg(ɥ)izaʒ] m. affilatura f., arrotatura f.
aiguiser [eg(ɥ)ize] v. tr. [rendre aigu] aguzzare, appuntare. || [rendre tranchant] affilare, arrotare. | *pierre à aiguiser,* cote f. || FIG. aguzzare, stimolare.
ail [aj] m. (pl. **aulx** [o] ou **ails** [aj]) aglio.
aile [ɛl] f. ala. | *battre des ailes,* battere le ali ; [volaille] starnazzare. || FIG. *battre de l'aile,* essere malconcio. | *avoir du plomb dans l'aile,* essere colpito nel vivo. | *rogner les ailes à qn,* tarpar le ali a qlcu. | *avoir des ailes,* aver le ali ai piedi. || FAM. *en avoir un coup dans l'aile,* essere brillo. || [partie latérale] ala. | *aile d'une voiture,* parafango (m.) di un'automobile. || ANAT. pinna, aletta. || MIL., SP. ala.
aileron [ɛlrɔ̃] m. ZOOL. [oiseau] aletta f. ; punta (f.) dell'ala ; [poisson] aletta, pinna f. || [avion] alettone ; [sous-marin] pinna.
ailette [ɛlɛt] f. aletta.
ailier [elje] m. SP. ala f.
ailleurs [ajœr] adv. altrove. | *nulle part ailleurs,* in nessun altro posto. || FIG. *il est ailleurs,* ha la testa fra le nuvole. ◆ *d'ailleurs* [d'un autre lieu] da altre parti ; [du reste] d'altronde, del resto, per altro. || *par ailleurs,* per altro.
aimable [ɛmabl] adj. amabile, piacevole, affabile, gentile, cortese. | *soyez assez aimable pour,* mi faccia la cortesia, il favore di. | *c'est bien aimable à vous,* bontà sua. | *trop aimable !,* è troppo gentile ! ; (iron.) troppa grazia !
aimant, e [ɛmɑ̃, ɑ̃t] adj. amorevole, affettuoso.

aimant [ɛmɑ̃] m. calamita f.
aimanter [ɛmɑ̃te] v. tr. calamitare.
aimé, e [eme] adj. amato, caro.
aimer [eme] v. tr. amare, voler bene a. | *aimer Dieu,* amare Dio. | *aimer ses enfants,* amare i figlioli ; voler bene ai figlioli. | *il m'aime bien,* mi vuol bene. || amare ; piacere v. intr. | *j'aime les animaux,* amo gli animali ; mi piacciono gli animali. || *aimer mieux,* preferire. || *aimer (à)* [suivi d'un inf.], amare, dilettarsi di, piacere. || *aimer que* [suivi du subj.], aver piacere che, piacere. ◆ v. pr. [se plaire] amarsi ; amare la propria persona. || [affection réciproque] amarsi, volersi bene.
aîne [ɛn] f. inguine.
aîné, e [ene] adj. maggiore (di età), primogenito. ◆ n. figlio maggiore ; primogenito. | *il est mon aîné de trois ans,* è maggiore di me di tre anni. ◆ m. pl. *nos aînés,* i nostri maggiori, i nostri antenati.
ainsi [ɛ̃si] adv. [de cette façon] così. | *ainsi de suite,* e così via. | *ainsi soit-il,* così sia. || [par conséquent] così, dunque, sicché. || [comparaison] *comme ..., ainsi,* come ..., così. ◆ *ainsi que,* tanto ... quanto ; come pure ; nonché.
1. air [ɛr] m. aria f. | *la vie en plein air, au grand air,* la vita all'aperto. || FIG. *la grippe est dans l'air,* c'è influenza nell'aria. || [vent] aria f., vento. | *courant d'air,* corrente d'aria ; riscontro. || AV. *armée de l'air,* forze aeree. | *ministère de l'Air,* ministero dell'Aeronautica. || TECHN. *manche à air,* manica a vento. | *chambre à air,* camera d'aria. ◆ *en l'air,* in aria. || FIG. *parler en l'air,* parlare avventatamente. || FAM. *ficher en l'air,* mandare a carte quarantotto. | *tête en l'air,* smemorato n.
2. air m. [apparence] aria f., aspetto. | *avoir grand air,* essere distinto. | *se donner des airs,* darsi delle arie. | *avoir l'air,* avere l'aria, sembrare, parere.
3. air m. MUS. aria f. | *air de danse,* ballabile.
airain [ɛrɛ̃] m. bronzo.
aire [ɛr] f. [où l'on bat le grain] aia. || [nid] nido m. || MAR. rombo m. || MATH. area. || [surface] area, zona, superficie ; perimetro m. | *aire de stationnement,* zona di sosta ; parcheggio m. | *aire de jeu,* area, perimetro di gioco. || AV. area, pista. || FIG. campo m., settore m.
aisance [ɛzɑ̃s] f. scioltezza, spigliatezza, disinvoltura. || COMM. *aisance de la trésorerie,* disponibilità della tesoreria. || [bien-être] agiatezza ; agio m. ◆ pl. *fosse d'aisances,* pozzo (m.) nero. | *lieux, cabinets d'aisances,* gabinetto m.
1. aise [ɛz] f. [plaisir] contentezza, gioia ; piacere m. | *être transporté d'aise,* gongolare di gioia. || [absence de gêne] agio m., comodità. | *être à l'aise,* star comodo. | *être mal à l'aise,* essere a disagio. || FAM. *en prendre à son aise,* pigliarsela comoda. | *en parler à son aise,* far presto a dire. || IRON. *à votre aise !,* faccia pure ! || FIG. *être à l'aise,* essere agiato, benestante. ◆ pl. agi m. pl., comodi m. pl., comodità.
2. aise adj. lieto, contento.
aisé, e [ɛze] adj. agevole, facile. || [naturel] sciolto, spigliato, disinvolto. || [fortuné] agiato, benestante, abbiente.
aisselle [ɛsɛl] f. ANAT. ascella.
ajonc [aʒɔ̃] m. BOT. ginestrone ; ginestra spinosa.
ajourer [aʒure] v. tr. traforare.
ajourné, e [aʒurne] adj. et n. MIL. rivedibile adj. || UNIV. riprovato, rimandato, respinto.
ajournement [aʒurnəmɑ̃] m. differimento, rinvio. || JUR. citazione f. || MIL. rivedibilità f. || UNIV. (il) respingere (agli esami).
ajourner [aʒurne] v. tr. rimandare, differire, rinviare. || JUR. citare. || MIL. rinviare a una leva successiva. || UNIV. rimandare. ◆ v. pr. rinviare la seduta.
ajouter [aʒute] v. tr. aggiungere. | *ajouter foi à,* prestar fede a. || [dire encore qch.] aggiungere, soggiungere. ◆ v. tr. ind. (à) accrescere ; aumentare v. tr. ◆ v. pr. (à) aggiungersi (a).
ajustage [aʒystaʒ] m. TECHN. aggiustaggio.
ajusté, e [aʒyste] adj. *vêtement ajusté,* vestito attillato.
ajustement [aʒystəmɑ̃] m. adeguamento, adattamento, aggiustamento. || [conciliation] accomodamento. || [d'un projet de loi] rettifica f.
ajuster [aʒyste] v. tr. [rendre juste] aggiustare, accomodare, regolare. || [viser] prendere di mira ; mirare a. || [adapter] adattare, accomodare. || [arranger] acconciare, accomodare ; ravviarsi. ◆ v. pr. [être bien adapté] adattarsi, adeguarsi.
ajusteur [aʒystœr] m. aggiustatore.
alambic [alɑ̃bik] m. (a)lambicco.
alanguir [alɑ̃gir] v. tr. illanguidire, indebolire. ◆ v. pr. illanguidire v. intr., indebolirsi.
alanguissement [alɑ̃gismɑ̃] m. languore.
alarmant, e [alarmɑ̃, ɑ̃t] adj. allarmante.
alarme [alarm] f. allarme m.
alarmer [alarme] v. tr. allarmare, spaventare. ◆ v. pr. allarmarsi, spaventarsi.
alarmiste [alarmist] adj. allarmistico. ◆ n. allarmista.

albâtre [albɑtr] m. alabastro.
albatros [albatros] m. ZOOL. albatro.
albinos [albinos] adj. et n. inv. albino adj. et m.
album [albɔm] m. album (inv.), albo.
alcali [alkali] m. alcali (inv.).
alchimie [alʃimi] f. alchimia.
alcool [alkɔl] m. alcol(e) ; alcool (inv.). | *lampe à alcool,* lampada a spirito.
alcoolique [alkɔlik] adj. alco(o)lico. ◆ adj. et n. [personne] alcolizzato.
alcooliser [alkɔlize] v. tr. alcolizzare.
alcoolisme [alkɔlism] m. alcolismo.
Alcotest [alkɔtɛst] m. prova (f.) dell'alcol.
alcôve [alkov] f. alcova.
aléa [alea] m. alea f., rischio.
aléatoire [aleatwar] adj. aleatorio.
alêne [alɛn] f. lesina.
alentour [alɑ̃tur] adv. intorno, d'intorno.
alentours [alɑ̃tur] m. pl. dintorni ; vicinanze f. pl.
1. alerte [alɛrt] f. allarme m. ◆ interj. all'erta !
2. alerte adj. vivace, vispo. || vegeto, arzillo.
alerter [alɛrte] v. tr. allarmare. || FIG. avvertire.
aléser [aleze] v. tr. TECHN. alesare.
alevin [alvɛ̃] m. ZOOL. avannotto.
alexandrin, e [alɛksɑ̃drɛ̃, in] adj. et n. alessandrino. || POÉS. alessandrino ; settenario doppio.
alezan, e [alzɑ̃, an] adj. et n. sauro.
alfa [alfa] m. alfa f.
algarade [algarad] f. sfuriata.
algèbre [alʒɛbr] f. algebra.
algérien, enne [alʒerjɛ̃, ɛn] adj. et n. algerino.
algue [alg] f. alga.
alibi [alibi] m. alibi inv.
aliénation [aljenasjɔ̃] f. JUR. alienazione, alienamento m. || [mentale] alienazione, pazzia.
aliéné, e [aljene] adj. JUR. alienato. ◆ adj. et n. alienato, pazzo. | *asile d'aliénés,* manicomio m.
aliéner [aljene] v. tr. JUR. alienare. ◆ v. pr. alienarsi, inimicarsi.
alignement [aliɲmɑ̃] m. allineamento.
aligner [aliɲe] v. tr. allineare. | *aligner des phrases,* infilare frasi. ◆ v. pr. allinearsi.
aliment [alimɑ̃] m. alimento, cibo, nutrimento.
alimentaire [alimɑ̃tɛr] adj. alimentare.
alimentation [alimɑ̃tasjɔ̃] f. alimentazione. || approvvigionamento m., rifornimento m. | *services de l'alimentation,* annona f. | *magasin d'alimentation,* negozio di alimentari.
alimenter [alimɑ̃te] v. tr. alimentare, nutrire. ◆ v. pr. alimentarsi, nutrirsi.
alinéa [alinea] m. alinea inv., comma. || capoverso.
aliter [alite] v. tr. costringere a letto, allettare. ◆ v. pr. mettersi a letto, allettarsi.
allaitement [alɛtmɑ̃] m. allattamento.
allaiter [alɛte] v. tr. allattare.
allant [alɑ̃] m. *plein d'allant,* alacre, brioso, vivace adj.
alléchant, e [aleʃɑ̃, ɑ̃t] adj. appetitoso, gustoso. || FIG. allettante, attraente, seducente.
allécher [aleʃe] v. tr. ingolosire, invogliare. || FIG. allettare.
allée [ale] f. viale m. ◆ pl. *allées et venues,* andirivieni m. sing ; viavai m. inv.
allégation [alegasjɔ̃] f. allegazione.
allégeance [aleʒɑ̃s] f. fedeltà, sottomissione.
allégement [aleʒmɑ̃] m. alleviamento, alleggerimento, sgravio.
alléger [aleʒe] v. tr. [navire] alleggiare ; [fardeau] alleggerire. || [peine] alleviare ; [impôt] sgravare.
allégorie [alegɔri] f. allegoria.
allègre [alɛgr] adj. alacre, allegro, vivace.
allégresse [alegrɛs] f. allegria. || [sentiment] gioia, allegrezza.
alléguer [alege] v. tr. allegare, addurre, produrre.
allemand, e [almɑ̃, ɑ̃d] adj. et n. tedesco.
1. aller [ale] v. intr. 1. SE MOUVOIR : andare, recarsi. || [se rendre auprès de la personne à qui l'on parle, à qui l'on écrit] *j'irai chez toi (en Italie) dans un mois,* verrò a casa tua (in Italia) fra un mese. || [réponse à qui appelle] *j'y vais,* vengo. 2. CONDUIRE VERS ; ATTEINDRE : andare, condurre, portare, raggiungere. | *où va cette route ?,* dove va, dove porta questa strada ? | *sa douleur alla jusqu'au désespoir,* il suo dolore raggiunse la disperazione. 3. SE PORTER : stare, andare. | *comment allez-vous ?,* come sta ? 4. FONCTIONNER : funzionare, camminare. 5. S'ADAPTER ; CONVENIR : andare, stare, calzare. || [s'accorder] *ils vont bien ensemble,* s'intendono bene. || [plaire] *ce projet ne me va pas,* questo progetto non mi va, non mi piace. || FAM. *ça me va,* mi conviene (L.C.). 6. AVEC UN INFINITIF : [but] andare a. | *je vais acheter le journal,* vado a comprare il giornale. || [futur proche] stare per. | *il va arriver,* sta per arrivare, arriverà fra poco, arriverà ora. 7. AVEC UN PARTICIPE PRÉSENT : *aller en augmentant,* andare crescendo. 8. LOC. : *laisser aller,* V. LAISSER. | *aller et venir,* andare e venire ; andare su e giù. | *je ne fais qu'aller et venir,* vado e vengo. | *aller sur ses quarante ans,* andare per i qua-

ranta (anni). | *aller de soi, aller sans dire,* andare da sé. || FAM. *comme tu y vas !,* che esagerazione ! (L.C.) ; [hâte] che furia ! ; che impazienza ! (L.C.). | *ne pas y aller par quatre chemins,* andare per le spicce. | *ne pas y aller de main morte,* [exagérer] non scherzare mica ; [frapper] picchiare sodo. | *cela va de soi,* va da sé. | *vas-y !,* su ! ; via ! ; forza ! ; [coups] dàgli ! | *va donc, imbécile,* va là, stupido ! | *allez !,* via ! ; cominci ! ; comincia ! | *allez ! on s'en va,* su ! ce ne andiamo. | *va, allez donc voir !,* vattelappesca. | *allons donc !,* macché ! ◆ v. pr. *s'en aller,* andarsene, andar via.

2. aller m. andata f. | *match aller,* girone di andata. || *voyage aller et retour,* viaggio di andate e ritorno.

allergie [alɛrʒi] f. allergia.

alliage [aliaʒ] m. lega f.

alliance [aljɑ̃s] f. alleanza. || unione ; matrimonio m. | *parent par alliance,* affine m. || [anneau] fede ; anello (m.) nuziale.

allié, e [alje] adj. et n. alleato. || [parenté] affine m. | *allié à,* imparentato con.

allier [alje] v. tr. allegare. || congiungere, unire. ◆ v. pr. legare v. intr. || [s'apparenter] (à) imparentarsi (con). || [se liguer] allearsi (con). || FIG. [s'accorder] unirsi, accompagnarsi.

allô ! [alo] interj. pronto !

allocation [alɔkasjɔ̃] f. assegnazione. || [prestation] assegno m., indennità.

allocution [alɔkysjɔ̃] f. allocuzione.

allongement [alɔ̃ʒmɑ̃] m. allungamento.

allongé, e [alɔ̃ʒe] adj. allungato. || FIG. *figure, mine allongée,* muso lungo.

allonger [alɔ̃ʒe] v. tr. [rendre plus long] allungare, prolungare. || [liquide] allungare, diluire, annacquare. || FIG., FAM. *allonger la sauce,* farla lunga. || [étendre] allungare, stendere. || FAM. *allonger une gifle,* allungare, appioppare uno schiaffo. ◆ v. intr. allungarsi. ◆ v. pr. allungarsi. || [se tendre] tendersi. || [se coucher] adagiarsi, stendersi, sdraiarsi, coricarsi.

allons ! [alɔ̃] interj. su, andiamo !

allouer [alwe] v. tr. assegnare, attribuire, stanziare.

allumage [alymaʒ] m. accensione f.

allumer [alyme] v. tr. et intr. accendere. || FIG. accendere, suscitare, far divampare. || FAM. [aguicher] allettare. ◆ v. pr. accendersi ; illuminarsi ; incendiarsi, infiammarsi. || FIG. [guerre] accendersi ; divampare v. intr. || [devenir brillant] infiammarsi, accendersi.

allumette [alymɛt] f. fiammifero m. ; [soufrée] zolfanello m. | *allumette-bougie,* cerino m.

allure [alyr] f. andatura ; portamento m. || velocità. | *aller à toute allure,* correre a rotta di collo, di gran carriera. || FIG. [maintien] contegno m., portamento m., modi m. pl. | *se donner des allures de,* darsi arie da. || [tournure] *l'affaire prend une mauvaise allure,* la faccenda prende una brutta piega.

allusif, ive [alyzif, iv] adj. allusivo.

allusion [alyzjɔ̃] f. allusione ; accenno m. | *faire allusion à,* alludere a, accennare a.

alluvial, e, aux [alyvjal, o] adj. alluvionale.

alluvion [alyvjɔ̃] f. alluvione.

almanach [almana] m. almanacco, barbanera.

aloi [alwa] m. lega f.

alors [alɔr] adv. allora. ◆ *alors que* [temps] allorché, quando. || [concession] mentre, sebbene, nonostante (che). || *alors même que,* quand'anche, anche se.

alouette [alwɛt] f. ZOOL. allodola, lodola.

alourdir [alurdir] v. tr. appesantire, aggravare. ◆ v. pr. appesantirsi.

aloyau [alwajo] m. lombo, lombato f. (di bue).

alpage [alpaʒ] m. ou **alpe** [alp] f. alpeggio m.

alpestre [alpɛstr] adj. alpestre.

alphabet [alfabɛ] m. alfabeto ; abbicci inv.

alpin, e [alpɛ̃, in] adj. alpino.

alpinisme [alpinism] m. alpinismo.

alpiniste [alpinist] n. alpinista.

altération [alterasjɔ̃] f. alterazione, falsificazione. || [des aliments] sofisticazione. || MUS. alterazione.

altercation [altɛrkasjɔ̃] f. alterco m., lite ; litigio m.

altérer [altere] v. tr. [changer en mal] alterare, adulterare, guastare. || [falsifier] falsificare, sofisticare. || [troubler] alterare, turbare. || [exciter la soif] assetare. ◆ v. pr. alterarsi, guastarsi. || [s'irriter] alterarsi, impazientirsi, adirarsi.

alternance [altɛrnɑ̃s] f. alternanza ; avvicendamento m.

alternateur [altɛrnatœr] m. alternatore.

alternatif, ive [altɛrnatif, iv] adj. alternativo, alterno, alternato. | *courant alternatif,* corrente alternata.

alternative [altɛrnativ] f. alternativa ; avvicendamento m. || [choix] alternativa.

alterner [altɛrne] v. tr. alternare. || AGR. avvicendare, ruotare. ◆ v. intr. alternarsi, avvicendarsi.

altesse [altɛs] f. altezza.

altier, ère [altje, ɛr] adj. altiero, altezzoso, superbo.
altimètre [altimɛtr] m. altimetro.
altitude [altityd] f. altitudine, altezza. || Av. quota.
alto [alto] m. MUS. [instrument] viola f. || [voix] contralto.
altruisme [altrɥism] m. altruismo.
altruiste [altrɥist] adj. altruistico. ◆ n. altruista.
aluminium [alyminjɔm] m. alluminio.
alun [alœ̃] m. allume.
alunir [alynir] v. intr. allunare.
alvéole [alveɔl] m. ou f. cella f. || ANAT. alveolo m.
amabilité [amabilite] f. amabilità. ◆ pl. gentilezze.
amadou [amadu] m. esca f.
amadouer [amadwe] v. tr. ammansire, rabbonire.
amaigrir [amegrir] v. tr. dimagrare, smagrire.
amaigrissement [amegrismɑ̃] m. dimagramento. | *cure d'amaigrissement,* cura dimagrante.
amalgame [amalgam] m. amalgama.
amalgamer [amalgame] v. tr. amalgamare. ◆ v. pr. amalgamarsi.
amande [amɑ̃d] f. mandorla. | *gâteau aux amandes,* mandorlato. | *en amande,* a mandorla. || [graine] seme m., mandorla.
amant, e [amɑ̃, ɑ̃t] n. amante.
amarrage [amaraʒ] m. ormeggio.
amarre [amar] f. MAR. amarra, cavo (m.) da ormeggio, gomena.
amarrer [amare] v. tr. MAR. a(m)marrare, ormeggiare. ◆ v. pr. ormeggiarsi.
amas [amɑ] m. mucchio, ammasso, cumulo.
amasser [amɑse] v. tr. ammucchiare, accumulare, ammassare, mettere insieme. ◆ v. pr. [personnes] ammassarsi, stiparsi. || [nuages] addensarsi.
amateur [amatœr] adj. et n. m. appassionato. || [collectionneur] collezionista. || [non-professionnel] dilettante. || PÉJOR. dilettante.
amateurisme [amatœrism] m. dilettantismo.
amazone [amazon] f. amazzone.
ambages [ɑ̃baʒ] f. pl. *sans ambages,* senza ambagi ; schiettamente.
ambassade [ɑ̃basad] f. ambasciata.
ambassadeur, drice [ɑ̃basadœr, dris] n. ambasciatore, trice.
ambiance [ɑ̃bjɑ̃s] f. ambiente m., atmosfera.
ambiant, e [ɑ̃bjɑ̃, ɑ̃t] adj. ambiente, ambientale.
ambigu, ë [ɑ̃bigy] adj. ambiguo.
ambiguïté [ɑ̃bigɥite] f. ambiguità.
ambitieux, euse [ɑ̃bisjø, øz] adj. ambizioso.
ambition [ɑ̃bisjɔ̃] f. ambizione.
ambitionner [ɑ̃bisjɔne] v. tr. ambire ; aspirare a.
ambre [ɑ̃br] m. ambra f.
ambulance [ɑ̃bylɑ̃s] f. (auto)ambulanza.
ambulant, e [ɑ̃bylɑ̃, ɑ̃t] adj. ambulante. ◆ m. ambulantista.
âme [ɑm] f. anima. || [siège des affections] anima, animo m., cuore m. | *aimer de toute son âme,* volere un bene dell'anima. | *état d'âme,* stato d'animo. | *force d'âme,* forza d'animo. || [personne] anima. | *on ne voyait âme qui vive,* non si vedeva anima viva. || [partie centrale d'un objet] anima.
amélioration [ameljɔrasjɔ̃] f. miglioramento m.
améliorer [ameljɔre] v. tr. migliorare. ◆ v. pr. migliorare v. intr.
aménagement [amenaʒmɑ̃] m. sistemazione f., assettamento, ordinamento. | *plan d'aménagement,* piano regolatore.
aménager [amenaʒe] v. tr. sistemare, assestare, ordinare.
amende [amɑ̃d] f. multa, ammenda, contravvenzione. || FIG. *faire amende honorable,* fare ammenda, ritrattarsi.
amendement [amɑ̃dmɑ̃] m. emendamento ; correzione f. || AGR. ammendamento. || POL. emendamento.
amender [amɑ̃de] v. tr. ammendare, emendare, correggere. || AGR. ammendare, bonificare. || POL. emendare. ◆ v. pr. emendarsi, correggersi.
amène [amɛn] adj. ameno, piacevole.
amener [amne] v. tr. portare, menare. | *amener un ami à la maison,* portare un amico a casa. || FAM. *qu'est-ce qui t'amène ?,* per cosa vieni ? || JUR. *mandat d'amener,* mandato di accompagnamento. || MAR., MIL. ammainare. || [entraîner] portare, arrecare. || [diriger] orientare, indurre, portare. ◆ v. pr. POP. venire, arrivare, giungere (L.C.).
aménité [amenite] f. amenità, affabilità.
amenuiser [amənɥize] v. tr. assottigliare, diminuire, ridurre. ◆ v. pr. assottigliarsi ; diminuire v. intr.
amer, ère [amɛr] adj. et m. amaro.
américain, e [amerikɛ̃, ɛn] adj. et n. americano ; [du Nord] statunitense. ◆ f. SP. americana.
amerrir [amerir] v. intr. ammarare.
amerrissage [amerisaʒ] m. ammaraggio.
amertume [amɛrtym] f. amarezza. || [âpreté] asprezza, acredine.
ameublement [amœbləmɑ̃] m. ammobiliamento, arredamento. || [mobilier] mobilia f., mobili m. pl.
ameuter [amøte] v. tr. ammutinare, sollevare, mettere in subbuglio. ◆ v. pr. ammutinarsi, sollevarsi.

ami, e [ami] n. et adj. amico. | *il est de mes amis,* è un mio amico. | *chambre d'ami,* camera per gli ospiti. || PROV. *les bons comptes font les bons amis,* patti chiari, amici cari. || [amoureux, amant] amico, amante. || FAM. *bonne amie,* amica, ragazza.

amiable [amjabl] adj. amichevole. ◆ *à l'amiable,* amichevole adj., in via amichevole.

amiante [amjɑ̃t] m. amianto.

amical, e, aux [amikal, o] adj. amichevole. ◆ associazione (amichevole).

amidon [amidɔ̃] m. amido.

amidonner [amidɔne] v. tr. inamidare.

amincir [amɛ̃sir] v. tr. assottigliare, snellire. ◆ v. pr. assottigliarsi.

amiral [amiral] m. ammiraglio.

amirauté [amirote] f. ammiragliato m.

amitié [amitje] f. amicizia. | *gagner l'amitié de qn,* amicarsi qlcu. | *en toute amitié,* in piena confidenza. | *faites-moi l'amitié de,* mi faccia il piacere di, la gentilezza di. ◆ pl. cordiali, cari saluti.

ammoniac, aque [amɔnjak] adj. ammoniaco. ◆ m. ammoniaca f. ◆ f. ammoniaca liquida.

amnésie [amnezi] f. amnesia.

amnistie [amnisti] f. amnistia.

amnistier [amnistje] v. tr. amnistiare.

amoindrir [amwɛ̃drir] v. tr. menomare, diminuire, scemare. ◆ v. pr. diminuire, scemare v. intr.

amoindrissement [amwɛ̃drismɑ̃] m. diminuzione f., menomazione f.

amollir [amɔlir] v. tr. ammollire. ◆ v. pr. ammollirsi.

amonceler [amɔ̃sle] v. tr. ammucchiare, accatastare. ◆ v. pr. ammucchiarsi, accatastarsi.

amoncellement [amɔ̃sɛlmɑ̃] m. ammucchiamento, accatastamento. || [tas] mucchio, ammasso.

amont [amɔ̃] m. parte (f.) a monte. || *en amont (de),* a monte (di).

amoral, e, aux [amɔral, o] adj. amorale.

amorce [amɔrs] f. [appât] esca. || [explosif] innesco m., capsula. || FIG. inizio m., avvio m.

amorcer [amɔrse] v. tr. innescare. || [pompe] adescare. || FIG. iniziare, avviare. || MIL. innescare.

amortir [amɔrtir] v. tr. smorzare, attutire. || FIN. ammortare. || MÉC. ammortizzare. || SP. *balle amortie,* (palla) smorzata.

amortissement [amɔrtismɑ̃] m. FIN. ammortamento. || MÉC. ammortizzamento. || PHYS. smorzamento.

amortisseur [amɔrtisœr] m. ammortizzatore.

amour [amur] m. amore. || [animaux] fregola. || ART amorino, putto. || LOC. *pour l'amour de,* per amor di.

amouracher (s') [samuraʃe] v. pr. (de) incapricciarsi (di), invaghirsi (di).

amoureux, euse [amurø, øz] adj. [qui aime] innamorato, invaghito. | *tomber amoureux de,* innamorarsi di. | *amoureux fou,* innamorato cotto. | *poésie amoureuse,* poesia amorosa, amatoria. || [amateur] appassionato. ◆ n. innamorato, amoroso, amante. | *amoureux transi,* cascamorto.

amour-propre [amurprɔpr] m. amor proprio.

amovible [amɔvibl] adj. amovibile, rimovibile.

ampère [ɑ̃pɛr] m. ÉLECTR. ampere.

ampèremètre [ɑ̃pɛrmɛtr] m. ÉLECTR. amperometro.

amphibie [ɑ̃fibi] adj. et m. anfibio.

amphithéâtre [ɑ̃fiteɑtr] m. ANTIQ. anfiteatro. || UNIV. anfiteatro ; aula f.

ample [ɑ̃pl] adj. ampio, vasto.

ampleur [ɑ̃plœr] f. ampiezza, vastità, estensione. || [importance] importanza.

ampliation [ɑ̃plijasjɔ̃] f. copia conforme.

amplificateur, trice [ɑ̃plifikatœr, tris] adj. et m. amplificatore, trice.

amplifier [ɑ̃plifje] v. tr. PR. et FIG. amplificare, ampliare, esagerare. ◆ v. pr. amplificarsi, ampliarsi.

amplitude [ɑ̃plityd] f. ampiezza, estensione.

ampoule [ɑ̃pul] f. fiala. || [petite tumeur] bolla, vescica, vescicola. || ÉLECTR. lampadina.

amputation [ɑ̃pytasjɔ̃] f. amputazione.

amputer [ɑ̃pyte] v. tr. amputare. | *amputer qn d'un bras,* amputare un braccio a qlcu.

amusant, e [amyzɑ̃, ɑ̃t] adj. divertente, spassoso.

amusement [amyzmɑ̃] m. divertimento, spasso.

amuser [amyze] v. tr. divertire, svagare. || [tromper] ingannare. || [faire perdre du temps] tenere a bada. ◆ v. pr. divertirsi, svagarsi. || [se moquer de] burlarsi di, beffarsi di ; prendere in giro. || [perdre son temps] perdere tempo, indugiare.

amygdale [amidal] f. MÉD. tonsilla, amigdala.

an [ɑ̃] m. [division du temps] anno. | *le jour de l'an, le premier de l'an,* il capodanno. || *bon an, mal an,* in media (annuale). ◆ pl. vecchiaia f.

anachronique [anakrɔnik] adj. anacronistico.

anachronisme [anakrɔnism] m. anacronismo.

analgésique [analʒezik] adj. et m. analgesico.

analogie [analɔʒi] f. analogia.
analogique [analɔʒik] adj. analogico.
analogue [analɔg] adj. analogo.
analphabète [analfabɛt] adj. et n. analfabeta.
analyse [analiz] f. analisi.
analyser [analize] v. tr. analizzare.
ananas [anana(s)] m. inv. ananasso m.
anarchie [anarʃi] f. anarchia.
anarchique [anarʃik] adj. anarchico.
anarchisme [anarʃism] m. anarchismo.
anarchiste [anarʃist] adj. et n. anarchico.
anathème [anatɛm] m. anatema. || [personne] persona anatematizzata.
anatomie [anatɔmi] f. anatomia. || [conformation] personale m.
ancestral, e, aux [ɑ̃sɛstral, o] adj. ancestrale, avito.
ancêtre [ɑ̃sɛtr] n. antenato, a ; avo, ava. || [lointain initiateur] precursore m.
anchois [ɑ̃ʃwa] m. acciuga f., alice f.
ancien, enne [ɑ̃sjɛ̃, ɛn] adj. antico, vecchio, di prima, primitivo, precedente. | *ancien ministre,* già ministro, ex ministro. ◆ m. antico. | *les Anciens,* gli Antichi. | *les anciens du lycée,* gli ex allievi del liceo.
ancienneté [ɑ̃sjɛnte] f. antichità. || [service, fonction] anzianità. || *de toute ancienneté,* dalla più remota antichità.
ancre [ɑ̃kr] f. MAR. ancora.
ancrer [ɑ̃kre] v. tr. MAR. ancorare, ormeggiare. ◆ v. pr. ancorarsi, ormeggiarsi.
andouille [ɑ̃duj] f. salsiccione m. (ripieno di interiora). || POP. [imbécile] salame (fam.).
âne [ɑn] m. asino, somaro ; ciuco (fam.). || FIG. asino, somaro, ignorante. | *faire l'âne,* fare il minchione.
anéantir [aneɑ̃tir] v. tr. annientare, annichilire. ◆ v. pr. annientarsi, annichilirsi. || FIG. svanire, sfumare, andare in fumo, andare a monte v. intr.
anéantissement [aneɑ̃tismɑ̃] m. annientamento, annichilimento.
anecdote [anɛkdɔt] f. aneddoto m.
anémie [anemi] f. anemia.
anémier [anemje] v. tr. rendere anemico ; indebolire.
anémique [anemik] adj. et n. anemico.
anémomètre [anemɔmɛtr] m. anemometro.
anémone [anemɔn] f. BOT. anemone m. || ZOOL. *anémone de mer,* anemone di mare, attinia.
ânerie [ɑnri] f. asinaggine, asinità.
ânesse [ɑnɛs] f. asina, somara ; ciuca (fam.).
anesthésie [anɛstezi] f. anestesia.
anesthésier [anɛstezje] v. tr. anestetizzare.
anfractuosité [ɑ̃fraktɥozite] f. anfrattuosità.
ange [ɑ̃ʒ] m. angelo, angiolo. || FIG. *être aux anges,* andare in visibilio. | *une patience d'ange,* una pazienza da santo. | *mon petit ange !,* tesoruccio mio !
angélique [ɑ̃ʒelik] adj. angelico. ◆ f. BOT. angelica.
angélus [ɑ̃ʒelys] m. angelus ; ave(m)maria f.
angine [ɑ̃ʒin] f. MÉD. angina. | *angine de poitrine,* angina pectoris (lat.).
anglais, e [ɑ̃glɛ, ɛz] adj. et n. inglese. ◆ f. corsivo (m.) inglese. ◆ f. pl. riccioli, boccoli m. pl.
angle [ɑ̃gl] m. [coin] angolo. | *à l'angle de la rue,* alla cantonata f. || FIG. *arrondir les angles,* smussare gli spigoli. || [point de vue] punto di vista, aspetto.
anglican, e [ɑ̃glikɑ̃, an] adj. et n. anglicano.
anglicisme [ɑ̃glisism] m. anglicismo.
anglo-saxon, onne [ɑ̃glosaksɔ̃, ɔn] adj. et n. anglosassone.
angoissant, e [ɑ̃gwasɑ̃, ɑ̃t] adj. angoscioso.
angoisse [ɑ̃gwas] f. angoscia ; affanno m.
angoisser [ɑ̃gwase] v. tr. angosciare, affannare.
anguille [ɑ̃gij] f. ZOOL. anguilla.
angulaire [ɑ̃gylɛr] adj. angolare.
anguleux, euse [ɑ̃gylø, øz] adj. angoloso.
anicroche [anikrɔʃ] f. FAM. inciampo m., intoppo m.
animal, aux [animal, o] m. animale.
animal, e, aux [animal, o] adj. animale. | *règne animal,* regno animale. || PÉJOR. animalesco. | *vie animale,* vita animalesca.
animalier [animalje] adj. et m. ART animalista.
animateur, trice [animatœr, tris] adj. et n. animatore, trice.
animation [animasjɔ̃] f. animazione.
animé, e [anime] adj. animato.
animer [anime] v. tr. animare ; dare vita a. || FIG. animare, incitare, incoraggiare. ◆ v. pr. animarsi.
animosité [animozite] f. animosità, malanimo m.
anis [ani(s)] m. BOT. anice. | *anis étoilé,* anice stellato.
ankylose [ɑ̃kiloz] f. anchilosi.
ankyloser [ɑ̃kiloze] v. tr. anchilosare. ◆ v. pr. anchilosarsi.
annales [anal] f. pl. annali m. pl.
anneau [ano] m. anello. | *anneau de mariage,* anello matrimoniale ; fede f.
année [ane] f. anno m. | *souhaiter la bonne année,* augurare un felice anno

nuovo. | *il y a des années,* anni fa. || [récolte] annata. || [revue] annata. || [classe] anno.

annexe [anɛks] adj. annesso, congiunto. ◆ f. [bâtiment] annesso m. || [document] allegato m.

annexer [anɛkse] v. tr. annettere, allegare, unire.

annexion [anɛksjɔ̃] f. annessione.

annihiler [aniile] v. tr. annichilire, annientare.

anniversaire [anivɛrsɛr] adj. anniversario. ◆ m. anniversario, ricorrenza f. || [de naissance] anniversario, compleanno.

annonce [anɔ̃s] f. [action] annuncio m., annunzio m. || [avis] annuncio, avviso m., inserzione. | *petites annonces,* avvisi economici. || JEU dichiarazione, licitazione. || FIG. annuncio, indizio m., presagio m.

annoncer [anɔ̃se] v. tr. annunciare, annunziare. || [officiellement] bandire. || [introduire] annunziare, introdurre. || [prêcher] predicare. || [prophétiser] annunziare, profetizzare. || [présager] (pre)annunziare. || [dénoter] denotare, rivelare. || JEU dichiarare. ◆ v. pr. presentarsi.

annonceur [anɔ̃sœr] m. annunziatore, inserzionista.

annonciateur, trice [anɔ̃sjatœr, tris] adj. annunziatore, trice ; precorritore, trice.

annoter [anɔte] v. tr. annotare, postillare, chiosare.

annuaire [anɥɛr] m. annuario. | *annuaire du téléphone,* elenco telefonico.

annuel, elle [anɥɛl] adj. annuo, annuale.

annuité [anɥite] f. annualità.

annulaire [anylɛr] adj. et m. anulare.

annulation [anylasjɔ̃] f. annullamento m., abrogazione.

annuler [anyle] v. tr. annullare, invalidare. || [anéantir] annullare, annientare.

anoblir [anɔblir] v. tr. nobilitare, annobilire.

anode [anɔd] f. PHYS. anodo m.

anodin, e [anɔdɛ̃, in] adj. anodino.

anomalie [anɔmali] f. anomalia, irregolarità.

ânon [ɑnɔ̃] m. asinello, somarello ; ciuchino (fam.).

ânonner [ɑnɔne] v. tr. et intr. compitare stentatamente.

anonymat [anɔnima] m. incognito.

anonyme [anɔnim] adj. et n. anonimo.

anorak [anɔrak] m. giacca (f.) a vento.

anormal, e, aux [anɔrmal, o] adj. anormale, abnorme. || [mentalement] anormale, alienato, minorato. ◆ n. anormale, minorato.

anse [ɑ̃s] f. ansa, manico m. || GÉOGR. insenatura.

antagonisme [ɑ̃tagɔnism] m. antagonismo ; rivalità f.

antagoniste [ɑ̃tagɔnist] adj. antagonistico. ◆ n. antagonista.

antarctique [ɑ̃tarktik] adj. antartico.

antécédent, e [ɑ̃tesedɑ̃, ɑ̃t] m. antecedente, antefatto. ◆ m. pl. precedenti (penali).

antédiluvien, enne [ɑ̃tedilyvjɛ̃, ɛn] adj. antidiluviano.

antenne [ɑ̃tɛn] f. antenna. | *antenne extérieure,* aereo m. || *antenne chirurgicale,* ambulanza chirurgica mobile. || FIG. *avoir des antennes partout,* avere mille orecchi. || RAD. *prendre l'antenne,* entrare in sintonia. | *rendre l'antenne,* uscire di sintonia.

antérieur, e [ɑ̃terjœr] adj. anteriore. | *passé antérieur,* trapassato remoto.

antériorité [ɑ̃terjɔrite] f. anteriorità.

anthologie [ɑ̃tɔlɔʒi] f. antologia.

anthracite [ɑ̃trasit] m. antracite f.

anthropologie [ɑ̃trɔpɔlɔʒi] f. antropologia.

anthropophage [ɑ̃trɔpɔfaʒ] adj. et n. antropofago.

antiaérien, enne [ɑ̃tiaerjɛ̃, ɛn] adj. antiaereo, contraereo.

antialcoolique [ɑ̃tialkɔlik] adj. antialcolico.

antibiotique [ɑ̃tibiɔtik] m. MÉD. antibiotico.

antibrouillard [ɑ̃tibrujar] adj. et m. inv. antinebbia, fendinebbia.

antichambre [ɑ̃tiʃɑ̃br] f. anticamera.

antichar [ɑ̃tiʃar] adj. anticarro, controcarro inv.

anticipation [ɑ̃tisipasjɔ̃] f. anticipazione, anticipo m. | *roman d'anticipation,* romanzo avveniristico. | *par anticipation,* anticipatamente.

anticiper [ɑ̃tisipe] v. tr. anticipare. || presagire, prevedere. ◆ v. tr. ind. (sur) precorrere v. tr. || spendere (v. tr.) anticipatamente.

anticlérical, e, aux [ɑ̃tiklerikal, o] adj. et n. anticlericale.

anticonceptionnel, elle [ɑ̃tikɔ̃sɛpsjɔnɛl] adj. anticoncezionale.

anticorps [ɑ̃tikɔr] m. MÉD. anticorpo.

anticyclone [ɑ̃tisiclon] m. anticiclone.

antidater [ɑ̃tidate] v. tr. retrodatare, antidatare.

antidérapant, e [ɑ̃tiderapɑ̃, ɑ̃t] adj. et m. antisdrucciolevole, antiderapante.

antidote [ɑ̃tidɔt] m. antidoto, contravveleno.

antienne [ɑ̃tjɛn] f. antifona.

antigel [ɑ̃tiʒɛl] m. anticongelante ; antigelo (néol.).

antilope [ɑ̃tilɔp] f. ZOOL. antilope.

antimilitariste [ɑ̃timilitarist] adj. et n. antimilitarista.
antinomie [ɑ̃tinɔmi] f. antinomia.
antiparasite [ɑ̃tiparazit] adj. TÉL. antidisturbo inv.
antiparti [ɑ̃tiparti] adj. et m. inv. antipartito inv.
antipathie [ɑ̃tipati] f. antipatia, avversione.
antipathique [ɑ̃tipatik] adj. antipatico.
antipode [ɑ̃tipɔd] m. antipode.
antiquaire [ɑ̃tikɛr] n. antiquario, a.
antique [ɑ̃tik] adj. antico. || IRON. antiquato.
antiquité [ɑ̃tikite] f. antichità. ◆ f. pl. antichità. | *magasin d'antiquités*, antiquariato m.
antirouille [ɑ̃tiruj] adj. inv. et m. antiruggino inv.
antisémite [ɑ̃tisemit] adj. et n. antisemita.
antisémitisme [ɑ̃tisemitism] m. antisemitismo.
antiseptique [ɑ̃tisɛptik] adj. antisettico.
antithèse [ɑ̃titɛz] f. antitesi.
antituberculeux, euse [ɑ̃titybɛrkylø, øz] adj. antitubercolare.
antivol [ɑ̃tivɔl] adj. et m. antifurto inv.
antre [ɑ̃tr] m. antro, caverna f., spelonca f.
anus [anys] m. ano.
anxiété [ɑ̃ksjete] f. ansietà, ansia, affanno m.
anxieux, euse [ɑ̃ksjø, øz] adj. ansioso.
aorte [aɔrt] f. aorta.
août [u(t)] m. agosto.
apache [apaʃ] m. teppista.
apaisant, e [apɛzɑ̃, ɑ̃t] adj. calmante.
apaisement [apɛzmɑ̃] m. acquietamento, acchetamento. | *donner des apaisements*, dare assicurazioni.
apaiser [apɛze] v. tr. acquietare, calmare, placare, sedare. ◆ v. pr. acquietarsi, calmarsi, placarsi.
apanage [apanaʒ] m. HIST. appannaggio. || FIG. appannaggio, prerogativa f.
aparté (en) [ɑ̃naparte] loc. adv. a parte, in disparte.
apathie [apati] f. apatia, indolenza.
apathique [apatik] adj. apatico.
apatride [apatrid] adj. et n. apolide.
apercevoir [apɛrsəvwar] v. tr. scorgere, avvistare. || FIG. scorgere, intravedere. || PHILOS. percepire. ◆ v. pr. [réciproque] scorgersi, intravedersi. || [se rendre compte] accorgersi, avvedersi.
aperçu [apɛrsy] m. indicazione f., valutazione (f.) sommaria. || [exposé] cenno, sunto. || [échantillon] saggio.
apéritif, ive [aperitif, iv] adj. et m. aperitivo.
apesanteur [apəzɑ̃tœr] f. assenza di peso. | *en état d'apesanteur*, in condizioni di gravità zero.
à-peu-près [apøprɛ] m. inv. approssimazione f.
apeuré, e [apœre] adj. impaurito.
aphone [afɔn] adj. afono.
aphorisme [afɔrism] m. aforisma.
aphte [aft] m. afta f.
apiculture [apikyltyr] f. apicoltura.
apitoiement [apitwamɑ̃] m. compassione f.
apitoyer [apitwaje] v. tr. impietosire, muovere a pietà. ◆ v. pr. (sur) compatire, compiangere v. tr.
aplanir [aplanir] v. tr. appianare, spianare. ◆ v. pr. appianarsi, spianarsi.
aplatir [aplatir] v. tr. appiattire, schiacciare. || FIG., FAM. schiacciare, annientare. ◆ v. pr. schiacciarsi, appiattirsi. || FIG., PÉJOR. umiliarsi, abbassarsi.
aplomb [aplɔ̃] m. appiombo. || [stabilité] equilibrio. || FIG. sicurezza f., disinvoltura f., calma f. | *être, ne pas être d'aplomb*, essere in forma, essere giù di forma. || PÉJOR. impudenza f., sfacciataggine f., sfrontatezza f. | *quel aplomb !* che faccia tosta ! ◆ *d'aplomb*, a piombo.
apocalypse [apɔkalips] f. apocalisse.
apocryphe [apɔkrif] adj. et m. apocrifo.
apogée [apɔʒe] m. apogeo. || FIG. apogeo, apice.
apologie [apɔlɔʒi] f. apologia.
apologue [apɔlɔg] m. apologo ; favola f.
apoplexie [apɔplɛksi] f. MÉD. apoplessia.
apostasie [apɔstazi] f. apostasia.
apostolat [apɔstɔla] m. apostolato.
1. apostrophe [apɔstrɔf] f. RHÉT. apostrofe.
2. apostrophe f. [signe graphique] apostrofo m.
apothéose [apɔteoz] f. apoteosi.
apôtre [apotr] m. apostolo. || IRON. *faire le bon apôtre*, fare il santerello.
apparaître [aparɛtr] v. intr. apparire, comparire. || [sembler] apparire, parere, sembrare. | *il apparaît que*, risulta che.
apparat [apara] m. apparato, pompa f., gala f. || PHILOL. *apparat critique*, apparato critico.
appareil [aparɛj] m. [dispositif] apparecchio ; macchina f. | *qui est à l'appareil ?*, chi parla ?, con chi parlo ? || [avion] apparecchio, aereo.
appareillage [aparɛjaʒ] m. MAR. (il) salpare. || TECHN. apparecchiatura f., attrezzatura f.
1. appareiller [aparɛje] v. intr. MAR. salpare.

2. appareiller v. tr. [assortir] appaiare, accoppiare, assortire. ◆ v. pr. appaiarsi, accoppiarsi.
apparence [aparɑ̃s] f. apparenza, aspetto m. | *selon toute apparence,* è probabile, verosimile (che). || PHILOS. *le monde des apparences,* il mondo fenomenico.
apparent, e [aparɑ̃, ɑ̃t] adj. apparente. || evidente, palese.
apparenter (s') [saparɑ̃te] v. pr. (à) apparentarsi, imparentarsi (con). || POLIT. apparentarsi.
apparier [aparje] v. tr. appaiare. ◆ v. pr. accoppiarsi.
appariteur [aparitœr] m. bidello.
apparition [aparisjɔ̃] f. [manifestation] apparizione, comparsa. || [vision] apparizione, visione. || [fantôme] fantasma m., spettro m.
appartement [apartəmɑ̃] m. appartamento, quartiere.
appartenance [apartənɑ̃s] f. appartenenza.
appartenir [apartənir] v. tr. ind. (à) appartenere (a), essere (di). || [être le propre de] spettare (a), essere proprio (di). ◆ v. impers. toccare, spettare. | *c'est à moi qu'il appartient de décider,* spetta a me decidere. | *il n'appartient qu'à vous de choisir,* a Lei solo spetta scegliere. ◆ v. pr. *ne pas s'appartenir,* non disporre di sé.
appas [apɑ] m. pl. attrattive f. pl., fascino m. || FAM. seno m.
appât [apɑ] m. esca f. || FIG. esca, attrattiva f.
appâter [apɑte] v. tr. innescare. || [gaver] ingozzare. || FIG. adescare, allettare.
appauvrir [apovrir] v. tr. impoverire, immiserire. ◆ v. pr. impoverirsi, immiserirsi.
appeau [apo] m. [sifflet] fischietto. || [oiseau] uccello di richiamo.
appel [apɛl] m. chiamata f., richiamo. || COMM. *appel d'offres,* licitazione privata. || FIN. *appel de fonds,* richiesta (f.) di fondi. || JUR. appello, ricorso. || MIL. *appel aux armes,* chiamata alle armi. | *sonner l'appel,* suonare l'adunata. | *devancer l'appel,* anticipare la leva. || SP. battuta f. || TECHN. *appel d'air,* presa (f.) d'aria ; spiffero. || TÉL. chiamata. || TYP. *appel de note,* richiamo. || FIG. *appel du pied,* invito. | *appel des sens,* richiamo dei sensi. || *faire l'appel,* far l'appello, la chiama. | *appel au peuple,* appello al popolo. | *faire appel à la générosité de qn,* appellarsi alla generosità di qlcu.
appeler [aple] v. tr. chiamare. || [nommer] chiamare, nominare. | *il m'a appelé menteur,* mi ha chiamato bugiardo, mi ha dato del bugiardo. || [entraîner] *le mensonge appelle le mensonge,* una bugia tira l'altra. || [attirer] richiamare, attirare. || [requérir] richiedere. || [souhaiter] sospirare, desiderare. ◆ v. tr. ind. *en appeler à,* fare appello a, appellarsi a. ◆ v. pr. chiamarsi ; aver nome.
appellation [apɛlasjɔ̃] f. appellazione, nome m., appellativo m. | *appellation injurieuse,* appellativo ingiurioso. || COMM. *appellation d'origine contrôlée,* denominazione d'origine controllata.
appendice [apɛ̃dis] m. appendice f.
appendicite [apɛ̃disit] f. MÉD. appendicite.
appentis [apɑ̃ti] m. tettoia f. || rimessa f.
appesantir [apəzɑ̃tir] v. tr. appesantire. ◆ v. pr. appesantirsi. || FIG. dilungarsi.
appétissant, e [apetisɑ̃, ɑ̃t] adj. appetitoso.
appétit [apeti] m. appetito. | *manque d'appétit,* inappetenza f., disappetenza f.
applaudir [aplodir] v. tr. et intr. applaudire, acclamare. ◆ v. tr. ind. (à) applaudire (a), acclamare (a). ◆ v. pr. (de) rallegrarsi (di), compiacersi (di).
applaudissement [aplodismɑ̃] m. applauso.
application [aplikasjɔ̃] f. applicazione ; attuazione. || [mise en pratique] *entrer en application,* entrare in vigore. | *en application de,* in base a. || [attention] applicazione ; impegno m.
applique [aplik] f. lampada murale.
appliqué, e [aplike] adj. *sciences appliquées,* scienze applicate. || *élève appliqué,* scolaro attento, diligente, studioso.
appliquer [aplike] v. tr. applicare. | *appliquer une couche de vernis,* dare una mano di vernice. || FIG., FAM. *appliquer une gifle,* appioppare un ceffone. || [mettre en pratique] applicare ; mettere in atto, in vigore. | *appliquer son attention,* rivolgere l'attenzione. ◆ v. pr. applicarsi. || FIG. applicarsi, studiarsi, ingegnarsi.
appoint [apwɛ̃] m. complemento, integrazione f. || FIG. [aide] contributo, concorso.
appointements [apwɛ̃tmɑ̃] m. pl. stipendio m.
appointer [apwɛ̃te] v. tr. stipendiare.
appontement [apɔ̃tmɑ̃] m. MAR. pontile.
apport [apɔr] m. apporto, contributo.
apporter [apɔrte] v. tr. portare, recare, addurre, allegare.
apposer [apoze] v. tr. apporre. | *apposer des affiches,* attaccare affissi.
appréciable [apresjabl] adj. apprezzabile.

appréciation [apresjasjɔ̃] f. apprezzamento m., valutazione, stima. || FIG. apprezzamento, giudizio m.
apprécier [apresje] v. tr. [évaluer] apprezzare, valutare, stimare. | *un cadeau apprécié,* un regalo gradito.
appréhender [apreɑ̃de] v. tr. arrestare, catturare ; trarre in arresto. || [redouter] temere.
appréhension [apreɑ̃sjɔ̃] f. apprensione, timore m.
apprendre [aprɑ̃dr] v. tr. et tr. ind. [étudier] imparare, apprendere, studiare. || [être informé] apprendere, sapere, venire a sapere. || [enseigner] insegnare. || [faire savoir] annunciare, comunicare.
apprenti, e [aprɑ̃ti] n. apprendista. || FIG. novizio, novizia ; principiante.
apprentissage [aprɑ̃tisaʒ] m. apprendistato, tirocinio, noviziato.
apprêt [aprɛ] m. TEXT. apprettatura f. ; [substance] appretto, salda f. || FIG. affettazione f., ricercatezza f. ◆ pl. preparativi ; allestimento sing.
apprêter [aprɛte] v. tr. preparare, apparecchiare, allestire. || CULIN. ammannire, cucinare. || TECHN. apprettare. ◆ v. pr. (à, pour) accingersi (a) ; stare (per).
apprivoisement [aprivwazmɑ̃] m. addomesticamento ; addomesticatura f.
apprivoiser [aprivwaze] v. tr. addomesticare. || FIG. addomesticare, ammansire. ◆ v. pr. addomesticarsi, ammansirsi.
approbateur, trice [aprɔbatœr, tris] adj. approvativo. ◆ n. approvatore, trice.
approbation [aprɔbasjɔ̃] f. approvazione ; consenso m. || approvazione, elogio m., lode. || [agrément] autorizzazione ; permesso m.
approchant, e [aprɔʃɑ̃, ɑ̃t] adj. vicino, simile, somigliante. || [calcul] approssimativo.
approche [aprɔʃ] f. avvicinamento m., arrivo m. || FIG. *à l'approche de l'hiver,* all'avvicinarsi, all'arrivo dell'inverno. || [démarche] procedimento m. || [tentative] tentativo m. ◆ pl. vicinanze ; dintorni m. pl. || FIG. (l')approssimarsi.
approché, e [aproʃe] adj. approssimato.
approcher [aprɔʃe] v. tr. avvicinare, accostare. ◆ v. tr. ind. (de) avvicinare v. tr., avvicinarsi (a), accostarsi (a). ◆ v. intr. avvicinarsi, accostarsi. ◆ v. pr. (de) avvicinarsi (a), accostarsi (a).
approfondir [aprɔfɔ̃dir] v. tr. approfondire.
approfondissement [aprɔfɔ̃dismɑ̃] m. approfondimento.
appropriation [aprɔprijasjɔ̃] f. [adaptation] adattamento m. || [action de s'approprier] appropriazione.
approprié, e [aprɔprije] adj. adatto, adeguato.
approprier [aprɔprije] v. tr. appropriare, adattare. ◆ v. pr. appropriarsi.
approuver [apruve] v. tr. approvare.
approvisionnement [aprɔvizjɔnmɑ̃] m. approvvigionamento, vettovagliamento. || ADM. *services de l'approvisionnement,* Annona f. || [provisions] approvvigionamenti m. pl., rifornimento, vettovaglie f. pl.
approvisionner [aprɔvizjɔne] v. tr. (de, en) approvvigionare (di), rifornire (di). ◆ v. pr. approvvigionarsi, rifornirsi.
approximatif, ive [aprɔksimatif, iv] adj. approssimativo.
appui [apɥi] m. appoggio, sostegno. || FIG. appoggio, aiuto. || TECHN. fulcro. ◆ *à l'appui de,* a sostegno di.
appuyer [apɥije] v. tr. [soutenir] sostenere, rinforzare, consolidare. || [appliquer] (à, contre) appoggiare (a). || *appuyer le pied sur l'accélérateur,* premere l'acceleratore col piede. || FIG. appoggiare, sostenere, spalleggiare. || confermare, convalidare, rafforzare. ◆ v. tr. ind. (sur) poggiare (su). || [presser] premere, pigiare, calcare. | *appuyer sur la droite,* poggiare a destra. || FIG. insistere su, sottolineare. ◆ v. pr. appoggiarsi. || fondarsi, basarsi.
âpre [ɑpr] adj. aspro. | *froid âpre,* freddo rigido, crudo. || *âpre au gain,* avido di guadagno.
après [aprɛ] prép. dopo. | *après quoi,* dopo di che ; poi, quindi. | *après avoir fini son travail,* finito il lavoro. | *après avoir ôté sa veste,* toltasi la giacca. || *après vous !,* prima Lei ! | *l'un après l'autre,* uno dietro, dopo l'altro. || *crier après qn,* gridare contro qlcu., addosso a qlcu. ◆ *d'après,* [à l'imitation de] da. | *portrait d'après nature,* ritratto dal vero. || [selon] secondo. | *d'après moi,* secondo me, a mio parere. | *d'après ses dires,* a quanto dice. ◆ adv. [temps] dopo ; [lieu] dietro. ◆ *après tout,* dopo tutto, tutto sommato. || *après coup,* a cose fatte, a fatti compiuti. ◆ loc. conj. *après que,* dopo che.
après-demain [aprɛdmɛ̃] adv. dopodomani ; domani l'altro.
après-guerre [aprɛgɛr] m. ou f. (pl. **après-guerres**) dopoguerra m. inv.
après-midi [aprɛmidi] m. ou f. inv. pomeriggio m., dopopranzo m.
après-rasage [aprɛrazaʒ] adj. inv. et m. dopobarba inv.
après-ski [aprɛski] m. (pl. **après-skis**) doposci m. inv.

après-vente [aprɛvɑ̃t] adj. inv. *service après-vente,* assistenza (f.) ai clienti.
âpreté [ɑprəte] f. asprezza. | *âpreté du climat,* rigidezza, rigore del clima. || [avidité] avidità.
à-propos [aprɔpo] m. inv. opportunità f. | *répondre avec à-propos,* rispondere a proposito. | *esprit d'à-propos,* prontezza di spirito.
apte [apt] adj. atto, idoneo, adatto, adeguato. || MIL. abile, idoneo.
aptitude [aptityd] f. attitudine, capacità, disposizione.
apurer [apyre] v. tr. controllare, verificare.
aquarelle [akwarɛl] f. acquerello m., acquarello m.
aquarium [akwariɔm] m. acquario.
aquatique [akwatik] adj. acquatico.
aqueduc [akdyk] m. acquedotto.
aqueux, euse [akø, øz] adj. [de la nature de l'eau] acqueo. || [qui contient de l'eau] acquoso.
aquilin, e [akilɛ̃, in] adj. aquilino.
arabe [arab] adj. arabo, arabico. | *cheval arabe,* cavallo arabo. | *chiffres arabes,* cifre arabiche. ◆ m. [langue] arabo.
arabesque [arabɛsk] f. arabesco m., rabesco m.
arable [arabl] adj. arabile.
arachide [araʃid] f. BOT. arachide.
araignée [areɲe] f. ZOOL. ragno m. | *toile d'araignée,* ragnatela. || *araignée de mer,* grancevola.
arbalète [arbalɛt] f. balestra.
arbitrage [arbitraʒ] m. JUR. arbitrato, lodo. || SP. arbitraggio. || [Bourse] arbitraggio.
arbitraire [arbitrɛr] adj. arbitrario. | *acte arbitraire,* atto arbitrario ; arbitrio m. ◆ m. arbitrio.
1. arbitre [arbitr] m. PHILOS. *libre, serf arbitre,* libero, servo arbitrio.
2. arbitre m. JUR., SP. arbitro. || SP. *arbitre de touche,* guardalinee, segnalinee inv.
arbitrer [arbitre] v. tr. arbitrare.
arborer [arbɔre] v. tr. inalberare, issare, innalzare. | *arborer un sourire,* sfoggiare un bel sorriso.
arbouse [arbuz] f. corbezzola.
arbre [arbr] m. albero, pianta f. || ANAT., MÉC. albero.
arbrisseau [arbriso] m. arboscello.
arbuste [arbyst] m. arbusto, frutice.
arc [ark] m. arco. || TECHN. *soudure à l'arc,* saldatura elettrica.
arcade [arkad] f. arcata, arco m. || [galerie] arcata, portico m., porticato m.
arc-boutant [arkbutɑ̃] m. ARCHIT. arco rampante.
arc-bouter [arkbute] v. tr. rinforzare con archi rampanti. ◆ v. pr. inarcarsi, puntarsi.
arceau [arso] m. archetto.
arc-en-ciel [arkɑ̃sjɛl] m. arcobaleno, iride f.
archaïque [arkaik] adj. arcaico.
archaïsme [arkaism] m. arcaismo.
archange [arkɑ̃ʒ] m. arcangelo.
1. arche [arʃ] f. ARCHIT. arco m.
2. arche f. REL. arca.
archéologie [arkeɔlɔʒi] f. archeologia.
archer [arʃe] m. arciere.
archet [arʃɛ] m. MUS. archetto, arco.
archétype [arketip] m. archetipo.
archevêché [arʃəvɛʃe] m. arcivescovado.
archevêque [arʃəvɛ̃k] m. arcivescovo.
archicomble [arʃikɔ̃bl] adj. FAM. [choses] stracolmo. || [personnes] affollatissimo, stipato.
archiduc [arʃidyk] m. arciduca.
archipel [arʃipɛl] m. arcipelago.
architecte [arʃitɛkt] m. architetto.
architecture [arʃitɛktyr] f. architettura.
archives [arʃiv] f. pl. [documents] atti m. pl., documenti m. pl., memorie. || [lieu] archivio m. | *mettre aux archives,* archiviare.
archiviste [arʃivist] n. archivista.
arçon [arsɔ̃] m. arcione.
arctique [arktik] adj. artico.
ardent, e [ardɑ̃, ɑ̃t] adj. ardente. || [qui chauffe fortement] ardente, scottante, cocente, infocato, rovente. || FIG. ardente, violento, veemente, appassionato. || [plein d'ardeur] ardente, focoso, impetuoso, acceso.
ardeur [ardœr] f. ardore m. | *dans l'ardeur du combat,* nell'impeto del combattimento. || [passion] ardore, passione, fervore m.
ardoise [ardwaz] f. ardesia, lavagna.
ardu, e [ardy] adj. arduo, difficile, penoso.
are [ar] m. ara f.
arène [arɛn] f. arena. ◆ pl. anfiteatro m., arena sing.
arête [arɛt] f. lisca, spina. | *l'arête du toit,* il colmo. | *l'arête du nez,* il dorso del naso. || [saillie anguleuse] spigolo m., angolo m., canto m.
argent [arʒɑ̃] m. [métal] argento. || [monnaie] denaro, quattrini m. pl., soldi m. pl. (fam.). | *argent comptant,* denaro contante. || FAM. *faire de l'argent,* far quattrini. || *en être pour son argent,* rimetterci denaro, del suo. | *prendre pour argent comptant,* prendere per oro colato. | *le temps, c'est de l'argent,* il tempo è denaro.
argenté, e [arʒɑ̃te] adj. argentato, inargentato. || FIG. argenteo, argentato, inargentato.

argenterie [arʒɑ̃tri] f. argenteria.
argile [arʒil] f. argilla, creta.
argot [argo] m. gergo.
argument [argymɑ̃] m. argomento ; prova f. || [sommaire] argomento, sommario, tema.
argumentation [argymɑ̃tasjɔ̃] f. argomentazione.
argumenter [argymɑ̃te] v. intr. argomentare.
argutie [argysi] f. sottigliezza ; cavillo m.
aride [arid] adj. arido.
aridité [aridite] f. aridità.
aristocrate [aristɔkrat] n. aristocratico. || Fig. signore, signora.
aristocratie [aristɔkrasi] f. aristocrazia. || Fig. aristocrazia, fior fiore m.
aristocratique [aristɔkratik] adj. aristocratico, signorile.
arithmétique [aritmetik] adj. aritmetico. ◆ f. aritmetica.
arlequin [arləkɛ̃] m. arlecchino.
armateur [armatœr] m. armatore.
armature [armatyr] f. armatura. || Fig. struttura.
arme [arm] f. arma. || Fam. *passer l'arme à gauche,* tirare le cuoia (pop.). ◆ pl. armi. | *suspension d'armes,* sospensione d'armi. | *place d'armes,* piazza d'armi. | *faire des armes,* tirare di scherma. | *passe d'armes,* schermaglia f. || [armoiries] stemma m.
armée [arme] f. esercito m. | *corps d'armée,* corpo d'armata. | *armée de l'air,* armata aerea. | *armée de mer,* armata (navale). || Fig. esercito.
armement [arməmɑ̃] m. armamento. | *usine d'armement,* fabbrica d'armi.
armer [arme] v. tr. armare. || [mobiliser] armare, mobilitare. || [munir] armare, fornire, dotare. || Mar. armare. || Techn. armare, consolidare, rinforzare. ◆ v. intr. armare. ◆ v. pr. armarsi.
armistice [armistis] m. armistizio.
armoire [armwar] f. armadio m.
armoiries [armwari] f. pl. stemma m. (gentilizio).
armure [armyr] f. armatura.
armurerie [armyr(ə)ri] f. fabbricazione delle armi. || fabbrica d'armi. || bottega di armaiolo. || [collection] armeria.
armurier [armyrje] m. armaiolo.
aromate [arɔmat] m. aroma, pianta aromatica.
aromatiser [arɔmatize] v. tr. aromatizzare.
arôme [arom] m. aroma.
arpège [arpɛʒ] m. arpeggio.
arpentage [arpɑ̃taʒ] m. agrimensura f.
arpenter [arpɑ̃te] v. tr. misurare.
arpenteur [arpɑ̃tœr] m. agrimensore, geometra.
arquer [arke] v. tr. arcuare, inarcare, piegare ad arco, curvare ad arco. ◆ v. intr. inarcarsi.
arrachage [araʃaʒ] m. sradicamento ; estirpazione f. | *arrachage des betteraves,* raccolta (f.) delle barbabietole.
arrache-pied (d') [daraʃpje] loc. adv. di lena, con impegno, a tutto spiano.
arracher [araʃe] v. tr. strappare, sradicare, estirpare. || Sp. *arracher un haltère,* sollevare un manubrio. || [déchirer] strappare, stracciare, lacerare. || Fig. [obtenir] strappare. || [soustraire] strappare, sottrarre. ◆ v. pr. [se détacher] staccarsi, svincolarsi.
arraisonnement [arɛzɔnmɑ̃] m. Av., Mar. fermo (per ispezione).
arraisonner [arɛzɔne] v. tr. fermare (per ispezione), ispezionare.
arrangeant, e [arɑ̃ʒɑ̃, ɑ̃t] adj. arrendevole, accomodante, conciliante.
arrangement [arɑ̃ʒmɑ̃] m. assetto, assestamento. || [accord] accomodamento. || Mus. riduzione f.
arranger [arɑ̃ʒe] v. tr. assettare, assestare, ordinare, sistemare. | *arranger ses cheveux,* aggiustarsi, ravviarsi i capelli. || riparare, accomodare, aggiustare. || [adapter] arrangiare, ridurre. || [terminer à l'amiable] accomodare, comporre. || [organiser] *arranger une entrevue, un mariage,* combinare un incontro, un matrimonio. || [convenir] *cela m'arrange,* (ciò) mi fa comodo. ◆ v. pr. ordinarsi, assettarsi. || raccomodarsi, aggiustarsi. || acconciarsi, racconciarsi, ravviarsi, assettarsi. || *s'arranger pour, en vue de,* fare in modo da, procurare di. || Par ext. [se débrouiller] arrangiarsi. || [se mettre d'accord] accomodarsi, aggiustarsi, arrangiarsi. || [se contenter] adattarsi, accontentarsi, contentarsi.
arrestation [arɛstasjɔ̃] f. arresto m., fermo m.
arrêt [arɛ] m. arresto ; fermata f. | *arrêt des hostilités,* cessazione (f.), sospensione (f.) delle ostilità. | *arrêt des paiements,* sospensione, interruzione (f.) dei pagamenti. || *chien d'arrêt,* cane da ferma (f.). || Techn. *dispositif d'arrêt,* dispositivo d'arresto. || *arrêt facultatif,* fermata facoltativa. || [interruption] sosta f., pausa f. || Jur. arresto. | *maison d'arrêt,* carcere giudiziario, preventivo. | sentenza f., giudizio. || Fig. decisione f., decreto. ◆ pl. Mil. arresti.
arrêté [arete] m. decreto, provvedimento, ordinanza f. || Comm. *arrêté de compte,* saldo di conto. || Jur. sentenza f., giudizio.
arrêter [arete] v. tr. arrestare, fermare. | *arrêter le moteur,* fermare il motore. || Fig. fermare, trattenere. || [interrom-

pre] interrompere. || [faire cesser] por fine a, smettere. || [appréhender] arrestare. || [fixer] fissare. || [décider] fissare, stabilire, decidere. || COMM. saldare. ◆ v. intr. fermarsi. | *arrête !,* fermati ! || [de faire qch.] smettere, cessare. | *arrête !,* smettila !, finiscila ! || [chasse] puntare v. tr. ◆ v. pr. fermarsi, arrestarsi. | *arrête-toi !,* fermati ! || [s'interrompre] smettere, cessare v. intr. || [séjourner] fermarsi, trattenersi. || [s'attarder] trattenersi, soffermarsi, attardarsi ; indugiare v. intr. || *s'arrêter à une décision,* decidersi ; prendere una decisione.

arrhes [ar] f. pl. arra f., caparra f.

arrière [arjɛr] adv. dietro, indietro. | *avoir vent arrière,* avere il vento in poppa. ◆ adj. inv. *roue arrière,* ruota posteriore. | *feu arrière,* fanalino di coda. | *marche arrière,* retromarcia f. | *faire marche arrière,* far marcia indietro ; retrocedere. ◆ interj. indietro !, alla larga ! ◆ *en arrière,* indietro. | *tomber en arrière,* cadere riverso, supino. || *en arrière de,* dietro. ◆ m. didietro. || SP. [football] terzino. | [rugby] portiere. ◆ pl. MIL. retrovie f. pl.

arriéré, e [arjere] adj. COMM. arretrato. || [sous-développé] arretrato, depresso. || [périmé] retrogrado, retrivo. || MÉD. *enfant arriéré,* fanciullo tardivo, ritardato. ◆ m. COMM. arretrato. || FIG. ritardo.

arrière-boutique [arjɛrbutik] f. retrobottega m. inv. ou f.

arrière-garde [arjɛrgard] f. MIL. retroguardia.

arrière-goût [arjɛrgu] m. retrogusto, retrosapore. || FIG. senso, residuo.

arrière-grand-mère [arjɛrgrɑ̃mɛr] f. bisnonna.

arrière-grand-père [arjɛrgrɑ̃pɛr] m. bisnonno.

arrière-pays [arjɛrpei] m. inv. retroterra.

arrière-pensée [arjɛrpɑ̃se] f. pensiero (m.) recondito, riposto ; secondo fine m.

arrière-petite-fille [arjɛrpətitfij] f. pronipote.

arrière-petit-fils [arjɛrpətifis] m. pronipote.

arrière-plan [arjɛrplɑ̃] m. sfondo ; secondo piano.

arrière-saison [arjɛrsɛzɔ̃] f. fine autunno. || FIG. tramonto m.

arrière-train [arjɛrtrɛ̃] m. [véhicule] treno posteriore. || ZOOL. zampe (f. pl.) posteriori.

arrimage [arimaʒ] m. MAR. stivaggio.

arrimer [arime] v. tr. MAR. stivare.

arrivage [arivaʒ] m. arrivo.

arrivant, e [arivɑ̃, ɑ̃t] n. *les premiers arrivants,* i primi arrivati.

arrivée [arive] f. arrivo m. || SP. arrivo, traguardo m.

arriver [arive] v. intr. arrivare, giungere. || [approcher] venire, arrivare. | *la nuit arrive,* viene, scende, cala la notte. || FAM. *j'arrive !,* vengo ! || [atteindre] *arriver à ses fins,* raggiungere lo scopo che ci si era proposto. | *n'arriver à rien,* non combinare niente. || *en arriver à,* arrivare a, pervenire a. || [avoir lieu] accadere, succedere, avvenire, capitare. | *un jour arrivera où,* verrà un giorno in cui. ◆ v. impers. *il m'est arrivé un malheur,* mi è capitata, toccata una disgrazia. | *quoi qu'il arrive,* checché, qualunque cosa accada.

arriviste [arivist] n. arrivista.

arrogance [arɔgɑ̃s] f. arroganza, insolenza.

arrogant, e [arɔgɑ̃, ɑ̃t] adj. arrogante, insolente.

arroger (s') [sarɔʒe] v. pr. arrogarsi, appropriarsi.

arrondir [arɔ̃dir] v. tr. arrotondare. || FIG. *arrondir les angles,* smussare gli angoli. ◆ v. pr. arrotondarsi.

arrondissement [arɔ̃dismɑ̃] m. ADM. circondario. || [Paris, Lyon, Marseille] quartiere, rione.

arrosage [arozaʒ] m. annaffiamento, innaffiamento.

arroser [aroze] v. tr. annaffiare, innaffiare. || FIG. bagnare. || FAM. [fêter] bagnare. | *arroser une promotion,* bagnare una promozione. || [soudoyer] *arroser qn,* ungere le ruote a qlcu.

arroseuse [arozøz] f. annaffiatrice.

arrosoir [arozwar] m. annaffiatoio, innaffiatoio.

arsenal [arsənal] m. arsenale.

arsenic [arsənik] m. arsenico.

art [ar] m. arte f. | *arts ménagers,* economia (f.) domestica. | *l'art narratif, oratoire,* la narrativa, l'oratoria. || *l'art pour l'art,* l'arte per l'arte, l'arte fine a se stessa.

artère [artɛr] f. arteria.

artériel, elle [arterjɛl] adj. arterioso.

arthrite [artrit] f. MÉD. artrite.

arthrose [artroz] f. artrosi.

artichaut [artiʃo] m. carciofo.

article [artikl] m. articolo. || [point] punto, argomento. || JOURN. *article de tête, de fond,* articolo di apertura, di fondo. || *article de dictionnaire,* voce (f.) di dizionario. || [marchandise] articolo, genere. | *les articles ménagers,* i casalinghi. || *faire l'article,* vantare la propria merce. || GR. articolo.

articulaire [artikylɛr] adj. articolare.

articulation [artikylasjɔ̃] f. articolazione.

articulés [artikyle] m. pl. ZOOL. artropodi.

articuler [artikyle] v. tr. [prononcer] articolare. || [joindre] aggiuntare. || [énoncer] articolare, proferire. ◆ v. pr. (avec, sur) articolarsi (con, in).
artifice [artifis] m. artificio, artifizio ; arte f., ripiego. || *feu d'artifice,* fuoco d'artificio.
artificiel, elle [artifisjɛl] adj. artificiale. || FIG. artificioso, artefatto.
artillerie [artijri] f. artiglieria. || FIG. *sortir la grosse artillerie,* ricorrere ai grossi calibri.
artilleur [artijœr] m. artigliere.
artimon [artimɔ̃] m. MAR. *mât d'artimon,* albero di mezzana f.
artisan, e [artizɑ̃, an] n. artigiano m. || FIG. artefice m., autore m.
artisanal, e, aux [artizanal, o] adj. artigiano, artigianale. | *l'industrie artisanale,* l'artigianato.
artisanat [artizana] m. artigianato.
artiste [artist] adj. artistico. ◆ n. artista.
artistique [artistik] adj. artistico.
as [ɑs] m. [carte] asso. || FIG. asso, campione.
ascendance [asɑ̃dɑ̃s] f. ascendenza ; ascendenti m. pl. || [courant aérien] ascendenza.
ascendant, e [asɑ̃dɑ̃, ɑ̃t] adj. ascendente. ◆ m. [ancêtre] ascendente, antenato. || FIG. influenza f. ; autorità (f.) morale ; prestigio.
ascenseur [asɑ̃sœr] m. ascensore.
ascension [asɑ̃sjɔ̃] f. [d'un ballon] ascensione, (l')innalzarsi. || [d'une montagne] ascensione. || FIG. ascensione, ascesa. || REL. Ascensione.
ascèse [asɛz] f. REL. ascesi.
ascète [asɛt] n. asceta.
ascétique [asetik] adj. ascetico. ◆ f. THÉOL. ascetica.
ascétisme [asetism] m. ascetismo.
aseptique [asɛptik] adj. asettico.
aseptiser [asɛptize] v. tr. sterilizzare.
asexué, e [asɛksye] adj. asessuato.
asiatique [azjatik] adj. et n. asiatico.
asile [azil] m. asilo, rifugio, riparo, ricovero.
aspect [aspɛ] m. [vue] vista f. || [apparence extérieure] aspetto, apparenza f., sembianza f. || FIG. aspetto ; punto di vista.
asperge [aspɛrʒ] f. asparago m. || FIG., FAM. spilungone m.
asperger [aspɛrʒe] v. tr. aspergere, spruzzare. ◆ v. pr. spruzzarsi.
aspérité [asperite] f. asperità.
aspersion [aspɛrsjɔ̃] f. aspersione.
asphalte [asfalt] m. asfalto.
asphyxie [asfiksi] f. asfissia.
asphyxier [asfiksje] v. tr. asfissiare. ◆ v. pr. asfissiarsi.
1. aspic [aspik] m. ZOOL. aspide.
2. aspic m. BOT. spigo.
aspirant, e [aspirɑ̃, ɑ̃t] adj. et m. aspirante.
aspirateur [aspiratœr] m. aspiratore, aspirapolvere inv.
aspiration [aspirasjɔ̃] f. aspirazione.
aspirer [aspire] v. tr. aspirare. ◆ v. tr. ind. (à) [désirer] aspirare (a) ; agognare v. tr.
aspirine [aspirin] f. aspirina.
assagir [asaʒir] v. tr. calmare, moderare, temperare. ◆ v. pr. rinsavire, mettere giudizio.
assaillant, e [asajɑ̃, ɑ̃t] adj. et n. assalitore, trice ; aggressore, aggreditrice ; attaccante.
assaillir [asajir] v. tr. assalire, assaltare, aggredire, attaccare. || [harceler] tempestare, bersagliare.
assainir [asenir] v. tr. risanare. || [bonifier] bonificare.
assainissement [asenismɑ̃] m. risanamento. || [bonification] bonifica f., risanamento.
assaisonnement [asezɔnmɑ̃] m. condimento.
assaisonner [asezɔne] v. tr. condire.
assassin, e [asasɛ̃, in] adj. assassino, micidiale. ◆ m. assassino. | *femme assassin,* assassina f.
assassinat [asasina] m. assassinio, omicidio.
assassiner [asasine] v. tr. assassinare. || FAM. [faire payer un prix excessif] assassinare.
assaut [aso] m. assalto. | *char d'assaut,* carro armato. | *partir à l'assaut,* muovere all'assalto. | *prendre d'assaut,* prendere d'assalto, espugnare. || FIG. *faire assaut de,* gareggiare in, di ; fare a gara di.
assécher [aseʃe] v. tr. prosciugare. ◆ v. pr. seccare v. intr., inaridirsi, esaurirsi.
assemblage [asɑ̃blaʒ] m. [action] riunione f. || [réunion disparate] accozzo, accozzaglia f. || MÉC. assemblaggio. || TECHN. incastro, collegamento.
assemblée [asɑ̃ble] f. assemblea, adunanza, adunata.
assembler [asɑ̃ble] v. tr. riunire, radunare, adunare. || MÉC. congegnare, montare. | *assembler un moteur,* montare un motore. || TECHN. incastrare, collegare. ◆ v. pr. (r)adunarsi, riunirsi.
assener ou **asséner** [asene] v. tr. vibrare, assestare.
assentiment [asɑ̃timɑ̃] m. assenso, consenso.
asseoir [aswar] v. tr. mettere a sedere, porre a sedere. || PR. et FIG. fondare, basare, stabilire. || FAM. [étonner] sbalordire. ◆ v. pr. sedere v. intr., sedersi. | *asseyez-vous !,* si accomodi !
assermenté, e [asɛrmɑ̃te] adj. et n. giurato.

assertion [asɛrsjɔ̃] f. asserzione, affermazione.
asservir [asɛrvir] v. tr. asservire. ◆ v. pr. asservirsi, rendersi servo.
assesseur [asesœr] m. sostituto ; vice inv.
assez [ase] adv. [suffisamment] abbastanza, bastantemente, sufficientemente, a sufficienza. | *être assez aimable pour,* essere tanto gentile da. | *assez de* (avec un n.), abbastanza ; sufficiente adj. | *assez !,* basta ! || [passablement] discretamente, piuttosto, alquanto. | *assez bien,* benino, discretamente. | *assez mal,* maluccio, mediocremente.
assidu, e [asidy] adj. assiduo.
assiduité [asidɥite] f. assiduità. ◆ pl. corteggiamento m.
assiéger [asjeʒe] v. tr. assediare.
assiette [asjɛt] f. stabilità, ubicazione ; equilibrio m. || FAM. *n'être pas dans son assiette,* non sentirsi bene (L.C.). || piatto m. | *assiette creuse,* scodella, piatto fondo. || FIG., FAM. *assiette au beurre,* mangiatoia, greppia.
assignation [asiɲasjɔ̃] f. assegnazione.
assigner [asiɲe] v. tr. JUR. citare. || [attribuer] assegnare, attribuire, destinare ; [somme] stanziare.
assimilation [asimilasjɔ̃] f. assimilazione.
assimilé, e [asimile] adj. et n. assimilato.
assimiler [asimile] v. tr. assimilare, equiparare. ◆ v. pr. assimilarsi. || [faire sien] assimilare, assimilarsi, far proprio. | *je m'assimile les idées d'un autre,* assimilo, fo mie le idee d'un altro.
assis, e [asi, iz] adj. seduto. | *places assises,* posti a sedere. || [stable] stabile, solido, saldo. ◆ m. *voter par assis et levé,* votare per alzata e seduta.
assise [asiz] f. corso m. || FIG. fondamento m. ◆ pl. sedute. || JUR. *cour d'assises,* corte d'assise.
assistance [asistɑ̃s] f. [présence] assistenza, presenza. | *assistance au cours,* frequenza alle lezioni. || [auditoire] uditorio m., pubblico m. || [aide] assistenza ; soccorso m., aiuto m. | *assistance judiciaire,* gratuito patrocinio.
assistant, e [asistɑ̃, ɑ̃t] n. assistente, aiutante. | *assistant du metteur en scène,* aiuto regista. || UNIV. assistente universitario. ◆ m. pl. astanti, presenti.
assister [asiste] v. tr. ind. (à) [être présent] assistere (a), presenziare (a) ; presenziare v. tr. ◆ v. tr. assistere, aiutare, soccorrere.
association [asɔsjasjɔ̃] f. associazione, società. | *en association,* in società. | *association de banques,* consorzio (m.) bancario. | *association de malfaiteurs,* associazione a delinquere. || [mots, couleurs] accostamento m.
associé, e [asɔsje] adj. et n. associato ; (con)socio n.
associer [asɔsje] v. tr. associare. ◆ v. pr. associarsi. | *s'associer au deuil,* partecipare al lutto. || [couleurs] intonarsi, armonizzarsi.
assoiffer [aswafe] v. tr. assetare.
assolement [asɔlmɑ̃] m. rotazione (f.) agraria.
assombrir [asɔ̃brir] v. tr. oscurare. || FIG. rattristare, amareggiare. ◆ v. pr. oscurarsi.
assommant, e [asɔmɑ̃, ɑ̃t] adj. FAM. barboso, scocciante.
assommer [asɔme] v. tr. [étourdir] accoppare. || [tuer] ammazzare, accoppare. || FIG. [abrutir] intontire, stordire. || FAM. [ennuyer] seccare, scocciare.
assomption [asɔ̃psjɔ̃] f. REL. Assunzione, Assunta.
assonance [asɔnɑ̃s] f. assonanza.
assorti, e [asɔrti] adj. [qui convient] assortito, intonato, confacente. || [approvisionné] assortito.
assortiment [asɔrtimɑ̃] m. [convenance] armonizzazione f., accordo ; armonia f. || [assemblage] assortimento. || [collection] assortimento, partita f.
assortir [asɔrtir] v. tr. assortire. ◆ v. pr. [être en accord, en harmonie] intonarsi, accordarsi. || [s'accompagner] essere corredato.
assoupir [asupir] v. tr. assopire. ◆ v. pr. assopirsi.
assoupissement [asupismɑ̃] m. assopimento, sopore.
assouplir [asuplir] v. tr. ammorbidire. || FIG. ammansire, mitigare. ◆ v. pr. ammorbidirsi. || FIG. farsi più docile.
assouplissement [asuplismɑ̃] m. ammorbidimento. || FIG. mitigazione f.
assourdir [asurdir] v. tr. assordare. || [rendre moins sonore] attutire, attenuare, smorzare.
assourdissant, e [asurdisɑ̃, ɑ̃t] adj. assordante.
assouvir [asuvir] v. tr. saziare, appagare, soddisfare. ◆ v. pr. FIG. saziarsi, appagarsi.
assujettir [asyʒetir] v. tr. assoggettare, sottomettere, asservire. || [fixer] assicurare, fermare, fissare. ◆ v. pr. assoggettarsi, sottomettersi.
assujettissant, e [asyʒetisɑ̃, ɑ̃t] adj. impegnativo.
assumer [asyme] v. tr. assumere, assumersi.
assurance [asyrɑ̃s] f. [certitude] certezza, sicurezza, convinzione. || [garantie] assicurazione, garanzia. || [par contrat] assicurazione. | *les assurances sociales,* la sicurezza sociale. || [con-

fiance en soi] sicurezza (di sé), fiducia, padronanza.

assuré, e [asyre] adj. [ferme] sicuro. || [certain] certo, sicuro. | *peu assuré,* incerto, malsicuro. || [garanti] assicurato. ◆ n. assicurato. | *assuré social,* assistito (da un ente di assistenza sociale).

assurément [asyremɑ̃] adv. certo, certamente.

assurer [asyre] v. tr. [affirmer] assicurare, affermare. || [rendre certain] assicurare. | *assurer qn de sa reconnaissance,* assicurare qlcu. della propria gratitudine. || [pourvoir à] provvedere a, fornire, assicurare. || [garantir] assicurare. || [rendre stable] assicurare, fermare, fissare. ◆ v. pr. [vérifier] assicurarsi, accertarsi, sincerarsi. || [se procurer] procurarsi, impossessarsi, impadronirsi. || [se garantir] assicurarsi, premunirsi. || *s'assurer sur ses jambes,* assestarsi sulle gambe.

assureur [asyrœr] m. assicuratore.

astérisque [asterisk] m. TYP. asterisco.

asthmatique [asmatik] adj. et n. asmatico.

asthme [asm] m. MÉD. asma f.

asticot [astiko] m. bacherozzo, bacherozzolo.

asticoter [astikɔte] v. tr. FAM. stuzzicare, punzecchiare.

astigmate [astigmat] adj. et n. astigmatico.

astiquage [astikaʒ] m. lucidatura f., lustratura f.

astiquer [astike] v. tr. lucidare, lustrare, forbire.

astre [astr] m. astro.

astreignant, e [astrɛɲɑ̃, ɑ̃t] adj. impegnativo.

astreindre [astrɛ̃dr] v. tr. costringere, obbligare, impegnare. ◆ v. pr. (à) sottomettersi (a), sottoporsi (a), impegnarsi (a).

astrologie [astrɔlɔʒi] f. astrologia.

astronaute [astrɔnot] n. astronauta.

astronautique [astrɔnotik] f. astronautica.

astronef [astrɔnɛf] m. astronave f.

astronomie [astrɔnɔmi] f. astronomia.

astuce [astys] f. [adresse] astuzia, furberia, trucco m. || [jeu de mots] arguzia, facezia, spiritosaggine.

astucieux, euse [astysjø, øz] adj. astuto, scaltro. || [spirituel] arguto.

asymétrie [asimetri] f. asimmetria.

atavique [atavik] adj. atavico.

atavisme [atavism] m. atavismo.

atelier [atəlje] m. [d'artisan] laboratorio ; bottega f. ; [dans une usine] officina f., reparto ; [d'artiste] studio. | *atelier de couture,* sartoria f. | *chef d'atelier,* caporeparto.

atermoiements [atɛrmwamɑ̃] m. pl. dilazione f. sing., indugio m. sing.

atermoyer [atɛrmwaje] v. tr. differire, dilazionare. ◆ v. intr. temporeggiare, indugiare.

athée [ate] adj. ateo, ateistico. ◆ n. ateo, ateista.

athénien, enne [atenjɛ̃, ɛn] adj. et n. ateniese.

athlète [atlɛt] n. atleta.

athlétisme [atletism] m. atletismo, atletica f.

atlantique [atlɑ̃tik] adj. atlantico.

atlas [atlas] m. atlante.

atmosphère [atmɔsfɛr] f. atmosfera, ambiente m.

atome [atom] m. atomo.

atomique [atɔmik] adj. atomico.

atomiseur [atɔmizœr] m. atomizzatore.

atonal, e, aux [atɔnal] adj. atonale.

atone [atɔn] adj. atono.

atout [atu] m. briscola f. ; atout (fr.).

âtre [ɑtr] m. focolare.

atroce [atrɔs] adj. atroce, feroce, efferato.

atrocité [atrɔsite] f. atrocità, efferatezza.

atrophie [atrɔfi] f. atrofia.

atrophier [atrɔfje] v. tr. atrofizzare. ◆ v. pr. atrofizzarsi.

attabler (s') [satable] v. pr. mettersi, sedersi a tavola.

attachant, e [ataʃɑ̃, ɑ̃t] adj. attraente, avvincente.

attache [ataʃ] f. legame m., vincolo m. || MAR. *port d'attache,* porto d'immatricolazione. || TECHN. attacco m., grappa, fibbia. ◆ pl. FIG. legami m. pl., vincoli m. pl., relazioni.

attaché, e [ataʃe] adj. et m. addetto.

attachement [ataʃmɑ̃] m. affezione f., affetto, attaccamento (gall.).

attacher [ataʃe] v. tr. [lier] attaccare, legare, unire. || [engager] assumere, destinare. || [fixer] fissare, applicare. || [captiver] appassionare, avvincere, cattivare. || [attribuer] *attacher de l'importance à,* dare, annettere importanza a. | *attacher un sens à un mot,* dare, attribuire un significato a una parola. ◆ v. intr. [adhérer] attaccare, attaccarsi. ◆ v. pr. [se lier] attaccarsi, legarsi. || [adhérer] attaccarsi, aderire. || [s'agripper] attaccarsi, aggrapparsi. || [s'appliquer] applicarsi a, sforzarsi di. || [se prendre d'affection] *s'attacher à qn,* affezionarsi a qlcu. || [se fixer] fissarsi, fermarsi.

attaquant, e [atakɑ̃, ɑ̃t] adj. et n. attaccante.

attaque [atak] f. attacco m., assalto m. | *attaque à main armée,* grassazione.

attaquer [atake] v. tr. attaccare, assalire, aggredire. | [critiquer] attaccare, intaccare, criticare. || *la rouille attaque le fer,* la ruggine intacca il ferro. || JUR. *attaquer qn en justice,* citare qlcu. in giudizio. | *attaquer un testament,* impugnare un testamento. || [commencer] cominciare, iniziare, attaccare. ◆ v. pr. (à) [s'en prendre à] cimentarsi con, pigliarsela con. || [commencer] cominciare, iniziare.

attardé, e [atarde] adj. che ha fatto tardi. || FIG. [enfant] tardivo ; [pays] arretrato.

attarder (s') [satarde] v. pr. attardarsi ; indugiare v. intr.

atteindre [atɛ̃dr] v. tr. [toucher] colpire, cogliere, raggiungere. || [parvenir à] raggiungere. || FIG. [émouvoir] turbare, commuovere, toccare. ◆ v. tr. ind. (à) pervenire (a), arrivare (a) ; raggiungere v. tr.

atteinte [atɛ̃t] f. [portée] portata, tiro m. || [coup] colpo m., ferita. || FIG. [préjudice] offesa ; danno m., pregiudizio m. || MÉD. attacco m.

attelage [atlaʒ] m. (l')attaccare. || tiro. | *attelage de bœufs,* paio, coppia (f.) di buoi. || TECHN. agganciamento.

atteler [atle] v. tr. attaccare. ◆ v. pr. FIG. (à) cominciare, iniziare (L.C.).

attelle [atɛl] f. CHIR. stecca.

attenant, e [atnɑ̃, ɑ̃t] adj. attiguo, contiguo.

attendant (en) [ɑ̃natɑ̃dɑ̃] loc. adv. intanto, frattanto. || [adversatif] intanto. || *en attendant de,* in attesa di. || *en attendant que,* in attesa che, aspettando che, finché, fino a che.

attendre [atɑ̃dr] v. tr. aspettare, attendere. || [prévoir] aspettarsi, sperare, prevedere. ◆ v. intr. [menace] *attends un peu !,* aspetta un po' ! || [rester intact] conservarsi. ◆ v. pr. [réciprocité] aspettarsi, attendersi. || [compter sur] aspettarsi. | *s'y attendre,* aspettarsela.

attendrir [atɑ̃drir] v. tr. ammorbidire, intenerire. || FIG. intenerire, commuovere. ◆ v. pr. ammorbidirsi, intenerirsi. || FIG. intenerirsi, commuoversi.

attendrissant, e [atɑ̃drisɑ̃, ɑ̃t] adj. commovente, pietoso, toccante.

attendu [atɑ̃dy] prép. dato, visto. ◆ *attendu que,* dato che, visto che, poiché.

attendu, e [atɑ̃dy] adj. aspettato, atteso. ◆ m. pl. JUR. motivazioni f. pl., considerando m. pl.

attentat [atɑ̃ta] m. attentato, oltraggio ; offesa f.

attente [atɑ̃t] f. attesa, aspettazione, aspettativa. | *salle d'attente,* sala d'aspetto m. | *contre toute attente,* contro ogni attesa, ogni previsione. | *dans l'attente de,* in attesa di. | *répondre à l'attente de qn,* rispondere all'aspettativa di qlcu. | *tromper l'attente de qn,* deludere l'aspettazione di qlcu. || ARCHIT. *pierre d'attente,* addentellato m.

attenter [atɑ̃te] v. tr. ind. (à) attentare (a).

attentif, ive [atɑ̃tif, iv] adj. attento.

attention [atɑ̃sjɔ̃] f. attenzione. | *prêter, faire attention à,* star attento a. || [à des paroles] dar retta a, ascolto a. | [accorder de l'importance à] far caso a. || [veiller à] badare a. ◆ pl. [égards] premure, cortesie. ◆ interj. attenzione !, occhio ! ; attento ! adj.

attentionné, e [atɑ̃sjɔne] adj. premuroso.

attentiste [atɑ̃tist] adj. et n. attendista, attesista.

atténuation [atenɥasjɔ̃] f. attenuazione.

atténuer [atenɥe] v. tr. attenuare ; [lumière, couleurs] smorzare. ◆ v. pr. attenuarsi.

atterrer [atere] v. tr. atterrire.

atterrir [aterir] v. intr. atterrare.

atterrissage [aterisaʒ] m. atterraggio.

attestation [atɛstasjɔ̃] f. attestazione, attestato m.

attester [atɛste] v. tr. attestare, certificare. || [servir de preuve] provare, testimoniare, documentare.

attifer [atife] v. tr. FAM. agghindare, infagottare. ◆ v. pr. FAM. agghindarsi, infagottarsi.

attirail [atiraj] m. FAM. arsenale.

attirance [atirɑ̃s] f. attrattiva, fascino m.

attirant, e [atirɑ̃, ɑ̃t] adj. attraente, affascinante.

attirer [atire] v. tr. attirare, attrarre. | *attirer l'attention,* destare, attirare l'attenzione. || [séduire] attrarre, allettare. || [occasionner] procacciare, procurare, cagionare. ◆ v. pr. [réciprocité] attirarsi, attrarsi. || [encourir] attirarsi, buscarsi ; tirarsi addosso.

attiser [atize] v. tr. attizzare. || FIG. aizzare, eccitare.

attitré, e [atitre] adj. autorizzato. | *fournisseur attitré,* fornitore ordinario.

attitude [atityd] f. [posture] atteggiamento m., attitudine. || [comportement] atteggiamento m., comportamento m.

attractif, ive [atraktif, iv] adj. attrattivo.

attraction [atraksjɔ̃] f. attrazione. || FIG. attrattiva.

attrait [atrɛ] m. [charme] attrattiva f., fascino, incanto. || [penchant] inclinazione f., gusto. ◆ pl. attrattive f. pl., fascino m. sing.

attrape [atrap] f. scherzo m., burla, tiro m.

attraper [atrape] v. tr. acchiappare. ‖ [arrêter] acciuffare, acchiappare. ‖ [imiter] imitare. ‖ [duper] imbrogliare, raggirare. ‖ [décevoir] sorprendere, deludere. ‖ FAM. [réprimander] dare una lavata di capo a ; rimproverare, sgridare (L.C.). ‖ [atteindre] colpire, cogliere. ‖ FAM. [contracter] prendersi, buscarsi. ◆ v. pr. [jeu] (récipr.) acchiapparsi. ‖ FAM. [se disputer] bisticciarsi ; bisticciare ; litigare v. intr. ‖ [être contagieux] prendersi, essere contagioso.

attrayant, e [atrɛjɑ̃, ɑ̃t] adj. attraente, seducente.

attribuer [atribɥe] v. tr. [accorder] attribuire, conferire, assegnare. | *attribuer de l'importance à qch.*, dare, annettere importanza a qlco. ‖ [imputer] imputare, addebitare. ◆ v. pr. attribuirsi, appropriarsi.

attribut [atriby] m. attributo. ‖ GR. predicato nominale. ◆ adj. GR. *adjectif attribut,* aggettivo predicativo.

attribution [atribysjɔ̃] f. attribuzione ; [d'une distinction] conferimento m. ; [d'un poste, d'une somme, d'un prix] assegnazione ; [de crédits] stanziamento m., erogazione. ‖ GR. *complément d'attribution,* complemento di termine. ◆ pl. attribuzioni.

attrister [atriste] v. tr. rattristare. ◆ v. pr. rattristarsi.

attroupement [atrupmɑ̃] m. assembramento.

attrouper (s') [satrupe] v. pr. assembrarsi.

aubade [obad] f. mattinata.

aubaine [obɛn] f. fortuna insperata ; pacchia (fam.).

1. aube [ob] f. alba. ‖ REL. camice m.

2. aube f. MÉC. pala, paletta.

aubépine [obepin] f. biancospino m.

auberge [obɛrʒ] f. osteria, locanda. | *auberge de jeunesse,* albergo, ostello m. della gioventù. ‖ [hostellerie] ostaria.

aubergine [obɛrʒin] f. BOT. melanzana.

aubergiste [obɛrʒist] n. oste ; locandiere, locandiera. | *père, mère aubergiste,* oste, ostessa.

aucun, e [okœ̃, yn] adj. indéf. nessuno, alcuno. | *aucun savant n'y croit plus,* nessuno scienziato ci crede più. | *n'avoir aucune information,* non avere alcuna informazione. ◆ pron. indéf. nessuno ; [positif] *je doute qu'aucun d'eux vienne m'aider,* dubito che uno di loro venga ad aiutarmi. ‖ LITT. *d'aucuns,* alcuni, certi (L.C.).

audace [odas] f. audacia, ardire m. ‖ PÉJOR. sfacciataggine. | *quelle audace !,* che faccia tosta !

audacieux, euse [odasjø, øz] adj. et n. audace ; ardito adj. ‖ PÉJOR. sfacciato.

au-delà [odəla] m. inv. al di là, aldilà.

audible [odibl] adj. udibile.

audience [odjɑ̃s] f. ascolto m., attenzione, udienza. ‖ [public] pubblico m. ‖ [réception] udienza.

audiovisuel, elle [odiovizɥɛl] adj. audiovisivo. ◆ m. mezzi audiovisivi. ‖ [enseignement] sussidi audiovisivi.

auditeur, trice [oditœr, tris] n. uditore, trice ; [de radio] ascoltatore, trice.

auditif, ive [oditif, iv] adj. uditivo.

audition [odisjɔ̃] f. udito m. ‖ audizione. ‖ [séance musicale] saggio (m.) musicale. ‖ JUR. audizione, escussione.

auditionner [odisjɔne] v. tr. fare un'audizione a. ◆ v. intr. dare un'audizione.

auditoire [oditwar] m. uditorio, pubblico.

auditorium [oditɔrjɔm] m. auditorio.

auge [oʒ] f. mangiatoia, trogolo m. ‖ TECHN. [de maçon] secchia, mastello m.

augmentation [ogmɑ̃tasjɔ̃] f. aumento m., incremento m., accrescimento m.

augmenter [ogmɑ̃te] v. tr. aumentare, accrescere, incrementare. ◆ v. intr. aumentare, crescere ; accrescersi, incrementarsi. | *le pain a augmenté,* il pane è cresciuto, è aumentato di prezzo.

1. augure [ogyr] m. [devin] augure.

2. augure m. augurio, auspicio, presagio.

augurer [ogyre] v. tr. augurare, presagire, congetturare, aspettarsi, pronosticare.

auguste [ogyst] adj. augusto.

aujourd'hui [oʒurdɥi] adv. oggi. ‖ [à notre époque] oggi, oggidì, oggigiorno.

au(l)ne [on] m. BOT. ontano, alno.

aumône [omon] f. elemosina.

aumônier [omonje] m. cappellano.

auparavant [oparavɑ̃] adv. prima.

auprès [oprɛ] adv. vicino, accanto. ◆ *auprès de,* vicino a, accanto a, accosto a, presso a. ‖ [chez] presso. ‖ [comparaison] appetto a, a confronto di, in confronto a, a paragone di, in paragone di, a, rispetto a.

auréole [oreɔl] f. aureola. ‖ ASTR. alone m.

au revoir [orwar] interj. et m. arrivederci ; [forme de politesse] arrivederla. | *dire au revoir à qn,* salutare uno.

auriculaire [orikylɛr] adj. auricolare. ◆ m. mignolo.

aurore [orɔr] f. aurora. ‖ FIG. aurora ; albori m. pl., alba.

ausculter [oskylte] v. tr. ascoltare.

auspice [ospis] m. ANTIQ. auspicio. ‖ [présage] auspicio, augurio, presagio.

aussi [osi] adv. [comparaison] *aussi ... que,* (così) ... come ; (tanto) ... quanto ; al pari di ; altrettanto. || [de même] anche, pure, altresì. || FAM. [non plus] neanche, nemmeno ; neppure (L.C.). || [en outre] anche, pure, inoltre, altresì. || [autant] così, tanto, altrettanto. || [conséquence] perciò, quindi, (e) così. ◆ *aussi bien que,* così ... come ; tanto ... quanto ; come pure, nonché.
aussitôt [osito] adv. subito, immediatamente. || [devant un participe] (non) appena. || *aussitôt dit, aussitôt fait,* detto fatto. ◆ *aussitôt que,* tosto che, (non) appena.
austère [ostɛr] adj. austero, severo.
austérité [osterite] f. austerità. ◆ pl. REL. mortificazioni.
austral, e, aux ou **als** [ostral, o] adj. australe.
australien, enne [ostraljɛ̃, ɛn] adj. et n. australiano.
austro-hongrois, e [ostroɔ̃grwa, waz] adj. et n. austroungarico.
autant [otɑ̃] adv. [égalité] tanto, altrettanto. || [se rapportant à un nom] altrettanto adj. | *tu as trois poires, j'en veux autant,* hai tre pere, ne voglio altrettante. || [corrélation] *autant de têtes, autant d'avis,* tante teste, tanti pareri. || [suivi d'un inf.] *autant ne pas y aller,* tanto fa, tanto vale non andarci. || [comparaison] (tanto) quanto. | *il travaille autant que son frère,* lavora (tanto) quanto suo fratello. || [quantité] tanto ... quanto adj. | *il y avait autant d'hommes que de femmes,* c'erano tanti uomini quante donne. ◆ *c'est (toujours) autant de : c'est autant de gagné,* è tanto di guadagnato. || *d'autant,* di altrettanto. || *d'autant plus, moins, mieux,* tanto più, meno, meglio. || *pour autant,* per questo, per ciò, nondimeno. ◆ *autant que* [aussi longtemps que], per quanto ; per tutto il tempo ; [dans la mesure où] per quanto. || *d'autant que,* dato che, visto che. || *d'autant plus, moins, mieux que,* tanto più, meno, meglio (in quanto) che. || *pour autant que,* per quanto.
autarcie [otarsi] f. autarcia.
autel [otɛl] m. ANTIQ. ara f. || REL. altare.
auteur [otœr] m. autore. || [écrivain] autore, scrittore. | *femme auteur,* autrice, scrittrice.
authenticité [otɑ̃tisite] f. autenticità.
authentifier [otɑ̃tifje] v. tr. autenticare.
authentique [otɑ̃tik] adj. autentico. || FIG. sincero, schietto.
auto [oto] f. FAM. auto inv.
autobiographie [otɔbiɔgrafi] f. autobiografia.
autobus [otɔbys] m. autobus.
autocar [otɔkar] m. [tourisme ; grandes lignes] torpedone ; (auto)pullman inv. ; [lignes locales] corriera f.
autochenille [otɔʃnij] f. autobruco m., cingoletta.
autochtone [otɔktɔn] adj. et n. autoctono.
autoclave [otɔklav] m. autoclave f.
autocollant, e [otɔkɔlɑ̃] adj. et m. autoadesivo.
autocrate [otɔkrat] m. autocrate.
autocritique [otɔkritik] f. autocritica.
autocuiseur [otɔkɥizœr] m. pentola (f.) a pressione.
autodéfense [otɔdefɑ̃s] f. autodifesa.
autodidacte [otɔdidakt] n. autodidatta.
auto-école [otɔekɔl] f. scuola guida ; autoscuola.
autographe [otɔgraf] adj. et m. autografo.
automate [otɔmat] m. automa.
automation [otɔmasjɔ̃] f. automazione.
automatique [otɔmatik] adj. automatico. ◆ m. TÉL. telefono automatico, teleselezione f.
automatisme [otɔmatism] m. automatismo.
automnal, e, aux [otɔnal, o] adj. autunnale.
automne [otɔn] m. autunno.
automobile [otɔmɔbil] adj. semovente ; auto- préf. | *canon automobile,* cannone semovente. | *véhicule automobile,* autoveicolo. || automobilistico. | *industrie automobile,* industria automobilistica. ◆ f. automobile, macchina. | *automobile blindée,* autoblindo m. | *parc d'automobiles,* autoparco m.
automobiliste [otɔmɔbilist] n. automobilista.
automoteur, trice [otɔmɔtœr, tris] adj. automotore, trice ; semovente. ◆ m. [péniche] chiatta (f.) semovente. ◆ f. [autorail] automotrice.
autonome [otɔnɔm] adj. autonomo.
autonomie [otɔnɔmi] f. autonomia.
autonomiste [otɔnɔmist] n. autonomista.
autopsie [otɔpsi] f. MÉD. autopsia, necroscopia.
autorail [otɔraj] m. automotrice f.
autorisation [otɔrizasjɔ̃] f. autorizzazione, permesso m., consenso m.
autorisé, e [otɔrize] adj. autorevole. | *avis autorisé,* parere autorevole.
autoriser [otɔrize] v. tr. autorizzare. ◆ v. pr. *s'autoriser d'un prétexte,* valersi di un pretesto.
autoritaire [otɔritɛr] adj. autoritario.
autorité [otɔrite] f. autorità, potere m. || JUR. *autorité paternelle,* patria

potestà. || [influence] autorità ; ascendente m. || [poids] *autorité d'un témoignage,* autorevolezza d'una testimonianza. ◆ pl. autorità.

autoroute [otɔrut] f. autostrada.

autostop [otɔstɔp] m. autostop.

autostoppeur, euse [otɔstɔpœr, øz] n. autostoppista.

autour [otur] adv. intorno. ◆ *autour de,* intorno a, attorno a. || FAM. [à peu près] circa, all'incirca, su per giù.

autre [otr] adj. indéf. altro. | *autre chose,* altra cosa ; altro. | *nous autres, vous autres,* noialtri, voialtri. || [second] altro, secondo. || *autre part,* altrove. | *d'autre part,* d'altra parte, d'altronde, per altro. ◆ pron. indéf. altro. | *les autres,* gli altri. | *rien d'autre,* nient'altro. || *parler de choses et d'autres,* parlare di questo e di quello, del più e del meno. | *de temps à autre,* di quando in quando, di tanto in tanto, ogni tanto. | *l'un l'autre,* l'un l'altro, a vicenda. | *l'un dans l'autre,* tutto sommato, in complesso, complessivamente.

autrefois [otrəfwa] adv. una volta, un tempo, già. | *d'autrefois,* di prima, di una volta.

autrement [otrəmɑ̃] adv. [d'une autre façon] altrimenti, diversamente. | *autrement dit,* in altre parole. || FAM. *c'est autrement important,* è molto, è ben, è di gran lunga più importante (L.C.).

autrichien, enne [otriʃjɛ̃, ɛn] adj. et n. austriaco.

autruche [otryʃ] f. ZOOL. struzzo m.

autrui [otrɥi] pron. indéf. inv. LITT. altri ; gli altri (L.C.). | *à autrui, d'autrui,* altrui. | *les affaires d'autrui,* i fatti altrui.

auvent [ovɑ̃] m. tettoia f., pensilina f.

auxiliaire [oksiljɛr] adj. ausiliare, ausiliario. || ADM. avventizio. ◆ m. ausiliare, avventizio.

avachi, e [avaʃi] adj. [vêtement] sformato ; [corps] sfasciato. || FIG. fiacco, infiacchito, frollo, infrollito.

1. aval, als [aval] m. tratto, parte (f.) a valle (di un fiume). ◆ *en aval,* a valle. ◆ *en aval de,* a valle di.

2. aval, als m. COMM. avallo.

avalanche [avalɑ̃ʃ] f. valanga.

avaler [avale] v. tr. [absorber] ingoiare, inghiottire, mandar giù ; [liquides] tracannare. | *avaler de travers,* strozzarsi v. intr. || FIG. [livre, kilomètres] divorare. || FAM. [croire] bere. | *en faire avaler,* darla a bere. | *il avale tout,* le beve tutte. || [endurer] ingoiare, incassare. || LOC. *avaler des couleuvres,* ingoiare bocconi amari.

avaliser [avalize] v. tr. COMM., FIG. avallare.

avance [avɑ̃s] f. progressione, avanzata. || [action de devancer] vantaggio m. | *prendre de l'avance,* prendere, acquistar vantaggio. || SP. distacco m., vantaggio. || [paiement anticipé] anticipo m., prestito m., anticipazione. || AUT. *avance à l'allumage,* anticipo d'accensione. ◆ pl. approcci m. pl., primi passi, proposte. ◆ *à l'avance, d'avance, par avance,* in anticipo, anticipatamente. || *en avance,* in anticipo. | *ta montre est en avance,* il tuo orologio va avanti.

avancé, e [avɑ̃se] adj. COMM. anticipato. || MIL. avanzato. || FIG. avanzato, progredito, inoltrato. | *à une heure avancée de la nuit,* a tarda notte, a notte inoltrata. | *être peu avancé dans ses études,* essere poco avanti negli studi. | *idées avancées,* idee avanzate. || [près de se gâter] *viande avancée,* carne troppo frolla. | *fruit avancé,* frutto mezzo.

avancée [avɑ̃se] f. sporgenza.

avancement [avɑ̃smɑ̃] m. avanzamento, (l')avanzare. || FIG. avanzamento, progresso ; progressione f. || [promotion] avanzamento. | *tableau d'avancement,* graduatoria f.

avancer [avɑ̃se] v. tr. avanzare ; portare avanti, spingere in avanti. | *avancer un pion,* muovere una pedina. | *avancer la voiture,* avvicinare la macchina. || far progredire, mandare avanti. | *faire avancer un fonctionnaire,* promuovere un funzionario. || [hâter] anticipare. || FAM. *cela n'avance à rien,* ciò non serve a nulla. || [payer à l'avance] anticipare, prestare. || FIG. [idée, proposition] avanzare, presentare, mettere innanzi. ◆ v. intr. avanzare ; procedere, progredire. | *avancer en âge,* andare avanti con gli anni. | *ta montre avance,* il tuo orologio va avanti. || [faire saillie] avanzare, sporgere. ◆ v. pr. [se porter en avant] avanzarsi, inoltrarsi, avvicinarsi. || [jour, saison] calare, declinare. || FIG. [se hasarder] avventurarsi, azzardarsi. || [faire saillie] avanzare, sporgere.

avanie [avani] f. avania, angheria ; sopruso m.

avant [avɑ̃] prép. [temps] prima di, avanti, innanzi. | *avant l'aube,* prima dell'alba. | *avant Jésus-Christ,* avanti Cristo. | *avant l'heure,* innanzi tempo. || [lieu] *avant la ville,* prima della città. | *avant moi,* prima di me. || *avant peu,* fra poco ; presto. | *avant tout,* anzitutto, innanzitutto, prima di tutto. ◆ *avant de,* prima di. || *en avant de,* davanti a, innanzi a. ◆ adv. [temps] prima, avanti, innanzi. | *le jour (d')avant,* il giorno prima, il giorno precedente. ◆ *en avant,* avanti, davanti, innanzi,

dinanzi. || *en avant !,* avanti ! || FIG. *se mettre en avant,* farsi avanti, farsi valere. ◆ *avant que,* prima che. | *avant qu'il (ne) vienne,* prima che venga. ◆ m. parte (f.) anteriore. | *à l'avant,* davanti. || MIL. fronte. || SP. attaccante ; avanti inv. ◆ adj. inv. anteriore. | *traction avant,* trazione anteriore. | *marche avant,* marcia avanti.
avantage [avɑ̃taʒ] m. [profit] vantaggio, utile, tornaconto, profitto. || [supériorité] vantaggio, sopravvento. || [honneur] piacere. || SP. vantaggio, abbuono.
avantager [avɑ̃taʒe] v. tr. avvantaggiare, favorire. || [vêtement, coiffure] donare v. intr. | *la barbe l'avantage,* la barba gli dona.
avantageux, euse [avɑ̃taʒø, øz] adj. vantaggioso, proficuo. || [vaniteux] vanitoso, vanesio, fatuo.
avant-bras [avɑ̃bra] m. inv. avambraccio m.
avant-centre [avɑ̃sɑ̃tr] m. SP. centrattacco ; centravanti inv.
avant-coureur [avɑ̃kurœr] adj. m. precursore, premonitore, foriero.
avant-dernier, ère [avɑ̃dɛrnje, ɛr] adj. et n. penultimo.
avant-garde [avɑ̃gard] f. FIG., MIL. avanguardia.
avant-goût [avɑ̃gu] m. FIG. prefigurazione f., preannuncio.
avant-guerre [avɑ̃gɛr] m. ou f. anteguerra m. inv.
avant-hier [avɑ̃tjɛr] loc. adv. ier(i) l'altro, l'altro ieri.
avant-poste [avɑ̃pɔst] m. MIL. avamposto.
avant-première [avɑ̃prəmjɛr] f. anteprima.
avant-propos [avɑ̃prɔpo] m. inv. premessa f.
avant-scène [avɑ̃sɛn] f. proscenio m., ribalta. || [loge] palco (m.) di proscenio.
avare [avar] adj. et n. avaro.
avarice [avaris] f. avarizia.
avarie [avari] f. avaria, danno m., guasto m.
avarié, e [avarje] adj. avariato, guasto, danneggiato.
avarier [avarje] v. tr. avariare, guastare, danneggiare. ◆ v. pr. avariare v. intr. ; avariarsi, guastarsi.
avatars [avatar] m. pl. contrarietà f. pl., peripezie f. pl.
avec [avɛk] prép. [en compagnie de] con, insieme a, insieme con. || [envers] con, verso, contro. || [moyen] con. || [manière] con. || [concession] con, nonostante. ◆ *d'avec,* da. ◆ FAM. *et avec ça ?,* desidera altro ? (L.C.).
avenant, e [avnɑ̃, ɑ̃t] adj. avvenente, affabile. ◆ *à l'avenant,* in proporzione, in armonia. ◆ m. JUR. clausola (f.) addizionale.
avènement [avɛnmɑ̃] m. avvento, venuta f. || [accession] avvento ; assunzione f., ascesa f.
avenir [avnir] m. avvenire, futuro. || [postérité] posterità f., posteri m. pl. ◆ *à l'avenir,* in avvenire, per l'avvenire, in futuro, d'ora in poi, d'ora innanzi.
avent [avɑ̃] m. REL. avvento.
aventure [avɑ̃tyr] f. avventura, vicenda, caso m. | *dire la bonne aventure,* predire la ventura, il futuro. ◆ *à l'aventure,* alla ventura. | *d'aventure, par aventure,* per avventura, per caso.
aventurer [avɑ̃tyre] v. tr. avventurare, arrischiare. ◆ v. pr. (à) avventurarsi (a), arrischiarsi (a).
aventureux, euse [avɑ̃tyrø, øz] adj. avventuroso, rischioso.
aventurier, ère [avɑ̃tyrje, jɛr] n. avventuriero, a.
avenu, e [avny] adj. *nul et non avenu,* privo di valore, inesistente.
avenue [avny] f. viale m. || FIG. accesso m., adito m.
avérer (s') [savere] v. pr. apparire, risultare, rivelarsi. | *il s'avère que,* consta che.
averse [avɛrs] f. acquazzone m., scroscio m.
aversion [avɛrsjɔ̃] f. avversione, antipatia.
averti, e [avɛrti] adj. accorto, esperto, avvertito, competente ; al corrente (di) ; che sa il fatto suo.
avertir [avɛrtir] v. tr. avvertire, avvisare, informare, ammonire.
avertissement [avɛrtismɑ̃] m. avviso, avvertimento, ammonimento, avvertenza f. || [préface] avvertenza f. || [avis d'impôt] cartella f. (esattoriale).
avertisseur [avɛrtisœr] adj. m. *signal avertisseur,* segnale d'allarme. ◆ m. [d'incendie] avvisatore ; [d'auto] clacson ; [de théâtre] avvisatore ; buttafuori inv.
aveu [avø] m. confessione f. || dichiarazione f. | *faire l'aveu de son amour,* dichiarare il proprio amore. || *gens sans aveu,* gente losca. || *sans mon aveu,* senza il mio consenso.
aveuglant, e [avœglɑ̃, ɑ̃t] adj. accecante, abbagliante, abbacinante. || FIG. *preuve aveuglante,* prova lampante.
aveugle [avœgl] adj. et n. cieco, orbo.
aveuglement [avœgləmɑ̃] m. accecamento, offuscamento ; cecità f.
aveugler [avœgle] v. tr. accecare. || [lumière] abbagliare. || FIG. accecare, offuscare, ottenebrare. || [boucher] accecare, turare. ◆ v. pr. (sur) illudersi (su).
aveuglette (à l') [alavœglɛt] loc. adv. alla cieca.
aviateur, trice [avjatœr, tris] n. aviatore, trice. || MIL. aviere m.

aviation [avjasjɔ̃] f. aviazione.
aviculteur [avikyltœr] m. avicoltore.
avide [avid] adj. avido, ingordo. || FIG. avido, assetato, cupido, bramoso.
avidité [avidite] f. avidità, ingordigia. || FIG. avidità, cupidigia, brama.
avilir [avilir] v. tr. avvilire, degradare. || [déprécier] svilire, deprezzare. ◆ v. pr. [se dégrader] invilirsi, degradarsi. || [se déprécier] svilirsi, deprezzarsi.
aviné, e [avine] adj. avvinazzato.
avion [avjɔ̃] m. aereo. | *avion à réaction,* aereo a reazione ; aviogetto. | *transporter par avion,* aerotrasportare. | *par avion,* per via aerea.
avion-cargo [avjɔ̃kargo] m. aereo da trasporto (merci).
avion-citerne [avjɔ̃sitɛrn] m. aerocisterna f.
aviron [avirɔ̃] m. remo. || SP. canottaggio.
avis [avi] m. [opinion] parere, avviso ; opinione f. || [jugement] giudizio, deliberazione f. || [conseil] parere, avviso, consiglio. || [information] avviso, avvertimento ; notificazione f., bando, annuncio. | *avis au lecteur,* avvertenza f. || COMM. avviso.
avisé, e [avize] adj. avveduto, accorto.
aviser [avize] v. tr. [apercevoir] scorgere, avvistare, adocchiare. || [avertir] avvisare, avvertire. ◆ v. tr. ind. (à) por mente a, badare a, provvedere a. ◆ v. pr. [s'apercevoir] avvedersi, accorgersi. || [imaginer] immaginare, escogitare, ideare. || [oser] attentarsi (di), ardire (di), provarsi (a).
aviver [avive] v. tr. (r)avvivare. | *aviver le feu,* (r)avvivare il fuoco. || CHIR. mettere a nudo. || FIG. inasprire, esacerbare, esasperare, eccitare.
avocat [avɔka] m. BOT. avocado.
avocat, e [avɔka, at] n. avvocato m., avvocatessa f. | *profession d'avocat,* avvocatura f. | *avocat général,* pubblico ministero. || FIG. avvocato, difensore m., patrocinatore.
avoine [avwan] f. avena, biada.
1. avoir [avwar] v. tr. 1. [posséder] avere, possedere. || [porter avec soi, sur soi] avere, portare, vestire, indossare, tenere. || [qualités physiques, morales ; dimensions ; âge] avere, essere. | *avoir une petite taille,* essere basso di statura. | *avoir du courage,* aver coraggio. | *avoir deux mètres de haut,* essere alto due metri. | *avoir vingt ans,* aver vent'anni, esser ventenne. || [sensations ; sentiments] avere, provare. | *avoir faim, soif, froid, chaud,* aver fame, sete, freddo, caldo. | *avoir de la haine, de la sympathie,* provare odio, simpatia. 2. [obtenir] avere, ottenere, prendere. | *avoir de bonnes notes,* prendere dei bei voti. | *avoir raison d'une difficulté,* venire a capo di una difficoltà ; spuntarla (fam.). || *courage, on les aura !,* coraggio, vinceremo ! || FAM. [tromper] *avoir qn,* ingannare, gabbare qlcu. | *il m'a eu,* mi ha gabbato. 3. LOCUTIONS : **avoir à,** avere da, dovere. || **n'avoir qu'à,** bastare v. impers. | *tu n'as qu'à demander la permission,* basta che tu chieda il permesso. || **en avoir,** averne. | *en avoir assez,* averne abbastanza, essere stufo. | *en avoir dans l'aile,* essere colpito nel vivo. | *en avoir contre, après qn,* avercela con qlcu. | *malgré, quoi qu'il en ait,* suo malgrado. || **il y a,** c'è, ci sono ; v'è, vi sono (litt.). | [temps] *il est arrivé il y a huit jours,* è arrivato una settimana fa, da una settimana. | *il y a trois mois que je fais le voyage matin et soir,* da tre mesi faccio, sono tre mesi che faccio il viaggio mattina e sera. | *il y aura un mois demain que,* sarà un mese domani che. 4. AUX. : avere, essere. | *il a fait qch.,* ha fatto qlco. | *il a vécu des années tranquilles,* ha vissuto anni tranquilli. | *il a dormi,* ha dormito. | *j'ai obéi,* ho ubbidito. | *j'ai été,* sono stato. | *il a vécu à Paris,* è vissuto a Parigi. | *il a beaucoup neigé,* è nevicato molto. | *il a grandi,* è cresciuto. | *il a vécu cent ans,* è vissuto cent'anni.
2. avoir m. avere ; sostanza f., patrimonio. || COMM. avere, credito. | *le doit et l'avoir,* il dare e l'avere.
avoisinant, e [avwazinɑ̃, ɑ̃t] adj. vicino, confinante, circonvicino.
avoisiner [avwazine] v. tr. confinare con, star vicino a, essere vicino a.
avortement [avɔrtəmɑ̃] m. MÉD. aborto. || FIG. aborto, fallimento, insuccesso, cattiva riuscita f.
avorter [avɔrte] v. intr. MÉD. abortire. || FIG. abortire, fallire ; andare in fumo, a monte.
avorton [avɔrtɔ̃] m. aborto.
avouable [avwabl] adj. confessabile.
avoué [avwe] m. JUR. procuratore legale.
avouer [avwe] v. tr. confessare. | *le coupable a avoué,* è reo confesso. | *avouer son amour,* dichiarare il proprio amore. ◆ v. pr. *s'avouer vaincu,* darsi per vinto.
avril [avril] m. aprile. | *poisson d'avril,* pesce d'aprile.
axe [aks] m. asse. | *axe routier,* asse stradale.
axer [akse] v. tr. disporre secondo un asse. || FIG. (sur) imperniare (su), orientare (secondo).
axiome [aksjom] m. assioma.
ayant droit [ɛjɑ̃drwa] m. (pl. **ayants droit**) JUR. avente diritto.

azalée [azale] f. BOT. azalea.
azimut [azimyt] m. azimut. | *tous azimuts,* in tutte le direzioni.
azote [azɔt] m. CHIM. azoto.
azur [azyr] m. azzurro. | *d'azur,* azzurro adj. | *pierre d'azur,* lapislazzuli.

b

b [be] m. b f. ou m. || LOC. *en être au b a ba,* essere all'abbicci.
baba [baba] adj. inv. FAM. sbalordito.
babil [babil] m. cicaleccio, chiacchierio.
babillard, e [babijar, ard] adj. ciarliero, chiacchierino, garrulo. ◆ n. cicalone, a ; chiacchierone, a.
babiller [babije] v. intr. cicalare, chiacchierare.
babines [babin] f. pl. [animaux] labbro (m.) cascante. || FAM. [personnes] labbro m. (L.C.) | *s'en lécher les babines,* leccarsi le labbra, i baffi, le dita.
babiole [babjɔl] f. gingillo m., inezia, bazzecola.
bâbord [bɑbɔr] m. MAR. babordo ; sinistra f.
bac [bak] m. [bateau] chiatta f. ; barca (f.) di traghetto ; nave (f.) traghetto. || [auge] mastello ; tinozza f. | *bac de l'évier,* vasca (f.) dell'acquaio. | *bac à glace,* vaschetta (f.) per ghiaccio. | *bac à légumes,* cassetto per la, della verdura. | *bac de l'accumulateur,* scatola f. || PHOT. vaschetta.
baccalauréat [bakalɔrea], FAM. **bac** [bak], **bachot** [baʃo] m. UNIV. [en France] baccalaureato ; [en Italie] maturità f. ; licenza (f.) liceale.
bâche [bɑʃ] f. [toile] copertone m. ; telo (m.) di copertura. || AGR. [caisse vitrée] cassone (m.) vetrato.
bachelier, ère [baʃəlje, ɛr] n. licenziato liceale.
bacillaire [basilɛr] adj. bacillare. ◆ n. tubercolotico.
bacille [basil] m. MÉD. bacillo.
bâcler [bɑkle] v. tr. FAM. abborracciare ; tirar via.
bactérie [bakteri] f. batterio m.
badaud, e [bado, od] n. bighellone, a ; gingillone, a. ◆ adj. sfaccendato.
baderne [badɛrn] f. FAM. *vieille baderne,* vecchio barbogio ; rudere m.
badge [badʒ] m. insegna f.
badigeon [badiʒɔ̃] m. tinta f., calce f., imbiancatura f.
badigeonner [badiʒɔne] v. tr. imbiancare ; dare il bianco a. || MÉD. spennellare.
badin, e [badɛ̃, in] adj. faceto, scherzoso, giocoso.
badinage [badinaʒ] m. celia f., scherzo.
badine [badin] f. bastoncino m., mazzettina.
badiner [badine] v. intr. scherzare, celiare.
bafouer [bafwe] v. tr. schernire, dileggiare, beffare.
bafouiller [bafuje] v. tr. FAM. barbugliare, farfugliare.
bafouilleur [bafujœr] m. barbuglione.
bâfrer [bɑfre] v. tr. et intr. POP. strippare v. intr.
bagage [bagaʒ] m. bagaglio. | *bagages enregistrés,* bagaglio appresso. || FIG. corredo, bagaglio. || FAM. *plier bagage* [s'en aller] far fagotto, levar le tende ; [mourir] far le valigie.
bagagiste [bagaʒist] m. portabagagli m. inv.
bagarre [bagar] f. zuffa ; tafferuglio m., tumulto m., rissa.
bagarrer (se) [sə bagare] v. pr. FAM. azzuffarsi.
bagatelle [bagatɛl] f. inezia, bazzecola, bagattella.
bagne [baɲ] m. ergastolo. || FIG. galera f.
bagnole [baɲɔl] f. POP. [vieille voiture] macinino m. (fam.) ; [toute voiture] macchina (L.C.).
bagou(t) [bagu] m. FAM. parlantina f., scilinguagnolo.
bague [bag] f. anello m.
baguer [bage] v. tr. [oiseau] inanellare. || [couture] impunturare.
baguette [bagɛt] f. bacchetta, verga. || FIG. *mener à la baguette,* comandare a bacchetta. || [pain] filoncino m., sfilatino m.
bah ! [bɑ] interj. [étonnement] ma guarda ! ; [doute] macché ! ; [insouciance] poh !
bahut [bay] m. [coffre] cofano ; [buffet] credenza f.
1. baie [bɛ] f. ARCHIT. vano m., apertura.
2. baie f. BOT. bacca, coccola.
3. baie f. GÉOGR. baia ; seno m.
baignade [bɛɲad] f. bagno m.
baigner [bɛɲe] v. tr. bagnare, immergere. ◆ v. intr. essere immerso. ◆ v. pr. bagnarsi, fare il bagno.
baigneur, euse [bɛɲœr, øz] n. [qui se baigne] bagnante. || [employé, e] bagnino, a. ◆ m. [poupée] bambolotto.
baignoire [bɛɲwar] f. vasca (da bagno), tinozza. || TH. barcaccia ; palco (m.) di proscenio.
bail [baj] m. (pl. **baux**) contratto d'affitto ; locazione f.

bâillement [bɑjmɑ̃] m. sbadiglio.
bailler [baje] v. tr. *la bailler belle,* darla a bere.
bâiller [bɑje] v. intr. sbadigliare.
bâillon [bɑjɔ̃] m. bavaglio.
bâillonner [bɑjɔne] v. tr. imbavagliare.
bain [bɛ̃] m. bagno. | *bain de pieds,* pediluvio. | *salle de bains,* (stanza da) bagno. | *prendre un bain,* fare il bagno. ◆ pl. bagni.
bain-de-soleil [bɛ̃dsɔlɛj] m. MODE prendisole inv.
bain-marie [bɛ̃mari] m. CULIN. bagnomaria inv.
baïonnette [bajɔnɛt] f. baionetta. | *baïonnette au canon,* baionetta in canna.
1. baiser [beze] v. tr. baciare.
2. baiser m. bacio.
baisse [bɛs] f. [abaissement] calo m. | *baisse de tension,* caduta di tensione. || FIG. declino m. || COMM., FIN. ribasso m.
baisser [bese] v. tr. [abaisser] abbassare, chinare. || FIG. *baisser l'oreille,* abbassare le orecchie, la cresta ; essere mogio. | *se jeter tête baissée,* precipitarsi a capofitto. || [prix] calare, ribassare. || [diminuer d'intensité] abbassare. ◆ v. intr. calare, decrescere, diminuire. || [santé] declinare. ◆ v. pr. chinarsi, abbassarsi.
bajoue [baʒu] f. gota. || FAM. guancia cascante, floscia.
bakchich [bakʃiʃ] m. FAM. mancia f., sbruffo.
bal [bal] m. ballo, festa (f.) da ballo.
balade [balad] f. FAM. passeggiata, gita (L.C.).
balader [balade] v. tr. FAM. portare in giro, a spasso. ◆ v. intr. FAM. *envoyer balader qn,* mandare uno a farsi benedire. ◆ v. pr. FAM. gironzolare ; andare a spasso, a zonzo.
baladeuse [baladøz] f. [lampe] lampada trasportabile.
baladin [baladɛ̃] m. saltimbanco.
balafre [balafr] f. sfregio m.
balai [balɛ] m. scopa f. ; [pour la terre, la neige] ramazza f. ; [en paille] granata f. | *balai-brosse,* spazzolone. || AUT. *balai d'essuie-glace,* spazzola (f.) del tergicristallo. || AV. *manche à balai,* cloche f. (fr.) || ÉLECTR. spazzola.
balance [balɑ̃s] f. bilancia. || FIG. equilibrio m. || COMM. bilancia, bilancio m., pareggio m., conguaglio m. || ASTR. *Balance,* Bilancia, Libra.
balancé, e [balɑ̃se] adj. [phrase] cadenzato. || POP. *bien balancé,* ben piantato.
balancement [balɑ̃smɑ̃] m. dondolamento ; oscillazione f. || [hésitation] tentennamento, indecisione f.
balancer [balɑ̃se] v. tr. [mouvoir] oscillare, dondolare, ciondolare. || [peser] bilanciare, pesare. || COMM. bilanciare, pareggiare, conguagliare. || FAM. [se débarrasser de] sbolognare ; sbattere fuori. ◆ v. intr. [hésiter] tentennare, esitare. ◆ v. pr. dondolare v. intr., dondolarsi, bilanciarsi. || JEU fare all'altalena. || POP. *je m'en balance,* me ne faccio un baffo.
balancier [balɑ̃sje] m. TECHN. bilanciere ; [de pendule] pendolo.
balançoire [balɑ̃swar] f. altalena.
balayage [balɛjaʒ] m. spazzatura f., scopatura f.
balayer [baleje] v. tr. spazzare, scopare ; ramazzare. || FIG. [chasser] spazzar via. || T.V. analizzare, esplorare.
balayeur [balɛjœr] m. netturbino, spazzino.
balayeuse [balɛjøz] f. autospazzatrice.
balayures [balɛjyr] f. pl. spazzatura f. sing.
balbutiement [balbysimɑ̃] m. balbettamento.
balbutier [balbysje] v. intr. et tr. balbettare.
balcon [balkɔ̃] m. balcone, terrazzino. || TH. balconata f.
baleine [balɛn] f. ZOOL. balena. || [tige] stecca.
baleinier [balɛnje] m. [navire] baleniera f. || [pêcheur] baleniere.
balisage [balizaʒ] m. segnalazione f., segnalamento.
balise [baliz] f. segnale m. | *balise radioélectrique,* radiofaro m.
baliser [balize] v. tr. segnalare.
balistique [balistik] f. balistica.
baliverne [balivɛrn] f. frottola, fandonia.
ballade [balad] f. ballata.
ballant, e [balɑ̃, ɑ̃t] adj. penzolante ; penzoloni adv., ciondoloni adv. ◆ m. oscillazione f.
ballast [balast] m. MAR. cassa (f.) di zavorra. || TR. massicciata f.
ballastière [balastjɛr] f. cava di pietrisco, di sabbia.
balle [bal] f. palla. | *faire des balles,* palleggiare. || FIG. *renvoyer la balle,* rispondere per le rime. || [projectile] pallottola, palla. || BOT. pula, lolla, loppa. || *balle de coton,* balla di cotone. || FAM. franco m. || LOC. *enfant de la balle,* figlio d'arte.
ballerine [balrin] f. ballerina.
ballet [balɛ] m. balletto.
ballon [balɔ̃] m. pallone ; palla f. | *ballon d'essai,* PR. pallone sonda, FIG. sondaggio. || CHIM. pallone. || TECHN. *ballon d'oxygène,* bombola (f.) di ossigeno. || *pneu ballon,* palloncino. || *manche ballon,* manica a sboffi.
ballot [balo] m. involto. || POP. minchione.

ballottage [balɔtaʒ] m. ballottaggio.
ballotter [balɔte] v. tr. sballottare. ◆ v. intr. ballare.
balnéaire [balneɛr] adj. balneare.
balourd, e [balur, urd] adj. balordo, grullo, melenso.
balte [balt] adj. et n. baltico.
balustrade [balystrad] f. balaustrata ; ringhiera.
balzan, e [balzɑ̃, an] adj. balzano.
bambin [bɑ̃bɛ̃] m. FAM. bimbo.
bambocher [bɑ̃bɔʃe] v. intr. FAM. far bisboccia.
bambocheur, euse [bɑ̃bɔʃœr, øz] n. FAM. bisboccione, a.
bambou [bɑ̃bu] m. BOT. bambù. || [canne] bastone.
ban [bɑ̃] m. bando ; pubblicazione f. || MIL. rullo (di tamburo), squillo (di tromba). || [applaudissements] salva (f.) ritmata di applausi. || *mettre au ban de la société,* mettere al bando della società.
banal, e, als [banal] adj. banale, trito.
banalité [banalite] f. banalità.
banane [banan] f. banana.
bananier [bananje] m. [arbre] banano. || [cargo] bananiera f.
banc [bɑ̃] m. banco, panca f. || *banc d'essai,* banco di prova. || *banc de poissons,* banco di pesci. || [établi] pancone. || *banc de sable,* secca f.
bancaire [bɑ̃kɛr] adj. bancario.
bancal, e, als [bɑ̃kal] adj. sciancato, sbilenco, storto.
bandage [bɑ̃daʒ] m. fasciatura f. | *bandage herniaire,* cinto erniario. | *bandage métallique,* cerchione metallico. | *bandage plein,* gomma (f.) piena. || [de roue] copertone.
1. bande [bɑ̃d] f. striscia. | *journal sous bande,* giornale sotto fascia. || [bordure] lista. || [billard] sponda. || *bande magnétique,* nastro (m.) magnetico. | *bande publicitaire,* striscione (m.) pubblicitario. | *bande dessinée,* fumetto m. || AUT. *bande de roulement,* battistrada m. inv. || *bande médiane,* spartitraffico m. inv. || MÉD. benda, fascia. || MIL. [de cartouches] nastro m. || TÉL. banda. || FAM. *par la bande,* indirettamente (L.C.).
2. bande f. schiera, brigata, compagnia, comitiva. || PÉJOR. branco m., banda. || [animaux] branco m. | [oiseaux] stormo m. || *par bandes,* a frotte. | *faire bande à part,* tenersi in disparte.
3. bande f. MAR. *donner de la bande,* sbandare.
bandeau [bɑ̃do] m. benda f., fascia f.
bander [bɑ̃de] v. tr. fasciare, bendare. || *bander un arc,* tendere un arco. | *bander un ressort,* caricare una molla.
banderole [bɑ̃drɔl] f. banderuola, fiamma.
bandit [bɑ̃di] m. bandito. | *bandit de grand chemin,* grassatore, rapinatore.
bandoulière (en) [ɑ̃bɑ̃duljɛr] loc. adv. a tracolla.
banlieue [bɑ̃ljø] f. periferia ; suburbio m.
banlieusard, e [bɑ̃ljøzar, ard] n. abitante della periferia ; pendolare.
banni, e [bani] adj. et n. confinato, fuoruscito.
bannière [banjɛr] f. vessillo m. || FAM. *ce fut la croix et la bannière,* c'è voluto del bello e del buono.
bannir [banir] v. tr. [exiler] confinare, esiliare, bandire. || [exclure] scacciare, bandire.
bannissement [banismɑ̃] m. bando, esilio.
banque [bɑ̃k] f. banca, banco m. || MÉD. *banque du sang,* banca del sangue. || INF. *banque de données,* banca di dati.
banqueroute [bɑ̃krut] f. bancarotta ; fallimento m.
banquet [bɑ̃kɛ] m. banchetto, convito.
banqueter [bɑ̃kte] v. intr. banchettare.
banquette [bɑ̃kɛt] f. panca ; sedile m. ; [de piano] sgabello m. || [chemin] banchina.
banquier [bɑ̃kje] m. banchiere.
banquise [bɑ̃kiz] f. banchisa.
baptême [batɛm] m. battesimo.
baptiser [batize] v. tr. battezzare.
baptistère [batistɛr] m. battistero.
baquet [bakɛ] m. tinozza f., mastello.
1. bar [bar] m. ZOOL. spigola f., branzino.
2. bar m. [débit de boissons, meuble] bar inv.
baragouin [baragwɛ̃] m. linguaggio incomprensibile.
baragouiner [baragwine] v. tr. FAM. [parler mal] storpiare. || [bredouiller] biascicare.
baraque [barak] f. baracca.
baratin [baratɛ̃] m. POP. imbonimento (fam.).
baratiner [baratine] v. tr. et intr. POP. imbonire v. tr. (fam.).
baratte [barat] f. zangola.
barbant, e [barbɑ̃, ɑ̃t] adj. FAM. scocciante.
barbare [barbar] adj. et n. barbaro. | *les invasions barbares,* le invasioni barbariche.
barbarie [barbari] f. barbaria.
barbe [barb] f. barba. || BOT. resta. || [plume] barba. || FAM. *quelle barbe !,* che scocciatura !, che barba ! || TECHN. sbavatura. || FIG. *rire dans sa barbe,* ridere tra i baffi. | *à la barbe de qn,* in barba a uno.

barbelé, e [barbəlé] adj. spinato. ◆ m. reticolato.
barber [barbe] v. tr. scocciare. ◆ v. pr. scocciarsi.
barbiche [barbiʃ] f. pizzo m.
barboter [barbɔte] v. intr. sguazzare. ◆ v. tr. POP. [voler] sgraffignare.
barboteuse [barbɔtøz] f. pagliaccetto m.
barbouillage [barbujaʒ] ou **barbouillis** [barbuji] m. [peinture] imbratto. || [écriture] scarabocchio.
barbouiller [barbuje] v. tr. [peindre ; salir] imbrattare. || [écrire] scarabocchiare. || FIG., FAM. *avoir le cœur barbouillé,* essere stomacato (L.C.). ◆ v. pr. imbrattarsi.
barbu, e [barby] adj. et n. barbuto.
barda [barda] m. POP. bagagliume (fam.).
barème [barɛm] m. tariffario.
barge [barʒ] f. chiatta ; barcone m.
baril [baril] m. barile.
barillet [barijɛ] m. bariletto, caratello.
barioler [barjɔle] v. tr. screziare.
barmaid [barmɛd] f. barista.
barman [barman] m. (pl. **barmen** ou **barmans**) barista.
baromètre [barɔmɛtr] m. barometro.
baron [barɔ̃] m. barone. || FIG., FAM. pezzo grosso.
baronne [barɔn] f. baronessa.
baroque [barɔk] adj. barocco. | *perle baroque,* perla scaramazza. || [bizarre] strambo. ◆ m. barocco.
barque [bark] f. barca. || FIG. *bien mener sa barque,* barcamenarsi.
barrage [baraʒ] m. sbarramento. | *barrage de barbelés,* sbarramento di reticolati. | *barrage de police,* blocco stradale. || TECHN. diga f. || FIG. *faire barrage à,* ostacolare v. tr. || SP. *match de barrage,* spareggio.
barre [bar] f. barra, sbarra. | *barre d'appui,* ringhiera. | *barre de chocolat,* stecca di cioccolata. || [lingot] barra, verga. || FIG. *c'est de l'or en barre,* è oro fino, è oro di coppella. || [fermeture] spranga. || [trait de plume] asta. || [déferlement des eaux] barra. || JUR. barra, sbarra. || MAR. barra, timone m. || MUS. stanghetta. || SP. sbarra. ◆ pl. JEU barriera sing.
barré, e [bare] adj. sbarrato. | *rue barrée,* via chiusa al traffico. | *chèque barré,* assegno (s)barrato. || [biffé] cancellato, depennato.
1. barreau [baro] m. sbarra f. ; [chaise] traversa f. ; [échelle] piolo. | *les barreaux d'une fenêtre,* l'inferriata f.
2. barreau m. [des avocats] foro ; ordine forense.
barrer [bare] v. tr. sbarrare. || FIG. precludere. || *barrer un chèque,* (s)barrare un assegno. || [biffer] cancellare, depennare. || MAR. reggere il timone. ◆ v. pr. POP. tagliar la corda, svignarsela.
barrette [barɛt] f. [bonnet] berretta. || [bijou] fermaglio m. || [pince pour cheveux] molletta.
barreur [barœr] m. MAR. timoniere. || SP. capovoga (pl. capivoga), timoniere.
barricade [barikad] f. barricata.
barricader [barikade] v. tr. barricare, sbarrare. || [fermer solidement] stangare, sprangare. ◆ v. pr. barricarsi. || [s'enfermer] asserragliarsi.
barrière [barjɛr] f. barriera ; steccato m. || FIG. ostacolo m., impedimento m.
barrique [barik] f. barile m., botte.
baryton [baritɔ̃] m. baritono.
bas [bɑ] m. calza f. || FIG. *bas de laine,* gruzzoletto.
bas, basse [bɑ, bɑs] adj. basso. | *ciel bas,* cielo chiuso. | *la tête basse,* a capo chino. | *bas peuple,* popolino. | *à voix basse,* con voce sommessa ; sottovoce adv. | *vue basse,* vista corta. || *à bas prix,* a poco prezzo. | *bas morceaux,* pezzi scadenti. | *au bas mot,* a dir poco. | *en bas âge,* in tenera età. || [vulgaire] basso, vile. ◆ adv. basso, giù. | *ici-bas,* quaggiù. | *là-bas,* laggiù. || *mettre bas,* figliare. || FIG. *il est bien bas,* è molto giù. ◆ *à bas !,* abbasso !, giù ! || *en bas,* giù. | *par en bas,* da giù. | *d'en bas,* di sotto. || *de bas en haut,* di sotto in su. || *de haut en bas,* dall'alto in basso. ◆ *au bas de, en bas de,* a piè di, in fondo a. ◆ m. basso ; parte (f.) inferiore.
basane [bazan] f. bazzana, alluda.
basané, e [bazane] adj. abbronzato, moro.
basaner [bazane] v. tr. abbronzare.
bas-côté [bɑkote] m. [église] navata (f.) laterale. || [route] banchina f.
bascule [baskyl] f. [balance] basculla. || [balançoire] altalena. | *à bascule,* a dondolo. || PR. et FIG. *jeu de bascule,* altalena.
basculer [baskyle] v. intr. oscillare. || [tomber] precipitare. ◆ v. tr. [culbuter] capovolgere, ribaltare.
base [bɑz] f. base, basamento m. | *jeter les bases,* stabilire le basi, porre le premesse. | *sur la base de,* in base a.
baser [bɑze] v. tr. basare, fondare. ◆ v. pr. (sur) fondarsi su, basarsi (su).
bas-fond [bɑfɔ̃] m. [terrain] bassura f. || [eau] basso fondo. ◆ pl. bassifondi.
basilique [bazilik] f. basilica.
basket(-ball) [baskɛt(bol)] m. pallacanestro f.
basketteur, euse [baskɛtœr, øz] n. cestista.
1. basque [bask] f. [vêtement] basca, baschina.
2. basque adj. et n. basco.
bas-relief [bɑrəliɛf] m. bassorilievo.

basse [bɑs] f. MUS. basso m.
basse-cour [bɑskur] f. cortile m. ; (bassa) corte.
bassesse [bɑsɛs] f. bassezza, viltà.
basset [bɑsɛ] m. ZOOL. bassotto.
bassin [basɛ̃] m. [récipient] bacino, bacile ; [pour malades] padella f. || [pièce d'eau] vasca f. || ANAT., GÉOGR., MAR., MIN. bacino.
bassine [basin] f. catino m.
basson [bɑsɔ̃] m. MUS. fagotto.
bastingage [bastɛ̃gaʒ] m. bastingaggio, impavesata f.
bastion [bastjɔ̃] m. bastione, baluardo.
bastonnade [bastɔnad] f. bastonatura.
bât [bɑ] m. basto.
bataille [bataj] f. battaglia. | *bataille rangée,* battaglia campale. || FIG. *cheval de bataille,* cavallo di battaglia. | *cheveux en bataille,* capelli scarmigliati.
batailleur, euse [batajœr, øz] adj. battagliero, manesco. ◆ n. attaccabrighe inv.
bataillon [batajɔ̃] m. MIL. battaglione. | *chef de bataillon,* maggiore di fanteria.
bâtard, e [bɑtar, ard] adj. et n. bastardo. ◆ m. [pain] bastone. ◆ f. [écriture] bastarda.
bateau [bato] m. [petit] battello ; barca f. ; [grand] nave f., piroscafo. | *bateau à moteur,* motonave f. || *bateau (de porte),* passo carrabile. || FIG., FAM. *monter un bateau à qn, mener qn en bateau,* darla a bere a qlcu. ◆ adj. FAM. trito.
bateau-citerne [batositɛrn] m. nave (f.) cisterna.
bateau-feu [batofø] m. battello faro.
bateau-mouche [batomuʃ] m. vaporetto, battello.
bateleur, euse [batlœr, øz] n. giocoliere, a ; saltimbanco, a.
batelier, ère [batəlje, ɛr] n. battelliere m.
bat-flanc [baflɑ̃] m. inv. [écurie] battifianco. || [dortoir] tramezzo. || [lit de planches] tavolaccio.
bâti [bɑti] m. [couture] imbastitura f. || [charpente] intelaiatura f. || [support de machine] incastellatura f.
bâtiment [bɑtimɑ̃] m. fabbricato, edificio ; costruzione f. || [industrie] edilizia f. || MAR. bastimento.
bâtir [bɑtir] v. tr. fabbricare, edificare, costruire. | *terrain à bâtir,* area fabbricabile. || [coudre] imbastire.
bâtisse [bɑtis] f. casamento m.
bâton [bɑtɔ̃] m. bastone ; mazza f. || [police] *bâton blanc,* sfollagente inv. | *coup de bâton,* bastonata f. || *bâton de rouge à lèvres,* rossetto. || [écriture] asta f. || LOC. *à bâtons rompus,* a intervalli, a strappi.
bâtonner [bɑtɔne] v. tr. bastonare.
bâtonnet [bɑtɔnɛ] m. bastoncino.
bâtonnier [bɑtɔnje] m. presidente (dell'ordine degli avvocati).
batracien [batrasjɛ̃] m. ZOOL. batrace.
battage [bataʒ] m. battitura f. ; [blé] trebbiatura f. || FIG., FAM. montatura f. pubblicitaria.
battant, e [batɑ̃, ɑ̃t] adj. battente. | *porte battante,* porta a vento. | *pluie battante,* pioggia dirotta. || FAM. *(tout) battant neuf,* nuovo di zecca. ◆ m. [porte] battente. | *ouvrir à deux battants,* spalancare. || [cloche] battaglio.
batte [bat] f. [de terrassier] mazzeranga ; [de lavandière] asse. || [d'Arlequin] spatola. || [or] battitura. || JEU mazza.
battement [batmɑ̃] m. battito, battimento. | *battement de mains,* battimano. || [d'une persienne] battente. || FIG. intervallo.
batterie [batri] f. batteria.
batteur [batœr] m. battitore. | *batteur d'or,* battiloro inv. || CULIN. frullatore. || MUS. batterista.
batteuse [batøz] f. AGR. battitrice, trebbiatrice.
battre [batr] v. tr. [frapper] battere, picchiare, percuotere, colpire. || FAM. *battre comme plâtre,* picchiare di santa ragione. || [vaincre] battere, sconfiggere, vincere. | *battre à plate couture,* sbaragliare, schiacciare. || [blé] battere, trebbiare ; [tapis, œufs] sbattere ; [cartes] mescolare, mischiare. || [parcourir] *battre les bois,* perlustrare i boschi. || *battre la mesure,* battere il tempo. || MIL. battere, suonare. ◆ v. intr. [pluie] battere ; [porte] sbattere. || *battre des mains, des ailes,* battere le mani, le ali. || FIG. *battre froid à qn,* mostrarsi freddo con qlcu. ◆ v. pr. battersi, picchiarsi. | *se battre à coups de poing,* fare a pugni.
battu, e [baty] adj. *yeux battus,* occhi pesti.
baudet [bodɛ] m. ciuco, somaro.
baume [bom] m. balsamo.
bavard, e [bavar, ard] adj. chiacchierone, ciarliero. ◆ n. chiacchierone, a ; ciarlone, a.
bavardage [bavardaʒ] m. cicalio, cicaleccio, chiacchierio. || [propos] chiacchiera f., ciancia f.
bavarder [bavarde] v. intr. chiacchierare, ciarlare.
bave [bav] f. bava. || FIG. veleno m.
baver [bave] v. intr. sbavare.
bavette [bavɛt] f. [tablier] pettino m., pettorina.
baveux, euse [bavø, øz] adj. bavoso. || [omelette] spumoso.
bavoir [bavwar] m. bavaglino.
bavure [bavyr] f. sbavatura. || FIG. *sans bavures,* senza sbavature ; impeccabile, irreprensibile adj.

bazar [bazar] m. bazar inv., emporio. || FAM. *tout le bazar,* tutto quanto, tutta la roba (L.C.).
bazooka [bazuka] m. bazooka, lanciarazzi inv.
béant, e [beɑ̃, ɑ̃t] adj. spalancato, aperto. || FIG. *être béant d'admiration,* restare a bocca aperta.
béat, e [bea, at] adj. PÉJOR. melenso.
béatifier [beatifje] v. tr. beatificare.
béatitude [beatityd] f. beatitudine.
beau [bo] ou **bel, belle** [bɛl] adj. bello. | *beau langage,* linguaggio scelto. | *un beau joueur,* un giocatore che sa perdere. || *ce n'est pas beau,* non sta bene. | *faire une belle affaire,* fare un affarone. | *un beau parleur,* uno che vende fumo. | *être dans de beaux draps,* essere nei pasticci. | *la belle affaire !,* che importa ? || LOC. *il y a beau temps que,* è un bel pezzo che. | *dormir à la belle étoile,* dormire sotto le stelle, al sereno, all'aperto. | *mordre une pomme à belles dents,* addentare di gusto una mela. | *mourir de sa belle mort,* morire di morte naturale. ◆ adj. f. *l'échapper belle,* scamparla bella. | *de plus belle,* sempre più. ◆ adv. *tout beau !,* adagio ! || *il a beau dire, faire,* ha un bel dire, fare. || *c'est bel et bien vrai,* è proprio vero. | *il est bel et bien perdu,* è bell'e spacciato. ◆ m. bello. || PÉJOR. *un vieux beau,* un vecchio galante. || [chien] *faire le beau,* rizzarsi sulle zampe posteriori. ◆ f. bella. || [au jeu] bella.
beaucoup [boku] adv. molto, assai. | *merci beaucoup,* tante grazie. | *c'est beaucoup dire,* è dir troppo. | *beaucoup de* (avec un nom), molto adj. ◆ *de beaucoup,* troppo. | *il s'en faut de beaucoup,* ci manca assai.
beau-fils [bofis] m. [gendre] genero. || [fils d'un premier lit] figliastro.
beau-frère [bofrɛr] m. cognato.
beau-père [bopɛr] m. [père du conjoint] suocero. || [second mari de la mère] patrigno.
beauté [bote] f. bellezza. | *grain de beauté,* neo m. || FAM. *se (re)faire une beauté,* (ri)farsi il viso.
beaux-arts [bozar] m. pl. belle arti f. pl.
beaux-parents [boparɑ̃] m. pl. suoceri.
bébé [bebe] m. bambino, bebè.
bec [bɛk] m. becco ; [rapace] rostro. | *coup de bec,* PR. beccata f., FIG. frecciata f. || FIG. *avoir bec et ongles,* tirar fuori le unghie. | *prise de bec,* battibecco. || FIG., FAM. *bec fin,* bocca (f.) fina. | *clouer le bec,* chiudere il becco. | *tomber sur un bec,* trovare un osso duro. || MUS. bocchino, imboccatura f. || TECHN. becco, beccuccio. | *bec de gaz,* becco a gas.
bécane [bekan] f. FAM. bici.
bécarre [bekar] m. MUS. bequadro.
bécasse [bekas] f. ZOOL. beccaccia. || FIG., FAM. oca.
bécassine [bekasin] f. ZOOL. beccaccino m. || FIG., FAM. ochetta.
bec-de-lièvre [bɛkdəljɛvr] m. labbro leporino.
bêche [bɛʃ] f. vanga, badile m. | *coup de bêche,* vangata, badilata.
bêcher [bɛʃe] v. tr. vangare. || FIG., FAM. criticare aspramente, sparlare di (L.C.).
becquée [beke] f. (im)beccata.
becqueter [bɛkte] v. tr. beccare, becchettare.
bedaine [bədɛn] f. FAM. trippone m.
bedeau [bədo] m. scaccino.
bée [be] adj. f. *rester bouche bée,* restare a bocca aperta.
beffroi [bɛfrwa] m. torre (f.) campanaria, torre comunale.
bégaiement [begɛmɑ̃] m. balbettamento.
bégayer [begɛje] v. intr. et tr. balbettare.
bégonia [begɔnja] m. begonia f.
bègue [bɛg] adj. et n. balbuziente.
bégueule [begœl] f. FAM. santerellina. ◆ adj. pudibondo.
béguin [begɛ̃] m. cuffia f. || FAM. debole, scuffia f.
beige [bɛʒ] adj. et m. (color) beige.
beigne [bɛɲ] f. POP. sventola (fam.).
beignet [bɛɲɛ] m. frittella f.
bêlement [bɛlmɑ̃] m. belato.
bêler [bɛle] v. intr. et tr. belare.
belette [bəlɛt] f. ZOOL. donnola.
belge [bɛlʒ] adj. et n. belga.
bélier [belje] m. ZOOL. ariete, montone. || ASTR. *Bélier,* Ariete.
bélinogramme [belinɔgram] m. telefoto f. inv.
bellâtre [bɛlɑtr] adj. vanesio. ◆ m. bellimbusto.
belle-fille [bɛlfij] f. [bru] nuora. || [fille d'un premier lit] figliastra.
belle-mère [bɛlmɛr] f. [mère du conjoint] suocera. || [seconde femme du père] matrigna.
belle-sœur [bɛlsœr] f. cognata.
belliciste [bɛlisist] adj. et n. bellicista.
belligérant, e [bɛliʒerɑ̃, ɑ̃t] adj. et n. belligerante.
belliqueux, euse [bɛlikø, øz] adj. bellicoso.
belvédère [bɛlvedɛr] m. belvedere inv. ; altana f.
bémol [bemɔl] adj. et m. MUS. bemolle.
ben [bɛ̃] interj. POP. beh, be'.
bénédictin, e [benediktɛ̃, in] adj. et n. benedettino.

bénédiction [benediksjɔ̃] f. benedizione.
bénéfice [benefis] m. beneficio, utile.
bénéficiaire [benefisjɛr] n. beneficiario m., assegnatario m. ◆ adj. *marge bénéficiaire,* margine di utile.
bénéficier [benefisje] v. tr. ind. (de) beneficiare (di), (usu)fruire (di).
benêt [bənɛ] adj. et m. babbeo ; sempliciotne.
bénévole [benevɔl] adj. [personne] volontario. || [travail] gratuito.
bénin, igne [benɛ̃, iɲ] adj. benigno.
bénir [benir] v. tr. benedire.
bénit, e [beni, it] adj. benedetto. | *eau bénite,* acqua santa.
bénitier [benitje] m. acquasantiera f. || FAM. *grenouille de bénitier,* baciapile n. inv.
benjamin, e [bɛ̃ʒamɛ̃, in] n. ultimogenito, a.
benne [bɛn] f. vagoncino m. || [cage] benna ; montacarichi m. inv. || [camion] cassone (m.) ribaltabile ; [grue] benna.
benzine [bɛ̃zin] f. benzina.
béquille [bekij] f. [canne] gruccia, stampella. || [de véhicule] cavalletto (m.) di sostegno. || AV. pattino (m.) di coda. || MAR. puntello m. || MIL. sostegno m.
bercail [bɛrkaj] m. FIG. *revenir au bercail,* tornare all'ovile.
berceau [bɛrso] m. [lit] culla f. || [tonnelle] pergolato, bersò inv. || ARCHIT. *voûte en berceau,* volta a botte f.
bercer [bɛrse] v. tr. cullare. ◆ v. pr. cullarsi.
berceuse [bɛrsøz] f. ninnananna.
béret [berɛ] m. (berretto) basco.
berge [bɛrʒ] f. [rive] riva, sponda. || [talus] argine m., spalletta. || [chemin] scarpata.
berger, ère [bɛrʒe, ɛr] n. pastore, a ; pecoraio m. ; [jeune] pastorella f. ◆ m. [chien] pastore.
bergerie [bɛrʒəri] f. ovile m.
bergeronnette [bɛrʒərɔnɛt] f. ZOOL. cutrettola.
berline [bɛrlin] f. [voiture, auto] berlina. || [benne] vagoncino m.
berlue [bɛrly] f. *avoir la berlue,* avere le traveggole f. pl.
berne [bɛrn] f. *en berne,* [détresse] in derno ; [deuil] a mezz'asta.
berner [bɛrne] v. tr. (s)beffare, canzonare, schernire.
besogne [bəzɔɲ] f. faccenda ; lavoro m., daffare m. inv. | *pas mal de besogne,* un gran daffare. | *aller vite en besogne,* sbrigarsi.
besogneux, euse [bəzɔɲø, øz] adj. et n. bisognoso.
besoin [bəzwɛ̃] m. bisogno ; fabbisogno sing. | *j'ai besoin de,* ho bisogno di ; mi occorre, mi occorrono. | *au besoin, si besoin est,* all'occorrenza f., all'evenienza f. | *il n'est pas besoin de,* non occorre. || IRON. *j'avais bien besoin de cela !,* questo mi ci voleva ! || [détresse], bisogno, strettezze f. pl.
bestial, e, aux [bɛstjal, o] adj. bestiale.
bestialité [bɛstjalite] f. bestialità.
bestiaux [bɛstjo] m. pl. bestiame (grosso) sing.
bestiole [bɛstjɔl] f. bestiola, bestiolina.
bêta, asse [bɛta, ɑs] adj. FAM. sciocchereello.
bétail [betaj] m. bestiame.
bête [bɛt] f. [animal] bestia. | *bête féroce,* belva. | *bête sauvage, fauve,* fiera. | *bête à bon Dieu,* coccinella. || FIG., FAM. *bonne bête,* bonaccione m. | *c'est ma bête noire,* è il mio incubo. | *faire la bête,* fare l'indiano, il finto tonto m. || *chercher la petite bête,* cercare il pelo nell'uovo. ◆ adj. stupido, sciocco. | *air bête,* faccia da stupido. | *pas si bête !,* mica stupido ! | *c'est bête comme chou,* è semplicissimo, facilissimo (L.C.).
bêtifier [bɛtifje] v. intr. bamboleggiare, fare lo sciocco.
bêtise [bɛtiz] f. [défaut] sciocchezza, stupidità. || [action, parole] sciocchezza, stupidaggine. || [sans valeur] inezia, sciocchezza.
béton [betɔ̃] m. calcestruzzo.
bétonnière [betɔnjɛr] f. betoniera.
bette [bɛt] ou **blette** [blɛt] f. BOT. bietola.
betterave [bɛtrav] f. BOT. barbabietola.
beuglement [bøgləmɑ̃] m. muggito, mugghio. || [d'une trompe] (lo) strombettare.
beugler [bøgle] v. intr. muggire, mugghiare. || FAM. [pousser des cris] sbraitare. ◆ v. tr. FAM. *beugler une chanson,* straziare una canzone.
beurre [bœr] m. burro. | *beurre noir,* burro rosso. || FAM. *œil au beurre noir,* occhio pesto (L.C.). | *faire son beurre,* farsi un bel gruzzoletto. | *mettre du beurre dans les épinards,* arrotondare le entrate.
beurrer [bœre] v. tr. imburrare.
beurrier [bœrje] m. burriera f.
beuverie [bœvri] f. bevuta.
bévue [bevy] f. svista ; sproposito m., topica.
biais, e [bjɛ, bjɛz] adj. sghembo, obliquo. ◆ m. [moyen détourné] ripiego, espediente. ◆ **de biais, en biais,** di sbieco, di sghimbescio, di sghembo. | *couper en biais,* tagliare in tralice. | *regarder de biais,* guardare di sbieco, in tralice.

biaiser [bjɛze] v. intr. andare di sbieco, di sghembo. || FIG. usare ripieghi.
bibelot [biblo] m. soprammobile, gingillo, ninnolo.
biberon [bibrɔ̃] m. poppatoio. ◆ m. FAM. beone.
bible [bibl] f. bibbia. ◆ adj. *papier bible,* carta india.
bibliographie [biblijɔgrafi] f. bibliografia.
bibliothécaire [biblijɔtekɛr] n. bibliotecario.
bibliothèque [biblijɔtɛk] f. biblioteca.
biblique [biblik] adj. biblico.
bicarbonate [bikarbɔnat] m. CHIM. bicarbonato.
bicéphale [bisefal] adj. bicefalo, bicipite.
biceps [bisɛps] m. ANAT. bicipite.
biche [biʃ] f. ZOOL. cerva.
bicoque [bikɔk] f. FAM. bicocca, casupola.
bicorne [bikɔrn] m. cappello a due punte ; [de carabinier] lucerna f.
bicyclette [bisiklɛt] f. bicicletta.
bidon [bidɔ̃] m. bidone ; latta f., stagnola f. || MIL. borraccia f.
bief [bjɛf] m. gora f.
bielle [bjɛl] f. biella. || AUT. *couler une bielle,* fondere una bronzina.
1. bien [bjɛ̃] adv. bene. | *bien mis,* ben vestito. || *bien fait pour toi, pour vous !,* ti, vi sta bene ! | *nous voilà bien (partis) !,* stiamo freschi ! || *être bien content,* essere ben felice. | *je sais bien que,* ben lo so che. | *avoir bien tort,* aver proprio torto. | *c'est bien mieux comme cela,* è molto, tanto meglio così. | *c'est bien lui,* è proprio lui. | *c'est bien possible,* può darsi. || [quantité] molto adj. | *bien des gens,* molta gente. | *bien peu de,* pochissimo adj. || [opposition ; concession] bene, pure. | *il faut bien le faire,* bisogna pur farlo. | *ce n'est pas de la bonté, mais bien de la faiblesse,* non è bontà, bensì debolezza. || *tant bien que mal,* alla bell'e meglio. | *pas très bien,* poco bene, piuttosto male. | *pas trop bien,* non tanto bene. ◆ ***bien plus,*** inoltre. ◆ interj. ***très bien !,*** benissimo ! || ***bien sûr !,*** altro che !, certo ! || ***eh bien !,*** [étonnement] ma guarda ! ; [concession] ebbene ! ◆ loc. conj. ***bien que*** (subj.), benché, sebbene, per quanto (subj.). || ***quand bien même*** (cond.), [même si] anche se, quand'anche (subj.) ; [bien que] benché, sebbene (subj.). || ***si bien que*** (indic.), sicché, tanto che (indic.).
2. bien adj. inv. *il est bien aujourd'hui,* oggi sta bene. || [beau] bello adj. || [consciencieux] serio adj., (per)bene inv. || *être bien avec tout le monde,* essere in buoni rapporti con tutti.
3. bien m. [philosophique, moral] bene. || [chose possédée] bene, roba f., averi m. pl., sostanze f. pl.
bien-aimé, e [bjɛ̃neme] adj. (pre)diletto, benamato. ◆ n. (pre)diletto.
bien-être [bjɛ̃nɛtr] m. inv. benessere.
bienfaisance [bjɛ̃fəzɑ̃s] f. beneficenza.
bienfaisant, e [bjɛ̃fəzɑ̃, ɑ̃t] adj. benefico.
bienfait [bjɛ̃fɛ] m. beneficio.
bienfaiteur, trice [bjɛ̃fɛtœr, tris] n. benefattore, trice.
bien-fondé [bjɛ̃fɔ̃de] m. fondatezza f.
bienheureux, euse [bjɛ̃nørø, øz] adj. beato, felice. ◆ n. THÉOL. beato, a.
bienséance [bjɛ̃seɑ̃s] f. convenienze pl.
bienséant, e [bjɛ̃seɑ̃, ɑ̃t] adj. conveniente.
bientôt [bjɛ̃to] adv. [peu après] poco dopo, presto. || [dans peu de temps] fra poco, presto, tra breve. | *à bientôt !,* a presto !
bienveillance [bjɛ̃vɛjɑ̃s] f. benevolenza.
bienveillant, e [bjɛ̃vɛjɑ̃, ɑ̃t] adj. benevolo, benigno.
bienvenu, e [bjɛ̃vny] adj. et n. benvenuto, benarrivato.
bienvenue [bjɛ̃vny] f. *souhaiter la bienvenue,* dare il benvenuto m.
1. bière [bjɛr] f. birra.
2. bière f. bara, cassa da morto ; feretro m.
biffer [bife] v. tr. cancellare, cassare, depennare.
bifteck [biftɛk] m. bistecca f.
bifurcation [bifyrkasjɔ̃] f. biforcazione ; bivio m.
bifurquer [bifyrke] v. intr. biforcarsi.
bigame [bigam] adj. et n. bigamo.
bigarré, e [bigare] adj. screziato, variegato.
bigle [bigl] adj. et n. guercio, strabico.
bigot, e [bigo, ɔt] adj. et n. bigotto, a ; bacchettone, a (n.).
bigre ! [bigr] interj. FAM. diamine !, accidenti !
bigrement [bigrəmɑ̃] adv. FAM. maledettamente ; assai, molto (L.C.).
bijou [biʒu] m. gioiello.
bijouterie [biʒutri] f. gioielleria.
bijoutier, ère [biʒutje, ɛr] n. gioielliere, a.
bilan [bilɑ̃] m. bilancio.
bile [bil] f. bile.
biler (se) [səbile] v. pr. POP. guastarsi il sangue.
bilieux, euse [biljø, øz] adj. bilioso.
bilingue [bilɛ̃g] adj. et n. bilingue.
billard [bijar] m. bi(g)liardo.
1. bille [bij] f. [de billard] palla. || JEU pallina, bilia. || MÉC. *roulement à billes,* cuscinetto a sfere. | *stylo à bille,* biro f. inv.

2. bille f. [pièce de bois] tronco m.
billet [bijɛ] m. biglietto.
billot [bijo] m. ceppo.
bimensuel, elle [bimɑ̃sɥɛl] adj. bimensile, quindicinale.
bimestriel, elle [bimɛstrijɛl] adj. bimestrale.
1. biner [bine] v. tr. zappettare.
2. biner v. intr. REL. binare la messa.
binette [binɛt] f. zappetta.
binocle [binɔkl] m. stringinaso inv.
biochimie [bjoʃimi] f. biochimica.
biodégradable [bjɔdegradabl] adj. biodegradabile.
biographie [bjɔgrafi] f. biografia.
biologie [bjɔlɔʒi] f. biologia.
biologiste [bjɔlɔʒist] n. biologo m. ; studiosa (f.) di biologia.
bis [bis] adj., adv., interj. et m. bis.
bis, e [bi, biz] adj. bigio. | *pain bis,* pan nero, pane inferigno.
bisaïeul, e [bizajœl] n. bisnonno, bisavolo.
bisannuel, elle [bizanɥɛl] adj. biennale.
bisbille [bizbij] f. FAM. battibecco m., bega. | *être en bisbille avec qn,* venire in urto con qlcu.
biscornu, e [biskɔrny] adj. [irrégulier] storto, contorto. ‖ [bizarre] strambo, strampalato.
biscotte [biskɔt] f. (pane) biscotto m., fetta biscottata. | *biscotte de régime,* biscotto della salute.
biscuit [biskɥi] m. biscotto. | *biscuit à la cuiller,* savoiardo.
1. bise [biz] f. [vent] tramontana, sizza.
2. bise f. FAM. bacino m., bacetto m.
biseau [bizo] m. ugnatura f. ‖ [outil] sgorbia f.
biseauter [bizote] v. tr. ugnare. ‖ [cartes] segnare.
bison [bizɔ̃] m. bisonte.
bissectrice [bisɛktris] f. bisettrice.
bisser [bise] v. tr. MUS., TH. chiedere il bis.
bissextile [bisɛkstil] adj. f. bisestile.
bistouri [bisturi] m. bisturi inv.
bistre [bistr] m. inv. bistro. ◆ adj. inv. color bistro.
bistro(t) [bistro] m. FAM. caffeuccio (péjor.) ; osteria (L.C.).
bitume [bitym] m. bitume.
bivouac [bivwak] m. bivacco.
bivouaquer [bivwake] v. intr. bivaccare.
bizarre [bizar] adj. bizzarro.
bizarrerie [bizarri] f. bizzarria.
bizut(h) [bizy] m. ARG. UNIV. matricola f.
blackbouler [blakbule] v. tr. FAM. [examen] bocciare, trombare ; [élection] trombare.
blafard, e [blafar, ard] adj. scialbo, smorto.
blague [blag] f. *blague à tabac,* borsa da tabacco. ‖ FAM. [farce] scherzo m., beffa ; [plaisanterie] fandonia, frottola. | *sans blague !,* davvero !, sul serio ! (L.C.).
blaguer [blage] v. intr. FAM. spacciar frottole, scherzare. ◆ v. tr. [railler] prendere in giro.
blagueur [blagœr] m. burlone.
blaireau [blɛro] m. ZOOL. tasso. ‖ [pinceau] pennello.
blâmable [blɑmabl] adj. biasimevole.
blâme [blɑm] m. biasimo.
blâmer [blɑme] v. tr. biasimare.
blanc, blanche [blɑ̃, blɑ̃ʃ] adj. bianco. | *aux cheveux blancs,* dai, coi capelli bianchi ; canuto adj. | *gelée blanche,* brina f. ‖ [pâle] pallido. ‖ [propre] bianco di bucato (pr.) ; pulito (fig.). ◆ *à blanc : chauffer à blanc,* PR. rendere incandescente, FIG. mettere sotto pressione. | *saigner à blanc,* dissanguare. | *tirer à blanc,* sparare a salva. ◆ m. bianco. | *blanc de poulet,* petto di pollo. | *blanc d'œuf,* bianco chiaria (f.) d'uovo. ‖ [linge] bianco, biancheria f. ‖ *signer en blanc,* firmare in bianco. ◆ n. bianco. ◆ f. MUS. minima.
blanchâtre [blɑ̃ʃɑtr] adj. biancastro, bianchiccio.
blancheur [blɑ̃ʃœr] f. bianchezza, candidezza.
blanchir [blɑ̃ʃir] v. tr. imbiancare, imbianchire. | *la neige blanchit la campagne,* la neve imbianca la campagna. | *blanchir les murs,* imbiancare, imbianchire le pareti. ‖ [plante] imbianchire ; [linge] lavare ; mettere in bucato. ‖ *nourri et blanchi,* con vitto e servizio di bucato. ‖ [tissu] imbianchire, candeggiare. ‖ [sucre] imbianchire. ‖ FIG. scolpare. ◆ v. intr. imbiancare ; [de rage, de peur] sbiancarsi ; [cheveux] imbiancare, incanutire. ◆ v. pr. [se disculper] scolparsi.
blanchissage [blɑ̃ʃisaʒ] m. lavatura f., bucato.
blanchisserie [blɑ̃ʃisri] f. lavanderia.
blanchisseur, euse [blɑ̃ʃisœr, øz] n. lavandaio, a.
blanc-seing [blɑ̃sɛ̃] m. firma (f.) in bianco.
blasé, e [blaze] adj. indifferente, disilluso, disincantato, sazio, scettico, stufo.
blaser [blaze] v. tr. rendere indifferente ; stufare. ◆ v. pr. disgustarsi, stufarsi.
blason [blazɔ̃] m. blasone.
blasphème [blasfɛm] m. bestemmia f.
blasphémer [blasfeme] v. tr. et intr. bestemmiare.

blatte [blat] f. ZOOL. blatta, scarafaggio m.
blé [ble] m. grano. | *blé noir,* grano saraceno.
blême [blɛm] adj. pallido, smorto, livido.
blêmir [blemir] v. intr. impallidire, illividire.
blessant, e [blɛsɑ̃, ɑ̃t] adj. pungente, offensivo.
blessé, e [blese] adj. et n. ferito.
blesser [blese] v. tr. ferire. || FIG. ferire, offendere, ledere. ◆ v. pr. ferirsi.
blessure [blesyr] f. ferita. || FIG. ferita, offesa.
blet, blette [blɛ, blɛt] adj. mezzo.
blette f. V. BETTE.
bleu, e [blø] adj. blu inv., azzurro. | *bleu clair, bleu ciel,* azzurro pallido, azzurro cielo ; celeste. | *bleu foncé, sombre,* blu scuro, azzurro cupo ; turchino. | *bleu-vert,* verdazzurro. || *bifteck bleu,* bistecca scottata. || *maladie bleue,* cianosi. || FAM. *peur bleue,* fifa nera. | *la fleur bleue,* il sentimentalismo. || *tout bleu de froid,* livido, paonazzo dal freddo. ◆ m. blu inv., azzurro. || *bleu (de chauffe, de travail),* tuta f. || [contusion] livido. || MIL. recluta f. || UNIV. matricola f.
bleuet [bløɛ] ou **bluet** [blyɛ] m. BOT. fiordaliso.
bleuir [bløir] v. tr. azzurrare, rendere azzurro, turchino. ◆ v. intr. azzurrarsi v. pr., divenire azzurro, turchino.
blindage [blɛ̃daʒ] m. blindatura f. ; [d'un vaisseau] corazzatura f. || [étaiement] armatura f.
blindé, e [blɛ̃de] adj. blindato, corazzato. || ÉLECTR. schermato. ◆ m. mezzo corazzato.
blinder [blɛ̃de] v. tr. blindare, corazzare.
bloc [blɔk] m. blocco, masso. | *bloc de maisons,* caseggiato, isolato. || POL. blocco. || POP. *mettre au bloc,* sbattere dentro. ◆ *à bloc,* a fondo, al massimo. | *en bloc,* in blocco. | *tout d'un bloc,* tutto d'un pezzo.
blocage [blɔkaʒ] m. blocco, bloccaggio. || ARCHIT. pietrisco.
blockhaus [blɔkos] m. inv. fortino.
bloc-notes [blɔknɔt] m. blocco per appunti.
blocus [blɔkys] m. blocco.
blond, e [blɔ̃, ɔ̃d] adj. et n. biondo.
bloquer [blɔke] v. tr. bloccare. || FIG., FAM. inibire (L.C.). ◆ v. pr. incepparsi.
blottir (se) [səblɔtir] v. pr. rannicchiarsi, appiattarsi.
blouse [bluz] f. [de travail] blusa ; camiciotto m. | *blouse blanche,* camice m. || [corsage] blusa, camicetta.
blouson [bluzɔ̃] m. giubbotto.
bluet m. V. BLEUET.
bluff [blœf] m. bluff (angl.) ; bidone ; vanteria f.
bluffer [blœfe] v. tr. ingannare, imbrogliare ; vendere fumo a. ◆ v. intr. bluffare, vantarsi, millantare.
bluffeur, euse [blœfœr, øz] adj. et n. venditore, trice di fumo ; spaccone n. m.
boa [bɔa] m. ZOOL. boa inv.
bobard [bɔbar] m. FAM. balla f. (pop.) ; frottola f. (L.C.).
bobine [bɔbin] f. rocchetto m., rullo m., bobina. || POP. [visage] grugno m., grinta.
bobiner [bɔbine] v. tr. incannare, avvolgere, bobinare.
bobo [bobo] m. FAM. bua f. | *avoir bobo,* aver la bua.
bocal, aux [bɔkal, o] m. barattolo. || PHARM. albarello.
bœuf [bœf] m. (pl. bœufs [bø]) bue (pl. *buoi*). || [viande] manzo. ◆ adj. inv. FAM. *faire un effet bœuf,* fare un figurone. | *un succès bœuf,* un successone.
bog(g)ie [bɔgi] m. carrello.
bogue [bɔg] f. riccio m.
bohème [bɔɛm] m. bohémien (fr.) ; scapigliato. ◆ f. *(vie de) bohème,* bohème (fr.) ; vita scapigliata. || LITT. [française] bohème ; [italienne] scapigliatura.
bohémien, enne [bɔemjɛ̃, ɛn] n. zingaro, a.
boire [bwar] v. tr. et intr. bere. || ABS. bere, bere forte. || LOC. *il y a à boire et à manger,* c'è del buono e del cattivo. | *ce n'est pas la mer à boire,* non è poi tanto difficile. ◆ v. pr. *ce vin se boit frais,* è un vino da servire freddo. ◆ m. bere.
bois [bwa] m. [matière] legno (per le industrie) ; legname (da opera). | *bois de chauffage,* legna f. (pl. *legna* et *legne*) per riscaldamento. | *charbon de bois,* carbonella f. | *bois mort, petit bois sec,* stipa f. || [objet en bois] *bois de lit,* fusto. | *les bois de justice,* il patibolo, la ghigliottina f. || LOC. *touchons du bois !,* tocchiamo ferro ! || [forêt] bosco. | *homme des bois,* zoticone. ◆ pl. [cornes] corna f. pl. || MUS. legni.
boisé, e [bwaze] adj. boscoso.
boiser [bwaze] v. tr. imboschire. || MIN. armare.
boiserie [bwazri] f. rivestimento (m.) di legno.
boisseau [bwaso] m. moggio, staio.
boisson [bwasɔ̃] f. bevanda. | [fraîche] bibita.
boîte [bwat] f. scatola, cassetta ; [poste] buca ; [au domicile] cassetta. | *boîte postale,* casella postale. | *mettre une lettre à la boîte,* imbucare, impostare una lettera. || *boîte à ouvrage,* cestino (m.) da lavoro. || ANAT. *boîte*

crânienne, scatola cranica. || TECHN. *boîte de vitesses,* cambio (m.) di velocità. | *boîte à musique,* scatola armonica. || POP. [maison] topaia (fam.) ; [lieu de travail] ufficio m., fabbrica (L.C.). | *boîte de nuit,* locale (m.) notturno. || FAM. *mettre en boîte,* prendere in giro (L.C.).

boiter [bwate] v. intr. zoppicare.

boiterie [bwatri] f. zoppicatura.

boiteux, euse [bwatø, øz] adj. zoppo, zoppicante. ◆ n. zoppo.

bol [bɔl] m. ciotola f.

bolide [bɔlid] m. bolide.

bombance [bɔ̃bɑ̃s] f. FAM. gozzoviglia, baldoria.

bombardement [bɔ̃bardəmɑ̃] m. bombardamento.

bombarder [bɔ̃barde] v. tr. bombardare.

bombardier [bɔ̃bardje] m. bombardiere.

1. bombe [bɔ̃b] f. bomba.

2. bombe f. FAM. *faire la bombe,* gozzovigliare, far baldoria.

bomber [bɔ̃be] v. tr. rendere convesso. | *bomber la poitrine,* gonfiare il petto. ◆ v. intr. far pancia.

bon [bɔ̃] m. COMM., FIN. buono. || TYP. *bon à tirer,* visto, si stampi. | *donner le bon à tirer,* licenziare le bozze.

bon, bonne [bɔ̃, bɔn] adj. [approprié ; capable] buono, bravo. | *être bon en latin,* essere bravo in latino. | *bon pour le service (militaire),* idoneo, abile al servizio (militare). | *à quoi bon ?,* a che pro ? || [sens moral] buono ; [aimable] buono. || [avantageux, favorable] buono. | *bonne nuit !,* buona notte ! || [considérable] *il y a un bon moment que je l'attends,* è un bel po' che l'aspetto. | *une bonne réprimande,* una bella lavata di capo. | *un bon kilo,* un chilo buono, abbondante. || LOC. *trouver bon de,* trovare a proposito di. | *faites comme bon vous semble,* faccia come crede. | *il est bon de remarquer,* giova notare. | *il ne fait pas bon le taquiner,* guai a stuzzicarlo. | *c'est bon !,* sta bene !, basta così ! ◆ adv. *sentir bon,* saper di buono. | *tenir bon,* tener sodo, duro. | *tout de bon, pour (tout) de bon,* (per) davvero, sul serio. ◆ interj. *(ah) bon !,* meno male ! | *allons bon !,* non ci mancava altro ! ◆ f. *une bien bonne,* una proprio divertente. | *en raconter de bonnes,* dirne, raccontarne delle belle.

bonbon [bɔ̃bɔ̃] m. chicca f., caramella f.

bonbonne [bɔ̃bɔn] f. [vin] damigiana ; [gaz, produit chimique] bombola.

bonbonnière [bɔ̃bɔnjɛr] f. bomboniera, confettiera.

bond [bɔ̃] m. (s)balzo, salto. | *par sauts et par bonds,* (a) balzelloni. | *faire un faux bond,* deviare, rimbalzare male. || FIG. *faire faux bond,* mancare di parola, mancare a un impegno.

bonde [bɔ̃d] f. [de tonneau] cocchiume m.

bondé, e [bɔ̃de] adj. gremito, pieno zeppo, stipato.

bondir [bɔ̃dir] v. intr. (s)balzare, scattare, saltare.

bon enfant [bɔnɑ̃fɑ̃] adj. inv. bonario, bonaccione.

bonheur [bɔnœr] m. felicità f. || [chance] fortuna f. | *au petit bonheur,* a casaccio. || *par bonheur,* per fortuna.

bonhomie [bɔnɔmi] f. bonomia, bonarietà.

bonhomme [bɔnɔm] m. (pl. **bonshommes** [bɔ̃zɔm]) *bonhomme de neige,* pupazzo, fantoccio di neve. | *petit bonhomme,* omino, ragazzino. | *c'est un grand bonhomme,* è un uomo in gamba.

boni [bɔni] m. utile, profitto, avanzo.

bonification [bɔnifikasjɔ̃] f. AGR. miglioria, bonifica. || COMM. abbuono m., sconto m. || SP. abbuono.

bonifier [bɔnifje] v. tr. AGR. far migliorie a, bonificare. ◆ v. pr. migliorare.

boniment [bɔnimɑ̃] m. FAM. imbonimento ; chiacchiere f. pl.

bonjour [bɔ̃ʒur] m. buongiorno. || FIG. *c'est facile, simple comme bonjour,* è come bere un uovo.

bonne [bɔn] f. donna di servizio, domestica, serva. | *bonne d'enfant,* bambinaia.

bonnement [bɔnmɑ̃] adv. semplicemente.

bonnet [bɔnɛ] m. berretto ; berretta f. | *bonnet d'enfant,* cuffia f. | *bonnet de police,* bustina f. | *bonnet de fou,* berretto a sonagli. || FAM. *un gros bonnet,* un pezzo grosso, un alto papavero. || [de ruminant] reticolo. || LOC. *c'est bonnet blanc et blanc bonnet,* se non è zuppa è pan bagnato. | *avoir la tête près du bonnet,* accendersi come uno zolfanello.

bonneterie [bɔnɛtri] f. maglieria.

bonsoir [bɔ̃swar] m. buonasera f.

bonté [bɔ̃te] f. bontà. ◆ pl. cortesie, gentilezze, premure.

bord [bɔr] m. orlo, margine. | *bord de chapeau,* tesa f., falda f. || LOC. *à ras bord,* pieno fino all'orlo ; colmo. | *au bord de,* in riva a. || [bordure] *bord d'une robe,* lembo, bordo d'una veste. | *le bord du lit,* la sponda del letto. || [cours d'eau] riva f., sponda f. ; [mer] riva f. || FIG. *il n'est pas de notre bord,* non è dalla nostra parte. || MAR. bordo. || AUT. *tableau de bord,* cruscotto.

bordée [bɔrde] f. MAR. bordata. | *tirer une bordée,* bordeggiare. || [équipage] guardia. || [salve] salva. || FIG. *bordée d'injures,* rovescio (m.) d'improperi.
border [bɔrde] v. tr. [couture] bordare, orlare. || *papier bordé de noir,* carta listata di nero, a lutto. || FIG. fiancheggiare, contornare. || [longer] costeggiare. || *border un lit,* rincalzare un letto.
bordereau [bɔrdəro] m. distinta f.
bordure [bɔrdyr] f. orlatura ; orlo m., bordatura ; bordo m. | *en bordure de la route,* lungo la strada, sul ciglio della strada. || [encadrement] cornice. || [de plate-bande] bordura. || [d'étoffe] lista. || [de trottoir] cordone m.
borgne [bɔrɲ]] adj. et n. cieco da un occhio, orbo. ◆ adj. FIG. losco.
borne [bɔrn] f. limite m., termine m., confine m. | *borne kilométrique,* pietra miliare. | *borne frontière,* pietra confinaria. || ÉLECTR. serrafilo m., morsetto m. || ARCHÉOL. meta. || *borne (cornière),* paracarro m. || POP. chilometro m. (L.C.). ◆ pl. FIG. limiti m. pl.
borné, e [bɔrne] adj. ristretto, angusto.
borner [bɔrne] v. tr. delimitare. || FIG. limitare. ◆ v. pr. (à) limitarsi (a).
bosquet [bɔskɛ] m. boschetto.
bosse [bɔs] f. gobba. || FIG., FAM. *rouler sa bosse,* girare mezzo mondo. | *avoir la bosse des affaires,* avere il bernoccolo degli affari. || [enflure] bernoccolo m. || ART modello (m.) in gesso. | *en bosse,* a sbalzo. | *en demi-bosse,* a mezzo tondo. | *en ronde bosse,* a tutto tondo.
bosseler [bɔsle] v. tr. ammaccare. || ART sbalzare, lavorare a sbalzo. ◆ v. pr. ammaccarsi.
bosser [bɔse] v. intr. POP. sgobbare (fam.).
bossu, e [bɔsy] adj. et n. gobbo.
bot [bo] adj. m. *pied bot* [vers l'intérieur] piede varo ; [vers l'extérieur] piede valgo.
botanique [bɔtanik] adj. botanico. ◆ f. botanica.
botaniste [bɔtanist] n. botanico m. ; studiosa (f.) di botanica.
1. botte [bɔt] f. [fleurs, légumes] mazzo m. ; [fleurs, épis, herbes] fascio m. ; [foin] fastello m.
2. botte f. stivale m. || FAM. *lécher les bottes de qn,* lustrare gli stivali a qlcu. | *pas plus haut qu'une botte,* alto quanto un soldo di cacio.
3. botte f. [coup] botta.
botter [bɔte] v. tr. SP. *botter le ballon,* calciare il pallone. || FAM. *botter les fesses à qn,* prendere qlcu. a calci nel sedere. || FIG., FAM. *ça me botte,* mi va a fagiolo, mi sfagiola. ◆ v. pr. mettersi gli stivali.
bottier [bɔtje] m. stivalaio ; calzolaio di lusso.
bottine [bɔtin] f. stivaletto m.
bouc [buk] m. ZOOL. becco, capro. || [barbe] pizzo. || FIG. *bouc émissaire,* capro espiatorio.
boucan [bukɑ̃] m. POP. baccano.
bouche [buʃ] f. bocca. || LOC. *une fine bouche,* un buongustaio. | *faire la bouche en cœur,* fare il bocchino. | *bouche cousue !,* acqua in bocca !
bouché, e [buʃe] adj. *temps bouché,* tempo coperto. | *avenir bouché,* avvenire chiuso. | *carrière bouchée,* professione senza avvenire. || FAM. *esprit bouché,* mente tarda.
bouchée [buʃe] f. boccone m. | *par bouchées,* a bocconi. || [chocolat] cioccolatino m.
boucher [buʃe] v. tr. turare, otturare, tappare. | *boucher la vue, le passage,* impedire, ostruire la vista, il passo. ◆ v. pr. (ot)turarsi, tapparsi, intasarsi.
boucher, ère [buʃe, ɛr] n. macellaio, a ; beccaio. ◆ m. FIG. macellaio.
boucherie [buʃri] f. macelleria. || FIG. macello m.
bouche-trou [buʃtru] m. tappabuchi inv.
bouchon [buʃɔ̃] m. turacciolo, tappo. | *bouchon de tonneau,* cocchiume. || [flotteur] sughero, galleggiante. || [encombrement] imbottigliamento, ingorgo stradale. || JEU *jouer au bouchon,* giocare, fare a sussi.
boucle [bukl] f. [fermoir] fibbia. | *boucle d'oreille,* orecchino m. || [agrafe] fermaglio m. || [mèche] riccio m., ricciolo m. || [méandre] ansa. || AV. *boucler la boucle,* fare la gran volta.
bouclé, e [bukle] adj. [cheveux] arricciato, riccioluto, ricciuto.
boucler [bukle] v. tr. affibbiare. || [encercler] bloccare. || FAM. *boucler son budget,* pareggiare il bilancio (L.C.). || [fermer] chiudere, serrare. || [friser] arricciare. || FAM. [emprisonner] metter dentro. || POP. *boucle-la !,* chiudi il becco ! (fam.). ◆ v. intr. arricciarsi.
bouclier [buklije] m. scudo.
bouder [bude] v. intr. tenere il broncio, il muso. ◆ v. tr. *bouder qn,* tenere il broncio, il muso a qlcu.
bouderie [budri] f. broncio m., musoneria.
boudeur, euse [budœr, øz] adj. imbronciato. ◆ n. musone m.
boudin [budɛ̃] m. CULIN. sanguinaccio. | *boudin blanc,* salame di pollo.
boue [bu] f. fango m., mota. | *couvert de boue,* infangato adj. | *tache de boue,* macchia, schizzo di fango ; zacchera, pillacchera.
bouée [bwe] f. boa, gavitello m. | *bouée de sauvetage,* salvagente m. inv.

boueux, euse [buø, øz] adj. fangoso, limaccioso.
bouffant, e [bufɑ̃, ɑ̃t] adj. gonfio.
bouffe [buf] f. POP. abbuffo m., pappatoria.
bouffée [bufe] f. *bouffée d'air,* sbuffo m. | *bouffée de vent,* folata. | *bouffée de fumée,* boccata di fumo. || [fétide] zaffata. || *bouffée de chaleur,* vampata. || FIG. impeto m.
bouffer [bufe] v. intr. [se gonfler] (s)gonfiare. || POP. [manger] strippare. || FIG. *bouffer du kilomètre,* macinare chilometri.
bouffi, e [bufi] adj. gonfio. || [joufflu] paffuto.
bouffon, onne [bufɔ̃, ɔn] adj. buffo, buffonesco. ◆ m. buffone. || FIG. *servir de bouffon,* far da giullare.
bouge [buʒ] m. stamberga f., tugurio ; [bar] bettolaccia f.
bougeoir [buʒwar] m. bugia f.
bougeotte [buʒɔt] f. *avoir la bougeotte,* avere l'argento vivo addosso.
bouger [buʒe] v. intr. muoversi. | *ne bougez plus !,* fermi tutti ! ◆ v. tr. muovere, spostare.
bougie [buʒi] f. candela. || AUT. *bougie d'allumage,* candela d'accensione. || CHIR. candeletta.
bougon, onne [bugɔ̃, ɔn] adj. bisbetico. ◆ n. brontolone, a ; borbottone, a.
bougonner [bugɔne] v. intr. FAM. brontolare, borbottare, bofonchiare.
bouillant, e [bujɑ̃, ɑ̃t] adj. bollente.
bouille [buj] f. POP. *une bonne bouille,* un viso pacioccone (fam.).
bouilleur [bujœr] m. distillatore d'acquavite. | *bouilleur de cru,* distillatore proprietario.
bouilli [buji] m. lesso, bollito.
bouillie [buji] f. pappa, farinata.
bouillir [bujir] v. intr. et tr. bollire. | *faire bouillir,* far bollire, mettere a bollire. || FAM. *faire bouillir la marmite,* mandare avanti la baracca. || FIG. bollire, fremere.
bouilloire [bujwar] f. bollitore m.
bouillon [bujɔ̃] m. brodo. || [bulle] bolla f., bollore. | *à gros bouillons,* [eau] a scroscio ; [sang] a fiotti. || FAM. *boire un bouillon,* [en nageant] bere ; [perdre de l'argent] subire una perdita di denaro. ◆ pl. [journaux] resa f. sing.
bouillonnement [bujɔnmɑ̃] m. ribollimento, gorgoglio ; [continu] gorgoglio. || FIG. ribollimento.
bouillonner [bujɔne] v. intr. scrosciare, gorgogliare. || FIG. ribollire, fremere.
bouillotte [bujɔt] f. scaldamani m. inv., scaldapiedi m. inv. ; borsa. || [bouilloire] bollitore m.
boulanger, ère [bulɑ̃ʒe, ɛr] n. fornaio, a.
boulangerie [bulɑ̃ʒri] f. forno m. || [entreprise industrielle] panificio m.
boule [bul] f. palla. || [pain] pagnotta. || FIG. *faire boule de neige,* far valanga. || FAM. [tête] boccia. || LOC. *se rouler en boule,* appallottolarsi, (r)aggomitolarsi. || [se mettre en colère] impermalirsi. || JEU palla, pallina, boccia.
bouleau [bulo] m. BOT. betulla f.
boulet [bulɛ] m. palla f. || [charbon] ovolo.
boulette [bulɛt] f. pallottolina. || [viande hachée] polpetta. || FIG., FAM. *faire une boulette,* pigliare un granchio.
boulevard [bulvar] m. viale.
bouleversant, e [bulvɛrsɑ̃, ɑ̃t] adj. sconvolgente.
bouleversement [bulvɛrsəmɑ̃] m. sconvolgimento.
bouleverser [bulvɛrse] v. tr. sconvolgere, mettere sottosopra. || FIG. sconvolgere, scombussolare.
boulon [bulɔ̃] m. bullone. | *gros boulon,* chiavarda f.
boulonner [bulɔne] v. tr. bullonare. ◆ v. intr. POP. [travailler] darci dentro ; sgobbare.
boulot [bulo] m. POP. [travail] sgobbo (fam.).
boulot, otte [bulo, ɔt] adj. FAM. tozzo, atticciato. ◆ n. FAM. tombolotto, a.
boulotter [bulɔte] v. tr. POP. pappare (fam.).
1. bouquet [bukɛ] m. mazzo. | *bouquet garni,* mazzetto di odori. || *bouquet d'arbres,* gruppo, ciuffo d'alberi. || FIG., IRON. *c'est le bouquet !,* è il colmo ! || [du vin] aroma, fragranza f. || [feu d'artifice] girandola (f.) finale.
2. bouquet m. ZOOL. [crevette] gamberetto.
bouquin [bukɛ̃] m. FAM. libro (L.C.).
bouquiner [bukine] v. intr. cercar libri d'occasione. || FAM. leggere (L.C.).
bouquiniste [bukinist] n. venditore, trice di libri d'occasione ; bancarellista.
bourbeux, euse [burbø, øz] adj. melmoso, fangoso.
bourbier [burbje] m. pantano.
bourde [burd] f. [mensonge] balla, fandonia, frottola. || FAM. [bêtise] sfarfallone m., sproposito m.
bourdon [burdɔ̃] m. ZOOL. calabrone. | *faux bourdon,* fuco. || [cloche] campanone. || MUS. bordone.
bourdonnement [burdɔnmɑ̃] m. ronzio. || [de voix] vocio, brusio. || [d'oreilles] ronzio.
bourdonner [burdɔne] v. intr. ronzare.
bourdonneur, euse [burdɔnœr, øz] adj. et n. ronzatore, trice.
bourg [bur] m. borgo.
bourgade [burgad] f. borgata.

bourgeois, e [burʒwa, az] adj. borghese. | *maison bourgeoise,* casa signorile. | *cuisine bourgeoise,* cucina casalinga. ◆ n. borghese.
bourgeoisie [burʒwazi] f. borghesia.
bourgeon [burʒɔ̃] m. BOT. germoglio ; gemma f.
bourgeonner [burʒɔne] v. intr. BOT. germogliare, gemmare.
bourlinguer [burlɛ̃ge] v. intr. FAM. girare mezzo mondo.
bourrade [burad] f. spintone m., urtone m., pacca.
bourrage [buraʒ] m. riempimento ; riempitura f. || FAM. *bourrage de crâne,* imbottitura (f.) del cervello.
bourrasque [burask] f. burrasca.
bourre [bur] f. borra, stoppaccio m. ; [de laine] cascame m., borra ; [de soie] bava ; [d'une cartouche] stoppaccio m. || BOT. lanugine. || [dans un texte] riempitivo m., zavorra.
bourreau [buro] m. boia inv., carnefice. | *bourreau des cœurs,* rubacuori inv. | *bourreau de travail,* sgobbone.
bourrelé, e [burle] adj. *bourrelé de remords,* straziato dai rimorsi.
bourrelet [burlɛ] m. cercine, ciambella f. || [isolation] parafreddo inv. || [de chair] cuscinetto.
bourrelier [burəlje] m. sellaio, bastaio.
bourrer [bure] v. tr. imbottire. | [de nourriture] rimpinzare. | [poêle, pipe] caricare. | *bourrer le crâne,* imbottire il cervello. ◆ v. pr. rimpinzarsi.
bourrique [burik] f. FAM. ciuco m.
bourru, e [bury] adj. et n. burbero.
1. bourse [burs] f. borsa.
2. Bourse f. COMM., FIN. Borsa.
1. boursier, ère [bursje, ɛr] n. UNIV. borsista.
2. boursier, ère adj. COMM. borsistico. ◆ m. operatore di Borsa.
boursouflé, e [bursufle] adj. gonfio. || FIG. *style boursouflé,* stile ampolloso, tronfio.
boursouflure [bursuflyr] f. gonfiore m., enfiagione, gonfiezza. || FIG. ampollosità.
bousculade [buskylad] f. parapiglia m. inv., scompiglio m., trambusto m.
bousculer [buskyle] v. tr. [heurter] urtare, spingere. | *bousculer l'ennemi,* disperdere il nemico. || [mettre en désordre] mettere sottosopra, scompigliare. || [presser] incitare a sbrigarsi. | *être bousculé,* essere sopraffatto (dalle occupazioni). ◆ v. pr. urtarsi. || FIG., FAM. sbrigarsi (L.C.).
bouse [buz] f. bovina ; sterco (m.) bovino.
bousiller [buzije] v. tr. FAM. abborracciare, acciabattare. || [endommager] guastare (L.C.) || [tuer] far fuori (pop.). | *se faire bousiller,* farsi ammazzare (L.C.).
boussole [busɔl] f. bussola.
bout [bu] m. punta f., capo ; estremità f. | *le haut bout de la table,* il capotavola. || LOC. *à bout portant,* a bruciapelo. | *savoir sa leçon sur le bout du doigt,* sapere la lezione a menadito. | *manger du bout des dents,* mangiucchiare. | *rire du bout des lèvres,* ridere a fior di labbra. | *porter à bout de bras,* portar di peso. | *on ne sait par quel bout le prendre,* non si sa per che verso pigliarlo. || [garniture terminale] puntale, punta f. | *bout ferré,* ghiera f. || [morceau] pezzo, pezzetto. | *bout d'essai,* provino. | *bout de rôle,* particina f. | *en savoir un (bon) bout,* saperla lunga. | *bout de chemin,* tratto di strada. | *un bout d'homme,* un omino. || [fin] fine f. | *joindre les deux bouts,* sbarcare il lunario. | *pousser à bout,* far uscir dai gangheri. ◆ loc. prép. **au bout de,** in capo a, in fondo a. || **à bout de :** *à bout de forces,* stremato adj. | *être à bout de souffle,* avere il fiato grosso. | *venir à bout de qch.,* venire a capo di qlco. | *en venir à bout,* spuntarla. ◆ loc. adv. **bout à bout,** testa a testa, capo a capo. || **d'un bout à l'autre, de bout en bout,** da cima in fondo, da un capo all'altro. | **à tout bout de champ,** ad ogni piè sospinto.
boutade [butad] f. frizzo m., arguzia ; motto m.
bouteille [butɛj] f. bottiglia ; [gaz] bombola. || FIG. *c'est la bouteille à l'encre,* è un pasticcio, un pasticciaccio. || FAM. *prendre de la bouteille,* invecchiare (L.C.).
boutique [butik] f. bottega. || FAM. baracca.
boutiquier, ère [butikje, ɛr] n. bottegaio, a.
boutoir [butwar] m. ZOOL. [sanglier] grifo. || FIG. *coup de boutoir,* bottata f.
bouton [butɔ̃] m. BOT. boccio, bottone, bocciolo ; gemma f. | *en bouton,* in boccio. || MÉD. bitorzolo ; bolla f., vescica f. | *bouton de chaleur,* sudamina f. || MODE bottone. | *boutons de manchettes,* gemelli pl. || *bouton de fleuret,* bottone, fioretto. || *bouton de porte,* maniglia f. || [interrupteur] bottone, pulsante ; [radio, T.V.] bottone, manopola f.
boutonner [butɔne] v. tr. abbottonare. ◆ v. intr. BOT. germogliare. ◆ v. pr. abbottonarsi.
boutonnière [butɔnjɛr] f. asola, occhiello m.
bouture [butyr] f. BOT. talea, piantone m.
bouvreuil [buvrœj] m. ZOOL. ciuffolotto.

box [bɔks] m. (pl. **boxes** ou inv.) [tribunal] banco ; gabbia f.
boxe [bɔks] f. pugilato m.
boxer [bɔkse] v. intr. boxare. ◆ v. tr. FAM. prendere a pugni.
boxeur [bɔksœr] m. pugile.
boyau [bwajo] m. ANAT. budello (pl. f. *budella*), intestino. ‖ [tuyau] budello (pl. *budelli*), tubo. ‖ [passage] budello, cunicolo. ‖ MIL. camminamento. ‖ SP. tubolare.
boycottage [bojkɔtaʒ] m. boicottaggio.
boycotter [bɔjkɔte] v. tr. boicottare.
bracelet [braslɛ] m. braccialetto. ‖ [de montre] cinturino.
bracelet-montre [braslɛmɔ̃tr] m. orologio da polso.
braconnage [brakɔnaʒ] m. caccia (f.), pesca (f.) di frodo ; bracconaggio.
braconner [brakɔne] v. intr. cacciare, pescare di frodo.
braconnier [brakɔnje] m. cacciatore, pescatore di frodo ; bracconiere.
brader [brade] v. tr. COMM. svendere, liquidare.
braderie [bradri] f. svendita, liquidazione.
braguette [bragɛt] f. sparato (m.) dei calzoni.
braillard, e [brɑjar, ard] ou **brailleur, euse** [brɑjœr, øz] adj. et n. FAM. sbraitone, a, strillone, a.
brailler [brɑje] v. intr. sbraitare, strillare. ◆ v. tr. urlare.
braire [brɛr] v. intr. ragliare.
braise [brɛz] f. brace, bragia. ‖ ARG. [argent] grana.
braiser [brɛze] v. tr. CULIN. brasare.
brancard [brɑ̃kar] m. barella f. ‖ [d'attelage] stanga f.
brancardier [brɑ̃kardje] m. barelliere. ‖ MIL. portaferiti inv.
branchage [brɑ̃ʃaʒ] m. frasche f. pl., ramaglia f.
branche [brɑ̃ʃ] f. [arbre] ramo m. | *petite branche*, ramoscello m. ‖ FAM. *ma vieille branche*, vecchio mio. ‖ [subdivision] *les branches d'un candélabre*, i bracci (m.) d'un candelabro. | [de compas] asta. | [de lunettes] stanghette. ‖ [famille] ramo. | *avoir de la branche*, essere di razza. ‖ [catégorie] ramo, branca.
branchement [brɑ̃ʃmɑ̃] m. ramificazione f., diramazione f. ‖ ÉLECTR. allacciamento.
brancher [brɑ̃ʃe] v. tr. collegare, allacciare. ‖ FAM. *être branché*, essere informato, capire (L.C.).
branchies [brɑ̃ʃi] f. pl. ZOOL. branchie.
brandir [brɑ̃dir] v. tr. brandire. ‖ [agiter] agitare, sventolare.
branle [brɑ̃l] m. oscillazione f. | *donner le branle*, dar la prima spinta f. | *mettre en branle*, mettere in moto.
branle-bas [brɑ̃lba] m. inv. MAR. brandabbasso. ‖ FIG. scompiglio, trambusto.
branler [brɑ̃le] v. tr. tentennare, crollare, scuotere. ◆ v. intr. tentennare, traballare.
braquage [brakaʒ] m. sterzo, sterzata f.
braquer [brake] v. tr. puntare, spianare. ◆ v. tr. et intr. AUT. sterzare. ◆ v. pr. impuntarsi.
braquet [brakɛ] m. SP. moltiplica f.
bras [bra] m. braccio (pl. : pr. *le braccia ;* fig. *i bracci*). | *en bras de chemise*, in maniche di camicia. ‖ [objet] braccio. | *les bras d'un fauteuil*, i braccioli d'una poltrona. ‖ *faire une partie de bras de fer*, fare a braccio di ferro. ‖ GÉOGR. braccio, ramo. ◆ ***bras dessus, bras dessous***, a braccetto ; sotto braccio. ‖ ***à bras***, a braccia. | *transporter à bras*, trasportare a braccia. | *presse, charrette à bras*, torchio, carretto a mano. ‖ ***à force de bras***, a forza di braccio. ‖ ***à tour de bras*** : *travailler à tour de bras*, lavorare a tutto spiano. | *frapper à tour de bras, tomber à bras raccourcis sur*, picchiare sodo, darle di santa ragione. ‖ ***à bras ouverts***, a braccia aperte. ‖ ***à bras tendu***, a braccia, di peso. ‖ ***à pleins bras***, a bracciate. ‖ ***à bras-le-corps***, a mezza vita.
brasero [brazero] m. braciere.
brasier [brazje] m. braciere.
brassage [brasaʒ] m. mescolanza f., fusione f.
brassard [brasar] m. bracciale.
brasse [bras] f. [mesure] braccio m. (pl. f. braccia). ‖ [nage] nuoto (m.) a rana. | *brasse papillon*, nuoto (m.) a farfalla. ‖ [brassée] bracciata.
brassée [brase] f. bracciata.
brasser [brase] v. tr. rimescolare, rimestare. | *brasser de l'argent*, maneggiare molto denaro.
brasserie [brasri] f. birreria.
brasseur, euse [brasœr, øz] n. birraio m. ‖ FIG. *brasseur d'affaires*, uomo d'affari ; affarista m. (péjor.).
brassière [brasjɛr] f. camiciolina ; coprifasce m. inv. ◆ pl. [bretelles] cinghie.
brave [brav] adj. (après le nom) coraggioso, valoroso. ‖ (avant le nom) bravo, onesto, per bene. ◆ m. prode. ‖ FAM. *hé ! mon brave !*, ehi quell'uomo !
braver [brave] v. tr. affrontare, sfidare.
bravo [bravo] interj. bravo adj. ◆ m. applauso, bravo.
bravoure [bravur] f. coraggio m. ‖ [habileté] *morceau de bravoure*, pezzo di bravura.

break [brɛk] m. giardinetta f.
brebis [brəbi] f. pecora. || FIG. *brebis galeuse,* pecora nera.
1. brèche [brɛʃ] f. breccia. || [entaille] tacca. || FIG. *faire une brèche à sa fortune,* intaccare il patrimonio. | *être toujours sur la brèche,* essere sempre sulla breccia.
2. brèche f. GÉOL. breccia.
bredouille [brəduj] adj. *revenir bredouille,* tornare con le pive nel sacco.
bredouiller [brəduje] v. tr. et intr. barbugliare.
bref, brève [brɛf, brɛv] adj. breve. | *soyez bref,* sia conciso. || [impératif] *ton bref,* tono reciso. ◆ m. REL. breve. ◆ f. LING. breve. ◆ adv. insomma, in breve.
brésilien, enne [breziljɛ̃, ɛn] adj. et n. brasiliano.
bretelle [brətɛl] f. [courroie] tracolla. || TR. *bretelle de raccordement,* raccordo (m.) stradale ; svincolo m. ◆ pl. [pantalon] bretelle ; [lingerie] bretelle, spalline.
breuvage [brœvaʒ] m. bevanda f. ; [pour les animaux] beveraggio, beverone.
brevet [brəvɛ] m. brevetto, diploma ; patente f.
breveté, e [brəvte] adj. et n. brevettato.
breveter [brəvte] v. tr. brevettare.
bréviaire [brevjɛr] m. breviario.
bribe [brib] f. briciolo m., minuzzolo m. ◆ pl. *les bribes d'un repas,* gli avanzi d'un pasto.
bric-à-brac [brikabrak] m. inv. cianfrusaglie f. pl. || [magasin] rigatteria f.
bricolage [brikɔlaʒ] m. FAM. lavoretto (domestico). || PÉJOR. acciarpatura f., lavoro abborracciato.
bricole [brikɔl] f. [harnais] pettorale m. || FIG. lavoruccio m. || [bagatelle] inezia ; aggeggio m.
bricoler [brikɔle] v. intr. FAM. lavoricchiare. ◆ v. tr. FAM. *bricoler un moteur,* aggeggiare intorno al motore.
bricoleur, euse [brikɔlœr, øz] n. chi fa lavoretti domestici.
bride [brid] f. briglia ; redini f. pl.
brider [bride] v. tr. imbrigliare. || [réprimer] imbrigliare, trattenere.
bridge [bridʒ] m. JEU bridge. || [prothèse dentaire] ponte.
brièvement [brijɛvmɑ̃] adv. brevemente ; con poche parole.
brièveté [brijɛvte] f. brevità.
brigade [brigad] f. MIL. brigata. || [équipe] squadra.
brigadier [brigadje] m. [artillerie, cavalerie] caporale ; [gendarmerie] brigadiere. | *brigadier chef,* caporal maggiore.
brigand [brigɑ̃] m. brigante. || [vaurien] briccone.
briguer [brige] v. tr. brigare per.
brillant, e [brijɑ̃, ɑ̃t] adj. brillante, lucido, lustro. || FAM. *ce n'est pas brillant !,* non è un gran che ! ◆ m. brillante ; diamante sfaccettato. || [éclat] splendore ; lucentezza f., lustro.
brillanté, e [brijɑ̃te] adj. *style brillanté,* stile artefatto.
briller [brije] v. intr. brillare, (ri)splendere, rilucere, scintillare, sfavillare. | *faire briller les chaussures,* lustrare le scarpe. || [se distinguer] brillare.
brimbaler [brɛ̃bale] v. intr. essere scosso, traballare.
brimer [brime] v. tr. tormentare, angariare.
brin [brɛ̃] m. fuscello. | *brin de muguet,* fiore di mughetto. | *brin d'herbe,* filo d'erba. || [pousse] getto. || FIG., FAM. *un beau brin de fille,* un fior di ragazza. || [petite quantité] filo, briciolo, pezzetto, brandello. | *faire un brin de causette,* fare quattro chiacchiere.
brindille [brɛ̃dij] f. fuscellino m., stecco m.
brio [brijo] m. brio.
brioche [brijɔʃ] f. brioscia.
brique [brik] f. mattone m. || POP. *bouffer des briques,* stare a stecchetto (fam.). || ARG. milione m. (L.C.).
briquet [brikɛ] m. accendisigaro, accendino.
bris [bri] m. JUR. *bris de scellés,* violazione (f.) di sigilli.
brisant [brizɑ̃] m. frangente, scoglio ; scogliera f.
brise [briz] f. brezza.
brisé, e [brize] adj. rotto. | *brisé de fatigue,* sfinito, esausto.
brise-glace(s) [brizglas] m. inv. rompighiaccio.
brise-jet [brizʒɛ] m. inv. rompigetto.
brise-lames [brizlam] m. inv. frangiflutti.
briser [brize] v. tr. rompere, spezzare, infrangere. | *briser en mille morceaux,* mandare in frantumi. | *briser les idoles,* abbattere gli idoli. | *briser la résistance,* infrangere la resistenza. | *briser une grève,* stroncare uno sciopero. | *briser la carrière de qn,* troncare la carriera di uno. ◆ v. intr. rompere. ◆ v. pr. rompersi, spezzarsi, infrangersi.
briseur [brizœr] m. *briseur de grève,* crumiro.
broc [bro] m. brocca f.
brocanteur, euse [brɔkɑ̃tœr, øz] n. rigattiere m.
broche [brɔʃ] f. spiedo m., schidione m. || [bijou] fermaglio m. ; spilla. || [cheville] zeppa. || [dans une serrure]

ago m. || CHIR. chiodo m. || TECHN. mandrino m. || TEXT. fuso m.
brocher [brɔʃe] v. tr. [tissu] broccare. || [livre] legare in brossura.
brochet [brɔʃɛ] m. ZOOL. luccio.
brochette [brɔʃɛt] f. spiedino m. || CULIN. schidionata, filza. || [décorations] filza (di medaglie).
brochure [brɔʃyr] f. opuscolo m. || TEXT. disegno (m.) a brocchi.
broder [brɔde] v. tr. ricamare. ◆ v. intr. *broder sur un fait,* ricamare su di un fatto. | [abs.] ricamarci su.
broderie [brɔdri] f. ricamo m.
bronche [brɔ̃ʃ] f. bronco m.
broncher [brɔ̃ʃe] v. intr. *sans broncher,* senza scomporsi, senza batter ciglio, senza esitazione.
bronchite [brɔ̃ʃit] f. MÉD. bronchite.
bronzage [brɔ̃zaʒ] m. abbronzatura f.
bronze [brɔ̃z] m. bronzo. | *de bronze,* bronzeo adj.
bronzé, e [brɔ̃ze] adj. abbronzato.
bronzer [brɔ̃ze] v. tr. abbronzare. ◆ v. intr. et v. pr. abbronzarsi.
brosse [brɔs] f. spazzola. | *brosse à dents, à ongles,* spazzolino (m.) da denti, da unghie. | *donner un coup de brosse,* dare una spazzolata. || [pour le pansage] brusca ; [la peinture] pennello m., pennellessa.
brosser [brɔse] v. tr. spazzolare. || ART abbozzare. ◆ v. pr. spazzolarsi.
brou [bru] m. mallo.
brouette [bruɛt] f. carriola.
brouhaha [bruaa] m. vocio, brusio.
brouillage [brujaʒ] m. RAD. disturbo.
brouillard [brujar] m. nebbia f. || COMM. brogliaccio.
brouille [bruj] ou **brouillerie** [brujri] f. FAM. dissapore m., screzio m.
brouillé, e [bruje] adj. [temps] nuvoloso, imbronciato ; [teint] sciupato ; [choses] mescolato, ingarbugliato. || CULIN. *œufs brouillés,* uova strapazzate.
brouiller [bruje] v. tr. mescolare, scompigliare, confondere. | *brouiller l'esprit,* turbare la mente. | *brouiller la vue,* annebbiare la vista. || RAD. disturbare. || [désunir] mettere la zizzania tra. ◆ v. pr. imbrogliarsi, confondersi. || [temps] guastarsi. || [désaccord] guastarsi.
1. brouillon, onne [brujɔ̃, ɔn] adj. confusionario. ◆ n. confusionario m. ; pasticcione, a.
2. brouillon [brujɔ̃] m. brutta copia f. ; minuta f.
broussaille [brusɑj] f. pruneto m. ; cespugli m. pl.
broussailleux, euse [brusɑjø, øz] adj. cespuglioso. || [poils] arruffato, cespuglioso.
brousse [brus] f. savanna. || FAM. campagna sperduta.
brouter [brute] v. tr. brucare. ◆ v. intr. TECHN. funzionare a scatti, vibrare.
broutille [brutij] f. inezia, bazzecola.
broyer [brwaje] v. tr. frantumare, stritolare, macinare. || FAM. *broyer du noir,* avere le paturnie.
broyeur [brwajœr] m. [machine] frantoio, polverizzatore.
bru [bry] f. nuora.
bruine [brɥin] f. acquerugiola.
bruiner [brɥine] v. impers. piovigginare.
bruire [brɥir] v. intr. [ruisseau] rumoreggiare, mormorare ; [pluie] bruire ; [feuilles] stormire, frusciare.
bruissement [brɥismɑ̃] m. mormorio, fruscio, (lo) stormire.
bruit [brɥi] m. rumore. || [rumeur] voce f., notizia f. | *faire grand bruit,* fare, destare scalpore. || [tapage] chiasso, baccano.
bruitage [brɥitaʒ] m. rumori m. pl. (di fondo).
bruiteur [brɥitœr] m. rumorista.
brûlant, e [brylɑ̃, ɑ̃t] adj. ardente, bruciante, scottante, cocente. || FIG. *problème brûlant,* problema scottante.
brûlé, e [bryle] adj. [démasqué] smascherato. ◆ m. bruciato. || [blessé] *un grand brûlé,* un ustionato grave.
brûle-pourpoint (à) [abrylpurpwɛ̃] loc. adv. a bruciapelo.
brûler [bryle] v. tr. bruciare, ardere. || [en repassant] scottare. || [causer une brûlure] bruciare, scottare, ustionare. || [distiller] distillare. || [griller] tostare. || FIG. *brûler une gare,* saltare una stazione. | *brûler un feu rouge,* bruciare il semaforo. | *brûler la politesse,* partire insalutato ospite. ◆ v. intr. [se consumer] bruciare, ardere. || [douleur] *les yeux me brûlent,* mi bruciano gli occhi. || FIG. [être enflammé] ardere ; struggersi v. pr. || [désirer] smaniare ; non veder l'ora. || JEU *tu brûles !,* fuoco ! ◆ v. pr. bruciarsi, scottarsi, ustionarsi.
brûleur [brylœr] m. TECHN. bruciatore.
brûlure [brylyr] f. bruciatura, scottatura, ustione. | *brûlures d'estomac,* bruciore (m. sing.) di stomaco.
brume [brym] f. bruma, nebbia, foschia.
brumeux, euse [brymø, øz] adj. nebbioso, brumoso.
brun, e [brœ̃, bryn] adj. bruno, scuro. ◆ n. [personne] bruno. ◆ m. [couleur] bruno m. ◆ f. LITT. *à la brune,* sull'imbrunire.
brunir [brynir] v. tr. abbronzare. || TECHN. brunire. ◆ v. intr. scurirsi ; abbronzarsi. ◆ v. pr. abbronzarsi.
brusque [brysk] adj. brusco, improvviso, reciso.

brusquer [bryske] v. tr. affrettare, precipitare. || [rudoyer] maltrattare, strapazzare.
brusquerie [bryskəri] f. sgarbatezza.
brut, e [bryt] adj. grezzo, greggio. || ÉCON. lordo. || FIG. rozzo, grezzo, bruto. ◆ m. greggio ; lordo.
brutal, e, aux [brytal, o] adj. brutale, manesco. || [soudain] improvviso, repentino. ◆ m. bruto.
brutaliser [brytalize] v. tr. maltrattare, malmenare.
brutalité [brytalite] f. brutalità. || [soudaineté] subitaneità, repentinità.
brute [bryt] f. bruto m.
bruyamment [brɥijamɑ̃] adv. rumorosamente, fragorosamente.
bruyant, e [brɥijɑ̃, ɑ̃t] adj. [qui fait du bruit] rumoroso, chiassoso, fragoroso, strepitoso.
bruyère [bryjɛr, brɥijɛr] f. erica ; brugo m., scopa. || [terrain] brughiera.
buanderie [byɑ̃dri] f. lavanderia.
buccal, e, aux [bykal, o] adj. boccale, orale | *par voie buccale,* per via orale.
buccin [byksɛ̃] m. buccina f.
bûche [byʃ] f. ceppo m., ciocco m. || FIG. zuccone m. || FAM. *ramasser une bûche,* fare un capitombolo m.
bûcher [byʃe] m. [local] legnaia f. || [cadavres] rogo ; pira f. (litt.). || [supplice] rogo.
bûcher [byʃe] v. tr. FAM. studiare con accanimento. ◆ v. intr. sgobbare.
bûcheron [byʃrɔ̃] m. boscaiolo ; taglialegna inv.
bûcheur, euse [byʃœr, øz] n. FAM. sgobbone, a.
budget [bydʒɛ] m. bilancio (preventivo). | *inscrire au budget,* stanziare.
budgétaire [bydʒetɛr] adj. finanziario, fiscale ; del bilancio.
buée [bɥe] f. vapore m. | *couvert de buée,* appannato adj.
buffet [byfɛ] m. credenza f. || *buffet froid,* buffet freddo, tavola fredda. || MUS. [d'orgue] cassa f.
buffle [byfl] m. ZOOL. bufalo.
buis [bɥi] m. BOT. bosso.
buisson [bɥisɔ̃] m. cespuglio.
buissonnière [bɥisɔnjɛr] adj. f. *faire l'école buissonnière,* marinare, salare, bruciare la scuola.
bulbe [bylb] m. bulbo.
bulldozer [byldɔzɛr, zœr] m. apripista inv.
bulle [byl] f. bolla. || *bulle du pape,* bolla papale. ◆ adj. *papier bulle,* carta da imballaggio.
bulletin [byltɛ̃] m. bollettino, scheda f. | *bulletin de vote,* scheda elettorale. || *bulletin officiel,* gazzetta (f.) ufficiale. || [d'écolier] pagella f. || [de bagages] scontrino. || *bulletin de naissance,* fede (f.) di nascita.
bure [byr] f. bigello m. | *robe de bure,* saio m.
bureau [byro] m. [table] scrivania f., scrittoio. || [pièce] studio. || ADM. ufficio. | *chef de bureau,* capufficio. | *garçon de bureau,* fattorino. | *bureau de poste,* ufficio postale. | *bureau de vote,* seggio elettorale. | *bureau de tourisme,* ufficio turistico. | *bureau de tabac,* tabaccheria f. | *bureau de location,* botteghino. || [comité] presidenza f., esecutivo.
bureaucratie [byrokrasi] f. burocrazìa.
Bureautique [byrotik] f. cibernetica aziendale.
burette [byrɛt] f. [huilier] ampolla. || CHIM. buretta. || REL. ampollina. || TECHN. oliatore m.
buriner [byrine] v. tr. bulinare.
burlesque [byrlɛsk] adj. burlesco.
1. buse [byz] f. ZOOL. poiana ; bozzagro m., bozzago m. || FIG., FAM. barbagianni m.
2. buse f. TECHN. condotto m., ugello m.
busqué, e [byske] adj. *nez busqué,* naso aquilino.
buste [byst] m. busto.
but [by, byt] m. scopo ; meta f. | *placer un coup au but,* far centro, far segno. || SP. rete f., porta f. | *gardien de but,* portiere. ◆ *de but en blanc,* di punto in bianco. || *dans le but de,* allo scopo di.
butane [bytan] m. butano.
buté, e [byte] adj. caparbio, ostinato.
butée [byte] f. [de pont] coscia, spalla. || TECHN. arresto m.
buter [byte] v. tr. puntellare, rinfiancare. || *buter qn,* far sì che uno s'impunti. || ARG. far fuori. ◆ v. intr. (contre) inciampare (in), incespicare (in). || SP. calciare in porta. ◆ v. pr. impuntarsi.
buteur [bytœr] m. SP. cannoniere.
butin [bytɛ̃] m. bottino.
butiner [bytine] v. intr. bottinare. | [abeilles] andare di fiore in fiore.
butoir [bytwar] m. paraurti inv., fermacarro.
1. butte [byt] f. [tertre] altura ; rialto m. || MIL. *butte de tir,* parapalle m. inv.
2. butte f. LOC. *être en butte à,* essere fatto segno a.
buvable [byvabl] adj. bevibile. | *ampoule buvable,* fiala per via orale. || FIG., FAM. [supportable] potabile.
buvard [byvar] m. carta (f.) assorbente ; cartasuga f.
buvette [byvɛt] f. bar m ; mescita, osteria.
buveur, euse [byvœr, øz] n. bevitore, trice.

C

c [se] m. c f. ou m.

ça [sa] pron. dém. (ABRÉV. FAM. de *cela*.) questo, ciò, quello (L.C.). || PÉJOR. [personne] costui m., costei f.

çà [sa] adv. qui, qua. ◆ interj. *ah! çà, répondras-tu?*, risponderai, si o no? | *ah! çà, que veux-tu dire?*, ma insomma, che vuoi dire?

cabale [kabal] f. cabala.

caban [kabɑ̃] m. giaccone, giacca (f.) a vento.

cabane [kaban] f. capanna. | [de chasseur] capanno m. | [à lapins] conigliera. || FIG. tugurio m., topaia. || POP. [prison] gattabuia.

cabaret [kabarɛ] m. osteria f., bettola f.

cabaretier, ère [kabartje, ɛr] n. oste, ostessa.

cabas [kaba] m. sporta f.; cesto, paniere.

cabestan [kabɛstɑ̃] m. argano; cabestano.

cabillaud [kabijo] m. eglefino; merluzzo.

cabine [kabin] f. cabina.

cabinet [kabinɛ] m. stanzino. || [bureau] studio, gabinetto. ◆ pl. gabinetto m. sing.

câble [kɑbl] m. cavo; fune f., gomena f. || ÉLECTR., TÉL. cavo. || [message] cablogramma, cablo.

câbler [kɑble] v. tr. intrecciare. || TÉL. cablare, cablografare.

cabosser [kabɔse] v. tr. ammaccare, acciaccare.

cabotage [kabɔtaʒ] m. MAR. cabotaggio.

caboter [kabɔte] v. intr. cabotare.

caboteur [kabɔtœr] m. nave (f.) cabotiera.

cabotin, e [kabɔtɛ̃, in] n. ou **cabot** m. guitto m., cane m.; gigione, a.

cabotinage [kabɔtinaʒ] m. istrionismo.

caboulot [kabulo] m. POP. bettola f.

cabrer (se) [sə kabre] v. pr. [cheval] impennarsi, inalberarsi. || AV. cabrare v. intr.; impennarsi.

cabri [kabri] m. capretto.

cabriole [kabrijɔl] f. capriola.

cabriolet [kabrijɔlɛ] m. calessino. || AUT. cabriolet.

caca [kaka] m. cacca f.

cacah(o)uète [kakawɛt] f. nocciolina americana.

cacao [kakao] m. cacao.

cachalot [kaʃalo] m. capodoglio.

cache [kaʃ] f. nascondiglio m. ◆ m. PHOT. maschera f.

cache-cache [kaʃkaʃ] m. inv. JEU rimpiattino.

cache-col [kaʃkɔl] m. inv. sciarpa f. (da collo).

cache-nez [kaʃne] m. inv. sciarpa f.

cache-pot [kaʃpo] m. inv. portavasi.

cacher [kaʃe] v. tr. nascondere, occultare, celare, dissimulare. ◆ v. pr. nascondersi, dissimularsi, celarsi.

cache-radiateur [kaʃradjatœr] m. inv. copritermosifone.

cache-sexe [kaʃsɛks] m. inv. triangolino m., slippino m.

cachet [kaʃɛ] m. sigillo, bollo, timbro. || FIG. impronta f., stile. || [rétribution] compenso. || FAM. *courir le cachet*, vivacchiare di ripetizioni. || PHARM. cialdino; capsula f.

cache-tampon [kaʃtɑ̃pɔ̃] m. inv. JEU caccia (f.) al tesoro.

cacheter [kaʃte] v. tr. sigillare, suggellare.

cachette [kaʃɛt] f. nascondiglio m. ◆ *en cachette*, di nascosto, di soppiatto. || *en cachette de*, di nascosto a.

cachot [kaʃo] m. segreta f.

cachotterie [kaʃɔtri] f. FAM. segretuccio m.

cachottier, ère [kaʃɔtje, ɛr] adj. et n. misterioso.

cacophonie [kakɔfɔni] f. cacofonia.

cactus [kaktys] m. cacto, cactus.

cadastre [kadastr] m. catasto.

cadavérique [kadaverik] adj. cadaverico.

cadavre [kadavr] m. cadavere.

cadeau [kado] m. regalo, dono, presente.

cadenas [kadna] m. lucchetto.

cadenasser [kadnase] v. tr. chiudere col lucchetto.

cadence [kadɑ̃s] f. cadenza, misura; ritmo m., tempo m. ◆ *en cadence*, in cadenza.

cadencé, e [kadɑ̃se] adj. *au pas cadencé*, a passo cadenzato.

cadet, ette [kadɛ, ɛt] adj. et n. cadetto; secondogenito, ultimogenito, minore. | *il est mon cadet*, è più giovane di me. || MIL. cadetto.

cadrage [kadraʒ] m. inquadratura f.

cadran [kadrɑ̃] m. quadrante. | *cadran solaire*, meridiana f. || RAD. scala (f.) parlante, sintogramma. || [téléphone] disco combinatore.

cadre [kadr] m. cornice f. || [décor] ambiente. || [contexte] *dans le cadre de*, nell'ambito di. || [plan] disegno, schema. || TECHN. intelaiatura f., telaio. || MAR. [couchette] branda f. || MIL. quadro. | *du cadre de réserve*, di complemento. || [responsable] dirigente; quadro. || [personnel] organico. | *rayer des*

cadres, radiare dai ruoli. || ADM. *hors cadre,* fuori classe, fuori ruolo.
cadrer [kadre] v. tr. inquadrare. ◆ v. intr. (avec) quadrare (con), corrispondere (a), confarsi (a), adeguarsi (a).
cadreur [kadrœr] m. CIN. operatore.
caduc, uque [kadyk] adj. caduco.
caecum [sekɔm] m. ANAT. intestino cieco.
cafard [kafar] m. ZOOL. blatta f., scarafaggio. || FIG., FAM. *avoir le cafard,* esser giù di corda.
cafard, e [kafar, ard] adj. ipocrita. ◆ n. bacchettone, a ; baciapile inv. || FAM. [mouchard] spione, spia f. (L.C.).
cafardeux, euse [kafardø, øz] adj. FAM. giù (di corda). || [qui donne le cafard] avvilente, deprimente.
café [kafe] m. BOT. caffè inv. | *café nature, noir,* caffè liscio, nero. | *café au lait,* caffellatte inv. ; caffè macchiato. | *café crème,* cappuccino.
café-concert [kafekɔ̃sɛr] m. caffè concerto.
caféier [kafeje] m. caffè.
cafetière [kaftjɛr] f. [appareil] caffettiera, macchinetta (del caffè) ; [récipient] caffettiera, bricco m.
cafouillage [kafujaʒ] ou **cafouillis** [kafuji] m. FAM. confusione f., disordine (L.C.).
cafouiller [kafuje] v. intr. FAM. annaspare.
cage [kaʒ] f. gabbia. | *cage à poules,* stia. | *cage à lapins,* conigliera. || FAM. [prison] gabbia, gattabuia. || ANAT. gabbia, cassa. || ARCHIT. *cage d'escalier,* tromba, pozzo (m.) delle scale.
cageot [kaʒo] m. [pour volaille] stia f. ; [pour fruits, légumes] cassetta f., corba f.
cagibi [kaʒibi] m. FAM. bugigattolo.
cagneux, euse [kaɲø, øz] adj. et n. storto, varo.
cagot, e [kago, ɔt] adj. et n. bigotto ; baciapile n. inv.
cagoule [kagul] f. [de moine] cocolla. || [capuchon] buffa.
cahier [kaje] m. quaderno. || TYP. segnatura f., fascicolo ; dispensa f.
cahin-caha [kaɛ̃kaa] loc. adv. alla meno peggio, a stento, così così.
cahot [kao] m. sobbalzo ; scossa f., sballottamento.
cahoter [kaɔte] v. tr. far traballare, far trabalzare ; sballottare. ◆ v. intr. traballare, sobbalzare.
cahoteux, euse [kaɔtø, øz] adj. ineguale, accidentato.
cahute [kayt] f. casupola.
caïd [kaid] m. POP. bullo, caporione.
caille [kaj] f. ZOOL. quaglia.
caillé [kaje] m. latte cagliato ; cagliata f.
cailler [kaje] v. tr. coagulare, far cagliare. ◆ v. intr. cagliare, rapprendere. ◆ v. pr. cagliare, coagularsi, rapprendersi.
caillette [kajɛt] f. abomaso m.
caillot [kajo] m. grumo, coagulo.
caillou [kaju] m. ciottolo, sasso. || FIG., POP. [tête] zucca f.
caillouteux, euse [kajutø, øz] adj. ciottoloso, sassoso.
cailloutis [kajuti] m. pietrisco ; ghiaia f., breccia f.
caisse [kɛs] f. cassa. || MAR. *caisse à eau,* serbatoio (m.) d'acqua, tanca. || MUS. *grosse caisse,* grancassa.
caissette [kɛsɛt] f. cassetta.
caissier, ère [kɛsje, ɛr] n. cassiere, a.
caisson [kɛsɔ̃] m. cassone. || ARCHIT. cassettone.
cajoler [kaʒɔle] v. tr. [câliner] vezzeggiare, coccolare. || [flatter] adulare, lusingare.
cajolerie [kaʒɔlri] f. [caresse] vezzo m., moina. || [flatterie] lusinga.
cal [kal] m. callo.
calamité [kalamite] f. calamità.
calandre [kalɑ̃dr] f. calandra.
calcaire [kalkɛr] adj. calcareo. ◆ m. MINÉR. calcare ; pietra (f.) calcarea.
calciner [kalsine] v. tr. calcinare. || [brûler] carbonizzare ; bruciare completamente.
calcium [kalsjɔm] m. CHIM. calcio.
1. calcul [kalkyl] m. calcolo, computo, conto. | *faire un mauvais calcul,* sbagliare i conti, le previsioni.
2. calcul m. MÉD. calcolo.
calculatrice [kalkylatris] f. calcolatrice.
calculer [kalkyle] v. tr. calcolare. || FIG. valutare. || [régler] studiare, misurare, controllare. ◆ v. intr. calcolare, fare (i) calcoli, computare. | *machine à calculer,* calcolatrice f. || [combiner] calcolare, riflettere, ponderare.
calculette [kalkylɛt] f. calcolatrice tascabile.
1. cale [kal] f. zeppa, bietta, calzatoia.
2. cale f. MAR. [quai] calata ; [plan incliné] scalo m. | *cale sèche, de radoub,* bacino (m.) di raddobbo, di carenaggio. || [intérieur du navire] stiva. || FIG., FAM. *être à fond de cale,* essere al verde, all'asciutto.
calé, e [kale] adj. FAM. [savant] ferrato, in gamba ; bravo. || [difficile] difficile, complicato (L.C.).
calèche [kalɛʃ] f. calesse m.
caleçon [kalsɔ̃] m. mutande f. pl. (da uomo). | *caleçon de bain,* mutandine (f. pl.) da bagno.
calembour [kalɑ̃bur] m. bisticcio ; freddura f.
calendrier [kalɑ̃drije] m. calendario, lunario.
cale-pied [kalpje] m. SP. fermapiedi inv.

calepin [kalpɛ̃] m. taccuino.
1. caler [kale] v. tr. inzeppare, imbiettare, rincalzare. || [appuyer] assettare, appoggiare. || TECHN. stringere, bloccare, imbiettare, fermare. ◆ v. pr. [s'installer] accomodarsi, sprofondarsi. || FAM. *se caler les joues*, mangiare a quattro palmenti.
2. caler v. tr. MAR. calare, ammainare. ◆ v. intr. MAR. pescare. || AUT. bloccarsi, fermarsi. || FIG., FAM. [s'arrêter] cedere, non farcela più ; mollare.
calfater [kalfate] v. tr. calafatare.
calfeutrer [kalføtre] v. tr. turare, tappare. ◆ v. pr. tapparsi, turarsi, rintanarsi.
calibrage [kalibraʒ] m. calibratura f., calibrazione f.
calibre [kalibr] m. calibro.
calibrer [kalibre] v. tr. calibrare.
calice [kalis] m. calice.
califourchon (à) [akalifurʃɔ̃] loc. adv. a cavalcioni, a cavalluccio.
câlin, e [kɑlɛ̃, in] adj. vezzoso, tenero, carezzevole. ◆ n. *faire le câlin*, far delle moine.
câliner [kɑline] v. tr. coccolare, vezzeggiare.
câlinerie [kɑlinri] f. vezzo m., moina.
calleux, euse [kalø, øz] adj. calloso.
calligraphie [kaligrafi] f. calligrafia.
calligraphier [kaligrafje] v. tr. scrivere calligraficamente.
calmant, e [kalmɑ̃, ɑ̃t] adj. et m. calmante.
calmar [kalmar] m. ZOOL. calamaro.
calme [kalm] m. calma f., quiete f. || MAR. *calme plat*, bonaccia f. ◆ adj. calmo, tranquillo, pacato, quieto.
calmement [kalməmɑ̃] adv. con calma.
calmer [kalme] v. tr. calmare. | *calmer la douleur*, lenire, sedare il dolore. | *calmer sa soif*, togliersi, levarsi la sete. ◆ v. pr. calmarsi.
calomniateur, trice [kalɔmnjatœr, tris] adj. et n. calunniatore, trice.
calomnie [kalɔmni] f. calunnia.
calomnier [kalɔmnje] v. tr. calunniare.
calorie [kalɔri] f. caloria.
calorifère [kalɔrifɛr] adj. calorifico. ◆ m. calorifero.
calorifuge [kalɔrifyʒ] adj. et m. coibente.
calorifuger [kalɔrifyʒe] v. tr. isolare termicamente.
calorique [kalɔrik] adj. *ration calorique*, giornata calorica.
calot [kalo] m. MIL. bustina f.
calotin [kalɔtɛ̃] m. clericale sfegatato.
calotte [kalɔt] f. [coiffe] zucchetto m., papalina. || FAM. [coup] scapaccione m., scappellotto m. || ANAT., GÉOGR., GÉOM. calotta.
calotter [kalɔte] v. tr. FAM. prendere a scapaccioni, a scappellotti.
calque [kalk] m. calco, lucido. | *papier-calque*, carta (f.) da ricalco. || FIG. imitazione (f.) servile.
calquer [kalke] v. tr. (ri)calcare. || FIG. imitare.
calter (se) [səkalte] v. pr. POP. darsela a gambe (fam.).
calvaire [kalvɛr] m. calvario.
calvinisme [kalvinism] m. REL. calvinismo.
calviniste [kalvinist] adj. et n. calvinistico adj. ; calvinista adj. et n.
calvitie [kalvisi] f. calvizie inv.
camaïeu [kamajø] m. ART monocromato, chiaroscuro. || [camée] cammeo.
camaldule [kamaldyl] m. REL. camaldolese.
camarade [kamarad] n. compagno, a ; camerata m. || POL. compagno.
camaraderie [kamaradri] f. cameratismo.
camarilla [kamarija] f. cricca, combriccola.
cambouis [kɑ̃bwi] m. morchia f., ralla f.
cambrer [kɑ̃bre] v. tr. inarcare, arcuare le reni. ◆ v. pr. inarcarsi. || [bomber le torse] rimpettirsi.
cambriolage [kɑ̃brijɔlaʒ] m. furto (con scasso), svaligiamento.
cambrioler [kɑ̃brijɔle] v. tr. svaligiare, scassinare.
cambrioleur, euse [kɑ̃brijɔlœr, øz] n. ladro, a ; scassinatore, trice ; svaligiatore, trice.
cambrure [kɑ̃bryr] f. curvatura ; inarcamento m.
cambuse [kɑ̃byz] f. MAR. cambusa. || POP. topaia ; tugurio m.
1. came [kam] f. MÉC. camma ; eccentrico m.
2. came f. POP. [drogue] neve (ARG.).
camée [kame] m. cammeo.
caméléon [kameleɔ̃] m. camaleonte.
camélia [kamelja] m. camelia f.
camelot m. venditore ambulante.
camelote [kamlɔt] f. FAM. roba di scarto. || POP. *c'est de la bonne camelote*, è roba buona.
caméra [kamera] f. CIN. macchina da presa ; cinecamera. | *caméra de télévision*, telecamera. | *caméra d'amateur*, cinepresa. | *caméra-son*, macchina da presa sonora.
cameraman [kameraman] m. operatore.
camerlingue [kamɛrlɛ̃g] m. camerlengo.
camion-citerne [kamjɔ̃sitɛrn] m. autobotte f., autocisterna f.
camionnage [kamjɔnaʒ] m. autotrasporto.

camionnette [kamjɔnɛt] f. camioncino m., furgoncino m. || MIL. camionetta.
camionneur [kamjɔnœr] m. camionista.
camisole [kamizɔl] f. *camisole de force,* camicia di forza.
camouflage [kamuflaʒ] m. MIL. occultamento, mascheramento ; [par mimétisme] mimetizzazione f., camuffamento. || FIG. camuffamento, mascheramento.
camoufler [kamufle] v. tr. MIL. occultare, mascherare ; [par mimétisme] mimetizzare, camuffare. || FIG. camuffare, mascherare, occultare, travestire. ◆ v. pr. MIL. mascherarsi, mimetizzarsi, camuffarsi. || [se déguiser] travestirsi.
camouflet [kamuflɛ] m. scorno, smacco, affronto.
camp [kɑ̃] m. MIL. campo, accampamento. || SP. *camp de base,* campo base. || FIG. *changer de camp,* voltare, mutar casacca.
campagnard, e [kɑ̃paɲar, ard] adj. et n. campagnolo, contadino.
campagne [kɑ̃paɲ] f. campagna. | *partie de campagne,* scampagnata. | *travaux de la campagne,* lavori campestri. | *en rase campagne,* in aperta campagna. || MIL. campagna, guerra. | *tenue de campagne,* tenuta da campo. | *la campagne de Russie,* la campagna di Russia. || [période d'activité] annata, campagna. || LOC. *battre la campagne* [divaguer] vaneggiare, farneticare ; [sortir du sujet] divagare ; uscire dal seminato.
campagnol [kɑ̃paɲɔl] m. ZOOL. topo campagnolo.
campanile [kɑ̃panil] m. campanile, torre (f.) campanaria. || [petit clocher] torretta f.
campement [kɑ̃pmɑ̃] m. accampamento, attendamento.
camper [kɑ̃pe] v. intr. MIL. accamparsi, attendarsi. || SP. campeggiare. ◆ v. tr. accampare. || FAM. *camper là qn,* piantar qlcu. in asso. || FIG. [tracer] schizzare. ◆ v. pr. piantarsi.
campeur, euse [kɑ̃pœr, øz] n. SP. campeggiatore, trice.
camphre [kɑ̃fr] m. canfora f.
camping [kɑ̃piŋ] m. campeggio.
camus, e [kamy, yz] adj. camuso, rincagnato.
canadien, enne [kanadjɛ̃, ɛn] adj. et n. canadese. ◆ f. [veste] giacca canadese. || [canot] (canoa) canadese.
canaille [kanaj] f. canaglia ; furfante m. || IRON. *(petite) canaille !,* briccone ! m. || [populace] canaglia, plebaglia. ◆ adj. triviale, sguaiato, sfrontato.
canaillerie [kanajri] f. canagliata.
canal, aux [kanal, o] m. canale. | *canal navigable,* canale navigabile ; naviglio. || FIG. [intermédiaire] tramite, intermediario. | *par le canal de qn,* tramite qlcu.
canalisation [kanalizasjɔ̃] f. [aménagement] canalizzazione. || [tuyau] condotto m.
canaliser [kanalize] v. tr. incanalare, canalizzare. || FIG. incanalare.
canapé [kanape] m. canapè, divano, sofà. || CULIN. canapè, tartina f.
canapé-lit [kanapeli] m. divano letto.
canard [kanar] m. anatra f., anitra f. (maschio). | *petit canard,* anatroccolo, anatrino. || [fausse nouvelle] frottola f., serpente di mare. || FAM. giornale (L.C.) ; PÉJOR. giornaluccio. || zolletta (f.) di zucchero (intinta nel caffè, nell'acquavite). || MUS., FAM. nota (f.) stonata, stecca f. (L.C.). || FAM. *mon petit canard,* pulcino mio. | *un froid de canard,* un freddo cane. | *trempé comme un canard,* bagnato come un pulcino. | *marcher comme un canard,* camminare con i piedi di papera.
canarder [kanarde] v. tr. FAM. bersagliare (L.C.).
canari [kanari] m. ZOOL. canarino.
canasson [kanasɔ̃] m. POP. rozza f., brenna f.
cancan [kɑ̃kɑ̃] m. FAM. pettegolezzo.
cancaner [kɑ̃kane] v. intr. ZOOL. schiamazzare. || FAM. far pettegolezzi ; spettegolare.
cancanier, ère [kɑ̃kanje, ɛr] adj. et n. linguacciuto, pettegolo.
cancer [kɑ̃sɛr] m. MÉD. cancro. || ASTR. Cancro.
cancéreux, euse [kɑ̃serø, øz] adj. et n. canceroso.
cancérigène [kɑ̃seriʒɛn] adj. cancerogeno.
cancre [kɑ̃kr] m. ZOOL. granchio marino. || PÉJOR. [élève] scaldapanche inv., scaldabanchi inv.
cancrelat [kɑ̃krəla] m. scarafaggio, blatta f.
candélabre [kɑ̃delabr] m. candelabro.
candeur [kɑ̃dœr] f. candore m., ingenuità, innocenza.
candidat, e [kɑ̃dida, at] n. candidato.
candidature [kɑ̃didatyr] f. candidatura.
candide [kɑ̃did] adj. candido, innocente, ingenuo.
cane [kan] f. anatra (femmina).
caner [kane] v. intr. POP. calar le brache. || [mourir] tirar le cuoia.
caneton [kantɔ̃] m. ZOOL. anatroccolo.
1. canette [kanɛt] f. bottiglia.
2. canette f. [bobine] spoletta, spola ; rocchetto m.

canevas [kanva] m. TEXT. canovaccio, filondente. || FIG. canovaccio, schema ; trama f.
caniche [kaniʃ] m. barbone.
canicule [kanikyl] f. canicola ; solleone m.
canif [kanif] m. temperino, coltellino.
canin, e [kanɛ̃, in] adj. canino. ◆ f. dente (m.) canino.
caniveau [kanivo] m. cunetta f.
cannage [kanaʒ] m. impagliatura f.
canne [kan] f. BOT. canna. || [bâton] mazza ; bastone m. ; [de bambou] canna. | *coup de canne,* bastonata.
cannelé, e [kanle] adj. scanalato.
cannelle [kanɛl] f. BOT. cannella.
cannelure [kanlyr] f. scanalatura.
canner [kane] v. tr. impagliare.
cannibale [kanibal] n. cannibale. | *de cannibale,* cannibalesco adj.
cannibalisme [kanibalism] m. cannibalismo.
canoë [kanɔe] m. canoa f.
1. canon [kanɔ̃] m. MIL. cannone. | *coup de canon,* cannonata f. | [de fusil] canna f. || TECHN. canna, cannello, fusto. || ZOOL. [os] cannone, stinco.
2. canon m. MUS., REL. canone. || [norme] canone. ◆ adj. *droit canon,* diritto canonico.
canonique [kanɔnik] adj. canonico.
canoniser [kanɔnize] v. tr. REL. canonizzare.
canonnade [kanɔnad] f. cannonate f. pl., cannoneggiamento m.
canonner [kanɔne] v. tr. cannoneggiare.
canonnier [kanɔnje] m. cannoniere.
canonnière [kanɔnjɛr] f. MAR. cannoniera.
canot [kano] m. MAR. canotto ; scialuppa f. ; lancia f., motolancia. | [de plaisance] canotto. | *canot automobile,* motoscafo.
canotage [kanɔtaʒ] m. canottaggio.
canoter [kanɔte] v. intr. fare del canottaggio.
cantate [kɑ̃tat] f. cantata.
cantatrice [kɑ̃tatris] f. cantante (lirica).
cantilène [kɑ̃tilɛn] f. cantilena, nenia.
cantine [kɑ̃tin] f. mensa. || [local] refettorio m. || [malle] baule m. || MIL. spaccio m., mensa.
cantinier, ère [kɑ̃tinje, ɛr] n. MIL. cantiniere, a.
cantique [kɑ̃tik] m. cantico.
canton [kɑ̃tɔ̃] m. ADM. cantone.
cantonade [kɑ̃tɔnad] f. *à la cantonade,* verso le quinte f. pl.
cantonnement [kɑ̃tɔnmɑ̃] m. MIL. [action] acquartieramento, accantonamento ; [lieu] quartiere.
cantonner [kɑ̃tɔne] v. tr. accantonare, acquartierare. ◆ v. intr. acquartierarsi v. pr. ◆ v. pr. isolarsi, appartarsi. || FIG. limitarsi.
cantonnier, ère [kɑ̃tɔnje, ɛr] adj. *maison cantonnière,* casa cantoniera. ◆ m. [route] cantoniere, stradino. || TR. casellante, cantoniere.
canular [kanylar] m. FAM. scherzo ; burla f., beffa f.
caoutchouc [kautʃu] m. gomma f., caucciù. | *caoutchouc Mousse,* gommapiuma f. || [ruban] elastico. || BOT. ficus f.
caoutchouter [kautʃute] v. tr. gommare.
cap [kap] m. GÉOGR. capo. || MAR. rotta f. || LOC. *de pied en cap,* da capo a piedi.
capable [kapabl] adj. capace.
capacité [kapasite] f. [contenance] capacità, capienza. || [compétence, puissance] capacità.
caparaçon [kaparasɔ̃] m. gualdrappa f.
cape [kap] f. cappa. || FIG. *sous cape,* di nascosto, sotto i baffi.
capétien, enne [kapesjɛ̃, ɛn] adj. et n. capetingio.
capilotade [kapilɔtad] f. FAM. *mettre en capilotade,* ridurre in poltiglia.
capitaine [kapitɛn] m. capitano.
capital, aux m. capitale.
capital, e, aux [kapital, o] adj. capitale.
capitale [kapital] f. [ville] capitale. || TYP. (lettera) maiuscola, (carattere) maiuscolo m. | *petite capitale,* maiuscoletto m.
capitaliser [kapitalize] v. tr. FIN. capitalizzare. ◆ v. intr. tesoreggiare, risparmiare.
capitalisme [kapitalism] m. capitalismo.
capitaliste [kapitalist] adj. capitalistico. ◆ n. capitalista.
capiteux, euse [kapitø, øz] adj. che dà alla testa.
capitonner [kapitɔne] v. tr. imbottire.
capitulation [kapitylasjɔ̃] f. capitolazione.
capituler [kapityle] v. intr. capitolare ; arrendersi. || darsi per vinto.
caporal, aux [kapɔral, o] m. MIL. caporale. | *caporal-chef,* caporale maggiore. || [tabac] trinciato comune.
capot [kapo] m. AUT. cofano.
capotage [kapɔtaʒ] m. capotamento.
capote [kapɔt] f. cappotto m.
capoter v. intr. AUT., AV. capotare, capovolgersi.
câpre [kɑpr] f. BOT. cappero m.
caprice [kapris] m. [lubie] capriccio, ghiribizzo, grillo. || [saute d'humeur] bizza f., capriccio. | | [amourette] capriccio, amorazzo. || [fortune, mode] capriccio, bizzarria f. || MUS. capriccio.

capricieux, euse [kaprisjø, øz] adj. capriccioso. || FIG. capriccioso, mutevole, incostante, instabile.
capricorne [kapricorn] m. ASTR. capricorno.
capsule [kapsyl] f. capsula.
capsuler [kapsyle] v. tr. incapsulare.
capter [kapte] v. tr. captare. || FIG. captare, procacciarsi, cattivarsi.
captif, ive [kaptif, iv] adj. et n. prigioniero. || FIG. schiavo.
captivant, e [kaptivɑ̃, ɑ̃t] adj. avvincente, attraente.
captiver [kaptive] v. tr. cattivarsi, captare, avvincere, appassionare.
captivité [kaptivite] f. cattività, prigionia ; schiavitù.
capture [kaptyr] f. cattura.
capturer [kaptyre] v. tr. catturare.
capuchon [kapyʃɔ̃] m. cappuccio.
capucin, e [kapysɛ̃, sin] n. REL. cappuccino, a.
caque [kak] f. barile m., barilotto m. (per le aringhe).
caquet [kakɛ] m. FAM. [bavardage] cicaleccio, chiacchierio.
caqueter [kakte] v. intr. schiamazzare, fare coccodè. || [bavarder] cicalare, ciarlare, chiacchierare.
1. car [kar] conj. perché, poiché, giacché, ché.
2. car m. TR. pullman inv., torpedone ; corriera f.
carabin [karabɛ̃] m. FAM. studente di medicina (L.C.).
carabine [karabin] f. carabina.
carabiné, e [karabine] adj. FAM. violento (L.C.).
caracoler [karakɔle] v. intr. caracollare.
caractère [karaktɛr] m. carattere ; lettera f. | *en caractères d'imprimerie,* in stampatello. | *en gros caractères,* a lettere cubitali, a lettere di scatola. || [signe distinctif] carattere, caratteristica f. | *œuvre qui a du caractère,* opera originale. || [nature] carattere, indole f., natura f., temperamento.
caractériel, elle [karakterjɛl] adj. et n. caratteriale.
caractériser [karakterize] v. tr. caratterizzare. ◆ v. pr. essere caratterizzato.
caractéristique [karakteristik] adj. caratteristico, tipico. ◆ f. caratteristica.
carafe [karaf] f. caraffa, boccia. || FIG., FAM. *laisser en carafe,* piantare in asso.
carambolage [karɑ̃bɔlaʒ] m. [autos] carambola ; scontro (m.) a catena.
carambouillage [karɑ̃bujaʒ] m. truffa f.
caramel [karamɛl] m. CULIN. caramello. || [bonbon] caramella f. (di zucchero cotto).
carapace [karapas] f. carapace m. || FIG. corazza.
carapater (se) [səkarapate] v. pr. POP. darsela a gambe (fam.).
carat [kara] m. carato.
caravane [karavan] f. carovana ; [touristes] comitiva. || [camping] roulotte (fr.).
carbone [karbɔn] m. CHIM. carbonio. || *(papier) carbone,* cartacarbone f. (pl. cartecarbone).
carboniser [karbɔnize] v. tr. carbonizzare.
carburant [karbyrɑ̃] adj. m. et m. carburante.
carburateur [karbyratœr] m. carburatore.
carburer [karbyre] v. tr. carburare. ◆ v. intr. POP. carburare.
carcan [karkɑ̃] m. gogna f. || FIG. peso, assoggettamento.
carcasse [karkas] f. carcassa ; carcame m.
carcéral, e, aux [karseral, o] adj. carcerario.
cardage [kardaʒ] m. cardatura f.
cardan [kardɑ̃] m. TECHN. cardano.
carder [karde] v. tr. TEXT. cardare, scardassare.
cardiaque [kardjak] adj. et n. cardiaco, cardiopatico.
cardinal, e, aux [kardinal, o] adj. et m. cardinale.
cardinalice [kardinalis] adj. cardinalizio.
carême [karɛm] m. quaresima f.
carénage [karenaʒ] m. MAR. carenaggio. || TECHN. carenatura f.
carence [karɑ̃s] f. JUR. carenza. || [insolvabilité] insolvenza. || FIG. inadempienza, carenza.
carène [karɛn] f. carena.
caréner [karene] v. tr. carenare.
caressant, e [karɛsɑ̃, ɑ̃t] adj. carezzevole.
caresse [karɛs] f. carezza.
caresser [karese] v. tr. (ac)carezzare. || [effleurer] accarezzare, sfiorare. || FIG. [flatter] accarezzare, lusingare ; [nourrir] vagheggiare, accarezzare.
cargaison [kargɛzɔ̃] f. carico m.
cargo [kargo] m. MAR. nave (f.) da carico ; cargo. | *cargo mixte,* nave mista.
carguer [karge] v. tr. MAR. *carguer les voiles,* imbrogliare le vele.
caricature [karikatyr] f. caricatura.
caricaturer [karikatyre] v. tr. far la caricatura di. || [ridiculiser] mettere in caricatura.
caricaturiste [karikatyrist] n. caricaturista.
carie [kari] f. carie inv.
carier (se) [səkarje] v. pr. cariarsi.
carillon [karijɔ̃] m. carillon (fr.).
carillonner [karijɔne] v. intr. scampanare ; suonare a festa. || [avec une son-

nette] scampanellare. ◆ v. tr. suonare. || [claironner] strombazzare. | *fête carillonnée,* festa solenne.
carillonneur [karijɔnœr] m. campanaro.
carlingue [karlɛ̃g] f. Av. carlinga. || MAR. paramezzale m.
carme [karm] m. REL. carmelitano.
carmélite [karmelit] f. REL. carmelitana.
carmin [karmɛ̃] adj. inv. et m. carminio.
carnage [karnaʒ] m. carneficina f., strage f.
carnassier, ère [karnasje, ɛr] adj. et m. carnivoro.
carnassière f. [sac] carniere m., carniera.
carnation [karnasjɔ̃] f. carnagione.
carnaval [karnaval] m. carnevale.
carné, e [karne] adj. carneo.
carnet [karnɛ] m. taccuino, libretto, quadernetto, libriccino, blocchetto. || COMM. *carnet d'échantillons,* campionario. || [école] pagella f.
carnivore [karnivɔr] adj. et m. carnivoro.
carotte [karɔt] f. carota.
carotter [karɔte] v. tr. MIN. carotare. || FAM. *carotter qn,* truffare qlcu. (L.C.). | *carotter qch. à qn,* spillare, carpire qlco. à qlcu. (L.C.).
carpe [karp] f. ZOOL. carpa. || FAM. *muet comme une carpe,* muto come un pesce. | *faire des yeux de carpe,* far l'occhio di triglia.
carpette [karpɛt] f. tappetino m., scendiletto m. || FIG., FAM. leccapiedi m. inv.
carquois [karkwa] m. faretra f., turcasso.
carré, e [kare] adj. quadrato, quadro. ◆ m. quadrato. | *carré de soie,* fazzoletto (da collo) di seta. || CULIN. *carré de porc,* lombata (f.), di maiale. || MAR., MATH. quadrato.
carreau [karo] m. quadretto. | *tissu à carreaux,* tessuto quadrettato, a quadretti, a scacchi. || [revêtement mural] piastrella f. ; [pour le sol] quadrello ; mattonella f. || [sol] pavimento. || [vitre] vetro. || JEU quadri m. pl. || MIN. deposito di minerale. || LOC. *laisser qn sur le carreau,* lasciare qlcu. ferito, morto sul terreno. | *rester sur le carreau,* restare sul terreno ; [examen] farsi bocciare, stangare. | *se garder, se tenir à carreau,* stare in guardia.
carrefour [karfur] m. crocevia inv., incrocio, crocicchio, quadrivio. || [moment crucial] bivio. || [lieu de rencontre] ritrovo, punto d'incontro. || [colloque] convegno.
carrelage [karlaʒ] m. pavimentazione f., ammattonatura f. || [revêtement] ammattonato ; pavimento di mattonelle, di quadrelli, di piastrelle.
carreler [karle] v. tr. pavimentare (con mattonelle, quadrelli, piastrelle), ammattonare.
carrelet [karlɛ] m. [poisson] passera (f.) di mare. || [filet] bilancia f.
carreleur [karlœr] m. pavimentista.
carrément [karemɑ̃] adv. decisamente, recisamente.
carrer (se) [səkare] v. pr. [dans un fauteuil] sistemarsi comodamente, sprofondarsi.
1. carrière [karjɛr] f. [lieu d'extraction] cava.
2. carrière f. carriera, professione. | *la Carrière,* la carriera diplomatica. || [vie] corso m., durata, vita (attiva).
carriole [karjɔl] f. carretta. || PÉJOR. vecchia carretta.
carrossable [karɔsabl] adj. carrozzabile, carreggiabile.
carrosse [karɔs] m. carrozza f., cocchio. || FAM. *rouler carrosse,* fare una vita da gran signore. | *la cinquième roue du carrosse,* l'ultima ruota del carro.
carrosserie [karɔsri] f. carrozzeria.
carrossier [karɔsje] m. carrozziere.
carrousel [karuzɛl] m. giostra f., carosello.
carrure [karyr] f. larghezza di spalle. || FIG. valore m., levatura.
cartable [kartabl] m. cartella f.
carte [kart] f. biglietto m., cartoncino m. | *carte de crédit,* carta di credito. | *carte de téléphone,* scheda telefonica. | *carte de visite,* biglietto da visita. | *carte postale,* cartolina. || CULIN. lista. || ADM. tessera. | *carte grise,* libretto (m.) di circolazione. || JEU carta. | *tirer les cartes,* fare, leggere le carte. | *jouer, mettre cartes sur table,* giocare a carte scoperte. | *connaître, découvrir le dessous des cartes,* scoprire gli altarini. || GÉOGR. carta, cartina.
cartel [kartɛl] m. cartello (di sfida). || [entente] cartello.
carte-lettre [kartlɛtr] f. biglietto (m.) postale.
carter [kartɛr] m. carter.
cartilage [kartilaʒ] m. cartilagine f.
cartographie [kartɔgrafie] f. cartografia.
cartomancien, enne [kartɔmɑ̃sjɛ̃, ɛn] n. cartomante.
carton [kartɔ̃] m. cartone. || [boîte] scatola (f.) di cartone. | *carton à chapeau,* cappelliera f. || [portefeuille] cartella f. || [cible] bersaglio (di cartone). || ART cartone.
carton-pâte [kartɔ̃pɑt] m. cartapesta f.
1. cartouche [kartuʃ] f. MIL. cartuccia. || [explosif] candelotto m. || [de

cigarettes] stecca. || [d'encre] cartuccia di ricambio.
2. cartouche m. ARCHIT. cartoccio, cartiglio.
cartouchière [kartuʃjɛr] f. cartucciera.
cas [kɑ] m. caso. | *cas d'espèce,* fattispecie f. | *dans le cas présent,* nella fattispecie. || GR., JUR., MATH., MÉD. caso. || LOC. *faire (grand) cas de,* far gran conto di. | *le cas échéant,* all'occorrenza. ◆ *en cas de,* in caso di. || *au cas, dans le cas, pour le cas où* [cond.], nel caso che, caso mai, qualora [subj.].
casanier, ère [kazanje, ɛr] adj. casalingo.
casaque [kazak] f. casacca, gabbana. || LOC. *tourner casaque,* mutare, voltare casacca, gabbana.
cascade [kaskad] f. cascata. || FIG. scroscio m., valanga. | *en cascade,* in serie.
cascadeur, euse [kaskadœr, øz] n. cascatore, trice.
1. case [kɑz] f. [cabane] capanna.
2. case f. [compartiment] casella ; scompartimento m., scomparto m. || [carré] casa ; quadretto m., scacco m.
casemate [kazmat] f. MIL. casamatta (pl. casematte).
caser [kɑze] v. tr. mettere a posto, sistemare, riporre, ordinare. || FIG., FAM. sistemare ; procurare un impiego ; [marier] sistemare, accasare. ◆ v. pr. FIG., FAM. sistemarsi ; trovare un impiego ; sistemarsi, accasarsi.
caserne [kazɛrn] f. MIL. caserma. || PÉJOR. [bâtiment] casermone m.
cash [kaʃ] adv. *payer cash,* pagare in contanti.
casier [kɑzje] m. [meuble] casellario. || [pêche] nassa f. (per i crostacei). || JUR. casellario giudiziale. | *extrait de casier judiciaire,* fedina f., certificato penale.
casino [kazino] m. casinò.
casque [kask] m. casco, elmo, elmetto. || [sèche-cheveux] casco. || TÉL. cuffia f.
casquer [kaske] v. intr. et tr. FAM. sborsare v. tr. (L.C.) ; scucire la grana (ARG.).
casquette [kaskɛt] f. berretto m. (a visiera).
cassable [kasabl] adj. fragile, friabile.
cassant, e [kasɑ̃, ɑ̃t] adj. fragile. || FIG. brusco, reciso.
cassation [kasasjɔ̃] f. JUR. cassazione. || MIL. degradazione.
1. casse [kɑs] f. rottura. || [objets cassés] cocci m. pl., rottami m. pl. || AUT. rottamazione. || FIG. *payer la casse,* pagare i danni. ◆ m. ARG. furto (m.) con scasso (L.C.).
2. casse f. TYP. cassa. | *haut, bas de casse,* cassa alta, bassa.
cassé, e [kase] adj. [vieux] cadente, curvo. | *voix cassée,* voce fioca, rauca. || *blanc cassé,* bianco sfumato (di nero, di giallo).
casse-cou [kasku] m. inv. rompicollo, scavezzacollo.
casse-croûte [kaskrut] m. inv. FAM. spuntino.
casse-noix [kasnwa] m. inv. schiaccianoci.
casse-pieds [kaspje] adj. et n. inv. FAM. scocciatore m., rompiscatole.
casser [kase] v. tr. [briser] rompere, spezzare. | *casser en mille morceaux,* mandare in frantumi. || FAM. [involontairement] *j'ai cassé ma montre,* mi si è rotto l'orologio. || LOC. FAM. *casser la figure à qn,* rompere, spaccare la testa, la faccia a qlcu. | *casser la tête, les oreilles,* rompere il capo, gli orecchi. | *casser les pieds,* scocciare. | *casser la croûte,* fare uno spuntino. | *casser les reins à qn,* stroncare, rovinare qlcu. | *casser du sucre sur le dos de qn,* tagliare i panni addosso a qlcu. | *ne rien casser,* non aver niente di originale. | *à tout casser,* [à toute vitesse] a rotta di collo ; [extraordinaire] sensazionale, straordinario (L.C.). | *un vacarme à tout casser,* un baccano del diavolo. || ADM. destituire. || JUR. cassare, revocare, annullare. || MIL. degradare. ◆ v. intr. rompersi, spezzarsi. ◆ v. pr. rompersi, spezzarsi ; [en morceaux] andare in frantumi. || FIG. *se casser la voix,* sciuparsi la voce. || FAM. *il ne se casse pas,* non si stanca (L.C.). | *se casser la tête,* lambiccarsi, stillarsi il cervello ; rompersi il capo, la testa ; scervellarsi. | *se casser la tête contre les murs,* sbattere la testa contro il muro. | *se casser le nez,* V. NEZ. | *se casser les dents sur un obstacle,* rompersi le corna contro un ostacolo.
casserole [kasrɔl] f. casseruola.
casse-tête [kastɛt] m. inv. rompicapo, indovinello.
cassette [kasɛt] f. cassetta, cofanetto m.
casseur [kasœr] m. AUT. sfattino ; sfasciacarrozze m. inv. || ARG. scassinatore.
1. cassis [kasis] m. ribes nero.
2. cassis [kasi(s)] m. [creux] cunetta f.
cassure [kasyr] f. frattura, rottura.
castagnettes [kastaɲɛt] f. pl. nacchere, castagnette.
caste [kast] f. casta.
castor [kastɔr] m. castoro.
castration [kastrasjɔ̃] f. castratura, castrazione.
castrer [kastre] v. tr. castrare.
casuiste [kazyist] m. THÉOL. casista.
cataclysme [kataklism] m. cataclisma.
catadioptre [katadjɔptr] m. AUT. catadiottro, catarifrangente.
catafalque [katafalk] m. catafalco.
catalogue [katalɔg] m. catalogo.

cataloguer [katalɔge] v. tr. catalogare.
Cataphote [katafɔt] m. catarifrangente.
cataplasme [kataplasm] m. cataplasma, impiastro.
cataracte [katarakt] f. cateratta.
catarrhe [katar] m. catarro.
catastrophe [katastrɔf] f. catastrofe. || [exclamation] accidenti !
catastropher [katastrɔfe] v. tr. FAM. sconvolgere (L.C.).
catastrophique [katastrɔfik] adj. catastrofico.
catéchisme [kateʃism] m. catechismo.
catégorie [kategɔri] f. categoria. || [espèce] razza, sorta.
catégorique [kategɔrik] adj. categorico.
caténaire [katenɛr] f. linea di contatto.
cathare [katar] adj. et n. cataro.
cathédrale [katedral] f. cattedrale ; [en contexte ital.] duomo m.
cathode [katɔd] f. catodo m.
catholicisme [katɔlisism] m. cattolicesimo, cattolicismo.
catholique [katɔlik] adj. et n. cattolico. || FIG., FAM. *affaire pas très catholique,* affare losco (L.C.).
catimini (en) [ɑ̃katimini] loc. adv. FAM. alla chetichella.
catin [catɛ̃] f. FAM. sgualdrina.
caucasien, enne [kokazjɛ̃, ɛn] adj. et n. caucasico.
cauchemar [koʃmar] m. incubo.
causal, e [kozal] adj. causale.
causalité [kozalite] f. causalità.
causant, e [kozɑ̃, ɑ̃t] adj. FAM. chiacchierone ; loquace (L.C.).
cause [koz] f. causa, ragione ; motivo m. | *et pour cause !,* non senza perché. || JUR. causa. | *plaider une cause,* patrocinare, sostenere una causa. | *obtenir gain de cause,* vincere una causa ; FIG. averla vinta. | *en connaissance de cause,* con cognizione di causa. | *mettre en cause,* chiamare in causa. | *en tout état de cause,* in ogni caso ; comunque. ◆ *à cause de,* per causa di, per colpa di, per via di. | *à cause de toi,* per colpa tua. || *pour cause de,* per.
1. causer [koze] v. tr. causare, cagionare, provocare, déterminare.
2. causer v. intr. (avec, de) parlare, discorrere, conversare, chiacchierare (con, di). || [avec malignité] ciarlare, cicalare, spettegolare.
causerie [kozri] f. conversazione, chiacchierata.
causette [kozɛt] f. chiacchieratina. | *faire un brin de causette avec qn,* far quattro chiacchiere con qlcu.
causeur, euse [kozœr, øz] adj. loquace. ◆ n. parlatore, trice ; conversatore, trice.
causeuse [kozøz] f. divanetto (m.) a due posti.
caustique [kostik] adj. caustico.
cautériser [koterize] v. tr. MÉD. cauterizzare.
caution [kosjɔ̃] f. cauzione, garanzia, malleveria, mallevadoria. | *sous caution,* dietro cauzione. | *sujet à caution,* non accertato, poco attendibile. || [personne] garante m., mallevadore m.
cautionnement [kosjɔnmɑ̃] m. [contrat] contratto cauzionale ; [somme] deposito cauzionale.
cautionner [kosjɔne] v. tr. garantire per ; rendersi garante, mallevadore di.
cavalcade [kavalkad] f. cavalcata.
cavale [kaval] f. POP. evasione (L.C.).
cavaler [kavale] v. intr. POP. correre (L.C.). ◆ v. pr. fuggire a gambe levate.
cavalerie [kavalri] f. cavalleria.
cavalier, ère [kavalje, ɛr] adj. [désinvolte] disinvolto. || [arrogant] insolente, arrogante, borioso, altezzoso. | *réponse cavalière,* risposta insolente. ◆ m. cavalcatore. || FIG. cavaliere. || [échecs] cavallo. || MIL. cavaliere, soldato a cavallo. ◆ f. cavalcatrice, amazzone. || [d'un danseur] dama.
cave [kav] f. cantina, scantinato m.
caveau [kavo] m. tomba f.
caverne [kavɛrn] f. caverna, antro m., spelonca.
caviar [kavjar] m. caviale.
caviarder [kavjarde] v. tr. cancellare ; censurare.
caviste [kavist] m. cantiniere.
cavité [kavite] f. cavità.
ce [sə], **cet, cette** [sɛt], **ces** [se] adj. dém. [près de celui qui parle] questo. | *cet homme(-ci),* quest'uomo. || *cet été,* [prochain] quest'estate ; l'estate prossima ; [passé] l'estate scorsa. || [près de l'interlocuteur] codesto, cotesto. || [éloigné de celui qui parle et de l'interlocuteur] quello. | *ce livre(-là),* quel libro. || [éloigné dans le temps] *en cette année(-là),* in quell'anno. || [valeur emph.] *une de ces peurs !,* una di quelle paure ! || LOC. *cette question !,* ma che domanda è questa ?
ce [sə], **c'** [s] pron. dém. inv. [avec *être, devoir, pouvoir,* ne se traduit pas] *c'est vrai,* è vero. | *ce doit être, ce peut être vrai,* dev'essere, può essere vero. || [forme emph.] *c'est d'eux que je veux parler,* è di loro che voglio parlare. | *c'est moi, c'est toi, c'est lui,* sono io, sei tu, è lui. || *c'est nous, c'est vous, ce sont eux,* siamo noi, siete voi, sono loro. | *ce sont eux qui l'ont fait,* l'hanno fatto loro ; sono stati loro a farlo ; sono loro che l'hanno fatto. || [forme interr.] *qui est-ce ?,* chi è ? | *qu'est-ce (que c'est) ?,* (che) cos'è ? | *est-ce toi ?,* FAM. *c'est toi ?,* sei tu ? | *est-ce toi qui l'as fait ?,* l'hai

fatto tu ?, sei stato tu a farlo ?, sei tu che l'hai fatto ? || [antécédent de rel.] *ce que, ce qui,* quel(lo) che, ciò che. | *ce dont,* quello di cui. | *tout ce que, tout ce qui,* quanto ; tutto ciò che. || LOC. *sur ce,* dopo di che. | *c'est un fait que,* sta di fatto che. | *si ce n'est,* eccetto, tranne. | *c'est pourquoi,* perciò. | *c'est ce que nous verrons !,* (adesso) la vedremo ! || FAM. *ce n'est pas pour dire, mais,* non faccio per dire, ma.
ceci [səsi] pron. dém. questo, ciò.
cécité [sesite] f. cecità.
céder [sede] v. tr. [vendre] cedere, vendere. || *ne le céder à personne,* non cederla a nessuno. || JUR. cedere. ◆ v. tr. ind. et intr. cedere ; mollare (fam.).
cédille [sedij] f. GR. cediglia.
cèdre [sɛdr] m. BOT. cedro.
ceindre [sɛ̃dr] v. tr. cingere. | *ceindre une ville de remparts,* (re)cingere, circondare una città di mura. || LOC. *ceindre la couronne, l'épée,* cingere la corona, la spada.
ceinture [sɛ̃tyr] f. cintura, cinghia, cintola. | *ceinture de sécurité, de sauvetage,* cintura di sicurezza, di salvataggio. || SP. cintura. || POP. *se serrer la ceinture,* tirare la cinghia, stare a stecchetto. || [taille] cintola, cintura, vita.
ceinturer [sɛ̃tyre] v. tr. cingere. || SP. cinturare. || [voleur] immobilizzare.
ceinturon [sɛ̃tyrɔ̃] m. cinturone.
cela [səla] pron. dém. [opposé à ceci] quello. || [rappelant ce qui précède] questo, ciò. | *cela dit,* detto ciò, questo. | *c'est bien cela,* è proprio questo. | *malgré cela,* ciò nonostante. || LOC. *il ne manquait plus que cela,* non ci mancava altro. | *comment cela ?,* come ?, come mai ? | *cela ne fait rien,* non importa, non fa niente. | *pour cela,* per questo, per ciò. | *comme cela,* così.
célébration [selebrasjɔ̃] f. celebrazione.
célèbre [selɛbr] adj. (par, pour) celebre, famoso (per).
célébrer [selebre] v. tr. [personne] celebrare, esaltare ; inneggiare a. || [fête] celebrare, solennizzare, festeggiare. || [messe, mariage] celebrare.
célébrité [selebrite] f. celebrità.
celer [səle] v. tr. LITT. celare.
céleri [sɛlri] m. BOT. sedano.
célérité [selerite] f. LITT. celerità.
céleste [selɛst] adj. celeste. || [très beau] celestiale, celeste.
célibat [seliba] m. celibato.
célibataire [selibatɛr] adj. et n. [homme] celibe, scapolo ; [femme] celibe, nubile.
celle, celles [sɛl] pron. dém. f. V. CELUI.
cellier [selje] m. cantina f., celliere.
cellule [selyl] f. [pièce] cella. || [ruche] celletta. || ANAT., AV., BOT., PHYS., POL. cellula.
cellulose [selyloz] f. cellulosa, cellulosio m.
celte [sɛlt] ou **celtique** [sɛltik] adj. et n. celtico.
celui, celle [səlɥi, sɛl], **ceux, celles** [sø, sɛl] pron. dém. [suivi d'un rel. ou d'un compl.] quello, a, i, e ; [personne] colui, colei, coloro. | *celui qui,* quello, colui che. || [proximité] *celui-ci, celle-ci,* [près de celui qui parle] questo ; questi (m. sing., personne, litt.) ; [près de l'interlocuteur] codesto, cotesto ; costui, costei f. (personne). | *ceux-ci, celles-ci,* codesti, cotesti ; costoro (personnes). || [éloignement de celui qui parle et de l'interlocuteur] *celui-là, celle-là,* quello ; colui, colei (personne). | *ceux-là, celles-là,* quelli; coloro (personnes).
cénacle [senakl] m. cenacolo.
cendre [sɑ̃dr] f. cenere.
cendré, e [sɑ̃dre] adj. cenere inv., cenerino, cinereo. ◆ SP. f. pista (di cenere).
cendrier [sɑ̃drije] m. [d'un foyer] ceneraio. || [pour fumeurs] portacenere inv., posacenere inv.
cène [sɛn] f. Ultima Cena. || ART cena, cenacolo m.
cens [sɑ̃s] m. censo.
censé, e [sɑ̃se] adj. *je ne suis pas censé le savoir,* non si ritiene che io lo sappia.
censément [sɑ̃semɑ̃] adv. presumibilmente.
censeur [sɑ̃sœr] m. censore.
censure [sɑ̃syr] f. censura.
censurer [sɑ̃syre] v. tr. censurare.
cent [sɑ̃] adj. num. card. cento inv. || [centième] cento, centesimo. | *page cent,* pagina cento. | *en mille huit cent,* nel milleottocento. || FAM. *je te le donne en cent !,* chi l'indovina è bravo. ◆ m. *pour cent,* per cento. || [centaine] centinaio. || FAM. *gagner des mille et des cents,* guadagnare un sacco di soldi.
centaine [sɑ̃tɛn] f. centinaio m. (pl. f. centinaia).
centaure [sɑ̃tɔr] m. centauro.
centenaire [sɑ̃tnɛr] adj. et n. centenario.
centième [sɑ̃tjɛm] adj. ord. et m. centesimo.
centigrade [sɑ̃tigrad] m. centigrado.
centigramme [sɑ̃tigram] m. centigrammo.
centilitre [sɑ̃tilitr] m. centilitro.
centime [sɑ̃tim] m. centesimo.
centimètre [sɑ̃timɛtr] m. centimetro.
central, e, aux [sɑ̃tral, o] adj. centrale. ◆ m. *central téléphonique,* centrale (f.) telefonica. ◆ f. [usine] cen-

trale. || *centrale ouvrière,* sindacato (m.) operaio.
centraliser [sɑ̃tralize] v. tr. accentrare, centralizzare.
centre [sɑ̃tr] m. centro. || *centre-ville,* centro città. || *centre d'apprentissage,* istituto professionale. || PHYS. *centre de gravité,* baricentro ; centro di gravità.
centrer [sɑ̃tre] v. tr. centrare. || FIG. imperniare.
centrifuge [sɑ̃trifyʒ] adj. centrifugo (pl. centrifughi).
centrifugeuse [sɑ̃trifyʒøz] f. centrifuga.
centripète [sɑ̃tripɛt] adj. centripeto.
centuple [sɑ̃typl] adj. et m. centuplo.
centupler [sɑ̃typle] v. tr. centuplicare.
cep [sɛp] m. ceppo (di vite).
cépage [sepaʒ] m. vitigno.
cèpe [sɛp] m. porcino.
cependant [səpɑ̃dɑ̃] conj. però, tuttavia, eppure. || *cependant que,* mentre.
céramique [seramik] adj. ceramico. ◆ f. ceramica.
céramiste [seramist] n. ceramista.
cerceau [sɛrso] m. cerchio.
cercle [sɛrkl] m. GÉOM. cerchio, circolo. || FIG. circolo ; club (angl.). | *cercle littéraire,* circolo, cenacolo letterario. || [groupe] *cercle d'amis,* cerchia (f.) d'amici. || GÉOGR. circolo. || LOG. *cercle vicieux,* circolo vizioso.
cercler [sɛrkle] v. tr. cerchiare.
cercueil [sɛrkœj] m. bara f., feretro ; cassa f. (da morto).
céréale [sereal] f. cereale m.
céréalier, ère [serealje, ɛr] adj. cerealicolo.
cérébral, e, aux [serebral, o] adj. cerebrale.
cérémonial, als [seremɔnjal] m. cerimoniale.
cérémonie [seremɔni] f. cerimonia. | *faire des cérémonies,* far cerimonie, complimenti. | *sans cérémonies,* senza complimenti, senza cerimonie, alla buona.
cérémonieux, euse [seremɔnjø, øz] adj. cerimonioso, complimentoso.
cerf [sɛr] m. cervo.
cerfeuil [sɛrfœj] m. cerfoglio.
cerf-volant [sɛrvɔlɑ̃] m. aquilone ; cometa f.
cerise [səriz] f. ciliegia.
cerisier [sərizje] m. ciliegio.
cerne [sɛrn] m. occhiaia f., calamaro.
cerner [sɛrne] v. tr. accerchiare, circondare. || [délimiter] circondare, circoscrivere, delineare. || FIG. *cerner un problème,* circoscrivere, delimitare un problema. || *avoir les yeux cernés,* avere gli occhi cerchiati, pesti.
1. certain, e [sɛrtɛ̃, ɛn] adj. [assuré] certo, sicuro. || [déterminé] certo, determinato, fisso. | *date certaine,* data certa, fissa. | *d'un âge certain,* attempato adj.
2. certain, e adj. indéf. certo, taluno. | *un certain monsieur X,* un certo, un tale signor X. | *d'un certain âge,* di una certa età. ◆ pron. indéf. pl. certi, taluni, certuni.
certainement [sɛrtɛnmɑ̃] adv. certamente, certo.
certes [sɛrt] adv. certo, certamente, senz'altro.
certificat [sɛrtifika] m. certificato, attestato, fede f. || *certificat d'études primaires,* licenza (f.) elementare. | *certificat d'aptitude professionnelle,* licenza (f.) di scuola professionale. | *certificat d'aptitude pédagogique,* abilitazione f.
certifier [sɛrtifje] v. tr. certificare, attestare. || [affirmer] affermare, assicurare. || JUR. autenticare.
certitude [sɛrtityd] f. certezza. | *avoir la certitude que,* sapere con certezza che.
cerveau [sɛrvo] m. ANAT. cervello. || *un (grand) cerveau,* un cervello, una gran testa.
cervelle [sɛrvɛl] f. cervello m. || *sans cervelle,* scervellato adj. || FAM. *se creuser la cervelle,* lambiccarsi, stillarsi il cervello.
ces adj. dém. pl. V. CE.
césarienne [sezarjɛn] f. CHIR. taglio cesareo.
cessant, e [sɛsɑ̃, ɑ̃t] adj. *toutes affaires cessantes,* sospesa ogni altra cosa, senza por tempo in mezzo.
cessation [sɛsasjɔ̃] f. cessazione, sospensione.
cesse [sɛs] f. *n'avoir de cesse,* non darsi tregua. | *sans cesse,* senza posa, senza sosta, senza tregua.
cesser [sese] v. tr. cessare, smettere, interrompere. ◆ v. tr. ind. (de) cessare (di), smettere (di) ; smetterla (di), finirla (di). ◆ v. intr. cessare, smettere ; smetterla.
cessez-le-feu [seselfø] m. inv. sospensione (f.) delle ostilità.
cession [sɛsjɔ̃] f. cessione.
c'est-à-dire [sɛtadir] loc. adv. cioè ; vale a dire.
césure [sezyr] f. cesura.
cet, cette adj. dém. V. CE.
cétacé [setase] m. cetaceo.
ceux pron. dém. pl. V. CELUI.
chacal, als [ʃakal] m. sciacallo.
chacun, e [ʃakœ̃, yn] pron. indéf. ciascuno, ognuno ; tutti. | *chacun en rit,* tutti ne ridono. | *chacun à son tour,* uno per volta.
chagrin [ʃagrɛ̃] m. [selon l'intensité] dispiacere ; pena f., dolore, accoramento ; afflizione f. | *petit chagrin,* dispiacerino, dispiaceruccio. | *faire du chagrin,* affliggere.

chagrin, e [ʃagrɛ̃, in] adj. mesto, triste, accorato. | *esprit chagrin,* natura triste, pessimistica.
chagriner [ʃagrine] v. tr. rattristare, accorare, addolorare, affliggere.
chahut [ʃay] m. baccano ; cagnara f., pandemonio. | *chahut monstre,* baccano del diavolo.
chahuter [ʃayte] v. intr. FAM. far baccano, cagnara. ◆ v. tr. [malmener] molestare, importunare ; far dispetti a.
chahuteur, euse [ʃaytœr, øz] n. chiassone, a.
chaîne [ʃɛn] f. catena. | *réaction en chaîne,* reazione a catena. || COMM. *chaîne de magasins,* catena di negozi. || MÉC. *chaîne de montage,* catena di montaggio. | *travail à la chaîne,* lavoro a catena. || GÉOGR. *chaîne de montagnes,* catena di montagne ; giogaia. || [radio] programma m. || TEXT. ordito m. || T. V. canale m.
chaînette [ʃenɛt] f. catenella.
chaînon [ʃɛnɔ̃] m. anello (di catena).
chair [ʃɛr] f. carne ; [pulpe] polpa. || REL. carne. || LOC. *en chair et en os,* in carne ed ossa. | *ni chair ni poisson,* né carne né pesce. | *chair de poule,* pelle d'oca.
chaire [ʃɛr] f. REL. cattedra ; pulpito m. | *monter en chaire,* salire sul pulpito. | *l'éloquence de la chaire,* l'oratoria sacra. || UNIV. cattedra.
chaise [ʃɛz] f. sedia, seggiola. | *chaise longue,* sedia a sdraio ; sdraia.
chaland [ʃalɑ̃] m. MAR. chiatta f., barcone.
chaldéen, enne [kaldeɛ̃, ɛn] adj. et n. caldeo.
châle [ʃɑl] m. scialle. ◆ adj. *col châle,* collo a scialle.
chaleur [ʃalœr] f. calore m., caldo m. | *chaleur étouffante,* afa. | *chaleur torride,* arsura ; bollore m. || FIG. calore m., fervore m. || PHYSIOL. *en chaleur,* in calore.
chaleureux, euse [ʃalørø, øz] adj. caloroso.
chaloupe [ʃalup] f. scialuppa, lancia.
chalumeau [ʃalymo] m. BOT. cannuccia f. || MUS. cennamella f. || TECHN. cannello.
chalut [ʃaly] m. sciabica f.
chalutier [ʃalytje] m. [bateau] peschereccio.
chamailler (se) [səʃamaje] v. pr. bisticciare, bisticciarsi.
chamaillerie [ʃamajri] f. lite.
chamarrer [ʃamare] v. tr. gallonare, fregiare.
chambardement [ʃɑ̃bardəmɑ̃] m. sconquasso, finimondo.
chambellan [ʃɑ̃bɛlɑ̃] m. ciambellano.
chambouler [ʃɑ̃bule] v. tr. FAM. mettere a soqquadro.
chambranle [ʃɑ̃brɑ̃l] m. stipite.
chambre [ʃɑ̃br] f. camera, stanza. | *chambre à coucher, d'amis,* camera da letto, degli ospiti. || JUR. sezione. | *chambre correctionnelle,* sezione penale. || [association] camera. || POL. Camera. || TECHN. *chambre noire,* camera oscura. | *chambre à air,* camera d'aria.
chambrée [ʃɑ̃bre] f. camerata.
chambrer [ʃɑ̃bre] v. tr. rinchiudere. || [vin] portare a temperatura ambiente.
chameau [ʃamo] m. cammello. || FAM. *chameau !,* carogna ! (pop.).
chamois [ʃamwa] m. camoscio.
champ [ʃɑ̃] m. campo. | *travaux des champs,* lavori campestri. || LOC. *mourir au champ d'honneur,* morire sul campo dell'onore. || FIG. campo, ambito, settore. | *prendre la clef des champs,* prendere il volo ; svignarsela, tagliare la corda. | *prendre du champ,* indietreggiare, allontanarsi. || CIN., PHOT. campo. ◆ *sur-le-champ,* su due piedi, li per li, sul momento. || *à tout bout de champ,* ad ogni piè sospinto.
champagne [ʃɑ̃paɲ] m. sciampagna inv.
champêtre [ʃɑ̃pɛtr] adj. campestre.
champignon [ʃɑ̃piɲɔ̃] m. fungo. || FIG. *pousser comme un champignon,* venir su, crescere come i funghi. | *ville-champignon,* città fungo. || FAM. *écraser le champignon,* andare a tavoletta.
champion, onne [ʃɑ̃pjɔ̃, ɔn] n. campione m., campionessa f.
championnat [ʃɑ̃pjɔna] m. campionato.
chance [ʃɑ̃s] f. sorte, fortuna. | *tenter, courir sa chance,* tentare la sorte, correre l'alea. || [occasion] probabilità, possibilità ; caso m. | *dernière chance,* ultima possibilità. || LOC. *bonne chance !,* buona fortuna ! ; in bocca al lupo ! (fam.). | *par chance,* per fortuna, per sorte. | *porter chance,* portar fortuna.
chancelant, e [ʃɑ̃slɑ̃, ɑ̃t] adj. FIG. malfermo, malsicuro.
chanceler [ʃɑ̃sle] v. intr. barcollare, vacillare. || FIG. vacillare, traballare, oscillare.
chancelier [ʃɑ̃səlje] m. cancelliere.
chanceux, euse [ʃɑ̃sø, øz] adj. fortunato.
chancre [ʃɑ̃kr] m. MÉD. ulcera f. || BOT. cancro.
chandail [ʃɑ̃daj] m. maglione, golf.
chandelier [ʃɑ̃dəlje] m. candeliere.
chandelle [ʃɑ̃dɛl] f. candela. | *bout de chandelle,* moccolo m. || FIG. *voir trente-six chandelles,* veder le stelle. || FAM. [morve] candela, moccio m. || AV. candela. || [football] *faire une chandelle,* calciare a candela.

change [ʃɑ̃ʒ] m. cambio. | *lettre de change,* cambiale f. ‖ Loc. *gagner, perdre au change,* guadagnarci ; rimetterci, scapitarci.
changeant, e [ʃɑ̃ʒɑ̃, ɑ̃t] adj. mutevole, volubile, incostante. | *couleur changeante,* color cangiante.
changement [ʃɑ̃ʒmɑ̃] m. cambiamento, mutamento. ‖ Techn. *changement de vitesse,* cambio di velocità.
changer [ʃɑ̃ʒe] v. tr. [échanger] cambiare, barattare. ‖ [déplacer] spostare. ‖ Fin. cambiare. ‖ [remplacer] cambiare, sostituire. ‖ [modifier] cambiare, modificare. ‖ Loc. *changer son fusil d'épaule,* mutare disposizione, progetto. | *changer (de train),* cambiare. ◆ v. intr. cambiare ; mutarsi. | *il a changé,* è cambiato. ◆ v. tr. ind. (de) cambiare, mutare v. tr. | *changer de visage,* cambiarsi in viso. ◆ v. pr. [se modifier] cambiarsi, mutarsi, trasformarsi. ‖ [changer de vêtements] cambiarsi (d'abito).
changeur [ʃɑ̃ʒœr] m. cambiavalute. ‖ [disques] cambiadischi.
chanoine [ʃanwan] m. canonico.
chanoinesse [ʃanwanɛs] f. canonichessa.
chanson [ʃɑ̃sɔ̃] f. canzone, canto m.
chansonnette [ʃɑ̃sɔnɛt] f. canzonetta.
1. chant [ʃɑ̃] m. canto.
2. chant m. *de chant,* di taglio.
chantage [ʃɑ̃taʒ] m. ricatto.
chantant, e [ʃɑ̃tɑ̃, ɑ̃t] adj. [mélodie] cantabile ; [langue, voix] musicale, melodioso.
chanter [ʃɑ̃te] v. tr. et intr. cantare. | *chanter juste, faux,* essere intonato, stonato. ‖ Fam. *faire chanter qn,* ricattare qlcu. ‖ [célébrer] cantare, celebrare, esaltare. ◆ v. tr. ind. Fam. *cela ne me chante guère,* questo non mi va (a fagiolo).
chanterelle [ʃɑ̃trɛl] f. Mus. cantino m.
chanteur, euse [ʃɑ̃tœr, øz] n. cantante. | *chanteur de charme,* cantante di grazia. ‖ Fig. *maître chanteur,* ricattatore, trice. ◆ adj. *oiseaux chanteurs,* uccelli cantatori, canori.
chantier [ʃɑ̃tje] m. cantiere. | *sur le chantier,* in cantiere. ‖ [entrepôt] deposito, magazzino.
chantonner [ʃɑ̃tɔne] v. intr. et tr. canticchiare, canterellare.
chantre [ʃɑ̃tr] m. cantore.
chanvre [ʃɑ̃vr] m. canapa f.
chaos [kao] m. caos.
chaparder [ʃaparde] v. tr. rubacchiare.
chapardeur, euse [ʃapardœr, øz] n. ladruncolo, a.
chape [ʃap] f. Rel. piviale m., cappa.
chapeau [ʃapo] m. cappello. | *chapeau mou,* cappello a cencio. | *chapeau melon,* bombetta f. | *(chapeau) haut de forme,* tuba f., cilindro. | *coup de chapeau,* scappellata f. ‖ Fam. *chapeau (bas) !,* giù il cappello ! ‖ Aut. *chapeau de roue,* coppa f.
chapelain [ʃaplɛ̃] m. cappellano.
chapelet [ʃaplɛ] m. Rel. rosario, corona f. | *dire son chapelet,* dire il rosario. ‖ [oignons, figues] resta f., treccia f. ‖ [injures] filza f.
chapelle [ʃapɛl] f. cappella, chiesuola. ‖ [clan] chiesuola, cricca, conventicola.
chapelure [ʃaplyr] f. pangrattato m.
chaperon [ʃaprɔ̃] m. cappuccio. | *le Petit Chaperon rouge,* Cappuccetto Rosso. ‖ Fig. dama (f.) di compagnia.
chapiteau [ʃapito] m. Archit. capitello. ‖ [de cirque] tendone, circo.
chapitre [ʃapitr] m. capitolo. ‖ Fig. argomento, materia f. ‖ Loc. *avoir voix au chapitre,* aver voce in capitolo.
chapon [ʃapɔ̃] m. cappone.
chaque [ʃak] adj. indéf. sing. ogni inv. ; ciascuno.
char [ʃar] m. carro. | *char d'assaut,* carro armato.
charabia [ʃarabja] m. linguaggio incomprensibile.
charade [ʃarad] f. sciarada.
charbon [ʃarbɔ̃] m. carbone.
charbonnage [ʃarbɔnaʒ] m. miniera (f.) di carbone.
charbonnier, ère [ʃarbɔnje, ɛr] adj. carboniero. ◆ m. [navire] carboniera f.
charcuter [ʃarkyte] v. tr. Fam. massacrare.
charcuterie [ʃarkytri] f. salumeria, pizzicheria. ‖ [produits] salumi m. pl. ; affettati m. pl. ; insaccati m. pl.
charcutier, ère [ʃarkytje, ɛr] n. salumaio, a ; salumiere, pizzicagnolo m.
chardon [ʃardɔ̃] m. cardo.
chardonneret [ʃardɔnrɛ] m. cardellino.
charge [ʃarʒ] f. [poids] carico m. ‖ [capacité] carico m., portata. ‖ Fig. carico m., peso m., cura. ‖ Loc. *à charge de revanche,* a buon rendere. ‖ Adm. carica, ufficio m., incarico m. | *charge de notaire,* studio notarile. ‖ Jur. imputazione. | *témoin à charge,* testimonio a carico. ‖ Mil. carica, assalto m. ‖ [caricature] caricatura, ritratto (m.) caricato ; satira.
chargé, e [ʃarʒe] adj. carico. | *lettre chargée,* (lettera) assicurata f. ◆ m. incaricato.
chargement [ʃarʒəmɑ̃] m. caricamento, carico.
charger [ʃarʒe] v. tr. caricare. ‖ [donner mission de] incaricare. ‖ Jur. *charger un accusé,* testimoniare a carico d'un imputato. ‖ Mil. caricare. ◆ v. pr. (de) caricarsi (di). ‖ [s'occuper de] incaricarsi (di), occuparsi (di).
chargeur [ʃarʒœr] m. caricatore.

chariot [ʃarjo] m. carretto, carrello.
charitable [ʃaritabl] adj. caritatevole, pietoso.
charité [ʃarite] f. carità. | *vente de charité,* vendita, fiera di beneficenza. | *faire la charité,* fare la carità, l'elemosina.
charivari [ʃarivari] m. cagnara f., baccano, chiasso.
charlatan [ʃarlatɑ̃] m. ciarlatano.
charmant, e [ʃarmɑ̃, ɑ̃t] adj. incantevole, affascinante ; [enfant] delizioso, vezzoso. || IRON. *c'est charmant !,* che piacere !
1. charme [ʃarm] m. [enchantement] incantesimo, fascino. || [attrait] fascino, incanto ; attrattiva f. ◆ pl. [d'une femme] bellezza f., leggiadria f.
2. charme m. BOT. carpine.
charmer [ʃarme] v. tr. incantare, affascinare. || LOC. *charmé !,* tanto piacere !
charmeur, euse [ʃarmœr, øz] adj. et n. incantatore, trice. | *un charmeur,* un uomo seducente. | *une charmeuse,* una maliarda.
charnel, elle [ʃarnɛl] adj. carnale.
charnier [ʃarnje] m. [cadavres] carnaio. || [ossements] ossario.
charnière [ʃarnjɛr] f. cerniera. || FIG. cardine m.
charnu, e [ʃarny] adj. carnoso, polposo.
charogne [ʃarɔɲ] f. carogna.
charpente [ʃarpɑ̃t] f. armatura, ossatura. || FIG. ossatura, schema m. || ANAT. ossatura.
charpenté, e [ʃarpɑ̃te] adj. *récit charpenté,* racconto strutturato. | *homme bien charpenté,* pezzo d'uomo.
charpentier [ʃarpɑ̃tje] m. carpentiere.
charpie [ʃarpi] f. filaccia (di lino).
charretée [ʃarte] f. carrettata.
charretier [ʃartje] m. carrettiere, bar(r)occiaio.
charrette [ʃarɛt] f. carretta ; carretto m.
charrier [ʃarje] v. tr. carreggiare. || [fleuve] convogliare. || POP. sfottere. ◆ v. intr. POP. esagerare (L.C.).
charron [ʃarɔ̃] m. carradore ; carraio (rare).
charrue [ʃary] f. aratro m.
charte [ʃart] f. carta.
chartreux, euse [ʃartrø, øz] n. REL. certosino, a. ◆ f. certosa.
chas [ʃa] m. cruna f.
chasse [ʃas] f. caccia. | *chasse à courre,* caccia all'inseguimento. | *chasse gardée, réserve de chasse,* riserva, bandita di caccia. || AV., MAR. caccia. | *avion de chasse,* caccia m. inv. || TECHN. *chasse d'eau,* sciacquone m.
châsse [ʃɑs] f. REL. reliquiario m.
chassé-croisé [ʃasekrwaze] m. (l')incrociarsi ; (l')andare e venire.
chasse-neige [ʃasnɛʒ] m. inv. spazzaneve, spartineve.
chasser [ʃase] v. tr. cacciare. || [mettre dehors] scacciare ; cacciar via. | *le vent chasse la neige,* il vento spazza via la neve. ◆ v. intr. cacciare, andare a caccia. || TECHN. slittare.
chasseur, euse [ʃasœr, øz] n. cacciatore, trice. ◆ m. MIL. cacciatore. | *chasseur alpin,* alpino. | *chasseur bombardier,* cacciabombardiere. || [groom] fattorino.
chassieux, euse [ʃasjø, øz] adj. cisposo.
châssis [ʃɑsi] m. [cadre] intelaiatura f., telaio. || AGR. cassone. || AUT. telaio.
chaste [ʃast] adj. casto.
chasteté [ʃastəte] f. castità.
chasuble [ʃazybl] f. REL. pianeta.
chat, chatte [ʃa, ʃat] n. gatto, gatta. || *mon petit chat !,* tesoro mio ! || LOC. *il n'y a pas un chat,* non c'è un cane. | *avoir d'autres chats à fouetter,* avere altre gatte da pelare. | *appeler un chat, un chat,* dir pane al pane e vino al vino. || JEU *chat perché,* chiapparello.
châtaigne [ʃɑtɛɲ] f. castagna. | *châtaignes bouillies, rôties,* caldallesse, caldarroste.
châtaigneraie [ʃatɛɲrɛ] f. castagneto m.
châtaignier [ʃɑtɛɲe] m. castagno.
châtain [ʃɑtɛ̃] adj. inv. (en genre) et m. castano.
château [ʃɑto] m. castello. | *château fort,* rocca(forte) f. || FIG. *château de cartes,* castello di sabbia. | *châteaux en Espagne,* castelli in aria. | *vie de château,* vita da gran signore. || TECHN. *château d'eau,* castello d'acqua.
châtelain, e [ʃɑtlɛ̃, ɛn] n. castellano.
chat-huant [ʃaɥɑ̃] m. allocco.
châtier [ʃɑtje] v. tr. castigare, punire. || FIG. castigare, emendare.
châtiment [ʃɑtimɑ̃] m. castigo ; punizione f.
chatoiement [ʃatwamɑ̃] m. gatteggiamento.
1. chaton [ʃatɔ̃] m. gattino. || BOT. amento, gattino.
2. chaton m. [bague] castone.
chatouillement [ʃatujmɑ̃] m. solletico. || [démangeaison] prurito.
chatouiller [ʃatuje] v. tr. solleticare. || [picoter] pizzicare.
chatouilleux, euse [ʃatujø, øz] adj. sensibile al solletico. || FIG. suscettibile.
chatoyant, e [ʃatwajɑ̃, ɑ̃t] adj. cangiante, gatteggiante.
châtrer [ʃɑtre] v. tr. castrare.
chaud, e [ʃo, ʃod] adj. caldo. ◆ adv. caldo. || FAM. *il a eu chaud !,* l'ha scam-

pata bella ! ◆ m. caldo, calore. | *un chaud et froid,* una scalmana.
chaudière [ʃodjɛr] f. caldaia.
chaudron [ʃodrɔ̃] m. paiolo.
chaudronnier [ʃodrɔnje] m. calderaio, ramaio.
chauffage [ʃofaʒ] m. riscaldamento. | *chauffage central,* termosifone.
chauffant, e [ʃofɑ̃, ɑ̃t] adj. *couverture chauffante,* termocoperta f.
chauffard [ʃofar] m. FAM. automobilastro.
chauffe-bain [ʃofbɛ̃] m. scaldabagno.
chauffe-eau [ʃofo] m. inv. scalda(a)cqua.
chauffe-plats [ʃofpla] m. inv. scaldapiatti.
chauffer [ʃofe] v. tr. (ri)scaldare. | *chauffer au rouge,* arroventare. | *chauffer à blanc,* rendere incandescente. ◆ v. intr. scaldare. ‖ FAM. *ça va chauffer !,* si mette brutta ! ◆ v. pr. scaldarsi.
chauffeur [ʃofœr] m. [de chaudière] fochista. ‖ [d'auto] autista.
chaume [ʃom] m. stoppia f.
chaumière [ʃomjɛr] f. capanna.
chaussée [ʃose] f. carreggiata.
chausse-pied [ʃospje] m. calzatoio.
chausser [ʃose] v. tr. et intr. calzare.
chausse-trape [ʃostrap] f. trappola, tranello m.
chaussette [ʃosɛt] f. calzino m., calzetta. | *chaussette montante,* calzettone m.
chausson [ʃosɔ̃] m. pantofola f. | *chausson de danse,* calcetto da ballo.
chaussure [ʃosyr] f. scarpa, calzatura ; [de ski] scarpone m. | *fabrique de chaussures,* calzaturificio m.
chauve [ʃov] adj. et n. calvo.
chauve-souris [ʃovsuri] f. pipistrello m.
chauvin, e [ʃovɛ̃, in] adj. [personne] sciovinista ; [doctrine] sciovinistico. ◆ n. sciovinista.
chauvinisme [ʃovinism] m. sciovinismo.
chaux [ʃo] f. calce.
chavirer [ʃavire] v. intr. rovesciarsi, capovolgersi. ◆ v. tr. rovesciare, capovolgere.
chef [ʃɛf] m. capo. | [d'orchestre] direttore. | *chef d'atelier,* capotecnico ; capo officina. | *chef de chantier,* capomastro. ‖ JUR. *chef d'accusation,* capo d'accusa. ◆ *en chef,* in capo. | *rédacteur en chef,* caporedattore. | *général en chef,* generalissimo.
chef-d'œuvre [ʃɛdœvr] m. capolavoro.
chef-lieu [ʃɛfljø] m. capoluogo.
chemin [ʃəmɛ̃] m. strada f., sentiero. | *chemin de traverse,* scorciatoia f. | *à mi-chemin,* a mezza strada. | *en chemin,* per via. | *chemin faisant,* strada facendo. ‖ REL. *chemin de croix,* via crucis. ‖ FIG. *faire son chemin,* far carriera. | *ne pas y aller par quatre chemins,* andar per le spicce.
chemin de fer [ʃəmɛ̃dfɛr] m. ferrovia f.
chemineau [ʃəmino] m. vagabondo, girovago.
cheminée [ʃəmine] f. camino m., caminetto m. ‖ [extérieur] fumaiolo m., comignolo m. ‖ [navire, usine, locomotive] ciminiera.
cheminer [ʃəmine] v. intr. camminare (a lungo). ‖ FIG. procedere, progredire.
cheminot [ʃəmino] m. ferroviere.
chemise [ʃəmiz] f. camicia. | *en bras de chemise,* in maniche di camicia. ‖ [classeur] camicia, cartella.
chemisier, ère [ʃəmizje, ɛr] n. camiciaio, a. ◆ m. camicetta f.
chênaie [ʃɛnɛ] f. querceto m.
chenal, aux [ʃənal, o] m. MAR. canale, stretto. ‖ [moulin] gora f.
chenapan [ʃənapɑ̃] m. mascalzone.
chêne [ʃɛn] m. quercia f. | *chêne vert,* leccio, cerro.
chéneau [ʃeno] m. grondaia f.
chêne-liège [ʃɛnljɛʒ] m. sughero.
chenet [ʃənɛ] m. alare.
chenil [ʃənil, ni] m. canile.
chenille [ʃənij] f. bruco m. ‖ TECHN. cingolo m.
cheptel [ʃɛptɛl] m. bestiame. | *cheptel bovin, ovin,* patrimonio bovino, ovino.
chèque [ʃɛk] m. assegno. | *chèque bancaire, postal, barré, en blanc, au porteur, sans provision,* assegno bancario, postale, sbarrato, in bianco, al portatore, a vuoto. | *chèque de voyage,* assegno turistico. | *faire, rédiger, émettre, toucher un chèque,* fare, compilare, emettere, riscuotere un assegno.
chéquier [ʃekje] m. libretto d'assegni.
cher, chère [ʃɛr] adj. caro, diletto, amato. ‖ [coûteux] caro, costoso. | *la vie chère,* il carovita inv., il caroviveri inv. ◆ adv. caro. ‖ FAM. *ça ne vaut pas cher,* non val gran che.
chercher [ʃɛrʃe] v. tr. cercare. | *chercher qn,* cercare (di) qlcu. | *aller, venir chercher qn,* andare a, venire a prendere uno. | *envoyer chercher qn,* mandare a chiamare qlcu. ‖ FAM. *il l'a cherché,* l'ha voluto lui. ‖ **chercher à,** cercare di, sforzarsi di, procurare di.
chercheur, euse [ʃɛrʃœr, øz] n. cercatore, trice. ‖ [savant] ricercatore, trice.
chère [ʃɛr] f. cibo m., vivande f. pl. | *il aime la bonne chère,* gli piace mangiar bene.
chèrement [ʃɛrmɑ̃] adv. [affectueusement] caramente. | *aimer chèrement qn,* voler un gran bene, un bene

dell'anima a qlcu. || [à haut prix] caro adj. ; a caro prezzo.
chéri, e [ʃeri] adj. caro, diletto, amato. ◆ n. tesoro, amore.
chérir [ʃerir] v. tr. [personne] amare teneramente ; voler molto bene a. || [chose] amare, compiacersi di.
cherté [ʃɛrte] f. alto prezzo m. | *cherté de la vie,* carovita m. inv.
chérubin [ʃerybɛ̃] m. cherubino.
chétif, ive [ʃetif, iv] adj. gracile, malaticcio, deboluccio, mingherlino.
cheval, aux [ʃ(ə)val, o] m. cavallo. | *viande de cheval,* carne equina. || LOC. *à cheval sur,* a cavallo di, a cavalcioni di. | *être à cheval sur les principes.* essere di rigidi principi. || AUT. *une deux-chevaux,* una due cavalli.
chevaleresque [ʃəvalrɛsk] adj. cavalleresco.
chevalerie [ʃəvalri] f. cavalleria.
chevalet [ʃəvalɛ] m. ART cavalletto. || MUS. ponticello.
chevalier [ʃəvalje] m. cavaliere. || [oiseau] gambetta f.
chevalière [ʃəvaljɛr] f. anello (m.) con monogramma o stemma.
chevalin, e [ʃəvalɛ̃, in] adj. equino.
cheval-vapeur [ʃəvalvapœr] m. cavallo (vapore).
chevauchée [ʃəvoʃe] f. cavalcata.
chevauchement [ʃəvoʃmɑ̃] m. accavallamento.
chevaucher [ʃəvoʃe] v. tr. et intr. cavalcare. ◆ v. pr. accavallarsi.
chevelu, e [ʃəvly] adj. capelluto.
chevelure [ʃəvlyr] f. capigliatura.
chevet [ʃəvɛ] m. capezzale. | *table de chevet,* comodino da notte. | *livre de chevet,* libro prediletto. || ARCHIT. abside f.
cheveu [ʃəvø] m. capello. | *s'arracher les cheveux,* cacciarsi, mettersi le mani nei capelli. | *couper les cheveux en quatre,* spaccare un capello in quattro. | *il s'en est fallu d'un cheveu,* c'è mancato un capello, un pelo.
cheveu-de-Vénus [ʃəvødəvenys] m. BOT. capelvenere.
chevillard [ʃəvijar] m. venditore di carne all'ingrosso.
cheville [ʃəvij] f. ANAT. caviglia. || TECHN. caviglia, cavicchio m., perno m., spina. || FIG. *cheville ouvrière,* anima.
chèvre [ʃɛvr] f. capra.
chevreau [ʃəvro] m. capretto.
chèvrefeuille [ʃɛvrəfœj] m. caprifoglio.
chevreuil [ʃəvrœj] m. capriolo.
chevrier, ère [ʃəvrije, ɛr] n. capraio, a.
chevron [ʃəvrɔ̃] m. [charpente] correntino. || MIL. gallone.
chevronné, e [ʃəvrɔne] adj. consumato, esperto.
chevrotant, e [ʃəvrɔtɑ̃, ɑ̃t] adj. tremulo.
chevrotine [ʃəvrɔtin] f. pallettone m. (da caccia).
chez [ʃe] prép. [avec mouvement] da, a casa di. | *je vais chez moi,* vado a casa mia. | *de chez Pierre,* dalla casa di Pietro. || [sans mouvement] a casa di ; da, presso. | *chez moi,* a casa (mia), in casa. | *écris-moi chez monsieur X,* scrivimi presso il signor X. || [pays] *revenir chez soi,* tornare in patria, a casa. || [époque] *chez les Romains,* presso i Romani. || [dans l'œuvre de] nelle opere di ; in.
chez-soi, chez-moi, chez-toi [ʃeswa, ʃemwa, ʃetwa] m. inv. casa f., abitazione f.
chiader [ʃjade] v. intr. POP. sgobbare.
chialer [ʃjale] v. intr. POP. piangere, piagnucolare (L.C.).
chic [ʃik] m. [adresse] dono, abilità f. || [élégance] eleganza f., raffinatezza f. ◆ adj. inv. (en genre) chic ; elegante, fine, raffinato. || [sympathique] in gamba ; generoso, simpatico.
chicane [ʃikan] f. arzigogolo m., cavillo m. || [querelle] bega, briga, lite. || [obstacle] passaggio (m.) a zig-zag.
chicaner [ʃikane] v. intr. cavillare, arzigogolare. ◆ v. tr. [qn] criticare ; [qch.] lesinare.
chicaneur, euse [ʃikanœr, øz] ou **chicanier, ère** [ʃikanje, ɛr] adj. cavilloso, litigioso. ◆ n. cavillatore, trice.
1. chiche [ʃiʃ] adj. [personne] avaro, gretto, tirato. || [chose] meschino, scarso.
2. chiche ! interj. scommettiamo ?
chichement [ʃiʃmɑ̃] adv. grettamente.
chichi [ʃiʃi] m. FAM. smanceria f., smorfia f. | *ne fais pas de chichis,* non far tanti complimenti.
chicorée [ʃikɔre] f. cicoria.
chien, enne [ʃjɛ̃, ʃjɛn] n. cane m., cagna f. | *petit chien,* cagnolino. || LOC. *une vie de chien,* una vita da cani. | *avoir un mal de chien à,* far una fatica da cani per. | *temps de chien,* tempo da lupi. | *être bon à jeter aux chiens,* non valere un corno, un fico. || [interj.] *nom d'un chien !,* perdiana ! | *chienne de vie !,* mondo cane ! || [arme à feu] cane.
chiendent [ʃjɛ̃dɑ̃] m. gramigna f.
chien-loup [ʃjɛ̃lu] m. cane lupo.
chiffe [ʃif] f. *être une chiffe molle, mou comme une chiffe,* essere di pasta frolla, una pappa molle.
chiffon [ʃifɔ̃] m. cencio, straccio.
chiffonner [ʃifɔne] v. tr. spiegazzare, sgualcire. || FIG. contrariare, seccare.

chiffonnier, ère [ʃifɔnje, ɛr] n. straccivendolo, a. ◆ m. [meuble] stipetto.
chiffre [ʃifr] m. cifra f., numero. | *arrondir un chiffre,* far cifra tonda.
chiffrer [ʃifre] v. intr. costar molto, parecchio. ◆ v. tr. calcolare, valutare. || [cryptographie] cifrare. ◆ v. pr. ammontare a.
chignole [ʃiɲɔl] f. trapano m.
chignon [ʃiɲɔ̃] m. crocchia f.
chimère [ʃimɛr] f. chimera.
chimie [ʃimi] f. chimica.
chimique [ʃimik] adj. chimico.
chimiste [ʃimist] n. chimico.
chiné, e [ʃine] adj. screziato, variegato.
chiner [ʃine] v. intr. fare il rigattiere. || andare in cerca di anticaglie.
chinois, e [ʃinwa, az] adj. et n. cinese.
chiot [ʃjo] m. cucciolo.
chiourme [ʃjurm] f. ciurma.
chiper [ʃipe] v. tr. FAM. sgraffignare.
chipoter [ʃipɔte] v. intr. FAM. mangiucchiare. || [chicaner] cavillare, arzigogolare. || [marchander] tirare sul prezzo.
chique [ʃik] f. [tabac] cicca.
chiqué [ʃike] m. FAM. vanteria f., bluff.
chiquenaude [ʃiknod] f. buffetto m.
chiquer [ʃike] v. intr. ciccare. ◆ v. tr. masticare.
chiromancie [kirɔmɑ̃si] f. chiromanzia.
chiromancien, enne [kirɔmɑ̃sjɛ̃, ɛn] n. chiromante.
chirurgical, e, aux [ʃiryrʒikal, o] adj. chirurgico.
chirurgie [ʃiryrʒi] f. chirurgia.
chirurgien [ʃiryrʒjɛ̃] m. chirurgo.
chirurgien-dentiste [ʃiryrʒjɛ̃dɑ̃tist] m. odontoiatra.
chlore [klɔr] m. cloro.
chloroforme [klɔrɔfɔrm] m. cloroformio.
chlorophylle [klɔrɔfil] f. clorofilla.
choc [ʃɔk] m. urto, scontro, cozzo. | *choc en retour,* colpo di rimbalzo. || MIL. *troupes de choc,* truppe d'assalto. || [conflit] conflitto, contrasto. || [émotion] choc, shock, colpo.
chocolat [ʃɔkɔla] m. cioccolato, cioccolata f. || [bouchée] cioccolatino.
chœur [kœr] m. coro. | *enfant de chœur,* chierichetto. ◆ *en chœur,* in coro.
choir [ʃwar] v. intr. défect. cadere.
choisi, e [ʃwazi] adj. scelto.
choisir [ʃwazir] v. tr. scegliere.
choix [ʃwa] m. scelta f. | *au choix,* a scelta. | *de premier choix,* di prima scelta, di prima qualità.
choléra [kɔlera] m. MÉD. colera.
chômage [ʃomaʒ] m. riposo. || disoccupazione f. | *chômage partiel,* sottoccupazione f. | *en chômage,* disoccupato adj.
chômé, e [ʃome] adj. *jour chômé,* giorno festivo.
chômer [ʃome] v. intr. non lavorare. || [sans emploi] rimanere disoccupato. ◆ v. tr. festeggiare.
chômeur, euse [ʃomœr, øz] n. disoccupato, a. | *chômeur partiel,* sottoccupato.
chope [ʃɔp] f. boccale m., gotto m.
choper [ʃɔpe] v. tr. POP. [rhume] buscarsi. || [voler] fregare. || *se faire choper,* farsi pizzicare.
chopine [ʃɔpin] f. POP. bottiglia (L.C.).
choquant, e [ʃɔkɑ̃, ɑ̃t] adj. urtante, indecente.
choquer [ʃɔke] v. tr. *choquer les verres,* brindare. || urtare, indignare, scandalizzare, offendere.
choral, e, aux ou **als** [kɔral, o] adj. corale.
chorale f. corale.
chorégraphie [kɔregrafi] f. coreografia.
choriste [kɔrist] n. corista.
chose [ʃoz] f. [objet] cosa. | *quelques petites choses,* qualche cosuccia. || [événement ; affaire] cosa, faccenda ; caso m. | *parler de choses et d'autres,* parlare del più e del meno. | *ce n'est pas une chose à faire,* non è da farsi. | *bien des choses à,* tante cose a. || *peu de chose, pas grand-chose,* poco ; poche cose. | *à peu de chose près,* suppergiù. || *ne pas faire, ne pas valoir grand-chose,* non valere (un) gran che. | *un pas grand-chose,* un poco di buono. || *autre chose,* altro. | *la même chose,* lo stesso, la stessa cosa, tutt'uno. ◆ adj. *se sentir tout chose,* sentirsi scombussolato, sfasato.
chou [ʃu] m. cavolo. | *chou-fleur,* cavolfiore. || FIG., FAM. *feuille de chou,* giornaluccio m. || *mon (petit) chou,* coccolino mio. ◆ adj. inv. (en genre) FAM. carino, gentile.
choucas [ʃuka] m. taccola f.
chouchou, oute [ʃuʃu, ut] n. FAM. coco, a ; prediletto, a ; beniamino, a.
chouchouter [ʃuʃute] v. tr. FAM. coccolare.
choucroute [ʃukrut] f. crauti m. pl.
1. chouette [ʃwɛt] f. civetta. || FAM. *vieille chouette,* strega.
2. chouette adj. FAM. chic, in gamba.
choyer [ʃwaje] v. tr. [individu] vezzeggiare, coccolare. || [idée] accarezzare, coltivare.
chrétien, enne [kretjɛ̃, ɛn] adj. et n. cristiano.
chrétienté [kretjɛ̃te] f. cristianità.
christianiser [kristjanize] v. tr. cristianizzare.
christianisme [kristjanism] m. cristianesimo.

chromatique [krɔmatik] adj. cromatico.
chrome [krom] m. cromo.
chromer [krome] v. tr. cromare.
chromosome [krɔmozom] m. cromosoma.
1. chronique [krɔnik] f. cronaca.
2. chronique adj. cronico.
chroniqueur [krɔnikœr] m. cronista.
chronologie [krɔnɔlɔʒi] f. cronologia.
chronologique [krɔnɔlɔʒik] adj. cronologico.
chronomètre [krɔnɔmɛtr] m. cronometro.
chronométrer [krɔnɔmetre] v. tr. cronometrare.
chrysalide [krizalid] f. crisalide.
chrysanthème [krizɑ̃tɛm] m. crisantemo.
chuchotement [ʃyʃɔtmɑ̃] m. bisbiglio, sussurro.
chuchoter [ʃyʃɔte] v. intr. et tr. bisbigliare, sussurrare.
chut ! [ʃyt] interj. st !, sss !
chute [ʃyt] f. caduta, cascata. || [restes] ritagli m. pl. || FIG. *la chute du jour,* il calare del giorno. || [jeu de cartes] *deux de chute,* due (prese) sotto. || [capitulation] caduta, resa, capitolazione, crollo m. || [échec] fiasco m.
chuter [ʃyte] v. intr. FAM. cadere (L.C.). || [aux cartes] andar sotto.
ci [si] adv. qui, qua. ◆ *par-ci par-là,* qua e là. || *de-ci de-là,* di qua di là. || *ci-après,* più avanti ; sotto. || *ci-contre,* qui accanto. || *ci-dessous,* qui sotto, in calce. || *ci-dessus,* qui sopra, di sopra. ◆ *comme ci comme ça,* così così.
cible [sibl] f. bersaglio m.
ciboire [sibwar] m. REL. pisside f., ciborio.
ciboulette [sibulɛt] f. cipollina.
ciboulot [sibulo] m. POP. capoccia f. (fam.), capocchia f. (fam.).
cicatrice [sikatris] f. cicatrice.
cicatriser [sikatrize] v. tr. cicatrizzare.
cidre [sidr] m. sidro.
ciel [sjɛl] m. (pl. **cieux**) cielo.
cierge [sjɛrʒ] m. cero.
cigale [sigal] f. cicala.
cigare [sigar] m. sigaro.
cigarette [sigarɛt] f. sigaretta.
ci-gît [siʒi] adv. qui giace.
cigogne [sigɔɲ] f. cicogna.
ciguë [sigy] f. cicuta.
cil [sil] m. ciglio.
cilice [silis] m. cilicio.
cime [sim] f. cima, vetta.
ciment [simɑ̃] m. cemento.
cimenter [simɑ̃te] v. tr. cementare.
cimetière [simtjɛr] m. cimitero ; camposanto.
cimier [simje] m. cimiero.
cinéaste [sineast] m. cineasta.
cinéma [sinema] ou **cinématographe** [sinematɔgraf] m. cinema inv., cinematografo. || [salle] cine(ma).
cinémathèque [sinematɛk] f. cineteca.
cinéphile [sinefil] m. cinedilettante.
cinglant, e [sɛ̃glɑ̃, ɑ̃t] adj. sferzante.
cinglé, e [sɛ̃gle] adj. POP. picchiatello (fam.), tocco (fam.).
1. cingler [sɛ̃gle] v. intr. MAR. far rotta, far vela.
2. cingler v. tr. [frapper] sferzare.
cinq [sɛ̃(k)] adj. num. cinque.
cinquantaine [sɛ̃kɑ̃tɛn] f. cinquantina.
cinquante [sɛ̃kɑ̃t] adj. num. card. inv. cinquanta. ◆ adj. num. ord. cinquantesimo.
cinquième [sɛ̃kjɛm] adj. num. ord. et n. quinto.
cintre [sɛ̃tr] m. ARCHIT. curvatura f. | *en plein cintre,* a tutto sesto. || [pour vêtement] gruccia f., stampella f.
cintrer [sɛ̃tre] v. tr. (in)curvare.
cirage [siraʒ] m. lucidatura f. || [matière] lucido ; cera f.
circoncire [sirkɔ̃sir] v. tr. circoncidere.
circonférence [sirkɔ̃ferɑ̃s] f. circonferenza.
circonflexe [sirkɔ̃flɛks] adj. circonflesso.
circonlocution [sirkɔ̃lɔkysjɔ̃] f. circonlocuzione.
circonscription [sirkɔ̃skripsjɔ̃] f. circoscrizione.
circonscrire [sirkɔ̃skrir] v. tr. circoscrivere.
circonspect, e [sirkɔ̃spɛ, ɛkt] adj. circospetto, guardingo, cauto.
circonspection [sirkɔ̃spɛksjɔ̃] f. circospezione, cautela.
circonstance [sirkɔ̃stɑ̃s] f. circostanza. | *selon les circonstances,* secondo i casi. || JUR. *circonstances atténuantes, aggravantes,* attenuanti, aggravanti.
circonstancié, e [sirkɔ̃stɑ̃sje] adj. circostanziato.
circonstanciel, elle [sirkɔ̃stɑ̃siɛl] adj. GR. specificante.
circonvenir [sirkɔ̃vənir] v. tr. circonvenire, circuire, raggirare.
circuit [sirkɥi] m. circuito. || [voyage] giro.
circulaire [sirkylɛr] adj. et f. circolare.
circulation [sirkylasjɔ̃] f. circolazione ; traffico m. || ANAT., ÉCON., FIN. circolazione.
circuler [sirkyle] v. intr. circolare. | *défense de circuler,* vietato il transito. | *circulez !,* circolare ! || [nouvelle] diffondere, mandare in giro.
cire [sir] f. cera. | [à cacheter] ceralacca.
ciré, e [sire] adj. *toile cirée,* incerata. | *parquet ciré,* pavimento lustro, lucido. ◆ m. incerata f.

cirer [sire] v. tr. [bois] incerare, lucidare ; dar la cera a. || [cuir] lucidare, lustrare.
cireur, euse [sirœr, øz] n. lucidatore, trice. || [souliers] lustrascarpe inv. ◆ f. lucidatrice.
cireux, euse [sirø, øz] adj. cereo.
cirque [sirk] m. circo.
cisailles [sizaj] f. pl. cesoie.
ciseau [sizo] m. scalpello. ◆ pl. forbici f. pl.
ciseler [sizle] v. tr. cesellare.
cistercien, enne [sistɛrsjɛ̃, ɛn] adj. et n. cistercense.
citadelle [sitadɛl] f. cittadella, rocca.
citadin, e [sitadɛ̃, in] adj. et n. cittadino.
citation [sitasjɔ̃] f. citazione.
cité [site] f. città.
citer [site] v. tr. citare.
citerne [sitɛrn] f. cisterna.
cithare [sitar] f. cetra.
citoyen, enne [sitwajɛ̃, ɛn] n. cittadino, a.
citoyenneté [sitwajɛnte] f. cittadinanza.
citron [sitrɔ̃] m. limone.
citronnade [sitrɔnad] f. limonata.
citronnier [sitrɔnje] m. limone.
citrouille [sitruj] f. zucca.
civet [sivɛ] m. salmì.
civière [sivjɛr] f. barella.
civil, e [sivil] adj. civile. || [courtois] civile, cortese, garbato. ◆ m. borghese.
civilisateur, trice [sivilizatœr, tris] adj. et n. civilizzatore, trice.
civilisation [sivilizasjɔ̃] f. [action de civiliser] incivilimento m., civilizzazione. || [forme de vie] civiltà.
civilisé, e [sivilize] adj. civile.
civiliser [sivilize] v. tr. incivilire, civilizzare.
civilité [sivilite] f. civiltà, urbanità ; garbo m. | *règles de la civilité,* regole della buona creanza ; galateo m.
civique [sivik] adj. civico, civile.
civisme [sivism] m. civismo.
claboter [klabɔtɛ] v. intr. POP. tirar le cuoia.
claie [klɛ] f. graticcio m.
clair, e [klɛr] adj. chiaro. | *eau claire,* acqua limpida. | *sauce claire,* salsa liquida. || [intelligible] chiaro, evidente, ovvio. | ◆ adv. chiaro. ◆ m. chiaro. | *clair de lune,* chiaro, lume di luna.
claire-voie (à) [aklɛrvwa] loc. adv. a giorno.
clairière [klɛrjɛr] f. radura.
clair-obscur [klɛrɔpskyr] m. ART chiaroscuro.
clairon [klɛrɔ̃] m. tromba f.
claironner [klɛrɔne] v. tr. FIG. strombazzare.
clairsemé, e [klɛrsəme] adj. rado, raro.
clairvoyance [klɛrvwajɑ̃s] f. chiaroveggenza.
clairvoyant, e [klɛrvwajɑ̃, ɑ̃t] adj. chiaroveggente.
clamer [klame] v. tr. gridare, proclamare.
clameur [klamœr] f. clamore m.
clan [klɑ̃] m. clan. || FIG. cricca f., congrega f.
clandestin, e [klɑ̃dɛstɛ̃, in] adj. clandestino.
clandestinité [klɑ̃dɛstinite] f. clandestinità.
clapet [klapɛ] m. valvola f.
clapier [klapje] m. conigliera f.
clapotement [klapɔtmɑ̃] m. sciabordio, sciacquio.
clapoter [klapɔte] v. intr. sciabordare.
clapotis [klapɔti] m. = CLAPOTEMENT.
claque [klak] f. schiaffo m., ceffone m. || FAM. *en avoir sa claque,* averne fin sopra i capelli ; essere stufo. | *prendre ses cliques et ses claques,* far fagotto.
claqué, e [klake] adj. FAM. stracco ; stanco morto.
claquement [klakmɑ̃] m. schiocco, schioccata f. || [coup de feu] scoppio.
claquemurer [klakmyre] v. tr. rinchiudere, segregare. ◆ v. pr. rintanarsi in casa.
claquer [klake] v. tr. et intr. schioccare, (s)battere, sbatacchiare. | *claquer des dents,* battere i denti. | *(faire) claquer la porte,* sbattere, sbatacchiare la porta. || POP. crepare. ◆ v. tr. [fermer] sbattere. || FAM. [éreinter] straccare. || POP. [argent] sperperare. ◆ v. pr. FAM. rovinarsi la salute ; straccarsi.
clarification [klarifikasjɔ̃] f. FIG. schiarimento m.
clarifier [klarifje] v. tr. FIG. chiarire, chiarificare.
clarinette [klarinɛt] f. clarinetto m.
clarisse [klaris] f. REL. clarissa.
clarté [klarte] f. luce, chiarezza, chiarore m. || [limpidité] limpidezza, trasparenza. || FIG. chiarezza.
classe [klas] f. classe ; ceto m. || [classification] classe. || MIL. *classe de recrutement,* classe di leva. || UNIV. *en classe,* a scuola. | *livres de classe,* libri scolastici. | *faire (la) classe,* far lezione. || [degré d'études] classe, anno m. || *(salle de) classe,* classe, aula.
classement [klasmɑ̃] m. classificazione f. || [résultat] classifica f.
classer [klase] v. tr. classificare. || *classer une affaire,* archiviare una pratica.
classeur [klasœr] m. classificatore.
classicisme [klasisism] m. classicismo.
classification [klasifikasjɔ̃] f. classificazione.
classifier [klasifje] v. tr. classificare.
classique [klasik] adj. et m. classico. || [habituel] solito, consueto.

clause [kloz] f. clausola.
claustrer [klostre] v. tr. segregare.
clavecin [klavsɛ̃] m. clavicembalo.
clavette [klavɛt] f. chiavetta.
clavicule [klavikyl] f. clavicola.
clavier [klavje] m. tastiera f.
clef ou **clé** [kle] f. chiave.
clématite [klematit] f. clematide.
clémence [klemɑ̃s] f. clemenza.
clément, e [klemɑ̃, ɑ̃t] adj. clemente.
clémentine [klemɑ̃tin] f. clementina, mandarancio m.
clerc [klɛr] m. REL. chierico. || [savant] esperto. || [intellectuel] letterato. || [employé] scrivano, scritturale, giovane.
clergé [klɛrʒe] m. clero.
clérical, e, aux [klerikal, o] adj. et m. clericale.
cliché [kliʃe] m. TYP. stereotipia f., cliché. || PHOT. negativa f. || FIG. cliché ; luogo comune.
client, e [klijɑ̃, ɑ̃t] n. [de médecin, d'avocat] cliente ; [de magasin] cliente ; avventore, a.
clientèle [klijɑ̃tɛl] f. clientela.
clignement [kliɲmɑ̃] m. strizzata (f.) d'occhio ; ammicco.
cligner [kliɲe] v. intr. et tr. strizzare v. tr., ammiccare v. intr.
clignotant [kliɲɔtɑ̃] m. AUT. lampeggiatore.
clignoter [kliɲɔte] v. intr. [lumière] lampeggiare.
climat [klima] m. clima.
climatisé, e [klimatize] adj. con aria condizionata.
climatiser [klimatize] v. tr. condizionare (l'aria).
clin [klɛ̃] m. *clin d'œil,* strizzata (f.) d'occhio ; ammicco. | *en un clin d'œil,* in un batter d'occhio.
clinique [klinik] adj. clinico. ◆ f. clinica.
clinquant [klɛ̃kɑ̃] m. lustrino. || FIG. falso splendore.
clique [klik] f. cricca. || MUS. fanfara.
cliquet [klikɛ] m. nottolino.
cliqueter [klikte] v. intr. ticchettare.
cliquetis [klikti] m. ticchettio. || [vaisselle] acciottolio. || [verres] tintinnio. || AUT. battito in testa.
clivage [klivaʒ] m. MINÉR. sfaldatura f. || FIG. divisione f., frattura f.
clochard, e [klɔʃar, ard] n. vagabondo, a ; barbone m.
cloche [klɔʃ] f. campana. || *cloche à fromage,* copriformaggio m. inv. || MÉD. *cloche à oxygène,* tenda a ossigeno.
cloche-pied (à) [aklɔʃpje] loc. adv. a piè zoppo.
clocher [klɔʃe] m. campanile ; torre (f.) campanaria. | *esprit de clocher,* campanilismo.
clocher v. intr. zoppicare. || FAM. *il y a qch. qui cloche,* c'è qlco. che non va.
clocheton [klɔʃtɔ̃] m. campaniletto. || [ornement archit.] guglietta f., pinnacolo.
clochette [klɔʃɛt] f. campanella.
cloison [klwazɔ̃] f. tramezzo m. || MAR. *cloison étanche,* paratia stagna. || FIG. barriera. || ANAT. setto nasale.
cloisonner [klwazɔne] v. tr. tramezzare. || FIG. scompartire.
cloître [klwatr] m. chiostro. || [couvent] monastero, convento.
cloîtrer [klwatre] v. tr. rinchiudere (in un convento). ◆ v. pr. farsi monaco, monaca. || FIG. isolarsi.
clopin-clopant [klɔpɛ̃klɔpɑ̃] loc. adv. zoppicone, zoppiconi.
clopiner [klɔpine] v. intr. camminare zoppiconi.
cloporte [klɔpɔrt] m. onisco.
cloque [klɔk] f. MÉD. bolla, vescichetta.
clore [klɔr] v. tr. chiudere, recingere. || FIG. chiudere.
clos [klo] m. recinto ; [vignoble] vigneto ; [verger] frutteto ; [potager] orto.
clos, e [klo, oz] adj. chiuso. | *à huis clos,* a porte chiuse.
clôture [klotyr] f. recinto m., cinta. || FIG. chiusura. || REL. clausura.
clôturer [klotyre] v. tr. recintare. || FIG. chiudere ; por fine a.
clou [klu] m. chiodo. || BOT. *clou de girofle,* chiodo di garofano. || FAM. grande attrazione, punto culminante. || MÉD. foruncolo. || POP. monte di pietà (L.C.).
clouer [klue] v. tr. (in)chiodare.
clouter [klute] v. tr. (in)chiodare, imbullettare.
clown [klun] m. clown ; pagliaccio.
club [klœb] m. club ; circolo. || SP. mazza (f.) da golf.
coaguler [kɔagyle] v. tr. coagulare.
coaliser [kɔalize] v. tr. coalizzare.
coalition [kɔalisjɔ̃] f. coalizione.
coasser [kɔase] v. intr. gracidare.
coassocié, e [kɔasɔsje] n. consocio.
cobalt [kɔbalt] m. cobalto.
cobaye [kɔbaj] m. cavia f.
cobra [kɔbra] m. cobra inv.
cocagne [kɔkaɲ] f. cuccagna.
cocaïne [kɔkain] f. cocaina.
cocarde [kɔkard] f. coccarda.
cocasse [kɔkas] adj. FAM. buffo, spassoso, ridicolo (L.C.).
coccinelle [kɔksinɛl] f. coccinella.
coche [kɔʃ] m. (grande) diligenza f.
cocher [kɔʃe] m. cocchiere, vetturino.
cocher v. tr. spuntare.
cochère [kɔʃɛr] adj. f. *porte cochère,* portone m.
cochet [kɔʃɛ] m. galletto.

cochon [kɔʃɔ̃] m. maiale, porco. | *cochon de lait,* porcellino di latte ; lattonzolo ; [cuit] porchetta f. | *cochon d'Inde,* porcellino d'India ; cavia f. ◆ adj. (f. *cochonne*) [sale] sporco, sudicio. || [inconvenant] licenzioso, lascivo, salace.
cochonnerie [kɔʃɔnri] f. porcheria.
cochonnet [kɔʃɔnɛ] m. porcellino. || JEU [aux boules] boccino, pallino.
coco [koko] m. BOT. cocco. || POP. [tête] zucca f. (fam.).
cocon [kɔkɔ̃] m. bozzolo.
cocorico [kɔkɔriko] m. chicchirichì.
cocotier [kɔkɔtje] m. cocco ; palma da cocco.
1. cocotte [kɔkɔt] f. FAM. [poule] gallina (L.C.). | *cocotte en papier,* barchetta di carta. || [femme légère] sgualdrina.
2. cocotte f. [marmite] pentola (di ghisa).
coction [kɔksjɔ̃] f. cottura.
cocu, e [kɔky] adj. cornuto. ◆ m. becco, cornuto.
codage [kɔdaʒ] m. cifratura f., codifica f.
code [kɔd] m. codice. | *Code de la route,* codice stradale. || AUT. *se mettre en code,* accendere gli anabbaglianti.
coder [kɔde] v. tr. [message] cifrare. || INF. mettere in codice, codificare.
codétenu, e [kɔdetny] n. compagno, compagna di prigionia.
codex [kɔdɛks] m. farmacopea.
codification [kɔdifikasjɔ̃] f. codificazione, codifica.
codifier [kɔdifje] v. tr. codificare ; sistemare.
codirecteur, trice [kɔdirɛktœr, tris] n. condirettore, trice.
coéducation [kɔedykasjɔ̃] f. coeducazione.
coefficient [kɔefisjɑ̃] m. coefficiente.
coéquipier, ère [kɔekipje, ɛr] n. compagno, compagna di squadra ; [cyclisme] gregario m.
cœur [kœr] m. cuore. | *avoir mal au cœur,* avere la nausea, provare nausea. || [bonté] *avoir du cœur, le cœur sur la main,* aver cuore, il cuore in mano. || [centre] *au cœur de la forêt, de la nuit,* nel cuore della foresta, della notte. || [courage] *avoir un cœur de lion,* avere un cuore da leone. || JEU [cartes] cuori. || LOC. *de tout cœur,* con tutto il cuore. | *prendre qch. à cœur,* prendersi a cuore qlco. | *avoir du cœur à l'ouvrage,* lavorare di gusto. | *si le cœur vous en dit,* se ne avete voglia. | *je n'ai pas le cœur de,* non me la sento di. | *de gaieté de cœur,* di buon animo, di gusto. | *rire de (très) bon cœur,* ridere di (tutto) cuore. | *apprendre par cœur,* imparare, mandare a memoria. | *savoir par cœur,* sapere a menadito. | *le cœur battant,* col cuore in gola.
coexistence [kɔɛgzistɑ̃s] f. coesistenza.
coexister [kɔɛgziste] v. intr. coesistere.
coffrage [kɔfraʒ] m. armatura f. || [béton] cassero.
coffre [kɔfr] m. [effets] cassapanca f. ; [objets précieux] cofano, forziere. || [banque] cassetta di sicurezza. || AUT. bagagliaio.
coffre-fort [kɔfrəfɔr] m. cassaforte f.
coffrer [kɔfre] v. tr. FAM. schiaffar dentro, metter dentro.
coffret [kɔfrɛ] m. cofanetto. | *coffret à bijoux,* portagioie inv.
cogiter [kɔʒite] v. tr. et intr. IRON. cogitare.
cognée [kɔɲe] f. accetta.
cogner [kɔɲe] v. tr. et intr. picchiare, urtare, battere, bussare. || AUT. picchiare, battere in testa. ◆ v. pr. cozzarsi, scontrarsi, urtarsi.
cohabiter [kɔabite] v. intr. coabitare.
cohérent, e [kɔerɑ̃, ɑ̃t] adj. (avec) coerente (a).
cohésion [kɔezjɔ̃] f. coesione.
cohue [kɔy] f. calca, ressa. || [tumulte] caos m., confusione.
coi, coite [kwa, at] adj. LITT. cheto.
coiffe [kwaf] f. cuffia.
coiffer [kwafe] v. tr. coprire. | *coiffer qn d'un bonnet,* mettere un berretto in testa a uno. || [peigner] pettinare ; acconciare i capelli. || SP. *coiffer sur le poteau,* battere sul traguardo.
coiffeur, euse [kwafœr, øz] n. parrucchiere, a ; barbiere m. ; pettinatrice f. ◆ f. [meuble] specchiera.
coiffure [kwafyr] f. acconciatura, pettinatura. | *salon de coiffure,* bottega, salone di parrucchiere. || [chapeau] copricapo m., cappello m.
coin [kwɛ̃] m. canto ; [de rue] angolo ; [de table] spigolo ; [de nappe] cocca ; [de terre, ciel] pezzo, lembo. || *du coin de l'œil,* con la coda dell'occhio. | *au coin du feu,* attorno al fuoco. || [endroit écarté] posto, posticino. || TECHN. [monnaie] conio, punzone. || [de garantie] marchio (di garanzia). || [pour fendre] cuneo, bietta f., conio.
coincer [kwɛ̃se] v. tr. imbiettare. || FAM. mettere alle strette, tra l'uscio e il muro. ◆ v. pr. TECHN. incepparsi, bloccarsi.
coïncidence [kɔɛ̃sidɑ̃s] f. coincidenza, combinazione.
coïncider [kɔɛ̃side] v. intr. coincidere, collimare.
coïnculpé, e [kɔɛ̃kylpe] n. coimputato, a.
coing [kwɛ̃] m. (mela) cotogna f.
coke [kɔk] m. coke.

col [kɔl] m. collo ; [chemise, tricot] colletto, collo ; [manteau, veste] bavero. | *faux col,* solino. || GÉOGR. valico, passo, colle.
col-blanc [kɔlblɑ̃] m. impiegato.
col-bleu [kɔlblø] m. marinaio.
colchique [kɔlʃik] m. colchico.
coléoptère [kɔleɔptɛr] m. coleottero.
colère [kɔlɛr] f. collera, ira. | *mettre en colère,* far andare in collera. | *se mettre en colère,* entrare in collera.
coléreux, euse [kɔlerø, øz] ou **colérique** [kɔlerik] adj. collerico, irascibile.
colifichet [kɔlifiʃɛ] m. fronzolo, gingillo.
colimaçon [kɔlimasɔ̃] m. lumaca f. | *en colimaçon,* a chiocciola.
colin [kɔlɛ̃] m. ZOOL. merluzzo, nasello.
colin-maillard [kɔlɛ̃majar] m. *jouer à colin-maillard,* giocare a mosca cieca.
colique [kɔlik] f. colica.
colis [kɔli] m. pacco, collo.
collaborateur, trice [kɔlabɔratœr, tris] n. collaboratore, trice ; [avec l'ennemi] collaborazionista.
collaboration [kɔlabɔrasjɔ̃] f. collaborazione ; [avec l'ennemi] collaborazionismo.
collaborer [kɔlabɔre] v. intr. collaborare.
collage [kɔlaʒ] m. incollamento, incollatura f. || FAM. [union] concubinaggio, concubinato (L.C.).
collant, e [kɔlɑ̃, ɑ̃t] adj. appiccicaticcio, appiccicoso. | *ruban de papier collant,* nastro adesivo. || [ennuyeux] appiccicaticcio. ◆ m. calzamaglia f.
collation [kɔlasjɔ̃] f. conferimento m. || [repas] merenda, spuntino m.
collationner [kɔlasjɔne] v. tr. [comparer] collazionare. ◆ v. intr. far merenda, fare uno spuntino.
colle [kɔl] f. colla. || ARG. UNIV. interrogazione ; [punition] castigo m. || FAM. [problème] quesito m., domanda imbarazzante, difficile.
collecte [kɔlɛkt] f. colletta.
collecter [kɔlɛkte] v. tr. collettare.
collecteur [kɔlɛktœr] m. collettore.
collectif, ive [kɔlɛktif, iv] adj. et m. collettivo.
collection [kɔlɛksjɔ̃] f. collezione ; [publications] collezione, collana.
collectionner [kɔlɛksjɔne] v. tr. collezionare.
collectionneur, euse [kɔlɛksjɔnœr, øz] n. collezionista.
collectivisme [kɔlɛktivism] m. collettivismo.
collectiviste [kɔlɛktivist] adj. [personne] collettivista ; [politique] collettivistico. ◆ n. collettivista.
collectivité [kɔlɛktivite] f. collettività. || [possession en commun] comunanza.
collège [kɔlɛʒ] m. POL., REL. collegio. || UNIV. scuola (f.) secondaria ; [pensionnat] collegio, convitto.
collégial, e, aux [kɔleʒjal, o] adj. collegiale. ◆ f. collegiata.
collégien, enne [kɔleʒjɛ̃, ɛn] n. ginnasiale, liceale.
collègue [kɔlɛg] n. collega.
coller [kɔle] v. tr. [faire adhérer] incollare, appiccicare. || [presser contre] appoggiare. || FAM. [appliquer, mettre] assestare, mollare, affibbiare, appioppare, appiccicare. || [refuser à l'examen] bocciare, stangare. ◆ v. intr. et tr. ind. (à) aderire (a), attaccare (a). || FAM. *ça colle !,* va bene.
collet [kɔlɛ] m. colletto, bavero. || [nœud coulant] laccio, calappio. || *prendre qn au collet,* acciuffare, pizzicare qlcu.
colleter (se) [səkɔlte] v. pr. FAM. azzuffarsi, acciuffarsi.
colleur [kɔlœr] m. *colleur d'affiches,* attacchino.
collier [kɔlje] m. collana f., vezzo, monile ; [d'un ordre] collare ; [chien, cheval] collare. || [barbe] barba (f.) a collana, alla Cavour. || FAM. *coup de collier,* sgobbata f.
colline [kɔlin] f. collina ; colle m., poggio m. | *région de collines,* paese collinoso.
collision [kɔlizjɔ̃] f. collisione ; scontro m.
colloque [kɔlɔk] m. colloquio. || [congrès] convegno.
collusion [kɔlyzjɔ̃] f. collusione.
collyre [kɔlir] m. collirio.
colmatage [kɔlmataʒ] m. colmata f., colmatura f.
colmater [kɔlmate] v. tr. tappare, (ot)turare.
colocataire [kɔlɔkatɛr] n. coinquilino.
colombe [kɔlɔ̃b] f. colomba.
colombier [kɔlɔ̃bje] m. colombaia f.
colon [kɔlɔ̃] m. colono.
colonel [kɔlɔnɛl] m. colonnello.
colonial, e, aux [kɔlɔnjal, o] adj. et m. coloniale.
colonialisme [kɔlɔnjalism] m. colonialismo.
colonialiste [kɔlɔnjalist] adj. colonialistico. ◆ n. colonialista.
colonie [kɔlɔni] f. colonia.
colonisation [kɔlɔnizasjɔ̃] f. colonizzazione.
coloniser [kɔlɔnize] v. tr. colonizzare.
colonnade [kɔlɔnad] f. colonnato m.
colonne [kɔlɔn] f. colonna.
colorant, e [kɔlɔrɑ̃, ɑ̃t] adj. et m. colorante.
coloration [kɔlɔrasjɔ̃] f. coloramento m., colorazione.
coloré, e [kɔlɔre] adj. colorito.
colorer [kɔlɔre] v. tr. colorare. || FIG. colorire.

colorier [kɔlɔrje] v. tr. colorire.
coloris [kɔlɔri] m. colorito.
colossal, e, aux [kɔlɔsal, o] adj. colossale.
colosse [kɔlɔs] m. colosso.
colportage [kɔlpɔrtaʒ] m. commercio ambulante. || FIG. divulgazione f., propagazione f.
colporter [kɔlpɔrte] v. tr. COMM. smerciare. || [divulguer] divulgare, propagare.
colporteur, euse [kɔlpɔrtœr, øz] n. venditore, trice ambulante. || [propagateur] propagatore, trice ; divulgatore, trice.
coltiner [kɔltine] v. tr. (tras)portare.
colza [kɔlza] m. colza f. ou m.
coma [kɔma] m. coma. | *entrer dans le coma,* entrare in coma.
combat [kɔ̃ba] m. combattimento ; battaglia f., scontro, lotta f. | *hors (de) combat,* fuori combattimento.
combatif, ive [kɔ̃batif, iv] adj. combattivo, battagliero.
combattant, e [kɔ̃batɑ̃, ɑ̃t] adj. et n. combattente.
combattre [kɔ̃batr] v. intr. et tr. combattere, lottare.
combien [kɔ̃bjɛ̃] adv. [quantité] quanto adv. et adj. | *combien veux-tu ?,* quanto vuoi ? | *combien êtes-vous ?* (in) quanti siete ? || **combien de,** quanto adj. | *combien de livres ?,* quanti libri ? || [intensité] quanto, come. || [très] molto. ◆ m. inv. FAM. [date] *le combien sommes-nous ?,* quanti ne abbiamo ?
combinaison [kɔ̃binɛzɔ̃] f. combinazione. || [vêtement] sottoveste, sottana ; combinazione (néol.). || [de travail] tuta.
combinat [kɔ̃bina] m. complesso industriale.
combine [kɔ̃bin] f. FAM. trucco m., espediente m. | *une (bonne) combine,* un canonicato.
combiner [kɔ̃bine] v. tr. combinare.
1. comble [kɔ̃bl] adj. colmo. | *salle comble,* sala piena zeppa, gremita.
2. comble m. tetto. | *sous les combles,* in soffitta, sotto i tetti. || FIG. colmo. ◆ **de fond en comble,** da cima a fondo.
comblement [kɔbləmɑ̃] m. colmata f., colmatura f.
combler [kɔ̃ble] v. tr. colmare.
combustible [kɔ̃bystibl] adj. et m. combustibile.
combustion [kɔ̃bystjɔ̃] f. combustione.
comédie [kɔmedi] f. commedia.
comédien, enne [kɔmedjɛ̃, ɛn] n. attore (comico), attrice (comica). || FIG. commediante. ◆ adj. affettato, ipocrita.
comestible [kɔmestibl] adj. commestibile. ◆ m. pl. generi alimentari.
comète [kɔmɛt] f. cometa.
comique [kɔmik] adj. et m. comico.
comité [kɔmite] m. comitato, commissione f. || *en petit comité,* in pochi ; fra amici.
commandant [kɔmɑ̃dɑ̃] m. MIL. comandante ; [chef de bataillon] maggiore. || MAR. comandante.
commande [kɔmɑ̃d] f. COMM. ordinazione, commissione ; ordine m., commessa. | *passer une commande,* fare, dare un'ordinazione. | *sur commande,* su, dietro ordinazione. || TECHN. comando m. || FIG. *les commandes,* le redini.
commandement [kɔmɑ̃dmɑ̃] m. comando. || [ordre] comando, ordine. || JUR. ingiunzione f., precetto. || REL. comandamento.
commander [kɔmɑ̃de] v. tr. ordinare, comandare. || FIG. [respect] incutere, imporre, ispirare. || [dominer] dominare, sovrastare. || COMM. ordinare, commissionare, commettere. || TECHN. comandare. ◆ v. tr. ind. (à) comandare (a). || [à ses passions] controllare, dominare, padroneggiare v. tr. ◆ v. pr. *la sympathie ne se commande pas,* alla simpatia non ci si può forzare. || [communiquer (chambres)] comunicare.
commandeur [kɔmɑ̃dœr] m. commendatore.
commanditaire [kɔmɑ̃ditɛr] m. accomandante.
commandite [kɔmɑ̃dit] f. accomandita.
commando [kɔmɑ̃do] m. commando (pl. commandos).
comme [kɔm] adv. [intensité] come, quanto. ◆ conj. [temps] mentre, come. || [cause] siccome, poiché, giacché, dato che. ◆ adv. et conj. [comparaison] come, quanto. || [manière] come. ◆ LOC. *comme si,* come se, quasi. | *laid comme tout,* brutto come il demonio. | *il était comme mort,* era come (se fosse) morto. || *comme ci comme ça,* così così. | *un enfant comme il faut,* un ragazzo per bene. || FAM. *comme qui dirait,* per così dire (L.C.). | [en qualité de] come, in qualità.
commémoratif, ive [kɔmemɔratif, iv] adj. commemorativo.
commémoration [kɔmemɔrasjɔ̃] f. commemorazione.
commémorer [kɔmemɔre] v. tr. commemorare.
commençant, e [kɔmɑ̃sɑ̃, ɑ̃t] adj. et n. principiante, esordiente.
commencement [kɔmɑ̃smɑ̃] m. inizio, principio.
commencer [kɔmɑ̃se] v. tr. cominciare, incominciare, iniziare. ◆ v. tr. ind. *commencer à, de* (inf.), cominciare a, prendere a. | *commencer par faire,* cominciare col fare. | *commencer par*

la fin, cominciare dalla fine. ◆ v. intr. cominciare. | [sujet chose] *l'hiver a commencé tôt,* l'inverno è cominciato presto. | [sujet personne] *il a commencé hier,* ha cominciato ieri.
comment [kɔmɑ̃] adv. come, in che modo. | *comment ?,* come ? ; cosa ? (fam.). | *comment se fait-il (que) ?,* come mai ? ◆ interj. come (mai) ! | *et comment !* eccome !, altro che !, magari ! ◆ m. inv. *le pourquoi et le comment,* il come e il perché.
commentaire [kɔmɑ̃tɛr] m. commento. || FAM. *sans commentaire !,* senza commenti !
commentateur, trice [kɔmɑ̃tatœr, tris] n. commentatore, trice.
commenter [kɔmɑ̃te] v. tr. commentare.
commérage [kɔmeraʒ] m. pettegolezzo.
commerçant, e [kɔmɛrsɑ̃, ɑ̃t] n. commerciante, negoziante. ◆ adj. commerciale.
commerce [kɔmɛrs] m. commercio. | *faire du commerce,* commerciare. || [magasin] negozio ; bottega f. || FIG. [relations] commercio.
commercer [kɔmɛrse] v. intr. commerciare.
commercial, e, aux [kɔmɛrsjal, o] adj. commerciale.
commercialiser [kɔmɛrsjalize] v. tr. commercializzare.
commère [kɔmɛr] f. FAM. pettegola, comare.
commettre [kɔmɛtr] v. tr. [faire] commettere, compiere, fare. || [préposer] incaricare, preporre.
comminatoire [kɔminatwar] adj. JUR. comminatorio.
commis [kɔmi] m. commesso.
commisération [kɔmizerasjɔ̃] f. commiserazione.
commissaire [kɔmisɛr] m. commissario.
commissaire-priseur [kɔmisɛrprizœr] m. banditore.
commissariat [kɔmisarja] m. commissariato.
commission [kɔmisjɔ̃] f. commissione. || COMM. provvigione, commissione. ◆ pl. *faire les commissions,* far la spesa.
commissionnaire [kɔmisjɔnɛr] m. COMM. commissionario. | [transport] spedizioniere. || [coursier] fattorino, commesso.
commissionner [kɔmisjɔne] v. tr. commettere, delegare, incaricare.
commissure [kɔmisyr] f. commessura, commettitura.
commode [kɔmɔd] adj. comodo. | *il n'est pas commode !,* è un carattere difficile ! ◆ f. cassettone m., comò m.
commodité [kɔmɔdite] f. comodità, comodo. ◆ pl. comodità pl., agi m. pl.
commotion [kɔmɔsjɔ̃] f. commozione.
commotionner [kɔmɔsjɔne] v. tr. traumatizzare.
commuer [kɔmɥe] v. tr. commutare.
commun, e [kɔmœ̃, yn] adj. comune. ◆ m. comune. | *vie en commun,* convivenza. | *homme du commun,* uomo di basso ceto. | *le commun des mortels,* i comuni mortali. ◆ m. pl. dipendenze f. pl. ◆ *en commun,* in comune, a comune. || *d'un commun accord,* di comune accordo.
communal, e, aux [kɔmynal, o] adj. comunale, municipale. ◆ f. FAM. scuola elementare.
communautaire [kɔmynotɛr] adj. comunitario.
communauté [kɔmynote] f. comunanza, comunione. || [collectivité] comunità.
communaux [kɔmyno] m. pl. beni comunali.
commune [kɔmyn] f. comune m.
communiant, e [kɔmynjɑ̃, ɑ̃t] n. comunicando, a.
communicatif, ive [kɔmynikatif, iv] adj. comunicativo.
communication [kɔmynikasjɔ̃] f. comunicazione.
communier [kɔmynje] v. intr. ricevere la comunione ; comunicarsi v. pr. || FIG. [rapprocher] accomunare.
communion [kɔmynjɔ̃] f. comunione.
communiqué [kɔmynike] m. comunicato.
communiquer [kɔmynike] v. tr. comunicare, trasmettere. ◆ v. intr. comunicare. ◆ v. pr. [échanger] scambiarsi. || [se propager] comunicarsi, trasmettersi.
communisant, e [kɔmynizɑ̃, ɑ̃t] adj. et n. simpatizzante comunista.
communisme [kɔmynism] m. comunismo.
communiste [kɔmynist] adj. comunista ; comunistico (rare). ◆ n. comunista.
commutateur [kɔmytatœr] m. commutatore.
commutation [kɔmytasjɔ̃] f. commutazione.
compact, e [kɔ̃pakt] adj. compatto.
compagne [kɔ̃paɲ] f. compagna.
compagnie [kɔ̃paɲi] f. compagnia. | *fausser compagnie,* piantare in asso. || [groupe] compagnia, brigata, comitiva. || ZOOL. [animaux] branco m. ; [oiseaux] stormo m. || COMM. società, compagnia.
compagnon [kɔ̃paɲɔ̃] m. compagno. | *compagnon d'armes,* commilitone.
comparable [kɔ̃parabl] adj. comparabile, paragonabile.

comparaison [kɔ̃parɛzɔ̃] f. confronto m., paragone m. || GR. comparazione, paragone m. ◆ *par comparaison,* a paragone, in confronto. || *en comparaison de,* in confronto di, a paragone di.
comparaître [kɔ̃parɛtr] v. intr. comparire.
comparatif, ive [kɔ̃paratif, iv] adj. et m. comparativo.
comparer [kɔ̃pare] v. tr. (avec) confrontare (con), paragonare (a). || (à) paragonare (a).
comparse [kɔ̃pars] n. comparsa f.
compartiment [kɔ̃partimɑ̃] m. compartimento. || TR. scompartimento.
comparution [kɔ̃parysjɔ̃] f. comparizione.
compas [kɔ̃pa] m. compasso. || MAR. bussola f. (magnetica), compasso.
compassé, e [kɔ̃pase] adj. compassato, affettato, manierato.
compassion [kɔ̃pasjɔ̃] f. compassione.
compatible [kɔ̃patibl] adj. compatibile.
compatir [kɔ̃patir] v. tr. ind. (à) compatire, compiangere v. tr.
compatissant, e [kɔ̃patisɑ̃, ɑ̃t] adj. compassionevole (con).
compatriote [kɔ̃patrijɔt] n. [nation] compatriot(t)a, connazionale ; [région] compaesano.
compensation [kɔ̃pɑ̃sasjɔ̃] f. ÉCON., FIN., JUR. compensazione. | *en compensation,* in compenso m.
compensé, e [kɔ̃pɑ̃se] adj. *semelles compensées,* suole di compensato.
compenser [kɔ̃pɑ̃se] v. tr. compensare. ◆ v. pr. bilanciarsi, pareggiarsi.
compère [kɔ̃pɛr] m. compare. | *joyeux compère,* buontempone. || [complice] compare, complice. || TH. spalla f.
compère-loriot [kɔ̃pɛrlɔrjo] m. MÉD. orzaiolo.
compétence [kɔ̃petɑ̃s] f. competenza.
compétent, e [kɔ̃petɑ̃, ɑ̃t] adj. competente.
compétiteur, trice [kɔ̃petitœr, tris] n. competitore, trice.
compétitif, ive [kɔ̃petitif, iv] adj. competitivo.
compétition [kɔ̃petisjɔ̃] f. competizione, gara.
compiler [kɔ̃pile] v. tr. compilare.
complainte [kɔ̃plɛ̃t] f. lamento m., nenia.
complaire [kɔ̃plɛr] v. tr. ind. (à) compiacere (a). ◆ v. pr. (à, dans) compiacersi (di, in).
complaisance [kɔ̃plɛzɑ̃s] f. gentilezza, cortesia. || compiacimento m., indulgenza. | *signature de complaisance,* firma di favore m.
complaisant, e [kɔ̃plɛzɑ̃, ɑ̃t] adj. [favorable] compiacente, gentile, servizievole. || [indulgent] compiaciuto.
complément [kɔ̃plemɑ̃] m. complemento.
complémentaire [kɔ̃plemɑ̃tɛr] adj. (de) complementare (a).
complet, ète [kɔ̃plɛ, ɛt] adj. completo, integrale, intero. || [plein] pieno zeppo ; al completo. ◆ m. completo. | *au (grand) complet,* al (gran) completo.
compléter [kɔ̃plete] v. tr. completare, integrare.
complexe [kɔ̃plɛks] adj. et m. complesso.
complexé, e [kɔ̃plɛkse] adj. complessato.
complexion [kɔ̃plɛksjɔ̃] f. costituzione. || [tempérament] temperamento m., indole.
complexité [kɔ̃plɛksite] f. complessità.
complication [kɔ̃plikasjɔ̃] f. complicazione.
complice [kɔ̃plis] adj. et n. complice. || JUR. correo.
complicité [kɔ̃plisite] f. complicità.
compliment [kɔ̃plimɑ̃] m. complimento, congratulazione f. || [politesse] (pl.) ossequi, omaggi.
complimenter [kɔ̃plimɑ̃te] v. tr. complimentare ; complimentarsi con.
compliqué, e [kɔ̃plike] adj. complicato, complesso.
compliquer [kɔ̃plike] v. tr. complicare.
complot [kɔ̃plo] m. congiura f., cospirazione f.
comploter [kɔ̃plɔte] v. intr. et tr. ind. (contre) congiurare (contro), cospirare (contro). ◆ v. tr. ordire, tramare, macchinare.
comploteur [kɔ̃plɔtœr] m. cospiratore, congiuratore.
componction [kɔ̃pɔ̃ksjɔ̃] f. compunzione.
comportement [kɔ̃pɔrtəmɑ̃] m. comportamento, condotta f., contegno.
comporter [kɔ̃pɔrte] v. tr. [admettre] comportare, ammettere. || [impliquer] constare di ; contenere, implicare. ◆ v. pr. comportarsi.
composant, e [kɔ̃pozɑ̃, ɑ̃t] adj. et n. componente.
composé, e [kɔ̃poze] adj. composto. ◆ m. composto, amalgama.
composer [kɔ̃poze] v. tr. comporre. ◆ v. intr. transigere ; venire a patti. ◆ v. pr. (de) comporsi, constare (di).
composite [kɔ̃pozit] adj. composito.
compositeur, trice [kɔ̃pozitœr, tris] n. compositore, trice.
composition [kɔ̃pozisjɔ̃] f. composizione. || [école] compito (m.) in classe. || [devoir] tema m., componimento m.

|| *de bonne composition,* arrendevole, accomodante.

compost [kɔ̃pɔst] m. composta f.

composter [kɔ̃pɔste] v. tr. vidimare.

compote [kɔ̃pɔt] f. composta.

compréhensible [kɔ̃preɑ̃sibl] adj. comprensibile.

compréhensif, ive [kɔ̃preɑ̃sif, iv] adj. comprensivo.

compréhension [kɔ̃preɑ̃sjɔ̃] f. comprensione.

comprendre [kɔ̃prɑ̃dr] v. tr. [contenir] comprendere, contenere, racchiudere. || [inclure] comprendere, includere. || [concevoir, saisir] capire, intendere, comprendere. ◆ *y compris,* compreso, incluso adj.

compresse [kɔ̃prɛs] f. compressa.

compresseur [kɔ̃prɛsœr] adj. m. et m. compressore.

compression [kɔ̃prɛsjɔ̃] f. compressione. || [dépenses, personnel] riduzione.

comprimé [kɔ̃prime] m. compressa f.

comprimer [kɔ̃prime] v. tr. comprimere. || [réduire] ridurre.

compromettant, e [kɔ̃prɔmɛtɑ̃, ɑ̃t] adj. compromettente.

compromettre [kɔ̃prɔmɛtr] v. tr. compromettere.

compromis [kɔ̃prɔmi] m. compromesso.

comptabilité [kɔ̃tabilite] f. ragioneria, contabilità. || [service] contabilità.

comptable [kɔ̃tabl] adj. contabile. || FIG. responsabile. ◆ m. contabile, computista. | *expert-comptable,* ragioniere.

comptant [kɔ̃tɑ̃] adj. m. et m. contante. | *au comptant,* in contanti.

compte [kɔ̃t] m. conto. | *compte rendu* [rapport] resoconto, rendiconto ; [d'une œuvre littér.] recensione f. | *à ce compte-là,* a questa stregua. | *y trouver son compte,* trovarci il proprio tornaconto. | *en ligne de compte,* in considerazione. | *prendre à son compte,* prendere su di sé. | *travailler à son compte,* lavorare in proprio. ◆ *à bon compte,* a buon mercato, a buon prezzo. | *au bout du compte,* in fin dei conti. | *en fin de compte,* tutto sommato. | *tout compte fait,* a conti fatti.

compte-gouttes [kɔ̃tgut] m. inv. contagocce.

compter [kɔ̃te] v. tr. [dénombrer] contare. || [mettre au nombre de] annoverare. || [faire payer] chiedere. | *il m'a compté dix francs,* mi ha chiesto, mi ha fatto pagare dieci franchi. || *sans compter,* senza misura, smisuratamente. || [considérer] considerare, giudicare, ritenere. || (+ inf.) contare di, intendere di, proporsi di (inf.). ◆ v. intr. contare. || (sur) contare, fare affidamento (su). || (avec) tener conto (di). ◆ *à compter de,* a partire, a datare da. | *à compter d'aujourd'hui,* da oggi in poi. || *sans compter que,* senza contare che.

compte-tours [kɔ̃ttur] m. inv. contagiri.

compteur [kɔ̃tœr] m. contatore. || AUT. *compteur de vitesse,* tachimetro. | *compteur kilométrique,* contachilometri inv.

comptine [kɔ̃tin] f. filastrocca.

comptoir [kɔ̃twar] m. banco.

compulser [kɔ̃pylse] v. tr. compulsare, consultare, scartabellare.

comtal, e, aux [kɔ̃tal, o] adj. comitale.

comte [kɔ̃t] m. conte.

comté [kɔ̃te] m. contea f.

comtesse [kɔ̃tɛs] f. contessa.

concasser [kɔ̃kase] v. tr. frantumare.

concasseur [kɔ̃kasœr] m. frantoio.

concave [kɔ̃kav] adj. concavo.

concéder [kɔ̃sede] v. tr. concedere.

concélébrer [kɔ̃selebre] v. tr. concelebrare.

concentration [kɔ̃sɑ̃trasjɔ̃] f. concentramento m., concentrazione. || FIG. concentrazione.

concentré [kɔ̃sɑ̃tre] m. CULIN. concentrato, estratto.

concentrer [kɔ̃sɑ̃tre] v. tr. concentrare.

concentrique [kɔ̃sɑ̃trik] adj. concentrico.

concept [kɔ̃sɛpt] m. concetto.

conception [kɔ̃sɛpsjɔ̃] f. concepimento m., concezione. || [idée] concezione, concetto m.

concernant [kɔ̃sɛrnɑ̃] prép. per quanto riguarda.

concerner [kɔ̃sɛrne] v. tr. concernere, riguardare. | *je me sens concerné par ce problème,* questo problema mi tocca da vicino.

concert [kɔ̃sɛr] m. concerto. ◆ *de concert,* di concerto, d'accordo.

concerter (se) [səkɔ̃sɛrte] v. pr. concertarsi, accordarsi.

concession [kɔ̃sɛsjɔ̃] f. concessione.

concevable [kɔ̃svabl] adj. concepibile.

concevoir [kɔ̃svwar] v. tr. concepire. | *bien conçu,* ben congegnato.

concierge [kɔ̃sjɛrʒ] n. portinaio, a ; portiere, a.

conciergerie [kɔ̃sjɛrʒəri] f. portineria.

concile [kɔ̃sil] m. concilio.

conciliabule [kɔ̃siljabyl] m. conciliabolo.

conciliaire [kɔ̃siljɛr] adj. conciliare.

conciliant, e [kɔ̃siljɑ̃, ɑ̃t] adj. conciliante. || [favorisant un accord] conciliativo.

conciliation [kɔ̃siljasjɔ̃] f. conciliazione.

concilier [kɔ̃silje] v. tr. conciliare. ◆ v. pr. *se concilier les bonnes grâces de qn,* conciliarsi i favori di qlcu.
concis, e [kɔ̃si, iz] adj. conciso.
concision [kɔ̃sizjɔ̃] f. concisione.
concitoyen, enne [kɔ̃sitwajɛ̃, ɛn] n. [État] compatriot(t)a, connazionale ; [ville] concittadino.
conclave [kɔ̃klav] m. conclave.
concluant, e [kɔ̃klyɑ̃, ɑ̃t] adj. concludente, convincente.
conclure [kɔ̃klyr] v. tr. concludere. ◆ v. tr. ind. (à) concludere che (si tratta di).
conclusion [kɔ̃klyzjɔ̃] f. conclusione. ◆ *en conclusion,* in conclusione, concludendo, insomma.
concocter [kɔ̃kɔkte] v. tr. FAM. elaborare (L.C.).
concombre [kɔ̃kɔ̃br] m. cetriolo.
concomitant, e [kɔ̃kɔmitɑ̃, ɑ̃t] adj. concomitante.
concordance [kɔ̃kɔrdɑ̃s] f. concordanza.
concordat [kɔ̃kɔrda] m. concordato.
concorde [kɔ̃kɔrd] f. concordia.
concorder [kɔ̃kɔrde] v. intr. concordare.
concourir [kɔ̃kurir] v. tr. ind. (à) concorrere (a).
concours [kɔ̃kur] m. concorso.
concret, ète [kɔ̃krɛ, ɛt] adj. concreto. ◆ m. concreto. || [caractère] concretezza f.
concrétiser [kɔ̃kretize] v. tr. concretare.
concubin, e [kɔ̃kybɛ̃, in] n. concubino, a.
concubinage [kɔ̃kybinaʒ] m. concubinaggio, concubinato.
concupiscent, e [kɔ̃kypisɑ̃, ɑ̃t] adj. concupiscente.
concurremment [kɔ̃kyramɑ̃] adv. congiuntamente, unitamente.
concurrence [kɔ̃kyrɑ̃s] f. concorrenza. ◆ *jusqu'à concurrence de,* fino alla concorrenza di.
concurrencer [kɔ̃kyrɑ̃se] v. tr. far concorrenza a.
concurrent, e [kɔ̃kyrɑ̃, ɑ̃t] adj. et n. concorrente.
condamnation [kɔ̃danasjɔ̃] f. condanna.
condamné, e [kɔ̃dane] n. condannato, a.
condamner [kɔ̃dane] v. tr. condannare. || [blâmer] riprovare, condannare. || [murer : fenêtre, porte] condannare, murare. || *condamner un malade,* condannare, spacciare un malato.
condensateur [kɔ̃dɑ̃satœr] m. condensatore.
condensation [kɔ̃dɑ̃sasjɔ̃] f. condensamento m., condensazione.
condensé [kɔ̃dɑ̃se] m. [résumé] compendio, riassunto.
condenser [kɔ̃dɑ̃se] v. tr. condensare.
condescendance [kɔ̃dɛsɑ̃dɑ̃s] f. sufficienza, degnazione.
condescendant, e [kɔ̃dɛsɑ̃dɑ̃, ɑ̃t] adj. altezzoso.
condescendre [kɔ̃dɛsɑ̃dr] v. tr. ind. (à) (ac)condiscendere (a).
condiment [kɔ̃dimɑ̃] m. condimento.
condisciple [kɔ̃disipl] n. condiscepolo, a.
condition [kɔ̃disjɔ̃] f. [sociale] condizione, posizione. || [circonstance] condizione. || *conditions requises,* requisiti necessari. | *dans ces conditions,* stando cosi le cose. | *capitulation sans conditions,* resa incondizionata. ◆ *à condition de,* a patto di, a condizione di. || *à condition que,* a patto che, a condizione che.
conditionnel, elle [kɔ̃disjɔnɛl] adj. condizionale.
conditionnement [kɔ̃disjɔnmɑ̃] m. [air] condizionamento ; [marchandises] condizionatura.
conditionner [kɔ̃disjɔne] v. tr. condizionare.
condoléances [kɔ̃dɔleɑ̃s] f. pl. condoglianze.
condominium [kɔ̃dɔminjɔm] m. condominio.
condottiere [kɔ̃dɔtjɛr] m. condottiero.
conducteur, trice [kɔ̃dyktœr, tris] adj. conduttore, trice. ◆ n. AUT. conducente, autista. || *conducteur de travaux,* capomastro. ◆ m. ÉLECTR. conduttore.
conduire [kɔ̃dɥir] v. tr. [guider] condurre, guidare. || [mener] condurre, portare, accompagnare. || [commander] comandare, dirigere. || [entraîner] portare, indurre. ◆ v. intr. AUT. guidare. | *permis de conduire,* patente f. (di guida). ◆ v. pr. comportarsi.
conduit [kɔ̃dɥi] m. condotto.
conduite [kɔ̃dɥit] f. [comportement] condotta ; comportamento m. || [direction] direzione, guida. || AUT. guida. | *conduite assistée,* servosterzo m. || TECHN. condotta, conduttura.
cône [kon] m. cono.
confection [kɔ̃fɛksjɔ̃] f. confezione.
confectionner [kɔ̃fɛksjɔne] v. tr. confezionare, preparare.
confédération [kɔ̃federasjɔ̃] f. confederazione.
confédéré, e [kɔ̃federe] adj. et m. confederato.
conférence [kɔ̃ferɑ̃s] f. conferenza. | *conférence de presse,* conferenza stampa.
conférencier, ère [kɔ̃ferɑ̃sje, ɛr] n. conferenziere, a.

conférer [kɔ̃fere] v. tr. conferire. ◆ v. intr. (avec) conferire (con), intrattenersi (con).
confesse [kɔ̃fɛs] f. REL. confessione.
confesser [kɔ̃fese] v. tr. confessare.
confesseur [kɔ̃fɛsœr] m. confessore.
confession [kɔ̃fɛsjɔ̃] f. confessione.
confessionnal, aux [kɔ̃fɛsjɔnal, o] m. confessionale.
confessionnel, elle [kɔ̃fɛsjɔnɛl] adj. confessionale.
confetti [kɔ̃feti] m. coriandolo.
confiance [kɔ̃fjɑ̃s] f. fiducia. | *faire confiance à,* fidarsi di. | *manquer de confiance en soi,* diffidare di sé. ◆ **de confiance, en (toute) confiance,** con piena fiducia.
confiant, e [kɔ̃fjɑ̃, ɑ̃t] adj. fiducioso.
confidence [kɔ̃fidɑ̃s] f. confidenza.
confident, e [kɔ̃fidɑ̃, ɑ̃t] n. confidente.
confidentiel, elle [kɔ̃fidɑ̃sjɛl] adj. confidenziale.
confier [kɔ̃fje] v. tr. [remettre] affidare. || [communiquer] confidare, rivelare.
configuration [kɔ̃figyrasjɔ̃] f. configurazione.
confiné, e [kɔ̃fine] adj. [enfermé] confinato. || [vicié] *air confiné,* aria chiusa, viziata.
confiner [kɔ̃fine] v. tr. ind. (à) confinare (con). ◆ v. tr. confinare, relegare. ◆ v. pr. [s'isoler] confinarsi, isolarsi. || [se cantonner] (dans) limitarsi (a).
confins [kɔ̃fɛ̃] m. pl. confini.
confire [kɔ̃fir] v. tr. [sucre] candire ; [huile, vinaigre] conservare sott'olio, sott'aceto.
confirmation [kɔ̃firmasjɔ̃] f. conferma. || REL. cresima.
confirmé, e [kɔ̃firme] adj. sperimentato.
confirmer [kɔ̃firme] v. tr. confermare. || REL. cresimare. ◆ v. impers. *il se confirme que,* consta che.
confiscation [kɔ̃fiskasjɔ̃] f. confisca.
confiserie [kɔ̃fizri] f. [magasin] confetteria. || [sucrerie] dolciume m., dolce m.
confiseur, euse [kɔ̃fizœr, øz] n. confettiere, a.
confisquer [kɔ̃fiske] v. tr. confiscare, sequestrare.
confit, e [kɔ̃fi, it] adj. candito.
confiture [kɔ̃fityr] f. marmellata, confettura.
conflictuel, elle [kɔ̃fliktɥɛl] adj. conflittuale.
conflit [kɔ̃fli] m. conflitto.
confluent, e [kɔ̃flyɑ̃, ɑ̃t] adj. confluente, convergente. ◆ m. confluente, confluenza f.
confluer [kɔ̃flye] v. intr. confluire.
confondre [kɔ̃fɔ̃dr] v. tr. [mêler] confondere, mescolare. || [ne pas distinguer] (avec), confondere (con), scambiare (per). || [humilier] confondere, umiliare. || [déconcerter] sconcertare. || [embarrasser] confondere, mettere in imbarazzo. || [démasquer, réduire au silence] smascherare, sbugiardare, ridurre al silenzio, confondere. ◆ v. pr. *se confondre en remerciements,* profondersi in ringraziamenti.
conformation [kɔ̃fɔrmasjɔ̃] f. conformazione.
conforme [kɔ̃fɔrm] adj. conforme. | *certifié conforme,* autenticato, certificato.
conformer [kɔ̃fɔrme] v. tr. conformare, accordare, uniformare.
conformiste [kɔ̃fɔrmist] adj. conformistico. ◆ n. conformista.
conformité [kɔ̃fɔrmite] f. conformità.
confort [kɔ̃fɔr] m. comodità f. pl., agi m. pl.
confortable [kɔ̃fɔrtabl] adj. comodo, confortevole.
confrère [kɔ̃frɛr] m. REL. confratello. || [même profession] collega.
confrérie [kɔ̃freri] f. confraternita.
confrontation [kɔ̃frɔ̃tasjɔ̃] f. confronto m., riscontro m.
confronter [kɔ̃frɔ̃te] v. tr. confrontare.
confus, e [kɔ̃fy, yz] adj. confuso. || [désordonné] *esprit confus,* mente confusionaria.
confusion [kɔ̃fyzjɔ̃] f. confusione. | *jeter la confusion,* mettere, portare la confusione. | *à la confusion de,* a confusione di.
congé [kɔ̃ʒe] m. congedo, commiato. || [vacances] ferie f. pl., vacanza f. || [renvoi] licenziamento. | *donner congé à un locataire,* dare la disdetta a un inquilino.
congédier [kɔ̃ʒedje] v. tr. mandar via, scacciare, congedare. | licenziare.
congélateur [kɔ̃ʒelatœr] m. congelatore.
congélation [kɔ̃ʒelasjɔ̃] f. congelamento m.
congeler [kɔ̃ʒle] v. tr. congelare.
congénère [kɔ̃ʒenɛr] adj. et n. congenere. | *vos congénères,* i vostri simili.
congénital, e, aux [kɔ̃ʒenital, o] adj. congenito.
congère [kɔ̃ʒɛr] f. cumulo (m.) di neve.
congestion [kɔ̃ʒɛstjɔ̃] f. congestione.
congestionner [kɔ̃ʒɛstjɔne] v. tr. congestionare.
congratuler [kɔ̃gratyle] v. tr. (qn pour qch.) congratularsi (con qlcu. per qlco.).
congre [kɔ̃gr] m. ZOOL. grongo.
congrès [kɔ̃grɛ] m. congresso, convegno.
congressiste [kɔ̃grɛsist] n. congressista.
conifère [kɔnifɛr] m. conifera f.

conique [kɔnik] adj. conico.
conjectural, e, aux [kɔ̃ʒɛktyral, o] adj. congetturale.
conjecture [kɔ̃ʒɛktyr] f. congettura.
conjecturer [kɔ̃ʒɛktyre] v. tr. congetturare.
conjoint, e [kɔ̃ʒwɛ̃, ɛ̃t] adj. congiunto. ◆ n. coniuge ; sposo, a.
conjonction [kɔ̃ʒɔ̃ksjɔ̃] f. congiunzione.
conjoncture [kɔ̃ʒɔ̃ktyr] f. congiuntura.
conjugaison [kɔ̃ʒygɛzɔ̃] f. coniugazione.
conjugal, e, aux [kɔ̃ʒygal, o] adj. coniugale.
conjuguer [kɔ̃ʒyge] v. tr. [unir] (ri)unire, congiungere. || GR. coniugare.
conjuration [kɔ̃ʒyrasjɔ̃] f. congiura.
conjuré, e [kɔ̃ʒyre] n. cospiratore, trice ; congiurato m.
conjurer [kɔ̃ʒyre] v. tr. tramare, macchinare. || [supplier] scongiurare. || [détourner] scongiurare, allontanare.
connaissance [kɔnɛsɑ̃s] f. conoscenza, cognizione. | *à ma connaissance,* per quanto io sappia. | *en pays de connaissance,* in terreno conosciuto, familiare. | *connaissance du bien et du mal,* cognizione del bene e del male. || [personne connue] conoscente n., conoscenza. || [conscience] conoscenza, sensi m. pl. || *en connaissance de cause,* con cognizione di causa. ◆ pl. cognizioni, conoscenze.
connaisseur, euse [kɔnɛsœr, øz] adj. et n. conoscitore, trice ; intenditore, trice ; esperto.
connaître [kɔnɛtr] v. tr. conoscere. | *il connaît son affaire,* sa il fatto suo. ◆ v. pr. *s'y connaître en,* intendersi di.
connecter [kɔnɛkte] v. tr. connettere, collegare.
connexion [kɔnɛksjɔ̃] f. connessione.
connivence [kɔnivɑ̃s] f. *être de connivence (avec qn),* essere connivente (con qlcu.).
connotation [kɔnɔtasjɔ̃] f. connotazione.
connu, e [kɔny] adj. conosciuto, noto, saputo.
conquérant, e [kɔ̃kerɑ̃, ɑ̃t] adj. et n. conquistatore, trice. | *air conquérant,* aria da conquistatore.
conquérir [kɔ̃kerir] v. tr. conquistare.
conquête [kɔ̃kɛt] f. conquista.
consacrer [kɔ̃sakre] v. tr. REL. consacrare. || FIG. dedicare, consacrare.
consanguin, e [kɔ̃sɑ̃gɛ̃, in] adj. consanguineo.
consciemment [kɔ̃sjamɑ̃] adj. coscientemente, consapevolmente.
conscience [kɔ̃sjɑ̃s] f. coscienza, consaperolezza. | *directeur de conscience,* direttore spirituale. | *avoir, prendre conscience,* essere consapevole. | *perdre conscience,* perdere coscienza, i sensi.
consciencieux, euse [kɔ̃sjɑ̃sjø, øz] adj. coscienzioso.
conscient, e [kɔ̃sjɑ̃, ɑ̃t] adj. conscio, consapevole, cosciente.
conscription [kɔ̃skripsjɔ̃] f. coscrizione.
conscrit [kɔ̃skri] m. coscritto.
consécration [kɔ̃sekrasjɔ̃] f. consacrazione.
consécutif, ive [kɔ̃sekytif, iv] adj. consecutivo. || [qui résulte de] (à) conseguente (a).
conseil [kɔ̃sɛj] m. consiglio. || [assemblée] consiglio, collegio. || [personne] consulente.
conseiller [kɔ̃seje] v. tr. consigliare.
conseiller, ère [kɔ̃seje, ɛr] n. consigliere, a. | *conseiller technique,* consulente tecnico.
consensus [kɔ̃sɛ̃sys] m. consenso.
consentant, e [kɔ̃sɑ̃tɑ̃, ɑ̃t] adj. consenziente.
consentement [kɔ̃sɑ̃tmɑ̃] m. consenso, consentimento.
consentir [kɔ̃sɑ̃tir] v. tr. ind. (à) consentire, acconsentire (a) ; accettare. ◆ v. tr. concedere.
conséquence [kɔ̃sekɑ̃s] f. conseguenza. || importanza. ◆ *en conséquence,* di, in, per conseguenza. | *en conséquence de,* in conseguenza di.
conséquent, e [kɔ̃sekɑ̃, ɑ̃t] adj. conseguente. || [logique] coerente, conseguente. | *être conséquent avec soi-même,* essere coerente con se stesso. || important] rilevante, ragguardevole. ◆ *par conséquent,* di conseguenza ; quindi.
conservateur, trice [kɔ̃sɛrvatœr, tris] adj. et n. conservatore, trice.
conservation [kɔ̃sɛrvasjɔ̃] f. conservazione.
conservatisme [kɔ̃sɛrvatism] m. conservatorismo.
conservatoire [kɔ̃sɛrvatwar] m. conservatorio.
conserve [kɔ̃sɛrv] f. conserva. ◆ *de conserve,* di conserva.
conserver [kɔ̃sɛrve] v. tr. conservare, serbare, mantenere.
considérable [kɔ̃siderabl] adj. considerevole, ragguardevole, notevole.
considération [kɔ̃siderasjɔ̃] f. considerazione.
considérer [kɔ̃sidere] v. tr. considerare. | *tout bien considéré,* tutto sommato. || [tenir pour] considerare, ritenere. || *considérant que,* considerato che, atteso che.
consignation [kɔ̃siɲasjɔ̃] f. COMM. consegna ; deposito m.
consigne [kɔ̃siɲ] f. [instruction] consegna. || [punition] consegna. || [bagages]

deposito m. (bagagli). ‖ COMM. deposito m.
consigner [kɔ̃siɲe] v. tr. [mettre en dépôt] consegnare, depositare. ‖ [fixer par écrit] registrare.
consistance [kɔ̃sistɑ̃s] f. consistenza.
consister [kɔ̃siste] v. tr. ind. (dans, en) consistere (in), risiedere (in), stare (in), constare (di).
consistoire [kɔ̃sistwar] m. REL. concistoro.
consolant, e [kɔ̃sɔlɑ̃, ɑ̃t] adj. consolante.
consolateur, trice [kɔ̃sɔlatœr, tris] adj. et n. consolatore, trice.
consolation [kɔ̃sɔlasjɔ̃] f. consolazione ; conforto m.
console [kɔ̃sɔl] f. [meuble] mensola, consolle.
consoler [kɔ̃sɔle] v. tr. consolare, confortare.
consolidation [kɔ̃sɔlidasjɔ̃] f. consolidamento m.
consolider [kɔ̃sɔlide] v. tr. consolidare.
consommateur, trice [kɔ̃sɔmatœr, tris] n. consumatore. ‖ [client] cliente, avventore, a.
consommation [kɔ̃sɔmasjɔ̃] f. consumo m. ‖ [au café] consumazione. ‖ *société de consommation,* società dei consumi, società consumistica. ‖ FIG. [accomplissement] consumazione.
consommé, e [kɔ̃sɔme] adj. consumato. ◆ m. brodo ristretto (di carne) ; consommé (fr.).
consommer [kɔ̃sɔme] v. tr. consumare.
consonne [kɔ̃sɔn] f. consonante.
consort [kɔ̃sɔr] adj. m. consorte.
consortium [kɔ̃sɔrsjɔm] m. consorzio.
conspirateur, trice [kɔ̃spiratœr, tris] n. cospiratore, trice.
conspiration [kɔ̃spirasjɔ̃] f. cospirazione.
conspirer [kɔ̃spire] v. intr. cospirare, congiurare, complottare.
conspuer [kɔ̃spɥe] v. tr. svillaneggiare, fischiare.
constamment [kɔ̃stamɑ̃] adv. costantemente, di continuo.
constance [kɔ̃stɑ̃s] f. costanza, perseveranza.
constant, e [kɔ̃stɑ̃, ɑ̃t] adj. costante, perseverante. ◆ f. costante.
constat [kɔ̃sta] m. co(n)statazione f. ; (processo) verbale.
constatation [kɔ̃statasjɔ̃] f. co(n)statazione.
constater [kɔ̃state] v. tr. co(n)statare.
constellation [kɔ̃stɛlasjɔ̃] f. costellazione.
consternation [kɔ̃stɛrnasjɔ̃] f. costernazione.
consterner [kɔ̃stɛrne] v. tr. costernare.
constipation [kɔ̃stipasjɔ̃] f. stitichezza.
constiper [kɔ̃stipe] v. tr. costipare. ‖ FIG., FAM. *air constipé,* aria impacciata.
constituant, e [kɔ̃stitɥɑ̃, ɑ̃t] adj. et n. costituente.
constituer [kɔ̃stitɥe] v. tr. costituire, formare.
constitution [kɔ̃stitysjɔ̃] f. costituzione, formazione.
constitutionnel, elle [kɔ̃stitysjɔnɛl] adj. costituzionale.
constructeur, trice [kɔ̃stryktœr, tris] adj. et n. costruttore, trice.
constructif, ive [kɔ̃stryktif, iv] adj. costruttivo.
construction [kɔ̃stryksjɔ̃] f. costruzione. | *construction automobile,* industria dell'automobile. ‖ [édifice] costruzione, fabbricato m. ‖ GR. [action] costruzione ; [résultat] costrutto m.
construire [kɔ̃strɥir] v. tr. costruire. ‖ [composer] strutturare, elaborare. ‖ GR. costruire.
consul [kɔ̃syl] m. console.
consulat [kɔ̃syla] m. consolato.
consultant, e [kɔ̃syltɑ̃, ɑ̃t] adj. et n. consulente.
consultatif, ive [kɔ̃syltatif, iv] adj. consultivo.
consultation [kɔ̃syltasjɔ̃] f. consultazione. | *appeler en consultation,* chiamare a consulto.
consulter [kɔ̃sylte] v. tr. consultare. ◆ v. intr. [recevoir des malades] ricevere. ◆ v. pr. consultarsi.
consumer [kɔ̃syme] v. tr. consumare, distruggere. ‖ [brûler] bruciare. ‖ FIG. consumare, logorare. ◆ v. pr. FIG. struggersi.
contact [kɔ̃takt] m. contatto. | *prendre contact avec,* abboccarsi con. ‖ AUT. *clef de contact,* chiave di accensione f. ‖ OPT. *verres de contact,* lenti a contatto.
contacter [kɔ̃takte] v. tr. contattare (néol.).
contagieux, euse [kɔ̃taʒjø, øz] adj. contagioso.
contagion [kɔ̃taʒjɔ̃] f. contagio m.
container [kɔ̃tɛnɛr] m. = CONTENEUR.
contamination [kɔ̃taminasjɔ̃] f. contaminazione.
contaminer [kɔ̃tamine] v. tr. contaminare.
conte [kɔ̃t] m. racconto ; novella f. | *conte de fées,* fiaba f. | *contes que tout cela !,* son tutte frottole !
contemplatif, ive [kɔ̃tɑ̃platif, iv] adj. et n. contemplativo.
contemplation [kɔ̃tɑ̃plasjɔ̃] f. contemplazione.
contempler [kɔ̃tɑ̃ple] v. tr. contemplare.
contemporain, e [kɔ̃tɑ̃pɔrɛ̃, ɛn] adj. et n. contemporaneo ; coetaneo.

contenance [kɔ̃tnɑ̃s] f. capienza, capacità. || [maintien] contegno m. | *perdre contenance,* sconcertarsi, confondersi, smarrirsi.
contenant [kɔ̃tnɑ̃] m. contenente.
conteneur [kɔ̃tnœr] m. contenitore.
contenir [kɔ̃tnir] v. tr. contenere. || [réprimer, maintenir] contenere, trattenere. ◆ v. pr. [se maîtriser] contenersi, dominarsi.
content, e [kɔ̃tɑ̃, ɑ̃t] adj. [joyeux] contento, lieto. || [satisfait] contento, soddisfatto.
contentement [kɔ̃tɑ̃tmɑ̃] m. [action] soddisfazione f. || [joie] contentezza f., gioia f., felicità f.
contenter [kɔ̃tɑ̃te] v. tr. (ac)contentare, appagare, soddisfare.
contentieux, euse [kɔ̃tɑ̃sjø, øz] adj. et m. contenzioso.
contenu [kɔ̃tny] m. contenuto.
conter [kɔ̃te] v. tr. raccontare, narrare.
contestable [kɔ̃tɛstabl] adj. contestabile.
contestation [kɔ̃tɛstasjɔ̃] f. contestazione.
conteste (sans) [sɑ̃kɔ̃tɛst] loc. adv. incontestabilmente, senza dubbio.
contester [kɔ̃tɛste] v. tr. contestare, impugnare.
conteur, euse [kɔ̃tœr, øz] n. narratore, trice. || [écrivain] novelliere, a ; novellista.
contexte [kɔ̃tɛkst] m. contesto.
contigu, ë [kɔ̃tigy] adj. contiguo, attiguo.
contiguïté [kɔ̃tigɥite] f. contiguità.
continence [kɔ̃tinɑ̃s] f. continenza.
continent [kɔ̃tinɑ̃] m. continente.
continent, e [kɔ̃tinɑ̃, ɑ̃t] adj. continente.
contingence [kɔ̃tɛ̃ʒɑ̃s] f. contingenza.
contingent, e [kɔ̃tɛ̃ʒɑ̃, ɑ̃t] adj. contingente. ◆ m. [part] contingente, quota f., contribuzione f. || MIL. contingente.
contingenter [kɔ̃tɛ̃ʒɑ̃te] v. tr. contingentare.
continu, e [kɔ̃tiny] adj. continuo. | *journée continue,* orario continuato (di lavoro). || ÉLECTR. *courant continu,* corrente continua.
continuation [kɔ̃tinɥasjɔ̃] f. continuazione, prosecuzione ; proseguimento m.
continuel, elle [kɔ̃tinɥɛl] adj. continuo.
continuer [kɔ̃tinɥe] v. tr. et intr. continuare, proseguire, seguitare. || prolungare. | *continuer un mur,* prolungare un muro. ◆ v. tr. ind. (à, de) continuare (a), seguitare (a).
continuité [kɔ̃tinɥite] f. continuità.
continûment [kɔ̃tinymɑ̃] adv. continuamente.
contondant, e [kɔ̃tɔ̃dɑ̃, ɑ̃t] adj. contundente.
contorsion [kɔ̃tɔrsjɔ̃] f. contorsione ; contorcimento m.
contorsionner (se) [səkɔ̃tɔrsjɔne] v. pr. contorcersi.
contour [kɔ̃tur] m. contorno. || [détour] meandro ; curva f.
contourné, e [kɔ̃turne] adj. contorto.
contourner [kɔ̃turne] v. tr. fare il giro di ; girare. || [éviter] aggirare. || FIG. [loi] eludere.
contraceptif, ive [kɔ̃trasɛptif, iv] adj. et m. anticoncettivo.
contraception [kɔ̃trasɛpsjɔ̃] f. contracezione.
contractant, e [kɔ̃traktɑ̃, ɑ̃t] adj. et n. contraente.
contracté, e [kɔ̃trakte] adj. contratto. || GR. *article contracté,* preposizione articolata.
contracter [kɔ̃trakte] v. tr. contrarre.
contraction [kɔ̃traksjɔ̃] f. contrazione.
contractuel, elle [kɔ̃traktɥɛl] adj. contrattuale. ◆ n. contrattista.
contradicteur, trice [kɔ̃tradiktœr, tris] n. contraddittore, trice.
contradiction [kɔ̃tradiksjɔ̃] f. contraddizione.
contradictoire [kɔ̃tradiktwar] adj. contraddittorio.
contraignant, e [kɔ̃trɛɲɑ̃, ɑ̃t] adj. costrittivo. || [pénible] impellente, penoso.
contraindre [kɔ̃trɛ̃dr] v. tr. costringere, obbligare. || [contenir] contenere, reprimere. ◆ v. pr. dominarsi, contenersi.
contraint, e [kɔ̃trɛ̃, ɛ̃t] adj. forzato.
contrainte [kɔ̃trɛ̃t] f. costrizione ; obbligo m., esigenza. | *sous la contrainte,* per costrizione. | *sans contrainte,* liberamente.
contraire [kɔ̃trɛr] adj. contrario. || [hostile] avverso. ◆ m. contrario, opposto. | *jusqu'à preuve du contraire,* fino a prova contraria. ◆ ***au contraire,*** invece, al contrario ; anzi, all'opposto ; tutt'altro ! || ***au contraire de,*** al contrario di.
contralto [kɔ̃tralto] m. contralto.
contrariant, e [kɔ̃trarjɑ̃, ɑ̃t] adj. contrariante. | *être contrariant,* fare il Bastian contrario (fam.). || [fâcheux] irritante, noioso, fastidioso.
contrarié, e [kɔ̃trarje] adj. [dépité] contrariato, seccato, indispettito. || [combattu] contrastato, ostacolato.
contrarier [kɔ̃trarje] v. tr. ostacolare, contrastare, contrariare. || [mécontenter] irritare, indispettire, seccare.
contrariété [kɔ̃trarjete] f. contrarietà, irritazione, stizza.
contraste [kɔ̃trast] m. contrasto.

contraster [kɔ̃traste] v. intr. contrastare, far contrasto. ◆ v. tr. mettere in contrasto.
contrat [kɔ̃tra] m. contratto. | *passer un contrat,* stipulare un contratto. | *contrat de mariage,* convenzione (f.) matrimoniale.
contravention [kɔ̃travɑ̃sjɔ̃] f. contravvenzione, multa.
contre [kɔ̃tr] prép. contro. | *contre la grippe,* per, contro l'influenza. | *s'irriter contre qn,* stizzirsi con qlcu. || [contact] a, su. | *serrer qn contre sa poitrine,* stringersi al petto qlcu. || [échange] con, contro. ◆ adv. contro, in contrario. || *par contre,* per contrò, al contrario ; invece. ◆ m. contro.
contre-amiral, aux [kɔ̃tramiral, o] m. contrammiraglio.
contre-attaque [kɔ̃tratak] f. contrattacco m.
contre-attaquer [kɔ̃tratake] v. tr. contrattaccare.
contrebalancer [kɔ̃trəbalɑ̃se] v. tr. controbilanciare, equilibrare.
contrebande [kɔ̃trəbɑ̃d] f. contrabbando m.
contrebandier, ère [kɔ̃trəbɑ̃dje, ɛr] adj. et n. contrabbandiere, a.
contrebas (en) [ɑ̃kɔ̃trəbɑ] loc. adv. [vers le bas] (dall'alto) in basso. || [à un niveau inférieur] sotto ; più giù.
contrebasse [kɔ̃trəbɑs] f. contrabbasso m.
contrecarrer [kɔ̃trəkare] v. tr. contrastare, ostacolare.
contrecœur (à) [akɔ̃trəkœr] loc. adv. controvoglia, a malincuore, di malavoglia.
contrecoup [kɔ̃trəku] m. contraccolpo.
contre-courant [kɔ̃trəkurɑ̃] m. controcorrente f. ◆ *à contre-courant,* contro corrente.
contredanse [kɔ̃trədɑ̃s] f. FAM. contravvenzione, multa (L.C.).
contredire [kɔ̃trədir] v. tr. contraddire.
contredit (sans) [sɑ̃kɔ̃trədi] loc. adv. incontestabilmente, senza alcun dubbio.
contrée [kɔ̃tre] f. regione, paese m.
contre-écrou [kɔ̃trekru] m. controdado.
contre-espionnage [kɔ̃trɛspjɔnaʒ] m. controspionaggio.
contrefaçon [kɔ̃trəfasɔ̃] f. contraffazione, falsificazione.
contrefaire [kɔ̃trəfɛr] v. tr. contraffare, simulare.
contrefait, e [kɔ̃trəfɛ, ɛt] adj. contraffatto, falsificato. || [difforme] deforme.
contre-feu [kɔ̃trəfø] m. controfuoco.
contre-fil (à) [akɔ̃trəfil] loc. adv. in senso contrario.
contrefort [kɔ̃trəfɔr] m. ARCHIT., GÉOGR. contrafforte. || [chaussure] forte.
contre-indiquer [kɔ̃trɛ̃dike] v. tr. controindicare.
contre-jour [kɔ̃trəʒur] m. controluce f. inv. ◆ *à contre-jour,* contro luce.
contremaître, esse [kɔ̃trəmɛtr, ɛs] n. caporeparto m., capofabbrica m.
contremarque [kɔ̃trəmark] f. contrassegno m. || [ticket] contromarca.
contre-mesure [kɔ̃trəməzyr] f. contromisura.
contre-offensive [kɔ̃trɔfɑ̃siv] f. controffensiva.
contrepartie [kɔ̃trəparti] f. [comptabilité] contropartita ; [contrat] controparte. || [compensation] contropartita, compenso m.
contre-pied [kɔ̃trəpje] m. *prendre le contre-pied de qn,* dire, fare il contrario di qlcu. | *à contre-pied,* in contropiede.
contreplaqué [kɔ̃trəplake] m. compensato.
contrepoids [kɔ̃trəpwa] m. contrappeso.
contre-poil (à) [akɔ̃trəpwal] loc. adv. contropelo.
contrepoint [kɔ̃trəpwɛ̃] m. contrappunto.
contrepoison [kɔ̃trəpwazɔ̃] m. contravveleno.
contrer [kɔ̃tre] v. tr. et intr. contrare. || FAM. *contrer qn,* opporsi a qlcu. (L.C.).
contre-révolution [kɔ̃trərevɔlysjɔ̃] f. controrivoluzione.
contresens [kɔ̃trəsɑ̃s] m. controsenso, svarione. ◆ *à contresens,* a rovescio, alla rovescia, in senso contrario.
contresigner [kɔ̃trəsiɲe] v. tr. controfirmare.
contretemps [kɔ̃trətɑ̃] m. contrattempo. || MUS. controtempo. ◆ *à contretemps,* a sproposito, inopportunamente.
contre-torpilleur [kɔ̃trətɔrpijœr] m. MAR. cacciatorpediniere inv., antisilurante f.
contre-valeur [kɔ̃trəvalœr] f. controvalore m.
contrevenir [kɔ̃trəvnir] v. intr. (à) contravvenire (a).
contrevent [kɔ̃trəvɑ̃] m. imposta f.
contre-vérité [kɔ̃trəverite] f. affermazione falsa ; falsità.
contre-voie [kɔ̃trəvwa] f. binario (m.) illegale. ◆ *à contre-voie,* sul binario illegale. | *descendre à contre-voie,* scendere dalla parte dei binari.
contribuable [kɔ̃tribɥabl] n. contribuente.
contribuer [kɔ̃tribɥe] v. intr. contribuire.
contribution [kɔ̃tribysjɔ̃] f. contributo m., contribuzione. | *mettre à contri-*

bution, ricorrere a, giovarsi di. || [impôt] contribuzione, imposta.
contrit, e [kɔ̃tri, it] adj. REL. contrito. || [penaud] mortificato, confuso.
contrition [kɔ̃trisjɔ̃] f. contrizione.
contrôle [kɔ̃trol] m. controllo. || [bureau] ufficio del controllo. || [marque] marchio. || FIG. sorveglianza f., controllo. || MIL. [registre] ruolo.
contrôler [kɔ̃trole] v. tr. controllare. | *contrôler ses nerfs,* controllarsi, dominarsi. || ADM. controllare, sindacare. || [poinçonner] marchiare, bollare.
contrôleur, euse [kɔ̃trolœr, øz] n. controllore m.
contrordre [kɔ̃trɔrdr] m. contrordine.
controverse [kɔ̃trɔvɛrs] f. controversia.
controversé, e [kɔ̃trɔvɛrse] adj. controverso.
contumace [kɔ̃tymas] f. JUR. *par contumace,* in contumacia. ◆ adj. et n. contumace.
contusion [kɔ̃tyzjɔ̃] f. contusione.
contusionner [kɔ̃tyziɔne] v. tr. contundere.
convaincant, e [kɔ̃vɛ̃kɑ̃, ɑ̃t] adj. convincente.
convaincre [kɔ̃vɛ̃kr] v. tr. convincere.
convaincu, e [kɔ̃vɛ̃ky] adj. convinto.
convalescence [kɔ̃valɛsɑ̃s] f. convalescenza.
convalescent, e [kɔ̃valɛsɑ̃, ɑ̃t] adj. et n. convalescente.
convection [kɔ̃vɛksjɔ̃] f. convezione.
convenable [kɔ̃vnabl] adj. giusto, conveniente, adatto. || [décent] decente, conveniente. | *n'être pas convenable,* non star bene.
convenance [kɔ̃vnɑ̃s] f. convenienza. || *pour convenances personnelles,* per motivi personali. ◆ pl. convenienze ; (buona) creanza.
convenir [kɔ̃vnir] v. tr. ind. (de, que) stabilire, fissare. | *convenir d'un rendez-vous,* fissare un appuntamento. | *il est convenu que,* è stabilito che. || [impers.] *c'est convenu ?,* siamo intesi ?, d'accordo ? || [avouer] convenire, ammettere, confessare. || **convenir à,** [être approprié à] convenire, confarsi a, addirsi a. || [être souhaitable] convenire, bisognare.
convention [kɔ̃vɑ̃sjɔ̃] f. convenzione ; contratto m., patto m. || [congrès] congresso m. ◆ pl. [bienséances] convenzioni.
conventionnel, elle [kɔ̃vɑ̃sjɔnɛl] adj. convenzionale.
conventuel, elle [kɔ̃vɑ̃tɥɛl] adj. REL. conventuale.
converger [kɔ̃vɛrʒe] v. intr. convergere.
convers, e [kɔ̃vɛr, ɛrs] adj. REL. converso, a.
conversation [kɔ̃vɛrsasjɔ̃] f. conversazione.
converser [kɔ̃vɛrse] v. intr. conversare.
conversion [kɔ̃vɛrsjɔ̃] f. conversione.
converti, e [kɔ̃vɛrti] adj. et n. convertito.
convertible [kɔ̃vɛrtibl] adj. convertibile.
convertir [kɔ̃vɛrtir] v. tr. convertire.
convertisseur [kɔ̃vɛrtisœr] m. convertitore.
convexe [kɔ̃vɛks] adj. convesso.
conviction [kɔ̃viksjɔ̃] f. convinzione. || [sérieux] impegno, serietà.
convier [kɔ̃vje] v. tr. invitare ; convitare (litt.).
convive [kɔ̃viv] n. commensale ; convitato m.
convocation [kɔ̃vɔkasjɔ̃] f. convocazione. || MIL., UNIV. chiamata.
convoi [kɔ̃vwa] m. [funèbre] corteo, convoglio funebre. || [groupé] convoglio. || MIL. tradotta f. || TR. treno.
convoiter [kɔ̃vwate] v. tr. desiderare, ambire.
convoitise [kɔ̃vwatiz] f. avidità, cupidigia.
convoquer [kɔ̃vɔke] v. tr. convocare.
convoyer [kɔ̃vwaje] v. tr. scortare.
convoyeur [kɔ̃vwajœr] m. accompagnatore. || MAR. nave (f.) scorta.
convulsé, e [kɔ̃vylse] adj. contratto, convulso.
convulser [kɔ̃vylse] v. tr. contrarre.
convulsif, ive [kɔ̃vylsif, iv] adj. convulso, convulsivo.
convulsion [kɔ̃vylsjɔ̃] f. convulsione.
coopérant [kɔɔperɑ̃] m. cooperatore.
coopératif, ive [kɔɔperatif, iv] adj. cooperativo. ◆ f. cooperativa.
coopérer [kɔɔpere] v. intr. cooperare, collaborare.
coopter [kɔɔpte] v. tr. cooptare.
coordination [kɔɔrdinasjɔ̃] f. coordinamento m., coordinazione.
coordonné, e [kɔɔrdɔne] adj. coordinato. ◆ f. pl. GÉOGR., MATH. coordinate. || FAM. indirizzo m., recapito m., dati personali.
coordonner [cɔɔrdɔne] v. tr. coordinare.
copain ou **copin, copine** [kɔpɛ̃, kɔpin] n. FAM. compagno, a ; amico, a (L.C.).
copeau [kɔpo] m. truciolo.
copie [kɔpi] f. [action] copiatura. || [résultat] copia. || UNIV. [devoir] compito m. || [feuille] foglio m. || [exemplaire] copia, esemplare m.
copier [kɔpje] v. tr. copiare.
copieux, euse [kɔpjø, øz] adj. copioso.
copilote [kɔpilɔt] m. pilota ausiliare, secondo pilota.

copin, e n. V. COPAIN.
copiste [kɔpist] m. copista, amanuense.
coproduction [kɔprɔdyksjɔ̃] f. coproduzione.
copropriétaire [kɔprɔprijetɛr] n. condomino, a.
copropriété [kɔprɔprijete] f. comproprietà ; condominio m.
coq [kɔk] m. gallo. | *coq de bruyère,* urogallo ; (gallo) cedrone. | *comme un coq en pâte,* come un papa, un pascià.
coque [kɔk] f. guscio. || AV., MAR. scafo. || AUT. scocca.
coquelicot [kɔkliko] m. rosolaccio, papavero.
coqueluche [kɔklyʃ] f. pertosse ; tosse canina, asinina, cavallina.
coquet, ette [kɔkɛ, ɛt] adj. et n. civettuola adj., civettone, a n. | *faire la coquette,* fare la civetta, civettare. || [soigné] carino, grazioso. || FAM. *somme coquette,* bella sommetta.
coquetier [kɔktje] m. [godet] portauovo inv.
coquetterie [kɔkɛtri] f. civetteria. || [goût] gusto m., eleganza.
coquillage [kɔkijaʒ] m. conchifero ; frutto di mare.
coquille [kɔkij] f. conchiglia. || CULIN. *coquille de beurre,* riccio (m.) di burro. || [garde de l'épée] coccia. || [œuf ; fruit] guscio m. || TYP. [faute] refuso m.
coquin, e [kɔkɛ̃, in] adj. [espiègle] birichino, malizioso. || [égrillard] procace. ◆ n. [bandit] canaglia f. ; [garnement] bricconcello m.
1. cor [kɔr] m. corno ; [musicien] cornista. ◆ *à cor et à cri,* con grande strepito.
2. cor m. [durillon] callo.
corail, aux [kɔraj, o] m. corallo.
corbeau [kɔrbo] m. corvo.
corbeille [kɔrbɛj] f. cestino m., canestro m.
corbillard [kɔrbijar] m. carro funebre.
cordage [kɔrdaʒ] m. cavo, fune f.
corde [kɔrd] f. corda, fune. | *cordes vocales,* corde vocali. | *virage à la corde,* curva stretta. | *la corde sensible,* il tasto giusto, la corda del cuore. | *avoir plusieurs cordes à son arc,* avere diverse frecce al proprio arco. ◆ pl. strumenti (m. pl.) a corda.
cordeau [kɔrdo] m. cordicella f., funicella f. | *tracer au cordeau,* tracciare con la cordicella.
cordée [kɔrde] f. cordata. | *premier de cordée,* capocordata m.
cordelette [kɔrdəlɛt] f. cordicella.
cordelière [kɔrdəljɛr] f. cordone m. || REL. cordiglio m.
cordial, e, aux [kɔrdjal, o] adj. et m. cordiale.
cordon [kɔrdɔ̃] m. cordone, cordoncino ; [soulier] stringa f., laccio, legaccio.
cordon-bleu [kɔrdɔ̃blø] m. cuoca (f.) consumata.
cordonnerie [kɔrdɔnri] f. calzoleria.
cordonnet [kɔrdɔnɛ] m. cordoncino, cordonetto.
cordonnier [kɔrdɔnje] m. calzolaio.
coriace [kɔrjas] adj. coriaceo.
coricide [kɔrisid] m. callifugo.
cormoran [kɔrmɔrɑ̃] m. cormorano, marangone.
corne [kɔrn] f. corno m. (pl. le corna). | *coup de corne,* cornata f. | *bêtes à cornes,* bovini m. pl. || [en forme de corne] corno m. (pl. i corni). | *corne d'abondance,* cornucopia. | *corne de brume,* boa a campana.
cornée [kɔrne] f. cornea.
corneille [kɔrnɛj] f. cornacchia.
cornemuse [kɔrnəmyz] f. cornamusa, zampogna.
1. corner [kɔrne] v. tr. [une page] far un orecchio a. || FAM. [claironner] strombazzare.
2. corner [kɔrnɛr] m. calcio d'angolo.
cornet [kɔrnɛ] m. MUS. cornetto. | *cornet à pistons,* cornetta f. || [bonbons] cartoccio. | [glace] cono. | [dés] bossolo.
corniche [kɔrniʃ] f. cornicione m. ; cornice, cimasa. || *route en corniche,* strada a strapiombo.
cornichon [kɔrniʃɔ̃] m. cetriolo, cetriolino.
cornu, e [kɔrny] adj. cornuto.
cornue [kɔrny] f. CHIM. storta.
corollaire [kɔrɔlɛr] m. corollario.
corolle [kɔrɔl] f. corolla.
coronaire [kɔrɔnɛr] adj. ANAT. coronario.
corporation [kɔrpɔrasjɔ̃] f. corporazione.
corporatisme [kɔrpɔratism] m. corporativismo.
corporel, elle [kɔrpɔrɛl] adj. corporale, corporeo.
corps [kɔr] m. corpo. || JUR. *séparation de corps,* separazione legale. || MAR. *corps et biens,* anime e beni. || ADM. *grands corps de l'État,* amministrazioni dello Stato. || [consistance] consistenza f. ; [vin] corpo. || *saisir à bras-le-corps,* abbracciare (alla vita) ; SP. cinturare ; [affronter] prendere di petto, affrontare. ◆ *corps à corps,* a corpo a corpo.
corpulent, e [kɔrpylɑ̃, ɑ̃t] adj. corpulento.
correct, e [kɔrɛkt] adj. corretto. || [acceptable] discreto, ragionevole.
correcteur, trice [kɔrɛktœr, tris] n. UNIV. esaminatore, trice. || TYP. correttore, trice ; revisore m.

correction [kɔrɛksjɔ̃] f. correzione. || [punition] correzione, lezione, punizione. | *maison de correction,* riformatorio m. || [châtiment corporel] punizione, lezione. || [qualité] correttezza.
correctionnel, elle [kɔrɛksjɔnɛl] adj. JUR. correzionale. ◆ f. tribunale (penale).
corrélatif, ive [kɔrelatif, iv] adj. correlativo.
corrélation [kɔrelasjɔ̃] f. correlazione.
correspondance [kɔrɛspɔ̃dɑ̃s] f. [conformité] corrispondenza. || [lettres] corrispondenza, epistolario m. ; carteggio m. || TR. coincidenza.
correspondant, e [kɔrɛspɔ̃dɑ̃, ɑ̃t] adj. et n. corrispondente.
correspondre [kɔrɛspɔ̃dr] v. tr. ind. (avec) corrispondere (con). || corrispondere (a). ◆ v. intr. comunicare, corrispondere.
corridor [kɔridɔr] m. corridoio, andito.
corriger [kɔriʒe] v. tr. correggere, emendare. || [punir] castigare, punire. || [adoucir] addolcire, mitigare.
corroborer [kɔrɔbɔre] v. tr. corroborare.
corroder [kɔrɔde] v. tr. corrodere.
corrompre [kɔrɔ̃pr] v. tr. corrompere, guastare.
corrosif, ive [kɔrɔzif, iv] adj. et m. corrosivo.
corrupteur, trice [kɔryptœr, tris] adj. et n. corruttore, trice.
corruption [kɔrypsjɔ̃] f. corruzione.
corsage [kɔrsaʒ] m. [blouse] camicetta f. || [d'une robe] bustino, corpetto.
corsaire [kɔrsɛr] m. [navire] nave (f.) corsara. || [marin] corsaro.
corse [kɔrs] adj. et n. corso.
corsé, e [kɔrse] adj. [vin] corposo, gagliardo. | [café] carico, forte. || FIG. [histoire] piccante.
corser [kɔrse] v. tr. dar corpo a ; rendere più copioso. ◆ v. pr. complicarsi.
corset [kɔrsɛ] m. busto, bustino, corsetto.
cortège [kɔrtɛʒ] m. corteo, corteggio.
corvée [kɔrve] f. comandata, corvè.
cosinus [kɔsinys] m. coseno.
cosmétique [kɔsmetik] adj. et m. cosmetico. || [pour cheveux] fissatore.
cosmique [kɔsmik] adj. cosmico.
cosmonaute [kɔsmɔnot] n. cosmonauta.
cosmopolite [kɔsmɔpɔlit] adj. cosmopolita, cosmopolitico. ◆ n. cosmopolita.
cosse [kɔs] f. BOT. baccello m. || ÉLECTR. capocorda m.
cossu, e [kɔsy] adj. danaroso, facoltoso, ricco. | *maison cossue,* casa sontuosa.
costaud [kɔsto] adj. inv. (en genre) robusto, nerboruto. ◆ m. pezzo d'uomo ; giovanottone.
costume [kɔstym] m. [typique] costume. || [habit] abito, vestito.
costumer [kɔstyme] v. tr. (tra)vestire. | *bal costumé,* ballo in costume.
cotation [kɔtasjɔ̃] f. quotazione.
cote [kɔt] f. FIN. aliquota. || [marque d'inventaire] segnatura. || COMM. quotazione. || *cote de la Bourse,* listino (m.) di Borsa. || [classement] quotazione. || GÉOGR., MATH. quota, dimensione. | *cote d'alerte,* guardia. || *avoir la cote,* essere stimato, ben quotato. | *cote d'amour,* pregiudizio (m.) favorevole. | *cote mal taillée,* compromesso m.
côte [kot] f. ANAT. costola, costa ; [en boucherie] costola, costoletta. || [pente] costa, pendio m. || [montée] salita. || [rivage] costa, litorale m. ◆ *côte à côte,* fianco a fianco ; di pari passo. || *à mi-côte,* a mezza costa.
coté, e [kɔte] adj. quotato.
côté [kote] m. ANAT. fianco. || [partie latérale] lato, fianco. || GÉOM. lato. || [direction, sens] parte f. | *de mon côté,* da parte mia, per conto mio. || [aspect] lato, aspetto. ◆ *à côté,* accanto, vicino, di fianco. || *de côté* [en biais], di sbieco, di traverso, obliquamente ; [à l'écart] da parte. | *laisser, mettre de côté,* lasciare, mettere da parte. || *à côté de,* accanto a, vicino a, a fianco di. || *du côté de,* dalle parti di, nella regione di, verso.
coteau [kɔto] m. poggio ; collina f., collinetta f.
côtelette [kotlɛt] f. co(s)toletta.
coter [kɔte] v. tr. [Bourse] quotare.
coterie [kɔtri] f. cricca, consorteria.
côtier, ère [kotje, ɛr] adj. costiero.
cotisation [kɔtizasjɔ̃] f. quota, contributo m.
cotiser [kɔtize] v. intr. pagare la quota ; quotarsi v. pr. | *cotiser à la Sécurité sociale,* pagare il contributo previdenziale. ◆ v. pr. quotarsi.
coton [kɔtɔ̃] m. cotone.
cotonnade [kɔtɔnad] f. cotonina.
côtoyer [kotwaje] v. tr. costeggiare. || FIG. rasentare, sfiorare.
cou [ku] m. collo. | *se casser le cou,* rompersi l'osso del collo ; FIG. far fiasco. | *prendre ses jambes à son cou,* fuggire a gambe levate, darsela a gambe.
couac [kwak] m. stecca f.
couard, e [kwar, ard] adj. et n. vigliacco.
couardise [kwardiz] f. vigliaccheria.
couchant, e [kuʃɑ̃, ɑ̃t] adj. *soleil couchant,* sole calante, al tramonto. || *chien couchant,* cane da fermo, da punta. ◆ m. ponente, tramonto.

couche [kuʃ] f. [lange] pannolino m. || (pl.) parto m. | *femme en couches,* partoriente f. | *faire ses couches,* partorire. | *fausse couche,* aborto m. | *faire une fausse couche,* abortire. || [épaisseur] strato m. ; [vernis] mano, strato m. || GÉOL. strato m. || FIG. *les couches sociales,* gli strati sociali, i ceti.

coucher [kuʃe] v. tr. coricare ; mettere a letto. || [étendre] stendere, adagiare. | *coucher par écrit,* stendere per iscritto. ◆ v. intr. dormire ; pernottare. | *chambre à coucher,* camera da letto. | *coucher avec,* andare a letto con. ◆ v. pr. *(aller) se coucher,* andare a letto. || [s'étendre] (di)stendersi, allungarsi, sdraiarsi. || [astre] tramontare v. intr. ◆ m. alloggio. || [astre] tramonto.

couchette [kuʃɛt] f. cuccetta.

couci-couça [kusikusa] loc. adv. FAM. così così.

coucou [kuku] m. ZOOL. cuculo, cucù. || [pendule] (orologio a) cucù. || BOT. [primevère] primavera f.

coude [kud] m. gomito. | *coup de coude,* gomitata f. | *pousser du coude,* dar di gomito. || PR. et FIG. *jouer des coudes,* cacciarsi avanti, farsi largo a (furia di) gomitate. | *coude à coude,* (a) fianco a fianco.

coudé, e [kude] adj. a gomiti.

coudée [kude] f. cubito m. || FIG. *avoir les coudées franches,* avere le mani libere.

cou-de-pied [kudpje] m. collo del piede.

couder [kude] v. tr. piegare (a gomito), curvare.

coudoyer [kudwaje] v. tr. essere a contatto con ; incontrare, frequentare.

coudre [kudr] v. tr. cucire. | *machine à coudre,* macchina da cucire. | *fil à coudre,* cucirino.

couenne [kwan] f. cotenna.

couette [kwɛt] f. coltre di piuma.

coulage [kulaʒ] m. [gaspillage] spreco, scialo, sperpero.

coulant, e [kulɑ̃, ɑ̃t] adj. *nœud coulant,* nodo scorsoio. || FIG. fluido, scorrevole. || [indulgent] indulgente, di manica larga.

coulée [kule] f. colata.

couler [kule] v. intr. scorrere, fluire. | *couler goutte à goutte,* colare, stillare, gocciolare. | *faire couler le sang,* spargere il sangue. || [temps] scorrere. || [fuir] perdere. || MAR. affondare ; colare a picco. ◆ v. tr. *couler une statue,* fondere, gettare una statua. || *couler des jours heureux,* trascorrere giorni felici. || FAM. *se la couler douce,* spassarsela. || MAR. affondare. || FIG. [ruiner] rovinare, silurare, screditare. || AUT. *couler une bielle,* fondere una bronzina. || IND. fondere, colare. ◆ v. pr. insinuarsi, infilarsi ; introdursi (furtivamente). || FIG. rovinarsi, screditarsi.

couleur [kulœr] f. colore m., tinta. | *crayon de couleur,* matita a colori. || [teint] colore m., colorito m. | *changer de couleur,* impallidire. || [colorant ; coloration] colore m. ; colorante m. || FIG. *haut en couleur, sans couleur,* colorito, privo di colore. | *couleur locale,* colore locale. || [cartes à jouer] colore, seme m. || TECHN. *en couleurs,* a colori. ◆ pl. [drapeau] colori, bandiera sing. | *envoyer les couleurs,* fare l'alzabandiera.

couleuvre [kulœvr] f. biscia. || FIG. *avaler des couleuvres,* ingoiare un rospo.

coulisse [kulis] f. TECHN. corsoio m. | *porte à coulisse,* porta scorrevole. ◆ pl. TH. quinte, retroscena f. sing. || FIG. retroscena m. inv.

coulisser [kulise] v. intr. scorrere.

couloir [kulwar] m. corridoio. | [sur une piste] corsia f.

coup [ku] m. colpo, botta f., bussa f., percossa f. | *rouer de coups,* dare un sacco di botte (a), bastonare di santa ragione. || [bruit] colpo ; [explosion] scoppio ; [détonation] sparo ; [cloche, horloge] rintocco. || FAM. [gorgée] sorso, bicchiere. | *boire à petits coups,* sorseggiare, centellinare. || JEU, SP. [échecs, dames] mossa f. ; [boxe] *coup bas,* colpo basso ; [football] *coup franc,* calcio di punizione ; [tennis] *coup droit,* diritto. || *cela vaut le coup,* vale la pena. | *un mauvais coup,* una cattiva azione, una birbonata, un brutto tiro, un tiro mancino. | *faire les quatre cents coups,* farne di tutti i colori. || *en mettre un bon coup,* darci dentro, mettercela tutta. | *tenir le coup,* resistere, cavarsela. ◆ *du premier coup,* di primo acchito. || *d'un (seul) coup,* in una volta, di colpo. || *à coup sûr,* a colpo sicuro. || *tout à coup,* di colpo, ad un tratto, improvvisamente. || *après coup,* a cose fatte, a posteriori. || *à coups de,* a suon di, a furia di, a forza di.

coupable [kupabl] adj. colpevole. ◆ n. colpevole. || JUR. reo.

coupant, e [kupɑ̃, ɑ̃t] adj. tagliente. || FIG. reciso. ◆ m. tagliente, taglio.

1. coupe [kup] f. coppa.

2. coupe f. taglio m. || [dessin] spaccato m., sezione. || [cartes] alzata, taglio. || POÉS. pausa. || MINÉR. [taille] taglio. || *être sous la coupe de,* essere sotto il dominio di, alle dipendenze di. | *avoir qn sous sa coupe,* aver qlcu. sotto il proprio dominio, la propria autorità, alle proprie dipendenze.

coupe-circuit [kupsirkɥi] m. inv. ÉLECTR. valvola f., fusibile m.

coupe-feu [kupfø] m. inv. tagliafuoco.
coupe-file [kupfil] m. inv. lasciapassare.
coupe-gorge [kupgɔrʒ] m. inv. luogo malfamato e malsicuro.
coupe-papier [kuppapje] m. inv. tagliacarte.
couper [kupe] v. intr. tagliare. ◆ v. tr. ind. *couper court à,* tagliare corto a, por fine a, troncare. | *nous n'y couperons pas,* non la passeremo liscia. ◆ v. tr. tagliare. | [en deux] dimezzare. | [en tranches] affettare. | [en morceaux] tagliare a pezzi. ‖ FIG. [jambes] troncare ; [parole] togliere, interrompere. | *à couper au couteau,* da affettarsi col coltello. ‖ [route] tagliare, attraversare, intersecare. ‖ [retraite, ponts] tagliare. ‖ [cartes] alzare, tagliare ; [atout] tagliare. ‖ [courant, contact] togliere. ‖ [fièvre] troncare. ‖ [vins] tagliare ; [avec de l'eau] annacquare. ‖ SP. [balle] tagliare. ‖ TÉL. interrompere, togliere. ◆ v. pr. FIG. tradirsi ; contraddirsi.
couperet [kuprɛ] m. mannaia f.
couperose [kuproz] f. MÉD. acne rosacea.
coupeur, euse [kupœr, øz] n. tagliatore, trice.
1. couple [kupl] m. [personnes] coppia f. ‖ [animaux, objets (œufs, etc.)] coppia f., paio.
2. couple f. coppia, paio.
coupler [kuple] v. tr. accoppiare, appaiare.
couplet [kuplɛ] m. strofa f. (di canzone). ‖ FAM. ritornello, solfa f.
coupole [kupɔl] f. cupola.
coupon [kupɔ̃] m. [étoffe] scampolo. ‖ [titre] cedola f., tagliando. ‖ [ticket] buono, tagliando.
coupure [kupyr] f. taglio m. | *faire des coupures dans un article,* fare dei tagli in un articolo. ‖ [électricité, gaz, eau] interruzione. ‖ [billet] banconota. ‖ (pl.) [de journaux] ritagli m. pl.
cour [kur] f. cortile m., corte. ‖ [souverain] corte. ‖ *faire la cour à,* far la corte a. ‖ JUR. corte.
courage [kuraʒ] m. coraggio, animo. | *perdre courage,* perdere coraggio, perdersi d'animo ; scoraggiarsi. ‖ [ardeur] ardore, zelo, energia f. ‖ [vertu cardinale] fortezza f.
courageux, euse [kuraʒø, øz] adj. coraggioso. ‖ [zélé] zelante, assiduo.
couramment [kuramɑ̃] adv. correntemente.
courant [kurɑ̃] m. corrente f. ‖ *courants de population,* flussi, migrazioni (f. pl.) di popolazione. ‖ *être au courant de,* essere informato di, a parte di, al corrente di. | *mettre au courant de,* informare di, mettere a parte di, mettere al corrente di.
courant, e [kurɑ̃, ɑ̃t] adj. corrente. | *le 10 courant,* il dieci corrente mese. ‖ COMM. *compte courant,* conto corrente. ‖ *affaires courantes,* affari di ordinaria amministrazione.
courbatu, e [kurbaty] adj. indolenzito, sfinito.
courbature [kurbatyr] f. indolenzimento.
courbe [kurb] adj. curvo. ◆ f. curva.
courber [kurbe] v. tr. curvare, piegare. ◆ v. pr. [pour saluer] inchinarsi.
courbette [kurbɛt] f. inchino m. (ossequioso), riverenza.
courbure [kurbyr] f. curvatura.
coureur, euse [kurœr, øz] n. corridore m. ; [à pied] podista n. ; [de cent mètres] centista n., centometrista n. ‖ FAM. *coureur de filles, de jupons,* donnaiolo. ◆ adj. *être (très) coureur,* correre la cavallina ; *être (très) coureuse,* essere una ragazza, una donna di facili costumi.
courge [kurʒ] f. zucca.
courgette [kurʒɛt] f. zucchina ; zucchino m.
courir [kurir] v. intr. correre. | *j'ai couru,* ho corso. | *j'ai couru le voir,* son corso a vederlo. ‖ FIG. [temps] correre, volare ; [eau] scorrere ; [sang] (s)correre. | *par le temps qui court,* nelle circostanze attuali, al giorno d'oggi ; oggigiorno. ‖ *le bruit court que,* corre voce che. ‖ *courir au plus pressé,* badare al più urgente. ‖ FAM. *laisser courir,* lasciar perdere, correre. ◆ v. tr. [parcourir] percorrere, girare, correre. ‖ FAM. *ça court les rues,* sono idee banali, risapute. ‖ [poursuivre] inseguire. ‖ [fréquenter] frequentare ; andare in giro per. ‖ [s'exposer à] *courir le risque de,* correre rischio di.
couronne [kurɔn] f. corona. | *renoncer à la couronne,* abdicare. ‖ FIG. *couronne de montagnes,* cerchia, corona di monti.
couronnement [kurɔnmɑ̃] m. incoronazione f. ‖ [achèvement] coronamento.
couronner [kurɔne] v. tr. incoronare. ‖ [décerner un prix à] premiare. ‖ [récompenser, parachever] coronare. ‖ [entourer] incoronare, cingere, circondare. ◆ v. pr. [se blesser] ferirsi al ginocchio.
courrier [kurje] m. corriere. ‖ [ensemble des lettres] posta f., corriere, corrispondenza f. | *faire son courrier,* sbrigare la corrispondenza. | *par retour du courrier,* a volta di corriere, a (stretto) giro di posta. ‖ [chronique] cronaca f., rubrica f.
courriériste [kurjerist] n. cronista.
courroie [kurwa] f. cinghia, correggia. ‖ TECHN. cinghia.

courroucer [kuruse] v. tr. corrucciare, adirare, sdegnare.
courroux [kuru] m. LITT. corruccio, sdegno ; collera f. (L.C.).
cours [kur] m. corso. | *donner libre cours à,* dare (libero) sfogo a. || [avenue] corso, viale. || FIN. corso. || FIG. *avoir cours,* essere in uso. || MAR. *au long cours,* di lungo corso. || UNIV. corso. | *cours du soir,* corsi, scuole (f. pl.) serali. | *cours télévisés,* telescuola f. || [école] *cours privé,* istituto. || [enseignement] lezione f. | *salle de cours,* aula f. ◆ *au cours de,* nel corso di, durante. || *en cours de,* in corso di. | *en cours de route,* strada facendo ; per via.
course [kurs] f. corsa. || SP. corsa, gara. || [parcours] corsa, percorso m., gita. || [commission] comp(e)ra, acquisto m. | *faire les courses,* far la spesa. | *garçon de courses,* fattorino, galoppino. || TECHN. corsa.
1. coursier [kursje] m. LITT. [cheval] corsiere.
2. coursier m. fattorino.
coursive [kursiv] f. MAR. corridoio m.
court [kur] m. SP. campo di tennis.
court, e [kur, kurt] adj. corto. || [bref] corto, breve. | *à court terme,* a breve scadenza. ◆ adv. *cheveux coupés court,* capelli tagliati corti. || FIG. *rester court,* perdere il filo (del discorso). | *aller au plus court,* prendere la via più corta. | *tourner court,* arenarsi, incagliarsi. | *prendre de court,* cogliere di sorpresa, alla sprovvista. ◆ *tout court,* senz'altro, semplicemente. | *s'arrêter tout court,* fermarsi di botto. || *à court de,* a corto di.
courtage [kurtaʒ] m. COMM. commissione f., senseria f., mediazione f.
courtaud, e [kurto, od] adj. bassotto, tracagnotto.
court-circuit [kursirkɥi] m. cortocircuito.
courtier, ère [kurtje, ɛr] n. COMM. sensale ; mediatore, trice.
courtisan [kurtizɑ̃] m. cortigiano.
courtisane [kurtizan] f. cortigiana.
courtiser [kurtize] v. tr. far la corte a ; corteggiare.
courtois, e [kurtwa, az] adj. cortese.
courtoisie [kurtwazi] f. cortesia.
couru, e [kury] adj. ricercato, apprezzato. || FAM. *c'est couru,* è certo.
cousin [kuzɛ̃] m. ZOOL. culice, cugino.
cousin, e [kuzɛ̃, in] n. cugino, cugina.
coussin [kusɛ̃] m. cuscino.
coussinet [kusinɛ] m. TECHN. cuscinetto.
cousu, e [kuzy] adj. *cousu main,* fatto a mano. || *cousu d'or,* ricco sfondato. || *bouche cousue !,* acqua in bocca !
coût [ku] m. costo.
coûtant [kutɑ̃] adj. m. *à prix coûtant,* a prezzo di costo.
couteau [kuto] m. coltello. | *coup de couteau,* coltellata f. || FIG. *avoir le couteau sur, sous la gorge,* avere il coltello alla gola. | *être à couteaux tirés,* essere ai ferri corti.
coutelas [kutla] m. coltella f., coltellaccio.
coutelier [kutəlje] m. coltellinaio.
coutellerie [kutɛlri] f. coltelleria.
coûter [kute] v. intr. costare. ◆ v. impers. FIG. *il m'en coûte de te laisser,* quanto mi costa di doverti lasciare ! ◆ v. tr. costare. || LOC. *coûte que coûte,* costi quel che costi, ad ogni costo, a qualsiasi prezzo.
coûteux, euse [kutø, øz] adj. costoso.
coutil [kuti] m. TEXT. traliccio.
coutume [kutym] f. costume m., abitudine, consuetudine. | *avoir coutume de dire,* esser solito dire. | *les coutumes d'un pays,* le usanze, gli usi, i costumi di un paese. ◆ *de coutume,* di solito, abitualmente. | *comme de coutume,* come al solito.
coutumier, ère [kutymje, ɛr] adj. solito, abituale, consueto. || JUR. *droit coutumier,* diritto consuetudinario.
couture [kutyr] f. *faire de la couture,* far del cucito. || [profession] sartoria. | *haute couture,* alta moda. | *maison de couture,* casa di mode. || [suite de points] cucitura.
couturier [kutyrje] m. sarto (per signora).
couturière [kutyrjɛr] f. sarta.
couvée [kuve] f. covata.
couvent [kuvɑ̃] m. convento. || [pensionnat] educandato (religioso).
couver [kuve] v. tr. et intr. covare.
couvercle [kuvɛrkl] m. coperchio.
couvert [kuvɛr] m. [abri] *le vivre et le couvert,* il vitto e l'alloggio. | *sous le couvert des arbres,* al riparo degli alberi. || [table] coperto. | *mettre, ôter le couvert,* apparecchiare, sparecchiare (la tavola). || [cuiller, fourchette et couteau] posata f. ◆ *être à couvert,* essere garantito. | *se mettre à couvert,* mettersi al coperto. | *sous le couvert de,* sotto il manto di, col pretesto di.
couvert, e [kuvɛr, ɛrt] adj. coperto. || FIG. *à mots couverts,* con parole velate.
couverture [kuvɛrtyr] f. [tissu] coperta, coltre. || [livre] copertina. || ARCHIT., COMM., FIN., MIL. copertura.
couveuse [kuvøz] f. [poule] chioccia. || [appareil] incubatrice.
couvre-feu [kuvrəfø] m. coprifuoco.
couvre-lit [kuvrəli] m. copriletto.
couvre-livre [kuvrəlivr] m. sopraccoperta f.
couvre-pieds [kuvrəpie] m. inv. copripiedi.

couvreur [kuvrœr] m. copritetti, conciatetti inv.
couvrir [kuvrir] v. tr. coprire. ◆ v. pr. [coiffure] mettersi il cappello, il berretto. | *couvrez-vous !,* si copra ! || [ciel] coprirsi, rabbuiarsi, rannuvolarsi.
crabe [krab] m. granchio.
crachat [kraʃa] m. sputo.
craché, e [kraʃe] adj. FAM. *c'est son père tout craché,* è suo padre nato e sputato.
cracher [kraʃe] v. tr. sputare.
crachin [kraʃɛ̃] m. acquerugiola f.
crachoir [kraʃwar] m. sputacchiera f.
crachoter [kraʃɔte] v. intr. sputacchiare.
craie [krɛ] f. gesso m. | *bâton de craie,* gessetto m.
craindre [krɛ̃dr] v. tr. temere ; aver paura, timore di.
crainte [krɛ̃t] f. timore m., paura. || [respect] timore m. ◆ ***de crainte que... ne*** (subj.), ***de crainte de*** (inf.), per timore di (inf.).
craintif, ive [krɛ̃tif, iv] adj. timoroso, pauroso.
crampe [krɑ̃p] f. crampo m.
crampon [krɑ̃pɔ̃] m. TECHN. grappa f., graffa f. || [alpinisme] rampone.
cramponner [krɑ̃pɔne] v. tr. TECHN. assicurare, fissare con grappe. ◆ v. pr. aggrapparsi, appigliarsi, attaccarsi. || FIG. appigliarsi, abbarbicarsi.
cran [krɑ̃] m. tacca f., intaccatura f. | *cran de sûreté,* sicura f. | *couteau à cran d'arrêt,* coltello a scrocco, a serramanico. || [d'une ceinture, d'une courroie] buco. || [degré] grado, gradino. || [coiffure] ondulazione f., onda f. || FAM. [fermeté] fegato ; audacia f., coraggio (L.C.). | *il a du cran,* è un uomo di fegato
crâne [krɑn] m. cranio ; [squelette] teschio. || [tête] testa f. ; zucca f. (fam.). || [cerveau] cranio, cervello ; mente f.
crâner [krɑne] v. intr. fare lo spavaldo, lo spaccone ; darsi delle arie.
crâneur, euse [krɑnœr, øz] adj. spavaldo. ◆ n. spaccone, a.
crânien, enne [krɑnjɛ̃, ɛn] adj. cranico.
crapaud [krapo] m. rospo.
crapule [krapyl] f. [débauché] crapulone m. ; [malhonnête] canaglia, farabutto m., mascalzone m.
crapuleux, euse [krapylø, øz] adj. dissoluto, scostumato, abietto. | *crime crapuleux,* turpe delitto.
craqueler [krakle] v. tr. screpolare.
craquelure [kraklyr] f. screpolatura.
craquement [krakmɑ̃] m. scricchiolio, crepitio, schianto.
craquer [krake] v. intr. scricchiolare. || [se déchirer] rompersi, cedere. | *plein à craquer,* pieno da scoppiare. || FIG. [être ébranlé] cedere, crollare. ◆ v. tr. *craquer une allumette,* accendere un fiammifero.
crasse [kras] f. sporcizia ; sudiciume m. || FAM. [méchanceté] porcheria ; brutto tiro m., tiro (m.) mancino. ◆ adj. *ignorance crasse,* ignoranza crassa.
crasseux, euse [krasø, øz] adj. sporco, sudicio, sozzo.
crassier [krasje] m. mucchio di scorie.
cratère [kratɛr] m. cratere.
cravache [kravaʃ] f. scudiscio m., frustino m.
cravacher [kravaʃe] v. tr. scudisciare, frustare, sferzare.
cravate [kravat] f. cravatta.
crayeux, euse [krɛjø, øz] adj. gessoso. || [crétacé] cretaceo.
crayon [krɛjɔ̃] m. matita f., lapis. | *crayon noir, de couleur,* matita nera, colorata. | *crayon-feutre,* pennarello ; *crayon à bille,* penna (f.) a sfera ; biro f. inv. || [dessin] disegno, schizzo a matita.
crayonner [krɛjɔne] v. tr. scrivere, disegnare a matita. || [esquisser] abbozzare, schizzare.
créance [kreɑ̃s] f. credito m. | *lettres de créance,* (lettere) credenziali f. pl.
créancier, ère [kreɑ̃sje, ɛr] n. creditore, trice.
créateur, trice [kreatœr, tris] adj. et n. creatore, trice.
création [kreasjɔ̃] f. creazione. || REL. creato m. || TH. prima recita.
créature [kreatyr] f. creatura.
crécelle [kresɛl] f. raganella.
crèche [krɛʃ] f. presepio m. || [garderie] asilo nido m.
crédence [kredɑ̃s] f. credenza.
crédibilité [kredibilite] f. credibilità, attendibilità.
crédit [kredi] m. [foi] credito, credenza f. || [considération] credito, stima f. || COMM., FIN. credito. | *à crédit,* a credito, a rate. || [comptabilité] avere, credito. || [établissement] credito.
crédit-bail [kredibaj] m. credito affitto.
créditer [kredite] v. tr. accreditare.
créditeur, trice [kreditœr, tris] adj. et n. creditore, trice. | *compte créditeur,* avere.
credo [kredo] m. inv. credo.
crédule [kredyl] adj. credulo.
crédulité [kredylite] f. credulità.
créer [kree] v. tr. creare, inventare, fondare. || [causer] creare. || TH. [rôle] creare.
crémaillère [kremajɛr] f. catena (del camino). || MÉC., TR. cremagliera.
crémation [kremasjɔ̃] f. cremazione.

crème [krɛm] f. panna, crema. | *crème fouettée, Chantilly,* panna montata. || FIG. crema ; fior fiore m.
crémerie [kremri] f. latteria.
crémeux, euse [kremø, øz] adj. cremoso.
crémier, ère [kremje, ɛr] n. lattivendolo, a ; lattaio, a.
créneau [kreno] m. merlo.
créole [kreɔl] adj. et n. creolo.
1. crêpe [krɛp] f. CULIN. crespella, frittella.
2. crêpe m. TEXT. crespo. || [caoutchouc] para f.
crêper [krepe] v. tr. [cheveux] (ac)cotonare. ◆ v. pr. FAM. *se crêper le chignon,* accapigliarsi.
crépi [krepi] m. intonaco.
crépir [krepir] v. tr. intonacare.
crépitation [krepitasjɔ̃] f. ou **crépitement** [krepitmɑ̃] m. crepitio m., scoppiettio m.
crépiter [krepite] v. intr. crepitare, scoppiettare, picchiettare.
crépu, e [krepy] adj. crespo.
crépusculaire [krepyskylɛr] adj. crepuscolare.
crépuscule [krepyskyl] m. crepuscolo.
cresson [krɛsɔ̃] m. crescione.
crésus [krezys] m. creso, riccone.
crête [krɛt] f. cresta. | *ligne de crête,* crinale m. ; | [du toit] colmo m., comignolo m.
crétin, e [kretɛ̃, in] n. cretino.
creusage [krøzaʒ] ou **creusement** [krøzmɑ̃] m. scavo ; escavazione f.
creuser [krøze] v. tr. [bois, pierre] incavare. || [puits, galerie] scavare. || FIG. approfondire, sviscerare. || [mettre en appétit] mettere appetito. ◆ v. pr. FAM. *se creuser la cervelle,* lambiccarsi il cervello, scervellarsi.
creuset [krøzɛ] m. crogiolo.
creux, euse [krø, øz] adj. cavo, incavato, infossato ; [ventre, tête] vuoto ; [voix] cavernoso ; [assiette] fondo. | *heures creuses,* ore calme. | *saison creuse,* bassa stagione. ◆ m. cavità f., cavo. | *creux de la main,* cavo della mano. | *creux de l'aisselle,* incavo dell'ascella. | *creux de l'estomac,* epigastrio. | *glisser dans le creux de l'oreille,* sussurrare all'orecchio. || FIG. [dépression] stasi f., ristagno.
crevaison [krəvɛzɔ̃] f. foratura.
crevant, e [krəvɑ̃, ɑ̃t] adj. POP. [drôle] buffo (L.C.). || [épuisant] massacrante.
crevasse [krəvas] f. crepa. || [aux mains] screpolatura. || GÉOL. crepaccio m.
crevasser [krəvase] v. tr. screpolare.
crève [krɛv] f. POP. *attraper la crève,* buscarsi una malattia, l'influenza.
crève-cœur [krɛvkœr] m. inv. crepacuore.
crever [krəve] v. intr. scoppiare. | *crever de rire,* scoppiare dalle risa. | *crever de faim,* crepare di, dalla fame. || [pneu] forare. ◆ v. tr. [percer] bucare, forare ; [faire éclater] far scoppiare ; schiantare ; [éreinter] spossare. ◆ v. pr. FIG. *se crever les yeux,* cavarsi gli occhi. | *se crever au travail,* ammazzarsi di lavoro.
crevette [krəvɛt] f. gamberetto m. (di mare).
cri [kri] m. [humain] grido ; [aigu] strillo ; [strident] strido. | *pousser un cri,* mandare, cacciare un grido. || MODE *le dernier cri,* l'ultimo grido. || [animal] grido, verso.
criailler [krijɑje] v. intr. FAM. gridare, strillare.
criant, e [krijɑ̃, ɑ̃t] adj. *injustice criante,* ingiustizia palese, palmare,
criard, e [krijar, ard] adj. che strilla sempre ; [voix] stridulo, stridente ; [couleur] chiassoso ; [dette] improrogabile.
crible [kribl] m. vaglio, crivello. | *passer au crible,* vagliare.
criblé, e [krible] adj. *criblé de trous,* bucherellato. | *criblé de dettes,* carico di debiti.
cribler [krible] v. tr. vagliare, crivellare. || [accabler] tempestare, caricare, coprire.
cric [krik] m. cricco, cric, martinetto ; binda f.
cricri [krikri] m. grillo.
criée [krije] f. asta.
crier [krije] v. intr. gridare, urlare, strillare. || [grincer] cigolare, stridere. || [dénoncer] *crier à l'injustice, au secours,* gridare all'ingiustizia ; gridare aiuto. || FAM. *crier contre, après qn,* gridare, strillare qlcu. ◆ v. tr. gridare. || FIG. [innocence] gridare, proclamare, protestare. | *crier famine, misère,* piangere miseria.
crieur [krijœr] m. [de journaux] strillone.
crime [krim] m. delitto, crimine.
criminel, elle [kriminɛl] adj. et n. criminale. | *procédure criminelle,* procedura penale.
crin [krɛ̃] m. crine.
crinière [krinjɛr] f. criniera.
crique [krik] f. cala ; (piccola) insenatura.
criquet [krikɛ] m. cavalletta f.
crise [kriz] f. crisi ; attacco m. || FIG. crisi.
crispant, e [krispɑ̃, ɑ̃t] adj. che dà ai nervi ; irritante.
crispation [krispasjɔ̃] f. MÉD. contrazione.
crisper [krispe] v. tr. MÉD. contrarre. || FAM. dare ai nervi, impazientire. ◆ v. pr. contrarsi.

crissement [krismɑ̃] m. scricchiolio.
crisser [krise] v. intr. scricchiolare, cricchiare.
cristal, aux [kristal, o] m. cristallo.
cristallin, e [kristalɛ̃, in] adj. et m. cristallino.
cristalliser [kristalize] v. tr. cristallizzare.
critère [kritɛr] m. criterio.
critérium [kriterjɔm] m. SP. criterium inv.
critique [kritik] adj. critico. ◆ m. critico. ◆ f. critica. | *faire la critique de,* recensire v. tr.
critiquer [kritike] v. tr. criticare.
croasser [krɔase] v. intr. gracchiare.
croc [kro] m. gancio, uncino. || MAR. alighiero, gaffa f. || ZOOL. [dent] zanna f.
croc-en-jambe [krɔkɑ̃ʒɑ̃b] m. sgambetto.
croche [krɔʃ] f. MUS. croma. | *double, triple, quadruple croche,* semicroma, biscroma, semibiscroma.
crochet [krɔʃɛ] m. gancio, uncino. || [clou] rampino, arpione. || [agrafe] uncinello, uncinetto. || [aiguille à encoche] uncinetto. || [de serrurier] grimaldello. || FIG. [détour] svolta f., giro. || LOC. *vivre aux crochets de,* vivere alle spalle di. || SP. [boxe] gancio. || TYP. parentesi (f.) quadra. | *mettre entre crochets,* racchiudere tra parentesi quadre.
crocheter [krɔʃte] v. tr. scassinare (col grimaldello).
crochu, e [krɔʃy] adj. adunco, uncinato.
crocodile [krɔkɔdil] m. coccodrillo.
crocus [krɔkys] m. croco.
croire [krwar] v. tr. credere. | *croire que oui, que non,* credere di sì, di no. || LOC. *à t'en croire,* stando a quello che tu dici. | *je te crois !,* eccome ! ; altro che ! ◆ v. intr. REL. credere ; avere la fede. ◆ v. tr. ind. (à, en) credere (in).
croisade [krwazad] f. crociata.
croisé, e [krwaze] adj. incrociato. | *mots croisés,* cruciverba m. inv. | *veston croisé,* giacca (a) doppio petto. | *rimes croisées,* rime alternate. ◆ m. HIST. crociato.
croisée [krwaze] f. [de chemins] incrocio m., crocevia m. inv. || [du transept] crociera. || [de fenêtre] telaio m.
croisement [krwazmɑ̃] m. incrocio. || [routes] crocevia inv. || AUT. *feux de croisement,* anabbaglianti m. pl.
croiser [krwaze] v. tr. incrociare. || [traverser] incrociare, attraversare. || [rencontrer] *croiser qn,* incontrare, incrociare qlcu. || AUT. incrociare. ◆ v. intr. MAR. incrociare. ◆ v. pr. FIG. *se croiser les bras,* stare con le mani in mano.
croiseur [krwazœr] m. MAR. incrociatore.
croisière [krwazjɛr] f. crociera.
croissance [krwasɑ̃s] f. crescita, crescenza (rare), accrescimento m. || ÉCON. incremento m.
croissant, e [krwasɑ̃, ɑ̃t] adj. crescente. ◆ n. m. [lune] falce f. ; luna (f.) calante, crescente. || [pâtisserie] cornetto, chifel.
croître [krwatr] v. intr. crescere.
croix [krwa] f. croce. | *point de croix,* punto a, in croce. || *Croix-Rouge,* Croce Rossa. | *infirmière de la Croix-Rouge,* crocerossina. ◆ *en croix,* in croce.
croquant, e [krɔkɑ̃, ɑ̃t] adj. croccante.
croque-mitaine [krɔkmitɛn] m. babau inv. ; spauracchio.
croque-mort [krɔkmɔr] m. FAM. beccamorti inv. ; becchino.
croquer [krɔke] v. intr. crocchiare. ◆ v. tr. sgranocchiare. || FIG. [fortune] mangiarsi. || ART schizzare, abbozzare.
croquette [krɔkɛt] f. CULIN. [légumes] crocchetta ; [poisson, viande] polpetta.
croquis [krɔki] m. schizzo, abbozzo.
crosse [krɔs] f. REL. pastorale m. || SP. [hockey] bastone m., mazza. || ANAT. *crosse de l'aorte,* arco (m.) aortico. || MIL. [fusil] calcio m.
crotte [krɔt] f. sterco m. || CULIN. [de chocolat] cioccolatino m.
crotté, e [krɔte] adj. infangato, inzaccherato.
crotter [krɔte] v. intr. [animaux] cacare.
crottin [krɔtɛ̃] m. sterco (di equini).
croulant, e [krulɑ̃, ɑ̃t] adj. pericolante. ◆ n. POP. matusa. | *mes croulants,* i miei vecchi.
crouler [krule] v. intr. crollare, sprofondare, rovinare.
croupe [krup] f. groppa.
croupetons (à) [akruptɔ̃] loc. adv. coccoloni.
croupi, e [krupi] adj. *eau croupie,* acqua marcia.
croupion [krupjɔ̃] m. codrione.
croupir [krupir] v. intr. imputridire, marcire. || FIG. marcire.
croupissant, e [krupisɑ̃, ɑ̃t] adj. stagnante.
croustillant, e [krustijɑ̃, ɑ̃t] adj. croccante. || FIG. salace.
croûte [krut] f. crosta. || FAM. *casser la croûte,* fare uno spuntino. | *gagner sa croûte,* buscarsi, guadagnarsi il pane.
croûton [krutɔ̃] m. cantuccio, tozzo (di pane). || CULIN. crostino.
croyable [krwajabl] adj. credibile.
croyance [krwajɑ̃s] f. [foi] credenza, fede. || [opinion] credenza, opinione, idea.
croyant, e [krwajɑ̃, ɑ̃t] adj. et n. credente.

cru [kry] m. vigneto. | *un bon cru,* un vino di qualità. | *les grands crus,* i vini di lusso. || FIG. *il a dit une chose de son cru,* è farina del suo sacco.
cru, e [kry] adj. crudo. || FIG. [choquant] salace, scurrile. | *monter à cru,* cavalcare a pelo.
cruauté [kryote] f. crudeltà.
cruche [kryʃ] f. brocca. || FAM. [sot] oca ; citrullo, a.
cruchon [kryʃɔ̃] m. brocchetta f., caraffina f.
crucial, e, aux [krysjal, o] adj. cruciale.
crucifier [krysifje] v. tr. crocifiggere.
crucifix [krysifi] m. crocifisso.
crucifixion [krysifiksjɔ̃] f. crocifissione.
cruciverbiste [krysivɛrbist] n. cruciverbista.
crudité [krydite] f. crudezza. ◆ pl. verdure, frutta crude.
crue [kry] f. piena. || [inondation] inondazione ; alluvione m.
cruel, elle [kryɛl] adj. crudele.
crûment [krymɑ̃] adv. crudamente, con asprezza.
crustacé [krystase] m. crostaceo.
crypte [kript] f. cripta.
cubage [kybaʒ] m. cubatura f.
cube [kyb] m. cubo. ◆ adj. *mètre cube,* metro cubo.
cuber [kybe] v. tr. cubare. ◆ v. intr. [contenir] contenere ; avere una capacità di. || FAM. ammontare (a una somma ingente).
cubique [kybik] adj. cubico.
cubisme [kybism] m. ART cubismo.
cueillette [kœjɛt] f. raccolta.
cueillir [kœjir] v. tr. cogliere. || FAM. [un voleur] acciuffare, pizzicare.
cuiller ou **cuillère** [kɥijɛr] f. cucchiaio m. | *cuiller à café,* cucchiaino (m.) da caffè. || FAM. *en deux coups de cuiller à pot,* in quattro e quattr'otto.
cuillerée [kɥijəre] f. cucchiaiata.
cuir [kɥir] m. cuoio ; pelle f.
cuirasse [kɥiras] f. corazza. || FIG. *défaut de la cuirasse,* punto (m.) debole.
cuirassé, e [kyirase] adj. corazzato. ◆ m. MAR. corazzata f.
cuirasser [kyirase] v. tr. corazzare.
cuire [kɥir] v. intr. et tr. cuocere. | *cuire le riz,* bollire il riso. || [être douloureux] bruciare. || FAM. *c'est un dur à cuire,* è un osso duro. | *nous sommes cuits,* siamo fritti, spacciati. | *c'est cuit,* è finita. | *c'est du tout cuit,* la pappa è fatta.
cuirassier [kyirasje] m. corazziere.
cuisant, e [kɥizɑ̃, ɑ̃t] adj. [aigu] cocente. || [blessant] pungente.
cuisine [kɥizin] f. cucina. | *faire (de) la cuisine,* cucinare ; fare la cucina. || FIG., FAM. maneggio m., intrigo m. || *latin de cuisine,* latino maccheronico.
cuisiner [kɥizine] v. intr. et tr. cucinare. || FAM. interrogare (con insistenza), torchiare.
cuisinier, ère [kyizinje, ɛr] n. cuoco, cuoca. | *chef cuisinier,* capocuoco. ◆ f. [fourneau] fornello m., cucina.
cuisse [kɥis] f. coscia.
cuisseau [kɥiso] m. [veau] coscio, cosciotto.
cuisson [kɥisɔ̃] f. cottura. || [douleur] bruciore m.
cuissot [kɥiso] m. [gibier] coscio.
cuistre [kɥistr] m. pedante.
cuite [kɥit] f. POP. sbornia, sbronza.
cuiter (se) [səkɥite] v. pr. POP. prendersi una sbornia, una sbronza.
cuivre [kɥivr] m. [rouge] rame ; [jaune] ottone. || ART (incisione su) rame. ◆ pl. [objets] rami. || MUS. ottoni.
cuivré, e [kɥivre] adj. color (di) rame ; abbronzato.
cul [ky] m. POP. culo. || [de bouteille] culo.
culasse [kylas] f. [moteur] testa, testata. || [canon] culatta.
culbute [kylbyt] f. [cabriole] capriola. || [chute] caduta, capitombolo m.
culbuter [kylbyte] v. intr. [se renverser] rovesciarsi, ribaltarsi. || [tomber] capitombolare ; cadere all'indietro. ◆ v. tr. [renverser] rovesciare, ribaltare. || [vaincre] sbaragliare, sgominare, travolgere.
culbuteur [kylbytœr] m. AUT. bilanciere.
cul-de-jatte [kydʒat] n. persona priva delle gambe.
cul-de-sac [kydsak] m. vicolo cieco.
culée [kyle] f. ARCHIT. coscia, spalla.
culminant, e [kylminɑ̃, ɑ̃t] adj. culminante.
culminer [kylmine] v. intr. culminare.
culot [kylo] m. [pipe] gromma f., gruma f. || [ampoule électrique] attacco ; [cartouche] fondello. || FAM. sfacciataggine f., sfrontatezza f., faccia (f.) tosta.
culotte [kylɔt] f. calzoni m. pl. | *culottes courtes,* calzoncini m. pl. || [de femme] mutandine f. pl.
culotté, e [kylɔte] adj. FAM. sfrontato, sfacciato.
culotter [kylɔte] v. tr. [pipe] ingrommare.
culpabilité [kylpabilite] f. colpevolezza.
culte [kylt] m. culto.
cul-terreux [kytɛrø] m. FAM. zappaterra.
cultivateur, trice [kyltivatœr, tris] n. coltivatore, trice ; agricoltore, trice.
cultivé, e [kyltive] adj. [instruit] colto.
cultiver [kyltive] v. tr. coltivare. || FIG. arricchire, ornare, sviluppare. ||

[s'adonner à] dedicarsi a, essere un cultore di. ◆ v. pr. ornarsi la mente.
cultuel, elle [kyltɥɛl] adj. cultuale.
culture [kyltyr] f. coltura, coltivazione. | *culture des céréales,* cerealicoltura. || [savoir] cultura. | *maison de la culture,* centro (m.) culturale. || SP. *culture physique,* cultura fisica.
culturel, elle [kyltyrɛl] adj. culturale.
cumin [kymɛ̃] m. comino, cumino.
cumul [kymyl] m. cumulo.
cumuler [kymyle] v. tr. cumulare.
cumulus [kymylys] m. cumulo.
cupide [kypid] adj. cupido.
cupidité [kypidite] f. cupidigia.
1. cure [kyr] f. MÉD. cura. || LOC. *n'avoir cure de,* non curarsi di, non darsi cura di.
2. cure f. REL. cura. || [maison] canonica.
curé [kyre] m. parroco, curato. || FAM., parfois PÉJOR. prete.
cure-dent [kyrdɑ̃] m. stuzzicadenti inv., stecchino.
curée [kyre] f. [des places, des honneurs] caccia (a).
curer [kyre] v. tr. pulire, nettare, purgare.
curieux, euse [kyrjø, øz] adj. et m. curioso.
curiosité [kyrjozite] f. curiosità.
cursif, ive [kyrsif, iv] adj. corsivo. | *lecture cursive,* lettura cursoria.
cutané, e [kytane] adj. cutaneo.
cuve [kyv] f. [à vin] tino m.
cuvée [kyve] f. contenuto (m.) di un tino. || [produit d'une vigne] vino (m.) di un podere.
cuver [kyve] v. tr. FAM *cuver son vin,* smaltire la sbornia.
cuvette [kyvɛt] f. catinella, bacinella, catino m. ; [des cabinets] tazza, vaso m.
cyanose [sjanoz] f. cianosi.
cybernétique [sibernɛtik] f. cibernetica.
cyclable [siklabl] adj. ciclabile.
cycle [sikl] m. ciclo. || [bicyclette] ciclo ; bibicletta f.
cyclisme [siklism] m. ciclismo.
cycliste [siklist] n. ciclista.
cyclone [siklon] m. ciclone.
cyclotron [siklɔtrɔ̃] m. ciclotrone.
cygne [siɲ] m. cigno.
cyclindre [silɛ̃dr] m. cilindro. || [rouleau] rullo compressore, compressore stradale.
cylindrée [silɛ̃dre] f. cilindrata.
cylindrique [silɛ̃drik] adj. cilindrico.
cymbale [sɛ̃bal] f. piatto m.
cynique [sinik] adj. et n. cinico.
cinisme [sinism] m. cinismo.
cyprès [siprɛ] m. cipresso.

d

d [de] m. d f. ou m.
dactylo [daktilo] f. dattilografa.
dactylographie [daktilɔgrafi] f. dattilografia.
dactylographier [daktilɔgrafje] v. tr. dattilografare ; scrivere, battere a macchina.
dada [dada] m. FAM. [cheval] cavallino. || [marotte] chiodo.
dadais [dadɛ] m. sciocchino.
dague [dag] f. daga.
daigner [deɲe] v. tr. degnarsi di, compiacersi di.
daim [dɛ̃] m. daino. | *chaussures de daim,* scarpe di camoscio.
dais [dɛ] m. baldacchino.
dallage [dalaʒ] m. [rue] lastricato, lastrico, pavimento ; [intérieur] pavimento, ammattonato.
dalle [dal] f. lastra, mattonella. | *dalle funéraire,* pietra tombale. || [de béton] soletta.
daller [dale] v. tr. lastricare, pavimentare.
daltonien, enne [daltɔnjɛ̃, ɛn] adj. et n. daltonico.
dam [dam] m. *au grand dam de,* a (tutto) scapito di.
damas [dama] m. [étoffe] damasco.
damassé, e [damase] adj. et m. damascato.
dame [dam] f. donna, dama, signora. | *noble dame,* nobildonna, gentildonna. | *airs de grande dame,* arie da gran dama. || JEU [cartes] dama, donna. | *jouer aux dames,* giocare a dama. || [échecs] regina. || REL. *Notre-Dame,* Nostra Signora. ◆ interj. diamine !, sfido io !
dame-jeanne [damʒan] f. damigiana.
damer [dame] v. tr. damare.
damier [damje] m. damiera f. ; scacchiera f.
damnation [danasjɔ̃] f. et interj. dannazione.
damné, e [dane] adj. et n. dannato. || FAM. *damnée voiture,* maledetta macchina.
damner [dane] v. tr. dannare.
dancing [dɑ̃si] m. sala f., locale da ballo.
dandiner (se) [sədɑ̃dine] v. pr. dondolarsi ; [en marchant] ancheggiare ; sculettare.
danger [dɑ̃ʒe] m. pericolo. | *mettre en danger,* mettere in pericolo, a repentaglio.

dangereux, euse [dɑ̃ʒrø, øz] adj. pericoloso.

dans [dɑ̃] prép. [lieu] in. || [au milieu de] tra. || [avec mouvement] per. | *défiler dans les rues,* sfilare per le vie. || [temps] in. | *je viendrai dans la semaine,* verrò in settimana. || [avenir] fra, tra, entro. | *dans un an,* fra un anno. | *dans un délai de trois mois,* entro tre mesi. || [passé] *dans le temps,* tempo fa, un tempo. || LOC. *dans le but de,* allo, con lo scopo di. | *dans l'intention de,* con l'intento di. || [approximation] FAM. *avoir dans les vingt ans,* essere sui vent'anni.

dansant, e [dɑ̃sɑ̃, ɑ̃t] adj. danzante. | *soirée dansante,* serata di ballo. | *musique dansante,* musica ballabile.

danse [dɑ̃s] f. ballo m., danza. | *air de danse,* ballabile m.

danser [dɑ̃se] v. intr. [chorégraphie] danzare ; [divertissement] ballare.

danseur, euse [dɑ̃sœr, øz] n. ballerino, a ; danzatore, trice. || [artiste] ballerino. | *danseuse étoile,* prima ballerina.

dantesque [dɑ̃tɛsk] adj. dantesco.

dantologue [dɑ̃tɔlɔg] m. dantista.

dard [dar] m. [arme] dardo. || [aiguillon] pungiglione.

darder [darde] v. tr. [flèche] scagliare. || FIG. saettare v. tr., dardeggiare, raggiare, fiammeggiare v. intr.

date [dat] f. data. | *faire date,* far epoca. | *prendre date,* fissare la data.

dater [date] v. tr. datare. | *lettre datée de 1900,* lettera datata al 1900. ◆ v. intr. *dater de,* risalire a. || [faire date] far epoca ; essere importante, notevole. || [être démodé] *livre qui date,* libro antiquato. ◆ *à dater de,* a partire da, a decorrere da, partendo da.

datif [datif] m. dativo.

datte [dat] f. dattero m.

dattier [datje] m. palma (f.) da dattero, palma (f.) dattilifera.

daube [dob] f. CULIN. stufato m.

dauphin [dofɛ̃] m. delfino.

daurade ou **dorade** [dɔrad] f. ZOOL. orata.

davantage [davɑ̃taʒ] adv. [quantité] più, di più. || [temps] più a lungo.

de [də] prép. [lieu : départ] da, di ; *sortir de la maison,* uscir di casa ; *revenir des champs,* tornare dai campi ; *ôter des mains,* togliere dalle mani. || [temps : origine] da, di, in, a. | *aveugle de naissance,* cieco dalla nascita. || *de ... à,* da ... a ; *de ... en,* di ... in. | *de demain en huit,* domani a otto. | *de jour en jour,* di giorno in giorno. || [possession] di. || [matière] di. || [cause] di, da, per. | *mourir de faim,* morire di, dalla fame. | *punir de,* punire per, di. || [compl. d'agent] da. || [manière] *de mémoire,* a memoria. | *d'une voix forte,* con voce forte. | *de tout cœur,* di tutto cuore. || [moyen] *de vive force,* a viva forza. | *de toutes mes forces,* con tutte le forze. | *montrer du doigt,* mostrare a, col dito. || [destination] *carte de visite,* biglivisita. || [valeur] *billet de mille lires,* biglietto da mille. || [apposition] *la ville de Rome,* la città di Roma. | *le mot de liberté,* la parola libertà. || [explétif] *trois jours de libres,* tre giorni liberi.

de, de l' [də, dəl], **du** [dy], **de la** [dəla], **des** [dɛ] art. partitif di, del, dello, dell', della, dell', dei, degli, degl'.

1. dé [de] m. [à coudre] ditale.

2. dé m. JEU dado.

débâcle [debɑkl] f. [glaces] scioglimento m. || FIG. disfatta, rovina ; sfacelo m.

déballage [debalaʒ] m. sballatura f.

déballer [debale] v. tr. sballare.

débandade [debɑ̃dad] f. sbandamento m. ◆ *à la débandade,* alla rinfusa, in disordine.

débander [debɑ̃de] v. tr. [disperser] sbandare. || [ôter une bande] sbendare. ◆ v. pr. sbandarsi.

débarbouiller [debarbuje] v. tr. FAM. lavare il muso a, dare una lavatina a.

débarcadère [debarkadɛr] m. sbarcatoio, scalo.

débarder [debarde] v. tr. scaricare, sbarcare.

débardeur [debardœr] m. scaricatore.

débarquement [debarkəmɑ̃] m. MAR. sbarco ; [aérien] aviosbarco.

débarquer [debarke] v. tr. sbarcare.

débarras [debara] m. ripostiglio, sgabuzzino. || FAM. *bon débarras !,* che liberazione !

débarrasser [debarase] v. tr. [dégager] sbarazzare, sgombrare. || [desservir] sparecchiare. ◆ v. pr. (de) sbarazzarsi (di), liberarsi (da).

débat [deba] m. dibattito ; discussione f.

débattre [debatr] v. tr. dibattere, discutere. | *débattre un prix,* contrattare. ◆ v. pr. dibattersi, divincolarsi.

débauche [deboʃ] f. dissolutezza, stravizio m. | *mener une vie de débauche(s),* darsi ai bagordi. || FIG. orgia, profusione.

débauché, e [deboʃe] adj. et n. depravato.

débaucher [deboʃe] v. tr. traviare, corrompere. || [détourner du travail] distogliere dal lavoro. || [licencier] licenziare. ◆ v. intr. [cesser le travail] FAM. staccare.

débile [debil] adj. debole, fiacco. | *de santé débile,* cagionevole. ◆ n. minorato, minorata.
débilitant, e [debilitɑ̃, ɑ̃t] adj. debilitante.
débilité [debilite] f. debolezza, debilità.
débiliter [debilite] v. tr. debilitare, indebolire.
débine [debin] f. Pop. *être dans la débine,* essere al verde (fam.).
débiner [debine] v. tr. Pop. tagliare i panni addosso a. ◆ v. pr. Pop. tagliar la corda.
débit [debi] m. spaccio, esercizio. | *débit de vin,* fiaschetteria f., mescita f. | *débit de tabac,* spaccio di (sali e) tabacchi. || [fleuve, pompe] portata f.; [machine] produzione f.; [puits de pétrole] resa f. || [coupe de bois] taglio. || [élocution] parlata f., loquela f. || [somme due] debito, dare.
débitant, e [debitɑ̃, ɑ̃t] n. dettagliante, esercente; [de tabac] tabaccaio.
débiter [debite] v. tr. [arbre] spaccare, tagliare; [animal] squartare. || [marchandise] smerciare, spacciare, esitare. || [énergie] erogare, fornire, produrre. || Fig. [discours] recitare, pronunziare; [mensonges] sballare, sciorinare. || Comm. [compte] addebitare (un conto).
débiteur, trice [debitœr, trice] n. debitore, trice. ◆ adj. m. *compte débiteur,* addebito, dare.
déblai [deblɛ] m. sterro. ◆ m. pl. sterro m. sing., detriti.
déblaiement [deblɛmɑ̃] m. sgombro. || [terre] sterramento.
déblatérer [deblatere] v. intr. (contre) Fam. inveire (contro).
déblayer [debleje] v. tr. sgombrare, sbarazzare, sbrattare; (neige) spalare.
débloquer [deblɔke] v. tr. sbloccare.
déboire [debwar] m. delusione f., dispiacere.
déboiser [debwaze] v. tr. diboscare, sboscare.
déboîter [debwate] v. tr. Méd. slogare, lussare. || Techn. disgiungere. ◆ v. intr. uscir di fila, di colonna.
débonnaire [debɔnɛr] adj. bonario.
débordant, e [debɔrdɑ̃, ɑ̃t] adj. traboccante.
débordé, e [debɔrde] adj. sovraccarico, sopraffatto, soverchiato.
débordement [debɔrdəmɑ̃] m. [fleuve] straripamento.
déborder [debɔrde] v. intr. traboccare. || [fleuve] straripare, tracimare. || Fig. [déferler] dilagare; [faire saillie] sporgere. ◆ v. tr. ind. *déborder de santé,* traboccare, scoppiare di salute. ◆ v. tr. oltrepassare. || Fig. *déborder le cadre de,* esulare da.
débouché [debuʃe] m. sbocco.
déboucher [debuʃe] v. tr. [tuyau] sturare, stasare; [bouteille] stappare, sturare. ◆ v. intr. sboccare. || Géogr. sfociare.
déboucler [debukle] v. tr. sfibbiare.
débouler [débule] v. intr. Fam. *débouler dans l'escalier,* ruzzolare per le scale. ◆ v. tr. Fam. *débouler l'escalier,* scendere le scale a precipizio.
déboulonner [debulɔne] v. tr. Techn. sbullonare, schiavardare. || Fam. [qn] sbolognare.
débourrer [debure] v. tr. [pipe] (s)vuotare.
débours [debur] m. (e)sborso, spesa f.
débourser [deburse] v. tr. (e)sborsare.
debout [dəbu] adv. in piedi; ritto adj. | *être debout,* stare, essere in piedi. | *se mettre debout,* alzarsi (in piedi). || [hors du lit] in piedi; alzato adj. || [encore existant, valable] valido adj. | *ce raisonnement ne tient pas debout,* questo ragionamento non sta in piedi, non regge. || Mar. *vent debout,* vento a prua.
débouter [debute] v. tr. Jur. rigettare, respingere.
déboutonner [debutɔne] v. tr. sbottonare.
débraillé, e [debrɑje] adj. sciatto, sbracato, discinto.
débrancher [debrɑ̃ʃe] v. tr. Électr. disinnestare, disinserire.
débrayage [debrɛjaʒ] m. Techn. disinnesto. || Aut. frizione f.
débrayer [debrɛje] v. tr. Aut., Électr. disinnestare. ◆ v. intr. Fig. staccare, mettersi in sciopero.
débris [debri] m. pl. macerie f. pl., resti. || [fragments] rottami, frantumi. || Fig. avanzi, resti, rimasugli. || Fam. *un vieux débris,* un rudere.
débrouillard, e [debrujar, ard] adj. et n. Fam. che se la sa cavare; scaltro (L.C.).
débrouiller [debruje] v. tr. sbrogliare, strigare, dipanare, districare. ◆ v. pr. Fam. sbrogliarsela.
début [deby] m. principio, inizio, esordio. || [carrière] debutto (gall.), esordio.
débutant, e [debytɑ̃, ɑ̃t] n. principiante, esordiente, debuttante (gall.).
débuter [debyte] v. intr. principiare, esordire. || [carrière] debuttare (gall.), esordire. ◆ v. tr. cominciare, iniziare; dare inizio a.
deçà [dəsa] adv. di qua. ◆ loc. prép. *en deçà de,* di qua da.
décacheter [dekaʃte] v. tr. dissigillare, aprire.
décade [dekad] f. [dix jours] decade. || [dix ans] decennio m.
décadence [dekadɑ̃s] f. decadenza; decadimento m. | *tomber en décadence,* decadere.

décadent, e [dekadɑ̃, ɑ̃t] adj. et n. decadente.
décaféiner [dekafeine] v. tr. decaffeinizzare, decaffeinare.
décagramme [dekagram] m. decagrammo.
décaisser [dekese] v. tr. [payer] sborsare.
décalage [dekalaʒ] m. spostamento, sfa(l)samento.
décaler [dekale] v. tr. spostare, sfa(l)sare.
décalquer [dekalke] v. tr. (ri)calcare.
décamper [dekɑ̃pe] v. intr. FAM. svignarsela, squagliarsela.
décanter [dekɑ̃te] v. tr. decantare.
décaper [dekape] v. tr. decapare.
décapiter [dekapite] v. tr. decapitare. || [un arbre] scapezzare.
décapotable [dekapɔtabl] adj. decappottabile.
décapsuleur [dekapsylœr] m. apribottiglie inv.
décarcasser (se) [sədekarkase] v. pr. FAM. arrabattarsi.
décasyllabe [dekasilab] adj. et m. ou **décasyllabique** [dekasilabik] adj. decasillabo.
décéder [desede] v. intr. morire, trapassare ; decedere (rare).
déceler [desle] v. tr. [découvrir] scoprire, svelare. || [révéler] palesare, manifestare.
décembre [desɑ̃br] m. dicembre.
décence [desɑ̃s] f. decenza, convenienza.
décent, e [desɑ̃, ɑ̃t] adj. decente, conveniente.
décentraliser [desɑ̃tralize] v. tr. decentrare.
décentrer [desɑ̃tre] v. tr. decentrare.
déception [desɛpsjɔ̃] f. delusione ; disinganno m.
décerner [desɛrne] v. tr. assegnare, conferire. || JUR. spiccare.
décès [desɛ] m. morte f., decesso. | *pour cause de décès,* per lutto.
décevant, e [desvɑ̃, ɑ̃t] adj. deludente.
décevoir [deswar] v. tr. deludere.
déchaîné, e [deʃɛne] adj. scatenato, sfrenato.
déchaînement [deʃɛnmɑ̃] m. (lo) scatenarsi, (l')imperversare.
déchaîner [deʃɛne] v. tr. scatenare. ◆ v. pr. scatenarsi ; [tempête] imperversare v. intr., infuriare v. intr.
déchanter [deʃɑ̃te] v. intr. FAM. abbassare la cresta ; restare deluso (L.C.).
décharge [deʃarʒ] f. [dépôt d'ordures] scarico m. || COMM. quietanza. || ÉLECTR., MIL. scarica. || JUR. *témoin à décharge,* testimone a discarico. || LOC. *à ma décharge,* a mia discolpa.
déchargement [deʃarʒəmɑ̃] m. scarico, scaricamento.
décharger [deʃarʒe] v. tr. scaricare. || FIG. *décharger qn de,* dispensare, liberare, sciogliere qlcu. da. | *décharger son cœur,* sfogarsi. | *décharger sa bile,* sfogare la bile. || ÉLECTR., MIL. scaricare. || JUR. scagionare, scolpare.
décharné, e [deʃarne] adj. scarno, smunto.
déchausser [deʃose] v. tr. scalzare.
déchéance [deʃeɑ̃s] f. JUR. (de) decadenza (da). || FIG. decadenza, scadimento m., decadimento m.
déchet [deʃɛ] m. calo ; perdita f. ◆ pl. ritagli, rimasugli. || [métal, bois, textile] cascami. || [radioactifs] residui.
déchiffrer [deʃifre] v. tr. decifrare.
déchiqueter [deʃikte] v. tr. tagliuzzare ; [corps] dilaniare.
déchirant, e [deʃirɑ̃, ɑ̃t] adj. FIG. straziante, lacerante.
déchirement [deʃirmɑ̃] m. laceramento. || FIG. [douleur] strazio, tormento. || [discorde] dissidio.
déchirer [deʃire] v. tr. [proie] dilaniare, sbranare ; [vêtement] strappare, stracciare, lacerare ; [cœur] straziare, lacerare. || [calomnier] *déchirer qn,* dire peste e corna di qlcu.
déchirure [deʃiryr] f. strappo m., squarcio m. ; lacerazione.
déchoir [deʃwar] v. intr. (de) decadere (da).
décibel [desibɛl] m. PHYS. decibel.
décidé, e [deside] adj. deciso, risoluto.
décidément [desidemɑ̃] adv. senza dubbio, insomma, in definitiva.
décider [deside] v. tr. decidere. | *décider qn à,* decidere, indurre qlcu. a. ◆ v. pr. (à) decidersi, risolversi (a).
décideur [desidœr] m. chi ha potere decisorio.
décigramme [desigram] m. decigrammo.
décimal, e, aux [desimal, o] adj. et f. decimale.
décimer [desime] v. tr. decimare.
décisif, ive [desizif, iv] adj. decisivo, determinante, cruciale.
décision [desizjɔ̃] f. decisione, risoluzione. || [caractère] risolutezza.
déclamation [deklamasjɔ̃] f. declamazione.
déclamatoire [deklamatwar] adj. declamatorio.
déclamer [deklame] v. tr. et intr. declamare. || [contre] protestare, inveire (contro).
déclaration [deklarasjɔ̃] f. dichiarazione. || FIN. denunzia, dichiarazione.
déclarer [deklare] v. tr. dichiarare. || FIN. dichiarare, denunziare. ◆ v. pr. dichiararsi ; [incendie] scoppiare.
déclasser [deklase] v. tr. declassare. | *déclasser un voyageur,* far cambiar classe a un viaggiatore.

déclenchement [deklɑ̃ʃmɑ̃] m. TECHN. scatto.
déclencher [deklɑ̃ʃe] v. tr. far scattare. || [provoquer] sferrare, scatenare. ◆ v. pr. scatenarsi.
déclencheur [deklɑ̃ʃœr] m. TECHN. scatto. || PHOT. *déclencheur automatique,* autoscatto.
déclic [deklik] m. scatto.
déclin [deklɛ̃] m. tramonto, declino.
déclinaison [deklinɛzɔ̃] f. declinazione.
décliner [dekline] v. tr. declinare. ◆ v. intr. declinare, tramontare, calare.
déclivité [deklivite] f. declivio m., pendio m.
déclouer [deklue] v. tr. schiodare.
décocher [dekɔʃe] v. tr. [flèche] scoccare ; [coup de poing] sferrare ; [regard] lanciare.
décoction [dekɔksjɔ̃] f. decotto m.
décodage [dekɔdaʒ] m. deciframento ; decifrazione f., decodifica f.
décoder [dekɔde] v. tr. decifrare, decodificare.
décoiffer [dekwafe] v. tr. spettinare, scapigliare, scarmigliare.
décolérer [dekɔlere] v. intr. *ne pas décolérer,* essere sempre furibondo.
décollage [dekɔlaʒ] m. AV. decollo, decollaggio, involo. || ÉCON. decollo.
décollement [dekɔlmɑ̃] m. scollamento, distacco.
décoller [dekɔle] v. tr. scollare, staccare. ◆ v. intr. AV. involare, decollare. ◆ v. pr. scollarsi, staccarsi.
décolleté, e [dekɔlte] adj. scollato. ◆ m. scollatura f., scollo.
décoloniser [dekɔlɔnize] v. tr. decolonizzare.
décoloration [dekɔlɔrasjɔ̃] f. [d'un tissu au soleil] scolorimento m. || CHIM. decolorazione.
décolorer [dekɔlɔre] v. tr. scolorire, sbiadire. || CHIM. decolorare. ◆ v. pr. scolorirsi.
décombres [dekɔ̃br] m. pl. [gravats] macerie f. pl., calcinacci. || [ruines] rovine f. pl., ruderi.
décommander [dekɔmɑ̃de] v. tr. disdire, annullare.
décomposer [dekɔ̃poze] v. tr. [diviser] scomporre, decomporre. || [putréfier] guastare, corrompere. || FIG. *visage décomposé,* volto sconvolto, scomposto.
décompression [dekɔ̃prɛsjɔ̃] f. decompressione. | *accidents de décompression,* incidenti da decompressione.
décompte [dekɔ̃t] m. [détail] distinta f. ; [déduction] defalco ; deduzione f.
décompter [dekɔ̃te] v. tr. defalcare, detrarre, dedurre.
déconcerter [dekɔ̃sɛrte] v. tr. sconcertare, turbare.
déconfit, e [dekɔ̃fi, it] adj. sconcertato, confuso.
déconfiture [dekɔ̃fityr] f. disastro m., rovina. || JUR. insolvenza.
décongeler [dekɔ̃ʒle] v. tr. disgelare, sgelare.
décongestionner [dekɔ̃ʒɛstjɔne] v. tr. decongestionare. || [trafic] snellire.
déconnecter [dekɔnɛkte] v. tr. sconnettere, scollegare.
déconseiller [dekɔ̃seje] v. tr. sconsigliare, dissuadere.
déconsidérer [dekɔ̃sidere] v. tr. screditare.
décontenancer [dekɔ̃tnɑ̃se] v. tr. sconcertare, turbare. ◆ v. pr. confondersi, turbarsi.
décontracté, e [dekɔ̃trakte] adj. rilassato, disteso. || [nonchalant] spensierato, noncurante.
décontracter [dekɔ̃trakte] v. tr. rilassare, distendere. ◆ v. pr. rilassarsi, distendersi.
déconvenue [dekɔ̃vny] f. disappunto m., smacco m.
décor [dekɔr] m. decorazione f., arredamento. || TH. scenario. | *changement de décor,* cambiamento di scena. || FIG. scenario, sfondo.
décorateur, trice [dekɔratœr, tris] n. decoratore, trice. || CIN., TH. scenografo m., ambientatore, trice.
décoratif, ive [dekɔratif, iv] adj. decorativo.
décoration [dekɔrasjɔ̃] f. decorazione. || [d'un intérieur] arredamento m., ambientazione. || [insigne] decorazione, onorificenza.
décorer [dekɔre] v. tr. decorare, ornare. || [médailler] decorare, insignire.
décortiquer [dekɔrtike] v. tr. [arbre] decorticare, scortecciare ; [riz, millet, avoine, etc.] brillare ; [maïs] spannocchiare ; [noix, amandes] sgusciare. || FIG., FAM. [texte] sviscerare.
décorum [dekɔrɔm] m. decoro ; dignità f., convenienze f. pl.
découcher [dekuʃe] v. intr. passare la notte fuori di casa.
découdre [dekudr] v. tr. scucire, sdrucire. ◆ v. intr. *en découdre,* azzuffarsi.
découler [dekule] v. intr. (de) conseguire (da), risultare (da), derivare (da).
découpage [dekupaʒ] m. taglio. | *faire du découpage,* ritagliare figurine. || CIN. sceneggiatura f., copione.
découper [dekupe] v. tr. tagliare ; [irrégulièrement] (fra)stagliare ; [selon un contour] ritagliare. ◆ v. pr. FIG. stagliarsi, delinearsi.
découplé, e [dekuple] adj. *bien découplé,* aitante, ben piantato.

découpler [dekuple] v. tr. sguinzagliare.
découpure [dekupyr] f. ritaglio m. || GÉOGR. frastagliatura.
décourageant, e [dekuraʒɑ̃, ɑ̃t] adj. scoraggiante.
découragement [dekuraʒmɑ̃] m. sconforto, scoraggiamento, avvilimento.
décourager [dekuraʒe] v. tr. scoraggiare. ◆ v. pr. scoraggiarsi, avvilirsi ; perdersi d'animo.
découronner [dekurɔne] v. tr. [roi] togliere la corona a. || [arbre] (s)capitozzare. || [dent] scoronare.
décousu, e [dekuzy] adj. scucito, sdrucito. || FIG. sconnesso, scucito, slegato.
découvert, e [dekuvɛr, ɛrt] adj. scoperto. ◆ FIG. *à visage découvert,* a viso aperto. ◆ m. COMM. scoperto. ◆ *à découvert,* allo scoperto.
découverte [dekuvɛrt] f. scoperta. || [objet] scoperta, invenzione ; ritrovato m.
découvreur, euse [dekuvrœr, øz] n. scopritore, trice.
découvrir [dekuvrir] v. tr. scoprire. || [révéler] scoprire, palesare, svelare, rivelare. ◆ v. pr. SP. scoprirsi. || [chapeau] scoprirsi ; togliersi il cappello. || [ciel] rasserenarsi. || FIG. rivelarsi, smascherarsi.
décrasser [dekrase] v. tr. ripulire.
décrépit, e [dekrepi, it] adj. decrepito.
décrépitude [dekrepityd] f. decrepitezza.
décret [dekrɛ] m. decreto.
décréter [dekrete] v. tr. decretare. || [décider] decidere.
décrier [dekrije] v. tr. screditare, denigrare.
décrire [dekrir] v. tr. descrivere.
décrocher [dekrɔʃe] v. tr. [tableau] staccare ; [wagon] sganciare. ◆ v. intr. MIL. sganciarsi, disimpegnarsi. || SP. abbandonare la competizione.
décroître [dekrwatr] v. intr. decrescere, scemare.
décrotter [dekrɔte] v. tr. togliere il sudiciume, il fango a.
décrottoir [dekrɔtwar] m. raschietto, raschino.
déçu, e [desy] adj. deluso.
dédaigner [dedeɲe] v. tr. (di)sdegnare, (di)sprezzare, spregiare. | *dédaigner de* (inf.), non degnarsi di (inf.).
dédaigneux, euse [dedeɲø, øz] adj. (di)sdegnoso, sprezzante.
dédain [dedɛ̃] m. disdegno, disprezzo.
dédale [dedal] m. dedalo, labirinto.
dedans [dədɑ̃] adv. dentro. ◆ m. interno, didentro. ◆ *au-dedans,* dentro, all'interno. || *là-dedans,* [loin] là dentro, lì dentro ; [près] qua dentro, qui dentro. || *en dedans,* (in) dentro, all'interno. ◆ *au-dedans de,* dentro (a) ; [devant un pron. pers.] dentro di. || *en dedans de,* dentro a.
dédicace [dedikas] f. [église] dedicazione. || [livre] dedica.
dédicacer [dedikase] v. tr. fare, apporre una dedica a ; dedicare.
dédier [dedje] v. tr. dedicare.
dédire (se) [sədedir] v. pr. disdirsi. | *se dédire de son engagement,* disdire il proprio impegno.
dédit [dedi] m. disdetta f. || [pénalité] penale f.
dédommagement [dedɔmaʒmɑ̃] m. risarcimento, indennizzo. || compenso.
dédommager [dedɔmaʒe] v. tr. risarcire, indennizzare. || compensare.
dédouaner [dedwane] v. tr. sdoganare. || FIG. riscattare, scolpare.
dédoubler [deduble] v. tr. [classe], sdoppiare ; [train] raddoppiare ; [alcool] dimezzare.
déduction [dedyksjɔ̃] f. deduzione ; defalco m., detrazione. || [conséquence] deduzione, illazione.
déduire [dedɥir] v. tr. dedurre, detrarre, defalcare. || [inférer] dedurre, arguire.
déesse [deɛs] f. dea.
défaillance [defajɑ̃s] f. svenimento m., deliquio m. | *tomber en défaillance,* cadere in deliquio. | *défaillance cardiaque,* sincope. || [manque] mancanza, deficienza.
défaillant, e [defajɑ̃, ɑ̃t] adj. debole, manchevole ; che vien meno. || [absent] assente.
défaillir [defajir] v. intr. svenire, mancare ; venir meno.
défaire [defɛr] v. tr. (dis)fare. | *défaire un nœud,* sciogliere un nodo. || FIG. disfare, sfibrare. || MIL. disfare, sconfiggere. ◆ v. pr. (de) disfarsi (di), liberarsi (da).
défaite [defɛt] f. disfatta, sconfitta.
défaitisme [defetism] m. disfattismo.
défalquer [defalke] v. tr. (de) defalcare (da), detrarre (da), sottrarre (da).
défausser (se) [sədefose] v. pr. (de) sfagliare v. tr., scartare v. tr.
défaut [defo] m. difetto ; mancanza f., deficienza f. | *faire défaut,* fare difetto, mancare, difettare. | *prendre en défaut,* cogliere in fallo. || JUR. *faire défaut,* non comparire. ◆ *à défaut de,* in mancanza di.
défaveur [defavœr] f. sfavore m., discredito m. ; disfavore m. (litt.).
défavorable [defavɔrabl] adj. sfavorevole.
défavorisé, e [defavɔrize] adj. svantaggiato.
défavoriser [defavɔrize] v. tr. sfavorire.

défectif, ive [defɛktif, iv] adj. GR. difettivo.
défection [defɛksjɔ̃] f. defezione, diserzione.
défectueux, euse [defɛktɥø, øz] adj. difettoso.
défendeur, deresse [defɑ̃dœr, drɛs] n. JUR. convenuto m.
défendre [defɑ̃dr] v. tr. difendere ; [cause] difendere, propugnare. | *défendre de, contre,* difendere da, riparare da, proteggere da. || [interdire] vietare, proibire. ◆ *à son corps défendant,* controvoglia, a malincuore, suo malgrado.
défendu, e [defɑ̃dy] adj. proibito. || [protégé] (contre) riparato (da).
défense [defɑ̃s] f. difesa. || ZOOL. [dent] zanna, difesa. || [interdiction] divieto m., proibizione. | *défense de fumer,* vietato fumare.
défenseur [defɑ̃sœr] m. difensore. || FIG. propugnatore. || JUR. difensore, patrocinatore.
défensif, ive [defɑ̃sif, iv] adj. difensivo. | *ligne, alliance, arme défensive,* linea, alleanza, arma difensiva. ◆ f. *sur la défensive,* sulla difensiva.
déférence [deferɑ̃s] f. deferenza.
déférent, e [deferɑ̃, ɑ̃t] adj. deferente.
déférer [defere] v. tr. JUR. deferire. ◆ v. tr. ind. (à) deferire (a), accedere (a), accogliere v. tr.
déferler [defɛrle] v. intr. (in)frangersi. || FIG. [foule] dilagare.
défeuiller [defœje] v. tr. sfogliare.
défi [defi] m. sfida f. | *mettre qn au défi de,* sfidare qlcu. a.
défiance [defjɑ̃s] f. sfiducia, diffidenza.
défiant, e [defjɑ̃, ɑ̃t] adj. diffidente.
déficeler [defisle] v. tr. slegare.
déficience [defisjɑ̃s] f. deficienza.
déficient, e [defisjɑ̃, ɑ̃t] adj. deficiente. ◆ n. *déficient mental,* deficiente.
déficit [defisit] m. deficit inv., ammanco, disavanzo.
défier [defje] v. tr. sfidare. ◆ v. pr. (de) diffidare (di). || [s'affronter] sfidarsi.
défigurer [defigyre] v. tr. sfigurare, sfregiare. || FIG. travisare.
défilé [defile] m. GÉOGR. stretta f., gola f., passo. || MIL. sfilata f. || [cortège] corteo.
défiler [defile] v. intr. [se succéder] sfilare. || MIL. sfilare. ◆ v. pr. FAM. [se dérober] svignarsela, squagliarsela.
défini, e [defini] adj. GR. *passé défini,* passato remoto. | *article défini,* articolo determinativo.
définir [definir] v. tr. definire.
définitif, ive [definitif, iv] adj. definitivo. ◆ f. *en définitive,* tutto sommato, in conclusione, in definitiva.
définition [definisjɔ̃] f. definizione.
déflation [deflasjɔ̃] f. ÉCON. deflazione.
déflationniste [deflasjɔnist] adj. deflazionistico.
déflorer [deflɔre] v. tr. deflorare, sverginare. || *déflorer (un sujet),* togliere la novità (a un argomento).
défoliant [defɔljɑ̃] m. defoliante.
défoncer [defɔ̃se] v. tr. sfondare. | *chaussée défoncée,* fondo (stradale) dissestato. ◆ v. pr. mettercela tutta. || ARG. drogarsi (L.C.).
déformant, e [defɔrmɑ̃, ɑ̃t] adj. *glaces déformantes,* specchi deformanti.
déformation [defɔrmasjɔ̃] f. deformazione.
déformer [defɔrme] v. tr. deformare, sformare. || FIG. deformare, svisare, storpiare.
défouler (se) [sədefule] v. pr. sfogarsi.
défraîchi [defreʃi] adj. sbiadito.
défrayer [defreje] v. tr. spesare.
défricher [defriʃe] v. tr. dissodare.
défriser [defrize] v. tr. disfare i riccioli, i ricci a. || FAM. [désappointer] deludere, contrariare.
défroisser [defrwase] v. tr. togliere le pieghe a ; distendere.
défroque [defrɔk] f. vestito (m.) smesso.
défroqué, e [defrɔke] adj. et n. [prêtre] spretato ; [religieux] sfratato ; [religieuse] smonacata.
défunt, e [defœ̃, œ̃t] adj. et n. defunto.
dégagé, e [degaʒe] adj. sgombro. || FIG. spigliato, disinvolto.
dégagement [degaʒmɑ̃] m. [retrait] disimpegno. || [déblaiement] sgombro. || ADM. snellimento. || CHIM. sprigionamento, emanazione f., esalazione f.
dégager [degaʒe] v. tr. [récupérer] disimpegnare. || [d'une obligation] (de) disimpegnare (da), sciogliere (da). || [débarrasser] disimpegnare, sgombrare, liberare. || [idée] enucleare, mettere in evidenza, cogliere. || CHIM. sprigionare, emanare, esalare. || MATH. ricavare. ◆ v. pr. disimpegnarsi, liberarsi ; sgombrarsi. || [se manifester] svilupparsi ; risultare v. intr. || [émaner] sprigionarsi ; esalare, emanare v. intr. || [ciel] rischiararsi.
dégainer [degene] v. tr. sfoderare, sguainare. ◆ v. intr. metter mano alla spada.
dégarnir [degarnir] v. tr. sguarnire. ◆ v. pr. [cheveux] perdere i capelli ; stempiarsi.
dégât [degɑ] m. danno, guasto.
dégel [deʒɛl] m. (di)sgelo.

dégeler [deʒle] v. tr. et intr. (di)sgelare. || ÉCON. [crédits] sbloccare.
dégénéré, e [deʒenere] adj. degenere, degenerato. ◆ n. degenerato.
dégénérer [deʒenere] v. intr. degenerare.
dégivrage [deʒivraʒ] m. sbrinamento.
dégivrer [deʒivre] v. tr. sbrinare.
dégivreur [deʒivrœr] m. sbrinatore.
déglinguer [deglɛ̃ge] v. tr. sconquassare, sfasciare.
déglinguer [deglɛ̃ge] v. tr. sconquassare, sfasciare.
dégonflement [degɔ̃fləmɑ̃] m. sgonfiamento.
dégonfler [degɔ̃fle] v. tr. sgonfiare.
dégorger [degɔrʒe] v. tr. spurgare. ◆ v. intr. [se déverser] sboccare, sgorgare. || CULIN. [viande, poisson] *faire dégorger,* mettere a mollo, a bagno.
dégot(t)er [degɔte] v. tr. FAM. pescare, scovare.
dégouliner [deguline] v. intr. FAM. sgocciolare, colare.
dégourdi, e [degurdi] adj. sveglio, scaltro. ◆ n. furbo, a.
dégourdir [degurdir] v. tr. [jambes] sgranchire ; [eau] scrudire, intiepidire. || [déniaiser] smaliziare.
dégoût [degu] m. schifo, disgusto.
dégoûtant, e [degutɑ̃, ɑ̃t] adj. schifoso, disgustoso.
dégoûté, e [degute] adj. et n. schifiltoso, schizzinoso.
dégoûter [degute] v. tr. disgustare, stomacare. || [ôter le désir] togliere la voglia a, svogliare.
dégoutter [degute] v. intr. (s)gocciolare. | [sueur] gocciolare, grondare.
dégradant, e [degradɑ̃, ɑ̃t] adj. avvilente, degradante.
dégradation [degradasjɔ̃] f. danno m., deterioramento m. || FIG. avvilimento m. || MIL. degradazione. || [couleur] digradazione, sfumatura.
dégrader [degrade] v. tr. deteriorare, danneggiare. || FIG. avvilire, degradare. || MIL. degradare. || [couleur] digradare, sfumare.
dégrafer [degrafe] v. tr. sganciare.
dégraissage [degrɛsaʒ] m. sgrassatura f.
dégraisser [degrɛse] v. tr. sgrassare.
degré [dəgre] m. gradino, scalino. || *degré de parenté,* grado di parentela. | *à un haut degré,* in alto grado. | *au plus haut, au dernier degré,* in sommo, al massimo grado. || GÉOGR., GR., MATH., MUS., PHYS. grado. ◆ *par degrés,* a gradi ; a grado a grado.
dégressif, ive [degresif, iv] adj. decrescente, regressivo, scalare.
dégrèvement [degrɛvmɑ̃] m. FIN. sgravio.
dégrever [degrəve] v. tr. sgravare.
dégringolade [degrɛ̃gɔlad] f. FAM. capitombolo m., ruzzolone m. || FIG. tracollo m., crollo m.
dégringoler [degrɛ̃gɔle] v. intr. FAM. capitombolare. ◆ v. tr. FAM. scendere a precipizio (L.C.).
dégriser [degrize] v. tr. far passare l'ubriacatura. || FIG. disingannare.
dégrossir [degrosir] v. tr. TECHN. digrossare. || FIG. [ébaucher] sgrossare. || [rendre moins grossier] dirozzare.
déguenillé, e [degnije] adj. sbrindellato, cencioso.
déguerpir [degɛrpir] v. intr. FAM. squagliarsela, battersela.
dégueulasse [degœlas] adj. POP. disgustoso, schifoso, stomachevole (L.C.).
déguisement [degizmɑ̃] m. travestimento.
déguiser [degize] v. tr. (en) travestire (da). | *déguiser en homme,* travestire, mascherare da uomo. || FIG. travisare, svisare, mascherare.
dégustation [degystasjɔ̃] f. assaggio m., degustazione.
déguster [degyste] v. tr. assaggiare, degustare. || [savourer] gustare, assaporare.
déhancher (se) [sədeɑ̃ʃe] v. pr. ancheggiare v. intr.
dehors [dəɔr] adv. fuori. | *mettre dehors,* metter fuori, mandar via. ◆ *au-dehors,* (al di) fuori ; esteriormente. || *de dehors, par-dehors,* di fuori, dal di fuori. || *en dehors,* in fuori. ◆ *en dehors de,* (al di) fuori di. | *en dehors de la question,* fuori argomento. ◆ m. di fuori ; esterno. ◆ m. pl. apparenze f. pl.
déjà [deʒa] adv. (di) già. || *quel est ton nom déjà ?,* com'è dunque che ti chiami ?
déjeuner [deʒœne] v. intr. [matin] far (la prima) colazione ; [midi] far colazione ; desinare ; pranzare. ◆ m. [matin] (prima) colazione ; [midi] (seconda) colazione f. ; desinare ; pranzo.
déjouer [deʒwe] v. tr. sventare ; mandare a vuoto, a monte. || [surveillance] eludere.
déjuger (se) [sədeʒyʒe] v. pr. ricredersi, disdirsi.
delà [dəla] adv. *de-ci, de-là,* di qua (e) di là, qua e là. ◆ *au-delà,* al di là. || *au-delà de,* di là da, al di là di, oltre. || *par-delà,* di là da, al di là di.
délabré, e [delabre] adj. rovinato, diroccato, scalcinato. || MÉD. rovinato.
délabrement [delabrəmɑ̃] m. rovina f., cattivo stato. || MÉD. deperimento.
délabrer [delabre] v. tr. sciupare, rovinare, guastare. | *délabrer sa santé,*

rovinarsi, guastarsi la salute. ◆ v. pr. andare in rovina, guastarsi.
délacer [delase] v. tr. slacciare.
délai [delɛ] m. termine, dilazione f. | *dans le délai d'un mois,* nel termine di un mese, entro un mese. | *dans le plus bref délai,* nel più breve termine di tempo. | *à bref délai,* presto, tra breve. | *sans délai,* senza indugio.
délaissé, e [delese] adj. derelitto, abbandonato, trascurato.
délaisser [delese] v. tr. abbandonare, trascurare.
délassant, e [delɑsɑ̃, ɑ̃t] adj. distensivo.
délassement [delɑsmɑ̃] m. distensione f. ; [distraction] svago.
délasser [delɑse] v. tr. distendere, rilassare.
délateur, trice [delatœr, tris] n. delatore, trice.
délavé, e [delave] adj. sbiadito, slavato.
délayer [deleje] v. tr. diluire, stemperare. || FIG. sbrodolare.
Delco [dɛlko] m. AUT. spinterogeno.
délectable [delɛktabl] adj. dilettevole, gradevole.
délectation [delɛktasjɔ̃] f. dilettazione ; diletto m.
délecter (se) [sədelɛkte] v. pr. (à, de) dilettarsi (di).
délégation [delegasjɔ̃] f. [personnes] delegazione, rappresentanza. || [acte] delega. | *par délégation,* per delega.
délégué, e [delege] adj. et n. delegato.
déléguer [delege] v. tr. delegare.
délester [delɛste] v. tr. AV., MAR. scaricare la zavorra di. || ÉLECTR. disinserire. || FAM. [voler] alleggerire.
délibération [deliberasjɔ̃] f. deliberazione.
délibéré, e [delibere] adj. deliberato. | *de propos délibéré,* di proposito.
délibérer [delibere] v. intr. deliberare. || [réfléchir] riflettere. ◆ v. tr. ind. (de) decidere (di), risolvere (di).
délicat, e [delika, at] adj. delicato, prelibato, squisito. || *de santé délicate,* cagionevole. || [exigeant] schifiltoso.
délicatesse [delikatɛs] f. delicatezza, squisitezza.
délice [delis] m. delizia f. ◆ f. pl. delizia f. sing. | *ce livre fait mes délices,* questo libro è la mia delizia.
délicieux, euse [delisjø, øz] adj. delizioso.
délictueux, euse [deliktɥø, øz] adj. JUR. delittuoso.
délié, e [delje] adj. [mince, subtil] sottile.
délier [delje] v. tr. (de) sciogliere (da). || *sans bourse délier,* senza spendere un soldo.
délimiter [delimite] v. tr. delimitare.
délinquance [delɛ̃kɑ̃s] f. delinquenza. | *délinquance juvénile,* delinquenza minorile.
délinquant, e [delɛ̃kɑ̃, ɑ̃t] n. delinquente.
délirant, e [delirɑ̃, ɑ̃t] adj. MÉD. delirante, in delirio. || FIG. [joie] sfrenato ; [histoire] strampalato.
délire [delir] m. delirio.
délirer [delire] v. intr. delirare.
délit [deli] m. reato, delitto. | *prendre en flagrant délit,* cogliere in flagrante.
délivrance [delivrɑ̃s] f. liberazione. || [remise] rilascio m. || MÉD. parto m., sgravio m.
délivrer [delivre] v. tr. (de) liberare (da). || [remettre] rilasciare.
déloger [delɔʒe] v. tr. et intr. (de) sloggiare (da).
déloyal, e, aux [delwajal, o] adj. sleale.
déloyauté [delwajote] f. slealtà.
delta [dɛlta] m. delta inv. || AV. *aile en delta,* ala a delta.
déluge [delyʒ] m. diluvio.
déluré, e [delyre] adj. scaltro. || PÉJOR. sfacciato.
démagogie [demagɔʒi] f. demagogia.
démagogue [demagɔg] m. demagogo (pl. demagoghi).
démailler [demɑje] v. tr. smagliare. | *bas démaillé,* calza smagliata, sfilata.
demain [dəmɛ̃] adv. domani. | *demain matin,* domani mattina ; domattina. | *demain en huit,* domani a otto.
démancher [demɑ̃ʃe] v. tr. smanicare.
demande [dəmɑ̃d] f. domanda, richiesta. | *à la demande de,* a richiesta di. || [question] domanda. || JUR. istanza, domanda. || COMM. domanda.
demander [dəmɑ̃de] v. tr. chiedere, domandare. | *demander la parole,* domandare la parola. | *ne pas demander mieux,* non chiedere di meglio. | *on te demande au téléphone,* ti chiamano, domandano di te al telefono. | *demander en mariage,* chiedere in matrimonio. | *on demande une femme de chambre,* si cerca una cameriera. || [nécessiter, exiger] richiedere, esigere. || [désirer] *demander à parler à qn,* chiedere di parlare a qlcu. || FAM. *je te demande un peu !,* figurati un po'! ◆ v. pr. domandarsi, chiedersi.
demandeur, euse [dəmɑ̃dœr, øz] n. *demandeur d'emploi,* richiedente d'impiego. || TÉL. richiedente.
demandeur, eresse [dəmɑ̃drɛs] n. JUR. attore m. ; parte attrice.
démangeaison [demɑ̃ʒɛzɔ̃] f. prurito m., pizzicore m.
démanger [demɑ̃ʒe] v. intr. prudere, pizzicare.
démanteler [demɑ̃tle] v. tr. MIL. smantellare.

démaquillage [demakijaʒ] m. strucco.
démaquillant, e [demakijɑ̃, ɑ̃t] adj. et m. detergente.
démaquiller (se) [sədemakije] v. pr. struccarsi ; togliersi il trucco.
démarcation [demarkasjɔ̃] f. demarcazione, separazione.
démarchage [demarʃaʒ] m. vendita (f.) a domicilio.
démarche [demarʃ] f. portamento m., andatura ; passo m. ‖ [tentative] pratica, passo.
démarcheur, euse [demarʃœr, øz] n. piazzista, propagandista.
démarquer [demarke] v. tr. togliere la marca, l'etichetta a. ‖ FIG. plagiare. ‖ COMM. calare il prezzo di. ‖ SP. smarcare. ◆ v. pr. distinguersi, differenziarsi. ‖ SP. smarcarsi.
démarrage [demaraʒ] m. [moteur] avviamento, partenza f. ‖ [coureur] scatto, partenza f. ‖ FIG. avviamento, avvio.
démarrer [demare] v. tr. avviare. ◆ v. intr. [moteur] partire, avviarsi ; [coureur] scattare, partire. ‖ [entreprise] avviarsi.
démarreur [demarœr] m. AUT. motorino d'avviamento ; avviatore.
démasquer [demaske] v. tr. smascherare. ‖ FIG. *démasquer ses batteries,* scoprire le proprie batterie.
démâter [demate] v. tr. MAR. disalberare. ◆ v. intr. perdere l'alberatura.
démêlé [demele] m. contesa f., alterco. | *avoir des démêlés avec,* aver che dire con.
démêler [demele] v. tr. sbrogliare, districare, dipanare, sgrovigliare. ‖ FIG. distinguere, discernere.
démêloir [demelwar] m. pettine rado.
démembrement [demɑ̃brəmɑ̃] m. smembramento.
démembrer [demɑ̃bre] v. tr. smembrare.
déménagement [demenaʒmɑ̃] m. trasloco, sgombero.
déménager [demenaʒe] v. intr. traslocare, sgomberare ; traslocarsi. ‖ FIG., FAM. dare i numeri ; sconnettere (L.C.). ◆ v. tr. sgombrare, traslocare.
déménageur [demenaʒœr] m. facchino.
démence [demɑ̃s] f. demenza.
démener (se) [sədemne] v. pr. dimenarsi, divincolarsi. ‖ FIG. arrabattarsi, darsi da fare, affannarsi.
dément, e [demɑ̃, ɑ̃t] adj. et n. demente.
démenti [demɑ̃ti] m. smentita f.
démentir [demɑ̃tir] v. tr. smentire. ◆ v. pr. [cesser] venir meno.
démérite [demerit] m. LITT. demerito.
démesuré, e [deməsyre] adj. smisurato.
démettre [demɛtr] v. tr. MÉD. slogare. ‖ FIG. dimettere.
demeurant (au) [odəmœrɑ̃] loc. adv. del resto, tutto sommato.
1. demeure [dəmœr] f. dimora, casa. ‖ *à demeure,* in modo stabile.
2. demeure f. *mettre en demeure de,* intimare di, diffidare a. | *mise en demeure,* intimazione, diffida. | *il n'y a pas péril en la demeure,* non è pericoloso indugiare.
demeurer [dəmœre] v. intr. dimorare, abitare ; star di casa. ‖ [rester] stare, rimanere, restare. | *en demeurer là,* non aver seguito. | *demeurons-en là !,* tronchiamola !, piantiamola !
demi, e [dəmi] adj. mezzo. | *une demi-heure,* una mezz'ora. | *un et demi,* uno e mezzo. | *deux heures et demie,* [durée] due ore e mezzo ; [heure] le due e mezzo. ‖ *demi-obscurité,* semioscurità. | *demi-succès,* mezzo successo. | *à demi nu,* seminudo. | *à demi mort,* mezzo morto. | *faire les choses à demi,* fare le cose a metà. ◆ m. mezzo, metà f. ‖ [de bière] bicchiere di birra alla spina. ‖ SP. mediano. ◆ f. mezza.
demi-bas [dəmibɑ] m. calzettone.
demi-cercle [dəmisɛrkl] m. semicerchio.
demi-deuil [dəmidœj] m. mezzo lutto.
demi-dieu [dəmidjø] m. semidio.
demi-droite [dəmidrwat] f. semiretta.
demi-fin, e [dəmifɛ̃, in] adj. mezzo fine.
demi-finale [dəmifinal] f. semifinale.
demi-fond [dəmifɔ̃] m. inv. SP. mezzofondo m.
demi-frère [dəmifrɛr] m. fratellastro.
demi-gros [dəmigro] m. commercio al mezzo grosso.
demi-heure [dəmijœr] f. mezz'ora.
demi-jour [dəmiʒur] m. mezza luce f., penombra f.
démilitariser [demilitarize] v. tr. smilitarizzare.
demi-lune [dəmilyn] f. MIL. mezzaluna, lunetta.
demi-mesure [dəmiməzyr] f. mezza misura.
demi-mot (à) [adəmimo] loc. adv. *comprendre à demi-mot,* capire a volo.
déminer [demine] v. tr. sminare.
déminéraliser [demineralize] v. tr. demineralizzare.
demi-pause [dəmipoz] f. MUS. pausa di minima.
demi-pension [dəmipɑ̃sjɔ̃] f. mezza pensione. ‖ [écoles] semiconvitto.
demi-place [dəmiplas] f. biglietto (m.) a metà prezzo.
demi-saison [dəmisɛzɔ̃] f. mezza stagione.
demi-sœur [dəmisœr] f. sorellastra.
demi-solde [dəmisɔld] f. mezza paga.

demi-soupir [dəmisupir] m. MUS. pausa (f.) di una croma.
démission [demisjɔ̃] f. dimissione. | *donner sa démission (de),* dare, rassegnare le dimissioni (da).
démissionnaire [demisjɔnɛr] adj. et n. dimissionario.
démissionner [demisjɔne] v. intr. (de) dare, rassegnare le dimissioni (da) ; dimettersi (da). ◆ v. tr. dimettere, licenziare, destituire.
demi-tarif [dəmitarif] m. *à demi-tarif,* al 50 p. 100, a metà prezzo.
demi-tour [dəmitur] m. MIL. dietro front. || *faire demi-tour,* tornare indietro.
démobilisation [demɔbilizasjɔ̃] f. smobilitazione.
démobiliser [demɔbilize] v. tr. smobilitare.
démocrate [demɔkrat] adj. et n. democratico.
démocrate-chrétien, enne [demɔkratkrejɛ̃, ɛn] adj. et n. democristiano.
démocratie [demɔkrasi] f. democrazia.
démocratique [demɔkratik] adj. democratico.
démodé, e [demɔde] adj. passato di moda, fuori di moda. || FIG. sorpassato, superato.
démoder (se) [sədemɔde] v. pr. passare di moda.
démographie [demɔgrafi] f. demografia.
demoiselle [dəmwazɛl] f. signorina. | *vieille demoiselle,* zitella. | *demoiselle d'honneur,* damigella d'onore. || [de magasin] commessa (di negozio). || ZOOL. libellula.
démolir [demɔlir] v. tr. demolire, abbattere, distruggere. || FIG. demolire, distruggere, rovinare. | [livre] stroncare. || FAM. [frapper] massacrare.
démolition [demɔlisjɔ̃] f. demolizione, distruzione ; diroccamento m. ◆ pl. macerie.
démon [demɔ̃] m. demonio. || FIG. [jeu] demone. || [enfant] *petit démon,* demonietto.
démonétiser [demɔnetize] v. tr. demonetizzare. || FIG. screditare.
démoniaque [demɔnjak] adj. demoniaco. ◆ n. indemoniato, a.
démonstratif, ive [demɔ̃stratif, iv] adj. et m. dimostrativo. || FIG. espansivo.
démonstration [demɔ̃strasjɔ̃] f. dimostrazione.
démontage [demɔ̃taʒ] m. smontaggio.
démonté, e [demɔ̃te] adj. [mer] scatenato, infuriato.
démonter [demɔ̃te] v. tr. smontare. || [cavalier] disarcionare, scavalcare. || FIG. sconcertare, turbare. ◆ v. pr. FIG. sconcertarsi, confondersi, turbarsi.
démontrer [demɔ̃tre] v. tr. dimostrare.
démoralisation [demɔralizasjɔ̃] f. demoralizzazione ; scoraggiamento m., avvilimento m.
démoraliser [demɔralize] v. tr. demoralizzare, scoraggiare, avvilire.
démordre [demɔrdr] v. tr. ind. (de) desistere (da), recedere (da). | *ne pas en démordre,* non darsi per vinto, non cedere.
démouler [demule] v. tr. sformare.
démultiplier [demyltiplije] v. tr. demoltiplicare.
démuni, e [demyni] adj. sfornito di denari, a corto di denaro.
démunir [demynir] v. tr. ind. (de) sprovvedere, sfornire (di).
démystifier [demistifje] v. tr. demistificare.
démythifier [demitifje] v. tr. demitizzare, smitizzare.
dénatalité [denatalite] f. denatalità.
dénationaliser [denasjɔnalize] v. tr. denazionalizzare, snazionalizzare.
dénaturer [denatyre] v. tr. snaturare. || CHIM. denaturare.
dénégation [denegasjɔ̃] f. denegazione ; diniego m.
déni [deni] m. *déni de justice,* diniego di giustizia.
déniaiser [denieze] v. tr. scaltrire, smaliziare.
dénicher [deniʃe] v. tr. snidare, scovare. || FIG. scovare, pescare.
dénicotiniser [denikɔtinize] v. tr. denicotinizzare.
denier [dənje] m. denaro, danaro. ◆ pl. *les deniers publics,* il pubblico denaro.
dénier [denje] v. tr. [nier] negare. || [refuser] rifiutare, negare.
dénigrement [denigrəmɑ̃] m. denigrazione f., diffamazione f.
dénigrer [denigre] v. tr. denigrare.
dénivellation [denivɛlasjɔ̃] f. ou **dénivellement** [denivɛlmɑ̃] m. dislivello m.
dénombrement [denɔ̃brəmɑ̃] m. enumerazione f., computo. || [de la population] censimento.
dénombrer [denɔ̃bre] v. tr. enumerare, contare, computare.
dénominateur [denɔminatœr] m. denominatore.
dénomination [denɔminasjɔ̃] f. denominazione.
dénommer [denɔme] v. tr. denominare, chiamare.
dénoncer [denɔ̃se] v. tr. denunciare. || FIG. rivelare, manifestare. || JUR. disdire, disdettare, denunciare.

dénonciateur, trice [denɔ̃sjatœr, tris] n. denunciatore, trice ; delatore, trice.
dénonciation [denɔ̃sjasjɔ̃] f. denuncia. ‖ JUR. disdetta, denuncia.
dénotation [denɔtasjɔ̃] f. LING. denotazione.
dénoter [denɔte] v. tr. denotare, segnare.
dénouement [denumã] m. scioglimento, epilogo, finale.
dénouer [denwe] v. tr. sciogliere, snodare. ‖ [lacets] slacciare. ‖ [intrigue, crise, langue] sciogliere. ◆ v. pr. sciogliersi, snodarsi.
dénoyauter [denwajote] v. tr. snocciolare.
denrée [dãre] f. derrata ; genere m., prodotto m. | *denrées périssables,* derrate deperibili.
dense [dãs] adj. denso, fitto, folto.
densité [dãsite] f. densità.
dent [dã] f. dente m. | *dent de sagesse, incisive,* dente del giudizio, incisivo m. ‖ [d'animal] dente, zanna. ‖ [fourche, fourchette] rebbio m. ‖ LOC. *montrer les dents,* mostrare i denti. | *faire ses dents,* mettere i denti. | *manger à belles dents,* addentare di gusto. | *manger du bout des dents,* mangiucchiare. | *avoir une dent contre qn,* avere il dente avvelenato contro qlcu., avercela con uno. | *ne pas desserrer les dents,* non aprir bocca. | *armé jusqu'aux dents,* armato fino ai denti.
dentaire [dãtɛr] adj. [prothèse] dentario ; [cabinet] dentistico.
dental, e, aux [dãtal, o] adj. et f. dentale.
denté, e [dãte] adj. dentato.
dentelé, e [dãtle] adj. [feuille] dentellato. ‖ GÉOGR. [côte] frastagliato.
dentelle [dãtɛl] f. merletto m., trina, pizzo m.
dentellière [dãtəljɛr] f. merlettaia, trinaia.
dentelure [dãtlyr] f. dentellatura. ‖ GÉOGR. frastagliatura.
dentier [dãtje] m. dentiera f.
dentifrice [dãtifris] adj. et m. dentifricio.
dentiste [dãtist] n. dentista m., odontoiatra n.
dentition [dãtisjɔ̃] f. [formation] dentizione. ‖ [ensemble des dents] dentatura.
dénudé, e [denyde] adj. [arbre] spoglio ; [paysage] brullo ; [crâne] pelato.
dénuder [denyde] v. tr. denudare.
dénué, e [denɥe] adj. (de) privo (di), sprovvisto (di).
dénuement [denymã] m. estrema indigenza f., squallore.
déontologie [deɔ̃tɔlɔʒi] f. deontologia.
dépannage [depanaʒ] m. riparazione (f.) d'urgenza. ‖ AUT. soccorso stradale.
dépanner [depane] v. tr. riparare d'urgenza. ‖ FAM. trarre d'impaccio.
dépanneuse [depanøz] f. carro (m.) attrezzi.
dépaqueter [depakte] v. tr. spacchettare.
dépareillé, e [depareje] adj. scompagnato, spaiato, scompagno.
dépareiller [depareje] v. tr. scompagnare, spaiare.
déparer [depare] v. tr. disabellire, guastare, deturpare.
départ [depar] m. partenza f. | *être sur le départ,* essere di partenza. | *au départ,* all'inizio. ‖ SP. *prendre le départ,* prendere il via. ‖ FIG. *point de départ,* punto di partenza, inizio.
départager [departaʒe] v. tr. [concurrents] classificare. | [suffrages] determinare la maggioranza dei voti.
département [departəmã] m. dipartimento. ‖ [secteur administratif] dicastero, ministero.
départir (se) [sə departir] v. pr. (de) rinunciare (a), desistere (da).
dépassement [depɑsmã] m. superamento. ‖ AUT. sorpasso.
dépassé, e [depase] adj. superato.
dépasser [depase] v. tr. et intr. oltrepassare, superare. | *dépasser les bornes,* passare i limiti. ‖ [être plus grand, haut, long] sporgere, spuntare, superare. ‖ [excéder] superare, eccedere. ‖ [devancer] sorpassare, superare. ‖ [être supérieur] superare.
dépaysé, e [depeize] adj. spaesato, disambientato.
dépayser [depeize] v. tr. disorientare, sconcertare.
dépecer [depəse] v. tr. [petits morceaux] spezzettare ; [gros morceaux] squartare.
dépêche [depɛʃ] f. dispaccio m., telegramma m.
dépêcher [depeʃe] v. tr. inviare in fretta. ‖ ABS. *dépêchons !,* sbrighiamoci ! ◆ v. pr. sbrigarsi, affrettarsi, spicciarsi.
dépeigner [depeɲe] v. tr. spettinare.
dépeindre [depɛ̃dr] v. tr. descrivere, rappresentare, dipingere.
dépendance [depãdãs] f. dipendenza. ◆ pl. dipendenze, attinenze.
dépendant, e [depãdã, ãt] adj. (de) dipendente (da).
dépendre [depãdr] v. tr. ind. (de) dipendere (da). | *ça dépend,* dipende, secondo. ◆ v. impers. *il dépend de toi de,* dipende da te.
dépens [depã] m. pl. JUR. spese f. pl. (giudiziali). ‖ *aux dépens de qch.,* a sca-

pito di qlco. | *aux dépens de qn,* a spese di, alle spalle di qlcu.
dépense [depɑ̃s] f. spesa. || [usage] dispendio m., consumo m. || [réserve] dispensa.
dépenser [depɑ̃se] v. tr. spendere. || [consommer] consumare. ◆ v. pr. (pour), prodigarsi (per), darsi da fare (per).
dépensier, ère [depɑ̃sje, ɛr] adj. spendereccio, sprecone.
déperdition [depɛrdisjɔ̃] f. perdita, dispersione.
dépérir [deperir] v. intr. deperire, intristire. || FIG. languire.
dépérissement [deperismɑ̃] m. deperimento. || FIG. decadenza f., decadimento.
dépêtrer (se) [sədepetre] v. pr. spastolarsi. || FIG. trarsi d'impaccio.
dépeupler [depœple] v. tr. spopolare. ◆ v. pr. spopolarsi.
déphasé, e [defaze] adj. sfasato.
dépilatoire [depilatwar] adj. et m. depilatorio.
dépistage [depistaʒ] m. rintracciamento. || MÉD. prevenzione f.
dépister [depiste] v. tr. rintracciare. || MÉD. prevenire.
dépit [depi] m. stizza f., dispetto. ◆ *en dépit de,* a dispetto di, malgrado, nonostante.
dépité, e [depite] adj. indispettito, stizzito.
déplacé, e [deplase] adj. [personne] profugo. || FIG. fuori luogo, sconveniente, inopportuno.
déplacement [deplasmɑ̃] m. spostamento ; rimozione f. || ADM. trasferimento. | [temporaire] trasferta f. || [voyage] viaggio. || MAR. dislocamento. || SP. *jouer en déplacement,* giocare in trasferta.
déplacer [deplase] v. tr. [objets] spostare. | [personnel, entreprise] trasferire. || MAR. dislocare.
déplaire [deplɛr] v. tr. ind. (à) et intr. spiacere, dispiacere, non piacere. ◆ v. impers. IRON. *ne vous en déplaise,* vi dispiaccia o no ; con vostra licenza. | *n'en déplaise à,* con buona pace di.
déplaisant, e [deplezɑ̃, ɑ̃t] adj. spiacevole, sgradevole.
déplaisir [deplezir] m. dispiacere.
dépliant [deplijɑ̃] m. pieghevole.
déplier [deplije] v. tr. spiegare.
déploiement [deplwamɑ̃] m. spiegamento. || FIG. spiegamento, sfoggio. || MIL. schieramento.
déplorable [deplɔrabl] adj. spiacevole, increscioso. || [blâmable] deplorevole.
déplorer [deplɔre] v. tr. deplorare, lamentare.
déployer [deplwaje] v. tr. spiegare. || FIG. sfoggiare, ostentare. || [manifester] mostrare, svolgere. || MIL. schierare, spiegare. || LOC. *rire à gorge déployée,* sganasciarsi dalle risa, ridere a crepapelle.
dépolir [depɔlir] v. tr. smerigliare.
déportation [depɔrtasjɔ̃] f. deportazione.
déporté, e [depɔrte] adj. et n. deportato.
déportement [depɔrtəmɑ̃] m. sbandata f.
déporter [depɔrte] v. tr. deportare. || ◆ v. pr. AUT. sbandare v. intr.
déposant, e [depozɑ̃, ɑ̃t] n. JUR. teste. || FIN. depositante.
déposer [depoze] v. tr. posare, deporre, depositare. || [donner en garde] depositare. || [destituer ; renoncer à] deporre. || COMM. *marque déposée,* marchio depositato. || JUR. *déposer une plainte,* sporgere querela. || POL. *déposer un projet de loi,* presentare un disegno di legge. ◆ v. intr. CHIM., GÉOL. depositare. || JUR. deporre.
dépositaire [depozitɛr] n. depositario adj. et m.
déposition [depozisjɔ̃] f. deposizione.
déposséder [depɔsede] v. tr. (de) spossessare, spodestare (di).
dépôt [depo] m. deposito. || JUR. *mandat de dépôt,* mandato di arresto, di cattura.
dépotoir [depɔtwar] m. scarico. || FIG. sgabuzzino.
dépouille [depuj] f. spoglia. | *dépouille mortelle,* spoglia mortale ; salma. ◆ pl. spoglie ; bottino (m.) di guerra.
dépouillé, e [depuje] adj. spoglio.
dépouillement [depujmɑ̃] m. spoglio. || FIG. rinunzia f. || [style] sobrietà f.
dépouiller [depuje] v. tr. spellare, scorticare. || [priver] spogliare. || FIG. *dépouiller toute honte,* perdere ogni ritegno. || [faire le relevé de] spogliare. ◆ v. pr. spogliarsi.
dépourvu, e [depurvy] adj. privo, sprovvisto, sfornito. ◆ *au dépourvu,* alla sprovvista.
dépravation [depravasjɔ̃] f. depravazione.
dépravé, e [deprave] adj. et n. depravato.
dépraver [deprave] v. tr. depravare.
dépréciatif, ive [depresjatif, iv] adj. spregiativo.
dépréciation [depresjasjɔ̃] f. deprezzamento m., svilimento m., svalutazione.
déprécier [depresje] v. tr. deprezzare, svalutare, svilire.
dépression [depresjɔ̃] f. depressione. || MÉD. esaurimento m.

déprimant, e [deprimɑ̃, ɑ̃t] adj. deprimente.
déprimer [deprime] v. tr. deprimere, abbattere.
depuis [dəpɥi] prép. da. | *depuis peu, longtemps,* da poco tempo, molto tempo. | *depuis quand ?,* da quando ? | *depuis lors,* da allora. | *depuis Napoléon,* da Napoleone in poi. ◆ adv. da allora. ◆ *depuis que,* da quando.
dépuratif, ive [depyratif, iv] adj. et m. depurativo.
dépurer [depyre] v. tr. depurare.
députation [depytasjɔ̃] f. deputazione.
député [depyte] m. deputato. || [titre] onorevole.
députer [depyte] v. tr. deputare, delegare.
déraciné, e [derasine] n. sradicato.
déraciner [derasine] v. tr. sradicare, estirpare.
déraillement [derajmɑ̃] m. deragliamento, sviamento.
dérailler [deraje] v. intr. deragliare, sviare. || FIG. sragionare.
dérailleur [derajœr] m. [bicyclette] cambio (di velocità). || TR. scambio.
déraisonnable [derɛzɔnabl] adj. irragionevole ; sragionevole (rare).
déraisonner [derɛzɔne] v. intr. sragionare, vaneggiare.
dérangement [derɑ̃ʒmɑ̃] m. disturbo, incomodo, fastidio. || [désordre] disordine, scompiglio. || MÉD. disturbo. || TECHN. guasto.
déranger [derɑ̃ʒe] v. tr. [personne] disturbare, incomodare. || [objets] disordinare, scompigliare. || [projet] sconcertare, sconvolgere, disturbare. || FIG. *déranger l'esprit,* alterare la mente. || MÉD. disturbare. || TECHN. guastare. ◆ v. pr. [moralement] sviarsi, traviarsi.
déraper [derape] v. intr. slittare, sbandare. || AV., SP. derapare.
dératiser [deratize] v. tr. derattizzare.
déréglé, e [deregle] adj. FIG. sregolato.
dérèglement [derɛgləmɑ̃] m. [mécanisme] irregolarità f. || [saisons] sfasamento. || [imagination] sregolatezza f. || [mœurs] dissolutezza f.
dérégler [deregle] v. tr. guastare.
dérider [deride] v. tr. rallegrare, rasserenare. ◆ v. pr. spianare la fronte.
dérision [derizjɔ̃] f. derisione ; dileggio m., scherno m. | *tourner qn en dérision,* farsi beffe di qlcu.
dérisoire [derizwar] adj. irrisorio.
dérivatif [derivatif] m. diversivo.
dérivation [derivasjɔ̃] f. derivazione.
dérive [deriv] f. deriva ; [sous l'effet du vent] scarroccio m. || *aller à la dérive,* andare alla deriva.
dérivé, e [derive] adj. derivato. ◆ m. CHIM., GR. derivato. ◆ f. MATH. derivata.
dériver [derive] v. tr. derivare. ◆ v. tr. ind. (de) derivare (da). ◆ v. intr. derivare ; [sous l'effet du vent] scarrocciare.
dermatologie [dɛrmatɔlɔʒi] f. dermatologia.
dermatologiste [dɛrmatɔlɔʒist] ou **dermatologue** [dɛrmatɔlɔg] m. dermatologo.
dermatose [dɛrmatoz] f. dermatosi.
dernier, ère [dɛrnje, ɛr] adj. ultimo. || [précédent] scorso, passato. || [le plus récent] ultimo. | *les nouvelles de dernière minute,* le ultime, le recentissime. || [extrême] estremo. | *avec la dernière énergie,* con estrema energia, con la massima energia. || REL. *le jugement dernier,* il giudizio universale. ◆ n. ultimo.
dernièrement [dɛrnjɛrmɑ̃] adv. ultimamente, recentemente.
dernier-né [dɛrnjene], **dernière-née** [dɛrnjɛrne] n. ultimogenito, a.
dérobade [derɔbad] f. [cheval] scarto m., sfaglio m. || FIG. (il) tirarsi indietro.
dérobé, e [derɔbe] adj. *escalier dérobé,* scala segreta. ◆ *à la dérobée,* di nascosto, di soppiatto, di straforo.
dérober [derɔbe] v. tr. rubare, trafugare, sottrarre. ◆ v. pr. [cheval] scartare, sfagliare. || (à) [personne] sottrarsi (a). | [aux regards] sfuggire (a). || [genoux] piegarsi. | [sol] mancare (sotto i piedi). || MIL. evitare il contatto.
dérogation [derɔgasjɔ̃] f. deroga, derogazione. | *par dérogation à,* in deroga a.
déroger [derɔʒe] v. intr. (à) JUR. derogare (a). || ABSOL. venir meno alla propria dignità.
dérouiller [deruje] v. tr. TECHN. dirugginire, srugginire. || FIG. [mémoire] esercitare. ◆ v. pr. *se dérouiller les jambes,* sgranchirsi le gambe.
déroulement [derulmɑ̃] m. svolgimento, (lo) srotolare. || FIG. svolgimento, sviluppo.
dérouler [derule] v. tr. srotolare, svolgere. || FIG. svolgere, sviluppare.
déroutant, e [derutɑ̃, ɑ̃t] adj. sconcertante.
déroute [derut] f. rotta. | *mettre en déroute,* mettere in rotta, sbaragliare, sgominare.
dérouter [derute] v. tr. dirottare. || FIG. disorientare, sconcertare.
derrière [dɛrjɛr] prép. dietro (a). || [devant pron. pers.] dietro di. | *regarder derrière soi,* guardare dietro di sé, guardarsi dietro. || *par derrière,* dietro.

◆ adv. dietro, indietro. ◆ m. didietro, parte (f.) posteriore. || FAM. [partie du corps] sedere, didietro, deretano.

des [de] art. V. DE art., UN.

dès [dɛ] prép. [à partir de] da (in poi). || [déjà] fin da, sin da. || ◆ *dès lors,* (fin) da allora, da allora in poi ; [par conséquent] perciò, di conseguenza. || *dès à présent,* fin d'ora ; d'ora in poi. ◆ *dès que,* non appena. || *dès lors que,* [temps] dal momento che ; [cause] visto che.

désabusé, e [dezabyze] adj. disingannato, disilluso.

désaccord [dezakɔr] m. disaccordo, dissapore. | *être en désaccord avec qn,* dissentire da qlcu.

désaccordé, e [dezakɔrde] adj. MUS. stonato, scordato.

désaffecté, e [dezafɛkte] adj. adibito ad altro uso, abbandonato. || [édifice religieux] sconsacrato.

désaffection [dezafɛksjɔ̃] f. disaffezione ; disamore m.

désagréable [dezagreabl] adj. spiacevole, sgradevole.

désagréger [dezagreʒe] v. tr. disgregare. ◆ v. pr. disgregarsi.

désagrément [dezagremɑ̃] m. fastidio, dispiacere ; contrarietà f.

désaimanter [dezɛmɑ̃te] v. tr. smagnetizzare.

désaltérer [dezaltere] v. tr. dissetare, togliere la sete.

désamorcer [dezamɔrse] v. tr. disinnescare, disattivare.

désappointement [dezapwɑ̃tmɑ̃] m. disappunto ; delusione f.

désappointer [dezapwɑ̃te] v. tr. deludere.

désapprobation [dezaprɔbasjɔ̃] f. disapprovazione.

désapprouver [dezapruve] v. tr. disapprovare.

désarçonner [dezarsɔne] v. tr. disarcionare, scavalcare. || FIG. sconcertare.

désarmement [dezarməmɑ̃] m. disarmo.

désarmer [dezarme] v. tr. disarmare. || FIG. disarmare. ◆ v. intr. disarmare.

désarroi [dezarwa] m. FIG. sgomento, smarrimento, scompiglio. | *semer le désarroi,* portare lo scompiglio.

désarticuler [dezartikyle] v. tr. disarticolare.

désassembler [dezasɑ̃ble] v. tr. disgiungere, sconnettere.

désassorti, e [dezasɔrti] adj. scompagnato.

désastre [dezastr] m. disastro.

désastreux, euse [dezastrø, øz] adj. disastroso, rovinoso.

désavantage [dezavɑ̃taʒ] m. svantaggio, scapito.

désavantager [dezavɑ̃taʒe] v. tr. sfavorire.

désavantageux, euse [dezavɑ̃taʒø, øz] adj. svantaggioso, sfavorevole.

désaveu [dezavø] m. sconfessione f., disapprovazione f.

désavouer [dezavwe] v. tr. sconfessare, disapprovare. || [paternité] disconoscere.

désaxé, e [dezakse] adj. FIG. squilibrato, sfasato. ◆ n. squinternato, a.

descendance [desɑ̃dɑ̃s] f. discendenza.

descendant, e [desɑ̃dɑ̃, ɑ̃t] adj. discendente. | [marée] decrescente. || MIL. [garde] smontante. || MUS., LING. discendente.

descendre [desɑ̃dr] v. intr. (di)scendere. | *descendre du train, de voiture, de cheval,* scendere, smontare dal treno, di macchina, da cavallo. | *descendre dans le Midi,* andare, recarsi nel Mezzogiorno. | *la nuit descend,* cala, scende la notte. || AV. perdere quota, scendere. ◆ v. tr. (di)scendere. | *descends le seau à la cave,* porta giù il secchio in cantina. | *descendre le store,* abbassare, calare la stuoia. || [avaler] mandar giù. || POP. [tuer] far fuori. || AV. abbattere.

descente [desɑ̃t] f. (di)scesa. | *descente à terre,* sbarco m. | *descente de lit,* scendiletto m. inv. || [chemin] scesa. || [irruption, attaque] irruzione. || JUR. sopralluogo m. || MÉD. [organe] abbassamento m. || TECHN. tubo (m.) di scarico ; doccia.

descriptif, ive [dɛskriptif, iv] adj. descrittivo.

description [dɛskripsjɔ̃] f. descrizione.

déséchouer [dezeʃwe] v. tr. disincagliare.

déségrégation [desegregasjɔ̃] f. desegregazione.

désemparé, e [dezɑ̃pare] adj. MAR. smantellato dalla tempesta. || FIG. sgomento, sconcertato.

désemparer [dezɑ̃pare] v. tr. MAR. smantellare. ◆ v. intr. *sans désemparer,* a tutto spiano, senza interruzione.

désemplir [dezɑ̃plir] v. intr. *ne pas désemplir,* non svuotarsi mai, essere sempre pieno.

désenchantement [dezɑ̃ʃɑ̃tmɑ̃] m. FIG. delusione f., disinganno.

désenchanter [dezɑ̃ʃɑ̃te] v. tr. FIG. deludere, disincantare, disingannare.

désenclaver [dezɑ̃klave] v. tr. togliere dall'isolamento.

désencombrer [dezɑ̃kɔ̃bre] v. tr. sgombrare.

désenfler [dezɑ̃fle] v. intr. sgonfiare, sgonfiarsi.

désengagement [dezɑ̃gaʒmɑ̃] m. (de) disimpegno (da).

désengager [dezɑ̃gaʒe] v. tr. disimpegnare. ◆ v. pr. disimpegnarsi.

déséquilibre [dezekilibr] m. squilibrio.
déséquilibrer [dezekilibre] v. tr. squilibrare.
désert, e [dezɛr, ɛrt] adj. et m. deserto. | *prêcher dans le désert,* predicare al deserto.
déserter [dezɛrte] v. tr. et intr. disertare. || FIG. disertare, abbandonare, rinnegare.
déserteur [dezɛrtœr] m. disertore.
désertion [dezɛrsjɔ̃] f. diserzione.
désertique [dezɛrtik] adj. desertico.
désespérant, e [dezɛsperɑ̃, ɑ̃t] adj. sconfortante, scoraggiante, deprimente.
désespéré, e [dezɛspere] adj. et n. disperato.
désespérer [dezɛspere] v. intr. et tr. ind. (de) disperare (di). ◆ v. tr. far disperare.
désespoir [dezɛspwar] m. disperazione f. | *être au désespoir,* essere disperato. | *mettre au désespoir,* far disperare. | *sombrer dans le désespoir,* darsi alla disperazione. | *de désespoir,* per disperazione. || [regret] rincrescimento. | *en désespoir de cause,* come ultima risorsa.
déshabiller [dezabije] v. tr. spogliare, svestire. ◆ v. pr. spogliarsi, svestirsi.
déshabituer [dezabitɥe] v. tr. (de) disabituare, disavvezzare (da). ◆ v. pr. (de) disabituarsi, disavvezzarsi (da).
désherbant [dezɛrbɑ̃] m. diserbante, erbicida.
désherber [dezɛrbe] v. tr. diserbare, scerbare.
déshériter [dezerite] v. tr. diseredare.
déshonneur [dezɔnœr] m. disonore.
déshonorant, e [dezɔnɔrɑ̃, ɑ̃t] adj. disonorevole, disonorante.
déshonorer [dezɔnɔre] v. tr. disonorare. ◆ v. pr. disonorarsi.
déshydrater [dezidrate] v. tr. disidratare.
désignation [deziɲasjɔ̃] f. designazione.
désigner [deziɲe] v. tr. [indiquer] designare, indicare. | [du doigt] mostrare a dito, additare.
désillusion [dezilyzjɔ̃] f. delusione, disillusione.
désillusionner [dezilyzjɔne] v. tr. deludere, disilludere, disingannare.
désincarné, e [dezɛ̃karne] adj. disincarnato.
désinence [dezinɑ̃s] f. GR. desinenza.
désinfectant, e [dezɛ̃fɛktɑ̃, ɑ̃t] adj. et m. disinfettante.
désinfecter [dezɛ̃fɛkte] v. tr. disinfettare.
désintégrer [dezɛ̃tegre] v. tr. disintegrare. ◆ v. pr. disintegrarsi.
désintéressé, e [dezɛ̃terese] adj. disinteressato, imparziale.
désintéressement [dezɛ̃terɛsmɑ̃] m. disinteressamento. || JUR. tacitamento.
désintéresser [dezɛ̃terɛse] v. tr. JUR. tacitare. ◆ v. pr. (de) disinteressarsi (di).
désintérêt [dezɛ̃terɛ] m. disinteresse.
désintoxiquer [dezɛ̃tɔksike] v. tr. disintossicare.
désinvolte [dezɛ̃vɔlt] adj. disinvolto, impertinente.
désinvolture [dezɛ̃vɔltyr] f. disinvoltura, impertinenza.
désir [dezir] m. desiderio. | *désir ardent,* brama f. | *désir impatient,* smania f., ansia f.
désirable [dezirabl] adj. desiderabile.
désirer [dezire] v. tr. desiderare. | *désirer ardemment,* bramare.
désireux, euse [dezirø, øz] adj. desideroso.
désistement [dezistəmɑ̃] m. [de candidature] ritiro. | [d'un droit] rinuncia f. (a).
désister (se) [sədeziste] v. pr. JUR. (de) desistere (da).
désobéir [dezɔbeir] v. tr. ind. (à) disubbidire, disobbedire (a).
désobéissance [dezɔbeisɑ̃s] f. disubbidienza, disobbedienza.
désobéissant, e [dezɔbeisɑ̃, ɑ̃t] adj. disubbidiente, disobbediente.
désobligeance [dezɔbliʒɑ̃s] f. scortesia, sgarbatezza.
désobligeant, e [dezɔbliʒɑ̃, ɑ̃t] adj. scortese, sgarbato.
désobliger [dezɔbliʒe] v. tr. scontentare ; fare dispiacere a.
désodorisant, e [dezɔdɔrizɑ̃, ɑ̃t] adj. et m. deodorante.
désodoriser [dezɔdɔrize] v. tr. deodorare, deodorizzare.
désœuvré, e [dezœvre] adj. et n. sfaccendato, scioperato.
désœuvrement [dezœvrəmɑ̃] m. disoccupazione f., ozio.
désolant, e [dezɔlɑ̃, ɑ̃t] adj. desolante, sconsolante. || [ennuyeux] fastidioso.
désolation [dezɔlasjɔ̃] f. desolazione ; squallore m.
désolé, e [dezɔle] adj. [paysage] squallido, desolato. || FIG. *je suis désolé,* mi dispiace tanto, sono spiacente.
désoler [dezɔle] v. tr. FIG. desolare, affliggere.
désolidariser (se) [sədesɔlidarize] v. pr. (de) non essere solidale (con), staccarsi (da).
désopilant, e [dezɔpilɑ̃, ɑ̃t] adj. buffissimo.
désordonné, e [dezɔrdɔne] adj. disordinato.
désordre [dezɔrdr] m. disordine. | *désordres nerveux,* disturbi nervosi. ◆ pl. disordini, torbidi, tumulti.

désorganiser [dezɔrganize] v. tr. disorganizzare. ◆ v. pr. disorganizzarsi.
désorientation [dezɔrjɑ̃tasjɔ̃] f. disorientamento m.
désorienté, e [dezɔrjɑ̃te] adj. disorientato, smarrito.
désorienter [dezɔrjɑ̃te] v. tr. disorientare.
désormais [dezɔrmɛ] adv. or(a)mai, d'ora innanzi.
désossé, e [dezɔse] adj. FIG. disarticolato, dinoccolato, smidollato.
désosser [dezɔse] v. tr. [viande] disossare. | [poisson] diliscare.
despote [dɛspɔt] m. despota.
despotique [dɛspɔtik] adj. dispotico.
despotisme [dɛspɔtism] m. dispotismo.
desquamation [dɛskwamasjɔ̃] f. desquamazione.
desquamer [dɛskwame] v. tr. squamare. ◆ v. pr. squamarsi.
dessalé, e [desale] adj. FIG., FAM. scaltro, smaliziato.
dessaler [desale] v. tr. dissalare. || FIG., FAM. scaltrire, sveltire. ◆ v. intr. MAR. capovolgersi.
dessécher [deseʃe] v. tr. (dis)seccare. || [amaigrir] scheletrire. || FIG. inaridire. ◆ v. pr. (dis)seccarsi. || scheletrirsi. || FIG. [ennui, chagrin] struggersi.
dessein [desɛ̃] m. disegno, progetto, proposito, intento. | *dans le dessein de,* in vista di, nell'intenzione di. ◆ *à dessein,* apposta, a bella posta, di proposito.
desserrer [desere] v. tr. allentare. || FIG. *ne pas desserrer les dents,* non aprir bocca. ◆ v. pr. allentarsi.
dessert [desɛr] m. frutta f., dolce. | *au dessert,* alle frutta.
1. desserte [desɛrt] f. [meuble] credenza, credenzina.
2. desserte f. REL. funzione, servizio m. || TR. servizio m.
1. desservir [desɛrvir] v. tr. [table] sparecchiare. || FIG. nuocere (a).
2. desservir v. tr. REL. assicurare il servizio. || TR. servire.
dessiller [desije] v. tr. FIG. *dessiller les yeux à qn,* aprire gli occhi a qlcu.
dessin [desɛ̃] m. disegno. || CIN. *dessin animé,* cartone animato.
dessinateur, trice [desinatœr, tris] n. disegnatore, trice. | [de mode] figurinista. | [publicitaire] cartellonista.
dessiner [desine] v. tr. disegnare. || [faire ressortir] segnare, far risaltare. || FIG. [esquisser] disegnare, abbozzare. ◆ v. pr. disegnarsi. || [ressortir] risaltare v. intr. || FIG. delinearsi, prendere forma.
dessous [dəsu] adv. sotto. ◆ *au-dessous,* sotto, di sotto, al di sotto. || *ci-dessous,* qui sotto. || *en dessous,* di sotto. || *là-dessous,* là sotto. || *par-dessous,* di sotto. ◆ *au-dessous de,* al di sotto di ; sotto. || *de dessous,* di sotto. || *par-dessous,* sotto. ◆ m. disotto. || LOC. *avoir le dessous,* aver la peggio. ◆ m. pl. biancheria f. sing. (intima). || [côté caché] il retroscena.
dessous-de-bouteille [dəsudbutɛj] m. inv. sottobottiglia m.
dessous-de-plat [dəsudpla] m. inv. sottopiatto m.
dessous-de-table [dəsudtabl] m. inv. somma (f.) versata sottobanco, sottomano.
dessus [dəsy] adv. sopra, di sopra, su, addosso. | *sens dessus dessous,* sottosopra. ◆ *au-dessus,* sopra, di sopra. || *ci-dessus,* (qui) sopra ; più su. || *en dessus,* di sopra. || *là-dessus,* là sopra, lì sopra ; allora ; in proposito. || *par-dessus,* (per di) sopra. ◆ *au-dessus de,* sopra (a), al di sopra di. || *par-dessus,* sopra. | *par-dessus tout,* soprattutto. | *par-dessus bord,* fuori bordo. | *par-dessus la jambe,* sottogamba. ◆ m. disopra, piano. | [d'un meuble] parte (f.) superiore, piano. | *voisins du dessus,* vicini del piano di sopra. || FIG. *le dessus du panier,* il fior fiore. | *avoir le dessus,* avere la meglio, il sopravvento. | *reprendre le dessus,* tirarsi su, riaversi.
dessus-de-lit [dəsydli] m. inv. copriletto m., sopraccoperta f.
destin [dɛstɛ̃] m. destino, fato.
destinataire [dɛstinatɛr] n. destinatario, a.
destination [dɛstinasjɔ̃] f. destinazione.
destinée [dɛstine] f. destino m., sorte.
destiner [dɛstine] v. tr. destinare. ◆ v. pr. (à) destinarsi (a).
destituer [dɛstitɥe] v. tr. destituire, rimuovere.
destitution [dɛstitysjɔ̃] f. destituzione, rimozione.
destroyer [dɛstrwaje ou dɛstrɔjœr] m. MAR. cacciatorpediniere inv.
destructeur, trice [dɛstryktœr, tris] adj. et n. distruttore, trice.
destructif, ive [dɛstryktif, iv] adj. distruttivo.
destruction [dɛstryksjɔ̃] f. distruzione.
désuet, ète [desɥɛ, ɛt] adj. disusato, antiquato.
désuétude [desɥetyd] f. *tomber en désuétude,* cadere in disuso.
désunion [dezynjɔ̃] f. disunione ; dissenso m.
désunir [dezynir] v. tr. disgiungere. || FIG. disunire.
détachant [detaʃɑ̃] m. smacchiatore.
détaché, e [detaʃe] adj. (di)staccato. || [fonctionnaire] distaccato. || [distinct] spiccato. || SP. distaccato.

détachement [detaʃmɑ̃] m. [indifférence] distacco. ‖ ADM. comando. ‖ MIL. distaccamento, drappello.

1. détacher [detaʃe] v. tr. slegare. | [chien] sguinzagliare. ‖ [disjoindre, enlever] staccare, spiccare. ‖ FIG. staccare, distogliere. ‖ ADM. distaccare, comandare. ‖ MIL. distaccare, dislocare. ‖ [wagon] sganciare, staccare. ◆ v. pr. (de, sur) [ressortir] spiccare (su), risaltare (su).

2. détacher v. tr. [nettoyer] smacchiare.

détail [detaj] m. particolare, dettaglio. | *commerce de détail,* commercio al minuto, al dettaglio. ◆ *en détail,* particolareggiatamente.

détaillant, e [detajɑ̃, ɑ̃t] n. dettagliante.

détailler [detaje] v. tr. tagliare a pezzi. ‖ FIG. esporre minutamente. ‖ COMM. dettagliare.

détaler [detale] v. intr. FAM. darsela a gambe.

détartrer [detartre] v. tr. [chaudière] disincrostare. ‖ [dents] togliere il tartaro da.

détecter [detɛkte] v. tr. TECHN. rivelare. ‖ FIG. scoprire.

détecteur [detɛktœr] m. detector.

détective [detɛktiv] m. detective.

déteindre [detɛ̃dr] v. tr. stingere, scolorire. ◆ v. intr. stingersi, scolorire. ‖ FIG. influenzare.

dételer [detle] v. tr. [animaux] staccare. ‖ [wagons] sganciare. ◆ v. intr. FAM. *sans dételer,* senza smettere ; difilato adv.

détendeur [detɑ̃dœr] m. riduttore di pressione.

détendre [detɑ̃dr] v. tr. distendere, allentare. ‖ FIG. [nerfs] rilassare. ◆ v. pr. allentarsi ; scattare. ‖ FIG. rilassarsi, distendersi.

détendu, e [detɑ̃dy] adj. disteso, rilassato, calmo.

détenir [detnir] v. tr. detenere.

détente [detɑ̃t] f. scatto m. ‖ FIG. distensione, rilassamento m. ‖ PHYS. [vapeur] espansione. ‖ [arme à feu] grilletto m.

détenteur, trice [detɑ̃tœr, tris] adj. et n. detentore, trice.

détention [detɑ̃sjɔ̃] f. detenzione. ‖ JUR. *détention préventive,* carcere (m.) preventivo.

détergent, e [detɛrʒɑ̃, ɑ̃t] adj. et m. = DÉTERSIF.

détérioration [deterjɔrasjɔ̃] f. deterioramento m., deteriorazione.

détérioré, e [deterjɔre] adj. guasto, deteriorato.

détériorer [deterjɔre] v. tr. deteriorare, guastare, danneggiare.

déterminant, e [detɛrminɑ̃, ɑ̃t] adj. determinante.

déterminatif, ive [detɛrminatif, iv] adj. et m. determinativo.

détermination [detɛrminasjɔ̃] f. determinazione.

déterminer [detɛrmine] v. tr. determinare, fissare, stabilire. ‖ [décider] indurre, decidere. ‖ [causer] determinare, provocare. ◆ v. pr. (à) decidersi (a), risolversi (a), determinarsi (a).

déterrer [detere] v. tr. dissotterrare, disseppellire, riesumare.

détersif, ive [detɛrsif, iv] adj. et m. detersivo, detergente.

détestable [detɛstabl] adj. detestabile, odioso. | [habitude, humeur] pessimo.

détester [detɛste] v. tr. detestare, odiare.

détonant, e [detɔnɑ̃, ɑ̃t] adj. detonante, esplosivo.

détoner [detɔne] v. intr. detonare.

détour [detur] m. [sinuosité] svolta f., curva f., giravolta f. ‖ [chemin plus long] deviazione f. ‖ FIG. *parler sans détour,* parlare senza rigiri, senza ambagi.

détourné, e [deturne] adj. [chemin, lieu] fuori mano. ‖ FIG. [reproche] indiretto. | *moyens détournés,* vie traverse.

détournement [deturnəmɑ̃] m. deviazione f., deviamento. | [avion] dirottamento. | [argent] sottrazione f., distrazione f. ‖ JUR. [mineur] circonvenzione f.

détourner [deturne] v. tr. [yeux] distogliere (lo sguardo). | [tête, visage] voltare. | [circulation, fleuve] deviare. | [attention, conversation, coup] sviare. ‖ FIG. [du droit chemin] sviare. | [argent] sottrarre, distrarre. ◆ v. pr. voltarsi dall'altra parte. | [de qn] allontanarsi (da). | [d'un projet] desistere (da).

détracteur, trice [detraktœr, tris] n. detrattore, trice. ◆ adj. denigratorio.

détraqué, e [detrake] adj. guasto, malandato, rovinato. ‖ FAM. [cerveau] squilibrato. ◆ m. squilibrato, mattoide.

détraquement [detrakmɑ̃] m. guasto. ‖ FIG., FAM. squilibrio.

détraquer [detrake] v. tr. guastare. ‖ FAM. [estomac, santé] guastare, rovinare. ‖ FIG., FAM. sconvolgere, squilibrare.

détrempe [detrɑ̃p] f. ART tempera.

détremper [detrɑ̃pe] v. tr. [amollir] inzuppare. ‖ ART stemperare.

détresse [detrɛs] f. [morale] smarrimento m., sconforto m. ‖ [matérielle] angustia, disperazione. ‖ [péril] pericolo m.

détriment [detrimɑ̃] m. detrimento, danno. ◆ ***au détriment de,*** a scapito, a danno di.

détritus [detrity(s)] m. detrito, rifiuto.

détroit [detrwa] m. stretto.

détromper [detrɔ̃pe] v. tr. disingannare, far ricredere. ◆ v. pr. ricredersi.

détrôner [detrone] v. tr. detronizzare.

détrousser [detruse] v. tr. depredare, rapinare.

détruire [detrɥir] v. tr. distruggere. | [légende] sfatare. ◆ v. pr. distruggersi.

dette [dɛt] f. debito m.

deuil [dœj] m. lutto. | *vêtu de deuil,* vestito a lutto, a bruno ; in gramaglie. || FIG. *faire son deuil de qch.,* fare, tirare una croce sopra qlco.

deux [dø] adj. num. card. due. | *deux cents,* duecento. | *tous (les) deux,* tutt'e due ; ambedue. | *un jour sur deux,* un giorno sì e uno no, ogni due giorni. ◆ adj. num. ord. secondo, due. | *numéro deux,* numero due. | *chapitre deux,* capitolo secondo. | *tous les deux du mois,* ogni secondo giorno del mese. ◆ m. due. ◆ *à deux,* in due. | *deux à deux, deux par deux,* a due a due, in fila per due, due per volta.

deuxième [døzjɛm] adj. num. ord. secondo.

deux-pièces [døpjɛs] m. inv. [appartement] alloggio di due vani. || [vêtement] due pezzi.

dévaler [devale] v. intr., tr. dir. et tr. ind. (de) scendere (a precipizio) (da) ; ruzzolare, rotolare (da).

dévaliser [devalize] v. tr. svaligiare.

dévaloriser [devalɔrize] v. tr. svalutare, deprezzare.

dévaluation [devalɥasjɔ̃] f. svalutazione, devalutazione.

dévaluer [devalɥe] v. tr. svalutare.

devancer [dəvɑ̃se] v. tr. precedere, anticipare. | [surpasser] superare. || MIL. *devancer l'appel,* anticipare la leva. || FIG. [objection, intentions] precorrere, prevenire.

devant [dəvɑ̃] prép. davanti, dinanzi ; innanzi a. ◆ *par-devant notaire,* dinanzi a notaio. || ***au-devant de,*** incontro a. ◆ adv. davanti, dinanzi, innanzi. ◆ m. davanti. || LOC. *prendre les devants,* prevenire.

devanture [dəvɑ̃tyr] f. mostra, vetrina.

dévaster [devaste] v. tr. devastare.

déveine [devɛn] f. FAM. scalogna.

développement [devlɔpmɑ̃] m. svolgimento. || [croissance] sviluppo. | *pays en voie de développement,* paese in via di sviluppo. || [exposition] svolgimento, esposizione f. || PHOT. sviluppo.

développer [devlɔpe] v. tr. svolgere. || [faire croître] sviluppare. || [exposer] svolgere, sviluppare. || PHOT. sviluppare.

devenir [dəvnir] v. intr. divenire, diventare ; farsi v. pr. || [advenir de] *qu'est devenu ton fils ?,* che ne è di tuo figlio ? ◆ m. divenire.

dévergondage [devɛrgɔ̃daʒ] m. dissolutezza f., scostumatezza f. || FIG. [imagination] sfrenatezza f.

dévergondé, e [devɛrgɔ̃de] adj. et n. dissoluto, scostumato.

dévergonder (se) [sədevɛrgɔ̃de] v. pr. condurre una vita dissoluta.

devers (par-) [pardəvɛr] loc. prép. *par-devers soi,* in proprio possesso.

déverser [devɛrse] v. tr. scaricare, (ri)versare, rovesciare. ◆ v. intr. [pencher] pencolare.

dévêtir [devetir] v. tr. svestire. ◆ v. pr. svestirsi.

déviation [devjasjɔ̃] f. deviazione.

déviationnisme [devjasjɔnism] m. deviazionismo.

dévidage [devidaʒ] m. dipanatura f.

dévider [devide] v. tr. dipanare. || [chapelet] sgranare, sfilare.

dévidoir [devidwar] m. arcolaio, dipanatoio.

dévier [devje] v. intr. deviare. || [aiguille] deflettere. ◆ v. tr. deviare.

devin [dəvɛ̃] m. indovino.

deviner [dəvine] v. tr. indovinare. || [pressentir] indovinare, presagire, intuire.

devinette [dəvinɛt] f. indovinello m.

devis [dəvi] m. preventivo.

dévisager [devizaʒe] v. tr. squadrare.

devise [dəviz] f. [phrase] divisa ; motto m. || [emblème] impresa. || FIN. divisa, valuta.

deviser [dəvize] v. intr. conversare familiarmente, chiacchierare.

dévisser [devise] v. tr. svitare. ◆ v. intr. [alpinisme] precipitare.

dévitaliser [devitalize] v. tr. devitalizzare.

dévoiler [devwale] v. tr. scoprire. || FIG. svelare. || [redresser] raddrizzare ◆ v. pr. svelarsi.

1. devoir [dəvwar] v. tr. dovere. || [probabilité] *il doit venir,* deve venire, forse verrà. | *cela doit être vrai,* sarà vero, deve essere vero. ◆ v. pr. *cela se doit,* è d'obbligo. | *comme il se doit,* come si deve ; a dovere.

2. devoir m. dovere. | *se faire un devoir de,* sentirsi obbligato a. || FIG. *se mettre en devoir de,* accingersi a. || UNIV. compito ; lavoro scolastico. ◆ pl. ossequi, omaggi. | *derniers devoirs,* estreme onoranze f. pl.

dévolu, e [devɔly] adj. devoluto. | *être dévolu à,* spettare a. ◆ m. *jeter son dévolu sur,* mettere gli occhi su.

dévorer [devɔre] v. tr. divorare. || [insectes] morsicare, pungere. || [tourmenter] divorare, struggere. || FIG. *dévorer des yeux,* divorare con gli occhi.
dévot, e [devo, ɔt] adj. devoto. ◆ n. devoto m. ; donna pia, religiosa. || PÉJOR. bigotto m., bacchettone, a ; | baciapile n. inv.
dévotion [devɔsjɔ̃] f. devozione. | *faire ses dévotions,* fare le proprie devozioni. || PÉJOR. *fausse dévotion,* bacchettoneria, bigotteria. || [dévouement] *être à la dévotion de,* essere devotissimo a.
dévoué, e [devwe] adj. devoto.
dévouement [devumɑ̃] m. dedizione f., attaccamento.
dévouer (se) [sədevwe] v. pr. dedicarsi, consacrarsi. || FAM. sacrificarsi.
dévoyé, e [devwaje] adj. traviato, sviato, scapestrato.
dextérité [dɛksterite] f. destrezza, abilità.
diabète [djabɛt] m. MÉD. diabete.
diabétique [djabetik] adj. et n. diabetico.
diable [djabl] m. diavolo, demonio. || FAM. *pauvre diable,* povero diavolo. | *grand diable,* spilungone. | *petit diable,* diavoletto, frugoletto. || LOC. *tirer le diable par la queue,* far fatica a sbarcare il lunario. | *à la diable,* alla diavola, alla peggio. | *habiter au diable,* abitare a casa del diavolo. | *envoyer au diable,* mandare al diavolo, a quel paese. | *en diable,* maledettamente. ◆ interj. diavolo !, diamine ! | *au diable les soucis !,* al diavolo i pensieri !
diablement [djabləmɑ̃] adv. FAM. maledettamente, diabolicamente.
diablesse [djablɛs] f. diavolessa.
diabolique [djabɔlik] adj. diabolico.
diacre [djakr] m. diacono.
diadème [djadɛm] m. diadema.
diagnostic [djagnɔstik] m. diagnosi f.
diagnostiquer [djagnɔstike] v. tr. diagnosticare.
diagonal, e, aux [djagɔnal, o] adj. et f. GÉOM. diagonale. ◆ **en diagonale,** in diagonale, di sbieco, obliquamente. | *lire en diagonale,* scorrere.
diagramme [djagram] m. diagramma.
dialecte [djalɛkt] m. dialetto.
dialecticien [djalɛktisjɛ̃] m. dialettico.
dialectique [djalɛktik] adj. dialettico. ◆ f. dialettica.
dialogue [djalɔg] m. dialogo.
dialoguer [djalɔge] v. tr. et intr. dialogare.
dialyse [djaliz] f. dialisi.
diamant [djamɑ̃] m. diamante.
diamantaire [djamɑ̃tɛr] adj. adamantino. ◆ m. diamantaio.
diamétralement [djametralmɑ̃] adv. diametralmente, assolutamente.
diamètre [djamɛtr] m. diametro.
diane [djan] f. diana, sveglia.
diantre [djɑ̃tr] interj. diamine !, caspita !
diapason [djapazɔ̃] m. MUS. diapason. || FIG. *au diapason de,* all'unisono con.
diaphane [djafan] adj. diafano.
diaphragme [djafragm] m. diaframma.
diaphragmer [djafragme] v. tr. et intr. PHOT. diaframmare.
diapositive [djapozitiv] f. PHOT. diapositiva.
diaprer [djapre] v. tr. screziare, iridare.
diaprure [djapryr] f. screziatura, iridescenza.
diarrhée [djare] f. diarrea.
diatonique [djatɔnik] adj. MUS. diatonico.
diatribe [djatrib] f. diatriba.
Dictaphone [diktafɔn] m. dittafono.
dictateur [diktatœr] m. dittatore.
dictatorial, e, aux [diktatɔrjal, o] adj. dittatoriale, dittatorio.
dictature [diktatyr] f. dittatura.
dictée [dikte] f. *sous la dictée de,* sotto dettatura di. || [écrit] dettato m.
dicter [dikte] v. tr. dettare.
diction [diksjɔ̃] f. dizione.
dictionnaire [diksjɔnɛr] m. dizionario, vocabolario.
dicton [diktɔ̃] m. detto, sentenza f.
didactique [didaktik] adj. didattico. | [poème] didascalico. ◆ f. didattica.
didascalie [didaskali] f. didascalia.
diérèse [djerɛz] f. GR. dieresi.
dièse [djɛz] adj. et m. diesis.
diesel [djezɛl] adj. et m. diesel.
diète [djɛt] f. MÉD. dieta.
diététicien, enne [djetetisjɛ̃, ɛn] n. dietista, dietetista, dietologo (pl. dietologi).
diététique [djetetik] adj. dietetico. ◆ f. dietetica.
dieu [djø] m. Dio. | *Dieu le Père,* Dio padre. | *le bon Dieu,* il buon Dio. | *l'Homme-Dieu,* l'Uomo Dio. | *à l'image de Dieu,* a immagine di Dio. | *par la grâce de Dieu,* per grazia di Dio. | *recevoir le bon Dieu,* fare la (santa) comunione, comunicarsi. || [polythéisme] dio (pl. gli dei) ; nume (litt.). | *demi-dieu,* semidio. ◆ exclam. *mon Dieu !,* Dio mio ! | *grand Dieu !,* santo Cielo ! | *à Dieu ne plaise !,* non voglia Iddio !
diffamateur, trice [difamatœr, tris] n. diffamatore, trice.
diffamation [difamasjɔ̃] f. diffamazione. | *poursuivre en diffamation,* querelare per diffamazione.
diffamatoire [difamatwar] adj. diffamatorio.
diffamer [difame] v. tr. diffamare.

différé, e [difere] adj. differito. ◆ m. *transmission en différé,* trasmissione differita.
différemment [diferamɑ̃] adv. (de) diversamente (da), differentemente (da).
différence [diferɑ̃s] f. (entre, avec) differenza, diversità, divario m. (tra, da). ◆ *à la différence de,* a differenza di.
différencier [diferɑ̃sje] v. tr. differenziare, distinguere.
différend [diferɑ̃] m. vertenza f., controversia f.
différent, e [diferɑ̃, ɑ̃t] adj. (de) differente (da), diverso (da). ◆ pl. [plusieurs] diversi, parecchi, vari. | *à différentes reprises,* a più riprese.
différentiel, elle [diferɑ̃sjɛl] adj., m. et f. differenziale.
différer [difere] v. tr. [retarder] differire, rinviare, procrastinare. | *sans différer,* senza indugio. ◆ v. intr. [être différent] differire.
difficile [difisil] adj. difficile. || [sur la nourriture] schifiltoso, difficile. ◆ m. difficoltà, punto difficile.
difficilement [difisilmɑ̃] adv. difficilmente, a stento.
difficulté [difikylte] f. difficoltà. | *avoir de la difficulté à,* stentare a. || FIG. *avoir des difficultés avec,* avere degli screzi, dei dissapori con.
difforme [difɔrm] adj. deforme.
difformité [difɔrmite] f. deformità.
diffus, e [dify, yz] adj. diffuso.
diffuser [difyze] v. tr. diffondere.
diffusion [difyzjɔ̃] f. diffusione.
digérer [diʒere] v. tr. digerire. || FAM. [accepter] mandar giù, ingoiare.
digeste [diʒɛst] ou **digestible** [diʒɛstibl] adj. (facilmente) digeribile.
digestif, ive [diʒɛstif, iv] adj. ANAT. digerente. || [qui facilite] digestivo. ◆ m. digestivo.
digestion [diʒɛstjɔ̃] f. digestione.
digital, e, aux [diʒital, o] adj. digitale. ◆ f. BOT. digitale.
digne [diɲ] adj. degno. || [honorable] dignitoso, contegnoso, decoroso.
dignitaire [diɲitɛr] m. dignitario. || [fasciste] gerarca (pl. gerarchi).
dignité [diɲite] f. dignità.
digression [digrɛsjɔ̃] f. digressione.
digue [dig] f. diga ; argine m.
dilapider [dilapide] v. tr. dilapidare, sperperare.
dilater [dilate] v. tr. dilatare. || FIG. *dilater le cœur,* rallegrare il cuore. ◆ v. pr. FAM. *se dilater la rate,* sganasciarsi dalle risa.
dilatoire [dilatwar] adj. JUR. dilatorio.
dilemme [dilɛm] m. dilemma.
dilettante [diletɑ̃t] n. dilettante. | *travailler en dilettante,* lavorare da dilettante.
diligence [diliʒɑ̃s] f. diligenza ; zelo m. || [rapidité] premura, sollecitudine. | *faire diligence,* sbrigarsi. || [voiture] diligenza, carrozzone m.
diligent, e [diliʒɑ̃, ɑ̃t] adj. diligente, zelante. || [prompt] sollecito.
diluer [dilɥe] v. tr. diluire.
dilution [dilysjɔ̃] f. diluizione.
diluvien, enne [dilyvjɛ̃, ɛn] adj. *pluie diluvienne,* diluvio m., pioggia dirotta.
dimanche [dimɑ̃ʃ] m. domenica f. | *habits du dimanche,* vestiti da festa. | *peintre du dimanche,* pittore dilettante. | *chauffeur du dimanche,* guidatore da strapazzo.
dîme [dim] f. HIST. decima.
dimension [dimɑ̃sjɔ̃] f. dimensione.
diminué, e [diminɥe] adj. minorato.
diminuer [diminɥe] v. tr. diminuire, ridurre. || [tricot] diminuire, calare. || FIG. diminuire, sminuire, menomare. ◆ v. intr. diminuire.
diminutif, ive [diminytif, iv] adj. et m. GR. diminutivo, vezzeggiativo.
diminution [diminysjɔ̃] f. diminuzione. | [prix] riduzione.
dinde [dɛ̃d] f. tacchino m. (femmina). || FIG., FAM. oca.
dindon [dɛ̃dɔ̃] m. tacchino. || FIG., FAM. *être un dindon,* avere un cervello di gallina.
dîner [dine] v. intr. cenare. ◆ m. cena f.
dînette [dinɛt] f. pranzetto (m.) per le bambole. || servizietto (m.) per bambole. || spuntino (m.) tra amici.
dîneur, euse [dinœr, øz] n. commensale.
dingo [dɛ̃go] ou **dingue** [dɛ̃g] adj. POP. picchiatello, tocco (fam.).
dinguer [dɛ̃ge] v. intr. POP. [objets] cadere (L.C.). | *envoyer dinguer qn,* mandare qlcu. a quel paese (fam.).
diocèse [djɔsɛz] m. diocesi f.
diphtérie [difteri] f. difterite.
diphtongue [diftɔ̃g] f. dittongo m.
diplomate [diplɔmat] adj. et n. diplomatico.
diplomatie [diplomasi] f. diplomazia.
diplomatique [diplɔmatik] adj. diplomatico.
diplôme [diplom] m. diploma.
diplômé, e [diplome] adj. et n. diplomato ; [études supérieures] laureato.
1. dire [dir] v. tr. dire. | *dire (que) oui, (que) non,* dir di sì, di no. | *sans mot dire,* senza proferir parola, senza dir verbo. | *autrement dit,* ossia. | *dire tu, vous à qn,* dare del tu, del voi a qlcu. | *il n'y a rien à dire,* c'è poco da dire. || LOC. *c'est-à-dire,* cioè. | *pour tout dire,* per farla breve ; insomma. | *cela va sans dire,* è ovvio ; naturalmente. | *sitôt dit, sitôt fait,* detto fatto. | *c'est dit,* siamo intesi. ◆ v. pr. *je me disais,*

dicevo tra me. | *on se dirait en Italie*, sembra di essere in Italia.
2. dire m. dire. | *les dires des gens*, le dicerie della gente. | *selon ses dires*, secondo il suo dire ; a sua detta.
direct, e [dirɛkt] adj. diretto. || [caractère] franco. ◆ m. *en direct*, RAD. in collegamento diretto ; T.V. in ripresa diretta. || [boxe] diretto.
directeur, trice [dirɛktœr, tris] adj. direttore, trice. | [comité, conseil] direttivo. ◆ n. direttore, trice. ◆ f. MATH. direttrice.
direction [dirɛksjɔ̃] f. direzione. || [d'un parti] direttivo m. || AUT. guida, sterzo m.
directive [dirɛktiv] f. direttiva.
directoire [dirɛktwar] m. direttorio.
dirigeable [diriʒabl] adj. et m. dirigibile.
dirigeant, e [diriʒɑ̃, ɑ̃t] adj. et n. dirigente.
diriger [diriʒe] v. tr. [tourner] (vers, sur) dirigere, (ri)volgere (verso, su). || [envoyer] dirigere, indirizzare. || FIG. dirigere, comandare, guidare. || ÉCON. *économie dirigée*, economia controllata, di intervento. ◆ v. pr. *se diriger vers*, dirigersi verso ; avviarsi a.
dirigisme [diriʒism] m. ÉCON. dirigismo.
dirimant [dirimɑ̃] adj. dirimente.
discernable [disɛrnabl] adj. discernibile.
discernement [disɛrnəmɑ̃] m. discernimento. || [clairvoyance] discernimento, senno.
discerner [disɛrne] v. tr. (de) discernere (da), distinguere (da). || [percevoir] discernere, distinguere, scoprire.
disciple [disipl] m. discepolo.
disciplinaire [disiplinɛr] adj. disciplinare.
discipline [disiplin] f. disciplina. || FIG. *discipline de soi*, autodisciplina ; padronanza di sé. || [matière d'étude] disciplina.
discipliner [disipline] v. tr. disciplinare.
discontinu, e [diskɔ̃tiny] adj. discontinuo, saltuario.
discontinuer [diskɔ̃tinɥe] v. intr. *sans discontinuer*, senza posa, senza tregua.
discontinuité [diskɔ̃tinɥite] f. discontinuità, saltuarietà.
disconvenir [diskɔ̃vnir] v. tr. ind. *ne pas disconvenir de qch.*, non negare qlco.
discophile [diskɔfil] m. discofilo.
discordance [diskɔrdɑ̃s] f. discordanza, discrepanza.
discordant, e [diskɔ̃rdɑ̃, ɑ̃t] adj. discorde, discordante, contrastante.
discorde [diskɔrd] f. discordia. || *pomme de discorde*. pomo della discordia.
discothèque [diskɔtɛk] f. discoteca.
discourir [diskurir] v. intr. discorrere. || PÉJOR. chiacchierare.
discours [diskur] m. discorso.
discourtois, e [diskurtwa, az] adj. scortese.
discrédit [diskredi] m. discredito.
discréditer [diskredite] v. tr. screditare, esautorare.
discret, ète [diskrɛ, ɛt] adj. discreto. | [vêtement] sobrio.
discrétion [diskresjɔ̃] f. discrezione, discretezza. ◆ ***à discrétion***, a discrezione, a piacimento, a volontà.
discrétionnaire [diskresjɔnɛr] adj. discrezionale.
discrimination [diskriminasjɔ̃] f. discriminazione.
discriminer [diskrimine] v. tr. discriminare.
disculpation [diskylpasjɔ̃] f. discolpa.
disculper [diskylpe] v. tr. (di)scolpare, scagionare. ◆ v. pr. (di) scolparsi, scagionarsi.
discursif, ive [diskyrsif, iv] adj. discorsivo.
discussion [diskysjɔ̃] f. discussione.
discutable [diskytabl] adj. discutibile.
discutailler [diskytaje] v. intr. FAM. perdere tempo in discussioni inutili.
discuter [diskyte] v. tr. et intr. discutere.
disert, e [dizɛr, ɛrt] adj. facondo.
disette [dizɛt] f. carestia, penuria. || FIG. scarsità.
diseur, euse [dizœr, øz] n. [de bons mots] fredddurista. || [de bonne aventure] indovina f. || TH. *fin diseur*, fine dicitore.
disgrâce [disgrɑs] f. disgrazia.
disgracié, e [disgrasje] adj. [laid] sgraziato.
disgracier [disgrasje] v. tr. privare del favore.
disgracieux, euse [disgrasjø, øz] adj. [laid] sgraziato. || [désagréable] scortese, sgarbato.
disjoindre [disʒwɛ̃dr] v. tr. disgiungere, separare, sconnettere.
disjoncteur [disʒɔ̃ktœr] m. ÉLECTR. disgiuntore.
dislocation [dislɔkasjɔ̃] f. TECHN. sconnessione, disgiunzione. || GÉOL. dislocazione. || MÉD. slogatura. || [démembrement] smembramento m. || [troupe] dislocazione. | [cortège] scioglimento m.
disloquer [dislɔke] v. tr. TECHN. sconnettere, disgiungere, || FIG. smembrare. || GÉOL. dislocare. || MÉD. slogare. ◆ v. pr. sfasciarsi. || FIG. smembrarsi. || MÉD. slogarsi. || [cortège] sciogliersi.

disparaître [disparɛtr] v. intr. sparire, scomparire. ‖ [mourir] scomparire.
disparate [disparat] adj. disparato. ◆ f. disparità.
disparité [disparite] f. disparità, squilibrio.
disparition [disparisjɔ̃] f. sparizione, scomparsa. ‖ [mort] scomparsa.
disparu, e [dispary] adj. et n. MIL. disperso. | *porter disparu,* dare per disperso.
dispensaire [dispɑ̃sɛr] m. dispensario, ambulatorio.
dispense [dispɑ̃s] f. dispensa, esonero m.
dispenser [dispɑ̃se] v. tr. [distribuer] dispensare. ‖ [exempter] *(de)* dispensare (da), esonerare (da), esimere (da).
disperser [dispɛrse] v. tr. disperdere.
dispersion [dispɛrsjɔ̃] f. dispersione.
disponibilité [disponibilite] f. disponibilità. ‖ ADM., MIL. aspettativa. ◆ pl. COMM. disponibilità sing.
disponible [disponibl] adj. disponibile.
dispos, e [dispo, oz] adj. in gamba, in forma ; gagliardo.
disposer [dispoze] v. tr. disporre, collocare. ‖ *disposé à,* disposto a. | *être bien, mal disposé,* essere di buon, di cattivo umore. ‖ MIL. schierare, spiegare. ◆ v. tr. ind. *(de),* disporre (di). ◆ v. intr. *vous pouvez disposer,* è libero di andare, può andare. ◆ v. pr. *(à)* disporsi, accingersi a.
dispositif [dispozitif] m. dispositivo.
disposition [dispozisjɔ̃] f. disposizione. | *avoir à sa disposition,* avere a disposizione. | *être à la disposition de,* essere a disposizione di. | *avoir des dispositions pour,* avere disposizione per. ◆ pl. [mesures] disposizioni. ‖ ADM. provvedimenti m.
disproportion [disprɔpɔrsjɔ̃] f. sproporzione.
dispute [dispyt] f. disputa, discussione. ‖ [querelle] contesa, alterco m..
disputer [dispyte] v. tr. ind. (de) disputare (di), discutere (di). ◆ v. tr. [contester] contendere, disputare. ‖ [lutter pour obtenir] litigare, disputare. ‖ [match] disputare. ‖ FAM. [réprimander] sgridare. ◆ v. pr. contendersi, disputarsi. ‖ *se disputer avec qn,* litigare con qlcu.
disquaire [diskɛr] m. discaio.
disqualification [diskalifikasjɔ̃] f. squalifica.
disqualifier [diskalifie] v. tr. squalificare. ‖ FIG. screditare.
disque [disk] m. disco.
dissection [disɛksjɔ̃] f. dissezione.
dissemblable [disɑ̃blabl] adj. dissimile.
dissemblance [disɑ̃blɑ̃s] f. dissomiglianza.
disséminer [disemine] v. tr. BOT. disseminare. ‖ [répandre] disperdere.
dissension [disɑ̃sjɔ̃] f. dissenso m.
dissentiment [disɑ̃timɑ̃] m. dissapore, dissenso, screzio.
disséquer [diseke] v. tr. MÉD. anatomizzare, sezionare. ‖ [analyser] anatomizzare, sviscerare.
dissertation [disɛrtasjɔ̃] f. dissertazione. ‖ UNIV. tema m., componimento m.
disserter [disɛrte] v. intr. dissertare.
dissidence [disidɑ̃s] f. dissidenza. | *entrer en dissidence,* far secessione. ‖ [groupe] dissidenti m. pl.
dissident, e [disidɑ̃, ɑ̃t] adj. et n. dissidente.
dissimilation [disimilasjɔ̃] f. LING. dissimilazione.
dissimulateur, trice [disimylatœr, tris] adj. et n. dissimulatore, trice.
dissimulation [disimylasjɔ̃] f. dissimulazione.
dissimuler [disimyle] v. tr. [cacher] dissimulare, nascondere. ‖ ABS. [feindre] fingere. ◆ v. pr. nascondersi.
dissipation [disipasjɔ̃] f. dissipazione, dileguo m. ‖ FIG. dileguo m. ‖ [dilapidation] dissipazione, sperperamento m. ‖ [indiscipline] indisciplina, irrequietezza.
dissipé, e [disipe] adj. [indiscipliné] irrequieto, turbolento. ‖ [débauché] dissipato, dissoluto.
dissiper [disipe] v. tr. dissipare, disperdere, dileguare. ‖ [dépenser] dissipare, sperperare, scialacquare. ‖ [distraire] distrarre, svagare. ◆ v. pr. dissiparsi, dileguarsi. ‖ [élève] distrarsi, essere irrequieto.
dissocier [disɔsje] v. tr. dissociare.
dissolu, e [disɔly] adj. et n. dissoluto.
dissolution [disɔlysjɔ̃] f. dissoluzione ; dissolvimento m., scioglimento m. | *dissolution de caoutchouc,* soluzione, mastice (m.) per gomme. ‖ FIG. dissolutezza. ‖ JUR. scioglimento m.
dissolvant, e [disɔlvɑ̃, ɑ̃t] adj. et m. solvente.
dissonance [disɔnɑ̃s] f. dissonanza, discordanza.
dissoudre [disudr] v. tr. sciogliere. ◆ v. pr. sciogliersi.
dissuader [disɥade] v. tr. *(de)* dissuadere (da).
dissuasion [disɥazjɔ̃] f. dissuasione.
dissyllabe [disilab] ou **dissyllabique** [disilabik] adj. et m. disillabo ; disillabico adj.
dissymétrie [disimetri] f. asimmetria.
distance [distɑ̃s] f. distanza. | *à quelle distance est l'église ?,* quanto dista la chiesa ? | *de distance en distance,* a intervalli. ‖ FIG. *prendre, garder ses*

distances, assumere, mantenere le distanze.
distancer [distɑ̃se] v. tr. distanziare, superare, sorpassare.
distanciation [distɑ̃sjasjɔ̃] f. distacco m.
distancier (se) [sədistɑ̃sje] v. pr. distaccarsi.
distant, e [distɑ̃, ɑ̃t] adj. distante. || FIG. distante, riservato.
distendre [distɑ̃dr] v. tr. (dis)tendere, tirare. || [gonfler] dilatare. || [relâcher] distendere, allentare. ◆ v. pr. distendersi, dilatarsi, allentarsi.
distillation [distilasjɔ̃] f. distillazione.
distiller [distile] v. tr. distillare.
distillerie [distilri] f. distilleria.
distinct, e [distɛ̃, ɛ̃kt] adj. distinto, diverso.
distinction [distɛ̃ksjɔ̃] f. distinzione. || [honorifique] onorificenza.
distingué, e [distɛ̃ge] adj. FIG. distinto, signorile. | *salutations distinguées,* distinti saluti. || [célèbre] notevole, illustre.
distinguer [distɛ̃ge] v. tr. distinguere, discernere. ◆ v. pr. distinguersi.
distique [distik] m. distico.
distorsion [distɔrsjɔ̃] f. distorsione.
distraction [distraksjɔ̃] f. distrazione. || [divertissement] distrazione, svago m. || [d'argent] distrazione.
distraire [distrɛr] v. tr. (de) distrarre, distogliere (da). || [divertir] distrarre, svagare. || [argent] distrarre, sottrarre. ◆ v. pr. FIG. distrarsi, svagarsi.
distrait, e [distrɛ, ɛt] adj. et n. distratto.
distrayant, e [distrɛjɑ̃, ɑ̃t] adj. divertente ; che svaga.
distribuer [distribɥe] v. tr. distribuire. || [courant, gaz] erogare.
distributeur, trice [distribytœr, tris] n. distributore, trice.
distribution [distribysjɔ̃] f. distribuzione, assegnazione. || CIN., TH. [rôles] cast m. | [diffusion] distribuzione. || [courant, gaz] distribuzione, erogazione.
district [distrik(t)] m. distretto.
dithyrambe [ditirɑ̃b] m. ditirambo.
dit, e [di, dit] adj. detto. | *à l'heure dite,* all'ora convenuta, fissata, stabilita. || *ledit, ladite, lesdits, lesdites,* il suddetto, la suddetta, i suddetti, le suddette. ◆ m. detto, sentenza f.
dito [dito] adv. COMM. come sopra ; idem.
divagation [divagasjɔ̃] f. divagazione. || [délire] divagazioni pl., vaneggiamento m.
divaguer [divage] v. intr. [errer] vagabondare. || [déraisonner] divagare, vaneggiare.
divan [divɑ̃] m. divano. || PSYCHAN. lettino.
divergence [divɛrʒɑ̃s] f. divergenza.
diverger [divɛrʒe] v. intr. divergere.
divers, e [divɛr, ɛrs] adj. diverso, vario. ◆ pl. [plusieurs] diversi, e, parecchi, e, vari, e. | *à diverses reprises,* a più riprese.
diversifier [divɛrsifje] v. tr. diversificare, variare.
diversion [divɛrsjɔ̃] f. MIL. diversione. || [dérivatif] diversivo m.
divertir [divɛrtir] v. tr. distrarre, divertire.
divertissant, e [divɛrtisɑ̃,ɑ̃t] adj. divertente, spassoso.
divertissement [divɛrtismɑ̃] m. divertimento.
dividende [dividɑ̃d] m. dividendo.
divin, e [divɛ̃, in] adj. divino.
divination [divinasjɔ̃] f. divinazione.
diviniser [divinize] v. tr. divinizzare.
divinité [divinite] f. divinità. || [nature] divinità, deità.
diviser [divize] v. tr. dividere. ◆ v. pr. dividersi. || [route] biforcarsi.
diviseur [divizœr] m. divisore.
division [divizjɔ̃] f. divisione.
divorce [divɔrs] m. divorzio.
divorcer [divɔrse] v. intr. divorziare.
divulgation [divylgasjɔ̃] f. divulgazione ; divulgamento m.
divulguer [divylge] v. tr. divulgare.
dix [dis] adj. dieci. | *période de dix ans,* decennio m. | *âgé(e) de dix ans,* decenne adj. et n. ◆ adj. num. ord. decimo. ◆ m. dieci.
dix-huit [dizɥit] adj. num. card. et m. diciotto. | *âgé(e) de dix-huit ans,* diciottenne adj. et n. ◆ adj. num. ord. diciottesimo.
dixième [dizjɛm] adj. num. ord. decimo.
dix-neuf [diznœf] adj. num. card. et m. diciannove.
dix-sept [disɛt] adj. num. card. et m. diciassette.
dizaine [dizɛn] f. d(i)ecina.
do [do] m. inv. MUS. do.
docile [dɔsil] adj. docile.
dock [dɔk] m. MAR. dock ; bacino portuale. || [magasins] magazzini (portuali).
docker [dɔkɛr] m. scaricatore di porto.
docte [dɔkt] adj. [savant] dotto. || [pédant] saccente, pedante.
docteur [dɔktœr] m. dottore.
doctorat [dɔktɔra] m. dottorato, laurea f.
doctoresse [dɔktɔrɛs] f. dottoressa.
doctrinaire [dɔktrinɛr] adj. et m. dottrinario.
doctrinal, e, aux [dɔktrinal, o] adj. dottrinale.
doctrine [dɔktrin] f. dottrina.

document [dɔkymɑ̃] m. documento.
documentaire [dɔkymɑ̃tɛr] adj. documentario.
documentaliste [dɔkymɑ̃talist] n. documentalista.
documenter [dɔkymɑ̃te] v. tr. documentare, informare. ◆ v. pr. documentarsi, informarsi.
dodeliner [dɔdline] v. tr. ind. *dodeliner de la tête,* tentennare il capo.
dodo [dodo] m. FAM. nanna. | *aller au dodo,* andare a nanna. || [lit] lettino.
dodu, e [dɔdy] adj. FAM. grassoccio, paffutello.
doge [dɔʒ] m. doge.
dogmatique [dɔgmatik] adj. dogmatico.
dogme [dɔgm] m. dogma.
dogue [dɔg] m. mastino.
doigt [dwa] m. dito (pl. diti m. ou dita f.). *petit doigt,* mignolo. | *montrer du doigt,* additare. || FIG. *jusqu'au bout des doigts,* fino alla radice dei capelli. | *savoir sur le bout du doigt,* sapere a menadito, sulla punta delle dita. || [mesure] *deux doigts de vin,* due dita di vino. | *à deux doigts de,* a un pelo da.
doigté [dwate] m. MUS. diteggiatura f., digitazione f. || FIG. tatto, diplomazia f.
doit [dwa] m. COMM. dare.
doléances [dɔleɑ̃s] f. pl. lagnanze, lamentele, rimostranze.
dollar [dɔlar] m. dollaro.
domaine [dɔmɛn] m. tenuta f., proprietà f., fondo, dominio. || ADM. demanio. || FIG. campo, dominio.
1. dôme [dom] m. [église] duomo.
2. dôme m. ARCHIT. cupola f. || FIG. [verdure] cupola f. | [ciel] volta f.
domesticité [dɔmɛstisite] f. servitù.
domestique [dɔmɛstik] adj. domestico. ◆ n. domestico, a ; servo, a.
domestiquer [dɔmɛstike] v. tr. addomesticare. || FIG. asservire, assoggettare.
domicile [dɔmisil] m. domicilio ; dimora f. | *sans domicile fixe,* senza fissa dimora.
domicilier [dɔmisilje] v. tr. domiciliare. | *domicilier un effet,* domiciliare una cambiale.
dominant, e [dɔminɑ̃, ɑ̃t] adj. dominante, prevalente. ◆ f. MUS., FIG. dominante.
dominateur, trice [dɔminatœr, tris] adj. et n. dominatore, trice.
domination [dɔminasjɔ̃] f. dominio m., dominazione.
dominer [dɔmine] v. intr. dominare, primeggiare. || [prédominer] prevalere, predominare. ◆ v. tr. dominare, padroneggiare, signoreggiare. || [surplomber] sovrastare. ◆ v. pr. dominarsi.
dominicain, e [dɔminikɛ̃, ɛn] adj. et n. REL. domenicano, a.
dominical, e, aux [dɔminikal, o] adj. domenicale.
domino [dɔmino] m. domino inv.
dommage [dɔmaʒ] m. danno. || JUR. *dommages et intérêts,* risarcimento dei danni. || LOC. *(c'est) dommage !,* (è un) peccato !
dompter [dɔ̃te] v. tr. domare.
dompteur, euse [dɔ̃tœr, øz] n. domatore, trice.
don [dɔ̃] m. dono, regalo. || FIG. [aptitude] dono, attitudine f., dote f.
donateur, trice [dɔnatœr, tris] n. donatore, trice.
donation [dɔnasjɔ̃] f. JUR. donazione.
donc [dɔ̃(k)] conj. dunque, quindi. | *comment donc !,* come mai ! | *dis donc !,* senti ! | *allons donc !,* macché !
dondon [dɔ̃dɔ̃] f. FAM. cicciona, grassona.
donjon [dɔ̃ʒɔ̃] m. mastio, maschio, torrione.
don Juan [dɔ̃ʒɥɑ̃] m. dongiovanni.
donne [dɔn] f. [jeu] distribuzione.
donnée [dɔne] f. dato m. || [d'un ouvrage] argomento m., tema m.
donner [dɔne] v. tr. [offrir] dare, regalare, donare. || [passage, place] cedere. || [remettre : lettre] dare, consegnare. | [billets, cartes] distribuire. || [complice] denunciare. || [médicament] somministrare. || [attribuer : prix, titre] conferire. | [exercice] assegnare. | *il n'est pas donné à tout le monde de,* non è dato, concesso a tutti di. || [communiquer (heure)] dire. | [précisions] dare. | [conférence] tenere. | [rendez-vous] dare, fissare, stabilire. || [consacrer : temps] dedicare, consacrare. | [vie] dare, sacrificare. || [causer] dare, arrecare, provocare. | *donner le jour à un enfant,* dare alla luce un bambino. || [émettre : son] dare, emettere. | *donner de l'ombre,* far ombra. || [produire] dare, rendere, fruttare, produrre. || [représenter] dare, recitare. || [avec prép.] (à) *donner à manger, à penser,* dar da mangiare, da pensare. | *donner à entendre,* far intendere. || [avec prép.] (en) *donner en échange, en mariage,* dare in cambio, in matrimonio. ◆ loc. prép. inv. dato part. passé. | *étant donné les circonstances,* date le circostanze. ◆ v. intr. [heurter] *donner de la tête,* (s)battere la testa. || [tomber] *donner dans un piège,* cadere in trappola. || [entrer en action] *faire donner la troupe,* fare intervenire la truppa. || [être situé] *donner à, sur,* dare su, guardare a, su. ◆ v. pr. *se donner la mort,* darsi la morte. || TH. rappresentarsi, recitarsi.
donneur, euse [dɔnœr, øz] n. datore, trice. | [de conseils] consigliatore, trice.

|| Jeu [cartes] mazziere. || Méd. *donneur de sang,* donatore, datore di sangue.
dont [dɔ̃] pron. rel. [compl. de n.] di cui ; del quale, della quale, dei quali, delle quali. | *cette jeune fille dont la mère est morte,* questa ragazza la cui madre è morta. || [partitif] tra i quali, le quali. || [compl. circ. : agent, provenance] da cui ; dal quale, ... | [cause] di cui ; del quale, ... | [moyen] con cui ; col quale, ... | [manière] in cui ; nel quale, ... || Loc. *ce dont il s'agit,* ciò di cui si tratta.
doper [dɔpe] v. tr. drogare. ◆ v. pr. drogarsi.
dorade f. V. daurade.
doré, e [dɔre] adj. dorato.
dorénavant [dɔrenavɑ̃] adv. d'ora in poi, d'ora innanzi.
dorer [dɔre] v. tr. dorare. || Fig. *dorer la pilule,* indorare la pillola. || Culin. indorare, rosolare. ◆ v. pr. *se dorer au soleil,* indorarsi al sole.
dorien, enne [dɔrjɛ̃, ɛn] adj. et n. dorico.
dorloter [dɔrlɔte] v. tr. Fam. coccolare.
dormant, e [dɔrmɑ̃, ɑ̃t] adj. dormiente. | *eau dormante,* acqua stagnante. || [châssis] fisso.
dormeur, euse [dɔrmœr, øz] n. dormiglione, a.
dormir [dɔrmir] v. intr. dormire. | *il dort à poings fermés,* dorme della grossa, a sazietà. | *méfiez-vous de l'eau qui dort,* attenzione all'acqua cheta. | *histoire à dormir debout,* storia strampalata, inverosimile.
dormitif, ive [dɔrmitif, iv] adj. Fam. soporifero.
dorsal, e, aux [dɔrsal, o] adj. et f. dorsale.
dortoir [dɔrtwar] m. dormitorio ; camerata f.
dorure [dɔryr] f. (in)doratura.
dos [do] m. dorso ; spalle f. pl., schiena f. | *dormir, tomber sur le dos,* dormire, cadere supino. | *tourner le dos,* voltare le spalle. | *faire le gros dos* [chat], fare la gobba. || Fig. *se mettre à dos,* inimicarsi.
dosage [dozaʒ] m. dosatura f.
dos-d'âne [dodɑn] m. inv. dosso m.
dose [doz] f. dose.
doser [doze] v. tr. dosare.
dossier [dosje] m. [d'un siège] spalliera f., schienale. || Adm. pratica f., incartamento, incarto. || [chemise] cartella f.
dot [dɔt] f. dote.
dotation [dɔtasjɔ̃] f. dotazione.
doter [dɔte] v. tr. dotare.
douaire [dwɛr] m. dovario ; vedovile (rare).
douairière [dwɛrjɛr] f. signora anziana dell'alta società.
douane [dwan] f. dogana.
douanier, ère [dwanje, jɛr] adj. doganale. ◆ m. doganiere ; guardia (f.) di finanza, finanziere.
doublage [dublaʒ] m. raddoppiamento. || Cin. doppiaggio. || Th. sostituzione f.
double [dubl] adj. [multiplié par deux ; répété deux fois] doppio. | [formé de deux choses] duplice. || Mus. *double croche,* semicroma f. || Loc. *faire coup double,* fare un viaggio e due servizi. | *double jeu,* doppio gioco. | *double vue,* seconda vista. ◆ m. doppio. || [copie] doppione, duplicato, copia f. || Sp. doppio.
doubler [duble] v. tr. [porter au double] raddoppiare. || [mettre en double] addoppiare. || [dépasser] sorpassare. | [cap] doppiare. || [vêtement] foderare. || Cin. doppiare. || Th. sostituire. || Loc. *doubler le pas,* raddoppiare il passo. ◆ v. intr. raddoppiare.
doublet [dublɛ] m. Ling. doppione, allotropo.
doublure [dublyr] f. fodera. || Cin. controfigura. || Th. doppio m.
douce-amère [dusamɛr] f. Bot. dulcamara.
douceâtre [dusɑtr] adj. dolciastro.
doucement [dusmɑ̃] adv. dolcemente. || [sans bruit] piano, sottovoce. || [lentement] piano, adagio. ◆ interj. piano !
doucereux, euse [dusrø, øz] adj. dolciastro. || Fig. dolciastro, sdolcinato, mellifluo, melato.
douceur [dusœr] f. dolcezza. | [peau] morbidezza. | [climat] mitezza. | [voix] soavità. || Fig. *prendre par la douceur,* prendere con le buone. | *en douceur,* con cautela. ◆ pl. [sucreries] dolciumi m. pl., dolci m. pl.
douche [duʃ] f. doccia. || Fig. lavata di capo, strigliata.
doucher [duʃe] v. tr. far la doccia a. || Fig. [décevoir] dare una doccia fredda a. || [réprimander] dare una lavata di capo, una strigliata a. ◆ v. pr. far la doccia.
doué, e [dwe] adj. (pour) dotato (per).
douer [dwe] v. tr. (de) dotare (di).
douille [duj] f. [cartouche] bossolo m. || Électr. portalampada m. inv.
douillet, ette [dujɛ, ɛt] adj. morbido, soffice. || [trop sensible] ipersensibile ; molto delicato.
douleur [dulœr] f. dolore m. | *les douleurs de l'accouchement,* le doglie del parto.
douloureux, euse [dulurø, øz] adj. doloroso. || [endolori] dolente. || [moralement] doloroso, addolorato.
doute [dut] m. dubbio. ◆ *sans aucun doute,* senza (nessun) dubbio, indub-

biamente. | ***sans doute,*** forse, probabilmente.

douter [dute] v. tr. ind. (de) dubitare (di). || FIG. *ne douter de rien,* essere sicuro di sé. ◆ v. tr. (que + subj.) dubitare (che + subj.). ◆ v. pr. (de) sospettare v. tr. | *je m'en doutais,* lo sapevo.

douteux, euse [dutø, øz] adj. dubbio, dubbioso, incerto. || FIG. [équivoque] dubbio, equivoco.

douve [duv] f. [fossé] fossato m. || [planche courbe] doga.

doux, douce [du, dus] adj. dolce. | *vin doux,* mosto. | *piment doux,* peperone. | *eau douce,* acqua dolce. || [toucher] morbido, soffice. || [temps] mite, dolce, clemente. || [vue] tenue, morbido. || [ouïe] dolce, soave. || FIG. [caractère] dolce, mite, mansueto. | [pente] lieve. | [billet] galante. | *à feu doux,* a fuoco lento. ◆ adv. *filer doux,* rigare diritto. | *tout doux !,* adagio !, piano ! ◆ FAM. ***en douce,*** alla chetichella.

douzaine [duzɛn] f. dozzina.

douze [duz] adj. num. card. et n. inv. dodici.

douzième [duzjɛm] adj. num. ord. et n. dodicesimo, decimo secondo, duodecimo.

doyen, enne [dwajɛ̃, ɛn] n. decano.

dragée [draʒe] f. confetto m.

dragon [dragɔ̃] m. drago, dragone. || MIL. dragone. || FIG., FAM. dragonessa f., cerbero.

drague [drag] f. TECHN. draga.

draguer [drage] v. tr. dragare.

dragueur [dragœr] m. *dragueur de mines,* dragamine inv.

drain [drɛ̃] m. tubo di drenaggio.

dramatique [dramatik] adj. drammatico. ◆ f. T.V. commedia televisiva.

dramaturge [dramatyrʒ] m. drammaturgo.

drame [dram] m. dramma.

drap [dra] m. panno, drappo. | [de lit] lenzuolo. | *drap-housse,* lenzuolo con angoli. || FAM. *être dans de beaux draps,* trovarsi in un bel pasticcio.

drapeau [drapo] m. bandiera f. || MIL. *être appelé, être sous les drapeaux,* essere chiamato alle armi, essere sotto le armi.

draper [drape] v. tr. drappeggiare. || ART panneggiare. ◆ v. pr. drappeggiarsi. || FIG. (dans) ammantarsi (di).

draperie [drapri] f. lanificio m. || [objets] tessuti (m. pl.) di lana. | [d'un baldaquin] drappeggi m. pl. || ART panneggio m.

drapier [drapje] m. laniere.

dressage [drɛsaʒ] m. [d'un animal] ammaestramento, addestramento.

dresser [drɛse] v. tr. (d)rizzare, erigere, elevare. | [une tente] metter su, piantare. || FIG. (contre) aizzare, sobillare (contro). || *dresser la table,* apparecchiare. || [carte, plan] stabilire. || JUR. stendere, redigere. || [un animal] ammaestrare, addestrare. ◆ v. pr. FIG. (contre) insorgere (contro).

dresseur [drɛsœr] m. ammaestratore, addestratore.

dressoir [drɛswar] m. credenza f.

dribbler [drible] v. intr. SP. dribblare, palleggiare.

drogue [drɔg] f. MÉD. droga.

droguer [drɔge] v. tr. drogare.

droguerie [drɔgri] f. mesticheria.

droguiste [drɔgist] n. mesticatore m.

droit [drwa] m. JUR. diritto. || [science] legge f., giurisprudenza f. | *faire son droit,* studiare, fare legge. | *par voie de droit,* per vie legali. || [faculté] *ai-je le droit de sortir ?,* mi è permesso uscire ? | *faire droit à,* far luogo a. | *s'adresser à qui de droit,* rivolgersi a chi di dovere. || [taxe] diritto, dazio, tassa f. ◆ ***à bon droit,*** a buon diritto. || ***de plein droit,*** con pieno diritto.

droit, e [drwa, at] adj. retto, d(i)ritto. || MATH. retto. || SP. *coup droit,* diritto m. || [opposé à gauche] destro. ◆ adv. d(i)ritto. | *aller droit au but,* andare d(i)ritto allo scopo. ◆ m. SP. [boxe] destro. ◆ f. [main droite] destra. || MATH. retta. || POL. destra.

droitier, ère [drwatje, ɛr] adj. et n. che, chi usa abitualmente la mano destra.

droiture [drwatyr] f. rettitudine.

drôle [drol] adj. spassoso, buffo, faceto. || [bizarre] strano, bizzarro. ◆ m. *(mauvais) drôle,* briccone, furfante, mariolo.

drôlement [drolmɑ̃] adv. [intensif] terribilmente.

drôlerie [drolri] f. comicità, lato (m.) comico. || [bouffonnerie] buffonata.

dromadaire [drɔmadɛr] m. ZOOL. dromedario.

dru, e [dry] adj. fitto, spesso. ◆ adv. *la pluie tombe dru,* la pioggia cade fitta.

du art. V. DE art.

dû, due [dy] adj. dovuto, debito. | *en bonne et due forme,* nella debita forma. ◆ m. dovuto. | *à chacun son dû,* a ciascuno il suo.

dualisme [dɥalism] m. dualismo.

dubitatif, ive [dybitatif, iv] adj. dubitativo.

duc [dyk] m. duca. || ZOOL. gufo.

ducat [dyka] m. ducato.

duché [dyʃe] m. ducato.

duchesse [dyʃɛs] f. duchessa.

ductile [dyktil] adj. duttile.

duel [dɥɛl] m. duello.

duettiste [dɥetist] n. duettista.

dûment [dymɑ̃] adv. debitamente.
dune [dyn] f. duna.
duo [dɥo] m. MUS. duetto.
dupe [dyp] f. gonzo m., vittima, zimbello m. | *jeu de dupes,* imbroglio m. ◆ adj. *être dupe,* lasciarsi abbindolare, imbrogliare, ingannare.
duper [dype] v. tr. ingannare, imbrogliare. ◆ v. pr. *se duper soi-même,* illudersi.
duperie [dypri] f. inganno m., imbroglio m.
duplex [dyplɛks] m. [appartement] alloggio duplex. || TÉL. duplex.
duplicata [dyplikata] m. duplicato.
duplicateur [dyplikatœr] m. duplicatore, ciclostile.
duplicité [dyplisite] f. doppiezza, ipocrisia.
dur, e [dyr] adj. duro. | [œuf] sodo. | [couleur] crudo, violento. | [hiver] rigido. ◆ adv. *travailler dur,* lavorare sodo. | *y croire dur comme fer,* crederci fermamente. ◆ m. FAM. *c'est un dur à cuire,* è un osso duro. ◆ f. *sur la dure,* per terra. | *à la dure,* alla spartana. | *en avoir vu de dures,* averne viste di cotte e di crude.
durable [dyrabl] adj. durevole, duraturo.
durant [dyrɑ̃] prép. durante, per. | *sa vie durant,* vita natural durante.
durcir [dyrsir] v. tr. irrigidire, indurire. ◆ v. intr. et v. pr. irrigidirsi, indurirsi.
durcissement [dyrsismɑ̃] m. irrigidimento, indurimento.
durée [dyre] f. durata. | *de courte, longue durée,* di breve, lunga durata.
durer [dyre] v. intr. durare. || *le temps me dure,* il tempo mi pare lungo. | *le temps me dure de,* non vedo l'ora di.
dureté [dyrte] f. durezza. | [teinte] crudezza. | [hiver] rigidezza, rigore m. || FIG. durezza, asprezza.
durillon [dyrijɔ̃] m. durone.
duvet [dyvɛ] m. peluria f., lanugine f. || [édredon] piumino m. || [sac] sacco (m.) a pelo.
duveteux, euse [dyvtø, øz] adj. lanuginoso.
dynamique [dinamik] adj. dinamico. ◆ f. dinamica.
dynamisme [dinamism] m. dinamismo.
dynamite [dinamit] f. dinamite.
dynamiter [dinamite] v. tr. dinamitare.
dynamo [dinamo] f. dinamo inv.
dynastie [dinasti] f. dinastia.
dysenterie [disɑ̃tri] f. dissenteria.
dyslexie [dislɛksi] f. dislessia.
dyspepsie [dispɛpsi] f. dispepsia.

e

e [ə] m. e f. ou m.
eau [o] f. acqua. | [pluie] acqua, pioggia. || [liquide distillé] acqua, spirito m., essenza. || *eau de Javel,* varechina, candeggina. || GÉOGR. *basses eaux,* magra f. | *hautes eaux,* piena f. || MÉD. *prendre les eaux,* passare le acque. || REL. *eau bénite,* acquasanta. || FIG. *être (tout) en eau,* essere fradicio di sudore. | *faire venir l'eau à la bouche,* far venire l'acquolina in bocca ; *pêcher en eau trouble,* pescar nel torbido. | PR. et FIG. *revenir sur l'eau,* tornare a galla. | *tomber à l'eau,* PR. cadere in acqua ; FIG. andare a monte, sfumare. || MAR. *faire eau,* fare acqua. | *faire de l'eau,* far acqua. | *mettre à l'eau,* varare. || LOC. *à l'eau de rose,* all'acqua di rose.
eau-de-vie [odvi] f. acquavite ; [de marc] grappa.
eau-forte [ofɔrt] f. acquaforte.
ébahi, e [ebai] adj. strabiliato, trasecolato.
ébahir [ebair] v. tr. stupire, stupefare. ◆ v. pr. strabiliare, trasecolare.
ébahissement [ebaismɑ̃] m. stupore, sbalordimento.
ébats [eba] m. pl. sollazzi.
ébattre (s') [sebatr] v. pr. sollazzarsi, folleggiare v. intr.
ébauche [eboʃ] f. abbozzo m., schizzo m., bozzetto m.
ébaucher [eboʃe] v. tr. abbozzare, sbozzare.
ébène [ebɛn] f. BOT. ebano.
ébéniste [ebenist] m. ebanista, stipettaio.
éberlué, e [ebɛrlɥe] adj. strabiliato, trasecolato.
éblouir [ebluir] v. tr. abbagliare.
éblouissant, e [ebluisɑ̃, ɑ̃t] adj. abbagliante. || FIG. stupendo, meraviglioso.
éblouissement [ebluismɑ̃] m. abbagliamento. || [vertige] capogiro.
éborgner [ebɔrɲe] v. tr. accecare da un occhio. ◆ v. pr. accecarsi da un occhio.
éboueur [ebwœr] m. netturbino, spazzaturaio, spazzino.
ébouillanter [ebujɑ̃te] v. tr. sbollentare.
éboulement [ebulmɑ̃] m. frana f.
ébouler (s') [sebule] v. pr. franare, crollare v. intr.
éboulis [ebuli] m. frana f.
ébouriffer [eburife] v. tr. arruffare, scapigliare, scarmigliare.

ébranlement [ebrɑ̃lmɑ̃] m. scrollo, scrollamento ; scrollata f. ‖ FIG. turbamento. | [nerveux] scossa f.

ébranler [ebrɑ̃le] v. tr. scrollare, scuotere. ‖ [mettre en mouvement] (s)muovere, rimuovere. ‖ FIG. [affaiblir] scuotere, perturbare, intaccare, dissestare. ◆ v. pr. muoversi, mettersi in moto, avviarsi.

ébrécher [ebreʃe] v. tr. intaccare, slabbrare, sbreccare. ‖ FIG. [fortune] intaccare.

ébriété [ebrijete] f. ub(b)riachezza.

ébrouer (s') [sebrue] v. pr. [souffler] sbuffare. ‖ [s'agiter, s'ébattre] scuotersi, scrollarsi. | [oiseaux] starnazzare.

ébruiter [ebrɥite] v. tr. divulgare, diffondere. ◆ v. pr. divulgarsi, spargersi ; trapelare v. intr.

ébullition [ebylisjɔ̃] f. ebollizione. ‖ FIG. subbuglio m.

écaille [ekaj] f. [poisson, reptile] scaglia, squama. | [coquillage] valva. ‖ [mur, vernis] scrostatura, scaglia. ‖ [matière] tartaruga.

écailler [ekaje] v. tr. [poisson] squamare. | [coquillage] sgusciare. ◆ v. pr. [mur, vernis] scrostarsi.

écarlate [ekarlat] adj. scarlatto.

écarquiller [ekarkije] v. tr. sbarrare, spalancare.

écart [ekar] m. scartamento. ‖ FIG. [différence] scarto, differenza f., divario. ‖ [véhicule] sbandamento, sbandata f. | [cheval] scarto, sfaglio. ‖ FIG. [pl. : de jeunesse] trascorsi, errori, scappate f. | [langage] intemperanza f. ‖ ADM. [agglomération] frazione f. ◆ ***à l'écart,*** in disparte. ◆ ***à l'écart de,*** fuori di, lontano (adj.) da.

écarté, e [ekarte] adj. allargato, divaricato. ‖ [solitaire] appartato.

écartèlement [ekartɛlmɑ̃] m. squartamento.

écarteler [ekartəle] v. tr. squartare. ‖ FIG. lacerare, straziare.

écartement [ekartəmɑ̃] m. allargamento, allontanamento, rimozione f. ‖ [roues] scartamento.

écarter [ekarte] v. tr. allargare, divaricare. ‖ [déplacer] rimuovere. ‖ [repousser] respingere, allontanare. ‖ [dévier] sviare. ◆ v. pr. [se mettre de côté] tirarsi da parte, scansarsi, scostarsi. ‖ [dévier] deviare, allontanarsi. | [véhicule] sbandare v. intr. | [cheval] sfagliare.

ecchymose [ekimoz] f. ecchimosi.

ecclésiastique [eklezjastik] adj. et m. ecclesiastico.

écervelé, e [esɛrvəle] adj. et n. scervellato, sventato.

échafaud [eʃafo] m. patibolo, palco.

échafaudage [eʃafodaʒ] m. palco, ponte, impalcatura f., ponteggio. ‖ [entassement] mucchio, cumulo, ammasso. ‖ FIG. [accumulation] cumulo, ammasso. ‖ [construction] edificio, combinazione f.

échafauder [eʃafode] v. intr. edificare un palco, un'impalcatura. ◆ v. tr. accatastare, ammucchiare. ‖ FIG. [combiner] architettare.

échalote [eʃalɔt] f. BOT. scalogno m.

échancrer [eʃɑ̃kre] v. tr. scollare.

échancrure [eʃɑ̃kryr] f. scollatura. ‖ GÉOGR. insenatura.

échange [eʃɑ̃ʒ] m. scambio, baratto. | *échange de lettres,* carteggio. | *échanges culturels,* scambi culturali. ‖ [tennis] *échange de balles,* palleggio. ◆ ***en échange,*** in contraccambio, in compenso. ◆ ***en échange de,*** in cambio di.

échanger [eʃɑ̃ʒe] v. tr. (contre) scambiare (con), barattare (con). ‖ FIG. scambiare, scambiarsi. ◆ v. pr. scambiarsi, barattarsi.

échangeur [eʃɑ̃ʒœr] m. TECHN. scambiatore. ‖ TR. raccordo anulare.

échantillon [eʃɑ̃tijɔ̃] m. COMM. campione, saggio. | *collection d'échantillons,* campionario. ‖ FIG. saggio.

échantillonner [eʃɑ̃tijɔne] v. tr. campionare.

échappatoire [eʃapatwar] f. scappatoia, via d'uscita, ripiego m.

échappé, e [eʃape] adj. et n. evaso.

échappée [eʃape] f. [vue] apertura, vista. ‖ SP. fuga.

échappement [eʃapmɑ̃] m. TECHN. [vapeur, gaz] scappamento, scarico. ‖ AUT. *tuyau d'échappement,* tubo di scarico. | *pot d'échappement,* marmitta f. ‖ [horlogerie] scappamento.

échapper [eʃape] v. intr. [fuir] scappare, fuggire. ‖ [se soustraire à] sfuggire (a), sottrarsi (a). ‖ *échapper des mains,* scappare, cadere dalle mani. ‖ [faute, mot] sfuggire. | *cela m'a échappé,* mi è scappato detto. ‖ *laisser échapper une occasion,* lasciarsi sfuggire, scappare un' occasione. ◆ v. tr. FIG. *l'échapper belle,* scamparla bella. ◆ v. pr. [s'enfuir] scappare, fuggire, evadere. ‖ [gaz] sprigionare ; [odeur] esalare.

écharde [eʃard] f. scheggia (incarnita).

écharpe [eʃarp] f. sciarpa. ‖ [officielle] fusciacca. ‖ [bandage] fascia. ◆ ***en écharpe,*** [bras] al collo. | *prendre en écharpe,* colpire, investire di striscio.

échasse [eʃas] f. trampolo m.

échassier [eʃasje] m. trampoliere.

échauder [eʃode] v. tr. scottare.

échauffement [eʃofmɑ̃] m. (ri)scaldamento.

échauffer [eʃofe] v. tr. (ri)scaldare. ‖ FIG. riscaldare, eccitare. ◆ v. pr. FIG. accalorarsi, infervorarsi. ‖ SP. scaldarsi.

échauffourée [eʃofure] f. MIL. scaramuccia ; scontro m. || [bagarre] baruffa, tafferuglio m.

échéance [eʃeɑ̃s] f. COMM. scadenza. | *venir à échéance,* scadere. || [versement] rata. || [délai] scadenza, termine m. | *à deux mois d'échéance,* a due mesi data. || FIG. *à brève échéance,* a breve scadenza, fra poco.

échéancier [eʃeɑ̃sje] m. COMM. scadenzario.

échéant, e [eʃeɑ̃, ɑ̃t] adj. *le cas échéant,* all'occorrenza ; dandosi il caso.

échec [eʃɛk] m. scacco, insuccesso. | [d'un projet] fallimento. | *faire échec à,* dare scacco a, opporsi a. | *échec et mat,* scaccomatto. | [humiliation] smacco. || TH. fiasco. || UNIV. bocciatura f. ◆ pl. JEU scacchi. | *joueur d'échecs,* scacchista. | *tournoi d'échecs,* torneo scacchistico.

échelle [eʃɛl] f. scala (a pioli). | *échelle double,* scala a libretto, scaleo m. || [hiérarchie] scala, gerarchia. || GÉOGR. scala. || MAR. *échelle de coupée,* scalandrone m., passerella. || HIST. [du Levant] scalo m. || LOC. *à l'échelle de,* proporzionato (adj.) a. | *faire la courte échelle à qn,* fare scala a qlcu., FIG. [seconder] spalleggiare, aiutare. | *sur une grande échelle,* su ampia, vasta scala.

échelon [eʃlɔ̃] m. piolo. || FIG. scalino, gradino. || ADM. [avancement] scatto. || MIL. scaglione. || [niveau] scala f., livello, piano.

échelonnement [eʃlɔnmɑ̃] m. scaglionamento.

échelonner [eʃlɔne] v. tr. COMM. scaglionare, rateare, rateizzare. || MIL. scaglionare. || [étaler] scaglionare, ripartire, scalare. ◆ v. pr. ripartirsi, scaglionarsi.

écheveau [eʃvo] m. matassa f.

échevelé, e [eʃəvle] adj. scapigliato, scarmigliato, arruffato. || FIG. sfrenato.

écheveler [eʃəvle] v. tr. scapigliare, scarmigliare ; arruffare i capelli a.

échine [eʃin] f. schiena.

échiner (s') [seʃine] v. pr. FAM. sfacchinare, sgobbare v. intr., sgropparsi.

échiquier [eʃikje] m. JEU scacchiera f. || FIG. scacchiere.

écho [eko] m. eco m. ou f. (pl. echi m.) | *faire écho,* echeggiare. || FIG. eco, ripercussione f., risonanza f. | *se faire l'écho de,* farsi eco di.

échoir [eʃwar] v. tr. ind. défect. (à) toccare (a), spettare (a). ◆ v. intr. COMM. scadere.

échoppe [eʃɔp] f. botteguccia.

échotier [ekɔtje] m. cronista.

échouement [eʃumɑ̃] m. MAR. arenamento.

échouer [eʃwe] v. intr. MAR. arenarsi, incagliarsi ; andare, dare in secca. || FAM. s'arrêter] andare a finire. || FIG. fallire, naufragare ; andare a monte ; arenarsi, incagliarsi. | [examen] essere bocciato. ◆ v. tr. MAR. mettere, portare in secca.

éclaboussement [eklabusmɑ̃] m. spruzzatura f.

éclabousser [eklabuse] v. tr. [boue] inzaccherare, infangare. | [liquide] schizzare, spruzzare. || FIG. macchiare, infangare.

éclaboussure [eklabusyr] f. [boue] zacchera. | [liquide] schizzo m, spruzzo m. || FIG. conseguenza, ripercussione.

éclair [eklɛr] m. lampo, baleno. | *il y a des éclairs,* lampeggia, balena. || FIG. lampo, baleno, barbaglio. ◆ adj. inv. *guerre-éclair,* guerra lampo.

éclairage [eklɛraʒ] m. illuminazione f. | *gaz d'éclairage,* gas illuminante. || AUT. luce f. || FIG. *sous cet éclairage,* sotto quest'aspetto.

éclaircie [eklɛrsi] f. [ciel] schiarita. || [clairière] radura.

éclaircir [eklɛrsir] v. tr. schiarire. [voix] rischiarare. || [bois] sfoltire, diradare. || [sauce] diluire. || [rangs] diradare. || FIG. schiarire, delucidare.

éclaircissement [eklɛrsismɑ̃] m. (s)chiarimento.

éclairé, e [eklere] adj. PR. et FIG. illuminato.

éclairer [eklere] v. tr. illuminare, rischiarare. | *éclairer qn,* far luce a qlcu. || FIG. istruire. || [expliquer] (s)chiarire. || [rendre radieux] illuminare. ◆ v. intr. brillare, scintillare. | [ampoule] far luce. ◆ v. pr. accendersi, illuminarsi. || FIG. illuminarsi, rischiararsi. | [devenir compréhensible] chiarirsi. || *s'éclairer à l'électricité,* avere l'illuminazione elettrica.

éclaireur, euse [eklɛrœr, øz] n. esploratore, trice. ◆ m. MIL. esploratore. | *en éclaireur,* in avanscoperta.

éclat [ekla] m. [fragment] scheggia f. | *voler en éclats,* andare in frantumi. | *éclat de rire,* scoppio, scroscio di risa. | *rire aux éclats,* ridere fragorosamente. || FIG. rumore, chiasso. | *action d'éclat,* prodezza f. | *faire un éclat,* fare (uno) scandalo. || [lumière, couleur] splendore ; lucentezza f., sfavillio. || [yeux, teint] luminosità f., splendore. || [beauté, gloire] splendore, fulgore, sfarzo.

éclatant, e [eklatɑ̃, ɑ̃t] adj. [son] squillante, rumoroso, fragoroso. || FIG. strepitoso, clamoroso. || [lumière] splendido, radioso, sfolgorante. || FIG. [beauté] radioso, splendido. | *éclatant de santé,* raggiante di salute. || [évident] lampante.

éclatement [eklatmɑ̃] m. scoppio, esplosione f. | [mine] brillamento. || FIG. disgregazione f., frazionamento, scissione f.
éclater [eklate] v. intr. scoppiare, esplodere. || FIG. disgregarsi, dividersi, scindersi. || [bruit] risuonare, rimbombare. || [briller] brillare, risplendere.
éclectique [eklɛktik] adj. eclettico.
éclipse [eklips] f. ASTR. eclissi, eclisse.
éclipser [eklipse] v. tr. eclissare. || FIG. eclissare, oscurare, superare. ◆ v. pr. FIG. [disparaître] eclissarsi, scomparire. | [nuages] dileguarsi. | [espoirs] svanire, dileguarsi. || FAM. [s'éloigner] eclissarsi, svignarsela.
éclisse [eklis] f. CHIR. stecca.
éclopé, e [eklɔpe] adj. et n. zoppo, sciancato, storpio.
éclore [eklɔr] v. intr. [œuf] schiudersi ; [oiseau] sgusciare ; [bourgeon, fleur] sbocciare, schiudersi. || FIG. spuntare, nascere.
éclosion [eklozjɔ̃] f. [oiseau, insecte] nascita. | [plante] sboccio m. || FIG. nascita.
écluse [eklyz] f. conca.
écœurant, e [ekœrɑ̃, ɑ̃t] adj. stomachevole, disgustoso.
écœuré, e [ekœre] adj. nauseato, stomacato.
écœurement [ekœrmɑ̃] m. nausea f., disgusto.
écœurer [ekœre] v. tr. stomacare, disgustare, nauseare. || FIG. scoraggiare.
école [ekɔl] f. scuola. | *aller à l'école*, andare a scuola. | *faire l'école buissonnière*, marinare, salare la scuola. || [beaux-arts ; navale, militaire] accademia. || FIG. scuola, tirocinio m.
écolier, ère [ekɔlje, ɛr] n. et adj. scolaro, a. | *les écoliers*, (d'une classe, d'une école) la scolaresca. || FIG. *erreur d'écolier*, errore da principiante.
écologie [ekɔlɔʒi] f. ecologia.
éconduire [ekɔ̃dɥir] v. tr. [visiteur] rifiutarsi di ricevere un visitatore. | [soupirant] respingere.
économie [ekɔnɔmi] f. economia. || [chose épargnée] risparmio m., economia. || FIG. [d'un ouvrage] economia, struttura. ◆ pl. risparmi m. pl.
économique [ekɔnɔmik] adj. economico.
économiser [ekɔnɔmize] v. tr. economizzare, risparmiare.
économiste [ekɔnɔmist] m. economista.
écope [ekɔp] f. MAR. gottazza.
écoper [ekɔpe] v. tr. aggottare. ◆ v. intr. FAM. [coups] prendersi una batosta. | [punition] andarci di mezzo.
écorce [ekɔrs] f. [d'arbre] corteccia. | [de fruits] scorza, buccia.
écorcer [ekɔrse] v. tr. scortecciare, sbucciare.
écorcher [ekɔrʃe] v. tr. scorticare, scuoiare, spellare. || FIG., FAM. [clients] scorticare, pelare, stangare. | [mot] storpiare. | [oreilles] straziare.
écorchure [ekɔrʃyr] f. scorticatura, spellatura, escoriazione.
écorner [ekɔrne] v. tr. scornare. | [meuble] scantonare. | [livre] sciupare, sgualcire un libro agli angoli.
écossais, e [ekɔsɛ, ɛz] adj. et n. scozzese.
écosser [ekɔse] v. tr. sgusciare.
écot [eko] m. quota f.
écoulement [ekulmɑ̃] m. scolo, scorrimento, (de)flusso. | [temps] lo scorrere. || COMM. smercio, smaltimento. || MÉD. perdita f., fuoruscita f.
écouler [ekule] v. tr. smerciare, vendere. ◆ v. pr. [liquide] colare, scorrere. || [temps] passare, trascorrere.
écourter [ekurte] v. tr. accorciare.
écoute [ekut] f. ascolto m.
écouter [ekute] v. tr. ascoltare. | [aux portes] origliare. || FIG. esaudire. || [tenir compte de] dar retta a.
écouteur [ekutœr] m. TÉL. ricevitore ; [double] cuffia f.
écoutille [ekutij] f. MAR. boccaporto m.
écran [ekrɑ̃] m. CIN., T.V. schermo. | *porter à l'écran*, ridurre per lo schermo. | *le petit écran*, lo schermo televisivo. || [de fumée] cortina f.
écrasant, e [ekrazɑ̃, ɑ̃t] adj. schiacciante, pesantissimo. || FIG. opprimente, gravosissimo.
écrasement [ekrazmɑ̃] m. schiacciamento. || FIG. annientamento, disfatta f.
écraser [ekraze] v. tr. schiacciare. | [pied] pestare. || [accidenter] investire, travolgere. || FIG. [accabler] aggravare, sovraccaricare. || [anéantir] schiacciare, annientare, sbaragliare. || POP. *en écraser*, dormire della grossa. ◆ v. pr. [exploser ; se disloquer] abbattersi, cadere, schiacciarsi, schiantarsi. || FIG. [foule] accalcarsi. || POP. [se taire] calare le brache.
écrémer [ekreme] v. tr. scremare.
écrémeuse [ekremøz] f. screматrice.
écrevisse [ekrəvis] f. gambero m.
écrier (s') [sekrije] v. pr. esclamare v. intr.
écrin [ekrɛ̃] m. scrigno.
écrire [ekrir] v. tr. scrivere. || [à la machine] scrivere, battere. || [rédiger] scrivere, redigere, stendere. || [musique] comporre.
écrit [ekri] m. scritto, opera f. || [examen] (esame) scritto. ◆ *par écrit*, per (i)scritto.
écriteau [ekrito] m. cartello (con una scritta).

écriture [ekrityr] f. scrittura. || REL. Sacra Scrittura. || [style] stile m.
écrivain [ekrivɛ̃] m. scrittore, autore. | *femme écrivain,* scrittrice, autrice.
1. écrou [ekru] m. dado.
2. écrou m. carcerazione f. | *levée d'écrou,* scarcerazione.
écrouer [ekrue] v. tr. carcerare, imprigionare.
écroulement [ekrulmɑ̃] m. crollo, rovina f.
écrouler (s') [sekrule] v. pr. crollare, rovinare v. intr. || [tomber] stramazzare v. intr., accasciarsi.
écru, e [ekry] adj. crudo, greggio.
écu [eky] m. [bouclier; monnaie] scudo.
écueil [ekœj] m. scoglio.
écuelle [ekɥɛl] f. scodella.
éculé, e [ekyle] adj. scalcagnato. || FIG. trito, logoro.
écume [ekym] f. [mousse] schiuma, spuma. || [bave] schiuma, bava. || FIG. schiuma, feccia. || MINÉR. [de mer] schiuma di mare.
écumer [ekyme] v. intr. schiumare, spumare, far la schiuma. || FIG. sbavare, spumare. ◆ v. tr. [soupe] schiumare. || [les mers] corseggiare, pirateggiare.
écumeux, euse [ekymø, øz] adj. schiumoso, spumoso.
écumoire [ekymwar] f. schiumarola.
écureuil [ekyrœj] m. scoiattolo.
écurie [ekyri] f. stalla, scuderia. || [lieu malpropre] stalla, porcile m.
écusson [ekysɔ̃] m. MIL. mostrina f.
écuyer [ekɥije] m. HIST. scudiero. || [instructeur] cavallerizzo. || [montant bien à cheval] cavalcatore, cavaliere.
écuyère [ekɥijɛr] f. cavalcatrice, cavallerizza.
eczéma [ɛgzema] m. eczema.
édenter [edɑ̃te] v. tr. sdentare.
édifiant, e [edifjɑ̃, ɑ̃t] adj. edificante.
édification [edifikasjɔ̃] f. PR. et FIG. edificazione.
édifice [edifis] m. edificio.
édifier [edifje] v. tr. edificare, costruire. || FIG. [théorie] edificare, architettare. | [moralement] edificare.
édit [edi] m. editto.
éditer [edite] v. tr. pubblicare.
éditeur, trice [editœr, tris] n. et adj. editore, trice.
édition [edisjɔ̃] f. edizione. | *maison d'édition,* casa editrice. || COMM., IND. editoria.
éditorial, aux [editɔrjal, o] m. editoriale.
édredon [edrədɔ̃] m. piumino.
éducateur, trice [edykatœr, tris] n. et adj. educatore, trice.
éducatif, ive [edykatif, iv] adj. educativo.
éducation [edykasjɔ̃] f. educazione, istruzione. || [bonnes manières] educazione, creanza. | *sans éducation,* screanzato adj.
édulcorer [edylkɔre] v. tr. dolcificare, addolcire, edulcorare.
éduquer [edyke] v. tr. educare.
effacé, e [efase] adj. cancellato. || FIG. umile, dimesso, scialbo.
effacement [efasmɑ̃] m. cancellatura f., cancellazione f. || [discrétion] modestia f., discrezione f.
effacer [efase] v. tr. cancellare, cassare. || [éclipser] eclissare, oscurare, superare. ◆ v. pr. [se mettre de côté] scansarsi, tirarsi da parte. || [disparaître] svanire, sparire, dileguarsi.
effarant, e [efarɑ̃, ɑ̃t] adj. sbalorditivo, strabiliante.
effaré, e [efare] adj. sbigottito, sgomento.
effarement [efarmɑ̃] m. sbigottimento, smarrimento, sgomento.
effarer [efare] v. tr. sbigottire, sgomentare, sbalordire.
effaroucher [efaruʃe] v. tr. [effrayer] spaurire, impaurire. || [troubler] intimidire, intimorire. ◆ v. pr. (de) spaurirsi, turbarsi, sgomentarsi (di).
effectif, ive [efɛktif, iv] adj. et m. effettivo.
effectuer [efɛktɥe] v. tr. effettuare, fare, eseguire, svolgere.
efféminé, e [efemine] adj. et n. effeminato.
effervescence [efɛrvesɑ̃s] f. effervescenza. | *en effervescence,* in effervescenza, in subbuglio.
effet [efɛ] m. effetto. || *à cet effet,* a tale scopo, a tal fine. || FIG. *viser à l'effet,* mirare a far colpo. | *faire l'effet de,* far l'effetto di ; parere, sembrare. ◆ pl. [vêtements] effetti ; roba f. || COMM., FIN. effetti, titoli. ◆ *en effet,* effettivamente, realmente, invero. || [car] infatti, difatti, perché.
effeuiller [efœje] v. tr. sfogliare.
efficace [efikas] adj. efficace.
efficacité [efikasite] f. efficacia.
effigie [efiʒi] f. effigie.
effilé, e [efile] adj. affilato, esile, sottile.
effiler [efile] v. tr. sfilare. || [cheveux] sfumare. ◆ v. pr. sfilarsi.
effilocher [efilɔʃe] v. tr. sfilacciare. ◆ v. pr. sfilacciarsi.
efflanqué, e [eflɑ̃ke] adj. [animal] sfiancato. | [personne] scarno, allampanato.
effleurement [eflœrmɑ̃] m. sfioramento.
effleurer [eflœre] v. tr. [frôler] sfiorare, rasentare.
effondré, e [efɔ̃dre] adj. FIG. abbattuto, avvilito, prostrato.

effondrement [efɔ̃drəmɑ̃] m. crollo. || [du moral] esaurimento (nervoso).
effondrer (s') [sefɔ̃dre] v. pr. crollare v. tr., sprofondare v. tr., accasciarsi. || FIG. crollare, rovinare.
efforcer (s') [sefɔrse] v. pr. (de, à) sforzarsi (di), studiarsi (di), ingegnarsi (di).
effort [efɔr] m. sforzo. | *faire tous ses efforts pour,* fare ogni sforzo per. | *avec effort,* a stento, a fatica, a mala pena.
effraction [efraksjɔ̃] f. effrazione, scasso m.
effraie [efrɛ] f. barbagianni m.
effranger [efrɑ̃ʒe] v. tr. sfrangiare.
effrayant, e [efrɛjɑ̃, ɑ̃t] adj. spaventoso, spaventevole.
effrayer [efreje] v. tr. spaventare, sgomentare. ◆ v. pr. (de) spaventarsi (di), impaurirsi (di).
effréné, e [efrene] adj. sfrenato.
effriter [efrite] v. tr. sgretolare, sfaldare. ◆ v. pr. sgretolarsi, sfaldarsi. || [s'écailler] scrostarsi. || FIG. disgregarsi.
effroi [efrwa] m. spavento, terrore.
effronté, e [efrɔ̃te] adj. et n. sfacciato.
effronterie [efrɔ̃tri] f. sfacciataggine.
effroyable [efrwajabl] adj. spaventoso, spaventevole. | [repoussant] raccapricciante.
effusion [efyzjɔ̃] f. effusione, spargimento m. || FIG. effusione.
égailler (s') [segaje] v. pr. disperdersi, sparpagliarsi.
égal, e, aux [egal, o] adj. uguale, eguale, pari inv. || [uni] piano. || [régulier] costante, regolare. || FAM. *cela m'est égal,* mi è indifferente, per me fa lo stesso. | *c'est égal,* comunque. ◆ n. uguale, eguale ; pari m. inv. ◆ ***à l'égal de,*** al pari di, quanto.
également [egalmɑ̃] adv. ugualmente, parimenti. || [aussi] anche, pure.
égaler [egale] v. tr. uguagliare, pareggiare. | *égaler un record,* raggiungere un primato.
égalisation [egalizasjɔ̃] f. uguagliamento m., pareggiamento m., pareggio m.
égaliser [egalize] v. tr. aggualiare, pareggiare. || [rendre uni] pareggiare, spianare, livellare.
égalité [egalite] f. uguaglianza, parità. || SP. pareggio. | *sur un pied d'égalité,* a parità di condizioni.
égard [egar] m. *avoir égard à qch.,* aver riguardo a qlco. ◆ pl. riguardi, premure f. pl. ◆ ***à cet égard,*** sotto quest' aspetto. || ***à tous égards,*** sotto ogni aspetto. ◆ ***à l'égard de, eu égard à,*** riguardo a. || ***par, sans égard pour,*** per, senza riguardo per.
égaré, e [egare] adj. smarrito, sperduto.
égarement [egarmɑ̃] m. smarrimento. ◆ pl. [de la jeunesse] trascorsi.
égarer [egare] v. tr. f(u)orviare, sviare, traviare. || [momentanément] smarrire. ◆ v. pr. smarrirsi. || FIG. ingannarsi, sbagliare v. tr. || POL. *des voix se sont égarées,* dei voti si sono dispersi.
égayer [egeje] v. tr. rallegrare, allietare.
égide [eʒid] f. *sous l'égide de,* sotto l'egida di.
églantier [eglɑ̃tje] m. rosaio di macchia.
églantine [eglɑ̃tin] f. rosa canina.
église [egliz] f. chiesa. | *aller à l'église,* andare in chiesa. || FIG. *pilier d'église,* baciapile m. inv.
églogue [eglɔg] f. egloga.
égocentrique [egosɑ̃trik] adj. egocentrico.
égoïsme [egɔism] m. egoismo.
égoïste [egɔist] adj. egoistico. ◆ n. egoista.
égorger [egɔrʒe] v. tr. scannare, sgozzare. | [boucherie] macellare. | [massacrer] massacrare.
égosiller (s') [segɔzije] v. pr. spolmonarsi.
égout [egu] m. fogna f., chiavica f.
égoutter [egute] v. tr. sgrondare, sgocciolare, scolare. || [linge] sciorinare. ◆ v. pr. (s)gocciolare v. intr.
égouttoir [egutwar] m. scolatoio.
égratigner [egratiɲe] v. tr. graffiare, scalfire. || FIG. pungere.
égratignure [egratiɲyr] f. (s)graffio m., scalfittura. || FIG. puntura.
égrener [egrəne] v. tr. [blé] sgranare ; [raisin] sgranellare. || [heure] scoccare. || [chapelet] sgranare.
égrillard, e [egrijar, ard] adj. procace, scollacciato.
égyptien, enne [eʒipsjɛ̃, ɛn] adj. et n. [ancien] egizio. || [moderne] egiziano.
eh ! [e] interj. eh !, oh ! | *eh bien !,* ebbene ! | *eh quoi !,* come !
éhonté, e [eɔ̃te] adj. svergognato, spudorato.
eider [edɛr] m. edredone.
éjecter [eʒɛkte] v. tr. espellere.
éjection [eʒɛksjɔ̃] f. eiezione.
élaborer [elabɔre] v. tr. elaborare.
élaguer [elage] v. tr. potare, sfrondare. || FIG. sfrondare, snellire.
1. élan [elɑ̃] m. ZOOL. alce f.
2. élan m. slancio, impeto. | *prendre son élan,* prendere la rincorsa. || SP. *saut avec, sans élan,* salto con rincorsa, da fermo.
élancé, e [elɑ̃se] adj. slanciato, snello, svelto.
élancement [elɑ̃smɑ̃] m. trafitta f.
élancer [elɑ̃se] v. intr. *la dent m'élance,* provo delle fitte al dente. ◆ v. pr. (s)lanciarsi, avventarsi, scagliarsi.

élargir [elarʒir] v. tr. allargare, ampliare. || JUR. scarcerare. ◆ v. pr. allargarsi, dilatarsi.
élargissement [elarʒismɑ̃] m. allargamento. || JUR. scarcerazione f.
élasticité [elastisite] f. elasticità.
élastique [elastik] adj. et m. elastico.
électeur, trice [elɛktœr, tris] n. elettore, trice.
électif, ive [elɛktif, iv] adj. elettivo.
élection [elɛksjɔ̃] f. elezione.
électoral, e, aux [elɛktɔral, o] adj. elettorale.
électorat [elɛktɔra] m. elettorato.
électricien [elɛktrisjɛ̃] m. elettricista, elettrotecnico.
électricité [elɛktrisite] f. elettricità.
électrifier [elɛktrifje] v. tr. elettrificare.
électrique [elɛktrik] adj. elettrico.
électriser [elɛktrize] v. tr. elettrizzare.
électroaimant [elɛktroɛmɑ̃] m. elettrocalamita f., elettromagnete f.
électrocardiogramme [elɛktrokardjɔgram] m. elettrocardiogramma.
électrochoc [elɛktroʃɔk] m. elettroshock.
électrocuter [elɛktrokyte] v. tr. fulminare, folgorare.
électrocution [elɛktrokysjɔ̃] f. fulminazione, folgorazione, elettrocuzione.
électrode [elɛktrɔd] f. elettrodo m.
électrogène [elɛktroʒɛn] adj. elettrogeno.
électrolyse [elɛktroliz] f. elettrolisi.
électroménager [elɛktromenaʒe] adj. m. elettrodomestico.
électron [elɛktrɔ̃] m. elettrone.
électronicien [elɛktrɔnisjɛ̃] m. elettronico.
électronique [elɛktrɔnik] adj. elettronico. ◆ f. elettronica.
électrophone [elɛktrɔfɔn] m. elettrogrammofono.
électrostatique [elɛktrɔstatik] adj. elettrostatico. ◆ f. elettrostatica.
élégance [elegɑ̃s] f. eleganza.
élégant, e [elegɑ̃, ɑ̃t] adj. elegante.
élément [elemɑ̃] m. elemento. || FIG. [milieu] elemento, ambiente.
élémentaire [elemɑ̃tɛr] adj. elementare.
éléphant [elefɑ̃] m. elefante.
éléphanteau [elefɑ̃to] m. elefantino.
élevage [elvaʒ] m. allevamento. || [activité] pastorizia f.
élévateur, trice [elevatœr, tris] adj. et m. elevatore, trice.
élévation [elevasjɔ̃] f. elevazione. || [de terrain] altura ; rialzo m., rialto m. || FIG. [noblesse] elevatezza.
élève [elɛv] n. alunno, a, allievo, a, scolaro, a, studente, essa.
élevé, e [elve] adj. elevato, alto. || FIG. elevato, nobile, eletto. || *bien, mal élevé,* beneducato, maleducato.
élever [elve] v. tr. [porter plus haut] (sopr)elevare, sollevare, (ri)alzare. || FIG. elevare, innalzare. || [voix] alzare. || [doute] esprimere. || [éduquer] allevare, educare. ◆ v. pr. [monter] elevarsi, sollevarsi ; salire v. intr. || [augmenter] salire, aumentare, crescere. || [somme] ammontare (a). || [être construit] sorgere, innalzarsi, elevarsi. || FIG. [se hausser] salire. || [se manifester : orage, discussion] sorgere, scoppiare. || *s'élever contre,* inveire, insorgere contro. || [être éduqué] *facile à élever,* facile da allevare, da educare.
éleveur, euse [elvœr, øz] n. allevatore, trice.
élider [elide] v. tr. elidere.
éligible [eliʒibl] adj. eleggibile.
élimé, e [elime] adj. logoro, liso.
élimination [eliminasjɔ̃] f. eliminazione.
éliminatoire [eliminatwar] adj. eliminatorio. ◆ f. SP. eliminatoria, batteria.
éliminer [elimine] v. tr. (de) eliminare, escludere (da). || [obstacle] rimuovere.
élire [elir] v. tr. eleggere.
élision [elizjɔ̃] f. elisione.
élite [elit] f. fiore m., fior fiore m. | *d'élite,* eletto adj., scelto adj.
elle [ɛl] pron. pers. f. sing. : [sujet] essa (personne [rare], animal, chose), lei (personne), ella (personne) ; [complément] lei, essa ; sé (réfl.). ◆ pl. [sujet, complément] esse, loro ; sé (réfl.).
ellipse [elips] f. GÉOM. ellisse. || GR. ellissi.
élocution [elɔkysjɔ̃] f. eloquio m., elocuzione.
éloge [elɔʒ] m. elogio.
élogieux, euse [elɔʒjø, øz] adj. elogiativo, laudativo, encomiastico.
éloigné, e [elwaɲe] adj. lontano, remoto.
éloignement [elwaɲmɑ̃] m. allontanamento, lontananza f. || FIG. antipatia f., avversione f.
éloigner [elwaɲe] v. tr. allontanare. | [échéance] ritardare, dilazionare. | [de son devoir] sviare. ◆ v. pr. allontanarsi.
éloquence [elɔkɑ̃s] f. eloquenza, oratoria.
éloquent, e [elɔkɑ̃, ɑ̃t] adj. eloquente.
élu, e [ely] adj. et n. eletto.
élucidation [elysidasjɔ̃] f. (s)chiarimento m., spiegazione.
élucider [elyside] v. tr. dilucidare, chiarire, spiegare.
éluder [elyde] v. tr. eludere, evitare, schivare.

émacié, e [emasje] adj. emaciato, smunto, scarno.
émail, aux [emaj, o] m. smalto.
émailler [emaje] v. tr. smaltare. || FIG. cospargere.
émanation [emanasjɔ̃] f. emanazione.
émancipé, e [emɑ̃sipe] adj. JUR. emancipato. || FIG. emancipato, spregiudicato.
émanciper [emɑ̃sipe] v. tr. emancipare. ◆ v. pr. emanciparsi. || FIG. spregiudicarsi.
émaner [emane] v. intr. (de) emanare (da).
émargement [emarʒəmɑ̃] m. firma f. | *feuille d'émargement,* foglio di presenza.
émarger [emarʒe] v. tr. [couper] smarginare. || [signer] firmare. ◆ v. tr. ind. (à) riscuotere, ricevere uno stipendio (da).
émasculer [emaskyle] v. tr. evirare.
emballage [ɑ̃balaʒ] m. imballaggio.
emballement [ɑ̃balmɑ̃] m. [cheval] imbizzarrimento. || [moteur] l'imballarsi. || FIG., FAM. impeto.
emballer [ɑ̃bale] v. tr. [empaqueter ; moteur] imballare. || FIG., FAM. entusiasmare. ◆ v. pr. [cheval] imbizzarrirsi. || [moteur] imballarsi. || FIG., FAM. [colère] imbizzarrirsi, accendersi. | [amour] incapricciarsi.
emballeur [ɑ̃balœr] m. imballatore.
embarcadère [ɑ̃barkadɛr] m. pontile, imbarcadero.
embarcation [ɑ̃barkasjɔ̃] f. imbarcazione ; natante m.
embardée [ɑ̃barde] f. sbandata, sbandamento m. | *faire une embardée,* sbandare v. intr.
embargo [ɑ̃bargo] m. embargo.
embarquement [ɑ̃barkəmɑ̃] m. imbarco.
embarquer [ɑ̃barke] v. tr. imbarcare. ◆ v. intr. et pr. imbarcarsi.
embarras [ɑ̃bara] m. ostacolo, intralcio, imbarazzo. || [de voitures] imbottigliamento, ingorgo. || FIG. *être, mettre dans l'embarras,* essere, mettere in imbarazzo. | *se tirer d'embarras,* trarsi d'impiccio. || *embarras (d'argent),* difficoltà (f.) finanziarie, strettezze f. pl. || [perplexité] imbarazzo, perplessità f. || MÉD. imbarazzo. ◆ pl. *faire des embarras,* fare storie, complimenti.
embarrassant, e [ɑ̃barasɑ̃, ɑ̃t] adj. ingombrante. || [difficile] imbarazzante.
embarrassé, e [ɑ̃barase] adj. FIG. [affaire] imbrogliato, intricato. || [irrésolu] irresoluto, perplesso.
embarrasser [ɑ̃barase] v. tr. imbarazzare, ingombrare, impacciare. || [gêner] mettere a disagio, imbarazzare, sconcertare. ◆ v. pr. [s'embrouiller] imbrogliarsi, confondersi.
embauche [ɑ̃boʃ] f. assunzione.
embaucher [ɑ̃boʃe] v. tr. assumere.
embauchoir [ɑ̃boʃwar] m. forma f. (da scarpe).
embaumer [ɑ̃bome] v. tr. imbalsamare. || [parfumer] profumare. ◆ v. intr. odorare.
embaumeur, euse [ɑ̃bomœr, øz] n. imbalsamatore, trice.
embellie [ɑ̃bɛli] f. schiarita.
embellir [ɑ̃bɛlir] v. tr. abbellire. ◆ v. intr. imbellire, farsi bello.
embellissement [ɑ̃bɛlismɑ̃] m. abbellimento.
embêtant, e [ɑ̃bɛtɑ̃, ɑ̃t] adj. FAM. seccante.
embêtement [ɑ̃bɛtmɑ̃] m. FAM. seccatura f.
embêter [ɑ̃bɛte] v. tr. FAM. seccare.
emblée (d') [dɑ̃ble] loc. adv. di primo acchito ; subito.
emblème [ɑ̃blɛm] m. emblema.
embobiner [ɑ̃bɔbine] v. tr. bobinare. || FIG., FAM. abbindolare.
emboîtement [ɑ̃bwatmɑ̃] m. incastro.
emboîter [ɑ̃bwate] v. tr. incassare, incastrare. || LOC. *emboîter le pas à qn,* [suivre] seguire i passi di qlcu. ; [imiter] calcare le orme di qlcu. ◆ v. pr. incassarsi, incastrarsi.
embonpoint [ɑ̃bɔ̃pwɛ̃] m. grassezza f., pinguedine f.. | *prendre de l'embonpoint,* ingrassare, impinguire.
embouché, e [ɑ̃buʃe] adj. FIG., FAM. *mal embouché,* sboccato.
emboucher [ɑ̃buʃe] v. tr. imboccare.
embouchure [ɑ̃buʃyr] f. foce. || MUS. imboccatura.
embourber [ɑ̃burbe] v. tr. affondare (nel fango). ◆ v. pr. impantanarsi. || FIG. impelagarsi, impegolarsi.
embourgeoisement [ɑ̃burʒwazmɑ̃] m. imborghesimento.
embourgeoiser [ɑ̃burʒwaze] v. tr. imborghesire. ◆ v. pr. imborghesirsi, imborghesire v. intr.
embouteillage [ɑ̃butɛjaʒ] m. imbottigliamento. || [circulation] imbottigliamento, ingorgo.
emboutir [ɑ̃butir] v. tr. imbutire. || AUT. investire, urtare.
embranchement [ɑ̃brɑ̃ʃmɑ̃] m. BOT., ZOOL. ramificazione f. || [voies] diramazione f.
embrasement [ɑ̃brazmɑ̃] m. vasto incendio. || [lumière] illuminazione a giorno. || FIG. [des passions] il divampare.
embraser [ɑ̃braze] v. tr. incendiare, infocare. || FIG. accendere, infiammare. ◆ v. pr. divampare v. intr. || FIG. accendersi, infiammarsi.
embrassement [ɑ̃brasmɑ̃] m. abbraccio.

embrasser [ɑ̃brase] v. tr. [entourer de ses bras] abbracciare. || [baiser] baciare. || FIG. abbracciare, comprendere. || [adopter] abbracciare; dedicarsi a.
embrasure [ɑ̃brazyr] f. vano m.
embrayage [ɑ̃brɛjaʒ] m. innesto. || AUT. frizione f.
embrayer [ɑ̃breje] v. tr. innestare. || FAM. [travail] attaccare (a lavorare).
embrigader [ɑ̃brigade] v. tr. FIG. arruolare, mobilitare.
embrocher [ɑ̃brɔʃe] v. tr. infilzare nello spiedo. || FAM. [transpercer] infilzare.
embrouillamini [ɑ̃brujamini] m. FAM. imbroglio, pasticcio, garbuglio.
embrouiller [ɑ̃bruje] v. tr. imbrogliare, ingarbugliare. ◆ v. pr. imbrogliarsi, ingarbugliarsi.
embroussaillé, e [ɑ̃brusaje] adj. sterposo. | [cheveux] arruffato.
embrumer [ɑ̃bryme] v. tr. annebbiare.
embruns [ɑ̃brœ̃] m. pl. pulviscolo marittimo.
embryon [ɑ̃brijɔ̃] m. embrione.
embûche [ɑ̃byʃ] f. insidia, tranello m.
embuer [ɑ̃bɥe] v. tr. appannare. ◆ v. pr. appannarsi.
embuscade [ɑ̃byskad] f. imboscata, agguato m.
embusqué [ɑ̃byske] adj. et m. imboscato.
embusquer (s') [sɑ̃byske] v. pr. mettersi in agguato. || FIG., FAM. imboscarsi.
éméché, e [emeʃe] adj. FAM. brillo, alticcio.
émeraude [emrod] f. smeraldo m.
émerger [emɛrʒe] v. intr. emergere.
émeri [emri] m. smeriglio. || FIG., FAM. *bouché à l'émeri,* duro di comprendonio.
émérite [emerit] adj. emerito.
émerveillement [emɛrvɛjmɑ̃] m. meraviglia f., stupore.
émerveiller [emɛrveje] v. tr. meravigliare, stupire.
émetteur, trice [emɛtœr, tris] adj. et n. COMM. traente. || RAD., T.V. trasmittente.
émettre [emɛtr] v. tr. [produire] emettere ; mandar fuori, produrre. || FIG. [vœu, opinion] esprimere. | [ordre] emettere, emanare. || COMM., FIN. emettere. || TÉL. trasmettere, radiotrasmettere, teletrasmettere.
émeute [emøt] f. sommossa, tumulto m.
émeutier, ère [emøtje, ɛr] n. rivoltoso, sedizioso.
émiettement [emjɛtmɑ̃] m. sbriciolamento. || FIG. frazionamento.
émietter [emjete] v. tr. sbriciolare. || FIG. frazionare.
émigrant, e [emigrɑ̃, ɑ̃t] n. emigrante.
émigration [emigrasjɔ̃] f. emigrazione.
émigré, e [emigre] adj. et n. emigrato.
émigrer [emigre] v. intr. emigrare. || [animaux] migrare.
éminence [eminɑ̃s] f. eminenza. || [saillie] sporgenza. || REL. Eminenza.
éminent, e [eminɑ̃, ɑ̃t] adj. eminente.
émissaire [emisɛr] adj. et m. emissario.
émission [emisjɔ̃] f. FIN., PHYS. emissione. | [d'un emprunt] lancio m. || RAD. radiotrasmissione. | T.V. teletrasmissione. | *émission en direct,* ripresa diretta. | *émission en différé,* trasmissione differita.
emmagasinage [ɑ̃magazinaʒ] m. immagazzinamento.
emmagasiner [ɑ̃magazine] v. tr. immagazzinare.
emmailloter [ɑ̃majɔte] v. tr. fasciare.
emmancher [ɑ̃mɑ̃ʃe] v. tr. mettere un manico a.
emmanchure [ɑ̃mɑ̃ʃyr] f. attacco (m.) della manica, giro (m.) manica.
emmêler [ɑ̃mele] v. tr. aggrovigliare, imbrogliare, ingarbugliare. | [cheveux] arruffare.
emménager [ɑ̃menaʒe] v. intr. installarsi, sistemarsi in un nuovo alloggio.
emmener [ɑ̃mne] v. tr. portare (via), condurre (via).
emmitoufler [ɑ̃mitufle] v. tr. imbacuccare. ◆ v. pr. imbacuccarsi.
emmurer [ɑ̃myre] v. tr. murare.
émoi [emwa] m. emozione f., sgomento. | *être, mettre en émoi,* essere, mettere in subbuglio.
émoluments [emɔlymɑ̃] m. pl. emolumenti ; onorario m. sing.
émonder [emɔ̃de] v. tr. sfrondare, potare.
émotif, ive [emɔtif, iv] adj. emotivo.
émotion [emosjɔ̃] f. emozione, commozione.
émoulu, e [emuly] adj. *frais émoulu de,* appena uscito da. | *frais émoulu de l'école,* fresco di studi.
émousser [emuse] v. tr. smussare. ◆ v. pr. smussarsi.
émoustiller [emustije] v. tr. FAM. stuzzicare, eccitare.
émouvant, e [emuvɑ̃, ɑ̃t] adj. commovente.
émouvoir [emuvwar] v. tr. commuovere.
empailler [ɑ̃paje] v. tr. impagliare.
empanaché, e [ɑ̃panaʃe] adj. pennacchiuto.
empaqueter [ɑ̃pakte] v. tr. impacchettare.
emparer (s') [sɑ̃pare] v. pr. (de) impadronirsi (di), impossessarsi (di).
empâté, e [ɑ̃pɑte] adj. *visage empâté,* viso imbolsito.

empâter (s') [sɑ̃pɑte] v. pr. ingrassare v. tr.
empattement [ɑ̃patmɑ̃] m. AUT. interasse, passo.
empêchement [ɑ̃pɛʃmɑ̃] m. impedimento, ostacolo, difficoltà f.
empêché, e [ɑ̃peʃe] adj. occupato, impegnato.
empêcher [ɑ̃peʃe] v. tr. impedire. | *empêcher qn de,* impedire a qlcu. di. || *cela n'empêche pas que* (+ indic.), ciò non toglie che (+ subj.). ◆ v. pr. (de) trattenersi (dal), astenersi (dal) ; fare a meno (di).
empereur [ɑ̃prœr] m. imperatore.
empeser [ɑ̃pəze] v. tr. inamidare.
empester [ɑ̃pɛste] v. tr. [odeur] appestare, appuzzare. ◆ v. intr. puzzare.
empêtré, e [ɑ̃petre] adj. FIG. impacciato, goffo.
empêtrer [ɑ̃petre] v. tr. impastoiare. ◆ v. pr. impigliarsi.
emphase [ɑ̃fɑz] f. enfasi.
emphatique [ɑ̃fatik] adj. enfatico.
empiècement [ɑ̃pjɛsmɑ̃] m. sprone.
empierrement [ɑ̃pjɛrmɑ̃] m. imbrecciatura f.
empierrer [ɑ̃pjere] v. tr. imbrecciare.
empiétement [ɑ̃pjɛtmɑ̃] m. (sur) sconfinamento (in), invadenza f. (su). || FIG. usurpazione f.
empiéter [ɑ̃pjete] v. intr. (sur) sconfinare. || FIG. (sur qn) usurpare (i diritti di qlcu.).
empiffrer (s') [sɑ̃pifre] v. pr. FAM. abbuffarsi.
empiler [ɑ̃pile] v. tr. accatastare. || POP. [duper] infinocchiare.
empire [ɑ̃pir] m. impero. || FIG. *sous l'empire de,* in balìa di, in signoria di, sotto l'influsso di. | *avoir de l'empire sur soi-même,* essere padrone di se stesso, sapersi dominare.
empirer [ɑ̃pire] v. tr. et intr. peggiorare.
empirique [ɑ̃pirik] adj. empirico.
empirisme [ɑ̃pirism] m. empirismo.
emplacement [ɑ̃plasmɑ̃] m. sito, situazione f., ubicazione f. || MIL. [artillerie] postazione f.
emplâtre [ɑ̃plɑtr] m. impiastro. || FIG., FAM. mollaccione, a.
emplette [ɑ̃plɛt] f. comp(e)ra.
emplir [ɑ̃plir] v. tr. (ri)empire, colmare.
emploi [ɑ̃plwa] m. uso, impiego. | *emploi du temps,* [occupation] impiego del tempo, lavoro ; [horaire] orario. | *faire double emploi avec,* fare il doppio con. | *plein emploi,* pieno impiego. || TH. parte f., ruolo.
employé, e [ɑ̃plwaje] n. impiegato, a, dipendente. | [de banque] bancario. | [des chemins de fer] ferroviere. | [de maison] lavoratrice domestica. | [de l'État] statale.
employer [ɑ̃plwaje] v. tr. impiegare, adoperare. || [qn] impiegare. ◆ v. pr. (à) studiarsi (di).
employeur, euse [ɑ̃plwajœr, øz] n. datore, datrice di lavoro.
empocher [ɑ̃pɔʃe] v. tr. intascare.
empoigner [ɑ̃pwaɲe] v. tr. impugnare, afferrare. ◆ v. pr. azzuffarsi, accapigliarsi.
empois [ɑ̃pwa] m. salda f.
empoisonner [ɑ̃pwazɔne] v. tr. avvelenare. || FIG. avvelenare, amareggiare. || FIG., FAM. seccare. ◆ v. intr. puzzare. ◆ v. pr. avvelenarsi.
emporté, e [ɑ̃pɔrte] adj. collerico, violento.
emportement [ɑ̃pɔrtəmɑ̃] m. impeto, sfogo di collera, sfuriata f.
emporte-pièce (à l') [alɑ̃pɔrtəpjɛs] loc. adv. [mot, style] mordace adj., pungente adj.
emporter [ɑ̃pɔrte] v. tr. [avec soi] portare (con sé), prendere. || [entraîner] portar via, asportare, travolgere. || FIG. [maladie] portar via. || [colère] travolgere, sopraffare. || MIL. espugnare. || [gagner] vincere, ottenere, conquistare. | *l'emporter sur,* vincere v. tr., trionfare di. ◆ v. pr. FIG. [colère] infuriarsi, incollerirsi. || [cheval] imbizzarrirsi.
empoté, e [ɑ̃pɔte] adj. FAM. impacciato.
empourprer [ɑ̃purpre] v. tr. imporporare. ◆ v. pr. [ciel] imporporarsi. || [visage] imporporarsi in viso, arrossire.
empreint, e [ɑ̃prɛ̃, ɛ̃t] adj. impresso, dipinto. | *empreint de tristesse,* improntato a tristezza.
empreinte [ɑ̃prɛ̃t] f. impronta. | *empreintes digitales,* impronte digitali. || [pieds] orma. || FIG. impronta.
empressé, e [ɑ̃prese] adj. premuroso, sollecito.
empressement [ɑ̃prɛsmɑ̃] m. premura f., sollecitudine f.
empresser (s') [sɑ̃prese] v. pr. (de) affrettarsi (a).
emprisonnement [ɑ̃prizɔnmɑ̃] m. imprigionamento, carcerazione f.
emprisonner [ɑ̃prizɔne] v. tr. imprigionare, (in)carcerare.
emprunt [ɑ̃prœ̃] m. prestito, mutuo. | *lancer un emprunt,* lanciare un prestito. || FIG. prestito. || ◆ *d'emprunt,* PR. preso in prestito ; FIG. d'accatto ; falso adj., finto adj., fittizio.
emprunté, e [ɑ̃prœ̃te] adj. impacciato, goffo.
emprunter [ɑ̃prœ̃te] v. tr. (à) prendere in prestito (da). || FIG. [mot, idée] prendere, mutuare. || [route] prendere, imboccare.

emprunteur [ɑ̃prœ̃tœr] m. mutuatario.

ému, e [emy] adj. commosso.

émulation [emylasjɔ̃] f. emulazione.

émule [emyl] n. emulo, a. | *être l'émule de,* emulare v. tr.

émulsion [emylsjɔ̃] f. emulsione.

1. en [ɑ̃] prép. [lieu] in. | *en train,* in treno. | *dire en soi-même,* dire tra sé, fra sé. || [temps] *en été,* in, d'estate. | *en 1900,* nel 1900. | *d'aujourd'hui en huit,* oggi a otto. || [manière, matière] a, di, in, da. | *en forme de,* a forma di. | *en amande,* a mandorla. | *film en couleurs,* film a colori. | *agir en honnête homme,* agire da galantuomo. | *en bois,* di legno. || [avec part. prés.] *en riant, en marchant,* ridendo, camminando (gér.). | *en attendant,* intanto, frattanto, nel frattempo.

2. en adv. de lieu et pr. pers. ne.

encadrement [ɑ̃kadrəmɑ̃] m. incorniciatura f. | [cadre] cornice f. || ARCHIT. modanatura f. || ÉCON. *encadrement du crédit,* restrizioni creditizie. || MIL. inquadramento.

encadrer [ɑ̃kɑdre] v. tr. incorniciare, inquadrare. | *encadrer de noir, de rouge,* listare di nero, di rosso. || [entourer] circondare, attorniare. || MIL. inquadrare.

encaisse [ɑ̃kɛs] f. incasso m.

encaissé, e [ɑ̃kɛse] adj. [route] incassato.

encaissement [ɑ̃kɛsmɑ̃] m. riscossione f., incasso.

encaisser [ɑ̃kɛse] v. tr. COMM. incassare, riscuotere. || [reproches, coups] incassare.

encan [ɑ̃kɑ̃] m. *vendre à l'encan,* vendere all'asta.

encart [ɑ̃kar] m. TYP. inserto.

en-cas [ɑ̃kɑ] m. inv. [collation] spuntino. || [parapluie] ombrello.

encastrer [ɑ̃kastre] v. tr. incastrare. ◆ v. pr. incastrarsi.

encaustique [ɑ̃kɔstik] f. cera.

encaustiquer [ɑ̃kɔstike] v. tr. incerare.

1. enceinte [ɑ̃sɛ̃t] f. cinta, cerchia. || [espace clos] recinto m. | [du tribunal] aula.

2. enceinte adj. f. incinta, gravida.

encens [ɑ̃sɑ̃] m. incenso.

encenser [ɑ̃sɑ̃se] v. tr. incensare.

encensoir [ɑ̃sɑ̃swar] m. incensiere, turibolo.

encercler [ɑ̃sɛrkle] v. tr. accerchiare, circondare.

enchaînement [ɑ̃ʃɛnmɑ̃] m. incatenamento. || FIG. concatenamento, connessione f.

enchaîné [ɑ̃ʃene] m. CIN. dissolvenza incrociata.

enchaîner [ɑ̃ʃene] v. tr. incatenare. || FIG. [soumettre, retenir] incatenare, legare, avvinghiare. | [idées] concatenare, connettere. ◆ v. intr. TH. riattaccare.

enchanté, e [ɑ̃ʃɑ̃te] adj. lietissimo, contentissimo.

enchantement [ɑ̃ʃɑ̃tmɑ̃] m. incantesimo, incanto. | *comme par enchantement,* come per incanto. || FIG. incanto, rapimento, estasi f.

enchanter [ɑ̃ʃɑ̃te] v. tr. incantare, stregare. || [ravir] incantare, ammaliare, rapire, affascinare. || [satisfaire] allietare.

enchanteur, teresse [ɑ̃ʃɑ̃tœr, trɛs] adj. incantevole, seducente. ◆ n. incantatore, trice ; mago, a.

enchâsser [ɑ̃ʃɑse] v. tr. [pierre précieuse] incastonare. | *enchâsser une relique,* mettere una reliquia in una teca. || FIG. inserire.

enchère [ɑ̃ʃɛr] f. offerta. | *mettre, vendre aux enchères,* mettere, vendere all'asta, all'incanto.

enchérir [ɑ̃ʃerir] v. intr. fare un'offerta superiore. || FIG. (sur) superare (in).

enchérisseur [ɑ̃ʃerisœr] m. offerente.

enchevêtrement [ɑ̃ʃəvɛtrəmɑ̃] m. groviglio, intrico.

enchevêtrer [ɑ̃ʃəvɛtre] v. tr. aggrovigliare, intricare. ◆ v. pr. imbrogliarsi, intricarsi.

enclave [ɑ̃klav] f. cuneo m.

enclencher [ɑ̃klɑ̃ʃe] v. tr. collegare.

enclin, e [ɑ̃klɛ̃, in] adj. (à) propenso (a), incline (a).

enclore [ɑ̃klɔr] v. tr. (re)cingere.

enclos [ɑ̃klo] m. recinto.

enclume [ɑ̃klym] f. incudine.

encoche [ɑ̃kɔʃ] f. tacca. || [de flèche] cocca. || [clef] scanalatura.

encoignure [ɑ̃kɔɲyr] f. angolo m., canto m.

encolure [ɑ̃kɔlyr] f. [cheval, homme] incollatura ; [tour de cou] numero (m.) di collo ; [vêtement] scollatura.

encombrant, e [ɑ̃kɔ̃brɑ̃, ɑ̃t] adj. ingombrante.

encombre (sans) [sɑ̃zɑ̃kɔ̃br] loc. adv. senza intoppo, senza intralcio.

encombré, e [ɑ̃kɔ̃bre] adj. ingombro, affollato.

encombrement [ɑ̃kɔ̃brəmɑ̃] m. ingombro.

encombrer [ɑ̃kɔ̃bre] v. tr. ingombrare. ◆ v. pr. imbarazzarsi, impacciarsi.

encontre de (à l') [alɑ̃kɔ̃trədə] loc. prép. all'opposto, al contrario di ; contrariamente a. | *aller à l'encontre de,* opporsi a ; contrariare v. tr., contraddire v. tr.

encorder (s') [sɑ̃kɔrde] v. pr. legarsi in cordata.
encore [ɑ̃kɔr] adv. [jusqu'à présent] ancora, finora. || [toujours] ancora, tuttora, tuttavia. || [de nouveau, davantage] ancora. | *donne-moi encore 100 lires,* dammi ancora, altre 100 lire. || *non seulement ..., mais encore ...,* non solo ..., ma ancora ... ; non soltanto ..., ma anche ... || [cependant] però, tuttavia. || [du moins] almeno. ◆ *encore que* (+ subj.), ancorché (+ subj.), benché (+ subj.), sebbene (+ subj.).
encourageant, e [ɑ̃kuraʒɑ̃, ɑ̃t] adj. incoraggiante.
encouragement [ɑ̃kuraʒmɑ̃] m. incoraggiamento, incitamento, incentivo.
encourager [ɑ̃kuraʒe] v. tr. incoraggiare. || [inciter] incoraggiare, incitare. || [favoriser] incoraggiare, favorire.
encourir [ɑ̃kurir] v. tr. [haine] attirarsi. | [disgrâce] cadere in. | [peine, amende] incorrere in.
encrassement [ɑ̃krasmɑ̃] m. sudiceria f. || [tuyaux] incrostamento.
encrasser [ɑ̃krase] v. tr. insudiciare. || [tuyaux] incrostare.
encre [ɑ̃kr] f. inchiostro m. | *encre de Chine,* inchiostro di China.
encreur [ɑ̃krœr] adj. m. inchiostratore.
encrier [ɑ̃krije] m. calamaio.
encroûter (s') [sɑ̃krute] v. pr. FIG. incallirsi, fossilizzarsi.
encyclique [ɑ̃siklik] f. enciclica.
encyclopédie [ɑ̃siklɔpedi] f. enciclopedia.
encyclopédique [ɑ̃siklɔpedik] adj. enciclopedico.
endémique [ɑ̃demik] adj. endemico.
endetter [ɑ̃dete] v. tr. indebitare.
endeuiller [ɑ̃dœje] v. tr. funestare.
endiablé, e [ɑ̃djable] adj. indiavolato.
endiguement [ɑ̃digmɑ̃] m. arginamento.
endiguer [ɑ̃dige] v. tr. arginare. || FIG. imbrigliare, frenare.
endimancher [ɑ̃dimɑ̃ʃe] v. tr. vestire a festa. | *avoir l'air endimanché,* essere impacciato, goffo.
endive [ɑ̃div] f. BOT. indivia.
endoctriner [ɑ̃dɔktrine] v. tr. addottrinare.
endolori, e [ɑ̃dɔlɔri] adj. indolenzito.
endommager [ɑ̃dɔmaʒe] v. tr. danneggiare, guastare.
endormant, e [ɑ̃dɔrmɑ̃, ɑ̃t] adj. FIG. soporifero.
endormi, e [ɑ̃dɔrmi] adj. sonnacchioso, insonnolito. || FIG. [ville] addormentato, in letargo. || FAM. indolente. ◆ n. pigro.
endormir [ɑ̃dɔrmir] v. tr. addormentare. || [douleur] sopire. || [soupçons] eludere. || [vigilance] ingannare. ◆ v. pr. addormentarsi. || LOC. *s'endormir sur ses lauriers,* dormire, riposare sugli allori.
endos [ɑ̃do] m. FIG. girata f.
endosser [ɑ̃dɔse] v. tr. indossare. || FIG. addossarsi, assumere. || [chèque] girare.
endroit [ɑ̃drwa] m. luogo, posto. | *par endroits,* a tratti. || FAM. *le petit endroit,* la ritirata, il camerino. || [bon côté] dritto. ◆ *à l'endroit,* dritto adj.
enduire [ɑ̃dɥir] v. tr. (de) spalmare (di). || [mur] intonacare.
enduit [ɑ̃dɥi] m. intonaco.
endurance [ɑ̃dyrɑ̃s] f. resistenza.
endurant, e [ɑ̃dyrɑ̃, ɑ̃t] adj. resistente.
endurci, e [ɑ̃dyrsi] adj. indurito. || FIG. [invétéré] impenitente. | *célibataire endurci,* scapolo ostinato, impenitente.
endurcir [ɑ̃dyrsir] v. tr. indurire. || [accoutumer] agguerrire, irrobustire, temprare. ◆ v. pr. indurirsi. || [s'accoutumer] (à) avvezzarsi a, fare il callo a.
endurer [ɑ̃dyre] v. tr. sopportare, tollerare.
énergétique [enɛrʒetik] adj. energetico.
énergie [enɛrʒi] f. energia.
énergique [enɛrʒik] adj. energico.
énervant, e [enɛrvɑ̃, ɑ̃t] adj. irritante, seccante.
énervement [enɛrvəmɑ̃] m. nervosismo, irritabilità f.
énerver [enɛrve] v. tr. CHIR. enervare. || [agacer] irritare, seccare, innervosire.
enfance [ɑ̃fɑ̃s] f. [jusqu'à 6 ans env.] infanzia ; [de 6 à 12 ans env.] fanciullezza. | *dès la plus tendre enfance,* dalla più tenera infanzia. | *dans ma tendre enfance,* da bambino, a. | *dans mon enfance,* da ragazzo, a. | *retomber en enfance,* rimbambire.
enfant [ɑ̃fɑ̃] n. bambino, a ; creatura f. ; fanciullo, a. | *enfant trouvé(é),* trovatello, a. || REL. *enfant de chœur,* chierichetto m.
enfantement [ɑ̃fɑ̃tmɑ̃] m. parto.
enfanter [ɑ̃fɑ̃te] v. tr. partorire.
enfantillage [ɑ̃fɑ̃tijaʒ] m. ragazzata f.
enfantin, e [ɑ̃fɑ̃tɛ̃, in] adj. infantile, fanciullesco, puerile.
enfariné, e [ɑ̃farine] adj. infarinato.
enfer [ɑ̃fɛr] m. inferno. | *aller un train d'enfer,* andare a rotta di collo.
enfermer [ɑ̃fɛrme] v. tr. (rin)chiudere. || FIG. racchiudere, contenere. ◆ v. pr. (rin)chiudersi.
enferrer [ɑ̃fere] v. tr. trafiggere. ◆ v. pr. FIG. imbrogliarsi, ingarbugliarsi.
enfiévrer [ɑ̃fjevre] v. tr. FIG. appassionare, infervorare.
enfilade [ɑ̃filad] f. infilata, fuga.

enfiler [ɑ̃file] v. tr. [aiguille] infilare. | [perles] infilare, infilzare. | [vêtement] infilare. | [rue] imboccare.
enfin [ɑ̃fɛ̃] adv. infine, alla fine. || [fin d'une attente] finalmente. || [conclusion] infine, insomma, da ultimo.
enflammer [ɑ̃flame] v. tr. infiammare. ◆ v. pr. FIG. infiammarsi, infervorarsi.
enflé, e [ɑ̃fle] adj. gonfio.
enfler [ɑ̃fle] v. tr. gonfiare. || [voix] alzare, gonfiare. ◆ v. intr. et v. pr. gonfiare, gonfiarsi, dilatarsi.
enflure [ɑ̃flyr] f. MÉD. gonfiore m. || FIG. gonfiezza.
enfoncé, e [ɑ̃fɔ̃se] adj. [côtes] rotto. || [yeux] incavato, infossato.
enfoncer [ɑ̃fɔ̃se] v. tr. conficcare, piantare. || [défoncer] sfondare. || MIL. [front] sfondare. | [ennemi] sbaragliare. ◆ v. intr. [aller au fond] affondare. ◆ v. pr. || [aller au fond] affondare. || [s'affaisser] sprofondare, avvallarsi. || [pénétrer] penetrare, inoltrarsi, internarsi. || FIG. precipitare, rovinare. || [s'absorber] sprofondarsi, immergersi, tuffarsi.
enfouir [ɑ̃fwir] v. tr. sotterrare. || [cacher] nascondere.
enfourcher [ɑ̃furʃe] v. tr. inforcare.
enfourner [ɑ̃furne] v. tr. infornare.
enfreindre [ɑ̃frɛ̃dr] v. tr. trasgredire, infrangere, violare.
enfuir (s') [sɑ̃fɥir] v. pr. fuggire, evadere. || FIG. svanire, trascorrere.
enfumer [ɑ̃fyme] v. tr. affumicare.
engagé, e [ɑ̃gaʒe] adj. FIG. impegnato. ◆ m. MIL. volontario.
engageant, e [ɑ̃gaʒɑ̃, ɑ̃t] adj. attraente, allettante.
engagement [ɑ̃gaʒmɑ̃] m. [mise en gage] (l')impegnare. || [obligation] impegno ; promessa f. || [embauche] assunzione f., ingaggio, scrittura f. || MIL. scontro. || [recrutement] arruolamento. || SP. [début] inizio. | [recrutement] ingaggio.
engager [ɑ̃gaʒe] v. tr. impegnare, dare in pegno. || [sa parole] impegnare. || [prendre à son service] assumere, ingaggiare, scritturare. || [inciter à] incitare, indurre. || [faire entrer dans] introdurre, cacciare. | [capitaux] investire. || [commencer] cominciare, iniziare. | *engager la conversation,* attaccar discorso. || AUT. [vitesse] ingranare, innestare. || JUR. intentare. || MIL. [enrôler] arruolare ; [combat] ingaggiare ; [troupes] impegnare. || SP. ingaggiare. ◆ v. pr. [se lier] impegnarsi, obbligarsi. || [entrer dans] inoltrarsi, addentrarsi. || MÉD. impegnarsi. || MIL. arruolarsi.
engelure [ɑ̃ʒlyr] f. gelone m.
engendrer [ɑ̃ʒɑ̃dre] v. tr. generare. || FIG. generare, originare.
engin [ɑ̃ʒɛ̃] m. ordigno, congegno. || MIL. mezzo, veicolo. | [fusée] missile. || FAM. arnese, coso.
englober [ɑ̃glɔbe] v. tr. includere, conglobare.
engloutir [ɑ̃glutir] v. tr. inghiottire. | [boire] tracannare. || [navire] sommergere. || FIG. sperperare, scialacquare.
engloutissement [ɑ̃glutismɑ̃] m. inghiottimento. || [naufrage] inabissamento. || FIG. [fortune] sperpero.
engoncer [ɑ̃gɔ̃se] v. tr. infagottare, insaccare.
engorger [ɑ̃gɔrʒe] v. tr. intasare, ostruire. || MÉD. ingorgare, ostruire. ◆ v. pr. intasarsi, ostruirsi.
engouement [ɑ̃gumɑ̃] m. infatuazione f., invaghimento.
engouer (s') [sɑ̃gwe] v. pr. (de) infatuarsi (di), invaghirsi (di), incapricciarsi (di).
engouffrer [ɑ̃gufre] v. tr. inghiottire. ◆ v. pr. precipitarsi, irrompere.
engourdi, e [ɑ̃gurdi] adj. torpido.
engourdir [ɑ̃gurdir] v. tr. intorpidire.
engourdissement [ɑ̃gurdismɑ̃] m. intorpidimento.
engrais [ɑ̃grɛ] m. [bœufs] *à l'engrais,* all'ingrasso. || [fertilisant] concime.
engraisser [ɑ̃grese] v. tr. [bétail] ingrassare. | [terrain] concimare. ◆ v. intr. ingrassare. || FIG. impinguarsi, arricchirsi.
engranger [ɑ̃grɑ̃ʒe] v. tr. riporre nel granaio, nel fienile. || FIG. immagazzinare.
engrenage [ɑ̃grənaʒ] m. ingranaggio.
engrener [ɑ̃grəne] v. tr. ingranare. ◆ v. pr. ingranare v. intr.
engueulade [ɑ̃gœlad] f. POP. intemerata (fam.).
engueuler [ɑ̃gœle] v. tr. POP. fare un'intemerata a (fam.). ◆ v. pr. litigare volgarmente.
enguirlander [ɑ̃girlɑ̃de] v. tr. inghirlandare. || FAM. dare una lavata di capo a, fare un'intemerata a.
enhardir [ɑ̃ardir] v. tr. imbaldanzire. ◆ v. pr. (à) prendersi l'ardire (di).
énième [enjɛm] adj. FAM. ennesimo.
énigmatique [enigmatik] adj. enigmatico.
énigme [enigm] f. enigma m., enimma m.
enivrant, e [ɑ̃nivrɑ̃, ɑ̃t] adj. inebriante.
enivrement [ɑ̃nivrəmɑ̃] m. inebriamento, ebbrezza f.
enivrer [ɑ̃nivre] v. tr. inebriare.
enjambée [ɑ̃ʒɑ̃be] f. passo m.
enjamber [ɑ̃ʒɑ̃be] v. tr. scavalcare. ◆ v. intr. ARCHIT. avanzare, sporgere, aggettare.

enjeu [ɑ̃ʒø] m. posta f.
enjoindre [ɑ̃ʒwɛ̃dr] v. tr. (de) ingiungere, intimare (di).
enjôler [ɑ̃ʒole] v. tr. allettare, sedurre.
enjôleur, euse [ɑ̃ʒolœr, øz] adj. et n. seduttore, trice ; rubacuori inv.
enjoliver [ɑ̃ʒɔlive] v. tr. abbellire.
enjoué, e [ɑ̃ʒwe] adj. allegro, gaio.
enlacer [ɑ̃lase] v. tr. [personnes] abbracciare, stringere. || [choses] avvinghiare.
enlaidir [ɑ̃lɛdir] v. tr. imbruttire. ◆ v. intr. imbruttire, farsi brutto.
enlevé, e [ɑ̃lve] adj. FIG. riuscito, brioso, estroso.
enlèvement [ɑ̃lɛvmɑ̃] m. rimozione f., ritiro, soppressione f. | [des ordures] raccolta f. || [rapt] ratto, rapimento. || MIL. espugnazione f.
enlever [ɑ̃lve] v. tr. togliere, levare. || [déplacer] portar via, asportare, rimuovere, prelevare, togliere, levare. || [tache] togliere, smacchiare. || [personne] rapire. || [victoire] ottenere, riportare. || MIL. espugnare. ◆ v. pr. [tache] togliersi. || COMM. vendersi, spacciarsi.
enliser (s') [sɑ̃lize] v. pr. affondare v. intr., insabbiarsi, impantanarsi. || FIG. impegolarsi.
enluminer [ɑ̃lymine] v. tr. miniare.
enneigé, e [ɑ̃neʒe] adj. nevoso, (in)nevato.
enneigement [ɑ̃nɛʒmɑ̃] m. innevamento. | *bulletin d'enneigement,* bollettino delle nevi.
ennemi, e [ɛnmi] adj. et n. nemico.
ennoblir [ɑ̃nɔblir] v. tr. nobilitare.
ennui [ɑ̃nɥi] m. noia f., tedio, uggia f. || [souci] noia f., fastidio.
ennuyer [ɑ̃nɥije] v. tr. annoiare. || [contrarier] dispiacere a. || [importuner] infastidire, seccare.
ennuyeux, euse [ɑ̃nɥijø, øz] adj. noioso, tedioso, uggioso. || [qui contrarie] spiacevole. || [importun] noioso, fastidioso, molesto.
énoncé [enɔ̃se] m. enunciato.
énoncer [enɔ̃se] v. tr. enunciare, esporre, esprimere.
énonciation [enɔ̃sjasjɔ̃] f. enunciazione.
enorgueillir [ɑ̃nɔrgœjir] v. tr. inorgoglire, insuperbire. ◆ v. pr. (de) inorgoglirsi, insuperbirsi, insuperbire (per) v. intr.
énorme [enɔrm] adj. enorme.
énormité [enɔrmite] f. enormità.
enquérir (s') [sɑ̃kerir] v. pr. (de) informarsi (di, su), chiedere (di).
enquête [ɑ̃kɛt] f. inchiesta, indagine, investigazione.
enquêter [ɑ̃kete] v. intr. indagare, investigare.
enquêteur, euse [ɑ̃kɛtœr, øz] adj. et n. indagatore, trice ; investigatore, trice.
enquiquiner [ɑ̃kikine] v. tr. FAM. scocciare.
enraciner [ɑ̃rasine] v. tr. far attecchire. || FIG. piantare, ficcare. ◆ v. pr. attecchire, abbarbicarsi, radicarsi.
enragé, e [ɑ̃raʒe] adj. arrabbiato, rabbioso. ◆ n. arrabbiato. || SP. tifoso.
enrager [ɑ̃raʒe] v. intr. arrabbiarsi. | *faire enrager,* far arrabbiare.
enrayer [ɑ̃reje] v. tr. [bloquer] inceppare. || FIG. contenere, arginare. ◆ v. pr. incepparsi.
enregistrement [ɑ̃rəʒistrəmɑ̃] m. registrazione f. | *bureau de l'enregistrement,* ufficio del registro.
enregistrer [ɑ̃rəʒistre] v. tr. registrare. | *bagages enregistrés,* bagagli appresso.
enrhumé, e [ɑ̃ryme] adj. raffreddato.
enrhumer (s') [sɑ̃ryme] v. pr. raffreddarsi, costiparsi.
enrichir [ɑ̃riʃir] v. tr. arricchire. ◆ v. pr. arricchirsi.
enrober [ɑ̃rɔbe] v. tr. ricoprire, avvolgere.
enrôlement [ɑ̃rolmɑ̃] m. arruolamento.
enrôler [ɑ̃role] v. tr. arruolare. ◆ v. pr. arruolarsi. || [parti] iscriversi, affiliarsi.
enrouement [ɑ̃rumɑ̃] m. raucedine f.
enroué, e [ɑ̃rwe] adj. arrochito, rauco.
enrouer (s') [sɑ̃rwe] v. pr. arrochire v. intr.
enrouler [ɑ̃rule] v. tr. avvolgere, arrotolare. ◆ v. pr. avvolgersi, arrotolarsi.
ensablement [ɑ̃sabləmɑ̃] m. [port] insabbiamento. || [bateau] arenamento.
ensabler [ɑ̃sable] v. tr. insabbiare. ◆ v. pr. [port] insabbiarsi. || [bateau] arenarsi.
ensacher [ɑ̃saʃe] v. tr. insaccare.
ensanglanter [ɑ̃sɑ̃glɑ̃te] v. tr. insanguinare.
enseignant, e [ɑ̃sɛɲɑ̃, ɑ̃t] adj. et n. insegnante. | *corps enseignant,* corpo docente.
enseigne [ɑ̃sɛɲ] f. insegna. ◆ ***à telle(s) enseigne(s) que,*** a tal segno che. ◆ m. MAR. [2e classe] guardiamarina inv. | [1re classe] sottotenente di vascello.
enseignement [ɑ̃sɛɲmɑ̃] m. insegnamento, scuola f. || FIG. insegnamento, precetto, lezione f.
enseigner [ɑ̃sɛɲe] v. tr. insegnare.
ensemble [ɑ̃sɑ̃bl] adv. insieme. | *aller (bien) ensemble,* accordarsi, armonizzarsi ; [personnes] andare d'accordo. ◆ m. insieme, complesso. | *dans l'ensemble,* complessivamente. | *d'ensemble,* d'insieme, complessivo

adj. | *avec ensemble,* con affiatamento. || [groupe] insieme, complesso. | [de maisons] caseggiato.

ensemblier [ɑ̃sɑ̃blije] m. arredatore. || CIN., TH. ambientatore.

ensemencer [ɑ̃smɑ̃se] v. tr. seminare.

enserrer [ɑ̃sere] v. tr. stringere, rinserrare.

ensevelir [ɑ̃səvlir] v. tr. seppellire.

ensoleillé, e [ɑ̃sɔleje] adj. soleggiato, assolato.

ensoleiller [ɑ̃sɔleje] v. tr. illuminare, rischiarare. || FIG. allietare, rallegrare.

ensommeillé, e [ɑ̃sɔmeje] adj. assonnato.

ensorcelant, e [ɑ̃sɔrselɑ̃, ɑ̃t] adj. ammaliante, affascinante.

ensorceler [ɑ̃sɔrsəle] v. tr. ammaliare, stregare. || FIG. ammaliare, affascinare.

ensuite [ɑ̃sɥit] adv. poi, dopo, in seguito.

ensuivre (s') [sɑ̃sɥivr] v. pr. défect. seguire, risultare, derivare. ◆ v. impers. *il s'ensuit que,* ne consegue, ne risulta che.

entacher [ɑ̃taʃe] v. tr. macchiare.

entaille [ɑ̃taj] f. tacca, intaccatura. || [blessure] taglio m.

entailler [ɑ̃taje] v. tr. intaccare. || [blesser] fare un taglio a.

entame [ɑ̃tam] f. primo taglio m., prima fetta.

entamer [ɑ̃tame] v. tr. tagliare la prima fetta di ; attaccare. || FIG. [discours, conversation] cominciare, impostare, attaccare. | [négociations] iniziare, intavolare. || [réputation] intaccare.

entartrer [ɑ̃tartre] v. tr. incrostare.

entassement [ɑ̃tasmɑ̃] m. ammucchiamento, accumulamento. || [de livres] ammasso, cumulo. || [foule] calca f., affollamento.

entasser [ɑ̃tase] v. tr. ammucchiare, ammassare. ◆ v. pr. ammucchiarsi, ammassarsi. || [personnes] affollarsi, assieparsi.

entendre [ɑ̃tɑ̃dr] v. tr. [percevoir] sentire, udire, intendere. | *entendre dire,* sentir dire. || [écouter] sentire, ascoltare. || [exaucer] ascoltare, esaudire. || [comprendre] intendere, capire. | *donner à entendre,* dare ad intendere. | *n'y rien entendre,* non capirci nulla, non intendersene. || [avoir l'intention, le désir] intendere, desiderare, volere. || [exiger] intendere. ◆ v. pr. sentirsi, udirsi. || FIG. *cela s'entend,* si capisce. | *s'entendre à, en qch.,* intendersi di qlco. | *s'entendre sur qch. avec qn,* intendersi, accordarsi su qlco. con qlcu.

entendu, e [ɑ̃tɑ̃dy] adj. [convenu] inteso. | *c'est entendu,* siamo intesi. || [capable] pratico, accorto, esperto. ◆ *bien entendu,* beninteso, si capisce.

entente [ɑ̃tɑ̃t] f. intesa, accordo m. || FIG. *à double entente,* a doppio senso. | *bonne entente,* buona intelligenza, affiatamento m.

enter [ɑ̃te] v. tr. innestare.

entériner [ɑ̃terine] v. tr. interinare.

enterrement [ɑ̃tɛrmɑ̃] m. seppellimento, inumazione f. || [cérémonie] funerale ; esequie f. pl.

enterrer [ɑ̃tere] v. tr. seppellire, tumulare, inumare. || [trésor] sotterrare.

en-tête [ɑ̃tɛt] m. intestazione f., testata f. | *papier à en-tête,* carta intestata.

entêté, e [ɑ̃tete] adj. et n. caparbio, testardo.

entêtement [ɑ̃tɛtmɑ̃] m. caparbietà, testardaggine.

entêter [ɑ̃tete] v. tr. dare alla testa. ◆ v. pr. intestarsi, intestardirsi, incaponirsi.

enthousiasmant, e [ɑ̃tuzjasmɑ̃, ɑ̃t] adj. entusiasmante.

enthousiasme [ɑ̃tuzjasm] m. entusiasmo.

enthousiasmer [ɑ̃tuzjasme] v. tr. entusiasmare.

enthousiaste [ɑ̃tuzjast] adj. [personne] entusiasta. | [parole, cri, accueil] entusiastico. ◆ n. entusiasta.

enticher (s') [sɑ̃tiʃe] v. pr. (de) incapricciarsi, infatuarsi (di).

entier, ère [ɑ̃tje, ɛr] adj. intero. || FIG. intero, integro. | *caractère entier,* carattere tutto d'un pezzo. ◆ m. intero, interezza f. | *en entier,* per intero, interamente.

entité [ɑ̃tite] f. entità. || JUR. entità, ente m.

entoiler [ɑ̃twale] v. tr. intelare.

entôler [ɑ̃tole] v. tr. POP. derubare (L.C.).

entomologiste [ɑ̃tomolɔʒist] m. entomologo.

1. entonner [ɑ̃tɔne] v. tr. [tonneau] imbottare.

2. entonner v. tr. [air] intonare.

entonnoir [ɑ̃tɔnwar] m. imbuto.

entorse [ɑ̃tɔrs] f. storta. || FIG. trasgressione, strappo m.

entortiller [ɑ̃tɔrtije] v. tr. attorcigliare, avviluppare. || FAM. raggirare, imbrogliare. || FIG. *réponse entortillée,* risposta ingarbugliata. ◆ v. pr. attorcigliarsi, avvilupparsi. || FIG. imbrogliarsi.

entour (à l') [alɑ̃tur] loc. adv. intorno, all'intorno. ◆ *à l'entour de,* intorno a, nei dintorni di.

entourage [ɑ̃turaʒ] m. seguito, cerchia f.

entourer [ãture] v. tr. circondare. | [personnes] attorniare. | [clôturer] cingere. ◆ v. pr. circondarsi.
entourloupette [ãturlupɛt] f. FAM. tiro (m.) mancino.
entracte [ãtrakt] m. intervallo.
entraide [ãtrɛd] f. mutuo soccorso m.
entraider (s') [sãtrede] v. pr. aiutarsi a vicenda, soccorrersi mutuamente.
entrailles [ãtraj] f. pl. [personne] viscere. || [animal] visceri m. pl., interiora. || [terre] viscere. || FIG. *sans entrailles,* senza viscere, senza cuore.
entrain [ãtrɛ̃] m. alacrità f., brio. || [gaieté] animazione f., festosità f.
entraînant, e [ãtrɛnã, ãt] adj. FIG. alacre, brioso.
entraînement [ãtrɛnmã] m. impulso, allettamento. || SP. allenamento.
entraîner [ãtrene] v. tr. [locomotive] trascinare. | [torrent] travolgere. || [emmener] tirare. || FIG. trascinare, portare. || [conséquence] comportare, determinare, provocare. || SP. allenare. || TECHN. azionare. ◆ v. pr. SP. allenarsi, addestrarsi.
entraîneur [ãtrɛnœr] m. SP. allenatore.
entrave [ãtrav] f. [animal] pastoia f. | [prisonnier] ferri m. pl., ceppi m. pl. || FIG. intralcio m., ostacolo m., impedimento m.
entraver [ãtrave] v. tr. [animal] impastoiare. | [prisonnier] inceppare. || FIG. intralciare, inceppare, ostacolare, impedire.
entre [ãtr] prép. fra, tra. | *l'un d'entre eux,* uno di loro. | *entre autres (choses),* fra l'altro loc. inv. | *entre les deux,* cosi cosi. | *entre les mains de,* in mano a. | *entre quatre yeux,* a quattr'occhi.
entrebâiller [ãtrəbaje] v. tr. socchiudere.
entrebâilleur [ãtrəbajœr] m. catenella f., asticella (f.) di sicurezza.
entrechoquer (s') [sãtrəʃɔke] v. pr. urtarsi. || [dans un toast] toccarsi.
entrecôte [ãtrəkot] f. costata (di manzo).
entrecouper [ãtrəkupe] v. tr. (inter)rompere, intramezzare, alternare. ◆ v. pr. [lignes] intersecarsi.
entrecroiser [ãtrəkrwaze] v. tr. intrecciare, incrociare. ◆ v. pr. intrecciarsi, incrociarsi, intersecarsi.
entrée [ãtre] f. entrata; ingresso m., accesso m. | *entrée de service,* porta di servizio. || [vestibule] anticamera. | [hall] atrio m., vestibolo m. || FIG. inizio m., principio m. || COMM. entrata. || CULIN. prima portata. || TECHN. [air, gaz] entrata, arrivo m., immissione. || TH. *entrée (en scène),* entrata in scena. || LOC. *entrée en matière,* introduzione, prologo m. || [dictionnaire] lemma m., esponente m., voce.
entrefaites (sur ces) [syrsezãtrəfɛt] loc. adv. allora, in quel mentre.
entrefilet [ãtrəfilɛ] m. trafiletto.
entregent [ãtrəʒã] m. abilità f., appoggi m. pl.
entrelacer [ãtrəlase] v. tr. intrecciare. ◆ v. pr. intrecciarsi.
entremêler [ãtrəmele] v. tr. frammischiare, intramezzare.
entremets [ãtrəmɛ] m. dolce.
entremetteur, euse [ãtrəmɛtœr, øz] n. mezzano, a.
entremettre (s') [sãtrəmɛtr] v. pr. (pour) intromettersi, interferire (a favore di).
entremise [ãtrəmiz] f. intromissione, intervento m. ◆ *par l'entremise de,* tramite; per mezzo di.
entrepont [ãtrəpɔ̃] m. interponte.
entreposer [ãtrəpoze] v. tr. depositare, immagazzinare.
entrepôt [ãtrəpo] m. deposito, magazzino, emporio.
entreprenant, e [ãtrəprənã, ãt] adj. intraprendente.
entreprendre [ãtrəprãdr] v. tr. intraprendere. || FIG., (de) accingersi (a), provarsi (a), tentare (di).
entrepreneur [ãtrəprənœr] m. imprenditore.
entreprise [entrəpriz] f. impresa. || COMM. impresa, azienda, ditta. || *esprit d'entreprise,* intraprendenza.
entrer [ãtre] v. intr. entrare, penetrare. | *défense d'entrer,* vietato l'ingresso. | *entrez!,* avanti! | *entrer dans les ordres,* prendere gli ordini. | *entrer en fureur,* andare su tutte le furie. ◆ v. tr. introdurre, far entrare.
entresol [ãtrəsɔl] m. ammezzato, mezzanino.
entre-temps [ãtrətã] adv. nel frattempo, intanto, frattanto.
entretenir [ãtrətnir] v. tr. [en bon état] mantenere. | [famille] mantenere, mandare avanti. | [relations] mantenere, conservare. | [correspondance] intrattenere. | [espérances] nutrire, pascere. | [parler avec] intrattenere. ◆ v. pr. mantenersi. || [avec qn] intrattenersi, conversare (con qlcu.).
entretien [ãtrətjɛ̃] m. mantenimento; manutenzione f. || [alimentation] vitto, sostentamento. || [conversation] conversazione f., colloquio.
entretoise [ãtrətwaz] f. TECHN. distanziale m.
entre-tuer (s') [sãtrətɥe] v. pr. ammazzarsi, uccidersi a vicenda.
entrevoir [ãtrəvwar] v. tr. intravedere. || FIG. intravedere, intuire.
entrevue [ãtrəvy] f. incontro m., colloquio m. || JOURN. intervista.

entrouvert, e [ãtruvɛr, ɛrt] adj. socchiuso, semiaperto.
entrouvrir [ãtruvrir] v. tr. socchiudere. ◆ v. pr. socchiudersi.
énumération [enymerasjɔ̃] f. enumerazione.
énumérer [enymere] v. tr. enumerare.
envahir [ãvair] v. tr. invadere.
envahissant, e [ãvaisã, ãt] adj. invadente.
envahissement [ãvaismã] m. invasione f.
envaser (s') [sãvaze] v. pr. interrarsi.
enveloppe [ãvlɔp] f. [de protection] involucro m., involto m. || [lettre] busta. || AUT. [de pneu] copertone m. || BOT. involucro m., corteccia.
envelopper [ãvlɔpe] v. tr. avvolgere, involgere, avviluppare. || [cacher] nascondere, celare, dissimulare. || MIL. aggirare, accerchiare. ◆ v. pr. (dans) avvolgersi (in).
envenimer [ãvnime] v. tr. infettare. || FIG. invelenire.
envergure [ãvɛrgyr] f. [oiseau] apertura alare. || FIG. *de grande envergure,* di grande apertura, di largo respiro.
1. envers [ãvɛr] prép. verso, con, nei riguardi di. | *loyal envers tout le monde, envers toi,* leale verso, con tutti, con te, verso di te. ◆ *envers et contre tous,* a dispetto di tutti.
2. envers m. rovescio. || FIG. contrario ; lato nascosto, opposto. ◆ *à l'envers,* a rovescio, alla rovescia, sottosopra.
envi (à l') [alãvi] loc. adv. a gara.
enviable [ãvjabl] adj. invidiabile.
envie [ãvi] f. invidia. || [désir, besoin] voglia, desiderio m. | *l'envie me prend de rire,* mi viene da ridere. | *faire envie,* far gola. || [pellicule] pipita. || [tache] voglia.
envier [ãvje] v. tr. invidiare. || [désirer] desiderare, ambire.
envieux, euse [ãvjø, øz] adj. et n. invidioso.
environ [ãvirɔ̃] adv. circa, all'incirca, press'a poco, su per giù. ◆ m. pl. dintorni, vicinanze f. pl. ◆ *aux environs de,* nei pressi di.
environnant, e [ãvirɔnã, ãt] adj. circonvicino.
environnement [ãvirɔnmã] m. ambiente naturale.
environner [ãvirɔne] v. tr. circondare.
envisager [ãvizaʒe] v. tr. considerare, esaminare, contemplare. || [projeter] progettare, pensare.
envoi [ãvwa] m. invio. || COMM. spedizione f. | *envoi du courrier,* inoltro della corrispondenza. || SP. *coup d'envoi,* calcio d'inizio ; FIG. inizio.
envol [ãvɔl] m. [oiseau] (l')alzarsi a volo. || AV. decollo, involo.
envoler (s') [sãvɔle] v. pr. spiccare il volo, volar via. || AV. decollare. || FIG. volare, fuggire. || [illusions] dileguarsi.
envoûtement [ãvutmã] m. maleficio, fattura f. || FIG. incanto, fascino, suggestione f.
envoûter [ãvute] v. tr. affatturare, stregare.
envoyé, e [ãvwaje] n. inviato, a.
envoyer [ãvwaje] v. tr. inviare, mandare, spedire. | *envoyer chercher qn,* mandare a chiamare qlcu. || FAM. *envoyer promener qn,* mandare qlcu. a farsi benedire, a quel paese. || [lancer] tirare, lanciare. ◆ v. pr. POP. [repas] mandar giù (fam.). | [liquide] tracannare.
épais, aisse [epɛ, ɛs] adj. spesso. || [dense] spesso, folto, denso, fitto. || FIG. grossolano, rozzo.
épaisseur [epɛsœr] f. spessore m. || [densité] densità, spessore m., foltezza. || FIG. grossolanità, rozzezza.
épaissir [epɛsir] v. tr. ispessire, infittire, addensare. ◆ v. intr. et v. pr. addensarsi, ispessire, infittire. || [forêt] infoltire. || [grossir] ingrossare, ingrassare.
épanchement [epãʃmã] m. MÉD. versamento, travaso. || FIG. sfogo, effusione f.
épancher [epãʃe] v. tr. FIG. sfogare ; dare (libero) sfogo a. ◆ v. pr. MÉD. stravasarsi. || FIG. sfogarsi.
épandage [epãdaʒ] m. AGR. spandimento.
épandre [epãdr] v. tr. spandere, spargere. ◆ v. pr. spandersi, spargersi, dilagare v. intr.
épanoui, e [epanwi] adj. giocondo, radioso, raggiante.
épanouir [epanwir] v. tr. BOT. far sbocciare. || FIG. rallegrare, allietare. ◆ v. pr. BOT. sbocciare, schiudersi. || FIG. [se développer] sbocciare, fiorire, risplendere. || [devenir joyeux] rischiararsi, illuminarsi.
épanouissement [epanwismã] m. BOT. sboccio. || [plénitude] piena f., rigoglio.
épargnant, e [eparɲã, ãt] n. risparmiatore, trice.
épargne [eparɲ] f. risparmio m.
épargner [eparɲe] v. tr. risparmiare.
éparpillement [eparpijmã] m. sparpagliamento. || FIG. dispersione f.
éparpiller [eparpije] v. tr. sparpagliare. || FIG. disperdere.
épars, e [epar, ars] adj. sparso.
épatant, e [epatã, ãt] adj. FAM. stupendo, eccellente, sensazionale.
épate [epat] f. FAM. *faire de l'épate,* darsi delle arie.
épaté, e [epate] adj. *nez épaté,* naso rincagnato.

épater [epate] v. tr. FAM. stupire, strabiliare, far colpo (su).
épaule [epol] f. spalla. | *hausser les épaules,* stringersi nelle spalle. | *porter sur les épaules,* portare a spalle. | *donner un coup d'épaule à,* spalleggiare. || [d'agneau] spalla.
épauler [epole] v. tr. *épauler le fusil,* spianare il fucile. || FIG. spalleggiare.
épaulette [epolɛt] f. spallina.
épave [epav] f. relitto m. || FIG. avanzo m., residuo m. | [homme] relitto.
épée [epe] f. spada.
épeler [eple] v. tr. compitare.
éperdu, e [epɛrdy] adj. smarrito, sgomento. || [de joie] ebbro. || [amour] appassionato. || *fuite éperdue,* fuga sfrenata, disperata.
éperdument [epɛrdymɑ̃] adv. perdutamente.
éperon [eprɔ̃] m. sprone.
éperonner [eprɔne] v. tr. spronare.
épervier [epɛrvje] m. sparviere.
éphémère [efemɛr] adj. effimero, fuggevole, fugace.
épi [epi] m. [blé] spiga f. | [maïs] pannocchia f. || [cheveux] ritrosa f. || [digue] briglia f.
épice [epis] f. aroma m., droga. | *les épices,* le spezie. | *pain d'épice,* panpepato.
épicé, e [epise] adj. piccante.
épicéa [episea] m. abete rosso.
épicer [epise] v. tr. drogare, aromatizzare.
épicerie [episri] f. [denrées] alimentari m. pl., (generi) coloniali m. pl. || [magasin] drogheria, pizzicheria.
épicier, ère [episje] n. droghiere, a, pizzicagnolo, a.
épicurien, enne [epikyrjɛ̃, ɛn] adj. et n. epicureo.
épidémie [epidemi] f. epidemia.
épiderme [epidɛrm] m. epidermide f.
épier [epje] v. tr. spiare.
épieu [epjø] m. spiedo.
épilatoire [epilatwar] adj. depilatorio.
épilepsie [epilɛpsi] f. epilessia.
épileptique [epilɛptik] adj. et n. epilettico.
épiler [epile] v. tr. depilare.
épilogue [epilɔg] m. epilogo.
épinard [epinar] m. spinacio.
épine [epin] f. spina.
épingle [epɛ̃gl] f. spillo m. | [bijou] spilla. | *épingle à cheveux,* forcina, forcella. | *épingle à linge,* pinza, molletta da bucato. || FIG. *virage en épingle à cheveux,* (curva a) gomito m. || LOC. *tiré à quatre épingles,* in ghingheri. | *monter en épingle,* esagerare, gonfiare.
épingler [epɛ̃gle] v. tr. appuntare (con uno spillo). || FAM. acciuffare, acchiappare.
épinière [epinjɛr] adj. f. *moelle épinière,* midollo (m.) spinale.
épique [epik] adj. epico.
épiscopal, e, aux [episkɔpal, o] adj. [conférence] episcopale. || [palais] vescovile.
épiscopat [episkɔpa] m. [dignité, durée] episcopato, vescovato, vescovado. || [évêques] episcopato.
épisode [epizɔd] m. episodio.
épisser [epise] v. tr. MAR. impiombare.
épithète [epitɛt] adj. et f. epiteto m., aggettivo (m.) attributivo.
épître [epitr] f. epistola.
éploré, e [eplɔre] adj. addolorato, accorato, in lacrime.
épluchage [eplyʃaʒ] m. mondatura f., sbucciatura f. || FIG. controllo, esame minuzioso, spulciatura f. (fam.).
éplucher [eplyʃe] v. tr. mondare, sbucciare.
épluchure [eplyʃyr] f. mondatura, buccia.
épointer [epwɛ̃te] v. tr. spuntare, smussare.
éponge [epɔ̃ʒ] f. spugna.
éponger [epɔ̃ʒe] v. tr. spugnare. || FIG. (ri)assorbire. ◆ v. pr. asciugarsi.
épopée [epɔpe] f. epopea.
époque [epɔk] f. epoca. || [moment] *à cette époque(-là),* in quel tempo, in quei tempi. || LOC. *faire époque,* fare epoca.
épouiller [epuje] v. tr. spidocchiare.
époumoner (s') [sepumɔne] v. pr. spolmonarsi.
épouse [epuz] f. sposa, moglie.
épouser [epuze] v. tr. sposare ; sposarsi con ; [suj. femme] maritarsi con ; [suj. homme] ammogliarsi con.
épousseter [epuste] v. tr. spolverare.
époustouflant, e [epustuflɑ̃, ɑ̃t] adj. FAM. sbalorditivo, strabiliante (L.C.).
épouvantable [epuvɑ̃tabl] adj. spaventoso, spaventevole.
épouvantail [epuvɑ̃taj] m. spauracchio.
épouvante [epuvɑ̃t] f. spavento m., terrore m.
épouvanter [epuvɑ̃te] v. tr. spaventare.
époux [epu] m. sposo, coniuge. | *jeunes époux,* sposini.
éprendre (s') [seprɑ̃dr] v. pr. (de) invaghirsi (di), innamorarsi (di).
épreuve [eprœv] f. prova, saggio m., esperimento m. | *mettre à l'épreuve,* cimentare. || *à l'épreuve de,* a prova di. || UNIV. *épreuves écrites, orales,* prove scritte, orali. || PHOT. prova. || TYP. bozza.
épris, e [epri, iz] adj. innamorato, invaghito.

éprouvé, e [epruve] adj. [sûr] provato, fedele. || [expert] provetto. || [par le malheur] provato, colpito.
éprouver [epruve] v. tr. provare, saggiare. || FIG. [subir] provare, subire. || [faire souffrir] provare, colpire.
éprouvette [epruvɛt] f. provetta.
épucer [epyse] v. tr. spulciare.
épuisant, e [epɥizɑ̃, ɑ̃t] adj. spossante, estenuante., sfibrante.
épuisé, e [epɥize] adj. esaurito. || [à sec] inaridito. || [fatigué] esaurito, esausto, spossato.
épuisement [epɥizmɑ̃] m. esaurimento. || [fatigue] esaurimento, spossamento, sfinimento.
épuiser [epɥize] v. tr. esaurire. || FIG. [fatiguer] esaurire, spossare, sfinire.
épuisette [epɥizɛt] f. guadino m.
épuration [epyrasjɔ̃] f. depurazione. || POL. epurazione.
épurer [epyre] v. tr. depurare, purgare, purificare. || FIG. [goût, langue] purificare. || POL. epurare.
équarrir [ekarir] v. tr. squadrare, riquadrare. || [boucherie] squartare.
équarrisseur [ekarisœr] m. squartatore.
équateur [ekwatœr] m. equatore.
équation [ekwasjɔ̃] f. equazione.
équatorial, e, aux [ekwatɔrjal, o] adj. et m. equatoriale.
équerre [ekɛr] f. squadra. | *d'équerre, à l'équerre,* a squadra.
équestre [ekɛstr] adj. equestre.
équilatéral, e, aux [ekɥilateral, o] adj. equilatero.
équilibrage [ekilibraʒ] m. equilibramento, equilibratura f.
équilibre [ekilibr] m. equilibrio. | *en équilibre instable,* in bilico. || FIN. pareggio.
équilibré, e [ekilibre] adj. equilibrato, ponderato.
équilibrer [ekilibre] v. tr. equilibrare, bilanciare. || FIN. pareggiare. ◆ v. pr. equilibrarsi, bilanciarsi.
équilibriste [ekilibrist] n. equilibrista.
équinoxe [ekinɔks] m. equinozio.
équipage [ekipaʒ] m. equipaggio.
équipe [ekip] f. squadra. | *chef d'équipe,* caposquadra. | *faire équipe avec,* collaborare con. || SP. squadra. || TR. *homme d'équipe,* manovale.
équipée [ekipe] f. avventura, scappata.
équipement [ekipmɑ̃] m. equipaggiamento, attrezzatura f. || [électrique] impianto, apparecchiatura f. || [vêtements et matériel] equipaggiamento. || ÉCON. *biens d'équipement,* beni strumentali.
équiper [ekipe] v. tr. attrezzare, equipaggiare. ◆ v. pr. equipaggiarsi.
équipier, ère [ekipje, ɛr] n. giocatore, trice, componente di una squadra. || [cyclisme] gregario m.
équitable [ekitabl] adj. equo.
équitation [ekitasjɔ̃] f. equitazione.
équité [ekite] f. equità.
équivalence [ekivalɑ̃s] f. equivalenza.
équivalent, e [ekivalɑ̃, ɑ̃t] adj. et m. equivalente, corrispettivo.
équivaloir [ekivalwar] v. tr. ind. (à) equivalere (a).
équivoque [ekivɔk] adj. equivoco, ambiguo. || [douteux] dubbio, sospetto, equivoco. ◆ f. equivoco m. | *sans équivoque,* inequivocabilmente adv.
érable [erabl] m. acero.
érafler [erafle] v. tr. scalfire, graffiare.
éraflure [eraflyr] f. scalfittura.
éraillé, e [eraje] adj. roco, rauco.
érailler (s') [seraje] v. pr. *s'érailler la voix,* arrochire.
ère [ɛr] f. era, epoca.
érection [erɛksjɔ̃] f. erezione.
éreinté, e [erɛ̃te] adj. esausto, sfibrato, sfinito, spossato.
éreintement [erɛ̃tmɑ̃] m. spossamento. || FAM. [critique] stroncatura f.
éreinter [erɛ̃te] v. tr. spossare, sfibrare. || FAM. [critiquer] stroncare.
ergot [ɛrgo] m. sperone.
ergoter [ɛrgɔte] v. intr. cavillare, sofisticare.
ergoteur, euse [ɛrgɔtœr, øz] adj. et n. cavillatore, trice ; sofistico adj., sofista m.
ériger [eriʒe] v. tr. erigere, innalzare, edificare. ◆ v. pr. (en) atteggiarsi (a).
ermitage [ɛrmitaʒ] m. eremo, romitorio.
ermite [ɛrmit] m. eremita, romito.
éroder [erɔde] v. tr. erodere.
érosion [erozjɔ̃] f. erosione.
érotique [erɔtik] adj. erotico.
érotisme [erɔtism] m. erotismo.
errant, e [ɛrɑ̃, ɑ̃t] adj. errante, vagante. || [chien] randagio.
erre [ɛr] f. MAR. abbrivo m. (residuo).
errements [ɛrmɑ̃] m. pl. errori.
errer [ɛre] v. intr. errare, vagare. || [se tromper] errare, sbagliare.
erreur [ɛrœr] f. errore m., sbaglio m. | *faire erreur,* ingannarsi. | *induire en erreur,* indurre in errore, trarre in inganno. | *revenir de son erreur,* ravvedersi. ◆ *par erreur,* per sbaglio. | *sauf erreur,* salvo errore.
erroné, e [ɛrɔne] adj. erroneo, errato, sbagliato.
érudit, e [erydi, it] adj. et n. erudito, dotto.
érudition [erydisjɔ̃] f. erudizione, dottrina.
éruption [erypsjɔ̃] f. eruzione.
érythréen, enne [eritreɛ̃, ɛn] adj. et n. eritreo.

ès [ɛs] prép. in. | *docteur ès lettres,* laureato in lettere.
esbroufe [ɛsbruf] f. FAM. *faire de l'esbroufe,* sbruffare.
escabeau [ɛskabo] m. sgabello. || [échelle] scaleo.
escadre [ɛskadr] f. squadra.
escadrille [ɛskadrij] f. squadriglia.
escadron [ɛskadrɔ̃] m. squadrone.
escalade [ɛskalad] f. scalata. || SP. scalata, arrampicata. || FIG. esplosione.
escalader [ɛskalade] v. tr. scalare. || [franchir] scavalcare.
escale [ɛskal] f. scalo m. | *faire escale,* fare scalo.
escalier [ɛskalje] m. scala f., scale f. pl. | *escalier mécanique,* scala mobile. | *escalier monumental,* scalone, scalinata f. || FIG., FAM. *esprit de l'escalier,* senno di poi.
escalope [ɛskalɔp] f. scaloppa, scaloppina.
escamotable [ɛskamɔtabl] adj. AV. retrattile.
escamoter [ɛskamɔte] v. tr. far sparire. || AV. [train d'atterrissage] (far) rientrare. || [voler] rubare, sgraffignare. || FIG. [question] eludere, schivare.
escapade [ɛskapad] f. scappata.
escarbille [ɛskarbij] f. bruscolo m.
escargot [ɛskargo] m. chiocciola f.
escarmouche [ɛskarmuʃ] f. scaramuccia.
escarpé, e [ɛskarpe] adj. scosceso, dirupato, erto.
escarpement [ɛskarpəmɑ̃] m. [pente] scoscendimento, ripidezza f., scarpata f.
escarpin [ɛskarpɛ̃] m. scarpino.
escient [ɛsjɑ̃] m. LOC. *à bon escient,* a ragion veduta.
esclaffer (s') [sɛsklafe] v. pr. scoppiare a ridere.
esclandre [ɛsklɑ̃dr] m. scandalo.
esclavage [ɛsklavaʒ] m. schiavitù f. | *réduire en esclavage,* ridurre in schiavitù.
esclave [ɛsklav] adj. et n. schiavo.
escompte [ɛskɔ̃t] m. sconto.
escompter [ɛskɔ̃te] v. tr. scontare. || FIG. sperare, aspettarsi, dare per scontato.
escorte [ɛskɔrt] f. scorta.
escorter [ɛskɔrte] v. tr. scortare.
escorteur [ɛskɔrtœr] m. MAR. nave (f.) scorta.
escouade [ɛskwad] f. squadra.
escrime [ɛskrim] f. scherma. | *faire de l'escrime,* tirare di scherma.
escrimer (s') [sɛskrime] v. pr. (à) ingegnarsi (di), affaccendarsi (a).
escrimeur, euse [ɛskrimœr, øz] n. schermitore, trice.
escroc [ɛskro] m. truffatore.
escroquer [ɛskrɔke] v. tr. truffare, scroccare.
escroquerie [ɛskrɔkri] f. truffa, scrocco m.
ésotérique [ezɔterik] adj. esoterico.
espace [ɛspas] m. spazio. | *espaces verts,* zone verdi.
espacement [ɛspasmɑ̃] m. spazio, intervallo.
espacer [ɛspase] v. tr. spaziare, spazieggiare, intervallare. || [visites] diradare.
espace-temps [ɛspastɑ̃] m. spaziotempo.
espadon [ɛspadɔ̃] m. ZOOL. pesce spada.
espadrille [ɛspadrij] f. scarpetta di corda.
espagnol, e [ɛspaɲɔl] adj. et n. spagnolo.
espèce [ɛspɛs] f. specie inv., sorta, qualità. | *en l'espèce,* nella fattispecie. ◆ pl. contanti m. pl.
espérance [ɛsperɑ̃s] f. speranza. ◆ pl. eredità sing. (sperata, in vista). | *avoir des espérances,* aspettare (la nascita di) un bambino.
espérer [ɛspere] v. tr. sperare, aspettare, attendere. | *espérons que oui,* speriamo di sì.
espiègle [ɛspjɛgl] adj. birichino, malizioso, maliziosetto. ◆ n. birichino.
espièglerie [ɛspjɛgləri] f. malizia. || [farce] birichinata.
espion, onne [ɛspjɔ̃, ɔn] n. spia f.
espionnage [ɛspjɔnaʒ] m. spionaggio.
espionner [ɛspjɔne] v. tr. spiare.
esplanade [ɛsplanad] f. spianata, piazzale m, spiazzo m.
espoir [ɛspwar] m. speranza f. | *sans espoir,* senza speranza, disperato adj.
esprit [ɛspri] m. spirito. || [fantôme] spirito, fantasma. || [intelligence] *homme d'esprit,* uomo d'ingegno. | *étroitesse d'esprit,* grettezza d'animo. | *perdre l'esprit,* perdere il senno. | *venir à l'esprit,* venire in mente. | *état d'esprit,* stato d'animo. | *esprit de clocher,* campanilismo. | *dans cet esprit,* con quest'intento. || *trait d'esprit,* battuta (di spirito). || *esprit fort,* libero pensatore. || REL. *Saint-Esprit,* Spirito Santo. ◆ pl. *reprendre ses esprits,* riacquistare i sensi, riaversi.
esprit-de-vin [ɛspridəvɛ̃] m. alcole etilico.
esprit-de-vinaigre [ɛspridəvinɛgr] m. acido acetico.
esquif [ɛskif] m. schifo.
esquille [ɛskij] f. scheggia d'osso.
esquimau, aude [ɛskimo, od] adj. et n. eschimese. ◆ m. [glace] pinguino.
esquinter [ɛskɛ̃te] v. tr. FAM. [fatiguer] slombare, spossare, sfibrare. || [détériorer] guastare, sciupare.
esquisse [ɛskis] f. schizzo m., abbozzo m., bozzetto m.

esquisser [ɛskise] v. tr. schizzare, abbozzare.
esquiver [ɛskive] v. tr. schivare, evitare. || FIG. schivare, eludere. ◆ v. pr. sgattaiolare, svignarsela.
essai [esɛ] m. prova f., esperimento, saggio. | *à l'essai,* in prova. | *faire l'essai de,* provare. | *coup d'essai,* prima prova. || AV. *pilote d'essai,* (pilota) collaudatore. || CHIM. *tube à essai,* provetta f. || LITT. saggio. || SP. [rugby] meta f. || TECHN. prova, collaudo.
essaim [esɛ̃] m. sciame.
essaimer [eseme] v. intr. sciamare.
essayage [esɛjaʒ] m. prova f.
essayer [eseje] v. tr. [vêtement] provare. || TECHN. [machine] provare, collaudare. | [métal] saggiare. ◆ v. tr. ind. *essayer de,* provare a, provarsi a, tentare di. ◆ v. pr. (à) provarsi (a).
essayiste [esɛjist] n. LITT. saggista.
essence [esɑ̃s] f. PHILOS. essenza. || BOT. essenza, specie inv. || CHIM. essenza, estratto m. || [carburant] benzina.
essentiel, elle [esɑ̃sjɛl] adj. et m. essenziale.
esseulé, e [esœle] adj. LITT. solo (L.C.), solingo (poét.).
essieu [esjø] m. asse, sala f., assale.
essor [esɔr] m. volo. || FIG. sviluppo, progresso.
essorer [esɔre] v. tr. strizzare, asciugare.
essoreuse [esɔrøz] f. strizzatoio m., (asciugatrice) centrifuga.
essoufflement [esufləmɑ̃] m. affanno.
essouffler [esufle] v. tr. affannare. ◆ v. pr. sfiatarsi, affannarsi.
essuie-glace [esɥiglas] m. AUT. tergicristallo.
essuie-mains [esɥimɛ̃] m. inv. asciugamano m.
essuie-pieds [esɥipje] m. inv. stoino m., zerbino m.
essuyer [esɥije] v. tr. (r)asciugare. || FIG. subire, riportare.
est [ɛst] m. est, levante.
estafette [ɛstafɛt] f. staffetta.
estafilade [ɛstafilad] f. sfregio m., taglio m.
estampe [ɛstɑ̃p] f. stampa.
estamper [ɛstɑ̃pe] v. tr. TECHN. stampare. || FAM. [duper] stangare, pelare.
estampille [ɛstɑ̃pij] f. stampiglia.
estampiller [ɛstɑ̃pije] v. tr. stampigliare.
esthéticienne [ɛstetisjɛn] f. estetista.
esthétique [ɛstetik] adj. estetico. ◆ f. estetica.
estimable [ɛstimabl] adj. stimabile, pregevole, apprezzabile.
estimation [ɛstimasjɔ̃] f. stima, valutazione.
estime [ɛstim] f. stima. ◆ *à l'estime,* a occhio e croce.
estimer [ɛstime] v. tr. stimare, apprezzare. || [considérer] stimare, ritenere.
estival, e, aux [ɛstival, o] adj. estivo.
estivant, e [ɛstivɑ̃, ɑ̃t] n. villeggiante.
estomac [ɛstɔma] m. stomaco. || FAM. [hardiesse] *avoir de l'estomac,* avere del fegato.
estomaqué, e [estɔmake] adj. sconcertato, trasecolato.
estompe [ɛstɔ̃p] f. sfumino m.
estomper [estɔ̃pe] v. tr. sfumare, ombreggiare. || FIG. sfumare, smorzare. ◆ v. pr. FIG. sfumare, dileguarsi.
estrade [ɛstrad] f. pedana. || [tribune] palco m., podio m.
estragon [ɛstragɔ̃] m. dragoncello.
estropié, e [ɛstrɔpje] adj. et n. storpio.
estropier [ɛstrɔpje] v. tr. storpiare.
estuaire [ɛstɥɛr] m. estuario.
estudiantin, e [ɛstydjɑ̃tɛ̃, in] adj. studentesco.
esturgeon [ɛstyrʒɔ̃] m. storione.
et [e] conj. e, ed (devant voy.).
étable [etabl] f. stalla. | [cochons] porcile m.
établi [etabli] m. [menuisier] banco, pancone. | [cordonnier] desco, deschetto.
établir [etablir] v. tr. [digue] edificare. || [commerce] metter su, impiantare. || [impôts] stabilire, istituire. || [enfants] sistemare, accasare, maritare. || [rédiger] fare, redigere, stendere. || [prouver] accertare, assodare, provare. ◆ v. pr. [dans un lieu] stabilirsi. || [industrie] impiantarsi. || [commerçant] metter su bottega. || *l'usage s'est établi de,* si è stabilita, è invalsa l'usanza di.
établissement [etablismɑ̃] m. edificazione f., costruzione f. || [usine] impianto. || [règle] istituzione f. || [enfants] sistemazione f. || [bilan] redazione f. || [passeport] rilascio. || [faits] accertamento, prova f. || [bancaire, scolaire] istituto. || COMM., IND. stabilimento.
étage [etaʒ] m. piano. || FIG. livello. | *de bas étage,* [personnes] di bassa condizione, lega ; [restaurant] di infimo ordine. || AV. *fusée, missile à trois étages,* razzo, missile a tre stadi.
étager [etaʒe] v. tr. disporre a piani sovrapposti, scaglionare.
étagère [etaʒɛr] f. scansia, scaffale m.
étai [etɛ] m. puntello.
étain [etɛ̃] m. stagno.
étal, aux ou **als** [etal, o] m. banco. | [boucherie] banco (di macelleria).
étalage [etalaʒ] m. mostra f. | *à l'étalage,* in mostra. | [devanture] vetrina f., mostra f., banco, bancarella f. || FIG. *faire étalage de,* far sfoggio di.

étalagiste [etalaʒist] n. vetrinista.
étale [etal] adj. immobile, fermo. ◆ m. stanca f.
étalement [etalmɑ̃] m. il disporre (su un tavolo). ‖ [fumier] spandimento. ‖ [dans le temps] scaglionamento.
étaler [etale] v. tr. mettere in mostra, esporre. ‖ [déployer] spiegare, stendere. ‖ Loc. *étaler son jeu,* scoprire le carte. ‖ [beurre] spalmare. ‖ Fig. ostentare, fare sfoggio di. ‖ Comm. [paiements] scaglionare. ◆ v. pr. Fam. cadere lungo disteso (L.C.).
1. étalon [etalɔ̃] m. [cheval] stallone.
2. étalon m. campione, misura (f.) standard. | *étalon-or,* tallone aureo.
étamer [etame] v. tr. [étain] stagnare. ‖ [glace] (in)argentare.
étameur [etamœr] m. stagnaio, stagnino.
étamine [etamin] f. [tissu] stamigna, stamina. ‖ Bot. stame m.
étanche [etɑ̃ʃ] adj. stagno. ‖ Fig. ermetico.
étanchéité [etɑ̃ʃeite] f. tenuta, impermeabilità.
étancher [etɑ̃ʃe] v. tr. stagnare. ‖ Fig. [soif] cavare, levare ; dissetarsi v. pr.
étang [etɑ̃] m. stagno.
étape [etap] f. tappa. | *faire étape,* sostare, fermarsi. ‖ Pr. et Fig. *brûler les étapes,* bruciar le tappe. ‖ *par étapes,* Pr. a tappe ; Fig. per gradi, gradatamente adv. ‖ Sp. *étape contre la montre,* tappa a cronometro.
état [eta] m. stato, condizione f. | *en piteux état,* in pessimo stato. | *remettre en état,* accomodare, riparare. | *remettre en l'état,* rimettere nello stato di prima. | *en état de marche,* in condizione, in grado di funzionare. | *hors d'état de marche,* fuori uso. | *dans l'état actuel des choses,* stando cosi le cose. | *en tout état de cause,* in ogni caso, comunque. | *être en état de,* essere in stato, in grado di. | *faire état de,* far caso di. ‖ [profession] stato, condizione, posizione f., professione f., mestiere. ‖ Adm. *état civil,* stato civile, anagrafe f. ‖ [liste] elenco, lista f. ‖ Pol. *État,* Stato.
étatique [etatik] adj. statalistico.
étatiser [etatize] v. tr. statalizzare.
état-major [etamaʒɔr] m. stato maggiore.
étau [eto] m. morsa f.
étayer [eteje] v. tr. puntellare.
été [ete] m. estate f. | *en été,* in estate, d'estate. | *vacances d'été,* vacanze estive.
éteignoir [etɛɲwar] m. spegnitoio. ‖ Fig. guastafeste n. inv.
éteindre [ɛtɛ̃dr] v. tr. spegnere. ‖ Fig. *éteindre la soif,* estinguere, spegnere la sete. ◆ v. pr. spegnersi, estinguersi. ‖ Fig. spegnersi, morire v. intr.
étendard [etɑ̃dar] m. stendardo.
étendre [etɑ̃dr] v. tr. [agrandir] estendere, accrescere. ‖ [répandre] spandere, spargere. ‖ [étaler] stendere, spalmare. ‖ [diluer] allungare, annacquare, diluire. ‖ [déployer] stendere, allungare, distendere. | *étendre les bras, les jambes,* stendere, allungare le braccia, le gambe. ‖ [linge] sciorinare, stendere. ‖ Fam. *se faire étendre à un examen,* farsi stangare, bocciare a un esame. ◆ v. pr. [incendie] estendersi, diffondersi. ‖ [plaine] (e)stendersi. ‖ [se coucher] (di)stendersi, sdraiarsi, coricarsi. ‖ Fig. [sur un sujet] dilungarsi, diffondersi.
étendue [etɑ̃dy] f. estensione, distesa, tratto m. ‖ Fig. [importance] importanza, ampiezza, entità. ‖ Mus. estensione, registro m.
éternel, elle [etɛrnɛl] adj. eterno. ◆ Rel. Padreterno.
éterniser [etɛrnize] v. tr. eternare. ‖ Fig. tirare in lungo. ◆ v. pr. Fig. indugiarsi a lungo, dilungarsi.
éternité [etɛrnite] f. eternità. | *de toute éternité,* da sempre, da che mondo è mondo.
éternuement [etɛrnymɑ̃] m. starnuto.
éternuer [etɛrnɥe] v. intr. starnutare, starnutire.
éther [etɛr] m. etere.
éthique [etik] adj. etico. ◆ f. etica.
ethnique [ɛtnik] adj. etnico.
ethnographie [ɛtnɔgrafi] f. etnografia.
ethnologie [ɛtnɔlɔʒi] f. etnologia.
étiage [etjaʒ] m. magra f.
étincelant, e [etɛ̃slɑ̃, ɑ̃t] adj. scintillante, sfavillante.
étinceler [etɛ̃sle] v. intr. scintillare, sfavillare.
étincelle [etɛ̃sɛl] f. favilla, scintilla.
étioler (s') [setjɔle] v. pr. intristire, deperire v. intr.
étiqueter [etikte] v. tr. etichettare.
étiquette [etikɛt] f. etichetta. ‖ [protocole] etichetta, cerimoniale m.
étirer [etire] v. tr. stirare, allungare, estendere. ◆ v. pr. allungarsi. ‖ [membres] stirarsi, stiracchiarsi.
étoffe [etɔf] f. stoffa, tessuto m. ‖ Fig. stoffa.
étoffé, e [etɔfe] adj. pienotto, grassoccio. ‖ robusto, gagliardo. ‖ [style, discours] copioso, nutrito.
étoffer [etɔfe] v. tr. Fig. dar consistenza a, arricchire.
étoile [etwal] f. stella. | *étoile filante,* stella filante, cadente. | *à la belle étoile,* sotto le stelle. | *sous une bonne étoile,* sotto buona stella. ‖ *danseuse étoile,* prima ballerina assoluta. ‖ Mil. stelletta.

étoilé, e [etwale] adj. (co)stellato. | *bannière étoilée,* bandiera stellata.
étoiler [etwale] v. tr. stellare.
étonnant, e [etɔnɑ̃, ɑ̃t] adj. stupendo.
étonnement [etɔnmɑ̃] m. stupore, meraviglia f.
étonner [etɔne] v. tr. meravigliare, stupire. ◆ v. pr. meravigliarsi, stupirsi.
étouffé, e [etufe] adj. FIG. [voix] sommesso ; [rires, cris] soffocato.
étouffement [etufmɑ̃] m. soffocazione f., soffocamento.
étouffer [etufe] v. tr. soffocare. || [dans un liquide] affogare. || [son] attutire, smorzare. || FIG. soffocare. ◆ v. intr. soffocare. ◆ v. pr. soffocare, strozzarsi.
étouffoir [etufwar] m. MUS. smorzatore.
étoupe [etup] f. stoppa, capecchio m.
étourderie [eturdəri] f. sbadataggine, sventatezza.
étourdi, e [eturdi] adj. stordito, sventato, sbadato. ◆ n. stordito, a ; smemorato, a.
étourdir [eturdir] v. tr. stordire, sbalordire, intontire. || FIG. calmare, lenire ; [assourdir] assordare. ◆ v. pr. FIG. stordirsi.
étourdissant, e [eturdisɑ̃, ɑ̃t] adj. assordante. || FIG. strabiliante.
étourdissement [eturdismɑ̃] m. MÉD. stordimento. || FIG. sbalordimento, stupore.
étourneau [eturno] m. storno, stornello. || FIG., FAM. cervellino, a.
étrange [etrɑ̃ʒ] adj. strano.
étranger, ère [etrɑ̃ʒe, ɛr] adj. [à un groupe] estraneo. || [à la ville, à la région] forestiero. || [à la nation] straniero. || COMM., POL. estero. ◆ n. estraneo, a ; forestiero, a ; straniero, a. ◆ m. *à l'étranger,* all'estero.
étrangeté [etrɑ̃ʒte] f. stranezza.
étranglé, e [etrɑ̃gle] adj. [voix] strozzato, soffocato.
étranglement [etrɑ̃gləmɑ̃] m. strangolamento, strozzamento. || FIG. soffocamento. || GÉOGR. stretta f.
étrangler [etrɑ̃gle] v. tr. strangolare, strozzare. || FIG. soffocare, strozzare. ◆ v. pr. strozzarsi. | [de rire] soffocare.
étrave [etrav] f. tagliamare m. inv.
être [ɛtr] v. intr. [exister] essere. | *cela peut être,* può essere, può darsi. | *ainsi soit-il,* e così sia. || [impers.] *il est des gens qui,* c'è chi. | *toujours est-il que,* fatto sta che. || [VERBE COPULE] essere. || [état] *comment es-tu ?,* come stai ? || *ça y est !,* ecco fatto !, ci siamo ! | *je n'y suis pour rien,* non c'entro per niente. || [aller] essere, andare. || [possession] *c'est à lui, à Pierre,* è suo, è di Pietro. || [but] *être à louer,* essere da affittare. || [nécessité] *il est à plaindre,* è da compatire. || [présentation] *c'est moi, toi,* sono io, sei tu. | *c'est moi qui l'ai dit,* l'ho detto io. || [tour] *c'est à lui à y aller,* tocca a lui andarci. || [interr.] *est-ce que tu viens ?* vieni ? | *n'est-ce pas ?,* nevvero ? || [VERBE AUX.] essere. ◆ m. essere, esistenza f. || [créature] essere, creatura f.
étreindre [etrɛ̃dr] v. tr. stringere, abbracciare.
étreinte [etrɛ̃t] f. stretta, abbraccio m.
étrennes [etrɛn] f. pl. strenne.
étrenner [etrɛne] v. tr. usare per la prima volta.
étrier [etrije] m. staffa f. | *vider les étriers,* perdere le staffe. | *courir à franc étrier,* correre a spron battuto.
étrille [etrij] f. striglia.
étriller [etrije] v. tr. strigliare.
étriper [etripe] v. tr. sventrare, sbudellare. ◆ v. pr. FAM. fare alle coltellate.
étriqué, e [etrike] adj. [vêtement] stretto, striminzito. | [esprit] meschino.
étroit, e [etrwa, at] adj. stretto, angusto. || FIG. stretto, rigoroso. || [intime] stretto, intimo. || [borné] angusto, meschino, gretto. || *être logé à l'étroit,* stare stretti in casa. | *vivre à l'étroit,* vivere nelle strettezze.
étroitesse [etrwatɛs] f. strettezza. || FIG. grettezza, meschinità.
étude [etyd] f. studio m. | *faire ses études,* fare gli studi. | *à l'étude,* allo studio. | *bourse, voyage d'études,* borsa, viaggio di studio. || [d'un projet] studio, esame m. || ART bozzetto m., abbozzo m. || LITT. studio, saggio m. || MUS. studio. || [salle] sala di studio. || *étude de notaire,* ufficio m., studio notarile.
étudiant, e [etydjɑ̃, ɑ̃t] n. (en) studente, studentessa (di).
étudié, e [etydje] adj. FIG. studiato, ricercato, affettato. | *prix étudiés,* prezzi fissati al minimo.
étudier [etydje] v. tr. studiare. || [examiner] studiare, esaminare. ◆ v. pr. FIG. [s'appliquer] (à) studiarsi (di), ingegnarsi (di).
étui [etɥi] m. astuccio, custodia f. || [de revolver] fondina f.
étuve [etyv] f. bagno (m.) turco. || MÉD. autoclave. || TECHN. essiccatoio m.
étuvée (à l') [aletyve] loc. adv. in stufato.
étymologie [etimɔlɔʒi] f. etimologia, etimo m.
eucalyptus [økaliptys] m. BOT. eucalipto, eucalitto.
euphémique [øfemik] adj. eufemistico.
euphémisme [øfemism] m. eufemismo.
euphonie [øfɔni] f. eufonia.
euphorie [øfɔri] f. euforia.
euphorique [øfɔrik] adj. euforico.

eurasien, enne [ørazjɛ̃, ɛn] adj. et n. eurasiano.
eurodevise [ørodəviz] f. eurodivisa.
eurodollar [ørodɔlar] m. eurodollaro.
européen, enne [ørɔpeɛ̃, ɛn] adj. et n. europeo.
eurovision [ørovizjɔ̃] f. eurovisione.
euthanasie [øtanazi] f. eutanasia.
eux [ø] pron. pers. m. pl. essi, loro.
évacuation [evakɥasjɔ̃] f. evacuazione, spurgo m. || FIG. sfollamento m., sgombero m.
évacué [evakɥe] adj. et n. sfollato.
évacuer [evakɥe] v. tr. evacuare. || FIG. sgomberare, sfollare.
évadé, e [evade] adj. et n. evaso.
évader (s') [sevade] v. pr. evadere, fuggire, scappare v. intr.
évaluation [evalɥasjɔ̃] f. valutazione, stima.
évaluer [evalɥe] v. tr. valutare, stimare.
évangéliser [evɑ̃ʒelize] v. tr. evangelizzare.
évangile [evɑ̃ʒil] m. vangelo.
évanoui, e [evanwi] adj. svenuto.
évanouir (s') [sevanwir] v. pr. svenire, venir meno. || FIG. svanire, dileguarsi, sfumare.
évanouissement [evanwismɑ̃] m. svenimento, deliquio. || FIG. svanimento.
évaporation [evapɔrasjɔ̃] f. evaporazione, evaporamento m., svaporamento m.
évaporé, e [evapɔre] adj. et n. FIG. scapato, stordito, svanito.
évaporer [evapɔre] v. tr. evaporare. ◆ v. pr. evaporare, svaporare v. intr. || FIG. svanire, dileguarsi.
évasé, e [evaze] adj. svasato.
évasif, ive [evazif, iv] adj. evasivo.
évasion [evazjɔ̃] f. evasione.
évêché [eveʃe] m. vescovado, vescovato.
éveil [evɛj] m. risveglio. || FIG. *donner l'éveil,* dar l'allarme, la sveglia. | *en éveil,* sull'avviso, all'erta.
éveillé, e [eveje] adj. sveglio, desto.
éveiller [eveje] v. tr. svegliare, destare.
événement [evɛnmɑ̃] m. avvenimento, evento.
évent [evɑ̃] m. sfiatatoio.
éventail [evɑ̃taj] m. ventaglio.
éventaire [evɑ̃tɛr] m. bancarella f., mostra f.
éventé, e [evɑ̃te] adj. svaporato. || FIG. sventato.
éventer [evɑ̃te] v. tr. ventilare. || FIG. [découvrir] sventare. ◆ v. pr. sventagliarsi, farsi aria. || [s'altérer] svaporare v. intr.
éventrer [evɑ̃tre] v. tr. sventrare. || [défoncer] sfondare.
éventualité [evɑ̃tɥalite] f. eventualità, evenienza.
éventuel, elle [evɑ̃tɥɛl] adj. eventuale.
évêque [evɛk] m. vescovo.
évertuer (s') [sevɛrtɥe] v. pr. (à) ingegnarsi (di), arrabattarsi (per).
éviction [eviksjɔ̃] f. JUR. evizione. || espulsione, esclusione.
évidence [evidɑ̃s] f. evidenza. | *de toute évidence,* ovviamente. | *mettre en évidence,* mettere in evidenza, in risalto. | *se rendre à l'évidence,* arrendersi all'evidenza.
évident, e [evidɑ̃, ɑ̃t] adj. evidente, ovvio, palese.
évider [evide] v. tr. scavare, incavare.
évier [evje] m. acquaio.
évincer [evɛ̃se] v. tr. JUR. evincere. || [chasser] scacciare, espellere, respingere.
éviter [evite] v. tr. scansare, evitare, schivare. ◆ v. pr. evitare v. tr., sottrarsi a.
évocateur, trice [evɔkatœr, tris] adj. evocativo ; evocatore, trice.
évocation [evɔkasjɔ̃] f. evocazione.
évolué, e [evɔlɥe] adj. evoluto, progredito.
évoluer [evɔlɥe] v. intr. compiere evoluzioni. || [dans un salon] muoversi. || FIG. [civilisation, opinions] evolversi.
évoquer [evɔke] v. tr. [esprits] evocare. || [souvenirs] (ri)evocare. || [problème] accennare, evocare.
ex- [ɛks] préf. ex, già.
exacerber [ɛgzasɛrbe] v. tr. esacerbare, inasprire.
exact, e [ɛgza(kt), akt] adj. esatto. || [ponctuel] puntuale.
exactitude [egzaktityd] f. esattezza. || [ponctualité] puntualità.
ex aequo [ɛgzeko] loc. adv. ex aequo (lat.), a pari merito.
exagération [ɛgzaʒerasjɔ̃] f. esagerazione.
exagéré, e [ɛgzaʒere] adj. esagerato, eccessivo.
exagérer [ɛgzaʒere] v. tr. esagerare.
exaltation [ɛgzaltasjɔ̃] f. esaltazione, glorificazione. || [de l'esprit] eccitazione (psichica). | *parler avec exaltation,* parlare con concitazione. || REL. esaltazione.
exalté, e [ɛgzalte] adj. et n. esaltato, (sovr)eccitato.
exalter [ɛgzalte] v. tr. esaltare, glorificare. || FIG. esaltare, entusiasmare. ◆ v. pr. esaltarsi, (sovr)eccitarsi, entusiasmarsi.
examen [ɛgzamɛ̃] m. esame. | [approfondi] disamina f. || UNIV. *passer un examen,* dare un esame. | *réussir un examen,* passare un esame. | *examen*

d'entrée, de passage, esame di ammissione, di riparazione.
examinateur, trice [ɛgzaminatœr, tris] n. esaminatore, trice.
examiner [ɛgzamine] v. tr. esaminare. || MÉD. visitare. ◆ v. pr. guardarsi attentamente.
exaspérant, e [ɛgzasperɑ̃, ɑ̃t] adj. esasperante.
exaspération [ɛgzasperasjɔ̃] f. esasperazione. || [douleur] esacerbamento m., inasprimento m.
exaspérer [ɛgzaspere] v. tr. esasperare. || [douleur] esacerbare, inasprire.
exaucer [ɛgzose] v. tr. esaudire.
excavateur, trice [ɛkskavatœr, tris] n. (e)scavatore, trice.
excavation [ɛkskavasjɔ̃] f. escavazione, scavo m.
excédent [ɛksedɑ̃] m. eccedente, eccedenza f. | *excédent de bagages,* bagagli in eccedenza.
excédentaire [ɛksedɑ̃tɛr] adj. eccedente, in eccedenza.
excéder [ɛksede] v. tr. [dépasser] eccedere, superare. | *excéder ses pouvoirs,* oltrepassare i propri poteri. || [exaspérer] esasperare.
excellence [ɛksɛlɑ̃s] f. eccellenza. | *par excellence,* per eccellenza. || [titre] Eccellenza.
excellent, e [ɛksɛlɑ̃, ɑ̃t] adj. eccellente, ottimo.
exceller [ɛksele] v. intr. (à, en) eccellere (in).
excentricité [ɛksɑ̃trisite] f. eccentricità.
excentrique [ɛksɑ̃trik] adj. et n. eccentrico. ◆ m. TECHN. eccentrico.
excepté, e [ɛksɛpte] adj. eccettuato. ◆ prép. eccetto, salvo, tranne. ◆ *excepté que,* eccetto che, salvo (il fatto) che.
excepter [ɛksɛpte] v. tr. eccettuare ; prescindere (da) v. intr.
exception [ɛksɛpsjɔ̃] f. eccezione. | *exception faite pour,* ad eccezione di ; prescindendo da, a prescindere da. | *loi, tribunal d'exception,* legge, tribunale speciale. ◆ *à l'exception de,* ad eccezione di, eccetto, tranne, fuorché.
exceptionnel, elle [ɛksɛpsjɔnɛl] adj. eccezionale.
excès [ɛksɛ] m. eccesso, eccedenza f. | *excès de langage,* intemperanza (f.) di linguaggio ◆ *à l'excès,* all'eccesso ; oltremodo.
excessif, ive [ɛksɛsif, iv] adj. eccessivo.
excitant, e [ɛksitɑ̃, ɑ̃t] adj. et m. eccitante.
excitation [ɛksitasjɔ̃] f. eccitazione, eccitamento m. || FIG. [incitation] incitamento m.
exciter [ɛksite] v. tr. eccitare. || [encourager] eccitare, istigare, aizzare. || [provoquer] eccitare, suscitare. ◆ v. pr. eccitarsi.
exclamation [ɛksklamasjɔ̃] f. esclamazione | *point d'exclamation,* punto esclamativo.
exclamer (s') [sɛksklame] v. pr. esclamare v. intr.
exclu, e [ɛkskly] adj. escluso.
exclure [ɛksklyr] v. tr. (de) escludere (da).
exclusif, ive [ɛksklyzif, iv] adj. esclusivo. ◆ f. esclusiva.
exclusion [ɛksklyzjɔ̃] f. esclusione. ◆ *à l'exclusion de,* ad esclusione di, tranne, fuorché.
exclusivement [ɛksklyzivmɑ̃] adv. esclusivamente. || [non compris] escluso adj.
exclusivité [ɛksklyzivite] f. esclusività. || COMM. esclusiva. | *film en exclusivité,* film in esclusiva.
excommunication [ɛkskɔmynikasjɔ̃] f. scomunica.
excommunier [ɛkskɔmynje] v. tr. scomunicare.
excrément [ɛkskremɑ̃] m. escremento.
excroissance [ɛkskrwasɑ̃s] f. escrescenza.
excursion [ɛkskyrsjɔ̃] f. escursione, gita.
excursionner [ɛkskyrsjɔne] v. intr. fare un'escursione, una gita.
excursionniste [ɛkskyrsjɔnist] n. escursionista.
excuse [ɛkskyz] f. scusa. | *fournir des excuses,* addurre scuse. | *présenter ses excuses,* chiedere scusa. | *pour mon excuse,* a mia scusante, a mia discolpa.
excuser [ɛkskyze] v. tr. scusare, discolpare, scagionare. ◆ v. pr. (de qch. auprès de qn) scusarsi (per qlco. con qlcu.), chiedere scusa (per qlco. a qlcu). || [décliner une invitation] disdire (un invito).
exécrable [ɛgzekrabl] adj. esecrabile, esecrando || [très mauvais] pessimo.
exécrer [ɛgzekre] v. tr. esecrare, detestare.
exécutable [ɛgzekytabl] adj. eseguibile.
exécutant, e [ɛgzekytɑ̃, ɑ̃t] n. esecutore, trice.
exécuter [ɛgzekyte] v. tr. eseguire, attuare, effettuare. || [promesse] adempire. || [mettre à mort] giustiziare. || [critiquer] stroncare. ◆ v. pr. decidersi, rassegnarsi, ubbidire. || [payer] pagare.
exécuteur, trice [ɛgzekytœr, tris] n. esecutore, trice.
exécutif, ive [ɛgzekytif, iv] adj. et m. esecutivo.

exécution [ɛgzekysjɔ̃] f. esecuzione, attuazione. | *mettre à exécution,* mandare ad effetto. || [mise à mort] esecuzione (capitale). || [critique] stroncatura.
exemplaire [ɛgzɑ̃plɛr] adj. esemplare. ◆ m. esemplare, copia f.
exemple [ɛgzɑ̃pl] m. esempio. ◆ *par exemple,* per, ad esempio. || FAM. *par exemple !,* questa poi !, diamine !
exempt, e [ɛgzɑ̃, ɑ̃t] adj. (de) esente (da). || privo (di), immune (di).
exempter [ɛgzɑ̃te] v. tr. (de) esentare (da), esonerare (da), dispensare (da).
exemption [ɛgzɑ̃psjɔ̃] f. esenzione, esonero m.
exercé, e [ɛgzɛrse] adj. (en) esercitato (a, in), esperto (in) ; provetto.
exercer [ɛgzɛrse] v. tr. esercitare, addestrare (a, in). || [profession] esercitare, professare. || [action, droit] esercitare. ◆ v. pr. esercitarsi, addestrarsi, allenarsi.
exercice [ɛgzɛrsis] m. esercizio, esercitazione f. || *en exercice,* in funzione f., in attività f. || [financier] esercizio. || [militaire] esercitazione f., istruzione f.
exhalaison [ɛgzalɛzɔ̃] f. esalazione.
exhaler [ɛgzale] v. tr. esalare, emanare. || FIG. sfogare. ◆ v. pr. esalare, diffondersi.
exhaussement [ɛgzosmɑ̃] m. soprelevazione f.
exhausser [ɛgzose] v. tr. alzare, (sopr)elevare.
exhaustif, ive [ɛgzostif, iv] adj. esauriente.
exhiber [ɛgzibe] v. tr. esibire, presentare. || FIG. fare sfoggio di. ◆ v. pr. esibirsi, mettersi in mostra.
exhibition [ɛgzibisjɔ̃] f. esibizione, presentazione.
exhibitionnisme [ɛgzibisjɔnism] m. esibizionismo.
exhortation [ɛgzɔrtasjɔ̃] f. esortazione.
exhorter [ɛgzɔrte] v. tr. esortare.
exhumer [ɛgzyme] v. tr. (ri)esumare.
exigeant, e [ɛgziʒɑ̃, ɑ̃t] adj. esigente.
exigence [ɛgziʒɑ̃s] f. esigenza, pretesa.
exiger [ɛgziʒe] v. tr. esigere, pretendere. || FIG. esigere, necessitare.
exigu, ë [ɛgzigy] adj. esiguo.
exil [ɛgzil] m. esilio.
exilé, e [ɛgzile] n. esiliato, a ; esule.
exiler [ɛgzile] v. tr. esiliare. ◆ v. pr. esiliarsi.
existant, e [ɛgzistɑ̃, ɑ̃t] adj. esistente. || [en vigueur] vigente.
existence [ɛgzistɑ̃s] f. esistenza, vita. | *moyens d'existence,* mezzi di sussistenza.
existentialisme [ɛgzistɑ̃sjalism] m. PHILOS. esistenzialismo.
exister [ɛgziste] v. intr. esistere, vivere. ◆ v. impers. *il existe des cas où,* ci sono, esistono casi in cui.
exode [ɛgzɔd] m. esodo.
exonération [ɛgzɔnerasjɔ̃] f. esonero m., esenzione, dispensa.
exonérer [ɛgzɔnere] v. tr. (de) esonerare (da), esentare (da).
exorbitant, e [ɛgzɔrbitɑ̃, ɑ̃t] adj. esorbitante.
exorciser [ɛgzɔrsize] v. tr. esorcizzare.
exorde [ɛgzɔrd] m. esordio.
exotique [ɛgzɔtik] adj. esotico.
exotisme [egzotism] m. esotismo, esoticità f.
expansé, e [ɛkspɑ̃se] adj. espanso.
expansif, ive [ɛkspɑ̃sif, iv] adj. espansivo.
expansion [ɛkspɑ̃sjɔ̃] f. espansione.
expatrier (s') [sɛkspatrije] v. pr. espatriare v. intr.
expectative [ɛkspɛktativ] f. aspettativa, attesa | *dans l'expectative,* in aspettativa, in attesa.
expectorer [ɛkspɛktɔre] v. tr. espettorare.
expédient [ɛkspedjɑ̃] m. espediente.
expédier [ɛkspedje] v. tr. spedire, mandare, inviare. | *envoyer par la poste,* spedire per posta. || FAM. [qn] sbalestrare, sbarazzarsi di. || [vivement] *expédier une affaire,* sbrigare una faccenda. || *expédier les affaires courantes,* disbrigare gli affari di ordinaria amministrazione. || [acte administratif, judiciaire] rilasciare copia conforme di.
expéditeur, trice [ɛkspeditœr, tris] n. speditore, trice, mittente.
expéditif, ive [ɛkspeditif, iv] adj. sbrigativo, spiccio.
expédition [ɛkspedisjɔ̃] f. spedizione, invio m. || [exécution] disbrigo m. || ADM., JUR. rilascio (m.) di copia conforme.
expéditionnaire [ɛkspedisjɔnɛr] adj. *corps expéditionnaire,* corpo di spedizione. ◆ m. ADM. copista. || COMM. spedizioniere.
expérience [ɛksperjɑ̃s] f. esperienza. || [essai] esperimento m., esperienza.
expérimental, e, aux [ɛksperimɑ̃tal, o] adj. sperimentale.
expérimentateur, trice [ɛksperimɑ̃tatœr, tris] n. sperimentatore, trice.
expérimenté, e [ɛksperimɑ̃te] adj. sperimentato, esperto, provetto.
expérimenter [ɛksperimɑ̃te] v. tr. sperimentare. || ABS. fare esperimenti.
expert, e [ɛkspɛr, ɛrt] adj. esperto, provetto. ◆ m. esperto, perito. | *expert-comptable,* ragioniere.
expertise [ɛkspɛrtiz] f. perizia. || [estimation] stima, valutazione.

expertiser [ɛkspɛrtize] v. tr. periziare, autenticare. ‖ [estimer] periziare, stimare, valutare.

expiable [ɛkspjabl] adj. espiabile.

expiation [ɛkspjasjɔ̃] f. espiazione.

expier [ɛkspje] v. tr. espiare.

expiration [ɛkspirasjɔ̃] f. espirazione. ‖ [terme] scadenza, termine m.

expirer [ɛkspire] v. tr. espirare. ◆ v. intr. spirare, morire. ‖ [arriver à terme] scadere, spirare.

explétif, ive [ɛkspletif, iv] adj. espletivo.

explicatif, ive [ɛksplikatif, iv] adj. esplicativo.

explication [ɛksplikasjɔ̃] f. spiegazione ; chiarimento m., precisazione.

explicite [ɛksplisit] adj. esplicito.

expliciter [ɛksplisite] v. tr. esplicitare, chiarire, spiegare.

expliquer [ɛksplike] v. tr. spiegare, commentare, interpretare. ◆ v. pr. spiegarsi. ‖ FAM. [se battre] battersi (L. C.).

exploit [ɛksplwa] m. prodezza f., impresa f., gesta f. pl.

exploitant, e [ɛksplwatɑ̃, ɑ̃t] n. *exploitant agricole,* imprenditore agricolo. ‖ [cinéma] gestore (di un cinema).

exploitation [ɛksplwatasjɔ̃] f. sfruttamento m. ‖ [agricole, forestière] azienda. ‖ COMM. gestione. ‖ MIN. sfruttamento m., coltivazione.

exploiter [ɛksplwate] v. tr. [tirer profit de] sfruttare. ‖ COMM. gestire. ‖ MIN. sfruttare, coltivare. ‖ FIG. [renseignements] sfruttare.

exploiteur, euse [ɛksplwatœr, øz] n. sfruttatore, trice.

explorateur, trice [ɛksplɔratœr, tris] n. esploratore, trice.

exploration [ɛksplɔrasjɔ̃] f. esplorazione. ‖ FIG. esame m.

exploratoire [ɛksplɔratwar] adj. esplorativo, esploratorio.

explorer [ɛksplɔre] v. tr. esplorare. ‖ [fouiller] perlustrare. ‖ [blessure] esplorare. ‖ FIG. esaminare.

exploser [ɛksploze] v. intr. esplodere, scoppiare. ‖ [de colère] sbottare.

explosif, ive [ɛksplozif, iv] adj. et m. esplosivo.

explosion [ɛksplozjɔ̃] f. esplosione, scoppio m.

exportateur, trice [ɛkspɔrtatœr, tris] adj. et n. esportatore, trice.

exportation [ɛkspɔrtasjɔ̃] f. esportazione.

exporter [ɛkspɔrte] v. tr. esportare.

exposant, e [ɛkspozɑ̃, ɑ̃t] adj. espositore, trice. ◆ m. MATH. esponente.

exposé [ɛkspoze] m. esposizione f., relazione f., esposto. ‖ UNIV. esercitazione f. (orale, scritta).

exposer [ɛkspoze] v. tr. PR. et FIG. esporre. ◆ v. pr. esporsi.

exposition [ɛkspozisjɔ̃] f. esposizione. | [d'art] mostra, esposizione.

1. exprès [ekspres] adj. et m. inv. [lettre, colis] espresso.

2. exprès [ɛksprɛ] adv. apposta, espressamente. | *tout exprès,* a bella posta.

exprès, esse [ɛksprɛ, ɛs] adj. espresso, formale, esplicito.

1. express [ɛksprɛs] adj. et m. inv. TR. espresso m. ‖ AUT. *voie express,* autostrada di città.

2. express adj. et m. inv. [café] espresso m.

expressif, ive [ɛksprɛsif, iv] adj. espressivo.

expression [ɛksprɛsjɔ̃] f. espressione. | *au-delà de toute expression,* indicibile adj.

exprimable [ɛksprimabl] adj. esprimibile.

exprimer [ɛksprime] v. tr. [extraire] spremere. ‖ FIG. esprimere, manifestare. ◆ v. pr. esprimersi.

expropriation [ɛksprɔprijasjɔ̃] f. espropriazione, esproprio m.

exproprier [ɛksprɔprije] v. tr. espropriare.

expulser [ɛkspylse] v. tr. (de) espellere (da), cacciar fuori (da). ‖ JUR. [locataire] sfrattare.

expulsion [ɛkspylsjɔ̃] f. espulsione, cacciata. ‖ JUR. sfratto m.

expurger [ɛkspyrʒe] v. tr. espurgare.

exquis, e [ɛkski, iz] adj. squisito.

exsangue [ɛksɑ̃g] adj. esangue, dissanguato.

extase [ɛkstaz] f. estasi | *tomber en extase,* andare, cadere in estasi.

extasier (s') [sɛkstazje] v. pr. estasiarsi.

extenseur [ɛkstɑ̃sœr] adj. et m. estensore.

extensible [ɛkstɑ̃sibl] adj. estensibile.

extensif, ive [ɛkstɑ̃sif, iv] adj. estensivo.

extension [ɛkstɑ̃sjɔ̃] f. estensione. | *par extension,* per estensione. ‖ FIG. estensione, espansione.

exténuant, e [ɛkstenɥɑ̃, ɑ̃t] adj. estenuante, spossante.

exténuer [ɛkstenɥe] v. tr. estenuare, spossare.

extérieur, e [ɛksterjœr] adj. esterno, esteriore. ‖ [étranger] estero. ◆ m. esterno. ‖ [apparence] apparenza f., aspetto. ‖ [étranger] estero. ‖ *à l'exté-*

rieur, all'esterno, fuori ; all'estero. ◆ m. pl. CIN. esterni.

extérioriser [ɛksterjɔrize] v. tr. esternare, estrinsecare, manifestare esteriormente ; esteriorizzare (rare).

extermination [ɛkstɛrminasjɔ̃] f. sterminio m.

exterminer [ɛkstɛrmine] v. tr. sterminare.

externat [ɛkstɛrna] m. esternato.

externe [ɛkstɛrn] adj. et m. esterno.

extincteur [ɛkstɛ̃ktœr] m. estintore.

extinction [ɛkstɛ̃ksjɔ̃] f. estinzione. || *extinction de voix,* perdita di voce.

extirper [ɛkstirpe] v. tr. estirpare, sradicare.

extorquer [ɛkstɔrke] v. tr. estorcere, carpire.

extorsion [ɛkstɔrsjɔ̃] f. estorsione.

extra [ɛkstra] adj. inv. et m. inv. FAM. extra.

extraction [ɛkstraksjɔ̃] f. estrazione.

extrader [ɛkstrade] v. tr. JUR. estradare.

extradition [ɛkstradisjɔ̃] f. estradizione.

extrafin, e [ɛkstrafɛ̃, in] adj. extrafino, sopraffino.

extraire [ɛkstrɛr] v. tr. estrarre.

extrait [ɛkstrɛ] m. CHIM. estratto, essenza f. || [passage] brano, passo. || JUR. *extrait de naissance,* estratto dell'atto di nascita. | *extrait de casier judiciaire,* fedina (f.) penale.

extraordinaire [ɛkstraɔrdinɛr] adj. straordinario, eccezionale.

extravagance [ɛkstravagɑ̃s] f. stravaganza.

extravagant, e [ɛkstravagɑ̃, ɑ̃t] adj. et n. stravagante.

extrême [ɛkstrɛm] adj. estremo, sommo. || [excessif] eccessivo, smisurato. || REL. *extrême-onction,* estrema unzione. ◆ m. estremo. ◆ *à l'extrême,* all'estremo, oltremodo.

extrémisme [ɛkstremism] m. estremismo, oltranzismo.

extrémiste [ɛkstremist] adj. estremistico. ◆ n. estremista, oltranzista.

extrémité [ɛkstremite] f. estremità. || *à toute extrémité,* in fin di vita. || [attitude extrême] estremo m., eccesso m.

exubérance [ɛgzyberɑ̃s] f. esuberanza.

exubérant, e [ɛgzyberɑ̃, ɑ̃t] adj. esuberante.

exultation [ɛgzyltasjɔ̃] f. esultanza, tripudio m.

exulter [ɛgzylte] v. intr. esultare.

exutoire [ɛgzytwar] m. MÉD. esutorio. || TECHN. scaricatoio. || FIG. diversivo, sfogo.

f [ɛf] m. f. m. ou f.

fa [fa] m. inv. MUS. fa.

fable [fabl] f. favola. || [invention] fandonia, frottola, fola. || [risée] favola, zimbello m.

fabricant, e [fabrikɑ̃, ɑ̃t] n. fabbricante.

fabrication [fabrikasjɔ̃] f. fabbricazione, lavorazione.

fabrique [fabrik] f. fabbrica.

fabriquer [fabrike] v. tr. fabbricare. || FIG. inventare di sana pianta.

fabuleux, euse [fabylø, øz] adj. favoloso.

façade [fasad] f. facciata.

face [fas] f. ANAT. faccia, viso m., volto m. || [côté] faccia, lato m. || [monnaie] diritto m. || FIG. faccia, aspetto m. || LOC. *faire face à,* far fronte a ; affrontare, fronteggiare. ◆ *de face,* di faccia, di fronte. | *en face,* di fronte, in faccia. | *face à face,* a faccia a faccia. | *en face de,* di fronte a, dirimpetto a.

facétieux, euse [fasesjø, øz] adj. faceto, scherzoso.

facette [fasɛt] f. faccetta.

fâché, e [fɑʃe] adj. arrabbiato, adirato. || [contrarié] spiacente.

fâcher [fɑʃe] v. tr. irritare, spazientire. || [contrarier] contrariare, affliggere. ◆ v. pr. (contre) arrabbiarsi (con) ; (avec) litigare (con).

fâcherie [fɑʃri] f. screzio m.

fâcheux, euse [fɑʃø, øz] adj. [chose] increscioso, spiacevole. || [personne] importuno, fastidioso.

facial, e, aux [fasjal, o] adj. facciale.

faciès [fasjɛs] m. MÉD. facies f. inv. || [physionomie] aspetto, faccia f., viso, maschera f.

facile [fasil] adj. facile, agevole. || [style] scorrevole, facile. | *avoir la plume, la parole facile,* scrivere con facilità ; aver la parola facile.

facilité [fasilite] f. facilità. || [style] scorrevolezza. || [aptitude] facilità, attitudine. || [caractère] facilità, affabilità. ◆ pl. facilitazioni, agevolazioni.

faciliter [fasilite] v. tr. facilitare, agevolare.

façon [fasɔ̃] f. modo m., maniera. ◆ pl. [comportement] maniere, modi, cerimonie, complimenti m. | *sans façon(s),* senza complimenti ; alla buona. ◆ *de quelle façon ?,* come ?, con quale mezzo ? | *de cette façon,* in questo modo. | *de toute façon,* in ogni, ad ogni modo ; comunque. | *en aucune façon,* in nessun modo. | *d'une façon générale,* in linea di massima. | *de façon que,* di modo che. | *de façon à,* in modo da. | *à la façon de,* alla maniera di.

faconde [fakɔ̃d] f. facondia, loquacità.

façonner [fasɔne] v. tr. [donner une forme] foggiare. || [fabriquer] lavorare. || FIG. [éduquer] plasmare, formare.

fac-similé [faksimile] m. facsimile.

facteur [faktœr] m. MUS. fabbricante di strumenti musicali. || [postes] postino ; portalettere inv. || FIG. fattore. || MATH. fattore.

factice [faktis] adj. artificiale, finto. || FIG. fattizio, fittizio, artificioso.

faction [faksjɔ̃] f. MIL. guardia, fazione. | *être de faction,* essere di guardia. || POL. fazione.

factionnaire [faksjɔnɛr] m. sentinella f., soldato di guardia.

factotum [faktɔtɔm] m. factotum inv., tuttofare inv.

factum [factɔm] m. libello.

facture [faktyr] f. fattura.

facturer [faktyre] v. tr. fatturare.

facultatif, ive [fakyltatif, iv] adj. facoltativo. | *arrêt facultatif,* fermata a richiesta, fermata facoltativa.

faculté [fakylte] f. facoltà.

fadaises [fadɛz] f. pl. insulsaggini.

fade [fad] adj. scipito. || FIG. scipito, insulso, scialbo.

fading [fading] m. TÉL. evanescenza.

fagot [fago] m. fascina f., fastello.

fagoter [fagɔte] v. tr. FAM. infagottare.

faible [fɛbl] adj. debole. | [santé] cagionevole. | *faible d'esprit,* debole di mente. || [peu important] debole, lieve, leggero, scarso. ◆ m. debole.

faiblesse [fɛblɛs] f. debolezza. | [santé] cagionevolezza.

faiblir [fɛblir] v. intr. indebolirsi. || [vent] calare. || [forces] scemare.

faïence [fajɑ̃s] f. maiolica.

faille [faj] f. faglia. || FIG. incrinatura, difetto m.

failli, e [faji] adj. et n. fallito.

faillible [fajibl] adj. fallibile.

faillir [fajir] v. tr. ind. (à) mancare (a), venir meno (a). ◆ v. intr. [avec inf.] *j'ai failli tomber,* per poco non caddi ; poco mancò ch'io cadessi. || COMM. fallire.

faillite [fajit] f. fallimento m. | *faire faillite,* fare fallimento, andar fallito.

faim [fɛ̃] f. fame. | *souffrir de la faim,* patire la fame. | *manger à sa faim,* mangiare a sazietà. || FIG. fame, sete, brama.

fainéant, e [fɛneɑ̃, ɑ̃t] adj. infingardo.

faire [fɛr] v. tr. et intr. 1. [créer] fare, creare. || [mettre au monde] fare, figliare ; partorire (i suoi piccoli). || POP. *faire un enfant à une femme,* ingravidare una donna. || [fabriquer] fare, produrre. || MÉD. *faire de la fièvre, une grippe,* aver la febbre, l'influenza. 2. [exercer une activité, effectuer un travail] fare. | *que faire ?,* che cosa fare ? | *pour quoi faire ?,* per far che cosa ? | *il a bien, mal fait de,* ha fatto bene, male a. | *laissons faire,* lasciamo stare. | *faire des affaires,* trattare affari, essere negli affari. | *faire fortune,* far fortuna. | *faire ses études,* far gli studi. | *faire son droit,* far legge. | *faire du latin,* studiare il latino. | *faire la cuisine,* far la cucina, cucinare. | *faire son service militaire,* fare il soldato. || FAM. [voler] *faire les poches à qn,* alleggerire uno del portafoglio. || [voyager] *faire la Grèce,* visitare la Grecia. | *chemin faisant,* strada facendo. 3. [avoir de l'effet : médicament] essere efficace. || [importer] *ça ne me fait rien,* non mi fa niente. 4. [causer] *faire de la peine à qn,* dare un dispiacere a uno. | *faire du bien, du mal à qn,* fare del bene, del male a uno. || [transmettre] *fais-lui mes amitiés,* salutalo cordialmente. 5. [mesurer] *faire 4 mètres de long,* essere lungo 4 metri. | *faire 1 m 60 de haut,* essere alto 1 m e 60. | *faire 10 kilos,* pesare 10 chili. | *faire 3 litres,* contenere 3 litri. | *ce village fait 1 000 habitants,* questo paese conta 1 000 abitanti. | *faire du cent à l'heure,* fare i cento, andare ai cento all'ora. || [prix] fare, costare. 6. [entretenir : chambre, lit] fare. | [chaussures] pulire, lucidare. | [vaisselle] lavare, rigovernare. 7. [contrefaire] *faire le mort,* fare il morto. || [jouer un rôle] fare, recitare (la parte di). | *faire le fanfaron,* fare lo smargiasso. 8. [accoutumer] *être fait au travail,* essere abituato, assuefatto al lavoro. 9. [dire (en incise)] fare, dire. 10. (+ inf.) *faire tomber,* far cadere. 11. [substitut] *il écrit mieux que tu ne fais,* scrive meglio di te. ◆ v. impers. *il fait jour,* è giorno. | *il fait beau,* è bel tempo. | *il fait chaud,* fa caldo. | *il fait bon,* si sta bene. ◆ v. pr. [pass.] *cela ne se fait pas,* questo non si fa, non sta bene. || [réfl.] farsi, divenire. | *se faire vieux,* farsi vecchio, invecchiare. || [advenir] *comment se fait-il que ?,* come va che ? || *se faire à,* abituarsi a, assuefarsi a. || FAM. *s'en faire,* guastarsi il sangue.

faire-part [fɛrpar] m. inv. partecipazione f.

faisable [fəzabl] adj. fattibile.

faisan [fəzɑ̃] m. fagiano.

faisandé, e [fəzɑ̃de] adj. frollo, infrollato.

faisane [fəzan] adj. et f. fagiana f.

faisceau [fɛso] m. fascio. || FIG. [de preuves] insieme.

faiseur, euse [fəzœr, øz] n. facitore, trice | *un bon faiseur,* un buon sarto. || FIG. intrigante ; maneggione, a.

fait [fɛ ou fɛt] m. fatto. | *hauts faits,* gesta f. pl. | *faits et gestes,* vita, morte e miracoli. | *prendre fait et cause pour,* schierarsi dalla parte di. | *être le fait de,* essere proprio di. | *faits divers,* (fatti di) cronaca f. ; cronaca nera. | *c'est un fait,* è un dato di fatto. | *aller droit au fait,* andare subito al sodo. | *être au fait de,* essere al corrente di. ◆ *au fait,* insomma ; a proposito. | *de, en fait, par le fait,* in realtà, effettivamente. | *tout à fait,* del tutto, affatto. || *en fait de,* in fatto di, in quanto a. | *du fait que,* per il fatto che, dato che, dal momento che.

fait, e [fɛ, fɛt] adj. fatto. | *homme fait,* uomo fatto, maturo. | *travail tout fait,* lavoro bell'e fatto. | *idées toutes faites,* idee preconcette. | *fromage fait,* formaggio stagionato. | *(c'est) bien fait pour toi,* ben ti sta.

faîte [fɛt] m. colmo, fastigio. | *ligne de faîte,* linea di fastigio. || [arbre, montagne] cima f., vetta f. || FIG. apice, culmine.

fait-tout [fɛtu] m. inv. pentola f.

faix [fɛ] m. peso, carico, fardello. || FIG. fardello, onere.

fakir [fakir] m. fachiro.

falaise [falɛz] f. falesia.

fallacieux, euse [falasjø, øz] adj. fallace.

falloir [falwar] v. impers. [avec un nom] occorrere ; volerci ; aver bisogno di. | *il te faut de l'argent, trois livres,* ti occorre, ti ci vuole denaro, hai bisogno di denaro ; ti occorrono, ti ci vogliono tre libri, hai bisogno di tre libri. | *plus qu'il n'en faut,* più del necessario. || [avec un verbe] bisognare, occorrere. | *il faut avoir de l'argent,* bisogna, occorre aver denaro. | *encore faut-il que,* a condizione che. || ABS. [convenir] *comme il faut,* come si deve, per bene. | *la réponse qu'il fallait,* la risposta che occorreva, che ci voleva. ◆ v. pr. impers. *s'en falloir,* mancare. | *peu s'en faut,* poco ci manca. | *peu s'en fallut qu'il ne mourût,* ci mancò poco che morisse. | *tant s'en faut que,* essere ben lungi dal (+ inf.). | *tant s'en faut,* tutt'altro.

falsifier [falsifje] v. tr. falsificare, adulterare.

famélique [famelik] adj. famelico.

fameusement [famøzmɑ̃] adv. FAM. estremamente.

fameux, euse [famø, øz] adj. famoso. || FAM. ottimo, eccellente. || IRON. [imbécile] perfetto. | *ce n'est pas fameux !,* non è un gran che !

familial, e, aux [familjal, o] adj. fami(g)liare.

familiariser [familjarize] v. tr. rendere fami(g)liare. ◆ v. pr. (avec) familiarizzarsi (con).

familiarité [familjarite] f. familiarità, dimestichezza.

familier, ère [familje, ɛr] adj. familiare. ◆ m. [ami] intimo ; [habitué] cliente (abituale).

famille [famij] f. famiglia. | *membres de la famille,* familiari. | *chef de famille,* capofamiglia.

famine [famin] f. carestia.

fan [fan] m. fan n. inv., tifoso.

fanal, aux [fanal, o] m. fanale.

fanatique [fanatik] adj. et n. fanatico.

fanatisme [fanatism] m. fanatismo.

fané, e [fane] adj. [plante] appassito, avvizzito. || [couleur, étoffe] sbiadito. || [beauté, visage] sfiorito, sciupato.

faner [fane] v. tr. [foin] rivoltare. || [couleur, étoffe] sbiadire. ◆ v. pr. appassire, avvizzire ; sbiadire ; sfiorire, sciuparsi.

faneur, euse [fanœr, øz] n. AGR. chi rivolta il fieno. ◆ f. [machine] voltafieno m. inv.

fanfare [fɑ̃far] f. fanfara. || [société musicale] banda.

fanfaron, onne [fɑ̃farɔ̃, ɔn] adj. millantatore, trice. ◆ n. fanfarone, a ; millantatore, trice.

fanfaronnade [fɑ̃farɔnad] f. fanfaronata.

fanfreluche [fɑ̃frəlyʃ] f. fronzolo m.

fange [fɑ̃ʒ] f. fango m., melma.

fangeux, euse [fɑ̃ʒø, øz] adj. fangoso, melmoso.

fanion [fanjɔ̃] m. bandierina f., gagliardetto.

fantaisie [fɑ̃tezi] f. fantasia, immaginazione, estro m. || [caprice] fantasia, capriccio m.

fantaisiste [fɑ̃tezist] adj. fantasioso, estroso. ◆ n. TH. fantasista.

fantasme [fɑ̃tasm] m. fantasma.

fantasque [fɑ̃task] adj. lunatico, bizzarro.

fantassin [fɑ̃tasɛ̃] m. fante ; fantaccino (fam.).

fantastique [fɑ̃tastik] adj. fantastico.

fantoche [fɑ̃tɔʃ] m. fantoccio. ◆ adj. *gouvernement fantoche,* governo fantoccio.

fantôme [fɑ̃tom] m. fantasma.

faon [fɑ̃] m. [cerf] cerbiatto ; [chevreuil, daim] piccolo (del capriolo, del daino).

faramineux, euse [faraminø, øz] adj. FAM. sbalorditivo (L. C.).

farce [fars] f. farsa. || [tour joué] scherzo m., burla, beffa. || CULIN. farcia, ripieno.

farceur, euse [farsœr, øz] n. burlone, a.

farcir [farsir] v. tr. farcire. || FIG. infarcire.
fard [far] m. belletto, trucco. | [d'acteur] cerone.
fardeau [fardo] m. fardello, carico, peso.
farder [farde] v. tr. imbellettare, truccare. || FIG. mascherare, camuffare. ◆ v. pr. imbellettarsi, truccarsi.
farfelu, e [farfəly] adj. FAM. balzano, bislacco.
farfouiller [farfuje] v. intr. FAM. (**dans**) frugacchiare (in), rovistare v. tr.
farine [farin] f. farina.
farineux, euse [farinø, øz] adj. farinoso. || [couvert de farine] infarinato. ◆ m. farinaceo.
farouche [faruʃ] adj. selvatico. || [peu sociable] scontroso. || [cruel] feroce, truce, selvaggio.
fascicule [fasikyl] m. fascicolo, dispensa f. || MIL. *fascicule de mobilisation,* preavviso di destinazione.
fascinant, e [fasinɑ̃, ɑ̃t] adj. fascinoso.
fascination [fasinasjɔ̃] f. fascino m.
fasciner [fasine] v. tr. affascinare.
fascisme [fasism, faʃism] m. fascismo.
fasciste [fasist, faʃist] adj. et n. fascista.
faste [fast] m. fasto, sfarzo.
fastidieux, euse [fastidjø, øz] adj. fastidioso.
fastueux, euse [fastɥø, øz] adj. fastoso, sfarzoso.
fat [fa(t)] adj. fatuo, vanesio. ◆ m. vanesio.
fatal, e, als [fatal] adj. fatale.
fatalisme [fatalism] m. fatalismo.
fataliste [fatalist] n. fatalista. ◆ adj. fatalistico.
fatalité [fatalite] f. fatalità, fato m.
fatidique [fatidik] adj. fatidico.
fatigant, e [fatigɑ̃, ɑ̃t] adj. faticoso, stancante. || [ennuyeux] noioso, stucchevole.
fatigue [fatig] f. fatica, stanchezza. | *mort de fatigue,* stanco morto.
fatigué, e [fatige] adj. stanco, affaticato. || [défraîchi] sciupato, malandato.
fatiguer [fatige] v. tr. stancare, affaticare. ◆ v. intr. [peiner] faticare. ◆ v. pr. (à) stancarsi (a), affaticarsi (a).
fatras [fatra] m. guazzabuglio, farragine f.
fatuité [fatɥite] f. fatuità.
faubourg [fobur] m. sobborgo, periferia f.
fauché, e [foʃe] adj. FAM. squattrinato.
faucher [foʃe] v. tr. falciare.
faucheur, euse [foʃœr, øz] n. falciatore, trice. ◆ f. falciatrice.
faucille [fosij] f. falce messoria, falciola, falcetto m.
faucon [fokɔ̃] m. falco, falcone.
faufiler (se) [səfofile] v. pr. intrufolarsi, infilarsi.
1. faune [fon] m. MYTH. fauno.
2. faune f. ZOOL. fauna.
faussaire [fosɛr] m. falsario.
fausser [fose] v. tr. [objet] storcere. || [voix] alterare. || FIG. falsare, alterare. || FAM. *fausser compagnie à qn,* piantare in asso qlcu.
fausseté [foste] f. falsità.
faute [fot] f. colpa, fallo m. sbaglio m., errore m. | *à qui la faute ?,* di chi è la colpa ? | *c'est (de) ma faute,* è colpa mia. || *faute d'impression,* refuso m. || SP. fallo m. || *ne pas se faire faute de,* non mancare di, non fare a meno di. ◆ *faute de,* in, per mancanza di ; *faute de mieux,* in mancanza di meglio. | *sans faute,* senz'altro, senza fallo.
fauter [fote] v. intr. FAM. [d'une femme] cedere, lasciarsi sedurre.
fauteuil [fotœj] m. poltrona f. | *fauteuil d'orchestre,* poltrona di platea. | *fauteuil d'invalide,* carrozzella f. || FIG. *occuper le fauteuil,* presiedere.
fauteur [fotœr] m. *fauteur de troubles,* sobillatore.
fautif, ive [fotif, iv] adj. et n. [coupable] colpevole. ◆ adj. [erroné] scorretto, errato.
fauve [fov] adj. fulvo. ◆ m. [bête] belva f., fiera f., fulvo.
fauvette [fovɛt] f. silvia ; [à tête noire] capinera.
faux [fo] f. falce (fienaia).
faux, fausse [fo, fos] adj. [erroné] falso. | [nouvelle, témoignage] falso. | [idée] sbagliato. | [espérance, promesse] fallace, falso. || PR. et FIG. *faux pas,* falso passo. || [imité : fenêtre ; naïveté, pudeur] finto. | [attaque] simulato. || [qui n'est pas juste : note] falso ; [voix, piano] stonato ; [vers] sbagliato. || LOC. *faire faux bond,* mancare a un impegno, a una promessa, a un appuntamento. ◆ adv. falso. | *chanter faux,* cantar falso, stonare. | *à faux,* [injustement] a torto ; [de travers] in fallo. ◆ m. falso.
faux-fuyant [fofɥijɑ̃] m. scappatoia f., sotterfugio.
faux-monnayeur [fomɔnɛjœr] m. falsario.
faux-semblant [fosɑ̃blɑ̃] m. finzione f.
faveur [favœr] f. favore. || [ruban] nastrino m. ◆ *à la faveur de,* col favore di. | *en faveur de,* [au profit de] in favore di ; [en considération de] in considerazione di.
favorable [favɔrabl] adj. favorevole.
favori, ite [favɔri, it] adj. et n. favorito, prediletto. ◆ m. pl. favoriti, fedine f. pl. ◆ f. favorita.
favoriser [favɔrize] v. tr. favorire, assecondare.

favoritisme [favɔritism] m. favoritismo.
fayot [fajo] m. POP. fagiolo (L.C.).
fébrile [febril] adj. febbrile.
fécond, e [fekɔ̃, ɔ̃d] adj. fecondo.
fécondation [fekɔ̃dasjɔ̃] f. fecondazione.
féconder [fekɔ̃de] v. tr. fecondare.
fécondité [fekɔ̃dite] f. fecondità.
fécule [fekyl] f. fecola.
féculent, e [fekylɑ̃, ɑ̃t] adj. ricco di fecola.
fédéral, e, aux [federal, o] adj. federale.
fédération [federasjɔ̃] f. federazione.
fédérer [federe] v. tr. federare.
fée [fe] f. fata. | *conte de fées,* fiaba f.
féerie [fe(e)ri] f. FIG. incanto m.
féerique [fe(e)rik] adj. fiabesco.
feindre [fɛ̃dr] v. tr. fingere ; far finta.
feinte [fɛ̃t] f. finta.
fêler [fele] v. tr. incrinare ◆ v. pr. incrinarsi.
félicitation [felisitasjɔ̃] f. congratulazione, rallegramento m.
félicité [felisite] f. felicità.
féliciter [felisite] v. tr. congratularsi (con), rallegrarsi (con).
félin, e [felɛ̃, in] adj. et m. felino.
fêlure [felyr] f. incrinatura, crepa.
femelle [fəmɛl] adj. femmina, femminile. ◆ f. ZOOL. femmina.
féminin, e [feminɛ̃, in] adj. et m. femminile.
féminité [feminite] f. femminilità.
femme [fam] f. donna. | *femme de chambre,* cameriera. | *femme de ménage,* donna (a mezzo servizio, a ore). || *femme médecin,* dottoressa. || [épouse] moglie.
fémur [femyr] m. femore.
fenaison [fənɛzɔ̃] f. fienagione.
fendiller [fɑ̃dije] v. tr. screpolare.
fendre [fɑ̃dr] v. tr. fendere, spaccare. | [vagues] fendere, solcare. || FIG. [cœur] spezzare. | *à fendre l'âme,* da spezzare il cuore. ◆ v. pr. fendersi, spaccarsi.
fenêtre [fənɛtr] f. finestra. | [train] finestrino m. | *être, se mettre à la fenêtre,* stare, affacciarsi alla finestra.
fenouil [fənuj] m. finocchio.
fente [fɑ̃t] f. fessura, spacco m.
féodal, e, aux [feɔdal, o] adj. feudale.
fer [fɛr] m. ferro. | *fer à cheval,* ferro da cavallo. | *fer à repasser,* ferro da stiro. | *donner un coup de fer,* dare una stirata. | *fer à souder,* saldatoio. || LOC. FIG. *battre le fer quand il est chaud,* battere il ferro finché è caldo. ◆ pl. [d'un captif] ferri, ceppi.
fer-blanc [fɛrblɑ̃] m. latta f.
férié, e [ferje] adj. festivo.
férir [ferir] v. tr. *sans coup férir,* senza colpo ferire.

1. ferme [fɛrm] adj. sodo, saldo. || [ton] fermo ; [pas] sicuro. || FIN. [cours] fermo. | *achat ferme,* acquisto definitivo. || *terre ferme,* terraferma f. ◆ adv. sodo, duro.
2. ferme f. fattoria, masseria ; [habitation] casa colonica.
fermé, e [fɛrme] adj. chiuso. || [aux études] negato. || [visage] impenetrabile, ostile, chiuso. || LOC. *dormir à poings fermés,* dormire della grossa. | *à guichets fermés,* tutto esaurito.
ferment [fɛrmɑ̃] m. fermento.
fermentation [fɛrmɑ̃tasjɔ̃] f. fermentazione.
fermenter [fɛrmɑ̃te] v. intr. fermentare.
fermer [fɛrme] v. tr. et intr. chiudere. || FIG. *fermer la bouche à qn,* tappare la bocca a qlcu. | *fermer les yeux sur qch.,* chiudere un occhio su qlco.
fermeté [fɛrməte] f. saldezza. | [des chairs] sodezza. || FIG. fermezza, saldezza. || FIN. stabilità.
fermeture [fɛrmətyr] f. chiusura. | *fermeture Éclair,* cerniera lampo.
fermier, ère [fɛrmje, ɛr] n. fattore, a ; fattoressa f.
fermoir [fɛrmwar] m. fermaglio.
féroce [ferɔs] adj. feroce.
férocité [ferɔsite] f. ferocia.
ferraille [fɛraj] f. ferraglia. | *faire un bruit de ferraille,* sferragliare.
ferré, e [fere] adj. FIG., FAM. [savant] ferrato.
ferrer [fere] v. tr. ferrare. || [pêche] uncinare
ferret [fɛre] m. puntale.
ferreux, euse [fɛrø, øz] adj. ferroso.
ferronnerie [fɛrɔnri] f. [objets] lavori di ferro battuto.
ferroviaire [fɛrɔvjɛr] adj. ferroviario.
ferrure [fɛryr] f. guarnizione di ferro.
ferry-boat [fɛribot] m. (nave f.) traghetto.
fertile [fɛrtil] adj. fertile, fecondo.
fertiliser [fɛrtilize] v. tr. fertilizzare.
fertilité [fɛrtilite] f. fertilità, fecondità.
fervent, e [fɛrvɑ̃, ɑ̃t] adj. fervente, fervido. ◆ n. SP. appassionato, patito.
ferveur [fɛrvœr] f. fervore m.
fesse [fɛs] f. natica.
fessée [fese] f. sculacciata.
fesser [fese] v. tr. sculacciare, prendere a sculacciate.
festin [fɛstɛ̃] m. banchetto. || LITT. convito.
festival, als [fɛstival] m. festival inv.
feston [fɛstɔ̃] m. festone.
festoyer [fɛstwaje] v. intr. banchettare.
fêtard [fɛtar] m. FAM. gaudente, buontempone.
fête [fɛt] f. festa. | *petite fête,* festicciola. | *comité des fêtes,* comitato dei festeggiamenti. || [du saint] festa, ono-

mastico m. || *se faire une fête de,* rallegrarsi di. || *souhaiter la fête à qn,* augurare buona festa a qlcu. || *le chien fait fête à son maître,* il cane fa le feste al padrone. || POP. *faire la fête,* far baldoria, bisboccia.
fêter [fete] v. tr. festeggiare.
fétiche [fetiʃ] m. feticcio.
fétide [fetid] adj. fetido, fetente.
feu [fø] m. fuoco. | *feu de joie,* falò. | *demander du feu,* farsi accendere. | *mettre le feu à,* dare, appiccare il fuoco a. | *prendre feu,* prendere fuoco, andare in fiamme. | *en feu,* in fiamme. || [foyer] fuoco, focolare. | *coin du feu,* angolo del focolare. || [maison] fuoco, famiglia f. || [supplice] rogo. || [ardeur, fougue] fuoco, foga. f. || FIG. *faire la part du feu,* salvare il salvabile. | *n'y voir que du feu,* non capirci un'acca, un ette. | *faire long feu,* far cilecca, far fiasco. | *mettre à feu et à sang,* mettere a ferro e a fuoco. || [sensation de chaleur] bruciore, infiammazione f. || [signalisation routière] semaforo ; *feu rouge,* luce (f.) rossa. || FIG. *donner le feu vert,* dare via libera. || AUT. *(feu) clignotant,* lampeggiatore. | *feux de route,* abbaglianti m. pl. | *feux de croisement,* anabbaglianti. || MIL. *coup de feu,* sparo. | *faire feu,* far fuoco, sparare. | *aller au feu,* andare sulla linea del fuoco, al combattimento. | *feu roulant,* fuoco di fila. || TH. *les feux de la rampe,* le luci della ribalta.
feu, feue [fø] adj. defunto ; fu inv.
feuillage [fœjaʒ] m. fogliame.
feuille [fœj] f. BOT. foglia. || [papier] foglio m. | *feuille d'impôt,* modulo (m.) per la denuncia dei redditi. || TECHN. foglio, lastra, lamiera. || TYP. *bonnes feuilles,* primizia (di un'opera letteraria inedita).
feuillet [fœjɛ] m. foglietto.
feuilleté [fœjte] m. CULIN. pasta (f.) sfoglia.
feuilleter [fœjte] v. tr. sfogliare, scartabellare.
feuilleton [fœjtɔ̃] m. [rubrique] rubrica f. || [journal] puntata f. (di romanzo), appendice f.
feuillu, e [fœjy] adj. frondoso, foglioso.
feutre [føtr] m. feltro.
feutré, e [føtre] adj. infeltrito. || FIG. [bruit] attutito. | *à pas feutrés,* a passi felpati.
fève [fɛv] f. fava.
février [fevrije] m. febbraio.
fi ! [fi] interj. ohibò ! | *faire fi de qch.,* disdegnare, disprezzare qlco.
fiabilité [fjabilite] f. affidabilità.
fiable [fjabl] adj. affidabile.
fiacre [fjakr] m. carrozzella f.
fiançailles [fijɑ̃saj] f. pl. fidanzamento m.
fiancé, e [fjɑ̃se] n. fidanzato, a.
fiancer (se) [səfjɑ̃se] v. pr. *(à, avec)* fidanzarsi (con).
fiasco [fjasko] m. FAM. fiasco.
fiasque [fjask] f. fiasco m.
fibre [fibr] f. fibra.
fibreux, euse [fibrø, øz] adj. fibroso.
ficeler [fisle] v. tr. legare (con spago).
ficelle [fisɛl] f. spago m., funicella, cordicella. || FIG. *tirer les ficelles,* tenere le fila. | [du métier] trucchi m. pl.
fiche [fiʃ] f. ÉLECTR. spina. || [de carton] scheda. | *mise en fiche,* schedatura.
1. ficher [fiʃe] v. tr. piantare, (con)ficcare. || [mettre sur fiche] schedare.
2. ficher ou **fiche** [fiʃ] v. tr. FAM. [coup de poing] mollare. | *fiche à la porte,* sbattere fuori. | *fiche-moi la paix !,* non seccarmi ! | *fiche-moi le camp !,* togliti dai piedi ! | *ne rien fiche,* non far un cavolo. ◆ v. pr. *se fiche de qch.,* infischiarsi di qlco. | *se fiche de qn.,* sfottere qlcu. (pop.).
fichier [fiʃje] m. schedario.
fichu, e [fiʃy] adj. FAM. [mauvais] brutto, pessimo. | *fichu temps !,* tempo boia ! | *fichu caractère,* caratteraccio. || [perdu] spacciato, fritto. || [malade] *mal fichu,* ridotto male. || *ne pas être fichu de,* non essere capace di (L.C.). || LOC. FAM. *bien fichu, mal fichu,* [formé] ben piantato ; malfatto ; [habillé] ben vestito ; mal vestito.
fictif, ive [fiktif, iv] adj. fittizio.
fiction [fiksjɔ̃] f. finzione.
fidèle [fidɛl] adj. fedele. || [sûr] fidato. || [exact] fedele, esatto. ◆ m. fedele.
fidélité [fidelite] f. fedeltà. || RAD. *haute fidélité,* alta fedeltà.
fief [fjɛf] m. feudo.
fieffé, e [fjefe] adj. FAM. matricolato.
fiel [fjɛl] m. fiele.
fiente [fjɑ̃t] f. sterco m., escremento m.
fier, fière [fjɛr] adj. superbo, fiero. | *être fier de,* andar superbo di. || [noble] dignitoso, nobile. || PÉJOR. orgoglioso, altero.
fier (se) [səfje] v. pr. (à) fidarsi (di).
fierté [fjɛrte] f. fierezza. || PÉJOR. alterigia.
fièvre [fjɛvr] f. febbre.
fiévreux, euse [fjevrø, øz] adj. febbrile, febbricitante. || FIG. febbrile, affannoso.
fifre [fifr] m. piffero.
figé, e [fiʒe] adj. [sourire] stereotipato. || [société] fossilizzato.
figer [fiʒe] v. tr. rapprendere. || FIG. irrigidire. ◆ v. intr. et pr. rapprendersi. || FIG. irrigidirsi.
fignoler [fiɲɔle] v. tr. FAM. rifinire, leccare.
figue [fig] f. fico m.
figuier [figje] m. fico.

figurant, e [figyrɑ̃, ɑ̃t] n. TH. comparsa f., figurante.
figuratif, ive [figyratif, iv] adj. figurativo.
figuration [figyrasjɔ̃] f. figurazione. || TH. comparse f. pl. | *faire de la figuration,* fare la comparsa.
figure [figyr] f. [visage] faccia, viso m., volto m. | *en pleine figure,* in faccia. || FAM. *casser la figure à qn,* rompere la faccia, il muso a uno. | *se casser la figure,* [tomber] fare una caduta (L.C.) ; [échouer] far fiasco. || [apparence] aspetto m. || [personnalité] figura, personaggio m. || *donner figure à qch.,* dar forma a qlco. || [cartes, danse, rhétorique] figura. || LOC. *faire figure de,* fare la figura di, passare per. | *faire piètre, triste figure,* far brutta figura, una figuraccia. | *faire bonne figure,* far bella figura.
figuré, e [figyre] adj. figurato. | [sens] figurato, traslato. ◆ m. *au figuré,* in senso figurato, per traslato.
figurer [figyre] v. tr. figurare, raffigurare, rappresentare. ◆ v. intr. figurare. ◆ v. pr. figurarsi, immaginarsi.
fil [fil] m. filo, refe. | *fil à coudre,* filo per, da cucire ; cucirino. | *droit-fil,* drittofilo m. inv. | *fil à plomb,* filo a piombo. | *fil de fer barbelé,* filo spinato. || FAM. *coup de fil,* telefonata f., colpo di telefono. || [tranchant] filo, taglio. || [du bois] verso.
filament [filamɑ̃] m. filamento.
filasse [filas] f. filaccia, stoppa.
filature [filatyr] f. TEXT. filatura. || FIG. [police] pedinamento m.
file [fil] f. fila. | *en file, à la file,* di fila, in fila ; uno dietro l'altro.
filer [file] v. tr. filare. || [araignée] tessere. || [suivre] pedinare. || POP. dare (L.C.). || MAR. filare. ◆ v. intr. filare. || [maille] sfilarsi, smagliarsi. || FIG. [temps] scorrere. || *filer doux,* rigar diritto. || FAM. filare, filar via, sbattersela.
1. filet [filɛ] m. rete f. || [pour les cheveux] reticella f. || [broderie] filetto. || FIG. *coup de filet,* retata f.
2. filet m. [petite quantité] filo. || CULIN. filetto. || TECHN. [vis] filetto.
fileur, euse [filœr, øz] n. filatore, trice.
filial, e, aux [filjal, o] adj. filiale.
filiale [filjal] f. COMM. filiale.
filière [filjɛr] f. TECHN. filiera, trafila. || FIG. *suivre la filière,* seguire la trafila.
filigrane [filigran] m. filigrana f.
filin [filɛ̃] m. MAR. cavo, canapo.
fille [fij] f. [parenté] figlia ; [terme d'affection] figliola. | *avoir un garçon et deux filles,* avere un maschio e due femmine. || [non mariée] ragazza. | *petite fille,* bambina. | *jeune fille,* fanciulla, ragazza. | *vieille fille,* zitella. | *fille mère,* ragazza madre. || PÉJOR. donna di strada.
fillette [fijɛt] f. bambina, ragazzina.
filleul, e [fijœl] n. figlioccio, a.
film [film] m. film inv., pellicola f. | *film télévisé,* telefilm.
filmer [filme] v. tr. filmare.
filon [filɔ̃] m. MINÉR. filone, vena f. || FIG., FAM. canonicato, pacchia f. | *trouver le filon,* trovare la cuccagna.
filou [filu] m. mariolo.
filouter [filute] v. tr. rubare, truffare.
fils [fis] m. figlio ; [terme d'affection] figliolo. | *fils à papa,* figlio di papà. || FIG. *être le fils de ses œuvres,* essersi fatto da sé.
filtre [filtr] m. filtro.
filtrer [filtre] v. tr. et intr. filtrare. || FIG. setacciare, vagliare. | [nouvelle] filtrare, trapelare.
fin [fɛ̃] f. fine, termine m. | *faire une fin,* cambiar vita ; IRON. sposarsi. || COMM. *fin courant,* fine corrente (mese) ; a fine mese. ◆ *à la fin,* [pour conclure] in definitiva, alla fin fine ; [en dernier lieu] infine, alla fine ; [impatience] infine, finalmente. | *à cette fin,* a tal fine, a tale scopo. | *à toutes fins utiles,* per ogni evenienza, a buon conto. | *à seule fin de,* allo scopo di ; per.
fin, fine [fɛ̃, fin] adj. fine, fino ; [linge] fine ; [taille] sottile ; [or] fino ; [ouïe] fine ; [vin] pregiato. || FIG. fine. ◆ adv. minuto, sottile. | *fin prêt,* bell'e pronto. | *écrire fin,* scrivere sottile.
final, e, als [final] adj., m., f. finale.
finance [finɑ̃s] f. finanza. | *moyennant finance,* dietro pagamento.
financer [finɑ̃se] v. tr. finanziare.
financier, ère [finɑ̃sje, ɛr] adj. finanziario. ◆ m. finanziere.
finaud, e [fino, od] adj. astuto, furbo, fino.
fine [fin] f. acquavite (di qualità superiore).
finesse [finɛs] f. finezza, sottigliezza. || FIG. acutezza. ◆ pl. [de la langue] finezze.
finir [finir] v. tr. finire. ◆ v. tr. ind. (de) finire (di). ◆ v. intr. [cesser] finire, smettere. | *finir mal,* andare a finir male. | *finir en,* terminare a, finire in. | *finir par,* finire, terminare con. | *finir par trouver,* finire col trovare. || *en finir,* farla finita. | *en finir avec un travail,* finire, terminare un lavoro. | *à n'en plus finir,* che non finisce più.
fiole [fjɔl] f. fiala, boccetta. || POP. [tête] muso m.
firme [firm] f. ditta, azienda.
fisc [fisk] m. fisco.
fiscal, e, aux [fiskal, o] adj. fiscale.
fiscalité [fiskalite] f. fiscalità.
fissile [fisil] adj. fissile.
fission [fisjɔ̃] f. fissione.

fissure [fisyr] f. fenditura, crepa, spaccatura. || FIG. falla, incrinatura.
fissurer (se) [səfisyre] v. pr. fendersi, crepare v. intr.
fixateur [fiksatœr] m. PHOT. fissatore.
fixation [fiksasjɔ̃] f. fissazione. || SP. [de ski] attacco m.
fixe [fiks] adj. fisso. | *beau fixe,* bello stabile. || FIG. *idée fixe,* fissazione f. ◆ m. [salaire] fisso.
fixé, e [fikse] adj. *être fixé sur,* essere certo di, informato su. | *ne pas être fixé,* essere incerto, indeciso.
fixer [fikse] v. tr. fissare, fermare. || FIG. fissare, stabilire. ◆ v. pr. fissarsi. || [dans un pays] stabilirsi.
flacon [flakɔ̃] m. boccetta f., flacone.
flageller [flaʒɛle] v. tr. flagellare.
flageoler [flaʒɔle] v. intr. barcollare.
flagornerie [flagɔrnəri] f. piaggeria.
flagorneur, euse [flagɔrnœr, øz] n. piaggiatore, trice.
flagrant, e [flagrɑ̃, ɑ̃t] adj. flagrante. | *prendre en flagrant délit,* cogliere in flagrante. | *injustice flagrante,* ingiustizia palese, patente.
flair [flɛr] m. fiuto. | *avoir du flair,* aver fiuto, buon naso.
flairer [flere] v. tr. fiutare, annusare.
flamand, e [flamɑ̃, ɑ̃d] adj. et n. fiammingo.
flamant [flamɑ̃] m. ZOOL. fiammingo, fenicottero.
flambant, e [flɑ̃bɑ̃, ɑ̃t] adj. fiammeggiante. | *flambant neuf,* nuovo fiammante.
flambé, e [flɑ̃be] adj. FAM. fritto, spacciato.
flambeau [flɑ̃bo] m. fiaccola f. | *retraite aux flambeaux,* fiaccolata. || FIG. fiaccola, fiamma f.
flambée [flɑ̃be] f. fiammata, vampata. | *faire une flambée,* fare un fuoco. || FIG. vampata.
flamber [flɑ̃be] v. tr. fiammeggiare. ◆ v. intr. divampare.
flamboyer [flɑ̃bwaje] v. intr. fiammeggiare, divampare. || FIG. scintillare.
flamme [flam] f. fiamma, vampa. | *en flammes,* in fiamme. || FIG. ardore m., passione.
flanc [flɑ̃] m. fianco. || [armée, montagne] fianco ; [navire] fianco, murata f. || POP. *tirer au flanc,* fare lo scansafatiche.
flancher [flɑ̃ʃe] v. intr. FAM. mollare.
flanelle [flanɛl] f. flanella.
flâner [flɑne] v. intr. bighellonare. | [paresser] gingillarsi.
flânerie [flɑnri] f. il bighellonare m. | il gingillarsi m.
flâneur, euse [flɑnœr, øz] n. bighellone, a. || [oisif] bighellone ; perdigiorno inv.
1. flanquer [flɑ̃ke] v. intr. fiancheggiare. || [accoler] mettere accanto. || [accompagner] scortare.
2. flanquer v. tr. FAM. appioppare, mollare ; [un objet] sbattere. ◆ v. pr. FAM. *se flanquer par terre,* fare una caduta (L.C.). | *se flanquer une tripotée,* darsi un sacco di botte.
flapi, e [flapi] adj. FAM. sfinito, sfiancato (L.C.).
flaque [flak] f. pozza.
flash [flaʃ] m. flash.
flasque [flask] adj. floscio, flaccido. || FIG. molle, fiacco.
flatter [flate] v. tr. lusingare, adulare. || [caresser] accarezzare. || FIG. [charmer] dilettare. || [encourager] favorire. || [embellir] abbellire. ◆ v. pr. (de) pretendere (di) ; vantarsi (di), gloriarsi (di). || [se faire illusion] illudersi (di).
flatterie [flatri] f. lusinga, adulazione.
flatteur, euse [flatœr, øz] adj. lusinghiero, adulatorio. ◆ n. lusingatore, trice ; adulatore, trice.
fléau [fleo] m. AGR. correggiato. || [balance] asta f. || FIG. flagello.
flèche [flɛʃ] f. freccia ; saetta (litt.). || FIG. frecciata. || ARCHIT. [clocher] guglia ; [voûte, arc] freccia. || TECHN. [grue] braccio m. ◆ *en flèche,* a tutta velocità, come una saetta, come un razzo. || FIG. *monter en flèche,* salire vertiginosamente.
flécher [fleʃe] v. tr. segnalare mediante frecce.
fléchette [fleʃɛt] f. freccetta.
fléchir [fleʃir] v. tr. [corps, membre] flettere, piegare. || FIG. intenerire, smuovere. | [colère] placare. ◆ v. intr. [faiblir] cedere. || [prix] calare.
fléchissement [fleʃismɑ̃] m. flessione f. ; [poutre] incurvatura f. || FIG. calo, flessione f.
flegmatique [flɛgmatik] adj. flemmatico.
flegme [flɛgm] m. flemma f.
flemmard, e [flɛmar, ard] adj. FAM. pigro (L.C.). ◆ n. scansafatiche inv.
flemme [flɛm] f. FAM. fiacca.
flétan [fletɑ̃] m. ippoglosso.
flétrir [fletrir] v. tr. [faner] far appassire, far avvizzire. || [altérer] far sfiorire, sciupare. || FIG. [réputation] infamare ; [vice] stigmatizzare. ◆ v. pr. appassire, avvizzire v. intr.
flétrissure [fletrisyr] f. appassimento m., avvizzimento m. || FIG. infamia, macchia.
fleur [flœr] f. fiore m. | *en fleur(s),* in fiore. || FIG. [âge] fiore. | [élite] *fine fleur,* fior fiore. ◆ *à fleur de,* a fior di.
fleurer [flœre] v. tr. et intr. olezzare (di), odorare di.
fleuret [flœrɛ] m. SP. fioretto.

fleurette [flœrɛt] f. fiorellino m. | *conter fleurette à,* fare il filo a ; amoreggiare con.
fleuri, e [flœri] adj. fiorito. | [teint] colorito. || FAM. [nez] fiorito. || [style] fiorito.
fleurir [flœrir] v. intr. fiorire. ◆ v. tr. infiorare.
fleuriste [flœrist] n. fioraio, a.
fleuve [flœv] m. fiume.
flexibilité [flɛksibilite] f. flessibilità.
flexible [flɛksibl] adj. flessibile.
flexion [flɛksjɔ̃] f. flessione.
flic [flik] m. POP. poliziotto (L.C.).
flirt [flœrt] m. amoretto. || [personne] bello, a, ragazzo, a.
flirter [flœrte] v. intr. filare.
flocon [flɔkɔ̃] m. fiocco. | *neiger à gros flocons,* nevicare a larghe falde.
flopée [flɔpe] f. POP. sacco m.
floraison [flɔrɛzɔ̃] f. fioritura.
floral, e, aux [flɔral, o] adj. florale.
floralies [flɔrali] f. pl. esposizione (f.) di fiori.
flore [flɔr] f. flora.
florissant, e [flɔrisɑ̃, ɑ̃t] adj. fiorente, florido.
flot [flo] m. flutto, onda f. || [marée] flusso. || [sang] fiotto. || [gens] flusso, fiumana f. || [injures] fiume. || MAR. *à flot,* a galla. ◆ *à flots,* a fiumi.
flottabilité [flɔtabilite] f. galleggiabilità.
flottage [flɔtaʒ] m. fluitazione f., flottazione f.
flottaison [flɔtɛzɔ̃] f. *ligne de flottaison,* linea di galleggiamento.
flottant, e [flɔtɑ̃, ɑ̃t] adj. galleggiante, natante. | [cheveux, vêtements] svolazzante, sventolante. | [drapeau] sventolante. || FIG., FIN. fluttuante.
flotte [flɔt] f. flotta, naviglio m. || POP. pioggia, acqua (L.C.).
flottement [flɔtmɑ̃] m. [drapeau] sventolio. || [roues] gioco. || FIG. titubanza f. || FIN. fluttuazione f.
flotter [flɔte] v. intr. galleggiare. || [cheveux] svolazzare. || [drapeau] sventolare. || [parfum] aleggiare. || FIG. titubare. || FIN. fluttuare. ◆ v. impers. POP. piovere (L.C.).
flotteur [flɔtœr] m. galleggiante.
flottille [flɔtij] f. flottiglia.
flou, e [flu] adj. sfumato. || [photographie] sfocato. || FIG. vago, incerto.
fluctuation [flyktɥasjɔ̃] f. fluttuazione.
fluet, ette [flyɛ, ɛt] adj. [voix] esile. || [personne] smilzo.
fluide [flɥid] adj. et m. fluido.
fluor [flyɔr] m. fluoro.
fluorescent, e [flyɔrɛsɑ̃, ɑ̃t] adj. fluorescente.
flûte [flyt] f. flauto m. || [verre] calice m. || [pain] filoncino m.
flûtiste [flytist] m. flautista.
fluvial, e, aux [flyvjal, o] adj. fluviale.
flux [fly] m. flusso.
foc [fɔk] m. MAR. fiocco.
focal, e, aux [fɔkal, o] adj. focale.
foi [fwa] f. fede. | *de bonne, mauvaise foi,* in buonafede, in malafede. | *ajouter foi à,* prestare fede a. | *digne de foi,* degno di fede, attendibile. | *sur la foi de,* sulla scorta di. || FIG. [confiance] fiducia, fede. || REL. fede. | *sans foi,* senza religione. ◆ interj. *ma foi, oui !,* certo di si !
foie [fwa] m. fegato.
foin [fwɛ̃] m. fieno. | *faire les foins,* fare il fieno. | *rhume des foins,* febbre da fieno.
foire [fwar] f. fiera.
fois [fwa] f. volta. || [multiplicatif] volta, e ; per. | *une fois,* una volta. ◆ *une fois pour toutes,* una volta per sempre. | *à la fois,* [ensemble] insieme ; [en même temps] ad un tempo. || *toutes les fois que,* ogni volta che, ogni qualvolta. | *une fois que,* non appena.
foison [fwazɔ̃] f. abbondanza, copia. ◆ *à foison,* a bizzeffe, in abbondanza.
folâtre [fɔlɑtr] adj. gaio, pazzerello.
folâtrer [fɔlɑtre] v. intr. folleggiare.
folichon, onne [fɔliʃɔ̃, ɔn] adj. FAM. *ne pas être folichon,* non esser divertente, spassoso (L.C.).
folie [fɔli] f. pazzia, follia. | *folie des grandeurs,* mania di grandezza. || FIG. *aimer à la folie,* amare alla follia. || [dépenses] *faire des folies,* fare follie.
fomenter [fɔmɑ̃te] v. tr. fomentare.
foncé, e [fɔ̃se] adj. scuro, cupo.
foncer [fɔ̃se] v. tr. et intr. scurire. ◆ v. intr. FAM. (sur) scagliarsi (contro), avventarsi su. || [auto] andare a tutto gas.
foncier, ère [fɔ̃sje, ɛr] adj. fondiario. || FIG. fondamentale.
fonction [fɔ̃ksjɔ̃] f. funzione, carica. | *fonction publique,* pubblica funzione ; statali m. pl. | *faire fonction de,* fare le funzioni di, fungere da. | *entrer en fonction,* entrare in carica. | *être fonction de,* essere funzione di. || MATH. funzione.
fonctionnaire [fɔ̃ksjɔnɛr] n. (impiegato) statale ; funzionario.
fonctionnel, elle [fɔ̃ksjɔnɛl] adj. funzionale.
fonctionnement [fɔ̃ksjɔnmɑ̃] m. funzionamento.
fonctionner [fɔ̃ksjɔne] v. intr. funzionare.
fond [fɔ̃] m. fondo. | *fond de teint,* fondo tinta. || [caractère] fondo, indole. || [pantalon] fondello. || [artichaut] cuore. || [tableau] (s)fondo. || MAR. *par 10 m de fond,* a 10 m di profondità f. | *envoyer par le fond,* affondare. || SP. *coureur de fond,* fondista. || TH. fon-

dale. ◆ *à fond,* a fondo. ‖ FAM. *à fond de train,* a tutta birra. | *au fond, dans le fond,* in fondo, in fin dei conti. | *de fond en comble,* da cima a fondo. | *au (fin) fond de,* (proprio) in fondo a.

fondamental, e, aux [fɔ̃damɑ̃tal, o] adj. fondamentale, basilare.

fondant, e [fɔ̃dɑ̃, ɑ̃t] adj. fondente.

fondateur, trice [fɔ̃datœr, tris] n. fondatore, trice.

fondation [fɔ̃dasjɔ̃] f. fondazione. ◆ pl. fondamenta, fondazioni.

fondé, e [fɔ̃de] adj. *être fondé à,* avere fondati motivi per. ◆ m. *fondé de pouvoir,* procuratore.

fondement [fɔ̃dmɑ̃] m. fondamento. | *sans fondement,* infondato. ‖ ARCHIT. fondamenta f. pl.

fonder [fɔ̃de] v. tr. fondare. ‖ [un prix] istituire. ‖ FIG. fondare, basare. ◆ v. pr. fondarsi, basarsi.

fonderie [fɔ̃dri] f. fonderia.

fondeur [fɔ̃dœr] m. fonditore.

fondre [fɔ̃dr] v. tr. fondere. ‖ [graisse] struggere. ‖ [sucre] sciogliere. ‖ ART gettare, fondere. ◆ v. intr. fondere ; struggersi, sciogliersi, dimagrire. ‖ FIG. *fondre en larmes,* sciogliersi in lacrime. ‖ (sur) piombare (su), avventarsi (contro). ◆ v. pr. sciogliersi, struggersi, squagliarsi.

fondrière [fɔ̃drijɛr] f. pantano m.

fonds [fɔ̃] m. [terrain] fondo, podere. ‖ *fonds de commerce,* negozio. ‖ FIG. corredo. ◆ pl. FIN. fondi.

fondu, e [fɔ̃dy] adj. et m. ART sfumato. ‖ CIN. dissolvenza f. | *ouverture, fermeture en fondu,* dissolvenza in apertura, in chiusura. | *fondu enchaîné,* dissolvenza incrociata. ◆ f. CULIN. fonduta (di formaggio e vino bianco).

fontaine [fɔ̃tɛn] f. fonte, fontana.

fonte [fɔ̃t] f. fusione. ‖ [neige] scioglimento m. ‖ [cloche] fusione, getto m. ‖ [alliage] ghisa.

fonts [fɔ̃] m. pl. REL. *fonts baptismaux,* fonte (sing.) battesimale.

football [futbol] m. (gioco del) calcio.

footballeur [futbolœr] m. calciatore, giocatore di calcio.

for [fɔr] m. *dans son for intérieur,* nel suo intimo, in cuor suo, tra sé e sé.

forage [fɔraʒ] m. trivellazione f., trivellatura f.

forain, e [fɔrɛ̃, ɛn] adj. *fête foraine,* parco di divertimenti. | *baraque foraine,* baraccone m. (da fiera). ◆ m. *(marchand) forain,* fieraiolo.

forban [fɔrbɑ̃] m. pirata.

forçat [fɔrsa] m. forzato, ergastolano.

force [fɔrs] f. forza, vigore m. ‖ [morale] fortezza. ‖ LOC. *à bout de forces,* stremato, sfinito. | *de force à,* in grado di. | *de toutes ses forces,* a più non posso. | *force est de partir,* è giocoforza partire. ‖ MIL. *la force de frappe nucléaire,* il deterrente nucleare. ◆ pl. MIL. forze. ◆ adv. molto adj., tanto adj. ◆ *à toute force,* ad ogni costo. | *de, par force,* con, per forza. | *de vive force,* a viva forza. | *en force,* SP. sotto sforzo ; MIL. in forze. ‖ *à force de,* a forza, a furia di.

forcé, e [fɔrse] adj. [atterrissage, bain, emprunt, marche] forzato. ‖ FIN. *cours forcé,* corso forzoso. ‖ FIG. [rire] forzato, esagerato. ‖ FAM. *c'est forcé (que),* per forza ; è inevitabile (che).

forcené, e [fɔrsəne] adj. et n. forsennato. | *travail forcené,* lavoro accanito.

forceps [fɔrsɛps] m. forcipe.

forcer [fɔrse] v. tr. (s)forzare. ‖ MIL. espugnare. ‖ FIG. (à) forzare (a), costringere (a). | *être forcé de,* essere costretto a. ◆ v. pr. *(à)* sforzarsi (di).

forclos, e [fɔrklo, oz] adj. precluso.

forer [fɔre] v. tr. (per)forare. ‖ [puits] trivellare.

forestier, ère [fɔrɛstje, ɛr] adj. forestale.

forêt [fɔrɛ] f. foresta. ‖ FIG. selva.

foreuse [fɔrøz] f. [trou] trapanatrice. | [puits] trivella.

1. forfait [fɔrfɛ] m. misfatto.

2. forfait m. *déclarer forfait,* dichiarare forfeit. | FIG. rinunciare.

3. forfait m. COMM. forfè. | *travail à forfait,* lavoro a forfait, a cottimo.

forfaitaire [fɔrfɛtɛr] adj. forfetario.

forfaiture [fɔrfɛtyr] f. prevaricazione.

forfanterie [fɔrfɑ̃tri] f. millanteria.

forge [fɔrʒ] f. fucina, forgia.

forger [fɔrʒe] v. tr. fucinare, forgiare. ‖ FIG. [caractère] forgiare, plasmare. ‖ *forger de toutes pièces,* inventare di sana pianta. ◆ v. pr. FIG. crearsi.

forgeron [fɔrʒərɔ̃] m. fabbro (ferraio).

formaliser (se) [səfɔrmalize] v. pr. *(de)* offendersi (per), formalizzarsi (per).

formaliste [fɔrmalist] adj. formalistico. ◆ n. formalista.

formalité [fɔrmalite] f. formalità.

format [fɔrma] m. formato. ‖ CIN. passo.

formateur, trice [fɔrmatœr, tris] adj. formativo.

formation [fɔrmasjɔ̃] f. formazione. | *âge de la formation,* età dello sviluppo.

forme [fɔrm] f. forma. ‖ SP. *en (pleine) forme,* in (piena) forma. ◆ *en bonne et due forme,* nella debita forma. | *pour la forme,* pro forma. ‖ *en forme de,* a forma di. ◆ pl. forme, modi m. pl. | *sans y mettre de formes,* senza tanti riguardi.

formel, elle [fɔrmɛl] adj. formale.

former [fɔrme] v. tr. formare, foggiare, plasmare. || FIG. [éduquer] formare. || [concevoir] concepire, ideare. | *former des vœux pour,* far voti per.
formidable [fɔrmidabl] adj. FAM. formidabile, straordinario, tremendo.
formulaire [fɔrmylɛr] m. formulario, modulo. | *remplir un formulaire,* compilare un modulo.
formule [fɔrmyl] f. formula. || ADM. modulo m.
formuler [fɔrmyle] v. tr. formulare. | [pensée] esprimere.
1. fort [fɔr] adv. forte. || [très] molto, assai. || FAM. *y aller fort,* esagerare (L.C.).
2. fort m. [personne] forte. || FIG. [côté fort] forte. || *au plus fort de,* nel folto di, nel cuore di. || MIL. forte, fortezza f.
fort, e [fɔr, ɔrt] adj. forte, robusto. || [intense, élevé] *forte chaleur,* gran caldo. | *forte fièvre,* febbre alta. | *forte somme,* grossa somma. || [corpulent] forte, grosso. || [capable] forte, bravo. || *forte tête,* tipo (m.) duro. || *se faire fort de,* impegnarsi a, vantarsi di. || FAM. *c'est un peu fort !,* è un po' troppo !
forteresse [fɔrtərɛs] f. MIL. fortezza.
fortifiant, e [fɔrtifjɑ̃, ɑ̃t] adj. fortificante. ◆ m. ricostituente.
fortification [fɔrtifikasjɔ̃] f. MIL. fortificazione.
fortifier [fɔrtifje] v. tr. fortificare.
fortuit, e [fɔrtɥi, it] adj. fortuito.
fortune [fɔrtyn] f. [sort] fortuna, sorte. | *avec des fortunes diverses,* con alterne vicende. || [biens] fortuna ; ricchezze f. pl. || *faire contre mauvaise fortune bon cœur,* far buon viso a cattiva sorte. | *dîner à la fortune du pot,* mangiare quel che passa il convento. ◆ *de fortune,* improvvisato. | *moyens de fortune,* mezzi di fortuna.
fortuné, e [fɔrtyne] adj. fortunato. || ricco, facoltoso.
fosse [fos] f. fossa. | *fosse d'aisances,* pozzo (m.) nero, bottino m. | *fosse septique,* fossa settica, biologica. || [tombe] fossa, tomba.
fossé [fose] m. fosso, fossato. || FIG. abisso.
fossette [fosɛt] f. fossetta.
fossile [fosil] adj. et m. fossile.
fossoyeur [foswajœr] m. affossatore, becchino. || FIG. affossatore.
fou [fu], **fol, folle** [fɔl] adj. et n. pazzo, matto, folle. | *fou à lier,* pazzo da legare. | *devenir fou,* impazzire, ammattire. | *rendre fou,* far impazzire. || [espoir] folle. | *fou rire,* ridarella f. || *être fou de,* andar pazzo di, matto per. || [valeur superl.] *succès fou,* successo strepitoso. | *vitesse folle,* velocità pazzesca. || *asile de fous,* manicomio. | *c'est une maison de fous !,* è una gabbia di matti ! ◆ m. [échecs] alfiere.
foudre [fudr] f. fulmine m. || FIG. *coup de foudre,* colpo di fulmine.
foudroyant, e [fudrwajɑ̃, ɑ̃t] adj. fulminante, folgorante.
foudroyer [fudrwaje] v. tr. fulminare, folgorare.
fouet [fwɛ] m. frusta f., sferza f. | *coup de fouet,* frustata f., sferzata f. ; FIG. stimolo. || CULIN. frullino, frusta. || MIL. *tir de plein fouet,* tiro diretto. || *de plein fouet,* in pieno.
fouetter [fwete] v. tr. frustare, sferzare. || FIG. stimolare. || CULIN. frullare, montare, sbattere. || LOC. *avoir d'autres chats à fouetter,* aver altre gatte da pelare.
fougère [fuʒɛr] f. felce.
fougue [fug] f. foga, impeto m.
fougueux, euse [fugø, øz] adj. focoso, impetuoso.
fouille [fuj] f. ARCHIT. scavo m. || [recherches] perquisizione, ispezione.
fouiller [fuje] v. tr. scavare. || [chercher] perquisire, ispezionare. | [quartier] perlustrare. ◆ v. intr. frugare.
fouillis [fuji] m. confusione f., guazzabuglio.
foulard [fular] m. fazzoletto (da collo, da testa).
foule [ful] f. folla, calca, ressa. | *une foule de,* una moltitudine, folla di. || FIG. volgo m., popolino m., massa. ◆ *en foule,* in folla, in massa.
foulée [fule] f. SP. falcata.
fouler [fule] v. tr. pestare, calpestare, pigiare. ◆ v. pr. [pied] slogarsi, storcersi. || FAM. *ne pas se fouler,* non amazzarsi, prendersela comoda.
foulure [fulyr] f. slogatura, storta.
four [fur] m. forno. || FIG., FAM. fiasco. || TH. forno.
fourbe [furb] adj. perfido, falso. ◆ m. furfante.
fourberie [furbəri] f. furfanteria, falsità.
fourbir [furbir] v. tr. forbire.
fourbu, e [furby] adj. sfinito, stremato.
fourche [furʃ] f. forca.
fourchette [furʃɛt] f. forchetta. || [statistique] scarto m.
fourchu, e [furʃy] adj. (bi)forcuto.
fourgon [furgɔ̃] m. AUT. furgone. || TR. carro. | *fourgon à bagages,* bagagliaio.
fourgonner [furgɔne] v. intr. sbraciare. || FIG., FAM. frugacchiare.
fourmi [furmi] f. formica. || *avoir des fourmis dans les jambes,* avere il formicolio nelle gambe.
fourmilière [furmiljɛr] f. formicaio m.
fourmillement [furmijmɑ̃] m. formicolio.

fourmiller [furmije] v. intr. formicolare, brulicare. || *fourmiller d'erreurs,* essere strapieno di errori.
fournaise [furnɛz] f. fornace.
fourneau [furno] m. fornello. | *fourneau de cuisine,* cucina (f.) economica. || IND. *haut fourneau,* altoforno.
fournée [furne] f. infornata.
fourni, e [furni] adj. [touffu] folto.
fournil [furni] m. forno.
fournir [furnir] v. tr. (ri)fornire, provvedere. | [effort] compiere, fare. | [renseignements] dare. | [occasion] porgere. ◆ v. tr. ind. [cartes] rispondere. ◆ v. pr. *se fournir chez,* servirsi da.
fournisseur [furnisœr] m. fornitore.
fourniture [furnityr] f. fornitura.
fourrage [furaʒ] m. foraggio.
fourré [fure] m. [bois] fitto, folto (del bosco).
fourré, e [fure] adj. foderato di pelliccia. || CULIN. farcito, ripieno.
fourreau [furo] m. fodero, guaina f. | *tirer l'épée du fourreau,* sguainare la spada. | *remettre l'épée au fourreau,* rinfoderare la spada.
fourrer [fure] v. tr. foderare di pelliccia. || CULIN. *fourrer de,* imbottire di. || FAM. ficcare, cacciare. | *ils sont toujours fourrés ensemble,* sono come pane e cacio. ◆ v. pr. FAM. cacciarsi, ficcarsi.
fourre-tout [furtu] m. inv. [débarras] ripostiglio m., sgabuzzino m. || [sac] borsone (m.) da viaggio.
fourreur [furœr] m. pellicciaio.
fourrure [furyr] f. pelliccia.
fourrière [furjɛr] f. [animaux] stabulario m. || [automobiles] deposito m.
fourvoyer [furvwaje] v. tr. sviare. || FIG. traviare. ◆ v. pr. FIG. f(u)orviare, traviarsi.
foutaise [futɛz] f. POP. fesseria.
foutre [futr] v. tr. et pr. POP. = FICHER 2.
foutu, e [futy] adj. POP. = FICHU.
foyer [fwaje] m. focolare. || FIG. focolare, casa f., famiglia f. || [centre] focolaio. || PHYS. *à double foyer,* bifocale adj.
frac [frak] m. frac, marsina f.
fracas [fraka] m. fracasso, fragore, strepito.
fracasser [frakase] v. tr. fracassare.
fraction [fraksjɔ̃] f. frazione.
fractionner [fraksjɔne] v. tr. frazionare.
fracture [fraktyr] f. MÉD. frattura.
fracturer [fraktyre] v. tr. [porte] scassinare. || MÉD. fratturare.
fragile [fraʒil] adj. fragile.
fragilité [frazilite] f. fragilità.
fragment [fragmɑ̃] m. frammento. || [d'une œuvre] frammento, passo, brano.
frai [frɛ] m. fregola f.
fraîchement [frɛʃmɑ̃] adv. FIG. recentemente, di fresco. || FAM. [accueillir] freddamente (L.C.).
fraîcheur [frɛʃœr] f. freschezza. || [de l'air] frescura.
fraîchir [frɛʃir] v. intr. rinfrescare.
frais [frɛ] m. pl. spese. | *aux frais de,* a spese di. | *à grands frais,* con grandi spese ; FIG. a gran fatica. | *à peu de frais,* con poca spesa ; FIG. con poca fatica. || FIG. *en être pour ses frais,* rimetterci, scapitarci.
frais, fraîche [frɛ, frɛʃ] adj. fresco. ◆ m. fresco. | *au frais,* in fresco. ◆ adv. *boire frais,* bere freddo. || *de frais,* di fresco, di recente.
1. fraise [frɛz] f. fragola.
2. fraise f. TECHN. fresa. || [de dentiste] trapano m.
fraisier [frɛzje] m. fragola f.
framboise [frɑ̃bwaz] f. lampone m.
framboisier [frɑ̃bwazje] m. lampone.
franc [frɑ̃] m. [monnaie] franco.
franc, franche [frɑ̃, frɑ̃ʃ] adj. *port franc,* porto franco. | *ville franche,* città franca. | *franc de port,* franco di porto. || MIL. *corps franc,* reparto d'assalto. || [sincère] franco, schietto. | *jouer franc jeu,* giocare a carte scoperte. ◆ adv. franco. | *à parler franc,* a dirla franca, schietta.
français, e [frɑ̃sɛ, ɛz] adj., n., m. francese.
franchir [frɑ̃ʃir] v. tr. superare, saltare. | [seuil, frontière, océan] varcare. | *franchir la ligne d'arrivée,* tagliare, superare il traguardo.
franchise [frɑ̃ʃiz] f. franchigia. || [sincérité] franchezza, schiettezza. || [assurances] franchigia.
franchissable [frɑ̃ʃisabl] adj. superabile, sormontabile, valicabile.
franciscain, e [frɑ̃siskɛ̃, ɛn] adj. et n. francescano, a.
franciste [frɑ̃sist] n. francesista.
franc-maçon [frɑ̃masɔ̃] m. massone.
franc-maçonnerie [frɑ̃masɔnri] f. massoneria.
franco [frɑ̃ko] adv. franco.
francophone [frɑ̃kofɔn] adj. et n. francofono.
frange [frɑ̃ʒ] f. frangia.
frappant, e [frapɑ̃, ɑ̃t] adj. sorprendente, stupefacente.
frappe [frap] f. [monnaie] conio m. || [machine à écrire] battuta.
frappé, e [frape] adj. CULIN. messo in ghiaccio.
frapper [frape] v. tr. battere, picchiare, percuotere. | *la pluie bat les vitres,* la pioggia batte sui vetri. || [avec une arme] colpire. || *frapper l'oreille,* colpire l'orecchio. || CULIN. mettere in ghiaccio. || [monnaie] coniare.

◆ v. intr. battere, picchiare. | *frapper du pied,* pestare i piedi. || [à la porte] bussare, picchiare. ◆ v. pr. FIG. preoccuparsi, prendersela.
frasque [frask] f. scappata, trascorso m.
fraternel, elle [fratɛrnɛl] adj. fraterno.
fraterniser [fratɛrnize] v. intr. fraternizzare, affratellarsi.
fraternité [fratɛrnite] f. fratellanza, fraternità.
fratricide [fratrisid] adj. et n. fratricida. ◆ m. [crime] fratricidio.
fraude [frod] f. frode, inganno m.
frauder [frode] v. tr. frodare ◆ v. intr. commettere frodi, imbrogliare.
fraudeur, euse [frodœr, øz] n. frodatore, trice.
frauduleux, euse [frodylø, øz] adj. fraudolento.
frayer [frɛje] v. tr. [chemin] aprire. ◆ v. intr. [poissons] riprodursi. || FIG. *frayer avec qn,* frequentare, praticare qlcu.
frayeur [frɛjœr] f. spavento m., sbigottimento m.
fredonner [frədɔne] v. tr. et intr. canticchiare, canterellare.
freezer [frizœr] m. (vano) congelatore.
frégate [fregat] f. fregata.
frein [frɛ̃] m. freno, morso. || TECHN. freno. | *coup de frein,* frenata f. | *serrer, desserrer les freins,* stringere, allentare i freni.
freiner [frene] v. tr. et intr. frenare.
frelater [frəlate] v. tr. adulterare, sofisticare.
frêle [frɛl] adj. gracile, fragile. || FIG. tenue, esile.
frelon [frəlɔ̃] m. calabrone.
frémir [fremir] v. intr. [feuilles] stormire. || [eau] sobbollire. || FIG. [colère] fremere. | [peur] rabbrividire. | [horreur] raccapricciare. | *à faire frémir,* raccapricciante adj.
frémissant, e [fremisɑ̃, ɑ̃t] adj. fremente, vibrante.
frémissement [fremismɑ̃] m. [feuilles] (lo) stormire. || [eau] sobbollimento. || FIG. fremito.
frêne [frɛn] m. frassino.
frénésie [frenezi] f. frenesia.
frénétique [frenetik] adj. frenetico.
fréquence [frekɑ̃s] f. frequenza.
fréquent, e [frekɑ̃, ɑ̃t] adj. frequente. | *être fréquent,* ricorrere spesso.
fréquentation [frekɑ̃tasjɔ̃] f. [d'un lieu] (il) frequentare. || [scolaire] frequenza. || [relation] compagnia.
fréquenter [frekɑ̃te] v. tr. [lieu, personne] frequentare, praticare, bazzicare.
frère [frɛr] m. fratello. | *petit frère,* fratellino. | *faux frère,* falso amico. || REL. frate ; fra [devant n. pr.].
fresque [frɛsk] f. affresco m.
fret [frɛ(t)] m. [prix] nolo, noleggio. || [cargaison] carico.
fréter [frete] v. tr. noleggiare ; dare, prendere a nolo.
frétiller [fretije] v. intr. guizzare. | [chien] scodinzolare.
fretin [frətɛ̃] m. FIG. *(menu) fretin,* [choses] roba (f.) di scarto ; [personnes] gentucola f.
friable [frijabl] adj. friabile.
friand, e [frijɑ̃, ɑ̃d] adj. ghiotto.
friandise [frijɑ̃diz] f. leccornia.
fric [frik] m. POP. grana f.
friche [friʃ] f. sodaglia. ◆ *en friche,* incolto adj.
friction [friksjɔ̃] f. frizione. || FIG., TECHN. frizione, attrito m.
frictionner [friksjɔne] v. tr. frizionare.
frigide [friʒid] adj. frigido.
frigo [frigo] m. POP. carne (f.) congelata. || FAM. [appareil] frigo.
frigorifier [frigɔrifje] v. tr. refrigerare, congelare.
frileux, euse [frilø, øz] adj. freddoloso.
frime [frim] f. LOC. FAM. *pour la frime,* per finta.
frimousse [frimus] f. FAM. faccetta.
fringale [frɛ̃gal] f. fame da lupo. || FIG. bramosia, sete.
fringant, e [frɛ̃gɑ̃, ɑ̃t] adj. vispo, vivace.
fringues [frɛ̃g] f. pl. POP. vestiti m. pl. (L.C.).
friper [fripe] v. tr. sgualcire. || FIG. *visage fripé,* viso sciupato.
fripier, ère [fripje, ɛr] n. rigattiere m.
fripon, onne [fripɔ̃, ɔn] adj. et n. birichino, sbarazzino.
fripouille [fripuj] f. mascalzone m., farabutto m.
frire [frir] v. tr. et intr. défect. friggere.
frise [friz] f. ARCHIT. fregio m.
frisé, e [frize] adj. riccio, ricciuto.
friser [frize] v. tr. arricciare. || [effleurer] rasentare, sfiorare.
frisquet [friskɛ] adj. FAM. freschetto, frescolino.
frisson [frisɔ̃] m. brivido. || [d'horreur] raccapriccio.
frissonner [frisɔne] v. intr. rabbrividire. || [arbre] fremere.
frites [frit] f. pl. patatine fritte.
friture [frityr] f. frittura. | [de poisson] fritto (m.) misto. || [gras] olio m., grasso m. || TÉL. sfrigolio m.
frivole [frivɔl] adj. frivolo.
frivolité [frivɔlite] f. frivolezza.
froc [frɔk] m. REL. saio, tonaca f.
froid, e [frwa, ad] adj. freddo. || TECHN. *chambre froide,* cella frigorifera. ◆ m. freddo. | *froid de chien,* freddo cane. | *coup de froid,* raffreddamento. | *prendre froid,* raffreddarsi. || FIG. *jeter un froid,* raggelare

l'ambiente. | *être en froid avec qn,* essere in urto con qlcu. ◆ *à froid,* a freddo.
froideur [frwadœr] f. freddezza.
froissement [frwasmɑ̃] m. sgualcitura f. || FIG. offesa f. || MÉD. *froissement d'un muscle,* strappo muscolare.
froisser [frwase] v. tr. sgualcire. || FIG. offendere. ◆ v. pr. sgualcirsi. || FIG. offendersi.
frôlement [frolmɑ̃] m. sfioramento.
frôler [frole] v. tr. sfiorare, rasentare.
fromage [frɔmaʒ] m. formaggio, cacio. || FAM. *bon fromage,* canonicato.
froment [frɔmɑ̃] m. frumento.
fronce [frɔ̃s] f. crespa, arricciatura.
froncer [frɔ̃se] v. tr. [étoffe] increspare, arricciare. || [sourcils] aggrottare, corrugare le sopracciglia ; accigliarsi, corrugarsi.
fronde [frɔ̃d] f. fionda.
front [frɔ̃] m. fronte f. || [glacier] fronte m. || *front de mer,* lungomare. || MIL., POL. fronte m. || *faire front à,* tener testa a ; fronteggiare. ◆ *de front,* [pardevant] frontale adj. ; [côte à côte] a fianco a fianco.
frontalier, ère [frɔ̃talje, ɛr] adj. confinario.
frontière [frɔ̃tjɛr] f. frontiera, confine m. ◆ adj. confinario.
frottement [frɔtmɑ̃] m. strofinamento, stropicciamento. || TECHN. attrito.
frotter [frɔte] v. tr. (s)fregare, strusciare. || [nettoyer] strofinare. | [cirer] lucidare. || [allumette] sfregare. ◆ v. intr. (contre) sfregare, strusciare (contro). ◆ v. pr. (s)fregarsi, strofinarsi. || LOC. *se frotter à qn,* [fréquenter] bazzicare qlcu. ; FAM. [attaquer] pigliarsela con qlcu.
frou-frou [frufru] m. fruscìo.
froussard, e [frusar, ard] adj. et n. FAM. fifone, a.
frousse [frus] f. FAM. fifa. | *avoir la frousse,* aver fifa.
fructifier [fryktifje] v. intr. fruttificare, fruttare.
fructueux, euse [fryktɥø, øz] adj. fruttuoso, proficuo.
frugal, e, aux [frygal, o] adj. frugale, parco.
fruit [frɥi] m. frutto. | *les fruits (de table),* i frutti (da tavola), la frutta. | *fruits de mer,* frutti di mare. || [profit] frutto, profitto. || [résultat] frutto, portato.
fruitier, ère [frɥitje, ɛr] adj. fruttifero. ◆ n. [vendeur] fruttivendolo, a, fruttaiolo m. ◆ f. caseificio (m.) corporativo.
frusques [frysk] f. pl. POP. abiti m. pl. (L.C.), cenci m. pl. (L.C.).
fruste [fryst] adj. FIG. rozzo.
frustration [frystrasjɔ̃] f. frustrazione.
frustrer [frystre] v. tr. frustrare. || FIG. deludere, ingannare.
fugace [fygas] adj. fugace, fuggevole.
fugitif, ive [fyʒitif, iv] adj. fuggitivo, fuggiasco. || FIG. fuggevole. ◆ m. fuggiasco.
fugue [fyg] f. scappata. || MUS. fuga.
fuir [fɥir] v. intr. fuggire, scappare. || [liquide, gaz] fuoriuscire, perdersi. || [récipient] perdere. || [temps] fuggire. ◆ v. tr. fuggire, scansare, schivare. ◆ v. pr. [s'éviter] sfuggirsi.
fuite [fɥit] f. fuga. | *prendre la fuite,* darsi alla fuga. | *mettre en fuite,* mettere, volgere in fuga. || [de liquide, de gaz] fuga, perdita. || [indiscrétion] indiscrezione ; sottrazione (di documenti).
fulgurant, e [fylgyrɑ̃, ɑ̃t] adj. (s)folgorante. || [rapide] fulmineo.
fulminer [fylmine] v. intr. FIG. (contre) scagliarsi (contro).
fumant, e [fymɑ̃, ɑ̃t] adj. fumante. || FIG., FAM. *coup fumant,* bel colpo (L.C.).
fume-cigarette [fymsigarɛt] m. inv. bocchino m.
fumée [fyme] f. fumo m.
1. fumer [fyme] v. intr. fumare. || FIG. *fumer (de colère),* fumare, schiumare (di rabbia). ◆ v. tr. fumare. | *fumer une pipe,* fare una pipata. || TECHN. affumicare.
2. fumer v. tr. AGR. concimare.
fumerie [fymri] f. fumeria.
fumet [fymɛ] m. aroma, odore.
fumeur, euse [fymœr, øz] n. fumatore, trice.
fumeux, euse [fymø, øz] adj. fumoso. || FIG. confuso.
fumier [fymje] m. letame, stallatico.
fumigation [fymigasjɔ̃] f. fumigazione.
fumigène [fymiʒɛn] adj. et m. fumogeno.
fumiste [fymist] m. PR. et FIG. fumista.
fumisterie [fymistəri] f. FIG. fumisteria.
fumoir [fymwar] m. salotto per fumatori.
funambule [fynɑ̃byl] n. funambolo, a.
funèbre [fynɛbr] adj. funebre.
funérailles [fyneraj] f. pl. funerale m. sing., funerali m. pl., esequie.
funéraire [fynerɛr] adj. funerario, funereo, funebre.
funeste [fynɛst] adj. funesto.
funiculaire [fynikylɛr] m. TR. funicolare f.
fur [fyr] m. sing. *au fur et à mesure (que),* man mano (che), via via (che). ◆ *au fur et à mesure de,* secondo.
furet [fyrɛ] m. furetto.

fureter [fyrte] v. intr. FIG. ficcare il naso dappertutto, curiosare.
fureur [fyrœr] f. furore m., furia. | *entrer en fureur,* andare su tutte le furie. | *en fureur,* in preda al furore. | *faire fureur,* far furore, furoreggiare. ◆ *à la fureur,* appassionatamente, pazzamente.
furie [fyri] f. furia. | [mer] *en furie,* infuriato.
furieux, euse [fyrjø, øz] adj. furioso, furente.
furoncle [fyrɔ̃kl] m. foruncolo.
furtif, ive [fyrtif, iv] adj. furtivo.
fusain [fyzɛ̃] m. ART carboncino.
fuseau [fyzo] m. fuso. || *fuseau horaire,* fuso orario.
fusée [fyze] f. razzo m. || [d'obus] spoletta. || [engin] razzo m., missile m.
fuselage [fyzlaʒ] m. AV. fusoliera f.
fuselé, e [fyzle] adj. affusolato.
fuser [fyze] v. intr. [rires] scoppiare.
fusible [fyzibl] adj. et n. fusibile.
fusil [fyzi] m. fucile. | *fusil de chasse,* schioppo. | *coup de fusil,* fucilata f., schioppettata f. || [à aiguiser] acciarino. | *pierre à fusil,* pietra focaia.
fusilier [fyzilje] m. MIL. fuciliere. | *fusilier marin,* fuciliere di marina.
fusillade [fyzijad] f. MIL. fucileria ; sparatoria. || [exécution] fucilazione.
fusiller [fyzije] v. tr. MIL. fucilare.
fusion [fyzjɔ̃] f. fusione.
fusionner [fyzjɔne] v. tr. fondere. ◆ v. intr. fondersi.
fût [fy] m. fusto. || [tonneau] fusto, barile, botte f.
futé, e [fyte] adj. FAM. furbacchiotto.
futile [fytil] adj. futile.
futilité [fytilite] f. futilità.
futur, e [fytyr] adj. et m. futuro. | *dans le futur,* in futuro, in avvenire. ◆ n. FAM. promesso, a.
fuyant, e [fɥijɑ̃, ɑ̃t] adj. fuggente. | *ombre fuyante,* ombra fuggente. || [caractère, front] sfuggente.
fuyard, e [fɥijar, ard] adj. et n. fuggiasco, fuggitivo.

g

g [ʒe] m. g f. ou m.
gabardine [gabardin] f. gabardina.
gabarit [gabari] m. sagoma f.
gabegie [gabʒi] f. spreco m.
gâcher [gɑʃe] v. tr. impastare. || FIG. abborracciare, acciabattare. | [plaisir] rovinare. || [gaspiller] sprecare. | *gâcher sa vie,* rovinarsi, guastarsi la vita.
gâchette [gɑʃɛt] f. [de fusil] grilletto m. ; [de serrure] nottolino m.
gâchis [gɑʃi] m. [mortier] malta f. ; [choses gâchées] spreco, sciupìo. || FIG. pasticcio, guazzabuglio.
gadget [gadʒɛt] m. aggeggio.
gadoue [gadu] f. fanghiglia.
gaffe [gaf] f. MAR. gaffa, alighiero m. || FAM. topica. || POP. *faire gaffe,* far attenzione.
gaffer [gafe] v. intr. FAM. fare una topica.
gaga [gaga] adj. FAM. rimbambito.
gage [gaʒ] m. pegno. | *mettre en gage,* impegnare. ◆ pl. salario sing. | *à gages,* prezzolato adj.
gager [gaʒe] v. tr. FIN. *gager un emprunt,* garantire un prestito. || [parier] scommettere.
gageure [gaʒyr] f. sfida al buonsenso, assurdità.
gagnant, e [gaɲɑ̃, ɑ̃t] adj. et n. vincente, vincitore, trice.
gagne-pain [gaɲpɛ̃] m. inv. mezzo (m.) di sussistenza, lavoro m., mestiere m.
gagne-petit [gaɲpəti] m. inv. chi stenta il pane, la vita.
gagner [gaɲe] v. tr. guadagnare. | [par la lutte, la chance] vincere. | *gagner un prix,* vincere un premio. | *gagner la guerre,* vincere la guerra. | *gagner du temps,* guadagnar tempo. | *repos bien gagné,* riposo meritato. || FIG. [sommeil, peur] vincere, cogliere. || [sens local] raggiungere ; guadagnare. ◆ v. intr. [avoir du profit] guadagnare, guadagnarci. || [vaincre] vincere. || [s'améliorer] migliorare, acquistare. || [s'étendre] estendersi, propagarsi, dilagare. || *gagner à,* guadagnarci a. | *gagner en,* guadagnare in.
gai, e [ge] adj. allegro, gaio. || [éméché] brillo.
gaieté [gete] f. allegria, gaiezza. | *de gaieté de cœur,* di buona voglia.
gaillard [gajar] m. MAR. *gaillard d'avant, d'arrière,* castello di prua, di poppa.
gaillard, e [gajar, ard] adj. vigoroso, robusto. || FIG. salace. ◆ n. pezzo d'uomo.
gain [gɛ̃] m. guadagno, profitto. || [salaire] paga f., guadagno. || [succès] vincita f. | *obtenir gain de cause,* aver la vinta, avere causa vinta. | *donner gain de cause,* dar causa vinta.
gaine [gɛn] f. guaina, fodero m. || MODE guaina. || TECHN. rivestimento m. | [conduite] condotto m.
gala [gala] m. gala f.

galant, e [galɑ̃, ɑ̃t] adj. galante.
galanterie [galɑ̃tri] f. galanteria. ◆ pl. discorsi (m. pl.) galanti, complimenti m. pl.
galaxie [galaksi] f. ASTR. galassia.
galbe [galb] m. curvatura f., sagoma f. | *jambes d'un galbe parfait,* gambe ben tornite.
galbé, e [galbe] adj. [meuble] centinato. || [corps] ben tornito.
gale [gal] f. rogna, scabbia.
galéjade [galeʒad] f. fandonia, frottola, panzana.
galère [galɛr] f. galera. | *vogue la galère !,* sarà quel che sarà !
galerie [galri] f. galleria. || AUT. portabagagli m. inv. || FIG. *chercher à épater la galerie,* cercare di far colpo.
galérien [galerjɛ̃] m. galeotto.
galet [galɛ] m. ciottolo, ghiaia f.
galette [galɛt] f. focaccia. || POP. [argent] grana.
galeux, euse [galø, øz] adj. scabbioso, rognoso. || FIG. *brebis galeuse,* pecora nera.
galimatias [galimatja] m. discorso, scritto farraginoso, confuso ; sproloquio.
galipette [galipɛt] f. FAM. capriola.
gallicisme [galisism] m. francesismo, gallicismo.
gallo-romain, e [galorɔmɛ̃, ɛn] adj. et n. gallo-romano.
gallo-roman, e [galorɔmɑ̃, an] adj. et n. m. gallo-romanzo.
galoche [galɔʃ] f. zoccolo m. || FIG. *menton en galoche,* bazza f.
galon [galɔ̃] m. gallone.
galop [galo] m. galoppo. | *au galop,* di galoppo.
galopade [galɔpad] f. galoppata.
galoper [galɔpe] v. intr. galoppare.
galopin [galɔpɛ̃] m. FAM. monello, discolo.
galvaniser [galvanize] v. tr. galvanizzare.
galvauder [galvode] v. tr. sprecare, sciupare, compromettere.
gambade [gɑ̃bad] f. salterello m., capriola.
gambader [gɑ̃bade] v. intr. salterellare, capriolare.
gamelle [gamɛl] f. gavetta, gamella.
gamin, e [gamɛ̃, in] n. monello, a, birichino, a. || FAM. bambino, a, ragazzo, a.
gamme [gam] f. MUS. scala, gamma. || [série] gamma.
gangrène [gɑ̃grɛn] f. cancrena.
gangrener (se) [səgɑ̃grəne] v. pr. incancrenire, fare cancrena, incancrenirsi.
gangster [gɑ̃gstɛr] m. gangster, bandito, malvivente.
gangue [gɑ̃g] f. ganga.
ganse [gɑ̃s] f. spighetta, cordoncino m.
gant [gɑ̃] m. guanto. | *gant de toilette,* guanto da bagno, manopola f. | *gant de boxe,* guantone. || FIG. *sans prendre de gants,* senza (tanti) riguardi. | *aller comme un gant,* andare a pennello, calzare come un guanto.
ganter [gɑ̃te] v. tr. inguantare. ◆ v. pr. mettersi i guanti, inguantarsi.
garage [garaʒ] m. autorimessa f., garage. || TR. *voie de garage,* binario morto.
garagiste [garaʒist] m. garagista.
garant, e [garɑ̃, ɑ̃t] adj. et n. garante, mallevadore, drice. | *se porter garant,* farsi garante, mallevadore.
garantie [garɑ̃ti] f. garanzia, malleveria, mallevadoria. || HIST. *loi des garanties,* legge delle guarentigie.
garantir [garɑ̃tir] v. tr. garantire. || [affirmer] garantire, assicurare. || FIG. [préserver] (de) proteggere, riparare (da).
garce [gars] f. VULG. donnaccia, carogna.
garçon [garsɔ̃] m. maschio. | *(petit) garçon,* bambino. | *(jeune) garçon,* ragazzino, fanciullo. | *(grand) garçon,* ragazzo, giovanetto. | *mauvais garçon,* ragazzo di vita, ragazzaccio. | [célibataire] scapolo. | [apprenti, employé] garzone, ragazzo. | [de café] cameriere. | [de recettes] esattore. | *garçon de bureau,* fattorino. | *garçon d'honneur,* paggio, paggetto.
garçonnet [garsɔnɛ] m. ragazzetto.
garçonnière [garsɔnjɛr] f. appartamentino (m.) da scapolo.
1. garde [gard] f. guardia, sorveglianza, custodia. | *garde à vue,* fermo m. | [attention] *prendre garde à,* star attento a. | *n'avoir garde de,* non curarsi di. | *mise en garde,* diffida. || JUR. *droit de garde,* patria potestà f. | MIL. guardia. | *garde à vous !,* attenti ! | *être, se mettre au garde-à-vous,* stare, mettersi sull'attenti. || [épée] guardia, guardamano m. inv. || [boxe, escrime] guardia.
2. garde m. guardia f. | *garde du corps,* guardia del corpo. || POL. *garde des Sceaux,* guardasigilli inv.
garde-barrière [gard(ə)barjɛr] n. guardabarriere inv.
garde-boue [gardəbu] m. inv. parafango m.
garde-chasse [gardəʃas] m. guardacaccia inv.
garde-côte [gardəkot] m. guardacoste inv.
garde-feu [gardəfø] m. inv. parafuoco m.
garde-fou [gardəfu] m. parapetto, ringhiera f.
garde-malade [gardəmalad] n. infermiere, a.

garde-manger [gardəmɑ̃ʒe] m. inv. dispensa f.
garde-meuble [gardəmœbl] m. deposito di mobili.
garde-place [gardəplas] m. segnaposto.
garder [garde] v. tr. guardare, custodire, sorvegliare ; badare a. | [troupeau] pascolare. | [malade] assistere. || [conserver] conservare, serbare, tenere. || FIG. *garder son sérieux,* restar serio. || [observer, respecter] osservare, mantenere. || [préserver, protéger] guardare, proteggere. || *garder son chapeau sur la tête,* tenere il cappello in testa. || *garder sur soi,* tenere, serbare con sé. || *garder la chambre,* restare, rimanere in camera. || *garder à déjeuner,* trattenere a colazione. ◆ v. pr. FIG. [éviter] (de) guardarsi (da), astenersi (da). || [se protéger] (de) ripararsi (da).
garderie [gardəri] f. [enfant] nido (m.) d'infanzia.
garde-robe [gardərɔb] f. guardaroba m. inv.
gardien, enne [gardjɛ̃, ɛn] n. guardia f. ; guardiano, a ; custode. | [de nuit] metronotte. | [de phare] fanalista. | [de parking] posteggiatore. | [de prison] carceriere, secondino. | [de la paix] vigile urbano ; metropolitano.
1. gare [gar] f. TR. stazione. | *gare de marchandises,* scalo merci. | *gare régulatrice, de triage,* stazione di smistamento. | *gare routière,* stazione di autolinee. | *gare maritime,* stazione marittima. | *chef de gare,* capostazione m.
2. gare ! interj. *gare à toi !,* guai a te ! || *sans crier gare,* senza avvertire.
garenne [garɛn] f. garenna. | *lapin de garenne,* coniglio (m.) selvatico.
garer [gare] v. tr. [train] fermare. | [véhicule] posteggiare, parcheggiare ; [dans un garage] portare in rimessa. || FIG. mettere in salvo. ◆ v. pr. FAM. [véhicule] posteggiare, parcheggiare. || FIG. [éviter] (de) ripararsi (da).
gargariser (se) [səgargarize] v. pr. gargarizzarsi.
gargarisme [gargarism] m. gargarismo.
gargote [gargɔt] f. gargotta.
gargouille [garguj] f. ARCHIT. doccione m.
gargouillement [gargujmɑ̃] ou **gargouillis** [garguji] m. gorgoglìo.
gargouiller [garguje] v. intr. gorgogliare.
garnement [garnəmɑ̃] m. monellaccio.
garni, e [garni] adj. [chambre] ammobiliato. | [plat] con contorno.
garnir [garnir] v. tr. guarnire, fornire (di). || ornare. || [remplir] munire, gremire. || [rembourrer] imbottire. || CULIN. guarnire.
garnison [garnizɔ̃] f. MIL. guarnigione, presidio m. | *en garnison à,* stanziato a.
garniture [garnityr] f. guarnizione ; accessori m. pl. || [ornement] guarnizione, ornamento m. || CULIN. contorno m.
1. garrot [garo] m. [d'animal] garrese.
2. garrot m. MÉD. laccio emostatico.
garrotter [garɔte] v. tr. legare strettamente.
gars [gɑ] m. FAM. ragazzo, giovane (L.C.).
gas-oil, gasoil [gazɔjl, gazwal] ou **gazole** [gazɔl] m. gasolio.
gaspillage [gaspijaʒ] m. spreco, sperpero.
gaspiller [gaspije] v. tr. sprecare, sperperare.
gaspilleur, euse [gaspijœr, øz] adj. et n. sprecone, a ; scialacquatore, trice.
gâté, e [gɑte] adj. guasto. || FIG. viziato.
gâteau [gɑto] m. dolce. || FIG., FAM. *se partager le gâteau,* spartirsi la torta.
gâter [gɑte] v. tr. guastare, deteriorare, alterare. || FIG. rovinare, sciupare. | [plaisir] guastare. | [choyer] viziare. ◆ v. pr. FIG. [temps] guastarsi. | [affaires] mettersi male, prendere una brutta piega.
gâterie [gɑtri] f. regaluccio m. ; [friandise] leccornia.
gâteux, euse [gɑtø, øz] adj. et n. FAM. rimbambito.
gâtisme [gɑtism] m. rimbambimento.
gauche [goʃ] adj. sinistro. | *à (main) gauche,* a sinistra, a mancina. || FIG. goffo, impacciato. ◆ f. sinistra. ◆ m. SP. sinistro.
gaucher, ère [goʃe, ɛr] adj. et n. mancino, a.
gaucherie [goʃri] f. goffaggine.
gauchir [goʃir] v. intr. storcersi. ◆ v. tr. storcere, incurvare.
gaudriole [godrijɔl] f. FAM. barzelletta salace.
gaufre [gofr] f. CULIN. cialda.
gaufrer [gofre] v. tr. TECHN. goffrare.
gaufrette [gofrɛt] f. CULIN. cialdino m.
gaufrier [gofrije] m. CULIN. stampo per cialde.
gaule [gol] f. bacchio m. || [pêche] canna da pesca.
gauler [gole] v. tr. bacchiare.
gaulois, e [golwa, waz] adj. gallico. || FIG. faceto e salace.
gauloiserie [golwazri] f. arguzia salace.
gausser (se) [səgose] v. pr. (de) beffarsi (di).
gaver [gave] v. tr. [oiseaux] ingozzare. || [personnes] (r)impinzare. || FIG. rimpinzare, imbottire.

gaz [gaz] m. inv. gas. | FAM. *(à) pleins gaz,* a tutto gas, a tutta birra. || MIL. *masque à gaz,* maschera antigas.
gaze [gaz] f. garza.
gazé, e [gaze] adj. et n. gassato.
gazéifier [gazeifje] v. tr. gassificare. || [dissoudre dans un liquide] gassare.
gazelle [gazɛl] f. gazzella.
gazer [gaze] v. tr. [intoxiquer] gassare.
gazeux, euse [gazø, øz] adj. gassoso, gassato.
gazole m. V. GAS-OIL.
gazon [gazɔ̃] m. erba f. || [pelouse] prato.
gazouillement [gazujmɑ̃] ou **gazouillis** [gazuji] m. [oiseau] cinguettio. | [enfant] balbettio, cinguettio. | [ruisseau] mormorio.
gazouiller [gazuje] v. intr. [oiseau] cinguettare. | [enfant] balbettare, cinguettare. | [ruisseau] mormorare, sussurrare.
geai [ʒɛ] m. ghiandaia f.
géant, e [ʒeɑ̃, ɑ̃t] adj. gigante, gigantesco. ◆ n. gigante, essa.
geindre [ʒɛ̃dr] v. intr. gemere, lamentarsi, lagnarsi. || FAM. piagnucolare.
gel [ʒɛl] m. gelo.
gélatine [ʒelatin] f. gelatina.
gelée [ʒ(ə)le] f. [gel] gelo m., gelata. | *gelée blanche,* brina, brinata. || CULIN. gelatina.
geler [ʒ(ə)le] v. tr. congelare, ghiacciare, gelare. || FIN., MÉD. congelare. ◆ v. intr. gelare, ghiacciarsi. || MÉD. congelarsi. || FIG. [avoir très froid] gelare. ◆ v. impers. gelare.
gélule [ʒelyl] f. capsula.
Gémeaux [ʒemo] m. pl. ASTR. Gemelli.
gémir [ʒemir] v. intr. gemere.
gémissement [ʒemismɑ̃] m. gemito.
gênant, e [ʒɛnɑ̃, ɑ̃t] adj. ingombrante. || [indiscret] imbarazzante, indiscreto.
gencive [ʒɑ̃siv] f. gengiva.
gendarme [ʒɑ̃darm] m. MIL. [contexte fr.] gendarme ; [contexte ital.] carabiniere.
gendarmer (se) [səʒɑ̃darme] v. pr. (contre) protestare, insorgere (contro).
gendre [ʒɑ̃dr] m. genero.
gêne [ʒɛn] f. [physique] disagio m., fastidio m., difficoltà. | *gêne à respirer,* affanno m. || [morale] disagio. || [besoin] strettezze f. pl. ◆ *sans gêne,* disinvolto adj.
gêné, e [ʒene] adj. a disagio, impacciato. || [dépourvu d'argent] in strettezze.
généalogie [ʒenealɔʒi] f. genealogia.
gêner [gene] v. tr. incomodare, disturbare ; dar fastidio a. || [entraver] intralciare, ostacolare, impedire. || [embarrasser] mettere a disagio, imbarazzare. ◆ v. pr. [se contraindre] farsi scrupolo.
général, e, aux [ʒeneral, o] adj. generale. || [d'ensemble] complessivo. || [vague] generico. ◆ *en général,* in generale, generalmente ; [d'ordinaire] in genere, di solito, per lo più. ◆ m. MIL. generale.
généralisation [ʒeneralizasjɔ̃] f. generalizzazione.
généraliser [ʒeneralize] v. tr. generalizzare.
généraliste [ʒeneralist] m. medico generico.
généralité [ʒeneralite] f. generalità. | *s'en tenir aux généralités,* mantenersi sulle generali.
génération [ʒenerasjɔ̃] f. generazione.
génératrice [ʒeneratris] f. ÉLECTR. generatrice.
généreux, euse [ʒenerø, øz] adj. generoso.
générique [ʒenerik] m. CIN. titoli (pl.) di testa.
générosité [ʒenerozite] f. generosità. ◆ pl. liberalità sing., larghezze.
genèse [ʒənɛz] f. genesi.
genêt [ʒənɛ] m. ginestra f. | *genêt épineux,* ginestra spinosa.
génétique [ʒenetik] adj. genetico. ◆ f. genetica.
gêneur, euse [ʒɛnœr, øz] n. seccatore, trice ; importuno, a.
génial, e, aux [ʒenjal, o] adj. geniale.
génie [ʒeni] m. genio, genialità f. | [personne] genio, ingegno. || ADM. genio. | *soldat du génie,* geniere.
genièvre [ʒənjɛvr] m. ginepro.
génisse [ʒenis] f. giovenca.
génital, e, aux [ʒenital, o] adj. genitale.
génocide [ʒenɔsid] m. genocidio.
genou [ʒ(ə)nu] m. ginocchio (pl. le ginocchia [ensemble] ; i ginocchi [dissociés]). | *sur les genoux de sa mère,* sulle ginocchia della mamma. | *les mains sur les genoux,* con le mani sui ginocchi. ◆ *à genoux,* in ginocchio ; ginocchioni adv.
genre [ʒɑ̃r] m. genere. || [sorte] genere, specie f., sorta f., tipo. || [manière] genere, modo, maniera f. || ART, GR., LITT. genere.
gens [ʒɑ̃] m. et f. pl. gente f. sing. | *jeunes gens,* giovani, giovanotti. | *la plupart des gens,* i più. || *gens de maison,* gente di servizio, servitori m., servitù f. sing.
gentil, ille [ʒɑ̃ti, ij] adj. carino, grazioso. || [aimable] gentile, cortese. || FAM. *une gentille somme,* una bella sommetta.
gentilhomme [ʒɑ̃tijɔm] m. (pl. **gentilshommes** [ʒɑ̃tizɔm]) gentiluomo. || FIG. gentiluomo, galantuomo.
gentillesse [ʒɑ̃tijɛs] f. grazia, leggiadria. || [amabilité] gentilezza, cortesia.

gentiment [ʒɑ̃timɑ̃] adv. [avec agrément] con garbo, con grazia. || [aimablement] gentilmente, cortesemente. || [sagement] tranquillamente, con calma.
génuflexion [ʒenyflɛksjɔ̃] f. genuflessione.
géodésie [ʒeodezi] f. geodesia.
géodésique [ʒeodezik] adj. geodetico. ◆ f. geodetica.
géographe [ʒeograf] m. geografo.
géographie [ʒeografi] f. geografia. | *géographie humaine,* geografia antropica.
géographique [ʒeografik] adj. geografico.
geôle [ʒol] f. carcere m., prigione.
geôlier [ʒolje] m. carceriere, secondino.
géologie [ʒeolɔʒi] f. geologia.
géologique [ʒeolɔʒik] adj. geologico.
géomètre [ʒeomɛtr] n. geometra.
géométrie [ʒeometri] f. geometria.
géophysique [ʒeofizik] adj. geofisico. ◆ f. geofisica.
géothermie [ʒeotɛrmi] f. geotermica.
géothermique [ʒeotɛrmik] adj. geotermico.
gérance [ʒerɑ̃s] f. gerenza, gestione.
gérant, e [ʒerɑ̃, ɑ̃t] n. gerente ; gestore, trice ; amministratore, trice.
gerbe [ʒɛrb] f. covone m. | *mettre en gerbes,* accovonare. || [fleurs] fascio m., mazzo m.
gerbier [ʒɛrbje] m. bica f.
gercer [ʒɛrse] v. tr. screpolare. ◆ v. intr. et pr. screpolarsi.
gerçure [ʒɛrsyr] f. screpolatura.
gérer [ʒere] v. tr. gestire, amministrare.
germain, e [ʒɛrmɛ̃, ɛn] adj. germano. | *cousins germains,* cugini carnali, cugini primi. | *cousins issus de germains,* cugini di secondo grado.
germanique [ʒɛrmanik] adj. germanico.
germe [ʒɛrm] m. germe.
germer [ʒɛrme] v. intr. [graine] germinare. | [plante] germogliare.
gérondif [ʒerɔ̃dif] m. gerundio.
gésier [ʒezje] m. ventriglio.
gésir [ʒezir] v. intr. défect. giacere. | *ci-gît,* qui giace.
gestation [ʒɛstasjɔ̃] f. gestazione, gravidanza.
gestatoire [ʒestatwar] adj. *chaise gestatoire,* sedia gestatoria.
geste [ʒɛst] m. gesto, atto, mossa f. | *faire des gestes,* fare gesti, gestire. | *s'exprimer par gestes,* esprimersi a gesti. | *joindre le geste à la parole,* detto fatto. | *beau geste,* bel gesto, bell'azione f. || *faits et gestes,* vicende f. pl.
gesticulation [ʒɛstikylasjɔ̃] f. gesticolazione, gesticolamento m.
gesticuler [ʒɛstikyle] v. intr. gesticolare.
gestion [ʒɛstjɔ̃] f. gestione, gerenza, amministrazione.
gibecière [ʒibsjɛr] f. carniere m., carniera.
gibelin, e [ʒiblɛ̃, in] adj. et n. ghibellino.
gibet [ʒibɛ] m. forca f., patibolo.
gibier [ʒibje] m. selvaggina f., cacciagione f.
giboulée [ʒibule] f. piovasco m., acquazzone m.
giboyeux, euse [ʒibwajø, øz] adj. abbondante di selvaggina.
giclée [ʒikle] f. schizzo m., spruzzo m.
giclement [ʒikləmɑ̃] m. schizzo, spruzzo.
gicler [ʒikle] v. intr. schizzare, sprizzare. | *le sang gicle de la blessure,* la ferita sprizza sangue. | *faire gicler,* spruzzare, sprizzare.
gicleur [ʒiklœr] m. AUT. spruzzatore.
gifle [ʒifl] f. schiaffo m., ceffone m. || FIG. schiaffo.
gifler [ʒifle] v. tr. schiaffeggiare.
gigantesque [ʒigɑ̃tɛsk] adj. gigantesco.
gigogne [ʒigɔɲ] adj. *lits, tables gigognes,* letti, tavolini rientrabili. | *fusée gigogne,* razzo pluristadio.
gigot [ʒigo] m. cosciotto.
gigoter [ʒigɔte] v. intr. FAM. sgambettare.
gilet [ʒilɛ] m. panciotto ; gilè inv. || [sous-vêtement] camiciola f. || *gilet de sauvetage,* giubbetto salvagente.
gingembre [ʒɛ̃ʒɑ̃br] m. zenzero.
girafe [ʒiraf] f. giraffa.
girofle [ʒirɔfl] m. *clou de girofle,* chiodo di garofano.
giroflée [ʒirɔfle] f. violacciocca.
giron [ʒirɔ̃] m. grembo.
girouette [ʒirwɛt] f. banderuola.
gisement [ʒizmɑ̃] m. giacimento.
gitan, e [ʒitɑ̃, an] adj. et n. gitano, zingaro.
1. gîte [ʒit] m. alloggio, dimora f. | *le gîte et le couvert,* vitto e alloggio. | *sans gîte,* senza casa. | *gîte d'étape,* tappa f. || [du lièvre] covo. || CULIN. *gîte à la noix,* girello.
2. gîte f. MAR. sbandamento m. | *donner de la gîte,* sbandare.
gîter [ʒite] v. intr. MAR. sbandare.
givrage [ʒivraʒ] m. formazione (f.) di ghiaccio.
givre [ʒivr] m. brina f.
givrer [ʒivre] v. tr. brinare.
glabre [glabr] adj. glabro.
glaçage [glasaʒ] m. CULIN. glassatura f.
glace [glas] f. ghiaccio m. || FIG. *rompre la glace,* rompere il ghiaccio. || CULIN. gelato m. || [verre] vetro m., cristallo m. | [de voiture] finestrino m. | [miroir] specchio m.
glacé, e [glase] adj. [durci par le froid] ghiacciato. | [très froid] ghiac-

ciato, ghiaccio, gelido. || FIG. gelido. || CULIN. *chocolat glacé,* gelato (m.) di cioccolata. | *marrons glacés,* marroni canditi. || TECHN. [gants, peau] lucido ; glacé inv. (fr.). | [linge] inamidato. | [papier] lucido. | [textile] apprettato.

glacer [glase] v. tr. ghiacciare, gelare. || CULIN. glassare.

glaciaire [glasjɛr] adj. glaciale.

glacial, e, als ou **aux** [glasjal, o] adj. glaciale, gelido.

glacier [glasje] m. ghiacciaio. || CULIN. gelataio, gelatiere.

glacière [glasjɛr] f. ghiacciaia.

glaçon [glasɔ̃] m. pezzo di ghiaccio. | [cube] cubetto.

glaïeul [glajœl] m. gladiolo.

glaise [glɛz] f. creta, argilla.

gland [glɑ̃] m. ghianda f.

glande [glɑ̃d] f. ghiandola.

glaner [glane] v. tr. spigolare.

glaneur, euse [glanœr, øz] n. spigolatore, trice.

glapir [glapir] v. intr. uggiolare, guaire.

glas [glɑ] m. rintocco funebre.

glissade [glisad] f. scivolata, scivolone m., sdrucciolone m. || AV. *glissade sur l'aile, sur la queue,* scivolata d'ala, di coda.

glissant, e [glisɑ̃, ɑ̃t] adj. sdrucciolevole, scivoloso.

glissement [glismɑ̃] m. scivolamento, slittamento, sdrucciolamento. || GÉOL. smottamento.

glisser [glise] v. intr. scivolare ; [par accident] sdrucciolare, slittare, scivolare. || [être glissant] essere sdrucciolevole. || [échapper] scivolare, scappare. || FIG. sorvolare. ◆ v. tr. [mettre] infilare, inserire. ◆ v. pr. insinuarsi, infilarsi, cacciarsi. || FIG. [erreur, soupçon] insinuarsi.

glissière [glisjɛr] f. *porte à glissière,* porta scorrevole. || TR. *glissière de sécurité,* guardrail m. (angl.).

global, e, aux [glɔbal, o] adj. globale, complessivo.

globe [glɔb] m. globo.

globule [glɔbyl] m. globulo.

gloire [glwar] f. gloria. | *à la gloire de la vérité,* a onor del vero. | *rendre gloire à,* rendere omaggio a.

glorieux, euse [glɔrjø, øz] adj. glorioso. || [vaniteux] (de) vanitoso (di).

glorifier [glɔrifje] v. tr. glorificare. ◆ v. pr. (de) gloriarsi (di).

gloriole [glɔrjɔl] f. vanagloria.

glose [gloz] f. [commentaire] glossa, chiosa. || [malveillance] pettegolezzo m.

gloser [gloze] v. tr. glossare, chiosare. ◆ v. intr. [critiquer] (sur) spettegolare (su).

glossaire [glɔsɛr] m. glossario.

glossateur [glɔsatœr] m. glossatore, chiosatore.

glotte [glɔt] f. glottide.

glouglou [gluglu] m. gluglu.

glouglouter [gluglute] v. intr. gloglottare, fare gluglu.

gloussement [glusmɑ̃] m. (il) chiocciare.

glousser [gluse] v. intr. chiocciare. || FAM. ridacchiare.

glouton, onne [glutɔ̃, ɔn] adj. goloso, ingordo. ◆ n. ghiottone, a ; golosone m.

gloutonnerie [glutɔnri] f. golosità, ingordigia.

glu [gly] f. vischio m., pania.

gluant, e [glyɑ̃, ɑ̃t] adj. viscoso. || PR. et FIG. appiccicoso, attaccaticcio.

glucose [glykoz] m. CHIM. glucosio, glicosio.

glycémie [glisemi] f. glicemia.

glycérine [gliserin] f. glicerina.

glycine [glisin] f. glicine m.

gnangnan [ɲɑ̃ɲɑ̃] adj. inv. FAM. smidollato, fiacco, piagnucoloso.

gnaule ou **gnôle** [ɲol] f. POP. grappa, acquavite (L.C.).

gnon [ɲɔ̃] m. POP. botta f., sventola f.

go (tout de) [tudgo] loc. adv. FAM. senza complimenti ; di punto in bianco.

gobelet [gɔblɛ] m. bicchiere (senza piede).

gober [gɔbe] v. tr. [œuf, huître] inghiottire, sorbire ; mandar giù. || FIG., FAM. bere ; credere. ◆ v. pr. FAM., PÉJOR. darsi delle arie.

goberger (se) [səgɔbɛrʒe] v. pr. FAM. far baldoria.

godasse [gɔdas] f. POP. scarpa, scarpone m. (L.C.).

godet [gɔdɛ] m. scodellino. || TECHN. tazza f.

godiche [gɔdiʃ] adj. FAM. sempliciotto, goffo, impacciato.

godille [gɔdij] f. MAR. bratto m.

godiller [gɔdije] v. intr. MAR. brattare.

godillot [gɔdijo] m. POP. scarpone (L.C.).

goéland [gɔelɑ̃] m. gabbiano.

goélette [gɔelɛt] f. goletta.

goémon [gɔemɔ̃] m. goemone.

1. gogo [gogo] m. FAM. credulone, babbeo.

2. gogo (à) loc. adv. FAM. a iosa, a bizzeffe.

goguenard, e [gɔgnar, ard] adj. beffardo, canzonatorio.

goinfre [gwɛ̃fr] m. FAM. sbafatore.

goinfrer [gwɛ̃fre] v. intr. sbafare, pacchiare.

goitre [gwɑtr] m. gozzo.

goitreux, euse [gwatrø, øz] adj. et n. gozzuto.

golfe [gɔlf] m. golfo.

gomme [gɔm] f. gomma.

gommer [gɔme] v. tr. [enduire] (in)gommare. || [effacer] cancellare.

gond [gɔ̃] m. ganghero, cardine.

gondolant, e [gɔ̃dɔlɑ̃, ɑ̃t] adj. POP. buffissimo.
gondole [gɔ̃dɔl] f. gondola.
gondoler [gɔ̃dɔle] v. intr. ou **gondoler (se)** v. pr. [bois] imbarcarsi ; [papier] accartocciarsi. ◆ v. pr. FIG., POP. ridere a crepapelle.
gondolier [gɔ̃dɔlje] m. gondoliere.
gonflage [gɔ̃flaʒ] m. gonfiatura f.
gonflé, e [gɔ̃fle] adj. [cœur, yeux] gonfio. || POP. *être gonflé à bloc,* essere su di giri. | *il est gonflé !,* che faccia tosta !
gonflement [gɔ̃fləmɑ̃] m. [enflure] gonfiezza f., gonfiore, enfiagione f. || [crédit] forte aumento.
gonfler [gɔ̃fle] v. tr. gonfiare. || [rivière] gonfiare, ingrossare. || FIG. gonfiare, esagerare.
gonfleur [gɔ̃flœr] m. AUT. pompa f.
goret [gɔrɛ] m. maialino, porcellino.
gorge [gɔrʒ] f. gola. | *à gorge déployée,* a voce spiegata. | *faire des gorges chaudes de,* farsi beffe di. | *faire rendre gorge,* far restituire il maltolto. || GÉOGR. gola, forra.
gorge-de-pigeon [gɔrʒdəpiʒɔ̃] adj. inv. cangiante.
gorgée [gɔrʒe] f. sorso m.
gorger [gɔrʒe] v. tr. [gaver] rimpinzare, ingozzare. | *sol gorgé d'eau,* suolo tutto inzuppato d'acqua. ◆ v. pr. rimpinzarsi ; riempirsi. || [d'eau] riempirsi, inzupparsi.
gorille [gɔrij] m. gorilla inv.
gosier [gozje] m. gola f. | *à plein gosier,* a squarciagola.
gosse [gɔs] n. FAM. bambino, a ; ragazzino, a. || POP. *beau, belle gosse,* bel giovane (L.C.), bella pupa.
gothique [gɔtik] adj. et m. gotico.
gouache [gwaʃ] f. guazzo m.
gouaille [gwaj] f. motteggio m., canzonatura.
gouailler [gwaje] v. intr. FAM. motteggiare (sguaiatamente).
gouailleur, euse [gwajœr, øz] adj. FAM. beffardo.
goudron [gudrɔ̃] m. catrame.
goudronner [gudrɔne] v. tr. (in)catramare.
gouffre [gufr] m. GÉOGR. baratro, voragine f. || [tourbillon] vortice, gorgo. || FIG. [chose] voragine, abisso. | [personne] spendaccione, a.
goujat [guʒa] m. cafone.
goujon [guʒɔ̃] m. ZOOL. ghiozzo.
goulet [gulɛ] m. MAR. imboccatura f., stretta f. | *goulet d'étranglement,* (punto di) strozzatura f.
goulot [gulo] m. collo.
goulu, e [guly] adj. vorace, ingordo.
goupille [gupij] f. TECHN. copiglia.
goupiller [gupije] v. tr. POP. combinare. ◆ v. pr. POP. andare, procedere (L.C.).
goupillon [gupijɔ̃] m. aspersorio. || [brosse] scovolino.
gourd, e [gur, gurd] adj. intirizzito.
gourde [gurd] f. borraccia, fiaschetta.
gourdin [gurdɛ̃] m. randello, manganello.
gourmand, e [gurmɑ̃, ɑ̃d] adj. (de) ghiotto (di).
gourmandise [gurmɑ̃diz] f. [défaut] ghiottoneria, gola. || [friandise] ghiottoneria, leccornia.
gourme [gurm] f. MÉD. lattime m.
gourmet [gurmɛ] m. buongustaio.
gousse [gus] f. baccello m. | [ail] spicchio m.
gousset [gusɛ] m. taschino.
goût [gu] m. gusto. | [saveur] gusto, sapore. | *qui a bon goût,* saporito adj. | *sans goût,* scipito, insipido adj. | *avoir goût de,* sapere di. || [penchant] gusto, inclinazione f., preferenza f., predilezione f. || [appréciation] gusto, giudizio, piacimento. | *c'est affaire de goût,* è questione di gusti. || *au goût du jour,* di moda, alla moda. || [style, manière] gusto, stile, maniera f. || FAM. *qch. dans ce goût-là,* qlco. del genere (L.C.).
goûter [gute] v. tr. assaggiare, gustare, provare. || FIG. gustare, assaporare, gradire. || [jouir de] godersi. ◆ v. tr. ind. (de, à) assaggiare v. tr., provare v. tr. ◆ v. intr. [prendre un goûter] far merenda ; merendare. ◆ m. merenda f.
1. goutte [gut] f. MÉD. gotta.
2. goutte f. goccia, gocciola. || [très petite quantité] goccio m., gocciolo m. || FAM. *boire la goutte,* bere un cicchetto, un goccetto. | *suer à grosses gouttes,* grondar di sudore. ◆ *ne... goutte,* non ... nulla, non ... punto.
goutte-à-goutte [gutagut] m. inv. MÉD. goccia a goccia.
gouttelette [gutlɛt] f. gocciolina.
goutter [gute] v. intr. (s)gocciolare.
gouttière [gutjɛr] f. grondaia. || CHIR. doccia.
gouvernail [guvɛrnaj] m. timone.
gouvernant, e [guvɛrnɑ̃, ɑ̃t] adj. governante ; al potere. ◆ f. governante. ◆ m. pl. governanti.
gouvernement [guvɛrnəmɑ̃] m. governo.
gouvernemental, e, aux [guvɛrnəmɑ̃tal, o] adj. governativo.
gouverner [guvɛrne] v. tr. governare.
gouverneur [guvɛrnœr] m. governatore.
grabat [graba] m. giaciglio.
grabuge [grabyʒ] m. FAM. *faire du grabuge,* far baccano, fare uno scandalo.

grâce [grɑs] f. [charme] grazia, leggiadria, garbo m. || [surtout pl.] grazie f. pl. || [faveur] grazia, favore m. || [pardon] grazia, perdono m. | *faire grâce à qn,* perdonare a qlcu. || JUR. grazia, condono m. || REL. grazia. || *de bonne, de mauvaise grâce,* di buona voglia, volentieri ; di malavoglia, malvolentieri. ◆ pl. [prières] grazie. || IRON. *faire des grâces,* fare delle moine. ◆ *de grâce,* per carità. | *grâce à,* grazie a ; in grazia di ; mercé.

gracier [grasje] v. tr. JUR. graziare.

gracieux, euse [grasjø, øz] adj. grazioso, leggiadro, garbato. || [gratuit] gratuito.

gracile [grasil] adj. gracile, esile.

gradation [gradasjɔ̃] f. gradazione.

grade [grad] m. grado.

gradé [grade] m. MIL. graduato.

gradin [gradɛ̃] m. gradino. || [stade] *les gradins,* la gradinata.

graduation [gradɥasjɔ̃] f. graduazione.

graduel, elle [gradɥɛl] adj. et m. graduale.

graduellement [gradɥɛlmɑ̃] adv. gradatamente.

graduer [gradɥe] v. tr. graduare.

grain [grɛ̃] m. [blé, riz, etc.] grano, chicco, granello ; [céréales] grano, granaglie f. pl. ; [café] chicco ; [poivre] grano, granellino ; [raisin] chicco, acino ; [collier, chapelet] grano ; [sel] grano, granellino ; [poussière, sable] granello. || FAM. *grain de beauté,* neo. || [averse] acquazzone, rovescio. || FIG. [parcelle] granello, pizzico, briciolo. || FAM. *mettre son grain de sel (dans),* ficcare il naso (in).

graine [grɛn] f. seme m., sementa, semenza. | *monter en graine,* spigare. || FIG. *mauvaise graine,* malerba.

graineterie [grɛntri] f. commercio (m.), negozio (m.) di granaglie, di civaia.

grainetier, ère [grɛntje, ɛr] n. civaiolo, a.

graissage [grɛsaʒ] m. lubrificazione f., ingrassaggio.

graisse [grɛs] f. grasso m., adipe m. || CULIN. grasso m. | [de porc] strutto m. || TECHN. lubrificante m., grasso.

graisser [grɛse] v. tr. ungere, ingrassare, lubrificare. || FIG., FAM. *graisser la patte,* ungere le ruote.

graisseux, euse [grɛsø, øz] adj. adiposo, grasso. || [taché] (bis)unto.

grammaire [grammɛr] f. grammatica.

grammairien, enne [grammɛriɛ̃, ɛn] n. grammatico.

grammatical, e, aux [grammatikal, o] adj. grammaticale.

gramme [gram] m. grammo.

gramophone [gramɔfɔn] m. VX. grammofono.

grand, e [grɑ̃, ɑ̃d] adj. grande, vasto, ampio. || [haut] *un homme grand,* un uomo alto. || [adulte] grande, adulto. | *les grandes personnes,* gli adulti. | *grand âge,* età avanzata. | *un grand homme,* un grand'uomo. || FIG. *grand merci !,* tante, mille grazie ! | *prendre de grands airs,* darsi delle arie. | *ouvrir la bouche toute grande,* spalancare la bocca. | *ouvrir de grands yeux,* aprir tanto d'occhi. | *au grand air,* all'aperto. | *il fait grand jour,* è giorno fatto. | *au grand jour,* in piena luce. | *il est grand temps de,* ormai è ora di. | *attendre une grande heure,* aspettare un'ora buona. || [principal] *la plus grande partie,* la maggior parte, la maggioranza. | *grandes vacances,* vacanze estive. ◆ n. grande, adulto. | *les grands de la terre,* i grandi della terra. ◆ adv. *voir grand,* avere idee grandiose. | *en grand,* in grande. | *ce n'est pas grand-chose,* non è un gran che. | *grand-faim,* molta fame.

grandement [grɑ̃dmɑ̃] adv. ampiamente, largamente. | *se tromper grandement,* sbagliare di molto.

grandeur [grɑ̃dœr] f. grandezza. || PÉJOR. *regarder du haut de sa grandeur,* guardare dall'alto in basso.

grandiloquence [grɑ̃dilɔkɑ̃s] f. magniloquenza.

grandiloquent, e [grɑ̃dilɔkɑ̃, ɑ̃t] adj. magniloquente.

grandiose [grɑ̃djoz] adj. grandioso. ◆ m. grandiosità f.

grandir [grɑ̃dir] v. intr. crescere ; venir su. || FIG. [dans l'estime] salire. ◆ v. tr. ingrandire.

grandissant, e [grɑ̃disɑ̃, ɑ̃t] adj. crescente.

grand-livre [grɑ̃livr] m. (libro) mastro.

grand-maman [grɑ̃mamɑ̃] f. FAM. nonnina.

grand-mère [grɑ̃mɛr] f. nonna.

grand-messe [grɑ̃mɛs] f. messa solenne, messa cantata.

grand-oncle [grɑ̃tɔ̃kl] m. prozio.

grand-papa [grɑ̃papa] m. FAM. nonnino.

grand-peine (à) [agrɑ̃pɛn] loc. adv. a fatica, a stento, a malapena.

grand-père [grɑ̃pɛr] m. nonno.

grand-route [grɑ̃rut] f. strada maestra.

grand-rue [grɑ̃ry] f. via maestra, via principale.

grands-parents [grɑ̃parɑ̃] m. pl. nonni.

grand-tante [grɑ̃tɑ̃t] f. prozia.

grange [grɑ̃ʒ] f. [foin] fienile m. | [blé] granaio m. | [paille] pagliaio m.

granit(e) [granit] m. granito.

granule [granyl] ou **granulé** [granylé] m. PHARM. granulo.
granuleux, euse [granylø, øz] adj. granuloso.
graphique [grafik] adj. et m. grafico.
graphologie [grafɔlɔʒi] f. grafologia.
grappe [grap] f. grappolo m.
grappin [grapɛ̃] m. MAR. grappino. ‖ TECHN. gancio.
gras, grasse [grɑ, ɑs] adj. grasso. | *les matières grasses,* i grassi. ‖ [fertile] pingue, grasso. ‖ TYP. *caractère gras,* grassetto. ‖ [graisseux] grasso, unto. | *eaux grasses,* acque di scolo ; risciacquatura f. ‖ [glissant] viscido, scivoloso. ‖ FIG. [grossier] grasso. ‖ FAM. *faire la grasse matinée,* poltrire fino a tardi. ◆ m. grasso. ◆ adv. *faire gras,* mangiare di grasso.
grassement [grasmɑ̃] adv. [vivre] agiatamente. | [payer] lautamente, profumatamente. | [rire] grassamente, sguaiatamente.
grassouillet, ette [grasujɛ, ɛt] adj. FAM. grassoccio, grassottello.
gratification [gratifikasjɔ̃] f. gratifica.
gratifier [gratifje] v. tr. gratificare.
gratin [gratɛ̃] m. CULIN. gratin (fr.). ‖ FAM. [élite] (fior) fiore, crema f.
gratis [gratis] adv. FAM. gratis.
gratitude [gratityd] f. gratitudine, riconoscenza.
grattage [grataʒ] m. grattatura f.
gratte [grat] f. FAM. *faire de la gratte,* rubacchiare.
gratte-ciel [gratsjɛl] m. inv. grattacielo (pl. grattacieli).
grattement [gratmɑ̃] m. grattamento.
gratte-papier [gratpapje] m. inv. FAM. imbrattacarte.
gratter [grate] v. tr. grattare. | [râcler] raschiare. | [animaux] raspare. | [volaille] razzolare.
grattoir [gratwar] m. raschietto, raschino.
gratuit, e [gratɥi, it] adj. gratuito.
gravats [grava] m. pl. calcinacci ; macerie f. pl.
grave [grav] adj. grave.
graveleux, euse [gravlø, øz] adj. FIG. licenzioso, osceno.
graver [grave] v. tr. incidere, intagliare, scolpire. | [sur disque] incidere. ‖ FIG. imprimere, scolpire.
graveur [gravœr] m. incisore, intagliatore. | *graveur à l'eau-forte,* acquafortista.
gravier [gravje] m. ghiaia f.
gravillon [gravijɔ̃] m. ghiaietto.
gravir [gravir] v. tr. salire (su) per ; arrampicarsi, inerpicarsi su, per.
gravitation [gravitasjɔ̃] f. gravitazione.
gravité [gravite] f. PHYS. gravità. | *centre de gravité,* centro di gravità ; baricentro. ‖ FIG. gravità, dignità. ‖ [maladie] gravità, serietà.
graviter [gravite] v. intr. PHYS., FIG. gravitare.
gravure [gravyr] f. incisione, intagliatura. | [sur cuivre] calcografia. | [sur bois] silografia. ‖ [image] stampa, illustrazione. | [de mode] figurino m. ‖ [disque] incisione.
gré [gre] m. [goût, plaisir] piacimento, gradimento, gusto. ‖ [avis] parere. ‖ [volonté] *de bon gré,* di buon grado, di buona voglia. | *bon gré, mal gré,* volente o nolente. | *de gré ou de force,* per amore o per forza. | *de mauvais gré,* di malavoglia. | *contre mon, ton gré,* mio, tuo malgrado. | *de gré à gré,* amichevole adj. | *au gré des flots,* in balia delle onde. | *au gré des circonstances,* secondo le circostanze. | *savoir (bon) gré de qch. à qn,* esser grato, riconoscente a qlcu. di qlco.
gredin, e [grədɛ̃, in] n. briccone, a ; mascalzone m.
grec, grecque [grɛk] adj. et n. greco. ◆ f. [ornement] greca.
gréement [gremɑ̃] m. MAR. attrezzatura f.
gréer [gree] v. tr. MAR. attrezzare.
1. greffe [grɛf] m. JUR. cancelleria f.
2. greffe f. BOT. innesto m., innestatura. ‖ CHIR. trapianto m., innesto.
greffer [grefe] v. tr. BOT. *(sur)* innestare (in, su). ‖ CHIR. innestare, trapiantare.
greffier [grɛfje] m. cancelliere.
grégaire [gregɛr] adj. gregario, gregale.
grège [grɛʒ] adj. greggio, grezzo.
1. grêle [grɛl] adj. gracile, esile. ‖ ANAT. [intestin] tenue.
2. grêle f. grandine. ‖ FIG. grandinata, gragnola.
grêlé, e [grele] adj. FIG. butterato.
grêler [grele] v. impers. grandinare. ◆ v. pass. *être grêlé,* essere colpito, devastato dalla grandine.
grêlon [grɛlɔ̃] m. chicco di grandine.
grelot [grəlo] m. bubbolo, sonaglio.
grelotter [grəlɔte] v. intr. tremare ; battere i denti.
grenade [grənad] f. BOT. melagrana, granata. ‖ MIL. bomba a mano. | [sous-marine] bomba antisommergibili.
grenadier [grənadje] m. BOT. melograno. ‖ MIL. granatiere.
grenaille [grənɑj] f. *grenaille de plomb,* piombini m. pl.
grenat [grəna] m. granato. ◆ adj. inv. granato, a.
grenier [grənje] m. granaio. | [à foin] fienile. ‖ [combles] solaio, soffitta f.
grenouille [grənuj] f. rana.
grenu, e [grəny] adj. BOT. granato. ‖ [cuir, peau] granuloso. ‖ [roche] granoso.

grès [grɛ] m. GÉOL. arenaria f. || [poterie] gres (fr.).
grésil [grezil] m. nevischio.
grésillement [grezijmɑ̃] m. crepitio, sfrigolio.
grésiller [grezije] v. intr. crepitare, sfrigolare.
gressin [gresɛ̃] m. grissino.
1. grève [grɛv] f. [à la mer] spiaggia.
2. grève f. [arrêt de travail] sciopero m. | *faire grève,* scioperare.
grever [grəve] v. tr. gravare.
gréviste [grevist] adj. et n. scioperante.
gribouillage [gribujaʒ] ou **gribouillis** [gribuji] m. FAM. scarabocchio, sgorbio.
gribouiller [gribuje] v. intr. et tr. FAM. scarabocchiare, sgorbiare.
grief [grijɛf] m. lagnanza f. | *formuler des griefs à l'égard de qn,* muovere appunti a qlcu.
grièvement [grijɛvmɑ̃] adv. *grièvement blessé,* ferito gravemente.
griffe [grif] f. artiglio m., granfia. || [signature] firma, sigla, stampiglia. || [marque de vêtement] marca, etichetta.
griffer [grife] v. tr. (s)graffiare.
griffonnage [grifɔnaʒ] m. scarabocchio.
griffonner [grifɔne] v. tr. scarabocchiare. || FAM. scribacchiare.
grignoter [griɲɔte] v. tr. rosicchiare. || [manger] sbocconcellare. || SP. *grignoter l'adversaire,* rosicchiare punti all'avversario.
grigou [grigu] m. FAM. spilorcio, taccagno, tirchio.
gril [gri(l)] m. CULIN. griglia f.
grillade [grijad] f. carne ai ferri, alla griglia.
grillage [grijaʒ] m. graticolato, grata f., reticolato.
grillager [grijaʒe] v. tr. graticolare.
grille [grij] f. [clôture] cancellata. || [porte] cancello m. || [fenêtre] inferriata. || [confessional] grata. || [poêle] griglia. || [salaires] elenco (m.) graduato. || [mots croisés] reticolato m. || RAD., T.V. griglia oraria.
grille-pain [grijpɛ̃] m. inv. tostapane.
griller [grije] v. tr. CULIN. cuocere ai ferri, sulla griglia. || [café, pain] tostare, abbrustolire. || FAM. [cigarette] fumare. || [étape] bruciare. *griller un feu (rouge),* passare col rosso. || [ampoule] fulminare. ◆ v. intr. FAM. *griller d'impatience,* struggersi dall'impazienza.
grillon [grijɔ̃] m. grillo.
grimaçant, e [grimasɑ̃, ɑ̃t] adj. smorfioso. || [de douleur] contorto (dal dolore).
grimace [grimas] f. smorfia, versaccio m. || FIG. *faire la grimace,* arricciare il naso.
grimacer [grimase] v. intr. fare una smorfia, fare smorfie.
grimer [grime] v. tr. truccare.
grimpant, e [grɛ̃pɑ̃, ɑ̃t] adj. rampicante.
grimper [grɛ̃pe] v. intr. (à, sur) arrampicarsi (su, per). ◆ v. tr. [l'escalier] salire.
grimpeur, euse [grɛ̃pœr, øz] adj. rampicante. ◆ m. [cycliste] scalatore.
grinçant, e [grɛ̃sɑ̃, ɑ̃t] adj. stridente, cigolante.
grincement [grɛ̃smɑ̃] m. [porte, roue] cigolamento, cigolio, stridore, stridio. | [dents] digrignamento.
grincer [grɛ̃se] v. intr. [porte, roue] stridere, cigolare. | *grincer des dents,* digrignare i denti.
grincheux, euse [grɛ̃ʃø, øz] adj. scontroso, stizzoso.
gringalet [grɛ̃galɛ] m. FAM. mingherlino.
grippe [grip] f. MÉD. influenza. || FIG. *prendre en grippe,* prendere in uggia, in antipatia.
grippé, e [gripe] adj. MÉD. influenzato.
gripper [gripe] v. intr. ou **gripper (se)** v. pr. MÉC. incepparsi ; grippare, gripparsi.
grippe-sou [gripsu] m. FAM. spilorcio, taccagno, tirchio.
gris, e [gri, iz] adj. grigio. || [barbe, cheveux] grigio, brizzolato. || [temps] coperto. || FAM. brillo, alticcio. || AUT. *carte grise,* libretto di circolazione. ◆ m. grigio.
grisâtre [grizɑtr] adj. grigiastro.
grisbi [grizbi] m. ARG. grana.
griser [grize] v. tr. ubriacare, inebriare.
griserie [grizri] f. ebbrezza.
grisonnant, e [grizɔnɑ̃, ɑ̃t] adj. brizzolato.
grisonner [grizɔne] v. intr. brizzolarsi.
grisou [grizu] m. grisù.
grive [griv] f. tordo m.
grivois, e [grivwa, az] adj. salace, scollacciato.
grogne [grɔɲ] f. FAM. malcontento m., malumore m.
grognement [grɔɲmɑ̃] m. [porc, homme] grugnito. || [chien] ringhio.
grogner [grɔɲe] v. [porc, homme] grugnire. | [chien] ringhiare.
grognon, onne [grɔɲɔ̃, ɔn] adj. brontolone, a ; borbottone, a.
groin [grwɛ̃] m. grugno, grifo.
grommeler [grɔmle] v. intr. et tr. borbottare, brontolare.
grondement [grɔ̃dmɑ̃] m. [chien] ringhio. || [tonnerre, canon] rimbombo, rombo.
gronder [grɔ̃de] v. intr. [homme] brontolare. || [chien] ringhiare. | [tonnerre, canon] tuonare, rimbombare. ◆ v. tr. sgridare, rimproverare.

gronderie [grɔ̃dri] f. sgridata.
groom [grum] m. fattorino.
gros, grosse [gro, gros] adj. grosso. ‖ [enceinte] incinta, gravida. ‖ FIG. grosso, importante, ragguardevole. ‖ [grossier] grosso, grossolano, rozzo. | *gros mots,* parolacce f. pl. | *gros sel,* sale grosso. | *le cœur gros,* il cuor gonfio. | *faire les gros yeux,* far gli occhiacci. ‖ ANAT. *gros intestin,* intestino crasso. ◆ adv. molto, grosso. | *jouer gros,* giocar forte, grosso. ◆ *en gros,* all'ingrosso ; su per giù, grosso modo. ◆ m. [de l'armée] grosso. ‖ COMM. *faire le gros,* commerciare all'ingrosso. ◆ f. JUR. copia.
groseille [grozɛj] f. ribes m. | *groseille à maquereau,* uva spina.
groseillier [grozeje] m. ribes.
grossesse [grosɛs] f. gravidanza.
grosseur [grosœr] f. grossezza. ‖ MÉD. gonfiore m., enfiagione.
grossier, ère [grosje, ɛr] adj. rozzo. ‖ FIG. [approximatif] sommario. ‖ [rude, sans éducation] rozzo, grossolano. ‖ [vulgaire] volgare, grossolano, sguaiato.
grossièrement [grosiɛrmɑ̃] adv. [dessiner, sculpter] rozzamente, sommariamente. ‖ [se tromper] grossolanamente. ‖ [s'exprimer] volgarmente, sguaiatamente.
grossièreté [grosjɛrte] f. rozzezza, grossolanità. ‖ [vulgarité] volgarità, grossolanità, sguaiataggine. ‖ [parole, acte] sconcezza, grossolanità, sguaiataggine.
grossir [grosir] v. tr. ingrossare. ‖ OPT. ingrandire. ‖ FIG. [exagérer] ingrandire. ◆ v. intr. ingrossare, ingrossarsi. ‖ [augmenter] aumentare, crescere.
grossissant, e [grosisɑ̃, ɑ̃t] adj. *verre grossissant,* lente d'ingrandimento.
grossissement [grosismɑ̃] m. ingrossamento. ‖ OPT. ingrandimento. ‖ FIG. esagerazione f.
grossiste [grosist] n. COMM. grossista.
grosso modo [grosomodo] loc. adv. grosso modo, all'incirca, su per giù.
grotesque [grɔtɛsk] adj. grottesco.
grotte [grɔt] f. grotta, caverna.
grouillant, e [grujɑ̃, ɑ̃t] adj. brulicante, formicolante.
grouiller [gruje] v. intr. (de) brulicare (di), formicolare (di). ◆ v. pr. POP. spicciarsi.
groupe [grup] m. gruppo.
groupement [grupmɑ̃] m. (r)aggruppamento.
grouper [grupe] v. tr. (r)aggruppare, riunire.
gruau [gryo] m. semolino. | *farine de gruau,* fior di farina.
1. grue [gry] f. ZOOL. gru. ‖ POP. passeggiatrice.
2. grue f. TECHN. gru.
gruger [gryʒe] v. tr. truffare, derubare.
grumeau [grymo] m. grumo, bozzolo.
grumeleux, euse [grymlø, øz] adj. grumoso.
gruyère [gryjɛr] m. groviera f. ou m. inv., gruviera m. ou f. inv.
gué [ge] m. guado. | *passer à gué,* guadare.
guelfe [gɛlf] m. et adj. guelfo.
guelfisme [gɛlfism] m. guelfismo.
guelte [gɛlt] f. percentuale (sulle vendite).
guenille [gənij] f. straccio m., cencio m.
guenon [gənɔ̃] f. scimmia (femmina).
guépard [gepar] m. ghepardo.
guêpe [gɛp] f. vespa.
guêpier [gepje] m. vespaio.
guère [gɛr] adv. *ne ... guère,* non ... molto, non ... tanto, non ... troppo ; poco.
guéridon [geridɔ̃] m. tavolino rotondo.
guérilla [gerija] f. MIL. guerriglia.
guérir [gerir] v. tr. et intr. guarire, (ri)sanare. ◆ v. pr. guarire.
guérison [gerizɔ̃] f. guarigione.
guérisseur, euse [gerisœr, øz] n. guaritore, trice.
guérite [gerit] f. garitta, casotto m.
guerre [gɛr] f. guerra. | *décoré pour fait de guerre,* decorato al valore militare.
guerrier, ère [gerje, ɛr] adj. [exploit, récit] guerresco. ‖ [humeur, nation] guerriero, battagliero, bellicoso. ◆ m. guerriero.
guerroyer [gɛrwaje] v. intr. guerreggiare.
guet [gɛ] m. guardia f. | *faire le guet,* MIL. far la guardia ; [voleur] fare il palo.
guet-apens [gɛtapɑ̃] m. agguato, imboscata f.
guêtre [gɛtr] f. ghetta.
guetter [gete] v. tr. [ennemi] spiare ; [attente] far la posta (a). ‖ FIG. minacciare.
guetteur [getœr] m. vedetta f., sentinella f.
gueule [gœl] f. [d'un animal] bocca ; fauci f. pl. | [d'un objet] bocca. ‖ POP. *avoir la gueule de bois,* avere i postumi della sbornia. | *ta gueule,* chiudi il becco ! ‖ POP. [figure] muso m., ceffo m. | *casser la gueule à,* spaccare il muso a. | FIG., FAM. *avoir de la gueule,* aver stile, classe (L.C.).
gueuler [gœle] v. intr. POP. sbraitare.
gueuleton [gœltɔ̃] m. FAM. bisboccia f., scorpacciata f.
gueuse [gøz] f. MÉTALL. pane m.
gueux, euse [gø, øz] n. pezzente ; straccione, a.

gui [gi] m. vischio.
guichet [giʃɛ] m. [petite porte] portello. | [confessionnal, parloir] grata f. | [poste, banque] sportello. | [gare] sportello, biglietteria f. | [théâtre] botteghino, biglietteria f.
guichetier, ère [giʃtje, ɛr] n. sportellista. || [gare, théâtre] bigliettaio, a.
1. guide [gid] m. guida f.
2. guide f. redine, briglia.
guider [gide] v. tr. guidare.
guidon [gidɔ̃] m. [vélo] manubrio.
1. guigne [giɲ] f. BOT. ciliegia acquaiola, ciliegia lustrina.
2. guigne f. FAM. scalogna.
guigner [giɲe] v. tr. sbirciare. adocchiare.
guignol [giɲɔl] m. marionetta f., burattino.
guilde [gild] f. gilda.
guillemet [gijmɛ] m. TYP. virgoletta f.
guilleret, ette [gijrɛ, ɛt] adj. [gai] arzillo, vispo.
guillotine [gijɔtin] f. ghigliottina.
guillotiner [gijɔtine] v. tr. ghigliottinare.
guimauve [gimov] f. altea, bismalva.
guimbarde [gɛ̃bard] f. FAM. [auto] macinino m.
guindé, e [gɛ̃de] adj. [personne] contegnoso. || [style] affettato, artefatto.
guingois (de) [dəgɛ̃gwa] loc. adv. di sghimbescio.
guirlande [girlɑ̃d] f. ghirlanda.
guise [giz] f. *à sa guise,* a modo suo. | *à votre guise !,* (faccia) come vuole ! | *n'en faire qu'à sa guise,* fare di testa propria. ◆ **en guise de,** a mo' di, a guisa di.
guitare [gitar] f. chitarra.
guitariste [gitarist] n. chitarrista.
gustatif, ive [gystatif, iv] adj. gustativo.
guttural, e, aux [gytyral, o] adj. et f. gutturale.
gymnase [ʒimnaz] m. palestra f.
gymnaste [ʒimnast] n. ginnasta.
gymnastique [ʒimnastik] f. ginnastica. | *exercices de gymnastique,* esercizi ginnici.
gynécologie [ʒinekɔlɔʒi] f. ginecologia.
gynécologue [ʒinekɔlɔg] n. ginecologo, a.
gypse [ʒips] m. gesso.
gyrocompas [ʒirɔkɔ̃pa] m. girobussola f., bussola (f.) giroscopica.
gyromètre [ʒirɔmɛtr] m. girometro.
gyroscope [ʒirɔskɔp] m. giroscopio.

h

h [aʃ] m. h f. ou m. | *heure H,* ora X, ora zero. | *bombe H,* bomba H.
***ha !** [a] interj. ah !
habile [abil] adj. abile, destro, bravo, esperto. || [rusé] furbo, scaltro.
habileté [abilte] f. abilità, destrezza, bravura.
habiliter [abilite] v. tr. abilitare.
habillé, e [abije] adj. [robe] elegante, da cerimonia, di gala. | [dîner, soirée] di gala.
habillement [abijmɑ̃] m. abbigliamento, vestiario.
habiller [abije] v. tr. vestire, abbigliare. || [être seyant] star bene. || [montre] montare. ◆ v. pr. vestire, vestirsi.
habilleuse [abijøz] f. vestiarista.
habit [abi] m. abito, vestito. | *en habit,* in abito da cerimonia, da sera, in frac, in marsina. ◆ pl. indumenti, vestiti.
habitacle [abitakl] m. abitacolo.
habitant, e [abitɑ̃, ɑ̃t] n. abitante.
habitat [abita] m. ambiente ; habitat inv. || [humain] insediamento.
habitation [abitasjɔ̃] f. abitazione.
habiter [abite] v. intr. et tr. (à, en, dans) abitare (a, in). | *où habites-tu ?,* dove stai di casa ?
habitude [abityd] f. abitudine, consuetudine, usanza. | *j'en ai l'habitude,* ci sono abituato, avvezzo. | *avoir l'habitude du malheur,* aver fatto l'abitudine alle disgrazie. ◆ **d'habitude,** di solito. | **par habitude,** per abitudine.
habitué, e [abitɥe] n. frequentatore, trice ; cliente assiduo.
habituel, elle [abitɥɛl] adj. solito, abituale.
habituellement [abitɥɛlmɑ̃] adv. di solito, di consueto, abitualmente.
habituer [abitɥe] v. tr. (à) abituare (a), assuefare (a), avvezzare (a).
***hâblerie** [ɑbləri] f. millanteria.
***hâbleur, euse** [ɑblœr, øz] n. millantatore, trice.
***hache** [aʃ] f. ascia, accetta. || [du bûcheron, du licteur] scure. || [du bourreau] mannaia.
***hacher** [aʃe] v. tr. tritare ; [tabac] trinciare. || [entrecouper] interrompere.
***hachette** [aʃɛt] f. accetta.
***hachis** [aʃi] m. carne (f.) tritata. || [persil, oignon] pesto, battuto.
***hachisch** [aʃiʃ] m. hascisc.
***hachoir** [aʃwar] m. [planche] tagliere. || [couperet] mezzaluna f. | [appareil] tritatutto inv.

***hachure** [aʃyr] f. tratteggio m.
***hachurer** [aʃyre] v. tr. tratteggiare.
***hagard, e** [agar, ard] adj. stravolto, stralunato.
hagiographie [aʒjɔgrafi] f. agiografia.
***haie** [ɛ] f. siepe. || FIG. *faire la haie,* fare ala. || SP. *course de haies,* corsa siepi ; corsa a ostacoli.
***haillon** [ɑjɔ̃] m. straccio, cencio, brandello.
***haine** [ɛn] f. odio m., astio m. ◆ *par haine de,* in odio a.
***haineux, euse** [ɛnø, øz] adj. astioso ; pieno d'odio.
***haïr** [air] v. tr. odiare.
***haïssable** [aisabl] adj. odioso.
***halage** [alaʒ] m. alaggio.
***hâle** [ɑl] m. abbronzatura f.
haleine [alɛn] f. fiato m., alito m. | *haleine courte,* fiato grosso. | *hors d'haleine,* trafelato, ansante adj. | *à perdre haleine,* a perdifiato. | *de longue haleine,* di lunga lena. | *tenir en haleine,* tenere in sospeso.
***haler** [ale] v. tr. alare.
***hâler** [ɑle] v. tr. abbronzare.
***haletant, e** [altɑ̃, ɑ̃t] adj. ansante, ansimante, trafelato.
***haleter** [alte] v. intr. ansare, ansimare, trafelare.
***halle** [al] f. mercato (m.) coperto.
hallucination [alysinasjɔ̃] f. allucinazione.
halluciner [alysine] v. tr. allucinare.
***halo** [alo] m. alone.
***halte** [alt] f. sosta. | *faire (une) halte,* sostare. ◆ interj. alt !
haltère [altɛr] m. peso, manubrio.
haltérophile [alterɔfil] m. pesista.
***hamac** [amak] m. amaca f.
***hameau** [amo] m. casale.
hameçon [amsɔ̃] m. amo.
***hampe** [ɑ̃p] f. asta.
***hanche** [ɑ̃ʃ] f. anca, fianco m. | *rouler les hanches,* ancheggiare.
***handball** [ɑ̃dbal] m. pallamano f.
***handicap** [ɑ̃dikap] m. handicap, svantaggio.
***handicapé, e** [ɑ̃dikape] adj. et n. (h)andicappato.
***handicaper** [ɑ̃dikape] v. tr. (h)andicappare.
***hangar** [ɑ̃gar] m. tettoia f., rimessa f. || AV. capannone, aviorimessa f.
***hanneton** [antɔ̃] m. maggiolino.
hanté, e [ɑ̃te] adj. [maison] abitato dagli spiriti.
***hanter** [ɑ̃te] v. tr. frequentare, bazzicare. || FIG. ossessionare, assillare.
***hantise** [ɑ̃tiz] f. ossessione, assillo m., fissazione.
***happer** [ape] v. tr. afferrare. | [avec les crocs] azzannare. | [train] investire.
***harangue** [arɑ̃g] f. arringa.
***haranguer** [arɑ̃ge] v. tr. arringare.
***haras** [ara] m. stazione (f.) di monta equina.
***harasser** [arase] v. tr. spossare, sfinire.
***harcèlement** [arsɛlmɑ̃] m. MIL. *tir de harcèlement,* tiro di disturbo.
***harceler** [arsəle] v. tr. assillare, molestare, punzecchiare. || MIL. incalzare.
***harde** [ard] f. [troupeau] branco m.
***hardes** [ard] f. pl. cenci m. pl., stracci m. pl.
***hardi, e** [ardi] adj. ardito, baldanzoso. || [effronté] sfrontato, sfacciato. || [osé] audace.
***hardiesse** [ardjɛs] f. arditezza, baldanza. || [effronterie] sfacciataggine, sfrontatezza.
***hareng** [arɑ̃] m. aringa f.
***hargne** [arɲ] f. astio m., animosità.
***hargneux, euse** [arɲø, øz] adj. astioso. || [chien] ringhioso.
***haricot** [ariko] m. fagiolo. || [verts] fagiolino. || [mange-tout] mangiatutto inv.
harmonica [armɔnika] m. armonica f.
harmonie [armɔni] f. armonia.
harmonieux, euse [armɔnjø, øz] adj. armonioso.
harmonique [armɔnik] adj. armonico. ◆ m. MUS. armonica f.
harmoniser [armɔnize] v. tr. MUS. et FIG. armonizzare. ◆ v. pr. armonizzare v. intr.
harmonium [armɔnjɔm] m. MUS. (h)armonium
***harnachement** [arnaʃmɑ̃] m. bardatura f., finimenti m. pl. || MIL., SP. equipaggiamento.
***harnacher** [arnaʃe] v. tr. bardare.
***harnais** [arnɛ] m. bardatura f., finimenti m. pl.
***harpe** [arp] f. arpa. | *jouer de la harpe,* arpeggiare.
***harpiste** [arpist] n. arpista.
***harpon** [arpɔ̃] m. fiocina f.
***harponner** [arpɔne] v. tr. fiocinare. || FIG., FAM. [qn] agganciare.
***hasard** [azar] m. caso. | *rencontre de hasard,* incontro casuale. | *quel drôle de hasard !,* guarda che combinazione ! | *jeu de hasard,* gioco d'azzardo. ◆ *au hasard,* a caso, alla ventura f. | *à tout hasard,* per ogni evenienza f. | *par hasard,* per caso, per combinazione f. | *au hasard de,* a seconda (f.) di.
***hasarder** [azarde] v. tr. (ar)rischiare, azzardare.
***hasardeux, euse** [azardø, øz] adj. azzardato, rischioso.
***hase** [az] f. lepre femmina.
***hâte** [ɑt] f. fretta, premura. | *en toute hâte,* in fretta e furia. | *fait à la hâte,* fatto alla svelta.

***hâter** [ate] v. tr. affrettare. ◆ v. pr. (de) affrettarsi (a).
***hâtif, ive** [atif, iv] adj. precoce, primaticcio. | [travail] affrettato, frettoloso.
***hauban** [obɑ̃] m. MAR. sartia f.
***hausse** [os] f. [prix] rialzo m., rincaro m. | [salaires] aumento m. || MIL. alzo m.
***hausser** [ose] v. tr. rialzare. | [la voix] alzare. | *hausser les épaules,* stringersi nelle spalle. || COMM. (ri)alzare. ◆ v. pr. *se hausser sur la pointe des pieds,* alzarsi in punta di piedi. || FIG. innalzarsi.
***haussier** [osje] m. FIN. rialzista.
***haut, e** [o, ot] adj. alto, elevato. | *haut de six mètres,* alto sei metri. || *haute mer,* [loin de la côte] alto mare ; [marée] alta marea. || *à voix haute,* ad alta voce. || *à un haut degré,* a un grado elevato. || *hauts faits,* prodezze, gesta f. pl. || *de la plus haute importance,* della massima importanza. ◆ m. alto ; altezza f., cima f., sommità f. || FIG. *les hauts et les bas,* gli alti e bassi. ◆ adv. alto. | *haut placé,* altolocato. | *parler haut,* parlare ad alta voce. | *voir plus haut,* vedi sopra. ◆ *de, du haut (en bas),* dall'alto (in basso). | *en haut,* in alto, in su. | *d'en haut,* dall'alto. ◆ *(tout) en haut de,* (proprio) in cima a. | *du haut de,* dall'alto di.
***hautain, e** [otɛ̃, ɛn] adj. altezzoso, altero.
***hautbois** [obwa] m. oboe.
***haut-de-forme** [odfɔrm] m. cilindro.
***haute(-)fidélité** [otfidelite] f. TÉL. hi-fi, alta fedeltà.
***hauteur** [otœr] f. altezza. | *saut en hauteur,* salto in alto. || AV. quota. || [de l'eau] livello m. || [colline] altura, rialto m., poggio m. || FIG. altezza, elevatezza. | [fierté] alterigia.
***haut-fond** [ofɔ̃] m. MAR. secca f., bassofondo.
***haut-le-cœur** [oləkœr] m. inv. nausea f.
***haut-le-corps** [oləkɔr] m. inv. sussulto.
***haut-parleur** [oparlœr] m. altoparlante.
***havane** [avan] m. avana inv.
***hâve** [ɑv] adj. smunto, sparuto.
***havre** [ɑvr] m. MAR. porticciolo. || FIG. rifugio.
***hayon** [ɛjɔ̃] m. AUT. sportello posteriore.
***hé !** [e] interj. [appel] ehi ! || [surprise, regret] eh !
hebdomadaire [ɛbdɔmadɛr] adj. et m. settimanale, ebdomadario.
hébergement [ebɛrʒəmɑ̃] m. alloggio.
héberger [ebɛrʒe] v. tr. ospitare, alloggiare.
hébété, e [ebete] adj. inebetito.
hébétement [ebetmɑ̃] m. ebetudine f.
hébraïque [ebraik] adj. ebraico.
hécatombe [ekatɔ̃b] f. ecatombe.
hectare [ɛktar] m. ettaro.
hégémonie [eʒemɔni] f. egemonia.
***hein !** [ɛ̃] interj. FAM. [interrogation, doute] vero ? || [surprise] eh !
hélas [elas] interj. ahimè !
***héler** [ele] v. tr. chiamare.
hélice [elis] f. elica.
hélicoïdal, e, aux [elikɔidal, o] adj. elicoidale.
hélicoptère [elikɔptɛr] m. elicottero.
héliport [elipɔr] m. eliporto.
héliporté, e [elipɔrte] adj. eliportato.
hellénique [ɛllenik] adj. ellenico.
helléniste [ɛ(l)lenist] n. ellenista, grecista.
helvétique [ɛlvetik] adj. elvetico.
***hem !** [ɛm] interj. [appel] ehi ! || [doute] uhm !
hémisphère [emisfɛr] m. emisfero.
hémophile [emɔfil] adj. et n. emofili(a)co.
hémophilie [emɔfili] f. emofilia.
hémorragie [emɔraʒi] f. emorragia.
***hennir** [enir] v. intr. nitrire.
***hennissement** [enismɑ̃] m. nitrito.
***hep !** [ɛp] interj. ehi !
herbage [ɛrbaʒ] m. pascolo, erbaio.
herbe [ɛrb] f. erba. | *fines herbes,* erbe aromatiche, odori m. pl. | *mauvaise herbe,* PR. erbaccia, malerba ; FIG. malerba, mascalzone m. || FIG. *en herbe,* in erba.
herbeux, euse [ɛrbø, øz] adj. erboso.
herbicide [ɛrbisid] adj. et m. erbicida.
herbier [ɛrbje] m. erbario.
herboriser [ɛrbɔrize] v. intr. erborizzare.
herboriste [ɛrbɔrist] n. erborista.
herbu, e [ɛrby] adj. erboso.
hercule [ɛrkyl] m. ercole, maciste.
herculéen, enne [ɛrkyleɛ̃, ɛn] adj. erculeo.
***hère** [ɛr] m. *pauvre hère,* poveraccio.
héréditaire [ereditɛr] adj. ereditario.
hérédité [eredite] f. eredità.
hérésie [erezi] f. eresia.
hérétique [eretik] adj. eretico, ereticale. ◆ m. eretico.
***hérissé, e** [erise] adj. irto, ispido. || [de difficultés] irto.
***hérisser** [erise] v. tr. rizzare. ◆ v. pr. [cheveux] rizzarsi. || FIG. inalberarsi, irritarsi.
***hérisson** [erisɔ̃] m. riccio.
héritage [eritaʒ] m. eredità f.
hériter [erite] v. tr. et intr. ereditare.
héritier, ère [eritje, ɛr] n. erede. | *riche héritière,* ricca ereditiera. | *prince héritier,* principe ereditario.

hermétique [ɛrmetik] adj. ermetico.
hermétisme [ɛrmetism] m. ermetismo.
hermine [ɛrmin] f. ermellino m.
***hernie** [ɛrni] f. ernia.
1. héroïne [erɔin] f. [drogue] eroina.
2. heroïne f. eroina.
héroïque [erɔik] adj. eroico.
héroïsme [erɔism] m. eroismo.
***héron** [erɔ̃] m. airone.
***héros** [ero] m. eroe. || FIG. eroe, protagonista.
***herse** [ɛrs] f. erpice m.
***herser** [ɛrse] v. tr. erpicare.
hésitant, e [ezitɑ̃, ɑ̃t] adj. esitante, titubante.
hésitation [ezitasjɔ̃] f. esitazione, titubanza.
hésiter [ezite] v. intr. esitare, titubare.
hétérogène [eterɔʒɛn] adj. eterogeneo.
***hêtraie** [ɛtrɛ] f. faggeta, faggeto m.
***hêtre** [ɛtr] m. faggio.
***heu !** [ø] interj. [étonnement] oh ! || [doute] uhm !
heure [œr] f. ora. | *demi-heure,* mezz'ora. | *une grande heure,* un'ora buona. | *une petite heure,* un'oretta. | *quelle heure est-il ?,* che ora è ?, che ore sono ? | *il est une heure,* è l'una. | *mettre sa montre à l'heure,* regolare l'orologio. | *arriver à l'heure,* arrivare in orario. ◆ *tout à l'heure* [passé] poco fa ; [futur] fra poco, a momenti. | *à tout à l'heure,* a presto. | *de bonne heure,* di buon'ora, per tempo. | *à toute heure,* a qualsiasi ora. | *toutes les heures,* ogni ora. | *sur l'heure,* subito, lì per lì. | *pour l'heure,* per ora, per il momento.
heureusement [œrøzmɑ̃] adv. felicemente. | [par bonheur] per fortuna, meno male.
heureux, euse [ørø, øz] adj. felice, lieto. | [chanceux] fortunato, felice. | *encore heureux que,* meno male che.
***heurt** [œr] m. urto, cozzo, scontro.
***heurter** [œrte] v. tr. et tr. ind. urtare, cozzare, sbattere. || [à la porte] bussare, picchiare. || FIG. urtare. ◆ v. pr. [sens réfl.] (à, contre) urtare, (s)battere (contro). || FIG. scontrarsi, cozzare (con). || [sens récipr.] urtarsi, cozzarsi, scontrarsi.
***heurtoir** [œrtwar] m. [de porte] picchiotto. || TR. paraurti inv.
hexagone [ɛgzagɔn] m. esagono.
hiatus [jatys] m. iato.
hibernation [ibɛrnasjɔ̃] f. ibernazione.
hiberner [ibɛrne] v. tr. ibernare.
***hibou** [ibu] m. gufo.
***hic** [ik] m. inv. FAM. *voilà le hic,* qui sta il busillis.
***hideux, euse** [idø, øz] adj. orrido, ripugnante.
hier [(i)jɛr] adv. ieri. | *hier matin,* ier(i) mattina. | *hier soir,* ier(i) sera. | *hier dans la nuit,* ieri notte.
***hiérarchie** [jerarʃi] f. gerarchia.
***hiérarchique** [jerarʃik] adj. gerarchico.
hilarant, e [ilarɑ̃, ɑ̃t] adj. esilarante.
hilare [ilar] adj. ilare, giulivo.
hindou, e [ɛ̃du] adj. et n. indù.
hippique [ipik] adj. ippico.
hippisme [ipism] m. ippica f.
hippomobile [ipɔmɔbil] adj. ippotrainato.
hippophagique [ipɔfaʒik] adj. *boucherie hippophagique,* macelleria equina.
hirondelle [irɔ̃dɛl] f. rondine.
hirsute [irsyt] adj. ispido.
***hisser** [ise] v. tr. issare, alzare. ◆ v. pr. issarsi, arrampicarsi.
histoire [istwar] f. storia. || PÉJOR. *raconter des histoires,* spacciar frottole. || [événement désagréable] storia, faccenda. | *histoire de rire,* tanto per ridere. | *la belle histoire !,* bell'affare !
historicisme [istɔrisism] m. storicismo.
historien, enne [istɔrjɛ̃, ɛn] n. storico, a.
historique [istɔrik] adj. storico ◆ m. cronistoria f.
hiver [ivɛr] m. inverno. | *sports d'hiver,* sport invernali.
hivernal, e, aux [ivɛrnal, o] adj. invernale.
hiverner [ivɛrne] v. intr. svernare.
ho ! [o] interj. [appel] ehi ! || [étonnement] oh !, ohi !
***hocher** [ɔʃe] v. tr. scrollare.
***holà !** [ola] interj. [pour appeler] olà !, ehi ! || [pour arrêter] piano !
***hold-up** [ɔldœp] m. inv. assalto m., rapina f.
hollandais, e [ɔl(l)ɑ̃dɛ, ɛz] adj. et n. olandese.
***hollande** [ɔl(l)ɑ̃d] m. formaggio olandese.
holocauste [ɔlɔkost] m. olocausto.
***homard** [ɔmar] m. astice ; gambero di mare.
homélie [ɔmeli] f. omelia.
homéopathe [ɔmeɔpat] adj. et n. omeopatico.
homéopathie [ɔmeɔpati] f. omeopatia.
homicide [ɔmisid] adj. et n. omicida. | *combat homicide,* combattimento micidiale. ◆ m. [meurtre] omicidio. | *homicide par imprudence,* omicidio colposo.
hommage [ɔmaʒ] m. omaggio. | *faire hommage de,* fare omaggio di. | *rendre hommage à,* rendere omaggio a. | *présenter ses hommages à qn,* porgere i

proprio ossequi, omaggi a qlcu., ossequiare qlcu. ◆ pl. ossequi, omaggi.

hommasse [ɔmas] adj. PÉJOR. mascolino. | *cette femme est hommasse,* questa donna è un maschiaccio.

homme [ɔm] m. uomo (pl. *uomini*). | *jeune homme,* giovanotto, ragazzo. | *digne d'un homme,* da uomo. | *homme de bien,* uomo dabbene, galantuomo. | *homme à tout faire,* uomo tuttofare. | *homme d'équipe,* manovale. | *homme de la rue,* uomo qualunque. | *homme de main,* sicario. || MIL. *hommes de troupe,* gregari.

homme-grenouille [ɔmgrənuj] m. uomo rana.

homogène [ɔmɔʒɛn] adj. omogeneo.

homogénéiser [ɔmɔʒeneize] v tr. omogeneizzare.

homologue [ɔmɔlɔg] adj. (de) omologo (a), omologico (a).

homologuer [ɔmɔlɔge] v. tr. omologare.

homonyme [ɔmɔnim] adj. et m. omonimo.

homosexuel, elle [ɔmɔsɛksɥɛl] adj. et n. omosessuale.

hongrois, e [ɔ̃grwa, az] adj. et n. ungherese.

honnête [ɔnɛt] adj. onesto, per bene. | *agir en honnête homme,* agire da galantuomo. || [acceptable] discreto, onesto.

honnêteté [ɔnette] f. onestà. || [décence] decenza.

honneur [ɔnœr] m. onore. | *diplôme d'honneur,* diploma di benemerenza f. | *en tout bien tout honneur,* senza ombra di male. | *être à l'honneur,* essere in onore. | *faire honneur à,* fare onore a. || [lettre officielle] *avoir l'honneur de,* pregiarsi. | *président d'honneur,* presidente onorario. | *à l'honneur de la vérité,* a onore del vero. ◆ pl. onori. || MIL. *rendre les honneurs,* rendere gli onori.

***honnir** [ɔnir] v. tr. svergognare.

honorabilité [ɔnɔrabilite] f. onorabilità, onoratezza.

honorable [ɔnɔrabl] adj. onorevole, onorabile. || [convenable] discreto, conveniente.

honoraire [ɔnɔrɛr] adj. onorario. ◆ m. pl. [médecin] onorario m. sing. ; [avocat] parcella f. sing.

honoré, e [ɔnɔre] adj. [flatté] onorato, lusingato. || [estimé] onorevole. ◆ f. COMM. *votre honorée du,* la vostra (abr. *v/s*) stimata, pregiata del.

honorer [ɔnɔre] v. tr. onorare. || COMM. onorare.

honorifique [ɔnɔrifik] adj. onorifico.

***honte** [ɔ̃t] f. vergogna. | *cela me fait honte,* me ne vergogno. || [humiliation] onta, vergogna. || [ignominie] vergogna, obbrobrio m.

***honteux, euse** [ɔ̃tø, øz] adj. vergognoso.

hop ! [ɔp] interj. op là !

hôpital, aux [ɔpital, o] m. ospedale.

***hoquet** [ɔkɛ] m. singhiozzo.

***hoqueter** [ɔkte] v. intr. singhiozzare.

horaire [ɔrɛr] adj. et m. orario.

***horde** [ɔrd] f. orda, torma.

***horion** [ɔrjɔ̃] m. botta f., percossa f.

horizon [ɔrizɔ̃] m. orizzonte.

horizontal, e, aux [ɔrizɔ̃tal, o] adj. orizzontale.

horloge [ɔrlɔʒ] f. orologio m.

horloger [ɔrlɔʒe] m. orologiaio.

horlogerie [ɔrlɔʒri] f. orologeria.

***hormis** [ɔrmi] prép. eccetto, salvo, tranne, fuorché.

hormonal, e, aux [ɔrmɔnal, o] adj. ormonico, ormonale.

hormone [ɔrmɔn] f. ormone m.

horoscope [ɔrɔskɔp] m. oroscopo.

horreur [ɔrœr] f. orrore m., raccapriccio m.

horrible [ɔribl] adj. orribile, orrendo, raccapricciante.

horrifiant, e [ɔrifjɑ̃, ɑ̃t] adj. tremendo, terrificante.

horrifier [ɔrifje] v. tr. (far) inorridire.

horripilant, e [ɔripilɑ̃, ɑ̃t] adj. FAM. orripilante.

horripiler [ɔripile] v. tr. FAM. esasperare.

***hors** [ɔr] prép. fuori. | *hors ligne,* eccezionale adj. | *hors pair,* senza pari ; impareggiabile adj. || [excepté] eccetto, fuorché, salvo. ◆ *hors de,* fuori (di). | *hors d'atteinte,* irragiungibile adj. | *hors de doute,* indubbio adj. | *hors de propos,* fuori luogo. | *hors de soi,* fuori di sé.

***hors-bord** [ɔrbɔr] m. inv. fuoribordo m.

***hors-d'œuvre** [ɔrdœvr] m. inv. antipasto m.

***hors-jeu** [ɔrzø] m. inv. fuorigioco.

***hors-la-loi** [ɔrlalwa] m. inv. fuorilegge n. inv.

hors-texte [ɔrtɛkst] m. inv. illustrazione f., carta f., tavola (f.) fuori testo.

hortensia [ɔrtɑ̃sja] m. ortensia f.

horticulture [ɔrtikyltyr] f. orticoltura.

hospice [ɔspis] m. ospizio.

hospitalier, ère [ɔspitalje, ɛr] adj. ospitale. || [de l'hôpital] ospedaliero.

hospitaliser [ɔspitalize] v. tr. ricoverare in ospedale.

hospitalité [ɔspitalite] f. ospitalità.

hostellerie [ɔ(s)tɛlri] f. hostaria.

hostie [ɔsti] f. ostia.

hostile [ɔstil] adj. ostile, avverso.

hostilité [ɔstilite] f. ostilità. ◆ pl. MIL. ostilità.

hôte, hôtesse [ot, ɛs] n. ospite. ◆ f. *hôtesse de l'air,* hostess, assistente di volo.

hôtel [otɛl] m. [particulier] palazzina f. || [de voyageurs] albergo ; hôtel (fr.). || *hôtel de ville,* municipio ; palazzo comunale.
hôtelier, ère [otəlje, ɛr] adj. alberghiero. ◆ n. albergatore, trice.
hôtellerie [otɛlri] f. [de couvent] foresteria. || ÉCON. industria alberghiera.
***hotte** [ɔt] f. [panier] gerla. || [cheminée] cappa.
***hou !** [u] interj. uh !
***houblon** [ublɔ̃] m. luppolo.
***houe** [u] f. marra.
***houille** [uj] f. carbone (m.) fossile. | *houille blanche,* carbone bianco.
houiller, ère [uje, ɛr] adj. [bassin] carbonifero ; [industrie] carboniero. ◆ f. miniera, giacimento (m.) di carbone fossile.
***houle** [ul] f. mareggio m.
***houlette** [ulɛt] f. bastone (m.) da pastore ; (litt.) vincastro m.
***houleux, euse** [ulø, øz] adj. mosso, ondoso. || FIG. burrascoso, tempestoso.
***houppe** [up] f. nappa, fiocco m. || [cheveux] ciuffo m.
***hourra !** [ura] interj. urrà, evviva.
***houspiller** [uspije] v. tr. strapazzare, bistrattare.
***housse** [us] f. fodera. | *housse à vêtements,* sacco (m.) custodia.
***houx** [u] m. agrifoglio, pungitopo.
***hublot** [yblo] m. oblò inv.
***huche** [yʃ] f. madia.
***huées** [ɥe] f. pl. urlata f., urla f. pl.
***huer** [ɥe] v. tr. fare l'urlata a.
***huguenot, e** [ygno, ɔt] adj. et n. ugonotto.
huile [ɥil] f. olio m. | *huile d'arachide,* olio di semi. | [sardines] *à l'huile,* sott'olio. || *huile de graissage,* lubrificante m. || FAM. *huile de coude,* olio di gomito. || FIG., FAM. pezzo grosso, alto papavero.
huilé, e [ɥile] adj. oleato.
huiler [ɥile] v. tr. oliare, ungere.
huileux, euse [ɥilø, øz] adj. oleoso.
huilier [ɥilje] m. oliera f.
huis [ɥi] m. *à huis clos,* a porte chiuse.
huissier [ɥisje] m. usciere. || JUR. ufficiale giudiziario.
***huit** [ɥi(t)] adj. num. card. et m. inv. otto. | *d'aujourd'hui en huit,* oggi a otto.
***huitaine** [ɥitɛn] f. *dans une huitaine,* fra otto giorni.
***huitième** [ɥitjɛm] adj. num. ord. et n. ottavo.
huître [ɥitr] f. ostrica. | *parc à huîtres,* parco ostreario. || FAM. [sot] babbeo.
humain, e [ymɛ̃, ɛn] adj. et m. umano.
humaniser [ymanize] v. tr. umanizzare.
humanisme [ymanism] m. umanesimo.
humaniste [ymanist] n. umanista. ◆ adj. umanistico.
humanitaire [ymanitɛr] adj. umanitario.
humanité [ymanite] f. umanità. ◆ pl. [études] umanità.
humble [œ̃bl] adj. umile. || [modeste] umile, dimesso, modesto.
humecter [ymɛkte] v. tr. umettare, inumidire.
humeur [ymœr] f. umore m. | *incompatibilité d'humeur,* incompatibilità di carattere. | *d'humeur à,* in vena di, disposto a.
humide [ymid] adj. umido. | *un peu humide,* umidiccio.
humidifier [ymidifje] v. tr. umidificare, inumidire.
humidité [ymidite] f. umidità ; umidezza.
humiliation [ymiljasjɔ̃] f. umiliazione.
humilier [ymilje] v. tr. umiliare.
humilité [ymilite] f. umiltà.
humoriste [ymɔrist] n. umorista. ◆ adj. umoristico.
humoristique [ymɔristik] adj. umoristico.
humour [ymur] m. umorismo.
***hune** [yn] f. coffa, gabbia.
***huppe** [yp] f. ciuffo m. || ZOOL. upupa, bubbola.
huppé, e [ype] adj. FAM. [riche] facoltoso. | [de haut rang] altolocato.
***hurlement** [yrləmɑ̃] m. urlo. | [chien, loup] urlo, ululato. | [vent] urlo, ululo. | *hurlements humains,* urla (f. pl.) umane.
***hurler** [yrle] v. intr. [personne, animal] urlare. || [animal, vent, sirène] urlare, ululare. ◆ v. tr. et intr. [brailler] urlare.
***hutte** [yt] f. capanna. | [chasse] capanno m.
hybride [ibrid] adj. et m. ibrido.
hydraulique [idrolik] adj. idraulico. ◆ f. idraulica.
hydravion [idravjɔ̃] m. idrovolante.
hydre [idr] f. idra.
hydroélectrique [idroelɛktrik] adj. idroelettrico.
hydrogène [idrɔʒɛn] m. idrogeno.
hydroglisseur [idroglisœr] m. idroscivolante.
hydrophile [idrofil] adj. idrofilo.
hydropisie [idropizi] f. idropisia.
hyène [jɛn] f. iena.
hygiène [iʒjɛn] f. igiene.
hygiénique [izjenik] adj. igienico. | *papier hygiénique,* carta (f.) igienica. | *serviette hygiénique,* assorbente m. (igienico).
hymne [imn] m. inno. ◆ f. REL. inno m.
hyperbole [ipɛrbɔl] f. iperbole.

hypermarché [ipɛrmarʃe] m. supermercato (di oltre 2 500 m²).
hypermétrope [ipɛrmetrɔp] adj. et n. ipermetrope.
hypersonique [ipɛrsɔnik] adj. ipersonico.
hypertension [ipɛrtɑ̃sjɔ̃] f. ipertensione.
hypertrophie [ipɛrtrɔfi] f. ipertrofia.
hypertrophié, e [ipɛrtrɔfje] adj. ipertrofico.
hypnose [ipnoz] f. ipnosi. | *état d'hypnose,* stato ipnotico.
hypnotiser [ipnɔtize] v. tr. ipnotizzare.
hypnotisme [ipnɔtism] m. ipnotismo.
hypocrisie [ipɔkrizi] f. ipocrisia.
hypocrite [ipɔkrit] adj. et n. ipocrita.
hypodermique [ipɔdɛrmik] adj. ipodermico.
hypoténuse [ipɔtenyz] f. ipotenusa.
hypothèque [ipɔtɛk] f. ipoteca. || FIG. *prendre une hypothèque sur l'avenir,* ipotecare il futuro. | *lever l'hypothèque,* togliere un'ipoteca.
hypothéquer [ipɔteke] v. tr. ipotecare.
hypothèse [ipɔtɛz] f. ipotesi.
hypothétique [ipɔtetik] adj. ipotetico.
hystérie [isteri] f. isteria, isterismo m.
hystérique [isterik] adj. et n. isterico.

i

i [i] m. i f. ou m. | *i grec,* i greco, ipsilon.
ici [isi] adv. [lieu] qui, qua. | *près d'ici,* qui vicino. || [mouvement] qua. | *par ici,* (per) di qua. | *jusqu'ici,* fin qua, fin qui. | *ici-bas,* quaggiù ; su questa terra. || [temps] qui ; a questo punto. | *d'ici (à) demain,* da qui a domani. | *d'ici huit jours,* entro una settimana. | *d'ici peu,* fra poco. | *jusqu'ici,* fin qui, finora.
icône [ikon] f. icona.
ictère [iktɛr] m. ittero, itterizia f.
idéal, e, als ou **aux** [ideal, o] adj. et m. ideale.
idéaliser [idealize] v. tr. idealizzare.
idéalisme [idealism] m. idealismo.
idéaliste [idealist] adj. idealistico. ◆ n. idealista.
idée [ide] f. idea, concetto m. | *idée fixe,* idea fissa ; ossessione, fissazione. | *se faire des idées,* illudersi. || [pensée] *à la seule idée de,* al solo pensiero di. || [esprit] *revenir à l'idée,* tornare in mente. || [opinion] idea, opinione, parere m. | *à mon idée,* a parer mio. | *idées larges,* vedute larghe. || *faire à son idée,* fare a modo suo.
idem [idɛm] adv. idem (lat.).
identification [idɑ̃tifikasjɔ̃] f. identificazione.
identifier [idɑ̃tifje] v. tr. identificare.
identique [idɑ̃tik] adj. identico.
identité [idɑ̃tite] f. identità.
idéologie [ideɔlɔʒi] f. ideologia.
idéologue [ideɔlɔg] m. ideologo.
idiomatique [idjɔmatik] adj. idiomatico.
idiome [idjom] m. idioma.
idiot, e [idjo, ɔt] adj. idiota, stupido, sciocco. ◆ n. idiota, cretino, a.
idiotie [idjɔsi] f. idiozia.
idiotisme [idjɔtism] m. idiotismo.
idoine [idwan] adj. idoneo.
idolâtre [idɔlɑtr] adj. et n. idolatra ; idolatrico adj.
idolâtrer [idɔlɑtre] v. tr. idolatrare.
idolâtrie [idɔlɑtri] f. idolatria.
idole [idɔl] f. idolo m.
idylle [idil] f. idillio m.
idyllique [idilik] adj. idilli(a)co.
if [if] m. tasso.
ignare [iɲar] adj. ignaro, ignorante.
igné, e [igne] adj. igneo.
ignifuge [ignifyʒ] adj. et m. ignifugo.
ignifuger [ignifyʒe] v. tr. ignifugare.
ignoble [iɲɔbl] adj. ignobile.
ignominie [iɲɔmini] f. ignominia.
ignominieux, euse [iɲɔminjø, øz] adj. ignominioso.
ignorance [iɲɔrɑ̃s] f. ignoranza.
ignorant, e [iɲɔrɑ̃, ɑ̃t] adj. et n. ignorante.
ignoré, e [iɲɔre] adj. ignoto, sconosciuto.
ignorer [iɲɔre] v. tr. ignorare, non sapere.
il [il] pron. [personne] egli. | [animal, chose] esso. ◆ pl. essi. | [impersonnel] *ils disent que,* dicono che, la gente dice che, si dice che.
île [il] f. isola.
illégal, e, aux [il(l)egal, o] adj. illegale.
illégalité [il(l)egalite] f. illegalità.
illégitime [il(l)eʒitim] adj. illegittimo.
illettré, e [il(l)etre] adj. et n. illetterato.
illicite [il(l)isit] adj. illecito.
illico [il(l)iko] adv. FAM. su due piedi ; subito (L.C.).
illimité, e [il(l)imite] adj. illimitato.
illisible [il(l)izibl] adj. illeggibile.
illogique [il(l)ɔʒik] adj. illogico.
illogisme [il(l)ɔʒism] m. illogicità f.
illumination [il(l)yminasjɔ̃] f. illuminazione.
illuminer [il(l)ymine] v. tr. illuminare. ◆ v. pr. illuminarsi.
illusion [il(l)yzjɔ̃] f. illusione.

illusionner (s') [sil(l)yzjɔne] v. pr. illudersi, farsi delle illusioni.
illusionniste [il(l)yzjɔnist] m. illusionista.
illusoire [il(l)yzwar] adj. illusorio.
illustration [il(l)ystrasjɔ̃] f. illustrazione, figura.
illustre [il(l)ystr] adj. illustre, insigne.
illustré [il(l)ystre] m. rotocalco.
illustrer [il(l)ystre] v. tr. illustrare.
îlot [ilo] m. isolotto, isoletta f. || [de maisons] isolato, isola f.
ilote [ilɔt] n. ilota.
image [imaʒ] f. immagine. || [représentation] immagine, illustrazione, figura. || *à l'image de*, a somiglianza di. | [métaphore] immagine, metafora. || *sage comme une image*, buono come un angelo. || *image de marque*, immagine pubblicitaria.
imagé, e [imaʒe] adj. immaginoso.
imaginable [imaʒinabl] adj. immaginabile.
imaginaire [imaʒinɛr] adj. immaginario.
imaginatif, ive [imaʒinatif] adj. immaginativo, fantasioso.
imagination [imaʒinasjɔ̃] f. immaginazione, fantasia, immaginativa, inventiva. || [chimère] (surtout pl.) fantasia, chimera, invenzione, ubbia.
imaginer [imaʒine] v. tr. immaginare ; immaginarsi, figurarsi v. pr. || [inventer] immaginare, inventare, escogitare, ideare, concepire. || [croire] immaginare, ritenere, credere. ◆ v. pr. immaginarsi, figurarsi, credere.
imbattable [ɛ̃batabl] adj. imbattibile.
imbécile [ɛ̃besil] adj. et n. imbecille, scemo, sciocco.
imbécillité [ɛ̃besilite] f. imbecillità, scemenza, sciocchezza.
imberbe [ɛ̃bɛrb] adj. imberbe.
imbiber [ɛ̃bibe] v. tr. imbevere. || FIG. impregnare.
imbriquer [ɛ̃brike] v. tr. embricare. || FIG. collegare, connettere.
imbroglio [ɛ̃brɔljo] m. imbroglio, intrico.
imbu, e [ɛ̃by] adj. (de) imbevuto (di).
imbuvable [ɛ̃byvabl] adj. imbevibile. || FAM. insopportabile.
imitable [imitabl] adj. imitabile.
imitateur, trice [imitatœr, tris] adj. et n. imitatore, trice.
imitatif, ive [imitatif, iv] adj. imitativo.
imitation [imitasjɔ̃] f. imitazione. || [falsification] imitazione, contraffazione. || *d'imitation*, finto, falso, artificiale adj. ◆ *à l'imitation de*, a imitazione di.
imiter [imite] v. tr. imitare ; contraffare (péjor.).
immaculé, e [im(m)akyle] adj. immacolato.
immanence [im(m)anɑ̃s] f. immanenza.
immanent, e [im(m)anɑ̃, ɑ̃t] adj. immanente.
immangeable [ɛ̃mɑ̃ʒabl] adj. immangiabile.
immanquable [ɛ̃mɑ̃kabl] adj. immancabile.
immatériel, elle [im(m)aterjɛl] adj. immateriale.
immatriculation [im(m)atrikylasjɔ̃] f. immatricolazione. || AUT. *plaque d'immatriculation*, targa.
immatriculer [im(m)atrikyle] v. tr. immatricolare. | *se faire immatriculer*, immatricolarsi. || AUT. targare.
immature [im(m)atyr] adj. immaturo.
immédiat, e [im(m)edja, at] adj. immediato. ◆ m. *dans l'immédiat*, per ora.
immémorial, e, aux [im(m)emɔrjal, o] adj. immemorabile.
immense [im(m)ɑ̃s] adj. immenso, smisurato.
immensité [im(m)ɑ̃site] f. immensità.
immerger [im(m)ɛrʒɛ] v. tr. immergere, tuffare.
immérité, e [im(m)erite] adj. immeritato.
immersion [im(m)ɛrsjɔ̃] f. immersione.
immeuble [im(m)œbl] adj. immobile. ◆ m. edificio, fabbricato, stabile.
immigrant, e [im(m)igrɑ̃, ɑ̃t] adj. et n. immigrante.
immigré, e [im(m)igre] adj. et n. immigrato.
immigrer [im(m)igre] v. intr. immigrare.
imminence [im(m)inɑ̃s] f. imminenza.
imminent, e [im(m)inɑ̃, ɑ̃t] adj. imminente.
immiscer (s') [sim(m)ise] v. pr. immischiarsi.
immobile [im(m)ɔbil] adj. immobile, fermo.
immobilier, ère [im(m)ɔbiljer, ɛr] adj. immobiliare.
immobilisation [im(m)ɔbilizasjɔ̃] f. JUR. immobilizzazione. || ÉCON. immobilizzo m.
immobiliser [im(m)ɔbilize] v. tr. immobilizzare.
immobilisme [im(m)ɔbilism] m. immobilismo.
immobilité [im(m)ɔbilite] f. immobilità.
immodéré, e [im(m)ɔdere] adj. immoderato, smoderato.
immodeste [im(m)ɔdɛst] adj. immodesto.
immolation [im(m)olasjɔ̃] f. immolazione.

immoler [im(m)ɔle] v. tr. immolare.
immonde [im(m)ɔ̃d] adj. immondo.
immondices [im(m)ɔ̃dis] f. pl. immondizie.
immoral, e, aux [im(m)ɔral, o] adj. immorale.
immoralisme [im(m)ɔralism] m. immoralismo.
immoralité [im(m)ɔralite] f. immoralità.
immortaliser [im(m)ɔrtalize] v. tr. immortalare.
immortalité [im(m)ɔrtalite] f. immortalità.
immortel, elle [im(m)ɔrtɛl] adj. et m. immortale.
immuable [im(m)yabl] adj. immutabile.
immuniser [im(m)ynize] v. tr. immunizzare.
immunité [im(m)ynite] f. immunità.
immunodépresseur [im(m)ynodepresœr] m. farmaco immunosoppressivo.
immunologie [im(m)ynɔlɔʒi] f. immunologia.
impact [ɛ̃pakt] m. impatto, urto. | *point d'impact*, punto d'impatto.
impair [ɛ̃pɛr] m. cantonata f., topica f.
impair, e [ɛ̃pɛr] adj. impari inv., dispari inv.
impalpable [ɛ̃palpabl] adj. impalpabile.
impardonnable [ɛ̃pardɔnabl] adj. imperdonabile.
imparfait, e [ɛ̃parfɛ, ɛt] adj. et m. imperfetto.
impartial, e, aux [ɛ̃parsjal, o] adj. imparziale.
impartialité [ɛ̃parsjalite] f. imparzialità.
impartir [ɛ̃partir] v. tr. concedere, accordare.
impasse [ɛ̃pas] f. vicolo (m.) cieco. || FIG. impasse (fr.). | *être dans une impasse*, trovarsi in una impasse, in una situazione senza uscita. || [bridge] impasse.
impassible [ɛ̃pasibl] adj. impassibile.
impatiemment [ɛ̃pasjamɑ̃] adv. impazientemente.
impatience [ɛ̃pasjɑ̃s] f. impazienza.
impatient, e [ɛ̃pasjɑ̃, ɑ̃t] adj. impaziente.
impatienter [ɛ̃pasjɑ̃te] v. tr. spazientire. ◆ v. pr. (pour, de) impazientirsi (per, a), spazientirsi (per).
impayable [ɛ̃pɛjabl] adj. FAM. impagabile, buffissimo.
impayé, e [ɛ̃peje] adj. non pagato; insoluto.
impeccable [ɛ̃pɛkabl] adj. impeccabile.
impénétrable [ɛ̃penetrabl] adj. impenetrabile.
impénitent, e [ɛ̃penitɑ̃, ɑ̃t] adj. impenitente.
impensable [ɛ̃pɑ̃sabl] adj. impensabile.
imper [ɛ̃pɛr] m. FAM. impermeabile.
impératif, ive [ɛ̃peratif, iv] adj. et m. imperativo.
impératrice [ɛ̃peratris] f. imperatrice.
imperceptible [ɛ̃pɛrsɛptibl] adj. impercettibile.
imperfectible [ɛ̃pɛrfɛktibl] adj. imperfettibile.
imperfection [ɛ̃pɛrfɛksjɔ̃] f. imperfezione.
impérial, e, aux [ɛ̃perjal, o] adj. imperiale. ◆ f. [voiture] imperiale m.
impérialisme [ɛ̃perjalism] m. imperialismo.
impérialiste [ɛ̃perjalist] adj. imperialistico, imperialista. ◆ n. imperialista.
impérieux, euse [ɛ̃perjø, øz] adj. imperioso. || [urgent] impellente.
impérissable [ɛ̃perisabl] adj. imperituro.
impéritie [ɛ̃perisi] f. imperizia.
imperméabiliser [ɛ̃pɛrmeabilize] v. tr. impermeabilizzare.
imperméable [ɛ̃pɛrmeabl] adj. et m. impermeabile.
impersonnel, elle [ɛ̃pɛrsɔnɛl] adj. impersonale.
impertinence [ɛ̃pɛrtinɑ̃s] f. impertinenza.
impertinent, e [ɛ̃pɛrtinɑ̃, ɑ̃t] adj. et n. impertinente.
imperturbable [ɛ̃pɛrtyrbabl] adj. imperturbabile.
impétueux, euse [ɛ̃petɥø, øz] adj. impetuoso, irruente.
impétuosité [ɛ̃petɥozite] f. impetuosità, irruenza.
impie [ɛ̃pi] adj. et n. empio.
impiété [ɛ̃pjete] f. empietà.
impitoyable [ɛ̃pitwajabl] adj. spietato, empio.
implacable [ɛ̃plakabl] adj. implacabile, inesorabile.
implantation [ɛ̃plɑ̃tasjɔ̃] f. [peuple] insediamento m. || COMM., IND. impianto m. || MÉD. innesto m.
implanter [ɛ̃plɑ̃te] v. tr. impiantare. || CHIR. innestare. ◆ v. pr. impiantarsi. | [peuple] insediarsi.
implication [ɛ̃plikasjɔ̃] f. implicazione.
implicite [ɛ̃plisit] adj. implicito.
impliquer [ɛ̃plike] v. tr. (dans) implicare (in).
implorer [ɛ̃plɔre] v. tr. implorare.
implosion [ɛ̃plozjɔ̃] f. implosione.
impoli, e [ɛ̃pɔli] adj. sgarbato, scortese.
impolitesse [ɛ̃pɔlitɛs] f. scortesia, sgarbatezza.
impondérable [ɛ̃pɔ̃derabl] adj. et m. imponderabile.

impopulaire [ɛ̃pɔpylɛr] adj. impopolare.
importance [ɛ̃pɔrtɑ̃s] f. importanza, entità, rilievo m. | [des dégâts] entità. | *affaire de peu d'importance,* affare di poco rilievo. | *sans importance,* senza importanza, di nessun rilievo ; irrilevante adj. | *ça n'a pas d'importance,* non importa. | *attacher de l'importance à,* dare, attribuire, annettere importanza a. | *prendre de l'importance,* prendere importanza, diventare importante.
important, e [ɛ̃pɔrtɑ̃, ɑ̃t] adj. importante. ◆ m. [point essentiel] importante. || *faire l'important,* darsi importanza, darsi delle arie.
importateur, trice [ɛ̃pɔrtatœr, tris] adj. et n. importatore, trice.
importation [ɛ̃pɔrtasjɔ̃] f. COMM. importazione.
importer [ɛ̃pɔrte] v. tr. COMM. importare. ◆ v. intr. importare. | *que t'importe ?,* a te cosa importa ? | *n'importe,* (non ha) nessuna importanza. ◆ v. impers. importare, essere importante. ◆ pron. et adj. indéf. *n'importe qui,* chiunque, chicchessia. | *n'importe quoi,* qualunque cosa, qualsiasi cosa. | *n'importe quel, quelle,* qualsiasi, qualunque. | *n'importe lequel, laquelle,* uno, una qualsiasi. ◆ *n'importe quand,* quando che sia ; *n'importe comment,* in qualsiasi modo. | *n'importe où,* in qualsiasi luogo.
importun, e [ɛ̃pɔrtœ̃, yn] adj. et n. importuno.
importuner [ɛ̃pɔrtyne] v. tr. importunare.
importunité [ɛ̃pɔrtynite] f. importunità.
imposable [ɛ̃pozabl] adj. imponibile.
imposant, e [ɛ̃pozɑ̃, ɑ̃t] adj. [majestueux] imponente. | *stature imposante,* statura imponente. || [considérable] ingente, considerevole, ragguardevole, cospicuo. | *somme imposante,* somma ingente, cospicua. | *des forces imposantes,* forze imponenti.
imposé, e [ɛ̃poze] adj. *marchandises imposées,* merci tassate. | *prix imposé,* prezzo imposto.
imposer [ɛ̃poze] v. tr. imporre. || FIN. tassare. ◆ v. tr. ind. *en imposer (à),* metter soggezione (a), incutere rispetto (a). ◆ v. pr. [s'obliger] (de) imporsi (di), costringersi (a). || [être nécessaire] imporsi. || [par sa présence] imporsi ; imporre la propria presenza.
imposition [ɛ̃pozisjɔ̃] f. REL. *imposition des mains,* imposizione delle mani. || [obligation] imposizione. || FIN. imposizione, tassazione.
impossibilité [ɛ̃pɔsibilite] f. impossibilità.
impossible [ɛ̃pɔsibl] adj. impossibile. | *il n'est pas impossible que,* non è escluso che. ◆ m. *faire l'impossible,* far l'impossibile. ◆ *par impossible,* per impossibile ipotesi.
imposte [ɛ̃pɔst] f. imposta.
imposteur [ɛ̃pɔstœr] m. impostore.
imposture [ɛ̃pɔstyr] f. impostura.
impôt [ɛ̃po] m. FIN. imposta f., tassa f.
impotent, e [ɛ̃pɔtɑ̃, ɑ̃t] adj. et n. invalido, impotente.
impraticable [ɛ̃pratikabl] adj. [projet] inattuabile ; [route] impraticabile, impervio.
imprécation [ɛ̃prekasjɔ̃] f. imprecazione.
imprécis, e [ɛ̃presi] adj. impreciso.
imprécision [ɛ̃presizjɔ̃] f. imprecisione.
imprégner [ɛ̃preɲe] v. tr. (de) impregnare (di), imbevere (di). ◆ v. pr. (de) impregnarsi (di), imbeversi (di).
imprenable [ɛ̃prənabl] adj. imprendibile, inespugnabile. || *vue imprenable,* vista garantita.
imprésario [ɛ̃presarjo] m. impresario.
impression [ɛ̃prɛsjɔ̃] f. impressione. | *faire impression,* far colpo. || TEXT. stampaggio m., stampa. || TYP. stampa, impressione. | *faute d'impression,* refuso m.
impressionner [ɛ̃prɛsjɔne] v. tr. impresionare.
impressionnisme [ɛ̃prɛsjɔnism] m. impressionismo.
imprévisible [ɛ̃previzibl] adj. imprevedibile.
imprévoyance [ɛ̃prevwasjɑ̃s] f. imprevidenza.
imprévoyant, e [ɛ̃prevwajɑ̃, ɑ̃t] adj. imprevidente.
imprévu, e [ɛ̃prevy] adj. imprevisto, impreveduto. ◆ m. imprevisto. | *en cas d'imprévu,* in caso di imprevisti. | *sauf imprévu,* salvo imprevisti.
imprimante [ɛ̃primɑ̃t] f. stampatrice.
imprimé [ɛ̃prime] m. stampa f., stampato. || [formulaire] modulo, stampato.
imprimer [ɛ̃prime] v. tr. imprimere. || TYP. stampare.
imprimerie [ɛ̃primri] f. stampa. || [établissement] stamperia, tipografia.
imprimeur [ɛ̃primœr] m. stampatore, tipografo.
improbabilité [ɛ̃prɔbabilite] f. improbabilità.
improbable [ɛ̃prɔbabl] adj. improbabile.
improductif, ive [ɛ̃prɔdyktif] adj. improduttivo.
impromptu [ɛ̃prɔ̃pty] adj. improvvisato. | *vers impromptus,* versi estemporanei, improvvisati. ◆ adv. su due piedi, senza preparazione.

impropre [ɛ̃prɔpr] adj. improprio. | *viande impropre à la consommation,* carne non idonea al consumo. || [inapte] incapace, inadatto.
impropriété [ɛ̃prɔprijete] f. improprietà.
improvisateur, trice [ɛ̃prɔvizatœr, tris] n. improvvisatore, trice. || [poète] poeta estemporaneo.
improvisation [ɛ̃prɔvizasjɔ̃] f. improvvisazione.
improviser [ɛ̃prɔvize] v. tr. improvvisare.
improviste (à l') [alɛ̃prɔvist] loc. adv. all'improvviso, inaspettatamente.
imprudence [ɛ̃prydɑ̃s] f. imprudenza. || JUR. *par imprudence,* colposo adj.
imprudent, e [ɛ̃prydɑ̃, ɑ̃t] adj. et n. imprudente.
impubère [ɛ̃pybɛr] adj. et n. impubere.
impudence [ɛ̃pydɑ̃s] f. impudenza.
impudent, e [ɛ̃pydɑ̃, ɑ̃t] adj. et n. impudente.
impudeur [ɛ̃pydœr] f. impudicizia, spudoratezza.
impudicité [ɛ̃pydisite] f. impudicizia.
impudique [ɛ̃pydik] adj. impudico.
impuissance [ɛ̃pɥisɑ̃s] f. impotenza, impossibilità, incapacità. || MÉD. impotenza.
impuissant, e [ɛ̃pɥisɑ̃, ɑ̃t] adj. impotente, incapace, inefficace. || MÉD. impotente.
impulsif, ive [ɛ̃pylsif, iv] adj. et n. impulsivo.
impulsion [ɛ̃pylsjɔ̃] f. impulso m., impulsione. || FIG. impulso m., stimolo m., incitamento m.
impunément [ɛ̃pynemɑ̃] adv. impunemente.
impuni, e [ɛ̃pyni] adj. impunito.
impunité [ɛ̃pynite] f. impunità.
impur, e [ɛ̃pyr] adj. impuro.
impureté [ɛ̃pyrte] f. impurità.
imputation [ɛ̃pytasjɔ̃] f. imputazione.
imputer [ɛ̃pyte] v. tr. imputare, ascrivere. | *imputer un vol à qn,* imputare qlcu. di un furto. | *imputer la faute à,* ascrivere la colpa a.
inabordable [inabɔrdabl] adj. inabbordabile. || [prix] proibitivo.
inaccentué, e [inaksɑ̃tɥe] adj. disaccentato, atono.
inacceptable [inaksɛptabl] adj. inaccettabile.
inaccessible [inaksɛsibl] adj. inaccessibile.
inaccompli, e [inakɔ̃pli] adj. incompiuto, inadempito.
inaccoutumé, e [inakutyme] adj. inconsueto, insolito.
inachevé, e [inaʃve] adj. incompiuto.
inachèvement [inaʃɛvmɑ̃] m. incompiutezza f.
inactif, ive [inaktif, iv] adj. inattivo, inoperoso.
inaction [inaksjɔ̃] f. inazione, inattività. inoperosità.
inactivité [inaktivite] f. inattività, inoperosità. || ADM., MIL. aspettativa.
inadapté, e [inadapte] adj. disadatto, inadatto. ◆ adj. et n. [social] disadattato.
inadéquat, e [inadekwa, at] adj. inadeguato.
inadmissible [inadmisibl] adj. inammissibile.
inadvertance [inadvɛrtɑ̃s] f. inavvertenza. | *par inadvertance,* per disattenzione, per disavvedutezza. || [erreur] disavvedutezza, svista.
inaliénable [inaljenabl] adj. inalienabile.
inaltérable [inalterabl] adj. inalterabile.
inamical, e, aux [inamikal, o] adj. non amichevole ; ostile.
inamovible [inamɔvibl] adj. inamovibile.
inanimé, e [inanime] adj. inanimato, esanime.
inanité [inanite] f. inanità.
inanition [inanisjɔ̃] f. inanizione, inedia.
inapaisé, e [inapɛze] adj. LITT. inappagato, insoddisfatto.
inaperçu, e [inapɛrsy] adj. inosservato.
inappétence [inapetɑ̃s] f. inappetenza, disappetenza.
inappréciable [inapresjabl] adj. [indéterminable] inapprezzabile, trascurabile. || [précieux] inapprezzabile, inestimabile.
inapprochable [inaprɔʃabl] adj. inabbordabile.
inapte [inapt] adj. inabile, inadatto. || MIL. inabile.
inaptitude [inaptityd] f. inattitudine, inabilità.
inarticulé, e [inartikyle] adj. inarticolato.
inassouvi, e [inasuvi] adj. insaziato, inappagato.
inattaquable [inatakabl] adj. MIL. inattaccabile, inespugnabile. || FIG. inoppugnabile, ineccepibile. || [irréprochable] inattaccabile, ineccepibile.
inattendu, e [inatɑ̃dy] adj. inatteso, inaspettato.
inattentif, ive [inatɑ̃tif, iv] adj. disattento.
inattention [inatɑ̃sjɔ̃] f. disattenzione.
inaudible [inodibl] adj. inaudibile, impercettibile.
inaugural, e, aux [inogyral, o] adj. inaugurale.
inauguration [inogyrasjɔ̃] f. inaugurazione.

inaugurer [inogyre] v. tr. inaugurare.
inavouable [inavwabl] adj. inconfessabile.
inavoué, e [inavwe] adj. inconfessato.
incalculable [ɛ̃kalkylabl] adj. incalcolabile.
incandescent, e [ɛ̃kɑ̃dɛsɑ̃, ɑ̃t] adj. incandescente.
incantation [ɛ̃kɑ̃tasjɔ̃] f. incantesimo m.
incapable [ɛ̃kapabl] adj. et n. (de) incapace (di).
incapacité [ɛ̃kapasite] f. incapacità. || *incapacité de travail,* inabilità al lavoro.
incarcération [ɛ̃karserasjɔ̃] f. (in)carcerazione.
incarcérer [ɛ̃karsere] v. tr. (in)carcerare.
incarnation [ɛ̃karnasjɔ̃] f. incarnazione.
incarné, e [ɛ̃karne] adj. incarnato, personificato. || MÉD. incarnito.
incarner [ɛ̃karne] v. tr. incarnare, impersonare. ◆ v. pr. REL. incarnarsi. || MÉD. incarnire, incarnirsi.
incartade [ɛ̃kartad] f. stravaganza, trascorso m.
incassable [ɛ̃kasabl] adj. infrangibile.
incendiaire [ɛ̃sɑ̃djɛr] adj. et n. incendiario.
incendie [ɛ̃sɑ̃di] m. incendio.
incendier [ɛ̃sɑ̃dje] v. tr. incendiare.
incertain, e [ɛ̃sɛrtɛ̃, ɛn] adj. incerto.
incertitude [ɛ̃sɛrtityd] f. incertezza.
incessamment [ɛ̃sɛsamɑ̃] adv. incessantemente. || [sans délai] senz'indugio, immediatamente.
incessant, e [ɛ̃sɛsɑ̃, ɑ̃t] adj. incessante.
inceste [ɛ̃sɛst] m. incesto.
incestueux, euse [ɛ̃sɛstɥø, øz] adj. incestuoso.
inchangé, e [ɛ̃ʃɑ̃ʒe] adj. immutato.
inchangeable [ɛ̃ʃɑ̃ʒabl] adj. immutabile.
incidemment [ɛ̃sidamɑ̃] adv. incidentalmente.
incidence [ɛ̃sidɑ̃s] f. incidenza.
incident [ɛ̃sidɑ̃] m. incidente, fatto, caso.
incinérateur [ɛ̃sineratœr] m. inceneratore.
incinération [ɛ̃sinerasjɔ̃] f. [ordures] incenerimento m. || [cadavres] cremazione.
incinérer [ɛ̃sinere] v. tr. [ordures] incenerire. || [cadavres] incinerare, cremare.
inciser [ɛ̃size] v. tr. incidere.
incisif, ive [ɛ̃sizif, iv] adj. et f. incisivo m.
incision [ɛ̃sizjɔ̃] f. incisione.
incitation [ɛ̃sitasjɔ̃] f. incitamento m., istigazione.
inciter [ɛ̃site] v. tr. (à) incitare (a), istigare (a), spingere (a).
incivisme [ɛ̃sivism] m. mancanza (f.) di civismo.
inclassable [ɛ̃klasabl] adj. inclassificabile.
inclinaison [ɛ̃klinɛzɔ̃] f. inclinazione, pendenza.
inclination [ɛ̃klinasjɔ̃] f. [tête] inchino m., cenno m. || FIG. inclinazione, propensione.
incliné, e [ɛ̃kline] adj. [plan] inclinato. || [tête] chino.
incliner [ɛ̃kline] v. tr. [pencher] inclinare. || [baisser] chinare. || FIG. [inciter] inclinare, disporre. ◆ v. intr. [(se) pencher] pendere, inclinarsi, piegarsi. || FIG. (à) inclinare (a), propendere (a). ◆ v. pr. chinarsi, inclinarsi. || FIG. inchinarsi, piegarsi.
inclure [ɛ̃klyr] v. tr. includere, accludere.
inclus, e [ɛ̃kly, yz] adj. *ci-inclus,* accluso, allegato.
incognito [ɛ̃kɔɲito] adv. incognito.
incohérent, e [ɛ̃kɔerɑ̃, ɑ̃t] adj. incoerente.
incolore [ɛ̃kɔlɔr] adj. incolore.
incomber [ɛ̃kɔ̃be] v. intr. (à) incombere (a), spettare (a).
incombustible [ɛ̃kɔ̃bystibl] adj. incombustibile.
incommensurable [ɛ̃kɔm(m)ɑ̃syrabl] adj. incommensurabile.
incommodant, e [ɛ̃kɔmɔdɑ̃, ɑ̃t] adj. molesto.
incommode [ɛ̃kɔmɔd] adj. scomodo, incomodo.
incommoder [ɛ̃kɔmɔde] v. tr. disturbare, incomodare, infastidire. || [santé] *être incommodé,* essere indisposto.
incommodité [ɛ̃kɔmɔdite] f. scomodità, incomodità.
incomparable [ɛ̃kɔ̃parabl] adj. incomparabile.
incompatible [ɛ̃kɔ̃patibl] adj. incompatibile.
incompétence [ɛ̃kɔ̃petɑ̃s] f. incompetenza.
incompétent, e [ɛ̃kɔ̃petɑ̃, ɑ̃t] adj. incompetente.
incomplet, ète [ɛ̃kɔ̃plɛ, ɛt] adj. incompleto.
incompréhensible [ɛ̃kɔ̃preɑ̃sibl] adj. incomprensibile.
incompréhensif, ive [ɛ̃kɔ̃preɑ̃sif, iv] adj. incomprensivo.
incompréhension [ɛ̃kɔ̃preɑ̃sjɔ̃] f. incomprensione.
incompris, e [ɛ̃kɔ̃pri, iz] adj. et n. incompreso.
inconcevable [ɛ̃kɔ̃svabl] adj. inconcepibile.
inconditionnel, elle [ɛ̃kɔ̃disjɔnɛl] adj. incondizionato.
inconduite [ɛ̃kɔ̃dɥit] f. cattiva condotta.

inconfort [ɛ̃kɔ̃fɔr] m. incomodità f., scomodità f. | *vivre dans l'inconfort,* vivere nel disagio.
inconfortable [ɛ̃kɔ̃fɔrtabl] adj. scomodo, incomodo.
incongru, e [ɛ̃kɔ̃gry] adj. sconveniente, scorretto.
inconnu, e [ɛ̃kɔny] adj. et n. sconosciuto, ignoto. ◆ m. *peur de l'inconnu,* paura dell'ignoto, dell'incognito. ◆ f. MATH. incognita.
inconsciemment [ɛ̃kɔ̃sjamɑ̃] adv. inconsciamente, inconsapevolmente.
inconscience [ɛ̃kɔ̃sjɑ̃s] f. incoscienza, inconsapevolezza.
inconscient, e [ɛ̃kɔ̃sjɑ̃, ɑ̃t] adj. incosciente, inconsapevole, inconscio. ◆ m. PSYCH. inconscio. ◆ n. incosciente.
inconséquence [ɛ̃kɔ̃sekɑ̃s] f. inconseguenza, incoerenza.
inconséquent, e [ɛ̃kɔ̃sekɑ̃, ɑ̃t] adj. inconseguente, incoerente.
inconsidéré, e [ɛ̃kɔ̃sidere] adj. sconsiderato, inconsiderato.
inconsistant, e [ɛ̃kɔ̃sistɑ̃, ɑ̃t] adj. inconsistente.
inconsolable [ɛ̃kɔ̃sɔlabl] adj. (de) inconsolabile (per).
inconstant, e [ɛ̃kɔ̃stɑ̃, ɑ̃t] adj. incostante.
incontestable [ɛ̃kɔ̃tɛstabl] adj. incontestabile.
incontesté, e [ɛ̃kɔ̃tɛste] adj. incontestato, incontrastato.
incontinent, e [ɛ̃kɔ̃tinɑ̃, ɑ̃t] adj. incontinente. || [langage] intemperante. || MÉD. incontinente.
incontrôlable [ɛ̃kɔ̃trolabl] adj. incontrollabile.
inconvenant, e [ɛ̃kɔ̃vnɑ̃, ɑ̃t] adj. sconveniente.
inconvénient [ɛ̃kɔ̃venjɑ̃] m. inconveniente. | *si vous n'y voyez pas d'inconvénient,* se non ha nulla in contrario, nulla da ridire.
incorporation [ɛ̃kɔrpɔrasjɔ̃] f. incorporazione.
incorporer [ɛ̃kɔrpɔre] v. tr. incorporare.
incorrect, e [ɛ̃kɔrɛkt] adj. scorretto.
incorrection [ɛ̃kɔrɛksjɔ̃] f. scorrettezza.
incorrigible [ɛ̃kɔriʒibl] adj. incorreggibile.
incorruptible [ɛ̃kɔryptibl] adj. incorruttibile.
incrédule [ɛ̃kredyl] adj. et n. incredulo.
incrédulité [ɛ̃kredylite] f. incredulità.
incréé, e [ɛ̃kree] adj. increato.
increvable [ɛ̃krəvabl] adj. [pneu] antiforo inv. || FIG., POP. instancabile (L.C.).
incriminer [ɛ̃krimine] v. tr. incriminare.
incroyable [ɛ̃krwajabl] adj. incredibile.
incroyance [ɛ̃krwajɑ̃s] f. miscredenza.
incroyant, e [ɛ̃krwajɑ̃, ɑ̃t] adj. et n. miscredente.
incrustation [ɛ̃krystasjɔ̃] f. ANAT., CHIM. incrostazione. || TECHN. [action, matériau] incrostatura.
incruster [ɛ̃kryste] v. tr. (de) incrostare (di). ◆ v. pr. FIG., FAM. *s'incruster chez qn,* metter le radici in casa di qlcu.
incubateur [ɛ̃kybatœr] m. incubatrice f.
incubation [ɛ̃kybasjɔ̃] f. incubazione.
inculpation [ɛ̃kylpasjɔ̃] f. accusa, imputazione.
inculpé, e [ɛ̃kylpe] n. imputato, a ; accusato, a.
inculper [ɛ̃kylpe] v. tr. (de) incolpare (di).
inculquer [ɛ̃kylke] v. tr. inculcare.
inculte [ɛ̃kylt] adj. incolto.
inculture [ɛ̃kyltyr] f. FIG. mancanza di cultura.
incunable [ɛ̃kynabl] m. incunabolo.
incurable [ɛ̃kyrabl] adj. et n. incurabile.
incurie [ɛ̃kyri] f. incuria.
incursion [ɛ̃kyrsjɔ̃] f. incursione.
incurver [ɛ̃kyrve] v. tr. (in)curvare.
indécence [ɛ̃desɑ̃s] f. indecenza.
indécent, e [ɛ̃desɑ̃, ɑ̃t] adj. indecente.
indéchiffrable [ɛ̃deʃifrabl] adj. indecifrabile.
indéchirable [ɛ̃deʃirabl] adj. non lacerabile, non stracciabile.
indécis, e [ɛ̃desi, iz] adj. indeciso, dubbio, incerto. || [vague] vago, impreciso, incerto.
indécision [ɛ̃desizjɔ̃] f. indecisione, irresolutezza.
indéfectible [ɛ̃defɛktibl] adj. indefettibile.
indéfendable [ɛ̃defɑ̃dabl] adj. indifendibile, insostenibile.
indéfini, e [ɛ̃defini] adj. indefinito.
indéfiniment [ɛ̃definimɑ̃] adv. indefinitamente, all'infinito. || GR. in senso indefinito.
indéfinissable [ɛ̃definisabl] adj. indefinibile.
indélébile [ɛ̃delebil] adj. indelebile.
indélicat, e [ɛ̃delika, at] adj. indelicato.
indélicatesse [ɛ̃delikatɛs] f. indelicatezza.
indémaillable [ɛ̃demajabl] adj. indemagliabile.
indemne [ɛ̃dɛmn] adj. indenne, illeso, incolume.
indemnisation [ɛ̃dɛmnizasjɔ̃] f. indennizzo m., risarcimento m.

indemniser [ɛ̃dɛmnize] v. tr. indennizzare, risarcire.
indemnité [ɛ̃dɛmnite] f. indennizzo m., risarcimento m. ‖ [allocation] indennità.
indéniable [ɛ̃denjabl] adj. innegabile.
indépendamment de [ɛ̃depɑ̃damɑ̃də] loc. prép. indipendentemente da, a prescindere da.
indépendance [ɛ̃depɑ̃dɑ̃s] f. indipendenza.
indépendant, e [ɛ̃depɑ̃dɑ̃, ɑ̃t] adj. et n. (de) indipendente (da).
indéracinable [ɛ̃derasinabl] adj. inestirpabile.
indéréglable [ɛ̃dereglabl] adj. a tutta prova.
indescriptible [ɛ̃dɛskriptibl] adj. indescrivibile.
indésirable [ɛ̃dezirabl] adj. indesiderabile.
indestructible [ɛ̃dɛstryktibl] adj. indistruttibile.
indétermination [ɛ̃detɛrminasjɔ̃] f. indeterminatezza, indeterminazione.
indéterminé, e [ɛ̃detɛrmine] adj. indeterminato.
index [ɛ̃dɛks] m. indice.
indexation [ɛ̃dɛksasjɔ̃] f. [des salaires] scala mobile.
indexer [ɛ̃dɛkse] v. tr. ÉCON. (sur) ancorare (a), parametrare (a).
indicateur, trice [ɛ̃dikatœr, tris] adj. indicatore, trice. ◆ m. [des rues] guida f. | [des trains] orario. ‖ TECHN. indicatore, spia f. ‖ [de police] confidente, spia f.
indicatif, ive [ɛ̃dikatif, iv] adj. indicativo. ◆ m. GR. indicativo. ‖ RAD., T.V. sigla (f.) musicale. ‖ TÉL. prefisso.
indication [ɛ̃dikasjɔ̃] f. indicazione.
indice [ɛ̃dis] m. indizio, segno. ‖ ÉCON., MATH., PHYS., TECHN. indice.
indicible [ɛ̃disibl] adj. indicibile.
indien, enne [ɛ̃djɛ̃, ɛn] adj. et n. indiano.
indifféremment [ɛ̃diferamɑ̃] adv. indifferentemente, senza far distinzione.
indifférence [ɛ̃diferɑ̃s] f. indifferenza.
indifférent, e [ɛ̃diferɑ̃, ɑ̃t] adj. et n. indifferente.
indigence [ɛ̃diʒɑ̃s] f. indigenza.
indigène [ɛ̃diʒɛn] adj. et n. indigeno.
indigent, e [ɛ̃diʒɑ̃, ɑ̃t] adj. et n. indigente.
indigeste [ɛ̃diʒɛst] adj. indigesto.
indigestion [ɛ̃diʒɛstjɔ̃] f. indigestione.
indignation [ɛ̃diɲasjɔ̃] f. indignazione, sdegno m.
indigne [ɛ̃diɲ] adj. indegno.
indigner [ɛ̃diɲe] v. tr. indignare, sdegnare. ◆ v. pr. (de) indignarsi (per), sdegnarsi (per).
indignité [ɛ̃diɲite] f. indegnità.
indigo [ɛ̃digo] m. indaco.
indiqué, e [ɛ̃dike] adj. adatto.
indiquer [ɛ̃dike] v. tr. [montrer] indicare, mostrare. ‖ [du doigt] additare. ‖ [aiguille] segnare. ‖ [faire connaître : chemin] insegnare.
indirect, e [ɛ̃dirɛkt] adj. indiretto.
indiscernable [ɛ̃disɛrnabl] adj. indiscernibile.
indiscipline [ɛ̃disiplin] f. indisciplina.
indiscret, ète [ɛ̃diskrɛ, ɛt] adj. et n. indiscreto.
indiscrétion [ɛ̃diskresjɔ̃] f. indiscrezione.
indiscutable [ɛ̃diskytabl] adj. indiscutibile.
indiscuté, e [ɛ̃diskyte] adj. indiscusso.
indispensable [ɛ̃dispɑ̃sabl] adj. et m. indispensabile.
indisponible [ɛ̃dispɔnibl] adj. indisponibile.
indisposé, e [ɛ̃dispoze] adj. indisposto.
indisposer [ɛ̃dispoze] v. tr. indisporre.
indisposition [ɛ̃dispozisjɔ̃] f. indisposizione.
indissoluble [ɛ̃disɔlybl] adj. indissolubile.
indistinct, e [ɛ̃distɛ̃, ɛ̃kt] adj. indistinto.
individu [ɛ̃dividy] m. individuo.
individualiser [ɛ̃dividɥalize] v. tr. individuare, individualizzare.
individualiste [ɛ̃dividɥalist] adj. individualistico. ◆ n. individualista.
individualité [ɛ̃dividɥalite] f. individualità.
individuel, elle [ɛ̃dividɥɛl] adj. individuale.
indivis [ɛ̃divi] adj. indiviso. | *par indivis,* per indiviso.
indivisible [ɛ̃divizibl] adj. indivisibile.
indivision [ɛ̃divizjɔ̃] f. proprietà indivisa.
indocile [ɛ̃dɔsil] adj. indocile.
indo-européen, enne [ɛ̃doøropeɛ̃, ɛn] adj. et n. indoeuropeo.
indolence [ɛ̃dɔlɑ̃s] f. indolenza.
indolent, e [ɛ̃dɔlɑ̃, ɑ̃t] adj. indolente, svogliato.
indolore [ɛ̃dɔlɔr] adj. indolore.
indomptable [ɛ̃dɔ̃tabl] adj. indomabile.
indompté, e [ɛ̃dɔ̃te] adj. indomato. ‖ FIG. indomito.
indonésien, enne [ɛ̃donezjɛ̃, ɛn] adj. et n. indonesiano.
indu, e [ɛ̃dy] adj. indebito.
indubitable [ɛ̃dybitabl] adj. indubitabile, indubbio.
indubitablement [ɛ̃dybitabləmɑ̃] adv. indubbiamente, senza dubbio.
induction [ɛ̃dyksjɔ̃] f. induzione.
induire [ɛ̃dɥir] v. tr. indurre, inferire. ‖ [pousser] (en) indurre (in), trarre (in).

indulgence [ɛ̃dylʒɑ̃s] f. indulgenza.
indulgent, e [ɛ̃dylʒɑ̃, ɑ̃t] adj. (pour) indulgente (con).
indûment [ɛ̃dymɑ̃] adv. indebitamente.
industrialiser [ɛ̃dystrijalize] v. tr. industrializzare.
industrie [ɛ̃dystri] f. industria.
industriel, elle [ɛ̃dystrijɛl] adj. et n. industriale.
industrieux, euse [ɛ̃dystrijø, øz] adj. industrioso, operoso.
inébranlable [inebrɑ̃labl] adj. incrollabile. ‖ FIG. incrollabile, irremovibile.
inédit, e [inedi, it] adj. et m. inedito.
ineffable [inɛfabl] adj. ineffabile, indicibile.
ineffaçable [inɛfasabl] adj. incancellabile, indelebile.
inefficace [inɛfikas] adj. inefficace.
inefficacité [inefikasite] f. inefficacia.
inégal, e, aux [inegal, o] adj. disuguale, ineguale.
inégalable [inegalabl] adj. ineguagliabile.
inégalité [inegalite] f. disuguaglianza, ineguaglianza. ‖ [humeur] variabilità, incostanza.
inélégant, e [inelegɑ̃, ɑ̃t] adj. inelegante. ‖ FIG. scorretto, sleale.
inéligible [inelizibl] adj. ineleggibile.
inéluctable [inelyktabl] adj. ineluttabile.
inénarrable [inenarabl] adj. comicissimo, buffissimo.
inepte [inɛpt] adj. assurdo, stupido.
ineptie [inɛpsi] f. assurdità, stupidaggine.
inépuisable [inepɥizabl] adj. inesauribile.
inerte [inɛrt] adj. inerte.
inertie [inɛrsi] f. inerzia.
inespéré, e [inɛspere] adj. insperato.
inesthétique [inɛstetik] adj. antiestetico.
inestimable [inɛstimabl] adj. inestimabile.
inévitable [inɛvitabl] adj. et m. inevitabile.
inexact, e [inɛgza(kt), akt] adj. inesatto. ‖ [sans ponctualité] non puntuale.
inexactitude [inɛgzaktityd] f. inesattezza. ‖ mancanza di puntualità.
inexaucé, e [inɛgzose] adj. inesaudito.
inexcusable [inɛkskyzabl] adj. inescusabile.
inexistant, e [inɛgzistɑ̃, ɑ̃t] adj. inesistente. ‖ [sans valeur] nullo.
inexorable [inɛgzɔrabl] adj. inesorabile, implacabile.
inexpérience [inɛksperjɑ̃s] f. inesperienza.
inexpérimenté, e [inɛksperimɑ̃te] adj. inesperto.
inexpiable [inɛkspjabl] adj. inespiabile.
inexplicable [inɛksplikabl] adj. inesplicabile, inspiegabile.
inexpliqué, e [inɛksplike] adj. inesplicato.
inexploité, e [inɛksplwate] adj. non sfruttato.
inexploré, e [inɛksplɔre] adj. inesplorato.
inexprimable [inɛksprimabl] adj. inesprimibile.
infaillible [ɛ̃fajibl] adj. infallibile.
infaisable [ɛ̃fəzabl] adj. non fattibile, inattuabile.
infamant, e [ɛ̃famɑ̃, ɑ̃t] adj. infamante.
infâme [ɛ̃fɑm] adj. infame.
infamie [ɛ̃fami] f. infamia. ‖ *dire des infamies,* dir cose infamanti.
infanterie [ɛ̃fɑ̃tri] f. fanteria. | *infanterie de marine,* fanteria di marina, da sbarco.
infanticide [ɛ̃fɑ̃tisid] adj. et n. [personne] infanticida. ◆ m. [meurtre] infanticidio.
infantile [ɛ̃fɑ̃til] adj. infantile.
infarctus [ɛ̃farktys] m. inv. infarto m.
infatigable [ɛ̃fatigabl] adj. instancabile, infaticabile.
infatuation [ɛ̃fatɥasjɔ̃] f. presunzione, fatuità.
infatué, e [ɛ̃fatɥe] adj. infatuato di se stesso.
infect, e [ɛ̃fɛkt] adj. fetido. ‖ FIG. schifoso, ripugnante.
infecter [ɛ̃fɛkte] v. tr. infettare. ‖ [empuantir] appestare.
infectieux, euse [ɛ̃fɛksjø, øz] adj. MÉD. infettivo.
infection [ɛ̃fɛksjɔ̃] f. infezione. ‖ [puanteur] puzzo m., fetore m.
inféodé, e [ɛ̃feɔde] adj. FIG. (à) assoggettato (a), ligio (a).
inférer [ɛ̃fere] v. tr. inferire.
inférieur, e [ɛ̃ferjœr] adj. et n. inferiore.
infériorité [ɛ̃ferjɔrite] f. inferiorità.
infernal, e, aux [ɛ̃fɛrnal, o] adj. infernale.
infester [ɛ̃fɛste] v. tr. infestare.
infidèle [ɛ̃fidɛl] adj. et n. (à) infedele (a).
infidélité [ɛ̃fidelite] f. infedeltà.
infiltrer (s') [sɛ̃filtre] v. pr. infiltrarsi.
infime [ɛ̃fim] adj. infimo, minimo.
infini, e [ɛ̃fini] adj. et m. infinito. ◆ *à l'infini,* all'infinito, infinitamente.
infinité [ɛ̃finite] f. infinità.
infinitésimal, e, aux [ɛ̃finitezimal, o] adj. infinitesimale.
infinitif [ɛ̃finitif] adj. infinitivo. ◆ m. GR. infinito.
infirme [ɛ̃firm] adj. et n. (de) infermo (a), invalido (di).

infirmer [ɛ̃firme] v. tr. infirmare, invalidare.
infirmerie [ɛ̃firməri] f. infermeria.
infirmier, ère [ɛ̃firmje, ɛr] n. infermiere, a.
infirmité [ɛ̃firmite] f. infermità.
inflammable [ɛ̃flamabl] adj. infiammabile.
inflammation [ɛ̃flamasjɔ̃] f. infiammazione.
inflation [ɛ̃flasjɔ̃] f. inflazione.
infléchir [ɛ̃fleʃir] v. tr. (in)flettere, piegare. || FIG. mutare, cambiare. ◆ v. pr. piegare, inflettersi.
inflexible [ɛ̃flɛksibl] adj. inflessibile.
inflexion [ɛ̃flɛksjɔ̃] f. [corps] flessione. || [voix] inflessione.
infliger [ɛ̃fliʒe] v. tr. infliggere.
influençable [ɛ̃flyɑ̃sabl] adj. influenzabile.
influence [ɛ̃flyɑ̃s] f. [effet] influsso m., influenza. || FIG. influenza.
influencer [ɛ̃flyɑ̃se] v. tr. influenzare.
influent, e [ɛ̃flyɑ̃, ɑ̃t] adj. influente.
influer [ɛ̃flye] v. intr. (sur) influire (su).
informateur, trice [ɛ̃fɔrmatœr, tris] n. informatore, trice.
informaticien [ɛ̃fɔrmatisjɛ̃] m. informatico.
information [ɛ̃fɔrmasjɔ̃] f. informazione. || JUR. istruttoria.
informatique [ɛ̃fɔrmatik] f. informatica.
informe [ɛ̃fɔrm] adj. informe.
informé [ɛ̃fɔrme] m. *jusqu'à plus ample informé,* in attesa di nuove informazioni.
informel, elle [ɛ̃fɔrmɛl] adj. informale.
informer [ɛ̃fɔrme] v. tr. informare. ◆ v. intr. JUR. *informer contre,* aprire un'istruttoria su. ◆ v. pr. informarsi. | *s'informer si,* chiedere se.
informulé, e [ɛ̃fɔrmyle] adj. inespresso.
infortune [ɛ̃fɔrtyn] f. sfortuna, disgrazia, sventura.
infortuné, e [ɛ̃fɔrtyne] adj. et n. sfortunato, sventurato.
infraction [ɛ̃fraksjɔ̃] f. infrazione.
infranchissable [ɛ̃frɑ̃ʃisabl] adj. invalicabile, insuperabile.
infrarouge [ɛ̃fraruʒ] adj. infrarosso.
infrastructure [ɛ̃frastryktyr] f. infrastruttura.
infroissable [ɛ̃frwasabl] adj. ingualcibile.
infructueux, euse [ɛ̃fryktɥø, øz] adj. infruttuoso.
infuser [ɛ̃fyze] v. tr. infondere. || CULIN. fare un infuso di.
infusion [ɛ̃fyzjɔ̃] f. infusione. || [boisson] infuso m. | *une infusion de camomille,* un infuso di camomilla.
ingambe [ɛ̃gɑ̃b] adj. arzillo, in gamba.
ingénier (s') [sɛ̃ʒenje] v. pr. (à) ingegnarsi (di, per).
ingénierie [ɛ̃ʒeniri] f. engineering (angl.), ingegneria dei sistemi.
ingénieur [ɛ̃ʒenjœr] m. ingegnere.
ingénieur-conseil [ɛ̃ʒenjœrkɔ̃sɛj] m. ingegnere consulente.
ingénieux, euse [ɛ̃ʒenjø, øz] adj. ingegnoso.
ingénu, e [ɛ̃ʒeny] adj. et n. ingenuo.
ingénuité [ɛ̃ʒenɥite] f. ingenuità.
ingérence [ɛ̃ʒerɑ̃s] f. ingerenza.
ingérer [ɛ̃ʒere] v. tr. ingerire. ◆ v. pr. ingerirsi, intromettersi.
ingestion [ɛ̃ʒɛstɔ̃] f. ingestione.
ingouvernable [ɛ̃guvɛrnabl] adj. ingovernabile.
ingrat, e [ɛ̃gra, at] adj. et n. ingrato.
ingratitude [ɛ̃gratityd] f. ingratitudine.
ingrédient [ɛ̃gredjɑ̃] m. ingrediente.
ingurgiter [ɛ̃gyrʒite] v. tr. ingurgitare.
inhabile [inabil] adj. inabile, maldestro.
inhabité, e [inabite] adj. disabitato.
inhabituel, elle [inabitɥɛl] adj. insolito, inconsueto.
inhalateur, trice [inalatœr, tris] adj. inalatorio. ◆ m. [appareil] inalatore.
inhaler [inale] v. tr. inalare.
inhérent, e [inerɑ̃, ɑ̃t] adj. (à) inerente (a).
inhiber [inibe] v. tr. inibire.
inhibition [inibisjɔ̃] f. inibizione.
inhospitalier, ère [inɔspitalje, ɛr] adj. inospitale.
inhumain, e [inymɛ̃, ɛn] adj. inumano, disumano.
inhumation [inymasjɔ̃] f. inumazione, seppellimento m.
inhumer [inyme] v. tr. inumare, seppellire.
inimaginable [inimaʒinabl] adj. inimmaginabile.
inimitable [inimitabl] adj. inimitabile.
inimitié [inimitje] f. inimicizia.
inintelligible [inɛ̃tɛliʒibl] adj. inintelligibile.
ininterrompu, e [inɛ̃tɛrɔ̃py] adj. ininterrotto.
inique [inik] adj. iniquo.
iniquité [inikite] f. iniquità.
initial, e, aux [inisjal, o] adj. et f. iniziale.
initiateur, trice [inisjatœr, tris] adj. et n. iniziatore, trice.
initiation [inisjasjɔ̃] f. iniziazione.
initiative [inisjativ] f. iniziativa. | *syndicat d'initiative,* azienda di soggiorno. ◆ *sur, à l'initiative de,* per iniziativa di.
initié, e [inisje] adj. et n. iniziato.
initier [inisje] v. tr. iniziare. ◆ v. pr. iniziarsi, avviarsi.
injecter [ɛ̃ʒekte] v. tr. iniettare.
injecteur [ɛ̃ʒɛktœr] m. TECHN. iniettore.

injection [ɛ̃ʒɛksjɔ̃] f. iniezione.
injonction [ɛ̃ʒɔ̃ksjɔ̃] f. ingiunzione.
injure [ɛ̃ʒyr] f. ingiuria.
injurier [ɛ̃ʒyrje] v. tr. ingiuriare.
injurieux, euse [ɛ̃ʒyrjø, øz] adj. ingiurioso.
injuste [ɛ̃ʒyst] adj. ingiusto.
injustice [ɛ̃ʒystis] f. ingiustizia.
injustifiable [ɛ̃ʒystifjabl] adj. ingiustificabile.
injustifié, e [ɛ̃ʒystifje] adj. ingiustificato.
inlassable [ɛ̃lasabl] adj. infaticabile, instancabile.
inné, e [in(n)e] adj. innato.
innocence [inɔsɑ̃s] f. innocenza.
innocent, e [inɔsɑ̃, ɑ̃t] adj. innocente. || [sans danger] innocuo. ◆ n. innocente.
innocenter [inɔsɑ̃te] v. tr. discolpare.
innocuité [inɔkɥite] f. innocuità.
innombrable [inɔ̃brabl] adj. innumerevole.
innommable [inɔmabl] adj. innominabile. || [dégoûtant] ripugnante, abietto.
innovation [inɔvasjɔ̃] f. innovazione.
innover [inɔve] v. tr. et intr. (en) innovare (in).
inobservance [inɔpsɛrvɑ̃s] f. inosservanza.
inoccupé, e [inɔkype] adj. inoccupato, inoperoso. || [main] libero. || [local] libero, vacante.
inoculer [inɔkyle] v. tr. inoculare.
inodore [inɔdɔr] adj. inodoro.
inoffensif, ive [inɔfɑ̃sif, iv] adj. inoffensivo, innocuo.
inondable [inɔ̃dabl] adj. allagabile.
inondation [inɔ̃dasjɔ̃] f. inondazione, allagamento m., alluvione.
inondé, e [inɔ̃de] adj. inondato, allagato, alluvionato.
inonder [inɔ̃de] v. tr. inondare, allagare. || FIG. (de) inondare (di), invadere (con).
inopérant, e [inɔperɑ̃, ɑ̃t] adj. inoperante.
inopiné, e [inɔpine] adj. inopinato, inatteso.
inopportun, e [inɔpɔrtœ̃, yn] adj. inopportuno.
inorganisé, e [inɔrganize] adj. non organizzato. || POL. non iscritto (a un partito, a un sindacato).
inoubliable [inublijabl] adj. indimenticabile.
inouï, e [inwi] adj. inaudito.
inoxydable [inɔksidabl] adj. inossidabile.
inqualifiable [ɛ̃kalifjabl] adj. inqualificabile.
inquiet, ète [ɛ̃kjɛ, ɛt] adj. (de, sur) preoccupato (per), inquieto (per). ◆ n. ansioso, a.
inquiétant, e [ɛ̃kjetɑ̃, ɑ̃t] adj. preoccupante, inquietante.
inquiéter [ɛ̃kjete] v. tr. preoccupare, impensierire, inquietare. || [tourmenter] molestare. | *sans être inquiété*, indisturbato adj. ◆ v. pr. (de) preoccuparsi (di), impensierirsi (di), inquietarsi (per). || [s'enquérir] (de) informarsi (di).
inquiétude [ɛ̃kjetyd] f. inquietudine, preoccupazione.
insaisissable [ɛ̃sezisabl] adj. inafferrabile. || FIG. impercettibile. || JUR. insequestrabile, impignorabile.
insalubre [ɛ̃salybr] adj. insalubre.
insanité [ɛ̃sanite] f. insensatezza, stupidaggine.
insatiable [ɛ̃sasjabl] adj. insaziabile.
insatisfait, e [ɛ̃satisfɛ, ɛt] adj. insoddisfatto.
inscription [ɛ̃skripsjɔ̃] f. iscrizione. | [sur un mur] scritta.
inscrire [ɛ̃skrir] v. tr. iscrivere. || FIN. stanziare. || GÉOM. inscrivere. ◆ v. pr. FIG. [se situer] rientrare v. intr., inserirsi. || *s'inscrire en faux contre qch*, negare qlco.
insecte [ɛ̃sɛkt] m. insetto.
insecticide [ɛ̃sɛktisid] adj. et m. insetticida adj. inv. et m.
insécurité [ɛ̃sekyrite] f. insicurezza.
insémination [ɛ̃seminasjɔ̃] f. inseminazione, fecondazione.
inséminer [ɛ̃semine] v. tr. inseminare, fecondare.
insensé, e [ɛ̃sɑ̃se] adj. et n. insensato.
insensibilisation [ɛ̃sɑ̃sibilizasjɔ̃] f. anestesia locale.
insensibiliser [ɛ̃sɑ̃sibilize] v. tr. MÉD. anestetizzare.
insensible [ɛ̃sɑ̃sibl] adj. insensibile.
inséparable [ɛ̃separabl] adj. inseparabile.
insérer [ɛ̃sere] v. tr. inserire.
insertion [ɛ̃sɛrsjɔ̃] f. inserzione, inserimento m.
insidieux, euse [ɛ̃sidjø, øz] adj. insidioso.
1. insigne [ɛ̃siɲ] adj. insigne.
2. insigne m. insegna f. || [signe distinctif] distintivo.
insignifiant, e [ɛ̃siɲifjɑ̃, ɑ̃t] adj. insignificante.
insinuant, e [ɛ̃sinɥɑ̃, ɑ̃t] adj. insinuante.
insinuation [ɛ̃sinɥasjɔ̃] f. insinuazione.
insinuer [ɛ̃sinɥe] v. tr. insinuare.
insipide [ɛ̃sipid] adj. insipido, scipito.
insistance [ɛ̃sistɑ̃s] f. insistenza.
insister [ɛ̃siste] v. intr. (sur) insistere (su).
insociable [ɛ̃sɔsjabl] adj. insocievole.
insolation [ɛ̃sɔlasjɔ̃] f. insolazione.
insolemment [ɛ̃sɔlamɑ̃] adv. insolentemente.

insolence [ɛ̃sɔlɑ̃s] f. insolenza.
insolent, e [ɛ̃sɔlɑ̃, ɑ̃t] adj. et n. insolente.
insolite [ɛ̃sɔlit] adj. insolito.
insoluble [ɛ̃sɔlybl] adj. insolubile.
insolvabilité [ɛ̃sɔlvabilite] f. insolvibilità, insolvenza.
insolvable [ɛ̃sɔlvabl] adj. insolvibile, insolvente.
insomnie [ɛ̃sɔmni] f. insonnia.
insondable [ɛ̃sɔ̃dabl] adj. insondabile.
insonore [ɛ̃sɔnɔr] adj. insonoro, fonoisolante.
insonoriser [ɛ̃sɔnɔrize] v. tr. insonorizzare.
insouciance [ɛ̃susjɑ̃s] f. spensieratezza. || [indifférence] noncuranza.
insouciant, e [ɛ̃susjɑ̃, ɑ̃t] adj. spensierato. || [indifférent] (de) noncurante (di).
insoumis, e [ɛ̃sumi, iz] adj. ribelle. ◆ m. MIL. renitente (alla leva).
insoumission [ɛ̃sumisjɔ̃] f. insubordinazione. || MIL. renitenza (alla leva).
insoupçonné, e [ɛ̃supsɔne] adj. insospettato.
insoutenable [ɛ̃sutnabl] adj. insostenibile.
inspecter [ɛ̃spɛkte] v. tr. [contrôler] ispezionare. || [examiner] esaminare, esplorare, scrutare.
inspecteur, trice [ɛ̃spɛktœr, trice] n. ispettore, trice.
inspection [ɛ̃spɛksjɔ̃] f. ispezione. || esame m., esplorazione. || [fonction] ispettorato m.
inspiration [ɛ̃spirasjɔ̃] f. inspirazione. || FIG. ispirazione. | *sous l'inspiration de,* sotto l'ispirazione di.
inspirer [ɛ̃spire] v. tr. inspirare. || FIG. ispirare. || [sentiment] infondere, incutere. ◆ v. pr. (de) ispirarsi (a).
instabilité [ɛ̃stabilite] f. instabilità.
instable [ɛ̃stabl] adj. instabile. ◆ n. persona instabile.
installation [ɛ̃stalasjɔ̃] f. installazione, sistemazione, impianto m. || [dans une fonction] insediamento m.
installer [ɛ̃stale] v. tr. installare, sistemare. || [introniser] insediare. || [machine] installare, montare. | [usine] impiantare.
instamment [ɛ̃stamɑ̃] adv. instantemente, insistentemente.
instance [ɛ̃stɑ̃s] f. JUR. istanza. || [organisme] autorità. ◆ pl. *céder aux instances de,* cedere alle istanze di. | *sur les instances de,* a istanza di. ◆ *en instance,* in giacenza; giacente adj. ◆ *en instance de départ,* in partenza.
instant [ɛ̃stɑ̃] m. istante, attimo, momento. ◆ *à l'instant,* all'istante, un momento fa. | *à chaque, à tout instant,* ad ogni momento. | *dans un instant,* tra un istante. | *en un instant,* in un istante. | *par instants,* ogni tanto. | *pour l'instant,* per ora. ◆ *à l'instant où,* nell'istante in cui. | *dès l'instant que,* dal momento che. ◆ *à l'instant de,* al momento di.
instant, e [ɛ̃stɑ̃, ɑ̃t] adj. instante, pressante.
instantané, e [ɛ̃stɑ̃tane] adj. istantaneo. ◆ m. PHOT. istantanea f.
instar de (à l') [alɛ̃stardə] loc. prép. alla maniera di, sull'esempio di.
instaurer [ɛ̃stɔre] v. tr. instaurare, istituire.
instigateur, trice [ɛ̃stigatœr, tris] n. istigatore, trice.
instigation [ɛ̃stigasjɔ̃] f. istigazione. | *à, sur l'instigation de,* ad istigazione di.
instiller [ɛ̃stile] v. tr. i(n)stillare.
instinct [ɛ̃stɛ̃] m. istinto. | *d'instinct, par instinct,* per istinto, istintivamente.
instinctif, ive [ɛ̃stɛ̃ktif, iv] adj. istintivo.
instituer [ɛ̃stitɥe] v. tr. istituire.
institut [ɛ̃stity] m. istituto.
instituteur, trice [ɛ̃stitytœr, tris] n. maestro, maestra (elementare).
institution [ɛ̃stitysjɔ̃] f. istituzione. || [règle, organisme] istituzione, istituto m. || [école] istituto, pensionato m. | [de jeunes filles] educandato m.
instructeur [ɛ̃stryktœr] adj. et m. *magistrat instructeur,* giudice istruttore. || MIL. istruttore.
instructif, ive [ɛ̃stryktif, iv] adj. istruttivo.
instruction [ɛ̃stryksjɔ̃] f. istruzione, insegnamento m. || JUR. istruzione, istruttoria. || MIL. istruzione. ◆ pl. istruzioni, direttive.
instruire [ɛ̃strɥir] v. tr. istruire. ◆ v. pr. istruirsi.
instrument [ɛ̃strymɑ̃] m. strumento.
instrumental, e, aux [ɛ̃strymɑ̃tal, o] adj. strumentale.
instrumentation [ɛ̃strymɑ̃tasjɔ̃] f. strumentazione, orchestrazione.
instrumenter [ɛ̃strymɑ̃te] v. tr. strumentare, orchestrare.
instrumentiste [ɛ̃strymɑ̃tist] n. strumentista.
insu de (à l') [alɛ̃sydə] loc. prép. all'insaputa di. | *à mon insu,* a mia insaputa.
insubmersible [ɛ̃sybmɛrsibl] adj. insommergibile.
insubordination [ɛ̃sybɔrdinasjɔ̃] f. insubordinazione.
insubordonné, e [ɛ̃sybɔrdɔne] adj. insubordinato.
insuccès [ɛ̃syksɛ] m. insuccesso.
insuffisamment [ɛ̃syfizamɑ̃] adv. insufficientemente.
insuffisance [ɛ̃syfizɑ̃s] f. insufficienza.

insuffisant, e [ɛ̃syfizɑ̃, ɑ̃t] adj. insufficiente, scarso.
insuffler [ɛ̃syfle] v. tr. [air] insufflare. || FIG. [courage] infondere.
insulaire [ɛ̃sylɛr] adj. insulare, isolano. ◆ n. isolano, a.
insuline [ɛ̃sylin] f. insulina.
insultant, e [ɛ̃syltɑ̃, ɑ̃t] adj. insultante, offensivo.
insulte [ɛ̃sylt] f. insulto m., offesa.
insulter [ɛ̃sylte] v. tr. insultare, offendere.
insulteur [ɛ̃syltœr] m. insultatore.
insupportable [ɛ̃sypɔrtabl] adj. insopportabile.
insurgé, e [ɛ̃syrʒe] adj. et n. insorto.
insurger (s') [sɛ̃syrʒe] v. pr. [se révolter] insorgere. || [protester] insorgere, protestare.
insurmontable [ɛ̃syrmɔ̃tabl] adj. insormontabile.
insurpassable [ɛ̃syrpasabl] adj. insuperabile.
insurrection [ɛ̃syrɛksjɔ̃] f. insurrezione.
intact, e [ɛ̃takt] adj. intatto.
intangible [ɛ̃tɑ̃ʒibl] adj. intangibile.
intarissable [ɛ̃tarisabl] adj. inesauribile.
intégral, e, aux [ɛ̃tegral, o] adj. integrale.
intégralité [ɛ̃tegralite] f. integralità, interezza, totalità.
intégration [ɛ̃tegrasjɔ̃] f. integrazione.
intègre [ɛ̃tɛgr] adj. integro.
intégrer [ɛ̃tegre] v. tr. MATH. integrare. || [incorporer] incorporare, inserire, assimilare. ◆ v. pr. (dans, à) inserirsi (in), assimilarsi (a).
intégrisme [ɛ̃tegrism] m. integralismo.
intégriste [ɛ̃tegrist] n. integralista.
intégrité [ɛ̃tregrite] f. V. INTÉGRALITÉ. || [honnêteté] integrità, probità.
intellect [ɛ̃tɛl(l)ɛkt] m. intelletto.
intellectuel, elle [ɛ̃tɛl(l)ɛktɥɛl] adj. et n. intellettuale.
intelligence [ɛ̃tɛl(l)iʒɑ̃s] f. intelligenza, intendimento m. || FIG. intesa, accordo m. || connivenza, complicità. | *intelligences avec l'ennemi,* intelligenza col nemico.
intelligent, e [ɛ̃tɛl(l)iʒɑ̃, ɑ̃t] adj. intelligente.
intelligible [ɛ̃tɛl(l)iʒibl] adj. intelligibile.
intempérance [ɛ̃tɑ̃perɑ̃s] f. intemperanza.
intempérant, e [ɛ̃tɑ̃perɑ̃, ɑ̃t] adj. intemperante.
intempéries [ɛ̃tɑ̃peri] f. pl. intemperie.
intempestif, ive [ɛ̃tɑ̃pɛstif, iv] adj. intempestivo.
intenable [ɛ̃t(ə)nabl] adj. indifendibile. || FAM. insopportabile.
intendance [ɛ̃tɑ̃dɑ̃s] f. MIL. intendenza. || UNIV. economato m.
intendant, e [ɛ̃tɑ̃dɑ̃, ɑ̃t] n. amministratore, trice ; castaldo m. || MIL. intendente. || UNIV. economo, a.
intense [ɛ̃tɑ̃s] adj. intenso.
intensif, ive [ɛ̃tɑ̃sif, iv] adj. intensivo.
intensifier [ɛ̃tɑ̃sifje] v. tr. intensificare.
intensité [ɛ̃tɑ̃site] f. intensità.
intenter [ɛ̃tɑ̃te] v. tr. JUR. *intenter une action à, contre qn,* intentare causa contro qlcu.
intention [ɛ̃tɑ̃sjɔ̃] f. intenzione, intento m. | *dans l'intention de,* nell'intento di. ◆ *à l'intention de,* per, a favore di, in onore di.
intentionné, e [ɛ̃tɑ̃sjɔne] adj. *bien, mal intentionné,* bene, male intenzionato.
intentionnel, elle [ɛ̃tɑ̃sjɔnɛl] adj. intenzionale. || JUR. intenzionale, doloso.
inter [ɛ̃tɛr] m. [football] V. INTÉRIEUR.
interaction [ɛ̃tɛraksjɔ̃] f. interazione.
interallié, e [ɛ̃tɛralje] adj. interalleato.
interarmées [ɛ̃tɛrarme] adj. inv. interforze.
interarmes [ɛ̃tɛrarm] adj. inv. interarme.
intercalaire [ɛ̃tɛrkalɛr] adj. intercalare.
intercaler [ɛ̃tɛrkale] v. tr. intercalare, inserire.
intercéder [ɛ̃tɛrsede] v. tr. intercedere.
intercepter [ɛ̃tɛrsɛpte] v. tr. intercettare.
intercession [ɛ̃tɛrsɛsjɔ̃] f. intercessione.
interchangeable [ɛ̃tɛrʃɑ̃ʒabl] adj. intercambiabile.
interclasse [ɛ̃tɛrklas] m. intervallo fra le lezioni.
interconfessionnel, elle [ɛ̃tɛrkʊ̃fɛsjɔnɛl] adj. interconfessionale.
interdiction [ɛ̃tɛrdiksjɔ̃] f. divieto m., proibizione, interdizione. | *interdiction de séjour,* divieto di soggiorno.
interdire [ɛ̃tɛrdir] v. tr. interdire, proibire, vietare. ◆ v. pr. privarsi di, rinunciare a.
interdisciplinaire [ɛ̃tɛrdisiplinɛr] adj. interdisciplinare.
interdit, e [ɛ̃tɛrdi, it] adj. JUR., REL. interdetto. || *rester interdit,* rimanere sbigottito, interdetto. ◆ m. [personne, sentence] interdetto.
intéressant, e [ɛ̃terɛsɑ̃, ɑ̃t] adj. interessante. || FAM. conveniente, vantaggioso. || FAM. [femme] *état intéressant,* stato interessante.
intéressé, e [ɛ̃terese] adj. et n. interessato.
intéressement [ɛ̃terɛsmɑ̃] m. interessenza f.

intéresser [ɛ̃terese] v. tr. COMM. interessare ; far partecipare. ‖ [concerner] interessare, concernere, riguardare. ‖ [captiver] interessare. ◆ v. pr. [montrer de l'intérêt] *(à)* interessarsi (a). ‖ [se mêler] *(à)* interessarsi (di).
intérêt [ɛ̃terɛ] m. interesse, vantaggio. ‖ [attention] interesse, interessamento. ‖ [attrait] interesse, attrattiva f.
interférence [ɛ̃tɛrferɑ̃s] f. interferenza.
interférer [ɛ̃tɛrfere] v. intr. interferire.
intérieur, e [ɛ̃terjœr] adj. interno. ‖ FIG. interiore, interno. ◆ m. interno. | *femme d'intérieur,* donna di casa. | *veste d'intérieur,* giacca da camera. ‖ *Ministère de l'Intérieur,* Ministero degli Interni. ‖ [football] mezzala f. ◆ *à l'intérieur (de),* all'interno (di) ; dentro. | *de l'intérieur,* dall'interno ; dal didentro (fam.).
intérim [ɛ̃terim] m. inv. interim, interinato m. ◆ *par intérim,* ad interim.
intérimaire [ɛ̃terimɛr] adj. interino, interinale. ◆ n. interino, supplente.
interjection [ɛ̃tɛrʒɛksjɔ̃] f. interiezione.
interjeter [ɛ̃tɛrʒəte] v. tr. JUR. *interjeter appel,* interporre appello.
interligne [ɛ̃tɛrliɲ] m. interlinea f.
interlocuteur, trice [ɛ̃tɛrlɔkytœr, tris] n. interlocutore, trice.
interlope [ɛ̃tɛrlɔp] adj. equivoco, sospetto, losco.
interloquer [ɛ̃tɛrlɔke] v. tr. stupire, sconcertare.
interlude [ɛ̃tɛrlyd] m. MUS. interludio.
intermède [ɛ̃tɛrmɛd] m. intermezzo.
intermédiaire [ɛ̃tɛrmedjɛr] adj. intermedio, intermediario. ◆ m. *par l'intermédiaire de,* per il tramite di. ◆ n. [personne] intermediario ; mediatore, trice ; tramite m.
interminable [ɛ̃tɛrminabl] adj. interminabile.
intermittence [ɛ̃tɛrmitɑ̃s] f. intermittenza. | *par intermittence,* a intervalli, saltuariamente.
intermittent, e [ɛ̃tɛrmitɑ̃, ɑ̃t] adj. intermittente, saltuario.
internat [ɛ̃tɛrna] m. internato, convitto, collegio.
international, e, aux [ɛ̃tɛrnasjɔnal, o] adj. internazionale. ◆ f. internazionale. ◆ m. SP. nazionale.
internationaliser [ɛ̃tɛrnasjɔnalize] v. tr. internazionalizzare.
internationalisme [ɛ̃tɛrnasjɔnalism] m. internazionalismo.
internationaliste [ɛ̃tɛrnasjɔnalist] adj. internazionalistico. ◆ n. internazionalista.
interne [ɛ̃tɛrn] adj. interno. ◆ n. convittore, trice.
interné, e [ɛ̃tɛrne] adj. et n. internato. ‖ [politique] confinato.
internement [ɛ̃tɛrnəmɑ̃] m. internamento. ‖ [politique] confino.
interner [ɛ̃tɛrne] v. tr. internare. ‖ POL. confinare.
interpellateur, trice [ɛ̃tɛrpɛlatœr, tris] n. interpellante.
interpellation [ɛ̃tɛrpɛlasjɔ̃] f. POL. interpellanza. ‖ JUR. interpellazione. ‖ [police] fermo m.
interpeller [ɛ̃tɛrpəle] v. tr. apostrofare. ‖ POL. interpellare. ‖ [police] fermare.
interphone [ɛ̃tɛrfɔn] m. citofono.
interplanétaire [ɛ̃tɛrplanetɛr] adj. interplanetario.
interpolation [ɛ̃tɛrpɔlasjɔ̃] f. interpolazione.
interpoler [ɛ̃tɛrpɔle] v. tr. interpolare.
interposer [ɛ̃tɛrpoze] v. tr. interporre, frapporre.
interprétariat [ɛ̃tɛrpretarja] m. interpretariato.
interprétation [ɛ̃tɛrpretasjɔ̃] f. interpretazione.
interprète [ɛ̃tɛrprɛt] n. interprete.
interpréter [ɛ̃tɛrprete] v. tr. interpretare. | *mal interpréter,* fraintendere.
interrègne [ɛ̃tɛrrɛɲ] m. interregno.
interrogateur, trice [ɛ̃tɛrɔgatœr, tris] adj. interrogativo; interrogatorio. ◆ n. UNIV. interrogatore, trice.
interrogatif, ive [ɛ̃tɛrogatif, iv] adj. interrogativo, interrogatorio. ◆ adj. et n. GR. interrogativo.
interrogation [ɛ̃tɛrɔgasjɔ̃] f. interrogazione, domanda.
interrogatoire [ɛ̃tɛrɔgatwar] m. JUR. interrogatorio.
interroger [ɛ̃tɛrɔʒe] v. tr. interrogare.
interrompre [ɛ̃tɛrɔ̃pr] v. tr. interrompere.
interrupteur, trice [ɛ̃tɛryptœr, tris] n. [personne] interruttore, trice. ◆ m. [appareil] interruttore. | *appuyer sur l'interrupteur,* premere il pulsante.
interruption [ɛ̃tɛrypsjɔ̃] f. interruzione.
intersection [ɛ̃tɛrsɛksjɔ̃] f. intersezione.
interstice [ɛ̃tɛrstis] m. interstizio.
intertrigo [ɛ̃tertrigo] m. intertrigine f.
interurbain, e [ɛ̃tɛryrbɛ̃, ɛn] adj. interurbano.
intervalle [ɛ̃tɛrval] m. intervallo, distanza f. | *par intervalles,* a intervalli. | *dans l'intervalle,* nel frattempo.
intervenant, e [ɛ̃tɛrvənɑ̃, ɑ̃t] adj. et n. interveniente.
intervenir [ɛ̃tɛrvənir] v. intr. (dans) intervenire (in), partecipare (a). ◆ v. intr. ou impers. avvenire, succedere, sopraggiungere.

intervention [ɛ̃tɛrvɑ̃sjɔ̃] f. intervento m.
interventionnisme [ɛ̃tɛrvɑ̃sjɔnism] m. interventismo.
interventionniste [ɛ̃tɛrvɑ̃sjɔnist] [adj. interventistico. ◆ n. interventista.
interversion [ɛ̃tɛrvɛrsjɔ̃] f. inversione.
intervertir [ɛ̃tɛrvɛrtir] v. tr. invertire.
interview [ɛ̃tɛrvju] f. ou m. (angl.) intervista f.
interviewer [ɛ̃tɛrvjuve] v. tr. intervistare.
intestin [ɛ̃tɛstɛ̃] m. intestino. | *intestin grêle,* intestino tenue. | *gros intestin,* intestino crasso.
intestin, e [ɛ̃tɛstɛ̃, in] adj. LITT. intestino.
intestinal, e, aux [ɛ̃tɛstinal, o] adj. intestinale.
intimation [ɛ̃timasjɔ̃] f. intimazione, ingiunzione.
intime [ɛ̃tim] adj. et m. intimo.
intimer [ɛ̃time] v. tr. intimare, ingiungere, ordinare.
intimidation [ɛ̃timidasjɔ̃] f. intimidazione.
intimider [ɛ̃timide] v. tr. intimidire, intimorire.
intimité [ɛ̃timite] f. intimità.
intitulé [ɛ̃tityle] m. intitolazione f., titolo.
intituler [ɛ̃tityle] v. tr. intitolare.
intolérable [ɛ̃tɔlerabl] adj. intollerabile.
intolérance [ɛ̃tɔlerɑ̃s] f. intolleranza.
intolérant, e [ɛ̃tɔlerɑ̃, ɑ̃t] adj. et n. intollerante.
intonation [ɛ̃tɔnasjɔ̃] f. intonazione.
intouchable [ɛ̃tuʃabl] adj. et n. intoccabile.
intoxication [ɛ̃tɔksikasjɔ̃] f. intossicazione.
intoxiqué, e [ɛ̃tɔksike] adj. et n. intossicato.
intoxiquer [ɛ̃tɔksike] v. tr. intossicare.
intraitable [ɛ̃trɛtabl] adj. intrattabile. || [inébranlable] irremovibile, inflessibile.
intramusculaire [ɛ̃tramyskylɛr] adj. intramuscolare.
intransigeance [ɛ̃trɑ̃ziʒɑ̃s] f. intransigenza.
intransigeant, e [ɛ̃trɑ̃ziʒɑ̃, ɑ̃t] adj. et n. intransigente.
intransitif, ive [ɛ̃trɑ̃zitif, iv] adj. intransitivo.
intransportable [ɛ̃trɑ̃spɔrtabl] adj. intrasportabile.
intraveineux, euse [ɛ̃travɛnø, øz] adj. endovenoso.
intrépide [ɛ̃trepid] adj. intrepido, impavido.
intrépidité [ɛ̃trepidite] f. intrepidezza.
intrigant, e [ɛ̃trigɑ̃, ɑ̃t] adj. et n. intrigante.
intrigue [ɛ̃trig] f. intrigo m. || LITT. intreccio m., trama.
intriguer [ɛ̃trige] v. intr. intrigare. ◆ v. tr. incuriosire, insospettire.
intrinsèque [ɛ̃trɛ̃sɛk] adj. intrinseco.
introduction [ɛ̃trɔdyksjɔ̃] f. introduzione.
introduire [ɛ̃trɔdɥir] v. tr. introdurre.
introniser [ɛ̃trɔnize] v. tr. intronizzare, insediare. || [mode, théorie] instaurare.
introspection [ɛ̃trɔspɛksjɔ̃] f. introspezione.
introuvable [ɛ̃truvabl] adj. introvabile, irreperibile.
introversion [ɛ̃trovɛrsjɔ̃] f. introversione.
introverti, e [ɛ̃trovɛrti] adj. et n. introverso.
intrus, e [ɛ̃try, yz] adj. et n. intruso.
intrusion [ɛ̃tryzjɔ̃] f. intrusione.
intuitif, ive [ɛ̃tɥitif, iv] adj. et n. intuitivo adj.
intuition [ɛ̃tɥisjɔ̃] f. intuizione, intuito m.
inusable [inyzabl] adj. inconsumabile.
inusité, e [inyzite] adj. inusitato.
inutile [inytil] adj. inutile, disutile.
inutilisable [inytilizabl] adj. inutilizzabile.
inutilisé, e [inytilize] adj. inutilizzato, non utilizzato.
inutilité [inytilite] f. inutilità.
invaincu, e [ɛ̃vɛ̃ky] adj. invitto.
invalidation [ɛ̃validasjɔ̃] f. invalidamento m.
invalide [ɛ̃valid] adj. et n. invalido.
invalider [ɛ̃valide] v. tr. invalidare.
invalidité [ɛ̃validite] f. invalidità.
invariable [ɛ̃variabl] adj. invariabile.
invasion [ɛ̃vazjɔ̃] f. invasione.
invective [ɛ̃vɛktiv] f. invettiva.
invectiver [ɛ̃vɛktive] v. tr. et intr. (contre) inveire (contro).
invendable [ɛ̃vɑ̃dabl] adj. invendibile.
invendu, e [ɛ̃vɑ̃dy] adj. et m. invenduto ; rimanenza f.
inventaire [ɛ̃vɑ̃tɛr] m. inventario.
inventer [ɛ̃vɑ̃te] v. tr. inventare.
inventeur, trice [ɛ̃vɑ̃tœr, tris] n. inventore, trice; ideatore, trice. || [trésor] scopritore, trice; ritrovatore, trice.
inventif, ive [ɛ̃vɑ̃tif, iv] adj. inventivo.
invention [ɛ̃vɑ̃sjɔ̃] f. invenzione. || [(re)découverte] ritrovamento m. || [faculté d'imaginer] inventiva.
inventorier [ɛ̃vɑ̃tɔrje] v. tr. inventariare.
invérifiable [ɛ̃verifjabl] adj. incontrollabile.
inverse [ɛ̃vɛrs] adj. inverso. ◆ m. contrario, inverso.
inverser [ɛ̃vɛrse] v. tr. invertire.
inversion [ɛ̃vɛrsjɔ̃] f. inversione.

invertébré, e [ɛ̃vɛrtebre] adj. et m. invertebrato.
inverti, e [ɛ̃vɛrti] adj. et n. invertito.
investigateur, trice [ɛ̃vɛstigatœr, tris] adj. et n. investigatore, trice; indagatore, trice.
investigation [ɛ̃vɛstigasjɔ̃] f. investigazione, indagine.
investir [ɛ̃vɛstir] v. tr. investire.
investissement [ɛ̃vɛstismɑ̃] m. investimento.
investiture [ɛ̃vɛstityr] f. investitura.
invétéré, e [ɛ̃vetere] adj. inveterato, radicato.
invincible [ɛ̃vɛ̃sibl] adj. invincibile.
inviolable [ɛ̃vjɔlabl] adj. inviolabile.
invisible [ɛ̃vizibl] adj. invisibile.
invitation [ɛ̃vitasjɔ̃] f. invito m.
invite [ɛ̃vit] f. invito m. || [cartes] invito.
invité, e [ɛ̃vite] n. invitato, a.
inviter [ɛ̃vite] v. tr. invitare. || [enjoindre] (à) invitare (a), esortare (a); ingiungere (di). || [cartes] *inviter à cœur*, chiamare a cuori.
invocation [ɛ̃vɔkasjɔ̃] f. invocazione.
involontaire [ɛ̃vɔlɔ̃tɛr] adj. involontario.
involution [ɛ̃vɔlysjɔ̃] f. involuzione.
invoquer [ɛ̃vɔke] v. tr. invocare. | [arguments] addurre, allegare.
invraisemblable [ɛ̃vrɛsɑ̃blabl] adj. inverosimile.
invraisemblance [ɛ̃vrɛsɑ̃blɑ̃s] f. inverosimiglianza.
invulnérable [ɛ̃vylnerabl] adj. invulnerabile.
iode [jɔd] m. iodio.
ion [jɔ̃] m. PHYS. ione.
irakien, enne [irakjɛ̃, ɛn] adj. et n. iracheno.
iranien, enne [iranjɛ̃, ɛn] adj. et n. [ancien] iranico ; [moderne] iraniano.
irascible [irasibl] adj. irascibile.
iris [iris] m. ANAT., BOT. iride f.
irlandais, e [irlɑ̃dɛ, ɛz] adj. et n. irlandese.
ironie [irɔni] f. ironia.
ironique [irɔnik] adj. ironico.
ironiser [irɔnize] v. intr. ironizzare.
irradiation [ir(r)adjasjɔ̃] f. PHYS. irraggiamento m. || MÉD. irradiazione.
irradier [i(r)radje] v. intr. ou **irradier (s')** v. pr. irradiare, irraggiare. ◆ v. tr. MÉD. irradiare.
irrationnel, elle [i(r)rasjɔnɛl] adj. irrazionale.
irréalisable [i(r)realizabl] adj. irrealizzabile.
irréalisé, e [ir(r)ealize] adj. non realizzato, non attuato.
irrecevable [i(r)əsəvabl] adj. irricevibile.
irréconciliable [i(r)rekɔ̃siljabl] adj. irreconciliabile.
irrécupérable [ir(r)rekyperabl] adj. irrecuperabile.
irrédentisme [ir(r)redɑ̃tism] m. irredentismo.
irrédentiste [i(r)redɑ̃tist] adj. irredentistico, irredentista. ◆ n. irredentista.
irréductible [i(r)redyktibl] adj. irriducibile.
irréel, elle [i(r)reɛl] adj. et m. irreale.
irréfléchi, e [ir(r)efleʃi] adj. irriflessivo.
irréfutable [i(r)refytabl] f. irrefutabile, inconfutabile.
irrégularité [i(r)regylarite] f. irregolarità.
irrégulier, ère [i(r)regylje, ɛr] adj. irregolare. || [élève] discontinuo. ◆ m. MIL. soldato irregolare.
irréligieux, euse [i(r)reliʒjø, øz] adj. irreligioso.
irrémédiable [i(r)remedjabl] adj. irrimediabile.
irremplaçable [i(r)rɑ̃plasabl] adj. insostituibile.
irréparable [i(r)reparabl] adj. irreparabile.
irréprochable [i(r)reprɔʃabl] adj. irreprensibile, incensurabile, ineccepibile.
irrésistible [i(r)rezistibl] adj. irresistibile.
irrésolu, e [i(r)rezɔly] adj. [sans solution] insoluto, irresoluto. || [hésitant] irresoluto.
irrespect [i(r)rɛspɛ] m. irriverenza f.
irrespectueux, euse [i(r)rɛspɛktɥø, øz] adj. irrispettoso, irriverente.
irresponsable [i(r)rɛspɔ̃sabl] adj. et n. irresponsabile.
irrétrécissable [i(r)retresisabl] adj. irrestringibile.
irrévérencieux, euse [i(r)reverɑ̃sjø, øz] adj. irriverente.
irréversible [i(r)revɛrsibl] adj. irreversibile.
irrévocable [i(r)revɔkabl] adj. irrevocabile.
irrigation [i(r)rigasjɔ̃] f. irrigazione.
irriguer [i(r)rige] v. tr. irrigare.
irritable [i(r)ritabl] adj. irritabile, irascibile.
irritant, e [i(r)ritɑ̃, ɑ̃t] adj. irritante.
irritation [i(r)ritasjɔ̃] f. irritazione.
irriter [i(r)rite] v. tr. irritare. || FIG. eccitare, stimolare. || MÉD. irritare.
irruption [i(r)rypsjɔ̃] f. irruzione.
islam [islam] m. islam.
islamique [islamik] adj. islamico.
islamisme [islamism] m. islamismo.
islandais, e [islɑ̃dɛ, ɛz] adj. et n. islandese.
isocèle [izɔsɛl] adj. isoscele.
isolant, e [izɔlɑ̃, ɑ̃t] adj. isolante.
isolateur, trice [izɔlatœr, tris] adj. isolante. ◆ m. ÉLECTR. isolatore.

isolation [izɔlasjɔ̃] f. isolamento m.
isolationnisme [izɔlasjɔnism] m. isolazionismo.
isolationniste [izɔlasjɔnist] adj. isolazionistico, isolazionista. ◆ n. isolazionista.
isolement [izɔlmɑ̃] m. isolamento.
isolé, e [izɔle] adj. isolato, appartato.
isoler [izɔle] v. tr. (de) isolare (da), separare (da). || [mettre à l'écart] isolare, segregare. ◆ v. pr. isolarsi, appartarsi.
isoloir [izɔlwar] m. cabina (f.) elettorale.
Isorel [izɔrɛl] m. faesite f.
isotherme [izɔtɛrm] adj. [wagon, camion] refrigerato.
isotope [izɔtɔp] m. isotopo.
israélien, enne [israeljɛ̃, ɛn] adj. et n. israeliano.
israélite [israelit] adj. et n. israelitico adj., israelita adj. et n.
issu, e [isy] adj. [personne] nato, discendente. || [chose] nato, generato. ◆ f. uscita, sbocco m. || [fin] esito m. || [moyen] via d'uscita ; scampo m. ◆ ***à l'issue de,*** alla fine di.
isthme [ism] m. istmo.
italien, enne [italjɛ̃, ɛn] adj. et n. italiano.
italique [italik] adj. et m. italico. ◆ m. TYP. corsivo, italico.
itinéraire [itinerɛr] adj. et m. itinerario.
ivoire [ivwar] m. avorio.
ivraie [ivrɛ] f. BOT. loglio m., zizzania.
ivre [ivr] adj. ubriaco. | *ivre mort,* ubriaco fradicio. | *ivre de joie,* ebbro di gioia.
ivresse [ivrɛs] f. ubriachezza, ebbrezza. || FIG. ebbrezza.
ivrogne, esse [ivrɔɲ, ɛs] n. ubriacone, a.
ivrognerie [ivrɔɲəri] f. vizio (m.) dell'ubriacarsi.

j

j [ʒi] m. j m. ou f. | *jour J,* giorno D.
jabot [ʒabo] m. ZOOL. gozzo, ingluvie f. || MODE pettino.
jacasser [ʒakase] v. intr. gracchiare. || FAM. ciarlare, cicalare.
jachère [ʒaʃɛr] f. maggese m. | *en jachère,* a maggese, a riposo.
jacinthe [ʒasɛ̃t] f. giacinto m.
jadis [ʒadis] adv. un tempo, una volta.
jaguar [ʒagwar] m. giaguaro.
jaillir [ʒajir] v. intr. (de) [liquide] scaturire (da), sgorgare (da), zampillare (da). | [gaz] sprigionarsi (da). | [éclair] balenare. | [flamme] sprizzare. || FIG. scaturire.
jaillissant, e [ʒajisɑ̃, ɑ̃t] adj. zampillante.
jais [ʒɛ] m. giaietto, giavazzo. || FIG. *(noir) de jais,* nero come il carbone.
jalon [ʒalɔ̃] m. biffa f. || FIG. *poser des jalons,* porre le basi.
jalonner [ʒalɔne] v. tr. biffare. || FIG. segnare.
jalouser [ʒaluze] v. tr. invidiare. ◆ v. pr. invidiarsi.
jalousie [ʒaluzi] f. gelosia. | [envie] invidia. || ARCHIT. persiana, gelosia.
jaloux, ouse [ʒalu, uz] adj. (de) geloso (di). | *rendre jaloux,* ingelosire. || [envieux] geloso, invidioso. | *faire des jaloux,* destare invidia.
jamais [ʒamɛ] adv. [positif] mai. || [négatif] *il ne viendra jamais,* non verrà mai ; mai verrà. | *jamais de la vie,* neanche per sogno, per idea. ◆ ***à (tout) jamais,*** per sempre. | ***jamais plus,*** mai più. | ***au grand jamais,*** mai e poi mai.
jambe [ʒɑ̃b] f. gamba. || ZOOL. zampa. || [de pantalon] gamba. || *courir à toutes jambes,* correre a gambe levate. || FAM. *prendre ses jambes à son cou,* darsela a gambe. | *tenir la jambe à qn,* attaccare un bottone a qlcu. | *par-dessus la jambe,* sotto gamba.
jambon [ʒɑ̃bɔ̃] m. prosciutto.
jante [ʒɑ̃t] f. cerchio m., cerchione m.
janvier [ʒɑ̃vje] m. gennaio.
japonais, e [ʒapɔnɛ, ɛz] adj. et n. giapponese.
jappement [ʒapmɑ̃] m. uggiolio, guaito.
japper [ʒape] v. intr. uggiolare, guaire.
jaquette [ʒakɛt] f. [d'homme] giacca a coda. | [de femme] giacca, giacchino m. || [d'un livre] sopraccoperta.
jardin [ʒardɛ̃] m. giardino. | *jardin d'agrément,* giardino ornamentale. | *jardin potager,* orto. | *jardin des Plantes,* orto botanico. || *jardin d'enfants,* giardino d'infanzia.
jardinage [ʒardinaʒ] m. [fleurs] giardinaggio. | [légumes] orticoltura f.
jardiner [ʒardine] v. intr. darsi al giardinaggio.
jardinier, ère [ʒardinje, ɛr] n. [fleurs] giardiniere, a. | [légumes] ortolano, a. ◆ f. *jardinière d'enfants,* maestra giardiniera. || [meuble, mets, voiture] giardiniera.
jargon [ʒargɔ̃] m. gergo.
jarre [ʒar] f. giar(r)a, orcio m.

jarret [ʒarɛ] m. ANAT. poplite. || ZOOL. garretto. || CULIN. *jarret de veau,* ossobuco.
jarretelle [ʒartɛl] f. giarrettiera.
jarretière [ʒartjɛr] f. giarrettiera, elastico m.
jars [ʒar] m. oca (f.) maschio.
jaser [ʒaze] v. intr. [bavarder] chiacchierare, ciarlare. | [enfant] cinguettare. || FAM. [médire] sparlare, spettegolare.
jasmin [ʒasmɛ̃] m. gelsomino.
jatte [ʒat] f. ciotola.
jauge [ʒoʒ] f. [instrument] calibro m. | [d'huile, d'essence] asta indicatrice, indicatore (m.) livello. || MAR. *jauge brute,* stazza lorda.
jauger [ʒoʒe] v. tr. misurare. || MAR. stazzare. || FIG. [qn] valutare. ◆ v. intr. MAR. [tirant d'eau] pescare v. intr. et tr. [capacité] stazzare v. tr.
jaunâtre [ʒonɑtr] adj. giallastro, gialliccio, giallognolo.
jaune [ʒon] adj. giallo. ◆ m. giallo. | *jaune d'œuf,* tuorlo. || FAM. [briseur de grève] crumiro. ◆ adv. *rire jaune,* ridere verde.
jaunir [ʒonir] v. tr. et intr. ingiallire, imbiondire.
jaunisse [ʒonis] f. itterizia.
javelot [ʒavlo] m. giavellotto.
je [ʒə] pron. pers. io.
je-m'en-fichisme [ʒmɑ̃fiʃism] m. inv. POP. menefreghismo.
je-m'en-fichiste [ʒmɑ̃fiʃist] adj. et n. inv. POP. menefreghista (pl. m. -i, pl. f. -e).
je-ne-sais-quoi (un) [œ̃ʒənsekwa] m. inv. un non so che.
jersey [ʒerzɛ] m. TEXT. tessuto a maglia. || [tricot] golf m. inv. | *point de jersey,* punto calza.
jésuite [ʒezɥit] m. REL. gesuita. ◆ m. et adj. PÉJOR. gesuita m., gesuitico adj.
1. jet [ʒɛ] m. getto, tiro, lancio. | [d'eau] zampillo. | [de lumière] sprazzo. | [de flamme] fiammata f., vampata f. || [ébauche] *premier jet,* primo getto ; abbozzo.
2. jet [dʒɛt] m. AV. aviogetto.
jetée [ʒəte] f. gettata.
jeter [ʒəte] v. tr. gettare, buttare, tirare. || FIG. *jeter sur le papier,* buttar giù sulla carta. || [avec violence] scagliare, scaraventare. | [bombes d'avion] sganciare. || [se débarrasser de] buttar via, gettar via. | *jeter au panier,* cestinare. || TECHN. gettare. ◆ v. pr. [fleuve] sboccare v. intr., gettarsi.
jeton [ʒətɔ̃] m. gettone.
jeu [ʒø] m. gi(u)oco. | *jeu de construction,* costruzioni f. pl. || [de cartes] mazzo. || [partie] partita f. | [tennis] gioco. || FIG. *jeu d'esprit,* scherzo, celia f. | *jeu de mots,* gioco di parole ; bisticcio. || MUS. esecuzione f. | TH. recitazione f. || TECHN. elasticità f. | PÉJOR. gioco, lasco. || *entrer en jeu,* intervenire. | *ce n'est pas de jeu,* è contrario alle regole (del gioco). | *avoir beau jeu de,* aver buon gioco di. | *vieux jeu,* fuori moda. ◆ *d'entrée de jeu,* di primo acchito, a tutta prima. ◆ pl. MUS. [orgue] registro sing.
jeudi [ʒødi] m. giovedì.
jeun (à) [aʒœ̃] loc. adv. *être à jeun,* essere (a) digiuno.
jeune [ʒœn] adj. giovane. | *tout jeune,* giovanissimo. | *jeune homme,* giovanotto. | *jeune fille,* ragazza, fanciulla. | *jeunes gens,* giovani, giovanotti. | *jeunes mariés,* sposini m. pl. || [juvénile] giovanile. || [cadet] minore. ◆ m. [personne] giovane. || [cadet] junior. || [animal] piccolo, cucciolo.
jeûne [ʒøn] m. digiuno.
jeûner [ʒøne] v. intr. digiunare.
jeunesse [ʒœnɛs] f. giovinezza, gioventù. || [groupe] gioventù.
jiu-jitsu [ʒjyʒitsy] m. inv. SP. giugitsu.
joaillerie [ʒɔajri] f. gioielleria. || [objets] gioielli m. pl.
joaillier, ère [ʒɔaje, ɛr] n. gioielliere, a.
jobard, e [ʒɔbar, ard] adj. et n. credulone, a ; gonzo, a.
jockey [ʒɔkɛ] m. fantino.
joie [ʒwa] f. gioia, contentezza; letizia. || [gaieté] allegria, gioia. || *ne plus se sentir de joie,* non stare in sé dalla gioia. || *feu de joie,* falò.
joindre [ʒwɛ̃dr] v. tr. (à) congiungere (con), unire (a). | [les mains] (con)giungere. || FAM. *joindre les deux bouts,* sbarcare il lunario, arrivare al ventisette (del mese). || [ajouter] (à) accludere (a), allegare (a). || [contacter] raggiungere.
joint, e [ʒwɛ̃, ɛ̃t] adj. (con)giunto, unito. | *à pieds joints,* a piedi uniti, a piè pari. || *ci-joint,* (qui) accluso, (qui) allegato. | *pièces jointes,* allegati m. pl. ◆ m. giuntura f. || TECHN. giunto. | [d'étanchéité] guarnizione f.
jointure [ʒwɛ̃tyr] f. giuntura. | *jointure des doigts,* nocca. || TECHN. giuntura.
joker [ʒɔkɛr] m. matta f.
joli, e [ʒɔli] adj. carino, bellino, grazioso.
jonc [ʒɔ̃] m. giunco..
joncher [ʒɔ̃ʃe] v. tr. (de) (co)spargere (di).
jonction [ʒɔ̃ksjɔ̃] f. congiunzione, collegamento m., congiungimento m.
jongler [ʒɔ̃gle] v. intr. fare giochi di destrezza. || FIG. (avec) destreggiarsi (in).
jongleur [ʒɔ̃glœr] m. giocoliere. || HIST. giullare.
jonque [ʒɔ̃k] f. MAR. giunca.
jonquille [ʒɔ̃kij] f. giunchiglia.

joue [ʒu] f. guancia, gota. | *mettre, coucher en joue,* prendere di mira.
jouer [ʒwe] v. tr. giocare. || MUS. s(u)onare. || TH. recitare. || FIG. *jouer franc jeu, cartes sur table,* giocare a carte scoperte. | [la surprise] simulare, fingere. ◆ v. tr. ind. (à) giocare (a). ◆ v. intr. et v. tr. ind. (avec) [feu, santé, vie] scherzare (con). || (de) *jouer du violon,* suonare il violino. || FIG. *jouer des coudes,* farsi largo a gomitate. | *jouer des jambes,* darsela a gambe. | *jouer de malheur,* essere sfortunato. || (sur) *jouer sur un cheval,* scommettere su un cavallo. ◆ v. intr. giocare. || TECHN. giocare, aver gioco. || TH. recitare. ◆ v. pr. [des difficultés] ridersi (di). | *en se jouant,* come per gioco. || FIG. [de qn] burlarsi di, pigliarsi gioco di.
jouet [ʒwɛ] m. giocattolo, balocco. || FIG. *être le jouet des vagues,* essere in balìa delle onde. || [moquerie] zimbello.
joueur, euse [ʒwœr, øz] n. giocatore, trice. || MUS. sonatore, trice. || *se montrer beau joueur,* saper perdere, essere sportivo.
joufflu, e [ʒufly] adj. paffuto, paffutello.
joug [ʒu] m. giogo.
jouir [ʒwir] v. tr. ind. (de) *jouir de qch.,* godere (di) qlco., godersi qlco.
jouissance [ʒwisɑ̃s] f. godimento m. || JUR. godimento, usufrutto m.
jour [ʒur] m. giorno. | *les heures du jour,* le ore diurne. | *il fait jour,* fa, è giorno. || [lumière] luce f. || ARCHÉOL. *mettre au jour,* scoprire. || ARCHIT. vano, luce f., apertura f. || *donner le jour à,* [enfanter] dare alla luce ; [lieu de naissance] dare i natali a. | *voir le jour,* venire alla luce, vedere la luce. || *mettre à jour,* aggiornare. || [durée] *ce jour,* oggi. | *jour de l'an,* capodanno. | *quel jour sommes-nous ?,* che giorno è oggi ? || [époque] *de nos jours,* ai giorni nostri. | *au jour d'aujourd'hui,* al giorno d'oggi ; oggigiorno, oggidì. | *œufs du jour,* uova di giornata. || [broderie] *à jour,* a giorno, a traforo.
journal, aux [ʒurnal, o] m. giornale. | *journal de mode,* figurino. | *journal intime,* diario intimo. | *journal officiel,* gazzetta (f.) ufficiale. || COMM. giornale, libro. || TÉL., RAD. *journal parlé,* giornale radio. | *journal télévisé,* telegiornale.
journalier, ère [ʒurnalje, ɛr] adj. giornaliero. ◆ m. giornaliero, bracciante.
journalisme [ʒurnalism] m. giornalismo.
journaliste [ʒurnalist] n. giornalista.
journalistique [ʒurnalistik] adj. giornalistico.
journée [ʒurne] f. giornata.
journellement [ʒurnɛlmɑ̃] adv. giornalmente.
joute [ʒut] f. HIST. giostra. || FIG. gara, contesa.
jouxter [ʒukste] v. tr. essere contiguo a.
jovial, e, als ou **aux** [ʒɔvjal, o] adj. gioviale.
joyau [ʒwajo] m. gioiello.
joyeux, euse [ʒwajø, øz] adj. allegro, lieto, gioioso. | *joyeux Noël !,* buon Natale !
jubilé [ʒybile] m. giubileo.
jubiler [ʒybile] v. intr. giubilare, esultare.
jucher [ʒyʃe] v. intr. appollaiarsi v. pr.
judas [ʒyda] m. [traître] giuda. || ARCHIT. spioncino, spia f.
judiciaire [ʒydisjɛr] adj. giudiziario.
judicieux, euse [ʒydisjø, øz] adj. giudizioso, assennato.
judo [ʒydo] m. judo, giudo.
judoka [ʒydoka] m. judoista, giudoista.
juge [ʒyʒ] m. giudice. || [connaisseur] giudice, intenditore. || SP. giudice. | *juge de touche,* guardalinee inv., segnalinee inv.
jugé [ʒyʒe] m. *au jugé,* a occhio e croce.
jugement [ʒyʒmɑ̃] m. [opinion] giudizio. || [avis] parere. || JUR. sentenza f., giudizio. || REL. *Jugement dernier,* giudizio universale.
jugeote [ʒyʒɔt] f. FAM. comprendonio m.
juger [ʒyʒe] v. tr. giudicare. || [estimer] ritenere, stimare. ◆ v. tr. ind. (de) giudicare (di). || [imaginer] figurarsi, immaginarsi.
jugulaire [ʒygylɛr] adj. et f. giugulare. || MIL. sottogola m. inv., soggolo m.
juguler [ʒygyle] v. tr. soffocare, stroncare.
juif, ive [ʒɥif, iv] adj. et n. ebreo.
juillet [ʒɥijɛ] m. luglio.
juin [ʒɥɛ̃] m. giugno.
jumeau, elle [ʒymo, ɛl] adj. et n. gemello.
jumelage [ʒymlaʒ] m. abbinamento, accoppiamento, appaiamento. || [de villes] gemellaggio.
jumelé, e [ʒymle] adj. *fenêtres jumelées,* bifora f. | *colonnes jumelées,* colonne binate. || TECHN. *roues jumelées,* ruote abbinate.
jumeler [ʒymle] v. tr. abbinare, accoppiare. || [villes] proclamare il gemellaggio di.
jumelle(s) [ʒymɛl] f. (pl.) binocolo m.
jument [ʒymɑ̃] f. cavalla, giumenta.
jungle [ʒœ̃gl] f. giungla.
jupe [ʒyp] f. gonna, sottana.
jupe-culotte [ʒypkylɔt] f. gonna a pantaloni.
jupon [ʒypɔ̃] m. sottana f., sottogonna f.

juré, e [ʒyre] adj. et m. giurato.

jurer [ʒyre] v. tr. giurare. ‖ FIG. *on jurerait son père,* è, pare il ritratto di suo padre. ◆ v. tr. ind. [pester] *jurer après, contre,* imprecare contro. ◆ v. intr. [prêter serment] (sur) giurare (su). ‖ [blasphémer] imprecare, bestemmiare. ‖ FIG. [couleurs] stonare, stridere, cozzare.

juridiction [ʒyridiksjɔ̃] f. giurisdizione.

juridique [ʒyridik] adj. giuridico.

jurisprudence [ʒyrisprydɑ̃s] f. giurisprudenza.

juriste [ʒyrist] n. giurista.

juron [ʒyrɔ̃] m. imprecazione f., bestemmia f.

jury [ʒyri] m. giurìa f. | *jury d'honneur,* giurì d'onore. ‖ UNIV. commissione (esaminatrice).

jus [ʒy] m. [de fruit] sugo, succo ; [de viande] sugo.

jusant [ʒyzɑ̃] m. riflusso, deflusso.

jusqu'au-boutisme [ʒyskobutism] m. oltranzismo.

jusqu'au-boutiste [ʒyskobutist] m. guerrafondaio (fam.) ; oltranzista (L.C.).

jusque [ʒysk] prép. [espace et temps] fino, sino. ◆ *jusqu'à,* fino a. ‖ FIG. [même] perfino, persino. | *jusqu'à maintenant,* finora. ◆ *jusqu'ici,* [espace] fin qui, fin qua ; [temps] finora, sinora. ‖ *jusque-là,* [espace] fin lì, fin là ; [temps] fin allora. ◆ *jusqu'à ce que, jusqu'au moment où,* finché, fintantoché.

juste [ʒyst] adj. giusto. | *montre juste,* orologio preciso. | *avoir l'oreille juste,* avere orecchio. | *le compte est juste,* il conto torna. ◆ m. [personne, chose juste] giusto. ◆ adv. giusto. | *tout juste !,* appunto ! | *à deux heures juste,* alle due precise, in punto. | *juste à côté,* proprio accanto. ◆ *au juste,* esattamente. | *au plus juste,* con la massima precisione.

juste-milieu [ʒystəmiljø] m. via (f.) di mezzo.

justesse [ʒystɛs] f. giustezza, esattezza. ◆ *de justesse,* appena appena.

justice [ʒystis] f. giustizia.

justifiable [ʒystifjabl] adj. giustificabile.

justificatif, ive [ʒystifikatif, iv] adj. et m. giustificativo.

justification [ʒystifikasjɔ̃] f. giustificazione. ‖ TYP. giustezza.

justifier [ʒystifje] v. tr. giustificare. ◆ v. tr. ind. (de) dare prova (di) ; provare v. tr.

jute [ʒyt] m. TEXT. iuta f.

juteux, euse [ʒytø, øz] adj. succoso, sugoso.

juvénile [ʒyvenil] adj. giovanile.

juxtalinéaire [ʒykstalineɛr] adj. *traduction juxtalinéaire,* traduzione a fronte.

juxtaposé, e [ʒykstapoze] adj. et m. giustapposto.

juxtaposer [ʒykstapoze] v. tr. giustapporre.

k

k [ka] m. k m. ou f.

kaki [kaki] m. et adj. inv. cachi, kaki.

kaléidoscope [kaleidɔskɔp] m. caleidoscopio.

kangourou [kɑ̃guru] m. canguro.

kaolin [kaɔlɛ̃] m. caolino.

karaté [karate] m. karatè.

kart [kart] m. SP. (go-)kart.

karting [karti] m. SP. kartismo.

kayak [kajak] m. SP. caiac(c)o.

képi [kepi] m. chepì.

kermesse [kɛrmɛs] f. festa di beneficenza. ‖ [fête populaire] sagra, fiera.

kérosène [kerɔzɛn] m. cherosene.

kidnapper [kidnape] v. tr. rapire.

kidnappeur [kidnapœr] m. rapitore.

kif-kif [kifkif] adj. inv. FAM. *c'est kif-kif,* è lo stesso (L.C.).

kilogramme [kilogram] m. chilo(grammo).

kilométrage [kilometraʒ] m. chilometraggio.

kilomètre [kilomɛtr] m. chilometro.

kilométrique [kilometrik] adj. chilometrico.

kilowatt [kilowat] m. chilowatt inv. | *kilowatt-heure,* chilowattora inv.

kinésithérapeute [kineziterapøt] n. cinesiterapista.

kiosque [kjɔsk] m. chiosco. | *kiosque à journaux,* edicola f. ; chiosco dei giornali. ‖ MUS. palco. ‖ [de sous-marin] torretta f.

kitchenette [kitʃənɛt] f. cucinino m. ; nicchia-cucina.

klaxonner [klaksɔne] v. intr. suonare il clacson, strombettare.

kleptomane [klɛptɔman] n. cleptomane.

knock-out [nɔkawt] m. inv. SP. fuori combattimento.

krach [krak] m. FIN. crac, crollo.

kyrielle [kirjɛl] f. FAM. filza, sequela.

kyste [kist] m. MÉD. cisti f.

l

l [ɛl] m. l f. ou m.
1. la [la] m. inv. MUS. la.
2. la art. et pron. V. LE 1 et 2.
là [la] adv. [lieu] là, lì. || [temps] *à un an de là,* un anno dopo, di lì a un anno. || [présence] *je suis là,* son qui ; eccomi. || [à ce point] *les choses en sont là,* le cose sono a questo punto. | *l'affaire en resta là,* la faccenda finì lì. || [dém.] questo, quello. | *quelle idée est-ce là ?,* che idea è questa ? | *c'était là une bêtise,* quella era una sciocchezza. ◆ *de là,* [lieu] da, (di) là, da lì. | *près de là,* lì vicino. || *par là,* [lieu] di là, di lì ; FIG. con ciò. | *que veux-tu dire par là ?,* cosa intendi dire con ciò ? || *là-bas,* laggiù. || *là-haut,* lassù. ◆ interj. *là !,* (répété) *là ! là !,* calma ! calma ! ; piano piano !
label [labɛl] m. marchio.
labeur [labœr] m. fatica f., lavoro faticoso.
laborantin, e [labɔrɑ̃tɛ̃, in] n. laboratorista.
laboratoire [labɔratwar] m. laboratorio.
laborieux, euse [labɔrjø, øz] adj. [chose] laborioso. | [personne] laborioso, operoso, lavoratore, trice.
labour(age) [labur(aʒ)] m. aratura f.
labourer [labure] v. tr. arare.
laboureur [laburœr] m. aratore.
labyrinthe [labirɛ̃t] m. labirinto.
lac [lak] m. lago.
lacer [lase] v. tr. allacciare.
lacérer [lasere] v. tr. lacerare, stracciare.
lacet [lasɛ] m. stringa f., laccio. || FIG. *en lacet,* a serpentina, a tornanti.
lâche [lɑʃ] adj. [pas tendu] lento, allentato. || [poltron] vile, vigliacco. ◆ m. vigliacco, vile.
lâcher [lɑʃe] v. tr. [détendre] allentare. | *lâcher la proie,* mollare la preda. | *lâcher prise,* lasciare la presa. | *lâcher pied,* PR. fuggire ; FIG. cedere, mollare. | *lâchez-le !,* lasciatelo andare ! || [bombes] sganciare. || [décocher, lancer] tirare, assestare, mollare. || [fusil, canon] sparare, tirare. || FIG. lasciare, abbandonare. || [distancer] staccare, distanziare. || [sottise] lasciarsi sfuggire. ◆ m. [pigeons, ballons] lancio.
lâcheté [lɑʃte] f. vigliaccheria, viltà.
laconique [lakɔnik] adj. laconico.
laconisme [lakɔnism] m. laconicità f.
lacrymogène [lakrimɔʒɛn] adj. lacrimogeno.
lacté, e [lakte] adj. latteo. | *Voie lactée,* Via lattea.
lacune [lakyn] f. lacuna.
lad [lad] m. mozzo di stalla.
ladre [ladr] adj. et n. taccagno, tirchio.
ladrerie [ladrəri] f. taccagneria, tirchieria.
lagune [lagyn] f. laguna.
laïc ou **laïque** [laik] adj. et n. laico.
laïcité [laisite] f. laicità.
laid, e [lɛ, lɛd] adj. brutto.
laideron [lɛdrɔ̃] m. FAM. bruttona f.
laideur [lɛdœr] f. bruttezza, bruttura.
laie [lɛ] f. ZOOL. cinghialessa.
lainage [lɛnaʒ] m. stoffa f., indumento di lana. || [toison] vello.
laine [lɛn] f. lana. || *laine de verre,* lana di vetro.
laineux, euse [lɛnø, øz] adj. lanoso.
laïque adj. et n. V. LAÏC.
laisse [lɛs] f. guinzaglio m.
laisser [lɛse] v. tr. lasciare. | *laisser à penser,* dar da pensare. | *laisser à désirer,* lasciare a desiderare. || FAM. *laisser tomber qn,* piantare qlcu. (in asso). ◆ v. pr. *se laisser aller,* lasciarsi andare ; trascurarsi. | *je me suis laissé dire,* ho sentito dire.
laisser-aller [lɛseale] m. inv. trascuratezza f., sciatteria f.
laissez-passer [lɛsepase] m. inv. lasciapassare.
lait [lɛ] m. latte.
laitage [lɛtaʒ] m. latticinio (pl. latticini).
laiterie [lɛtri] f. [dans une ferme] cascina ; [industrielle] caseificio m. ; [magasin] latteria.
laiteux, euse [lɛtø, øz] adj. latteo.
laitier, ère [lɛtje, ɛr] adj. lattifero. || *industrie laitière,* industria lattiera. ◆ n. lattaio, a.
laiton [lɛtɔ̃] m. ottone.
laitue [lɛty] f. lattuga.
laïus [lajys] m. FAM. sproloquio ; discorsetto.
lambeau [lɑ̃bo] m. brandello. | *mettre, tomber en lambeaux,* fare a brandelli, cadere in brandelli. || FIG. frammento.
lambin, e [lɑ̃bɛ̃, in] n. FAM. gingillone, a.
lambiner [lɑ̃bine] v. intr. FAM. gingillarsi.
lambris [lɑ̃bri] m. rivestimento.
lambrisser [lɑ̃brise] v. tr. rivestire.
lame [lam] f. lama. || [vague] onda, ondata, maroso m. | *lame de fond,* onda lunga.
lamelle [lamɛl] f. lamella.
lamentable [lamɑ̃tabl] adj. lamentevole. || FAM. pessimo, pietoso.
lamentation [lamɑ̃tasjɔ̃] f. lamentazione. || [récrimination] (surtout pl.) lagnanze f. pl.

lamenter (se) [səlamɑ̃te] v. pr. (sur) lamentarsi (di), lagnarsi (di).
laminer [lamine] v. tr. laminare.
laminoir [laminwar] m. laminatoio.
lampadaire [lɑ̃padɛr] m. lampada (f.) a stelo. || [éclairage public] lampione.
lampe [lɑ̃p] f. [non électrique] lume m., lampada. | *lampe à souder,* lampada per saldare. | *lampe à alcool,* fornello (m.) a spirito. | [électrique] *lampe de poche,* lampadina tascabile. | *lampe de bureau, de chevet,* lampada da scrivania, da comodino. || [ampoule] lampadina. | [appareil] lampada. | *lampe témoin,* spia. || RAD., T.V. valvola.
lampée [lɑ̃pe] f. FAM. sorsata.
lamper [lɑ̃pe] v. tr. FAM. tracannare, trincare.
lampion [lɑ̃pjɔ̃] m. lucerna f. || [lanterne vénitienne] lampioncino.
lampiste [lɑ̃pist] m. lampista. || FIG. capro espiatorio.
lance [lɑ̃s] f. lancia. | *lance d'arrosage,* idrante m. | *lance d'incendie,* (lancia di) idrante, lancia antincendio.
lancée [lɑ̃se] f. slancio m.
lancement [lɑ̃smɑ̃] m. lancio. || MAR. varo.
lance-fusées [lɑ̃sfyze] m. inv. lanciarazzi.
lance-missiles [lɑ̃smisil] m. inv. lanciamissili.
lance-pierres [lɑ̃spiɛr] m. inv. fionda f.
1. lancer [lɑ̃se] v. tr. [jeter] lanciare, gettare, tirare ; [avec force] scagliare. | *lancer en l'air,* lanciare in aria. || [coup de pied] tirare, sferrare. | [gifle] dare, mollare, assestare. || [pont] gettare. || SP. [disque, marteau] lanciare. || FIG. [regards] lanciare. | [éclairs] mandare, sprizzare. | [cri] mandare, gettare. | [invectives] lanciare, scagliare. || FIN. [emprunt] emettere, lanciare. || JUR. *lancer un mandat d'arrêt,* spiccare, emettere un mandato di cattura. || [faire partir : moteur] avviare, lanciare. || MAR. varare. || MIL. [offensive] sferrare, lanciare. ◆ v. pr. [s'élancer] (s)lanciarsi, gettarsi, avventarsi, scagliarsi. || FIG. [dans une discussion, dans les affaires, dans le monde] lanciarsi.
2. lancer m. SP. [poids] lancio. || *pêche au lancer,* pesca a lancio.
lance-torpilles [lɑ̃stɔrpij] m. inv. lanciasiluri.
lancette [lɑ̃sɛt] f. MÉD. lancetta.
lanceur, euse [lɑ̃sœr, øz] n. SP. lanciatore, trice.
lancinant, e [lɑ̃sinɑ̃, ɑ̃t] adj. lancinante. || FIG. assillante.
lande [lɑ̃d] f. landa.
langage [lɑ̃gaʒ] m. linguaggio.
lange [lɑ̃ʒ] m. pannolino, fascia f.
langoureux, euse [lɑ̃gurø, øz] adj. languido, svenevole.
langouste [lɑ̃gust] f. aragosta.
langoustine [lɑ̃gustin] f. scampo m.
langue [lɑ̃g] f. lingua. || FIG. *avoir la langue bien pendue,* aver lo scilinguagnolo sciolto. || [idiome] lingua. | *langue verte,* gergo m.
languette [lɑ̃gɛt] f. [de soulier] linguetta. || MUS. linguetta, ancia.
langueur [lɑ̃gœr] f. languore m., languidezza.
languir [lɑ̃gir] v. intr. languire. || FAM. *languir après qch.,* sospirare qlco. || FIG. languire, ristagnare.
languissant, e [lɑ̃gisɑ̃, ɑ̃t] adj. languente, languido.
lanière [lanjɛr] f. striscia, cinghia, cor(r)eggia.
lanterne [lɑ̃tɛrn] f. lanterna. || [lampion] lampioncino m.
lanterner [lɑ̃tɛrne] v. intr. gingillarsi.
laper [lape] v. tr. et intr. lappare.
lapidaire [lapidɛr] adj. et m. lapidario.
lapider [lapide] v. tr. lapidare.
lapin, e [lapɛ̃, in] n. coniglio, a. | *lapin de garenne,* coniglio selvatico. || FAM. *poser un lapin à qn,* mancare a un appuntamento.
laps [laps] m. *laps de temps,* lasso di tempo.
laquais [lakɛ] m. lacchè.
laque [lak] f. lacca. ◆ m. [objet] lacca f.
laquer [lake] v. tr. laccare.
larbin [larbɛ̃] m. FAM. servo, domestico. || FIG., PÉJOR. lacchè.
larcin [larsɛ̃] m. furterello.
lard [lar] m. lardo, pancetta f.
larder [larde] v. tr. lardellare.
lardon [lardɔ̃] m. lardello. || POP. [enfant] marmocchio.
largage [largaʒ] m. [bombes] sgancio ; [parachutistes] lancio.
large [larʒ] adj. largo, ampio, vasto. || FIG. *au sens large,* in senso largo, lato. | *esprit large,* mente aperta. | *conscience large,* coscienza elastica. || [généreux] largo, generoso, liberale. || *vie large,* vita larga, agiata. ◆ m. *en long et en large,* in lungo e in largo. | *marcher de long en large,* camminare su e giù. || [pleine mer] *gagner le large,* prendere il largo. | *au large,* in alto mare. || *être au large,* star comodi. | *au large !,* largo ! || MAR. *au large de,* al largo di.
largement [larʒəmɑ̃] adv. [parler] largamente, diffusamente, ampiamente. || generosamente, abbondantemente. || *vous avez largement le temps de le faire,* avete tutto il tempo (che occorre) per farlo.
largesse [larʒɛs] f. FIG. generosità, larghezza. ◆ pl. larghezze, elargizioni.

largeur [larʒœr] f. larghezza. || TEXT. altezza. || FIG. larghezza, ampiezza.
larguer [large] v. tr. [amarres] mollare. || [bombes] sganciare ; [parachutistes] lanciare.
larme [larm] f. lacrima, lagrima. | *avoir la larme à l'œil,* avere i lucciconi agli occhi. || FIG. goccio m., lacrima.
larmoyant, e [larmwajɑ̃, ɑ̃t] adj. lacrimoso, piagnucoloso.
larmoyer [larmwaje] v. intr. [yeux] lacrimare. || [personne] piagnucolare.
larron [larɔ̃] m. ladrone.
larve [larv] f. larva.
larvé, e [larve] adj. larvato.
laryngite [larɛ̃ʒit] f. laringite.
larynx [larɛ̃ks] m. laringe f.
las, lasse [lɑ, lɑs] adj. stanco.
las ! [lɑs] interj. ahimè !
lascar [laskar] m. FAM. dritto.
lascif, ive [lasif, iv] adj. lascivo.
laser [lazɛr] m. laser.
lassant, e [lɑsɑ̃, ɑ̃t] adj. noioso, seccante.
lasser [lɑse] v. tr. stancare, infastidire.
lassitude [lɑsityd] f. [fatigue] stanchezza. || [ennui] noia.
lasso [laso] m. lasso, lazo.
latent, e [latɑ̃, ɑ̃t] adj. latente.
latéral, e, aux [lateral, o] adj. laterale.
latin, e [latɛ̃, in] adj. et n. latino.
latitude [latityd] f. latitudine. || FIG. libertà.
latrines [latrin] f. pl. latrina sing.
latte [lat] f. listello m., tavoletta.
laudatif, ive [lodatif, iv] adj. laudativo.
lauréat, e [lorea, at] adj. laureato, premiato. ◆ n. vincitore, trice.
laurier [lorje] m. alloro. | *laurier-rose,* oleandro. ◆ pl. FIG. allori.
lavable [lavabl] adj. lavabile.
lavabo [lavabo] m. lavabo. ◆ pl. toletta f.
lavage [lavaʒ] m. lavatura f., lavaggio.
lavande [lavɑ̃d] f. lavanda, spigo m.
lavasse [lavas] f. FAM. lavatura di piatti ; brodaglia.
lave [lav] f. lava.
lave-glace [lavglas] m. lavacristallo inv.
lavement [lavmɑ̃] m. clistere.
laver [lave] v. tr. lavare. | [vaisselle] rigovernare. | *machine à laver,* lavatrice, lavabiancheria f. inv. || FIG. lavare, purificare. | [d'une accusation] scagionare, discolpare.
laverie [lavri] f. lavanderia.
lavette [lavɛt] f. spugnetta, spazzolino m.
laveur, euse [lavœr, øz] n. lavatore, trice ; [de linge] lavandaia f.
lave-vaisselle [lavvɛsɛl] m. inv. lavastoviglie.
lavoir [lawar] m. lavatoio.
laxatif, ive [laksatif, iv] adj. et m. lassativo.
laxisme [laksism] m. lassismo.
layette [lɛjɛt] f. corredino m. (del neonato).
lazzi [ladzi] m. lazzo.
1. le [lə], **la** [la], **l'**, **les** [le] art. déf. m. et f. sing. et pl. il, lo, l' m. sing. ; la, l' f. sing. ; i, gli, gl' m. pl. ; le, l' f. pl.
2. le, la, l', les, pron. pers. m. et f. sing. et pl. lo, l' m. sing. ; la, l' f. sing. ; li m. pl. ; le f. pl.
lèche [lɛʃ] f. FAM. *faire de la lèche à qn,* leccare (i piedi a) qlcu.
lèchefrite [lɛʃfrit] f. ghiotta.
lécher [leʃe] v. tr. leccare.
lèche-vitrines [lɛʃvitrin] m. inv. FAM. *faire du lèche-vitrines,* passeggiare fermandosi a guardar le vetrine.
leçon [ləsɔ̃] f. lezione. | *leçon particulière,* lezione privata. || *faire la leçon à qn,* rimproverare qlcu.
lecteur, trice [lɛktœr, tris] n. lettore, trice.
lecture [lɛktyr] f. lettura.
légal, e, aux [legal, o] adj. legale.
légaliser [legalize] v. tr. legalizzare, autenticare.
légat [lega] m. legato.
légataire [legatɛr] n. legatario, a.
légation [legasjɔ̃] f. legazione.
légendaire [leʒɑ̃dɛr] adj. et m. leggendario.
légende [leʒɑ̃d] f. leggenda. || [explication] didascalia, leggenda, dicitura.
léger, ère [leʒe, ɛr] adj. leggero, lieve. || FIG. leggero, spensierato, incostante. ◆ *à la légère,* alla leggera.
légèreté [leʒɛrte] f. leggerezza.
légiférer [leʒifere] v. intr. legiferare.
légion [leʒjɔ̃] f. legione. | *Légion d'honneur,* Legion d'onore. || FIG. folla, schiera. | *être légion,* essere numerosissimi.
légionnaire [leʒjɔnɛr] m. legionario.
législateur, trice [leʒislatœr, tris] adj. et n. legislatore, trice.
législatif, ive [leʒislatif, iv] adj. legislativo. ◆ m. potere legislativo.
législation [leʒislasjɔ̃] f. legislazione.
législature [leʒislatyr] f. legislatura.
légiste [leʒist] m. JUR. legista. ◆ adj. *médecin légiste,* medico legale.
légitime [leʒitim] adj. legittimo. | *légitime défense,* legittima difesa. || [juste] legittimo, giusto, lecito.
légitimer [leʒitime] v. tr. legittimare.
légitimité [leʒitimite] f. legittimità.
legs [lɛ(g)] m. lascito, legato. || FIG. eredità f., retaggio.
léguer [lege] v. tr. legare. || FIG. trasmettere, tramandare.
légume [legym] m. legume, ortaggio. | *légumes verts,* ortaggi freschi. | *légumes secs,* legumi secchi. | *marchand*

de légumes, erbivendolo. | *garniture de légumes,* contorno di verdura. ◆ f. FAM. pezzo grosso m.

légumier [legymje] m. legumiera f.

lendemain [lɑ̃d(ə)mɛ̃] m. giorno dopo ; giorno seguente, successivo ; indomani. | *le lendemain matin,* la mattina dopo. || [futur] domani, futuro, avvenire. | *sans lendemain,* senz'avvenire. || *du jour au lendemain,* dall'oggi all'indomani. || FIG. (pl.) conseguenze f. pl., postumi, strascichi.

lent, e [lɑ̃, lɑ̃t] adj. lento.

lentement [lɑ̃tmɑ̃] adv. lentamente, piano, adagio.

lenteur [lɑ̃tœr] f. lentezza. ◆ pl. lungaggini.

lentille [lɑ̃tij] f. BOT. lenticchia. || OPT. lente.

léopard [leɔpar] m. leopardo. || *tenue léopard,* tuta mimetica.

lèpre [lɛpr] f. lebbra.

lépreux, euse [leprø, øz] adj. et n. lebbroso, a.

léproserie [leprozri] f. lebbrosario m.

lequel [ləkɛl], **laquelle** [lakɛl], **lesquels, lesquelles** [lekɛl] pron. rel. il, la quale ; i, le quali. | *auquel,* al quale, (a) cui. | *duquel,* del quale, di cui. ◆ pron. interr. quale ? sing. ; quali ? pl. | *auquel,* a chi, a quale ? | *duquel ?,* di quale ? ◆ adj. rel. (rare) *auquel cas,* nel qual caso.

les art. et pron. V. LE 1 et 2.

léser [leze] v. tr. ledere.

lésiner [lezine] v. intr. (sur) lesinare (su).

lésion [lezjɔ̃] f. lesione.

lessive [lɛsiv] f. ranno m., liscivia. | *faire la lessive,* fare il bucato.

lessiver [lɛsive] v. tr. lavare. || CHIM., IND. liscivare.

lessiveuse [lɛsivøz] f. conca (per il bucato).

lest [lɛst] m. zavorra f.

leste [lɛst] adj. agile, svelto, lesto. || [irrespectueux] disinvolto. || [grivois] spinto, licenzioso.

lester [lɛste] v. tr. zavorrare.

léthargie [letarʒi] f. letargo m.

lettre [lɛtr] f. lettera, carattere m. | *en toutes lettres,* PR. in lettere ; FIG. chiaro e tondo, senz'ambagi. | *avant la lettre,* avanti lettera. || [missive] lettera, missiva. | *lettre exprès,* espresso m. | *roman par lettres,* romanzo epistolare. ◆ pl. lettere, letteratura sing. | *homme, femme de lettres,* letterato, a. | *les gens de lettres,* i letterati.

lettré, e [lɛtre] adj. et n. letterato.

leucémie [løsemi] f. leucemia.

leur [lœr] (pl. *leurs*) adj. poss. il, i, la, le loro. | *un de leurs cousins,* un loro cugino. ◆ pron. poss. *le, la, leur,* il, la, loro ; *les leurs,* i, le, loro. ◆ pron. pers. inv. pl. (a) loro ; gli.

leurre [lœr] m. logoro. || FIG. lusinga f., esca f.

leurrer [løre] v. tr. FIG. (par) ingannare, illudere (con).

levage [ləvaʒ] m. sollevamento. || [fermentation] lievitazione f.

levain [ləvɛ̃] m. lievito.

levant [ləvɑ̃] adj. m. levante. ◆ m. levante, oriente.

levé, e [ləve] adj. LOC. *au pied levé,* lì per lì, su due piedi, all'impronta. | *dessiner à main levée,* disegnare a mano libera. | *voter à mains levées,* votare per alzata di mano. ◆ m. [d'un plan] rilevamento topografico.

levée [ləve] f. [scellés, corps] rimozione. | [séance, siège] fine. | [courrier] levata. || [impôt] riscossione, esazione. | [cartes] presa. || *levée d'écrou,* scarcerazione. || || MIL. leva. || [digue] argine m.

lever [ləve] v. tr. alzare, levare, sollevare. || [ôter] togliere, levare. | [séance] togliere, chiudere. | [obstacle] togliere, rimuovere. || [chasse] stanare. || FIN. riscuotere. || MAR. *lever l'ancre,* salpare v. intr. || MIL. *lever des troupes,* arruolare delle truppe. || TH. *lever le rideau,* alzare il sipario. ◆ v. intr. [plante] spuntare. || [fermenter] lievitare. ◆ v. pr. *se lever d'un bond,* balzare in piedi. || [astre] sorgere, alzarsi. || [jour] spuntare. || [vent] alzarsi, levarsi. || [temps] rischiararsi. ◆ m. (l')alzarsi. || [astre] lo spuntare, il sorgere.

levier [ləvje] m. leva f.

lèvre [lɛvr] f. labbro m. (pl. f. labbra [pr.], pl. m. labbri [fig.].).

lévrier [levrije] m. ZOOL. levriere.

levure [ləvyr] f. lievito m.

lexique [lɛksik] m. lessico.

lézard [lezar] m. lucertola f.

lézarde [lezard] f. crepa, incrinatura.

lézardé, e [lezarde] adj. screpolato.

lézarder [lezarde] v. intr. FAM. [paresser] poltrire. ◆ v. tr. screpolare. ◆ v. pr. screpolarsi.

liaison [ljɛzɔ̃] f. collegamento m. || FIG. connessione, concatenazione, nesso m., relazione. | *en liaison avec,* in relazione a. || [relations] relazione (amorosa). || MUS. legatura.

liane [ljan] f. liana.

liant, e [ljɑ̃, ɑ̃t] adj. FIG. socievole. ◆ m. FIG. socievolezza f. || TECHN. legante.

liasse [ljas] f. fascio m. | [archives] filza.

libation [libasjɔ̃] f. libagione, libazione.

libelle [libɛl] m. libello.

libellé [libɛlle] m. stesura f., testo. || [formulaire] modulo.

libeller [libɛlle] v. tr. redigere, stendere, compilare.

libellule [libɛllyl] f. libellula.

libéral, e, aux [liberal, o] adj. et m. liberale.
libéralisme [liberalism] m. liberalismo.
libéralité [liberalite] f. liberalità, generosità. ◆ pl. elargizioni, liberalità.
libérateur, trice [liberatœr, tris] adj. et n. liberatore, trice.
libération [liberasjɔ̃] f. liberazione. ‖ MIL. congedo m.
libérer [libere] v. tr. liberare. ‖ MIL. congedare. ◆ v. pr. [d'un engagement] disimpegnarsi (da). ‖ [d'une dette] estinguere un debito, sdebitarsi.
libertaire [libɛrtɛr] adj. et n. libertario.
liberté [libɛrte] f. libertà. ‖ JUR. *mise en liberté,* scarcerazione, liberazione. ◆ pl. [franchises] libertà, privilegi m.
libertin, e [libɛrtɛ̃, in] adj. et n. libertino. ‖ HIST. libertino, libero pensatore.
libraire [librɛr] n. libraio.
librairie [librɛri] f. libreria. | ***librairie-papeterie,*** cartolibreria.
libre [libr] adj. (de) libero (da). | *se rendre libre,* disimpegnarsi. | *libre penseur,* libero pensatore. | *libre arbitre,* libero arbitrio. ‖ [enseignement] privato. | [élève, candidat] privatista. ‖ [licencieux] licenzioso. ‖ *à l'air libre,* all'aperto. | *libre à toi de,* tu sei padrone di.
libre-échange [libreʃɑ̃ʒ] m. libero scambio.
libre-échangisme [libreʃɑ̃ʒism] m. liberismo.
libre-service [librəsɛrvis] m. self-service (angl.).
1. lice [lis] f. HIST. lizza. ‖ FIG. *entrer en lice,* entrare in lizza.
2. lice f. V. LISSE 2.
licence [lisɑ̃s] f. licenza ; abuso (m.) di libertà. ‖ COMM., JUR. licenza. ‖ SP. brevetto m. ‖ UNIV. laurea.
licencié, e [lisɑ̃sje] n. UNIV. laureato, a.
licenciement [lisɑ̃simɑ̃] m. licenziamento.
licencier [lisɑ̃sje] v. tr. licenziare.
licencieux, euse [lisɑ̃sjø, øz] adj. licenzioso.
lichen [likɛn] m. BOT. lichene.
licite [lisit] adj. lecito.
licou [liku] m. cavezza f., capestro.
lie [li] f. feccia.
lié, e [lje] adj. [questions] collegato. ‖ [amis] intimo.
liège [ljɛʒ] m. sughero.
lien [ljɛ̃] m. legame, vincolo. ‖ [raisonnement] *lien logique,* nesso logico. | *sans lien,* slegato, sconnesso adj. ◆ pl. vincoli, catene f. pl.
lier [lje] v. tr. legare. ‖ FIG. legare, vincolare. ‖ [nouer] allacciare. | *lier amitié,* stringere amicizia. | *lier conversation,* attaccar discorso. ‖ [unir] collegare, connettere. ‖ CULIN. legare.
lierre [ljɛr] m. edera f.
liesse [ljɛs] f. allegria, tripudio m. | *en liesse,* in festa ; esultante adj.
lieu [ljø] m. luogo, posto. | *sur les lieux,* sul posto. ◆ ***en dernier lieu,*** per, da ultimo. ‖ ***en temps et lieu,*** a tempo e luogo. ◆ ***avoir lieu,*** aver luogo ; avvenire, succedere. ‖ ***avoir (tout) lieu de,*** avere le proprie (buone) ragioni per. ‖ ***il y a lieu de,*** c'è da, è il caso di, c'è giusto motivo di. ‖ ***donner lieu à,*** dar luogo a. ‖ ***tenir lieu de,*** fare da, far le veci di ; sostituire. ◆ ***au lieu de,*** invece di ; al posto di.
lieu-dit [ljødi] m. località f.
lieue [ljø] f. lega.
lieutenant [ljøtnɑ̃] m. luogotenente. ‖ MAR. *lieutenant de vaisseau,* tenente di vascello. ‖ MIL. tenente. | ***lieutenant-colonel,*** tenente colonnello.
lièvre [ljɛvr] m. lepre f.
liftier [liftje] m. ascensorista, lift (angl.).
ligament [ligamɑ̃] m. legamento.
ligature [ligatyr] f. CHIR. legatura, allacciatura.
ligaturer [ligatyre] v. tr. legare. ‖ CHIR. allacciare.
ligne [liɲ] f. linea. | *ligne de partage des eaux,* spartiacque m. inv. ‖ [sur une route] *ligne continue, discontinue,* striscia continua, discontinua. ‖ FIG. [élément] linea, punto m. | *dans ses grandes lignes,* nelle linee generali. | *les grandes lignes d'un programme,* i punti essenziali di un programma. ‖ TYP. riga. | *aller à la ligne,* andare a capo. ‖ [rangée] fila, riga. | [d'arbres] filare m. | *en ligne,* in fila. | *hors ligne,* fuoriclasse. ‖ MIL. linea. ‖ SP. *ligne d'arrivée,* traguardo m. ‖ [pêche] lenza. ‖ TR. linea. | *tête de ligne,* capolinea m.
lignée [liɲe] f. discendenza, prole.
ligoter [ligɔte] v. tr. legare stretto.
ligue [lig] f. lega.
liguer [lige] v. tr. coalizzare, unire. ◆ v. pr. far lega, coalizzarsi.
lilas [lila] m. BOT. lillà inv. ◆ adj. et m. inv. [couleur] lilla.
limace [limas] f. lumaca, limaccia.
limaille [limɑj] f. limatura.
limande [limɑ̃d] f. limanda.
limbes [lɛ̃b] m. pl. limbo sing.
lime [lim] f. lima. | [à ongles] limetta.
limer [lime] v. tr. limare.
limier [limje] m. segugio.
limitation [limitasjɔ̃] f. limitazione. ‖ [des naissances] controllo (m.) delle nascite.
limite [limit] f. limite m., confine m.
limiter [limite] v. tr. limitare.

limitrophe [limitrɔf] adj. limitrofo, contiguo.
limoger [limɔʒe] v. tr. silurare.
limon [limɔ̃] m. GÉOL. limo.
limonade [limɔnad] f. gassosa, gazzosa.
limpide [lɛ̃pid] adj. limpido.
limpidité [lɛ̃pidite] f. limpidezza.
lin [lɛ̃] m. lino.
linceul [lɛ̃sœl] m. lenzuolo mortuario. || FIG. lenzuolo, coltre f., manto.
linge [lɛ̃ʒ] m. biancheria f. || [chiffon] panno, cencio.
lingère [lɛ̃ʒɛr] f. cucitrice di bianco ; biancherista. || [entretien] guardarobiera.
lingerie [lɛ̃ʒri] f. biancheria. || [lieu] guardaroba m. inv.
lingot [lɛ̃go] m. lingotto.
linguiste [lɛ̃gɥist] n. linguista, glottologo, a.
linguistique [lɛ̃gɥistik] adj. linguistico, glottologico. ◆ f. linguistica, glottologia.
linoléum [linɔleɔm] ou FAM. **lino** [lino] m. linoleum.
linotte [linɔt] f. fanello m. || FIG. *tête de linotte,* cervellino, a.
linteau [lɛ̃to] m. architrave f.
lion [ljɔ̃] m. leone. || ASTR. *Lion,* Leone.
lionceau [ljɔ̃so] m. leoncino.
lionne [ljɔn] f. leonessa.
lippe [lip] f. labbro m. (inferiore) sporgente.
liquéfier [likefje] v. tr. liquefare.
liqueur [likœr] f. liquore m.
liquidation [likidasjɔ̃] f. liquidazione.
liquide [likid] adj. et m. liquido. | *argent liquide,* denaro liquido, contante, in contanti.
liquider [likide] v. tr. liquidare. || [problème] risolvere. || FAM. sbarazzarsi di.
liquidité [likidite] f. liquidità. ◆ pl. liquido m., disponibile m.
1. lire [lir] f. [monnaie] lira (abr. *Lit.*).
2. lire v. tr. leggere. | *lire les lignes de la main,* leggere la mano. | *lire dans le jeu de qn,* capire il gioco di qlcu. ◆ v. pr. leggersi, lasciarsi leggere, farsi leggere.
lis [lis] m. giglio.
liseré [lizre] ou **liséré** [lizere] m. bordo.
liseron [lizrɔ̃] m. convolvolo, vilucchio.
liseur, euse [lizœr, øz] n. leggitore, trice. ◆ f. [couvre-livre] fodera (per libri).
lisible [lizibl] adj. leggibile.
lisière [lizjɛr] f. cimosa, vivagno m. || [limite] limite m., margine m.
1. lisse [lis] adj. liscio.
2. lisse ou **lice** [lis] f. TEXT. liccio m.
lisser [lise] v. tr. lisciare.
liste [list] f. lista, elenco m.
lit [lit] m. letto. | *au lit,* a letto. | *lit de camp,* branda f. | *lit à deux places,* letto a due piazze, letto matrimoniale. | *lits superposés,* letti a castello. | *au saut du lit,* al risveglio ; di primo mattino. || *enfants du premier lit,* figli di primo letto. || [fleuve] letto, alveo. || [sable, pierre] strato.
literie [litri] f. effetti (m. pl.) letterecci.
litière [litjɛr] f. [fourrage] lettiera, strame m. || [lit] lettiga.
litige [litiʒ] m. lite f. || [différend] contestazione f., controversia f.
litigieux, euse [litiʒjø, øz] adj. litigioso, controverso.
litote [litɔt] f. RHÉT. litote.
litre [litr] m. litro.
littéraire [literɛr] adj. letterario. ◆ n. *être un, une littéraire,* avere doti, attitudini letterarie.
littéral, e, aux [literal, o] adj. letterale.
littérateur [literatœr] m. letterato.
littérature [literatyr] f. letteratura.
littoral, e, aux [litɔral, o] adj. litorale, litoraneo. ◆ m. litorale.
liturgie [lityrʒi] f. liturgia.
livide [livid] adj. livido. | *devenir livide,* illividire.
lividité [lividite] f. lividezza.
livrable [livrabl] adj. consegnabile.
livraison [livrɛzɔ̃] f. consegna. || [partie d'un ouvrage] dispensa, puntata.
1. livre [livr] m. libro. | *livre de classe,* libro di testo, libro scolastico. | *livre de poche,* (libro) tascabile. || COMM. *livre de paie,* libro paga. | *grand livre,* (libro) mastro. || REL. *livre de messe,* libro da messa. ◆ ***à livre ouvert,*** all'impronta, estemporaneamente.
2. livre f. [monnaie] lira. | *livre sterling,* (lira) sterlina. || [poids] (angl.) libbra ; (fr.) mezzo chilo.
livrée [livre] f. [costume] livrea. || [plumage] livrea, piumaggio m. | [pelage] pelame, mantello m.
livrer [livre] v. tr. consegnare. | [ville] consegnare (a tradimento). | [ami] tradire, denunciare. | [secret] svelare. || [bataille] dare, attaccare, ingaggiar battaglia. ◆ v. pr. (à) [se rendre] arrendersi (a). || FIG. [désespoir] abbandonarsi (a). | [étude] darsi, dedicarsi (a), attendere (a). || [se confier] confidarsi (con).
livresque [livrɛsk] adj. libresco.
livret [livrɛ] m. libretto.
livreur [livrœr] m. fattorino.
lobe [lɔb] m. lobo.
local, e, aux [lɔkal, o] adj. et m. locale.
localiser [lɔkalize] v. tr. localizzare.
localité [lɔkalite] f. località.
locataire [lɔkatɛr] n. inquilino, a ; locatario, a. || [d'une terre] affittuario, a.

location [lɔkasjɔ̃] f. affitto m., locazione, pigione. ‖ [bien mobilier] noleggio. ‖ [prix] nolo m., noleggio m. ‖ [réservation] prenotazione. ‖ *location-vente,* locazione con riscatto.
loch [lɔk] m. MAR. solcometro.
lock-out [lɔkawt] m. inv. serrata f.
locomotion [lɔkɔmɔsjɔ̃] f. locomozione.
locomotive [lɔkɔmɔtiv] f. locomotiva. | *locomotive électrique,* locomotrice, locomotore m.
locution [lɔkysjɔ̃] f. locuzione ; modo (m.) di dire.
lof [lɔf] m. MAR. orza f.
loge [lɔʒ] f. ARCHIT. loggia. ‖ [du concierge] portineria. ‖ TH. palco m. | [d'acteur] camerino m. ‖ [franc-maçon] loggia.
logeable [lɔʒabl] adj. abitabile.
logement [lɔʒmɑ̃] m. alloggio, abitazione f., appartamento, casa f. ‖ MIL. *billet de logement,* biglietto d'alloggio.
loger [lɔʒe] v. intr. abitare, alloggiare. | *être logé et nourri,* aver vitto e alloggio. ◆ v. tr. ospitare. ‖ [meuble] collocare. | [projectile] ficcare. ◆ v. pr. trovare alloggio, casa.
logeur, euse [lɔʒœr, øz] n. affittacamere inv.
logiciel [lɔʒisjɛl] m. programmatica f.
logique [lɔʒik] f. logica. | [d'une démonstration] logica, logicità di una dimostrazione. ◆ adj. logico.
logis [lɔʒi] m. alloggio, abitazione f., casa f.
logistique [lɔʒistik] adj. logistico. ◆ f. logistica.
loi [lwa] f. legge. | *loi-cadre,* legge quadro.
loin [lwɛ̃] adv. [lieu] lontano ; in là, avanti. ‖ FIG. *voir loin,* mirar lontano ; essere lungimirante. ‖ [temps] (avenir) lontano. | *loin dans le passé,* assai addietro nel tempo. ◆ *aller loin,* [carrière] fare (molta) strada. | *aller trop loin,* esagerare. ‖ *il y a loin,* PR. c'è una bella distanza ; FIG. ci corre molto, c'è molta differenza. ◆ *de loin,* PR. da, di lontano ; FIG. di molto, di gran lunga. ‖ *de loin en loin,* a intervalli. ‖ *au loin,* lontano ; in lontananza. ‖ *loin de,* [lieu] lontano da ; FIG. lungi da.
lointain, e [lwɛ̃tɛ̃, ɛn] adj. lontano, remoto. ◆ m. lontananza f. | *dans le lointain,* in lontananza.
loir [lwar] m. ghiro.
loisible [lwazibl] adj. lecito.
loisir [lwazir] m. tempo (libero). | *à loisir,* a proprio agio. ◆ pl. attività (f. pl.) ricreative.
long, longue [lɔ̃, lɔ̃g] adj. lungo. ‖ FIG. prolisso ; lento. ◆ m. lunghezza f. ◆ adv. *en savoir long,* saperla lunga. | *qui en dit long,* eloquente adj. ◆ *(tout) au long, tout du long,* interamente, da cima a fondo, per filo e per segno. ‖ *à la longue,* con l'andar del tempo. ‖ *de long en large,* in lungo e in largo, su e giù. ◆ *le long de, (tout) au long de,* [lieu] lungo ; [temps] durante, lungo.
long-courrier [lɔ̃kurje] adj. et m. (aereo di) lungo corso.
1. longe [lɔ̃ʒ] f. [courroie] cavezza.
2. longe f. CULIN. lombo m., lombata.
longer [lɔ̃ʒe] v. tr. costeggiare. | [route, arbres] costeggiare, fiancheggiare.
longévité [lɔ̃ʒevite] f. longevità.
longitudinal, e, aux [lɔ̃ʒitydinal, o] adj. longitudinale.
longitude [lɔ̃ʒityd] f. longitudine.
longtemps [lɔ̃tɑ̃] adv. a lungo ; (per) molto tempo ; un pezzo. | *il y a longtemps,* molto tempo fa. | *avant longtemps,* fra poco (tempo), fra breve, fra non molto. | *aussi longtemps que,* finché.
longueur [lɔ̃gœr] f. lunghezza. | *en longueur,* per il lungo. ‖ [lenteur] lentezza, lungaggine. | *traîner en longueur,* andare per le lunghe.
longue-vue [lɔ̃gvy] f. cannocchiale m.
looping [lupi] m. AV. gran volta f.
lopin [lɔpɛ̃] m. pezzetto (di terra).
loquace [lɔkas] adj. loquace.
loquacité [lɔkasite] f. loquacità.
loque [lɔk] f. brandello m. | *vêtu de loques,* vestito di stracci m., di cenci m.
loquet [lɔkɛ] m. saliscendi inv., nottola f.
loqueteux, euse [lɔktø, øz] adj. a brandelli. ◆ n. straccione, a.
lorgner [lɔrɲe] v. tr. sbirciare. ‖ FAM. [héritage] adocchiare.
lorgnette [lɔrɲɛt] f. binocolo m.
lorgnon [lɔrɲɔ̃] m. occhiali (pl.) a stringinaso.
lors [lɔr] adv. *dès lors,* [temps] (fin) da allora ; [conséquence] perciò, quindi. ‖ *pour lors,* allora. ◆ *dès lors que,* dal momento che ; dacché, poiché. ‖ *lors même que,* [avec indic.] anche quando ; [avec cond.] quand'anche, anche se (et le subj.). ◆ *lors de,* al momento di ; durante ; in occasione di.
lorsque [lɔrsk] conj. allorché, quando.
losange [lɔzɑ̃ʒ] m. losanga f., rombo.
lot [lo] m. parte f., lotto. ‖ [gain] premio. ‖ [assortiment] lotto, assortimento. ‖ FIG. destino, sorte f.
loterie [lɔtri] f. lotteria.
loti, e [lɔti] adj. *être bien, mal loti,* essere favorito, sfavorito (dalla sorte).
lotion [lɔtsjɔ̃] f. lozione.
lotionner [lɔsjɔne] v. tr. frizionare con lozione.
lotir [lɔtir] v. tr. lottizzare.
lotissement [lɔtismɑ̃] m. lottizzazione.

loto [lɔto] m. tombola f. | [jeu public] lotto.
lotus [lɔtys] m. loto.
louable [lwabl] adj. lodevole.
louage [lwaʒ] m. [bien immobilier] locazione f. | [bien mobilier] noleggio.
louange [lwɑ̃ʒ] f. lode ; elogio m.
louanger [lwɑ̃ʒe] v. tr. elogiare.
louangeur, euse [lwɑ̃ʒœr, øz] adj. lodativo, elogiativo. ◆ n. adulatore, trice.
loubard [lubar] m. teppista, mascalzone.
1. louche [luʃ] adj. FIG. ambiguo. | [suspect] losco, bieco. ◆ m. losco, torbido.
2. louche f. [de cuisine] ramaiolo m. ; [de table] cucchiaione m.
loucher [luʃe] v. intr. essere strabico, guercio. || FAM. (sur) sbirciare v. tr., adocchiare v. tr.
1. louer [lwe] v. tr. lodare. || [flatter] lodare. || [féliciter] congratularsi con. ◆ v. pr. (de) dichiararsi soddisfatto (di).
2. louer v. tr. (bien immobilier) [donner à loyer] affittare, dare in affitto. | [prendre à loyer] affittare, prendere in affitto. || (bien mobilier) [donner à loyer] noleggiare, dare a nolo. | [prendre à loyer] noleggiare, prendere a nolo. || [prendre à son service] assumere, ingaggiare. || [place] prenotare.
loufoque [lufɔk] adj. et n. FAM. [personne] strambo adj., pazzoide adj. et n. ◆ adj. [chose] bislacco, strambo.
loup [lu] m. lupo. | *à pas de loup,* a passi felpati. || [masque] maschera f.
loupe [lup] f. OPT. lente d'ingrandimento. || MÉD. natta.
louper [lupe] v. tr. FAM. abborracciare. || [rater] [train] perdere. | [occasion] perdere, lasciarsi sfuggire. | *c'est loupé,* cilecca !
lourd, e [lur, lurd] adj. pesante. | *poids lourd,* AUT. autocarro ; camion (inv.) ; SP. peso massimo. || [temps] afoso. ◆ adv. molto. | *peser lourd,* pesare molto.
lourdaud, e [lurdo, od] adj. goffo, impacciato. ◆ n. zotico, a.
lourdement [lurdəmɑ̃] adv. pesantemente. || FIG. grossolanamente.
lourdeur [lurdœr] f. pesantezza. || [gaucherie] goffaggine.
loutre [lutr] f. lontra.
louve [luv] f. lupa.
louveteau [luvto] m. lupacchiotto. || [scoutisme] lupetto.
louvoyer [luvwaje] v. intr. MAR. bordeggiare. || FIG. barcamenarsi.
lover [lɔve] v. tr. MAR. abbisciare. ◆ v. pr. arrotolarsi.
loyal, e, aux [lwajal, o] adj. leale, schietto.
loyalisme [lwajalism] m. lealismo.
loyauté [lwajote] f. lealtà.
loyer [lwaje] m. (af)fitto, canone.
lubie [lybi] f. grillo m., ghiribizzo m., ubbia.
lubricité [lybrisite] f. lubricità.
lubrifiant, e [lybrifjɑ̃, ɑ̃t] adj. et m. lubrificante.
lubrifier [lybrifje] v. tr. lubrificare.
lubrique [lybrik] adj. lubrico.
lucarne [lykarn] f. [dans le toit] abbaino m., lucernario m. || finestrino m.
lucide [lysid] adj. lucido.
lucidité [lysidite] f. lucidità.
luciole [lysjɔl] f. lucciola.
lucratif, ive [lykratif, iv] adj. lucrativo, lucroso.
lueur [lyœr] f. [faible] chiarore m., (bar)lume m. ; [éphémère] luce, bagliore m. || FIG. barlume m., raggio m.
luge [lyʒ] f. SP. slittino m.
lugubre [lygybr] adj. lugubre.
lui [lɥi] pron. [sujet] lui, egli ; [animal, chose] esso. | *c'est lui qui l'a dit,* l'ha detto lui. | *c'est lui,* è lui. | *lui aussi,* anche lui, anch'egli, anch'esso. || [compl. m. avec prép.] lui ; [réfl.] sé. || [compl. ind. atone m. et f.] gli m., le f. | *je le lui dis,* glielo dico (m. et f.).
luire [lɥir] v. intr. brillare, (ri)splendere. || [réfléchir la lumière] luccicare, sfavillare, scintillare.
luisant, e [lɥizɑ̃, ɑ̃t] adj. brillante, (ri)lucente, lucido. || ZOOL. *ver luisant,* lucciola f.
lumbago [lɔ̃bago] m. lombaggine f.
lumière [lymjɛr] f. luce. || FIG. *avoir besoin des lumières de qn,* aver bisogno dei lumi di qlcu. || *philosophie des lumières,* Illuminismo m. | *siècle des lumières,* Secolo dei lumi. || [sommité] luminare m.
lumignon [lymiɲɔ̃] m. [bout de chandelle] moccolo.
lumineux, euse [lyminø, øz] adj. luminoso.
lunaire [lynɛr] adj. lunare.
lunatique [lynatik] adj. et n. lunatico.
lundi [lœ̃di] m. lunedì.
lune [lyn] f. luna. | *nouvelle lune,* luna nuova ; novilunio m. | *pleine lune,* luna piena ; plenilunio m. || FIG. *promettre la lune,* promettere mari e monti.
lunette [lynɛt] f. cannocchiale m. ; [de théâtre] binocolo m. ◆ pl. occhiali m. pl.
lurette [lyrɛt] f. FAM. *il y a belle lurette (que),* è un (bel) pezzo (che).
luron, onne [lyrɔ̃, ɔn] n. giovialone, buontempone ; donna gagliarda, allegra.
lustre [lystr] m. lucentezza f., lustro. || [éclairage] lampadario. || FIG. lustro, splendore.

lustré, e [lystre] adj. lucido, lustro.
lustrer [lystre] v. tr. lustrare, lucidare.
luth [lyt] m. liuto.
luthéranisme [lyteranism] m. luteranesimo.
luthérien, enne [lyterjɛ̃, ɛn] adj. et n. luterano.
luthier [lytje] m. liutaio.
lutin [lytɛ̃] m. folletto, spiritello.
lutrin [lytrɛ̃] m. leggio.
lutte [lyt] f. lotta. | *lutte des classes,* lotta di classe. | *de haute lutte,* a viva forza.
lutter [lyte] v. intr. lottare. | *lutter de vitesse,* gareggiare, rivaleggiare in velocità.
lutteur, euse [lytœr, øz] n. lottatore, trice.
luxe [lyks] m. lusso. || FIG. lusso, abbondanza f., profusione f.
luxer [lykse] v. tr. MÉD. lussare, slogare.
luxueux, euse [lyksɥø, øz] adj. lussuoso.
luxure [lyksyr] f. lussuria.
luxuriance [lyksyrjɑ̃s] f. rigoglio m., esuberanza.
luxuriant, e [lyksyrjɑ̃, ɑ̃t] adj. lussureggiante, rigoglioso.
luxurieux, euse [lyksyrjø, øz] adj. lussurioso.
luzerne [lyzɛrn] f. erba medica.
lycée [lise] m. liceo.
lycéen, enne [liseɛ̃, ɛn] n. ginnasiale ; liceale ; studente di ginnasio, di liceo.
lymphatique [lɛ̃fatik] adj. et n. linfatico.
lymphe [lɛ̃f] f. linfa.
lyncher [lɛ̃ʃe] v. tr. linciare.
lynx [lɛ̃ks] m. lince f.
lyophiliser [ljɔfilize] v. tr. liofilizzare.
lyre [lir] f. lira.
lyrique [lirik] adj. et n. lirico.
lyrisme [lirism] m. lirismo, liricità f.

m

m [ɛm] m. m f. ou m.
ma adj. poss. V. MON.
maboul, e [mabul] adj. et n. POP. mattoide, pazzoide.
macabre [makabr] adj. macabro.
macadam [makadam] m. macadam, massicciata f.
macaron [makarɔ̃] m. amaretto.
macaroni [makarɔni] m. maccherone.
macédoine [masedwan] f. macedonia.
macérer [masere] v. tr. macerare.
Mach [mak] m. inv. *nombre de Mach,* numero di Mach.
mâchefer [mɑʃfɛr] m. rosticcio.
mâcher [mɑʃe] v. tr. masticare. | *papier mâché,* cartapesta f.
machin, e [maʃɛ̃, in] n. FAM. coso m.
machinal, e, aux [maʃinal, o] adj. macchinale, meccanico.
machination [maʃinasjɔ̃] f. macchinazione.
machine [maʃin] f. macchina. | *machine à sous,* macchina mangiasoldi. || TECHN. *machine-outil,* macchina utensile. | *machine-transfert,* (macchina) transfer. || *faire machine arrière,* far macchina indietro.
machiner [maʃine] v. tr. macchinare, tramare.
machinerie [maʃinri] f. macchinario m. || MAR. sala macchine.
machiniste [maʃinist] m. macchinista.
mâchoire [mɑʃwar] f. mascella.
mâchonner [mɑʃɔne] v. tr. morsicchiare, biascicare.
maçon [masɔ̃] m. muratore. || [franc-maçon] (fram)massone.
maçonner [masɔne] v. tr. murare, costruire.
maçonnerie [masɔnri] f. muratura. || [franc-maçonnerie] massoneria.
maçonnique [masɔnik] adj. massonico.
maculer [makyle] v. tr. maculare.
madame [madam] f. (pl. **mesdames** [medam]) signora.
mademoiselle [madmwazɛl] f. (pl. **mesdemoiselles** [medmwazɛl]) signorina.
madone [madɔn] f. madonna.
madré, e [madre] adj. furbo, astuto, scaltro.
madrier [madrije] m. tavolone.
madrigal, aux [madrigal, o] m. madrigale. | *débiter des madrigaux,* madrigaleggiare.
magasin [magazɛ̃] m. [dépôt] magazzino, deposito. || [boutique] negozio, bottega f. | *grand magasin,* grande magazzino ; emporio. | *magasin à succursales multiples,* catena di magazzini.
magasinier [magazinje] m. magazziniere.
magazine [magazin] m. rotocalco.
magicien, enne [maʒisjɛ̃, ɛn] n. mago, a.
magie [maʒi] f. magia. | *par magie,* per incanto.
magique [maʒik] adj. magico.
magistral, e, aux [maʒistral, o] adj. magistrale. || FAM. *gifle magistrale,* solenne schiaffo.
magistrat [maʒistra] m. magistrato.

magistrature [maʒistratyr] f. magistratura.
magnanime [maɲanim] adj. magnanimo.
magnat [magna] m. magnate.
magnésie [maɲezi] f. magnesia.
magnétique [maɲetik] adj. magnetico.
magnétisme [maɲetism] m. magnetismo.
magnéto [maɲeto] f. magnete (m.) (d'accensione).
magnétophone [maɲetɔfɔn] m. magnetofono.
magnétoscope [maɲetɔscɔp] m. magnetoscopio.
magnificence [maɲifisɑ̃s] f. magnificenza.
magnifique [maɲifik] adj. magnifico.
magnitude [maɲityd] f. magnitudine.
magot [mago] m. FAM. gruzzolo.
mahométan, e [maɔmetɑ̃, an] adj. et n. maomettano.
mai [mɛ] m. maggio.
maigre [mɛgr] adj. magro. || REL. *jours maigres,* giorni di magro. || FIG. magro, scarso. ◆ m. [viande] magro.
maigrelet, ette [mɛgrəlɛ, ɛt] ou **maigrichon, onne** [mɛgriʃɔ̃, ɔn] adj. FAM. magrolino, mingherlino.
maigreur [mɛgrœr] f. magrezza.
maigrir [mɛgrir] v. intr. dimagrire, smagrire.
1. maille [maj] f. maglia.
2. maille f. LOC. *n'avoir ni sou ni maille,* non avere il becco di un quattrino. | *avoir maille à partir avec qn,* avere a che dire con qlcu.
maillet [majɛ] m. maglio.
maillon [majɔ̃] m. anello.
maillot [majo] m. pannolino, fasce f. pl. || *maillot (de bain),* costume (da bagno). | *maillot de corps,* maglia f., maglietta f., canottiera f.
main [mɛ̃] f. mano. || LOC. *à la main,* in mano. | *de main de maître,* da maestro. | *homme de main,* sicario, sgherro. | *preuves en main,* prove alla mano. | *agir en sous-main,* agire sottomano. | *coup de main,* [attaque] colpo di mano ; [aide] mano. | *haut les mains !,* mani in alto ! | *une lettre de ma main,* una lettera di mio pugno. | *prêter la main à un crime,* tener mano a un omicidio. | *en un tour de main,* in un batter d'occhio.
main-d'œuvre [mɛ̃dœvr] f. manodopera.
main-forte [mɛ̃fɔrt] f. inv. LOC. *prêter main-forte à,* dare manforte a.
mainmise [mɛ̃miz] f. presa di possesso.
maint, e [mɛ̃, ɛ̃t] adj. molto, parecchio, diverso ; più (inv.). | *maintes fois,* parecchie volte. | *maintes et maintes fois,* molte e molte volte.
maintenant [mɛ̃tnɑ̃] adv. ora, adesso. | *à partir de maintenant,* d'ora in poi. | *dès maintenant,* fin d'ora. ◆ *maintenant que,* ora che.
maintenir [mɛ̃tnir] v. tr. [soutenir] mantenere, sostenere, reggere. | *maintenir en prison,* trattenere in prigione. || [affirmer] mantenere, sostenere. ◆ v. pr. mantenersi ; reggere.
maintien [mɛ̃tjɛ̃] m. mantenimento. || [tenue] contegno, portamento.
maire [mɛr] m. sindaco.
mairie [mɛri] f. municipio m., comune m.
mais [mɛ] conj. ma, però.
maïs [mais] m. granturco, mais.
maison [mezɔ̃] f. casa. | *à la maison,* a, in casa. | *aller à la maison,* andare a casa. | *être de la maison,* esser di casa. || COMM. casa, ditta. || [race] *maison royale,* real casa. | *de noble maison,* di nobile casato. ◆ adj. inv. fatto in casa, casalingo, casareccio.
maisonnée [mɛzɔne] f. FAM. famiglia.
maisonnette [mezɔnɛt] f. casetta, casina.
maître [mɛtr] m. padrone. || [qui enseigne] maestro. | *maître d'école,* maestro elementare. || [titre] (signor) avvocato, notaio (gens de loi) ; maestro (musique, escrime). || MAR. *maître d'équipage,* nostromo. ◆ adj. *maître de ses passions,* padrone delle proprie passioni. | *argument maître,* argomento principale.
maître-autel [mɛtrɔtɛl] m. altare maggiore.
maîtresse [mɛtrɛs] f. padrona. || [qui enseigne] maestra. | *maîtresse d'école,* maestra elementare. || amante. ◆ adj. *poutre maîtresse,* trave maestra. | *qualité maîtresse,* qualità principale.
maîtrise [mɛtriz] f. padronanza. || [habileté] maestria. || MIL. dominio m. || MUS. cantoria.
maîtriser [mɛtrize] v. tr. domare. || FIG. dominare, domare. ◆ v. pr. dominarsi.
majesté [maʒɛste] f. maestà.
majestueux, euse [maʒɛstɥø, øz] adj. maestoso.
majeur, e [maʒœr] adj. maggiore. || [âge] maggiorenne. || [important] di primaria importanza. ◆ n. maggiorenne. ◆ m. [doigt] medio.
major [maʒɔr] m. primo (nella graduatoria di un concorso).
majoration [maʒɔrasjɔ̃] f. maggiorazione, aumento m.
majorer [maʒɔre] v. tr. maggiorare, aumentare.
majorité [maʒɔrite] f. maggiore età. || [quantité] maggioranza.

majuscule [maʒyskyl] adj. maiuscolo. ◆ f. maiuscola.
mal [mal] m. [moral] male. || [dommage] male, danno, calamità f. | *les maux de la vieillesse,* i malanni, gli acciacchi della vecchiaia. || [inconvénient] male, guaio. || [douleur physique] male, morbo. | *j'ai mal à la tête,* mi duole il capo. | *mal blanc,* giradito, patereccio. | *mal de cœur,* nausea f. || [peine, travail] fatica f. | *avoir du mal à,* stentare a ; durar fatica a. | *se donner du mal,* darsi da fare, affaccendarsi. || [médisance] *dire du mal de,* dir male di, sparlare di. ◆ adv. male. | *mal faire,* far male. | *être mal avec qn,* essere in urto con uno. | *mal vu, mal élevé,* malvisto, maleducato. | *mal prendre, prendre mal une chose,* offendersi di, per una cosa. | *être au plus mal,* essere agli estremi. | *tant bien que mal,* alla meglio. || FAM. *pas mal,* [assez bien] mica male ; [beaucoup] parecchio, piuttosto, alquanto.
malade [malad] adj. et n. (am)malato. | *tomber malade,* ammalarsi. | *faire le malade,* darsi malato. | *malade de fatigue,* sfinito, spossato.
maladie [maladi] f. malattia, morbo m. | *maladie bleue,* morbo ceruleo. || FIG. malattia, mania, smania.
maladif, ive [maladif, iv] adj. malaticcio. || FIG. morboso.
maladresse [maladrɛs] f. goffaggine.
maladroit, e [maladrwa, at] adj. maldestro, goffo. || FIG. maldestro, inopportuno.
malaise [malɛz] m. malessere ; malore.
malaisé, e [maleze] adj. malagevole.
malavisé, e [malavize] adj. malaccorto, incauto.
malaxage [malaksaʒ] m. impastatura.
malaxer [malakse] v. tr. impastare.
malaxeur [malaksœr] m. impastatrice f.
malchance [malʃɑ̃s] f. sfortuna, disdetta.
malchanceux, euse [malʃɑ̃sø, øz] adj. sfortunato, disgraziato.
malcommode [malkɔmɔd] adj. scomodo.
maldonne [maldɔn] f. JEU sbaglio m.
mâle [mɑl] adj. maschio. || BOT. maschile. || FIG. maschio, virile. ◆ m. maschio.
malédiction [malediksjɔ̃] f. maledizione.
maléfice [malefis] m. maleficio.
maléfique [malefik] adj. malefico.
malencontreux, euse [malɑ̃kɔ̃trø, øz] adj. malaugurato, infausto.
mal-en-point [malɑ̃pwɛ̃] adj. inv. malandato, ridotto a mal partito.
malentendant, e [malɑ̃tɑ̃dɑ̃, ɑ̃t] adj. et n. duro di orecchi.
malentendu [malɑ̃tɑ̃dy] m. malinteso, equivoco.
malfaçon [malfasɔ̃] f. difetto (m.) di fabbricazione.
malfaisant, e [malfəzɑ̃, ɑ̃t] adj. malvagio, malefico, maligno.
malfaiteur [malfɛtœr] m. malfattore.
malfamé, e [malfame] adj. malfamato.
malformation [malfɔrmasjɔ̃] f. malformazione.
malgache [malgaʃ] adj. et n. malgascio.
malgré [malgre] prép. malgrado, nonostante. | *malgré moi,* mio malgrado. ◆ *malgré que,* malgrado che, nonostante che, benché.
malheur [malœr] m. sfortuna f., sventura f. | *jouer de malheur,* avere sfortuna. | *oiseau de malheur,* uccello del malaugurio. | *faire le malheur de qn,* causare l'infelicità (f.) di qlcu. || [événement] disgrazia f., sciagura f., guaio. | *le malheur est que,* il guaio è che. | *par malheur,* per disgrazia, purtroppo. ◆ interj. *malheur !,* maledizione ! | *malheur aux vaincus !,* guai ai vinti !
malheureux, euse [malørø, øz] adj. infelice, misero. || [pas chanceux] sfortunato, sventurato, disgraziato. || [air, geste, mot] infelice. ◆ n. infelice ; disgraziato, a.
malhonnête [malɔnɛt] adj. disonesto. || [impoli] sgarbato, scortese. || [indécent] sconveniente, indecente.
malhonnêteté [malɔnɛtte] f. disonestà. || [impolitesse] sgarbatezza, scortesia.
malice [malis] f. [taquinerie] malizia. || [farce] birichinata.
malicieux, euse [malisjø, øz] adj. malizioso, arguto.
malin, igne [malɛ̃, iɲ] adj. [malicieux] malizioso. || [rusé] astuto, furbo, scaltro. || [méchant] maligno. || MÉD. pernicioso.
malingre [malɛ̃gr] adj. mingherlino, gracile.
malle [mal] f. baule m.
malléable [maleabl] adj. malleabile.
mallette [malɛt] f. valigetta.
malmener [malməne] v. tr. malmenare.
malodorant, e [malɔdɔrɑ̃, ɑ̃t] adj. maleodorante.
malotru, e [malɔtry] n. villanzone, a.
malpropre [malprɔpr] adj. sporco, sudicio.
malpropreté [malprɔprəte] f. sporcizia, sudiciume m. || FIG. sconcezza.
malsain, e [malsɛ̃, ɛn] adj. malsano.
malséant, e [malseɑ̃, ɑ̃t] adj. sconveniente.
malt [malt] m. malto.

maltais, e [maltɛ, ɛz] adj. et n. maltese.
malthusianisme [maltyzjanism] m. maltusianismo.
maltraiter [maltrete] v. tr. maltrattare, strapazzare.
malveillance [malvɛjɑ̃s] f. malevolenza, malanimo m.
malveillant, e [malvɛjɑ̃, ɑ̃t] adj. malevolo.
malversation [malvɛrsasjɔ̃] f. malversazione.
malvoyant, e [malvwajɑ̃, ɑ̃t] adj. et n. non vedente.
maman [mamɑ̃] f. mamma.
mamelle [mamɛl] f. mammella, poppa. | *enfant à la mamelle,* poppante, lattante.
mamelon [mamlɔ̃] m. capezzolo. || GÉOG. mammellone.
mammifère [mamifɛr] adj. et m. mammifero.
1. manche [mɑ̃ʃ] m. manico. || AV. *manche à balai,* cloche (fr.).
2. manche f. manica. || MAR. *manche à air,* manica a vento.
3. manche f. JEU manche (fr.), mano. || SP. partita.
manchette [mɑ̃ʃɛt] f. polsino m.
manchon [mɑ̃ʃɔ̃] m. manicotto. || [de lampe] reticella f.
manchot, e [mɑ̃ʃo, ɔt] adj. et n. monco.
mandarine [mɑ̃darin] f. mandarino m.
mandat [mɑ̃da] m. mandato. || [postes] vaglia inv.
mandataire [mɑ̃datɛr] m. mandatario.
mandater [mɑ̃date] v. tr. [payer] emettere un ordine di pagamento per. || [donner pouvoir] dar mandato a.
mander [mɑ̃de] v. tr. mandare a chiamare.
mandoline [mɑ̃dɔlin] f. mandolino m.
manège [manɛʒ] m. [équitation] maneggio, cavallerizza f. || [chevaux de bois] giostra f., carosello. || FIG. maneggio, raggiro.
manette [manɛt] f. manetta.
manganèse [mɑ̃ganɛz] m. manganese.
mangeable [mɑ̃ʒabl] adj. mangiabile.
mangeaille [mɑ̃ʒaj] f. FAM. mangiatoria.
mangeoire [mɑ̃ʒwar] f. mangiatoia. || [oiseaux] beccatoio m.
manger [mɑ̃ʒe] v. tr. mangiare. | *manger du bout des dents,* mangiucchiare. ◆ m. (il) mangiare.
mangeur, euse [mɑ̃ʒœr, øz] n. mangiatore, trice. | *gros mangeur,* mangione.
maniable [manjabl] adj. maneggevole.
maniaque [manjak] adj. et n. maniaco.
manie [mani] f. mania.
manier [manje] v. tr. maneggiare.
manière [manjɛr] f. modo m., maniera. | *de toute manière,* in, ad ogni modo ; comunque. | *d'une manière générale,* in linea di massima, in generale. | *ne pas avoir la manière,* non saperci fare. | *il y a la manière,* c'è modo e modo. || [sorte] sorta, specie. ◆ *de manière à,* in modo da. ◆ *de (telle) manière que,* in modo che, di modo che, cosicché. ◆ pl. modi m. pl., maniere. || [affectées] *faire des manières,* far complimenti.
maniéré, e [manjere] adj. manierato.
manifestant, e [manifɛstɑ̃, ɑ̃t] n. manifestante, dimostrante.
manifestation [manifɛstasjɔ̃] et FAM.
manif [manif] f. manifestazione. || POL. manifestazione, dimostrazione.
manifeste [manifɛst] adj. manifesto, palese, evidente. ◆ m. manifesto, proclama.
manifester [manifɛste] v. tr. manifestare, palesare. ◆ v. intr. POL. manifestare ; fare una dimostrazione. ◆ v. pr. manifestarsi. || FAM. farsi vivo.
manigance [manigɑ̃s] f. FAM. maneggio m., intrallazzo m.
manigancer [manigɑ̃se] v. tr. FAM. tramare, intrallazzare v. intr.
manipuler [manipyle] v. tr. manipolare.
manivelle [manivɛl] f. manovella. || [bicyclette] pedivella.
manne [man] f. manna.
mannequin [mankɛ̃] m. manichino. || [femme] indossatrice f. | [homme] indossatore.
manœuvre [manœvr] f. manovra. ◆ m. manovale, bracciante.
manœuvrer [manœvre] v. tr. et intr. manovrare.
manoir [manwar] m. maniero.
manomètre [manomɛtr] m. manometro.
manquant, e [mɑ̃kɑ̃, ɑ̃t] adj. (de) mancante (di), privo (di). || [à l'appel] assente. || [disparu] disperso. ◆ n. assente ; disperso.
manque [mɑ̃k] m. mancanza f. | *manque à gagner,* mancato guadagno. ◆ *(par) manque de,* per mancanza di.
manqué, e [mɑ̃ke] adj. mancato, fallito, sbagliato. || FAM. *garçon manqué,* maschiaccio.
manquement [mɑ̃kmɑ̃] m. (à) infrazione f. (di).
manquer [mɑ̃ke] v. intr. mancare, far difetto. || [échouer] fallire ; andare a vuoto. ◆ v. impers. mancare. | *il manque dix élèves,* mancano dieci alunni. ◆ v. tr. ind. (à) mancare (a). | *manquer à ses devoirs,* venir meno, mancare ai propri doveri. || **(de)** mancare (di), difettare (di). | *j'ai manqué (de)*

me noyer, per poco non annegai. ◆ v. tr. [ne pas réussir] mancare, fallire, sbagliare. || [laisser échapper] *manquer le train, une occasion,* perdere il treno, un'occasione.

mansarde [mɑ̃sard] f. mansarda.

mansuétude [mɑ̃sɥetyd] f. mansuetudine.

mante [mɑ̃t] f. mantello m. || ZOOL. *mante religieuse,* mantide religiosa.

manteau [mɑ̃to] m. cappotto, paltò. | *manteau de fourrure,* pelliccia f. || [de cheminée] cappa f. || *sous le manteau,* di nascosto, clandestinamente.

manucure [manykyr] n. manicure inv.

manuel, elle [manɥɛl] adj. et m. manuale.

manufacture [manyfaktyr] f. manifattura, fabbrica.

manufacturer [manyfaktyre] v. tr. fabbricare, lavorare. | *produits manufacturés,* manufatti.

manuscrit, e [manyskrit, it] adj. manoscritto. ◆ m. manoscritto, codice.

mappemonde [mapmɔ̃d] f. mappamondo m.

maquereau [makro] m. ZOOL. scombro, sgombro.

maquette [makɛt] f. bozzetto m., plastico m., modello m.

maquignon [makiɲɔ̃] m. cavallaio. || [entremetteur] mezzano.

maquillage [makijaʒ] m. trucco, truccatura f.

maquiller [makije] v. tr. truccare.

maquis [maki] m. macchia f. | *prendre le maquis,* darsi, buttarsi alla macchia. || HIST. Resistenza f. ; partigiani m. pl.

maquisard [makizar] m. partigiano.

maraîcher, ère [marɛʃe, ɛr] n. ortolano, a. ◆ adj. orticolo.

marais [marɛ] m. palude f. | *marais salant,* salina f.

marasme [marasm] m. ÉCON. ristagno, stasi f., marasma.

marasquin [maraskɛ̃] m. maraschino.

marathon [maratɔ̃] m. SP. et FIG. maratona f.

marâtre [marɑtr] f. matrigna.

maraude [marod] f. furto m., furterello m.

marauder [marode] v. intr. rubare, rubacchiare.

maraudeur [marodœr] m. ladruncolo.

marbre [marbr] m. marmo.

marbrer [marbre] v. tr. marmorizzare. || FIG. segnare, chiazzare.

marbrier [marbrije] m. marmista, marmorario.

marc [mar] m. residuo. | *marc de café,* fondi (pl.) di caffè. || [eau-de-vie] grappa f.

marcassin [markasɛ̃] m. cinghialetto.

marchand, e [marʃɑ̃, ɑ̃d] n. negoziante ; venditore, trice ; mercante. | *marchand de biens,* agente immobiliare. | *marchand de journaux,* giornalaio. | *marchand d'habits,* rigattiere. ◆ adj. mercantile, commerciale ; mercantesco (péjor.). | *prix marchand,* prezzo venale.

marchandage [marʃɑ̃daʒ] m. (il) mercanteggiare.

marchander [marʃɑ̃de] v. tr. contrattare, mercanteggiare.

marchandise [marʃɑ̃diz] f. merce, mercanzia. | *train de marchandises,* treno merci.

marche [marʃ] f. [action] marcia, camminata, (il) camminare. | *se mettre en marche,* mettersi in marcia, avviarsi. | *marche lente, rapide,* andatura lenta, ıapida. || SP. marcia, podismo m. || [d'un mécanisme] marcia, moto m., movimento m. | *mettre en marche,* mettere in movimento ; avviare. || ASTR. corso m. || FIG. [déroulement] corso, andamento m. | *marche à suivre,* modo (m.) di procedere. || [d'un escalier] gradino m., scalino m.

marché [marʃe] m. mercato. | *faire son marché,* far la spesa. || ÉCON. mercato, contratto. | *étude de marché,* studio di mercato. | *marché noir,* mercato nero ; borsa (m.) nera ; intrallazzo. || *faire bon marché de qch.,* far poco conto, poco caso di qlco. ◆ *(à) bon marché,* a buon mercato. | *par-dessus le marché,* per soprammercato, per giunta, per di più.

marchepied [marʃəpje] m. montatoio, predella f.

marcher [marʃe] v. intr. camminare. | *marcher droit sur,* dirigersi diritto su. | *marcher à la mort,* andare alla morte. || [train] correre, andare. || MAR. *marcher à la voile,* navigare a vela. || MIL., SP. marciare. || [mettre le pied] (cal)pestare v. tr. || [fonctionner] funzionare, camminare. || FIG., FAM. *faire marcher qn,* darla a bere a uno.

marcheur, euse [marʃœr, øz] n. SP. marciatore, trice ; podista.

mardi [mardi] m. martedì.

mare [mar] f. piccolo stagno m. ; pozza.

marécage [marekaʒ] m. palude f., pantano.

marécageux, euse [marekaʒø, øz] adj. paludoso, pantanoso.

maréchal, aux [mareʃal, o] m. MIL. maresciallo. | *maréchal des logis,* maresciallo d'alloggio.

maréchal-ferrant [mareʃalfɛrɑ̃] m. maniscalco.

marée [mare] f. marea. || [poissons] pesce (m.) fresco di mare.

marelle [marɛl] f. JEU campana, mondo m., settimana.

marémoteur, trice [maremɔtœr, tris] adj. *usine marémotrice,* centrale mareomotrice.
marge [marʒ] f. margine m. ◆ *en marge de,* in margine a, ai margini di.
margelle [marʒɛl] f. vera ; puteale m.
marginal, e, aux [marʒinal, o] adj. marginale.
marguerite [margərit] f. BOT margherita.
mari [mari] m. marito.
mariage [marjaʒ] m. matrimonio. || FIG. unione f., connubio.
marié, e [marje] adj. [homme] sposato, ammogliato ; [femme] sposata, maritata. ◆ n. sposo, a. | *jeunes mariés,* sposini.
marier [marje] v. tr. sposare. || [donner en mariage] accasare, sposare. | [homme] ammogliare ; [femme] maritare. || FIG. unire, maritare, combinare. ◆ v. pr. accasarsi, sposarsi. | [homme] ammogliarsi. | [femme] maritarsi.
marin, e [marɛ̃, in] adj. marino. | *costume marin,* vestito alla marinara. ◆ m. marinaio.
marinade [marinad] f. marinata.
marine [marin] f. marina. ◆ adj. inv. *(bleu) marine,* (color) blu marino.
mariner [marine] v. tr. marinare. ◆ v. intr. macerare nella marinata.
marinier [marinje] m. battelliere, barcaiolo.
marionnette [marjɔnɛt] f. [à gaine] burattino m. ; [à fils] marionetta. || [sicilienne] pupo m.
maritime [maritim] adj. marittimo.
marmaille [marmaj] f. FAM. marmocchi m. pl.
marmelade [marməlad] f. marmellata. || FIG., FAM. *en marmelade,* in poltiglia.
marmite [marmit] f. pentola ; [grande] marmitta.
marmonner [marmɔne] v. tr. borbottare, mormorare.
marmot [marmo] m. FAM. marmocchio.
marmotter [marmɔte] v. tr. FAM. borbottare, biascicare.
marne [marn] f. marna.
marocain, e [marɔkɛ̃, ɛn] adj. et n. marocchino.
maroquin [marɔkɛ̃] m. marocchino. || FIG., FAM. portafoglio (ministeriale).
maroquinerie [marɔkinri] f. marocchineria.
marotte [marɔt] f. FAM. [idée fixe] pallino m., chiodo m.
marquant, e [markɑ̃, ɑ̃t] adj. notevole, rilevante, ragguardevole.
marque [mark] f. segno m. || [linge] marca. || [bétail, fer rouge] marchio m. || [boucherie] bollo m. || [pas] impronta, orma. || FIG. [auteur, génie] impronta. | [preuve] (contras)segno m. || COMM. marca. | [de fabrique] marchio m. || JEU gettone m. || MAR. insegna. || SP. punteggio m.
marquer [marke] v. tr. segnare, marcare, marchiare, bollare. || [indiquer] segnare. || [laisser des traces] segnare, imprimere. || [noter] segnare, annotare. || [signaler] (di)mostrare, rivelare. || JEU segnare. || SP. [joueur] marcare. | [but] segnare una rete. || FAM. *marquer le coup,* accusare il colpo. ◆ v. pr. [traits] accentuarsi.
marqueterie [markɛtri] f. intarsio m., tarsìa. || FIG. mosaico m.
marquis, e [marki, iz] n. marchese, a.
marquise [markiz] f. [auvent] pensilina.
marraine [marɛn] f. madrina.
marrant, e [marɑ̃, ɑ̃t] adj. POP. buffo, divertente, spassoso.
marre [mar] adv. POP. *en avoir marre,* averne piene le scatole, le tasche.
marrer (se) [səmare] v. pr. POP. divertirsi un mondo, a più non posso.
marron [marɔ̃] m. castagna f., marrone. || CULIN. *marron bouilli,* caldallessa f. | *marron grillé,* caldarrosta f. || POP. cazzotto. ◆ adj. inv. et m. [couleur] marrone.
mars [mars] m. marzo.
marsouin [marswɛ̃] m. focena f.
marteau [marto] m. [outil] martello. || TECHN. *marteau-pilon,* maglio. | [de porte] battente, picchiotto.
martelage [martəlaʒ] m. martellatura f.
martèlement [martɛlmɑ̃] m. martellamento.
marteler [martəle] v. tr. martellare.
martial, e, aux [marsjal, o] adj. marziale. || SP. *arts martiaux,* arti (f.) marziali.
1. martinet [martinɛ] m. ZOOL. rondone.
2. martinet m. [fouet] sferza f., staffile.
martiniquais, e [martinikɛ, ɛz] adj. et n. martinichese.
martin-pêcheur [martɛ̃pɛʃœr] m. martin pescatore.
martre [martr] f. martora.
martyr, e [martir] n. martire.
martyre [martir] m. martirio.
martyriser [martirize] v. tr. martirizzare.
marxisme [marksism] m. marxismo.
marxiste [marksist] adj. marxista, marxistico. ◆ n. marxista.
mascarade [maskarad] f. mascherata.
mascaret [maskarɛ] m. mascheretto.
mascotte [maskɔt] f. portafortuna m. inv.

masculin, e [maskylɛ̃, in] adj. maschile. | *manières masculines,* modi mascolini. ◆ m. Gr. maschile.
masochisme [mazɔʃism] m. masochismo.
masochiste [mazɔʃist] adj. masochistico. ◆ n. masochista.
masque [mask] m. maschera f.
masquer [maske] v. tr. mascherare.
massacre [masakr] m. massacro, strage f.
massacrer [masakre] v. tr. massacrare ; fare strage di. || Fig., Fam. massacrare.
massage [masaʒ] m. massaggio.
1. masse [mas] f. massa, mole. ◆ *en masse,* in massa.
2. masse f. [maillet] mazza, maglio m.
massepain [maspɛ̃] m. marzapane.
1. masser [mase] v. tr. ammassare. ◆ v. pr. ammassarsi, affollarsi.
2. masser v. tr. massaggiare.
masseur, euse [masœr, øz] n. massaggiatore, trice.
massif, ive [masif, iv] adj. massiccio, massivo. ◆ m. boschetto, ciuffo. || Géogr. massiccio.
massivement [masivmɑ̃] adv. massicciamente.
mass media [masmedja] V. média.
massue [masy] f. clava, mazza. || Fig. *argument massue,* argomento schiacciante.
mastic [mastik] m. mastice, stucco.
1. mastiquer [mastike] v. tr. masticare.
2. mastiquer v. tr. incollare col mastice, stuccare.
m'as-tu-vu [matyvy] m. inv. Fam. gigione.
masure [mazyr] f. catapecchia, stamberga.
mat [mat] m. [échecs] scaccomatto.
mat, e [mat] adj. opaco.
mât [mɑ] m. Mar. albero. | *grand mât,* albero maestro. || [de tente] palo. || Sp. pertica f.
match [matʃ] m. gara f., partita f., incontro. | *match nul,* match nullo ; pareggio.
matelas [matla] m. materasso.
matelasser [matlase] v. tr. imbottire.
matelot [matlo] m. marinaio.
mater [mate] v. tr. [échecs] dare scacco matto a. || Fig. domare.
matérialiser [materjalize] v. tr. materializzare.
matérialisme [materjalism] m. materialismo.
matérialiste [materjalist] adj. materialistico, materialista. ◆ n. materialista.
matériau [materjo] m. materiale. ◆ pl. materiali. || Fig. materiale sing.
matériel, elle [materjɛl] adj. et m. materiale.
maternel, elle [matɛrnɛl] adj. materno. ◆ f. scuola materna.
maternité [matɛrnite] f. maternità.
mathématicien, enne [matematisjɛ̃, ɛn] n. matematico m. ; studiosa (f.) di matematica.
mathématique [matematik] adj. matematico. ◆ f. pl. ou Fam. **maths** matematica sing., matematiche.
matière [matjɛr] f. materia. | *matières grasses,* grassi m. pl. | *matières (fécales),* feci. || Fin. *matière imposable,* imponibile m. || [sujet] materia, argomento m. | *table des matières,* indice m. | *entrée en matière,* esordio m. || *donner matière à,* dare materia, adito a.
matin [matɛ̃] m. mattina f., mattino. | [en appos. à des déterminations temporelles] mattina f. | *demain matin,* domattina. | *ce matin,* stamattina, stamani, stamane. | *étoile du matin,* stella mattutina.
mâtin [mɑtɛ̃] m. [chien] mastino.
matinal, e, aux [matinal, o] adj. mattutino. || [qui se lève tôt] mattiniero.
matinée [matine] f. mattinata. | *faire la grasse matinée,* covare le lenzuola. || Th. diurna.
matois, e [matwa, az] adj. furbo. ◆ n. furbone, a.
matou [matu] m. gatto (maschio).
matraquage [matrakaʒ] m. bastonatura f. || [publicitaire] chiasso.
matraque [matrak] f. manganello m., randello m. | [de policier] sfollagente m. inv.
matraquer [matrake] v. tr. manganellare, randellare. || [police] picchiare con lo sfollagente.
matriarcat [matrijarka] m. matriarcato.
matrice [matris] f. matrice.
matricule [matrikyl] f. [registre] matricola. ◆ m. numero di matricola.
mâture [mɑtyr] f. Mar. alberatura.
maturité [matyrite] f. maturità.
maudire [modir] v. tr. maledire.
maudit, e [modi, it] adj. maledetto. ◆ n. dannato, a.
maugréer [mogree] v. tr. et intr. masticare, borbottare.
maure ou **more** [mor] adj. et m. moro, mauro.
mauresque ou **moresque** [mɔrɛsk] adj. moresco. ◆ f. donna mora.
mausolée [mozɔle] m. mausoleo.
maussade [mosad] adj. tetro. || [personne] imbronciato, scontroso. || [temps] uggioso.
mauvais, e [movɛ, ɛz] adj. cattivo, brutto. | *mauvais pain,* cattivo pane. | *mauvais temps,* brutto, cattivo tempo ;

tempaccio. || [enclin au mal] *mauvais garçon,* ragazzo di vita. || [sans talent] cattivo. || [dangereux] nocivo. | *faire mauvais visage à qn,* far cattiva accoglienza a qlcu. | *il ne serait pas mauvais de,* non sarebbe male. || FAM. *pas mauvais !,* non c'è male ! ◆ m. cattivo. ◆ n. *les mauvais,* i cattivi. ◆ adv. *sentir mauvais,* puzzare. | *il fait mauvais,* il tempo è brutto, è al brutto ; fa cattivo tempo.

mauve [mov] f. malva.

maxillaire [maksilɛr] adj. et m. mascellare.

maximal, e, aux [maksimal, o] adj. massimale, massimo.

maxime [maksim] f. massima.

maximum [maksimɔm] m. massimo. | *faire le maximum,* fare tutto il possibile. ◆ *au maximum,* al massimo.

mayonnaise [majɔnɛz] f. CULIN. maionese.

mazout [mazut] m. nafta f.

me [mə] pron. pers. mi. || [dans les pron. groupés] me.

méandre [meɑ̃dr] m. meandro.

mec [mɛk] m. POP. tipo, tizio. || [énergique] duro, bullo.

mécanicien [mekanisjɛ̃] ou FAM. **mécano** [mekano] m. meccanico. || *mécanicien-dentiste,* odontotecnico. || MAR., TR. macchinista.

mécanique [mekanik] adj. meccanico. | *piano mécanique,* pianola f. ◆ f. meccanica ; meccanismo m., congegno m.

mécaniser [mekanize] v. tr. meccanizzare.

mécanisme [mekanism] m. meccanismo.

mécénat [mesena] m. mecenatismo.

mécène [mesɛn] m. mecenate.

méchamment [meʃamɑ̃] adv. malvagiamente, malignamente, con cattiveria.

méchanceté [meʃɑ̃ste] f. cattiveria.

méchant, e [meʃɑ̃, ɑ̃t] adj. cattivo, malvagio. | *propos méchants,* voci (f. pl.) maligne. || [mordant] mordace ; offensivo. || [de peu de valeur] cattivo, mediocre ; da poco. ◆ n. cattivo, malvagio.

mèche [mɛʃ] f. [de lampe] stoppino m., lucignolo m. | [d'arme à feu, de mine] miccia. | [de fouet] sverzino m. | [de cheveux] ciocca. || FIG. *éventer, vendre la mèche,* svelare un segreto. | *être de mèche avec qn,* essere in combutta con qlcu.

mécompte [mekɔ̃t] m. delusione f.

méconnaissable [mekɔnɛsabl] adj. irriconoscibile.

méconnaissance [mekɔnɛsɑ̃s] f. disconoscimento m.

méconnaître [mekɔnɛtr] v. tr. disconoscere, misconoscere.

mécontent, e [mekɔ̃tɑ̃, ɑ̃t] adj. scontento, malcontento.

mécontentement [mekɔ̃tɑ̃tmɑ̃] m. scontentezza f., malcontento.

mécontenter [mekɔ̃tɑ̃te] v. tr. scontentare.

mécréant, e [mekreɑ̃, ɑ̃t] n. miscredente.

médaille [medaj] f. medaglia. || [de commissionnaire] placca.

médecin [medsɛ̃] m. medico. | *femme médecin,* dottoressa (in medicina). | *médecin-chef,* primario.

médecine [medsin] f. medicina.

média [medja] (pl. **médias**) ou **mass media** m. pl. mezzi di comunicazione di massa.

médian, e [medjɑ̃, an] adj. mediano. ◆ f. mediana.

médiateur, trice [medjatœr, tris] adj. et n. mediatore, trice.

médiation [medjasjɔ̃] f. mediazione.

médical, e, aux [medikal, o] adj. medico.

médicalement [medikalmɑ̃] adv. dal punto di vista medico.

médicament [medikamɑ̃] m. medicamento, medicinale.

médiéval, e, aux [medjeval, o] adj. medi(o)evale.

médiévalisme [medjevalism] m. medievalistica.

médiocre [medjɔkr] adj. et n. mediocre.

médiocrité [medjɔkrite] f. mediocrità.

médire [medir] v. tr. ind. (de) dir male di, sparlare di.

médisance [medizɑ̃s] f. maldicenza.

médisant, e [medizɑ̃, ɑ̃t] adj. maldicente. ◆ n. malalingua.

méditatif, ive [meditatif, iv] adj. meditativo, meditabondo. ◆ m. pensatore.

méditation [meditasjɔ̃] f. meditazione.

méditer [medite] v. tr. et intr. meditare.

méditerranéen, enne [mediteraneɛ̃, ɛn] adj. mediterraneo.

médium [medjɔm] m. [spiritisme] medium inv. || MUS. registro medio.

médiumnique [medjɔmnik] adj. medianico.

médius [medjys] m. medio.

méduse [medyz] f. medusa.

méduser [medyze] v. tr. FAM. sbalordire, stupire.

meeting [miti] m. comizio. || SP. raduno, incontro.

méfait [mefɛ] m. malefatta f. | [résultat] danno.

méfiance [mefjɑ̃s] f. diffidenza.

méfiant, e [mefjɑ̃, ɑ̃t] adj. diffidente.

méfier (se) [səmefje] v. pr. (de) diffidare (di), non fidarsi (di). || FAM. *méfie-toi de la marche,* attento (adj.) allo scalino.
mégalomane [megalɔman] adj. et n. megalomane.
mégalomanie [megalɔmani] f. megalomania.
mégaphone [megafɔn] m. megafono, portavoce inv.
mégarde (par) [parmegard] loc. adv. inavvertitamente, senza badarci.
mégère [meʒɛr] f. megera.
mégot [mego] m. POP. cicca f., mozzicone.
meilleur, e [mɛjœr] adj. [comparatif] migliore. || [superlatif] il migliore, | *de meilleure heure,* più presto. | *meilleur marché,* più a buon mercato. ◆ n. [personne] migliore. ◆ m. [qualité] meglio.
mélancolie [melɑ̃kɔli] f. malinconia.
mélancolique [melɑ̃kɔlik] adj. et n. malinconico.
mélange [melɑ̃ʒ] m. mescolanza f., miscuglio, miscela f. | *mélange deux temps, réfrigérant,* miscela (f.) carburante, frigorigena. || *un mélange d'italien et d'anglais,* un misto d'italiano e d'inglese. || [bonheur] *sans mélange,* perfetto, senza ombre.
mélanger [melɑ̃ʒe] v. tr. mescolare, mischiare, miscelare.
mélangeur [melɑ̃ʒœr] m. miscelatore.
mélasse [melas] f. melassa.
mêlé, e [mele] adj. misto.
mêlée [mele] f. mischia.
mêler [mele] v. tr. mescolare, mischiare, unire. || [impliquer] immischiare, coinvolgere. ◆ v. pr. (à) mescolarsi (a), unirsi (a). || FIG. [s'occuper] (de) immischiarsi (in), intromettersi (in), impicciarsi (di).
mélèze [melɛz] m. BOT. larice.
méli-mélo [melimelo] m. FAM. guazzabuglio, miscuglio.
mélodie [melɔdi] f. melodia.
mélodieux, euse [melɔdjø, øz] adj. melodioso.
mélodramatique [melɔdramatik] adj. melodrammatico.
mélodrame [melɔdram] m. melodramma.
mélomane [melɔman] adj. appassionato di musica. ◆ n. melomane.
melon [məlɔ̃] m. BOT. melone, popone. | *melon d'eau,* cocomero ; anguria f. || *(chapeau) melon,* bombetta f.
mélopée [melɔpe] f. melopea.
membrane [mɑ̃bran] f. membrana.
membre [mɑ̃br] m. membro (pl. f. membra) ; arto. || FIG. membro (pl. m. membri), socio.
même [mɛm] adj. stesso, medesimo. | *c'est la même chose,* è lo stesso. | *en même temps,* nel contempo. | *ici-même, là-même,* proprio qui, proprio lì. | *aujourd'hui même,* proprio oggi. ◆ pron. indéf. lo stesso, la stessa, gli stessi, le stesse. ◆ adv. anche, perfino. | *pas même, même pas,* nemmeno, neppure, neanche. || *à même la bouteille,* direttamente alla bottiglia. | *à même le sol,* sulla terra nuda. ◆ *de même,* lo stesso. || FAM. ***tout de même,*** nondimeno, dopo tutto, comunque (L.C.). || ***à même de,*** in grado di. || ***de même que ..., de même,*** come ..., così.
mémé [meme] f. FAM. nonnina.
mémento [memɛ̃to] m. taccuino, agenda f. | [ouvrage] compendio, sommario.
mémoire [memwar] f. memoria. | *remettre en mémoire,* rammentare. | *de mémoire,* a memoria. || [souvenir] memoria, ricordo m. ◆ m. [exposé] memoria f. || COMM. conto. ◆ pl. [de sociétés savantes, souvenirs] memorie.
mémorable [memɔrabl] adj. memorabile.
mémorandum [memɔrɑ̃dɔm] m. memorandum.
menaçant, e [mənasɑ̃, ɑ̃t] adj. minaccioso.
menace [mənas] f. minaccia.
menacé, e [mənase] adj. in pericolo.
menacer [mənase] v. tr. minacciare.
ménage [menaʒ] m. faccende (f. pl.) di casa. | *tenir son ménage,* occuparsi della casa. | *femme de ménage,* donna a mezzo servizio, donna a ore. | *faire des ménages,* andare a mezzo servizio. || *articles de ménage,* casalinghi. || [famille] famiglia f. || [couple] coppia f. | *se mettre en ménage* [se marier] sposarsi, accasarsi ; [vivre ensemble] andare a vivere con uno. || LOC. *faire bon ménage,* vivere in buona armonia ; andare d'accordo.
ménagement [menaʒmɑ̃] m. riguardo.
ménager [menaʒe] v. tr. risparmiare. | *ménager sa santé,* badare alla salute. || [traiter avec égards] trattare con riguardo. || [surprise, entrevue] preparare, combinare.
ménager, ère [menaʒe, ɛr] adj. domestico, casalingo. | *eaux ménagères,* acque di scolo. ◆ f. [femme] casalinga, massaia ; donna di casa. || [couverts] servizio (m.) di posate.
ménagerie [menaʒri] f. serraglio m.
mendiant, e [mɑ̃djɑ̃, ɑ̃t] adj. mendicante. ◆ n. mendicante ; accattone, a.
mendicité [mɑ̃disite] f. mendicità, accattonaggio m.
mendier [mɑ̃dje] v. tr. et intr. mendicare, elemosinare.

menées [məne] f. pl. mene, maneggi m. pl., raggiri m. pl.
mener [məne] v. tr. condurre, portare, menare. | [enquête, affaires] condurre. | *ne mener à rien,* non mettere capo a nulla. | *mener une vie modeste,* menare, fare una vita modesta. | *se laisser mener,* seguire passivamente. | *mener loin,* avere, comportare gravi conseguenze. ◆ v. intr. SP. dominare.
meneur, euse [mənœr, øz] n. [d'hommes] guida f., capo. | [de jeu] animatore. ‖ PÉJOR. caporione, a ; agitatore, trice.
méninge [menɛ̃ʒ] f. meninge. ‖ FAM. *se fatiguer les méninges,* spremersi le meningi.
méningite [menɛ̃ʒit] f. meningite.
menotte [mənɔt] f. FAM. manina. ◆ pl. [liens] manette.
mensonge [mɑ̃sɔ̃ʒ] m. bugla f., menzogna f.
mensonger, ère [mɑ̃sɔ̃ʒe, ɛr] adj. menzognero.
mensualité [mɑ̃sɥalite] f. [paye] mesata ; [traitement] mensile m., mensilità.
mensuel, elle [mɑ̃sɥɛl] adj. mensile.
mensuration [mɑ̃syrasjɔ̃] f. misurazione.
mental, e, aux [mɑ̃tal, o] adj. mentale. | *restriction mentale,* riserva mentale.
mentalité [mɑ̃talite] f. mentalità.
menteur, euse [mɑ̃tœr, øz] adj. et n. bugiardo ; mentitore, trice (litt.). | *songes menteurs,* sogni menzogneri.
menthe [mɑ̃t] f. menta. | *pastille de menthe,* mentina.
mention [mɑ̃sjɔ̃] f. menzione.
mentionner [mɑ̃sjɔne] v. tr. menzionare. | *mentionné ci-dessus,* [qch.] suaccennato, summenzionato ; [qn] sullodato.
mentir [mɑ̃tir] v. intr. mentire. | *sans mentir,* a dire il vero ; in verità.
menton [mɑ̃tɔ̃] m. mento.
menu [məny] m. lista f.
menu, e [məny] adj. minuto. | *menue monnaie,* spiccioli m. pl. | *menus frais,* spese minute, piccole spese. | *menu peuple,* popolino m., popolo minuto. | [personne] esile, gracile. ◆ m. *par le menu,* minutamente, per il minuto. ◆ adv. minutamente.
menuet [mənɥɛ] m. minuetto.
menuiserie [mənɥizri] f. [métier] falegnameria. ‖ [ouvrage] manufatto (m.) di legno, lavoro (m.) di falegname.
menuisier [mənɥizje] m. falegname.
méprendre (se) [səmeprɑ̃dr] v. pr. sbagliare, ingannarsi. | *à s'y méprendre,* tanto da trarre in inganno. | *se méprendre sur les paroles de qn,* fraintendere le parole di qlcu.
mépris [mepri] m. (di)sprezzo, dispregio. ◆ ***au mépris de,*** a dispetto di, senza curarsi di, senza riguardo per.
méprisable [meprizabl] adj. spregevole, disprezzabile.
méprisant, e [meprizɑ̃, ɑ̃t] adj. sprezzante.
méprise [mepriz] f. sbaglio m., svista ; abbaglio m., equivoco m.
mépriser [meprize] v. tr. disprezzare.
mer [mɛr] f. mare m. | *coup de mer,* buriana f. | *armée de mer,* armata (navale). | *prendre la mer,* mettersi in mare. | *au bord de la mer,* al mare. | *haute mer,* alto mare ; [marée] alta marea. | *grosse mer,* mare grosso. | *un homme à la mer,* PR. uomo in mare ; FIG. un uomo rovinato. | [canot] *mettre à la mer,* calare in mare.
mercanti [mɛrkɑ̃ti] m. trafficante, pescecane.
mercenaire [mɛrsənɛr] adj. et m. mercenario.
mercerie [mɛrsəri] f. merceria.
1. merci [mɛrsi] f. mercé, misericordia. | *sans merci,* spietato adj. | *Dieu merci,* grazie a Dio. ‖ *à la merci de,* alla mercé di, in balia di.
2. merci m. grazie f. pl. ou m. inv. | *merci beaucoup,* grazie tante. ◆ interj. grazie !
mercier, ère [mɛrsje, ɛr] n. merciaio, a.
mercredi [mɛrkrədi] m. mercoledì. | *le mercredi des Cendres,* il dì delle ceneri ; le Ceneri.
mercure [mɛrkyr] m. mercurio.
merde [mɛrd] f. VULG. [excrément] merda. ‖ [être, chose méprisable] merda. ◆ interj. cazzo !, potta !, merda !
mère [mɛr] f. madre. | *mère célibataire,* madre nubile. | *petite mère,* mammina. ‖ FAM. *la mère Durand,* comare Durand. ‖ REL. *la mère (supérieure, abbesse),* la madre (superiora, badessa). | *oui, ma mère,* sì, madre. ‖ ANAT. *dure-mère, pie-mère,* dura madre, pia madre.
méridien, enne [meridjɛ̃, ɛn] adj. et m. meridiano. ◆ f. siesta.
méridional, e, aux [mɛridjɔnal, o] adj. et n. meridionale.
méritant, e [meritɑ̃, ɑ̃t] adj. meritevole.
mérite [merit] m. merito. ‖ [décoration] ordine al merito. ‖ *tout le mérite t'en revient,* il merito è tutto tuo. | *à mérite égal,* a parità di merito.
mériter [merite] v. tr. meritare, valere. ◆ v. intr. *bien mériter de,* ben meritare di ; essere, rendersi benemerito di.
méritoire [meritwar] adj. meritorio.

merlan [mɛrlɑ̃] m. merlano.
merle [mɛrl] m. merlo.
mérovingien, enne [merɔvɛ̃ʒjɛ̃, ɛn] adj. merovingico, merovingio.
merveille [mɛrvɛj] f. meraviglia. | *faire merveille,* far prodigi. | *promettre monts et merveilles,* promettere mari e monti. ◆ *à merveille,* a meraviglia.
merveilleux, euse [mɛrvɛjø, øz] adj. et m. meraviglioso.
mésange [mezɑ̃ʒ] f. ZOOL. cincia.
mésaventure [mezavɑ̃tyr] f. disavventura.
mésentente [mezɑ̃tɑ̃t] f. disaccordo m., dissapore m.
mésestimer [mezɛstime] v. tr. disistimare, sottovalutare.
mésintelligence [mezɛ̃teliʒɑ̃s] f. disaccordo m.
mésopotamien, enne [mezopUtamjɛ̃, ɛn] adj. mesopotamico.
mesquin, e [mɛskɛ̃, in] adj. meschino, gretto.
mesquinerie [mɛskinri] f. meschinità, grettezza.
mess [mɛs] m. mensa f.
message [mesaʒ] m. messaggio ; [commission privée] imbasciata f.
messager, ère [mesaʒe, ɛr] n. messaggero, a. || [de marchandises] corriere m., procaccia n. inv.
messagerie [mesaʒri] f. messaggeria. | *bureau des messageries,* ufficio trasporto merci.
messe [mɛs] f. messa. | *messe basse,* messa bassa, letta, piana. | *grand-messe,* messa solenne. | *livre de messe,* libro da messa, messale. | *aller à la messe,* andare a(lla) messa. | *dire la messe,* dire (la) messa. || FIG., FAM. *faire des messes basses,* bisbigliare (L.C.).
messie [mesi] m. messia.
mesurable [məzyrabl] adj. misurabile.
mesurage [məzyraʒ] m. misurazione f.
mesure [məzyr] f. misura. | *appareil de mesure,* apparecchio di misurazione. | *sur mesure,* su misura. || MUS. misura, tempo m. ; [chaque division] battuta. | *en mesure,* a tempo. || FIG. [précaution] provvedimento m., misura. || [limite] limiti m. pl. | *garder la mesure,* restare nei limiti. || [modération] misura, moderazione. || *être en mesure de,* essere in grado di. || *sans commune mesure,* senza paragone. || *dans une certaine mesure,* fino a un certo punto. || *dans la mesure où,* nella misura in cui.
mesurer [məzyre] v. tr. misurare. | *(ne pas) mesurer la portée de qch.,* (non) valutare la portata di qlco. || [proportionner] (com)misurare, proporzionare. ◆ v. intr. misurare. ◆ v. pr. (avec) misurarsi (con), cimentarsi (con).
métabolisme [metabɔlism] m. metabolismo.
métairie [meteri] f. podere (m.) condotto a mezzadria. || fattoria.
métal, aux [metal, o] m. metallo.
métallique [metalik] adj. metallico.
métalliser [metalize] v. tr. metallizzare.
métallurgie [metalyrʒi] f. metallurgia.
métallurgiste [metalyrʒist] adj. metallurgico. ◆ m. ou FAM. **métallo** metallurgico, metalmeccanico.
métamorphose [metamɔrfoz] f. metamorfosi.
métamorphoser [metamɔrfoze] v. tr. trasformare, mutare, metamorfosare.
métaphore [metafɔr] f. metafora, traslato m.
métaphorique [metafɔrik] adj. metaforico.
métaphysicien [metafizisjɛ̃] m. metafisico.
métaphysique [metafizik] adj. metafisico. ◆ f. metafisica.
métapsychique [metapsiʃik] adj. metapsichico. ◆ f. metapsichica.
métapsychologie [metapsikɔlɔʒi] f. metapsicologia.
métastase [metastaz] f. metastasi.
métayage [metɛjaʒ] m. mezzadria f.
métayer, ère [meteje, ɛr] n. mezzadro, a.
métempsycose [metɑ̃psikoz] f. metempsicosi.
météore [meteɔr] m. meteora f.
météorite [meteɔrit] f. meteorite m. ou f.
météorologie [meteɔrɔlɔʒi] ou FAM. **météo** [meteo] f. meteorologia.
météorologique [meteɔrɔlɔʒik] adj. meteorologico.
métèque [metɛk] m. PÉJOR. straniero, forestiero, meteco.
méthode [metɔd] f. metodo m.
méthodique [metɔdik] adj. metodico. | *caractère méthodique,* metodicità f.
méticuleux, euse [metikylø, øz] adj. meticoloso.
méticulosité [metikylozite] f. meticolosità.
métier [metje] m. mestiere. | *homme de, du métier,* uomo del mestiere. | *corps de métier,* categoria (f.) professionale. | *armée de métier,* esercito di mestiere. || *avoir du métier,* avere (molta) pratica. | *gâcher le métier,* rovinare la piazza. || [machine] *métier à tisser, à filer,* telaio, filatoio. || FIG. *sur le métier,* in cantiere.
métis, isse [metis] adj. et n. meticcio. | *toile métisse, métis* (m. inv.), mezzatela f.
métisser [metise] v. tr. meticciare.
métrage [metraʒ] m. metraggio, metratura f. || CIN. *court, moyen, long*

métrage, cortometraggio, mediometraggio, lungometraggio.
mètre [mɛtr] m. metro. ‖ POÉS. metro.
métrer [metre] v. tr. misurare.
métrique [metrik] adj. metrico. | *système métrique,* sistema metrico. ◆ f. metrica.
métro [metro] m. ABR. FAM. metrò.
métropole [metrɔpɔl] f. [ville, pays] metropoli.
métropolitain, e [metrɔpɔlitɛ̃, ɛn] adj. metropolitano. ◆ adj. et m. (ferrovia) metropolitana f.
mets [mɛ] m. piatto, cibo, pietanza f., vivanda f.
mettable [mɛtabl] adj. portabile, decente.
metteur [mɛtœr] m. CIN., TH. *metteur en scène,* regista. ‖ RAD., T.V. *metteur en ondes,* regista della trasmissione radiofonica, televisiva. ‖ TECHN. *metteur en œuvre,* montatore. | *metteur au point,* rifinitore. ‖ TYP. *metteur en pages,* impaginatore.
mettre [mɛtr] v. tr. mettere, porre. | *mettre la table,* apparecchiare. | *mettre au lit,* mettere a letto, coricare. ‖ [accompagner] *mettre au train,* accompagnare alla stazione. ‖ [vêtements] mettersi. ‖ [investir] mettere, investire, spendere. ‖ [temps] metterci. ‖ *mettre à l'eau un canot,* calare una lancia in mare. ‖ *mettre qn au fait,* mettere qlcu. al corrente. ‖ FAM. *mettre qn dans le bain,* compromettere qlcu. (L.C.). | *mettons que,* mettiamo che, poniamo che. ◆ v. pr. *se mettre à,* mettersi a. | *se mettre au lit,* andare a letto, coricarsi. | *se mettre à table,* sedere a tavola ; FIG., POP. vuotare il sacco.
meuble [mœbl] adj. [terre, sol] arabile, cedevole. ‖ JUR. mobile. ◆ m. mobile.
meublé, e [mœble] adj. (am)mobiliato. ◆ m. appartamento ammobiliato.
meubler [mœble] v. tr. (am)mobiliare. ‖ FIG. [mémoire] ornare, arricchire.
meugler [møgle] v. intr. muggire, mugghiare.
1. meule [møl] f. [pour aiguiser] mola ; [pour broyer] macina.
2. meule f. [de blé] bica ; [de foin] mucchio (m.) di fieno ; [de paille] pagliaio m. ; [de bois] carbonaia.
meuler [møle] v. tr. molare.
meunier, ère [mønje, ɛr] n. mugnaio, a.
meurtre [mœrtr] m. omicidio.
meurtrier, ère [mœrtrije, ɛr] adj. omicida, micidiale. ◆ n. omicida.
meurtrière [mœrtrijɛr] f. feritoia.
meurtrir [mœrtrir] v. tr. contundere, ammaccare. ‖ [fruits] ammaccare. ‖ FIG. ferire, straziare.
meurtrissure [mœrtrisyr] f. contusione, ammaccatura. ‖ [de fruit] ammaccatura. ‖ FIG. ferita, strazio m.
meute [møt] f. muta. ‖ FIG. folla, turba.
mévente [mevɑ̃t] f. svendita ; vendita difficile.
mexicain, e [mɛksikɛ̃, ɛn] adj. et n. messicano.
mezzanine [mɛdzanin] f. mezzanino m., ammezzato m.
1. mi- [mi] préf. mezzo adj. ou adv. | *mi-janvier,* metà di gennaio. | *mi-août,* ferragosto. | *mi-souriant,* mezzo sorridente.
2. mi m. inv. MUS. mi.
miaulement [mjolmɑ̃] m. miagolio.
miauler [mjole] v. intr. miagolare.
mica [mika] m. mica f.
mi-carême [mikarɛm] f. mezza quaresima.
miche [miʃ] f. pagnotta.
mi-chemin (à) [amiʃmɛ̃] loc. adv. a mezza strada.
mi-corps (à) [amikɔr] loc. adv. fino alla cintola.
mi-côte (à) [amikot] loc. adv. a mezza costa.
microbe [mikrɔb] m. microbo.
microcosme [mikrokɔsm] m. microcosmo.
microfiche [mikrofiʃ] f. microscheda.
microfilm [mikrofilm] m. microfilm inv.
microphone [mikrofɔn] ou FAM. **micro** [mikro] m. microfono.
microscope [mikroskɔp] m. microscopio.
microscopique [mikroskɔpik] adj. microscopico.
microsillon [mikrosijɔ̃] m. microsolco.
midi [midi] m. mezzogiorno, mezzodì. ‖ [sud] mezzogiorno, meridione.
mie [mi] f. mollica.
miel [mjɛl] m. miele.
mielleux, euse [mjɛlø, øz] adj. melato, mellifluo.
mien, enne [mjɛ̃, jɛn] adj. poss. mio, a. | VX *un mien cousin,* un mio cugino (L.C.). ◆ pron. poss. *le mien, la mienne, les miens, les miennes,* il mio, la mia, i miei, le mie. ◆ m. pl. [famille] i miei.
miette [mjɛt] f. briciola, briciolo m.
mieux [mjø] adv. [compar.] meglio. | *aller mieux,* [santé] star meglio ; [affaires] andar meglio ; migliorare. | *aimer mieux,* preferire. | *tant mieux !,* meno male ! | *ne pas demander mieux,* non chiedere di meglio. | *à qui mieux mieux,* a gara. ‖ [superl.] meglio. ◆ *au mieux,* al meglio. | *être au mieux avec qn,* essere in ottimi rapporti con qlcu. ‖ *pour le mieux,* per il meglio. ◆ m. *faire de son mieux,* fare del proprio meglio. ‖ [santé] miglioramento.

mièvre [mjɛvr] adj. lezioso, sdolcinato.
mignon, onne [miɲɔ̃, ɔn] adj. carino, bellino, grazioso. || *c'est son péché mignon,* è il suo debole. ◆ n. FAM. cocco m., cocca f., tesoro m.
migraine [migrɛn] f. emicrania.
migrateur, trice [migratœr, tris] adj. et m. migratore, trice.
migration [migrasjɔ̃] f. migrazione.
mi-hauteur (à) [amiotœr] loc. adv. a mezza altezza.
mi-jambe (à) [amiʒɑ̃b] loc. adv. a mezza gamba.
mijaurée [miʒore] f. smorfiosa.
mijoter [miʒɔte] v. tr. CULIN. crogiolare. ◆ v. intr. cuocere a fuoco lento.
1. mil [mil] adj. num. [dans les dates] mille.
2. mil m. BOT. miglio.
milan [milɑ̃] m. nibbio.
milice [milis] f. milizia.
milieu [miljø] m. mezzo, centro, metà f. || [espace] mezzo, ambiente. || *le juste milieu,* il giusto mezzo. || [pègre] malavita f. ◆ *au beau milieu, en plein milieu,* nel bel mezzo. ◆ *au milieu de,* nel mezzo di.
militaire [militɛr] adj. militare. | *médecin militaire,* ufficiale medico. || FIG. *exactitude militaire,* massima puntualità.
militant, e [militɑ̃, ɑ̃t] adj. et n. militante.
militarisme [militarism] m. militarismo.
militer [milite] v. intr. militare.
mille [mil] adj. inv. mille. ◆ m. [mesure] miglio (pl. f. miglia).
millénaire [milenɛr] adj. millenario. ◆ m. [période] millennio. || [anniversaire] millenario.
millésime [milezim] m. anno, millesimo.
millet [mijɛ] m. BOT. miglio.
milliard [miljar] m. miliardo.
milliardaire [miljardɛr] adj. et n. miliardario.
millième [miljɛm] adj. et m. millesimo.
millier [milje] m. migliaio (pl. f. migliaia).
million [miljɔ̃] m. milione.
millionnaire [miljɔnɛr] adj. et n. milionario.
mime [mim] m. mimo.
mimer [mime] v. tr. mimare. || [imiter] imitare, contraffare.
mimétisme [mimetism] m. mimetismo.
mimique [mimik] adj. mimico. ◆ f. mimica.
mimosa [mimoza] m. mimosa f.
minable [minabl] adj. FAM. [pauvre] misero, che fa pietà. || mediocrissimo.
minauder [minode] v. intr. far moine, vezzi, smorfie.
minauderie [minodri] f. leziosaggine, smanceria.
minaudier, ère [minodje, ɛr] adj. lezioso, smanceroso, smorfioso.
mince [mɛ̃s] adj. sottile, esile, leggero. || [fin] snello, sottile, esile. || [faible] esiguo, magro, debole. ◆ interj. caspita !
minceur [mɛ̃sœr] f. sottigliezza, esiguità, tenuità.
1. mine [min] f. aria, aspetto m., cera. | *bonne, mauvaise mine,* buona, brutta cera. || *faire mine de,* far finta di. || POP. *mine de rien,* come se niente fosse (L.C.).
2. mine f. miniera. || FIG. [fonds] miniera. || [de crayon] mina. | *mine de plomb,* piombaggine, grafite. || [explosif] mina.
miner [mine] v. tr. minare. || [creuser] corrodere, scalzare. || FIG. minare, struggere.
minerai [minrɛ] m. minerale.
minéral, e, aux [mineral, o] adj. et m. minerale.
minéralogie [mineralɔʒi] f. mineralogia.
minet, ette [minɛ, ɛt] n. FAM. [chat] micetto, a.
mineur [minœr] m. minatore.
mineur, e [minœr] adj. minore. ◆ adj. et n. JUR. minorenne, minore.
miniature [minjatyr] f. miniatura. ◆ adj. *golf miniature,* minigolf.
miniaturiser [minjatyrize] v. tr. miniaturizzare.
minicassette [minikasɛt] f. minicassetta.
minier, ère [minje, ɛr] adj. minerario.
minijupe [miniʒyp] f. minigonna.
minimal, e, aux [minimal, o] adj. minimale, minimo.
minime [minim] adj. minimo, piccolissimo.
minimiser [minimize] v. tr. minimizzare.
minimum [minimɔm] m. minimo. ◆ *au minimum,* al minimo.
ministère [ministɛr] m. ministero, dicastero. || JUR. *ministère public,* pubblico ministero.
ministériel, elle [ministerjɛl] adj. ministeriale.
ministre [ministr] m. ministro. || [pasteur] ministro ; pastore protestante.
minium [minjɔm] m. minio.
minois [minwa] m. FAM. visetto, visettino, faccina f.
minorité [minɔrite] f. minorità ; minore età. || POL. minoranza.
minoterie [minɔtri] f. industria molitoria. || commercio (m.) delle farine.
minuit [minɥi] m. mezzanotte f.

minuscule [minyskyl] adj. minuscolo. ◆ f. minuscola.
minute [minyt] f. minuto m. ‖ JUR. minuta. ‖ MATH. minuto primo.
minuter [minyte] v. tr. cronometrare la durata di. ‖ JUR. minutare.
minutie [minysi] f. minuzia, minuziosità.
minutieux, euse [minysjø, øz] adj. minuzioso.
mioche [mjɔʃ] n. FAM. marmocchio.
mi-pente (à) [amipɑ̃t] loc. adv. a mezza costa.
miracle [mirakl] m. miracolo. | [produit, solution] miracoloso adj.
miraculeux, euse [mirakylø, øz] adj. miracoloso.
mirage [miraʒ] m. miraggio.
mire [mir] f. [topographie] mira, stadia. ‖ MIL. *point de mire,* bersaglio. ‖ FIG. *être le point de mire de,* essere il centro dell'attenzione di, il bersaglio di. ‖ T. V. figura di prova.
mirer [mire] v. tr. [œuf] sperare.
miroir [mirwar] m. specchio.
miroitement [mirwatmɑ̃] m. luccichio, scintillio.
miroiter [mirwate] v. intr. luccicare, scintillare. ‖ FIG. *faire miroiter,* far balenare.
mis, mise [mi, miz] adj. [table] apparecchiato. ‖ *bien, mal mis,* vestito bene, male.
misaine [mizɛn] f. trinchetto m.
misanthrope [mizɑ̃trɔp] adj. misantropico. ◆ n. misantropo.
mise [miz] f. messa. | *mise à flot,* varo m. | *mise à pied,* licenziamento m. | *mise à jour,* aggiornamento m. | *mise au jour,* ritrovamento m., scoperta. | *mise en état,* assetto m. | *mise en forme,* stesura. | *mise en ondes,* messa in onda. | *mise en bouteilles,* imbottigliamento m. | *mise en œuvre,* attuazione. | *mise en vigueur,* entrata in vigore. ‖ LOC. *ce n'est pas de mise,* non è ammissibile. ‖ [somme d'argent] posta, puntata. ‖ modo (m.) di vestire, abbigliamento m.
miser [mize] v. tr. scommettere, puntare.
misérable [mizerabl] adj. misero, miserabile. ‖ [digne de pitié] miserabile, miserevole. ‖ [minime] misero, meschino. ◆ n. miserabile ; sciagurato, a.
misère [mizɛr] f. miseria. | *pour une misère,* per un'inezia, per un nonnulla. ◆ pl. calamità, acciacchi m. pl.
miséreux, euse [mizerø, øz] adj. et n. miserabile.
miséricorde [mizerikɔrd] f. misericordia.
miséricordieux, euse [mizerikɔrdjø, øz] adj. misericordioso.
misogyne [mizɔʒin] adj. et n. misogino adj. et m.
missel [misɛl] m. messale.
missile [misil] m. missile.
mission [misjɔ̃] f. missione.
missionnaire [misjɔnɛr] adj. et n. missionario.
mitaine [mitɛn] f. mezzo guanto m.
mite [mit] f. tarma, tignola.
mité, e [mite] adj. tarmato, intignato.
mi-temps [mitɑ̃] f. inv. SP. *première, deuxième mi-temps,* primo, secondo tempo m. ◆ *à mi-temps,* a mezza giornata, a orario ridotto.
miteux, euse [mitø, øz] adj. misero, miserabile.
mitiger [mitiʒe] v. tr. mitigare, attenuare, temperare.
mitoyen, enne [mitwajɛ̃, ɛn] adj. JUR. comune. ‖ *mur mitoyen,* muro divisorio.
mitraille [mitraj] f. mitraglia.
mitrailler [mitraje] v. tr. mitragliare.
mitraillette [mitrajɛt] f. mitra m. inv.
mitrailleur [mitrajœr] m. mitragliere.
mitrailleuse [mitrajøz] f. mitragliatrice. | *mitrailleuse lourde,* mitragliera.
mitre [mitr] f. mitra.
mi-voix (à) [amivwa) loc. adv. a mezza voce ; sottovoce.
mixage [miksaʒ] m. CIN. missaggio.
mixer [mikse] v. tr. CIN. missare.
mixeur [miksœr] m. frullatore.
mixte [mikst] adj. misto.
mixture [mikstyr] f. miscuglio m., mistura.
mobile [mɔbil] adj. mobile. ◆ m. PHYS. mobile. ‖ JUR. causale f. ‖ FIG. [motif] movente.
mobilier, ère [mɔbilje, ɛr] adj. mobile, mobiliare. ◆ m. mobilia f., mobilio ; mobili pl.
mobilisation [mɔbilizasjɔ̃] f. mobilitazione.
mobiliser [mɔbilize] v. tr. mobilitare.
mocassin [mɔkasɛ̃] m. mocassino.
moche [mɔʃ] adj. FAM. racchio ; brutto (L.C.). ‖ [méprisable] vergognoso, meschino.
1. mode [mɔd] f. moda. | *journal de mode,* figurino m. | *à la mode,* di moda, in voga. ‖ [coutume] uso m., maniera. | *c'est la mode,* questo è l'uso.
2. mode m. modo, forma f. | *mode d'emploi,* istruzioni (f. pl.) per l'uso.
modelage [mɔdlaʒ] m. modellatura f.
modèle [mɔdɛl] m. modello. ‖ ART [personne] modello, a. ◆ adj. modello inv.
modeler [mɔdle] v. tr. modellare, plasmare. | *pâte à modeler,* plastilina.
modéliste [mɔdelist] n. modellista.
modérateur, trice [mɔderatœr, tris] adj. et n. moderatore, trice.

modération [mɔderasjɔ̃] f. moderazione.
modéré, e [mɔdere] adj. et n. moderato. | *prix modéré,* prezzo modico.
modérer [mɔdere] v. tr. moderare.
moderne [mɔdɛrn] adj. et n. moderno.
moderniser [mɔdɛrnize] v. tr. modernizzare, ammodernare, rimodernare.
modernité [mɔdɛrnite] f. modernità.
modeste [mɔdɛst] adj. et n. modesto.
modestie [mɔdɛsti] f. modestia.
modification [mɔdifikasjɔ̃] f. modificazione, modifica.
modifier [mɔdifje] v. tr. modificare.
modique [mɔdik] adj. modico.
modiste [mɔdist] f. modista.
modulation [mɔdylasjɔ̃] f. modulazione. || RAD. *modulation de fréquence,* modulazione di frequenza.
module [mɔdyl] m. modulo.
moduler [mɔdyle] v. tr. modulare.
moelle [mwal] f. midollo m. (pl. m. midolli [pr.]; pl. f. midolla [fig.]). | *moelle épinière,* midollo spinale. | *os à moelle,* osso midolloso. || FIG. succo m.
moelleux, euse [mwalø, øz] adj. [lit] soffice; [tissu] morbido; [vin] pastoso, abboccato; [voix] pastoso.
moellon [mwalɔ̃] m. pietra (f.) da costruzione.
mœurs [mœr(s)] f. pl. costumi m. pl. || ZOOL. abitudini. || JUR. *attentat aux mœurs,* offesa al buon costume. || LITT. *comédie de mœurs,* commedia di costume.
moi [mwa] pron. [compl. dir.] mi [atone]; me [tonique]. | *laissez-moi,* lasciatemi. | *c'est moi qu'il voit,* vede me. || [compl. ind.] mi [atone]; a me [tonique]. | *donnez-moi du pain,* datemi del pane. | *c'est à moi qu'il parle,* parla a me. || *moi-même,* [sujet, attribut] io stesso; [complément] me stesso. || [dans des pron. groupés] me. | *donne-le moi,* dammelo. || [sujet, attribut] io. | *je le savais, moi,* lo sapevo io. | *le maître, c'est moi,* il padrone sono io. ◆ m. inv. io.
moignon [mwaɲɔ̃] m. [de membre] moncone, troncone; [de bras] moncherino.
moindre [mwɛ̃dr] adj. [compar.] minore, inferiore. || [superl.] minimo.
moine [mwan] m. monaco. || [chauffe-lit] prete.
moineau [mwano] m. passero.
moins [mwɛ̃] adv. [compar.] meno. | *moins riche,* meno ricco. | *une heure de plus ou de moins,* ora più ora meno. | *je ne le ferai pas moins,* lo farò lo stesso. | *les moins de dix-huit ans,* i minori di diciott'anni. || *moins (...) que,* meno (...) di; meno (...) che. || *moins de livres,* meno libri. | *moins de cinq personnes,* meno di cinque persone. || [superl.] *le moins,* il meno. | *le moins du monde,* il meno possibile. ◆ *à moins,* per meno, a meno. || *au moins, du moins, à tout le moins, pour le moins,* almeno, perlomeno. || *d'autant moins,* tanto meno. || *de, en moins,* di, in meno. | *de moins en moins,* sempre meno. ◆ prép. meno. || [excepté] tranne, eccetto. ◆ *à moins de,* a meno di. || [sauf] salvo. | *en moins de deux,* in quattro e quattr'otto. ◆ *à moins que,* a meno che. || LOC. *rien moins que,* meno che, tutt'altro che. | *rien de moins que,* niente (di) meno che. ◆ m. meno.
moins-value [mwɛ̃valy] f. deprezzamento m., disaggio m.
moirer [mware] v. tr. marezzare.
mois [mwa] m. mese. || [salaire] mese, mensile, mesata f. | *le treizième mois,* la tredicesima.
moisi [mwazi] m. muffa f.
moisir [mwazir] v. intr. (am)muffire.
moisissure [mwazisyr] f. muffa.
moisson [mwasɔ̃] f. messe, mietitura. || FIG. messe.
moissonner [mwasɔne] v. tr. mietere.
moissonneur, euse [mwasɔnœr, øz] n. mietitore, trice. ◆ f. [machine] mietitrice; *moissonneuse-batteuse,* mietitrebbia; *moissonneuse-lieuse,* mietilega.
moite [mwat] adj. umidiccio. || [de sueur] sudato; madido di sudore.
moiteur [mwatœr] f. umidezza. || [du corps] sudore m., madore m.
moitié [mwatje] f. metà. || FAM. [épouse] metà. ◆ *moitié sérieusement, moitié en plaisantant,* tra il serio e il faceto. | *moitié café et moitié lait,* metà caffè e metà latte. | FAM. *moitié-moitié,* così così. | *à moitié,* a metà; mezzo adj. | *de moitié,* della metà. | *par moitié,* a metà, per metà, in due.
molaire [mɔlɛr] f. molare m.
môle [mol] m. molo.
molécule [mɔlekyl] f. molecola.
molester [mɔlɛste] v. tr. maltrattare.
molette [mɔlɛt] f. rotella, stelletta. | *clé à molette,* chiave a stella.
mollasse [mɔlas] adj. floscio, flaccido. || [apathique] molliccio, smidollato.
mollement [mɔlmɑ̃] adv. mollemente. || FIG. *travailler mollement,* battere la fiacca.
mollesse [mɔlɛs] f. mollezza, fiacchezza.
1. mollet [mɔlɛ] adj. [œuf] bazzotto.
2. mollet m. polpaccio.
molleton [mɔltɔ̃] m. mollettone.
mollir [mɔlir] v. intr. diventar molle, rammollirsi. || [vent] calare, placarsi. || [céder] mollare, cedere. ◆ v. tr. MAR. mollare, allentare.
mollusque [mɔlysk] m. mollusco.
moment [mɔmɑ̃] m. momento. | *un petit moment,* un momentino. | *c'est le*

moment ou jamais, adesso o mai più. | *sur le moment,* lì per lì. ◆ *dans un moment,* a momenti. | *par moments,* a intervalli, alle volte. ◆ *au moment de, où, que,* nel momento di, in cui, che.

momentané, e [mɔmɑ̃tane] adj. momentaneo.

momie [mɔmi] f. mummia.

mon [mɔ̃] m., **ma** [ma] f., **mes** [me] pl. adj. poss. mio, il mio ; mia, la mia ; miei, i miei ; mie, le mie. ◆ interj. *mon Dieu !,* Dio mio ! | *mes enfants !,* ragazzi miei !

monacal, e, aux [mɔnakal, o] adj. monacale.

monarchie [mɔnarʃi] f. monarchia.

monarque [mɔnark] m. monarca.

monastère [mɔnastɛr] m. monastero.

monastique [mɔnastik] adj. monastico.

monceau [mɔ̃so] m. cumulo, mucchio.

mondain, e [mɔ̃dɛ̃, ɛn] adj. mondano.

mondanité [mɔ̃danite] f. mondanità.

monde [mɔ̃d] m. mondo. | *courir le monde,* girare mezzo mondo. || [les hommes] gente f., tutti m. pl. | *il y a beaucoup de monde,* c'è molta gente. | *tout le monde le sait,* lo sanno tutti. || [grande quantité] mondo, mare. || [milieu] mondo, società f. || Loc. *pas le moins du monde,* neanche per sogno, per idea. | Fam. *c'est un monde !,* è enorme ! | *se faire (tout) un monde de qch.,* fare una montagna di qlco.

mondial, e, aux [mɔ̃djal, o] adj. mondiale.

monégasque [mɔnegask] adj. et n. monegasco.

mongol, e [mɔ̃gɔl] adj. et n. mongolo.

mongolien, enne [mɔ̃gɔljɛ̃, ɛn] adj. et n. Méd. mongoloide.

moniteur, trice [mɔnitœr, tris] n. maestro, a ; istruttore, trice.

monnaie [mɔnɛ] f. moneta. | *ne pas avoir de monnaie,* non avere spiccioli m. pl. | *faire (de) la monnaie,* cambiare, spicciolare.

monocle [mɔnɔkl] m. monocolo ; Fam. caramella f.

monoculture [monokyltyr] f. monocoltura.

monogamie [monogami] f. monogamia.

monogramme [monogram] m. monogramma.

monologue [monolɔg] m. monologo.

monôme [mɔnom] m. Math. monomio. || Univ. sfilata (f.) studentesca.

monopole [monopɔl] m. monopolio, privativa f.

monopoliser [monopolize] v. tr. monopolizzare.

monotone [monotɔn] adj. monotono.

monotonie [monotoni] f. monotonia.

monseigneur [mɔ̃sɛɲœr] m. monsignore.

monsieur [møsjø] m. (pl. **messieurs** [mesjø]) [abr. M., MM.] signore (abr. sig.). | *monsieur Durand,* il signor Durand. | *monsieur le directeur,* il signor direttore. | *bonjour monsieur, monsieur Durand, le Directeur,* buongiorno signore, signor Durand, signor direttore.

monstre [mɔ̃str] m. mostro. ◆ adj. Fam. mostruoso, colossale.

monstrueux, euse [mɔ̃strɥø, øz] adj. mostruoso.

monstruosité [mɔ̃strɥozite] f. mostruosità.

mont [mɔ̃] m. monte.

montage [mɔ̃taʒ] m. sollevamento. | [photographique, radiophonique] fotomontaggio, radiomontaggio. || Techn. montaggio.

montagnard, e [mɔ̃taɲar, ard] adj. et n. montanaro ; montano adj.

montagne [mɔ̃taɲ] f. montagna. || Fig. *montagnes russes,* [manège] montagne russe ; [route] saliscendi m. inv.

montagneux, euse [mɔ̃taɲø, øz] adj. montagnoso.

montant [mɔ̃tɑ̃] m. montante. | [de fenêtre, de porte] stipite. | [d'échelle, de chaise] staggio. || [somme] ammontare, importo, canone.

montant, e [mɔ̃tɑ̃, ɑ̃t] adj. *marée montante,* marea crescente, montante. | *route montante,* strada in salita. | *robe montante,* veste accollata. | *garde montante,* guardia montante. || Mus. ascendente.

mont-de-piété [mɔ̃dpjete] m. monte di pietà.

monté, e [mɔ̃te] adj. *police montée,* polizia a cavallo. || *coup monté,* complotto.

monte-charge [mɔ̃tʃarʒ] m. inv. montacarichi.

montée [mɔ̃te] f. salita. || [prix, température, eaux] aumento m., salita, crescita.

monte-plats [mɔ̃tpla] m. inv. montavivande.

monter [mɔ̃te] v. intr. salire, montare ; andar su. || [dans un véhicule, sur un animal] montare, salire. || Fig. [prix, température] salire, aumentare. | [dette] ammontare, assommare. ◆ v. tr. *monter l'escalier,* salire le scale. | [valises] portare su. || [assembler] montare. || [enchâsser] montare, incastonare. || [cheval] montare. || [maison] metter su ; [trousseau] preparare. | *être bien monté en,* essere ben provvisto di. || Fig. metter su, ordire, macchinare. || Th. allestire. || Loc. *monter qn contre,* montare qlcu. contro. ◆ v. pr. (en) provvedersi (di), rifornirsi (di). || [atteindre] (à) ammontare (a), assommare (a). || FIG. *se monter la tête,* montarsi la testa ; esaltarsi.

monteur, euse [mɔ̃tœr, øz] n. montatore, trice.

montgolfière [mɔ̃gɔlfjɛr] f. mongolfiera.

monticule [mɔ̃tikyl] m. monticello.

1. montre [mɔ̃tr] f. orologio m. | *dans le sens des aiguilles d'une montre,* in senso orario. | *dans le sens inverse des aiguilles d'une montre,* in senso antiorario. || SP. *contre la montre,* a cronometro.

2. montre f. *faire montre de,* fare mostra (di), sfoggio (di).

montrer [mɔ̃tre] v. tr. mostrare, esibire. || [désigner] indicare. || [démontrer] dimostrare. || [manifester] (di)mostrare, manifestare. || *montrer l'exemple,* dar l'esempio. ◆ v. pr. [à la fenêtre, à la porte] affacciarsi.

monture [mɔ̃tyr] f. cavalcatura. || TECHN. montatura.

monument [mɔnymɑ̃] m. monumento.

monumental, e, aux [mɔnymɑ̃tal, o] adj. monumentale.

moquer (se) [səmɔke] v. pr. (de) burlarsi (di), beffarsi (di), prendere in giro v. tr. || non curarsi (di) ; infischiarsi (di).

moquerie [mɔkri] f. burla, beffa.

moquette [mɔkɛt] f. mochetta.

moqueur, euse [mokœr, øz] adj. burlone, beffardo. ◆ n. burlone, a.

moral, e, aux [mɔral, o] adj. morale, etico. ◆ m. morale. | *avoir bon, mauvais moral,* essere su, giù di morale. ◆ f. morale, etica.

moraliser [mɔralize] v. tr. moralizzare. || FAM. fare una paternale a. ◆ v. intr. moraleggiare.

moraliste [mɔralist] adj. moralistico. ◆ n. moralista.

moralité [mɔralite] f. moralità. | [d'une fable] morale.

morbide [mɔrbid] adj. morboso.

morceau [mɔrso] m. [pain] pezzo, tozzo ; [sucre] zolletta f. ; [terre] appezzamento. || LITT. brano, passo. || MUS. pezzo, brano. || *mettre en morceaux,* fare a pezzi.

morceler [mɔrsəle] v. tr. spezzettare.

morcellement [mɔrsɛlmɑ̃] m. spezzettamento.

mordant, e [mɔrdɑ̃, ɑ̃t] adj. [froid] pungente, mordente. || [mot] mordace, mordente. ◆ m. mordente.

mordiller [mɔrdije] v. tr. mordicchiare, morsicchiare.

mordoré, e [mɔrdɔre] adj. mordorè inv.

mordre [mɔrdr] v. tr. mordere, morsicare, addentare. || [acide, lime, tenailles] mordere. ◆ v. intr. [entamer] mordere. ◆ v. tr. ind. (dans) addentare v. tr. || *mordre à l'hameçon,* abboccare l'amo.

mordu, e [mɔrdy] adj. FAM. (innamorato) cotto. ◆ n. FAM. tifoso, a.

more adj. et m. V. MAURE.

moresque adj. et f. V. MAURESQUE.

morfondre (se) [səmɔrfɔ̃dr] v. pr. annoiarsi ad aspettare.

1. morgue [mɔrg] f. [orgueil] boria, sussiego m.

2. morgue f. [local] obitorio m.

moribond, e [mɔribɔ̃, ɔ̃d] adj. et n. moribondo.

moricaud, e [mɔriko, od] adj. FAM. moro ; scuro di carnagione. ◆ n. moretto, a.

morigéner [mɔriʒene] v. tr. redarguire.

morne [mɔrn] adj. tetro, cupo, squallido, scialbo, smorto.

morose [mɔroz] adj. malinconico, cupo, tetro.

morphine [mɔrfin] f. morfina.

morpion [mɔrpjɔ̃] m. POP. piattola f.

mors [mɔr] m. morso.

1. morse [mɔrs] m. ZOOL. tricheco.

2. morse m. alfabeto Morse.

morsure [mɔrsyr] f. [chien, serpent] morso m. ; [insecte] morsicatura, puntura, pinzatura. || [gel] morso.

mort [mɔr] f. morte. || [ruine] morte, rovina. ◆ *à mort,* a morte. | *en vouloir à mort à qn,* avercela a morte con qlcu. || *à la vie (et) à la mort,* per la vita e per la morte.

mort, e [mɔr, mɔrt] adj. morto. || FIG. *ivre mort,* ubriaco fradicio. | *mort de fatigue,* stanco morto. | *bois mort,* legna secca. ◆ n. morto, a. | *monument aux morts,* monumento ai caduti.

mortalité [mɔrtalite] f. mortalità. | *grande mortalité,* moria.

mort-aux-rats [mɔrora] f. inv. topicida m.

morte-eau [mɔrto] f. marea delle quadrature.

mortel, elle [mɔrtɛl] adj. mortale. || FAM. *froid mortel,* freddo micidiale.

morte-saison [mɔrtəsɛzɔ̃] f. stagione morta.

mortier [mɔrtje] m. malta f., calcina f. || [récipient] mortaio. || MIL. mortaio.

mortification [mɔrtifikasjɔ̃] f. mortificazione.

mortifier [mortifje] v. tr. REL. mortificare. || [vexer] mortificare. ◆ v. pr. REL. mortificarsi.

mort-né, e [mɔrne] adj. et n. nato morto.

mortuaire [mɔrtɥɛr] adj. mortuario.

morue [mɔry] f. merluzzo m. | *morue séchée,* baccalà m. | *morue verte,*

merluzzo salato. || *queue de morue,* abito a coda di rondine.
morve [mɔrv] f. moccio m.
morveux, euse [mɔrvø, øz] adj. et n. moccioso.
1. mosaïque [mɔzaik] f. mosaico m. | *art de la mosaïque,* arte musiva.
2. mosaïque adj. *loi mosaïque,* legge mosaica.
mosquée [mɔske] f. moschea.
mot [mo] m. parola f., vocabolo, termine. || [message] parola, biglietto. || [sentence] parola, detto. || *bon mot, mot d'esprit,* frizzo ; motto di spirito ; battuta (f.) spiritosa. | *gros mot,* parolaccia f. | *mot d'ordre, de passe,* parola d'ordine. | *prendre au mot,* prendere in parola. | *avoir toujours son mot à dire,* voler sempre dire la sua. | *à, sur ces mots,* detto questo. | *au bas mot,* a dir poco. | *pas un mot !,* acqua in bocca ! ; mosca !
motard [mɔtar] m. FAM. (poliziotto) motociclista (L.C.).
motel [mɔtɛl] m. autostello.
moteur, trice [mɔtœr, tris] adj. motore, trice ; motorio. ◆ m. motore. ◆ f. motrice.
motif [mɔtif] m. motivo. ◆ pl. JUR. motivazione f. sing.
motion [mɔsjɔ̃] f. mozione.
motivation [mɔtivasjɔ̃] f. motivazione.
motiver [mɔtive] v. tr. motivare.
moto [moto] f. FAM. moto f. inv.
motocross [motokrɔs] m. inv. motocross.
motoculteur [motokyltœr] m. motocoltivatore.
motocyclette [motosiklɛt] f. motocicletta.
motocycliste [motosiklist] n. motociclista.
motoriser [motorize] v. tr. motorizzare.
motte [mɔt] f. zolla. | [de gazon] zolla erbosa ; piota. || [de beurre] pane (m.) di burro.
motus [mɔtys] interj. mosca ! ; acqua in bocca !
mou ou **mol, molle** [mu, mɔl] adj. molle. || [chapeau, col] floscio. || [sans énergie] molle, fiacco. ◆ adv. mollemente. ◆ m. molle. | *mou de veau,* polmone di vitello. || MAR. *donner du mou,* mollare l'imbando.
mouchard, e [muʃar, ard] n. FAM. spia f., informatore m. (L.C.). || TECHN. dispositivo di controllo ; spia.
moucharder [muʃarde] v. tr. FAM. rifischiare.
mouche [muʃ] f. mosca. || [cible] centro m. || [fleuret] bottone m. || [pêche] mosca. || LOC. *faire mouche,* far centro, colpire nel segno. | *mouche du coche,* mosca cocchiera. | *prendre la mouche,* prender cappello.
moucher [muʃe] v. tr. soffiare il naso. || [chandelle] smoccolare. || FAM. [réprimander] lavare il capo a, pettinare.
moucheron [muʃrɔ̃] m. moscerino.
moucheté, e [muʃte] adj. moschettato, picchiettato. || [fleuret] col bottone.
moucheture [muʃtyr] f. moschettatura, picchiettatura.
mouchoir [muʃwar] m. fazzoletto.
moudre [mudr] v. tr. macinare.
moue [mu] f. broncio m.
mouette [mwɛt] f. gabbiano m.
moufle [mufl] f. [gant] muffola, manopola.
mouillage [mujaʒ] m. MAR. fonda f., ancoraggio ; ormeggio. | *mouillage de mines,* posa (f.) di mine.
mouillé, e [muje] adj. umido.
mouiller [muje] v. tr. bagnare. | *mouiller le linge,* inumidire, umettare la biancheria. || [étendre d'eau] annacquare, allungare. || MAR. *mouiller l'ancre,* affondare l'ancora. ◆ v. intr. MAR. *mouiller au large,* ormeggiarsi al largo.
mouilleur [mujœr] m. MAR. *mouilleur de mines,* posamine f. inv.
mouise [mwiz] f. POP. *être dans la mouise,* essere al verde.
moulage [mulaʒ] m. [action] fusione f., getto. || [empreinte] calco.
1. moule [mul] f. dattero m., mitilo m. || FIG., FAM. babbeo m.
2. moule m. stampo, forma f. || TECHN. forma ; matrice f.
moulé, e [mule] adj. FIG. *bien moulé,* ben fatto, ben tornito.
mouler [mule] v. tr. fondere. || [prendre une empreinte] fare il calco di. || [suj. vêtement] aderire a, modellare. ◆ v. pr. (sur) modellarsi (su), plasmarsi (su).
moulin [mulɛ̃] m. mulino. | [à huile] frantoio ; [à café] macinacaffè inv. ; [à poivre] macinapepe inv. ; [à légumes] passaverdura inv.
moulinet [mulinɛ] m. [pêche] mulinello. || [jouet] girandola f. || *faire le moulinet,* far mulinello.
moulu, e [muly] adj. FAM. *moulu de fatigue,* sfinito, spossato.
moulure [mulyr] f. ARCHIT. modanatura.
mourant, e [murɑ̃, ɑ̃t] adj. et n. morente, moribondo.
mourir [murir] v. intr. morire. || LOC. *à (en) mourir,* da morire, a morte.
mousqueton [muskətɔ̃] m. moschetto.
moussant, e [musɑ̃, ɑ̃t] adj. *savon moussant,* sapone schiumoso. | *bain*

moussant, schiuma da bagno. | *crème (à raser) moussante,* schiuma da barba.
1. mousse [mus] m. MAR. mozzo.
2. mousse f. BOT. muschio m., musco m.
3. mousse f. [de liquide] schiuma, spuma. ◆ adj. inv. *caoutchouc mousse,* gommapiuma.
mousseline [muslin] f. mussola.
mousser [muse] v. intr. spumare, spumeggiare. || FAM. *faire mousser,* far valere, mettere in mostra .
mousseux, euse [musø, øz] adj. spumante, spumeggiante, spumoso, schiumoso. ◆ m. spumante.
mousson [musɔ̃] f. monsone m.
moustache [mustaʃ] f. baffi m. pl.
moustachu, e [mustaʃy] adj. baffuto.
moustiquaire [mustikɛr] f. zanzariera.
moustique [mustik] m. zanzara f.
moût [mu] m. mosto.
moutard [mutar] m. POP. marmocchio, moccioso.
moutarde [mutard] f. BOT. senape. || CULIN. mostarda, senape.
mouton [mutɔ̃] m. [mâle] montone ; [femelle] pecora f. | *troupeau de moutons,* gregge di pecore. || [viande] castrato, montone. || [fourrure] agnello. || LOC. *revenons à nos moutons,* torniamo a bomba. || ARG. [mouchard] delatore (L.C.). ◆ pl. [vagues, nuages] pecorelle f. pl. || FAM. [poussière] lana f.
moutonné, e [mutɔne] adj. *ciel moutonné,* cielo a pecorelle.
moutonner [mutɔne] v. intr. [mer] biancheggiare.
moutonneux, euse [mutɔnø, øz] adj. biancheggiante.
moutonnier, ère [mutɔnje] adj. pecoresco.
mouture [mutyr] f. macinatura, macinazione.
mouvant, e [muvɑ̃, ɑ̃t] adj. mobile. || FIG. instabile, fluttuante.
mouvement [muvmɑ̃] m. movimento. || [du corps] movimento, movenza f. || [activité] movimento, moto. || [animation] movimento, traffico. || [politique] moto. || [impulsion] impeto, accesso, impulso. || ASTR. moto. || MÉD., PHYS., moto. || TR. movimento. || [d'une montre] movimento .
mouvementé, e [muvmɑ̃te] adj. [terrain] accidentato. || FIG. movimentato, agitato, animato.
mouvoir [muvwar] v. tr. muovere. || FIG. muovere, spingere. ◆ v. pr. muoversi.
moyen [mwajɛ̃] m. mezzo, modo. | *au moyen de,* per mezzo di ; mediante. ◆ pl. [ressources] mezzi. || [intellectuels] mezzi, possibilità f. pl.
moyen, enne [mwajɛ̃, ɛn] adj. medio. || [ordinaire] medio, mediocre. | *moyen terme,* termine medio. || SP. *poids moyen,* peso medio.
Moyen Âge [mwajɛnaʒ] m. Medioevo.
moyenâgeux, euse [mwajɛnaʒø, øz] adj. medi(o)evale.
moyennant [mwajɛnɑ̃] prép. mediante ; per mezzo di. | *moyennant quoi,* perciò, quindi, con questo mezzo.
moyennement [mwajɛnmɑ̃] adv. mediocremente, discretamente, così così.
moyeu [mwajø] m. mozzo.
mue [my] f. ZOOL. muta. || [de serpent] spoglia. || [voix] cambiamento (m.) della voce.
muer [mɥe] v. intr. [peau, plumage] mutare la pelle, le penne. || [voix] cambiar voce.
muet, ette [mɥɛ, ɛt] adj. et n. muto. | *devenir muet,* divenir muto ; ammutolire.
mufle [myfl] m. ceffo, muso. || FIG., FAM. cafone, burino.
muflerie [myfləri] f. cafoneria, cafonaggine.
mugir [myʒir] v. intr. muggire, mugghiare.
mugissement [myʒismɑ̃] m. muggito, mugghio.
muguet [mygɛ] m. BOT., MÉD. mughetto.
mulâtre, esse [mylɑtr, ɛs] adj. et n. mulatto.
1. mule [myl] f. [pantoufle] pianella.
2. mule f. ZOOL. mula.
mulet [mylɛ] m. ZOOL. mulo. || [poisson] cefalo, muggine.
mulot [mylo] m. topo selvatico.
multicolore [myltikɔlɔr] adj. multicolore.
multinational, e, aux [myltinasjɔnal, o] adj. et f. multinazionale.
multiple [myltipl] adj. molteplice. || MATH. multiplo. ◆ m. MATH. multiplo.
multiplication [myltiplikasjɔ̃] f. moltiplicazione.
multiplicité [myltiplisite] f. molteplicità.
multiplier [myltiplje] v. tr. moltiplicare. ◆ v. intr. et pr. moltiplicarsi.
multitude [myltityd] f. moltitudine.
municipal, e, aux [mynisipal, o] adj. municipale, comunale.
municipalité [mynisipalite] f. municipalità ; amministrazione comunale. || [territoire] comune m.
munir [mynir] v. tr. (de) fornire (di), provvedere (di), munire (di).
munitions [mynisjɔ̃] f. pl. munizioni.
muqueuse [mykøz] f. mucosa.
mur [myr] m. muro ; parete f. || FIG. muro, muraglia f. || FIG., FAM. *faire le*

mur, saltare la barra. ◆ pl. [enceinte] mura f. pl.
mûr, e [myr] adj. maturo.
muraille [myraj] f. muraglia. ◆ pl. [remparts] mura.
mural, e, aux [myral, o] adj. murale.
mûre [myr] f. mora.
murer [myre] v. tr. murare.
muret [myrɛ] m. ou **murette** [myrɛt] f. muricciolo m., muretto m.
mûrier [myrje] m. gelso, moro.
mûrir [myrir] v. tr. et intr. maturare.
murmure [myrmyr] m. mormorio ; sussurro. ◆ pl. FIG. [plainte] mormorazione f. sing.
murmurer [myrmyre] v. tr. et intr. mormorare, sussurrare.
musarder [myzarde] v. intr. FAM. baloccarsi, gingillarsi.
musc [mysk] m. muschio.
muscade [myskad] adj. *(noix) muscade,* noce moscata.
muscat [myska] adj. et m. moscato.
muscle [myskl] m. muscolo.
musclé, e [myskle] adj. muscoloso. || FIG. vigoroso.
musculaire [myskylɛr] adj. muscolare.
muse [myz] f. musa.
museau [myzo] m. muso.
musée [myze] m. museo, galleria f.
museler [myzle] v. tr. mettere la museruola a. || FIG., FAM. imbavagliare.
muselière [myzəljɛr] f. museruola.
muser [myze] v. intr. baloccarsi, gingillarsi.
musette [myzɛt] f. MUS. musetta. || [sac] tascapane m. inv. ; [pour les chevaux] musetta.
muséum [myzeɔm] m. museo di storia naturale.
musical, e, aux [myzikal, o] adj. musicale.
music-hall [myzikol] m. spettacolo, teatro di varietà ; varietà m.
musicien, enne [myzisjɛ̃, ɛn] adj. musicale. ◆ n. musicista. | *musicien ambulant,* sonatore ambulante.
musique [myzik] f. musica. | *faire de la musique,* s(u)onare. | *mettre en musique,* musicare. || banda, fanfara. | *chef de musique,* capobanda. || [harmonie] musicalità, musica.
musqué, e [myske] adj. muschiato.
musulman, e [myzylmɑ̃, an] adj. et n. mu(s)sulmano.
mutant [mytɑ̃] adj. et m. mutante.
mutation [mytasjɔ̃] f. mutamento m. || [de personnel] trasferimento m. || BIOL., GR. mutazione.
muter [myte] v. tr. [de poste] trasferire.
mutilation [mytilasjɔ̃] f. mutilazione.
mutilé, e [mytile] adj. mutilo. ◆ n. mutilato, a.
mutiler [mytile] v. tr. mutilare. || [détériorer] danneggiare, mutilare.
mutin, e [mytɛ̃, in] adj. sbarazzino. ◆ m. ammutinato, rivoltoso.
mutiner (se) [səmytine] v. pr. ammutinarsi, rivoltarsi.
mutinerie [mytinri] f. ammutinamento m., rivolta.
mutisme [mytism] m. mutismo.
mutualiste [mytɥalist] adj. mutualistico. ◆ n. mutuato, a.
mutualité [mytɥalite] f. mutualità.
mutuel, elle [mytɥɛl] adj. mutuo, reciproco. ◆ f. mutua.
myope [mjɔp] adj. et n. miope.
myopie [mjɔpi] f. miopia.
myosotis [mjɔzɔtis] m. miosotide f.
myriade [mirjad] f. miriade.
myrrhe [mir] f. mirra.
myrte [mirt] m. mirto ; mortella f.
myrtille [mirtij] f. mirtillo m.
mystère [mistɛr] m. mistero.
mystérieux, euse [misterjø, øz] adj. misterioso.
mysticisme [mistisism] m. misticismo.
mystification [mistifikasjɔ̃] f. mistificazione.
mystifier [mistifje] v. tr. mistificare.
mystique [mistik] adj. et n. mistico. ◆ f. mistica.
mythe [mit] m. mito.
mythique [mitik] adj. mitico.
mythologie [mitɔlɔʒi] f. mitologia.
mythomane [mitɔman] n. mitomane.
mythomanie [mitɔmani] f. mitomania.
myxomatose [miksomatoz] f. mixomatosi.

n

n [ɛn] m. n f. ou m.
nabot, e [nabo, ɔt] n. nano, a.
nacelle [nasɛl] f. navicella.
nacre [nakr] f. madreperla.
nacré, e [nakre] adj. madreperlaceo.
nage [naʒ] f. nuoto m. || FIG. *(tout) en nage,* in un bagno di sudore. || MAR. voga.
nageoire [naʒwar] f. pinna, natatoia.
nager [naʒe] v. intr. nuotare. || FAM., FIG. *savoir nager,* saper destreggiarsi. || [ramer] vogare. || FAM. *nager complètement,* brancolare nel buio. ◆ v. tr. *nager la brasse,* nuotare a rana. | *nager le crawl,* battere il crawl.

nageur, euse [naʒœr, øz] n. et adj. nuotatore, trice. | *maître nageur,* maestro di nuoto. || [rameur] rematore, vogatore.
naguère [nagɛr] adv. poco tempo fa, poc'anzi.
naïf, ïve [naif, iv] adj. sincero, schietto. || [simple] ingenuo, semplice. ◆ n. *faire le naïf,* far l'ingenuo, il finto tonto.
nain, naine [nɛ̃, nɛn] adj. et n. nano.
naissance [nɛsɑ̃s] f. nascita. | *donner naissance,* mettere al mondo, dare alla luce ; [ville] dare i natali a. || *naissance du jour,* spuntare (m.) del sole. || *prendre naissance,* cominciare, avere origine, nascere.
naissant, e [nɛsɑ̃, ɑ̃t] adj. nascente.
naître [nɛtr] v. intr. nascere ; venire al mondo, alla luce. | *un enfant à naître,* un nascituro. || [prendre sa source, apparaître] nascere. || FIG. *naître à l'amour, à l'art,* destarsi all'amore, all'arte.
naïveté [naivte] f. semplicità, naturalezza. || [inexpérience] ingenuità.
nana [nana] f. POP. ragazza (L.C.), pupa (fam.).
napalm [napalm] m. napalm.
naphta [nafta] m. petrolio grezzo.
naphtaline [naftalin] f. naftalina.
naphte [naft] m. nafta f.
napoléon [napɔleɔ̃] m. napoleone, marengo.
napoléonien, enne [napɔleɔnjɛ̃, ɛn] adj. napoleonico.
napolitain, e [napɔlitɛ̃, ɛn] adj. et n. napoletano.
nappe [nap] f. tovaglia. || *nappe d'eau,* distesa, specchio (m.) d'acqua. | *nappe d'eau souterraine,* falda d'acqua sotterranea. || FIG. [brouillard, gaz, feu] cortina.
napperon [naprɔ̃] m. centrino.
narcisse [narsis] m. narciso.
narcotique [narkɔtik] adj. et m. narcotico.
narguer [narge] v. tr. sfidare, sbeffeggiare.
narine [narin] f. narice. || [du cheval] frogia.
narquois, e [narkwa, az] adj. beffardo, canzonatorio.
narrateur, trice [naratœr, tris] n. narratore, trice.
narratif, ive [naratif, iv] adj. narrativo. | *le genre narratif,* la narrativa.
narration [narasjɔ̃] f. narrazione, racconto m. || tema (m.) di fantasia ; componimento m.
narrer [nare] v. tr. narrare, raccontare.
nasal, e, aux [nazal, o] adj., f., m. nasale.
naseau [nazo] m. narice (f.) (di animale) ; [du cheval] frogia f.
nasillard, e [nazijar, ard] adj. nasale.
nasse [nas] f. [pêche] bertuello m., nassa.
natal, e, als [natal] adj. natale.
nataliste [natalist] adj. demografico.
natalité [natalite] f. natalità.
natation [natasjɔ̃] f. nuoto m.
natatoire [natatwar] adj. natatorio.
natif, ive [natif, iv] adj. **(de)** nativo (di), oriundo (di). || [naturel] innato. ◆ n. indigeno, a ; nativo, a.
nation [nasjɔ̃] f. nazione.
national, e, aux [nasjɔnal, o] adj. nazionale. | *(route) nationale,* (strada) statale. ◆ m. pl. *les nationaux,* i connazionali.
nationaliser [nasjɔnalize] v. tr. nazionalizzare.
nationalisme [nasjɔnalism] m. nazionalismo.
nationaliste [nasjɔnalist] adj. nazionalistico, nazionalista. ◆ n. nazionalista.
nationalité [nasjɔnalite] f. nazionalità, cittadinanza.
nativité [nativite] f. REL. natività.
natte [nat] f. [paille, jonc] stuoia. | [cheveux] treccia.
natter [nate] v. tr. intrecciare. | *se natter les cheveux,* farsi le trecce.
naturalisation [natyralizasjɔ̃] f. JUR. naturalizzazione ; cittadinanza. || [acclimatation] acclimatazione. || [empaillage] imbalsamatura, impagliatura.
naturaliser [natyralize] v. tr. naturalizzare. || [acclimater] acclimatare. || [empailler] imbalsamare, impagliare.
naturalisme [natyralism] m. LITT. naturalismo ; [en Italie] verismo.
naturaliste [natyralist] adj. naturalistico ; veristico, verista. ◆ m. [science] naturalista. || LITT. naturalista ; [en Italie] verista. || [qui empaille] imbalsamatore, impagliatore.
nature [natyr] f. natura, creato m. || [caractère de l'homme] natura, indole ; temperamento m. || [caractère d'une chose] natura, genere m., specie, tipo m. || *de nature à,* tale (adj.) da. || ART *d'après nature,* dal vero. ◆ adj. inv. *grandeur nature,* grandezza naturale. | *café nature,* caffè nero. | *thé nature,* tè liscio.
naturel, elle [natyrɛl] adj. naturale. ◆ m. natura f., carattere, indole f. || naturalezza f., semplicità f. || CULIN. *au naturel,* al naturale.
naturisme [natyrism] m. naturismo.
naturiste [natyrist] adj. naturista, naturistico. ◆ n. naturista.
naufrage [nofraʒ] m. naufragio. || FIG. naufragio, rovina f. || *faire naufrage,* naufragare. || FIG. andare in perdizione.
naufragé, e [nofraʒe] adj. naufragato. ◆ n. naufrago.

naufrager [nofraʒe] v. intr. naufragare.
nauséabond, e [nozeabɔ̃, ɔ̃d] adj. nauseabondo, nauseante.
nausée [noze] f. nausea.
nauséeux, euse [nozeø, øz] adj. [qui a des nausées] che prova nausea.
nautique [notik] adj. nautico.
naval, e, als [naval] adj. navale.
navet [navɛ] m. rapa f. || FAM. [film] cicca f., pizza f.
navette [navɛt] f. TECHN. navetta, spola. || FIG. *faire la navette,* fare la spola.
navigable [navigabl] adj. navigabile.
navigant, e [navigɑ̃, ɑ̃t] adj. et n. navigante.
navigateur, trice [navigatœr, tris] adj. et n. navigatore, trice.
navigation [navigasjɔ̃] f. navigazione.
naviguer [navige] v. intr. navigare.
navire [navir] m. nave f.
navrant, e [navrɑ̃, ɑ̃t] adj. penoso ; [déchirant] straziante.
navrer [navre] v. tr. affliggere ; spezzare il cuore a ; straziare. || [contrarier] rattristare, affliggere.
ne [nə] adv. [seul] non. || *ne ... pas, ne ... point,* non. || *ne ... plus,* non ... più. || [restriction] *ne ... que,* non ... che ; soltanto, solo.
né, e [ne] adj. nato. | *bien né,* bennato. | *orateur-né,* oratore nato.
néanmoins [neɑ̃mwɛ̃] conj. nondimeno.
néant [neɑ̃] m. niente, nulla inv. | *réduire à néant,* ridurre a niente ; annientare, annullare.
nébuleux, euse [nebylø, øz] adj. nebuloso, nuvoloso. || FIG. nebuloso. ◆ f. nebulosa.
nébuliseur [nebylizœr] m. nebulizzatore.
nécessaire [nesesɛr] adj. necessario, indispensabile. ◆ m. occorrente, necessario. | *nécessaire de voyage,* astuccio per toeletta. | *nécessaire à ouvrage,* astuccio da cucito.
nécessité [nesesite] f. necessità, esigenza.
nécessiter [nesesite] v. tr. necessitare, richiedere.
nécessiteux, euse [nesesitø, øz] adj. et n. bisognoso.
nécrologie [nekrɔlɔʒi] f. necrologia.
nécrologique [nekrɔlɔʒik] adj. necrologico.
nécromancien, enne [nekromɑ̃sjɛ̃, ɛn] n., **nécromant** [nekromɑ̃] m. negromante n.
nectar [nɛktar] m. nettare.
néerlandais, e [neɛrlɑ̃dɛ, ɛz] adj. et n. olandese.
nef [nɛf] f. MAR. nave. || ARCHIT. navata.
néfaste [nefast] adj. nefasto ; funesto, fatale.
nèfle [nɛfl] f. nespola.
négatif, ive [negatif, iv] adj. negativo f. ◆ m. PHOT. negativa f. ◆ f. risposta negativa. | *se tenir sur la négative,* mantenersi sulla negativa.
négation [negasjɔ̃] f. negazione.
négligé, e [negliʒe] adj. trasandato, trascurato, sciatto. ◆ m. [comportement] trascuratezza f. || [vêtement] vestaglia f.
négligeable [negliʒabl] adj. trascurabile.
négligence [negliʒɑ̃s] f. negligenza, trascuratezza, sciatteria. || [indolence] svogliatezza.
négligent, e [negliʒɑ̃, ɑ̃t] adj. negligente, trascurato.
négliger [negliʒe] v. tr. trascurare. | *négliger un détail,* tralasciare un particolare. | *négliger un avis,* non dar peso ad un parere.
négoce [negɔs] m. VX commercio (L.C.).
négociable [negɔsjabl] adj. negoziabile.
négociant, e [negɔsjɑ̃, ɑ̃t] n. (en) negoziante (di), commerciante (di).
négociateur, trice [negɔsjatœr, tris] n. negoziatore, trice.
négociation [negɔsjasjɔ̃] f. negoziato m. ; negoziati m. pl. ; contrattazione ; trattative f. pl. || [d'une traite] negoziazione.
négocier [negɔsje] v. tr. et intr. negoziare.
nègre, négresse [nɛgr, negrɛs] adj. et n. negro. || FAM. [d'un auteur] negro.
négrier [negrije] m. negriere, negriero. ◆ adj. negriero.
négrillon, onne [negrijɔ̃, ɔn] n. negretto, a.
négritude [negrityd] f. negritudine.
neige [nɛʒ] f. neve. | *chute de neige,* nevicata. | *neige fondue,* nevischio m. || FIG. *teint de neige,* carnagione nivea. || ARG. neve.
neiger [neʒe] v. impers. nevicare.
neigeux, euse [neʒø, øz] adj. nevoso.
ne-m'oubliez-pas [nemublijepa] m. inv. BOT. nontiscordardimé.
nenni [nɛn(n)i] adv. macché, nient'affatto.
nénuphar [nenyfar] m. nenufaro.
néolithique [neolitik] adj. et m. neolitico.
néologisme [neolɔʒism] m. neologismo.
néon [neɔ̃] m. neon.
néophyte [neɔfit] n. neofito, a.
néo-zélandais, e [neozelɑ̃dɛ, ɛz] adj. et n. neozelandese.
néphrétique [nefretik] adj. nefritico, a.

néphrite [nefrit] f. nefrite.
népotisme [nepɔtism] m. nepotismo.
nerf [nɛr] m. nervo. || FAM. *porter, taper sur les nerfs,* dare ai nervi ; far venire il nervoso. || FIG. nerbo.
nerveux, euse [nɛrvø, øz] adj. et n. nervoso. || FIG. *moteur nerveux,* motore scattante.
nervosité [nɛrvozite] f. nervosità.
nervure [nɛrvyr] f. nervatura. || ARCHIT. nervatura, costolone m. || AV. centina.
net, nette [nɛt] adj. netto, pulito. || [distinct] chiaro, distinto, netto, nitido. || FIG. *en avoir le cœur net,* mettere le cose in chiaro. || COMM., FIN. netto. | *net d'impôt,* (al) netto di imposte. ◆ m. *mettre au net,* mettere al pulito, in bella copia. ◆ adv. di botto, sul colpo.
netteté [nɛtte] f. nettezza, nitidezza.
nettoiement [nɛtwamɑ̃] m. pulizia f. | *service du nettoiement,* servizio della nettezza urbana.
nettoyage [nɛtwajaʒ] m. pulizia f. | *faire le nettoyage,* far le pulizie. | *nettoyage à sec, à la vapeur,* lavaggio a secco, a vapore. || MIL. rastrellamento.
nettoyer [nɛtwaje] v. tr. pulire. || MIL. rastrellare.
neuf [nœf] adj. num. inv. et m. inv. nove.
neuf, neuve [nœf, nœv] adj. nuovo. || FAM. *flambant neuf,* nuovo fiammante. | *faire peau neuve,* cambiar vita. ◆ m. nuovo. || *à neuf, de neuf,* a nuovo, di nuovo.
neurasthénie [nørasteni] f. nevrastenia.
neurasthénique [nørastenik] adj. et n. nevrastenico.
neurologie [nørolɔʒi] f. neurologia.
neurologiste [nørolɔʒist] ou **neurologue** [nørolɔg] n. neurologo m.
neutraliser [nøtralize] v. tr. neutralizzare.
neutralité [nøtralite] f. neutralità.
neutre [nøtr] adj. POL. neutrale. || CHIM., GR., PHYS., ZOOL. neutro. ◆ m. POL. neutrale. || GR. neutro.
neutron [nøtrɔ̃] m. neutrone.
neuvième [nøvjɛm] adj. et n. nono.
névé [neve] m. nevato.
neveu [nəvø] m. nipote.
névralgie [nevralʒi] f. nevralgia.
névropathe [nevrɔpat] adj. et n. neuropatico.
névrose [nevroz] f. nevrosi.
névrosé, e [nevroze] adj. et n. nevrotico.
nez [ne] m. naso. | *à vue de nez,* a lume di naso. | *se casser le nez,* trovare la porta chiusa ; subire uno smacco. | *pied de nez,* marameo. || FAM. *fourrer son nez partout,* ficcare il naso dappertutto. | *montrer le (bout du) nez,* far capolino. | *ça m'a passé sous le nez,* me lo sono lasciato sfuggire. | *nez à nez,* faccia a faccia. || FIG. *avoir bon nez,* aver buon naso. | *piquer du nez,* gettarsi in picchiata ; [accident] cadere.
ni [ni] conj. né. | *ni ..., ni ...,* né ..., né ... | *ni même,* neanche, neppure, nemmeno.
niable [njabl] adj. negabile. | *cela n'est pas niable,* questo è innegabile.
niais, e [njɛ, ɛz] adj. et n. sempliciotto, sciocco, melenso.
niaiserie [njɛzri] f. sciocchezza, stupidaggine, scempiaggine.
1. niche [niʃ] f. FAM. *faire une niche, des niches,* giocare un tiro.
2. niche f. ARCHIT. nicchia. || [à chien] canile m.
nichée [niʃe] f. nidiata. | [oiseaux] covata.
nicher [niʃe] v. intr. nidificare, fare il nido. ◆ v. pr. ZOOL. annidarsi.
nichon [niʃɔ̃] m. POP. tetta f. (fam.).
nickel [nikɛl] m. nichel, nichelio. || POP. *c'est (tout) nickel,* è uno specchio (L.C.).
nickeler [nikle] v. tr. nichelare.
nicotine [nikɔtin] f. nicotina.
nid [ni] m. [d'oiseau] nido. || ***nid-de-pie,*** coffa f. || ***nid-de-poule,*** cunetta f.
nièce [njɛs] f. nipote.
nier [nje] v. tr. negare.
nigaud, e [nigo, od] adj. et n. balordo, tonto. | [nuance affectueuse] sciocchino.
nigérian, e [niʒerjɑ̃, an] adj. et n. nigeriano.
nigérien, enne [niʒerjɛ̃, ɛn] adj. et n. nigeriano.
nihilisme [niilism] m. nichilismo.
nihiliste [niilist] n. nichilista.
nimbe [nɛ̃b] m. nimbo, aureola f.
nipper [nipe] v. tr. FAM. rimpannucciare ; vestire (L.C.).
nique [nik] f. *faire la nique à qn,* fare uno sberleffo a qlcu.
nitrate [nitrat] m. nitrato.
nitrique [nitrik] adj. nitrico.
niveau [nivo] m. livello. | *différence de niveau,* dislivello. || FIG. *au niveau de,* a livello di. | *niveau de vie,* livello, tenore di vita. || TR. *passage à niveau,* passaggio a livello. || AUT. *niveau d'essence,* indicatore di benzina. || TECHN. livella f. | *niveau d'eau,* livella ad acqua. || [topographie] livello. ◆ *de niveau,* in pari ; orizzontale adj.
niveler [nivle] v. tr. livellare, pareggiare.
nivellement [nivɛlmɑ̃] m. livellamento.
noble [nɔbl] adj. et n. nobile.
noblesse [nɔblɛs] f. nobiltà.
noce [nɔs] f. festa di nozze pl. || FAM. *faire la noce,* darsi agli stravizi. ◆ pl.

nozze, sposalizio m. | *repas de noces,* banchetto nuziale.
noceur, euse [nɔsœr, øz] n. FAM. vitaiolo m. ; dissoluto, a (L.C.).
nocif, ive [nɔsif, iv] adj. nocivo, dannoso, malefico.
nocivité [nɔsivite] f. nocività.
noctambule [nɔktɑ̃byl] adj. et n. nottambulo.
nocturne [nɔktyrn] adj. notturno.
nodule [nɔdyl] m. nodulo.
Noël [nɔɛl] m. Natale. | *le Père Noël,* babbo Natale. ◆ f. *la (fête de) Noël,* il Natale, il Ceppo. | *fêter la Noël,* far natale.
nœud [nø] m. nodo. | *nœud papillon,* cravattino. | *nœud coulant,* nodo, cappio scorsoio. | *nœud de ruban,* fiocco. || FIG. *nœud de vipères,* groviglio di vipere. | [dans la gorge] groppo. | [point central] nocciolo. || MAR. nodo. ◆ pl. [de l'amitié, du mariage] vincoli.
noir, e [nwar] adj. nero. | *pain noir,* pane nero. | *race noire,* razza negra. || [sombre] buio, oscuro. | *nuit noire,* notte fonda. ◆ n. negro, a. ◆ m. [couleur] nero. || [deuil] lutto. || [obscurité] buio. ◆ f. MUS. semiminima.
noirâtre [nwarɑtr] adj. nerastro.
noirceur [nwarsœr] f. nerezza, nero m. || [perfidie] nefandezza.
noircir [nwarsir] v. tr. annerire. || FIG. macchiare, denigrare. ◆ v. intr. annerirsi ; diventar nero. ◆ v. pr. annerirsi, oscurarsi.
noise [nwaz] f. *chercher noise à qn,* attaccar briga con qlcu.
noisetier [nwaztje] m. nocciolo.
noisette [nwazɛt] f. nocciola.
noix [nwa] f. noce. | *noix de coco,* noce di cocco. | *noix de muscade,* noce moscata.
noliser [nɔlize] v. tr. COMM. noleggiare.
nom [nɔ̃] m. nome. | *nom (de famille),* cognome, casato. | *nom de baptême, de jeune fille,* nome di battesimo, di ragazza. | *ne pas citer de noms,* non far nomi. | *décliner ses nom et prénom,* declinare le proprie generalità. ◆ *au nom de,* in nome di. | [de la part de] a nome di.
nomade [nɔmad] adj. et n. nomade.
nombre [nɔ̃br] m. numero. || *nombre d'or,* ASTR. numero aureo ; ART, MATH. sezione (f.) aurea. || *au nombre de,* nel numero di, nel novero di. || SP. *nombre de points,* punteggio.
nombreux, euse [nɔ̃brø, øz] adj. numeroso. | *nombreuse assistance,* folto pubblico.
nombril [nɔ̃bri] m. ombelico.
nominal, e, aux [nɔminal, o] adj. nominale.
nominatif, ive [nɔminatif, iv] adj. et m. nominativo.
nomination [nɔminasjɔ̃] f. nomina.
nommé, e [nɔme] adj. | *au jour nommé,* al dì prefisso, stabilito. | *à point nommé,* al momento giusto.
nommément [nɔmemɑ̃] adv. nominatamente.
nommer [nɔme] v. tr. chiamare. || *nommer complices,* fare il nome dei complici. || [désigner] designare, nominare. ◆ v. pr. chiamarsi. || dire il proprio nome.
non [nɔ̃] adv. no. | FAM. *non, par exemple !,* questo poi no ! || LOC. *dire oui, non,* dire di sì, di no. || [préfixe] non. ◆ m. inv. no. | *pour un oui ou pour un non,* per un nonnulla. ◆ *non plus,* neanche, nemmeno, neppure. || *non seulement ..., mais (encore),* non solo ..., ma (ancora). ◆ *non pas que,* non che.
nonagénaire [nɔnaʒenɛr] adj. et n. nonagenario.
non-aligné, e [nɔnaliɲe] adj. et n. non allineato.
non-assistance [nɔnasistɑ̃s] f. omissione di assistenza.
nonce [nɔ̃s] m. nunzio.
nonchalance [nɔ̃ʃalɑ̃s] f. noncuranza, svogliatezza.
nonchalant, e [nɔ̃ʃalɑ̃, ɑ̃t] adj. noncurante, indolente, svogliato. ◆ n. apatico.
non-conformisme [nɔ̃kɔ̃fɔrmism] m. non conformismo.
non-conformiste [nɔ̃kɔ̃fɔrmist] adj. non conformistico. ◆ n. non conformista.
non-engagé, e [nɔnɑ̃gaʒe] adj. et n. non impegnato.
non-intervention [nɔnɛ̃tɛrvɑ̃sjɔ̃] f. non intervento m.
non-lieu [nɔ̃ljø] m. JUR. non luogo a procedere.
nonne [nɔn] f. monaca.
nonobstant [nɔnɔbstɑ̃] adv. et prép. nonostante.
non-sens [nɔ̃sɑ̃s] m. inv. nonsenso m., assurdità f.
non-stop [nɔnstɔp] adj. inv. continuo adj., senza interruzione.
nord [nɔr] m. nord, settentrione. || FIG., FAM. *perdre le nord,* perdere la bussola, la tramontana.
nord-africain, e [nɔrafrikɛ̃, ɛn] adj. et n. nordafricano.
nord-américain, e [nɔramerikɛ̃, ɛn] adj. et n. nordamericano.
nord-est [nɔrɛst] m. inv. nord-est.
nordique [nɔrdik] adj. et n. nordico.
nord-ouest [nɔrwɛst] m. inv. nord-ovest.
normal, e, aux [nɔrmal, o] adj. normale. || *école normale (d'instituteurs),*

istituto magistrale. ◆ f. normalità, media.
normalisation [nɔrmalizasjɔ̃] f. normalizzazione, standardizzazione.
normaliser [nɔrmalize] v. tr. normalizzare, standardizzare.
normand, e [nɔrmɑ̃, ɑ̃d] adj. et n. normanno.
norme [nɔrm] f. norma, regola ; standard m. inv.
norois ou **noroît** [nɔrwɑ] m. MAR. vento che spira da nord-ovest ; maestrale.
norvégien, enne [nɔrveʒjɛ̃, ɛn] adj. et n. norvegese.
nostalgie [nɔstalʒi] f. nostalgia.
nostalgique [nɔstalʒik] adj. nostalgico.
notable [nɔtabl] adj. notevole. ◆ m. notabile. | [pl.] le notabilità.
notaire [nɔtɛr] m. notaio.
notamment [nɔtamɑ̃] adv. segnatamente.
notarial, e, aux [nɔtarjal, o] adj. notarile.
notarié, e [nɔtarje] adj. *acte notarié,* atto notarile.
notation [nɔtasjɔ̃] f. notazione.
note [nɔt] f. nota. || [annotation] annotazione, appunto m., postilla. || UNIV. voto m. || [facture] conto m., bolletta. || MUS. nota. | *fausse note,* [chanteur] stecca ; [instrument] stonatura.
noter [nɔte] v. tr. (an)notare, segnare. || [élève, devoir] classificare.
notice [nɔtis] f. cenno m., notizia. || [mode d'emploi] avvertenza.
notification [nɔtifikasjɔ̃] f. notifica, notificazione.
notifier [nɔtifje] v. tr. notificare.
notion [nɔsjɔ̃] f. nozione.
notoire [nɔtwar] adj. notorio, noto.
notoriété [nɔtɔrjete] f. notorietà.
notre [nɔtr] (pl. **nos** [no]) adj. poss. nostro, nostra, nostri, nostre.
nôtre [notre] pron. poss. *le, la nôtre ; les nôtres,* il nostro, la nostra, i nostri, le nostre. ◆ m. pl. i nostri (familiari, parenti, amici, fautori).
notule [nɔtyl] f. noterella, postilla.
noué, e [nwe] adj. rachitico. || [articulation] legato. || *avoir la gorge nouée,* avere un nodo alla gola.
nouer [nwe] v. tr. legare. || [par un nœud] annodare, allacciare. || FIG. allacciare, stringere. | *nouer la conversation avec,* attaccare discorso con. | complot, ordire .
noueux, euse [nwø, øz] adj. nodoso, nocchieruto.
nougat [nuga] m. torrone.
nouille [nuj] f. tagliatella. || FIG., FAM. pappa molle, smidollato.
nounou [nunu] f. FAM. tata.
nourrice [nuris] f. balia, nutrice.
nourricier, ère [nurisje, ɛr] adj. nutritivo.
nourrir [nurir] v. tr. nutrire, alimentare, cibare. || [un bébé] allattare. || FIG. nutrire .
nourrissant, e [nurisɑ̃, ɑ̃t] adj. nutriente, nutritivo.
nourrisson [nurisɔ̃] m. lattante, poppante n.
nourriture [nurityr] f. nutrimento m., cibo m. || [entretien] vitto m.
nous [nu] pron. pers. [suj.] noi. || [compl. après prép.] noi. || [compl. d'obj. dir. ou ind.] ci. || [dans un pron. groupé] ce(lo), ce(la), ce(ne).
nouveau [nuvo] ou **nouvel** [nuvɛl], **nouvelle** [nuvɛl] adj. nuovo, novello. || *nouvelle lune,* luna nuova, novilunio m. || [second] altro. ◆ *à nouveau,* di nuovo, daccapo. || *de nouveau,* di nuovo, nuovamente, un'altra volta, ancora. ◆ n. scolaro novello, scolara novella. ◆ m. nuevo.
nouveau-né [nuvone] m. neonato.
nouveauté [nuvote] f. novità. ◆ pl. *magasin de nouveautés,* negozio di mode.
nouvelle [nuvɛl] f. notizia, nuova. || LITT. novella, racconto m. ◆ pl. notizie, nuove. | *dernières nouvelles,* recentissime.
nouvellement [nuvɛlmɑ̃] adv. ultimamente, di recente, da poco.
nouvelliste [nuvɛlist] n. novelliere, novellista.
novateur, trice [nɔvatœr, tris] adj. et n. (in)novatore, trice.
novembre [nɔvɑ̃br] m. novembre.
novice [nɔvis] adj. et n. novellino, novizio. ◆ n. REL. novizio, a.
noyade [nwajad] f. annegamento m., affogamento m.
noyau [nwajo] m. nocciolo. || PHYS. nucleo. || ÉLECTR. anima f. || FIG. nucleo, centro, gruppo.
noyauter [nwajote] v. tr. POL. fagocitare.
noyé, e [nwaje] n. annegato, a.
1. noyer [nwaje] v. tr. annegare, affogare. || AUT. [carburateur] ingolfare. || [incendie, révolte] soffocare. ◆ v. pr. annegarsi, affogare. || FIG. *se noyer dans les détails,* perdersi nei particolari. || AUT. [carburateur] ingolfarsi.
2. noyer m. BOT. noce.
nu, e [ny] adj. nudo. | *(les) bras nus,* con le braccia nude. | *(les) jambes nues,* con le gambe nude. | *(la) tête nue, nu-tête,* a testa nuda. | *(les) pieds nus, nu-pieds,* a piedi nudi ; scalzo adj. || *arbre nu,* albero spoglio. ◆ m. ART nudo. ◆ *à nu,* a nudo.
nuage [nɥaʒ] m. nuvola f., nube f. || [fumée, poussière] nuvola. || [insectes, flèches, soldats] nuvolo. || [lait] goc-

cia f. | *café avec un nuage de lait,* caffè macchiato. || Fig. *sans nuages,* senza nubi, sereno adj.

nuageux, euse [nyaʒø, øz] adj. nuvoloso. || Fig. nebuloso, nebbioso.

nuance [nɥɑ̃s] f. sfumatura, tinta. || Fig. sfumatura.

nuancer [nɥɑ̃se] v. tr. sfumare, digradare. || Fig. sfumare.

nubile [nybil] adj. da marito.

nucléaire [nykleɛr] adj. nucleare.

nudisme [nydism] m. nudismo.

nudiste [nydist] adj. et n. nudista.

nudité [nydite] f. nudità.

nuée [nɥe] f. nembo m., nuvolo m. || Fig. nugolo m.

nue-propriété [nyprɔprijete] f. nuda proprietà.

nues [ny] f. pl. Loc. Fig. *porter aux nues,* portare alle stelle. | *tomber des nues,* cascar dalle nuvole.

nuire [nɥir] v. tr. ind. (à) nuocere (a) ; danneggiare v. tr., pregiudicare v. tr.

nuisance [nɥizɑ̃s] f. sorgente inquinante.

nuisible [nɥizibl] adj. nocivo, dannoso.

nuit [nɥi] f. notte, nottata. | *pendant la nuit,* di notte ; (di) nottetempo. | *très avant dans la nuit,* a notte inoltrata. | *à la tombée de la nuit,* sul far della notte. | *la nuit tombe,* annotta ; si fa notte. | *la nuit de lundi,* la notte di lunedì ; [qui le précède] la notte sul lunedì ; [qui le suit] lunedì notte. | *passer la nuit,* pernottare. | *passer une mauvaise nuit,* passare una brutta nottata. | *table de nuit,* comodino m. | *boîte de nuit,* locale (m.) notturno.

nuitamment [nɥitamɑ̃] adv. di notte ; (di) nottetempo.

nuitée [nɥite] f. nottata, pernottamento m.

nul, nulle [nyl] adj. et pron. indéf. nessuno. | *nul doute,* nessun dubbio. || [phrase négative] alcuno. | *sans nulle difficulté,* senza alcuna difficoltà. ◆ *nulle part,* in nessun luogo, da nessuna parte. ◆ adj. nullo. || Sp. *match nul,* partita (f.) pari ; pareggio. || [sans valeur] inetto, nullo. .

nullement [nylmɑ̃] adv. nient'affatto, in nessun modo.

nullité [nylite] f. nullità.

numéraire [nymerɛr] m. numerario.

numéral, e, aux [nymeral, o] adj. et m. numerale.

numérateur [nymeratœr] m. numeratore.

numération [nymerasjɔ̃] f. numerazione. || Méd. *numération globulaire,* conteggio (m.) globulare.

numérique [nymerik] adj. numerico.

numéro [nymero] m. numero. || Fam. *(drôle de) numéro,* bel tipo, bel soggetto.

numérotage [nymerotaʒ] m. ou **numérotation** [numerotasjɔ̃] f. numerazione f.

numéroter [nymerote] v. tr. numerare.

numismate [nymismat] n. numismatico m.

nuptial, e, aux [nypsjal, o] adj. nuziale. | *anneau nuptial,* anello matrimoniale. | *chambre nuptiale,* camera matrimoniale.

nuque [nyk] f. nuca, collottola.

nurse [nœrs] f. bambinaia, governante.

nutritif, ive [nytritif, iv] adj. nutritivo.

nutrition [nytrisjɔ̃] f. nutrizione. || Méd. *maladies de la nutrition,* malattie del ricambio.

Nylon [nilɔ̃] m. nailon.

nymphe [nɛ̃f] f. ninfa.

o [o] m. o f. ou m.

ô [o] interj. [apostrophe] o. || [exclamation] oh !

oasis [ɔazis] f. oasi.

obéir [ɔbeir] v. tr. ind. (à) ubbidire, obbedire (a).

obéissance [ɔbeisɑ̃s] f. ubbidienza. || Rel. obbedienza. || Mil. *refus d'obéissance,* rifiuto d'obbedienza.

obéissant, e [ɔbeisɑ̃, ɑ̃t] adj. ubbidiente ; obbediente.

obélisque [ɔbelisk] m. obelisco.

obéré, e [ɔbere] adj. [de dettes] oberato, carico.

obèse [ɔbɛz] adj. et n. obeso.

obésité [ɔbezite] f. obesità.

objecter [ɔbʒɛkte] v. tr. obiettare.

objecteur [ɔbʒɛktœr] m. *objecteur de conscience,* obiettore di coscienza.

objectif, ive [ɔbʒɛktif, iv] adj. obiettivo, oggettivo. ◆ m. [but] obiettivo, scopo. || Mil., Opt. obiettivo.

objection [ɔbʒɛksjɔ̃] f. obiezione.

objectivité [ɔbʒɛktivite] f. oggettività, obiettività.

objet [ɔbʒe] m. oggetto. || [chose quelconque] oggetto ; cosa f., roba f. | *objet manufacturé,* manufatto. | *objets sacrés,* arredi sacri. || [cause] oggetto, motivo. | *sans objet,* inconsistente, infondato. || [but] oggetto, fine, scopo. || [matière] oggetto, materia f., argomento, tema. || Gr. *complément d'objet,* complemento oggetto.

obligataire [ɔbligatɛr] n. FIN. obbligazionista.
obligation [ɔbligasjɔ̃] f. obbligo m., dovere m., impegno m. || [matérielle] obbligo, necessità. || [de reconnaissance] obbligo. || FIN. obbligazione.
obligatoire [ɔbligatwar] adj. obbligatorio ; d'obbligo, di rigore.
obligé, e [ɔbliʒe] adj. [reconnaissant] (de) obbligato (di), grato (di), riconoscente (di). || [imposé] obbligato, d'obbligo. ◆ n. debitore, trice ; beneficato, a.
obligeance [ɔbliʒɑ̃s] f. cortesia, gentilezza.
obligeant, e [ɔbliʒɑ̃, ɑ̃t] adj. cortese, gentile.
obliger [ɔbliʒe] v. tr. obbligare, costringere, imporre. || [contrainte matérielle] obbligare, costringere, forzare. || JUR. vincolare. || [rendre service] rendere un servizio, fare un favore. ◆ v. pr. (à) farsi un obbligo, un dovere di ; impegnarsi a.
oblique [ɔblik] adj. obliquo ; di sbieco loc. adv. | *regard oblique,* sguardo di sbieco. ◆ *en oblique,* in diagonale.
obliquer [ɔblike] v. intr. obliquare, piegare.
oblitération [ɔbliterasjɔ̃] f. obliterazione ; annullamento m.
oblitérer [ɔblitere] v. tr. obliterare, cancellare, annullare.
oblong, gue [ɔblɔ̃, ɔ̃g] adj. oblungo, bislungo.
obnubiler [ɔbnybile] v. tr. ossessionare.
obscène [ɔpsɛn] adj. osceno.
obscénité [ɔpsenite] f. oscenità.
obscur, e [ɔpskyr] adj. (o)scuro, fosco, buio. || [peu connu] oscuro, ignoto, sconosciuto. || [difficile] oscuro, confuso.
obscurcir [ɔpskyrsir] v. tr. oscurare, offuscare, abbuiare, annebbiare. || [rendre plus foncé] scurire. || FIG. offuscare, obnubilare, ottenebrare.
obscurcissement [ɔbskyrsismɑ̃] m. oscuramento.
obscurité [ɔpskyrite] f. oscurità, buio m. | *obscurité profonde,* buio fitto, pesto. || FIG. oscurità.
obsédant, e [ɔpsedɑ̃, ɑ̃t] adj. ossessivo, ossessionante.
obsédé, e [ɔpsede] adj et n. ossessionato, ossesso.
obséder [ɔpsede] v. tr. ossessionare, assillare.
obsèques [ɔpsɛk] f. pl. esequie ; funerali m. pl.
obséquieux, euse [ɔpsekjø, øz] adj. ossequioso.
observable [ɔpsɛrvabl] adj. osservabile.
observance [ɔpsɛrvɑ̃s] f. osservanza.
observateur, trice [ɔpsɛrvatœr, tris] adj. et n. osservatore, trice.
observation [ɔpsɛrvasjɔ̃] f. osservazione. || MIL. *observation aérienne,* ricognizione aerea.
observatoire [ɔpsɛrvatwar] m. osservatorio.
observer [ɔpsɛrve] v. tr. osservare, rispettare. || [étudier] osservare, studiare. || [remarquer] notare. ◆ v. pr. *s'observer dans un miroir,* studiarsi allo specchio. || [se surveiller] controllarsi ; [combattants] sorvegliarsi a vicenda.
obsession [ɔpsɛsjɔ̃] f. ossessione, fissazione.
obsessionnel, elle [ɔpsɛsjɔnel] adj. ossessivo.
obstacle [ɔpstakl] m. ostacolo, intoppo. | *faire obstacle à,* essere d'ostacolo, d'inciampo a ; ostacolare v. tr. || SP. [course] *d'obstacles,* a ostacoli.
obstétrique [ɔpstetrik] f. ostetricia.
obstination [ɔpstinasjɔ̃] f. ostinazione, caparbietà.
obstiné, e [ɔpstine] adj. et n. ostinato, caparbio.
obstiner (s') [sɔpstine] v. pr. (dans, à) ostinarsi (in, a), impuntarsi (in, a).
obstruction [ɔpstryksjɔ̃] f. ostruzione. || POL. ostruzionismo m.
obstructionniste [ɔpstryksjɔnist] adj. ostruzionistico. ◆ n. ostruzionista.
obstruer [opstrɥe] v. tr. ostruire, sbarrare.
obtempérer [ɔptɑ̃pere] v. intr. et tr. ind. (à) ottemperare (a), ubbidire (a).
obtenir [ɔptənir] v. tr. ottenere, conseguire, raggiungere.
obtention [ɔptɑ̃sjɔ̃] f. ottenimento m., conseguimento m.
obturateur [ɔptyratœr] m. PHOT. otturatore.
obturer [ɔptyre] v. tr. (ot)turare.
obtus, e [ɔpty, yz] adj. ottuso.
obus [ɔby] m. proiettile, granata f.
obusier [ɔbyzje] m. obice, mortaio.
obvier [ɔbvje] v. tr. ind. (à) ovviare, rimediare, porre rimedio (a).
occasion [ɔkazjɔ̃] f. [favorable] occasione, opportunità. || FAM. *sauter sur l'occasion,* cogliere la palla al balzo. || [en général] circostanza, occasione, caso m. || *d'occasion,* d'occasione. ◆ *à l'occasion,* all'occasione. ◆ *à l'occasion de,* in occasione di.
occasionnel, elle [ɔkazjɔnɛl] adj. occasionale, fortuito.
occasionner [ɔkazjɔne] v. tr. occasionare, cagionare, causare ; esser causa di.
occident [ɔksidɑ̃] m. occidente, ponente.

occidental, e, aux [ɔksidɑ̃tal, o] adj. et n. occidentale.
occiput [ɔksipyt] m. occipite.
occitan, e [ɔksitɑ̃, an] adj. et n. occitanico.
occlusion [ɔklyzjɔ̃] f. MÉD. occlusione.
occulte [ɔkylt] adj. occulto.
occulter [ɔkylte] v. tr. schermare, occultare.
occultisme [ɔkyltism] m. occultismo.
occupant, e [ɔkypɑ̃, ɑ̃t] adj. et n. occupante.
occupation [ɔkypasjɔ̃] f. occupazione. ‖ [activité] occupazione, impegno m., attività, faccenda. ‖ [emploi] occupazione, impiego m., lavoro m.
occupé, e [ɔkype] adj. occupato, impegnato.
occuper [ɔkype] v. tr. [lieu] occupare. ‖ [temps] occupare, impiegare, dedicare. ‖ [poste] ricoprire, occupare.
occurrence [ɔkyrɑ̃s] f. circostanza, occasione. | *selon l'occurrence,* secondo la circostanza. ‖ LING. occorenza. ◆ *en l'occurrence,* nel caso, nella circostanza.
océan [ɔseɑ̃] m. oceano.
océanographie [ɔseanɔgrafi] f. oceanografia.
ocre [ɔkr] adj. ocra inv.
octane [ɔktan] m. CHIM. ottano. | *indice d'octane,* numero di ottano.
octave [ɔtkav] f. ottava.
octobre [ɔktɔbr] m. ottobre.
octogénaire [ɔktoʒenɛr] adj. et n. ottuagenario, ottantenne.
octroi [ɔktrwa] m. concessione f. ‖ FIN. dazio.
octroyer [ɔktrwaje] v. tr. concedere.
oculaire [ɔkylɛr] adj. et m. oculare.
oculiste [ɔkylist] n. oculista.
ode [ɔd] f. ode.
odeur [odœr] f. odore m.
odieux, euse [odjø, øz] adj. odioso. ◆ m. odiosità.
odorant, e [ɔdɔrɑ̃, ɑ̃t] adj. odorante, odoroso.
odorat [ɔdɔra] m. odorato.
œcuménique [ekymenik] adj. ecumenico.
œcuménisme [ekymenism] m. ecumenismo.
œdème [edɛm] m. edema.
œil [œj] m. (pl. **yeux** [jø]) occhio. | *coup d'œil,* occhiata f., sguardo, colpo d'occhio. | *d'un coup d'œil,* con un'occhiata. | *donner, jeter un coup d'œil,* dare un'occhiata. | *en un clin d'œil,* in un batter d'occhio, in un battibaleno. | *à l'œil nu,* ad occhio nudo. | *à vue d'œil,* ad occhio e croce. | *se faire les yeux,* truccarsi gli occhi. | *tenir qn à l'œil, avoir l'œil sur qn,* tenere qlcu. d'occhio. | *faire de l'œil,* fare l'occhiolino. | *écarquiller les yeux,* spalancare, sgranare gli occhi, far tanto d'occhi. | *fermer les yeux sur qch.,* lasciar correre. | *le mauvais œil,* il malocchio. ‖ *aux yeux de,* a detta di. ‖ FAM. *œil au beurre noir,* occhio pesto (L.C.). ‖ *tourner de l'œil,* svenire (L.C.). ‖ POP. *à l'œil,* a spese altrui (L.C.), gratis (L.C.). ‖ BOT. occhio, gemma f.
œil-de-bœuf [œjdəbœf] m. occhio di bue.
œillade [œjad] f. occhiata, sguardo m.
œillère [œjɛr] f. occhiera. | [de cheval] paraocchi m. inv. ‖ FIG., FAM. *avoir des œillères,* mettersi i paraocchi.
œillet [œjɛ] m. BOT. garofano. ‖ [de lacet] occhiello.
œuf [œf] m. (pl. **œufs** [ø]) uovo (pl. f. uova). ‖ *dans l'œuf,* in germe, sul nascere.
1. œuvre [œvr] f. opera, attività, lavoro m. | *mettre tout en œuvre pour,* far di tutto per. | *œuvre capitale, maîtresse,* capolavoro m. ‖ REL. *bonnes œuvres,* buone opere, opere pie. ‖ *œuvre de bienfaisance,* opera, istituto (m.) di beneficenza. ‖ MAR. *œuvres mortes, vives,* opera morta, viva.
2. œuvre m. [ensemble des œuvres] opera f. ‖ ARCHIT. opera f. | *gros œuvre,* opera grossa, pesante ; rustico. ‖ [alchimie] *grand œuvre,* pietra (f.) filosofale.
offensant, e [ɔfɑ̃sɑ̃, ɑ̃t] adj. offensivo.
offense [ɔfɑ̃s] f. offesa.
offenser [ɔfɑ̃se] v. tr. offendere ; recare offesa a.
offensif, ive [ɔfɑ̃sif, iv] adj. offensivo. ◆ f. offensiva.
1. office [ɔfis] m. ufficio, funzione f., carica f. | *faire office de,* fare da, fungere da. ‖ ufficio, ente. ‖ REL. ufficio, uffizio, funzione f. ‖ *bons offices,* buoni uffici. ◆ *d'office,* d'ufficio.
2. office m. ou f. dispensa f.
officiant [ɔfisjɑ̃] adj. et m. REL. ufficiante, celebrante.
officiel, elle [ɔfisjɛl] adj. ufficiale. | *Journal officiel,* Gazzetta ufficiale. ◆ m. pl. autorità f. pl.
officier [ɔfisje] m. [fonctionnaire] ufficiale. ‖ MIL. ufficiale.
officieux, euse [ɔfisjø, øz] adj. ufficioso.
officine [ɔfisin] f. laboratorio (m.) farmaceutico.
offrande [ɔfrɑ̃d] f. offerta, oblazione.
offrant [ɔfrɑ̃] m. *au plus offrant,* al miglior offerente.
offre [ɔfr] f. offerta.
offrir [ɔfrir] v. tr. offrire, presentare, regalare. | *offrir à boire,* offrire da bere. | *offrir ses vœux,* fare i propri auguri. ‖ [proposer] offrire, proporre.
offusquer [ɔfyske] v. tr. urtare, scandalizzare. ◆ v. pr. (de) adombrarsi (di), risentirsi (di).
ogival, e, aux [ɔʒival, o] adj. ART ogivale ; a sesto acuto.

ogive [ɔʒiv] f. ogiva.
ogre, ogresse [ɔgr, ɛs] n. orco, orchessa.
oh [o] interj. oh !, ohi !
ohé [ɔe] interj. ohe !, ehi !
oie [wa] f. oca. ‖ FAM. oca.
oignon [ɔɲɔ̃] m. cipolla f. | [à fleurs] cipolla, bulbo. ‖ MÉD. callo.
oindre [wɛ̃dr] v. tr. ungere.
oint [wɛ̃] adj. et m. unto.
oiseau [wazo] m. uccello. ‖ FIG. [individu] tipo, tizio. ◆ *à vol d'oiseau,* a volo d'uccello, in linea d'aria.
oiseleur [wazlœr] m. uccellatore.
oiseux, euse [wasø, øz] adj. ozioso, vano.
oisif, ive [wazif, iv] adj. et n. ozioso, sfaccendato.
oisiveté [wazivte] f. ozio m.
olfaction [ɔlfaksjɔ̃] f. olfatto m.
oligarchie [ɔligarʃi] f. oligarchia.
oligarchique [ɔligarʃik] adj. oligarchico.
olive [ɔliv] f. oliva.
oliveraie [ɔlivrɛ] f. oliveto m.
olivier [ɔlivje] m. olivo.
ombilic [ɔ̃bilik] m. ombelico.
ombrage [ɔ̃braʒ] m. ombra f., fogliame ; fronde f. pl. ‖ FIG. *porter, faire ombrage à,* dare ombra a. | *prendre ombrage de qch.,* adombrarsi per qlco.
ombragé, e [ɔ̃braʒe] adj. ombroso, ombreggiato.
ombrager [ɔ̃braʒe] v. tr. ombreggiare.
ombrageux, euse [ɔ̃braʒø, øz] adj. ombroso.
ombre [ɔ̃br] f. ombra. ‖ FIG. ombra, parvenza. ‖ FAM. *mettre qn à l'ombre,* mettere qlcu. al fresco. ‖ FIG. *une ombre au tableau,* un punto nero. ◆ *à l'ombre de,* PR. all'ombra di ; FIG. al riparo da, sotto la protezione di.
ombrelle [ɔ̃brɛl] f. ombrellino m., parasole m. inv.
ombreux, euse [ɔ̃brø, øz] adj. ombroso.
ombrien, enne [ɔ̃brijɛ̃, ɛn] adj. et n. umbro.
omelette [ɔmlɛt] f. frittata.
omettre [ɔmɛtr] v. tr. omettere, tralasciare.
omission [ɔmisjɔ̃] f. omissione.
omnibus [ɔmnibys] m. omnibus.
omnipotent, e [ɔmnipɔtɑ̃, ɑ̃t] adj. onnipotente.
omnipraticien, enne [ɔmnipratisjɛ̃, ɛn] n. medico generico.
omnisports [ɔmnispɔr] adj. inv. polisportivo adj.
omoplate [ɔmoplat] f. scapola, omoplata.
on [ɔ̃] pron. indéf. *(l') on dit que,* si dice, dicono, la gente dice che. | *on m'a dit,* mi hanno detto, mi è stato detto. | *on était fatigué,* si era stanchi ; [nous inclus] eravamo stanchi ; [nous exclus] erano stanchi, la gente era stanca. ‖ [quelqu'un] uno.
1. once [ɔ̃s] f. oncia.
2. once f. ZOOL. leopardo (m.), pantera delle nevi.
oncle [ɔ̃kl] m. zio.
onction [ɔ̃ksjɔ̃] f. REL. unzione. ‖ *onction ecclésiastique,* ecclesiastica dolcezza persuasiva.
onctueux, euse [ɔ̃ktɥø, øz] adj. oleoso. | *vin onctueux,* vino pastoso.
onde [ɔ̃d] f. flutto m. ; onde pl. ‖ FIG., RAD. onda. ‖ PHYS. onda, ondata.
ondée [ɔ̃de] f. acquazzone m.
on-dit [ɔ̃di] m. inv. diceria f., chiacchiera f., pettegolezzo m.
ondoyant, e [ɔ̃dwajɑ̃, ɑ̃t] adj. ondeggiante. ‖ FIG. fluttuante, instabile.
ondoyer [ɔ̃dwaje] v. intr. ondeggiare. ◆ v. tr. REL. battezzare provvisoriamente.
ondulant, e [ɔ̃dylɑ̃, ɑ̃t] adj. ondulante.
ondulation [ɔ̃dylasjɔ̃] f. ondulazione, ondeggiamento m. ‖ [cheveux] ondulazione.
onduler [ɔ̃dyle] v. intr. ondeggiare, ondulare. ◆ v. tr. [cheveux] ondulare.
onduleux, euse [ɔ̃dylø, øz] adj. ondeggiante ; sinuoso.
onéreux, euse [ɔnerø, øz] adj. oneroso, gravoso, dispendioso.
ongle [ɔ̃gl] m. unghia f.
onglée [ɔ̃gle] f. *avoir l'onglée,* avere le dita intirizzite.
onglet [ɔ̃glɛ] m. [de livre] unghia f.
onguent [ɔ̃gɑ̃] m. unguento, pomata f.
onirique [ɔnirik] adj. onirico.
onomatopée [ɔnɔmatɔpe] f. onomatopea.
onyx [ɔniks] m. onice f.
onze [ɔ̃z] adj. num. inv. et m. inv. undici. | *onze cents,* mille cento.
onzième [ɔ̃zjɛm] adj. et n. undicesimo ; undecimo, decimo primo (littér.).
opale [ɔpal] f. opale m. ou f.
opaque [ɔpak] adj. opaco.
opéra [ɔpera] m. MUS. opera f. | *opéra bouffe,* opera buffa.
opérateur, trice [ɔperatœr, tris] n. [de prises de vues] operatore (di ripresa). | *opérateur du son,* tecnico del suono. ‖ ÉLECTRON., ÉCON. operatore. ◆ m. MATH. operatore.
opération [ɔperasjɔ̃] f. operazione. ‖ MIL. operazione, azione, manovra.
opérationnel, elle [ɔperasjɔnɛl] adj. operativo.
opérer [ɔpere] v. tr. operare, fare, compiere. ‖ CHIR. operare. ‖ [paiement] effettuare. ◆ v. intr. agire. ◆ v. pr. [impers.] verificarsi, avvenire, prodursi.

opérette [ɔperɛt] f. operetta.
ophtalmologie [ɔftalmolɔʒi] f. oftalmologia, oculistica.
ophtalmologiste [ɔftalmolɔʒist] ou **ophtalmologue** [ɔftalmolɔg] n. oftalmologo, oculista.
opiner [ɔpine] v. intr. *opiner de la tête, du bonnet,* acconsentire, assentire.
opiniâtre [ɔpinjɑtr] adj. [caractère] caparbio, pertinace. || [travail] tenace, accanito. || [fièvre, toux] tenace, persistente.
opiniâtreté [ɔpinjɑtrəte] f. tenacia.
opinion [ɔpinjɔ̃] f. opinione, parere m. | *liberté d'opinion,* libertà di pensiero m. | *bonne opinion,* buona opinione, alto concetto m.
opium [ɔpjɔm] m. oppio.
opportun, e [ɔpɔrtœ̃, yn] adj. opportuno, propizio. | *en temps opportun,* in tempo utlle. | *aide opportune,* aiuto tempestivo.
opportunisme [ɔpɔrtynism] m. opportunismo.
opportuniste [ɔpɔrtynist] adj. opportunistico, opportunista. ◆ n. opportunista.
opportunité [ɔpɔrtynite] f. opportunità.
opposant, e [ɔpozɑ̃, ɑ̃t] adj. contrario, avverso. ◆ n. oppositore, avversario.
opposé, e [ɔpoze] adj. [vis-à-vis] opposto. || [contraire] opposto, contrario, antagonistico. || *direction opposée,* senso inverso, opposto. ◆ m. opposto, contrario. || ***à l'opposé (de),*** all'opposto (di).
opposer [ɔpoze] v. tr. opporre. || [en vis-à-vis] contrapporre. || [en contraste] dividere. || [arguments] opporre, obiettare. ◆ v. pr. opporsi ; ostacolare v. tr. || [être le contraire] contrapporsi.
opposition [ɔpozisjɔ̃] f. opposizione. || [contraste] opposizione, contrasto m., contraddizione, dissenso m. || FIN. *faire opposition à,* mettere un fermo su.
oppresser [ɔprɛse] v. tr. opprimere (il respiro).
oppression [ɔprɛsjɔ̃] f. oppressione.
opprimé, e [ɔprime] adj. et n. oppresso.
opprimer [ɔprime] v. tr. opprimere.
opprobre [ɔprɔbr] m. obbrobrio.
opter [ɔpte] v. intr. (pour) optare (per).
opticien [ɔptisjɛ̃] m. ottico, occhialaio.
optimal, e, aux [ɔptimal, o] adj. ottimale.
optimisme [ɔptimism] m. ottimismo.
optimiste [ɔptimist] adj. ottimistico. ◆ n. ottimista.
option [ɔpsjɔ̃] f. opzione, scelta. | *à option,* facoltativo, opzionale.
optique [ɔptik] adj. ottico. | *angle optique,* angolo visuale. ◆ f. PHYS. ottica. || FIG. *dans cette optique,* da questo punto di vista.
opulence [ɔpylɑ̃s] f. opulenza.
opulent, e [ɔpylɑ̃, ɑ̃t] adj. opulento.
1. or [ɔr] m. oro. | *d'or, en or,* d'oro ; aureo adj. | *or fin,* oro zecchino. | *âge d'or,* età dell'oro.
2. or conj. ora, orbene. | *or donc,* ordunque.
oracle [ɔrakl] m. oracolo.
orage [ɔraʒ] m. temporale. || FIG. tempesta f., burrasca f., tumulto.
orageux, euse [ɔraʒø, øz] adj. tempestoso, burrascoso. | *le temps est orageux,* c'è aria di temporale. || FIG. tempestoso, tumultuoso.
oraison [ɔrɛzɔ̃] f. orazione.
oral, e, aux [ɔral, o] adj orale. ◆ m. UNIV. orale. | *les oraux,* gli orali.
orange [ɔrɑ̃ʒ] f. arancia. | *orange amère,* arancia amara ; melangola. | *orange pressée,* spremuta d'arancia. ◆ m. et adj. inv. (color) arancio.
orangé, e [ɔrɑ̃ʒe] adj. aranciato. ◆ m. arancione.
orangeade [ɔrɑ̃ʒad] f. aranciata.
oranger [ɔrɑ̃ʒe] m. arancio. | *fleur d'oranger,* fiore d'arancio ; zagara f.
orangeraie [ɔrɑ̃ʒrɛ] f. aranceto m.
orateur [ɔratœr] m. oratore.
oratoire [ɔratwar] adj. et m. oratorio.
orbe [ɔrb] m. orbe.
orbite [ɔrbit] f. orbita, occhiaia. || ASTR. orbita.
orchestration [ɔrkɛstrasjɔ̃] f. orchestrazione, strumentazione. || FIG. orchestrazione.
orchestre [ɔrkɛstr] m. orchestra f. | *musicien d'orchestre,* orchestrale, suonatore d'orchestra. | *chef d'orchestre,* direttore d'orchestra. || TH. platea.
orchestrer [ɔrkɛstre] v. tr. orchestrare, strumentare. || FIG. orchestrare, inscenare.
orchidée [ɔrkide] f. orchidea.
ordinaire [ɔrdinɛr] adj. ordinario, solito, consueto, abituale. || [médiocre] *vin ordinaire,* vino comune ; *esprit ordinaire,* mente mediocre ; *des gens très ordinaires,* gente assai ordinaria. ◆ m. ordinario, comune, consueto. || [nourriture] vitto. || MIL. rancio. || REL. ordinario ; vescovo diocesano. | [liturgie] ordinario. ◆ ***d'ordinaire, à l'ordinaire,*** d'ordinario, di solito.
ordinairement [ɔrdinɛrmɑ̃] adv. ordinariamente, abitualmente, di solito.
ordinal, e, aux [ɔrdinal, o] adj. ordinale.
ordinateur [ɔrdinatœr] m. ÉLECTRON. calcolatore elettronico ; computer (angl.).
ordination [ɔrdinasjɔ̃] f. REL. ordinazione.

ordonnance [ɔrdɔnɑ̃s] f. disposizione ; ordinamento m. || POL. ordinanza. | [de police] regolamento m. || MÉD. ricetta, prescrizione. || MIL. *officier d'ordonnance,* ufficiale d'ordinanza.
ordonnancer [ɔrdɔnɑ̃se] v. tr. emettere il mandato di pagamento di.
ordonner [ɔrdɔne] v. tr. ordinare ; mettere in ordine. || [enjoindre] ordinare, comandare, ingiungere. || MÉD. ordinare, prescrivere.
ordre [ɔrdr] m. ordine. | *mettre en ordre,* mettere in ordine, in assetto. | *remise en ordre,* riordinamento m. | *mettre bon ordre à,* mettere, porre riparo a, provvedere a. | *tout est rentré dans l'ordre,* tutto è rientrato nella normalità. | *ordre public,* ordine pubblico. || [catégorie] ordine, categoria f. || [commandement] ordine, comando. || [classification] ARCHIT., BOT., ZOOL. ordine. || COMM., FIN. *à l'ordre de,* all'ordine di. || MIL. *ordre de bataille, de marche,* ordine di battaglia, di marcia. || REL. ordine. | *Tiers Ordre,* Terz'Ordine. || LOC. *passer à l'ordre du jour,* passare all'ordine del giorno.
ordure [ɔrdyr] f. immondizia. || [obscénité] oscenità, turpitudine. ◆ pl. spazzatura f., pattume m., rifiuti m. pl. | *boîte à ordures,* pattumiera.
ordurier, ère [ɔrdyrje, ɛr] adj. sconcio, osceno.
orée [ɔre] f. *l'orée du bois,* il limitare del bosco.
oreille [ɔrɛj] f. orecchio m., orecchia. | *oreilles décollées, orecchie a sventola.* || [ouïe] orecchio, udito. || LOC. FAM. *avoir l'oreille de qn,* avere, godere la fiducia di qlcu. | *dresser l'oreille,* drizzare l'orecchio, gli orecchi. | *être tout oreilles,* essere tutt'orecchi. | *montrer le bout de l'oreille,* tradirsi. | *ne pas tomber dans l'oreille d'un sourd,* non essere inteso a sordo.
oreiller [ɔrɛje] m. guanciale.
oreillons [ɔrɛjɔ̃] m. pl. orecchioni ; parotite f.
orfèvre [ɔrfɛvr] m. orefice.
orfèvrerie [ɔrfɛvrəri] f. oreficeria.
organe [ɔrgan] m. organo. || [organisme] organo, organismo.
organigramme [ɔrganigram] m. organigramma.
organique [ɔrganik] adj. organico.
organisateur, trice [ɔrganizatœr, tris] adj. organizzativo. ◆ n. organizzatore, trice.
organisation [ɔrganizasjɔ̃] f. organizzazione. | *comité d'organisation,* comitato organizzatore. || [institution] organizzazione ; organismo m.
organiser [ɔrganize] v. tr. organizzare.
organisme [ɔrganism] m. organismo.
organiste [ɔrganist] n. organista.
orgasme [ɔrgasm] m. orgasmo.
orge [ɔrʒ] f. orzo m.
orgelet [ɔrʒəlɛ] m. MÉD. orzaiolo.
orgie [ɔrʒi] f. orgia.
orgue [ɔrg] sing. m., pl. m. ou f. MUS. organo. | *orgue de Barbarie,* organetto (di Barberia).
orgueil [ɔrgœj] m. orgoglio. | *tirer orgueil de,* menar vanto di.
orgueilleux, euse [ɔrgœjø, øz] adj. orgoglioso, superbo.
orient [ɔrjɛ̃] m. oriente. || *Extrême-, Moyen-, Proche-Orient,* Estremo, Medio, Vicino Oriente. || [d'une perle] oriente.
oriental, e, aux [ɔrjɑ̃tal, o] adj. et n. orientale.
orientalisme [ɔrjɑ̃talism] m. orientalistica f.
orientaliste [ɔrjɑ̃talist] adj. orientalistico. ◆ n. orientalista.
orientation [ɔrjɑ̃tasjɔ̃] f. orientamento m., orientazione. || FIG. orientamento.
orienter [ɔrjɑ̃te] v. tr. orientare, orizzontare. || [une personne] (vers) orientare (a), indirizzare (a).
orifice [ɔrifis] m. orifizio, orificio.
oriflamme [ɔriflam] f. orifiamma.
originaire [ɔriʒinɛr] adj. (de) originario (di). || [inné] atavico.
originairement [ɔriʒinɛrmɑ̃] adv. originariamente, in origine.
original, e, aux [ɔriʒinal] adj. originale. || [singulier] originale, bizzarro. ◆ n. originale.
originalité [ɔriʒinalite] f. originalità. || [bizarrerie] originalità, bizzarria.
origine [ɔriʒin] f. origine. ◆ *à l'origine,* in origine, all'inizio. | *dès l'origine,* fin dall'origine, fin dall'inizio.
originel, elle [ɔriʒinɛl] adj. REL. originale. || [premier] originario.
originellement [ɔriʒinɛlmɑ̃] adv. originariamente.
orme [ɔrm] m. olmo.
ornement [ɔrnəmɑ̃] m. ornamento, addobbo. || REL. *ornements sacerdotaux,* paramenti sacerdotali. || FIG. ornamento, abbellimento.
ornemental, e, aux [ɔrnəmɑ̃tal, o] adj. ornamentale.
ornementation [ɔrnəmɑ̃tasjɔ̃] f. ornamentazione, addobbo m.
ornementer [ɔrnəmɑ̃te] v. tr. ornamentare, (ad)ornare, addobbare.
orner [ɔrne] v. tr. (ad)ornare, decorare. || FIG. ornare, abbellire.
ornière [ɔrnjɛr] f. [trace] carreggiata, solco m. || FIG. *sortir de l'ornière,* [routine] uscire dalla strada battuta ; [situation difficile] cavarsela.
ornithologie [ɔrnitɔlɔʒi] f. ornitologia.

ornithologiste [ɔrnitolɔʒist] ou **ornithologue** [ɔrnitolɔg] m. ornitologo.
oronge [ɔrɔ̃ʒ] f. BOT. ovolo m.
orphelin, e [ɔrfəlɛ̃, in] adj. et n. orfano, a. | *jeune orphelin(e),* orfanello, a.
orphelinat [ɔrfəlina] m. orfanotrofio.
orphéon [ɔrfeɔ̃] m. banda f. (musicale).
orque [ɔrk] f. ZOOL. orca.
orteil [ɔrtɛj] m. dito del piede. | *gros orteil,* alluce.
orthodoxe [ɔrtodɔks] adj. et n. ortodosso.
orthodoxie [ɔrtodɔksi] f. ortodossia.
orthographe [ɔrtograf] f. ortografia.
orthographier [ɔrtografje] v. tr. scrivere.
orthographique [ɔrtografik] adj. ortografico.
orthopédie [ɔrtopedi] f. ortopedia.
orthopédique [ɔrtopedik] adj. ortopedico.
orthopédiste [ɔrtopedist] adj. et n. ortopedico.
ortie [ɔrti] f. ortica.
orvet [ɔrvɛ] m. orbettino.
os [ɔs, pl. o] m. osso (pl. m. ossi ; collectif : f. pl. ossa). || FIG., FAM. *tomber sur un os,* incappare, inciampare in una difficoltà. | *trempé jusqu'aux os,* bagnato fino all'osso. || [matière] osso.
oscillant, e [ɔsilɑ̃, ɑ̃t] adj. oscillante. || FIG. tentennante, esitante.
oscillateur [ɔsilatœr] m. oscillatore.
oscillation [ɔsilasjɔ̃] f. oscillazione. || FIG. oscillazione, esitazione.
osciller [ɔsile] v. intr. oscillare.
osé, e [oze] adj. audace. | *plaisanterie osée,* scherzo spinto.
oseille [ozɛj] f. acetosella. || POP. [argent] grana.
oser [oze] v. tr. osare. | *oser affronter l'ennemi,* ardire (di) affrontare il nemico. | *oser un jeu de mots,* arrischiare un bisticcio. || FAM. *si tu l'oses !,* se ne hai il coraggio ! | *si j'ose dire,* se mi è lecito dir così.
osier [ozje] m. vimine, vinco.
osmose [ɔsmoz] f. osmosi.
ossature [ɔsatyr] f. ossatura.
osselet [ɔslɛ] m. ossetto, ossicino. ◆ pl. JEU aliossi.
ossements [ɔsmɑ̃] m. pl. ossame m. sing., ossa f. pl.
osseux, euse [ɔsø, øz] adj. osseo. || [aux os saillants] ossuto.
ossuaire [ɔsɥɛr] m. ossario.
ostensible [ɔstɑ̃sibl] adj. ostensibile.
ostensoir [ɔstɑ̃swar] m. ostensorio.
ostentation [ɔstɑ̃tasjɔ̃] f. ostentazione, mostra, sfoggio m.
ostentatoire [ɔstɑ̃tatwar] adj. ostentato.
ostracisme [ɔstrasism] m. ostracismo. | *frapper d'ostracisme,* ostracizzare.
ostréiculture [ɔstreikyltyr] f. ostricoltura.
otage [ɔtaʒ] m. ostaggio.
otarie [ɔtari] f. otaria.
ôter [ote] v. tr. togliere, levare. | *ôter son manteau,* levarsi, togliersi il cappotto. | *ôter le couvert,* sparecchiare (la tavola). | *ôter deux de quatre,* detrarre, sottrarre due da quattro. ◆ v. pr. togliersi, levarsi. | *ôte-toi de là,* levati di lì, di là. ◆ prép. ***ôté,*** eccetto, salve, tranne.
otite [ɔtit] f. MÉD. otite.
oto-rhino-laryngologie [ɔtorinolarɛ̃gɔlɔʒi] f. sing. MÉD. otorinolaringoiatria.
oto-rhino(-laryngologiste) [ɔtorino(larɛ̃gɔlɔʒist)] n. otorinolaringoiatra.
ou [u] conj. [alternative] o ; od [devant voyelle]. | *ou bien,* ovvero, oppure, ossia. || [explication] *l'Étrurie, ou Toscane,* l'Etruria, ossia la Toscana.
où [u] adv. [lieu] dove ; ove. || [temps, état] in cui. || [interrogation] dove. ◆ *d'où,* di dove, da dove. | *d'où il résulte que,* donde risulta che. || ***là où,*** là dove. || ***par où,*** per dove. | *je ne sais par où commencer mon travail,* non so di dove, da dove, da che parte cominciare il lavoro. || ***n'importe où,*** in qualunque luogo ; ovunque. ◆ ***où que*** : *où que tu ailles,* dove che tu vada, dovunque tu vada.
ouailles [waj] f. pl. pecorelle ; gregge m. sing.
ouais [wɛ] interj. FAM. (iron.) ah sì !
ouate [wat] f. ovatta. | *ouate hydrophile,* cotone (m.) idrofilo.
ouater [wate] v. tr. [doubler] ovattare. || FIG. *pas ouaté,* passo ovattato.
ouatine [watin] f. bambagina.
oubli [ubli] m. dimenticanza f. ; oblio. | *oubli de soi,* abnegazione f.
oublier [ublije] v. tr. dimenticare ; dimenticarsi (di) ; scordare ; scordarsi (di) ; obliare (littér.). || [laisser par inadvertance] dimenticare, dimenticarsi. ◆ v. pr. *s'oublier par dévouement,* sacrificarsi. | *ne pas s'oublier,* non dimenticare i propri interessi.
oubliettes [ublijɛt] f. pl. carcere (m.) sotterraneo. || FAM. *mettre aux oubliettes,* mettere nel dimenticatoio.
oublieux, euse [ublijø, øz] adj. smemorato, dimentico.
ouest [wɛst] m. ovest, ponente, occidente. | *vent d'ouest,* ponente.
ouf ! [uf] interj. ah !
oui [wi] adv. sì, già, certo. | *dire oui,* dir di sì. | *croire que oui,* credere di sì. | *certes oui ; oui bien sûr,* certo sì ;

davvero. ◆ m. inv. sì. | *pour un oui ou pour un non,* per un nonnulla.
ouï-dire [widir] m. inv. diceria f., voce f. (che corre). ◆ *par ouï-dire,* per sentito dire.
ouïe [wi] f. udito m.
ouies [wi] f. pl. ZOOL. fessure branchiali.
ouïr [wir] v. tr. LITT. udire (L.C.).
ouragan [uragɑ̃] m. uragano, tornado m. inv. || FIG. bolide, tempesta f.
ourdir [urdir] v. tr. ordire. || LITT. tessere, filare. || FIG. [complot] ordire.
ourler [urle] v. tr. orlare.
ourlet [urlɛ] m. orlo.
ours [urs] m. orso. | *ours blanc,* orso bianco, polare. | *ours brun,* orso bruno. | *ours gris,* orso grigio ; grizzly. | *ours en peluche,* orsacchiotto di pelo. || FIG. *ours (mal léché),* orso.
ourse [urs] f. orsa. || ASTR. *Grande, Petite Ourse,* Orsa maggiore, minore.
oursin [ursɛ̃] m. riccio di mare.
ourson [ursɔ̃] m. orsacchiotto, orsetto.
oust ! [ust] interj. presto !, fuori !
outil [uti] m. utensile, arnese, attrezzo. | *les outils du métier,* i ferri del mestiere. || FIG. strumento.
outillage [utijaʒ] m. attrezzatura f., utensileria f.
outiller [utije] v. tr. attrezzare. || FIG. preparare, armare.
outrage [utraʒ] m. oltraggio, offesa f. || JUR. *outrage à magistrat,* oltraggio a pubblico ufficiale. | *outrage aux bonnes mœurs,* offesa al buon costume. ◆ pl. FIG. [du temps] oltraggio.
outrageant, e [utraʒɑ̃, ɑ̃t] adj. oltraggioso, ingiurioso.
outrager [utraʒe] v. tr. oltraggiare.
outrageusement [utraʒøzmɑ̃] adv. oltraggiosamente, eccessivamente.
outrageux, euse [utraʒø, øz] adj. oltraggioso, ingiurioso, offensivo.
outrance [utrɑ̃s] f. esagerazione, eccesso m. ◆ *à outrance,* a oltranza.
outrancier, ère [utrɑ̃sje, ɛr] adj. eccessivo.
1. outre [utr] f. otre m.
2. outre prép. oltre a, in più di. | *outre ceci,* oltre a ciò. ◆ adv. *passer outre,* passare oltre, proseguire. | *passer outre à,* non tener conto di ; trasgredire (a). ◆ *en outre,* inoltre ; per di più. || *outre mesure,* oltremodo. ◆ *outre que,* oltre che, oltre a.
outré, e [utre] adj. eccessivo, esagerato. || [indigné] sdegnato, esasperato.
outrecuidance [utrəkɥidɑ̃s] f. tracotanza.
outrecuidant, e [utrəkɥidɑ̃, ɑ̃t] adj. tracotante.
outre-Manche [utrəmɑ̃ʃ] loc. adv. oltre Manica.
outremer [utrəmɛr] m. oltremare, lapislazzuli. ◆ adj. inv. oltremarino.
outre-mer [utrəmɛr] loc. adv. oltremare ; al di là del mare ; di là dal mare.
outre-monts [utrəmɔ̃] loc. adv. oltremonti, oltremonte. | *régions d'outre-monts,* regioni oltramontane, oltremontane adj.
outrepasser [utrəpase] v. tr. oltrepassare, eccedere, varcare.
outrer [utre] v. tr. esagerare. || [indigner] sdegnare.
outre-tombe [utrətɔ̃b] loc. adv. *voix, mémoires d'outre-tombe,* voce, memorie d'oltretomba.
ouvert, e [uvɛr, ɛrt] adj. aperto ; schietto ; dichiarato. || *à bras ouverts,* a braccia aperte. || *grand ouvert,* spalancato. || COMM. *à bureau, à guichet ouvert,* a pronta cassa.
ouvertement [uvɛrtəmɑ̃] adv. apertamente, francamente, schiettamente.
ouverture [uvɛrtyr] f. apertura. | [d'une exposition] inaugurazione. || MIL. [des hostilités] inizio m. || MUS. ouverture (fr.), sinfonia. || UNIV. *leçon d'ouverture,* prolusione.
ouvrable [uvrabl] adj. *jour ouvrable,* giorno lavorativo, feriale.
ouvrage [uvraʒ] m. opera f., lavoro. || TECHN. [production] opera. | *ouvrage d'art,* manufatto. | *avoir du cœur à l'ouvrage,* lavorare di buona lena.
ouvragé, e [uvraʒe] adj. finemente lavorato.
ouvrant, e [uvrɑ̃, ɑ̃t] adj. AUT. *toit ouvrant,* tetto apribile.
ouvre-boîte(s) [uvrəbwat] m. apriscatole.
ouvre-huître(s) [uvrɥitr] m. coltello (m.) da ostriche.
ouvreuse [uvrøz] f. TH. maschera, mascherina.
ouvrier, ère [uvrije, ɛr] adj. et n. operaio, a.
ouvrir [uvrir] v. tr. aprire. | *ouvrir tout grand,* spalancare. || [lèvres] (di)schiudere. || [abcès] aprire, incidere. || [bras] allargare. || [jambes] divaricare. || *ouvrir la bouche,* aprire la bocca. || [parler] aprir bocca. || [bal] iniziare. || [appétit] stuzzicare. ◆ v. intr. [donner accès] aprirsi, dare su. ◆ v. pr. [fleur] sbocciare, schiudersi. || FIG. *s'ouvrir de qch. à qn,* confidare qlco. a qlcu. || [séance] iniziare.
ouvroir [uvrwar] m. laboratorio di cucito.
ovaire [ɔvɛr] m. ovaia f. || BOT. ovario.
ovale [ɔval] adj. et m. ovale.
ovation [ɔvasjɔ̃] f. ovazione.
ovationner [ɔvasjɔne] v. tr. tributare un'ovazione a.
ovin, e [ɔvɛ̃, in] adj. ovino.
ovni [ɔvni] m. UFO (angl.) m. inv.
ovoïde [ɔvɔid] adj. ovoide, ovoidale.

ovule [ɔvyl] m. ovulo.
oxyde [ɔksid] m. ossido.
oxyder [ɔkside] v. tr. ossidare. ◆ v. pr. ossidarsi.
oxygène [ɔksiʒɛn] m. ossigeno.
oxygéné, e [ɔksiʒene] adj. ossigenato.
ozone [ɔzɔn] m. ozono.

p

p [pe] m. p f. ou m.
pacage [pakaʒ] m. pascolo, pastura f.
pacha [paʃa] m. pascià.
pacification [pasifikasjɔ̃] f. pacificazione.
pacifier [pasifje] v. tr. pacificare.
pacifique [pasifik] adj. pacifico.
pacifisme [pasifism] m. pacifismo.
pacifiste [pasifist] adj. et n. pacifista.
pack [pak] m. [banquise] pack. || [rugby] pacchetto.
pacotille [pakɔtij] f. PÉJOR. paccottiglia, cianfrusaglia.
pacte [pakt] m. patto.
pactiser [paktize] v. intr. patteggiare ; venire a patti. || FIG. transigere.
padouan, e [padwɑ̃, an] adj. et n. padovano.
1. paf [paf] interj. paf !, paffete !
2. paf adj. inv. POP. sbronzo adj.
pagaie [pagɛ] f. pagaia.
pagaille, pagaïe ou **pagaye** [pagaj] f. FAM. confusione, scompiglio m. | *mettre la pagaille,* mettere a soqquadro. | *en pagaille,* [en désordre] in disordine, alla rinfusa ; [en grande quantité] in abbondanza, a iosa.
paganisme [paganism] m. paganesimo.
pagayer [pageje] v. intr. pagaiare.
1. page [paʒ] m. HIST. paggio.
2. page f. pagina. || [à imprimer] cartella. || TYP. *mettre en pages,* impaginare. || FIG. pagina, episodio m. || *à la page,* al corrente, informato.
pagination [paʒinasjɔ̃] f. paginatura, paginazione.
paginer [paʒine] v. tr. numerare le pagine di.
pagne [paɲ] m. perizoma.
paie [pɛ] ou **paye** [pɛj] f. paga. | *feuille, livre de paie,* foglio, libro paga.
paiement ou **payement** [pɛmɑ̃] m. pagamento.
païen, enne [pajɛ̃, ɛn] adj. et n. pagano.
paierie [pɛri] f. tesoreria.
paillard, e [pajar, ard] adj. et n. scapestrato. || [grivois] licenzioso, scollacciato.
paillardise [pajardiz] f. licenziosità. || parola grassa, licenziosa.
paillasse [pajas] f. pagliericcio m., saccone m. || [carrelage] piano (m.) di lavoro.
paillasson [pajasɔ̃] m. nettapiedi m. inv., stoino.
paille [paj] f. paglia. || FIG. *homme de paille,* uomo di paglia ; prestanome. | *être sur la paille,* essere ridotto sul lastrico. | *tirer à la courte paille,* fare alle bruschette. || [pour boire] cannuccia. || *paille de fer,* paglietta. || TECHN. [défaut] incrinatura ; [dans un diamant] macchia.
1. pailler [paje] m. pagliaio.
2. pailler v. tr. impagliare.
pailleté, e [pajte] adj. guarnito di lustrini.
paillette [pajɛt] f. pagliuzza. || TEXT. lustrino m. || *savon en paillettes,* sapone in scaglie.
pain [pɛ̃] m. pane ; *petit pain,* panino ; *pain de ménage,* pane casalingo, casereccio ; *pain de mie,* pane in cassetta ; *pain d'épice,* pan pepato. || *je ne mange pas de ce pain-là,* non è pane per i miei denti. || FAM. *avoir du pain sur la planche,* aver molto lavoro (da fare). | FAM. *se vendre comme des petits pains,* andare a ruba.
pair, e [pɛr] adj. pari inv. ◆ *au pair,* alla pari. | *de pair,* di pari passo. | *hors (de) pair,* senza pari.
paire [pɛr] f. paio m. (pl. f. paia). || [animaux] paio, coppia. || [personnes] coppia.
paisible [pɛzibl] adj. placido, pacifico, pacato.
paître [pɛtr] v. intr. pascolare, pascere.
paix [pɛ] f. pace. | *gardien de la paix,* vigile urbano ; metropolitano.
pakistanais, e [pakistanɛ, ɛz] adj. et n. pachistano.
pal, pals [pal] m. palo.
palabres [palabr] f. pl. chiacchierata f. sing.
paladin [paladɛ̃] m. paladino.
palafitte [palafit] m. palafitta f.
1. palais [palɛ] m. palazzo. | *palais (royal),* reggia f. ; palazzo reale. || *les gens du Palais,* la gente di toga.
2. palais m. ANAT. palato.
palan [palɑ̃] m. paranco.
palatal, e, aux [palatal, o] adj. et f. palatale.
pale [pal] f. pala.
pâle [pɑl] adj. pallido, scialbo, smorto. || FIG. scialbo, debole.
palefrenier [palfrənje] m. palafreniere, staffiere.

paléographe [paleɔgraf] n. paleografo.
paléographie [paleɔgrafi] f. paleografia.
paléolithique [paleɔlitik] adj. et m. paleolitico.
palermitain, e [palɛrmitɛ̃, ɛn] adj. et n. palermitano.
palestinien, enne [palɛstinjɛ̃, ɛn] adj. et n. palestinese.
palet [palɛ] m. piastrella f.
paletot [palto] m. paltò, cappotto.
palette [palɛt] f. tavolozza.
pâleur [pɑlœr] f. pallore m., pallidezza.
palier [palje] m. [d'escalier] pianerottolo. || [de route] tratto piano, pianeggiante. || AV. *vol en palier,* volo orizzontale. || FIG. sosta f., tappa f. | *par paliers,* per gradi.
palière [paljɛr] adj. f. *(marche) palière,* scalino al livello del pianerottolo. | *porte palière,* porta che mette sul pianerottolo.
palinodie [palinɔdi] f. palinodia.
pâlir [pɑlir] v. intr. impallidire. || *faire pâlir la gloire de qn,* offuscare, oscurare la gloria di qlcu.
palissade [palisad] f. palizzata ; steccato m., stecconata.
palliatif, ive [paljatif, iv] adj. et m. palliativo.
pallier [palje] v. tr. rimediare a, sopperire a.
palmarès [palmarɛs] m. albo d'onore, d'oro.
palme [palm] f. BOT. foglia, ramo (m.) di palma. || FIG. palma. || [natation] pinna.
palmé, e [palme] adj. palmato.
palmeraie [palmərɛ] f. palmeto m.
palmier [palmje] m. BOT. palma f., palmizio. | *cœur de palmier,* cavolo palmizio.
palmipède [palmipɛd] adj. et m. palmipede.
palombe [palɔ̃b] f. colombaccio m.
palonnier [palɔnje] m. AV. pedaliera f.
pâlot, otte [pɑlo, ɔt] adj. pallidetto, palliduccio.
palourde [palurd] f. vongola.
palpable [palpabl] adj. palpabile.
palper [palpe] v. tr. palpare.
palpitant, e [palpitɑ̃, ɑ̃t] adj. palpitante.
palpitation [palpitasjɔ̃] f. palpitazione.
palpiter [palpite] v. intr. palpitare.
paludisme [palydism] m. malaria f., paludismo.
pâmer (se) [səpɑme] v. pr. [de rire, d'amour] morire dalle risa, d'amore ; [d'admiration] andare in visibilio ; [de joie] andare in solluchero.
pamphlet [pɑ̃flɛ] m. libello.
pamphlétaire [pɑ̃fletɛr] m. libellista.
pamplemousse [pɑ̃pləmus] m. pompelmo.
pampre [pɑ̃pr] m. pampino, pampano.
1. pan [pɑ̃] m. [d'habit] falda f., lembo. || [d'un polyèdre] faccia f., lato, spigolo. || [de construction] ala f., spigolo. || FIG. [de ciel] lembo.
2. pan onomat. pum !
panacée [panase] f. panacea ; toccasana m. inv.
panachage [panaʃaʒ] m. mescolanza f.
panache [panaʃ] m. pennacchio. || FIG. prestanza f.
panacher [panaʃe] v. tr. screziare, variegare. || [mêler] combinare, mescolare.
panade [panad] f. panata, pancotto m.
panais [panɛ] m. pastinaca f.
panaris [panari] m. patereccio, giradito.
pancarte [pɑ̃kart] f. cartello m., cartellone m.
pancréas [pɑ̃kreas] m. pancreas.
panégyrique [paneʒirik] m. panegirico.
paner [pane] v. tr. CULIN. (im)panare.
panier [panje] m. [à anse] paniere, canestro. || [à anse, à poignées] cesta f., cestino. | *jeter au panier,* buttare nel cestino ; cestinare. || [à provisions] sporta f. | *panier à salade,* scotitoio. || FIG., FAM. furgone cellulare. || FIG. *le dessus du panier,* il fior fiore, la crema. | *être un panier percé,* aver le mani bucate.
panière [panjɛr] f. paniera.
paniquard [panikar] m. FAM. fifone.
panique [panik] adj. panico. ◆ f. panico m.
paniquer [panike] v. intr. ou pr. FAM. esser preso, farsi prendere dal panico.
panne [pan] f. MAR. panna. || [arrêt accidentel] panna, guasto m., avaria. || FIG., FAM. *être en panne,* restare arenato. | *être en panne d'argent, de domestique,* restare senza denaro, senza servitore.
panneau [pano] m. pannello, riquadro. || [avec indications] cartello, cartellone, tabellone. || [chasse] rete (f.) da caccia. || FIG. *tomber, donner dans le panneau,* cadere in trappola, nella rete.
panonceau [panɔ̃so] m. insegna f.
panoplie [panɔpli] f. panoplia.
panorama [panɔrama] m. panorama ; prospettiva f.
panoramique [panɔramik] adj. panoramico. ◆ m. CIN. panoramica f.
panse [pɑ̃s] f. ZOOL. rumine m. || FAM. pancia.
pansement [pɑ̃smɑ̃] m. [action] medicazione f. || [compresse] striscia f., fascia f., benda f.
panser [pɑ̃se] v. tr. medicare. || FIG. lenire. || [un animal] strigliare.
pansu, e [pɑ̃sy] adj. panciuto.

pantalon [pɑ̃talɔ̃] m. calzoni pl., pantaloni pl.
pantelant, e [pɑ̃tlɑ̃, ɑ̃t] adj. ansante, trafelato. || FIG. palpitante.
panthéisme [pɑ̃teism] m. panteismo.
panthéiste [pɑ̃teist] adj. panteistico. ◆ n. panteista.
panthère [pɑ̃tɛr] f. pantera.
pantin [pɑ̃tɛ̃] m. fantoccio, burattino.
pantographe [pɑ̃tɔgraf] m. pantografo.
pantois, e [pɑ̃twa, waz] adj. sbalordito, inebetito ; senza fiato.
pantomime [pɑ̃tɔmim] f. pantomima.
pantouflard, e [pɑ̃tuflar, ard] adj. et n. FAM. pantofolaio, a.
pantoufle [pɑ̃tufl] f. pantofola.
paon [pɑ̃] m., **paonne** [pan] f., pavone ; pavona, essa.
papa [papa] m. papà, babbo.
papal, e, aux [papal, o] adj. papale.
papauté [papote] f. papato m.
pape [pap] m. papa.
paperasserie [paprasri] f. ou **paperasses** [papras] f. pl. scartoffie f. pl.
papeterie [pap(ɛ)tri] f. industria cartaria. || [usine] cartiera. || [magasin] cartoleria. | *librairie-papeterie,* cartolibreria.
papetier, ère [paptje, ɛr] n. [qui fabrique] cartaio ; [commerçant] cartolaio. | *papetier-libraire,* cartolibraio.
papier [papje] m. carta f. | *papier à la cuve,* carta a mano ; *papier peint,* carta da parati ; *papier de soie,* carta seta ; *papier timbré,* carta bollata ; *papier de verre,* carta vetrata. || [feuille de papier] foglio m. (di carta). || JOURN. articolo, pezzo. ◆ pl. *vieux papiers,* cartacce f. pl. || documenti (d'identità), carte f. pl. || FIG., FAM. *être dans les (petits) papiers de qn,* essere nella manica di qlcu.
papille [papij] f. papilla.
papillon [papijɔ̃] m. farfalla f. || [affichette] volantino, manifestino. || [contravention] foglietto di contravvenzione. || [écrou] dado ad alette. || [soupape] valvola (f.) a farfalla. ◆ adj. *nœud papillon,* (nodo) a farfalla. | *brasse papillon,* nuoto a farfalla.
papillonner [papijɔne] v. intr. FAM. sfarfallare.
papillote [papijɔt] f. diavoletto m., bigodino m.
papilloter [papijɔte] v. intr. [lumière] scintillare. || [œil] battere le palpebre.
papotage [papɔtaʒ] m. FAM. cicaleccio, chiacchiericcio.
papoter [papɔte] v. intr. FAM. cicalare, chiacchierare.
papou, e [papu] adj. et n. papuano.
papyrologie [papirɔlɔʒi] f. papirologia.
papyrologue [papirɔlɔg] n. papirologo, papirologista.
papyrus [papirys] m. papiro.
paquebot [pakbo] m. piroscafo, transatlantico.
pâquerette [pakrɛt] f. margheritina, pratolina.
Pâques [pɑk] m. Pasqua f. ◆ f. pl. *joyeuses Pâques !,* buona Pasqua ! | *faire ses pâques,* prendere la Pasqua.
paquet [pakɛ] m. pacco, pacchetto. | *paquet postal,* pacco postale. || FIG. *être un paquet de nerfs,* essere tutto nervi. | *mettre le paquet,* mettercela tutta. || MAR. *paquet de mer,* colpo di mare, ondata f. || *paquet-cadeau,* confezione regalo.
paquetage [paktaʒ] m. MIL. corredo.
par [par] prép. [lieu] per, da, attraverso. | *par terre,* in, per terra. || [temps] in, con. | *par le passé,* in passato. | *par les temps qui courent,* coi tempi che corrono. || [manière, moyen] per, con. || [cause] per. | *par ma faute,* per colpa mia. || [agent] da. | *par soi-même,* da sé. || [après un n.] da parte di. || [distributif] a, per. || *par en bas,* dal di sotto, dal basso. | *par en haut,* dal di sopra, dall'alto.
para [para] m. (abr. de *parachutiste*) parà inv.
parabole [parabɔl] f. parabola.
parachever [paraʃve] v. tr. ultimare, completare, rifinire.
parachutage [paraʃytaʒ] m. lancio (col paracadute).
parachute [paraʃyt] m. paracadute m. inv.
parachuter [paraʃyte] v. tr. paracadutare.
parachutisme [paraʃytism] m. paracadutismo.
parachutiste [paraʃytist] n. paracadutista.
parade [parad] f. sfoggio m. | *habit de parade,* abito di parata. | [défilé] parata. | [escrime] parata. || FIG. difesa, risposta.
parader [parade] v. intr. MIL. sfilare in parata. || FIG. pavoneggiarsi.
paradis [paradi] m. paradiso. || TH. loggione ; piccionaia f.
paradoxal, e, aux [paradɔksal, o] adj. paradossale.
paradoxe [paradɔks] m. paradosso.
parafe ou **paraphe** [paraf] m. paraf(f)a f., sigla f.
parafer ou **parapher** [parafe] v. tr. paraf(f)are, siglare.
paraffine [parafin] f. paraffina.
parages [paraʒ] m. pl. paraggi, vicinanze f. pl. | *dans ces parages,* da queste parti.
paragraphe [paragraf] m. paragrafo.
paraître [parɛtr] v. intr. apparire, comparire. || [jour] spuntare. || [au bal-

con] affacciarsi. || [se faire remarquer] mettersi in mostra, far mostra di sé. | *faire, laisser paraître,* manifestare. || [avec attribut] sembrare, parere. | *(ne pas) paraître son âge,* (non) dimostrare la propria età. || [être édité] uscire ; venir pubblicato. ◆ v. impers. parere, sembrare. | *à ce qu'il paraît,* a quanto pare, a quel che sembra, a quanto si dice. | *il n'y paraît pas,* non si vede. | *sans qu'il y paraisse,* come se niente fosse.

parallèle [paralɛl] adj. parallelo. || SP. *barres parallèles,* parallele f. pl. ◆ f. MATH. parallela. ◆ m. ASTR., GÉOG. parallelo. || FIG. *mettre en parallèle,* mettere a confronto ; paragonare.

parallélisme [paralelism] m. parallelismo.

paralysé, e [paralize] adj. paralizzato, paralitico. ◆ n. paralitico.

paralyser [paralize] v. tr. paralizzare.

paralysie [paralizi] f. paralisi.

paralytique [paralitik] adj. et n. paralitico.

paramètre [paramɛtr] m. parametro.

paranoïaque [paranɔjak] adj. et n. paranoico.

parapet [parapɛ] m. MIL. parapetto. || [muret] parapetto, spalletta f.

paraphe m. V. PARAFE.

parapher v. tr. V. PARAFER.

paraphrase [parafraz] f. parafrasi.

paraphraser [parafraze] v. tr. parafrasare.

parapluie [paraplɥi] m. ombrello.

parasite [parazit] adj. et m. parassita. ◆ m. pl. RAD. rumori, disturbi parassiti.

parasol [parasɔl] m. ombrellone.

paratonnerre [paratɔnɛr] m. parafulmine. || FIG. schermo, riparo, protezione f.

paravent [paravɑ̃] m. paravento.

parbleu [parblø] interj. perbacco !

parc [park] m. parco. | [pour animaux] parco, recinto, addiaccio, stabbio. | [ensemble] *parc automobile,* parco macchine ; autoparco. | *parc de stationnement,* parcheggio.

parcelle [parsɛl] f. particella. || [terrain] par(ti)cella. || FIG. briciolo m.

parce que [pars(ə)kə] loc. conj. perché.

parchemin [parʃəmɛ̃] m. pergamena f., cartapecora f.

par-ci, par-là [parsi parla] loc. adv. V. CI.

parcimonieux, euse [parsimɔnjø, øz] adj. parsimonioso.

parc(o)mètre [park(ɔ)mɛtr] m. parchimetro.

parcourir [parkurir] v. tr. percorrere. || FIG. percorrere, sfogliare ; dare una scorsa a.

parcours [parkur] m. percorso, tragitto. || MÉC. corsa f.

pardessus [pardəsy] m. soprabito, cappotto.

pardi [pardi] interj. FAM. perbacco !, altro che !

pardon [pardɔ̃] m. perdono. | *demander pardon,* chiedere scusa f. | *pardon !,* scusa ! ; scusi ! | *pardon ?,* prego ?, come dice ?, come dici ? || REL. indulgenza f., perdono.

pardonner [pardɔne] v. tr. et tr. ind. perdonare. | [politesse] scusare. | [épargner] risparmiare. ◆ v. intr. perdonare.

paré, e [pare] adj. *être paré contre qch.,* essere premunito contro qlco.

pare-balles [parbal] adj. inv. *gilet pare-balles,* giubbetto antiproiettile.

pare-brise [parbriz] m. inv. parabrezza.

pare-chocs [parʃɔk] m. inv. paraurti.

pare-étincelles [paretɛ̃sɛl] m. inv. parascintille.

pare-feu [parfø] m. inv. tagliafuoco.

pareil, eille [parɛj] adj. (à) uguale (a). | *c'est toujours pareil !,* è sempre la stessa cosa, lo stesso ! | *en pareil cas,* in un caso simile, in tal caso. ◆ adv. FAM. *habillées pareil,* vestite uguali (adj.). ◆ n. *n'avoir pas son pareil,* non avere l'uguale, essere senza pari. | *vos pareils,* i vostri pari. ◆ f. *rendre la pareille à qn,* rendere la pariglia a qlcu.

pareillement [parɛjmɑ̃] adv. (à) allo stesso modo (di), similmente (a). || [aussi] *merci, pareillement !,* grazie altrettanto !

parent, e [parɑ̃, ɑ̃t] n. parente. | *parent par alliance,* affine. ◆ m. pl. genitori. ◆ adj. FIG. affine, analogo, vicino.

parental, e, aux [parɑ̃tal, o] adj. JUR. *autorité parentale,* patria potestà.

parenté [parɑ̃te] f. parentela, consanguineità. | *parenté par alliance,* affinità. || [ensemble des parents] parentado m., parentela. || FIG. parentela, affinità, analogia.

parenthèse [parɑ̃tɛz] f. TYP. parentesi. || FIG. digressione. | *mettre entre parenthèses,* accantonare.

1. parer [pare] v. tr. (ad)ornare, addobbare. || [une mariée] abbigliare, agghindare. || FIG. [de qualités] attribuire a. ◆ v. pr. (ad)ornarsi, abbigliarsi. || FIG. [des mérites d'autrui] farsi bello di, vantarsi di.

2. parer v. tr. [éviter] parare, schivare, evitare. ◆ v. tr. ind. (à) por rimedio (a), ovviare (a).

pare-soleil [parsɔlɛj] m. inv. ou **parasoleil** [parasɔlɛj] m. parasole.

paresse [parɛs] f. pigrizia.

paresser [parɛse] v. intr. oziare, poltrire.

paresseux, euse [parɛsø, øz] adj. pigro, indolente. ◆ n. pigro, a ; perdigiorno m. inv.
parfaire [parfɛr] v. tr. completare, rifinire.
parfait, e [parfɛ, ɛt] adj. perfetto. | *(c'est) parfait !,* ottimamente ! ◆ m. GR. perfetto.
parfois [parfwa] adv. talvolta, alle volte, certe volte.
parfum [parfœ̃] m. profumo. || FIG. gusto, sapore.
parfumé, e [parfyme] adj. profumato ; con profumo di.
parfumer [parfyme] v. tr. profumare.
parfumerie [parfymri] f. profumeria.
parfumeur, euse [parfymœr, øz] n. profumiere, a.
pari [pari] m. scommessa f. || [hippisme] *pari mutuel,* totalizzatore, totip.
paria [parja] m. paria inv.
parier [parje] v. tr. scommettere.
parieur, euse [parjœr, øz] n. scommettitore, trice.
parisien, enne [parizjɛ̃, ɛn] adj. et n. parigino.
paritaire [paritɛr] adj. paritetico.
parjure [parʒyr] m. [action] spergiuro. ◆ adj. et n. [personne] spergiuro adj. et m. ; spergiuratore, trice n.
parjurer (se) [səparʒyre] v. pr. spergiurare ; giurare il falso.
parking [parki] m. (auto)parcheggio.
parlant, e [parlɑ̃, ɑ̃t] adj. parlante. || CIN. *film parlant,* film parlato. ◆ m. CIN. parlato.
parlé, e [parle] adj. et m. parlato. || RAD. *journal parlé,* giornale radio.
parlement [parləmɑ̃] m. parlamento.
parlementaire [parləmɑ̃tɛr] adj. et m. parlamentare.
parlementer [parləmɑ̃te] v. intr. parlamentare.
parler [parle] v. intr. parlare. | *parler du nez,* parlare nel naso. | *parler en l'air,* parlare alla leggera. | *c'est une façon de parler,* dico per dire ; dice per dire. | *à parler franchement,* a dirla schietta. || [s'exprimer] parlare, esprimersi. || [jeu de cartes] dichiarare. || FAM. *tu parles,* altro che !, eccome !, come no ! ◆ v. tr. ind. *parler à, avec,* parlare a, con. | *parler de la pluie et du beau temps,* parlare del più e del meno. | *sans parler de,* per non parlare di, prescindendo da. || FAM. *en parler à son aise,* fare presto a dire. ◆ v. tr. *parler (le) français,* parlare (il) francese. | *parler affaires, politique,* parlare di affari, di politica. ◆ m. parlare, parlata f.
parleur, euse [parlœr, øz] n. *un grand parleur,* chiacchierone. | *beau parleur,* parolaio.
parloir [parlwar] m. parlatorio.
parlote [parlɔt] f. chiacchiera.
parmesan, e [parməzɑ̃, an] m. parmigiano, grana f.
parmi [parmi] prép. fra, tra ; in mezzo a.
parodie [parɔdi] f. parodia.
parodier [parɔdje] v. tr. parodiare.
paroi [parwa] f. parete.
paroisse [parwas] f. parrocchia, pieve. | *curé de paroisse,* parroco, pievano. || [église] pieve ; chiesa parrocchiale.
paroissial, e, aux [parwasjal, o] adj. parrocchiale.
paroissien, enne [parwasjɛ̃, ɛn] n. parrocchiano, a. ◆ m. libro da messa.
parole [parɔl] f. parola. | *moulin à paroles,* chiacchierone. || [jeu de cartes] *(passer) parole,* (passare la) parola. | *parole historique,* detto (m.) storico. | *c'est parole d'évangile,* è (verità di) vangelo. || [promesse] parola, promessa, impegno m. || [voix] parola, favella. | *rester sans parole,* restar muto.
parolier [parɔlje] m. [d'opéra] librettista. | [de chanson] paroliere.
paroxysme [parɔksism] m. parossismo.
parpaing [parpɛ̃] m. blocchetto di cemento.
parquer [parke] v. tr. [animaux] addiacciare. | [hommes] rinchiudere, ammassare. | [auto] parcheggiare. || MIL. [artillerie] parcare.
parquet [parkɛ] m. impiantito di legno. || FIN. recinto delle contrattazioni. || JUR. procura (f.) della Repubblica.
parqueter [parkəte] v. tr. pavimentare in legno.
parrain [parɛ̃] m. padrino.
parrainage [parɛnaʒ] m. qualità (f.) di padrino, di madrina. || [patronage] patrocinio.
parrainer [parɛne] v. tr. fare da padrino, da madrina a. || [patronner] patrocinare.
parricide [parisid] adj. et n. [personne] parricida. ◆ m. [crime] parricidio.
parsemer [parsəme] v. tr. cospargere. || FIG. infiorare. || [joncher] (ri)coprire.
part [par] f. parte. | *faire part de qch. à qn,* partecipare, annunziare qlco. a qlcu. || *pour ma part,* per, da parte mia ; per conto mio. || [portion] parte, porzione. || FIN. parte, azione, quota, partecipazione. || LOC. *de la part de,* da parte di. | *de toute(s) part(s),* da tutte le parti, da ogni parte. | *d'une part ..., d'autre part, de l'autre,* da una parte ..., dall'altra. | *d'autre part,* d'altra parte, peraltro, del resto, inoltre. | *de part en part,* da parte a parte. ◆ *autre part,* altrove. | *nulle part (ailleurs),* in nessun altro luogo, da nessun'altra parte. |

quelque part, in qualche posto, da qualche parte. | *à part,* a parte, in disparte ; da parte. ◆ *à part* [excepté], a parte, tranne, eccetto, salvo. ◆ *à part que,* a parte (il fatto) che.

partage [partaʒ] m. [action de diviser] (s)partizione f., divisione f. | *partage des voix,* parità (f.) di voti. || *ligne de partage des eaux,* spartiacque m. inv. || [lot] quota f. || FIG. destino, retaggio.

partager [partaʒe] v. tr. dividere, spartire. || [posséder avec d'autres] (con)dividere, avere a mezzo. || FIG. condividere. | *les opinions sont partagées,* le opinioni sono discordi. | *bien, mal partagé (par la nature),* avvantaggiato, svantaggiato dalla natura.

partance [partɑ̃s] f. *en partance,* in partenza.

1. partant [partɑ̃] m. partente.

2. partant conj. LITT. pertanto ; di, per conseguenza (L.C.).

partenaire [partənɛr] n. JEU, SP. compagno, a (di gioco, di squadra). || [associé] collaboratore, trice ; (con)socio. || [danse] cavaliere m., dama f.

parterre [partɛr] m. [jardin] aiola f. || TH. platea f.

parti [parti] m. partito, parte f., fazione f. | *esprit de parti,* spirito di parte. | *prendre le parti de qn,* schierarsi dalla parte di qlcu. || [résolution] partito, risoluzione f., decisione f. | *mon parti est pris,* son bell'e deciso. | *prends-en ton parti,* rassegnati. | *sans parti pris,* senza preconcetti. || *faire un mauvais parti à qn,* ridurre qlcu. a mal partito. || [mariage] *un beau parti,* un buon partito.

parti, e adj. FAM. brillo, partito.

partial, e, aux [parsjal, o] adj. parziale.

partialité [parsjalite] f. parzialità.

participant, e [partisipɑ̃, ɑ̃t] adj. et n. partecipante.

participation [partisipasjɔ̃] f. partecipazione. | [à un délit] concorso m. (in). || COMM. (com)partecipazione.

participe [partisip] m. GR. participio. | *participe passé,* participio passato.

participer [partisipe] v. tr. ind. (à) partecipare (a), prendere parte (a). || JUR. *participer à un crime,* concorrere in un reato. || FIG. prendere parte (a) ; condividere v. tr. || (de) partecipare (di), tenere della natura (di).

particularité [partikylarite] f. particolarità.

particule [partikyl] f. particella.

particulier, ère [partikylje, ɛr] adj. particolare. | *expression particulière à qn,* espressione propria, caratteristica, tipica di qlcu. || [spécial] singolare, eccezionale. || [personnel] particolare, privato, individuale. | *hôtel particulier,* palazzina f. ◆ m. particolare. || [individu] privato. ◆ *en particulier,* [spécialement] in particolare, specialmente, segnatamente ; [en privé] in privato, privatamente.

partie [parti] f. parte. || [spécialité] ramo m., specialità. | *être de la partie,* essere del mestiere. || JEU *une partie de cartes,* una partita a carte. || SP. partita, gara, competizione, incontro m. | *partie inégale,* lotta impari. || [divertissement] partita. | *partie de campagne,* scampagnata. || JUR. parte. | *être juge et partie,* essere parte in causa e giudice. | *prendre qn à partie,* prendersela con qlcu. | *avoir affaire à forte partie,* trovarsi di fronte a un avversario temibile. ◆ pl. [sexuelles] pudende. ◆ *en (grande) partie,* in (gran) parte. | *en tout ou en partie,* in tutto o in parte. | *(en) partie ..., (en) partie,* (in) parte ..., (in) parte.

partiel, elle [parsjɛl] adj. parziale.

partir [partir] v. intr. partire, andarsene ; andar via. | *partir acheter du pain,* andare a comprare il pane. || *faire partir le moteur,* avviare il motore. || SP. *partez !,* via ! ◆ *à partir de,* a partire da. | *à partir de demain,* a partire da domani ; da domani in poi.

partisan, e [partizɑ̃, an] adj. et n. partigiano.

partitif, ive [partitif, iv] adj. et m. partitivo.

partition [partisjɔ̃] f. partizione. || MUS. partitura, spartito m.

partout [partu] adv. dappertutto, (d)ovunque. ◆ *de partout,* da tutte le parti, da ogni parte.

parure [paryr] f. ornamento m. || *aimer la parure,* amare i bei vestiti. || [bijoux, sous-vêtements] parure (fr.).

parution [parysjɔ̃] f. pubblicazione, uscita.

parvenir [parvənir] v. intr. pervenire, giungere, arrivare ; raggiungere v. tr. || [réussir] (à) riuscire (a). || ABS. far carriera.

parvenu, e [parvəny] n. nuovo ricco ; villan rifatto, rivestito.

parvis [parvi] m. sagrato.

1. pas [pɑ] m. passo. | *avancer d'un pas,* fare un passo avanti. | *à petits pas,* a passettini. | *faire les cent pas,* andare su e giù, avanti e indietro. || [trace] passo, impronta f. | *ne pas quitter qn d'un pas,* stare alle costole, alle calcagna di uno. || [allure] *au pas,* al passo ; a passo d'uomo. || FIG. *mettre au pas,* richiamare all'ordine, mettere a segno. | *sauter le pas,* decidersi. | *mauvais pas,* impaccio. || GÉOGR. [défilé] passo ; [détroit] stretto ; [seuil] soglia f. || TECHN. [de vis] passo. ◆ *pas à pas,* (a)

passo (a) passo ; un passo dopo l'altro. | *de ce pas,* subito.
2. pas adv. *ne ... pas,* non. | *pourquoi pas ?,* perché no ? || FAM. *pas vrai ?,* nevvero ? || *pas que je sache,* che io sappia, no. | *ce n'est pas que* (et subj.), non perché (et subj.).
pascal, e, als ou **aux** [paskal, o] adj. pasquale.
passable [pasabl] adj. passabile, accettabile, sufficiente.
passablement [pasabləmɑ̃] adv. passabilmente ; parecchio ; alquanto.
passade [pasad] f. capriccio m., amorazzo m.
passage [pasaʒ] m. passaggio, transito. | *passage interdit,* divieto di transito. || FIG. *saisir au passage,* cogliere al volo. || *examen de passage,* esame di ammissione, di riparazione. || *oiseaux de passage,* uccelli di passo, migratori. || [endroit] passo, passaggio, varco. || GÉOGR. [défilé] passo, valico ; [détroit] stretto. || *passage pour piétons,* passaggio pedonale ; zebre f. pl. | *passage souterrain,* [piétons] sottopassaggio ; [autos] sottovia f. | *passage supérieur,* cavalcavia m. inv. || FIG. [texte] passo, brano.
passager, ère [pasaʒe, ɛr] adj. passeggero, momentaneo. ◆ n. passeggero, a.
passagèrement [pasaʒɛrmɑ̃] adv. momentaneamente, temporaneamente.
passant, e [pasɑ̃, ɑ̃t] adj. frequentato. ◆ n. [personne] passante, viandante. ◆ *en passant,* di passaggio, di sfuggita, di passata.
1. passe [pas] f. SP. passaggio m. || FIG. *passe d'armes,* alterco m., diverbio m. || *maison de passe,* casa d'appuntamenti m. || GÉOGR. canale m., stretto m. || FIG. *en passe de,* in procinto di, sul punto di.
2. passe m. V. PASSE-PARTOUT.
passé, e [pase] adj. [écoulé] passato, scorso. | *passé de mode,* fuori moda ; antiquato. || [défraîchi] sfiorito, appassito, sbiadito. ◆ m. passato. ◆ prép. dopo. ◆ *par le passé,* in passato.
passe-droit [pasdrwa] m. favoritismo.
passéiste [paseist] n. passatista.
passementerie [pasmɑ̃tri] f. passamaneria.
passe-montagne [pasmɔ̃taɲ] m. passamontagna inv.
passe-partout [paspartu] m. inv. ou **passe** m. chiave (f.) universale ; comunella f.
passe-passe [paspas] m. inv. *tour de passe-passe,* PR. gioco di prestigio ; FIG. gioco di bussolotti.
passeport [paspɔr] m. passaporto.
passer [pase] v. intr. [lieu] passare. | *ne faire que passer,* far solo una capatina. | *passer chez qn,* passare da, a casa di qlcu. | *passer par Rome,* passare per, da Roma. || *passer pour (un) avare,* passare per, essere ritenuto avaro. | *se faire passer pour,* spacciarsi per. || *passer sous une auto,* essere investito da una macchina. || [temps] passare, (tra)scorrere ; morire, spirare. || [couleur] sbiadire, scolorirsi ; [fleur] appassire, avvizzire. || [être supportable] *cela peut passer,* può andare ; *passons !,* non ne parliamo più ! || [être promu] essere promosso. ◆ *en passant,* di sfuggita, di passaggio, incidentalmente. ◆ v. tr. [lieu] passare, attraversare, varcare. || [dépasser] (sor)passare, superare. || [temps] passare, trascorrere. || [transporter] passare, trasportare. || [mettre, enfiler] passare, mettere, infilare. | *passer un vêtement,* indossare un vestito. || [examen] dare. || COMM. [contrat, marché] stipulare. || [omettre] omettere, tralasciare, trascurare. || [pardonner] perdonare, scusare. || [satisfaire] soddisfare, sfogare. || [filtrer] colare, filtrare, passare [liquide] ; stacciare [farine]. ◆ v. pr. [se produire] succedere, accadere. | *bien, mal se passer,* andar bene, male. || [se dérouler : scène, roman] svolgersi. || [temps] passare. || *se passer de* (qch., inf.), fare a meno di.
passereaux [pasro] m. pl. passeracei.
passerelle [pasrɛl] f. passerella. || MAR. plancia, ponte (m.) di comando. || CIN., TH. ponte luce m.
passe-temps [pastɑ̃] m. inv. passatempo m.
passe-thé [paste] m. inv. colino m., passino m. (per il tè).
passeur, euse [pasœr, øz] n. traghettatore, trice ; passatore m.
passible [pasibl] adj. (de) passibile (di), soggetto (a).
passif, ive [pasif, iv] adj. et m. passivo.
passion [pasjɔ̃] f. passione. | *sans passion,* senza passione ; spassionatamente adv. || REL. Passione ; [récit] Passio m.
passionnant, e [pasjɔnɑ̃, ɑ̃t] adj. appassionante, avvincente, affascinante.
passionné, e [pasjɔne] adj. et n. appassionato. || [tempérament] passionale.
passionnel, elle [pasjɔnɛl] adj. passionale.
passionner [pasjɔne] v. tr. appassionare. ◆ v. pr. (pour) appassionarsi (a, per).
passivité [pasivite] f. passività.
passoire [paswar] f. [thé, café] colino m., passino m. ; [bouillon] cola-

brodo m. inv. ; [pâtes, riz] colapasta m. inv.

pastel [pastɛl] m. ART pastello.

pastèque [pastɛk] f. cocomero m.

pasteur [pastœr] m. pastore.

pasteuriser [pastœrize] v. tr. pastorizzare.

pasticher [pastiʃe] v. tr. imitare, contraffare.

pastille [pastij] f. pasticca, pastiglia.

pastoral, e, aux [pastɔral, o] adj. pastorale.

pat [pɑt] adj. m. et n. m. [échecs] patta f.

patate [patat] f. BOT. batata ; patata dolce. || FAM. [pomme de terre] patata.

patauger [patoʒe] v. intr. sguazzare. || FIG., FAM. imbrogliarsi, ingarbugliarsi.

pâte [pɑt] f. pasta. | *pétrir la pâte,* impastare. || [au pl.] *pâtes alimentaires,* pasta alimentare ; *fabrique de pâtes (alimentaires),* pastificio m. || *pâte dentifrice,* pasta dentifricia ; *pâte à papier,* pasta da carta ; *pâte de verre,* pasta di vetro. || *pâte de coing,* cotognata. || LOC. *mettre la main à la pâte,* dar mano a un lavoro.

pâté [pɑte] m. CULIN. pasticcio. || macchia f. (d'inchiostro). || *pâté (de sable),* formina (f.) di sabbia. || *pâté de maisons,* isolato, caseggiato.

pâtée [pate] f. [bétail] pastone m. ; [volaille] becchime m. ; [chien, chat] zuppa.

patelin [patlɛ̃] m. FAM. paesino, posticino.

patent, e [patɑ̃, ɑ̃t] adj. evidente, patente.

patente [patɑ̃t] f. licenza, tassa d'esercizio. || MAR. *patente de santé,* patente sanitaria, di sanità.

patenté, e [patɑ̃te] adj. patentato.

pater [patɛr] m. inv. paternostro m.

patère [patɛr] f. piolo m.

paternel, elle [patɛrnɛl] adj. paterno.

paternité [patɛrnite] f. paternità.

pâteux, euse [pɑtø, øz] adj. pastoso. || [bouche, langue] impastato.

pathétique [patetik] adj. et m. patetico.

pathologique [patɔlɔʒik] adj. patologico.

patience [pasjɑ̃s] f. pazienza. | *je suis à bout de patience,* mi scappa la pazienza. || JEU solitario m. ◆ interj. pazienza !

patient, e [pasjɑ̃, ɑ̃t] adj. et n. paziente.

patienter [pasjɑ̃te] v. intr. pazientare ; aver pazienza.

patin [patɛ̃] m. *patin (à glace),* pattino (da ghiaccio) ; *patin à roulettes,* pattino a rotelle, schettino. || MÉC. pattino.

patinage [patinaʒ] m. SP. pattinaggio ; [à roulettes] schettinaggio. || MÉC. slittamento.

patine [patin] f. patina.

1. patiner [patine] v. tr. patinare ; dar la patina a. ◆ v. pr. coprirsi di patina.

2. patiner v. intr. SP. pattinare ; [à roulettes] schettinare. || MÉC. slittare.

patineur, euse [patinœr, øz] n. pattinatore, trice.

patinoire [patinwar] f. pattinatoio m.

pâtir [pɑtir] v. intr. patire, soffrire.

pâtisserie [pɑtisri] f. dolci m. pl., paste f. pl., pasticceria. || boutique] pasticceria.

pâtissier, ère [pɑtisje, ɛr] n. pasticciere, a.

patois [patwa] m. vernacolo ; dialetto locale.

patraque [patrak] adj. FAM. malandato (in salute).

pâtre [pɑtr] m. pastore.

patriarche [patrijarʃ] m. patriarca.

patricien, enne [patrisjɛ̃, ɛn] adj. et n. patrizio.

patrie [patri] f. patria. | *mère patrie,* madrepatria, metropoli. | *rentrer dans sa patrie,* rimpatriare.

patrimoine [patrimwan] m. patrimonio.

patriote [patrijɔt] n. patriot(t)a.

patriotique [patrijɔtik] adj. patriottico.

patriotisme [patrijɔtism] m. patriottismo.

patron [patrɔ̃] m. modello, cartamodello.

patron, onne [patrɔ̃, ɔn] n. [saint] patrono, a. || [employeur] padrone, a ; datore, datrice di lavoro. || MAR. *patron de pêche,* padrone della barca, capitano.

patronage [patrɔnaʒ] m. [protection] patrocinio ; [appui] patronato ; [paroissial] oratorio ; [scolaire] patronato scolastico.

patronat [patrɔna] m. padronato ; datori (m. pl.) di lavoro.

patronner [patrɔne] v. tr. [protection] patrocinare ; [appui] appoggiare, raccomandare.

patronyme [patrɔnim] m. patronimico.

patrouille [patruj] f. pattuglia.

patrouiller [patruje] v. intr. pattugliare v. intr. et v. tr.

patrouilleur [patrujœr] m. [soldat] pattugliatore. | nave (f.), aereo da ricognizione.

patte [pat] f. ZOOL. zampa. || FAM. [main] zampa ; [d'enfant] manina. || FIG. *coup de patte,* frecciata. || FAM. *à quatre pattes,* a quattro zampe ; car-

poni adv. | *retomber sur ses pattes,* cavarsela. || [languette] linguetta. || [crochet] gancio m., rampino m.
patte-d'oie [patdwa] f. [carrefour] crocevia m. inv. || [rides] zampe di gallina.
pâturage [pɑtyraʒ] m. pascolo.
pâture [pɑtyr] f. pascolo m., pastura. || [des animaux] cibo m. || FIG. cibo.
paume [pom] f. palma, palmo m.
paumé, e [pome] n. POP. povero diavolo, povera diavola.
paupière [popjɛr] f. palpebra.
paupiette [popjɛt] f. involtino m.
pause [poz] f. pausa.
pauvre [povr] adj. (de, en) povero (di). || [insuffisant] misero, insufficiente, magro. || [malheureux] povero, disgraziato. | *pauvre de moi!,* povero me! || [mauvais] cattivo, mediocre. ◆ n. (f. **pauvresse** [povrɛs]) povero, a; indigente, mendicante.
pauvret, ette [povrɛ, ɛt] adj. poveretto, poverino.
pauvreté [povrəte] f. povertà.
pavage [pavaʒ] m. pavimentazione f., selciatura f., lastricatura f.
pavaner (se) [səpavane] v. pr. pavoneggiarsi.
pavé [pave] m. [pierre] pietra f., selce f. || [d'une rue] selciato; [d'une église] pavimento. || *jeter, mettre qn sur le pavé,* gettare qlcu. sul lastricato. || FIG. *tenir le haut du pavé,* primeggiare.
paver [pave] v. tr. [rue] selciare, lastricare; [église] pavimentare.
pavillon [pavijɔ̃] m. [chasse, hôpital, foire] padiglione. || [petite maison] villino. || ANAT. padiglione. || MAR. bandiera f.
pavois [pavwa] m. pavese.
pavoiser [pavwaze] v. tr. [navire] pavesare. | [rue, maison] imbandierare, pavesare.
pavot [pavo] m. papavero.
payable [pɛjabl] adj. pagabile.
payant, e [pɛjɑ̃, ɑ̃t] adj. et n. pagante. | *spectateurs payants,* spettatori paganti. || *spectacle payant,* spettacolo a pagamento. || [rentable] redditizio, fruttuoso.
paye f. V. PAIE.
payement m. V. PAIEMENT.
payer v. tr. pagare. ◆ v. intr. rendere, fruttare, dar profitto. ◆ v. pr. FAM. *se payer du bon temps,* spassarsela.
payeur, euse [pɛjœr, øz] n. pagatore, trice.
pays [pɛi] m. paese, nazione f. || [patrie] patria f. | *rentrer dans son pays,* tornare in patria, rimpatriare. | *avoir le mal du pays,* aver nostalgia della patria, della propria terra. || [village] paese, villaggio.
paysage [pɛizaʒ] m. paesaggio.
paysagiste [pɛizaʒist] adj. et n. [peintre] paesista n., paesaggista n. | [jardinier] architetto paesaggista, architetto-giardiniere.
paysan, anne [pɛizɑ̃, an] adj. contadino, contadinesco. ◆ n. contadino, a. || PÉJOR. contadino, zotico.
paysannerie [pɛizanri] f. classe contadina.
PCV m. *appeler en PCV,* telefonare a carico del destinatario.
péage [peaʒ] m. pedaggio. | [autoroute] *à péage,* a pagamento.
péagiste [peaʒist] m. agente bigliettaio.
peau [po] f. pelle. || [fourrure] pelliccia. || [poisson, serpent] pelle, scorza. || FAM. *peau d'âne,* diploma (L.C.). || [plante] buccia, scorza. || [d'oignon] velo m. || [d'un liquide] pellicola. || [de l'œuf] pelle. || [vie] FAM. *vendre cher sa peau,* vendere cara la pelle.
Peau-Rouge [poruʒ] n. pellerossa n. inv.; pellirossa (m. pl. pellirossi; f. pl. pellirosse).
peccadille [pekadij] f. peccatuccio m., marachella.
1. pêche [pɛʃ] f. BOT. pesca.
2. pêche f. pesca. | *aller à la pêche,* andare a pesca. | *pêche interdite,* divieto di pesca.
péché [peʃe] m. peccato. || *péché mignon,* debole, vizietto.
pécher [peʃe] v. intr. (par) peccare (di, per).
1. pêcher [pɛʃe] m. BOT. pesco.
2. pêcher v. tr. pescare. || [baleine] cacciare. || FIG. *pêcher en eau trouble,* pescare nel torbido.
pêcherie [pɛʃri] f. luogo (m.) di pesca.
pécheur, pécheresse [peʃœr, peʃrɛs] adj. peccaminoso. ◆ n. peccatore, trice.
pêcheur, euse [pɛʃœr, øz] adj. [bateau] peschereccio m. ◆ n. pescatore, trice.
pectoral, e, aux [pɛktɔral, o] adj. et m. pettorale.
pécule [pekyl] m. peculio, gruzzolo.
pécuniaire [pekynjɛr] adj. pecuniario.
pédagogie [pedagɔʒi] f. pedagogia.
pédagogue [pedagɔg] n. pedagogo, a.
pédale [pedal] f. pedale m.
pédaler [pdale] v. intr. pedalare.
pédalier [pedalje] m. pedaliera f.
Pédalo [pedalo] m. moscone.
pédant, e [pedɑ̃, ɑ̃t] adj. et n. pedante. | [langage] pedantesco.
pédéraste [pederast] m. ou FAM. **pédé** pederasta.
pédestre [pedɛstr] adj. pedestre.
pédiatre [pedjatr] n. pediatra.

pédicure [pedikyr] n. pedicure, callista.
pedigree [pedigri, pedigre] m. pedigree.
pègre [pɛgr] f. teppa, teppaglia.
peigne [pɛɲ] m. pettine. || FIG. *passer au peigne fin,* setacciare.
peigner [peɲe] v. tr. pettinare. ◆ v. pr. pettinarsi.
peignoir [pɛɲwar] m. [sortie de bain] accappatoio. || [robe] vestaglia f.
peinard, e ou **pénard, e** [penar, ard] adj. et n. POP. pacione. || [travail] poco faticoso.
peindre [pɛ̃dr] v. tr. [mur] tinteggiare, dipingere ; [en blanc] imbianchire. | [objet] verniciare. | [à fresque] affrescare. || FIG. dipingere, descrivere.
peine [pɛn] f. pena, punizione, castigo m. | *sous peine de mort,* sotto pena della vita ; pena la vita. || [douleur] pena, sofferenza, dolore m. || [effort, fatigue] fatica, pena, stento m. | *avec peine,* a fatica, a stento. | *à grand-peine,* a malapena. | *avoir peine à croire,* stentare a credere. | *se donner de la peine,* darsi da fare, affaticarsi ; lavorare con impegno. | *ça ne vaut pas la peine (de),* non mette conto. ◆ *à peine,* appena.
peiné, e [pene] adj. afflitto, addolorato, accorato.
peiner [pene] v. tr. rattristare, affliggere. ◆ v. intr. *peiner à faire qch.,* stentare a, durar fatica a far qlco.
peintre [pɛ̃tr] m. pittore. | *femme peintre,* pittrice. || *peintre en bâtiment,* imbianchino, pittore.
peinture [pɛ̃tyr] f. pittura. [œuvre] dipinto m., pittura, tela, quadro m. || TECHN. [de mur] tinteggiatura, pittura ; [d'objet] verniciatura.
péjoratif, ive [peʒɔratif, iv] adj. et m. peggiorativo, spregiativo.
pelage [pəlaʒ] m. pelame, mantello.
pelé, e [pəle] adj. spelato, spelacchiato. || FAM. [crâne] pelato. || FIG. brullo, nudo. ◆ m. FAM. *il y avait quatre pelés et un tondu,* c'erano quattro gatti.
pêle-mêle [pɛlmɛl] loc. adv. alla rinfusa, a catafascio.
peler [pəle] v. intr. spellarsi. ◆ v. tr. sbucciare, pelare.
pèlerin [pɛlrɛ̃] m. pellegrino, a.
pèlerinage [pɛlrinaʒ] m. pellegrinaggio.
pèlerine [pɛlrin] f. pellegrina, mantellina.
pélican [pelikɑ̃] m. pellicano.
pelisse [pəlis] f. soprabito (m.) foderato di pelliccia.
pelle [pɛl] f. pala ; [grande] badile m. ; [à gâteau] paletta ; [jouet] paletta. || *à la pelle,* a palate. || FAM. *ramasser une pelle,* cadere (L.C.).
pelletée [pɛlte] f. palata, badilata.
pelleter [pɛlte] v. tr. spalare.
pelleteuse [pɛltøz] f. escavatrice a cucchiaio.
pellicule [pɛlikyl] f. pellicola. ◆ pl. [cheveux] forfora sing.
pelotage [p(ə)lɔtaʒ] m. FAM. palpeggiamento, carezze f. pl. (L.C.).
pelote [p(ə)lɔt] f. gomitolo m. | *mettre en pelote,* aggomitolare. || *pelote à épingles,* puntaspilli m. inv. || SP. *pelote (basque),* pelota (basca), palla basca.
peloter [p(ə)lɔte] v. tr. FAM. [caresser] accarezzare. || [flatter] pomiciare.
peloton [p(ə)lɔtɔ̃] m. MIL. plotone. || SP. plotone, gruppo.
pelotonner (se) [səp(ə)lɔtɔne] v. pr. raggomitolarsi.
pelouse [p(ə)luz] f. prato (m.) coltivato. || SP. prato ; campo, terreno.
peluche [p(ə)lyʃ] f. felpa.
peluché, e [p(ə)lyʃe] adj. peloso.
pelucher [p(ə)lyʃe] v. intr. fare il pelo.
pelucheux, euse [p(ə)lyʃø, øz] adj. peloso.
pelure [p(ə)lyr] f. buccia ; [d'oignon] velo m. || *papier pelure,* velina f.
pénal, e, aux [penal, o] adj. penale.
pénaliser [penalize] v. tr. JUR. infliggere una penalità a. || SP. penalizzare.
pénalité [penalite] f. JUR. penalità, penale. || SP. penalità.
penalty [penalti] m. SP. calcio di rigore.
penaud, e [pəno, od] adj. confuso, mogio, avvilito.
penchant [pɑ̃ʃɑ̃] m. pendio, declivio, china f. || FIG. inclinazione f., propensione f.
penché, e [pɑ̃ʃe] adj. *marcher la tête penchée,* camminare a capo chino. | *tour penchée,* torre pendente. || FAM. *airs penchés,* modi affettati di malinconia.
pencher [pɑ̃ʃe] v. tr. chinare, inclinare. ◆ v. intr. pendere. || FIG. (à, pour) (pro)pendere, inclinare (a, per). ◆ v. pr. chinarsi, inclinarsi. | *se pencher à la fenêtre,* sporgersi dalla finestra. || FIG. sur [étudier] considerare ; meditare (su).
pendaison [pɑ̃dɛzɔ̃] f. impiccagione.
1. pendant [pɑ̃dɑ̃] m. [d'épée] pendaglio. || [bijou] pendente, orecchino. || *faire pendant à,* far riscontro a.
2. pendant prép. durante, per. | *pendant ce temps,* in quel mentre ; intanto. ◆ *pendant que,* mentre.
pendant, e [pɑdɑ̃, ɑ̃t] adj. pendente ; penzoloni adv., ciondoloni adv. || [en instance] pendente ; in sospeso.
pendeloque [pɑ̃dlɔk] f. pendaglio m., goccia.

pendentif [pɑ̃dɑ̃tif] m. ARCHIT. pennacchio. || [bijou] pendaglio, ciondolo.
penderie [pɑ̃dri] f. guardaroba m. inv.
pendiller [pɑ̃dije] v. intr. penzolare, ciondolare.
pendre [pɑ̃dr] v. intr. (à) pendere, penzolare (da); essere appeso (a). ◆ v. tr. [suspendre] (à) appendere (a), sospendere (a). || [mettre à mort] impiccare.
pendu, e [pɑ̃dy] adj. et n. impiccato.
pendule [pɑ̃dyl] m. pendolo. ◆ f. pendola, pendolo m.
pêne [pɛn] m. stanghetta f.
pénétrant, e [penetrɑ̃, ɑ̃t] adj. penetrante.
pénétration [penetrasjɔ̃] f. penetrazione. || FIG. penetrazione, acume m.
pénétré, e [penetre] adj. *pénétré de la gravité de la situation,* compenetrato della gravità della situazione. | *pénétré de tristesse,* compreso di tristezza. | *d'un air pénétré,* con aria convinta.
pénétrer [penetre] v. intr. penetrare, entrare. ◆ v. tr. penetrare. || FIG. penetrare, capire, decifrare. || [sentiment] riempire, pervadere. ◆ v. pr. FIG. imbeversi, convincersi.
pénible [penibl] adj. [fatigant] penoso, faticoso. || [qui cause de la peine] penoso, angoscioso, doloroso.
péniche [peniʃ] f. MAR. chiatta. || MIL. *péniche de débarquement,* mezzo (m.) da sbarco.
pénicilline [penisilin] f. penicillina.
péninsulaire [penɛ̃sylɛr] adj. peninsulare.
péninsule [penɛ̃syl] f. penisola.
pénis [penis] m. ANAT. pene.
pénitence [penitɑ̃s] f. penitenza. || [punition] penitenza, castigo m., punizione. | *pour ma, ta, sa pénitence,* per penitenza.
pénitencier [penitɑ̃sje] m. penitenziario.
pénitent, e [penitɑ̃, ɑ̃t] adj. et n. penitente.
pénitentiaire [penitɑ̃sjɛr] adj. penitenziario.
pénombre [penɔ̃br] f. penombra.
pensant, e [pɑ̃sɑ̃, ɑ̃t] adj. *bien-pensant,* benpensante, conformistico; *malpensant,* malpensante, anticonformistico.
pensée [pɑ̃se] f. pensiero m. | *venir à la pensée,* venire in mente. || [en fin de lettre] *meilleures pensées,* un caro pensiero. || BOT. viola del pensiero.
penser [pɑ̃se] v. intr. pensare. || [croire] pensare, credere. || LOC. FAM. *tu penses!,* figurati! ◆ v. tr. pensare, credere, ritenere. | *un livre bien pensé,* un libro ben meditato. || [espérer] pensare (di), sperare (di). ◆ v. tr. ind. (à) pensare (a), riflettere (a). || *faire penser qch. à qn,* ricordare qlco. a qlcu. || FAM. *je pense souvent à toi,* ti penso spesso. || *mais j'y pense,* a proposito. | *sans penser à mal,* senza cattiva intenzione.
penseur [pɑ̃sœr] m. pensatore. | *libre penseur,* libero pensatore.
pensif, ive [pɑ̃sif, iv] adj. pensoso, pensieroso.
pension [pɑ̃sjɔ̃] f. pensione, dozzina; [pour élèves, étudiants] retta. || [lieu] pensione; [pour étudiants] pensionato m. | *pension de famille,* pensione familiare. || [collège] collegio m., convitto m. || JUR. *pension alimentaire,* alimenti m. pl.; assegno (m.) alimentare. || [de retraite] pensione.
pensionnaire [pɑ̃sjɔnɛr] n. pensionante, dozzinante, ospite, cliente. || [de collège] convittore, trice; collegiale; [de collège religieux] educanda f.
pensionnat [pɑ̃sjɔna] m. pensionato, collegio, convitto; [de filles] convitto femminile; educandato.
pensionné, e [pɑ̃sjɔne] adj. et n. pensionato.
pensionner [pɑ̃sjɔne] v. tr. pensionare.
pentagone [pɛ̃tagɔn] m. pentagono.
pente [pɑ̃t] f. pendenza, pendio m.; [du toit] falda, spiovente m. || [terrain, route] pendio, declivio m., china, pendice. || FIG. inclinazione, china.
Pentecôte [pɑ̃tkot] f. Pentecoste.
pénultième [penyltjɛm] adj. et n. penultimo.
pénurie [penyri] f. penuria, scarsezza, carestia.
pépé [pepe] m. FAM. nonnino.
pépie [pepi] f. FIG., FAM. *avoir la pépie,* aver la pipita.
pépiement [pepimɑ̃] m. pigolamento, pigolio.
pépier [pepje] v. intr. pigolare.
1. pépin [pepɛ̃] m. seme, granello; [du raisin] vinacciolo. || POP. [ennui] grana f., seccatura f.
2. pépin m. FAM. ombrello (L.C.).
pépinière [pepinjɛr] f. semenzaio m., vivaio m. || FIG. vivaio.
pépiniériste [pepinjerist] adj. vivaistico. ◆ n. vivaista.
pépite [pepit] f. pepita.
péquenaud, e [pɛkno] adj. et n. ou **péquenot** m. POP. cafone, a.
perçant, e [pɛrsɑ̃, ɑ̃t] adj. penetrante, pungente. || FIG. penetrante, acuto. || [aigu] stridente.
perce [pɛrs] f. *mettre un tonneau en perce,* spillare vino dalla botte.
percée [pɛrse] f. apertura, varco m. || MIL., SP. sfondamento m.

percement [pɛrsəmɑ̃] m. [de rue] apertura f. ; [de puits] scavo ; [de mur] foratura f. ; [de tunnel] traforo ; [d'isthme] taglio.

percepteur [pɛrsɛptœr] m. esattore.

perceptible [pɛrsɛptibl] adj. percettibile. ‖ FIN. percepibile, riscotibile.

perception [pɛrsɛpsjɔ̃] f. percezione. ‖ FIN. esazione, riscossione. | [bureau] esattoria.

percer [pɛrse] v. tr. [planche, mur] forare ; [montagne] traforare ; [galerie, puits] scavare ; [porte, fenêtre, rue] aprire ; [coffre-fort] scassinare. | *percé de trous,* bucherellato. | *souliers percés,* scarpe rotte, sfondate. ‖ *percer la foule,* aprirsi un varco tra la folla. | [nuages] squarciare, attraversare. ‖ MIL., SP. [ennemi, défense] sfondare (il nemico, la difesa). ‖ [découvrir] penetrare, decifrare, squarciare. ‖ [tonneau] spillare ; [dent] mettere. ‖ FIG. [cœur] trafiggere, trapassare ; [oreilles] straziare. ◆ v. intr. [dent] spuntare ; [abcès] venire a suppurazione ; [soleil] filtrare. ‖ FIG. trapelare, trasparire. ‖ [réussir] affermarsi, sfondare. ‖ MIL., SP. sfondare.

perceuse [pɛrsøz] f. trapanatrice ; trapano m.

percevoir [pɛrsəvwar] v. tr. percepire, cogliere. ‖ [impôts] percepire, riscuotere.

1. perche [pɛrʃ] f. (pesce) persico m., perca.

2. perche f. pertica ; [avec crochet] forchetto m. ‖ CIN., T.V. giraffa. ‖ FAM. *(grande) perche,* spilungone, a. ‖ SP. asta. | *saut à la perche,* salto con l'asta.

perché, e [pɛrʃe] adj. appollaiato.

percher [pɛrʃe] v. intr. ou **percher (se)** [səpɛrʃe] v. pr. appollaiarsi.

perchiste [pɛrʃist] m. SP. atleta specialista del salto con l'asta. ‖ CIN., T.V. giraffista.

perchoir [pɛrʃwar] m. posatoio ; gruccia f.

perclus, e [pɛrkly, yz] adj. paralizzato.

percolateur [pɛrkɔlatœr] m. macchina (f.), macchinetta (f.) da caffè espresso.

percussion [pɛrkysjɔ̃] f. percussione.

percutant, e [pɛrkytɑ̃, ɑ̃t] adj. a percussione. ‖ FIG. che fa colpo.

percuter [pɛrkyte] v. tr. percuotere. ◆ v. intr. (contre) cozzare (contro, in), urtare v. tr. et intr. (contro).

percuteur [pɛrkytœr] m. percussore.

perdant, e [pɛrdɑ̃, ɑ̃t] adj. et n. perdente.

perdition [pɛrdisjɔ̃] f. LOC. *navire en perdition,* nave in pericolo (di naufragare). ‖ FIG. perdizione.

perdre [pɛrdr] v. intr. perdere. ◆ v. tr. perdere, smarrire. | *il a perdu sa mère,* ha perso la madre, gli è morta la madre. ‖ perdere, rovinare ; [âme], dannare. ◆ v. pr. perdersi, smarrirsi, sperdersi. | *s'y perdre,* perdercisi (pr. et fig.) ; non raccapezzarcisi (fig.). ‖ [disparaître] perdersi, scomparire.

perdreau [pɛrdro] m. perniciotto.

perdrix [pɛrdri] f. pernice. | *perdrix grise,* starna.

perdu, e [pɛrdy] adj. perso, smarrito. ‖ [éloigné] sperduto, fuori mano. ‖ [malade] perduto, spacciato. ‖ *temps perdu,* tempo perso, sprecato. ‖ *perdu dans ses pensées,* immerso, assorto nei suoi pensieri. ‖ COMM. *emballage perdu,* imballo, imballaggio a perdere. ‖ *à corps perdu,* a corpo morto.

père [pɛr] m. padre. ‖ FAM. *le père Jules,* compare Giulio.

péremptoire [perɑ̃ptwar] adj. perentorio.

perfection [pɛrfɛksjɔ̃] f. perfezione. | *à la perfection,* a perfezione. ◆ pl. qualità, virtù, doti.

perfectionnement [pɛrfɛksjɔnmɑ̃] m. perfezionamento.

perfectionner [pɛrfɛsksjɔne] v. tr. perfezionare.

perfide [pɛrfid] adj. perfido.

perfidie [pɛrfidi] f. perfidia.

perforation [pɛrfɔrasjɔ̃] f. perforazione.

perforatrice [pɛrfɔratris] f. perforatrice.

perforer [pɛrfɔre] v. tr. perforare.

perforeuse [pɛrfɔrøz] f. perforatrice.

performance [pɛrfɔrmɑ̃s] f. SP. prestazione, prova. ‖ FIG. prodezza, riuscita.

perfusion [pɛrfyzjɔ̃] f. perfusione ; goccia a goccia.

péricliter [periklite] v. intr. pericolare.

périgée [periʒe] m. ASTR. perigeo.

péril [peril] m. pericolo, rischio. | *au péril de,* a rischio di. | *mettre en péril,* mettere in pericolo, a repentaglio.

périlleux, euse [perijø, øz] adj. pericoloso, rischioso. ‖ [sujet] delicato.

périmé, e [perime] adj. scaduto. ‖ [désuet] sorpassato, superato.

périmer (se) [səperime] v. pr. scadere v. intr. ◆ v. intr. *laisser périmer,* lasciare scadere.

périmètre [perimɛtr] m. perimetro.

période [perjɔd] f. periodo m.

périodique [perjɔdik] adj. et n. m. periodico.

péripétie [peripesi] f. peripezia.

périphérie [periferi] f. periferia.

périphérique [periferik] adj. periferico. ◆ m. circonvallazione f.

périphrase [perifraz] f. perifrasi.

périr [perir] v. intr. perire, morire.

périscope [periskɔp] m. periscopio.

périssable [perisabl] adj. *denrées périssables,* derrate deperibili.
périssoire [periswar] f. sandolino m.
perle [pɛrl] f. perla ; [de verre] perlina. || FIG. perla. || [faute] sproposito m., strafalcione m.
perlé, e [pɛrle] adj. ornato di perle. || [couleur] perlato ; perlaceo. || FIG. *grève perlée,* sciopero a singhiozzo. || AGR. *orge, riz perlé,* orzo, riso perlato, brillato. || TEXT. *coton perlé,* cotone perlato.
perler [pɛrle] v. intr. imperlare v. tr. ; stillare (da).
perlier, ère [pɛrlje, ɛr] adj. perlifero.
permanence [pɛrmanɑ̃s] f. permanenza, continuità. | *permanence de nuit,* servizio (m.) notturno. | *être de permanence,* essere di turno.
permanent, e [pɛrmanɑ̃, ɑ̃t] adj. et f. permanente. ◆ m. POL. impiegato stabile.
perméable [pɛrmeabl] adj. permeabile. || FIG. permeabile, influenzabile, aperto.
permettre [pɛrmɛtr] v. tr. permettere. | *il est permis,* è permesso, lecito.
permis [pɛrmi] m. licenza f., permesso. | *permis de conduire,* patente di guida.
permissif, ive [pɛrmisif, iv] adv. permissivo.
permission [pɛrmisjɔ̃] f. permesso m.. || MIL. licenza, permesso.
permissionnaire [pɛrmisjɔnɛr] m. militare in licenza.
permuter [pɛrmyte] v. intr. (avec) scambiare (con). ◆ v. tr. permutare, scambiare.
pernicieux, euse [pɛrnisjø, øz] adj. pernicioso, dannoso.
péroraison [perɔrɛzɔ̃] f. perorazione.
pérorer [perɔre] v. intr. concionare, declamare.
perpendiculaire [pɛrpɑ̃dikylɛr] adj. et f. perpendicolare.
perpétrer [pɛrpetre] v. tr. perpetrare.
perpétuel, elle [pɛrpetɥɛl] adj. perpetuo. || [à vie] perpetuo. | *bannissement perpétuel,* esilio a vita. || continuo, incessante.
perpétuer [perpetɥe] v. tr. perpetuare.
perpétuité [pɛrpetɥite] f. ***à perpétuité,*** [prison] perpetuo, a vita ; [travaux forcés] a vita ; ergastolo m.
perplexe [pɛrplɛks] adj. perplesso.
perplexité [pɛrplɛksite] f. perplessità.
perquisition [pɛrkizisjɔ̃] f. perquisizione.
perquisitionner [pɛrkizisjɔne] v. tr. et intr. perquisire.
perron [perɔ̃] m. [de monument] scalea f., gradinata f. ; [de maison] gradini esterni.
perroquet [perɔkɛ] m. pappagallo, parrocchetto.
perruche [pɛryʃ] f. cocorita. || pappagallo femmina. || FIG., FAM. chiacchierina.
perruque [peryk] f. parrucca.
persan, e [pɛrsɑ̃, an] adj. et n. persiano.
persécuter [pɛrsekyte] v. tr. perseguitare.
persécution [pɛrsekysjɔ̃] f. persecuzione.
persévérance [pɛrseverɑ̃s] f. perseveranza.
persévérant, e [pɛrseverɑ̃, ɑ̃t] adj. perseverante.
persévérer [pɛrsevere] v. intr. perseverare.
persienne [pɛrsjɛn] f. persiana.
persifler [pɛrsifle] v. tr. canzonare, deridere.
persil [pɛrsi] m. prezzemolo.
persistance [pɛrsistɑ̃s] f. persistenza.
persistant, e [pɛrsistɑ̃, ɑ̃t] adj. persistente.
persister [pɛrsiste] v. intr. persistere, perseverare.
personnage [pɛrsɔnaʒ] m. personaggio, figura f. || individuo, tipo.
personnalité [pɛrsɔnalite] f. personalità, personaggio m.
1. personne [pɛrsɔn] f. persona, individuo m. | *par personne,* a testa. | *les grandes personnes,* gli adulti, i grandi. | *les jeunes personnes,* le giovinette, le ragazze. | *toute personne qui,* chiunque (et subj.). || *être bien fait de sa personne,* avere un bel personale. | *être peu soigneux de sa personne,* prendere poca cura di se stesso. | *exposer sa personne,* esporre la vita. | *payer de sa personne,* pagare di persona. || JUR. *personne morale,* persona giuridica. | *tierce personne,* terzo m. || ***en personne,*** in persona, di persona ; personificato adj.
2. personne pron. indéf. nessuno. | *personne ne vient,* nessuno viene, non viene nessuno. | *personne d'autre,* nessun altro. || [positif] qualcuno. || [quiconque] chiunque (altro), nessun altro.
personnel, elle [pɛrsɔnɛl] adj. personale. ◆ m. [employés] personale. || [domestiques] personale domestico.
personnellement [pɛrsɔnɛlmɑ̃] adv. personalmente, in persona, di persona. || [quant à moi, etc.] per me ecc.
personnification [pɛrsɔnifikasjɔ̃] f. personificazione.
personnifier [pɛrsɔnifje] v. tr. personificare, impersonare.
perspective [pɛrspɛktiv] f. prospettiva. || [vue] prospettiva, panorama m.

|| FIG. punto (m.) di vista ; ottica. || FIG. *en perspective,* in vista.
perspicace [pɛrspikas] adj. perspicace.
perspicacité [pɛrspikasite] f. perspicacia.
persuader [pɛrsɥade] v. tr. persuadere, convincere. | *persuader qn de faire qch.*, persuadere qlcu. a far qlco., convincere qlcu. di far qlco.
persuasif, ive [pɛrsɥazif, iv] adj. persuasivo, convincente.
persuasion [pɛrsɥazjɔ̃] f. persuasione, convinzione.
perte [pɛrt] f. perdita. || [ruine] rovina, perdizione. || *vendre à perte,* vendere in perdita. || *perte de l'âme,* perdizione, dannazione dell'anima. || *à perte de vue,* PR. a perdita d'occhio ; FIG. all'infinito, interminabilmente.
pertinemment [pɛrtinamɑ̃] adv. con pertinenza, con competenza. || [en toute certitude] con tutta certezza, senza alcun dubbio.
pertinence [pɛrtinɑ̃s] f. pertinenza.
pertinent, e [pɛrtinɑ̃, ɑ̃t] adj. JUR., LING. pertinente. || [approprié] pertinente, appropriato.
perturbateur, trice [pɛrtyrbatœr, tris] adj. et n. perturbatore, trice.
perturbation [pɛrtyrbasjɔ̃] f. perturbazione. || TÉL. disturbo m. || [désordre] perturbazione, confusione, scompiglio m.
perturber [pɛrtyrbe] v. tr. (per)turbare. | *perturber qn,* turbare qlcu.
pervenche [pɛrvɑ̃ʃ] f. pervinca.
pervers, e [pɛrvɛr, ɛrs] adj. et n. perverso, pervertito.
perversion [pɛrvɛrsjɔ̃] f. perversione, pervertimento m.
perversité [pɛrvɛrsite] f. perversità.
perverti, e [pɛrvɛrti] n. pervertito.
pervertir [pɛrvɛrtir] v. tr. pervertire, corrompere.
pesage [pəzaʒ] m. pesatura f. || [hippisme] peso ; [enceinte] recinto del peso.
pesant, e [pəzɑ̃, ɑ̃t] adj. pesante. || PHYS. *les corps pesants,* i gravi.
pesanteur [pəzɑ̃tœr] f. pesantezza. || PHYS. gravità.
pèse-bébé [pɛzbebe] m. pesabambini inv.
pesée [pəze] f. pesata. || [pression] pressione, spinta, sforzo m.
pèse-lettre [pɛzlɛtr] m. pesalettere inv.
pèse-personne [pɛzpɛrsɔn] m. pesapersone inv.
peser [pəze] v. tr. pesare, misurare, valutare. | *tout bien pesé,* tutto (ben) considerato, tutto sommato. ◆ v. intr. pesare ; essere pesante. || [appuyer] pesare, gravare ; far pressione. || (sur) influire (su). || (sur) [importuner] pesare (su), gravare (su), incombere (su), sovrastare (a).
pessimisme [pesimism] m. pessimismo.
pessimiste [pesimist] adj. [personne] pessimista ; [chose] pessimistico. ◆ n. pessimista.
peste [pɛst] f. MÉD. peste. || [épidémie] pestilenza. || FIG. flagello m.
pester [pɛste] v. intr. (contre) imprecare (contro). || ABS. brontolare.
pestiféré, e [pɛstifere] adj. et n. appestato.
pestilentiel, elle [pɛstilɑ̃sjɛl] adj. pestilenziale.
pet [pɛ] m. POP. peto, scoreggia f.
pétale [petal] m. BOT. petalo.
pétanque [petɑ̃k] f. bocce pl.
pétarade [petarad] f. [de moteur] scoppiettio.
pétard [petar] m. petardo. || FAM. *faire du pétard,* far cagnara, far chiasso.
pétaudière [petodjɛr] f. FAM. babilonia, baraonda.
péter [pete] v. intr. POP. scoreggiare, petare. || POP. [se rompre] schiantarsi, rompersi, spaccarsi.
pète-sec [pɛtsɛk] adj. inv. et m. inv. FAM. prepotente.
péteux, euse [petø, øz] n. POP. fifone, a.
pétillant, e [petijɑ̃, ɑ̃t] adj. [feu] scoppiettante. | [boisson] frizzante. | [yeux, esprit] scintillante, sfavillante.
pétillement [petijmɑ̃] m. [feu, bois] crepitio, scoppiettio. | [boisson] (il) frizzare. || FIG. scintillio, sfavillio.
pétiller [petije] v. intr. [feu, bois] scoppiettare, crepitare ; [boisson] frizzare. || FIG. brillare, scintillare, sfavillare.
petiot, e [pətjo, ɔt] adj. et n. piccino, a.
petit, e [pəti, it] adj. piccolo, piccino ; -ino, -etto, -ello suff. dim. || FIG. modesto, umile ; da poco ; di poca importanza. || [mesquin] meschino, gretto. || *petite santé,* salute malferma, cagionevole. | *aux petits soins pour,* pieno di premure per. ◆ adv. *voir petit,* avere idee meschine, modeste pretese, vedute limitate. ◆ n. [d'homme] piccolo m. ; piccino, a ; [d'animal] piccolo, cucciolo. | *faire ses petits,* figliare. ◆ ***en petit,*** in piccolo. | ***petit à petit,*** a poco a poco, man mano.
petit-bourgeois [pətiburʒwa] **petite-bourgeoise** [pətitburʒwaz] n. piccolo, piccola borghese ; borghesuccio, a. ◆ adj. piccolo-borghese m. et f. sing. (pl. piccolo-borghesi).
petitement [pətitmɑ̃] adv. [pauvrement] poveramente, miseramente. ||

[chichement] grettamente, avaramente. || [bassement] bassamente, meschinamente.

petitesse [pətitɛs] f. piccolezza. || [modicité] esiguità. || [mesquinerie] piccolezza, meschinità, grettezza. || [acte mesquin] piccineria.

petit-fils [pətifis] m., **petite-fille** [pətitfij] f. nipote n. ; [tout jeune] nipotino, a.

petit-gris [p(ə)tigri] m. [fourrure] vaio.

pétition [petisjɔ̃] f. petizione.

petit-lait [pətilɛ] m. latticello, siero del latte.

petit-nègre [pətinɛgr] m. FAM. *parler petit-nègre,* storpiare la lingua francese.

pétrifier [petrifje] v. tr. pietrificare, impietrire.

pétrin [petrɛ̃] m. madia f. | *pétrin mécanique,* impastatrice f. || FIG., FAM. *dans le pétrin,* nei pasticci, nei guai.

pétrir [petrir] v. tr. impastare. | [cire] plasmare. || FIG. *pétri de préjugés,* impastato di pregiudizi.

pétrochimie [petroʃimi] f. petro(l)-chimica.

pétrole [petrɔl] m. petrolio. | *puits de pétrole,* pozzo petrolifero.

pétrolier, ère [petrɔlje, ɛr] adj. petrolifero, petroliero. ◆ m. petroliera f.

peu [pø] adv. poco. | *un peu,* un poco, un po'. | *pour un peu,* quasi quasi. ◆ m. poco. || *peu de,* poco adj. || *un peu de,* un poco, un po'di. || *un homme de peu,* un uomo dappoco, di poco conto. ◆ *à peu (de chose) près,* pressappoco, all'incirca, suppergiù. | *dans, sous, avant peu,* fra poco, fra breve. | *de peu,* di poco, per poco. | *depuis peu,* da poco, poco fa. | *peu à peu,* a poco a poco ; un po' per volta. | *quelque peu, (un) tant soit peu,* un pochino, un tantino. | *pour peu que,* purché. | *si peu (...) que,* per poco che, per quanto poco.

peuplade [pøplad] f. tribù.

peuple [pœpl] m. popolo. | *le menu peuple,* il popolino. | *homme, femme du peuple,* popolano, a. || FAM. folla f., moltitudine f. ◆ adj. popolare ; volgare (péjor.).

peupler [pøple] v. tr. popolare.

peuplier [pøplije] m. pioppo. || FIG. *élancé comme un peuplier,* snello come un fuso.

peur [pœr] f. paura. | *faire peur à,* far, metter paura a, spaventare. | *prendre peur,* prender paura, impaurirsi, spaventarsi. ◆ *de peur que,* per paura che. | *de peur de,* per paura di

peureux, euse [pørø, øz] adj. pauroso.

peut-être [pøtɛtr] loc. adv. forse ; può darsi.

phalange [falɑ̃ʒ] f. falange.

phalène [falɛn] f. falena.

phalloïde [falɔid] adj. *amanite phalloïde,* tignosa verdognola.

phare [far] m. faro. || AUT. faro, luce f. ; [de route] abbaglianti ; [code] anabbaglianti ; antiabbaglianti. || FIG. faro, guida f.

pharmaceutique [farmasøtik] adj. farmaceutico.

pharmacie [farmasi] f. farmacia.

pharmacien, enne [farmasjɛ̃, ɛn] n. farmacista.

pharynx [farɛ̃ks] m. faringe f. ou m.

phase [faz] f. fase.

phénix [feniks] m. fenice f.

phénoménal, e, aux [fenɔmenal, o] adj. FAM. fenomenale.

phénomène [fenɔmɛn] m. fenomeno.

philanthropie [filɑ̃trɔpi] f. filantropia.

philatélie [filateli] f. filatelia, filatelica.

philatéliste [filatelist] n. filatelista ; filatelico m.

philippique [filipik] f. filippica.

philologie [filɔlɔʒi] f. filologia.

philologue [filɔlɔg] n. filologa, a.

philosophe [filɔzɔf] m. filosofo.

philosopher [filɔzɔfe] v. intr. filosofare. || IRON. filosofare, filosofeggiare.

philosophie [filɔzɔfi] f. filosofia.

philosophique [filɔzɔfik] adj. filosofico.

philtre [filtr] m. filtro.

phlébite [flebit] f. flebite.

phlegmon [flɛgmɔ̃] m. flemmone.

phobie [fɔbi] f. fobia.

phonématique [fɔnematik] adj. fonematico. ◆ f. fonematica.

phonème [fɔnɛm] m. fonema.

phonéticien, enne [fɔnetisjɛ̃, ɛn] n. fonetista.

phonétique [fɔnetik] adj. fonetico. ◆ f. fonetica.

phonographe [fɔnɔgraf] m. fonografo, grammofono. | *phonographe portatif,* fonovaligia f.

phonologie [fɔnɔlɔʒi] f. fonologia.

phoque [fɔk] m. foca f.

phosphate [fɔsfat] m. fosfato.

phosphore [fɔsfɔr] m. fosforo.

photo [fɔto] f. FAM. foto. inv.

photocalque [fɔtokalk] m. fotocalco.

photocopie [fɔtokɔpi] f. fotocopia.

photocopier [fɔtokɔpje] v. tr. fotocopiare.

photocopieur [fɔtokɔpjœr] m. fotocopiatore.

photogénique [fɔtoʒenik] adj. fotogenico.

photographe [fɔtograf] n. fotografo, a.

photographie [fɔtografi] f. fotografia.

photographier [fɔtografje] v. tr. fotografare.

photographique [fɔtografik] adj. fotografico. | *appareil photographique,* macchina fotografica.
photopile [fɔtopil] f. fotopila.
photo-robot [fɔtorɔbo] f. identi-kit m.
phrase [fraz] f. frase.
phraser [fraze] v. intr. MUS. fraseggiare.
phraseur, euse [frazœr, øz] n. PÉJOR. parolaio.
phtisie [ftizi] f. MÉD. tisi.
phylloxéra [filɔksera] m. fillossera f.
physicien, enne [fizisjɛ̃, ɛn] n. fisico ; studiosa (f.) di fisica.
physiologie [fizjolɔʒi] f. fisiologia. | *physiologie pathologique,* fisiopatologia.
physiologique [fiziolɔʒik] adj. fisiologico.
physiologiste [fiziolɔʒist] m. fisiologo.
physionomie [fizjonɔmi] f. fisionomia.
physionomiste [fizjonɔmist] adj. et n. fisionomista.
physiothérapie [fizioterapi] f. fisioterapia.
physique [fizik] adj. fisico. ◆ m. personale, corporatura f. || *au physique,* fisicamente. ◆ f. fisica.
piaffer [pjafe] v. intr. [cheval] scalpitare, zampare. || [personne] pestare i piedi, scalpitare.
piailler [pjaje] v. intr. [oiseau] pigolare. || FAM. [enfant] gridare, strillare.
pianiste [pjanist] n. pianista.
pianistique [pjanistik] adj. pianistico.
piano [pjano] m. piano(forte). | *piano droit, demi-queue, à queue,* piano verticale, a mezzacoda, a coda. | *piano mécanique,* pianola f.
pianoter [pjanɔte] v. intr. FAM. strimpellare il piano, sonare un po' il piano. || FIG. *pianoter sur la table,* tamburellare con le dita sul tavolo.
1. pic m. [pik] ZOOL. picchio.
2. pic m. TECHN. piccone.
3. pic m. GÉOG. picco, pizzo.
pic (à) [apik] loc. adv. a picco. || FIG., FAM. a proposito, al momento giusto.
pichenette [piʃnɛt] f. FAM. buffetto m.
pichet [piʃɛ] m. boccalino.
pick-up [pikœp] m. inv. fonorivelatore. || [électrophone] grammofono.
picorer [pikɔre] v. intr. razzolare. ◆ v. tr. beccare, becchettare.
picotement [pikɔtmɑ̃] m. pizzicore, prurito.
picoter [pikɔte] v. tr. [démanger] prudere, pungere, pizzicare.
pic-vert m. V. PIVERT.
pie [pi] f. ZOOL. gazza. ◆ adj. inv. *cheval pie,* cavallo pezzato.
pièce [pjɛs] f. pezzo m., frammento m. || [monnaie] moneta, pezzo. || [pour réparer un habit] pezza, toppa. || [de viande, d'étoffe] taglio m. || [fragment] pezzo, frantume m. || *mettre en pièces,* fare a pezzi ; [déchiqueter] fare a brandelli, sbranare. || FIG. [armée] annientare. || [unité] pezzo, capo m. || *travailler à la pièce, aux pièces,* lavorare a cottimo. || FIG. *inventer de toutes pièces,* inventare di sana pianta. || [salle] stanza, vano m. || [étendue] campo m., (appezzamento [m.] di) terreno. | *pièce d'eau,* bacino m., stagno m., laghetto m. || [tonneau] botte. || [document] documento m., pezza. | *pièce jointe,* allegato m. || MIL. cannone m. ; pezzo (d'artiglieria). || MUS. componimento m. || TECHN. *pièces de rechange,* pezzi di ricambio. || TH. commedia, dramma m.
pied [pje] m. piede. | *coup de pied,* pedata f., calcio. | *bain de pieds,* pediluvio. || *à pied,* a piedi. | *fouler aux pieds,* calpestare. | *à pieds joints,* a piè pari. | *sur la pointe des pieds,* in punta di piedi. | *au pied levé,* su due piedi. | *être à pied d'œuvre,* stare per cominciare un lavoro. | *lever le pied,* prendere il volo. | *mettre à pied,* licenziare. | *pied à pied,* a palmo a palmo. || [animaux] piede, zampa f. | *pied de porc,* zampetto di maiale. || BOT. [de plante] piede, fusto, gambo ; [d'arbre] piede, pedale ; [de vigne] ceppo ; [de salade, de fleur] cespo. || [de chose] piede, base f. ; [de montagne] falde f. pl. || *au pied de,* a piè di, appiè di. | *au pied de la lettre,* alla lettera. || [mesure] piede. || *faire un pied de nez,* far marameo. || [poésie] piede.
pied-à-terre [pjetatɛr] m. inv. piedatterra.
piédestal, aux [pjedestal, o] m. piedistallo.
pied-noir [pjenwar] m. FAM. Francese d'Algeria.
piège [pjɛʒ] m. trappola f., tagliola f. | *piège à bascule,* trabocchetto. || FIG. trappola, tranello, trabocchetto.
piéger [pjeʒe] v. tr. intrappolare.
pierre [pjɛr] f. pietra. || [caillou] pietra, sasso m., ciottolo m. || [rocher] pietra, masso m., sasso. || *pierre à pierre,* PR. pietra su pietra, una pietra dopo l'altra ; FIG. a poco a poco. || *faire d'une pierre deux coups,* prendere due piccioni con una fava.
pierreries [pjɛrri] f. pl. pietre preziose, gemme.
pierreux, euse [pjɛrø, øz] adj. pietroso, sassoso.
piété [pjete] f. pietà, devozione.
piétinement [pjetinmɑ̃] m. calpestio, scalpiccio.
piétiner [pjetine] v. intr. pestare i piedi ; [cheval] scalpitare. | *piétiner sur place,* segnare il passo. || FIG. [économie] (ri)stagnare. ◆ v. tr. calpestare.

piéton [pjetɔ̃] m. pedone. ‖ MIL. fante.
piéton, onne [pjetɔ̃, ɔn] ou **piétonnier, ère** [pjetɔnje, ɛr] adj. pedonale.
piètre [pjɛtr] adj. meschino, misero, scadente. | *faire piètre figure,* fare una figuraccia.
pieu [pjø] m. palo.
pieuvre [pjœvr] f. piovra.
pieux, pieuse [pjø, pjøz] adj. pio, devoto. ‖ [silence] devoto, rispettoso. ‖ *pieux mensonge,* bugia pietosa.
pif [pif] m. POP. nasone, naso.
pige [piʒ] f. [journalisme] *être payé à la pige,* essere pagato (un tanto) a riga, a cartella.
pigeon [piʒɔ̃] m. piccione, colombo. | *pigeon ramier,* colombaccio. ‖ FAM. [dupe] merlotto, pollo, gonzo. ‖ SP. *tir au pigeon, au pigeon artificiel,* tiro al piccione, al piattello.
pigeonnier [piʒɔnje] m. piccionaia f., colombaia f.
piger [piʒe] v. tr. POP. [regarder] guardare (L.C.). ‖ [comprendre] capire (L.C.).
pigment [pigmɑ̃] m. pigmento.
1. pignon [piɲɔ̃] m. ARCHIT. pignone.
2. pignon m. MÉC. pignone.
3. pignon m. BOT. pi(g)nolo.
1. pile [pil] f. [d'une manière] rovescio m. | *jouer à pile ou face,* giocare a testa e croce. ◆ adv. FAM. *s'arrêter pile,* fermarsi di botto. | *arriver, tomber pile,* capitare a proposito. | *à midi pile,* alle dodici in punto.
2. pile f. pila. ‖ ARCHIT. pila ; pilone m. ‖ ÉLECTR., PHYS. pila. ‖ POP. scarica di botte.
piler [pile] v. tr. pestare, tritare.
pilier [pilje] m. ARCHIT. pilastro, pilone. ‖ FIG. pilastro, sostegno, colonna f. ‖ [rugby] pilone.
pillage [pijaʒ] m. saccheggio, sacco.
pillard, e [pijar, ard] adj. et n. predatore, trice.
piller [pije] v. tr. saccheggiare, mettere a sacco, depredare.
pilon [pilɔ̃] m. pestello. | *envoyer au pilon,* mandare al macero. ‖ FAM. gamba (f.) di legno. ‖ CULIN. coscia f. (di pollo cotto).
pilonner [pilɔne] v. tr. pestare. ‖ MIL. martellare ; bombardare intensamente.
pilori [pilɔri] m. palo (della berlina) ; [peine] berlina f., gogna f.
pilotage [pilɔtaʒ] m. pilotaggio. | *pilotage sans visibilité,* pilotaggio, navigazione strumentale.
pilote [pilɔt] m. pilota. | [d'essai] collaudatore. ‖ [en apposition] pilota.
piloter [pilɔte] v. tr. pilotare.
pilotis [pilɔti] m. palificata f. ‖ [préhistoire] palafitta f.
pilule [pilyl] f. pillola.
pimbêche [pɛ̃bɛʃ] f. donna, ragazza schizzinosa e bisbetica.
piment [pimɑ̃] m. pimento, peperoncino. | *piment doux,* peperone. ‖ FIG. sapore, pimento.
pimenté, e [pimɑ̃te] adj. FIG. piccante, salace.
pimenter [pimɑ̃te] v. tr. condire con peperoncino. ‖ FIG. rendere piccante.
pimpant, e [pɛ̃pɑ̃, ɑ̃t] adj. agghindato, attillato.
pin [pɛ̃] m. pino. | *pomme de pin,* pigna f.
pinacle [pinakl] m. ARCHIT. pinnacolo.
pinailler [pinaje] v. intr. FAM. pignoleggiare.
pinard [pinar] m. POP. benzina f. (plais.) ; vino (L.C.).
pince [pɛ̃s] f. pinza, molletta ; [à ongles] pinzetta ; [à cheveux, à linge] molletta ; [à sucre, à glace] mollette pl. ‖ CHIR. pinza. ‖ MODE piccola piega ; ripresa. ‖ ZOOL. [de crustacé] pinza, chela. ‖ POP. mano.
pincé, e [pɛ̃se] adj. [lèvres] stretto ; [air] risentito ; [sourire] forzato, a denti stretti.
pinceau [pɛ̃so] m. pennello.
pincée [pɛ̃se] f. pizzico m., presa.
pincement [pɛ̃smɑ̃] m. pizzicamento. | *pincement au cœur,* stretta (f.) al cuore.
pince-monseigneur [pɛ̃smɔ̃sɛɲœr] f. grimaldello m.
pince-nez [pɛ̃sne] m. inv. occhiali (m. pl.) a stringinaso.
pincer [pɛ̃se] v. tr. pizzicare ; dare un pizzicotto a. ‖ [serrer] stringere. ‖ [avec des pinces] pinzare. ‖ FAM. [vent, froid] pungere. | [surprendre] pizzicare ; (sor)prendere.
pince-sans-rire [pɛ̃ssɑ̃rir] n. inv. umorista a freddo.
pincette [pɛ̃sɛt] f. pinzetta. ◆ pl. [pour le feu] molle.
pinçon [pɛ̃sɔ̃] m. livido, segno (lasciato da un pizzicotto).
pinède [pinɛd] f. pineta.
pingouin [pɛ̃gwɛ̃] m. pinguino.
Ping-Pong [pipɔ̃g] m. ping-pong ; tennis da tavolo.
pingre [pɛ̃gr] adj. et n. FAM. spilorcio, tirchio, taccagno.
pinson [pɛ̃sɔ̃] m. fringuello.
pintade [pɛ̃tad] f. faraona.
pinte [pɛ̃t] f. pinta. ‖ FIG. *se payer une pinte de bon sang,* farsi buon sangue.
pioche [pjɔʃ] f. zappa. ‖ JEU monte m.
piocher [pjɔʃe] v. tr. zappare. ‖ FIG., FAM. sgobbare (su). ‖ JEU pescare.
piolet [pjɔlɛ] m. piccozza f.
pion [pjɔ̃] m. [échecs] pedone ; [dames] pedina f.
pioncer [pjɔ̃se] v. intr. POP. dormire sodo (L.C.).

pionnier [pjɔnje] m. pioniere.
pipe [pip] f. pipa. || POP. *par tête de pipe,* a testa. | *casser sa pipe,* tirare le cuoia.
pipeau [pipo] m. MUS. zufolo.
pipe-line [pajplajn] ou **pipeline** [piplin] m. [pétrole] oleodotto ; [gaz] gasdotto, metanodotto.
piper [pipe] v. tr. FIG. [dés, cartes] segnare, truccare. || FAM. *ne pas piper,* non fiatare.
pipi [pipi] m. FAM. *faire pipi,* fare (la) pipì.
piquant, e [pikɑ̃, ɑ̃t] adj. pungente, acuminato. || *sauce piquante,* salsa piccante. || FIG. pungente, frizzante. || [spirituel] arguto, piccante, spiritoso. || [beauté] attraente, provocante. ◆ m. spina f., aculeo. || FIG. piccante, bello.
1. pique [pik] f. [arme] picca.
2. pique m. JEU picche f. pl.
3. pique f. FIG. frizzo m., frecciata.
piqué, e [pike] adj. et n. FAM. [un peu fou] picchiato, picchiatello, tocco. ◆ m. TEXT. picchè. || AV. picchiata f.
pique-assiette [pikasjɛt] n. FAM. sbafatore, trice ; mangia a ufò m. inv.
pique-nique [piknik] m. picnic ; colazione (f.) al sacco.
pique-niquer [piknike] v. intr. fare un picnic.
piquer [pike] v. tr. [percer] pungere ; [insecte] pungere, morsicare ; [vers] tarlare, rodere ; [vipère] mordere. || MÉD. fare un'iniezione a, vaccinare. || [fixer] appuntare. || [tissu, froid] pizzicare, irritare. || FAM. *ça me pique,* mi prude. || [humidité] macchiare, macchiettare. || FIG. pungere, offendere. || [curiosité] stuzzicare. || MODE impuntire, trapuntare, impunturare. || MUS. staccare. || POP. [voler] fregare. || [surprendre] pizzicare. ◆ v. intr. pungere, pizzicare. || *vin qui pique,* vino acidulo, inacetito. || AV. picchiare. || *piquer du nez,* AV. precipitare ; FAM. [s'endormir] appisolarsi. ◆ v. pr. FIG. offendersi, arrabbiarsi. || [se vanter] vantarsi.
piquet [pikɛ] m. picchetto, paletto. || *piquet de grève,* picchetto di scioperanti.
piqueur [pikœr] m. [chasse] bracchiere.
piqûre [pikyr] f. puntura ; [serpent] morso m. ; [de vers] tarlatura. || [tache] macchia. || FIG. ferita, puntura. || MÉD. iniezione, puntura. || MODE impuntura.
pirate [pirat] m. pirata.
pirater [pirate] v. intr. pirateggiare. ◆ v. tr. plagiare.
piraterie [tri] f. pirateria.
pire [pir] adj. [compar.] peggiore ; peggio inv. || [superl. rel.] il, la peggiore ; i, le peggiori. ◆ m. peggio ; cosa peggiore.
pirogue [pirɔg] f. piroga.
pirouette [pirwɛt] f. piroetta, giravolta. || FIG. voltafaccia m. inv.
1. pis [pi] m. ZOOL. mammella f.
2. pis adv. peggio. | *tant pis pour moi,* peggio per me. ◆ adj. peggio inv. ◆ m. peggio. | *le pis est que,* il peggio è che. | *dire pis que pendre,* dir peste e corna. | *au pis aller,* nel peggiore dei casi ; alla peggio.
pis-aller [pizale] m. inv. (soluzione (f.) di) ripiego.
piscine [pisin] f. piscina.
pisse-froid [pisfrwa] m. inv. FAM. uomo freddo e noioso.
pissenlit [pisɑ̃li] m. BOT. soffione.
pisser [pise] v. intr. et tr. POP. pisciare.
pistache [pistaʃ] f. pistacchio m.
pistage [pistaʒ] m. pedinamento.
pistard [pistar] m. SP. pistaiolo.
piste [pist] f. pesta, traccia, pista. || [voie, chemin] pista. || FIG. *être sur la piste de,* essere sulle tracce di. || AV. pista. || CIN. *piste sonore,* colonna sonora. || ÉLECTRON., SP. pista.
pister [piste] v. tr. pedinare.
pistil [pistil] m. pistillo.
pistolet [pistɔlɛ] m. pistola f. || TECHN. *pistolet à peinture,* pistola a spruzzo ; aerografo.
piston [pistɔ̃] m. MÉC. stantuffo, pistone. || MUS. pistone. || FAM. raccomandazione f. (L.C.).
pistonner [pistɔne] v. tr. FAM. raccomandare (L.C.), spalleggiare.
pitance [pitɑ̃s] f. FAM. *maigre pitance,* magro pasto ; pasto, cibo scarso.
piteux, euse [pitø, øz] adj. pietoso, mediocre, misero.
pitié [pitje] f. pietà, compassione, pena. | *sans pitié,* senza pietà ; spietato adj. | *par pitié !,* per pietà !, per carità !
piton [pitɔ̃] m. TECHN. chiodo, vite (f.) a occhiello, a rampino. || [d'alpiniste] chiodo da roccia. || GÉOGR. picco.
pitoyable [pitwajabl] adj. pietoso, compassionevole. || FAM. mediocre.
pitre [pitr] m. pagliaccio, buffone.
pittoresque [pitɔrɛsk] adj. pittoresco.
pivert ou **pic-vert** [pivɛr] m. picchio verde.
pivoine [pivwan] f. peonia.
pivot [pivo] m. TECHN. perno. || BOT. fittone. || FIG. perno, cardine ; [personne] perno ; anima f.
pivotant, e [pivɔtɑ̃, ɑ̃t] adj. girevole. || BOT. *racine pivotante,* radice fittonante ; fittone.
pivoter [pivɔte] v. intr. girare.
placage [plakaʒ] m. placcatura f. || [feuille de bois] impiallacciatura f. || [rugby] placcaggio.
placard [plakar] m. armadio a muro. || [affiche] manifesto, affisso. || TYP. *épreuve en placard,* bozza in colonna.

placarder [plakarde] v. tr. affiggere.

place [plas] f. posto m., spazio m. | *place !,* largo ! | *place aux jeunes !,* largo ai giovani ! | *prendre place,* accomodarsi, sedersi. | FIG. *faire place nette,* far piazza pulita. || *se mettre à la place de qn,* mettersi nei panni di uno. | *être à sa place partout,* sentirsi a proprio agio dappertutto. | *par places, de place en place,* qua e là ; di tratto in tratto. || [prix, billet] biglietto m. || [emploi] posto m., impiego m. || [rang] posto. | *être reçu dans les premières places,* essere promosso fra i primi. || [lieu public] piazza. || MIL. piazza. || [garnison locale] presidio m. ◆ **à la place de,** [à l'emplacement de] al posto di ; [au lieu de] invece di.

placement [plasmɑ̃] m. *bureau de placement,* ufficio di collocamento. || COMM. vendita f., smercio, spaccio. || FIN. investimento.

placer [plase] v. tr. porre, collocare, mettere, riporre, disporre. || [procurer un emploi] sistemare, collocare. || COMM. piazzare, collocare, smerciare, vendere. || FIN. investire. || *être bien placé pour,* essere in grado di. || *personnage haut placé,* persona altolocata. || [hippisme] *cheval placé,* cavallo piazzato. ◆ v. pr. [rang] classificarsi.

placide [plasid] adj. placido.

placidité [plasidite] f. placidità.

placier [plasje] m. piazzista.

plafond [plafɔ̃] m. soffitto. || [d'altitude] tangenza f. ; [de vitesse] limite massimo di velocità. || COMM., FIN. limite massimo. || POP. *il a une araignée au plafond,* gli manca qualche rotella, qualche venerdì.

plafonnement [plafɔnmɑ̃] m. ÉCON. fissazione (f.) di un massimale.

plafonnier [plafɔnje] m. plafoniera f.

plage [plaʒ] f. spiaggia.

plagiaire [plaʒjɛr] adj. et n. plagiario.

plagiat [plaʒja] m. plagio.

plagier [plaʒje] v. tr. plagiare.

plaider [plede] v. intr. JUR. far causa. | *plaider pour qn, en faveur de qn,* difendere (la causa di), patrocinare qlcu. ◆ v. tr. difendere, patrocinare. | *plaider coupable,* dichiararsi colpevole. || FIG. *plaider la cause de la liberté,* perorare la causa della libertà.

plaideur, euse [plɛdœr, øz] n. parte (f.) in causa.

plaidoirie [plɛdwari] f. arringa.

plaidoyer [[plɛdwar] m. arringa f. || FIG. perorazione f.

plaie [plɛ] f. piaga, ferita. || FIG. [fléau] piaga.

plaignant, e [plɛɲɑ̃, ɑ̃t] n. JUR. querelante.

plain-chant [plɛ̃ʃɑ̃] m. MUS. canto fermo.

plaindre [plɛ̃dr] v. tr. compiangere, compatire, commiserare. | *se faire plaindre,* farsi compatire. ◆ v. pr. [souffrance] lamentarsi, lagnarsi ; gemere ; [mécontentement] lamentarsi, lagnarsi, dolersi, rammaricarsi. | *se plaindre de qch. à qn,* lamentarsi di qlco. con qlcu.

plaine [plɛn] f. pianura, piana, piano m.

plain-pied (de) [dəplɛ̃pje] loc. adv. allo stesso livello, sullo stesso piano. || direttamente, subito.

plainte [plɛ̃t] f. lamento m., gemito m. || [mécontentement] lamento, lagnanza. || JUR. querela, denuncia. | *porter plainte contre,* sporgere querela contro.

plaintif, ive [plɛ̃tif, iv] adj. lamentoso, lamentevole.

plaire [plɛr] v. intr. piacere, garbare ; andare a genio ; *qui plaît,* piacevole, gradito adj. ◆ v. impers. piacere. | *s'il te, vous plaît,* per favore, per piacere. | *à Dieu ne plaise !,* Dio ce ne guardi ! ◆ v. pr. *se plaire à (faire) qch.,* dilettarsi, aver piacere di (far) qlco. | *se plaire chez soi,* star bene a casa (propria).

plaisance [plɛzɑ̃s] f. *bateau, navigation de plaisance,* nave, navigazione da diporto.

plaisancier [plɛzɑ̃sje] m. navigatore per diporto.

plaisant, e [plɛzɑ̃, ɑ̃t] adj. piacevole, gradevole. || [amusant] divertente. || IRON. bello, ridicolo. ◆ m. *mauvais plaisant,* burlone di cattivo gusto. || lato comico ; bello.

plaisanter [plɛzɑ̃te] v. intr. scherzare, celiare.

plaisanterie [plɛzɑ̃tri] f. [propos] scherzo m ; battuta di spirito ; [acte] scherzo, burla.

plaisir [plɛzir] m. piacere. || LOC. FAM. *au plaisir !,* arrivederci ! || [divertissement] divertimento, piacere. || *prendre plaisir à,* divertirsi a, dilettarsi di, compiacersi di. | *par plaisir,* per gusto, per divertimento. || [faveur, service] favore, piacere. ◆ **à plaisir,** senza motivo, senza fondamento ; di sana pianta.

1. plan [plɑ̃] m. piano. | *plan incliné,* piano inclinato ; declivio, pendio. | *plan d'eau,* specchio d'acqua. || ART, CIN., PHOT. *gros plan,* primissimo piano. || FIG. piano, posto. | *de tout premier plan,* di primissimo piano. | *sur le plan de,* dal punto di vista di, sotto l'aspetto di, per quanto riguarda.

2. plan m. [tracé] pianta f., piano. | *plan cadastral,* piano, mappa (f.) catastale. || [projet] piano, progetto. | [de roman] schema, piano. || FAM. *laisser*

en plan, [qch.] lasciar qlco. in sospeso ; [qn] piantare qlcu. in asso.
plan, e [plã, plan] adj. piano.
planche [plɑ̃ʃ] f. tavola, asse. || FIG. *planche de salut,* tavola di salvezza. | *avoir du pain sur la planche,* avere molto lavoro in cantiere. || [cultures] ai(u)ola. || [natation] *faire la planche,* fare il morto. | *planche à voile,* surf a vela. || TYP. *planche en couleurs,* tavola a colori. ◆ pl. TH. *monter sur les planches,* calcare le scene.
plancher [plɑ̃ʃe] m. solaio, palco. || [sol] pavimento, impiantito. || COMM. *prix plancher,* prezzo minimo ; minimale m.
plancton [plɑ̃ktɔ̃] m. plancton.
plané, e [plane] adj. *vol plané,* volo planato, librato ; planata f.
planer [plane] v. intr. [oiseau] librarsi (in aria) ; [avion] planare. || FIG. spaziare. || ABS. vivere nelle nuvole. || [vapeur] fluttuare. || [menacer] (sur) aleggiare (su), incombere (su), sovrastare (a).
planétaire [planetɛr] adj. et m. planetario.
planétarium [planetarjɔm] m. planetario.
planète [planɛt] f. pianeta m.
planeur [planœr] m. AV. aliante, libratore, veleggiatore.
planification [planifikasjɔ̃] f. pianificazione.
planning [plani] m. pianificazione f. | *planning familial,* controllo della nascite.
planque [plɑ̃k] f. POP. nascondiglio m. || FIG. pacchia ; sinecura.
planqué [plɑ̃ke] m. POP. imboscato.
planquer [plɑ̃ke] v. tr. POP. nascondere, mettere al sicuro, al riparo. ◆ v. pr. POP. nascondersi, rintanarsi. || [s'embusquer] imboscarsi.
plant [plɑ̃] m. piantina f., pianticella f. || [terrain] piantagione f.
plantation [plɑ̃tasjɔ̃] f. piantagione, piantata.
plante [plɑ̃t] f. pianta. | *jardin des plantes,* orto botanico. || [du pied] pianta.
planté, e [plɑ̃te] adj. [cheveux] impiantato. | [dents] regolare. || [debout et immobile] impalato.
planter [plɑ̃te] v. tr. piantare. | *planter d'arbres,* piantare ad alberi, alberare. || [enfoncer] piantare, (con)ficcare. || FAM. [abandonner] piantare (in asso).
planteur [plɑ̃tœr] m. piantatore.
plantoir [plɑ̃twar] m. piantatoio.
planton [plɑ̃tɔ̃] m. MIL. piantone.
plantureux, euse [plɑ̃tyrø, øz] adj. abbondante, copioso. || FAM. [femme] prosperoso.
plaquage [plakaʒ] m. [rugby] placcaggio.
plaque [plak] f. [rigide] lastra, piastra, placca ; [mince] lamina ; [de tôle] lamiera ; [photographique] lastra ; [d'égout] chiusino m. ; [minéralogique] targa. || [distinction honorifique] placca. || [commémorative] lapide, targa commemorativa. || [de chocolat] tavoletta. || [chauffante] piastra radiante. || MÉD. placca. || *par plaques,* a chiazze, a tratti, qua e là.
plaquer [plake] v. tr. [de métal] placcare ; [de bois] impiallacciare. || MUS. *plaquer un accord,* eseguire con energia un accordo. || [rugby] placcare. || FAM. piantare (in asso).
plaquette [plakɛt] f. LITT. opuscolo m. || [sanguine] piastrina.
plasma [plasma] m. plasma.
plastic [plastik] m. plastico.
plastique [plastik] adj. et m. plastico. ◆ f. ART plastica.
plastiquer [plastike] v. tr. compiere un attentato al plastico contro.
plastron [plastrɔ̃] m. [d'escrimeur] piastrone. || [de chemise] sparato.
plastronner [plastrɔne] v. intr. pavoneggiarsi.
plat [pla] m. [pour la cuisine] tegame, tegamino ; [de service] piatto (di portata) ; piatto grande. || [mets] piatto, portata f. | *plat garni,* piatto con contorno. | *œufs au plat, sur le plat,* uova nel, al tegame. || FIG. *mettre les pieds dans le plat,* fare una topica.
plat, e [pla, plat] adj. piano, piatto. || *eau plate,* acqua liscia. || ART smorto. || [mer] calmo, liscio. | *calme plat,* bonaccia f. || *rimes plates,* rime baciate. || *à plat ventre,* bocconi adv. || [sans caractère, sans saveur] piatto, scialbo, scipito, insipido ; ossequioso, servile, strisciante. ◆ m. [de la main] parte (f.) piatta ; [d'un sabre] piatto. || SP. *course de plat,* corsa piana, in piano. || *à plat,* di piatto ; [pneu] sgonfio, a terra ; [pile] scarico. || FAM. [épuisé] a terra, giù di forma, giù di corda. || FIG., FAM. *tomber à plat,* far fiasco.
platane [platan] m. platano.
plat-bord [plabɔr] m. MAR. falchetta f.
plate [plat] f. MAR. chiatta.
plateau [plato] m. vassoio ; [de balance, de tourne-disque] piatto. || CIN. (de studio), teatro (di posa). || TH. palcoscenico, scena f. || GÉOGR. piattaforma f. ; altipiano, altopiano ; tavolato. || [cycle] moltiplica f.
plate-bande [platbɑ̃d] f. aiola.
plate-forme [platfɔrm] f. piattaforma. || TR. [wagon] pianale m. ; [remblai] massicciata.
1. platine [platin] f. [de tourne-disque] piatto (m.) rotante.

2. platine m. platino.
platiné, e [platine] adj. [couleur] platinato. || AUT. *vis platinées,* contatto platinato.
platitude [platityd] f. piattezza, insipidezza. || [d'un vin] insipidezza. || FIG. ossequiosità, bassezza.
plâtras [plɑtra] m. calcinacci pl.
plâtre [platr] m. [matériau, ouvrage] gesso. || CHIR. ingessatura f., gesso.
plâtrer [platre] v. tr. ingessare.
plausible [plozibl] adj. plausibile.
plèbe [plɛb] f. plebe, plebaglia.
plébéien, enne [plebejɛ̃, ɛn] adj. et n. plebeo.
plébiscite [plebisit] m. plebiscito.
pléiade [plejad] f. pleiade, cenacolo m.
plein, pleine [plɛ̃, plɛn] adj. pieno. | *plein à craquer, archiplein,* pieno zeppo ; [de liquide, d'objets] colmo, ripieno ; [d'êtres animés] gremito. || FIG. *plein d'assurance,* molto sicuro di sé. || [en gestation] gravido. || [massif] pieno, massiccio. || [entier] pieno, intero, completo. || [au milieu] *en plein centre,* in pieno centro, nel bel mezzo. | *théâtre de plein air,* teatro aperto, verde. ◆ *à plein, en plein,* a pieno, appieno ; in modo pieno. ◆ n. pieno. | *faire le plein* [d'essence] fare il pieno ; [de spectateurs] avere il pienone.
plein-emploi [plɛnɑ̃plwa] m. sing. ÉCON. pieno impiego, piena occupazione f.
plein-temps [plɛ̃tɑ̃] adj. inv. *médecin plein-temps,* medico a tempo pieno, a pieno tempo.
plénier, ère [plenje, ɛr] adj. plenario.
plénipotentiaire [plenipɔtɑ̃sjɛr] adj. et m. plenipotenziario.
plénitude [plenityd] f. pienezza, perfezione.
pléthorique [pletɔrik] adj. pletorico, sovrabbondante.
pleurard, e [plœrar, ard] adj. FAM. piagnucoloso, lamentoso.
pleurer [plœre] v. intr. piangere, lacrimare, lagrimare. || *pleurer sur,* lamentare v. tr. ◆ v. tr. piangere. | *pleurer sa jeunesse,* (rim)piangere la propria giovinezza. || FAM. *ne pas pleurer sa peine,* non risparmiarsi.
pleurésie [plœrezi] f. MÉD. pleurite.
pleureuse [plœrøz] f. prefica.
pleurnicher [plœrniʃe] v. intr. piagnucolare, frignare.
pleurnicheur, euse [plœrniʃœr, øz] adj. piagnucoloso. ◆ n. piagnucolone, a.
pleurs [plœr] m. pl. pianto m. sing., lacrime f. pl.
pleutre [pløtr] adj. et m. vigliacco, codardo.
pleuvasser [pløvase], **pleuviner** [pløvine] ou **pleuvoter** [pløvɔte] v. impers. FAM. piovigginare.
pleuvoir [pløvwar] v. impers. piovere. | *pleuvoir à verse,* piovere a dirotto. ◆ v. intr. *il a plu des pierres,* sono piovuti sassi.
plèvre [plɛvr] f. pleura.
pli [pli] m. *(faux) pli,* grinza f., piega f. || FIG. *bon, mauvais pli,* buona, cattiva, brutta piega. | *le pli est pris,* l'abitudine è presa. || [coiffure] *mise en plis,* messa in piega ; ondulazione f. || [lettre] plico, piego. || [cartes] presa f.
pliant [plijɑ̃] m. seggiolino, sgabello pieghevole.
plier [plije] v. tr. piegare. | *plier les bras, les jambes,* piegare, flettere le braccia, le gambe. || FAM. *plier bagage,* far fagotto. || FIG. (à) sottomettere (a), piegare (a). ◆ v. intr. piegarsi. || [céder] cedere, piegarsi, indietreggiare.
plinthe [plɛ̃t] f. zoccolo m.
plissé, e [plise] adj. et m. pieghettato.
plissement [plismɑ̃] m. corrugamento.
plisser [plise] v. tr. [tissu, papier] pieghettare. || [froisser] spiegazzare, gualcire. || [rider] corrugare, increspare. ◆ v. intr. pieghettarsi.
plomb [plɔ̃] m. piombo. | *de plomb,* di piombo ; plumbeo adj. || [fusible] fusibile, valvola f. || [chasse] pallino. || [pêche] piombino. ◆ *à plomb,* a piombo ; a picco.
plombage [plɔ̃baʒ] m. (im)piombatura f. || [d'une dent] (im)piombatura, otturazione f.
plombé, e [plɔ̃be] adj. [colis, wagon] (im)piombato. || [dent] (im)piombato, otturato. || [couleur] plumbeo. | *teint plombé,* viso terreo.
plomber [plɔ̃be] v. tr. (im)piombare. || [dent] (im)piombare, otturare. || *plomber un mur,* verificare l'appiombo di un muro.
plomberie [plɔ̃bri] f. idraulica. || [canalisations] impianti (m. pl.) idraulici.
plombier [plɔ̃bje] m. idraulico ; trombaio.
plonge [plɔ̃ʒ] f. *faire la plonge,* fare la, il lavapiatti.
plongeant, e [plɔ̃ʒɑ̃, ɑ̃t] adj. *vue plongeante,* vista dall'alto ; CIN. ripresa dall'alto (in basso). || MIL. *tir plongeant,* tiro curvo.
plongée [plɔ̃ʒe] f. immersione.
plongeoir [plɔ̃ʒwar] m. trampolino.
plongeon [plɔ̃ʒɔ̃] m. tuffo.
plonger [plɔ̃ʒe] v. tr. immergere, tuffare. || [main, poignard, racines] affondare. || [dans le désespoir] ridurre (a). || *plongé dans la méditation,* immerso, sprofondato nella meditazione.

plongeur, euse [plɔ̃ʒœr, øz] n. SP. tuffatore, trice ; tuffista. ◆ m. [scaphandrier] sommozzatore, palombaro. ◆ n. [de vaisselle] sguattero, a ; lavapiatti inv., lavastoviglie inv.
plouf [pluf] onomat. pluf!
ploutocratie [plutokrasi] f. plutocrazia.
ployer [plwaje] v. tr. flettere ; piegare, curvare, chinare. ◆ v. intr. cedere, piegarsi.
pluie [plɥi] f. pioggia. | *petite pluie*, pioggerella. || FIG. pioggia, profusione.
plumage [plymaʒ] m. piumaggio.
plumard [plymar] m. POP. letto (L.C.).
plume [plym] f. [penne] penna ; [duvet] piuma. || [boxe] *poids plume*, peso piuma. || [pour écrire, dessiner] penna.
plumeau [plymo] m. piumino, spolverino.
plumer [plyme] v. tr. spennare, pelare.
plumet [plymɛ] m. piumetto, pennacchio.
plumier [plymje] m. astuccio (per penne e matite).
plumitif [plymitif] m. FAM. [employé] scribacchino, travet inv. ; burocrate. || [mauvais écrivain] scribacchino, pennaiolo.
plupart (la) [laplypar] f. la maggior parte ; i più m. pl.
pluriel, elle [plyrjɛl] adj. et m. plurale.
plus [ply, -z, -s] adv. [addition] più. || [compar.] più. || *plus de*, [avec un n.] più. | *avec plus de zèle*, con più zelo, con maggiore zelo ; [avec un nombre] più di. || *plus ... que*, più ... di. | *Louis est plus grand que Pierre*, Luigi è più alto di Pietro. | *plus blanc que neige*, più bianco che neve. | *plus intelligent que travailleur*, più intelligente che studioso. | *plus beau que jamais*, più bello che mai. | *plus fatigué qu'hier*, più stanco di ieri. | *plus satisfait de toi que de lui*, più soddisfatto di te che di lui. | *il est plus agréable de jouer que de travailler*, è più piacevole giocare che lavorare. | *il est plus jeune que je ne pensais*, è più giovane che non credessi. || [quantité] più che. || *plus que*, [avec adj.] più che. || ABS. *consommer plus*, consumare di più. || [corrélation] *plus ... plus, plus ... moins*, più ...(e) più, più ...(e) meno. || LOC. *de plus en plus*, sempre più. || *on ne peut plus*, quanto mai. || *de plus*, di più, inoltre, per di più. || *bien plus, il y a plus, qui plus est*, inoltre, per di più, anzi. || *en plus*, in più, inoltre, per di più. || *sans plus*, e basta ; e niente di più ; senz'altro. || *tant et plus*, in abbondanza, moltissimo. || *(tout) au plus*, (tutt') al più. || [superl. rel.] *le, la, les plus*, il, la, i, le più. | *les villes les plus belles*, le più belle città, le città più belle. || *ne ... plus*, non ... più. | *moi non plus*, nemmeno, neppure io, neanch'io. ◆ m. *le plus que*, il massimo di. || *en plus de*, oltre. || *d'autant plus que*, tanto più che.
plusieurs [plyzjœr] adj. pl. parecchi, ie ; diversi, e più. ◆ pron. pl. parecchi, ie ; diversi, e.
plus-que-parfait [plyskəparfɛ] m. trapassato prossimo ; piuccheperfetto.
plus-value [plyvaly] f. plusvalenza, plusvalore m.
plutonium [plytɔnjɔm] m. plutonio.
plutôt [plyto] adv. piuttosto. | *ou plutôt*, o più precisamente, o meglio. ◆ *plutôt que*, piuttosto che.
pluvieux, euse [plyvjø, øz] adj. piovoso.
pneu [pnø] m. AUT. pneumatico, gomma f.
pneumatique [pnømatik] adj. et m. pneumatico.
pneumonie [pnømɔni] f. MÉD. polmonite.
pochade [pɔʃad] f. ART schizzo m.
pochard, e [pɔʃar, ard] n. FAM. sbornione, a.
poche [pɔʃ] f. tasca. | *de poche*, tascabile adj. ; da tasca. || [pli] gobba. || FIG. pl. [sous les yeux] borse. || [sac, sachet] sacco m., sacchetto m. || GÉOL., MÉD., MIL. sacca.
poché, e [pɔʃe] adj. [œil] pesto ; [œuf] affogato, in camicia.
pocher [pɔʃe] v. tr. [un œil] pestare. || ART schizzare, abbozzare. || CULIN. cuocere nell'acqua bollente.
pochette [pɔʃɛt] f. [petite poche] taschino m. || [mouchoir] fazzoletto (m.) da taschino. || [sachet] busta, bustina. || [trousse] astuccio m.
pochoir [pɔʃwar] m. stampino.
1. poêle [pwal] m. drappo funebre ; coltre della bara.
2. poêle m. [chauffage] stufa f.
3. poêle f. CULIN. padella.
poêlon [pwalɔ̃] m. tegame, tegamino.
poème [pɔɛm] m. poesia f. ; componimento (poetico) ; [lyrique] lirica f. || [d'une certaine étendue] poema.
poésie [pɔezi] f. poesia.
poète [pɔɛt] m. poeta.
poétesse [pɔetɛs] f. poetessa.
poétique [pɔetik] adj. poetico. ◆ f. poetica.
pognon [pɔɲɔ̃] m. POP. grana f.
poids [pwa] m. peso. | *prendre, perdre du poids*, crescere, diminuire di peso. || [lieu] *poids public*, pesa (f.) pubblica. || FIG. [affaires, remords, années] peso. || [importance] peso, importanza f. | *homme de poids*, uomo autorevole. | *ne pas faire le poids*, non avere le

capacità richieste. ‖ SP. peso. | *poids et haltères,* pesistica f. ; sollevamento pesi.

poignant, e [pwaɲɑ̃, ɑ̃t] adj. acuto, straziante.

poignard [pwaɲar] m. pugnale.

poignarder [pwaɲarde] v. tr. pugnalare.

poigne [pwaɲ] f. *homme à poigne,* uomo di polso m.

poignée [pwaɲe] f. manciata, manata, pugno m. ; [d'herbes, de cheveux, de poils] ciuffo m. | *par poignées,* a manate, a piene mani. ‖ [sac, valise] manico m. ; [arme, portière] impugnatura ; [porte, fenêtre, malle] maniglia ; [moto, bicyclette] manopola ; [tiroir] pomello m., maniglia ; [pour saisir un objet chaud] presa. ‖ *poignée de main,* stretta di mano.

poignet [pwaɲɛ] m. polso ; [d'une manche] polsino. ‖ *à la force du poignet,* a forza di braccia.

poil [pwal] m. pelo. ‖ [pelage] pelo, pelame, manto. ‖ FAM. *avoir un poil dans la main,* essere un fannullone. | *à poil,* nudo adj. | *être de mauvais poil,* essere di cattivo umore. | *reprendre du poil de la bête,* riaversi ; riprendere le forze.

poilu, e [pwaly] adj. peloso, villoso.

poinçon [pwɛ̃sɔ̃] m. TECHN. punteruolo. ‖ [monnaie, médaille] punzone.

poinçonner [pwɛ̃sɔne] v. tr. TECHN. punzonare. ‖ [billet] forare.

poinçonneuse [pwɛ̃sɔnøz] f. [de tôles] punzonatrice ; [de billets] perforatrice.

poindre [pwɛ̃dr] v. intr. spuntare, sorgere.

poing [pwɛ̃] m. pugno. | *coup de poing,* pugno. | *au poing,* in pugno. | *faire le coup de poing,* fare a pugni.

1. point [pwɛ̃] m. [lieu] punto. | *point d'appui,* punto di appoggio ; FIG. fulcro. ‖ [degré] *à ce point,* fino a questo punto, fino a questo segno. ‖ *le point du jour,* lo spuntar del giorno. ‖ [sur la peau] *point noir,* comedone. ‖ GR. punto, punto fermo. | *point, à la ligne,* punto e a capo ; *point-virgule,* punto e virgola ; *deux points,* due punti ; *point d'exclamation, d'interrogation,* punto esclamativo, interrogativo ; *point de suspension,* puntino (di sospensione). | *un point, c'est tout,* punto e basta. ‖ JEU, SP. punto. | *marquer un point,* segnare un punto. ‖ MIL. *point d'appui,* caposaldo. ‖ MUS. *point d'orgue,* corona f. ‖ UNIV. voto. ‖ *faire le point,* fare il punto. | *mettre au point,* mettere a punto, a fuoco. | *mal en point,* mal ridotto. | *mettre au point mort,* mettere in folle. ◆ *cuit à point,* cotto appuntino, giusto di cottura. | *à ce point,* talmente. | *à point nommé,* a proposito ; al momento giusto, opportuno. | *au dernier point,* estremamente. | *de point en point,* esattamente. | *de, en tout point, en tous points,* proprio, esattamente, affatto. | *au point de,* al punto di. | *être sur le point de,* essere sul punto di ; stare per ; essere in procinto di. | *à tel point, à ce point que,* a tal punto che.

2. point adv. *ne ... point,* non ... punto ; non ... affatto. | *point du tout,* niente affatto. | *point d'argent,* niente denaro.

pointage [pwɛ̃taʒ] m. controllo, verifica f., spunta f.

pointe [pwɛ̃t] f. punta ; [d'un mouchoir] cocca. | *en pointe,* a punta. | *sur la pointe des pieds,* in punta di piedi. | *à la pointe du progrès,* all'avanguardia del progresso. ‖ MÉD. *pointes de feu,* ignipuntura f. sing. ‖ MIL. *pousser une pointe,* fare una puntata, un'incursione ‖ [trait d'esprit] motto m., arguzia, frecciata. ‖ *une pointe d'ail,* una punta, un pizzico d'aglio. ‖ *de pointe,* di punta.

1. pointer [pwɛ̃te] v. tr. puntare ; segnare con un punto. ‖ [contrôler] spuntare, verificare, controllare. | [arme] puntare. ◆ v. pr. POP. arrivare (L.C.), giungere (L.C.).

2. pointer v. tr. drizzare, rizzare. ‖ [aiguiser] aguzzare, appuntire. ◆ v. intr. innalzarsi, slanciarsi, ergersi. ‖ [poindre] spuntare.

pointeur [pwɛ̃tœr] m. MIL. puntatore.

pointillé [pwɛ̃tije] m. linea punteggiata.

pointilleux, euse [pwɛ̃tijø, øz] adj. esigente, minuzioso, meticoloso.

pointu, e [pwɛ̃ty] adj. appuntito, aguzzo. ‖ *avoir une formation pointue,* avere una preparazione assai approfondita. ‖ FIG. suscettibile, permaloso.

pointure [pwɛ̃tyr] f. numero m. (di scarpe, guanti, cappelli).

poire [pwar] f. pera. ‖ FAM. [naïf] pollo m., tonto m., gonzo m. ‖ *couper la poire en deux,* venire a un compromesso.

poireau [pwaro] m. porro.

poireauter [pwarote] v. intr. FAM. stare di piantone.

poirier [pwarje] m. pero.

pois [pwa] m. pisello ; *pois chiche,* cece ; *pois de senteur,* pisello odoroso.

poison [pwazɔ̃] m. veleno. ‖ FAM. [personne] flagello ; [enfant] peste f. ; [chose] seccatura f.

poisse [pwas] f. FAM. scalogna.

poisser [pwase] v. tr. impeciare. ◆ v. intr. appiccicare.

poisseux, euse [pwasø, øz] adj. appiccicoso, appiccicaticcio.

poisson [pwasɔ̃] m. pesce. || *poisson d'avril,* pesce d'aprile. ◆ pl. ASTR. *Poissons,* Pesci.

poissonnerie [pwasɔnri] f. pescheria.

poissonneux, euse [pwasɔnø, øz] adj. pescoso.

poissonnier, ère [pwasɔnje, ɛr] n. pescivendolo, a. ◆ f. CULIN. pesciaiola.

poitrail [pwatraj] m. ZOOL. petto. || [harnais] pettorale.

poitrinaire [pwatrinɛr] adj. et n. MÉD. tisico.

poitrine [pwatrin] f. petto m. | *tour de poitrine,* [homme] circonferenza toracica ; [femme] giro (di) petto. || [seins] seno m., petto. || *respirer à pleine poitrine,* respirare a pieni polmoni.

poivre [pwavr] m. pepe. || FIG. *poivre et sel,* brizzolato.

poivré, e [pwavre] adj. PR. et FIG. pepato.

poivrer [pwavre] v. tr. pepare.

poivrière [pwavrijɛr] f. pepaiola. || ARCHIT. guardiola ; torretta di vedetta.

poivron [pwavrɔ̃] m. peperone.

poivrot, e [pwavro, ɔt] n. POP. ubriacone, a.

poix [pwa] f. pece.

polaire [pɔlɛr] adj. et f. polare.

polariser [pɔlarize] v. tr. polarizzare.

pôle [pol] m. polo.

polémique [pɔlemik] adj. polemico. ◆ f. polemica.

polémiquer [pɔlemike] v. intr. polemizzare.

poli, e [pɔli] adj. levigato, liscio. | *pierre polie,* pietra levigata. || [courtois] cortese, educato, garbato.

1. police [pɔlis] f. polizia. | *poste de police,* posto, corpo di guardia (di un commissariato). | *police secours,* la (squadra) volante. || *faire la police,* mantenere l'ordine.

2. police f. [d'assurance] polizza.

policer [pɔlise] v. tr. incivilire ; civilizzare (gall.).

polichinelle [pɔliʃinɛl] m. Pulcinella.

policier, ère [pɔlisje, ɛr] adj. poliziesco. || *roman, film policier,* giallo m. || *chien policier,* cane poliziotto. ◆ m. poliziotto.

policlinique [pɔliklinik] f. ambulatorio (m.) municipale.

poliomyélite [pɔljɔmjelit] ou **polio** [pɔljɔ] f. poliomielite, polio.

polir [pɔlir] v. tr. levigare, polire, lisciare. || FIG. raffinare, ingentilire ; [style] limare, forbire.

polisson, onne [pɔlisɔ̃, ɔn] n. [gamin] monello, a. ◆ adj. licenzioso, spinto.

polissonnerie [pɔlisɔnri] f. [de gamin] monelleria. || [propos licencieux] discorso (m.) licenzioso, spinto.

politesse [pɔlitɛs] f. cortesia ; buona educazione. || [action, parole] cortesia, gentilezza ; convenevoli m. pl.

politicien, enne [pɔlitisjɛ̃, ɛn] n. politicante.

politique [pɔlitik] adj. et n. politico.

politiser [pɔlitize] v. tr. politicizzare.

pollen [pɔlɛn] m. polline.

polluer [pɔlɥe] v. tr. inquinare.

pollution [pɔlysjɔ̃] f. inquinamento m. || MÉD. polluzione.

polonais, e [pɔlɔnɛ, ɛz] adj. et n. polacco. ◆ f. MUS. polacca, polonese.

poltron, onne [pɔltrɔ̃, ɔn] adj. et n. vigliacco.

polychrome [pɔlikrom] adj. policromo.

polyclinique [pɔliklinik] f. policlinico m.

polycopié [pɔlikɔpje] adj. ciclostilato. ◆ m. testo ciclostilato ; dispense ciclostilate.

polycopier [pɔlikɔpje] v. tr. ciclostilare. || *machine à polycopier,* ciclostile m.

polygamie [pɔligami] f. poligamia.

polyglotte [pɔliglɔt] adj. poliglotto. ◆ n. poliglotta.

polygone [pɔligon] m. poligono.

polynésien, enne [pɔlinezjɛ̃, ɛn] adj. et n. polinesiano.

polynôme [pɔlinom] m. polinomio.

polype [pɔlip] m. polipo.

polysémie [pɔlisemi] f. polisemia.

polysyllabe [pɔlisilab] adj. et m. ou **polysyllabique** [pɔlisilabik] adj. polisillabo, plurisillabo adj. et m., polisillabico adj.

polytechnique [pɔlitɛknik] adj. politecnico.

polythéisme [pɔliteism] m. politeismo.

polyvalent, e [pɔlivalɑ̃, ɑ̃t] adj. polivalente, plurivalente.

pommade [pɔmad] f. pomata.

pomme [pɔm] f. mela. || *pomme de terre,* patata. || [de chou, de salade] cesto m., grumolo m. || [d'arrosoir] cipolla. || *pomme de discorde,* pomo (m.) della discordia. || FAM. *tomber dans les pommes,* venir meno, svenire.

pommeau [pɔmo] m. pomo, pomello.

pommette [pɔmɛt] f. zigomo m., pomello m.

pommier [pɔmje] m. melo.

1. pompe [pɔ̃p] f. pompa, sfarzo m. ◆ pl. *pompes funèbres,* pompe funebri.

2. pompe f. pompa. | *pompe à main,* pompa a mano. | *pompe à incendie,* pompa d'incendio, pompa antincendio. || FAM. *à toute pompe,* a tutta birra. || *coup de pompe,* grande stanchezza improvvisa.

pomper [pɔ̃pe] v. tr. pompare.

pompeux, euse [pɔ̃pø, øz] adj. pomposo. || [exagéré] enfatico.
pompier [pɔ̃pje] m. pompiere ; vigile del fuoco.
pompier, ère [pɔ̃pje, ɛr] adj. PÉJOR. enfatico.
pompiste [pɔ̃pist] m. pompista, benzinaio.
pompon [pɔ̃pɔ̃] m. fiocco, nappa f. || MIL. nappina f.
pomponner (se) [səpɔ̃pɔne] v. pr. agghindarsi, azzimarsi.
ponce [pɔ̃s] f. et adj. *(pierre) ponce,* (pietra) pomice.
poncer [pɔ̃se] v. tr. [avec pierre ponce] pomiciare ; [avec autres abrasifs] levigare, smerigliare.
poncif [pɔ̃sif] m. PÉJOR. banalità f., luogo comune.
ponction [pɔ̃ksjɔ̃] f. CHIR. paracentesi, puntura. || FIG. prelievo m.
ponctualité [pɔ̃ktɥalite] f. puntualità.
ponctuation [pɔ̃ktɥasjɔ̃] f. GR. punteggiatura, interpunzione.
ponctuel, elle [pɔ̃ktɥɛl] adj. puntuale.
ponctuer [pɔ̃ktɥe] v. tr. GR. punteggiare, interpungere. || FIG. punteggiare, sottolineare.
pondération [pɔ̃derasjɔ̃] f. MÉC., POL. equilibrio m. || ÉCON. ponderazione. || FIG. ponderazione, ponderatezza.
pondérer [pɔ̃dere] v. tr. equilibrare. || ÉCON. ponderare.
pondre [pɔ̃dr] v. tr. fare l'uovo, le uova.
poney [pɔnɛ] m. pony.
pongiste [pɔ̃ʒist] n. giocatore, trice di ping-pong.
pont [pɔ̃] m. ponte. | *pont basculant, élévateur, tournant,* ponte a bilico, elevatore, a sbalzo. || *(service des) Ponts et Chaussées,* Genio civile. || AUT. ponte. || MAR. ponte, coperta f. || [congé] ponte.
1. ponte [pɔ̃t] f. (il) far le uova.
2. ponte m. JEU puntatore. || FAM. pezzo grosso, pesce grosso.
pontife [pɔ̃tif] m. pontefice. | *souverain pontife,* sommo pontefice. || FAM. pezzo grosso; padreterno.
pontifical, e, aux [pɔ̃tifikal, o] adj. pontificale. || [papal] pontificio.
pont-levis [pɔ̃lvi] m. ponte levatoio.
ponton [pɔ̃tɔ̃] m. pontile. || *ponton-grue,* pontone.
pool [pul] m. ÉCON. pool.
popote [pɔpɔt] f. FAM. *faire la popote,* fare la cucina (L.C.). || MIL. [mess] mensa.
pope [pɔp] m. REL. pope.
popeline [pɔplin] f. popelina.
populace [pɔpylas] f. PÉJOR. plebaglia, volgo m.
populacier, ère [pɔpylasje, ɛr] adj. plebeo, volgare.
populaire [pɔpylɛr] adj. popolare ; popolaresco (péjor.).
popularité [pɔpylarite] f. popolarità.
population [pɔpylasjɔ̃] f. popolazione.
populeux, euse [pɔpylø, øz] adj. popoloso.
populo [pɔpylo] m. POP. popolo, folla (L.C.) ; plebaglia (péjor.).
porc [pɔr] m. porco, maiale, suino. || [cuir] cinghiale.
porcelaine [pɔrsəlɛn] f. porcellana.
porc-épic [pɔrkepik] m. porcospino.
porche [pɔrʃ] m. atrio.
porcherie [pɔrʃəri] f. porcile m.
pore [pɔr] m. poro.
poreux, euse [pɔrø, øz] adj. poroso.
pornographie [pɔrnɔgrafi] f. pornografia.
pornographique [pɔrnɔgrafik] adj. ou FAM. **porno** [pɔrnɔ] pornografico.
porphyre [pɔrfir] m. porfido.
1. port [pɔr] m. MAR. porto. || FIG. *arriver à bon port,* giungere in porto.
2. port m. porto. || *port dû, payé,* porto assegnato, pagato. || [maintien] portamento.
portable [pɔrtabl] adj. portatile.
portail [pɔrtaj] m. portone ; [d'église] portale.
portant, e [pɔrtɑ̃, ɑ̃t] adj. *bien, mal portant,* che sta bene, male (di salute). ◆ *à bout portant,* a bruciapelo.
portatif, ive [pɔrtatif, iv] adj. portatile.
porte [pɔrt] f. [de ville] porta ; [de maison, de pièce] porta, uscio m. | *porte cochère,* portone m. | *porte coulissante,* porta scorrevole. | *porte-fenêtre,* porta finestra. || FIG. *entrer par la grande porte,* entrare dalla scala maestra.
porté, e [pɔrte] adj. propenso, incline, proclive. || MIL. *infanterie portée,* fanteria autoportata.
porte-à-faux (en) [ɑ̃pɔrtafo] loc. adv. ARCHIT. in aggetto. || FIG. in una posizione falsa.
porte-à-porte [pɔrtapɔrt] m. inv. *faire du porte-à-porte,* vendere a domicilio. || FIG. fare propaganda di porta in porta.
porte-avions [pɔrtavjɔ̃] m. inv. portaerei.
porte-bagages [pɔrtbagaʒ] m. inv. portapacchi ; portabagagli.
porte-bonheur [pɔrtbɔnœr] m. inv. portafortuna.
porte-cartes [pɔrtəkart] m. inv. portatessera, portacarte.
porte-clefs [pɔrtəkle] m. inv. portachiavi.
porte-couteau [pɔrtkuto] m. reggiposata inv.
porte-documents [pɔrtdɔkymɑ̃] m. inv. portacarte ; borsa f.

porte-drapeau [pɔrtədrapo] m. inv. portabandiera ; alfiere m.
portée [pɔrte] f. portata. || MIL. portata, gittata, tiro m. || FIG. *à (la) portée de,* alla portata di ; accessibile (adj.) a. || [effet] portata, effetto m., valore m. || [d'un esprit] portata ; capacità intellettuale. || ARCHIT. portata, luce. || MUS. pentagramma m. ; rigo m. (musicale). || ZOOL. figliata.
portefeuille [pɔrtəfœj] m. portafoglio ; portafogli inv. || POL. portafoglio, ministero, dicastero.
porte-hélicoptères [pɔrtelikɔptɛr] m. inv. MAR. portaelicotteri.
porte-jarretelles [pɔrtʒartɛl] m. inv. reggicalze.
porte-malheur [pɔrtmalœr] m. inv. oggetto che porta sfortuna. || [personne] iettatore, trice.
portemanteau [pɔrtmɑ̃to] m. attaccapanni inv.
porte-monnaie [pɔrtmɔnɛ] m. inv. portamonete.
porte-parapluies [pɔrtparaplɥi] m. inv. portaombrelli.
porte-parole [pɔrtparɔl] m. inv. [personne] portavoce.
porte-plume [pɔrtplym] m. inv. portapenne.
porter [pɔrte] v. tr. 1. [soutenir] portare, reggere ; [édifice] sostenere ; [responsabilité] assumere. | *porter en triomphe,* portare in trionfo. || [supporter : peine] sopportare. 2. [transporter] portare, trasportare ; [objet léger ; nouvelle] recare. | *porter qch. à la connaissance de qn,* portar qlco. a conoscenza di qlcu. || [à l'écran, à la scène] adattare, ridurre. 3. [vêtements] indossare, portare. 4. [diriger] *porter ses pas, ses regards vers,* volgere, dirigere i passi, lo sguardo verso. | *porter son attention sur,* volgere l'attenzione a. 5. [produire : fruits, intérêts] produrre, dare, generare. | [un enfant en son sein] portare (in seno, in grembo). || FIG. *bien porter son âge,* portar bene gli anni. 6. [inciter] *porter qn à faire qch.,* portare, incitare, indurre qlcu. a far qlco. 7. [inscrire] segnare, iscrivere, registrare. | *se faire porter malade,* dichiararsi ammalato ; MIL. marcare visita. || [manifester : amitié, envie, respect] provare, nutrire, portare. ◆ v. tr. ind. et intr. 1. [reposer : voûte] posare, poggiare, riposare. | *porter à faux,* strapiombare. || GR. cadere. 2. [atteindre : fusil, canon] avere una portata di. | *coup qui porte,* PR. et FIG. colpo che colpisce nel segno. 3. [avoir pour objet] (sur), vertere (su), riferirsi (a). || LOC. *vin qui porte à la tête,* vino che dà alla testa. | *porter sur les nerfs,* dare ai nervi. ◆ v. pr. 1. [santé] stare (bene, male). 2. [se transporter] portarsi, dirigersi, affluire. | *se porter au secours de qn,* venire, accorrere in soccorso di qlcu. 3. FIG. [s'orienter : attention, soupçon] volgersi, orientarsi, concentrarsi, convergere. 4. [être en usage : vêtement] portarsi, usare. 5. [se présenter] [candidat] presentarsi ; [acquéreur] dichiararsi ; [garant] rendersi.
porte-serviettes [pɔrtsɛrvjɛt] m. inv. portasciugamani.
porteur, euse [pɔrtœr, øz] adj. portante. ◆ n. portatore, trice ; [dans les gares] facchino ; portabagagli inv. || FIN. *porteur d'actions, d'obligations,* azionista n., obbligazionista n. | *chèque (payable) au porteur,* assegno (pagabile) al portatore.
porte-voix [pɔrtəvwa] m. inv. [instrument] portavoce.
portier, ère [pɔrtje, ɛr] n. [d'édifice public] portiere, a ; [de maison particulière] portinaio, a.
portière [pɔrtjɛr] f. portiera.
portillon [pɔrtijɔ̃] m. porticina f., portello ; [de passage à niveau] cancelletto (per pedoni).
portion [pɔrsjɔ̃] f. porzione.
portique [pɔrtik] m. ARCHIT. portico, porticato. || SP. ponte degli attrezzi ginnici. || *portique à signaux,* pontesegnali m. inv.
portrait [pɔrtrɛ] m. ritratto. || [art du portrait] ritrattistica f.
portrait-robot [rɔbo] m. identi-kit inv.
portuaire [pɔrtɥɛr] adj. portuale.
portugais, e [pɔrtygɛ, ɛz] adj. et n. portoghese.
pose [poz] f. posa. || FIG. posa, affettazione. || PHOT. posa, esposizione.
posé, e [poze] adj. posato, pacato. || MUS. [voix] impostato.
poser [poze] v. tr. posare, porre, mettere. || [déposer] posare, deporre, metter giù. || [mettre en place] posare, montare, installare. || [formuler, présenter] porre, enunciare, formulare. ◆ v. intr. [prendre appui] (sur) posare (su), poggiare (su). || [pour portrait, photo] posare. || FIG. posare. || [prendre l'air de] atteggiarsi a, posare a. ◆ v. pr. [oiseau] posarsi ; [avion] atterrare. || [sens pass. : question, problème] porsi ; sorgere, nascere. || FIG. *se poser en,* posare a, atteggiarsi a.
poseur, euse [pozœr, øz] n. posatore, trice.
positif, ive [pozitif, iv] adj. positivo. ◆ m. (lato) positivo. || PHOT. positiva f.
position [pozisjɔ̃] f. [ville] posizione, sito m. || [étoile, navire, avion] posizione. || MIL. posizione. || [attitude] posizione, positura, atteggiamento m. || FIG. [sociale] posizione, situazione.

posologie [pozolɔʒi] f. posologia.
possédant, e [pɔsedɑ̃, ɑ̃t] n. possidente.
possédé, e [pɔsede] adj. et n. indemoniato, ossesso, invasato.
posséder [pɔsede] v. tr. possedere, avere. || [une science] possedere, conoscere a fondo. || FAM. turlupinare, raggirare, imbrogliare. ◆ v. pr. LOC. *ne pas se posséder de joie,* non stare in sé dalla gioia.
possesseur [pɔsɛsœr] m. possessore.
possessif, ive [pɔsesif, iv] adj. GR. possessivo. || FIG. [affectivement] possessivo. ◆ m. GR. aggettivo, pronome possessivo.
possession [pɔsɛsjɔ̃] f. possesso m., possedimento m. | *possession de soi,* padronanza, possesso, dominio (m.) di sé.
possibilité [pɔsibilite] f. possibilità, facoltà. ◆ pl. possibilità ; mezzi m. pl.
possible [pɔsibl] adj. possibile. | *c'est possible,* possibile ; può darsi. | *si possible,* possibilmente. | *aussitôt que possible,* il più presto possibile ; quanto prima. || FAM. *pas possible !,* ma com'è possibile ? ◆ m. possibile. | *faire (tout) son possible,* fare (tutto) il possibile. | *dans la mesure du possible,* per quanto è, sarà possibile. ◆ *au possible,* quanto mai.
postal, e, aux [pɔstal, o] adj. postale.
postcure [pɔstkyr] f. [établissement] convalescenziario m.
postdater [pɔstdate] v. tr. postdatare.
1. poste [pɔst] f. posta. | *bureau de poste,* ufficio postale. | *mettre à la poste,* impostare, imbucare. | *(lettre) poste restante,* (lettera) ferma in posta.
2. poste m. posto, impiego ; [important] carica f. || MIL. posto. || [emplacement] posto, cabina f., stazione f. | *poste d'incendie,* bocca (f.) da incendio. | *poste d'essence,* distributore di benzina. | *poste d'aiguillage,* posto di blocco. || *poste de radio, de télévision,* radio f. inv., televisore.
1. poster [pɔste] v. tr. [à la poste] impostare.
2. poster v. tr. [placer] postare. ◆ v. pr. appostarsi.
postérieur, e [pɔsterjœr] adj. posteriore. ◆ m. FAM. didietro ; sedere.
postérité [pɔsterite] f. [lignée] posterità, discendenza ; posteri m. pl.
posthume [pɔstym] adj. postumo.
postiche [pɔstiʃ] adj. posticcio, finto. ◆ m. posticcio.
postier, ère [pɔstje, ɛr] n. impiegato, impiegata postale ; postelegrafico, postelegrafonico.
postillon [pɔstijɔ̃] m. [conducteur] postiglione. || FAM. spruzzo di saliva.
postillonner [pɔstijɔne] v. intr. FAM. spruzzar saliva, sputacchiare (parlando).
post-scriptum [pɔstskriptɔm] m. inv. poscritto.
postsynchroniser [pɔstsɛ̃krɔnize] v. tr. postsincronizzare.
postulant, e [pɔstylɑ̃, ɑ̃t] n. postulante.
postulat [pɔstyla] m. postulato.
postuler [pɔstyle] v. tr. postulare, sollecitare.
posture [pɔstyr] f. positura, posizione. || FIG. situazione. | *être en posture de,* essere in grado di.
pot [po] m. vaso ; [petit] vasetto, brocca f., bricco, boccale, barattolo ; [confiture, tabac] barattolo ; [eau] brocca ; [lait] bricco ; [bière] boccale. || FAM. [réunion] bicchierata f. || POP. [chance] fortuna f. | *pas de pot !,* che scalogna ! || AUT. *pot d'échappement,* marmitta f. || CULIN. *poule au pot,* gallina lessa, bollita.
potable [pɔtabl] adj. potabile. || FAM. passabile.
potache [pɔtaʃ] m. FAM. collegiale (L.C.), liceale (L.C.).
potage [pɔtaʒ] m. minestra f.
potager, ère [pɔtaʒe, ɛr] adj. *plantes potagères,* ortaggi m. pl. | *(jardin) potager,* orto.
potasse [pɔtas] f. potassa.
potasser [pɔtase] v. tr. FAM. sgobbare (su, per).
potassium [pɔtasjɔm] m. potassio.
pot-au-feu [potofø] m. inv. CULIN. lesso. ◆ adj. inv. FAM. [casanier] tutto casa.
pot-de-vin [podvɛ̃] m. FAM. bustarella f., sbruffo.
poteau [poto] m. palo. | *poteau indicateur,* indicatore stradale. | *envoyer qn au poteau,* condannare a morte. || SP. *poteau d'arrivée,* traguardo.
potelé, e [pɔtle] adj. paffuto, paffutello, grassoccio.
potence [pɔtɑ̃s] f. forca, patibolo m.
potentiel, elle [pɔtɑ̃sjɛl] adj. et m. potenziale.
poterie [pɔtri] f. terracotta, terraglie f. pl., ceramica, vasellame m., stoviglie f. pl.
poterne [pɔtɛrn] f. post(i)erla.
potiche [pɔtiʃ] f. porcellana (cinese, giapponese).
potier [pɔtje] m. vasaio, stovigliaio, ceramista.
potin [pɔtɛ̃] m. FAM. pettegolezzo. || [tapage] baccano.
potion [pɔsjɔ̃] f. pozione.
potiron [pɔtirɔ̃] m. zucca f.
pot-pourri [popuri] m. FIG. guazzabuglio.
pou [pu] m. pidocchio.

poubelle [pubɛl] f. pattumiera.
pouce [pus] m. ANAT. [de la main] pollice ; [du pied] alluce. || *se tourner les pouces,* star con le mani in mano. | *manger sur le pouce,* mangiare alla lesta. || [mesure] pollice. || JEU *pouce !,* pace ! | *pousse cassé !,* guerra !
poudre [pudr] f. polvere. | *poudre de riz,* cipria. || FIG. *jeter de la poudre aux yeux de qn,* gettare polvere negli occhi di qlcu.
poudrer [pudre] v. tr. polverizzare. || [de poudre de riz] incipriare.
poudrerie [pudrəri] f. polverificio m.
poudreux, euse [pudrø, øz] adj. [neige] farinoso.
poudrier [pudrije] m. portacipria inv.
poudrière [pudrijɛr] f. polveriera.
pouffer [pufe] v. intr. *pouffer (de rire),* scoppiare a ridere.
pouilleux, euse [pujø, øz] adj. pidocchioso. || [misérable] sordido, miserabile, squallido. ◆ n. pezzente m. ; straccione, a.
poulailler [pulaje] m. pollaio. || TH. piccionaia f., loggione.
poulain [pulɛ̃] m. puledro. || [fourrure] cavallino.
1. poule [pul] f. gallina. | PR. et FIG. *mère poule,* chioccia. || FIG. *poule mouillée,* cuor (m.) di coniglio.
2. poule f. SP. poule.
poulet [pulɛ] m. pollo, pollastro. || FAM. cocco, tesoro. || biglietto, letterina f. (galante). || POP. poliziotto.
pouliche [puliʃ] f. cavallina.
poulie [puli] f. puleggia, carrucola.
poulpe [pulp] m. polpo.
pouls [pu] m. polso.
poumon [pumɔ̃] m. polmone. || MÉD. *poumon d'acier,* polmone d'acciaio.
poupe [pup] f. poppa.
poupée [pupe] f. bambola.
poupon [pupɔ̃] m. pupo, bamboccio.
pouponnière [pupɔnjɛr] f. asilo-nido m.
pour [pur] prép. per ; al posto di. || [direction, but] per. | *pour cela,* per questo (motivo) ; perciò. || [quant à] per ; (in) quanto a. || [à cause de] per ; a causa di, per via di. || FAM. *pour (tout) de bon, pour de vrai,* per davvero, sul serio. || *être pour partir,* essere sul punto di partire, stare per partire. ◆ *pour autant,* nondimeno. | *pour le moins,* per lo meno. | *pour lors,* allora. | *pour que,* perché, affinché. | *pour ... que,* [concession] per quanto. | *pour autant que,* per quanto. ◆ m. inv. *le pour et le contre,* il pro e il contro.
pourboire [purbwar] m. mancia f.
pourceau [purso] m. porco.
pourcentage [pursɑ̃taʒ] m. percentuale.
pourchasser [purʃase] v. tr. inseguire ; dar la caccia a.
pourfendre [purfɑ̃dr] v. tr. spaccare, dimezzare. || FIG. ridurre a mal partito, stroncare.
pourlécher (se) [səpurleʃe] v. pr. FAM. *se pourlécher (les babines),* leccarsi i baffi.
pourparlers [purparle] m. pl. trattative f. pl., negoziati. | *engager des pourparlers,* aprire, iniziare, intavolare delle trattative, dei negoziati.
pourpre [purpr] f. porpora. || [dignité] porpora. ◆ m. [couleur] color porpora. ◆ adj. di porpora ; color porpora ; porporino.
pourquoi [purkwa] adv. interr. perché. || *c'est pourquoi,* per questo ; perciò. ◆ m. inv. [raison] perché, ragione f., causa f.
pourri, e [puri] adj. marcio, fradicio.
pourrir [purir] v. intr. marcire, imputridire, putrefare ; putrefarsi. ◆ v. tr. far marcire ; imputridire. || FIG. corrompere, depravare, viziare. ◆ v. pr. marcire, imputridire. || FIG. deteriorarsi.
pourriture [purityr] f. [état] putrescenza. || [choses] marcio m., marciume m., putredine. || [corruption] corruzione, putredine, marcio.
poursuite [pursɥit] f. inseguimento m. || FIG. caccia, (ri)cerca, perseguimento m. || [continuation] proseguimento m., continuazione. ◆ pl. JUR. *engager des poursuites (contre),* intentare un' azione (legale) (contro), un procedimento penale (contro). || SP. inseguimento.
poursuivant [pursɥivɑ̃] m. inseguitore. || JUR. attore.
poursuivre [pursɥivr] v. tr. [courir après] inseguire, rincorrere. || FIG. ricercare, perseguire ; andar dietro a. || [continuer] proseguire, continuare. || JUR. *poursuivre en justice,* querelare, processare. ◆ v. pr. [récipr.] rincorrersi. || [continuer] proseguire, continuare, durare v. intr.
pourtant [purtɑ̃] adv. però, pure, tuttavia.
pourtour [purtur] m. giro, circonferenza f., circuito.
pourvoi [purvwa] m. JUR. ricorso.
pourvoir [purvwar] v. tr. ind (à) provvedere (a). ◆ v. tr. provvedere, fornire, dotare. ◆ v. pr. provvedersi, fornirsi, munirsi. || JUR. ricorrere v. intr.
pourvu que [purvykə] loc. conj. (et subj.) purché ; a patto che, a condizione che (et subj.). || [souhait] *pourvu qu'il vienne !,* Dio voglia che venga !
pousse [pus] f. crescita. || BOT. [jeune branche] pollone m., germoglio m.

poussé, e [puse] adj. [plaisanterie] spinto ; [analyse] approfondito ; [dessin] rifinito ; [moteur] spinto.
poussée [puse] f. spinta, pressione. | *poussée violente,* spintone m. ; [de fièvre] accesso (m.) di febbre.
pousse-pousse [puspus] m. inv. risciò m.
pousser [puse] v. tr. spingere ; [sans fermer] accostare. || FAM. *à la va-comme-je-te-pousse,* come vien viene ; alla carlona. || FIG. [études] portare avanti, approfondire. | [plaisanterie] spingere. | [cheval, moteur] spingere. | [feu] attizzare. | [à la révolte] aizzare. | [cri] lanciare, mandare. || [soupir] emettere, mandar fuori. ◆ v. intr. spingere, ponzare. || [croître] crescere, spuntare. || [avancer] spingersi, fare una scappata. ◆ v. pr. [se déplacer] spostarsi ; farsi in là. || FIG. *se pousser dans le monde,* farsi strada nella società.
poussette [pusɛt] f. passeggino m.
poussier [pusje] m. polvere (f.) di carbone.
poussière [pusjɛr] f. polvere ; [fine] pulviscolo m. ; [épaisse] polverone m. ; [dans l'œil] bruscolo m., granello (m.) di polvere. || FAM. *un million et des poussières,* un milione e rotti, e passa.
poussiéreux, euse [pusjerø, øz] adj. polveroso. || FIG. [vieux] antiquato.
poussif, ive [pusif, iv] adj. VÉTÉR. bolso. || [personne] bolso, asmatico.
poussin [pusɛ̃] m. pulcino.
poutre [putr] f. trave.
poutrelle [putrɛl] f. travicello m., putrella.
1. pouvoir [puvwar] v. tr. potere. || *qu'est-ce que cela peut te faire ?,* che t'importa ? || *il est on ne peut plus aimable,* è quanto mai gentile. || *pouvoir beaucoup,* essere potente. || [souhait] *puisse-t-il venir !,* potesse venire ! || [probabilité] *combien peuvent-ils être ?,* quanti saranno ? | *il peut se faire que,* può darsi che.
2. pouvoir m. potere, facoltà f. || [influence] potere, ascendente, influenza f. || [autorisation] procura f. ◆ pl. *pouvoirs locaux,* enti locali. | *pouvoirs publics,* pubblici poteri. | *pleins pouvoirs,* pieni poteri.
praire [prɛr] f. venere verrucosa ; tartufo m. (di mare).
prairie [prɛri] f. prateria, prato m.
praticable [pratikabl] adj. [que l'on peut parcourir] praticabile. || [réalisable] attuabile, realizzabile. ◆ m. CIN., TH. praticabile.
praticien [pratisjɛ̃] m. MÉD. medico generico.
pratiquant, e [pratikɑ̃, ɑ̃t] adj. et n. praticante.
pratique [pratik] adj. pratico. ◆ f. pratica, esperienza. || JUR. prassi processuale ; procedura. ◆ f. pl. *pratiques illicites,* maneggi illeciti. || REL. pratiche. ◆ *en pratique,* in pratica, all'atto pratico.
pratiquement [pratikmɑ̃] adv. praticamente, in pratica, in realtà.
pratiquer [pratike] v. tr. praticare. | *pratiquer une religion,* osservare le pratiche di una religione. || [exercer] praticare, esercitare. || [faire] praticare, fare. || CHIR. effettuare, praticare. ◆ v. intr. REL. essere praticante. ◆ v. pr. *comme cela se pratique,* secondo l'uso.
praxis [praksis] f. prassi.
pré [pre] m. prato.
préalable [prealabl] adj. et m. preliminare. || JUR., POL. *question préalable,* pregiudiziale f. ◆ *au préalable,* anzitutto, previamente.
préambule [preɑ̃byl] m. preambolo.
préau [preo] m. cortile (interno) ; [école] cortile coperto.
préavis [preavi] m. preavviso.
prébende [prebɑ̃d] f. prebenda.
précaire [prekɛr] adj. precario.
précaution [prekosjɔ̃] f. precauzione, cautela, prudenza. | *mesure de précaution,* provvedimento precauzionale.
précautionner (se) [səprekosjɔne] v. pr. (contre) premunirsi (contro), cautelarsi (contro).
précautionneux, euse [prekosjɔnø, øz] adj. cauto, prudente, guardingo, circospetto.
précédemment [presedamɑ̃] adv. precedentemente, prima.
précédent, e [presedɑ̃, ɑ̃t] adj. et m. precedente.
précéder [presede] v. tr. precedere.
précepte [presɛpt] m. precetto.
précepteur, trice [presɛptœr, tris] n. precettore m., istitutore, trice.
prêche [prɛʃ] m. predica (f.) protestante.
prêcher [preʃe] v. tr. et intr. predicare. | *prêcher pour son saint,* tirar acqua al proprio mulino. | *prêcher dans le désert,* predicare al deserto.
prêcheur, euse [prɛʃœr, øz] adj. et m. predicatore.
précieusement [presjøzmɑ̃] adv. con ricercatezza. || *garder précieusement,* custodire gelosamente.
précieux, euse [presjø, øz] adj. prezioso.
préciosité [presjozite] f. preziosità. || HIST. LITT. preziosismo m.
précipice [presipis] m. precipizio.
précipitamment [presipitamɑ̃] adv. precipitosamente ; in fretta e furia ; a precipizio.
précipitation [presipitasjɔ̃] f. precipitazione.

précipité, e [presipite] adj. precipitoso. ◆ m. CHIM. precipitato.
précipiter [presipite] v. tr. precipitare. ‖ FIG. precipitare, affrettare. ◆ v. pr. precipitarsi, gettarsi, avventarsi. | *les événements se précipitent,* gli avvenimenti precipitano.
précis, e [presi, iz] adj. preciso, esatto. | *à trois heures précises,* alle tre precise, in punto. ◆ m. compendio, prontuario.
précisément [presizemɑ̃] adv. precisamente. ‖ [justement] (per l')appunto.
préciser [presize] v. tr. precisare. ◆ v. pr. farsi più preciso.
précision [presizjɔ̃] f. precisione. ‖ [éclaircissement] precisazione.
précité, e [presite] adj. precitato, predetto, suddetto.
précoce [prekɔs] adj. precoce.
préconçu, e [prekɔ̃sy] adj. preconcetto.
préconiser [prekɔnize] v. tr. preconizzare.
précontraint, e [prekɔ̃trɛ̃, ɛ̃t] adj. TECHN. precompresso.
précurseur [prekyrsœr] adj. m. et m. precursore; antesignano m., precorritore, trice adj. et n.
prédécesseur [predesesœr] m. predecessore.
prédestination [predɛstinasjɔ̃] f. predestinazione.
prédicat [predika] m. predicato.
prédicateur [predikatœr] m. predicatore.
prédication [predikasjɔ̃] f. [action] predicazione. ‖ [sermon] predica.
prédiction [prediksjɔ̃] f. predizione.
prédilection [predilɛksjɔ̃] f. predilezione. | *de prédilection,* prediletto adj.
prédire [predir] v. tr. predire, preannunziare.
prédisposer [predispoze] v. tr. predisporre.
prédisposition [predispozisjɔ̃] f. predisposizione, attitudine, propensione.
prédominance [predɔminɑ̃s] f. predominanza, prevalenza.
prédominant, e [predɔminɑ̃, ɑ̃t] adj. predominante, prevalente.
prédominer [predɔmine] v. intr. predominare, prevalere.
prééminent, e [preeminɑ̃, ɑ̃t] adj. preminente.
préfabriqué, e [prefabrike] adj. et m. prefabbricato.
préface [prefas] f. prefazione. ‖ REL. prefazio m.
préfacer [prefase] v. tr. scrivere la prefazione (a).
préfectoral, e, aux [prefɛktɔral, o] adj. prefettizio.
préfecture [prefɛktyr] f. prefettura. ‖ *préfecture de police,* questura.
préférable [preferabl] adj. (à) preferibile (a).
préféré, e [prefere] adj. et n. preferito, prediletto.
préférence [preferɑ̃s] f. preferenza, predilezione. | *avoir, obtenir la préférence,* venir preferito. ◆ ***de préférence,*** di preferenza, preferibilmente, più volentieri. ‖ ***de préférence à,*** a preferenza di, piuttosto che.
préférer [prefere] v. tr. preferire, prediligere.
préfet [prefɛ] m. prefetto. ‖ *préfet de police,* questore.
préfigurer [prefigyre] v. tr. prefigurare.
préfixe [prefiks] m. prefisso.
préhistorique [preistɔrik] adj. preistorico.
préjudice [preʒydis] m. pregiudizio, danno, scapito. | *porter préjudice à,* recar pregiudizio a. ◆ ***au, sans préjudice de,*** a, senza danno di ; a, senza scapito di.
préjudiciable [preʒydisjabl] adj. pregiudizievole, dannoso.
préjugé [preʒyʒe] m. pregiudizio, preconcetto, prevenzione f.
préjuger [preʒyʒe] v. tr. *autant qu'on peut le préjuger,* a quanto è possibile congetturare, prevedere. ◆ v. tr. ind. (de) far congetture (su), anticipare un giudizio (su).
prélart [prelar] m. incerata f.
prélasser (se) [səprelase] v. pr. starsene sdraiato ; poltrire, crogiolarsi.
prélat [prela] m. prelato.
prélèvement [prelɛvmɑ̃] m. prelievo, prelevamento.
prélever [prelve] v. tr. prelevare.
préliminaire [preliminɛr] adj. preliminare. ◆ m. pl. preliminari.
prélude [prelyd] m. preludio.
préluder [prelyde] v. intr. preludiare. ◆ v. tr. ind. (à) FIG. preludere (a).
prématuré, e [premature] adj. et n. prematuro.
prématurément [prematyremɑ̃] adv. prematuramente, prima del tempo.
préméditation [premeditasjɔ̃] f. premeditazione.
préméditer [premedite] v. tr. premeditare.
prémices [prémis] f. pl. primizie.
premier, ère [prəmje, ɛr] adj. et n. primo. | *arriver le premier,* arrivare per primo ; [à un concours] arrivare primo. | *le premier de l'an,* capodanno. ‖ [original] primitivo, iniziale, originario. ‖ [fondamental] fondamentale, primordiale. ‖ SP. *premier de cordée,* capocordata. ‖ TH. *jeune premier,* amoroso ; attor giovane. ◆ ***en premier,*** prima adv. ◆ f. AUT. *passer la première, en première,* ingranare la prima. ‖ TH.

prima (rappresentazione). | *première mondiale,* prima mondiale.

premièrement [prəmjɛrmɑ̃] adv. in primo luogo ; prima.

premier-né [prəmjene] m., **première-née** [prəmjɛrne] f. primogenito, primogenita.

prémisse [premis] f. premessa.

prémonition [premɔnisjɔ̃] f. premonizione.

prémunir [premynir] v. tr. (contre) premunire (contro). ◆ v. pr. (contre) premunirsi (contro), cautelarsi (contro).

prénatal, e, als ou **aux** [prenatal, o] adj. prenatale.

prendre [prɑ̃dr] v. tr. prendere ; [avec force] afferrare ; [avec rapidité] pigliare. || [se rendre maître de] prendere, catturare, conquistare. | *prendre d'assaut,* espugnare. || [voler] prendere, rubare. || [surprendre] cogliere, sorprendere. || [absorber] prendere, ingerire. || [recevoir des coups] prendere, ricevere, buscarsi. || [contracter] *prendre froid,* raffreddarsi. || [demander] prendere, esigere, richiedere. | *prendre de la place,* prendere molto posto, occupare molto spazio. || [acheter] prendere, comprare. | *prendre son billet pour Rome,* fare il biglietto per Roma. || [louer] prendere (in affitto), affittare. || [aller chercher qn] prendere. || [attaquer] attaccare, assalire. || [interpréter] prendere, interpretare. || *prendre de l'âge,* invecchiare. | *prendre un bain,* fare il bagno. | *prendre fait et cause pour,* abbracciare la causa di, schierarsi dalla parte di. | *prendre au mot,* prendere in parola. || FIG. *prendre la mouche,* prender cappello. | *prendre des nouvelles de,* chiedere notizie di. | *prendre du retard,* restare indietro ; [montre] andare indietro, ritardare. | *prendre sur soi une faute,* addossarsi una colpa. | *à tout prendre,* tutto sommato. ◆ v. intr. [croître] prendere, attecchire, allignare. || [se solidifier] rapprendersi, coagularsi. || [s'enflammer] accendersi. || FIG. [livre, idées] attecchire, attaccare. || *mal lui en prit,* mal gliene incolse. ◆ v. pr. *se prendre pour,* prendersi per ; credersi, ritenersi. || [s'accrocher] impigliarsi ; rimanere preso, impigliato. || *se prendre à,* prendere a, mettersi a. || *se prendre de* [amitié], concepire un sentimento di. || *s'en prendre à,* pigliarsela con. || *s'y prendre,* saperci fare.

preneur, euse [prənœr, øz] n. [acheteur] acquirente ; [à bail] affittuario.

prénom [prenɔ̃] m. prenome ; nome (di battesimo).

prénommé, e [prenɔme] adj. chiamato, di nome.

prénuptial, e, aux [prenypsial, o] adj. prematrimoniale.

préoccupant, e [preɔkypɑ̃, ɑ̃t] adj. preoccupante.

préoccupation [preɔkypasjɔ̃] f. preoccupazione.

préoccupé, e [preɔkype] adj. preoccupato, impensierito ; in pensiero.

préoccuper [preɔkype] v. tr. preoccupare, inquietare, impensierire.

préparateur, trice [preparatœr, tris] n. preparatore, trice ; aiutante.

préparatifs [preparatif] m. pl. preparativi.

préparation [preparasjɔ̃] f. preparazione, allestimento m. | *parler sans préparation,* parlare estemporaneamente. || [produit] preparazione, preparato m.

préparatoire [preparatwar] adj. preparatorio.

préparer [prepare] v. tr. preparare, allestire. || [les esprits] predisporre. || SP. allenare. ◆ v. pr. [se disposer à] prepararsi (a), predisporsi (a), accingersi (a). || [s'entraîner] allenarsi. || [être proche] essere imminente.

prépondérant, e [prepɔ̃derɑ̃, ɑ̃t] adj. preponderante.

préposé, e [prepoze] n. addetto, a.

préposer [prepoze] v. tr. preporre.

préposition [prepozisjɔ̃] f. preposizione.

prérogative [prerɔgativ] f. prerogativa.

près [prɛ] adv. vicino. || *à beaucoup près,* neppur lontanamente. | *à cela près,* tolto ciò, a parte ciò. | *à peu près,* circa, press'a poco ; suppergiù. | *de près,* da vicino, attentamente. ◆ *près de,* vicino a, presso. | *(tout) près d'ici,* qui vicino. || [presque] quasi. || [sur le point de] *être près de,* stare per, essere sul punto di.

présage [prezaʒ] m. presagio.

présager [prezaʒe] v. tr. presagire, prevedere.

presbyte [prɛsbit] adj. et n. presbite.

presbytère [prɛsbitɛr] m. canonica f., presbiterio m.

presbytie [prɛsbisi] f. presbiopia, presbitismo m.

prescription [prɛskripsjɔ̃] f. prescrizione. || MÉD. prescrizione, ricetta.

prescrire [prɛskrir] v. tr. prescrivere, esigere. || MÉD. prescrivere.

préséance [preseɑ̃s] f. precedenza.

présence [prezɑ̃s] f. presenza. || [personnalité] *avoir de la présence,* avere scena. ◆ *en présence,* (a) faccia a faccia. || *en présence de,* in presenza di, al cospetto di.

présent [prezɑ̃] m. [cadeau] presente, regalo, dono.

présent, e [prezɑ̃, ɑ̃t] adj. [lieu] presente ; [temps] presente, attuale. ◆ interj. *présent !,* presente ! ◆ m.

[temps] presente. || [personne] presente, astante. || GR. presente. ◆ *à présent,* al presente ; ora, adesso, oggi, oggigiorno. | *dès à présent,* fin da ora. | *jusqu'à présent,* finora ; fino ad oggi. || *à présent que,* ora che.

présentable [prezɑ̃tabl] adj. presentabile.

présentateur, trice [prezɑ̃tatœr, tris] n. presentatore, trice.

présentation [prezɑ̃tasjɔ̃] f. presentazione.

présenter [prezɑ̃te] v. tr. presentare. || [offrir] presentare, offrire, porgere. ◆ v. pr. presentarsi, comparire. | *se présenter à un examen,* dare un esame.

présentoir [prezɑ̃twar] m. bacheca f., mostra f.

préservatif, ive [prezɛrvatif, iv] adj. et m. preservativo.

préservation [prezɛrvasjɔ̃] f. preservazione.

préserver [prezɛrve] v. tr. (de) preservare (da), riparare (da).

présidence [prezidɑ̃s] f. presidenza.

président, e [prezidɑ̃, ɑ̃t] n. presidente, essa.

présidentiel, elle [prezidɑ̃sjɛl] adj. presidenziale.

présider [prezide] v. tr. presiedere. ◆ v. tr. ind. (à) presiedere (a), soprintendere (a).

présomption [prezɔ̃psjɔ̃] f. presunzione.

présomptueux, euse [prezɔ̃ptɥø, øz] adj. et n. presuntuoso.

presque [prɛsk] adv. quasi.

presqu'île [prɛskil] f. penisola.

pressant, e [prɛsɑ̃, ɑ̃t] adj. insistente. || [urgent] pressante, urgente.

presse [prɛs] f. ressa, calca, folla. || TECHN. pressa, torchio m. || TYP. *sous presse,* in corso di stampa. || JOURN. stampa.

pressé, e [prese] adj. [serré] stretto. || [qui a hâte] frettoloso. | *être pressé de,* aver fretta di. || [urgent] urgente, pressante, impellente.

presse-citron [prɛssitrɔ̃] m. inv. spremilimoni.

pressentiment [presɑ̃timɑ̃] m. presentimento.

pressentir [prɛsɑ̃tir] v. tr. presentire. || [sonder] saggiare, scandagliare, sondare.

presse-papiers [prɛspapje] m. inv. fermacarte

presse-purée [prɛspyre] m. inv. schiacciapatate ; passaverdura.

presser [prɛse] v. tr. [fruit] spremere, strizzare ; [olives] premere, torchiare ; [raisin] pigiare ; [éponge] strizzare. || [serrer] stringere. || [bouton] premere. || FIG. incalzare, bersagliare, tempestare. || [insister] sollecitare. || [hâter] affrettare. ◆ v. intr. premere v. tr. || essere urgente ; incalzare, stringere. | *rien ne presse,* non c'è fretta. ◆ v. pr. stringersi. || [s'accumuler] accalcarsi, ammucchiarsi. || [se hâter] affrettarsi, spicciarsi, sbrigarsi.

pressing [prɛsi] m. stireria f.

pression [prɛsjɔ̃] f. pressione. || *(bière à la) pression,* birra alla spina. || *(bouton)-pression,* (bottone) automatico m. || [contrainte] pressione, sollecitazione. | *groupe de pression,* gruppo di pressione.

pressoir [prɛswar] m. [huile] frantoio ; [huile, vin] torchio.

pressurer [prɛsyre] v. tr. AGR. torchiare, frangere, spremere. || FIG. spremere, mungere.

pressuriser [prɛsyrize] v. tr. pressurizzare.

prestance [prɛstɑ̃s] f. prestanza.

prestation [prɛstasjɔ̃] f. prestazione. || JUR. *prestation de serment,* giuramento m. || *prestations sociales, familiales,* prestazioni sociali, assegni famigliari. || FIG. prestazione.

preste [prɛst] adj. presto, lesto, rapido.

prestidigitateur, trice [prɛstidiʒitatœr, tris] n. prestigiatore, trice.

prestidigitation [prɛstidiʒitasjɔ̃] f. prestidigitazione. | *jeux de prestidigitation,* giochi di prestigio.

prestige [prɛstiʒ] m. prestigio.

présumé, e [prezyme] adj. presunto.

présumer [prezyme] v. tr. presumere, supporre. ◆ v. tr. ind. (de) presumere (di).

présupposer [presypoze] v. tr. presupporre.

prêt [prɛ] m. prestito, mutuo. || MIL. decade f.

prêt, e [prɛ, ɛt] adj. pronto. | *fin prêt,* bell'e pronto.

prêt-à-porter [prɛtapɔrte] m. confezione (f.) di massa.

prêté [prete] m. *c'est un prêté pour un rendu,* è rendere pan per focaccia.

prétendant, e [pretɑ̃dɑ̃, ɑ̃t] n. aspirante. ◆ m. pretendente.

prétendre [pretɑ̃dr] v. tr. pretendere, esigere. || [soutenir] pretendere, affermare, sostenere. || [se flatter de] aver la pretesa di, pretendere di. ◆ v. tr. ind. (à) pretendere (a), aspirare (a).

prétendu, e [pretɑ̃dy] adj. preteso, supposto ; [soi-disant] sedicente.

prétendument [pretɑ̃dymɑ̃] adv. senza fondatezza, a torto.

prête-nom [prɛtnɔ̃] m. prestanome n. inv.

prétentieux, euse [pretɑ̃sjø, øz] adj. pretensioso, pretenzioso.

prétention [pretɑ̃sjɔ̃] f. pretesa, pretensione.

prêter [prɛte] v. tr. prestare. || attribuire. | *prêter de l'importance à,* dare importanza a. ◆ v. tr. ind. (à) dar pretesto (a), prestarsi (a). ◆ v. pr. (à) [suj. qn] prestarsi (a), (ac)consentire (a). || [suj. qch.] prestarsi (a), essere adatto (a).
prêteur, euse [prɛtœr, øz] n. prestatore, trice.
prétexte [pretɛkst] m. pretesto. ◆ *sous prétexte que,* col pretesto che.
prétexter [pretɛkste] v. tr. addurre a pretesto.
prétoire [pretwar] m. aula (f.) del tribunale.
prêtre, esse [prɛtr, ɛs] n. sacerdote, essa ; prete m. | *prêtre-ouvrier,* prete operaio.
prêtrise [prɛtriz] f. sacerdozio m.
preuve [prœv] f. prova, dimostrazione. | *la preuve par neuf,* la prova del nove. || [signe] prova, segno m. | *faire ses preuves,* dimostrare la propria efficienza. || *à preuve que,* prova ne sia che.
prévaloir [prevalwar] v. intr. (contre, sur) prevalere (su). ◆ v. pr. (de) prevalersi (di), valersi (di), giovarsi (di).
prévaricateur, trice [prevarikatœr, tris] adj. et n. prevaricatore, trice.
prévenances [prevnɑ̃s] f. pl. gentilezze, sollecitudini, premure.
prévenant, e [prevnɑ̃, ɑ̃t] adj. premuroso.
prévenir [prevnir] v. tr. [empêcher] prevenire, evitare. || [désirs] prevenire, precorrere. || [avertir] avvertire, avvisare, prevenire. || [influencer] predisporre, prevenire.
préventif, ive [prevɑ̃tif, iv] adj. preventivo.
prévention [prevɑ̃sjɔ̃] f. prevenzione, preconcetto m., pregiudizio m. || JUR. carcere (m.) preventivo.
prévenu, e [prevny] adj. (contre) prevenuto (contro). ◆ JUR. n. imputato, a.
prévision [previzjɔ̃] f. previsione. | *au-delà de ses prévisions,* oltre il previsto. ◆ *en prévision de,* in previsione di.
prévisionnel, elle [previzjɔnɛl] adj. [budget] preventivo.
prévoir [prevwar] v. tr. prevedere. | *facile à prévoir,* prevedibile. | *comme prévu,* come (pre)stabilito, come predisposto. || [prévoir pour l'avenir] decidere, prevedere.
prévoyance [prevwajɑ̃s] f. previdenza, lungimiranza. || *prévoyance sociale,* previdenza sociale.
prévoyant, e [prevwajɑ̃, ɑ̃t] adj. previdente, lungimirante.
prie-Dieu [pridjø] m. inv. inginocchiatoio.
prier [prije] v. tr. et intr. pregare.
prière [prijɛr] f. preghiera, orazione. || [demande] preghiera, richiesta. | *à la prière de,* ad istanza di, a richiesta di. | *prière de ne pas fumer,* si prega di non fumare. || *prière d'insérer* m. ou f., inserto m.
prieur, e [prijœr] n. priore, a.
primaire [primɛr] adj. et n. primario. | *école primaire,* scuola elementare. || PÉJOR. semplicistico.
primauté [primote] f. primato m.
1. prime [prim] adj. *prime jeunesse,* prima giovinezza. | *de prime abord,* di primo acchito, a prima vista.
2. prime f. premio m. | *prime de transport,* indennità di trasporto.
primer [prime] v. tr. superare, vincere. || [accorder un prix à] premiare.
primeur [primœr] f. novità, primizia. | *de primeur,* primaticcio adj. ◆ pl. AGR. primizie.
primevère [primvɛr] f. primula, primavera.
primitif, ive [primitif, iv] adj. et n. primitivo.
primordial, e, aux [primɔrdjal, o] adj. primordiale. || [essentiel] capitale, fondamentale.
prince, esse [prɛ̃s, ɛs] n. principe, essa. | *le Prince Charmant,* il Principe azzurro.
princier, ère [prɛ̃sje, ɛr] adj. principesco.
principal, e, aux [prɛ̃sipal, o] adj. principale, maggiore. ◆ m. principale, essenziale. || UNIV. direttore, preside.
principauté [prɛ̃sipote] f. principato m.
principe [prɛ̃sip] m. principio, origine f., fonte f., causa f. || [rudiment] rudimento, elemento. || [règle d'action] principio. ◆ *de principe,* di principio, di massima. | *hostilité de principe,* ostilità preconcetta. || *en principe,* in linea di massima. || *par principe,* per principio. || *pour le principe,* pro forma (lat.).
printanier, ère [prɛ̃tanje, ɛr] adj. primaverile. || FIG. giovanile.
printemps [prɛ̃tɑ̃] m. primavera f.
prioritaire [prijɔritɛr] adj. prioritario. | *véhicule prioritaire,* veicolo che ha la precedenza.
priorité [prijɔrite] f. priorità, precedenza. ◆ *en, par priorité,* in primo luogo, per primo, dando la precedenza a.
pris, e [pri, iz] adj. [occupé] occupato, impegnato. || *pris de boisson,* ubriaco. | *pris de sommeil,* colto dal sonno ; assonnato, sonnacchioso. || [amoureux] innamorato. || *bien pris,* ben proporzionato, ben fatto, ben tornito.
prise [priz] f. presa. | *prise d'assaut,* espugnazione. | *une belle prise,* una bella presa. | *une bonne prise,* una buona preda. || [facilité de saisir] presa, appiglio m. || JUR. *prise de corps,*

arresto m. || CIN. *prise de vues, de son,* ripresa ; registrazione del suono. || MAR. *droit de prise,* diritto di preda. || MÉD. [de sang] prelievo m. || MIL. [d'armes] parata. || REL. *prise de voile, d'habit,* vestizione. || FAM. *prise de bec,* battibecco m. || *lâcher prise,* lasciar andare.

1. priser [prize] v. tr. [estimer] stimare, apprezzare.

2. priser v. tr. [aspirer] fiutare, annusare.

prisme [prism] m. prisma.

prison [prizɔ̃] f. prigione, carcere m. | *prison à vie,* ergastolo m.

prisonnier, ère [prizɔnje, ɛr] adj. prigioniero. | *se constituer prisonnier,* costituirsi. ◆ n. prigioniero, a ; carcerato, a.

privatif, ive [privatif, iv] adj. GR. privativo.

privation [privasjɔ̃] f. privazione, perdita. ◆ pl. [sacrifices] privazioni, sacrifici, rinunzie. | *vie de privations,* vita di stenti.

privautés [privote] f. pl. eccessiva confidenza, libertà eccessive.

privé, e [prive] adj. [vie] privato. ◆ m. vita privata, intimità. | *en privé,* in privato.

priver [prive] v. tr. privare. ◆ v. pr. (de) privarsi, fare a meno (di) ; rinunciare (a) ; astenersi (da). || ABS. imporsi delle privazioni.

privilège [privilɛʒ] m. privilegio, prerogativa f.

privilégié, e [privileʒie] adj. et n. privilegiato.

privilégier [privileʒje] v. tr. privilegiare.

prix [pri] m. prezzo, costo. | *prix d'ami,* prezzo di favore. || premio, ricompensa f. | *obtenir un prix,* vincere un premio. || [valeur] valore. || *à aucun prix, à tout prix, à n'importe quel prix,* a nessun costo, ad ogni costo, a qualunque costo. ◆ *au prix de,* a prezzo di.

probabilité [prɔbabilite] f. probabilità.

probable [prɔbabl] adj. probabile.

probant, e [prɔbɑ̃, ɑ̃t] adj. probante, convincente.

probe [prɔb] adj. probo.

probité [prɔbite] f. probità.

problématique [prɔblematik] adj. problematico. ◆ f. problematica.

problème [prɔblɛm] m. problema.

procédé [prɔsede] m. comportamento ; modi (pl.) [di agire] ; maniere f. pl. || [méthode] processo, procedimento. || PÉJOR. stereotipo.

procéder [prɔsede] v. tr. ind. (de) procedere (da), provenire (da), derivare (da). || (à) procedere (a). ◆ v. intr. [agir] procedere.

procédure [prɔsedyr] f. procedura, procedimento m. || atti m. pl. (processuali, amministrativi).

procès [prɔsɛ] m. processo, causa f., lite f. | *procès d'intention,* processo alle intenzioni. | *sans autre forme de procès,* senza tante formalità.

procession [prɔsesjɔ̃] f. processione.

processus [prɔsesys] m. processo.

procès-verbal, aux [prɔsɛvɛrbal, o] m. *dresser procès-verbal,* elevare una contravvenzione. || [d'une séance] verbale.

prochain, e [prɔʃɛ̃, ɛn] adj. [temps] prossimo, venturo. || [espace] prossimo, vicino. ◆ m. prossimo.

prochainement [prɔʃɛnmɑ̃] adv. prossimamente, fra poco, fra breve.

proche [prɔʃ] adj. (de) vicino (a), prossimo (a). || [parent] prossimo, stretto. ◆ m. pl. parenti, congiunti. ◆ *de proche en proche,* a poco a poco, progressivamente.

proclamation [prɔklamasjɔ̃] f. proclamazione. || [manifeste] proclama m.

proclamer [prɔklame] v. tr. proclamare.

procréer [prɔkree] v. tr. procreare, generare.

procuration [prɔkyrasjɔ̃] f. procura.

procurer [prɔkyre] v. tr. procurare, procacciare. || [causer] causare ; procurare. ◆ v. pr. procurarsi, procacciarsi.

procureur [prɔkyrœr] m. JUR. procuratore.

prodigalité [prɔdigalite] f. prodigalità.

prodige [prɔdiʒ] m. prodigio, miracolo, portento.

prodigieux, euse [prɔdiʒjø, øz] adj. prodigioso, portentoso.

prodigue [prɔdig] adj. et n. prodigo.

prodiguer [prɔdige] v. tr. [gaspiller] prodigare, scialacquare, sperperare. || [donner] prodigare.

producteur, trice [prɔdyktœr, tris] adj. et n. produttore, trice.

productif, ive [prɔdyktif, iv] adj. produttivo, redditizio, proficuo. | *productif d'intérêts,* fruttifero.

production [prɔdyksjɔ̃] f. produzione. || [produit] prodotto m. || [de documents] produzione, presentazione, esibizione. || CIN. produzione.

produire [prɔdɥir] v. tr. [fournir] produrre, dare. || [fabriquer] produrre, fabbricare. || [rapporter] rendere, fruttare. || [causer] produrre, cagionare, suscitare. || [donner naissance à] generare, produrre. || [créer] produrre, creare. || JUR. produrre. ◆ v. pr. [paraître] esibirsi ; prodursi. || [arriver] succedere, avvenire v. intr.

produit [prɔdɥi] m. prodotto. | *produits laitiers,* latticini. | *produits maraîchers,* ortaggi. | *produits alimen-*

taires, generi, prodotti alimentari. || [profit] provento, frutto.
proéminent, e [prɔeminɑ̃, ɑ̃t] adj. prominente.
profanation [prɔfanasjɔ̃] f. profanazione.
profane [prɔfan] adj. et n. profano.
profaner [prɔfane] v. tr. profanare.
proférer [prɔfere] v. tr. proferire.
professer [prɔfese] v. tr. [déclarer] professare. || [enseigner] insegnare.
professeur [prɔfɛsœr] m. professore ; insegnante n. ; (femme) professoressa.
profession [prɔfɛsjɔ̃] f. professione, mestiere m. || [déclaration] professione, dichiarazione.
professionnel, elle [prɔfɛsjɔnɛl] adj. professionale. || SP. *footballeur professionnel,* calciatore professionista. | *football professionnel,* calcio professionistico. ◆ n. professionista.
professorat [prɔfɛsɔra] m. professorato.
profil [prɔfil] m. profilo. || [ligne] profilo, sagoma f. || FIG. tempra f., levatura f.
profilé, e [prɔfile] adj. et n. profilato.
profiler [prɔfile] v. tr. profilare. || TECHN. profilare, sagomare. ◆ v. pr. profilarsi, delinearsi.
profit [prɔfi] m. profitto, vantaggio. || ÉCON. guadagno. || FIN. *pertes et profits,* perdite e profitti ; profitti e perdite. ◆ *au profit de,* a vantaggio, a favore, a beneficio di.
profitable [prɔfitabl] adj. rimunerativo, vantaggioso.
profiter [prɔfite] v. tr. ind. (de) (ap)profittare (di), valersi di. || (à) giovare (a), recar vantaggio (a). ◆ v. intr. venir su, crescere. || progredire, profittare, far progressi.
profiteur, euse [prɔfitœr, øz] n. PÉJOR. profittatore, trice ; sfruttatore, trice.
profond, e [prɔfɔ̃, ɔ̃d] adj. profondo. || *arriéré, débile profond,* minorato grave. ◆ m. profondo, profondità f. || FIG. profondo, intimo. | *au plus profond de soi-même,* nel suo intimo.
profondeur [prɔfɔ̃dœr] f. profondità.
profusion [prɔfyzjɔ̃] f. profusione. | *à profusion,* a profusione, in gran copia.
progéniture [prɔʒenityr] f. [enfant(s)] progeni ; [animaux] prole.
programmateur, trice [prɔgramatœr, tris] n. programmista.
programmation [prɔgramasjɔ̃] f. programmazione.
programme [prɔgram] m. programma. | *mettre au programme,* mettere in programma.
programmer [prɔgrame] v. tr. programmare.
programmeur, euse [prɔgramœr] n. INF. programmatore, trice.
progrès [prɔgrɛ] m. progresso.
progresser [prɔgrɛse] v. intr. progredire.
progressif, ive [prɔgrɛsif, iv] adj. progressivo.
progression [prɔgrɛsjɔ̃] f. progressione.
progressiste [prɔgrɛsist] adj. progressista, progressistico. ◆ n. progressista.
prohiber [prɔibe] v. tr. proibire, vietare.
prohibitif, ive [prɔibitif, iv] adj. proibitivo.
prohibition [prɔibisjɔ̃] f. proibizione, divieto m. || [aux États-Unis] proibizionismo m.
proie [prwa] f. preda.
projecteur [prɔʒɛktœr] m. proiettore.
projectile [prɔʒɛktil] m. proiettile, proietto.
projection [prɔʒɛksjɔ̃] f. proiezione. | *appareil de projection,* proiettore m. || *projection volcanique,* proietto (m.) vulcanico.
projet [prɔʒɛ] m. progetto. || [ébauche] progetto, abbozzo, disegno.
projeter [prɔʒte] v. tr. proiettare, lanciare, gettare. || CIN. proiettare. || [envisager] progettare (di), proporsi (di).
prolétaire [prɔletɛr] adj. et n. proletario.
prolétariat [prɔletarja] m. proletariato.
prolétarien, enne [prɔletarjɛ̃, ɛn] adj. proletario.
proliférer [prɔlifere] v. intr. proliferare, prolificare.
prolifique [prɔlifik] adj. prolifico.
prolixe [prɔliks] adj. prolisso.
prologue [prɔlɔg] m. prologo.
prolongation [prɔlɔ̃gasjɔ̃] f. prolungamento, proroga f. || SP. tempo (m.) supplementare.
prolongement [prɔlɔ̃ʒmɑ̃] m. prolungamento. || conseguenza f.
prolonger [prɔlɔ̃ʒe] v. tr. prolungare. || [proroger] prorogare. ◆ v. pr. [espace] prolungarsi, continuare. || [temps] protrarsi, continuare.
promenade [prɔmnad] f. passeggiata, passeggio m. ; [brève] spasso m. | *aller en promenade,* andare a passeggio, a spasso.
promener [prɔmne] v. tr. portare a passeggio, a spasso ; portare in giro. ◆ v. intr. FAM. *envoyer promener qn,* mandare uno a spasso. | *envoyer tout promener,* piantar baracca e burattini. ◆ v. pr. passeggiare v. intr.
promeneur, euse [prɔmnœr, øz] n. chi va a passeggio ; passeggiatore. ◆ f. donna che porta a passeggio un bambino.

promenoir [prɔmnwar] m. TH. loggione in cui gli spettatori stanno in piedi.
promesse [prɔmɛs] f. promessa.
prometteur, euse [prɔmɛtœr, øz] adj. promettente.
promettre [prɔmɛtr] v. tr. promettere. ‖ [pluie, neige, beau temps] promettere, (pre)annunciare. ◆ v. pr. (de) impegnarsi (a), farsi la promessa (di). ‖ [prendre la résolution de] riprometttersi (di).
promiscuité [prɔmiskɥite] f. promiscuità.
promontoire [prɔmɔ̃twar] m. promontorio.
promoteur, trice [prɔmɔtœr, tris] n. proponente. ‖ [construction] promotore m.
promotion [prɔmɔsjɔ̃] f. promozione. ‖ [ensemble de personnes] anno m., corso m., graduatoria. ‖ [sociale] progresso m. ‖ ÉCON. promozione.
promouvoir [prɔmuvwar] v. tr. promuovere.
prompt, e [prɔ̃, prɔ̃t] adj. pronto, rapido, sollecito.
promptitude [prɔ̃tityd] f. prontezza, rapidità.
promu, e [prɔmy] adj. et n. promosso.
promulgation [prɔmylgasjɔ̃] f. promulgazione.
promulguer [prɔmylge] v. tr. promulgare, emanare.
prône [pron] m. predica f.
prôner [prone] v. tr. vantare, esaltare, decantare.
pronom [prɔnɔ̃] m. pronome.
prononcé, e [prɔnɔ̃se] adj. [accentué] pronunziato, pronunciato, marcato. ‖ [net] pronunciato, accentuato, spiccato.
prononcer [prɔnɔ̃se] v. tr. pronunziare, pronunciare.
prononciation [prɔnɔ̃sjasjɔ̃] f. pronunzia, pronuncia.
pronostic [prɔnɔstik] m. [prévision] pronostico. ‖ MÉD. prognosi f.
pronostiquer [prɔnɔstike] v. tr. pronosticare.
propagande [prɔpagɑ̃d] f. propaganda.
propagation [prɔpagasjɔ̃] f. propagazione, diffusione.
propager [prɔpaʒe] v. tr. propagare, diffondere. ◆ v. pr. propagarsi, diffondersi.
propension [prɔpɑ̃sjɔ̃] f. propensione, inclinazione.
prophète, étesse [prɔfɛt, etɛs] n. profeta, essa.
prophétie [prɔfesi] f. profezia.
prophétique [prɔfetik] adj. profetico.
prophétiser [prɔfetize] v. intr. profetare, profetizzare.
prophylaxie [prɔfilaksi] f. profilassi.
propice [prɔpis] adj. propizio, favorevole, opportuno.
proportion [prɔpɔrsjɔ̃] f. proporzione, dimensione. | *hors de proportion avec,* sproporzionato (adj.) a. | *ramener les choses à leurs justes proportions,* ridimensionare le cose. | *toutes proportions gardées,* fatte le debite, le dovute proporzioni. ◆ ***à, en proportion (de),*** in proporzione (a).
proportionnel, elle [prɔpɔrsjɔnɛl] adj. et f. proporzionale.
proportionner [prɔpɔrsjɔne] v. tr. (à) proporzionare (a), adeguare (a).
propos [prɔpo] m. proposito, intenzione f. | *de propos délibéré,* di proposito. | *hors de propos,* fuori di proposito, a sproposito. ‖ ***à propos,*** a proposito ; nel momento opportuno. | *mal à propos,* inopportunamente. ‖ ***à tout propos,*** ad ogni istante, a proposito e a sproposito. ◆ pl. parole f. pl., discorso m., dicerie f. pl. | ***à propos de,*** a proposito di.
proposable [prɔpozabl] adj. proponibile.
proposer [prɔpoze] v. tr. proporre. ◆ v. pr. [s'offrir] proporsi, offrirsi. ‖ [avoir l'intention] (de) proporsi (di), stabilire (di), decidere (di).
proposition [prɔpozisjɔ̃] f. proposta. ‖ GR., MATH. proposizione. ‖ JUR. proposta.
propre [prɔpr] adj. proprio. | *propre à qn,* proprio di qlcu. | *de sa propre initiative,* di testa propria. ‖ GR. *nom propre,* nome proprio. ‖ [approprié] proprio, appropriato, (ad)atto. ‖ [net] pulito, netto. ‖ FIG. pulito, onesto, decente. ◆ m. [caractéristique] proprio. ‖ [net] *au propre,* in bella copia.
propre-à-rien [prɔprarjɛ̃] n. buono a nulla.
proprement [prɔprəmɑ̃] adv. [avec propreté] pulitamente. ‖ [précisément] propriamente. | *à proprement parler,* a dire il vero, a dirla schietta. ‖ [convenablement] decentemente, correttamente.
propreté [prɔprəte] f. pulizia.
propriétaire [prɔprijetɛr] n. proprietario, a. ‖ [d'immeuble] padrone di casa.
propriété [prɔprijete] f. proprietà, possedimento m. ‖ [particularité] proprietà.
propulser [prɔpylse] v. tr. propellere, propulsare.
prorata [prorata] m. inv. quota (f.) proporzionale. ◆ ***au prorata,*** pro rata. ‖ ***au prorata de,*** proporzionalmente a, proporzionatamente a.
prorogation [prɔrɔgasjɔ̃] f. proroga.
proroger [prɔrɔʒe] v. tr. prorogare.
prosaïque [prɔzaik] adj. prosaico.

prosateur [prɔzatœr] m. prosatore, trice.
proscrire [prɔskrir] v. tr. proscrivere.
proscrit, e [prɔskri, it] adj. et n. proscritto.
prose [proz] f. prosa.
prosélyte [prɔzelit] m. proselito.
prosodie [prɔzɔdi] f. prosodia.
prospecter [prɔspɛkte] v. tr. COMM., GÉOL. esplorare, sondare. | *prospecter le marché,* studiare il mercato.
prospecteur [prɔspɛktœr] m. GÉOL. prospettore.
prospective [prɔspɛktiv] f. futurologia ; scienza dei futuribili.
prospectus [prɔspɛktys] m. [descriptif] prospetto. || [publicitaire] volantino.
prospère [prɔspɛr] adj. prospero.
prospérer [prɔspere] v. intr. prosperare.
prospérité [prɔsperite] f. prosperità.
prosternation [prɔstɛrnasjɔ̃] f. ou **prosternement** [prɔstɛrnəmɑ̃] m. prosternazione f., (il) prosternarsi.
prosterner (se) [səprɔstɛrne] v. pr. prosternarsi, prostrarsi.
prostituée [prɔstitɥe] f. prostituta.
prostituer [prɔstitɥe] v. tr. prostituire.
prostration [prɔstrasjɔ̃] f. prostrazione.
prostré, e [prɔstre] adj. prostrato, spossato, affranto.
protagoniste [prɔtagɔnist] n. protagonista.
protecteur, trice [prɔtɛktœr, tris] adj. protettore, trice ; protettivo. ◆ n. protettore, trice.
protection [prɔtɛksjɔ̃] f. protezione.
protectorat [prɔtɛktɔra] m. protettorato.
protégé, e [prɔteʒe] n. protetto, a, favorito, a.
protéger [prɔteʒe] v. tr. proteggere. || (de) proteggere (da), riparare (da).
protéine [prɔtein] f. proteina.
protestant, e [prɔtɛstɑ̃, ɑ̃t] adj. et n. protestante.
protestantisme [prɔtɛstɑ̃tism] m. protestantesimo.
protestataire [prɔtɛstatɛr] adj. protestatario. ◆ n. protestatore, trice.
protestation [prɔtɛstasjɔ̃] f. protesta. || [témoignage] protesta, dichiarazione.
protester [prɔtɛste] v. intr. protestare. ◆ v. tr. ind. (de) protestare, dichiarare v. tr. ◆ v. tr. COMM. protestare.
protêt [prɔtɛ] m. COMM. protesto.
prothèse [prɔtɛz] f. protesi.
protocole [prɔtɔkɔl] m. protocollo.
proton [prɔtɔ̃] m. protone.
prototype [prɔtɔtip] m. prototipo.
proue [pru] f. prora, prua. | *figure de proue,* polena f.
prouesse [pruɛs] f. prodezza.
prouver [pruve] v. tr. dimostrare.
provenance [prɔvnɑ̃s] f. provenienza, origine. | *en provenance de,* proveniente (adj.) da.
provençal, e, aux [prɔvɑ̃sal, o] adj. et n. provenzale.
provenir [prɔvnir] v. intr. (de) provenire (da).
proverbe [prɔvɛrb] m. proverbio.
proverbial, e, aux [prɔvɛrbjal, o] adj. proverbiale.
providence [prɔvidɑ̃s] f. provvidenza.
providentiel, elle [prɔvidɑ̃sjɛl] adj. provvidenziale.
province [prɔvɛ̃s] f. provincia.
provincial, e, aux [prɔvɛ̃sjal, o] adj. et n. provinciale.
proviseur [prɔvizœr] m. preside.
provision [prɔvizjɔ̃] f. provvista, scorta. || FIG. dose. || COMM. provvista, copertura. | *chèque sans provision,* assegno a vuoto, allo scoperto. || [à un avocat] anticipo m. ◆ pl. spesa sing. ; compere ; *provisions de bouche,* vettovaglie.
provisoire [prɔvizwar] adj. et m. provvisorio.
provocant, e [prɔvɔkɑ̃, ɑ̃t] adj. provocante, provocatorio.
provocateur, trice [prɔvɔkatœr, tris] adj. provocatore, trice.
provocation [prɔvɔkasjɔ̃] f. provocazione, sfida. || [incitation] incitamento m.
provoquer [prɔvɔke] v. tr. [inciter] provocare, incitare. || [défier] provocare, sfidare ; [en duel] sfidare a duello. || [causer] provocare, causare.
proxénète [prɔksenɛt] n. prosseneta m., mezzano, a, ruffiano, a.
proximité [prɔksimite] f. prossimità, vicinanza. ◆ *à proximité,* qui vicino. || *à proximité de,* in prossimità di ; vicino a ; nei pressi di.
prude [pryd] adj. pudibondo. ◆ f. donna, ragazza pudibonda.
prudence [prydɑ̃s] f. prudenza, cautela.
prudent, e [prydɑ̃, ɑ̃t] adj. prudente, cauto.
pruderie [prydri] f. pudibonderia.
prud'homme [prydɔm] m. proboviro.
prune [pryn] f. susina, prugna.
pruneau [pryno] m. prugna (f.) secca.
prunelle [prynɛl] f. prugnola. || ANAT. pupilla.
prunier [prynje] m. susino, prugno.
psalmodier [psalmɔdje] v. tr. et intr. REL. salmodiare v. intr. || FIG. cantilenare.
psaume [psom] m. salmo.
pseudonyme [psødɔnim] m. pseudonimo.
psychanalyse [psikanaliz] f. psicanalisi.

psychanalyser [psikanalize] v. tr. psicanalizzare.
psychanalyste [psikanalist] n. psicanalista.
psychédélique [psikedelic] adj. psichedelico.
psychiatre [psikjatr] n. psichiatra.
psychiatrie [psikjatri] f. psichiatria.
psychique [psiʃik] adj. psichico.
psychologie [psikɔlɔʒi] f. psicologia.
psychologique [psikɔlɔʒik] adj. psicologico.
psychologue [psikɔlɔg] adj. et n. psicologo.
psychopathe [psikɔpat] adj. et n. psicopatico.
psychose [psikoz] f. psicosi.
psychosomatique [psikɔsɔmatik] adj. psicosomatico.
psychothérapie [psikoterapi] f. psicoterapia.
psychotique [psikɔtik] adj. psicosico, psicotico.
puant, e [pɥɑ̃, ɑ̃t] adj. puzzolente, fetente, fetido.
puanteur [pɥɑ̃tœr] f. puzzo m., fetore m.
pubère [pybɛr] adj. et n. pubere.
puberté [pybɛrte] f. pubertà.
public, ique [pyblik] adj. pubblico. | *la chose publique,* lo Stato. ◆ m. pubblico. | *grand public,* grosso pubblico. || [spectateurs] platea f.
publication [pyblikasjɔ̃] f. pubblicazione.
publiciste [pyblisist] m. [journaliste] pubblicista, giornalista. || [agent de publicité] pubblicitario.
publicitaire [pyblisitɛr] adj. et m. pubblicitario.
publicité [pyblisite] f. pubblicità.
publier [pyblije] v. tr. pubblicare. | *publier les bans d'un mariage,* far le pubblicazioni di matrimonio.
puce [pys] f. pulce.
puceau, elle [pyso, ɛl] adj. et n. FAM. vergine adj. ; ragazzo vergine ; vergine, pulzella.
pudeur [pydœr] f. pudore m. | *sans pudeur,* senza pudore ; spudorato adj.
pudibond, e [pydibɔ̃, ɔ̃d] adj. pudibondo.
pudibonderie [pydibɔ̃dri] f. pudibonderia.
pudique [pydik] adj. pudico, verecondo.
puer [pɥe] v. intr. puzzare. ◆ v. tr. puzzare di.
puériculture [pɥerikyltyr] f. puericultura.
puéril, e [pɥeril] adj. puerile.
puérilité [pɥerilite] f. puerilità.
pugilat [pyʒila] m. rissa f. ; scontro a pugni.
puis [pɥi] adv. poi, dopo.
puisard [pɥizar] m. smaltitoio ; pozzo perdente.
puisatier [pɥizatje] m. scavatore di pozzi.
puiser [pɥize] v. tr. (à) attingere (da, a).
puisque [pɥisk] conj. poiché, giacché.
puissamment [pɥisamɑ̃] adv. potentemente. || [très] estremamente, sommamente.
puissance [pɥisɑ̃s] f. potenza, forza, capacità. || [domination] potenza, potere m., dominio m. || JUR. potestà, autorità. || [État] potenza. ◆ *en puissance,* in potenza ; potenziale, virtuale adj.
puissant, e [pɥisɑ̃, ɑ̃t] adj. potente, forte, poderoso.
puits [pɥi] m. pozzo.
pull-over [pylɔvɛr] m. golf.
pulluler [pylyle] v. intr. pullulare.
pulmonaire [pylmɔnɛr] adj. polmonare.
pulpe [pylp] f. polpa.
pulsation [pylsasjɔ̃] f. pulsazione.
pulvérisateur [pylverizatœr] m. polverizzatore, vaporizzatore, spruzzatore. || AGR. irroratrice f. || MÉD. nebulizzatore.
pulvérisation [pylverizasjɔ̃] f. polverizzazione, vaporizzazione. || AGR. irrorazione. || MÉD. nebulizzazione.
pulvériser [pylverize] v. tr. polverizzare, vaporizzare, spruzzare. || FIG. polverizzare, annientare. || AGR. irrorare. || MÉD. nebulizzare.
punaise [pynɛz] f. cimice. || FAM. *punaise de sacristie,* baciapile n. inv.
1. punch [pɔ̃ʃ] m. [boisson] ponce.
2. punch [pœnʃ] m. [boxe] pugno potente. || FAM. efficacia f., dinamismo.
punir [pynir] v. tr. punire.
punissable [pynisabl] adj. punibile.
punition [pynisjɔ̃] f. punizione, castigo m.
1. pupille [pypij, pypil] f. ANAT. pupilla.
2. pupille n. JUR. pupillo, a.
pupitre [pypitr] m. [d'église, de chef d'orchestre] leggio ; [pour lire, écrire debout] scriviritto inv. ; [d'écolier] banco. || [informatique] consolle f. ; banco di comando. || *être au pupitre,* dirigere l'orchestra.
pupitreur, euse [pypitrœr, øz] n. INF. operatore, trice.
pur, e [pyr] adj. puro. || FIG. puro. | *en pure perte,* in pura perdita.
purée [pyre] f. CULIN. purè m. inv., passato m. || FIG., FAM. *purée de pois,* nebbione m.
pureté [pyrte] f. purezza.
purement [pyrmɑ̃] adv. [écrire, parler] purgatamente. || *purement et simplement,* semplicemente, senz'altro.

purgatif, ive [pyrgatif, iv] adj. purgativo. ◆ m. purgante, purga f.
purgatoire [pyrgatwar] m. purgatorio.
purge [pyrʒ] f. MÉD. purga, purgante m. ‖ POL. purga.
purger [pyrʒe] v. tr. purgare. ‖ JUR. [une peine] scontare. ‖ TECHN. spurgare.
purgeur [pyrʒœr] m. TECHN. valvola (f.) di scarico.
purification [pyrifikasjɔ̃] f. purificazione.
purifier [pyrifje] v. tr. purificare.
purin [pyrɛ̃] m. colaticcio.
puriste [pyrist] adj. puristico. ◆ n. purista.
puritain, e [pyritɛ̃, ɛn] adj. et n. puritano.
puritanisme [pyritanism] m. puritanesimo.
pur-sang [pyrsɑ̃] m. inv. purosangue.
purulent, e [pyrylɑ̃, ɑ̃t] adj. purulento.
pus [py] m. MÉD. pus.
pustule [pystyl] f. pustola.
putain [pytɛ̃] ou **pute** [pyt] f. POP. puttana.
putois [pytwa] m. puzzola f.
putréfaction [pytrefaksjɔ̃] f. putrefazione.
putréfier [pytrefje] v. tr. putrefare. ◆ v. pr. putrefarsi ; imputridire v. intr.
putride [pytrid] adj. putrido.
puzzle [pœzl] m. puzzle (angl.). ‖ FIG. puzzle, rompicapo.
P.-V. [peve] m. (abr. de **procès-verbal**) FAM. contravvenzione f. (L.C.).
pygmée [pigme] m. pigmeo.
pyjama [piʒama] m. pigiama.
pylône [pilon] m. pilone.
pyramide [piramid] f. piramide.
pyrénéen, enne [pireneɛ̃, ɛn] adj. pirenaico.
pyrogravure [pirogravyr] f. pirografia.
pyromane [piroman] n. piromane.
pyrotechnie [pirotɛkni] f. pirotecnica.
pythie [piti] f. pizia, profetessa.
python [pitɔ̃] m. pitone.
pythonisse [pitɔnis] f. pitonessa.

q

q [ky] m. q m. ou f.
quadragénaire [kwadraʒenɛr] adj. et n. quadragenario.
quadrature [kwadratyr] f. quadratura.
quadrilatère [k(w)adrilatɛr] adj. et m. quadrilatero.
quadrillage [kadrijaʒ] m. quadrettatura f.
quadrille [kadrij] m. quadriglia f.
quadrillé, e [kadrije] adj. quadrettato ; a quadretti.
quadriller [kadrije] v. tr. quadrettare.
quadrimoteur [k(w)adrimɔtœr] adj. et m. AV. quadrimotore.
quadriréacteur [k(w)adrireaktœr] adj. et m. quadrireattore.
quadrisyllabe [kwadrisil(l)ab] m. quadrisillabo.
quadrumane [k(w)adryman] adj. et m. ZOOL. quadrumane.
quadrupède [k(w)adrypɛd] adj. et m. ZOOL. quadrupede.
quadruple [k(w)adrypl] adj. et m. [quatre fois autant] quadruplo. ‖ [au nombre de quatre] quadruplice.
quadrupler [kwadryple] v. tr. quadruplicare.
quadruplés, es [kwadryple] n. pl. quattro gemelli, e.
quai [kɛ] m. [fleuve] lungofiume ; [lac] lungolago ; [mer] lungomare. ‖ MAR. banchina f. ; scalo. ‖ TR. marciapiede, banchina, binario.
qualificatif, ive [kalificatif, iv] adj. qualificativo. ◆ m. epiteto.
qualification [kalifikasjɔ̃] f. qualificazione, qualifica. ‖ SP. qualificazione.
qualifié, e [kalifje] adj. (pour) qualificato (per). | [ouvrier] qualificato.
qualifier [kalifje] v. tr. qualificare.
qualitatif, ive [kalitatif, iv] adj. qualitativo.
qualité [kalite] f. qualità. | *de qualité inférieure,* di qualità inferiore ; scadente adj. ‖ [aptitude] qualità, dote. ‖ *avoir qualité pour,* essere qualificato per. ‖ ◆ ***en (sa) qualité de,*** in qualità di, in veste di, come.
quand [kɑ̃] adv. interr. quando. | *quand donc ?,* quando mai ? ◆ conj. de subord. [simultanéité, répétition] quando. ‖ [opposition] mentre. ‖ [cause] dal momento che. ‖ ***quand (bien) même,*** anche se, quand'anche. ◆ adv. ***quand même,*** lo stesso.
quant à [kɑ̃ta] loc. prép. (in) quanto a.
quant-à-soi [kɑ̃taswa] m. inv. *se tenir, rester sur son quant-à-soi,* stare sulle sue ; mantenere le distanze.
quantième [kɑ̃tjɛm] m. *quantième du mois,* giorno del mese, data f.
quantique [kɑ̃tik] adj. PHYS. quantico, quantistico.
quantitatif, ive [kɑ̃titatif, iv] adj. quantitativo.
quantité [kɑ̃tite] f. quantità. ‖ [grand nombre] quantità, quantitativo m. | *quantité de gens,* molti m. pl., molta gente. ‖ *considérer comme quantité négligeable,* tenere in nessun conto.

quarantaine [karɑ̃tɛn] f. quarantina. | *une quarantaine de personnes,* una quarantina di persone, un quaranta persone. | *friser la quarantaine,* rasentare la quarantina, essere sui quaranta. || MAR. quarantena.

quarante [karɑ̃t] adj. num. inv. quaranta. || SP. *quarante à,* quaranta pari.

quarantième [karɑ̃tjɛm] adj. et n. quarantesimo.

quart [kar] m. quarto. || [gobelet] tazza f. || MAR. *être de quart,* essere di guardia. | *officier de quart,* ufficiale di quarto. || FAM. *au quart de tour,* al primo giro di chiave.

quarteron [kartərɔ̃] m. quarterone, quadrone.

quartette [kwartɛt] m. quartetto jazzistico.

quartier [kartje] m. [de fruit] spicchio ; [boucherie] quarto ; [d'une ville] quartiere, rione. || FIG. [grâce] *ne pas faire de quartier,* non risparmiare nessuno. || MIL. quartiere. | *quartier général,* quartiere generale. | *quartier libre,* libera uscita ; [dans la marine] franchigia f.

quartier-maître [kartjemɛtr] m. MAR. sottocapo.

quasi [kazi] ou FAM. **quasiment** [kazimɑ̃] adv. quasi.

quatorze [katɔrz] adj. num. inv. quattordici. | *quatorze cents,* millequattrocento.

quatorzième [katɔrzjɛm] adj. et n. quattordicesimo, decimoquarto. | *le quatorzième siècle,* il Trecento.

quatrain [katrɛ̃] m. quartina f.

quatre [katr] adj. num. inv. quattro. || FIG. *un de ces quatre matins,* un bel mattino. | *se tenir à quatre,* contenersi a stento. ◆ m. inv. SP. *quatre barré, sans barreur,* quattro con, quattro senza.

quatre-saisons [katrsɛzɔ̃] f. inv. *marchand(e) des quatre-saisons,* erbivendolo, a ambulante ; fruttivendolo, a ambulante.

quatre-vingt(s) [katrəvɛ̃] adj. num. ottanta.

quatre-vingt-dix [katrəvɛ̃dis] adj. num. novanta.

quatrième [katrijɛm] adj. et n. quarto. | *au quatrième (étage),* al quarto piano. || FAM. *en quatrième vitesse,* a tutta birra.

quatrièmement [katrijɛmmɑ̃] adv. in quarto luogo.

quatuor [kwatɥɔr] m. quartetto.

1. que [kə] pron. rel. che. | *coûte que coûte,* costi quel che costi. | *malheureux que je suis !,* misero me. | *le jour qu'il est venu* (fam.), il giorno che, in cui è venuto. || *ce que,* quel(lo) che, ciò che. | *à ce qu'il semble,* a quanto pare.

2. que pron. interr. che, che cosa, cosa. | *qu'est-ce qui ?, qu'est-ce que ?,* che ?, che cosa ?, cosa ?

3. que adv. interr. [combien] quanto. || [pourquoi] perché. | *que ne vient-il ?,* perché non viene ? ◆ adv. exclam. come, quanto. || *que de,* quanto adj.

4. que conj. che. || [complétive] *je crains que,* temo che. | *peut-être que tu as raison,* hai forse ragione. || [temporelle] *il y a dix ans qu'il est parti,* son dieci anni che è partito ; è partito da dieci anni. || [finale] perché, affinché. | *assieds-toi là, que nous causions,* accomodati affinché discorriamo. || [hypothétique] *qu'il pleuve ou non,* piova o non piova. | *s'il est tard et qu'il fasse sombre,* se è tardi e (se) fa buio. || [second terme d'une comparaison] V. AUSSI, PLUS, PLUTÔT, MOINS, etc. | *pas que je sache,* no per quanto io sappia. || [souhait, ordre] che. | *qu'il vienne !,* che venga ! ◆ V. ALORS QUE, AFIN QUE, BIEN QUE, etc.

quel, quelle [kɛl] adj. interr., exclam. che, quale. ◆ adj. rel. *quel, quelle que,* qualunque m. et f. sing. ; quale, quali che.

quelconque [kɛlkɔ̃k] adj. indéf. qualunque, qualsiasi. || [sans valeur] qualunque, comune.

quelque [kɛlk] adj. indéf. [sing.] (un, una) qualche. | *avoir quelque argent,* avere un po' di denaro. | *en quelque sorte,* in un certo modo. || [pl.] qualche inv. ; alcuni, alcune. || [avec art. ou dém. pl.] i, quei pochi ; le, quelle poche. | *les quelques articles que j'ai écrits,* i pochi articoli che ho scritto. ◆ adv. [environ] circa. || FAM. *un million et quelque,* un milione e rotti. || *quelque part,* da qualche parte, in qualche posto. || *quelque peu,* alquanto, un po', un pochino. ◆ adj. ou adv. rel. *quelque ... que* [quantitatif] per quanto, a, i, e ; [qualitatif] qualunque ; [avec un adj.] per quanto, per ... che.

quelque chose [kɛlkəʃoz] pron. indéf. m. qualcosa, qualche cosa ; alcunché.

quelquefois [kɛlkəfwa] adv. qualche volta, talvolta, talora.

quelqu'un, une [kɛlkœ̃, yn] pron. indéf. sing. qualcuno, a ; uno, a ; qualcheduno, a. ◆ m. sing. [personne indéterminée] qualcuno, uno. || [individu] persona f. ◆ pl. [choses, personnes] *quelques-uns, quelques-unes,* qualcuno, qualcuna sing. ; alcuni, alcune.

quémander [kemɑ̃de] v. tr. chiedere, sollecitare (con insistenza).

quémandeur, euse [kemɑ̃dœr, øz] n. sollecitatore, trice.
qu'en-dira-t-on [kɑ̃diratɔ̃] m. inv. FAM. ciarle maligne, dicerie f. pl.
quenelle [kənɛl] f. chenella.
quenotte [kənɔt] f. FAM. dentino (m.) di latte.
quenouille [kənuj] f. rocca, conocchia.
querelle [kərɛl] f. lite, contesa, disputa, litigio m. | *chercher querelle à qn,* attaccare lite, briga con qlcu.
quereller [kərɛle] v. tr. sgridare, rimproverare. ◆ v. pr. (avec) bisticciarsi (con), litigare (con).
querelleur, euse [kərɛlœr, øz] adj. litigioso, rissoso. ◆ n. attaccabrighe ; litighino, a.
question [kɛstjɔ̃] f. domanda, quesito m. | *poser une question,* fare, rivolgere una domanda. || [affaire à examiner] questione, argomento m. | *c'est à côté de la question,* questo non c'entra. | *de quoi est-il question?,* di che si tratta ? | *il n'en est pas question,* è escluso. | *faire question,* essere dubbio. || POL. interrogazione. || [torture] questione, tortura. || LOC. ... *en question,* ... in questione ; ... di cui si tratta. || FAM. *pas question!,* neanche per sogno !
questionnaire [kɛstjɔnɛr] m. questionario.
questionner [kɛstjɔne] v. tr. interrogare.
quête [kɛt] f. *en quête de,* in cerca di. || [collecte] questua.
quêter [kɛte] v. intr. questuare. ◆ v. tr. FIG. accattare.
quêteur, euse [kɛtœr, øz] adj. et n. questuante.
queue [kø] f. coda. | *remuer la queue,* dimenare la coda ; scodinzolare. || [de poêle] manico m. ; [de comète, piano] coda. || [file] coda, fila. | *à la queue leu leu,* in fila indiana. || BOT. [feuille, fruit] picciolo m. ; [fleur] gambo m. || [billard] stecca. || *tirer le diable par la queue,* far fatica a sbarcare il lunario.
queue-d'aronde [kødarɔ̃d] f. TECHN. incastro (m.) a coda di rondine.
1. qui [ki] pron. rel. che. || *celui qui,* colui che ; chi. || *ce qui,* quel che, ciò che ; il che [se rapporte à ce qui précède]. || [compl.] cui ; il, la quale ; i, le quali. || [sans antécédent] chi. || [neutre] *qui pis est,* quel che è peggio. | *qui plus est,* inoltre ; per giunta. || [indéf.] *qui ... qui,* chi ... chi. || *qui que,* chiunque.
2. qui pron. interr. chi.
quiconque [kikɔ̃k] pron. indéf. chiunque.
quiétude [kjetyd] f. quiete, tranquillità.
quignon [kiɲɔ̃] m. [morceau] tozzo ; [extrémité] cantuccio.
1. quille [kij] f. MAR. chiglia.
2. quille f. birillo m.
quincaillerie [kɛ̃kajri] f. ferramenta f. pl. || [boutique] negozio (m.) di ferramenta.
quincaillier, ère [kɛ̃kaje, ɛr] n. negoziante di ferramenta.
quinconce [kɛ̃kɔ̃s] m. quinconce f.
quinine [kinin] f. chinina, chinino m.
quinquagénaire [kɛ̃kaʒenɛr] adj. et n. cinquantenne.
quinquennal, e, aux [kɛ̃kenal, o] adj. quinquennale.
quinquina [kɛ̃kina] m. china f.
quintal, aux [kɛ̃tal, o] m. quintale.
quinte [kɛ̃t] f. MÉD. accesso (m.), attacco (m.) di tosse. || MUS., SP. quinta.
quintessence [kɛ̃tɛsɑ̃s] f. quintessenza.
quintette [k(ɥ)ɛ̃tɛt] m. MUS. quintetto.
quintuple [kɛ̃typl] adj. et m. quintuplo.
quintupler [kɛ̃typle] v. tr. quintuplicare. ◆ v. intr. quintuplicarsi.
quintuplés, es [kɛ̃typle] n. pl. cinque gemelli, e.
quinzaine [kɛ̃zɛn] f. quindicina.
quinze [kɛ̃z] adj. num. inv. quindici. | *quinze cents,* millecinquecento. | *d'aujourd'hui en quinze,* (da) oggi a quindici.
quinzième [kɛ̃zjɛm] adj. et m. quindicesimo, decimoquinto ; quintodecimo. | *le quinzième siècle,* il Quattrocento.
quiproquo [kiproko] m. qui pro quo inv., equivoco.
quittance [kitɑ̃s] f. quietanza, ricevuta, bolletta.
quitte [kit] adj. liberato da un debito. || FIG. *quitte de,* libero da. | *en être quitte pour la peur,* cavarsela con la paura. | *être quitte,* essere pari (e patta). | *jouer à quitte ou double,* giocare a lascia o raddoppia. ◆ *quitte à,* a costo di, a rischio di.
quitter [kite] v. tr. lasciare. || [ôter] togliere, levare. || [renoncer à] abbandonare, perdere, lasciare. || *ne quittez pas (l'écoute),* rimanga in ascolto, in linea. ◆ v. pr. lasciarsi, separarsi.
quitus [kitys] m. discarico.
qui vive ? [kiviv] interj. MIL. chi va là ? ◆ m. inv. *être sur le qui-vive,* stare sul chi vive, all'erta.
1. quoi [kwa] pron. rel. *à quoi,* a cui. | *ce à quoi je n'avais pas pensé,* cosa alla quale non avevo pensato. | *en quoi,* in che cosa. || *après quoi,* dopo di che. || *de quoi,* quello di cui. | *avoir de quoi écrire,* avere l'occorrente per scrivere. | *il n'y a pas de quoi rire,* non c'è di che ridere, c'è poco da ridere. | *il n'y a pas de quoi,* non c'è di che. || *faute de quoi, sans quoi,* senza di che ; altri-

menti. || *moyennant quoi,* grazie a questo. || *sur quoi,* a questo proposito ; allora.
2. quoi pron. interr. che cosa ?, che ?, cosa ? || [interj.] che !, (ma) come ! || Loc. [concessive] *quoi que,* qualunque cosa. | *quoi qu'il en soit,* comunque (sia).
quoique [kwak] conj. (subj.) benché (subj.), sebbene (subj.), quantunque (subj.).
quolibet [kɔlibɛ] m. lazzo, motteggio, canzonatura f.
quorum [korɔm] m. JUR. quorum ; numero legale.
quota [k(w)ɔta] m. percentuale f., quota f.
quote-part [kɔtpar] f. (ali)quota. || FIG. parte.
quotidien, enne [kɔtidjɛ̃, ɛn] adj. quotidiano. ◆ m. [journal] quotidiano.
quotient [kɔsjɑ̃] m. quoziente.
quotité [kɔtite] f. JUR. quota. | *quotité disponible,* (quota) disponibile f.

r

r [ɛr] m. r f. ou m.
rabâcher [rabɑʃe] v. tr. FAM. ricantare, rifriggere ; ripetere sempre (L.C.). ◆ v. intr. FAM. ricantare sempre le stesse cose.
rabais [rabɛ] m. ribasso, sconto. | *vendre au rabais,* vendere sottocosto.
rabaisser [rabese] v. tr. sminuire, svalutare. || [orgueil] abbassare, rintuzzare.
rabat [raba] m. facciola f. | [de poche] patta f.
rabat-joie [rabaʒwa] m. inv. et adj. inv. guastafeste.
rabattre [rabatr] v. tr. abbassare, calare. || [aplanir] spianare. || [chasse] ribattere. || [tricot] *rabattre les mailles,* buttar giù i punti. || COMM. abbonare, ribassare, abbassare. || SP. ribattere. || FIG. [orgueil] abbassare, rintuzzare. ◆ v. intr. FIG. *en rabattre,* diminuire le pretese. ◆ v. pr. abbassarsi. || *se rabattre sur,* ripiegare su.
rabbin [rabɛ̃] m. rabbino.
rabiot [rabjo] ou **rab** [rab] m. ARG. MIL. et FAM. [vivres] supplemento ; [service] prolungamento di ferma. || *faire du rabiot,* fare un lavoro straordinario.
râble [rɑbl] m. [lapin, lièvre] lombo.
râblé, e [rɑble] adj. tarchiato, robusto.
rabot [rabo] m. [de menuisier] pialla f.
raboter [rabɔte] v. tr. piallare. || [frotter] sfregare.
raboteux, euse [rabɔtø, øz] adj. scabro.
rabougri, e [rabugri] adj. stentato, imbozzacchito.
rabrouer [rabrue] v. tr. rimbrottare, strapazzare.
racaille [rakaj] f. plebaglia, gentaglia.
raccommodage [rakɔmɔdaʒ] m. rammendo.
raccommoder [rakɔmɔde] v. tr. raccomodare, rammendare. || FIG. riconciliare, rappacificare.
raccord [rakɔr] m. TECHN., CIN. raccordo. || [peinture] ritocco.
raccordement [rakɔrdəmɑ̃] m. raccordo, allacciamento, collegamento.
raccorder [rakɔrde] v. tr. collegare, allacciare, raccordare.
raccourci [rakursi] m. [chemin] scorciatoia f. || [résumé] sunto, compendio. || ART scorcio. ◆ *en raccourci,* in succinto, in sintesi, in compendio.
raccourcir [rakursir] v. tr. accorciare, scorciare.
raccroc [rakro] n. m. *par raccroc,* per un colpo di fortuna, per combinazione, per puro caso.
raccrocher [rakrɔʃe] v. tr. riattaccare, riagganciare. || FIG. ricollegare. ◆ v. intr. [téléphone] riattaccare.
race [ras] f. stirpe, razza.
racé, e [rase] adj. [animal] di razza. || FIG. distinto, aristocratico.
rachat [raʃa] m. riscatto.
racheter [raʃte] v. tr. ricomprare ; [prisonniers] riscattare. || FIG. riscattare.
rachitique [raʃitik] adj. et n. rachitico.
rachitisme [raʃitism] m. rachitismo.
racial, e, aux [rasjal, o] adj. razziale.
racine [rasin] f. radice.
racisme [rasism] m. razzismo.
raciste [rasist] adj. razzistico. ◆ n. razzista.
raclée [rɑkle] f. sacco m., fracco (m.) di botte.
racler [rɑkle] v. tr. raschiare, grattare. ◆ v. pr. *se racler la gorge,* raschiarsi, rischiararsi la gola.
raclette [raklɛt] f. raschiatoio m., raschietto m.
raclure [raklyr] f. raschiatura.
racoler [rakɔle] v. tr. MIL. reclutare di forza. || [prostituée] adescare.
racontar [rakɔ̃tar] m. FAM. diceria f., pettegolezzo.
raconter [rakɔ̃te] v. tr. raccontare, narrare. | *d'après ce qu'on raconte,* a quanto si dice.
radar [radar] m. radar.
radariste [radarist] m. radarista.
rade [rad] f. MAR. rada.

radeau [rado] m. zattera f.
radiateur [radjatœr] m. radiatore.
1. radiation [radjasjɔ̃] f. PHYS. radiazione.
2. radiation f. radiazione, cancellazione.
radical, e, aux [radikal, o] adj. et n. radicale.
1. radier [radje] m. [maçonnerie] platea f.
2. radier v. tr. radiare, cancellare.
radiesthésie [radjɛstezi] f. radioestesia.
radiesthésiste [radjɛstezist] n. radioestesista.
radieux, euse [radjø, øz] adj. radioso.
radin, e [radɛ̃, in] adj. et n. POP. tirchio, spilorcio.
radio [radjo] f. radio inv. | *message radio*, radiomessaggio. | *liaison radio*, radiocollegamento. || MÉD. lastra, radiografia. | *passer à la radio*, fare l'esame radiografico.
radioactivité [radjoaktivite] f. radioattività.
radioamateur [radjoamatœr] m. radioamatore.
radiocompas [radjokɔ̃pa] m. radiobussola f.
radiodiffuser [radjodifyze] v. tr. radiotrasmettere, radiodiffondere.
radiodiffusion [radjodifyzjɔ̃] f. radiodiffusione, radiotrasmissione.
radiogoniomètre [radjogɔnjomɛtr] m. radiogoniometro.
radiographie [radjografi] f. radiografia.
radiographier [radjografje] v. tr. radiografare.
radioguidage [radjogidaʒ] m. radio(tele)comando.
radiologie [radjolɔʒi] f. radiologia.
radiologiste [radjolɔʒist] ou **radiologue** [radjolɔg] n. radiologo.
radiophare [radjofar] m. radiofaro.
radiophonique [radjofɔnik] adj. radiofonico. | *auteur radiophonique*, radioautore. | *pièce radiophonique*, radiodramma m.
radioreportage [radjorəpɔrtaʒ] m. radiocronaca f.
radioreporter [radjorəpɔrtɛr] m. radiocronista.
radioscopie [radjoskɔpi] f. radioscopia.
radiotélégraphiste [radjotelegrafist] n. radiotelegrafista. || AV., MAR. marconista.
radiotélescope [radjotelɛskɔp] m. radiotelescopio.
radiotélévisé, e [radjotelevize] adj. radiotelevisivo.
radiothérapie [radjoterapi] f. radioterapia.
radis [radi] m. BOT. ravanello. || FAM. *n'avoir pas un radis*, non avere il becco di un quattrino.
radium [radjɔm] m. CHIM. radio.
radotage [radɔtaʒ] m. vaneggiamento, farnetico. || [répétition] tiritera f.
radoter [radɔte] v. intr. vaneggiare, farneticare. || ripetersi continuamente.
radoteur, euse [radɔtœr, øz] adj. farnetico, vaneggiante. || che, chi ripete le medesime cose. ◆ n. rimbambito, a.
radoub [radu] m. MAR. raddobbo.
radouber [radube] v. tr. raddobbare.
radoucir [radusir] v. tr. raddolcire. || [apaiser] rabbonire.
rafale [rafal] f. raffica. | *rafale de vent*, raffica di vento ; folata. || FIG. [applaudissements] salva, scroscio m. || MIL. raffica, sventagliata.
raffermir [rafɛrmir] v. tr. rassodare. || FIG. rassodare, confermare.
raffinage [rafinaʒ] m. raffinazione f., raffinatura f.
raffiné, e [rafine] adj. raffinato. || FIG. raffinato, squisito.
raffinement [rafinmɑ̃] m. raffinatezza f., raffinamento, squisitezza f.
raffiner [rafine] v. tr. raffinare. ◆ v. tr. ind. (sur) cavillare (su), sottilizzare (su) ; insistere eccessivamente (su).
raffinerie [rafinri] f. raffineria.
raffoler [rafɔle] v. tr. ind. (de) FAM. andar pazzo (per), matto (per) ; aver la passione (di).
raffut [rafy] m. FAM. *faire du raffut*, far cagnara, baccano.
rafiau ou **rafiot** [rafjo] m. FAM. barcaccia f.
rafistoler [rafistɔle] v. tr. FAM. rabberciare, raffazzonare.
rafle [rafl] f. razzia. || [arrestation] retata.
rafler [rafle] v. tr. FAM. rastrellare, razziare, sgraffignare.
rafraîchir [rafrɛʃir] v. tr. rinfrescare. | *fruits rafraîchis*, macedonia di frutta. || [cheveux] spuntare, scorciare. || FIG. [mémoire] rinfrescare. ◆ v. intr. *mettre à rafraîchir*, mettere in fresco. ◆ v. pr. rinfrescare v. intr. || [mains, visage ; se désaltérer] rinfrescarsi.
rafraîchissant, e [rafrɛʃisɑ̃, ɑ̃t] adj. rinfrescante, refrigerante.
rafraîchissement [rafrɛʃismɑ̃] m. (il) rinfrescarsi. || [rénovation] rinfrescata f. || [boisson] rinfresco.
ragaillardir [ragajardir] v. tr. ringagliardire, rinvigorire, ringalluzzire.
rage [raʒ] f. MÉD. rabbia. | *rage de dents*, violento mal (m.) di denti. || FIG. rabbia, furia. | *faire rage*, infuriare, imperversare. || passione, smania.
rager [raʒe] v. intr. andare, montare in bestia ; arrabbiarsi.

rageur, euse [raʒœr, øz] adj. rabbioso, stizzoso.
ragot [rago] m. FAM. pettegolezzo, diceria f. ; maldicenza f. (L.C.).
ragoût [ragu] m. spezzatino, stufato, umido.
raid [rɛd] m. MIL. incursione f., scorreria f. || AV. raid. || SP. raid, trasvolata.
raide [rɛd] adj. rigido ; [cheveux] ritto ; [corde] teso. || [abrupt] ripido, erto. || FIG. rigido. || FAM. *c'est un peu raide !*, questa è poi grossa ! ◆ adv. *raide mort*, morto stecchito. | *étendre raide mort*, far secco. | *tuer raide*, uccidere sul colpo ; freddare.
raideur [rɛdœr] f. rigidità. || [pente] ripidezza. || FIG. rigidezza.
raidillon [rɛdijɔ̃] m. salita f., china (f.) ripida ; erta f.
raidir [rɛdir] v. tr. irrigidire ; tendere. ◆ v. intr. et v. pr. irrigidirsi.
1. raie [rɛ] f. riga. || [des cheveux] scriminatura, riga.
2. raie f. ZOOL. razza.
raifort [rɛfɔr] m. BOT. rafano, barbaforte.
rail [rɑj] m. rotaia f. || ferrovia f., strada (f.) ferrata.
railler [rɑje] v. tr. schernire, canzonare ; prendere in giro.
raillerie [rajri] f. canzonatura ; presa in giro.
rainure [renyr] f. scanalatura.
raisin [rezɛ̃] m. uva f. | *raisin sec*, uva secca, passa.
raison [rezɔ̃] f. ragione. || [discernement] ragione, giudizio m. | *âge de raison*, età del giudizio. | *mariage de raison*, matrimonio di convenienza. || *comme de raison*, a ragione. | *plus que de raison*, più del ragionevole, del dovere. || COMM. *raison sociale*, ragione sociale ; ditta. || ragione, motivo m., cagione. | *pour raisons de*, per motivi di. || POL. *raison d'État*, ragion di Stato. || [justification] ragione. | *se faire raison à soi-même*, farsi giustizia da sé. ◆ *à tort ou à raison*, a torto o a ragione. || *à plus forte raison*, a maggior ragione. || *à raison de*, in ragione di. || *en raison de*, per via di ; nella misura in cui. | *en raison des circonstances*, date le circostanze.
raisonnable [rezɔnabl] adj. ragionevole. || [modéré] ragionevole, discreto.
raisonnement [rezɔnmɑ̃] m. ragionamento.
raisonner [rezɔne] v. intr. ragionare. || [répliquer] discutere ; muovere obiezioni ; ribattere. ◆ v. tr. *raisonner qn*, convincere qlcu. con la ragione.
raisonneur, euse [rezɔnœr, øz] adj. et n. PÉJOR. che, chi discute di tutto ; che, chi ribatte.
rajeunir [raʒœnir] v. tr. ringiovanire. || FIG. svecchiare. ◆ v. intr. ringiovanire.
rajouter [raʒute] v. tr. aggiungere.
rajuster [raʒyste] v. tr. V. RÉAJUSTER.
râle [rɑl] m. rantolo.
ralenti [ralɑ̃ti] m. AUT. minimo. | *au ralenti*, PR. al minimo ; FIG. a rilento. || CIN. rallentamento.
ralentir [ralɑ̃tir] v. tr. et intr. rallentare.
ralentissement [ralɑ̃tismɑ̃] m. rallentamento.
râler [rɑle] v. intr. rantolare. || FIG., FAM. brontolare.
ralliement [ralimɑ̃] m. [rassemblement] adunata f., riunione f., raccolta f. || [adhésion] adesione f.
rallier [ralje] v. tr. radunare, raccogliere. || [rejoindre] raggiungere. ◆ v. pr. raccogliersi, riunirsi. || *se rallier à*, aderire a.
rallonge [ralɔ̃ʒ] f. allungatura, giunta, prolunga.
rallongement [ralɔ̃ʒmɑ̃] m. allungamento.
rallonger [ralɔ̃ʒe] v. tr. allungare. ◆ v. intr. et v. pr. allungarsi.
rallumer [ralyme] v. tr. riaccendere.
rallye [rali] m. SP. rally.
ramage [ramaʒ] m. [oiseaux, enfants] cinguettio. ◆ pl. MODE fiorami.
ramassage [ramasaʒ] m. raccolta f.
ramassé, e [ramase] adj. [trapus] tarchiato, tozzo, || [style] conciso.
ramasser [ramase] v. tr. raccogliere. || [concentrer] condensare in poche parole. ◆ v. pr. [se replier] raccogliersi, raggomitolarsi. || FAM. [se relever] tirarsi su, rialzarsi.
ramasseur [ramasœr] m. [de balles] raccattapalle inv.
ramassis [ramasi] m. accozzaglia f.
rambarde [rɑ̃bard] f. battagliola.
1. rame [ram] f. MAR. remo m. | *aller à la rame*, andare a remi. | *faire force de rames*, far forza sui remi.
2. rame f. [papier] risma. || [wagons] convoglio m.
rameau [ramo] m. ramoscello. || [d'une famille] ramo. || REL. *dimanche des Rameaux*, domenica delle Palme.
ramener [ramne] v. tr. [qn] ricondurre, riportare. || [la paix] ristabilire, riportare. || [les bras en arrière] tirare indietro. || *ramener son châle sur ses épaules*, tirarsi lo scialle sulle spalle. || *ramener tout à soi*, riferire tutto a se stesso. | *ramener à la vie*, far tornare in sé ; rianimare. ◆ v. pr. *se ramener à*, ridursi a.
ramer [rame] v. intr. remare, vogare.
rameur, euse [ramœr, øz] n. rematore, trice ; vogatore, trice.
ramier [ramje] m. colombaccio.

ramification [ramifikasjɔ̃] f. ramificazione.
ramifier (se) [səramifje] v. pr. ramificare, ramificarsi.
ramollir [ramɔlir] v. tr. rammollire.
ramoner [ramɔne] v. tr. spazzare, pulire la canna del camino.
ramoneur [ramɔnœr] m. spazzacamino.
rampant, e [rɑ̃pɑ̃, ɑ̃t] adj. strisciante. ◆ m. pl. Av. personale a terra.
rampe [rɑ̃p] f. pendio m., pendenza, rampa. ‖ [d'escalier] rampa, branca ; [balustrade] ringhiera ; [main courante] corrimano m. ‖ Th. ribalta. ‖ Fig. *passer la rampe,* far presa sul pubblico.
ramper [rɑ̃pe] v. intr. strisciare ; andar carponi.
rancard [rɑ̃kar] m. Pop. appuntamento (L.C.).
rancart [rɑ̃kar] m. Fam. *mettre au rancart,* buttar via ; mettere fra i rifiuti ; scartare.
rance [rɑ̃s] adj. et m. rancido.
rancir [rɑ̃sir] v. intr. irrancidire.
rancœur [rɑ̃kœr] f. rancore m., astio m.
rançon [rɑ̃sɔ̃] f. riscatto m., taglia. ‖ Fig. prezzo m.
rançonner [rɑ̃sɔne] v. tr. esigere un riscatto da ; taglieggiare. ‖ Fig. estorcere, scorticare, pelare.
rancune [rɑ̃kyn] f. rancore m., astio m.
rancunier, ère [rɑ̃kynje, ɛr] adj. tenace nel rancore ; astioso.
randonnée [rɑ̃dɔne] f. escursione, gita.
rang [rɑ̃] m. fila f., riga f., ordine ; [de perles] filo ; [tricot] ferro. ‖ [hiérarchie] grado ; posizione f., condizione (f.) sociale ; ceto. | *avoir rang de,* aver grado di. | *de tout rang,* d'ogni ceto. ‖ *être sur les rangs,* essere candidato. | *sur le même rang,* sullo stesso piano. | *mettre au rang de,* mettere nel novero di, annoverare tra. | *prendre rang,* prender posto.
rangé, e [rɑ̃ʒe] adj. posato ; per bene. ‖ Mil. *bataille rangée,* battaglia campale.
rangée [rɑ̃ʒe] f. fila ; [plantes, arbres] fila, filare m. ; [perles] filo m. ; [tricot] ferro m.
ranger [rɑ̃ʒe] v. tr. [mettre en ordre] riporre ; mettere a posto, sistemare. ‖ [mettre de l'ordre dans] rassettare, riordinare, mettere in ordine. ‖ Aut. posteggiare. ‖ [mettre au nombre de] annoverare, collocare. ‖ Mil. schierare. ◆ v. pr. disporsi, ordinarsi. ‖ [s'écarter] scansarsi ; tirarsi da parte. ‖ [se garer] posteggiare v. intr. ‖ Fig. schierarsi. ‖ *se ranger parmi,* annoverarsi fra. ‖ Mil. schierarsi. ‖ Fam. [s'assagir] metter giudizio ; mettere la testa a partito ; rinsavire.
ranimer [ranime] v. tr. rianimare, ravvivare.
rapace [rapas] adj. et m. rapace.
rapatrié, e [rapatrije] n. rimpatriato, a.
rapatriement [rapatrimɑ̃] m. rimpatrio.
rapatrier [rapatrije] v. tr. rimpatriare.
râpe [rɑp] f. Culin. grattugia. ‖ Techn. raspa.
râpé, e [rɑpe] adj. Culin. grattugiato, grattato. ‖ [élimé] frusto, liso, logoro. ◆ m. groviera grattugiata.
râper [rɑpe] v. tr. Culin. grattugiare, grattare. ‖ Techn. raspare. ‖ [user] logorare.
raphia [rafja] m. rafia f.
rapetasser [raptase] v. tr. rappezzare.
rapetisser [raptise] v. tr. rimpicciolire.
rapide [rapid] adj. rapido, svelto, veloce. ‖ [esprit] vivace ; [montée] ripido. ◆ m. [cours d'eau] rapida f. ‖ [train] rapido.
rapidité [rapidite] f. rapidità, sveltezza, celerità.
rapléçage [rapjesaʒ] ou **rapiècement** [rapjɛsmɑ̃] m. rattoppo.
rapiécer [rapjese] v. tr. rattoppare.
rapine [rapin] f. rapina.
rappel [rapɛl] m. richiamo. ‖ Th. chiamata f. ‖ Fig. evocazione f. ‖ Comm. *lettre de rappel,* (lettera di) sollecito. ‖ Mil. richiamo (alle armi). ‖ [alpinisme] *descente en rappel,* discesa a corda doppia.
rappeler [raple] v. tr. richiamare. ‖ Th. [acteur] chiamare. ‖ [faire souvenir de] ricordare, rammentare. ‖ [évoquer] (ri)evocare. ‖ [ressembler] (à) rassomigliare (a), far pensare (a). ‖ Mil. richiamare. ◆ v. pr. ricordarsi, rammentarsi.
rappliquer [raplike] v. intr. Pop. tornare (L.C.), arrivare (L.C.).
rapport [rapɔr] m. [revenu] reddito, rendita f. ; *être d'un bon rapport,* essere redditizio. ‖ [compte rendu] relazione f., rapporto, resoconto. ‖ [relation] rapporto, relazione, attinenza f. ◆ pl. [liens] rapporti, relazioni f. pl., vincoli. ◆ ***sous tous les rapports,*** sotto ogni rapporto. ‖ ***par rapport à,*** rispetto a, riguardo a. ‖ ***sous le rapport de,*** dal punto di vista di.
rapporter [rapɔrte] v. tr. [ramener] riportare ; portare indietro ; portare a casa. ‖ [produire] rendere, fruttare, produrre. ‖ [relater] riportare, riferire. ‖ Abs. far la spia. ‖ Jur. abrogare. ◆ v. pr. (à) riferirsi (a) ; essere in relazione (con), avere attinenza (con).
rapporteur, euse [rapɔrtœr, øz] n. [mouchard] spione, a ; spia f. ‖ [qui établit un rapport] relatore, trice. ◆ m. Géom. rapportatore.

rapproché, e [raprɔʃe] adj. vicino. | *à intervalles rapprochés*, a intervalli ravvicinati.
rapprochement [raprɔʃmɑ̃] m. r(i)avvicinamento.
rapprocher [raprɔʃe] v. tr. (r)avvicinare, (r)accostare. || FIG. [réconcilier] r(i)avvicinare, riconciliare. ◆ v. pr. (de) riavvicinarsi (a).
rapt [rapt] m. rapimento, ratto.
raquette [rakɛt] f. racchetta. || FAM. [joueur] tennista n. (L.C.).
rare [rɑr] adj. raro. || [peu abondant] raro, rado, scarso. || [exceptionnel] raro, singolare.
raréfier [rarefje] v. tr. rarefare. ◆ v. pr. rarefarsi, scarseggiare
rarement [rarmɑ̃] adv. di rado, raramente ; rare volte.
rareté [rarte] f. rarità ; [barbe] radezza ; [d'un fait] singolarità. || [chose rare] rarità. || [pénurie] scarsità, scarsezza.
ras, rase [rɑ, rɑz] adj. raso, rasato. || *en rase campagne*, in aperta campagna. || [plein] raso. || *faire table rase (de)*, far tabula rasa (di). ◆ ***à ras***, raso, rasato adj. | *à ras bord*, raso. || ***à, au ras de***, al livello di. | *à ras de terre*, raso terra.
rase-mottes [rɑzmɔt] m. inv. *vol en rase-mottes*, volo radente, volo raso terra.
raser [rɑze] v. tr. radere, rasare, sbarbare. | *rasé de près*, raso a zero. || [ville, forêt] radere, spianare, atterrare. || [frôler] rasentare, radere, sfiorare. || FIG., FAM. seccare, scocciare. ◆ v. pr. radersi, rasarsi, sbarbarsi. || FIG., FAM. seccarsi, scocciarsi.
raseur, euse [rɑzœr, øz] n. FIG., FAM. seccatore, trice ; scocciatore, trice.
rasoir [rɑzwar] m. rasoio. ◆ adj. FIG., FAM. seccante, barboso.
rassasié, e [rasazje] adj. sazio, satollo. || FIG. [dégoûté] nauseato.
rassasier [rasazje] v. tr. saziare.
rassemblement [rasɑ̃bləmɑ̃] m. [de personnes] adunanza f. ; [de choses] raccolta f. || MIL. adunata f.
rassembler [rasɑ̃ble] v. tr. radunare, raccogliere.
rassis, e [rasi, iz] adj. [durci] raffermo. || [réfléchi] posato, assennato.
rassurant, e [rasyrɑ̃, ɑ̃t] adj. rassicurante.
rassurer [rasyre] v. tr. rassicurare.
rat [ra] m. topo. | *rat d'eau*, topo acquaiolo. | *rat musqué*, topo muschiato. || *rat-de-cave*, lucignolo, stoppino ; *rat d'hôtel*, topo d'albergo. || [danse] *petit rat*, allievo ballerino, allieva ballerina. || FAM. [avare] spilorcio, taccagno.
ratatiné, e [ratatine] adj. raggrinzito, rattrappito, vizzo.
ratatiner (se) [səratatine] v. pr. FAM. raggrinzirsi, rattrappirsi.
1. rate [rat] f. ZOOL. topo femmina.
2. rate f. ANAT. milza.
raté, e [rate] adj. fallito, mancato ; [affaire] andato a monte ; [vie] sbagliato. || TECHN. *pièce ratée*, pezzo difettoso. ◆ adj. et n. fallito. ◆ m. [fusil] *avoir un raté*, far cilecca ; [moteur] *avoir des ratés*, perdere dei colpi.
râteau [rɑto] m. rastrello.
râtelier [rɑtəlje] m. [d'armes, de pipes] rastrelliera f. ; [d'écurie] rastrelliera, greppia f. || [fausses dents] dentiera f.
rater [rate] v. intr. [arme à feu] far cilecca. || [échouer] far cilecca ; fallire ; andare a monte. ◆ v. tr. fallire, sbagliare, mancare. || FAM. [examen] essere bocciato ; [occasion, train] perdere.
ratière [ratjɛr] f. trappola (per topi).
ratification [ratifikasjɔ̃] f. JUR. ratificazione, ratifica.
ratifier [ratifje] v. tr. JUR. ratificare. || confermare.
ration [rasjɔ̃] f. razione.
rationnel, elle [rasjɔnɛl] adj. razionale.
rationnement [rasjɔnmɑ̃] m. razionamento.
rationner [rasjɔne] v. tr. razionare.
ratisser [rɑtise] v. tr. rastrellare.
raton [ratɔ̃] m. topolino. | *raton laveur*, procione ; orsetto lavatore.
rattacher [rataʃe] v. tr. (ri)attaccare, (ri)allacciare. || FIG. (ri)collegare, unire. ◆ v. pr. ricollegarsi, riallacciarsi, ricongiungersi.
rattraper [ratrape] v. tr. riprendere, (ri)acchiappare. || [rejoindre] raggiungere. || [regagner] ricuperare, riguadagnare. || [corriger] riparare a. ◆ v. pr. [se retenir] aggrapparsi, afferrarsi. || [se dédommager] (sur) rifarsi (su). || [en classe] rimettersi in pari.
rature [ratyr] f. cancellatura, frego m.
raturer [ratyre] v. tr. cancellare.
rauque [rok] adj. rauco, roco.
ravage [ravaʒ] m. devastazione f., rovina f., danno, guasto. || FAM. *faire des ravages (dans les cœurs)*, accendere passioni devastatrici.
ravagé, e [ravaʒe] adj. FAM. tocco.
ravager [ravaʒe] v. tr. devastare, rovinare, distruggere.
ravalement [ravalmɑ̃] m. pulizia f., rintonacatura f.
ravaler [ravale] v. tr. ripulire ; rintonacare. || [larmes, dépit] ringoiare, ringhiottire ; [paroles] rimangiarsi. || FIG. [déprécier] abbassare, avvilire, deprezzare. ◆ v. pr. [s'avilir] abbassarsi, sminuirsi, avvilirsi.

ravauder [ravode] v. tr. rammendare.
rave [rav] f. rapa.
ravi, e [ravi] adj. felicissimo, lietissimo.
ravigoter [ravigɔte] v. tr. FAM. rinvigorire (L.C.), ristorare (L.C.), tonificare (L.C.).
ravin [ravɛ̃] m. forra f. || [chemin encaissé] burrone.
raviner [ravine] v. tr. erodere, corrodere.
ravir [ravir] v. tr. rapire, togliere. || [enchanter] rapire, avvincere, fare andare in estasi. ◆ *à ravir,* a meraviglia, d'incanto ; a pennello.
raviser (se) [səravize] v. pr. ricredersi ; cambiar parere, mutare opinione.
ravissant, e [ravisɑ̃, ɑ̃t] adj. incantevole, affascinante.
ravissement [ravismɑ̃] m. REL. rapimento, estasi f. | *jeter dans le ravissement,* far andare in estasi, in visibilio.
ravisseur, euse [ravisœr, øz] adj. et n. rapitore, trice.
ravitaillement [ravitajmɑ̃] m. rifornimento, approvvigionamento ; [en vivres] vettovagliamento ; [en munitions] munizionamento. || ADM. annona f. || FAM. *aller au ravitaillement,* andare a far compere.
ravitailler [ravitaje] v. tr. rifornire, approvvigionare ; [en vivres] vettovagliare.
raviver [ravive] v. tr. ravvivare.
rayé, e [rɛje] adj. rigato, a righe. || [abîmé] scalfito.
rayer [rɛje] v. tr. rigare. || [abîmer] scalfire. || [effacer] cancellare, depennare. || [exclure] radiare.
1. rayon [rɛjɔ̃] m. [de miel] favo. || [tablette] palchetto, ripiano. || COMM. reparto.
2. rayon m. [de lumière] raggio. || FIG. [d'espoir] raggio, barlume. || [de roue] raggio.
rayonnage [rɛjɔnaʒ] m. scaffalatura f.
rayonnant, e [rɛjɔnɑ̃, ɑ̃t] adj. raggiante, radioso. || PHYS. raggiante, radiante.
rayonne [rɛjɔn] f. raion m.
rayonnement [rɛjɔnmɑ̃] m. irraggiamento, irradiazione f. || FIG. splendore ; influenza f. || [de bonheur] sfavillio.
rayonner [rɛjɔne] v. intr. (ir)raggiare, irradiare. || FIG. irradiarsi, diffondersi. || *rayonner de joie,* sfavillare di gioia. || [circuler] girare ; fare escursioni.
rayure [rɛjyr] f. riga. || [trace] scalfittura.
raz(-)de(-)marée [rɑdmare] m. inv. maremoto m. || FIG. rivolgimento m.
razzia [ra(d)zja] f. razzia.
ré [re] m. inv. MUS. re.
réabonnement [reabɔnmɑ̃] m. rinnovo dell'abbonamento.
réabonner (se) [səreabɔne] v. pr. riabbonarsi ; rinnovare l'abbonamento.
réacteur [reaktœr] m. reattore.
réactif, ive [reaktif, iv] adj. et m. CHIM. reattivo, reagente. ◆ m. FIG. rivelatore.
réaction [reaksjɔ̃] f. reazione. || *avion à réaction,* aviogetto.
réactionnaire [reaksjɔnɛr] adj. et n. reazionario.
réadaptation [readaptasjɔ̃] f. riadattamento m.
réagir [reaʒir] v. intr. et tr. ind. (à, contre, sur) reagire (a, su).
réajustement [reaʒystəmɑ̃] m. [prix, salaires] adeguamento.
réajuster [reaʒyste] v. tr. (r)aggiustare, ritoccare ; [coiffure] ravviarsi i capelli. || ÉCON. adeguare, ritoccare.
réalisable [realizabl] adj. realizzabile, attuabile. || COMM. realizzabile ; convertibile in denaro.
réalisateur, trice [realizatœr, tris] n. realizzatore, trice.
réalisation [realizasjɔ̃] f. realizzazione, attuazione. || CIN., RAD., T.V. realizzazione. || COMM. realizzo m.
réaliser [realize] v. tr. realizzare, effettuare, eseguire, attuare. || CIN., RAD., T.V. realizzare. || COMM. realizzare ; convertire in denaro. || [se rendre compte] realizzare ; rendersi conto di.
réalisme [realism] m. realismo.
réaliste [realist] adj. realistico, realista. ◆ n. realista.
réalité [realite] f. realtà.
réanimer [reanime] v. tr. rianimare.
réapparaître [reaparɛtr] v. intr. riapparire, ricomparire.
réapparition [reaparisjɔ̃] f. riapparizione, ricomparsa.
réapprovisionner [reaprɔvizjɔne] v. tr. (en) riapprovvigionare, rifornire (di).
réarmement [rearməmɑ̃] m. riarmo, riarmamento.
réarmer [rearme] v. tr. et intr. riarmare.
rébarbatif, ive [rebarbatif, iv] adj. [personne] arcigno ; [chose] ingrato, arido.
rebattre [rəbatr] v. tr. battere di nuovo, ribattere ; [cartes] rimescolare. || FIG. *rebattre les oreilles à qn de qch.,* ripetere sempre a uno la stessa cosa.
rebattu, e [rəbaty] adj. [répété] trito ; fritto e rifritto.
rebelle [rəbɛl] adj. et n. ribelle, rivoltoso.
rebeller (se) [sərəbɛle] v. pr. (contre) ribellarsi (a), rivoltarsi (a).
rébellion [rebɛljɔ̃] f. ribellione, rivolta. || [ensemble des rebelles] ribelli m. pl.

rebiffer (se) [sər(ə)bife] v. pr. FAM. (contre) ribellarsi (a), ricalcitrare (a).
reboisement [rəbwazmɑ̃] m. rimboschimento, rimboscamento.
reboiser [rəbwaze] v. tr. rimboschire, rimboscare.
rebond [rəbɔ̃] m. rimbalzo.
rebondir [rəbɔ̃dir] v. intr. rimbalzare. || FIG. risollevarsi, prendere un nuovo sviluppo.
rebondissement [rəbɔ̃dismɑ̃] m. rimbalzo. || FIG. ripresa f., recrudescenza f.
rebord [rəbɔr] m. orlo, bordo, sponda f. ; [de fenêtre] davanzale.
rebours [rəbur] loc. adv. ***à, au rebours,*** alla rovescia, a rovescio, all'indietro, a ritroso. | *compte à rebours,* conto alla rovescia. || ***à, au rebours de,*** contrariamente a, al contrario di.
rebouteux, euse [rəbutø, øz] n. FAM. conciaossa n. inv.
rebrousse-poil (à) [arəbruspwal] loc. adv. (di) contropelo.
rebrousser [rəbruse] v. tr. arruffare. || ***rebrousser chemin,*** tornare indietro, sui propri passi m.
rebuffade [rəbyfad] f. rifiuto (m.) sgarbato ; sgarbo m.
rébus [rebys] m. rebus.
rebut [rəby] m. scarto, rifiuto.
rebutant, e [rəbytɑ̃, ɑ̃t] adj. ributtante, ripugnante. || [décourageant] scoraggiante.
rebuter [rebyte] v. tr. scoraggiare, disgustare.
récalcitrant, e [rekalsitrɑ̃, ɑ̃t] adj. ricalcitrante.
recaler [rəkale] v. tr. FAM. bocciare.
récapituler [rekapityle] v. tr. ricapitolare, riepilogare.
recel [rəsɛl] m. JUR. ricettazione f., occultamento.
receler [rəsəle] v. tr. [contenir] racchiudere. || [cacher] celare. || JUR. ricettare, occultare.
receleur, euse [rəsəlœr, øz] n. JUR. ricettatore, trice.
récemment [resamɑ̃] adv. recentemente, di recente ; da poco (tempo).
recensement [rəsɑ̃smɑ̃] m. censimento.
recenser [rəsɑ̃se] v. tr. censire.
récent, e [resɑ̃, ɑ̃t] adj. recente.
récépissé [resepise] m. ricevuta f., bolletta f.
réceptacle [resɛptakl] m. ricettacolo.
récepteur, trice [resɛptœr, tris] adj. ricevente. ◆ m. [radio] radioricevitore. | *récepteur-émetteur,* ricetrasmettitore.
réception [resɛpsjɔ̃] f. ricevimento m. | *accuser réception de,* accusare ricevuta di. || [accueil] accoglienza, ricevimento. || [cérémonie] ricevimento, trattenimento m. || [admission] ricevimento, ammissione. || [d'un travail] collaudo m. || TÉL. ricezione.
réceptionnaire [resɛpsjɔnɛr] n. [marchandises] controllore m. ; [travaux] collaudatore.
réceptionner [resɛpsjɔne] v. tr. [marchandises] controllare ; [travaux] collaudare.
réceptionniste [resɛpsjɔnist] n. [hôtel, entreprise] addetto, a al ricevimento (dei clienti).
récession [resesjɔ̃] f. recessione.
recette [rəsɛt] f. COMM. incasso m., entrata, introito m. || CULIN., FIG. ricetta.
recevable [rəsəvabl] adj. accettabile, ammissibile.
receveur, euse [rəsəvœr, øz] n. ricevitore, trice ; esattore m. || [transports publics] bigliettaio, fattorino.
recevoir [rəsəvwar] v. tr. ricevere ; [blessure] riportare. || [invités] ricevere, accogliere. || [admettre] ammettere, accettare, accogliere. || JUR. *fin de non-recevoir,* irricevibilità. || TÉL. ricevere. || UNIV. [à un examen] promuovere.
rechange [rəʃɑ̃ʒ] m. ricambio. || TECHN. *pièces de rechange,* ricambi. | *roue de rechange,* ruota di scorta f.
rechaper [rəʃape] v. tr. [pneu] rigenerare.
réchapper [reʃape] v. tr. ind. **(à, de)** scampare (a). | *en réchapper,* scamparla.
recharge [rəʃarʒ] f. ricarica, ricambio m.
recharger [rəʃarʒe] v. tr. ricaricare.
réchaud [reʃo] m. fornello, fornelletto.
réchauffer [reʃofe] v. tr. riscaldare. || FIG. riaccendere, ravvivare.
rêche [rɛʃ] adj. [toucher] ruvido ; [goût] aspro. || FIG. ruvido.
recherche [rəʃɛrʃ] f. ricerca. | *recherches de la police,* ricerche, indagini della polizia. || FIG. ricercatezza. || ***à la recherche de,*** in cerca di, alla ricerca di.
recherché, e [rəʃɛrʃe] adj. richiesto, ricercato. || FIG. affettato, ricercato.
rechercher [rəʃɛrʃe] v. tr. (ri)cercare, indagare. || [gloire] perseguire.
rechigner [rəʃiɲe] v. intr. et tr. ind. **(à, devant)** ricalcitrare (a, contro). | *en rechignant,* a malincuore.
rechute [rəʃyt] f. ricaduta. || MÉD. ricaduta, recidiva.
rechuter [rəʃute] v. intr. riammalarsi ; fare una ricaduta.
récidive [residiv] f. JUR. recidiva. || MÉD. recidiva, ricaduta.
récidiver [residive] v. intr. JUR. essere recidivo. || MÉD. recidivare
récidiviste [residivist] adj. et n. JUR. recidivo.
récif [resif] m. scogliera f., frangente.
récipient [resipjɑ̃] m. recipiente.

réciprocité [resiprɔsite] f. reciprocità.
réciproque [resiprɔk] adj. reciproco.
récit [resi] m. racconto, narrazione f.
récital, als [resital] m. recital.
récitant [resitɑ̃] m. MUS. [d'oratorio] storico ; [de passion] evangelista.
récitatif [resitatif] m. MUS. recitativo.
récitation [resitasjɔ̃] f. (il) recitare. ‖ testo m. (da impararsi a memoria e da recitarsi).
réciter [resite] v. tr. recitare.
réclamation [reklamasjɔ̃] f. reclamo m. ‖ protesta.
réclame [reklam] f. pubblicità. | *en réclame,* a prezzo ridotto, in vendita propagandistica.
réclamer [reklame] v. tr. rivendicare, reclamare. ‖ [nécessiter] richiedere, esigere. ◆ v. intr. (contre) reclamare, protestare (contro). | (en faveur de) intercedere (a favore di). ◆ v. pr. (de) appellarsi (a), valersi (di).
reclassement [rəklasmɑ̃] m. riordinamento, riassetto.
reclasser [rəklase] v. tr. riclassificare, riordinare, riassettare. ‖ ADM. perequare i salari degli statali.
reclus, e [rəkly, yz] adj. et n. recluso.
réclusion [reklyzjɔ̃] f. reclusione.
recoin [rəkwɛ̃] m. angolo, angolino, cantuccio. ‖ FIG. recesso.
recoller [rəkɔle] v. tr. rincollare.
récolte [rekɔlt] f. raccolto m., raccolta.
récolter [rekɔlte] v. tr. raccogliere ; far la raccolta di.
recommandable [rəkɔmɑ̃dabl] adj. raccomandabile.
recommandation [rəkɔmɑ̃dasjɔ̃] f. raccomandazione ; [lettre] commendatizia.
recommandé, e [rəkɔmɑ̃de] adj. [lettre, paquet] raccomandato.
recommander [rəkɔmɑ̃de] v. tr. consigliare, raccomandare. ‖ [à l'attention] raccomandare. ‖ [paquet, lettre] raccomandare. ◆ v. pr. *se recommander de qn,* valersi del nome di qlcu.
recommencer [rəkɔmɑ̃se] v. tr. ricominciare, riprendere. ◆ v. tr. ind. (à, de) ricominciare (a). ◆ v. intr. *la pluie a recommencé,* è ricominciato a piovere.
récompense [rekɔ̃pɑ̃s] f. ricompensa. | *en récompense de,* come ricompensa di.
récompenser [rekɔ̃pɑ̃se] v. tr. ricompensare ; [par un prix] premiare.
réconciliation [rekɔ̃siljasjɔ̃] f. riconciliazione.
réconcilier [rekɔ̃silje] v. tr. riconciliare.
reconduction [rəkɔ̃dyksjɔ̃] f. JUR. riconduzione. ‖ [d'une politique] continuazione.
reconduire [rəkɔ̃dɥir] v. tr. accompagnare, ricondurre. ‖ [reporter] prorogare.
réconfort [rekɔ̃fɔr] m. conforto.
réconfortant, e [rekɔ̃fɔrtɑ̃, ɑ̃t] adj. [consolant] confortante, confortevole. ‖ [revigorant] rinvigorente.
réconforter [rekɔ̃fɔrte] v. tr. [consoler] (ri)confortare, rinfrancare, rincorare. ‖ [revigorer] (ri)confortare, rinvigorire, rinfrancare. ◆ v. pr. [se restaurer] ristorarsi, rifocillarsi.
reconnaissable [rəkɔnɛsabl] adj. identificabile ; (à) riconoscibile (da).
reconnaissance [rəkɔnɛsɑ̃s] f. riconoscimento m. ‖ TH. agnizione. ‖ [aveu] confessione. ‖ [du mont-de-piété] polizza. ‖ JUR. [d'un État, d'un enfant] riconoscimento ; [d'un cadavre] ricognizione. ‖ MIL. ricognizione, esplorazione, perlustrazione. ‖ [gratitude] riconoscenza, gratitudine. ‖ *en reconnaissance de,* in riconoscimento di.
reconnaissant, e [rəkɔnɛsɑ̃, ɑ̃t] adj. riconoscente, grato.
reconnaître [rəkɔnɛtr] v. tr. riconoscere. ‖ JUR. riconoscere. ‖ MIL. riconoscere, esplorare, perlustrare. ◆ v. pr. [s'orienter] ritrovarcisi, raccapezzarcisi. ‖ [avouer] riconoscersi.
reconquérir [rəkɔ̃kerir] v. tr. riconquistare.
reconstituant, e [rəkɔ̃stitɥɑ̃, ɑ̃t] adj. et m. ricostituente.
reconstituer [rəkɔ̃stitɥe] v. tr. ricostituire. ‖ FIG. ricostruire.
reconstitution [rəkɔ̃stitysjɔ̃] f. ricostituzione. ‖ FIG. ricostruzione.
reconstruction [rəkɔ̃stryksjɔ̃] f. ricostruzione.
reconstruire [rəkɔ̃strɥir] v. tr. ricostruire.
reconversion [rəkɔ̃vɛrsjɔ̃] f. riconversione.
recopier [rəkɔpje] v. tr. ricopiare. ‖ [au propre] mettere in bella copia.
record [rəkɔr] m. primato. ◆ adj. *en un temps record,* a tempo di primato.
recordman [rəkɔrdman] m., **recordwoman** [rəkɔrdwuman] f. primatista n.
recoudre [rəkudr] v. tr. ricucire.
recoupement [rəkupmɑ̃] m. riscontro, verifica f.
recouper (se) [sərəkupe] v. pr. concordare, coincidere.
recourbé, e [rəkurbe] adj. (ri)curvo.
recourber [rəkurbe] v. tr. incurvare (all'estremità).
recourir [rəkurir] v. tr. ind. (à) ricorrere (a).
recours [rəkur] m. ricorso. | *avoir recours à,* far ricorso a, ricorrere a. ‖ [refuge] risorsa f., scampo. ‖ JUR. ricorso.

recouvrement [rəkuvrəmɑ̃] m. ricupero. || COMM. ricupero, riscossione f.
recouvrer [rəkuvre] v. tr. ricuperare. || COMM. riscuotere, percepire.
recouvrir [rəkuvrir] v. tr. ricoprire. || [masquer] nascondere, dissimulare, celare. || [s'étendre sur] abbracciare ; corrispondere a. ◆ v. pr. ricoprirsi.
récréatif, ive [rekreatif, iv] adj. ricreativo.
recréation [rəkreasjɔ̃] f. ricreazione (rare), nuova creazione, (il) ricreare.
récréation [rekreasjɔ̃] f. ricreazione.
recréer [rəkree] v. tr. ricreare.
récréer (se) [sərekree] v. pr. ricrearsi, svagarsi.
récrier (se) [sərekrije] v. pr. [d'admiration] dare, prorompere in esclamazioni d'ammirazione. || [protester] protestare.
récrimination [rekriminasjɔ̃] f. *se répandre en récriminations,* diffondersi in critiche, in proteste.
récriminer [rekrimine] v. intr. (contre) protestare aspramente (contro).
récrire [rekrir] ou **réécrire** [reekrir] v. tr. et intr. riscrivere.
recroqueviller (se) [sərəkrɔkvije] v. pr. [suj. qch.] accartocciarsi ; [suj. qn] raggomitolarsi, rannicchiarsi.
recrudescence [rəkrydɛsɑ̃s] f. recrudescenza, rincrudimento m.
recrue [rəkry] f. recluta.
recrutement [rəkrytmɑ̃] m. MIL. reclutamento. | *bureau de recrutement,* ufficio leva.
recruter [rəkryte] v. tr. MIL. reclutare. || [engager] reclutare, assumere.
recta [rɛkta] adv. FAM. *payer recta,* pagare puntualmente (L.C.).
rectangle [rɛktɑ̃gl] adj. et m. rettangolo.
rectangulaire [rɛktɑ̃gylɛr] adj. rettangolare.
recteur [rɛktœr] m. UNIV. rettore.
rectificatif, ive [rɛktifikatif, iv] adj. [lettre] di rettigica. ◆ m. rettifica f.
rectification [rɛktifikasjɔ̃] f. rettificazione, rettifica.
rectifier [rɛktifje] v. tr. rettificare.
rectiligne [rɛktiliɲ] adj. rettilineo. | *route rectiligne,* rettifilo m.
rectitude [rɛktityd] f. FIG. rettitudine.
recto [rɛkto] m. recto.
reçu [rəsy] m. *au reçu de,* al ricevimento di. || [quittance] ricevuta f.
recueil [rəkœj] m. raccolta f.
recueillir [rəkœjir] v. tr. raccogliere. ◆ v. pr. raccogliersi, concentrarsi.
recul [rəkyl] m. [action] arretramento, indietreggiamento. || [d'arme à feu] rinculo. || [régression] regresso. || [dans le temps] distacco.
reculé, e [rəkyle] adj. [espace] appartato, fuori mano ; [temps] remoto.
reculer [rəkyle] v. tr. respingere ; spostare indietro. || *reculer les frontières,* estendere i confini. || [différer] differire, ritardare, dilazionare. ◆ v. intr. [suj. être animé] arretrare, indietreggiare ; tirarsi indietro, retrocedere ; [suj. qch.] essere in regresso. || [arme à feu] rinculare. || FIG. regredire. ◆ v. pr. farsi indietro, tirarsi indietro.
reculons (à) [arkylɔ̃] loc. adv. a ritroso, all'indietro.
récupérable [rekyperabl] adj. ricuperabile.
récupération [rekyperasjɔ̃] f. ricupero m.
récupérer [rekypere] v. tr. ricuperare. ◆ v. intr. riprendersi, rifarsi.
récurage [rekyraʒ] m. sfregamento, strofillamento.
récurer [rekyre] v. tr. sfregare, strofinare.
récuser [rekyze] v. tr. JUR. ricusare. || [rejeter] ricusare, rifiutare. ◆ v. pr. astenersi.
recyclage [rəsiklaʒ] m. riqualificazione f.
recycler [rəsikle] v. tr. riqualificare. ◆ v. pr. riqualificarsi.
rédacteur, trice [redaktœr, tris] n. ADM. impiegato, a di concetto. || JOURN. redattore, trice. | *rédacteur en chef,* redattore capo, caporedattore.
rédaction [redaksjɔ̃] f. redazione. || JOURN. redazione. || [école] tema m. (di componimento) ; componimento m.
reddition [rɛdisjɔ̃] f. resa.
rédempteur, trice [redɑ̃ptœr, tris] adj. et m. REL. redentore, trice.
rédemption [redɑ̃psjɔ̃] f. REL. redenzione.
redescendre [rədɛsɑ̃dr] v. intr. ridiscendere ; scendere di nuovo. ◆ v. tr. ripotare giù.
redevable [rədəvabl] adj. (de) debitore, trice (di) ; in debito (di).
redevance [rədəvɑ̃s] f. canone m.
rédiger [rediʒe] v. tr. redigere, compilare, stendere.
redingote [rədɛ̃gɔt] f. [d'homme] finanziera ; [de femme] redingote.
redire [rədir] v. tr. ridire. ◆ v. intr. *trouver toujours à redire,* trovar sempre da ridire.
redite [rədit] f. ripetizione.
redondance [rədɔ̃dɑ̃s] f. ridondanza.
redondant, e [rədɔ̃dɑ̃, ɑ̃t] adj. ridondante.
redonner [rədɔne] v. tr. ridare. ◆ v. intr. [retomber] (dans) ricadere, ridare (in).
redoubler [rəduble] v. tr. raddoppiare. || UNIV. ripetere. ◆ v. tr. ind. (de) raddoppiare v. tr. ◆ v. intr. raddoppiare.
redoutable [rədutabl] adj. temibile.

redouter [rədute] v. tr. avere gran timore, gran paura di.
redressement [rədrɛsmɑ̃] m. raddrizzamento. | *redressement des torts,* riparazione (f.) dei torti. | *maison de redressement,* riformatorio.
redresser [rədrese] v. tr. raddrizzare ; [la tête] (pr. et fig.) rialzare. | *redresser un véhicule, un avion,* rimettere in linea un veicolo, un aereo ; raddrizzare un aereo. || [rectifier] raddrizzare, correggere, ristabilire. || [les torts] riparare. || ÉCON., POL. risanare. || ÉLECTR. raddrizzare. ◆ v. pr. raddrizzarsi. || FIG. rialzare il capo.
redresseur [rədrɛsœr] m. raddrizzatore.
réduction [redyksjɔ̃] f. riduzione.
réduire [redɥir] v. tr. ridurre. || FIG. [à néant] annientare, distruggere ; [au silence, en esclavage] ridurre. ◆ v. intr. *faire, laisser réduire une sauce,* ridurre una salsa. ◆ v. pr. [se ramener à] ridursi (a), limitarsi (a). || [se restreindre] limitarsi (nelle spese).
réduit, e [redɥi, it] adj. ridotto. ◆ m. bugigattolo, stambugio. || MIL. ridotto.
rééducation [reedykasjɔ̃] f. rieducazione.
rééduquer [reedyke] v. tr. rieducare.
réel, elle [reɛl] adj. reale ; vero e proprio ; sostanziale. ◆ m. reale.
refaire [rəfɛr] v. tr. rifare ; fare da capo. || [remettre en état] rifare, riparare. || FIG. *refaire sa santé,* ristabilirsi, rimettersi. || FAM. [tromper] infinocchiare. ◆ v. pr. [santé] rimettersi ; ristabilirsi.
réfection [refɛksjɔ̃] f. rifacimento m.
réfectoire [refɛktwar] m. refettorio.
référé [refere] m. JUR. sentenza (f.) per direttissima. | *en référé,* per direttissima.
référence [referɑ̃s] f. riferimento m. | *ouvrage de référence,* opera di consultazione. | *par référence à,* in relazione a. || ADM., COMM. numero (m.) di protocollo. ◆ pl. referenze.
référendum [referɛ̃dɔm] m. referendum inv.
référer [refere] v. tr. ind. *en référer à,* riferire a. ◆ v. pr. (à) riferirsi (a).
refermer [rəfɛrme] v. tr. richiudere. ◆ v. pr. [blessure] rimarginarsi.
refiler [rəfile] v. tr. POP. rifilare, appioppare. | [maladie] attaccare.
réfléchi, e [refleʃi] adj. riflessivo, ponderato, posta. || GR. riflessivo. || PHYS. riflesso.
réfléchir [refleʃir] v. tr. PHYS. riflettere. ◆ v. pr. riflettersi, rispecchiarsi. ◆ v. intr. (à) riflettere (su). | *j'y réfléchirai,* ci penserò. | *tout bien réfléchi,* a ragion veduta.
réflecteur [reflɛktœr] m. riflettore.
reflet [rəflɛ] m. riflesso, riverbero. || FIG. riflesso.
refléter [reflete] v. tr. riflettere, rispecchiare. ◆ v. pr. riflettersi, (ri)specchiarsi.
reflex [rəflɛks] adj. et m. reflex.
réflexe [reflɛks] adj. et m. riflesso.
réflexion [reflɛksjɔ̃] f. PHYS. riflessione. || [pensée] riflessione. | *à la réflexion,* a pensarci bene. | *(toute) réflexion faite,* tutto sommato. || [remarque] osservazione, appunto m.
refluer [rəflɥe] v. intr. rifluire.
reflux [rəfly] m. riflusso.
refondre [rəfɔ̃dr] v. tr. rifondere. ◆ v. intr. fondere di nuovo.
refonte [rəfɔ̃t] f. rifusione. || FIG. rifacimento m.
réformateur, trice [refɔrmatœr, tris] adj. et n. riformatore, trice.
réforme [refɔrm] f. riforma.
réformer [refɔrme] v. tr. riformare, correggere. || MIL. [personne] riformare ; [matériel] mettere fuori uso ; scartare.
refoulé, e [rəfule] adj. represso, soffocato. || PSYCHAN. rimosso. ◆ n. inibito, a.
refoulement [rəfulmɑ̃] m. [d'une personne] (il) ricacciare indietro, (il) respingere ; [d'un sentiment] repressione f. || PSYCHAN. rimozione f.
refouler [rəfule] v. tr. ricacciare indietro, respingere. || FIG. reprimere || PSYCHAN. rimuovere. || [fluide] forzare, comprimere.
réfractaire [refraktɛr] adj. PHYS. refrattario. || [rebelle] renitente, refrattario. ◆ m. MIL. renitente (alla leva).
réfracter [refrakte] v. tr. rifrangere.
réfraction [refraksjɔ̃] f. rifrazione.
refrain [rəfrɛ̃] m. ritornello.
refréner [rəfrene] ou **réfréner** [refrene] v. tr. (t)rattenere, raffrenare.
réfrigérant, e [refriʒerɑ̃, ɑ̃t] adj. et m. refrigerante. || FAM. glaciale.
réfrigérateur [refriʒeratœr] m. frigorifero.
réfrigération [refriʒerasjɔ̃] f. refrigerazione.
réfrigérer [refriʒere] v. tr. refrigerare. || FAM. ghiacciare.
refroidir [rəfrwadir] v. tr. raffreddare. ◆ v. intr. et pr. raffreddarsi.
refroidissement [rəfrwadismɑ̃] m. raffreddamento. || MÉD. raffreddore, infreddatura f.
refuge [rəfyʒ] m. rifugio, ricovero, asilo. || [pour piétons] salvagente.
réfugié, e [refyʒje] adj. et n. rifugiato, profugo ; [politique] fuoruscito.
réfugier (se) [sərefyʒje] v. pr. rifugiarsi, riparare.
refus [rəfy] m. rifiuto.

refusé, e [rəfyze] adj. [candidat] respinto, riprovato, bocciato.
refuser [rəfyze] v. tr. rifiutare, ricusare. ‖ [contester] negare. ◆ v. pr. *se refuser à,* rifiutarsi di. | *se refuser à l'évidence,* negare l'evidenza.
réfutation [refytasjɔ̃] f. confutazione.
réfuter [refyte] v. tr. confutare.
regagner [rəgaɲe] v. tr. ricuperare, riguadagnare. ‖ [domicile] (ri)tornare a, in.
regain [rəgɛ̃] m. AGR. guaime ; secondo fieno. ‖ FIG. ritorno, ripresa f. | [de criminalité] recrudescenza f.
régal [regal] m. delizia f.
régaler [regale] v. tr. offrire un buon pranzo a. ‖ FIG. [d'un concert, d'anecdotes] allietare (con). ◆ v. pr. FIG. *se régaler de,* deliziarsi di, godersi.
regard [rəgar] m. sguardo, occhiata f. ; *frapper le regard,* dare nell'occhio. ‖ JUR. *droit de regard,* diritto di controllo. ‖ TECHN. spia f. ; [d'égout] pozzetto, chiusino. ◆ *en regard,* a fronte, a riscontro. ‖ *au regard de,* riguardo a, rispetto a.
regarder [rəgarde] v. tr. guardare. ‖ [être orienté vers] dare su, guardare. ‖ [concerner] riguardare, concernere. ‖ [considérer] guardare. | *regarder qn comme une personne honnête,* considerare, ritenere qlcu. una persona onesta. ◆ v. tr. ind. (à) guardare, badare (a). | *y regarder à deux fois,* pensarci e ripensarci ; pensarci su due volte. ◆ v. pr. guardarsi. ‖ [être face à face] star dirimpetto.
régate [regat] f. regata.
régence [reʒɑ̃s] f. reggenza.
régénération [reʒenerasjɔ̃] f. rigenerazione.
régénérer [reʒenere] v. tr. rigenerare.
régent, e [reʒɑ̃, ɑ̃t] adj. et n. reggente.
régenter [reʒɑ̃te] v. tr. et intr. spadroneggiare su.
régie [reʒi] f. JUR. monopolio m., privativa, regia. ‖ CIN., TH., T.V. regia.
regimber [rəʒɛ̃be] v. intr. ricalcitrare. ◆ v. pr. (contre) ricalcitrare (a, contro).
1. régime [reʒim] m. regime. ‖ MÉD. regime, dieta f. ‖ [moteur] regime.
2. régime m. BOT. [bananes] casco m. ; [dattes] grappolo m., ciocca.
régiment [reʒimɑ̃] m. reggimento.
régimentaire [reʒimɑ̃tɛr] adj. reggimentale.
région [reʒjɔ̃] f. regione.
régional, e, aux [reʒjɔnal, o] adj. regionale.
régir [reʒir] v. tr. regolare. ‖ GR. reggere.
régisseur [reʒisœr] m. [de biens] amministratore. ‖ CIN., T.V. direttore di produzione. ‖ TH. direttore di scena.
registre [rəʒistr] m. registro.
réglable [reglabl] adj. regolabile.
réglage [reglaʒ] m. [du papier] rigatura f. ‖ MIL., TÉL. aggiustamento. ‖ TECHN. regolazione f.
règle [rɛgl] f. riga, righello m. | *règle à calcul,* regolo (m.) calcolatore. | *règle de trois,* regola del tre. ‖ regola, norma. | *en règle générale,* in linea di massima. ‖ [usage] *en bonne règle,* com'è d'uso. | *il est de règle,* è di regola, di prammatica. | *être, se mettre en règle,* essere, mettersi in regola. ◆ pl. PHYSIOL. mestruazione, mestrui m. pl.
réglé, e [regle] adj. [papier] rigato, a righe. ‖ FIG. regolato. ‖ *c'est tout réglé,* è bell'e deciso.
règlement [rɛgləmɑ̃] m. regolamento. ‖ [statuts] ordinamento. ‖ [arrangement] accomodamento. ‖ COMM. pagamento. | *en règlement de,* a saldo di.
réglementaire [regləmɑ̃tɛr] adj. regolamentare.
réglementer [regləmɑ̃te] v. tr. regolamentare.
régler [regle] v. tr. [du papier] rigare. ‖ [circulation] regolare. ‖ [arranger] regolare, sistemare ; [un différend] sistemare, comporre. | *tout est réglé,* è tutto sistemato. ‖ [payer] pagare. ‖ MIL. [tir] aggiustare. ‖ TECHN. regolare. ◆ v. pr. *se régler sur qn,* regolarsi su qlcu., prendere esempio da qlcu.
réglisse [reglis] f. liquirizia.
règne [rɛɲ] m. regno.
régner [reɲe] v. intr. regnare. ‖ FIG. (pre)dominare, imperare. | [épidémie] infierire, imperversare. | *faire régner l'ordre,* ristabilire l'ordine.
regorger [rəgɔrʒe] v. intr. [de monde] riboccare, traboccare (di gente). ‖ FIG. sovrabbondare. | [de richesses] sguazzare (in). | [de santé] schizzare v. tr.
régression [regresjɔ̃] f. regressione ; [décadence] regresso m.
regret [rəgrɛ] m. rimpianto. ‖ [déplaisir] dispiacere, rammarico, rincrescimento. | *être au regret de,* essere spiacente, dolente di. ‖ [repentir] rimorso, pentimento. | *j'en ai du regret,* me ne pento. ◆ *à regret,* a malincuore.
regrettable [rəgretabl] adj. spiacevole, increscioso.
regretté, e [rəgrete] adj. compianto.
regretter [rəgrete] v. tr. rimpiangere. ‖ [déplorer] *je regrette de,* mi dispiace di, mi duole di, mi rincresce di, mi rammarico di. ‖ [se repentir] pentirsi (di).
regrouper [rəgrupe] v. tr. raggruppare.
régulariser [regylarize] v. tr. [mettre en règle] regolarizzare ; [rendre régulier] regolare.
régularité [regylarite] f. regolarità ; [de vie] regolatezza.

régulateur [regylatœr] m. TECHN. regolatore.
régulier, ère [regylje, ɛr] adj. regolare.
réhabilitation [reabilitasjɔ̃] f. riabilitazione.
réhabiliter [reabilite] v. tr. riabilitare. ◆ v. pr. riabilitarsi.
rehausser [rəose] v. tr. rialzare. ‖ FIG. dar risalto a, valorizzare.
réimpression [reɛ̃prɛsjɔ̃] f. ristampa.
réimprimer [reɛ̃prime] v. tr. ristampare.
rein [rɛ̃] m. rene. ◆ pl. [dos] reni f. pl.
réincarner [reɛ̃karne] v. tr. reincarnare. ◆ v. pr. reincarnarsi.
reine [rɛn] f. regina ; [de beauté] reginetta. ‖ [cartes] regina, donna ; [échecs] regina. ‖ ZOOL. *reine (des abeilles),* ape regina.
reine-claude [rɛnklod] f. BOT. regina claudia.
reinette [rɛnɛt] f. BOT. renetta.
réinsérer [reɛ̃sere] v. tr. reinserire.
réinsertion [reɛ̃sɛrsjɔ̃] f. reinserimento m.
réintégrer [reɛ̃tegre] v. tr. reintegrare. ‖ *réintégrer le domicile conjugal,* ritornare, far ritorno al tetto coniugale.
réitérer [reitere] v. tr. reiterare.
rejaillir [rəʒajir] v. intr. schizzare, sprizzare. ‖ FIG. (sur) ricadere, ripercuotersi (su).
rejet [rəjɛ] m. rigetto, reiezione f. ‖ BOT. rimessiticcio.
rejeter [rəʒte] v. tr. rigettare, ributtare. ‖ [renvoyer] rimandare. ‖ [refuser] rigettare, respingere, rifiutare. ‖ [se décharger] (sur) riversare su, far ricadere (su).
rejeton [rəʒtɔ̃] m. BOT. pollone. ‖ FIG. rampollo.
rejoindre [rəʒwɛ̃dr] v. tr. raggiungere. ‖ [aboutir] congiungersi con.
rejouer [rəʒwe] v. intr. rigiocare. ◆ v. tr. MUS. sonare di nuovo. ‖ TH. recitare di nuovo.
réjoui, e [reʒwi] adj. gioioso, giocondo, ilare.
réjouir [reʒwir] v. tr. rallegrare. ◆ v. pr. (de) rallegrarsi (di, per).
réjouissance [reʒwisɑ̃s] f. allegria, giubilo m. ◆ pl. festeggiamenti m. pl.
réjouissant, e [reʒwisɑ̃, ɑ̃t] adj. divertente, dilettevole.
relâche [rəlɑʃ] m. pausa f., posa f., riposo. ‖ MAR. scalo, rilascio. ‖ TH. riposo. ◆ ***sans relâche,*** senza posa, senza tregua.
relâché, e [rəlɑʃe] adj. rilassato ; [style] sciatto, trasandato.
relâchement [rəlɑʃmɑ̃] m. allentamento. ‖ FIG. rilassatezza f., allentamento, rilassamento.
relâcher [rəlɑʃe] v. tr. allentare, rilassare. ‖ [libérer] rilasciare, liberare. ◆ v. intr. MAR. rilasciare. ◆ v. pr. [corde] allentarsi. ‖ FIG. lasciarsi andare. ‖ [discipline] rilassarsi.
relais [rəlɛ] m. *par relais,* a turni. ‖ ÉLECTR. relè. ‖ SP. *course de relais,* corsa a staffetta. ‖ TÉL. ripetitore.
relance [rəlɑ̃s] f. rilancio m.
relancer [rəlɑ̃se] v. tr. rilanciare. ‖ FAM. assillare.
relater [rəlate] v. tr. riferire, riportare.
relatif, ive [rəlatif, iv] adj. et m. relativo.
relation [rəlasjɔ̃] f. relazione. ‖ [lien] relazione, rapporto m. | *en relation avec,* in relazione a. ‖ [personne connue] conoscente m., conoscenza.
relativement à [rəlativmɑ̃a] loc. prép. relativamente a ; per ciò che riguarda.
relativité [rəlativite] f. relatività.
relaxation [rəlaksasjɔ̃] f. JUR. rilascio m. ‖ MÉD. rilassamento m., distensione.
relaxe [rəlaks] f. JUR. rilascio m.
relaxer [rəlakse] v. tr. JUR. rilasciare. ‖ MÉD. rilassare, distendere.
relayer [rəlɛje] v. tr. dare il cambio a, sostituire. ◆ v. pr. darsi il cambio ; sostituirsi a vicenda.
relégation [rəlegasjɔ̃] f. confino m.
reléguer [rəlege] v. tr. relegare, confinare.
relent [rəlɑ̃] m. puzzo, lezzo. ‖ FIG. traccia f., sospetto.
relève [rəlɛv] f. cambio m., muta.
relevé, e [rəlve] adj. [style] elevato, scelto. ‖ CULIN. piccante, saporito. ◆ m. [liste] estratto. ‖ [de terrain] rilevamento. ‖ *relevé d'identité bancaire, postale,* numero di conto corrente bancario, postale.
relèvement [rəlɛvmɑ̃] m. rialzo.
relever [rəlve] v. tr. [remettre debout] rimettere in piedi, rialzare. | [navire] rimettere a galla. | [cheveux, col, robe] tirarsi su. | [manches] rimboccarsi. | [la tête] PR. risollevare il capo ; FIG. rialzare la testa. ‖ [entreprise] rialzare, risollevare. | [moral] risollevare. | [prix] rialzare. | [traitements] aumentare. | [fautes] rilevare, notare. | [une adresse] segnare. | [l'identité] prendere la generalità. | [un compteur] leggere. | *relever qn, la garde,* dare il cambio a qlcu., alla guardia. | *relever d'un vœu,* sciogliere, liberare da un voto. ‖ [de ses fonctions] esonerare (da), rimuovere (da). ‖ [la beauté] dar risalto a. ‖ [une sauce] insaporire. | [une maille] riprendere. ‖ FIG. *relever le gant,* raccogliere il guanto, la sfida. ◆ v. tr. ind. (de) [se rétablir] ristabilirsi (da), rimettersi (da). ‖ [dépendre] (de) dipendere (da), essere di competenza (di). ◆ v. pr.

rialzarsi, rimettersi in piedi. || FIG. riaversi, riprendersi.
relié, e [rəlje] adj. rilegato.
relief [rəljɛf] m. rilievo. ◆ pl. avanzi, resti.
relier [rəlje] v. tr. [livre] (ri)legare. || [joindre] collegare.
relieur, euse [rəljœr, øz] n. rilegatore, trice. | *boutique de relieur,* legatoria.
religieux, euse [rəliʒjø, øz] adj. religioso. ◆ m. religioso, frate, monaco. ◆ f. religiosa, suora, monaca.
religion [rəliʒjɔ̃] f. religione. | *entrer en religion,* entrare in religione.
reliquaire [rəlikɛr] m. reliquiario.
reliquat [rəlika] m. residuo, rimanenza f. ; saldo debitore.
relique [rəlik] f. reliquia.
reliure [rəljyr] f. (ri)legatura.
reloger [rəlɔʒe] v. tr. rialloggiare.
reluire [rəlɥir] v. intr. risplendere, rilucere, brillare. | *faire reluire,* lucidare, lustrare.
remâcher [rəmɑʃe] v. tr. rimasticare.
remailler [rəmaje] v. tr. rimagliare, rammagliare.
remaniement [rəmanimɑ̃] m. rimaneggiamento.
remanier [rəmanje] v. tr. rimaneggiare.
remariage [rəmarjaʒ] m. nuovo, secondo matrimonio ; (il)risposarsi.
remarier (se) [sərəmarje] v. pr. risposarsi.
remarquable [rəmarkabl] adj. notevole, ragguardevole.
remarque [rəmark] f. nota. || [critique] osservazione, appunto m.
remarquer [rəmarke] v. tr. notare, osservare.
rembarquer [rɑ̃barke] v. tr. r(e)imbarcare. ◆ v. intr. et pr. r(e)imbarcarsi.
rembarrer [rɑ̃bare] v. tr. FAM. strigliare ; mandare a quel paese, al diavolo, a farsi benedire.
remblai [rɑ̃blɛ] m. rialzo, rilevato.
remblayer [rɑ̃blɛje] v. tr. rinterrare.
rembourrage [rɑ̃buraʒ] m. imbottitura f.
rembourrer [rɑ̃bure] v. tr. imbottire.
remboursable [rɑ̃bursabl] adj. rimborsabile.
remboursement [rɑ̃bursəmɑ̃] m. rimborso, pagamento. | *contre remboursement,* contrassegno, contr'assegno.
rembourser [rɑ̃burse] v. tr. rimborsare, pagare.
rembrunir (se) [sərɑ̃brynir] v. pr. oscurarsi, rabbuiarsi.
remède [rəmɛd] m. rimedio, medicina. || FIG. rimedio, riparo.
remédier [rəmedje] v. tr. ind. (à) rimediare (a).
remembrement [rəmɑ̃brəmɑ̃] m. ricomposizione (f.) fondiaria.
remémorer (se) [sərəmemɔre] v. pr. rammemorarsi.
remerciement [rəmɛrsimɑ̃] m. ringraziamento.
remercier [rəmɛrsje] v. tr. (de, pour) ringraziare (di). || [congédier] licenziare, congedare.
remettre [rəmɛtr] v. tr. rimettere, riporre. || *en remettre,* esagerare. || [reconnaître] riconoscere, ravvisare. || [confier] rimettere, recapitare, consegnare. || [faire grâce de] rimettere, perdonare, condonare. || [différer] rimettere, rimandare, rinviare. || CHIR. ridurre. ◆ v. pr. rimettersi. || [se rappeler] ricordarsi. || [se rétablir] rimettersi, ristabilirsi. || [se confier] rimettersi, affidarsi. || [se réconcilier] riconciliarsi.
réminiscence [reminisɑ̃s] f. reminiscenza.
remis, e [rəmi, iz] adj. rinviato. | *ce n'est que partie remise,* è soltanto rinviato.
remise [rəmiz] f. rimessa, (il) rimettere. || [livraison] consegna, recapito m. || COMM. [rabais] riduzione, sconto m., abbuono m. || JUR. condono m. || [ajournement] rinvio m., rimando m. || [local] rimessa.
remiser [rəmize] v. tr. [abriter] mettere in rimessa, al riparo.
rémission [remisjɔ̃] f. remissione.
remontage [rəmɔ̃taʒ] m. [d'horloge] ricarica f.
remontant [remɔ̃tɑ̃] m. corroborante, energetico.
remonte [rəmɔ̃t] f. MIL. rimonta.
remontée [rəmɔ̃te] f. risalita. || SP. rimonta.
remonte-pente [rəmɔ̃tpɑ̃t] m. sciovia f.
remonter [rəmɔ̃te] v. intr. risalire, rimontare. ◆ v. tr. risalire. || [reporter en haut] riportare su. || [exhausser] rialzare. || [montre] ricaricare. || [regarnir] rifornire ; rimetter su. || FIG. riconfortare.
remontoir [rəmɔ̃twar] m. corona f.
remontrance [rəmɔ̃trɑ̃s] f. rimostranza, rimprovero m.
remontrer [rəmɔ̃tre] v. intr. *en remontrer à,* fare la lezione a ; saperla più lunga di.
remords [rəmɔr] m. rimorso.
remorquage [rəmɔrkaʒ] m. rimorchio, (il) rimorchiare.
remorque [rəmɔrk] f. rimorchio m. || AUT. rimorchietto (m.) portabagagli.
remorquer [rəmɔrke] v. tr. rimorchiare.
remorqueur [rəmɔrkœr] m. rimorchiatore.
rémouleur [remulœr] m. arrotino.

remous [rəmu] m. mulinello, risucchio ; controcorrente f. || FIG. ondeggiamento ; sommovimento.
rempart [rɑ̃par] m. baluardo. | *les remparts,* le mura ; la cinta delle mura. || FIG. baluardo, riparo, difesa f.
remplaçable [rɑ̃plasabl] adj. sostituibile.
remplaçant, e [rɑ̃plasɑ̃, ɑ̃t] n. sostituto m., supplente.
remplacement [rɑ̃plasmɑ̃] m. sostituzione f., supplenza f.
remplacer [rɑ̃plase] v. tr. (par) sostituire (con).
rempli, e [rɑ̃pli] adj. (de) pieno (di), (ri)colmo (di).
remplir [rɑ̃plir] v. tr. riempire ; [jusqu'au bord], colmare. || [exercer] adempiere, assolvere. || [effectuer] compiere. || [promesse] mantenere. || [répondre à] corrispondere, soddisfare. || [temps] occupare. || FIG. colmare, riempire. || [formulaire] compilare. ◆ v. pr. [salle] riempirsi, gremirsi.
remplissage [rɑ̃plisaʒ] m. riempimento. || PÉJOR. riempitivo.
remploi [rɑ̃plwa] m. reimpiego.
remporter [rɑ̃pɔrte] v. tr. riprendere ; portar via. || FIG. [prix] riportare, ottenere, vincere ; [victoire] riportare ; [succès] conseguire ; [épreuve sportive] vincere.
remuant, e [rəmɥɑ̃, ɑ̃t] adj. irrequieto.
remue-ménage [rəmymenaʒ] m. inv. scompiglio m., trambusto m.
remuer [rəmɥe] v. tr. muovere, agitare. || [déplacer] (s)muovere, rimuovere, spostare. || [émouvoir] commuovere. ◆ v. intr. muoversi, agitarsi. ◆ v. pr. FIG. [se démener] affaccendarsi.
rémunérateur, trice [remyneratœr, tris] adj. redditizio, rimunerativo.
rémunération [remynerasjɔ̃] f. rimunerazione, compenso m.
rémunérer [remynere] v. tr. rimunerare, compensare, retribuire.
renâcler [rənɑkle] v. intr. [animal] sbuffare. || FAM. arricciare, torcere il naso.
renaissance [rənɛsɑ̃s] f. rinascita. || [XVe-XVIe siècles] Rinascimento m.
renaître [rənɛtr] v. intr. rinascere, risorgere.
renard [rənar] m. volpe f.
renarde [rənard] f. volpe femmina.
renardeau [rənardo] m. volpacchiotto, a.
renchérir [rɑ̃ʃerir] v. tr. et intr. rincarare.
renchérissement [rɑ̃ʃerismɑ̃] m. rincaro.
rencontre [rɑ̃kɔ̃tr] f. incontro m. || [colloque] convegno m. || *de rencontre,* casuale adj., occasionale adj. || ASTR. congiunzione. || MIL. scontro m. || SP. incontro m., gara.
rencontrer [rɑ̃kɔ̃tre] v. tr. incontrare ; [par hasard] imbattersi in. || *on rencontre des gens qui,* c'è gente che. ◆ v. pr. incontrarsi. || [d'accord] incontrarsi ; trovarsi d'accordo. || [se heurter] scontrarsi. || [en compétition] incontrarsi. || [se trouver] trovarsi. | *comme ça se rencontre !,* che combinazione !, guarda caso !
rendement [rɑ̃dmɑ̃] m. rendimento, resa f. || FIN. gettito ; reddito.
rendez-vous [rɑ̃devu] m. inv. appuntamento m. || [lieu] ritrovo, convegno.
rendre [rɑ̃dr] v. tr. rendere, restituire ; ricambiare, contraccambiare. | *rendre la monnaie,* dare il resto. || [produire] rendere, dare, fruttare. || [son] mandare, emettere. || JUR. *rendre la justice,* amministrare la giustizia. | *rendre un arrêt,* pronunziare una sentenza. || restituire, vomitare, rigettare. || *rendre hommage, grâce(s) à,* rendere omaggio, grazie a. | *rendre gorge,* rendere il maltolto. | *rendre compte d'un livre,* recensire un libro. ◆ v. pr. [capituler] arrendersi. || [céder] arrendersi, cedere. || [aller] recarsi. || *se rendre malade,* ammalarsi. | *se rendre maître de,* impadronirsi di, impossessarsi di.
rendu, e [rɑ̃dy] adj. [fatigué] sfinito, spossato. || [arrivé] arrivato, giunto ; [à domicile] consegnato, recapitato. ◆ m. COMM. resa f.
rêne [rɛn] f. redine.
renégat, e [rənegat, at] n. rinnegato, a.
renfermé, e [rɑ̃fɛrme] adj. FIG. chiuso. ◆ m. puzzo, tanfo di rinchiuso.
renfermer [rɑ̃fɛrme] v. tr. rinchiudere. || FIG. racchiudere, contenere. ◆ v. pr. FIG. chiudersi.
renflé, e [rɑ̃fle] adj. rigonfio, panciuto.
renflouer [rɑ̃flue] v. tr. riportare a galla. || FIG. riassestare.
renfoncement [rɑ̃fɔ̃smɑ̃] m. rientranza f., rientramento.
renfoncer [rɑ̃fɔ̃se] v. tr. [chapeau] ricalcarsi.
renforcement [rɑ̃fɔrsəmɑ̃] m. rinforzo.
renforcer [rɑ̃fɔrse] v. tr. rinforzare, rafforzare.
renfort [rɑ̃fɔr] m. rinforzo, rincalzo. ◆ *à grand renfort de,* a furia di, a forza di.
renfrogné, e [rɑ̃frɔɲe] adj. imbronciato, accigliato.
renfrogner (se) [sərɑ̃frɔɲe] v. pr. accigliarsi, imbronciarsi.
rengager [rɑ̃gaʒe] v. intr. ou **rengager (se)** v. pr. MIL. rinnovare la ferma.
rengaine [rɑ̃gɛn] f. FAM. solfa.
rengainer [rɑ̃gɛne] v. tr. rinfoderare.

rengorger (se) [sərɑ̃gɔrʒe] v. pr. pavoneggiarsi.
reniement [rənimɑ̃] m. rinnegamento.
renier [rənje] v. tr. rinnegare, sconfessare. ◆ v. pr. rinnegare se stesso.
renifler [rənifle] v. intr. tirar su col naso. ◆ v. tr. annusare, fiutare.
renne [rɛn] m. renna f.
renom [rənɔ̃] m. rinomanza f., fama f.
renommé, e [rənɔme] adj. (pour) rinomato, famoso (per).
renommée [rənɔme] f. rinomanza, fama, reputazione.
renonce [rənɔ̃s] f. JEU rifiuto m.
renoncement [rənɔ̃smɑ̃] m. rinuncia f., rinunzia f.
renoncer [rənɔ̃se] v. tr. ind. (à) rinunciare (a), rinunziare (a). ◆ v. intr. JEU rifiutare.
renonciation [rənɔ̃sjasjɔ̃] f. (à) rinuncia (a), rinunzia (a).
renouer [rənwe] v. tr. riannodare, riallacciare ; [conversation] riattaccare. ◆ v. intr. (avec) rinnovare l'amicizia (con).
renouveau [rənuvo] m. nuova stagione f. || FIG. rinnovamento.
renouvelable [rənuvlabl] adj. rinnovabile.
renouveler [rənuvle] v. tr. rinnovare. || [faire revivre] ravvivare, risvegliare ; far rivivere. || [transformer] rinnovare, mutare, modernizzare. ◆ v. pr. [se reproduire] ripetersi. || [changer] rinnovarsi.
renouvellement [rənuvɛlmɑ̃] m. rinnovamento, rinnovazione f. || COMM. rinnovo.
rénovation [renɔvasjɔ̃] f. rinnovamento m.
rénover [renɔve] v. tr. rinnovare.
renseignement [rɑ̃sɛɲmɑ̃] m. informazione f. ; [précis] ragguaglio. || MIL. servizio informazioni.
renseigné, e [rɑ̃seɲe] adj. informato. | *bien, mal renseigné,* bene, male informato.
renseigner [rɑ̃sɛɲe] v. tr. informare ; [avec précision] ragguagliare. ◆ v. pr. (auprès de) informarsi (presso).
rentable [rɑ̃tabl] adj. redditizio.
rente [rɑ̃t] f. rendita.
rentier, ère [rɑ̃tje, ɛr] n. redditiere, a.
rentrant, e [rɑ̃trɑ̃, ɑ̃t] adj. AV. retrattile.
rentré, e [rɑ̃tre] adj. [joues] incavato ; [yeux] incavato, infossato ; [épaules] rientrante, rientrato.
rentrée [rɑ̃tre] f. rientro m., entrata. || AGR. immagazzinamento m. || [reprise] riapertura, ritorno m. || FIN. riscossione, entrata.
rentrer [rɑ̃tre] v. intr. rientrare, (ri)tornare. | *rentrer chez soi,* tornare a casa, rincasare. || FIG. [être contenu] rientrare ; far parte di. || *rentrer en possession de,* rientrare in possesso di. | *rentrer dans ses droits,* riacquistare i propri diritti. ◆ v. tr. [à l'abri] riporre ; portar dentro. || [refouler] [larmes] trattenere, ringoiare ; [colère] reprimere, contenere.
renversant, e [rɑ̃vɛrsɑ̃, ɑ̃t] adj. FAM. sbalorditivo, strabiliante.
renverse (à la) [alarɑ̃vɛrs] loc. adv. riverso adj., supino adj.
renversement [rɑ̃vɛrsəmɑ̃] m. rovesciamento ; [véhicule] ribaltamento. || FIG. rovesciamento, capovolgimento. || TECHN. inversione f.
renverser [rɑ̃vɛrse] v. tr. rovesciare, capovolgere ; [piéton] investire, travolgere. || FAM. sbalordire. || TECHN. invertire. ◆ v. pr. AUT. ribaltarsi.
renvoi [rɑ̃vwa] m. rinvio, rimando. || [licenciement] licenziamento, congedo. || [ajournement] rinvio, rimando. || [éructation] rutto ; [de bébé] ruttino. || TYP. richiamo, chiamata f.
renvoyer [rɑ̃vwaje] v. tr. rinviare, rimandare. || [licencier] licenziare, congedare, rimandare ; mandar via. || [ajourner] rinviare, rimandare. || PHYS. [image, lumière] riflettere, rinviare ; [son] ripercuotere.
réouverture [reuvɛrtyr] f. riapertura.
repaire [rəpɛr] m. covo, tana f.
repaître [rəpɛtr] v. tr. (de) pascere, nutrire (di).
répandre [repɑ̃dr] v. tr. spargere, versare, spandere. || [lumière] diffondere ; [odeur] emanare, esalare. || FIG. distribuire, elargire. || [propager] diffondere. ◆ v. pr. FIG. [en remerciements] profondersi ; [en injures] prorompere.
répandu, e [repɑ̃dy] adj. FIG. diffuso.
réparable [reparabl] adj. riparabile, aggiustabile.
reparaître [rəparɛtr] v. intr. riapparire, ricomparire.
réparateur, trice [reparatœr, tris] adj. et n. riparatore, trice ; ristoratore, trice adj.
réparation [reparasjɔ̃] f. riparazione. || FIG. riparazione, soddisfazione ; [dommage] risarcimento m.
réparer [repare] v. tr. riparare, aggiustare, accomodare. || FIG. ricuperare, riprendere ; [perte] compensare.
repartie [rəparti] f. battuta pronta, risposta pronta, replica pronta.
répartir [repartir] v. tr. spartire, ripartire, distribuire.
répartition [repartisjɔ̃] f. ripartizione, distribuzione.
repas [rəpɑ] m. pasto ; [de midi] colazione f. ; [du soir] cena f.
repassage [rəpɑsaʒ] m. [d'une lame] affilatura f., arrotatura f. || [du linge] stiratura f.

repasser [rəpɑse] v. intr. ripassare. ◆ v. tr. ripassare. ‖ [une lame] arrotare ; affilare. ‖ [du linge] stirare. ‖ FIG. ripassare, rivedere. ‖ [examen] ripetere.
repasseur [rəpɑsœr] m. arrotino.
repasseuse [rəpɑsøz] f. [personne, machine] stiratrice.
repêcher [rəpɛʃe] v. tr. ripescare. ‖ FAM. [un candidat] salvare.
repentant, e [rəpɑ̃tɑ̃, ɑ̃t] ou **repenti, e** [rəpɑ̃ti] adj. pentito, ravveduto.
repentir [rəpɑ̃tir] m. pentimento, ravvedimento.
repentir (se) [sərəpɑ̃tir] v. pr. ABS. pentirsi, ravvedersi. ‖ (de) pentirsi (di).
repérage [rəperaʒ] m. avvistamento. | *repérage par le son,* localizzazione (f.) acustica ; fonotelemetria f.
répercussion [reperkysjɔ̃] f. ripercussione.
répercuter [reperkyte] v. tr. ripercuotere.
repère [rəpɛr] m. caposaldo. | *point de repère,* punto di riferimento.
repérer [rəpere] v. tr. segnare, marcare. ‖ [découvrir] (ri)avvistare, localizzare. ◆ v. pr. orientarsi, orizzontarsi.
répertoire [repɛrtwar] m. repertorio.
répertorier [repɛrtɔrje] v. tr. repertoriare.
répéter [repete] v. tr. ripetere. ‖ [transmettre] riferire. ‖ TH. provare.
répétiteur, trice [repetitœr, tris] n. ripetitore, trice. ◆ m. TECHN. ripetitore.
répétition [repetisjɔ̃] f. ripetizione. ‖ TH. prova.
répit [repi] m. respiro, tregua f. | *sans répit,* senza tregua.
replacer [rəplase] v. tr. ricollocare, riporre. ‖ [capitaux] reinvestire.
replet, ète [rəplɛ, ɛt] adj. grassoccio.
repli [rəpli] m. ripiegatura f. ‖ MIL. ripiegamento. ◆ pl. ondulazioni f. pl. ; [d'un serpent] spire f. pl. ‖ FIG. [du cœur] recessi.
replier [rəplije] v. tr. ripiegare. ◆ v. pr. MIL. ripiegare, ripiegarsi.
réplique [replik] f. replica, risposta. | *argument sans réplique,* argomento irrefutabile. | *ton sans réplique,* tono perentorio. ‖ [reproduction] riproduzione, copia. ‖ TH. battuta.
répliquer [replike] v. tr. et intr. replicare.
répondant, e [repɔ̃dɑ̃, ɑ̃t] n. garante.
répondeur [repɔ̃dœr] m. [téléphonique] segreteria telefonica.
répondre [repɔ̃dr] v. tr. et intr. rispondere. ‖ [assurer] assicurare, garantire. ‖ REL. [la messe] servire. ◆ v. tr. ind. (à) rispondere (a). ‖ (cor)rispondere (a). ‖ [être garant] [de qn] rispondere (di qlcu.) ; [de qch.] rispondere (di qlco.), garantire (qlco., per qlco.).
réponse [repɔ̃s] f. risposta ; [verdict] responso m.
report [rəpɔr] m. riporto. ‖ [action de différer] rimando, rinvio.
reportage [rəpɔrtaʒ] m. servizio, cronaca f.
1. reporter [rəpɔrtɛr] m. cronista.
2. reporter [rəpɔrte] v. tr. riportare. ‖ [ajourner] rimandare, rinviare. ◆ v. pr. [se référer] (à) rifarsi (a), riferirsi (a).
repos [rəpo] m. riposo. | *de tout repos,* [qn] di fiducia ; [qch.] sicuro adj. ‖ MIL. *repos !,* riposo !
reposant, e [rəpozɑ̃, ɑ̃t] adj. riposante.
reposé, e [rəpoze] adj. riposato. ‖ *à tête reposée,* a mente riposata, fresca.
1. reposer [rəpoze] v. tr. riporre, riposare. ◆ v. pr. [problème] riproporsi.
2. reposer v. intr. riposare. | *ici repose,* qui riposa, qui giace. ‖ [être appuyé] (ri)posare, poggiare ; reggersi. ◆ v. tr. [délasser] riposare. ◆ v. pr. riposarsi ; riposare. ‖ FIG. [faire confiance] contare (su), affidarsi (a).
repoussant, e [rəpusɑ̃, ɑ̃t] adj. ripugnante, ributtante.
1. repousser [rəpuse] v. tr. respingere. ‖ FIG. [ajourner] rimandare, rinviare. ‖ TECHN. sbalzare ; lavorare a sbalzo.
2. repousser v. intr. ricrescere.
repoussoir [rəpuswar] m. FAM. *servir de repoussoir,* fare da contrasto.
répréhensible [repreɑ̃sibl] adj. riprovevole, riprensibile.
reprendre [rəprɑ̃dr] v. tr. riprendere, recuperare ; ripigliare. | *reprendre ses esprits,* riaversi. | *on ne m'y reprendra plus,* non ci ricascherò più. ‖ [racheter] ricomprare. ‖ [recommencer] riprendere, ricominciare. ‖ [blâmer] riprendere, rimproverare. ◆ v. pr. riprendersi, correggersi. ◆ v. intr. [jeu, affaires] riprendere. | *la pluie reprend,* ricomincia a piovere.
représailles [rəprezaj] f. pl. rappresaglia f. sing.
représentant, e [rəprezɑ̃tɑ̃, ɑ̃t] n. rappresentante.
représentatif, ive [rəprezɑ̃tatif, iv] adj. rappresentativo.
représentation [rəprezɑ̃tasjɔ̃] f. nuova presentazione. ‖ ART, CIN. rappresentazione. ‖ TH. rappresentazione ; recita. ‖ COMM., JUR., POL. rappresentanza. ◆ pl. [protestations] rimostranze.
représenter [rəprezɑ̃te] v. tr. ripresentare. ‖ FIG. rappresentare, (raf)figurare. ‖ [faire observer] prospettare. | *représenter les dangers de l'affaire,*

prospettare i pericoli dell'affare. || COMM. rappresentare. || TH. rappresentare ; recitare.
répression [represjɔ̃] f. repressione.
réprimande [reprimɑ̃d] f. riprensione, rimprovero m.
réprimander [reprimɑ̃de] v. tr. riprendere, rimproverare, ammonire.
réprimer [reprime] v. tr. reprimere.
repris [rəpri] m. *repris de justice,* pregiudicato.
reprise [rəpriz] f. riconquista. || [affaires, classes, hostilités] ripresa. | *à plusieurs reprises,* ripetute volte ; a più riprese. || [raccommodage] rammendo m. || MUS., SP., TH. ripresa.
repriser [rəprize] v. tr. rammendare.
réprobateur, trice [reprɔbatœr, tris] adj. riprovatore, trice.
réprobation [reprɔbasjɔ̃] f. riprovazione, biasimo m.
reproche [rəprɔʃ] m. rimprovero, biasimo. | *sans reproche,* irreprensibile adj., inappuntabile adj.
reprocher [rəprɔʃe] v. tr. rimproverare, rinfacciare.
reproducteur, trice [rəprɔdyktœr, tris] adj. et n. riproduttore, trice.
reproduction [rəprɔdyksjɔ̃] f. riproduzione.
reproduire [rəprɔdɥir] v. tr. riprodurre. ◆ v. pr. BIOL. riprodursi. || [se répéter] riprodursi, ripetersi.
réprouvé, e [repruve] adj. et n. reprobo.
réprouver [repruve] v. tr. dannare. || [rejeter] riprovare, disapprovare.
reptation [rɛptasjɔ̃] f. reptazione.
reptile [rɛptil] m. rettile.
repu, e [rəpy] adj. satollo, sazio.
républicain, e [repyblikɛ̃, ɛn] adj. et n. repubblicano.
république [rəpyblik] f. repubblica.
répudier [repydje] v. tr. ripudiare. || rinunziare (a).
répugnance [repyɲɑ̃s] f. ripugnanza.
répugnant, e [repyɲɑ̃, ɑ̃t] adj. ripugnante, disgustoso.
répugner [repyɲe] v. tr. ind. ripugnare.
répulsif, ive [repylsif, iv] adj. repellente.
répulsion [repylsjɔ̃] f. repulsione, ripulsione.
réputation [repytasjɔ̃] f. reputazione, fama.
réputé, e [repyte] adj. (pour) rinomato (per), pregiato (per).
réputer [repyte] v. tr. reputare, ritenere, stimare.
requérant, e [rəkerɑ̃, ɑ̃t] n. JUR. attore, trice ; istante.
requérir [rəkerir] v. tr. (ri)chiedere.
requête [rəkɛt] f. richiesta, istanza. || [pourvoi] ricorso m.
requin [rəkɛ̃] m. pescecane.
requis, e [rəki, iz] adj. richiesto. | *qualités requises,* requisiti m. pl.
réquisition [rekizisjɔ̃] f. requisizione.
réquisitionner [rekizisjɔne] v. tr. requisire.
réquisitoire [rekizitwar] m. requisitoria f.
rescapé, e [rɛskape] adj. et n. (de) superstite (di), scampato (a).
rescousse (à la) [alarɛskus] loc. adv. in aiuto , in soccorso.
réseau [rezo] m. rete f. || ANAT., PHYS. reticolo. || MIL. [de barbelés] reticolato.
réservation [rezɛrvasjɔ̃] f. prenotazione.
réserve [rezɛrv] f. riserva, provvista, scorta. | *mettre en réserve,* mettere in serbo, da parte. || [chasse, pêche] riserva, bandita. || FIG. riservatezza, riserbo m. ◆ pl. [remarques] riserve. ◆ *sans réserve(s),* senza riserve. || *sous réserve,* con riserva. || *sous toutes réserves,* con le debite riserve. || *sous réserve de,* con riserva di, salvo. || *sous réserve que,* a patto che.
réservé, e [rezɛrve] adj. PR. et FIG. riservato. || [place] prenotato.
réserver [rezɛrve] v. tr. conservare, serbare, riservare. || [retenir] riservare, prenotare.
réserviste [rezɛrvist] m. MIL. riservista.
réservoir [rezɛrvwar] m. serbatoio.
résidence [rezidɑ̃s] f. residenza. || JUR. *assignation à résidence,* obbligo di soggiorno.
résident [rezidɑ̃] m. residente.
résidentiel, elle [rezidɑ̃sjɛl] adj. residenziale.
résider [rezide] v. intr. risiedere. || FIG. risiedere, consistere.
résidu [rezidy] m. residuo.
résignation [reziɲasjɔ̃] f. rassegnazione. || JUR. rinuncia.
résigner [reziɲe] v. tr. dimettersi da. ◆ v. pr. (à) rassegnarsi (a).
résiliation [reziljasjɔ̃] f. rescissione, risoluzione.
résilier [rezilje] v. tr. rescindere, risolvere.
résille [rezij] f. retina, reticella.
résine [rezin] f. resina.
résistance [rezistɑ̃s] f. resistenza. || FIG. *plat de résistance,* piatto forte.
résistant, e [rezistɑ̃, ɑ̃t] adj. et n. resistente.
résister [reziste] v. intr. (à) resistere (a), reggere (a).
résolu, e [rezɔly] adj. risoluto, deciso.
résolution [rezɔlysjɔ̃] f. risoluzione. || [décision] proposito m., risoluzione, decisione. || [fermeté] risolutezza.
résonance [rezɔnɑ̃s] f. risonanza.

résonner [rezɔne] v. intr. risonare, rimbombare.
résorber [rezɔrbe] v. tr. riassorbire.
résoudre [rezudr] v. tr. risolvere. || [décider] decidere, risolvere. ◆ v. pr. (à) decidersi (a), risolversi (a).
respect [rɛspɛ] m. rispetto. | *sauf votre respect,* con rispetto parlando. | *tenir en respect,* tenere a bada. ◆ pl. ossequi, rispetti, omaggi.
respectabilité [rɛspɛktabilite] f. rispettabilità.
respectable [rɛspɛktabl] adj. rispettabile. || [fortune] cospicuo ; [distance] notevole.
respecter [rɛspɛkte] v. tr. rispettare.
respectif, ive [rɛspɛktif, iv] adj. rispettivo.
respectueux, euse [rɛspɛktɥø, øz] adj. rispettoso, ossequioso.
respiration [rɛspirasjɔ̃] f. respirazione, respiro m.
respirer [rɛspire] v. intr. et tr. respirare.
resplendir [rɛsplɑ̃dir] v. intr. risplendere, rifulgere.
resplendissant, e [rɛsplɑ̃disɑ̃, ɑ̃t] adj. (ri)splendente, rifulgente.
responsabilité [rɛspɔ̃sabilite] f. responsabilità.
responsable [rɛspɔ̃sabl] adj. et n. responsabile.
resquiller [rɛskije] v. intr. FAM. passar davanti agli altri ; viaggiare senza pagare ; entrare a sbafo, fare il portoghese.
resquilleur, euse [rɛskijœr, øz] n. FAM. scroccone, a ; [au spectacle] portoghese.
ressac [rəsak] m. MAR. risacca f.
ressaisir (se) [sərəsezir] v. pr. riprendersi.
ressasser [rəsase] v. tr. ricantare, rifriggere. || [en soi] rimuginare, ruminare.
ressemblance [rəsɑ̃blɑ̃s] f. (ras)somiglianza.
ressemblant, e [rəsɑ̃blɑ̃, ɑ̃t] adj. (ras)somigliante.
ressembler [rəsɑ̃ble] v. tr. ind. (à) (ras)somigliare (a), assomigliare (a). || *cela ne te ressemble pas,* questo non è da te.
ressemelage [rəsəmlaʒ] m. risolatura f.
ressemeler [rəsəmle] v. tr. risolare.
ressentiment [rəsɑ̃timɑ̃] m. risentimento.
ressentir [rəsɑ̃tir] v. tr. (ri)sentire, provare. ◆ v. pr. (de) risentire (di).
resserre [rəsɛr] f. ripostiglio m., rimessa.
resserrer [rəsere] v. tr. [de nouveau] ristringere ; [davantage] restringere. || FIG. [amitié] rinsaldare ; [dépenses, récit] restringere.
1. ressort [rəsɔr] m. TECHN. molla f. || FIG. molla, movente. || [énergie] energia f., forza f.
2. ressort m. JUR. giurisdizione f., competenza f.
1. ressortir [rəsɔrtir] v. intr. uscire di nuovo. || [contraster] (sur) risaltare (su), spiccare (su). ◆ v. impers. risultare, conseguire, derivare.
2. ressortir v. tr. ind. (à) dipendere (da). || JUR. essere di competenza (di).
ressortissant, e [rəsɔrtisɑ̃, ɑ̃t] n. cittadino, a.
ressource [rəsurs] f. risorsa. | *sans ressource,* senza scampo, senza rimedio. | *homme de ressource(s),* uomo di molte risorse, dai mille espedienti. ◆ pl. risorse, mezzi m. pl.
ressusciter [resysite] v. tr. et intr. risuscitare.
restant, e [rɛstɑ̃, ɑ̃t] adj. rimanente, restante, residuo. | *poste restante,* fermo (in) posta. ◆ m. resto, rimanente.
restaurant [rɛstɔrɑ̃] m. [luxueux] ristorante ; [moyen] trattoria f. ; [universitaire] mensa f.
restaurateur, trice [rɛstɔratœr, tris] n. [qui répare] restauratore, trice. || [hôtellerie] oste, essa.
restauration [rɛstɔrasjɔ̃] f. [réparation] restauro m. || POL. restaurazione.
restaurer [rɛstɔre] v. tr. [réparer] restaurare, ripristinare. || POL. restaurare. ◆ v. pr. ristorarsi, rifocillarsi.
restauroute ou **Restoroute** [rɛstɔrut] m. autogrill m. inv.
reste [rɛst] m. resto, rimanente, avanzo. || *de reste,* d'avanzo. || *au, du reste,* del resto. ◆ pl. [ossements] *restes (mortels),* resti mortali, spoglia (f.) mortale.
rester [rɛste] v. intr. [subsister] rimanere, restare, avanzare. || [demeurer] (re)stare, rimanere. || [séjourner] rimanere, restare, trattenersi. || FAM. [habiter] stare. ◆ v. impers. *il n'en reste pas moins que* (ind.), ciò non toglie che (subj.).
restituer [rɛstitɥe] v. tr. restituire, rendere, ridare. || [un texte] ricostruire.
restitution [rɛstitysjɔ̃] f. restituzione. || [d'un texte] ricostruzione.
restreindre [rɛstrɛ̃dr] v. tr. restringere, ridurre.
restreint, e [rɛstrɛ̃, ɛ̃t] adj. ristretto, limitato.
restrictif, ive [rɛstriktif, iv] adj. restrittivo.
restriction [rɛstriksjɔ̃] f. restrizione. || [réserve] riserva. ◆ *sans restriction,* senza riserve.

résultat [rezylta] m. risultato. || [d'une enquête] risultanza f., risultanze f. pl. ◆ pl. COMM. ricavi.
résulter [rezylte] v. intr. (de) [suj. qch.] risultare (da), derivare (da). ◆ v. impers. risultare, conseguire.
résumé [rezyme] m. (rias)sunto, compendio, sommario. ◆ *en résumé*, riassumendo, ricapitolando ; in poche parole.
résumer [rezyme] v. tr. riassumere, compendiare. ◆ v. pr. (à) ridursi (a), limitarsi (a).
résurrection [rezyrɛksjɔ̃] f. risurrezione.
retable [rətabl] m. pala f., ancona f.
rétablir [retablir] v. tr. ristabilire, restaurare. || [santé] ristabilire, rimettere in salute. || ÉCON. riassestare.
rétablissement [retablismɑ̃] m. POL. ristabilimento, restaurazione f. || [santé] guarigione f., ristabilimento. || ÉCON. riassestamento.
retaper [rətape] v. tr. FAM. [lit] rassettare alla meglio (L.C.). ◆ v. pr. FAM. rifarsi (L.C.) ; rimettersi in salute (L.C.).
retard [rətar] m. ritardo. | *la montre a du retard*, l'orologio è indietro, va indietro, ritarda. | *se mettre en retard*, far tardi. | *sans retard*, senza indugio.
retardataire [rətardatɛr] adj. che è, arriva in ritardo. || [idées] superato. || [contribuable] moroso. ◆ n. ritardatario.
retardement [rətardəmɑ̃] m. *engin à retardement*, ordigno a scoppio ritardato. || PHOT. *appareil à retardement*, macchina a autoscatto.
retarder [rətarde] v. tr. ritardare. || [reculer] *retarder une montre*, mettere indietro un orologio. ◆ v. intr. andare indietro.
retenir [rətənir] v. tr. trattenere. | [projet, candidature] prendere in considerazione, accettare. || [réserver] prenotare ; [date] fissare. || FIG. trattenere, ritenere. || [en mémoire] tenere a mente. || MATH. riportare. ◆ v. pr. tenersi, aggrapparsi. || FIG. (de + inf.) trattenersi (dal + inf.).
rétention [retɑ̃sjɔ̃] f. ritenzione.
retentir [rətɑ̃tir] v. intr. risonare, (ri)echeggiare ; [grave] rimbombare, rintronare ; [aigu] squillare. || FIG. avere ripercussioni.
retentissant, e [rətɑ̃tisɑ̃, ɑ̃t] adj. FIG. clamoroso, strepitoso.
retentissement [rətɑ̃tismɑ̃] m. FIG. risonanza f., ripercussione f., eco f.
retenue [rətəny] f. FIN. ritenuta, trattenuta. || [punition] castigo m. || FIG. ritegno m., riservatezza. || MATH. riporto m.
réticence [retisɑ̃s] f. reticenza.
réticent, e [retisɑ̃, ɑ̃t] adj. reticente.
rétif, ive [retif, iv] adj. restio.
rétine [retin] f. retina.
retiré, e [rətire] adj. ritirato, appartato.
retirer [rətire] v. tr. [tirer en arrière] ritirare, ritrarre. || [enlever] togliere, ritirare. || [avantages] ricavare, ritrarre. ◆ v. pr. [partir] ritirarsi.
retombées [rətɔ̃be] f. pl. [radioactives] ricaduta sing.
retomber [rətɔ̃be] v. intr. ricadere. || [colère] calmarsi, placarsi. || FIG. [être imputé à] *retomber sur*, ricadere su.
rétorquer [retɔrke] v. tr. ritorcere, ribattere.
retors, e [rətɔr, ɔrs] adj. FIG. scaltro, furbo.
rétorsion [retɔrsjɔ̃] f. ritorsione.
retouche [rətuʃ] f. ritocco m.
retoucher [rətuʃe] v. tr. ritoccare.
retour [rətur] m. ritorno. | *être sur le retour*, [revenir] stare per ritornare ; [vieillir] cominciare a invecchiare. || [renvoi] rinvio, ritorno. | *par retour du courrier*, a (stretto) giro di posta ; a volta di corriere. || FIG. *retour sur soi-même*, esame di coscienza. || [réciprocité] contraccambio, ricambio. | *amour payé de retour*, amore corrisposto. || MÉD. *retour d'âge*, età (f.) critica ; climaterio. || SP. *match retour*, girone di ritorno. || PR. et FIG. *retour de flamme*, ritorno di fiamma. ◆ *en retour*, di rimando, in compenso. | *sans retour*, per sempre.
retourner [rəturne] v. tr. rigirare. || [de l'autre côté] (ri)voltare. || [renverser] rovesciare, capovolgere. || FIG. *retourner sa veste*, voltar gabbana, casacca. || FAM. [émouvoir] scombussolare. || [lettre] rimandare, rinviare. ◆ v. intr. (ri)tornare. ◆ v. pr. FIG. *se retourner contre qn*, prendersela con uno.
retracer [rətrase] v. tr. FIG. raccontare, descrivere, rappresentare.
rétractation [retraktasjɔ̃] f. ritrattazione.
rétracter [retrakte] v. tr. ritrarre, ritirare ; tirare indietro. || [revenir sur] ritrattare, disdire.
retrait [rətrɛ] m. ritiro ; [d'argent] ritiro, prelievo. || *en retrait*, rientrante adj. || FIG. *rester en retrait*, rimanere in disparte.
retraite [rətrɛt] f. ritiro m., ritirata. || pensione, riposo m., quiescenza. | *mettre à la retraite*, collocare a riposo ; giubilare. || [refuge] ritiro. | || MIL. ritirata. || REL. ritiro (spirituale).
retraité, e [rətrete] adj. et n. pensionato.

retranchement [rətrɑ̃ʃmɑ̃] m. soppressione f., riduzione f. || MIL. trinceramento.
retrancher [rətrɑ̃ʃe] v. tr. togliere, sopprimere, espungere ; [une somme] sottrarre, detrarre. || MIL. trincerare. ◆ v. pr. trincerarsi. || [de la société] mettersi fuori (da), escludersi (da).
retransmettre [rətrɑ̃smɛtr] v. tr. ritrasmettere.
rétrécir [retresir] v. tr. restringere.
rétrécissement [retresismɑ̃] m. restringimento. || FIG. [d'esprit] ristrettezza f.
rétribuer [retribɥe] v. tr. retribuire, compensare.
rétribution [retribysjɔ̃] f. retribuzione, compenso m.
rétro [retro] adj. inv. NÉOL. retrogrado, retrivo.
rétroactif, ive [retroaktif, iv] adj. retroattivo.
rétroaction [retroaksjɔ̃] f. retroazione.
rétrograde [retrograd] adj. retrogrado.
rétrograder [retrograde] v. intr. retrocedere, indietreggiare. || FIG. regredire. || ASTR. retrogradare. || AUT. innestare una marcia inferiore. ◆ v. tr. ADM., MIL. retrocedere.
rétrospectif, ive [retrospɛktif, iv] adj. retrospettivo. ◆ f. (mostra) retrospettiva.
retroussé, e [rətruse] adj. [nez] all'insù.
retrousser [rətruse] v. tr. [robe] tirarsi su, rialzarsi ; [manches, pantalon] rimboccarsi ; [moustache] arricciarsi in su.
retrouver [rətruve] v. tr. [récupérer] ritrovare, rinvenire, rintracciare, ricuperare. ◆ v. pr. [chemin] orientarsi. || FIG. *ne pas s'y retrouver,* non raccapezzarcisi.
rétroviseur [retrovizœr] m. retrovisore.
réunion [reynjɔ̃] f. riunione, ricongiungimento m. || [assemblée] riunione.
réunir [reynir] v. tr. riunire, ricongiungere. || [relier] collegare. || [grouper] riunire, raccogliere. ◆ v. pr. riunirsi, (r)adunarsi.
réussi, e [reysi] adj. (ben) riuscito. | *mal réussi,* riuscito male.
réussir [reysir] v. intr. riuscire ; andar bene ; aver successo, (un) buon esito ; [élève] essere promosso. || [plante] venir (su) bene. ◆ v. tr. ind. (à) andar bene (a). || [parvenir] *réussir à,* riuscire a. ◆ v. tr. eseguire bene ; [problème] risolvere ; [examen] superare. || SP. *réussir un but,* segnare una rete, un goal.
réussite [reysit] f. riuscita ; buon esito m. || JEU solitario m.
revanche [rəvɑ̃ʃ] f. rivincita, rivalsa. || JEU, SP. rivincita. ◆ *en revanche,* in compenso ; invece ; per converso.
rêvasser [rɛvase] v. intr. fantasticare, almanaccare ; perdersi in fantasticherie.
rêvasserie [rɛvasri] f. fantasticheria.
rêvasseur, euse [rɛvasœr, øz] n. fantasticone, a.
rêve [rɛv] m. sogno. | *rêve éveillé,* sogno a occhi aperti.
rêvé, e [rɛve] adj. di sogno ; ideale.
revêche [rəvɛʃ] adj. scontroso, bisbetico.
réveil [revɛj] m. risveglio. || MIL. sveglia f. || [pendulette] sveglia.
réveillé, e [reveje] adj. sveglio.
réveille-matin [revɛjmatɛ̃] m. inv. sveglia f.
réveiller [reveje] v. tr. (ri)svegliare, destare.
réveillon [revɛjɔ̃] m. cenone.
réveillonner [revɛjɔne] v. intr. fare il cenone.
révélateur, trice [revelatœr, tris] adj. rivelatore, trice. ◆ m. PHOT. rivelatore, sviluppatore.
révélation [revelasjɔ̃] f. rivelazione.
révéler [revele] v. tr. rivelare, palesare. ◆ v. pr. rivelarsi, manifestarsi. || [apparaître comme] risultare.
revenant [rəvnɑ̃] m. fantasma, spettro.
revendeur, euse [rəvɑ̃dœr, øz] n. rivenditore, trice.
revendication [rəvɑ̃dikasjɔ̃] f. rivendicazione. || JUR. rivendica.
revendiquer [rəvɑ̃dike] v. tr. rivendicare.
revendre [rəvɑ̃dr] v. tr. rivendere ; vendere di nuovo.
revenir [rəvnir] v. intr. (ri)tornare, rivenire. || [se reproduire] (ri)tornare, cadere, ricorrere. || [être rapporté] essere riferito. || [se dédire, changer d'opinion] disdire, tornare su, ricredersi circa, su. || FIN. (venire a) costare. || [échoir] spettare. || [se rétablir] rimettersi, riaversi (da). | *revenir à soi,* tornare in sé, riaversi. || *cela revient au même,* è, fa lo stesso. || CULIN. *faire revenir le rôti,* rosolare l'arrosto.
revenu [rəvny] m. reddito, rendita f.
rêver [rɛve] v. intr. sognare. ◆ v. tr. ind. (de) *rêver de qn, de qch.,* sognare uno, di uno ; sognare qlco. || (à) *faire rêver à qch.,* evocare, far sognare qlco. ◆ v. tr. sognare. || [désirer] vagheggiare.
réverbération [revɛrberasjɔ̃] f. riverbero m., riverberazione.
réverbère [revɛrbɛr] m. lampione.
réverbérer [revɛrbere] v. tr. riverberare. ◆ v. pr. riverberarsi.
révérence [reverɑ̃s] f. [respect] riverenza. || [salut] riverenza, inchino m.
révérend, e [reverɑ̃, ɑ̃d] adj. et n. reverendo.

révérer [revere] v. tr. riverire.
rêverie [rɛvri] f. fantasticheria, sogno m. || PÉJOR. chimera.
revers [rəvɛr] m. [de la main] rovescio, dorso. | [coup] *revers de main,* manrovescio. || [tennis] rovescio. || [de vêtement] risvolto. || FIG. rovescio. || MIL. sconfitta f.
reverser [rəvɛrse] v. tr. FIN. trasferire.
réversible [revɛrsibl] adj. reversibile.
revêtement [rəvɛtmɑ̃] m. rivestimento, incamiciatura f. || [de chaussée] piano stradale ; manto di usura.
revêtir [rəvɛtir] v. tr. rivestire, indossare. || [recouvrir] ricoprire, incamiciare. || FIG. [une apparence] assumere, rivestire. ◆ v. pr. rivestirsi.
rêveur, euse [rɛvœr, øz] adj. et n. sognatore, trice.
revient [rəvjɛ̃] m. *prix de revient,* (prezzo di) costo.
revigorer [rəvigɔre] v. tr. rinvigorire.
revirement [rəvirmɑ̃] m. cambiamento radicale ; voltafaccia m. inv.
réviser [revize] v. tr. rivedere. | [leçon] ripassare, rivedere. || TECHN. revisionare.
révision [revizjɔ̃] f. revisione. || MIL. *conseil de révision,* visita di leva.
revivre [rəvivr] v. tr. et intr. rivivere.
révocation [revɔkasjɔ̃] f. revoca, revocazione.
revoici [rəvwasi] ou **revoilà** [rəvwala] prép. et adv. FAM. riecco.
revoir [rəvwar] v. tr. rivedere ; [leçon] ripassare. ◆ m. arrivederci. ◆ interj. *au revoir !,* arrivederci ! arrivederla !
révoltant, e [revɔltɑ̃, ɑ̃t] adj. ributtante, ripugnante.
révolte [revɔlt] f. rivolta.
révolté, e [revɔlte] adj. et n. ribelle, rivoltoso. ◆ adj. [outré] indignato.
révolter [revɔlte] v. tr. indurre alla rivolta. || FIG. rivoltare, indignare. ◆ v. pr. (contre) rivoltarsi, ribellarsi (contro, a). || FIG. indignarsi (per, di fronte a).
révolu, e [revɔly] adj. passato, trascorso. || [âge] compiuto.
révolution [revɔlysjɔ̃] f. rivoluzione.
révolutionnaire [revɔlysjɔnɛr] adj. et n. rivoluzionario.
révolutionner [revɔlysjɔne] v. tr. rivoluzionare. || FIG. sconvolgere ; mettere sottosopra.
revolver [revɔlvɛr] m. rivoltella f. | *coup de revolver,* rivoltellata f.
révoquer [revɔke] v. tr. destituire, revocare. || [annuler] revocare, annullare.
revue [rəvy] f. [examen, périodique] rivista, rassegna. || MIL. rivista, rassegna, parata. || TH. rivista.
révulsé, e [revylse] adj. [yeux] stralunato, strabuzzato, stravolto.
rez-de-chaussée [redʃose] m. inv. pianterreno m.
rhabiller [rabije] v. tr. rivestire. ◆ v. pr. rivestirsi.
rhéostat [reɔsta] m. ÉLECTR. reostato.
rhésus [rezys] m. ZOOL. reso. || BIOL. *facteur Rhésus,* fattore Rhesus.
rhéteur [retœr] m. retore.
rhétorique [retɔrik] adj. retorico. ◆ f. retorica.
rhinocéros [rinɔserɔs] m. rinoceronte.
rhubarbe [rybarb] f. rabarbaro m.
rhum [rɔm] m. rum.
rhumatisant, e [rymatizɑ̃, ɑ̃t] adj. reumatizzato. ◆ n. malato, a reumatizzato, a.
rhumatismal, e, aux [rymatismal, o] adj. reumatico.
rhumatisme [rymatism] m. reumatismo, reuma. | *être plein de rhumatismes,* essere tutto reumatizzato.
rhume [rym] m. raffreddore, infreddatura f. | *rhume de cerveau, des foins,* raffreddore di testa, febbre (f.) da fieno.
riant, e [rijɑ̃, ɑ̃t] adj. ridente ; [à la vue] ameno.
ribambelle [ribɑ̃bɛl] f. FAM. [personnes] sciame m. ; [choses] serqua, sfilza.
ricanement [rikanmɑ̃] m. (sog)ghigno.
ricaner [rikane] v. intr. (sog)ghignare.
riche [riʃ] adj. (de, en) ricco (di). || [sol] fertile. ◆ m. ricco. | *nouveau riche,* nuovo ricco.
richesse [riʃɛs] f. (de, en) ricchezza (di).
richissime [riʃisim] adj. FAM. straricco, ricco sfondato.
ricin [risɛ̃] m. ricino.
ricocher [rikɔʃe] v. intr. rimbalzare.
ricochet [rikɔʃɛ] m. [pierre, projectile] rimbalzo ; [avion] piastrellamento. || [jeu] rimbalzello. || *par ricochet,* di rimbalzo, di riflesso, indirettamente.
rictus [riktys] m. rictus, ghigno.
ride [rid] f. [peau] ruga, grinza. || [eau] increspatura. | [sable, neige] crespa. | [fruit] grinza.
ridé, e [ride] adj. rugoso, grinzoso. | [eau] increspato.
rideau [rido] m. tenda f. ; [contre la vitre] tendina f. ; [de lit] cortina f. || FIG. cortina f. ; [d'arbres] filare. || POL. *rideau de fer,* cortina di ferro. || TH. sipario, tela f., telone.
rider [ride] v. tr. raggrinzare, raggrinzire. | [eau] increspare.
ridicule [ridikyl] adj. ridicolo. ◆ m. ridicolo, ridicolezza f., ridicolaggine f.
ridiculiser [ridikylize] v. tr. ridicolizzare ; volgere in ridicolo.
rien [rjɛ̃] pron. indéf. niente, nulla. | *rien d'autre,* nient'altro. ◆ *rien que,* solo, soltanto. || *rien moins que,* tutt'altro che. || *rien de moins que,* né più né meno che, niente meno. || *en rien*

[positif], in checchessia. || *ne ... en rien* [négatif], non ... per niente ; non ... per nulla ; non ... affatto. || *pour rien,* per niente, per nulla. ◆ m. nulla, un niente, nonnulla.
rieur, euse [rjœr, øz] adj. ridente, ridanciano. ◆ n. burlone, a.
rigide [riʒid] adj. rigido.
rigidité [riʒidite] f. rigidità. || FIG. rigidezza.
rigolade [rigɔlad] f. FAM. scherzo m. (L.C.), buffonata (L.C.).
rigole [rigɔl] f. canaletto m., fossatello m. ; [de pluie] rigagnolo m.
rigoler [rigɔle] v. intr. FAM. darsi buon tempo, spassarsela.
rigolo, ote [rigolo, ɔt] adj. FAM. buffo.
rigoureux, euse [rigurø, øz] adj. rigoroso, severo. || [climat] rigido. || [exact] rigoroso, preciso.
rigueur [rigœr] f. rigore m., severità. || [climat] rigore, rigidezza. || FIG. rigore, rigorosità. || *de rigueur,* di rigore, d'obbligo. ◆ *à la rigueur,* caso mai, semmai, magari.
rime [rim] f. rima.
rimer [rime] v. intr. rimare, verseggiare.
rimeur [rimœr] m. rimatore, verseggiatore.
rinçage [rɛ̃saʒ] m. (ri)sciacquatura f.
rince-doigts [rɛ̃sdwa] m. inv. sciacquadita.
rincée [rɛ̃se] f. FAM. acquazzone m. (L.C.).
rincer [rɛ̃se] v. tr. (ri)sciacquare.
rinçure [rɛ̃syr] f. sciacquatura.
ring [ri] m. quadrato.
ripaille [ripɑj] f. FAM. gozzoviglia, bisboccia.
riposte [ripɔst] f. risposta pronta ; rimbecco m.
riposter [ripɔste] v. intr. ribattere, rimbeccare ; rispondere di rimbecco.
rire [rir] v. intr. ridere. | *rire à se décrocher la mâchoire,* sganasciarsi dalle risa. | *rire jaune,* ridere verde. || [se divertir] ridere, scherzare. | *sans rire,* sul serio. | *pour rire,* per scherzo, per celia, tanto per ridere. ◆ v. tr. ind. **(de)** [de qn] ridere (di qlcu.) ; [des menaces] ridersi (delle minacce di uno). ◆ m. riso ; [prolongé] risata f. | *avoir le fou rire,* avere la ridarella.
1. ris [ri] m. MAR. terzarolo.
2. ris m. CULIN. animella f.
risée [rize] f. scherno m., derisione. | *être la risée de,* essere lo zimbello di, il ludibrio di.
risible [rizibl] adj. risibile, buffo.
risque [risk] m. rischio. | *les risques du métier,* gli incerti del mestiere. || *au risque de,* a rischio di, col rischio di.
risqué, e [riske] adj. rischioso.
risquer [riske] v. tr. (ar)rischiare, correre il rischio di. || [tenter] tentare, arrischiare. ◆ v. intr. (de) rischiare (di), correre il rischio (di). ◆ v. pr. (à) arrischiarsi (a), azzardarsi (a).
risque-tout [riskətu] m. inv. rompicollo m., scavezzacollo m.
rissoler [risɔle] v. tr. rosolare.
ristourne [risturn] f. COMM. sconto m., riduzione, abbuono m.
rite [rit] m. rito.
ritournelle [riturnɛl] f. ritornello m.
rituel, elle [ritɥɛl] adj. et m. rituale.
rivage [rivaʒ] m. [mer, lac] riva f., lido, proda f. ; [cours d'eau] riva, sponda f.
rival, e, aux [rival, o] adj. et n. rivale.
rivaliser [rivalize] v. intr. rivaleggiare, fare a gara, gareggiare.
rivalité [rivalite] f. rivalità.
rive [riv] f. riva, sponda.
river [rive] v. tr. TECHN. ribadire. || FIG. *être rivé à son travail,* essere inchiodato al suo lavoro.
riverain, e [rivrɛ̃, ɛn] adj. et n. rivierasco adj. et n. ; [de rue, de route] frontista n.
rivet [rivɛ] m. TECHN. ribattino, rivetto.
rivière [rivjɛr] f. corso (m.) d'acqua ; fiume m. (tributario). || [de diamants] collana, vezzo m.
rixe [riks] f. rissa.
riz [ri] m. riso.
rizière [rizjɛr] f. risaia.
robe [rɔb] f. [de femme] abito m., vestito m. (da donna) ; veste. | *robe de chambre,* veste da camera ; vestaglia. || *noblesse de robe,* nobiltà di toga. || [pelage] mantello m. || CULIN. *en robe de chambre, des champs,* in camicia.
robinet [rɔbinɛ] m. rubinetto.
robot [rɔbo] m. robot, automa.
robotique [rɔbɔtik] f. robotica.
robotisation [rɔbɔtizasjɔ̃] f. robotizzazione.
robotiser [rɔbɔtize] v. tr. robotizzare.
robuste [rɔbyst] adj. robusto.
roc [rɔk] m. roccia f., masso, macigno.
rocade [rɔkad] f. MIL. arroccamento m.
rocaille [rɔkaj] f. pietraia.
rocailleux, euse [rɔkajø, øz] adj. pietroso, sassoso. || FIG. aspro, duro.
roche [rɔʃ] f. roccia, rupe. | *cristal de roche,* cristallo di rocca.
rocher [rɔʃe] m. roccia f., rupe f., masso ; [récif] scoglio. || ANAT. rocca f.
rocheux, euse [rɔʃø, øz] adj. roccioso.
rodage [rɔdaʒ] m. rodaggio.
roder [rɔde] v. tr. rodare.
rôder [rode] v. intr. aggirarsi v. pr.
rôdeur, euse [rodœr, øz] n. et adj. vagabondo.

rogne [rɔɲ] f. FAM. *être en rogne,* avere le paturn(i)e.
rogner [rɔɲe] v. tr. [livre, papier] rifilare, raffilare; [ongles] tagliare. ‖ FIG. (sur) lesinare (su).
rognon [rɔɲɔ̃] m. rognone.
rognures [rɔɲyr] f. pl. [de papier] raffilature, rifilature; [de métal] trucioli m. pl.
rogue [rɔg] adj. arrogante.
roi [rwa] m. re.
roitelet [rwatlɛ] m. regolo.
rôle [rol] m. ruolo, elenco. | *à tour de rôle,* a turno. ‖ CIN., TH. ruolo, parte f. ‖ [fonction] ruolo, funzione f. | *ce n'est pas mon rôle,* non è mio compito.
romain, e [rɔmɛ̃, ɛn] adj. et n. romano. ◆ m. TYP. (carattere) romano, tondo. ‖ LING. [dialecte moderne de Rome] romanesco.
1. romaine [rɔmɛn] f. romana (bionda).
2. romaine f. [balance] romana, stadera.
roman [rɔmɑ̃] m. romanzo. | *roman policier,* romanzo poliziesco; giallo. | *roman-feuilleton,* romanzo d'appendice.
roman, e [rɔmɑ̃, an] adj. et m. ART romanico. ‖ LING. romanzo.
romance [rɔmɑ̃s] f. romanza.
romancier, ère [rɔmɑ̃sje, ɛr] n. romanziere, a.
romanesque [rɔmanɛsk] adj. romanzesco. ‖ [rêveur] romantico, sentimentale.
romanichel, elle [rɔmaniʃɛl] n. zingaro, a.
romantique [rɔmɑ̃tik] adj. et n. romantico.
romantisme [rɔmɑ̃tism] m. romanticismo.
romarin [rɔmarɛ̃] m. rosmarino.
rompre [rɔ̃pr] v. tr. rompere, spezzare. ‖ [accoutumer] (à) addestrare (a). ‖ MIL. *rompez (les rangs)!,* rompete le file! ◆ v. intr. rompersi, spezzarsi. ‖ FIG. *rompre avec qn,* rompere con uno. ‖ *applaudir à tout rompre,* applaudire fragorosamente.
rompu, e [rɔ̃py] adj. *rompu de fatigue,* sfinito dalla stanchezza. ‖ [expérimenté] (à) addestrato (a), pratico (di).
ronce [rɔ̃s] f. rovo m., spino m., pruno m. | *ronce artificielle,* filo (m.) spinato.
ronchon [rɔ̃ʃɔ̃] n. FAM. borbottone, a; brontolone, a.
ronchonner [rɔ̃ʃɔne] v. intr. FAM. borbottare, brontolare.
rond, e [rɔ̃, ɔ̃d] adj. (ro)tondo. | *ouvrir des yeux tout ronds,* sgranare tanto d'occhi. ‖ FIG. schietto, franco. ‖ FAM. [ivre] sbronzo. ◆ adv. *tourner rond,* funzionare bene, perfettamente. ◆ m. cerchio, tondo, anello. | POP. *avoir des ronds,* avere soldi, quattrini. ‖ *en rond,* in tondo, in cerchio.
rond-de-cuir [rɔ̃dkɥir] m. PÉJOR. travet inv.; burocrate.
ronde [rɔ̃d] f. ronda. | [danse] girotondo m. ‖ MUS. semibreve. ‖ [écriture] scrittura rotonda. ◆ *à la ronde,* tutt'intorno, tutt'in giro.
rondelet, ette [rɔ̃dlɛ, ɛt] adj. FAM. grassoccio, grassottello. ‖ FIG. [somme] bello, discreto.
rondelle [rɔ̃dɛl] f. [petite tranche] fetta, fettina. ‖ TECHN. rondella, rosetta.
rondement [rɔ̃dmɑ̃] adv. risolutamente. | francamente. ‖ *parler rondement,* parlare chiaro e tondo.
rondeur [rɔ̃dœr] f. rotondità. ‖ FIG. schiettezza, franchezza.
rondin [rɔ̃dɛ̃] m. [à brûler] tondello; [pour construire] tronco d'abete scortecciato. ‖ [bâton] randello.
rond-point [rɔ̃pwɛ̃] m. rondò, largo.
ronéoter [rɔneɔte] ou **ronéotyper** [rɔneɔtipe] v. tr. ciclostilare.
ronflant, e [rɔ̃flɑ̃, ɑ̃t] adj. FIG. rimbombante.
ronflement [rɔ̃fləmɑ̃] m. [du dormeur] (il) russare. ‖ [moteur] rombo, (il) ronfare; [toupie] ronzio; [poêle] borbottio.
ronfler [rɔ̃fle] v. intr. russare, ronfare. ‖ [moteur] rombare, ronfare; [toupie] ronzare; [poêle] borbottare.
ronger [rɔ̃ʒe] v. tr. rodere, rosicchiare. ‖ [rouiller] (cor)rodere; erodere. ‖ [tourmenter] rodere, struggere.
rongeur [rɔ̃ʒœr] m. roditore.
ronron [rɔ̃rɔ̃] m. FAM. (il) ronfare.
ronronner [rɔ̃rɔne] v. intr. [chat] far le fusa, ronfare. ‖ [moteur] ronfare.
roque [rɔk] m. [échecs] arroccamento.
roquer [rɔke] v. intr. [échecs] arroccare.
roquet [rɔkɛ] m. botolo.
roquette [rɔkɛt] f. MIL. razzo m.
rosace [rozas] f. ARCHIT. rosone m., fiorone m.
rosaire [rozɛr] m. REL. rosario.
rose [roz] f. rosa. ◆ adj. rosa inv. ‖ [visage, teint] roseo. ◆ m. rosa.
rosé, e [roze] adj. roseo. | *(vin) rosé,* rosato.
roseau [rozo] m. canna f.
rosée [roze] f. rugiada; [abondante] guazza.
roseraie [rozrɛ] f. roseto m., rosaio m.
rosier [rozje] m. rosaio.
rosse [rɔs] f. [cheval] rozza, brenna. ‖ FIG., FAM. carogna. ◆ adj. mordace; [sévère] feroce.
rosser [rɔse] v. tr. FAM. bastonare di santa ragione. | *se faire rosser,* buscarne, prenderle.
rossignol [rɔsiɲɔl] m. ZOOL. usignolo.
rot [ro] m. POP. rutto.

rotatif, ive [rɔtatif, iv] adj. rotativo. ◆ f. rotativa.
rotation [rɔtasjɔ̃] f. rotazione.
roter [rɔte] v. intr. Pop. ruttare.
rôti [roti] m. arrosto.
rôtie [roti] f. fetta di pan tostato.
rotin [rɔtɛ̃] m. canna (f.) d'India.
rôtir [rotir] v. tr. arrostire. | *viande, poulet rôti(e),* carne, pollo arrosto (inv.). ◆ v. intr. Fig., Fam. cuocere.
rôtisserie [rotisri] f. rosticceria.
rôtissoire [rotiswar] f. forno (m.) con girarrosto.
rotonde [rɔtɔ̃d] f. rotonda.
rotule [rɔtyl] f. Anat. rotula.
roture [rɔtyr] f. condizione, ceto (m.) non nobile.
rouage [rwaʒ] m. rotelle f. pl., rotismo, congegno.
roublard, e [rublar, ard] adj. Fam. furbo, astuto. ◆ n. Fam. furbacchione, a.
roucouler [rukule] v. intr. tubare.
roue [ru] f. ruota. | *faire la roue,* Pr. et Fig. fare la ruota, Fig. pavoneggiarsi. | *sur les chapeaux de roue,* a tutta birra.
roué, e [rwe] adj. et n. [rusé] furbo.
rouer [rwe] v. tr. *rouer de coups,* picchiare di santa ragione.
rouet [rwɛ] m. filatoio.
rouf [ruf] m. Mar. tuga f.
rouge [ruʒ] adj. rosso. | *vin rouge,* vino rosso, nero. | *cheveux rouges,* capelli di un rosso acceso. || [fer] rovente. || Fig. *lanterne rouge,* fanalino (m.) di coda. || ◆ m. rosso. || [fard] rossetto. || Techn. *porter au rouge,* arroventare. || Fam. vino rosso.
rougeâtre [ruʒɑtr] adj. rossastro.
rougeaud, e [ruʒo, od] adj. et n. rubicondo adj.
rouge-gorge [ruʒgɔrʒ] m. Zool. pettirosso.
rougeoiement [ruʒwamɑ̃] m. (il) rosseggiare ; riflesso rossastro.
rougeole [ruʒɔl] f. morbillo m.
rougeoyer [ruʒwaje] v. intr. rosseggiare.
rouge-queue [ruʒkø] m. Zool. codirosso.
rouget [ruʒɛ] m. Zool. triglia f.
rougeur [ruʒœr] f. rossore m. ◆ pl. macchie rosse.
rougir [ruʒir] v. tr. arrossare. || Ind. arroventare. ◆ v. intr. arrossire.
rouille [ruj] f. ruggine.
rouillé, e [ruje] adj. Pr. et Fig. arrugginito.
rouiller [ruje] v. tr. et intr. arrugginire.
roulade [rulad] f. Mus. gorgheggio.
roulant, e [rulɑ̃, ɑ̃t] adj. a rotelle. | *table roulante,* carrello. | *escalier roulant,* scala mobile. | *matériel roulant,* materiale rotabile. || Fam. [drôle] buffissimo.
rouleau [rulo] m. rotolo. || [vague] maroso. || [de machine à écrire] rullo. || Culin. matterello. || Phot. rollino. || Techn. *rouleau compresseur,* rullo compressore. || Typ. *rouleau encreur,* inchiostratore.
roulement [rulmɑ̃] m. rotolamento. || [bruit] rimbombo, rombo ; [de tambour] rullo ; [succession] avvicendamento, rotazione f. | *par roulement,* a turno. || Fin. *fonds de roulement,* fondo di cassa f. || Méc. *roulement à billes,* cuscinetto a sfere.
roulée [rule] adj. Pop. *femme bien roulée,* donna ben fatta, formosa (L.C.).
rouler [rule] v. tr. rotolare ; [fauteuil] spingere. || [les yeux] roteare ; [les hanches] ancheggiare. || [terrain, pâte] spianare. || [mettre en rouleau] arrotolare. || [tromper] infinocchiare, turlupinare. ◆ v. intr. rotolare. || [tomber] ruzzolare. || [véhicule] andare, correre, viaggiare. || [avoir pour objet] (sur) vertere (su), aggirarsi (su). || Mar. rollare. ◆ v. pr. rotolarsi, avvoltolarsi. || [s'envelopper dans] avvolgersi (in). || [sur soi-même] arrotolarsi.
roulette [rulɛt] f. rotella. || [de dentiste] trapano m. || Jeu roulette (fr.).
roulis [ruli] m. rollio. | *coup de roulis,* rollata f.
roulotte [rulɔt] f. carrozzone m.
roumain, e [rumɛ̃, ɛn] adj. et n. romeno, rumeno.
round [rawnd] m. Sp. ripresa f.
roupiller [rupije] v. intr. Fam. dormire (L.C.).
roupillon [rupijɔ̃] m. Fam. *piquer un roupillon,* schiacciare un pisolino.
rouquin, e [rukɛ̃, in] adj. et n. Fam. rosso.
rouspéter [ruspete] v. intr. Fam. protestare, brontolare.
roussâtre [rusɑtr] adj. rossiccio.
rousseur [rusœr] f. color (m.) fulvo. | *tache de rousseur,* lentiggine, efelide.
roussi [rusi] m. odore di bruciaticcio.
roussir [rusir] v. tr. abbruciacchiare ; [tissu] strinare. ◆ v. intr. Culin. *faire roussir,* rosolare.
route [rut] f. strada, via, cammino m. | *mauvaise route,* stradaccia. | *route nationale,* strada statale. | *police de la route,* stradale. | *en cours de route,* strada facendo. | *se mettre en route,* avviarsi, incamminarsi. | *en route !,* via ! andiamo ! || Av., Mar. rotta.
routier, ère [rutje, ɛr] adj. stradale. ◆ m. camionista, autotrenista. || Sp. [cycliste] stradista. ◆ f. automobile da strada.
routine [rutin] f. routine (fr.).
routinier, ère [rutinje, ɛr] adj. abitudinario, meccanico. ◆ n. persona abitudinaria.

rouvrir [ruvrir] v. tr. riaprire.
roux, rousse [ru, rus] adj. et n. rosso ; (biondo) fulvo.
royal, e, aux [rwajal, o] adj. reale, regio, regale. | *palais royal,* palazzo reale ; reggia f. || FIG. regale.
royaliste [rwajalist] adj. et n. monarchico, realista.
royaume [rwajom] m. regno.
royauté [rwajote] f. [dignité] regalità. || [régime] monarchia.
ruade [rɥad] f. scalciata.
ruban [rybɑ̃] m. nastro.
rubéole [rybeɔl] f. MÉD. rosolia.
rubis [rybi] m. rubino. || LOC. *payer rubis sur l'ongle,* pagare sull'unghia.
rubrique [rybrik] f. voce, classe, categoria. || JOURN. rubrica. | *rubrique littéraire,* terza pagina.
ruche [ryʃ] f. alveare m., arnia. || FIG. alveare, formicaio m.
rucher [ryʃe] m. apiario.
rude [ryd] adj. [toucher] ruvido ; [goût, ouïe] aspro. || FIG. rozzo, rude, ruvido.
rudesse [rydɛs] f. [toucher] ruvidezza ; [goût, ouïe] asprezza. || [dureté] ruvidezza, durezza, severità.
rudiment [rydimɑ̃] m. rudimento.
rudimentaire [rydimɑ̃tɛr] adj. rudimentale.
rudoyer [rydwaje] v. tr. strapazzare, maltrattare, bistrattare.
rue [ry] f. via, strada. | *grand-rue,* via maestra, corso m. | *dans la rue,* in strada, per la strada. || FIG. *homme de la rue,* uomo qualunque.
ruée [rɥe] f. irruzione, corsa.
ruelle [rɥɛl] f. vicolo m., viuzza.
ruer [rɥe] v. intr. scalciare. || FIG. *ruer dans les brancards,* ricalcitrare. ◆ v. pr. (sur) scagliarsi, avventarsi (contro).
rugby [rygbi] m. rugby (angl.) ; palla (f.) ovale.
rugbyman [rygbiman] m. (pl. **rugbymen**) rugbista.
rugir [ryʒir] v. intr. ruggire.
rugissement [ryʒismɑ̃] m. ruggito.
rugosité [rygozite] f. rugosità, ruvidità, asperità.
rugueux, euse [rygø, øz] adj. rugoso, ruvido.
ruine [rɥin] f. rovina. | *en ruine,* in rovina ; rovinato, diroccato adj. || FIG. rudere m. ◆ pl. rovine ; ruderi.
ruiner [rɥine] v. tr. rovinare.
ruineux, euse [rɥinø, øz] adj. rovinoso. || [coûteux] costoso, dispendioso.
ruisseau [rɥiso] m. ruscello. || [caniveau] rigagnolo. ◆ pl. FIG. [larmes, sang] rivi, rivoli.
ruisselant, e [rɥislɑ̃, ɑ̃t] adj. [eaux] scorrente, fluente. | [de pluie, de sueur] grondante. || [de lumière] sfavillante.
ruisseler [rɥisle] v. intr. scorrere ; [de sueur] grondare. || FIG. [de lumière] sfavillare.
ruisselet [rɥislɛ] m. ruscelletto.
ruissellement [rɥisɛlmɑ̃] m. ruscellamento.
rumeur [rymœr] f. rumore m. ; [légère] brusio m., mormorio m. || [nouvelle] voce, diceria.
ruminant, e [ryminɑ̃, ɑ̃t] adj. et m. ZOOL. ruminante.
ruminer [rymine] v. tr. et intr. ruminare. || FIG. ruminare, rimuginare.
rupin, e [rypɛ̃, in] adj. et n. POP. riccone, a (fam.).
rupture [ryptyr] f. rottura. || MIL. [du front] sfondamento m.
rural, e, aux [ryral, o] adj. et m. rurale.
ruse [ryz] f. furberia, astuzia, scaltrezza, furbizia. || MIL. *ruse de guerre,* stratagemma m.
rusé, e [ryze] adj. furbo, astuto, scaltro.
ruser [ryze] v. intr. giocare d'astuzia.
russe [rys] adj. et n. russo.
Rustine [rystin] f. gommino m.
rustique [rystik] adj. rustico, campagnolo, di campagna. || FIG. rustico, rozzo, zotico.
rustre [rystr] adj. et m. zotico, villano, cafone.
rut [ryt] m. fregola f.
rutilant, e [rytilɑ̃, ɑ̃t] adj. rutilante, fulgido, risplendente.
rutiler [rytile] v. intr. rifulgere, risplendere.
rythme [ritm] m. ritmo.
rythmique [ritmik] adj. ritmico. ◆ f. ritmica.

S

s [ɛs] m. s f. ou m. || [virages] curve (f. pl.) a esse.
sabbat [saba] m. sabato ebraico. || [de sorciers] sabba. || FIG., FAM. pandemonio, tregenda f.
sabir [sabir] m. sabir ; lingua (f.) franca.
sable [sabl] m. sabbia f., arena f. | *sables mouvants,* sabbie mobili.
sabler [sable] v. tr. cospargere di sabbia. || TECHN. sabbiare. || *sabler le champagne,* brindare con lo champagne.
sablier [sablije] m. clessidra (f.) a sabbia.
sablière [sablijɛr] f. cava di sabbia.

sablonneux, euse [sablɔnø, øz] adj. sabbioso.
sabord [sabɔr] m. MAR. portello.
saborder [sabɔrde] v. tr. MAR. affondare. ‖ FIG. sabotare. ◆ v. pr. MAR. autoaffondarsi. ‖ FIG. cessare ogni attività.
sabot [sabo] m. zoccolo. ‖ [d'animal] zoccolo, unghia f. ‖ TECHN. [de frein] ceppo.
sabotage [sabɔtaʒ] m. sabotaggio.
saboter [sabɔte] v. tr. [un travail] abborracciare. ‖ [détériorer] sabotare.
sabre [sabr] m. sciabola f. | *coup de sabre,* sciabolata f.
sabrer [sabre] v. tr. sciabolare.
1. sac [sak] m. sacco ; borsa f. | *sac à provisions,* sporta f. | *sac (à main),* borsetta f. | *sac à dos,* zaino. | *sac de couchage,* sacco a pelo, sacco a piuma.
2. sac m. [pillage] sacco. | *mettre à sac,* saccheggiare.
saccade [sakad] f. [équitation] sbrigliata. | *par saccades,* a scatti, a strappi.
saccadé, e [sakade] adj. a scatti.
saccager [sakaʒe] v. tr. mettere a sacco, saccheggiare, devastare.
saccharine [sakarin] f. saccarina.
sacerdoce [sasɛrdɔs] m. sacerdozio.
sachet [saʃɛ] m. sacchetto.
sacoche [sakɔʃ] f. borsa.
sacre [sakr] m. consacrazione f.
sacré, e [sakre] adj. sacro. ‖ FAM. dannato, maledetto. ◆ m. sacro.
sacrement [sakrəmɑ̃] m. sacramento.
sacrer [sakre] v. tr. consacrare. ◆ v. intr. bestemmiare.
sacrifice [sakrifis] m. sacrificio. ◆ pl. sacrifici, stenti.
sacrifier [sakrifje] v. tr. sacrificare. ◆ v. tr. ind. (à) sacrificare (a). ◆ v. pr. sacrificarsi.
sacrilège [sakrilɛʒ] m. sacrilegio. ◆ adj. et n. [coupable] sacrilego, a.
sacristain [sakristɛ̃] m. sagrestano.
sacristie [sakristi] f. sagrestia.
sadique [sadik] adj. et n. sadico.
sadisme [sadism] m. sadismo.
safari [safari] m. safari.
safran [safrɑ̃] m. zafferano.
sagace [sagas] adj. sagace, avveduto.
sagacité [sagasite] f. sagacia, sagacità, avvedutezza.
sage [saʒ] adj. [circonspect] saggio, savio, assennato. ‖ [obéissant] buono. ‖ [pudique] serio, virtuoso. ◆ m. savio, sapiente.
sage-femme [saʒfam] f. levatrice, ostetrica.
sagesse [saʒɛs] f. [connaissance] saggezza. ‖ REL. sapienza. ‖ [circonspection] assennatezza, giudizio m., prudenza.
Sagittaire [saʒitɛr] m. ASTR. Sagittario.
saignant, e [seɲɑ̃, ɑ̃t] adj. sanguinante. ‖ CULIN. al sangue.
saignée [seɲe] f. MÉD. salasso m.
saignement [seɲmɑ̃] m. emorragia f.
saigner [seɲe] v. tr. salassare. ‖ [animal] scannare, sgozzare. ◆ v. intr. sanguinare. | *saigner du nez,* far sangue dal naso.
saillant, e [sajɑ̃, ɑ̃t] adj. sporgente, prominente. ‖ FIG. saliente, rilevante.
saillie [saji] f. sporgenza. ‖ [boutade] battuta scherzosa ; arguzia, frizzo m. ‖ ARCHIT. aggetto m. ‖ ZOOL. monta.
saillir [sajir] v. intr. sporgere, aggettare. ◆ v. tr. ZOOL. montare ; accoppiarsi con.
sain, e [sɛ̃, sɛn] adj. sano. ‖ FIG. sano, retto.
saindoux [sɛ̃du] m. strutto, sugna f.
saint, e [sɛ̃, sɛ̃t] adj. santo, sacro. | *la sainte Famille,* la sacra Famiglia. | *saint Antoine, Jean, Étienne,* sant'Antonio, san Giovanni, santo Stefano. ◆ n. santo, a.
sainte nitouche [sɛ̃tnituʃ] f. FAM. santarellina.
sainteté [sɛ̃təte] f. santità.
saisie [sezi] f. JUR. sequestro m.
saisir [sezir] v. tr. afferrare, agguantare. ‖ [occasion] afferrare, cogliere. ‖ [comprendre] afferrare, cogliere, capire. ‖ [surprendre, émouvoir] colpire. ‖ CULIN. *saisir la viande,* passare la carne al fuoco vivo. ‖ JUR. deferire. ‖ [opérer une saisie] sequestrare, pignorare. ◆ v. pr. [de qch.] impadronirsi (di qlco.), impossessarsi (di qlco.) ; [de qn] arrestare (qlcu.)
saisissant, e [sezisɑ̃, ɑ̃t] adj. sorprendente, commovente. ‖ [froid] pungente.
saisissement [sezismɑ̃] m. commozione (f.) forte e improvvisa.
saison [sezɔ̃] f. stagione.
saisonnier, ère [sezɔnje, ɛr] adj. et m. stagionale.
salade [salad] f. insalata ; [de fruits] macedonia di frutta. ‖ FAM. pasticcio m.
saladier [saladje] m. insalatiera f.
salaire [salɛr] m. salario. ‖ FIG. compenso, ricompensa f.
salaison [salɛzɔ̃] f. salatura. ◆ pl. salumi m. pl.
salant [salɑ̃] adj. m. *marais salant,* salina f.
salarier [salarje] v. tr. salariare.
salaud [salo] m. POP. mascalzone, farabutto.
sale [sal] adj. sudicio, sporco. ‖ FAM. *sale type,* tipaccio. | *sale bête,* bestiaccia. | *sale tour,* tiro birbone. ‖ [temps] tempaccio.
salé, e [sale] adj. [naturellement] salso. ‖ [assaisonné] salato. ‖ FIG., FAM. piccante, pepato, salace.
saler [sale] v. tr. salare.

saleté [salte] f. sporcizia, sudiceria. || [chose sale] porcheria, sudiceria. || [animal] *faire ses saletés,* fare i bisogni.
salière [saljɛr] f. saliera.
salin, e [salɛ̃, in] adj. salino. ◆ m. salina f. ◆ f. miniera di salgemma.
salir [salir] v. tr. sporcare, insudiciare, insozzare, imbrattare.
salissant, e [salisɑ̃, ɑ̃t] adj. che si sporca facilmente. || che sporca.
salive [saliv] f. saliva.
saliver [salive] v. intr. salivare.
salle [sal] f. sala, stanza. || [local public] sala ; [d'hôpital] corsia ; MIL. [de police] camera di punizione. || *faire salle comble,* fare un pienone.
salmigondis [salmigɔ̃di] m. FIG. pasticcio.
salon [salɔ̃] m. salotto. || [exposition] salone, esposizione f., mostra f. || COMM. sala f., salone. || [littéraire] salotto.
salopette [salɔpɛt] f. tuta.
salpêtre [salpɛtr] m. salnitro.
salsifis [salsifi] m. [noir] scorzonera f.
saltimbanque [saltɛ̃bɑ̃k] m. saltimbanco.
salubre [salybr] adj. salubre.
saluer [salɥe] v. tr. salutare ; [respectueusement] ossequiare.
salut [saly] m. salvezza f. || [mise hors de danger] scampo. || [civilité] saluto ; [au revoir] ciao ! || POL. *salut public,* salute (f.) pubblica. || REL. salvezza f., salvazione f. || [cérémonie] benedizione f.
salutaire [salytɛr] adj. salutare.
salutation [salytasjɔ̃] f. saluto m. || REL. *salutation angélique,* salutazione angelica.
salve [salv] f. salva. || [d'applaudissements] salva, scroscio m.
samedi [samdi] m. sabato.
sanatorium [sanatɔrjɔm] ou FAM. **sana** [sana] m. sanatorio.
sanctifier [sɑ̃ktifje] v. tr. santificare.
sanction [sɑ̃ksjɔ̃] f. JUR. sanzione. || [mesure disciplinaire] provvedimento m., misura disciplinare.
sanctionner [sɑ̃ksjɔne] v. tr. sanzionare, sancire. || [approuver] approvare. || [confirmer] confermare. || [punir] punire, castigare.
sanctuaire [sɑ̃ktɥɛr] m. santuario.
sandale [sɑ̃dal] f. sandalo m.
sandwich [sɑ̃dwitʃ] m. panino imbottito ; tramezzino.
sang [sɑ̃] m. sangue. || FIG. sangue. || *mettre à feu et à sang,* mettere a ferro e fuoco.
sang-froid [sɑ̃frwa] m. inv. sangue freddo. | *reprendre son sang-froid,* ricomporsi, riaversi. ◆ *de sang-froid,* a sangue freddo.
sanglant, e [sɑ̃glɑ̃, ɑ̃t] adj. insanguinato. || [combat, mort, plaie] sanguinoso, cruento. || FIG. [affront] sanguinoso.
sangle [sɑ̃gl] f. cinghia. | *lit de sangle,* branda f.
sangler [sɑ̃gle] v. tr. cinghiare.
sanglier [sɑ̃glije] m. cinghiale.
sanglot [sɑ̃glo] m. singhiozzo, singulto.
sangloter [sɑ̃glɔte] v. intr. singhiozzare.
sangsue [sɑ̃sy] f. sanguisuga, mignatta.
sanguin, e [sɑ̃gɛ̃, in] adj. sanguigno.
sanguinaire [sɑ̃ginɛr] adj. sanguinario.
sanguine [sɑ̃gin] f. ART sanguigna. || BOT. arancia sanguigna.
sanitaire [sanitɛr] adj. sanitario. ◆ m. pl. impianti sanitari.
sans [sɑ̃] prép. senza ; [devant pron. pers.] senza di. | *sans argent,* squattrinato adj. ◆ adv. *sans quoi,* altrimenti, se no, sennò. || *sans que,* senza che.
sans-abri [sɑ̃zabri] n. inv. senzatetto.
sans-cœur [sɑ̃kœr] n. inv. persona (f.) senza cuore.
sans-façon [sɑ̃fasɔ̃] m. inv. disinvoltura f., semplicità f.
sans-gêne [sɑ̃ʒɛn] m. inv. disinvolta franchezza f. ; sfrontatezza f., sfacciataggine f.
sansonnet [sɑ̃sɔnɛ] m. storno, stornello.
sans-souci [sɑ̃susi] adj. inv. et n. inv. spensierato.
santé [sɑ̃te] f. salute. || [de l'esprit] sanità. || *boire à la santé de,* bere, brindare alla salute di. | *à ta, à votre santé !,* salute !
sape [sap] f. MIL. zappa.
saper [sape] v. tr. scalzare.
sapeur [sapœr] m. MIL. geniere.
saphir [safir] m. zaffiro. || [électrophone] puntina f.
sapin [sapɛ̃] m. abete.
saquer [sake] v. tr. POP. sbattere fuori, sbolognare ; [examen] stangare.
sarbacane [sarbakan] f. cerbottana.
sarcasme [sarkasm] m. sarcasmo.
sarcastique [sarkastik] adj. sarcastico.
sarcler [sarkle] v. tr. sarchiare.
sarde [sard] adj. et n. sardo.
sardine [sardin] f. sardina, sardella.
sardonique [sardɔnik] adj. sardonico.
sarment [sarmɑ̃] m. sarmento, tralcio.
sarrasin [sarazɛ̃] m. AGR. grano saraceno.
sas [sɑ, sas] m. [tamis] s(e)taccio. || [écluse] conca f. || [sous-marin, fusée] camera (f.) stagna.
satané, e [satane] adj. FAM. maledetto, dannato.
satelliser [satelize] v. tr. ASTR. mettere in orbita. || POL. satellizzare.
satellite [satelit] m. satellite.
satiété [sasjete] f. sazietà.

satin [satɛ̃] m. raso.
satire [satir] f. satira.
satirique [satirik] adj. et m. satirico.
satisfaction [satisfaksjɔ̃] f. soddisfazione ; [intense] compiacimento m. ‖ [d'une offense] soddisfazione.
satisfaire [satisfɛr] v. tr. soddisfare, contentare ; [désir, besoin] soddisfare, appagare. ◆ v. tr. ind. (à) soddisfare (a).
satisfaisant, e [satisfəzɑ̃, ɑ̃t] adj. soddisfacente.
satisfait, e [satisfɛ, ɛt] adj. soddisfatto, contento. | *air satisfait,* aria soddisfatta, compiaciuta.
saturé, e [satyre] adj. saturo.
saturer [satyre] v. tr. saturare.
satyre [satir] m. satiro.
sauce [sos] f. salsa.
saucer [sose] v. tr. [assiette] fare la scarpetta. ‖ FIG., FAM. *être saucé,* essere tutto inzuppato.
saucière [sosjɛr] f. salsiera.
saucisse [sosis] f. salsiccia.
saucisson [sosisɔ̃] m. salame, salsicciotto.
sauf [sof] prép. [excepté] salvo, tranne, eccetto, fuorché. ‖ ***sauf votre respect,*** con rispetto parlando. ‖ ***sauf à,*** anche a costo di. ‖ ***sauf que,*** salvo che, a parte il fatto che.
sauf, sauve [sof, sov] adj. salvo.
sauf-conduit [sofkɔ̃dɥi] m. salvacondotto.
sauge [soʒ] f. salvia.
saule [sol] m. salice. | *saule pleureur,* salice piangente.
saumâtre [somɑtr] adj. salmastro. ‖ FIG. amaro, sgradevole
saumon [somɔ̃] m. salmone.
saumure [somyr] f. salamoia.
sauna [sona] m. sauna f.
saupoudrer [sopudre] v. tr. cospargere. ‖ FIG. infiorare.
saur [sɔr] adj. m. *hareng saur,* aringa salata e affumicata.
saut [so] m. salto. ‖ [en parachute] lancio. ‖ [chute d'eau] salto, cascata f.
saut-de-mouton [sodmutɔ̃] m. cavalcavia inv.
saute [sot] f. salto m., sbalzo m.
saute-mouton [sotmutɔ̃] m. inv. JEU cavallina f.
sauter [sote] v. intr. saltare ; [en parachute] lanciarsi. | *sauter sur ses pieds,* balzare in piedi. ‖ [exploser] saltare (in aria), esplodere. ‖ CULIN. saltare. ◆ v. tr. saltare.
sauterelle [sotrɛl] f. cavalletta, locusta.
saute-ruisseau [sotrɥiso] m. inv. fattorino, galoppino.
sauteur, euse [sotœr, øz] n. et adj. SP. saltatore, trice.
sautiller [sotije] v. intr. salte(re)llare.
sauvage [sovaʒ] adj. [primitif] selvaggio. ‖ [faune, flore] selvatico. ‖ [paysage] selvaggio. ‖ [peu sociable] selvatico. ‖ [camping ; grève] selvaggio. ◆ n. PR. et FIG. selvaggio, a.
sauvagerie [sovaʒri] f. [insociabilité] selvatichezza. ‖ [cruauté] efferatezza.
sauvegarde [sovgard] f. salvaguardia, tutela.
sauvegarder [sovgarde] v. tr. salvaguardare, tutelare.
sauve-qui-peut [sovkipø] m. inv. fuggi fuggi.
sauver [sove] v. tr. (de) salvare (da). ‖ REL. salvare. ◆ v. pr. salvarsi. ‖ [s'enfuir] scappare. | *se sauver à toutes jambes,* darsela a gambe.
sauvetage [sovtaʒ] m. salvataggio.
sauveteur [sovtœr] adj. et m. salvatore, soccorritore.
sauvette (à la) [alasovɛt] loc. adv. *vendre à la sauvette,* vendere di straforo.
savane [savan] f. savana.
savant, e [savɑ̃, ɑ̃t] adj. dotto. ‖ [animal] sapiente. ‖ *femme savante,* saccentona. ‖ [habile] *savante harmonie de couleurs,* sapiente armonia di colori. ◆ m. dotto ; [sciences exactes] scienziato.
savate [savat] f. ciabatta.
saveur [savœr] f. sapore m. ‖ FIG. sapore, gusto m.
savoir [savwar] v. tr. [connaître] conoscere. ‖ [être informé] sapere. | *on sait que,* si sa, è noto, è risaputo che. ‖ [avoir le pouvoir de] potere, sapere. ‖ *qui sait ?,* chi lo sa ?, chissà ? | *la question est de savoir si,* resta a vedere se. | *que je sache,* che io sappia, a quanto io sappia. | *pas que je sache,* non mi risulta. ◆ v. intr. [avoir de l'expérience] sapere. ‖ ***(à) savoir,*** vale a dire ; (e) cioè. ‖ ***à savoir que,*** vale a dire che ; ossia. ◆ m. sapere.
savoir-faire [savwarfɛr] m. inv. tatto, destrezza f.
savoir-vivre m. inv. galateo, (buona) creanza f.
savon [savɔ̃] m. sapone. ‖ FIG., FAM. *passer un savon à qn,* dare una lavata di capo a qlcu.
savonner [savɔne] v. tr. insaponare.
savonnette [savɔnɛt] f. saponetta.
savonneux, euse [savɔnø, øz] adj. saponoso.
savourer [savure] v. tr. assaporare.
savoureux, euse [savurø, øz] adj. saporito, saporoso, gustoso.
saxophone [saksɔfɔn] m. sassofono.
saynète [sɛnɛt] f. atto (m.) unico ; sketch m.
scabreux, euse [skabrø, øz] adj. scabroso.
scalpel [skalpɛl] m. CHIR. scalpello.
scalper [skalpe] v. tr. scalpare, scotennare.

scandale [skɑ̃dal] m. scandalo.
scandaleux, euse [skɑ̃dalø, øz] adj. scandaloso.
scandaliser [skɑ̃dalize] v. tr. scandalizzare.
scander [skɑ̃de] v. tr. scandire.
scandinave [skɑ̃dinav] adj. et n. scandinavo.
scaphandre [skafɑ̃dr] m. scafandro. | *scaphandre autonome,* autorespiratore.
scaphandrier [skafɑ̃drije] m. palombaro.
scarabée [skarabe] m. scarabeo.
scarlatine [skarlatin] f. scarlattina.
sceau [so] m. sigillo. || *garde des Sceaux,* guardasigilli m. || FIG. *sous le sceau du secret,* sotto il vincolo del segreto. || [marque] impronta f.
scélérat, e [selera, at] adj. et n. scellerato.
sceller [sele] v. tr. [lettre, document] sigillare. || FIG. [pacte, alliance] suggellare. || TECHN. ingessare.
scellés [sele] m. pl. JUR. sigilli.
scénario [senarjo] m. CIN. soggetto. || TH. canovaccio. || FIG. schema.
scénariste [senarist] n. soggettista, scenarista ; sceneggiatore, trice.
scène [sɛn] f. palcoscenico m. | *entrer en scène,* entrare in scena. || [décors, lieu, partie d'un acte] scena. | *porter à la scène,* ridurre per le scene. | *mettre en scène,* mettere in scena ; inscenare. | *mise en scène,* messinscena, regia. | *metteur en scène,* regista. || FIG. scena. || FAM. [querelle] scenata, scena.
scepticisme [sɛptisism] m. scetticismo.
sceptique [sɛptik] adj. et n. scettico.
sceptre [sɛptr] m. scettro.
schéma [ʃema] m. schema. | *schéma directeur,* piano regolatore.
schisme [ʃism] m. scisma.
schiste [ʃist] m. scisto.
schizophrène [skizofrɛn] adj. et n. MÉD. schizofrenico.
sciatique [sjatik] f. sciatica.
scie [si] f. sega. | *scie mécanique,* segatrice. || FAM. lagna. || *en dents de scie,* seghettato adj.
sciemment [sjamɑ̃] adv. consapevolmente, coscientemente.
science [sjɑ̃s] f. conoscenza. | *un puits de science,* un pozzo, un'arca di scienza. || [système de connaissances] scienza.
science-fiction [sjɑ̃fiksjɔ] f. fantascienza.
scientifique [sjɑ̃tifik] adj. scientifico. ◆ n. scienziato, a.
scier [sje] v. tr. segare.
scierie [siri] f. segheria.
scieur [sjør] m. segatore, segantino.
scinder [sɛ̃de] v. tr. scindere, dividere.
scintillant, e [sɛ̃tijɑ̃, ɑ̃t] adj. scintillante.
scintillement [sɛ̃tijmɑ̃] m. scintillio, luccichio.
scintiller [sɛ̃tije] v. intr. scintillare, sfavillare.
scission [sisjɔ̃] f. scissione.
sciure [sjyr] f. segatura.
sclérosé, e [skleroze] adj. et n. MÉD. sclerotico. ◆ adj. FIG. fossilizzato.
scolaire [skɔlɛr] adj. scolastico. | *année scolaire,* anno (m.) scolastico. | *âge scolaire,* età (f.) scolare. || PÉJOR. scolaresco.
scolarité [scɔlarite] f. [durée] obbligo (m.) scolastico. || [études] frequenza scolastica.
scolastique [skɔlastik] adj. et n. scolastico.
sconse [skɔ̃s] m. pelliccia (f.) di moffetta ; skunk inv.
scooter [skutɛr] m. scooter, scuter ; motoretta f.
scorbut [skɔrbyt] m. scorbuto.
score [skɔr] m. SP. punteggio, segnatura f.
scorie [skɔri] f. scoria.
scorpion [skɔrpjɔ̃] m. ZOOL. scorpione. || ASTR. Scorpione.
scout, e [skut] adj. scoutistico, scautistico. ◆ n. scout.
scoutisme [skutism] m. scoutismo, scautismo.
script [skript] m. [écriture] stampatello.
scripte [skript] ou **script-girl** [skriptgœrl] f. segretaria di edizione.
scrupule [skrypyl] m. scrupolo.
scrupuleux, euse [skrypylø, øz] adj. scrupoloso.
scrutateur [skrytatœr] adj. et m. scrutatore.
scruter [skryte] v. tr. scrutare.
scrutin [skrytɛ̃] m. scrutinio. | *dépouiller le scrutin,* scrutinare.
sculpter [skylte] v. tr. scolpire ; [ivoire] intagliare.
sculpteur [skyltœr] m. (sur) scultore, trice n. (in).
sculptural, e, aux [skyltyral, o] adj. scultorio, scultoreo, statuario.
sculpture [skyltyr] f. scultura ; [sur ivoire] intaglio m.
se [sə] pron. pers. réfl. si ; [devant un autre pron.] se.
séance [seɑ̃s] f. seduta. || [spectacle] rappresentazione ; spettacolo m. || *séance tenante,* seduta stante ; immediatamente.
séant [seɑ̃] m. sedere. | *se mettre sur son séant,* mettersi a sedere.
seau [so] m. secchio ; secchia f. || [contenu] secchiata f.
sébile [sebil] f. ciotola.
sec, sèche [sɛk, sɛʃ] adj. secco, asciutto. | *bois sec,* [à brûler] legna (f.)

secca ; [de construction] legno stagionato. || [fruit, légume] secco. | [pain] asciutto. | *vieillard sec,* vecchio asciutto, segaligno. | *cœur sec,* cuore arido. | *apéritif sec,* aperitivo liscio. | *mur de pierres sèches,* muro a secco. | *panne sèche,* mancanza di benzina. | *à pied sec,* a piedi asciutti. || FAM. *rester sec,* far scena muta. ◆ m. asciutto, secco. || *boire sec,* bere forte. ◆ *à sec,* a secco. || FIG. *être à sec,* trovarsi, essere all'asciutto.

sécateur [sekatœr] m. forbici (f. pl.) da giardiniere, da potatore. || [à volaille] trinciapollo.

sécession [sesesjɔ̃] f. secessione.

séchage [seʃaʒ] m. asciugatura f. || IND. essiccazione f. ; [du bois] stagionatura f.

sèche-cheveux [sɛʃʃøvø] m. inv. fon, asciugacapelli.

sèche-linge [sɛʃlɛ̃ʒ] m. inv. essiccatoio m.

sèchement [sɛʃmɑ̃] adv. seccamente, asciuttamente.

sécher [seʃe] v. tr. asciugare, seccare. || [assécher] essiccare, prosciugare. || IND. essiccare ; [bois] essiccare, stagionare. || FAM. *sécher l'école,* marinare, salare la scuola, ◆ v. intr. [devenir sec] seccare, asciugarsi ; essiccarsi. || FAM. far scena muta. | *en cinq sec,* in quattro e quattr'otto.

sécheresse [sɛʃrɛs] f. aridità. || [absence de pluie] siccità. || FIG. *avec sécheresse,* seccamente, asciuttamente ; [de cœur] aridità ; [du ton, du style] secchezza.

séchoir [seʃwar] m. IND. [local] essiccatoio ; [appareil] essiccatore. || [à cheveux] fon. || [à linge] stenditoio.

second, e [səgɔ̃, ɔ̃d] adj. secondo. | *de seconde main,* di seconda mano. ◆ m. [étage] secondo piano. || [assistant] aiutante, aiuto. || [dans un duel] secondo, padrino. || MAR. secondo ufficiale ; ufficiale in seconda. || *en second,* in seconda.

secondaire [səgɔ̃dɛr] adj. et m. secondario.

seconde [səgɔ̃d] f. [temps] (minuto) secondo m. || AUT. seconda. || TR. seconda (classe).

secondement [səgɔ̃dmɑ̃] adv. secondo, in secondo luogo.

seconder [səgɔ̃de] v. tr. aiutare, assistere. || [favoriser] (as)secondare.

secouer [səkwe] v. tr. scuotere, scrollare. || FIG. scuotere. [sa paresse] scrollarsi di dosso.

secourir [səkurir] v. tr. soccorrere.

secours [səkur] m. soccorso, aiuto. | *secours d'urgence,* pronto soccorso. | [éclairage, sortie] *de secours,* di sicurezza. || AUT. *roue de secours,* ruota di scorta f. ◆ pl. MIL. soccorsi. || [financier] sussidio sing.

secousse [səkus] f. scossa.

secret, ète [səkrɛ, ɛt] adj. segreto. ◆ m. segreto. || [discrétion] segreto, segretezza f. || [mécanisme] segreto. || [lieu isolé] segreta f. ◆ *en secret,* in segreto. | *en grand secret,* in tutta segretezza.

secrétaire [səkretɛr] n. segretario, a. ◆ m. [meuble] scrivania f.

secrétariat [səkretarja] m. segreteria f. ; [d'organisme national ou international] segretariato.

sécréter [sekrete] v. tr. secernere.

sécrétion [sekresjɔ̃] f. secrezione.

sectaire [sɛktɛr] adj. et n. settario.

secte [sɛkt] f. setta.

secteur [sɛktœr] m. settore. || MIL. *secteur postal,* posta (f.) militare.

section [sɛksjɔ̃] f. sezione. || [d'un parcours d'autobus] tratta.

sectionner [sɛksjɔne] v. tr. [diviser] sezionare, frazionare. || [couper] recidere.

séculaire [sekylɛr] adj. secolare.

séculier, ère [sekylje, ɛr] adj. et m. secolare.

sécuriser [sekyrize] v. tr. rassicurare.

sécurité [sekyrite] f. sicurezza. | *être en sécurité,* essere al sicuro m. || [d'une arme] sicura.

sédatif, ive [sedatif, iv] adj. et m. sedativo.

sédentaire [sedɑ̃tɛr] adj. et n. sedentario.

sédiment [sedimɑ̃] m. sedimento.

séditieux, euse [sedisjø, øz] adj. et n. sedizioso, sovversivo.

sédition [sedisjɔ̃] f. sedizione.

séducteur, trice [sedyktœr, tris] adj. et n. seduttore, trice.

séduction [sedyksjɔ̃] f. seduzione.

séduire [sedɥir] v. tr. sedurre. | [plaire] affascinare, alletare, sedurre.

séduisant, e [sedɥizɑ̃, ɑ̃t] adj. seducente.

segment [sɛgmɑ̃] m. segmento. || TECHN. *segment de piston,* anello, segmento dello stantuffo.

ségrégation [segregasjɔ̃] f. segregazione.

seiche [sɛʃ] f. seppia.

séide [seid] m. LITT. seguace fanatico.

seigle [sɛgl] m. segale f., segala f.

seigneur [sɛɲœr] m. signore. || [maître absolu] padrone. || REL. *Notre-Seigneur,* Nostro Signore.

seigneurie [sɛɲœri] f. signoria.

sein [sɛ̃] m. seno, poppa f. | *enfant au sein,* poppante. || [poitrine] seno, petto. || [entrailles] seno, grembo. || FIG. *au sein de,* in seno a.

séisme [seism] m. sisma, sismo.

seize [sɛz] adj. num. card. inv. et m. inv. sedici. | *seize cents,* milleseicento.
seizième [sɛzjɛm] adj. num. ord. et n. sedicesimo. | *le seizième siècle,* il Cinquecento.
séjour [seʒur] m. soggiorno, permanenza f. | *(salle de) séjour,* soggiorno.
séjourner [seʒurne] v. intr. soggiornare, trattenersi.
sel [sɛl] m. sale. || FIG. sale, arguzia f.
select [selɛkt] adj. FAM. di prim'ordine, scelto.
sélectif, ive [selɛktif, iv] adj. selettivo.
sélection [selɛksjɔ̃] f. selezione.
sélectionner [selɛksjɔne] v. tr. selezionare.
selle [sɛl] f. sella ; [de cycle] sella, sellino m. || MÉD. *aller à la selle,* andare di corpo. ◆ pl. feci.
seller [sele] v. tr. sellare.
sellette [selɛt] f. [de l'accusé] panchetto m. || FIG. *être sur la sellette,* essere sotto accusa. | *mettre qn sur la sellette,* tempestare uno di domande ; [à un examen] tartassare.
selon [səlɔ̃] prép. secondo. | *selon les circonstances,* secondo le, a seconda delle circostanze. || FAM. *c'est selon,* secondo ; dipende. ◆ *selon que,* secondo che.
semailles [səmaj] f. pl. semina sing.
semaine [səmɛn] f. settimana.
sémaphore [semafɔr] m. semaforo.
semblable [sɑ̃blabl] adj. simile. ◆ m. simile, prossimo. | *ne pas avoir son semblable,* non aver l'uguale.
semblant [sɑ̃blɑ̃] m. apparenza f. || *faire semblant de,* far finta di.
sembler [sɑ̃ble] v. intr. et impers. sembrare, parere. | *à ce qu'il semble,* a quanto pare.
semelle [səmɛl] f. suola. || [dans une chaussure, d'un bas] soletta.
semence [səmɑ̃s] f. semenza, semente (collectif), seme m. || FIG. germe m., seme. || [clou] semenza.
semer [səme] v. tr. seminare. || [répandre çà et là] seminare, (co)spargere. || FIG. seminare, diffondere. || FAM. [distancer] *semer qn,* seminare qlcu.
semestre [səmɛstr] m. semestre.
semestriel, elle [səmɛstrijɛl] adj. semestrale.
semeur, euse [səmœr, øz] n. seminatore, trice.
semi [səmi] préf. semi.
séminaire [seminɛr] m. seminario.
séminariste [seminarist] m. seminarista.
semi-remorque [səmirəmɔrk] m. et f. autoarticolato m.
semis [səmi] m. [action] semina f. | [terrain] seminato. | [plant] piantagione f.
sémite [semit] n. semita.
semoir [səmwar] m. sacco del seminatore ; [machine] seminatrice f.
semonce [səmɔ̃s] f. ammonizione, ramanzina. || MAR. *coup de semonce,* colpo d'intimazione.
semoule [səmul] f. semolino m., semola. | *sucre semoule,* zucchero semolato.
sénat [sena] m. senato.
sénateur [senatœr] m. senatore.
sénégalais, e [senegalɛ, ɛz] adj. et n. senegalese.
sénile [senil] adj. senile.
sénilité [senilite] f. senilità.
sens [sɑ̃s] m. [fonction] senso. || FIG. *tomber sous le sens,* saltare agli occhi, essere chiaro come il sole. || [connaissance intuitive] senso. || *agir en dépit du bon sens,* agire a dispetto, a onta del buonsenso. || [opinion] senso, parere. | *à mon sens,* a mio avviso, a parer mio. || [signification] senso, significato. | *faux sens,* interpretazione (f.) errata. || [direction] senso, verso. | *sens interdit,* senso vietato. | *sens du poil,* verso del pelo. ◆ pl. sensi ; istinto (sing.) sessuale. | *plaisirs des sens,* godimenti sensuali.
sensation [sɑ̃sasjɔ̃] f. sensazione. || FIG. senso m., impressione. | *faire sensation,* far senso, far colpo. || *à sensation,* scandalistico adj.
sensationnel, elle [sɑ̃sasjɔnɛl] adj. sensazionale, sbalorditivo.
sensé, e [sɑ̃se] adj. sensato, assennato, giudizioso.
sensibilité [sɑ̃sibilite] f. sensibilità.
sensible [sɑ̃sibl] adj. sensibile, percettibile. | *sensible au froid,* sensibile al freddo. || [évident] rilevante.
sensiblement [sɑ̃sibləmɑ̃] adv. notevolmente. || FAM. [à peu près] suppergiù ; press'a poco.
sensualisme [sɑ̃sɥalism] m. PHILOS. sensismo.
sensualiste [sɑ̃sɥalist] adj. PHILOS. sensistico. ◆ n. sensista.
sensualité [sɑ̃sɥalite] f. sensualità.
sensuel, elle [sɑ̃sɥɛl] adj. et n. sensuale.
sentence [sɑ̃tɑ̃s] f. [maxime] sentenza, detto m. || JUR. sentenza.
sentier [sɑ̃tje] m. sentiero, viottolo.
sentiment [sɑ̃timɑ̃] m. parere, opinione f. | *à mon sentiment,* a parer mio, a mio avviso. || [conscience] sentimento, senso, consapevolezza f., coscienza f. || [impression] sensazione f., impressione f. || [état affectif] sentimento. | *les grands sentiments,* i nobili sentimenti. ◆ pl. *sentiments distingués,* distinti saluti ; *sentiments respectueux,* ossequi.
sentimental, e, aux [sɑ̃timɑ̃tal, o] adj. et n. sentimentale.

sentimentalisme [sɑ̃timɑ̃talism] m. sentimentalismo.
sentimentalité [sɑ̃timɑ̃talite] f. sentimentalità.
sentinelle [sɑ̃tinɛl] f. sentinella.
sentir [sɑ̃tir] v. tr. sentire. ‖ [saveur] sapere di. ‖ [odeur] avere odore di, odorare di. ‖ [flairer] odorare. ‖ FIG. sentire, avvertire, provare. ‖ *ne pouvoir sentir qn,* non poter soffrire qlcu. ◆ v. intr. [exhaler] mandare un odore. | *sentir mauvais,* PR. puzzare ; FIG. tirare una brutta aria. ◆ v. pr. sentirsi. | *ne pas se sentir de joie,* non stare in sé dalla gioia. | *ne pas s'en sentir le courage,* non sentirsela.
seoir [swar] v. intr. et impers. addirsi, star bene.
séparable [separabl] adj. separabile.
séparation [separasjɔ̃] f. separazione, distacco m. ‖ [cloison] tramezzo m. ‖ JUR. separazione.
séparatisme [separatism] m. separatismo.
séparé, e [separe] adj. separato, diviso.
séparer [separe] v. tr. separare, dividere. | *séparer en trois,* dividere in tre ; [cheveux] spartire. ‖ FIG. separare, distinguere. ◆ v. pr. [assemblée] sciogliersi.
sépia [sepja] f. seppia.
sept [sɛt] adj. num. inv. et m. inv. sette.
septembre [sɛptɑ̃br] m. settembre.
septentrion [sɛptɑ̃trijɔ̃] m. settentrione.
septentrional, e, aux [sɛptɑ̃trijU-nal, o] adj. et n. settentrionale.
septicémie [sɛptisemi] f. MÉD. setticemia, sepsi.
septième [sɛtjɛm] adj. num. et n. settimo. | *septième (étage),* settimo piano.
septique [sɛptik] adj. settico.
septuagénaire [sɛptɥaʒenɛr] adj. et n. settantenne.
sépulcre [sepylkr] m. sepolcro.
sépulture [sepyltyr] f. sepoltura.
séquelles [sekɛl] f. pl. MÉD. postumi m. pl. ‖ FIG. postumi, conseguenze.
séquence [sekɑ̃s] f. sequenza.
séquestration [sekɛstrasjɔ̃] f. sequestro m.
séquestre [sekɛstr] m. sequestro.
séquestrer [sekestre] v. tr. sequestrare.
sérail [seraj] m. serraglio.
séraphin [serafɛ̃] m. serafino.
serbe [sɛrb] adj. et n. serbo.
serein [sərɛ̃] adj. sereno.
sérénade [serenad] f. serenata.
sérénité [serenite] f. serenità.
serf, serve [sɛrf, sɛrv] n. HIST. servo, a.
sergent [sɛrʒɑ̃] m. *sergent de ville,* vigile urbano. ‖ MIL. sergente.
série [seri] f. serie inv., successione. | *de série, hors série,* di serie, fuori serie.
sérier [serje] v. tr. seriare, ordinare.
sérieusement [serjøzmɑ̃] adv. *parler sérieusement,* parlare con serietà, sul serio. ‖ [avec application] seriamente, con impegno. ‖ [gravement] seriamente, gravemente.
sérieux, euse [serjø, øz] adj. serio. | [maladie, situation] serio, grave, preoccupante. ◆ m. serio, serietà f. | *garder son sérieux,* restare serio. | *prendre au sérieux,* prendere sul serio.
serin [sərɛ̃] m. ZOOL. verzellino. ‖ FAM. [niais] merlotto.
seriner [sərine] v. tr. FIG., FAM. ripetere più volte.
seringa [s(ə)rɛ̃ga] m. BOT. siringa f.
seringue [sərɛ̃g] f. MÉD. siringa.
serment [sɛrmɑ̃] m. giuramento.
sermon [sɛrmɔ̃] m. sermone, predica f. ‖ FAM. predicozzo.
sermonner [sɛrmɔne] v. tr. FAM. fare la predica a ; ammonire.
serpe [sɛrp] f. roncola.
serpent [sɛrpɑ̃] m. serpente, serpe f.
serpenter [sɛrpɑ̃te] v. intr. serpeggiare.
serpentin [sɛrpɑ̃tɛ̃] m. [ruban de papier] stella (f.) filante. ‖ TECHN. [tube] serpentina f., serpentino.
serpillière [sɛrpijɛr] f. strofinaccio (per lavare il pavimento).
1. serre [sɛr] f. [de jardin] serra.
2. serre f. ZOOL. artiglio m.
serré, e [sɛre] adj. stretto. ‖ [dense] fitto ; [café] stretto. ‖ FIG. serrato, stringato. ‖ [interrogatoire] stringente. | *avoir la gorge serrée,* avere un nodo in gola. ‖ FAM. *être serré,* essere nelle strettezze. ◆ adv. *jouer serré,* PR. giocare con prudenza ; FIG. andare coi piedi di piombo f.
serrement [sɛrmɑ̃] m. stretta f., stringimento.
serrer [sɛre] v. tr. stringere, serrare. ‖ [ranger] riporre. ‖ FIG. [cœur, gorge] stringere, serrare ; [style] stringare. | *serrer de près un texte,* essere aderente ad un testo. ◆ v. intr. stringere. ◆ v. pr. [contre qn] stringersi (a). | *se serrer la main,* stringersi la mano.
serrure [sɛryr] f. serratura.
serrurier [sɛryrje] m. fabbro, magnano.
sertir [sɛrtir] v. tr. incastonare.
sérum [serɔm] m. siero.
servage [sɛrvaʒ] m. servitù f., schiavitù f.
servante [sɛrvɑ̃t] f. serva, domestica.
serveur, euse [sɛrvœr, øz] n. cameriere, a. ‖ [tennis] battitore m.
serviable [sɛrvjabl] adj. servizievole.
service [sɛrvis] m. servizio. | *en service commandé,* nell'adempimento del

dovere. | *médecin de service,* astante. || [ensemble de plats] portata f. || [transport] servizio. || [pourcentage] servizio. || [organisme] servizio. || [hôpital] reparto. || [aide] servizio, favore, servigio. || *service à café,* servizio da caffè. || MIL. servizio. || REL. uffizio, servizio. || SP. servizio, battuta f. || *service après-vente,* assistenza (f.) ai clienti.

serviette [sɛrvjɛt] f. [de table] tovagliolo m. ; [de toilette] asciugamano m. || [cartable] cartella.

servile [sɛrvil] adj. servile.

servilité [sɛrvilite] f. servilismo m., servilità.

servir [sɛrvir] v. tr. *servir la soupe,* [dans l'assiette] scodellare la minestra ; [ses amis] aiutare, favorire ; [passions, intérêts] favorire. || FIN. [une rente] pagare. || REL. *servir la messe,* servir messa. ◆ v. tr. ind. (de) servire (da), fare (da). || (à) servire (a, per). ◆ v. intr. servire. || MIL., SP. servire.

serviteur [sɛrvitœr] m. servitore. | *serviteur de Dieu,* servo di Dio.

servitude [sɛrvityd] f. servitù, schiavitù. || JUR. servitù.

servofrein [sɛrvofrɛ̃] m. servofreno.

servomoteur [sɛrvomɔtœr] m. servomotore.

session [sesjɔ̃] f. sessione.

set [sɛt] m. [tennis] set, partita f. || [napperons] servizio da tavola all'americana.

seuil [sœj] m. soglia f. || [entrée] soglia, limitare. || FIG. [début] soglia. || *au seuil de,* alle soglie di, al limitare di.

seul, e [sœl] adj. et n. solo. | *(tout) seul,* tutto solo, solo soletto ; [sans aide] da solo, da sé. | *c'est allé tout seul,* è andata da sé, è andata liscia. | *seul à seul,* da solo a solo.

seulement [sœlmɑ̃] adv. soltanto, solo, solamente. || [mais] però, sennonché ; soltanto (fam.). || [au moins] *si seulement,* se soltanto. || [pas même] neppure. ◆ ***non seulement ..., mais encore,*** non solo, non soltanto ..., ma (anche).

sève [sɛv] f. linfa. || FIG. vigore m.

sévère [sevɛr] adj. severo.

sévérité [severite] f. severità.

sévices [sevis] m. pl. sevizie f. pl.

sévir [sevir] v. intr. infierire, imperversare.

sevrer [səvre] v. tr. svezzare, divezzare, slattare. || FIG. privare.

sexagénaire [segzaʒenɛr] adj. et n. sessantenne, sessagenario.

sexe [sɛks] m. sesso. || FAM. *le beau sexe,* il bel, il gentil sesso.

sexologie [sɛksɔlɔʒi] f. sessuologia.

sextant [sɛkstɑ̃] m. sestante.

sextuor [sɛkstɥɔr] m. sestetto.

sextuplés, ées [sɛkstyple] n. pl. sei gemelli, e.

sexuel, elle [sɛksɥɛl] adj. sessuale.

seyant, e [sɛjɑ̃, ɑ̃t] adj. che sta bene, che dona.

shampooing [ʃɑ̃pwɛ̃] m. shampoo.

shooter [ʃute] v. intr. tirare, calciare.

short [ʃɔrt] m. calzoncini (pl.) corti.

1. si [si] conj. se. | *s'il vient et que je sois absent,* se viene e se sono assente. | *si jamais on te demande,* caso mai chiedessero di te. || ***si ce n'est (que),*** se non (che). || ***si tant est que,*** ammesso che. || ***si ... ne,*** se non.

2. si adv. interr. se.

3. si adv. [de quantité] così, tanto. || ***si ... que*** [conséquence] così, tanto ... che ; [comparaison] (così) ... come, (tanto) ... quanto. || [concession] *si petit qu'il soit,* per quanto piccolo sia. || [affirmation] si. ◆ loc. conj. ***si bien que,*** sicché, cosicché. || ***si peu que,*** per poco che.

4. si m. inv. MUS. si.

siamois, e [sjamwa, az] adj. et n. siamese.

siccatif, ive [sikatif, iv] adj. siccativo. ◆ m. olio siccativo.

sicilien, enne [sisiljɛ̃, ɛn] adj. et n. siciliano.

side-car [sidkar] m. side-car, motocarrozzetta f.

sidéré, e [sidere] adj. FAM. stupefatto, sbalordito (L.C.).

sidérurgie [sideryrʒi] f. siderurgia.

sidérurgique [sideryrʒik] adj. siderurgico.

sidérurgiste [sideryrʒist] m. siderurgico.

siècle [sjɛkl] m. secolo. || REL. secolo, mondo.

siège [sjɛʒ] m. sedile. | *prendre un siège,* sedere, sedersi, accomodarsi. || COMM., JUR., POL., REL. sede f. || MIL. assedio.

siéger [sjeʒe] v. intr. sedere. || [résider] aver sede, risiedere.

sien, sienne [sjɛ̃, sjɛn] adj. poss. suo, sua, suoi, sue. ◆ pron. poss. il suo, la sua, i suoi, le sue. ◆ m. *y mettre du sien,* metterci del suo. ◆ m. pl. i suoi, i familiari.

siennois, e [sjenwa, az] adj. et n. senese.

sieste [sjɛst] f. siesta, (fam.) chilo m.

sifflement [sifləmɑ̃] m. fischio, sibilo.

siffler [sifle] v. intr. fischiare, sibilare. ◆ v. tr. fischiare. || [appeler] fischiare a. || POP. [boire] scolarsi.

sifflet [siflɛ] m. fischio, fischietto. ◆ pl. [désapprobation] fischi, fischiate f. pl.

sigisbée [siʒisbe] m. cicisbeo.

sigle [sigl] m. sigla f.

signal, aux [siɲal, o] m. segnale. || FIG. segnale, sintomo.
signalement [siɲalmɑ̃] m. connotati m. pl.
signaler [siɲale] v. tr. segnalare. ◆ v. pr. segnalarsi, distinguersi.
signalisation [siɲalizasjɔ̃] f. segnalazione, segnaletica.
signature [siɲatyr] f. firma.
signe [siɲ] m. segno, indizio. || MÉD. sintomo. || [geste] segno, cenno. | *un signe de tête,* un cenno del capo. || FIG. *sous le signe de,* all'insegna (f.) di.
signer [siɲe] v. tr. firmare. ◆ v. pr. REL. segnarsi ; farsi il segno della croce.
signet [siɲɛ] m. segnalibro.
significatif, ive [siɲifikatif, iv] adj. significativo. || [important] significante.
signification [siɲifikasjɔ̃] f. significato m.
signifier [siɲifje] v. tr. significare. || [faire connaître] manifestare, significare. || JUR. notificare.
silence [silɑ̃s] m. silenzio. || MUS. pausa f. ; battuta (f.) d'aspetto. ◆ interj. silenzio ! ; zitto ! adj.
silencieux, euse [silɑ̃sjø, øz] adj. silenzioso, zitto. ◆ m. [appareil] silenziatore.
silex [silɛks] m. selce f.
silhouette [silwɛt] f. profilo m., siluetta, sagoma.
sillage [sijaʒ] m. MAR., FIG. scia f.
sillon [sijɔ̃] m. solco. ◆ pl. [rides] solchi, rughe f. pl.
sillonner [sijɔne] v. tr. solcare.
silo [silo] m. silo.
simagrées [simagre] f. pl. FAM. moine, smorfie.
similaire [similɛr] adj. similare, affine.
similicuir [similikɥir] m. similpelle f.
similitude [similityd] f. similitudine.
simple [sɛ̃pl] adj. semplice. || [fil, fleur] semplice, scempio. || *passé simple,* passato remoto. || [naïf] semplice, ingenuo. || *simple formalité,* semplice, mera formalità. || *simple soldat,* soldato semplice ; gregario m. ◆ m. [tennis] *simple messieurs, dames,* singolare maschile, femminile. ◆ m. pl. BOT. semplici.
simplement [sɛ̃pləmɑ̃] adv. semplicemente. || solamente, soltanto.
simplicité [sɛ̃plisite] f. semplicità.
simplification [sɛ̃plifikasjɔ̃] f. semplificazione.
simplifier [sɛ̃plifje] v. tr. semplificare.
simulacre [simylakr] m. simulacro, parvenza f.
simulateur, trice [simylatœr, tris] n. simulatore, trice.
simulation [simylasjɔ̃] f. simulazione.
simulé, e [simyle] adj. simulato, finto.
simuler [simyle] v. tr. simulare, fingere.
simultané, e [simyltane] adj. simultaneo.
sincère [sɛ̃sɛr] adj. sincero.
sincérité [sɛ̃serite] f. sincerità.
sinécure [sinekyr] f. sinecura ; canonicato m.
singe [sɛ̃ʒ] m. scimmia f.
singer [sɛ̃ʒe] v. tr. scimmiottare.
singerie [sɛ̃ʒri] f. scimmiottatura. ◆ pl. FAM. moine.
singulariser (se) [səsɛ̃gylarize] v. pr. farsi notare, rendersi singolare.
singularité [sɛ̃gylarite] f. singolarità.
singulier, ère [sɛ̃gylje, ɛr] adj. singolare. ◆ m. GR. singolare.
singulièrement [sɛ̃gyljɛrmɑ̃] adv. [surtout] singolarmente. || [beaucoup] molto, oltremodo.
sinistre [sinistr] adj. sinistro, funesto. ◆ m. [dommage] sinistro.
sinistré, e [sinistre] adj. et n. sinistrato.
sinon [sinɔ̃] conj. [condition négative] se no ; altrimenti. || [restriction] se non, tranne, salvo. || [concession] se non. ◆ ***sinon que,*** se non che, sennonché.
sinueux, euse [sinɥø, øz] adj. sinuoso.
sinuosité [sinɥozite] f. sinuosità.
sinus [sinys] m. ANAT., MATH. seno.
sinusite [sinyzit] f. MÉD. sinusite.
siphon [sifɔ̃] m. sifone.
siphonner [sifɔne] v. tr. travasare (con sifone).
sire [sir] m. [à un souverain] maestà f. sire. || *triste sire,* tristo figuro.
sirène [sirɛn] f. sirena.
sirop [siro] m. sciroppo.
siroter [sirɔte] v. tr. FAM. centellinare, sorseggiare.
sis, e [si, siz] adj. JUR. sito, ubicato, situato.
sismique [sismik] adj. sismico.
site [sit] m. sito, paesaggio. | *site protégé,* luogo protetto. || [d'une ville] ubicazione f.
sitôt [sito] adv. (non) appena ; subito. | *sitôt dit, sitôt fait,* detto fatto. || ***de sitôt,*** così, tanto presto. || ***sitôt que,*** (non) appena
situation [sitɥasjɔ̃] f. posizione, ubicazione. || FIG. situazione. | *situation de famille,* stato (m.) di famiglia. || *être en situation de,* essere in condizione, in grado di. || [emploi] posizione, sistemazione, posto m.
situer [sitɥe] v. tr. situare ; [sur une carte] localizzare ; [une histoire] ambientare.
six [sis] adj. num. card. inv. et m. inv. sei.
sixième [sizjɛm] adj. num. ord. et m. sesto.
sketch [skɛtʃ] m. scenetta f., bozzetto.

ski [ski] m. sci. | *course de ski,* gara di sci ; gara sciistica, sciatoria. | *ski de descente,* discesismo.
skier [skje] v. intr. sciare.
skieur, euse [skjœr, øz] n. sciatore, trice.
slalom [slalɔm] m. slalom.
slip [slip] m. slip inv.
slogan [slɔgɑ̃] m. motto pubblicitario.
smasher [smaʃe] v. intr. schiacciare la palla, il pallone.
smoking [smɔkiŋ] m. smoking.
snack-bar [snakbar] m. tavola (f.) calda.
snob [snɔb] adj. snobistico. ◆ n. snob.
snober [snɔbe] v. tr. snobbare.
snobisme [snɔbism] m. snobismo.
sobre [sɔbr] adj. sobrio, parco.
sobriété [sobrijete] f. sobrietà.
sobriquet [sɔbrikɛ] m. soprannome, nomignolo.
soc [sɔk] m. vomere.
sociable [sɔsjabl] adj. socievole.
social, e, aux [sɔsjal, o] adj. sociale.
socialisme [sɔsjalism] m. socialismo.
socialiste [sɔsjalist] adj. et n. socialista.
sociétaire [sɔsjetɛr] n. socio m., membro m. ; tesserato, a.
société [sɔsjete] f. società. | *société humaine,* consorzio (m.) umano. || società, associazione. || [relations] società, compagnia. || COMM., JUR. società.
socioculturel, elle [sɔsjokyltyrɛl] adj. socioculturale.
sociologie [sɔsjɔlɔʒi] f. sociologia.
sociologue [sɔsjɔlɔg] n. sociologo, a.
socle [sɔkl] m. zoccolo.
socquette [sɔkɛt] f. calzino (m.) corto ; [en laine] calzerotto m.
sœur [sœr] f. sorella. || REL. suora, sorella. || FAM. *bonne sœur,* monaca (L.C.).
sœurette [sœrɛt] f. FAM. sorellina.
sofa [sɔfa] m. sofà.
software [sɔftwɛr] m. programmatica f.
soi [swa] pron. pers. sé. | *chez soi,* a casa. | *chacun pour soi,* ognuno per sé. | *en soi,* in sé, di per sé. | *à part soi,* tra sé e sé. | *faire qch. (par) soi-même,* fare qlco. da se stesso, da solo.
soi-disant [swadizɑ̃] adj. inv. sedicente. || [prétendu] cosiddetto, supposto. ◆ adv. con la scusa di, a quanto dice.
soie [swa] f. seta. || [poil] setola.
soierie [swari] f. setificio m., seteria. ◆ pl. seterie.
soif [swaf] f. sete. | *boire à sa soif,* bere a sazietà.
soigné, e [swaɲe] adj. [personne] che ha cura di sé ; [chose] (ac)curato.
soigner [swaɲe] v. tr. curare. | *soigner sa santé,* riguardarsi bene. || [apporter du soin à] curare ; prendersi cura di. | *soigner le bétail,* governare il bestiame.
soigneux, euse [swaɲø, øz] adj. accurato. | *être soigneux de sa personne,* avere, prendere cura di sé.
soin [swɛ̃] m. cura f., accuratezza f. || [attention] *prendre soin de, que,* badare a, che. || [charge] incarico, responsabilità f. ◆ pl. premure f. pl., attenzioni f. pl., cure. | *aux bons soins de,* presso. | *par les soins de,* a cura di. || MÉD. cure.
soir [swar] m. sera f. | *ce soir,* stasera ; questa sera. | *six heures du soir,* le sei pomeridiane. || FIG. tramonto, sera.
soirée [sware] f. serata. | *spectacle en soirée,* spettacolo serale adj.
soit [swa] conj. [alternative] *soit* ..., *soit* ..., o ... o ... ; sia ... sia ... ; sia ... o ... ; sia ... che ... || [supposition] sia, dato. || [explication] cioè, ossia. ◆ adv. (e) sia, sia pure. ◆ ***soit que* ..., *soit que* ... ; *soit que* ..., *ou que* ...,** sia che ..., sia che...
soixantaine [swasɑ̃tɛn] f. sessantina.
soixante [swasɑ̃t] adj. num. card. inv. et m. inv. sessanta.
soixante-dix [swasɑ̃tdis] adj. num. card. et m. settanta.
soixante-dixième [swasɑ̃tdizjɛm] adj. num. ord. et n. settantesimo.
soixantième [swasɑ̃tjɛm] adj. num. ord. et n. sessantesimo.
soja [sɔʒa] m. soia f.
1. sol [sɔl] m. suolo. | *à même le sol,* per terra.
2. sol m. inv. MUS. sol.
solaire [sɔlɛr] adj. solare.
soldat [sɔlda] m. soldato. | *soldat de 2ᵉ classe, de 1ʳᵉ classe,* soldato semplice, scelto. | *soldat de métier,* militare di carriera. || [jouet] soldatino. || *soldat inconnu,* milite ignoto.
1. solde [sɔld] f. soldo m., paga.
2. solde m. COMM. saldo.
solder [sɔlde] v. tr. [compte] saldare. || [vendre à perte] vendere a saldo, svendere. ◆ v. pr. [affaire] chiudersi, concludersi.
1. sole [sɔl] f. ZOOL. sogliola.
2. sole f. [sabot de cheval, four] suola.
soleil [sɔlɛj] m. sole. || [pièce d'artifice] girandola f. || BOT. girasole.
solennel, elle [sɔlanɛl] adj. solenne.
solennité [sɔlanite] f. solennità.
solfège [sɔlfɛʒ] m. solfeggio.
solfier [sɔlfje] v. tr. solfeggiare.
solidaire [sɔlidɛr] adj. solidale.
solidariser (se) [səsɔlidarize] v. pr. (avec) solidarizzare (con).
solidarité [sɔlidarite] f. solidarietà.

solide [sɔlid] adj. solido. || [vigoureux] robusto. || FIG. saldo, solido. ◆ m. solido.
solidifier [sɔlidifje] v. tr. solidificare. ◆ v. pr. solidificarsi.
solidité [sɔlidite] f. solidità, saldezza.
soliste [sɔlist] adj. et n. solista.
solitaire [sɔlitɛr] adj. solitario ; [endroit] solitario, isolato, appartato. ◆ m. [tous sens] solitario.
solitude [sɔlityd] f. solitudine.
solive [sɔliv] f. travicello m.
sollicitation [sɔlisitasjɔ̃] f. sollecitazione.
solliciter [sɔlisite] v. tr. chiedere, pregare. || FIG. [un texte] forzare ; [l'attention] attirare.
solliciteur, euse [sɔlisitœr, øz] n. sollecitatore, trice, richiedente, postulante.
sollicitude [sɔlisityd] f. sollecitudine, premura.
solo [sɔlo] m. assolo, a solo. ◆ adj. solo.
solstice [sɔlstis] m. solstizio.
soluble [sɔlybl] adj. solubile.
solution [sɔlysjɔ̃] f. soluzione.
solutionner [sɔlysjɔne] v. tr. risolvere.
solvabilité [solvabilite] f. solvibilità, solvenza.
solvable [sɔlvabl] adj. solvibile.
sombre [sɔ̃br] adj. (o)scuro, buio. || [foncé] scuro, cupo. || FIG. tetro, cupo. || [inquiétant] scuro, fosco.
sombrer [sɔ̃bre] v. intr. MAR. affondare. || FIG. sprofondare, naufragare.
sommaire [sɔmmɛr] adj. et m. sommario.
sommation [sɔm(m)asjɔ̃] f. ingiunzione. || MIL. intimazione.
1. somme [sɔm] f. somma. || [ouvrage] somma. ◆ *somme toute, en somme,* tutto sommato, insomma.
2. somme f. *bête de somme,* bestia da soma.
3. somme m. FAM. pisolino, sonnellino, dormitina f.
sommeil [sɔmɛj] m. sonno. | *trouver le sommeil,* prender sonno. || FIG. sonno. | *mettre en sommeil,* ridurre al minimo l'attività di. || ZOOL. letargo.
sommeiller [sɔmɛje] v. intr. sonnecchiare, dormicchiare. || FIG. sonnecchiare, entrare in letargo.
sommer [sɔme] v. tr. intimare, ingiungere.
sommet [sɔmɛ] m. sommità f., cima f., vetta f. ; [de la tête] cocuzzolo. || FIG. apice, vertice, sommità.
sommier [sɔmje] m. saccone elastico.
sommité [sɔm(m)ite] f. FIG. luminare m., cima.
somnambule [sɔmnɑ̃byl] adj. et n. sonnambulo.
somnambulique [sɔmnɑ̃bylik] adj. sonnambolico.
somnambulisme [sɔmnɑ̃bylism] m. sonnambulismo.
somnifère [sɔmnifɛr] adj. et m. sonnifero.
somnolence [sɔmnɔlɑ̃s] f. sonnolenza.
somnolent, e [sɔmnɔlɑ̃, ɑ̃t] adj. sonnolento.
somnoler [sɔmnɔle] v. intr. sonnecchiare.
somptueux, euse [sɔ̃mptɥø, øz] adj. sontuoso, fastoso, sfarzoso.
1. son [sɔ̃], **sa** [sa], **ses** [se] adj. poss. (il) suo, (la) sua, i suoi, le sue ; [se référant à un sujet indéf.] il proprio, la propria, i propri, le proprie.
2. son m. suono ; [d'un film] sonoro, colonna (f.) sonora.
3. son m. crusca f., semola f. || *tache de son,* efelide, lentiggine.
sonate [sɔnat] f. sonata.
sondage [sɔ̃daʒ] m. sondaggio, scandaglio ; [d'opinion] sondaggio. || MÉD. sondaggio.
sonde [sɔ̃d] f. sonda. || MAR. scandaglio m., sonda. || MÉD. sonda.
sonder [sɔ̃de] v. tr. sondare, scandagliare.
songe [sɔ̃ʒ] m. sogno.
songer [sɔ̃ʒe] v. tr. ind. (à) [avoir l'intention] pensare (di). || (à) [s'occuper] pensare (a). || [rêver] sognare, fantasticare. ◆ v. tr. (que) pensare (che).
songerie [sɔ̃ʒri] f. fantasticheria.
songeur, euse [sɔ̃ʒœr, øz] adj. pensieroso, pensoso. | *être tout songeur,* essere soprappensiero.
sonné, e [sɔne] adj. s(u)onato. || FAM. [fou] tocco, svitato. || [commotionné] s(u)onato. || POP. [réprimandé] strigliato.
sonner [sɔne] v. intr. s(u)onare ; [heures] s(u)onare, scoccare. || MUS. s(u)onare. ◆ v. tr. s(u)onare, scoccare. | *sonner le glas, le tocsin,* s(u)onare a morto, a martello. || [appeler] chiamare. || POP. [assommer] s(u)onare.
sonnerie [sɔnri] f. [cloches] scampanio m. || [appel, air] squillo m. ; [du téléphone] squillo. || MIL. *sonnerie au drapeau,* alzabandiera m. inv. || [mécanisme] soneria.
sonnet [sɔnɛ] m. sonetto.
sonnette [sɔnɛt] f. campanello m. | *coup de sonnette,* scampanellata. || ZOOL. *serpent à sonnette,* serpente a sonagli.
sono [sɔno] f. FAM. = SONORISATION.
sonore [sɔnɔr] adj. sonoro.
sonorisation [sɔnɔrizasjɔ̃] f. sonorizzazione. || [appareils] impianto (m.) di sonorizzazione.
sonoriser [sɔnɔrize] v. tr. sonorizzare.
sonorité [sɔnɔrite] f. sonorità.

sophistiqué, e [sɔfistike] adj. sofisticato.
soporifique [sɔpɔrifik] adj. soporifero, soporifico. || FIG. soporifero. ◆ m. sonnifero.
sorbet [sɔrbɛ] m. sorbetto.
sorcellerie [sɔrsɛlri] f. stregoneria, fattucchieria.
sorcier, ère [sɔrsje, ɛr] n. stregone m., strega f. ; fattucchiere, a. ◆ adj. FAM. *ce n'est pas sorcier !,* bella forza !
sordide [sɔrdid] adj. sordido, squallido.
sornette [sɔrnɛt] f. frottola, fandonia.
sort [sɔr] m. sorte f., fortuna f. || [hasard] sorte, sorteggio. || [maléfice] iettatura f., malocchio. || *le sort en est jeté,* il dado è tratto.
sortable [sɔrtabl] adj. FAM. *n'être pas sortable,* non essere presentabile.
sortant, e [sɔrtɑ̃, ɑ̃t] adj. [numéro] estratto (a sorte), numero sorteggiato. || [député] uscente.
sorte [sɔrt] f. specie, sorta. || [état, condition] specie, fatta, genere m. || ***de la sorte,*** in questo modo ; così. | ***en quelque sorte,*** in qualche modo, in un certo senso. || ***de, en sorte que ; de telle sorte que,*** di, in modo che, in modo tale che. || ***en sorte de,*** in modo da.
sortie [sɔrti] f. uscita. | *sortie de voitures,* passo (m.) carrabile. || FIN. uscita. || MIL. sortita. || FAM. [algarade] partaccia, sfuriata. || ***à la sortie de,*** [d'un lieu] all'uscita di ; [d'une période] alla fine di.
sortilège [sɔrtilɛʒ] m. sortilegio, maleficio.
sortir [sɔrtir] v. intr. uscire. | *sortir d'un mauvais pas,* cavarsi d'impaccio. || [pousser] spuntare. || [se répandre] uscire ; venir fuori. || [faire saillie] sporgere. || [être issu] (de) uscire (da), provenire (da). || [échapper] uscir di mente. ◆ v. pr. *s'en sortir,* cavarsela. ◆ v. tr. portar fuori. | *sortir d'embarras,* trarre d'impaccio. | *sortir de ses poches,* tirar fuori dalle tasche. || [un roman] pubblicare. || [un projet] varare. || FAM. [expulser] buttar, fuori, sbattere fuori. ◆ ***au sortir de,*** [lieu] all'uscita da ; [temps] sul finir di.
sosie [sɔzi] m. sosia inv.
sot, sotte [so, sɔt] adj. et n. sciocco, stupido, stolto.
sottise [sɔtiz] f. sciocchezza, stupidità, stoltezza. || [injure] villania.
sou [su] m. soldo. | FAM. *être sans le sou,* essere squattrinato. | *ne pas avoir un sou de talent,* non avere un briciolo di talento. || *appareil à sous,* distributore automatico. || ***sou à sou, sou par sou,*** a soldo a soldo.
soubassement [subasmɑ̃] m. basamento, base f.
soubresaut [subrəso] m. sbalzo. || [de cheval] scarto, sfaglio. || FIG. trasalimento, sussulto.
souche [suʃ] f. ceppo m. || [de cheminée] fumaiolo m., comignolo m. || [origine] capostipite m. ; ceppo. || [d'un registre] matrice ; *carnet à souches,* bollettario m.
1. souci [susi] m. BOT. calendola f., fiorrancio.
2. souci m. pensiero ; preoccupazione f. | *sans souci,* spensieratamente. | *se faire du souci,* stare in pensiero, darsi pensiero. | *par souci de,* per amore di. || [soin] cura f.
soucier (se) [səsusje] v. pr. **(de)** preoccuparsi (di), curarsi (di), prendersi pensiero (per).
soucieux, euse [susjø, øz] adj. preoccupato, inquieto.
soucoupe [sukup] f. piattino m. | *soucoupe volante,* disco (m.) volante.
soudain, e [sudɛ̃, ɛn] adj. improvviso ; subitaneo. ◆ adv. = SOUDAINEMENT.
soudainement [sudɛnmɑ̃] adv. improvvisamente, all'improvviso.
soudaineté [sudɛnte] f. subitaneità.
soudanais, e [sudanɛ, ɛz] adj. et n. sudanese.
soude [sud] f. soda.
souder [sude] v. tr. saldare.
soudoyer [sudwaje] v. tr. assoldare, prezzolare.
soudure [sudyr] f. saldatura.
souffle [sufl] m. soffio, alito, fiato. || [respiration] soffio, fiato, respiro. | *être à bout de souffle,* avere il fiato grosso. || FIG. estro, ispirazione f. | *œuvre qui a du souffle,* opera di largo respiro. | *second souffle,* ripresa (f.) di attività. | *en avoir le souffle coupé,* restare senza fiato.
soufflé, e [sufle] adj. gonfio.
souffler [sufle] v. intr. soffiare, tirare, spirare. || [respirer avec peine] soffiare, sbuffare, ansimare, ansare. || [reprendre haleine] riprendere (il) fiato, rifiatare. || FIG. spirare, soffiare, tirare. ◆ v. tr. soffiare. | *souffler le feu,* PR. et FIG. soffiare sul fuoco. || [éteindre] spegnere. || [détruire par le souffle] spazzar via. || [suggérer] suggerire. | *ne souffler mot,* non (ri)fiatare. | *sans souffler mot,* senza fiatare. || JEU soffiare. || TECHN. [verre] soffiare.
soufflerie [sufləri] f. IND. soffiera. | *soufflerie aérodynamique,* galleria del vento. || [d'orgue] mantice m.
1. soufflet [suflɛ] m. [de forge] mantice ; [petit] soffietto.
2. soufflet m. [gifle] schiaffo. || FIG. schiaffo, smacco.
souffleter [suflәte] v. tr. schiaffeggiare.
souffleur, euse [suflœr, øz] n. TH. suggeritore, trice.

souffrance [sufrɑ̃s] f. sofferenza, patimento m., dolore m. ‖ FIG. *en souffrance,* in sospeso. in giacenza.
souffrant, e [sufrɑ̃, ɑ̃t] adj. sofferente.
souffre-douleur [sufrədulœr] m. inv. zimbello m., vittima f.
souffreteux, euse [sufrətø, øz] adj. malaticcio, patito.
souffrir [sufrir] v. tr. soffrire, patire. ‖ [endurer] sopportare, soffrire. ‖ [admettre] ammettere, comportare. ‖ [permettre] permettere, consentire. ◆ v. intr. soffrire ; aver male. | *souffrir de la faim,* soffrire, patire la fame. | *souffrir du cœur, de l'estomac,* soffrire, patire di cuore, di stomaco. ‖ [être endommagé par] soffrire, patire (per, di).
soufre [sufr] m. CHIM. zolfo.
souhait [swɛ] m. augurio, desiderio. ‖ FAM. *à vos souhaits !,* salute ! ◆ *à souhait,* a piacimento.
souhaitable [swɛtabl] adj. augurabile, desiderabile.
souhaiter [swɛte] v. tr. desiderare ; augurarsi di. ‖ [vœu] augurare.
souiller [suje] v. tr. imbrattare, insozzare, lordare ; [de boue] inzaccherare. ‖ FIG. macchiare, lordare, insozzare, deturpare.
souillon [sujɔ̃] n. FAM. sudicione, a.
souillure [sujyr] f. lordura, macchia.
soûl, e [su, sul] adj. ubriaco. ‖ FIG. sazio, stufo.
soulagement [sulaʒmɑ̃] m. sollievo.
soulager [sulaʒe] v. tr. alleggerire, sgravare. ‖ FIG. sollevare, alleggerire, soccorrere. ◆ v. pr. FAM. andare di corpo.
soûlaud, e [sulo, od] n. POP. sbornione, a.
soûler [sule] v. tr. POP. sborniare. ‖ FIG. ubriacare ; stordire. ◆ v. pr. POP. sborniarsi. ‖ FIG. inebriarsi.
soulèvement [sulɛvmɑ̃] m. sollevamento. ‖ FIG. sommossa f., sollevazione f.
soulever [sulve] v. tr. sollevare. ‖ FIG. sollevare. | [des critiques] muovere. ◆ v. pr. sollevarsi, ribellarsi.
soulier [sulje] m. scarpa f.
souligner [suliɲe] v. tr. sottolineare.
soumettre [sumɛtr] v. tr. sottomettere, sottoporre.
soumis, e [sumi, iz] adj. sottomesso, remissivo. ‖ FIN. (à) soggetto (a).
soumission [sumisjɔ̃] f. sottomissione. ‖ COMM. offerta.
soupape [supap] f. valvola. | *soupape de sûreté,* valvola di sicurezza. ‖ FIG. valvola di sicurezza, diversivo m., sfogo m.
soupçon [supsɔ̃] m. sospetto. ‖ [conjecture] dubbio. ‖ [apparence légère] ombra f., traccia f.
soupçonner [supsɔne] v. tr. sospettare.
soupçonneux, euse [supsɔnø, øz] adj. sospettoso.
soupe [sup] f. [pain et bouillon] zuppa ; [légumes] minestra ; [légumes, riz, pâtes] minestrone m. | *soupe populaire,* mensa dei poveri. ‖ MIL., FAM. rancio m. (L.C.).
soupente [supɑ̃t] f. (sop)palco m., sottoscala m. inv.
souper [supe] v. intr. cenare (dopo uno spettacolo). ◆ m. cena f. (dopo uno spettacolo).
soupeser [supəze] v. tr. soppesare, valutare.
soupière [supjɛr] f. zuppiera.
soupir [supir] m. sospiro. ‖ MUS. pausa (f.) di semiminima. | *demi-soupir,* pausa di croma.
soupirail [supiraj] m. spiraglio.
soupirant [supirɑ̃] m. spasimante.
soupirer [supire] v. intr. sospirare, trarre sospiri. ‖ [pour une femme] sospirare (per). ◆ v. tr. ind. *soupirer après,* sospirare, desiderare.
souple [supl] adj. flessibile, pieghevole, morbido, soffice. ‖ FIG. duttile, arrendevole, pieghevole, cedevole.
souplesse [suplɛs] f. flessibilità, pieghevolezza, morbidezza. ‖ FIG. arrendevolezza, duttilità, cedevolezza.
souquer [suke] v. intr. MAR. *souquer aux avirons,* far forza di remi.
source [surs] f. sorgente, fonte. ‖ FIG. [d'informations] fonte. | [de lumière, chaleur] sorgente. ‖ FIN. *retenue à la source,* trattenuta diretta. ◆ pl. [documents] fonti.
sourcier [sursje] m. rabdomante.
sourcil [sursi] m. sopracciglio.
sourciller [sursije] v. intr. aggrottare le (soprac)ciglia. | *sans sourciller,* senza batter ciglio.
sourcilleux, euse [sursijø, øz] adj. accigliato.
sourd, e [sur, surd] adj. sordo. ‖ *lanterne sourde,* lanterna cieca. ◆ n. sordo, a. | *frapper comme un sourd,* dare botte da orbi.
sourdine [surdin] f. MUS. sordina. ‖ *en sourdine,* in sordina.
sourd-muet, sourde-muette [surmɥɛ, surdmɥɛt] n. sordomuto, a.
sourdre [surdr] v. intr. scaturire, sgorgare.
souriant, e [surjɑ̃, ɑ̃t] adj. sorridente.
souricière [surisjɛr] f. trappola per sorci. ‖ FIG. trappola, tranello m.
sourire [surir] v. intr. et tr. ind. sorridere. ‖ FIG. arridere, sorridere. ◆ m. sorriso.
souris [suri] f. topo m., sorcio m.
sournois, e [surnwa, az] adj. sornione, subdolo. ◆ n. sornione, a.

sous [su] prép. sotto ; [devant un pron. pers.] sotto di. || *sous peu,* fra poco. | *sous huitaine,* entro otto giorni. | *sous ce rapport,* da questo punto di vista. | *avoir sous ses ordres,* avere ai propri ordini.
sous-alimenté, e [suzalimɑ̃te] adj. ipoalimentato.
sous-bois [subwa] m. sottobosco.
sous-chef [suʃɛf] m. sottocapo.
souscripteur [suskriptœr] m. sottoscrittore.
souscription [suskripsjɔ̃] f. sottoscrizione.
souscrire [suskrir] v. intr. et tr. ind. (à) sottoscrivere (a).
sous-cutané, e [sukytane] adj. sottocutaneo.
sous-développé, e [sudevlɔpe] adj. sottosviluppato.
sous-développement [sudevlɔpmɑ̃] m. sottosviluppo.
sous-diacre [sudjakr] m. suddiacono.
sous-directeur, trice [sudirɛktœr, tris] n. vicedirettore, trice.
sous-emploi [suzɑ̃plwa] m. sottoccupazione f.
sous-entendre [suzɑ̃tɑ̃dr] v. tr. sottintendere.
sous-entendu, e [suzɑ̃tɑ̃dy] adj. et m. sottinteso.
sous-estimer [suzɛstime] ou **sous-évaluer** [suzevalɥe] v. tr. sottovalutare.
sous-exposer [suzɛkspoze] v. tr. PHOT. sottoesporre.
sous-fifre [sufifr] m. FAM. tirapiedi inv., impiegatuccio.
sous-jacent, e [suʒasɑ̃, ɑ̃t] adj. sottostante. || FIG. *idées sous-jacentes,* idee sottese.
sous-lieutenant [suljøtnɑ̃] m. sottotenente.
sous-locataire [sulɔkatɛr] n. subaffittuario, a ; subinquilino m.
sous-location [sulɔkasjɔ̃] f. subaffitto m.
sous-louer [sulwe] v. tr. subaffittare.
sous-main [sumɛ̃] m. inv. sottomano m. || FIG. *en sous-main,* sottomano, sottobanco.
sous-marin, e [sumarɛ̃, in] adj. sottomarino, subacqueo. ◆ m. sommergibile, sottomarino.
sous-marinier [sumarinje] m. sommergibilista.
sous-officier [suzofisje] ou FAM. **sous-off** [suzɔf] m. sottufficiale.
sous-ordre [suzɔrdr] m. subordinato, subalterno. || *en sous-ordre,* in sottordine.
sous-préfet [suprefɛ] m. sottoprefetto.
sous-produit [suprɔdɥi] m. sottoprodotto.
sous-prolétariat [suprɔletarja] m. sottoproletariato.
sous-secrétaire [susəkretɛr] m. *sous-secrétaire d'État,* sottosegretario di Stato.
soussigné, e [susiɲe] adj. et n. sottoscritto.
sous-sol [susɔl] m. GÉOL. sottosuolo. || ARCHIT. sottosuolo, scantinato, seminterrato.
sous-station [sustasjɔ̃] f. ÉLECTR. sottostazione.
sous-tendre [sutɑ̃dr] v. tr. sottendere.
sous-titre [sutitr] m. sottotitolo. || CIN. didascalia f., sottotitolo.
soustraction [sustraksjɔ̃] f. sottrazione.
soustraire [sustrɛr] v. tr. (de) sottrarre (da). || FIG. sottrarre, derubare. ◆ v. pr. (à) sottrarsi (a), sfuggire (a).
sous-traitance [sutrɛtɑ̃s] f. subappalto m.
sous-traitant [sutrɛtɑ̃] m. subappaltatore.
sous-vêtement [suvɛtmɑ̃] m. capo di biancheria personale. | *les sous-vêtements,* la biancheria personale.
soutane [sutan] f. veste talare ; tonaca.
soute [sut] f. MAR. *soute à charbon,* carbonile m., carbonaia ; [à munitions] deposito (m.) delle munizioni ; santabarbara.
soutenable [sutnabl] adj. sopportabile. || FIG. sostenibile.
soutenance [sutnɑ̃s] f. discussione (di una tesi).
soutènement [sutɛnmɑ̃] m. sostegno, appoggio.
souteneur [sutnœr] m. protettore.
soutenir [sutnir] v. tr. sostenere, (sor)reggere. || [aider] sorreggere, sostenere ; [un candidat] sostenere, appoggiare ; [une famille] mantenere. || [affirmer] sostenere. || UNIV. discutere. ◆ v. pr. *se soutenir sur l'eau,* reggersi a galla. || [s'aider] aiutarsi a vicenda.
soutenu, e [sutny] adj. sostenuto. || [intérêt, effort] continuo, costante. || [couleur] intenso, carico. || FIN. sostenuto.
souterrain, e [suterɛ̃, ɛn] adj. et m. sotterraneo. | *passage souterrain,* sottopassaggio.
soutien [sutjɛ̃] m. sostegno. || FIG. sostegno, appoggio.
soutien-gorge [sutjɛ̃gɔrʒ] m. reggipetto, reggiseno.
soutirer [sutire] v. tr. travasare. || FIG. spillare, carpire.
souvenir [suvnir] m. ricordo, memoria f. | *en souvenir de,* a, in, per ricordo di. || [objet] ricordo.
souvenir (se) [səsuvnir] v. pr. (de) ricordarsi (di), rammentarsi (di). ◆ v. impers. *il me souvient que,* mi

sovviene che. | *autant qu'il m'en souvienne,* per quanto mi ricordi.
souvent [suvɑ̃] adv. spesso ; sovente (litt.). | *le plus souvent,* per lo più ; il più delle volte.
souverain, e [suvrɛ̃, ɛn] adj. sommo, supremo, sovrano. ◆ n. sovrano, a. | *les souverains,* i sovrani, i reali.
souveraineté [suvrɛnte] f. sovranità. || FIG. superiorità, sovranità.
soviet [sɔvjɛt] m. soviet.
soviétique [sɔvjetik] adj. et n. sovietico.
soyeux, euse [swajø, øz] adj. serico, setoso. ◆ m. setaiolo.
spacieux, euse [spasjø, øz] adj. spazioso.
sparadrap [sparadra] m. cerotto.
spartiate [sparsjat] adj. et n. spartano. | *à la spartiate,* alla spartana, spartanamente adv. ◆ f. sandalo (m.) alla schiava.
spasme [spasm] m. spasmo.
spasmodique [spasmɔdik] adj. spasmodico.
spatial, e, aux [spasjal, o] adj. spaziale.
spatule [spatyl] f. spatola.
spécial, e, aux [spesjal, o] adj. speciale.
spécialement [spesjalmɑ̃] adv. specialmente, in specie.
spécialiser [spesjalize] v. tr. specializzare.
spécialiste [spesjalist] n. specialista.
spécialité [spesjalite] f. specialità.
spécieux, euse [spesjø, øz] adj. specioso.
spécification [spesifikasjɔ̃] f. specificazione.
spécifier [spesifje] v. tr. specificare.
spécifique [spesifik] adj. et m. specifico.
spécimen [spesimɛn] m. esemplare, modello. || [publication] saggio ; specimen (lat.).
spectacle [spɛktakl] m. spettacolo. | *à grand spectacle,* spettacolare adj. || FIG. *se donner en spectacle,* dare spettacolo di sé. | *à ce spectacle,* a questa, a quella vista.
spectaculaire [spɛktakylɛr] adj. spettacolare, spettacoloso.
spectateur, trice [spɛktatœr, tris] n. spettatore, trice.
spectral, e, aux [spɛktral, o] adj. spettrale.
spectre [spɛktr] m. spettro.
spéculateur, trice [spekylatœr, tris] n. speculatore, trice.
spéculatif, ive [spekylatif, iv] adj. speculativo.
spéculation [spekylasjɔ̃] f. speculazione.
spéculer [spekyle] v. intr. speculare.
spéléologie [speleɔlɔʒi] f. speleologia.
spéléologue [speleɔlɔg] n. speleologo, a.
spermatozoïde [spɛrmatozɔid] m. spermatozoo.
sperme [spɛrm] m. sperma.
sphère [sfɛr] f. sfera. || FIG. campo m., ambiente m. ; sfera.
sphérique [sferik] adj. sferico.
sphinx [sfɛ̃ks] m. sfinge f.
spinal, e, aux [spinal, o] adj. spinale.
spiral, e, aux [spiral, o] adj. spirale. || *en spirale,* a spirale, a spira.
spire [spir] f. spira.
spirite [spirit] adj. spiritico ; spiritistico. ◆ n. spiritista.
spiritisme [spiritism] m. spiritismo.
spiritualité [spiritɥalite] f. spiritualità.
spirituel, elle [spiritɥɛl] adj. REL. spirituale. || [qui a de l'esprit] spiritoso, arguto. ◆ m. potere spirituale.
spirituellement [spiritɥɛlmɑ̃] adv. REL. spiritualmente. || [avec esprit] spiritosamente, con spirito, argutamente.
spiritueux, euse [spiritɥø, øz] adj. et m. alcolico.
spleen [splin] m. malinconia f., tedio.
splendeur [splɑ̃dœr] f. splendore m.
splendide [splɑ̃did] adj. splendido, fulgido.
spoliation [spɔljasjɔ̃] f. spo(g)liazione.
spolier [spɔlje] v. tr. spogliare, defraudare.
spontané, e [spɔ̃tane] adj. spontaneo. | *combustion spontanée,* autocombustione.
spontanéité [spɔ̃taneite] f. spontaneità.
sporadique [spɔradik] adj. sporadico.
sport [spɔr] m. sport. inv. | *terrain, article de sport,* campo, articolo sportivo. | *voiture de sport,* macchina sportiva, (vettura) sprint f. inv. ◆ adj. inv. sportivo. || [loyal] leale, corretto, cavalleresco, sportivo.
sportif, ive [spɔrtif, iv] adj. et n. sportivo.
spot [spɔt] m. riflettore ; faretto orientabile. || T.V. film pubblicitario.
sprat [sprat] m. ZOOL. spratto.
sprint [sprint] m. SP. sprint, scatto finale, spunto ; [cyclisme] volata f.
sprinter [sprintœr] m. SP. scattista, velocista.
sprinter [sprinte] v. intr. SP. scattare.
square [skwar] m. giardinetto pubblico.
squatter [skwatɛr] m. (occupante) abusivo.
squelette [skəlɛt] m. scheletro.
stabilisation [stabilizasjɔ̃] f. stabilizzazione.
stabiliser [stabilize] v. tr. stabilizzare. | *accotements non stabilisés,* banchina non transitabile.

stabilité [stabilite] f. stabilità.
stable [stabl] adj. stabile.
stade [stad] m. stadio. || FIG. stadio, fase f.
stage [staʒ] m. tirocinio, pratica f.
stagiaire [staʒjɛr] adj. et n. tirocinante, praticante.
stagnant, e [stagnɑ̃, ɑ̃t] adj. stagnante.
stagnation [stagnasjɔ̃] f. stagnamento, ristagno. || ÉCON. ristagno.
stagner [stagne] v. intr. (ri)stagnare.
stalactite [stalaktit] f. stalattite.
stalagmite [stalagmit] f. stalagmite, stalammite.
stalle [stal] f. [d'église] stallo m. || [d'écurie] posta.
stand [stɑ̃d] m. [d'exposition] reparto, padiglione. || *stand (de tir),* campo di tiro (al bersaglio). || *stand de ravitaillement,* posto di rifornimento.
standard [stɑ̃dar] adj. inv. standard. | *sourire standard,* sorriso stereotipato. ◆ m. standard ; campione, tipo. || FIG. [de vie] livello. || [téléphonique] centralino (telefonico).
standardisation [stɑ̃dardizasjɔ̃] f. standardizzazione.
standardiste [stɑ̃dardist] n. centralinista.
standing [stɑ̃diɲ] m. tenore di vita. || FIG. *de grand standing,* di gran lusso.
star [star] f. star inv. ; stella, diva.
starlette [starlɛt] f. starlet inv. ; stellina, divetta.
starter [startɛr] m. MÉC. starter inv. || SP. starter, mossiere.
station [stasjɔ̃] f. posizione, stazione. || [pause] sosta. || *station thermale,* stazione termale. || [métro] stazione ; [de taxi] posteggio m.
stationnaire [stasjɔnɛr] adj. stazionario.
stationnement [stasjɔnmɑ̃] m. sosta f., stazionamento. | *stationnement interdit,* divieto di sosta. | *stationnement unilatéral,* divieto di sosta su un solo lato. | *parc de stationnement,* parcheggio.
stationner [stasjɔne] v. intr. [personne] sostare ; [véhicule] sostare, stazionare.
station-service [stasjɔ̃sɛrvis] f. stazione di servizio.
statique [statik] adj. statico. ◆ f. statica.
statisticien, enne [statistisjɛ̃, ɛn] n. statistico m.
statistique [statistik] adj. statistico. ◆ f. statistica.
statue [staty] f. statua.
statuer [statɥe] v. intr. (sur) deliberare (su), pronunciarsi (su).
stature [statyr] f. statura. || FIG. statura, levatura.
statu quo [statyk(w)o] m. inv. statu(s) quo.
statut [staty] m. [législation] statuto. | *statut de la femme,* posizione (f.) della donna. ◆ pl. [règlement] statuto sing.
stayer [stɛjœr] m. SP. mezzofondista n.
stèle [stɛl] f. stele.
stencil [stɛnsil] m. matrice (f.) per duplicatore.
sténodactylo [stenodaktilo] ou FAM. **sténo** n. stenodattilografo, a.
sténographe [stenograf] n. stenografo, a.
sténographier [stenografje] v. tr. stenografare.
sténose [stenoz] f. MÉD. stenosi.
sténotypie [stenotipi] f. stenotipia.
stentor [stɑ̃tɔr] m. *voix de stentor,* voce stentorea.
steppe [stɛp] f. steppa.
stère [stɛr] m. stero.
stéréophonie [stereofɔni] f. stereofonia.
stéréotype [stereotip] m. banalità f., luogo comune.
stéréotypé, e [stereotipe] adj. stereotipato.
stérile [steril] adj. sterile.
stérilet [sterilɛ] m. pessario, diaframma.
stériliser [sterilize] v. tr. sterilizzare, isterilire. || MÉD. sterilizzare.
stérilité [sterilite] f. sterilità.
sterling [stɛrli] m. inv. et adj. inv. *(livre) sterling,* sterlina f.
stéthoscope [stetoskɔp] m. stetoscopio.
steward [stiwart] m. cameriere di bordo ; assistente di volo.
stigmates [stigmat] m. pl. REL. stigmate f. pl., stimmate f. pl.
stigmatiser [stigmatize] v. tr. stigmatizzare, stimmatizzare.
stimulant, e [stimylɑ̃, ɑ̃t] adj. stimolante. ◆ m. MÉD. stimolante. || FIG. stimolo, incentivo.
stimulateur [stimylatœr] m. MÉD. *stimulateur cardiaque,* stimolatore cardiaco.
stimulation [stimylasjɔ̃] f. stimolazione.
stimuler [stimyle] v. tr. stimolare.
stipendié, e [stipɑ̃dje] adj. PÉJOR. prezzolato.
stipulation [stipylasjɔ̃] f. JUR. stipulazione. || *avec la stipulation que,* a condizione, a patto che ; purché.
stipuler [stipyle] v. tr. JUR. stipulare. || [faire savoir] precisare, specificare.
stock [stɔk] m. stock inv., scorta f., partita f. || *stock invendu,* giacenza f. | *stock d'or,* riserva (f.) aurea.
stockage [stɔkaʒ] m. stoccaggio, immagazzinamento.

stocker [stɔke] v. tr. mettere in stock ; immagazzinare.
stockfish [stokfiʃ] m. stoccafisso.
stoïcien, enne [stɔisjɛ̃, ɛn] adj. et n. stoico.
stoïcisme [stɔisism] m. stoicismo.
stoïque [stɔik] adj. stoico.
stop [stop] interj. alt ! ◆ m. stop.
stoppage [stɔpaʒ] m. rammendo invisibile.
1. stopper [stɔpe] v. tr. fare un rammendo invisibile a.
2. stopper v. tr. arrestare, fermare. ◆ v. intr. arrestarsi, fermarsi.
store [stɔr] m. [déroulable] avvolgibile ; [intérieur] tenda f. ; [de magasin] saracinesca f.
strabisme [strabism] m. strabismo.
strapontin [strapɔ̃tɛ̃] m. strapuntino.
stratagème [strataʒɛm] m. stratagemma.
stratège [stratɛʒ] m. stratega.
stratégie [strateʒi] f. strategia.
stratégique [strateʒik] adj. strategico.
stratosphère [stratɔsfɛr] f. stratosfera.
streptocoque [strɛptokɔk] m. streptococco.
strict, e [strikt] adj. stretto, rigoroso. | [professeur] severo, stretto, di manica stretta (fam.).
strident, e [stridɑ̃, ɑ̃t] adj. stridulo, stridente.
strier [strije] v. tr. striare.
strip-tease [striptiz] m. spogliarello.
strip-teaseuse [striptizøz] f. spogliarellista.
strophe [strɔf] f. strofa, strofe.
structural, e, aux [stryktyral, o] adj. strutturale.
structuralisme [stryktyralism] m. strutturalismo.
structure [stryktyr] f. struttura. || *structure d'accueil,* ufficio (m.) informazioni.
structurel, elle [stryktyrɛl] adj. strutturale.
structurer [stryktyre] v. tr. strutturare.
stuc [styk] m. stucco.
studieux, euse [stydjø, øz] adj. [élève] studioso. || [journée, vie] di studio | [vacances, retraite] dedito allo studio.
studio [stydjo] m. [logis] miniappartamento. || [d'artiste] studio. || CIN. studio ; teatro di posa. || RAD., T. V. studio.
stupéfaction [stypefaksjɔ̃] f. stupefazione, stupore m.
stupéfait, e [stypefɛ, ɛt] adj. stupefatto, stupito, sbalordito.
stupéfiant, e [stypefjɑ̃, ɑ̃t] adj. stupefacente, sbalorditivo. ◆ m. stupefacente.
stupéfier [stypefje] v. tr. stupefare, sbalordire.
stupeur [stypœr] f. stupore m., sbalordimento m.
stupide [stypid] adj. stupido.
stupidité [stypidite] f. stupidità, stupidaggine.
style [stil] m. stile.
styliste [stilist] n. stilista.
stylistique [stilistik] f. stilistica.
stylo(graphe) [stilɔ(graf)] m. (penna) stilografica f. | *stylo à bille,* penna (f.) a sfera, a spera ; biro f. inv.
suaire [sɥɛr] m. sudario. || REL. *saint suaire,* sacra sindone.
suave [sɥav] adj. soave.
suavité [sɥavite] f. soavità.
subalterne [sybaltɛrn] adj. et m. subalterno.
subconscient, e [sybkɔ̃sjɑ̃, ɑ̃t] adj. et m. subconscio, subcosciente.
subdiviser [sybdivize] v. tr. suddividere.
subdivision [subdivizjɔ̃] f. suddivisione. || ADM. circoscrizione, distretto m.
subir [sybir] v. tr. subire. || [opération] sottoporsi (a).
subit, e [sybi, it] adj. improvviso, repentino, subitaneo.
subjectif, ive [sybʒɛktif, iv] adj. soggettivo.
subjonctif, ive [sybʒɔ̃ktif, iv] adj. et m. GR. congiuntivo.
subjuguer [sybʒyge] v. tr. soggiogare.
sublime [syblim] adj. et m. sublime.
sublimer [syblime] v. tr. sublimare.
submerger [sybmɛrʒe] v. tr. sommergere. || FIG. sopraffare, sommergere.
submersible [sybmɛrsibl] adj. et m. sommergibile.
subodorer [sybɔdɔre] v. tr. FAM. subodorare ; aver sentore di (L.C.).
subordination [sybɔrdinasjɔ̃] f. subordinazione.
subordonné, e [sybɔrdɔne] adj. et n. subordinato.
subordonner [sybɔrdɔne] v. tr. subordinare.
suborner [sybɔrne] v. tr. subornare.
subreptice [sybrɛptis] adj. furtivo, sleale. || JUR. surrettizio.
subséquent, e [sypsekɑ̃, ɑ̃t] adj. susseguente.
subside [sypsid] m. sussidio.
subsidiaire [sypsidjɛr] adj. sussidiario.
subsistance [sybzistɑ̃s] f. sostentamento m., sussistenza.
subsister [sybziste] v. intr. esistere ancora, rimanere, sussistere. || [loi] essere in vigore ; vigere. || [vivre] campare, vivere.
subsonique [sybsɔnik] adj. subsonico.
substance [sypstɑ̃s] f. sostanza. | *en substance,* in sostanza ; sostanzialmente.

substantiel, elle [sypstɑ̃sjɛl] adj. sostanziale. || [nourrissant] sostanzioso. || FAM. [important] sostanziale.
substantif, ive [sypstɑ̃tif, iv] adj. et m. GR. sostantivo.
substituer [sypstitɥe] v. tr. sostituire.
substitut [sypstity] m. sostituto.
substitution [sypstitysjɔ̃] f. sostituzione.
substrat [sypstra] m. sostrato.
subterfuge [syptɛrfyʒ] m. sotterfugio.
subtil, e [syptil] adj. sottile, acuto.
subtiliser [syptilize] v. tr. FAM. [dérober] sgraffignare. ◆ v. intr. (sur) sottilizzare (su), cavillare (su).
subtilité [syptilite] f. sottigliezza.
suburbain, e [sybyrbɛ̃, ɛn] adj. suburbano, periferico.
subvenir [sybvənir] v. tr. ind. (à) sovvenire (a), provvedere (a), sopperire (a).
subvention [sybvɑ̃sjɔ̃] f. sovvenzione, sussidio m.
subventionner [sybvɑ̃sjɔne] v. tr. sovvenzionare, sussidiare.
subversif, ive [sybvɛrsif, iv] adj. sovversivo.
subversion [sybvɛrsjɔ̃] f. sovversione, sovvertimento m.
suc [syk] m. succo.
succédané, e [syksedane] adj. et m. surrogato, succedaneo.
succéder [syksede] v. tr. ind. (à) succedere (a), subentrare (a). || JUR. succedere. ◆ v. pr. succedersi, susseguirsi.
succès [syksɛ] m. successo ; buona riuscita. | *avoir du succès,* aver successo ; [en affaires] riuscire.
successeur [syksɛsœr] m. successore.
successif, ive [syksɛsif, iv] adj. successivo.
succession [syksɛsjɔ̃] f. successione.
succinct, e [syksɛ̃, ɛ̃t] adj. succinto, conciso.
succion [sy(k)sjɔ̃] f. suzione.
succomber [sykɔ̃be] v. intr. et tr. ind. (à) decedere (in seguito a), soccombere (a). || FIG. (sous) soccombere (sotto). || [céder] (à) soccombere (a), cedere (a).
succulent, e [sykylɑ̃, ɑ̃t] adj. succulento.
succursale [sykyrsal] f. succursale.
sucer [syse] v. tr. succhiare.
sucette [sysɛt] f. [pour bébé] succhietto m., succhiotto m. || [bonbon] lecca-lecca m. inv.
sucre [sykr] m. zucchero. | *sucre candi, de canne, en poudre,* zucchero candito, di canna, in polvere. | *sucre en morceaux,* zucchero in zollette, in quadretti.
sucré, e [sykre] adj. (in)zuccherato. || [fruit] zuccherino, dolce. || FIG. zuccherato, zuccheroso, mellifluo.
sucrer [sykre] v. tr. zuccherare. ◆ v. pr. FAM. servirsi di zucchero (L.C.).
sucrerie [sykrəri] f. zuccherificio m. ◆ pl. dolciumi m. pl.
sucrier [sykrije] m. zuccheriera f.
sud [syd] m. sud, mezzogiorno, meridione. | *l'Afrique, l'Amérique du Sud,* il Sud Africa, il Sud America. ◆ adj. inv. (del) sud ; meridionale adj.
sudation [sydasjɔ̃] f. traspirazione, sudorazione.
sud-est [sydɛst] m. sud-est. ◆ adj. inv. (del) sud-est ; sudorientale adj.
sud-ouest [sydwɛst] m. sud-ovest. ◆ adj. inv. (del) sud-ovest ; sudoccidentale adj.
suède [sɥɛd] m. pelle (f.) scamosciata.
suédois, e [sɥedwa, az] adj. et n. svedese.
suée [sɥe] f. FAM. sudata.
suer [sɥe] v. intr. [suj. qn] sudare. || [suj. qch.] trasudare. || FAM. *faire suer qn,* scocciare qlcu. ◆ v. tr. sudare. || [ennui, peur] trasudare.
sueur [sɥœr] f. sudore m. | *en sueur,* sudato adj. | *avoir des sueurs froides,* sudare freddo.
suffire [syfir] v. intr. et tr. ind. (pour, à) bastare (per, a). ◆ v. impers. bastare. ◆ v. pr. *se suffire à soi-même,* bastare a se stesso. | *qui se suffit à soi-même,* autosufficiente adj.
suffisamment [syfizamɑ̃] adv. abbastanza, sufficientemente, a sufficienza.
suffisance [syfizɑ̃s] f. sufficienza. || FIG. sufficienza, boria, sussiego m. || *en suffisance,* a sufficienza.
suffisant, e [syfizɑ̃, ɑ̃t] adj. sufficiente. || FIG. sufficiente, presuntuoso, borioso.
suffixe [syfiks] m. suffisso.
suffocant, e [syfɔkɑ̃, ɑ̃t] adj. soffocante. || [chaleur] soffocante, afoso. || FIG. sbalorditivo.
suffocation [syfɔkasjɔ̃] f. soffocazione, soffocamento m.
suffoquer [syfɔke] v. tr. et intr. soffocare. || FIG. sbalordire.
suffrage [syfraʒ] m. suffragio, voto. || FIG. suffragio, approvazione f., adesione f.
suffragette [syfraʒɛt] f. suffragista, suffragetta.
suggérer [sygʒere] v. tr. suggerire.
suggestif, ive [sygʒɛstif, iv] adj. suggestivo.
suggestion [sygʒɛstjɔ̃] f. suggerimento m. || PSYCH. suggestione.
suicidaire [sɥisidɛr] adj. et n. suicida.
suicide [sɥisid] m. suicidio.
suicidé, e [sɥiside] adj. et n. suicida.
suicider (se) [səsɥiside] v. pr. suicidarsi.
suie [sɥi] f. fuliggine.
suif [sɥif] m. sego, sevo.

suint [sɥɛ̃] m. untume (della lana).
suintement [sɥɛ̃tmɑ̃] m. trasudamento.
suinter [sɥɛ̃te] v. tr. et intr. trasudare.
suisse [sɥis] adj. et n. svizzero. ◆ m. [portier] guardaportone. | [d'église] cerimoniero.
suissesse [sɥisɛs] f. svizzera.
suite [sɥit] f. [de personnes] seguito m. || [ce qui vient ensuite] seguito, continuazione. | *faire suite à,* far seguito a. || [série] seguito, successione, serie inv., sfilza. || [conséquence] seguito, conseguenza, strascichi m. pl., postumi m. pl. | *donner suite à,* dare seguito, corso m., esecuzione a. || [ordre logique] coerenza. | *esprit de suite,* perseveranza. || ADM. *(comme) suite à,* facendo seguito a. || *de suite,* di seguito. | *et ainsi de suite,* e così via ; e via di seguito. || *tout de suite,* subito. || *par suite,* conseguentemente ; per conseguenza ; quindi. || *par la suite,* in seguito. || *à la suite de, par suite de,* in seguito a, a causa di.
suivant [sɥivɑ̃] prép. secondo, a seconda di. ◆ *suivant que,* secondo che.
suivant, e [sɥivɑ̃, ɑ̃t] adj. seguente. ◆ n. *au suivant !,* avanti un altro ! ◆ f. TH. confidente.
suivi, e [sɥivi] adj. continuo. || [fréquenté] frequentato. || [logique] coerente, filato.
suivre [sɥivr] v. tr. seguire. || [pour épier] pedinare. || seguire, accompagnare. || [se conformer à] seguire ; tener dietro a. || COMM. *suivre un article,* continuare la produzione di un articolo. || [cours] seguire, frequentare. || [venir après] seguire v. intr. | *le printemps suit l'hiver,* all'inverno segue la primavera. || *à suivre,* continua. | *(prière de) faire suivre,* far proseguire. ◆ v. impers. *il suit de là que,* ne consegue che. ◆ v. pr. [se succéder] (sus)seguirsi, succedersi. || [s'enchaîner] concatenarsi.
sujet [syʒɛ] m. motivo, ragione f. || [thème] argomento, tema, soggetto. | *à, sur ce sujet,* a questo proposito. || [personne] *excellent sujet,* ottimo elemento. | *mauvais sujet,* cattivo soggetto, pessimo arnese. || [ressortissant] suddito. || GR. soggetto. ◆ *au sujet de,* riguardo a, a proposito di.
sujet, ette [syʒɛ, ɛt] adj. (à) [exposé] soggetto (a). || [enclin] soggetto, portato, incline. || *sujet à discussion,* discutibile, opinabile.
sujétion [syʒesjɔ̃] f. soggezione, assoggettamento m.
sulfamide [sylfamid] m. sulfamidico.
sulfate [sylfat] m. solfato.
sulfater [sylfate] v. tr. ramare.
sulfure [sylfyr] m. solfuro.
sulfureux, euse [sylfyrø, øz] adj. solforoso, sulfureo.
sulfurique [sylfyrik] adj. solforico.
sultan, e [syltɑ̃, an] n. sultano, a.
super [sypɛr] m. FAM. [carburant] super f. ◆ adj. inv. FAM. superlativo adj.
superbe [sypɛrb] adj. superbo, magnifico, splendido.
supercarburant [sypɛrkarbyrɑ̃] m. supercarburante, benzina (f.) super.
supercherie [sypɛrʃəri] f. inganno m., frode.
superficie [sypɛrfisi] f. superficie.
superficiel, elle [sypɛrfisjɛl] adj. superficiale.
superflu, e [sypɛrfly] adj. et m. superfluo.
supérieur, e [syperjœr] adj. et m. superiore. ◆ n. REL. superiore, a.
supérieurement [syperjœrmɑ̃] adv. superiormente, supremamente. | *supérieurement doué,* superdotato.
supériorité [syperjɔrite] f. superiorità. || GR. *comparatif de supériorité,* comparativo di maggioranza.
superlatif, ive [sypɛrlatif, iv] adj. et m. superlativo.
supermarché [sypɛrmarʃe] m. supermercato.
superposer [sypɛrpoze] v. tr. sovrapporre.
superproduction [sypɛrprɔdyksjɔ̃] f. CIN. supercolosso m.
superpuissance [sypɛrpɥisɑ̃s] f. superpotenza.
supersonique [sypɛrsɔnik] adj. supersonico.
superstitieux, euse [sypɛrstisjø, øz] adj. et n. superstizioso.
superstition [sypɛrstisjɔ̃] f. superstizione.
superstructure [sypɛrstryktyr] f. sovrastruttura, soprastruttura.
superviser [sypɛrvize] v. tr. sovrintendere a, soprintendere a.
supplanter [syplɑ̃te] v. tr. soppiantare.
suppléance [sypleɑ̃s] f. supplenza.
suppléant, e [sypleɑ̃, ɑ̃t] adj. et n. supplente.
suppléer [syplee] v. tr. [compléter] integrare. || [remplacer] supplire. ◆ v. tr. ind. (à) supplire (a).
supplément [syplemɑ̃] m. supplemento. ◆ *en supplément,* in più.
supplémentaire [syplemɑ̃tɛr] adj. supplementare, suppletivo, straordinario.
suppliant, e [syplijɑ̃, ɑ̃t] adj. supplichevole, supplicante. ◆ n. supplicante, supplice.
supplication [syplikasjɔ̃] f. supplica.
supplice [syplis] m. supplizio. | *être, mettre au supplice,* soffrire, far soffrire le pene dell'inferno.

supplicier [syplisje] v. tr. suppliziare. || FIG. torturare.
supplier [syplije] v. tr. supplicare.
support [sypɔr] m. sostegno. || *support publicitaire,* mezzo, veicolo di pubblicità.
supportable [sypɔrtabl] adj. sopportabile, tollerabile.
supporter [sypɔrtɛr] m. SP. tifoso. || POL. sostenitore.
supporter [sypɔrte] v. tr. sopportare, reggere, sostenere. || FIG. sopportare, tollerare. || [frais] sopportare, sostenere. || [résister] reggere a.
supposé, e [sypoze] adj. [nom] falso. | [testament] apocrifo. || [admis] supposto, ammesso. || *supposé que,* supposto che.
supposer [sypoze] v. tr. supporre, immaginare. | *à supposer que,* supponendo che. || [attribuer] attribuire. || [impliquer] presupporre.
supposition [sypozisjɔ̃] f. supposizione.
suppositoire [sypozitwar] m. supposta f., suppositorio.
suppression [syprɛsjɔ̃] f. soppressione.
supprimer [syprime] v. tr. sopprimere. || [retrancher d'un texte] togliere, espungere. || [tuer] sopprimere. ◆ v. pr. uccidersi.
suppuration [sypyrasjɔ̃] f. suppurazione.
suppurer [sypyre] v. intr. suppurare.
supputer [sypyte] v. tr. computare, calcolare.
supranational, e, aux [sypranasjɔnal, o] adj. sopran(n)azionale, supernazionale.
supranationalité [sypranasjɔnalite] f. supernazionalità.
suprématie [sypremasi] f. supremazia.
suprême [syprɛm] adj. supremo, sommo. | *au suprême degré,* in sommo grado. || [dernier] supremo, estremo, ultimo.
sur [syr] prép. su, sopra. | *revenir sur ses pas,* tornare indietro. || [temps] su, verso. | *sur les huit heures,* verso le, sulle otto. || *juger sur la mine,* giudicare dall'aspetto. | *sur l'ordre de,* per ordine di. | *sur un ton arrogant,* con tono arrogante. | *dix mètres sur cinq,* dieci metri per cinque. | *sur ce,* [parole] detto questo ; [action] fatto questo. | *sur l'heure,* subito, sull'atto, lì per lì. | *sur terre et sur mer,* per terra e per mare.
sur, e [syr] adj. aspretto, acerbetto.
sûr, e [syr] adj. sicuro, fidato. || [sans danger] sicuro. || [certain] sicuro, certo. | *soyez-en sûr,* non dubiti. || *à coup sûr,* a colpo sicuro. || *bien sûr !,* sicuro ! || FAM. *pour sûr !,* di certo, (per) certo.
surabondance [syrabɔ̃dɑ̃s] f. sovrabbondanza.
surabondant, e [syrabɔ̃dɑ̃, ɑ̃t] adj. sovrabbondante.
suralimenter [syralimɑ̃te] v. tr. sottoporre a ipernutrizione. || MÉC. sovralimentare.
suranné, e [syrane] adj. superato, antiquato.
surcharge [syrʃarʒ] f. sovraccarico m. || [bagages] eccedenza. || [dans un texte] parola, cifra scritta su un'altra. || [timbres] sovrastampa.
surcharger [syrʃarʒe] v. tr. sovraccaricare. || [dans un texte] scrivere una parola, una cifra su un'altra. || [timbre] sovrastampare.
surchauffer [syrʃofe] v. tr. surriscaldare.
surchoix [syrʃwa] m. prima scelta f., prima qualità f.
surclasser [syrklase] v. tr. SP. surclassare.
surcroît [syrkrwa] m. soprappiù. || *par, de surcroît,* per di più, per giunta. || *pour surcroît de,* per colmo di.
surdité [syrdite] f. sordità.
sureau [syro] m. sambuco.
surélever [syrelve] v. tr. sopr(a)elevare.
surenchérir [syrɑ̃ʃerir] v. intr. rilanciare ; fare un'offerta maggiore. || FIG. gareggiare in promesse.
surestimer [syrɛstime] v. tr. soprav(v)alutare.
sûreté [syrte] f. sicurezza. | *être, mettre en sûreté,* essere, mettere al sicuro. || *Sûreté (nationale),* Pubblica Sicurezza.
surexciter [syrɛksite] v. tr. sovreccitare.
surexposer [syrɛkspoze] v. tr. PHOT. sovr(a)esporre.
surface [syrfas] f. superficie. || *revenir, remonter à la surface,* tornare a galla. || MAR. *faire surface,* riemergere.
surfait, e [syrfɛ, ɛt] adj. soprav(v)alutato.
surgelé, e [syrʒəle] adj. et m. surgelato.
surgeon [syrʒɔ̃] m. pollone.
surgir [syrʒir] v. intr. sorgere, spuntare. || FIG. sorgere.
surhomme [syrɔm] m. superuomo.
surhumain, e [syrymɛ̃, ɛn] adj. sovrumano.
surimpression [syrɛ̃prɛsjɔ̃] f. sovrimpressione.
surir [syrir] v. intr. inacidire.
sur-le-champ [syrləʃɑ̃] loc. adv. subito ; senza indugio ; lì per lì.
surlendemain [syrlɑ̃dmɛ̃] m. *le surlendemain j'étais parti,* due giorni dopo ero partito.
surmenage [syrmənaʒ] m. strapazzo, esaurimento.
surmené, e [syrməne] adj. stremato, esausto, spossato.

surmener [syrmәne] v. tr. affaticare, strapazzare.
surmonter [syrmɔ̃te] v. tr. FIG. sormontare, superare, vincere.
surmultiplié, e [syrmyltiplije] adj. *vitesse surmultipliée,* marcia sovramoltiplicata.
surnager [syrnaʒe] v. intr. galleggiare ; stare, rimanere a galla. || FIG. sopravvivere.
surnaturel, elle [syrnatyrɛl] adj. et m. soprannaturale.
surnom [syrnɔ̃] m. soprannome, nomignolo.
surnombre [syrnɔ̃br] m. *en surnombre,* in soprannumero.
surnommer [syrnɔme] v. tr. soprannominare.
surnuméraire [syrnymerɛr] adj. soprannumerario. ◆ n. avventizio, a.
suroît [syrwa] m. vento di sud-ovest ; [en Méditerranée] libeccio.
surpasser [syrpase] v. tr. superare.
surpeuplé, e [syrpœple] adj. sovrappopolato.
surplis [syrpli] m. REL. cotta f.
surplomb [syrplɔ̃] m. *en surplomb,* a strapiombo.
surplomber [syrplɔ̃be] v. tr. strapiombare su.
surplus [syrply] m. soprappiù, sovrappiù, eccedenza f. ◆ pl. MIL. residuati di guerra. ◆ *au surplus,* del resto ; peraltro. || *en surplus,* in soprappiù.
surprenant, e [syrprәnɑ̃, ɑ̃t] adj. sorprendente, stupefacente.
surprendre [syrprɑ̃dr] v. tr. sorprendere. || FIG. sorprendere, stupire, meravigliare.
surpris, e [syrpri, iz] adj. *agréablement surpris,* piacevolmente sorpreso.
surprise [syrpriz] f. sorpresa. | *par surprise,* di sorpresa. | *pochette surprise,* sacchetto (m.) sorpresa.
surproduction [syrprɔdyksjɔ̃] f. sovrapproduzione.
surréalisme [syrrealism] m. surrealismo.
sursaut [syrso] m. soprassalto, sussulto, sobbalzo. || *en sursaut,* di soprassalto.
sursauter [syrsote] v. intr. sussultare, sobbalzare, trasalire.
surseoir [syrswar] v. tr. ind. (à) JUR. soprassedere (a).
sursis [syrsi] m. JUR. *avec sursis,* col beneficio della condizionale. || MIL. *sursis d'incorporation,* rinvio di chiamata alle armi.
sursitaire [syrsitɛr] m. beneficiario di un rinvio limitato di chiamata alle armi.
surtaxe [syrtaks] f. soprattassa.
surtaxer [syrtakse] v. tr. soprattassare.
surtout [syrtu] adv. soprattutto. ◆ FAM. *surtout que,* tanto più che (L.C.).
surveillance [syrvejɑ̃s] f. sorveglianza, vigilanza.
surveillant, e [syrvɛjɑ̃, ɑ̃t] n. sorvegliante. || [hôpital] caposala.
surveiller [syrvɛje] v. tr. sorvegliare, vigilare. | *surveiller sa santé,* badare alla propria salute. || [police] piantonare. ◆ v. pr. controllarsi. || [récipr.] osservarsi attentamente.
survenir [syrvәnir] v. intr. sopravvenire, sopraggiungere, capitare.
survêtement [syrvɛtmɑ̃] m. tuta f.
survie [syrvi] f. sopravvivenza.
survivance [syrvivɑ̃s] f. sopravvivenza.
survivant, e [syrvivɑ̃, ɑ̃t] adj. et n. superstite, sopravvissuto.
survivre [syrvivr] v. intr. et tr. ind. (à) sopravvivere (a). ◆ v. pr. sopravvivere.
survoler [syrvɔle] v. tr. sorvolare, trasvolare.
survolter [syrvɔlte] v. tr. ÉLECTR. survoltare. || FIG. elettrizzare.
sus [sy(s)] adv. *courir sus à,* dare addosso a. || *en sus,* in più, per di più. || *en sus de,* in più di, oltre.
susceptibilité [sysɛptibilite] f. suscettibilità, permalosità.
susceptible [sysɛptibl] adj. (de) [capable] suscettibile (di). || [qui se vexe] suscettibile, permaloso.
susciter [sysite] v. tr. suscitare.
susdit, e [sysdi, dit] adj. et n. suddetto, sopraddetto, succitato.
susmentionné, e [sysmɑ̃sjɔne] adj. summenzionato.
susnommé, e [sysnɔme] adj. sopraccitato, sunnominato, suddetto.
suspect, e [syspɛ, ɛkt] adj. sospetto. ◆ n. sospetto, indiziato.
suspecter [syspɛkte] v. tr. sospettare.
suspendre [syspɑ̃dr] v. tr. sospendere, appendere. || [interrompre] sospendere.
suspens (en) [ɑ̃syspɑ̃] loc. adv. in sospesa.
suspense [syspɛns, sœspɛns] m. (angl.) suspense f., ansiosa incertezza, sospensione (f.) d'animo.
suspension [syspɑ̃sjɔ̃] f. sospensione. || [interdiction] sospensione. || GR. *points de suspension,* puntini (di sospensione). || JUR. sospensione, sospensiva. || AUT. sospensione, molleggio m.
suspicion [syspisjɔ̃] f. sospetto m.
sustentation [systɑ̃tasjɔ̃] f. sostentamento m., sostentazione.
sustenter [systɑ̃te] v. tr. sostentare.
susurrer [sysyre] v. tr. et intr. sussurrare.
suture [sytyr] f. sutura.
suturer [sytyre] v. tr. CHIR. suturare.

suzerain, e [syzrɛ̃, ɛn] n. signore, signora feudale.
suzeraineté [syzrɛnte] f. HIST. signoria. || POL. sovranità.
svelte [svɛlt] adj. snello, slanciato.
syllabe [silab] f. sillaba.
sylviculture [silvikyltyr] f. selvicoltura, silvicoltura.
symbole [sɛ̃bɔl] m. simbolo.
symbolique [sɛ̃bɔlik] adj. simbolico.
symboliser [sɛ̃bɔlize] v. tr. [interpréter] simboleggiar ; [mathématiques, sciences] simbolizzare.
symbolisme [sɛ̃bolism] m. simbolismo.
symétrie [simetri] f. simmetria.
symétrique [simetrik] adj. simmetrico.
sympathie [sɛ̃pati] f. simpatia.
sympathique [sɛ̃patik] adj. simpatico.
sympathisant, e [sɛ̃patizɑ̃, ɑ̃t] adj. et n. simpatizzante.
sympathiser [sɛ̃patize] v. intr. (avec) simpatizzare (con).
symphonie [sɛ̃fɔni] f. sinfonia.
symphonique [sɛ̃fɔnik] adj. sinfonico.
symptomatique [sɛ̃ptɔmatik] adj. sintomatico.
symptôme [sɛ̃ptom] m. sintomo.
synagogue [sinagɔg] f. sinagoga.
synchrone [sɛ̃kron] adj. sincrono.
synchronique [sɛ̃krɔnik] adj. sincronico.
synchroniser [sɛ̃krɔnize] v. tr. sincronizzare.
syncope [sɛ̃kɔp] f. GR., MÉD., MUS. sincope. || *tomber en syncope,* cadere in deliquio.
syncoper [sɛ̃kɔpe] v. tr. MUS. sincopare.
syndic [sɛ̃dik] m. [d'immeuble] amministratore ; [de faillite] curatore.
syndical, e, aux [sɛ̃dikal, o] adj. sindacale.
syndicalisme [sɛ̃dikalism] m. sindacalismo.
syndicaliste [sɛ̃dikalist] adj. sindacalistico. ◆ n. sindacalista.
syndicat [sɛ̃dika] m. sindacato. || ADM. *syndicat de communes,* consorzio intercomunale. | *syndicat d'initiative,* azienda (autonoma) di soggiorno.
syndiqué, e [sɛ̃dike] adj. et n. iscritto a un sindacato.
syndiquer [sɛ̃dike] v. tr. organizzare in sindacato. ◆ v. pr. [s'affilier] aderire a un sindacato.
synode [sinɔd] m. REL. sinodo.
synonyme [sinɔnim] adj. et m. sinonimo.
synopsis [sinɔpsis] m. CIN. sinopsi f., sinossi f.
synoptique [sinɔptik] adj. sinottico.
syntagme [sɛ̃tagm] m. sintagma.
syntaxe [sɛ̃taks] f. sintassi.
syntaxique [sɛ̃taksik] adj. sintattico.
synthèse [sɛ̃tɛz] f. sintesi.
synthétique [sɛ̃tetik] adj. sintetico.
synthétiser [sɛ̃tetize] v. tr. sintetizzare.
synthétiseur [sɛ̃tetizœr] m. sintetizzatore.
syphilis [sifilis] f. MÉD. sifilide.
syphilitique [sifilitik] adj. et n. sifilitico.
systématique [sistematik] adj. et f. sistematico, a.
système [sistɛm] m. sistema. | *système économique, nerveux,* sistema economico, nervoso. | *système juridique, politique,* sistema, ordinamento giuridico, politico. || FAM. *courir, taper sur le système,* dare ai nervi.

t

t [te] m. t f. ou m.
tabac [taba] m. tabacco. | *tabac à priser,* tabacco da fiuto. | *(débit, bureau de) tabac,* tabaccheria f. | *marchand de tabac,* tabaccaio. || *passer à tabac,* pestare ; picchiare di santa ragione.
tabasser [tabase] v. tr. POP. pestare, legnare. ◆ v. pr. menarsi di santa ragione.
tabatière [tabatjɛr] f. tabacchiera. || [lucarne] lucernario m.
tabernacle [tabɛrnakl] m. tabernacolo.
table [tabl] f. [pour le repas] tavola da pranzo, mensa. | *mettre, desservir la table,* apparecchiare, sparecchiare (la tavola). | *tenir table ouverte,* tener tavola imbandita. || [autre meuble] tavola, tavolo m., tavolino m. | *table ronde,* tavola rotonda. || [nourriture] tavola, mensa, pasto m., vitto m. || [tablette, tableau] tavola, tabella. | *table des matières,* indice m. || *se mettre à table,* PR. sedere, mettersi a tavola ; POP. [avouer] vuotare il sacco ; sputare l'osso ; cantare.
tableau [tablo] m. ART quadro, dipinto ; [d'autel] pala f. || [panneau] quadro, tavola f., tabella f., pannello, albo. | *tableau d'avancement,* graduatoria f. || LITT. quadro, bozzetto. || [tableau noir] lavagna f. || AUT., AV. *tableau de bord,* cruscotto. || TH. quadro. || FAM. *vieux tableau,* befana f.
tabler [table] v. intr. (sur) contare su, fare assegnamento (su).

tablette [tablɛt] f. mensola ; [de chocolat] tavoletta ; [de verre, de marbre] lastra, palchetto m.
tablier [tablije] m. grembiule, grembiale. || [pont] piano stradale.
tabou [tabu] m. et adj. (parfois inv. en genre) tabù.
tabouret [taburɛ] m. sgabello, panchetto.
tac [tak] m. *répondre du tac au tac,* rispondere per le rime.
tache [taʃ] f. macchia, chiazza, tacca. || FIG. macchia, difetto m., pecca, menda. | *sans tache,* illibato, immacolato. || *faire tache d'huile,* far macchia d'olio. | *faire tache,* stonare.
tâche [tɑʃ] f. lavoro m., compito m., impegno m., mansione.
tacher [taʃe] v. tr. macchiare.
tâcher [tɑʃe] v. tr. ind. (de) cercare (di), procurare (di) ; badare (a).
tâcheron [tɑʃrɔ̃] m. lavoratore, faticone.
tacheter [taʃte] v. tr. macchiare, chiazzare, screziare.
tacite [tasit] adj. tacito.
taciturne [tasityrn] adj. taciturno.
tacot [tako] m. FAM. bagnarola f., trabiccolo, macinino.
tact [takt] m. tatto.
tactique [taktik] adj. tattico. ◆ f. tattica.
tænia m. V. TÉNIA.
taffetas [tafta] m. taffettà.
taie [tɛ] f. [d'oreiller] federa. || MÉD. opacità cornea.
taillader [tajade] v. tr. tagliare.
taille [taj] f. [stature] statura, taglia, altezza, tacca. || FIG. statura. || *être de taille à,* essere in grado di. || [partie du corps] vita. || [torse] busto m., torso m. || [partie du vêtement] cintura, cintola, vita. || *pierre de taille,* pietra da taglio. || AGR. [arbres] taglio m. ; [vigne] potatura.
taille-crayon [tajkrɛjɔ̃] m. temperalapis inv., temperamatite inv.
tailler [taje] v. tr. tagliar ; [crayon] appuntare, temperare ; [vigne] potare. || *tailler en pièces,* fare a pezzi ; disfare, sbaragliare.
tailleur [tajœr] m. sarto. || MODE tailleur (fr.). || *tailleur de pierre,* tagliapietre inv., scalpellino.
taillis [taji] m. (bosco) ceduo ; boscaglia f.
tain [tɛ̃] m. stagno.
taire [tɛr] v. tr. tacere. ◆ v. pr. tacere v. intr., ammutolire v. intr., star zitto.
talc [talk] m. talco.
talent [talɑ̃] m. talento, ingegno, attitudine f., capacità f.
talion [taljɔ̃] m. taglione.
talisman [talismɑ̃] m. talismano.
taloche [talɔʃ] f. FAM. [coup] scappellotto m.
talon [talɔ̃] m. tallone, calcagno. || [de chaussure] tacco. | *talon aiguille,* tacco a spillo. | *claquer les talons,* battere i tacchi. | *être sur les talons de,* incalzare. || [de chèque, de mandat] talloncino, matrice f.
talonner [talɔne] v. tr. [cheval] spronare. || [poursuivre] incalzare, inseguire. || [rugby] tallonare. || FIG. assillare. ◆ v. intr. MAR. tallonare.
talonnette [talɔnɛt] f. [de pantalon] battitacco m. || [de soulier] mezza soletta.
talus [taly] m. [de route] ciglio, ciglione ; [de chemin de fer] scarpata f. ; [de fort] scarpa f., spalto.
tambour [tɑ̃bur] m. tamburo. || [musicien] tamburo, tamburino. || *porte à tambour,* bussola f. || *sans tambour ni trompette,* alla chetichella.
tambourin [tɑ̃burɛ̃] m. tamburello.
tambouriner [tɑ̃burine] v. intr. tambureggiare. || FIG. tambureggiare, tamburellare.
tamis [tami] m. s(e)taccio, vaglio, crivello.
tamiser [tamize] v. tr. s(e)tacciare, vagliare, crivellare. || FIG. filtrare, attenuare, smorzare.
tampon [tɑ̃pɔ̃] m. tappo ; [d'égout] tombino, chiusino. || [tissu] batuffolo. | *tampon (encreur),* tampone ; *tampon de la poste,* bollo postale, timbro. || MÉD. tampone, zaffo. || TR. *tampon de butoir,* paraurti inv. || *État tampon,* Stato cuscinetto.
tamponnement [tɑ̃pɔnmɑ̃] m. tamponamento, scontro. || MÉD. tamponamento.
tamponner [tɑ̃pɔne] v. tr. [obturer] tappare. || [timbrer] timbrare. || [heurter] tamponare, urtare. || MÉD. tamponare. || TECHN. tassellare.
tamponneur, euse [tɑ̃pɔnœr, øz] adj. *autos tamponneuses,* autoscontro m.
tan [tɑ̃] m. concia f.
tancer [tɑ̃se] v. tr. LITT. rampognare, redarguire.
tanche [tɑ̃ʃ] f. ZOOL. tinca.
tandis que [tɑ̃di(s)kə] loc. conj. [temps] mentre ; intanto che. || [opposition] mentre ; mentre invece.
tangage [tɑ̃gaʒ] m. beccheggio.
tangent, e [tɑ̃ʒɑ̃, ɑ̃t] adj. et f. tangente.
tangible [tɑ̃ʒibl] adj. tangibile.
tanguer [tɑ̃ge] v. intr. beccheggiare.
tanière [tanjɛr] f. tana, covile m., covo m.
tanin [tanɛ̃] m. tannino.
tank [tɑ̃k] m. (angl.) [citerne] tanca f., serbatoio. || [char] carro armato.
tanker [tɑ̃kɛr] m. nave cisterna f. ; petroliera f.

tannage [tanaʒ] m. concia f., conciatura f.
tanner [tane] v. tr. conciare, tannare. || FAM. scocciare.
tannerie [tanri] f. conceria, concia.
tanneur [tanœr] m. conciatore ; conciapelli.
tannin m. = TANIN.
tan-sad [tɑ̃sad] m. [moto] sella (f.) posteriore, seconda sella.
tant [tɑ̃] adv. tanto. || [quantité] tanto adj. | *ne fais pas tant de façons,* non far tanti complimenti. || [quantité indéterminée] (un) tanto, tot. || **tant mieux, tant pis,** (tanto) meglio, peggio. | **tant bien que mal,** alla meno peggio. | **tant soit peu,** solo un poco, solo un pochino. | **tant qu'à** (inf.) : *tant qu'à faire, fais-le bien,* poiché lo devi fare, fallo bene. | **tant s'en faut,** anzi ; ci corre, ci manca molto. | **tant et plus,** assai, moltissimo. || **tant ... que,** [coord.] sia ... sia ; sia ... che ; [subord. de temps] **tant que,** finché, sinché, fintantoché ; [compar.] tanto ... quanto ; [consécutive, intensité] tanto che, talmente che. | **tant de ... que,** tanto (adj.) ... che. | **si tant est que,** seppure, sempre che. | **en tant que,** [dans la mesure où] in quanto ; [considéré comme] in quanto, come, quale.
tante [tɑ̃t] f. zia. || FAM. *ma tante,* il Monte di Pietà (L.C.). || POP. finocchio m.
tantôt [tɑ̃to] adv. [futur] fra poco. || [passé] poco fa, poc'anzi. || [après-midi] nel pomeriggio. || **tantôt ... tantôt,** ora ... ora ; talvolta ... talaltra.
taon [tɑ̃] m. tafano.
tapage [tapaʒ] m. chiasso, baccano, schiamazzo. || FIG. *faire du tapage,* fare, destare scalpore.
tapageur, euse [tapaʒœr, øz] adj. chiassoso.
tape [tap] f. pacca, manata.
tape-à-l'œil [tapalœj] adj. inv. FAM. chiassoso, vistoso. ◆ m. inv. FAM. falsa apparenza, orpello m.
taper [tape] v. tr. picchiare ; [tapis] sbattere ; [à la machine] battere. || FAM. [emprunter] spillare, scroccare. ◆ v. tr. ind. *taper des pieds,* battere i piedi. || FAM. *taper sur qn,* tagliare i panni addosso a uno. | *taper dans l'œil,* dar nell'occhio ; far colpo. | *taper sur les nerfs,* dare ai nervi. | *taper dans le mille,* azzeccarla, imbroccarla, indovinarla.
tapette [tapɛt] f. [pour les tapis] battipanni m. inv. ; [contre les mouches] acchiappamosche m. inv. || FIG., FAM. *avoir une belle tapette,* avere una bella parlantina, lo scilinguagliolo sciolto. || POP. dama.
tapeur, euse [tapœr, øz] n. FAM. scroccone, a.
tapinois (en) [ɑ̃tapinwa] loc. adv. di soppiatto, alla chetichella.
tapioca [tapjɔka] m. tapioca f.
tapir (se) [sətapir] v. pr. rimpiattarsi, rannicchiarsi.
tapis [tapi] m. tappeto. | *tapis de sol,* pavimento (in tela gommata) ; *tapis-brosse,* stoino, zerbino. || TECHN. *tapis roulant,* nastro trasportatore.
tapisser [tapise] v. tr. tappezzare. || FIG. ricoprire.
tapisserie [tapisri] f. [tenture] tappezzeria, arazzo m. || [papier] carta da parati. || [ouvrage de dame] ricamo m. || FAM. *faire tapisserie,* far (da) tappezzeria.
tapissier, ère [tapisje, ɛr] n. tappezziere m., arazziere m.
tapoter [tapɔte] v. tr. et intr. picchiettare (su), picchierellare (su). || FAM. *tapoter du piano,* strimpellare il piano.
taquet [takɛ] m. [cale] zeppa f., tacco. || [de porte] nottola f.
taquin, e [takɛ̃, in] adj. che punzecchia, dispettoso. ◆ n. stuzzichino m.
taquiner [takine] v. tr. punzecchiare. ◆ v. pr. punzecchiarsi, stuzzicarsi.
taquinerie [takinri] f. punzecchiamento m.
tarabiscoté, e [tarabiskɔte] adj. arzigogolato.
tard [tar] adv. tardi. | *tard dans la nuit,* a tarda notte. ◆ m. *sur le tard,* [jour] sul tardi ; [vie] a tarda età.
tarder [tarde] v. intr. tardare ; far tardi. | *sans tarder,* senza indugio. ◆ v. tr. ind. (à) tardare (a), indugiare (a). ◆ v. impers. *il me tarde de,* non vedo l'ora di, mi preme di.
tardif, ive [tardif, iv] adj. tardivo.
tare [tar] f. COMM. tara. || FIG. difetto m., pecca, magagna. || MÉD. tara.
targuer (se) [sətarge] v. pr. (de) vantarsi (di), gloriarsi (di).
tari, e [tari] adj. asciutto. || FIG. esausto.
tarif [tarif] m. tariffa f.
tarir [tarir] v. tr. disseccare, inaridire, esaurire, prosciugare. || FIG. esaurire.
tarot [taro] m. tarocco.
tarte [tart] f. torta, crostata.
tartine [tartin] f. tartina.
tartiner [tartine] v. tr. spalmare.
tartre [tartr] m. tartaro.
tartu(f)ferie [tartyfri] f. tartuferia.
tas [tɑ] m. mucchio, ammasso, cumulo. | *mettre en tas,* mettere in mucchio ; ammucchiare. || FAM. [d'ennuis] mucchio, sacco ; [d'imbéciles] branco. || *formation sur le tas,* formazione sul posto. | *grève sur le tas,* sciopero a braccia incrociate.
tasse [tas] f. tazza.
tasseau [taso] m. regolo di sostegno.

tasser [tase] v. tr. [objets] pigiare, calcare, premere, comprimere. ‖ [personnes] premere, pigiare, stipare. ◆ v. pr. ARCHIT., GÉOL. [normalement] assestarsi ; [anormalement] cedere. ‖ [personne] rannicchiarsi. ‖ FIG. accomodarsi.
tâter [tɑte] v. tr. palpare, tastare. ‖ [l'ennemi] saggiare ; [le fond] scandagliare. ‖ FIG. tastare. ◆ v. tr. ind. (de) assaggiare v. tr., provare v. tr. ◆ v. pr. FIG. esitare, tentennare.
tatillon, onne [tɑtijɔ̃, ɔn] adj. et n. FAM. pignolo.
tâtonner [tɑtɔne] v. intr. brancolare. ‖ FIG. procedere a tastoni.
tâtons (à) [atɑtɔ̃] loc. adv. tentone, tentoni.
tatouage [tatwaʒ] m. tatuaggio.
tatouer [tatwe] v. tr. tatuare.
taudis [todi] m. tugurio, topaia f., catapecchia f.
taupe [top] f. talpa.
taupinière [topinjɛr] f. monticello (m.) di terra (sollevato dalle talpe) ; gallerie scavate (dalle talpe).
taureau [tɔro] m. toro. ‖ ASTR. Toro.
taux [to] m. tasso, saggio. ‖ MÉD. tasso, percentuale f., coefficiente.
taxe [taks] f. tassa. ‖ COMM. calmiere m.
taxer [takse] v. tr. tassare. ‖ COMM. calmierare. ‖ FIG. tacciare.
taxi [taksi] m. taxi, tassì.
tchécoslovaque [tʃekɔslɔvak] adj. et n. cecoslovacco.
tchèque [tʃɛk] adj. et n. ceco.
tchin-tchin [tʃintʃin] interj. cin cin.
te [tə] pron. pers. ti ; [dans les pronoms groupés] te.
té [te] m. TECHN. riga f., ferro a T.
technicien, enne [tɛknisjɛ̃, ɛn] n. tecnico m. ; donna tecnico.
technicité [tɛknisite] f. tecnicità.
technique [tɛknik] adj. tecnico. ◆ f. tecnica. ‖ FAM. *avoir la bonne technique,* saperci fare.
technocrate [tɛknɔkrat] n. tecnocrate.
technocratie [tɛknɔkrasi] f. tecnocrazia.
technologie [tɛknɔlɔʒi] f. tecnologia.
teindre [tɛ̃dr] v. tr. (en) tingere (di, in).
teint [tɛ̃] m. colore, tinta f. ‖ FIG. *bon teint,* genuino. ‖ [carnation] carnagione f., colorito. | *fond de teint,* fondo tinta.
teinte [tɛ̃t] f. tinta, colore m. ‖ FIG. ombra, sfumatura.
teinté, e [tɛ̃te] adj. *verres teintés,* lenti affumicate.
teinter [tɛ̃te] v. tr. tingere.
teinture [tɛ̃tyr] f. tintura. ‖ FIG. infarinatura.
teinturerie [tɛ̃tyrri] f. tintoria.
teinturier, ère [tɛ̃tyrje, ɛr] n. tintore, a.
tel, telle [tɛl] adj. tale, simile, siffatto. ‖ *tel quel,* tale e quale. ‖ [conséquence] *tel ... que,* tale ... che. ◆ adj. indéf. *tel ou tel,* tale o talaltro. ◆ pron. indéf. *tel (... tel),* il tale (... il talaltro).
télé [tele] f. FAM. T.V. [prononcer : tivvù].
télébenne [telebɛn] ou **télécabine** [telekabin] f. telecabina.
télécommande [telekɔmɑ̃d] f. telecomando m.
télécommunications [telekɔmynikasjɔ̃] f. pl. telecomunicazioni.
télé-enseignement [teleɑ̃sɛɲmɑ̃] m. telescuola f.
téléférique ou **téléphérique** [teleferik] adj. teleferico. ◆ m. funivia f., teleferica f.
télégramme [telegram] m. telegramma.
télégraphe [telegraf] m. telegrafo.
télégraphie [telegrafi] f. telegrafia. | *télégraphie sans fil,* radiotelegrafia.
télégraphier [telegrafje] v. tr. telegrafare.
télégraphique [telegrafik] adj. telegrafico.
télégraphiste [telegrafist] m. [opérateur] telegrafista ; [porteur] fattorino.
téléguidage [telegidaʒ] m. teleguida f.
téléguider [telegide] v. tr. teleguidare.
télémètre [telemɛtr] m. telemetro.
téléobjectif [teleɔbʒɛktif] m. teleobiettivo.
télépathie [telepati] f. telepatia, telestesia.
télépathique [telepatik] adj. telepatico.
téléphérique adj. et m. V. TÉLÉFÉRIQUE.
téléphone [telefɔn] m. telefono. | *coup de téléphone,* telefonata f., colpo di telefono (fam.).
téléphoner [telefɔne] v. tr. et intr. telefonare.
téléphonique [telefɔnik] adj. telefonico.
téléphoniste [telefɔnist] n. telefonista.
téléreportage [telerəpɔrtaʒ] m. telecronaca f.
télescopage [telɛskɔpaʒ] m. scontro, tamponamento.
télescope [teleskɔp] m. telescopio.
télescoper [teleskɔpe] v. tr. urtare, tamponare.
télescopique [teleskɔpik] adj. telescopico.
téléscripteur [teleskriptœr] m. telescrivente f., telescrittore, telestampante f.
télésiège [telesjɛʒ] m. seggiovia f.
téléski [teleski] m. sciovia f.

téléspectateur, trice [telespɛktatœr, tris] n. telespettatore, trice.
télévisé, e [televize] adj. televisivo. | *journal télévisé,* telegiornale.
téléviser [televize] v. tr. teletrasmettere.
téléviseur [televizœr] m. televisore.
télévision [televizjõ] f. televisione. | *écran de télévision,* video m.
télévisuel, elle [televizɥɛl] adj. televisivo.
télex [telɛks] m. telex.
tellement [tɛlmɑ̃] adv. tanto, talmente. || *tellement ... que,* talmente, tanto, così ... da, che. || FAM. *tellement de,* tanto adj.
téméraire [temerɛr] adj. temerario. || [jugement] avventato.
témérité [temerite] f. temerità, temerarietà.
témoignage [temwaɲaʒ] m. JUR. testimonianza f. || [attestation] attestato, certificato. || [preuve] testimonianza, prova f., segno. || *porter un témoignage sur son temps,* essere un testimonio del proprio tempo.
témoigner [temwaɲe] v. intr. JUR. testimoniare. ◆ v. tr. [sentiments] manifestare, rivelare. ◆ v. tr. ind. (de) testimoniare v. tr. et tr. ind. (di), rivelare v. tr.
témoin [temwɛ̃] m. JUR. teste, testimone, testimonio. || [duel] secondo, padrino. || *lampe témoin,* lampad(in)a spia. | *appartement témoin,* appartamento modello.
tempe [tɑ̃p] f. ANAT. tempia.
tempérament [tɑ̃peramɑ̃] m. [complexion] temperamento, complessione f. || [caractère] carattere, indole f. || COMM. *vente à tempérament,* vendita rateale, a rate.
tempérance [tɑ̃perɑ̃s] f. temperanza.
température [tɑ̃peratyr] f. temperatura. || [fièvre] febbre.
tempéré, e [tɑ̃pere] adj. [climat, monarchie, musique] temperato.
tempérer [tɑ̃pere] v. tr. temperare, moderare, mitigare.
tempête [tɑ̃pɛt] f. tempesta, bufera. || FIG. tempesta.
tempêter [tɑ̃pete] v. intr. FIG. (contre) tempestare (contro).
tempétueux, euse [tɑ̃petɥø, øz] adj. tempestoso.
temple [tɑ̃pl] m. tempio.
temporaire [tɑ̃pɔrɛr] adj. temporaneo.
temporel, elle [tɑ̃pɔrɛl] adj. et m. temporale.
temporisateur, trice [tɑ̃pɔrizatœr, tris] adj. et n. temporeggiatore, trice.
temporisation [tɑ̃pɔrizasjõ] f. temporeggiamento m.
temporiser [tɑ̃pɔrize] v. intr. temporeggiare.
temps [tɑ̃] m. tempo. | *mauvais, sale, fichu* (fam.) *temps,* tempaccio. | *il y a peu de temps,* poco fa. | *sans perdre de temps,* senza por tempo in mezzo. | *à plein temps,* a tempo pieno. || [époque] tempo, epoca f. || [moment précis] tempo, momento. | *il est temps de,* è ora di. | *en temps voulu,* in tempo. | *en temps utile,* a suo tempo. | *choisir son temps,* cogliere il momento (opportuno). || *à temps,* in tempo. | *de tout temps,* in ogni tempo, sempre. | *en même temps,* nello stesso tempo, ad un tempo, simultaneamente, contemporaneamente, nel contempo. | *en temps ordinaire,* di solito. | *la plupart du temps,* quasi sempre. | *quelque temps,* per qualche tempo. | *dans, sous peu de temps,* fra poco. | *à peu de temps de là,* poco tempo dopo.
tenace [tənas] adj. tenace.
ténacité [tenasite] f. tenacia.
tenailler [tənaje] v. tr. attanagliare.
tenaille [t(ə)naj] f. tenaglia.
tenancier, ère [tənɑ̃sje, ɛr] n. AGR. affittuario, a. || [de bar, d'hôtel] gestore, trice.
tenant, e [tənɑ̃, ɑ̃t] adj. *séance tenante,* seduta stante. ◆ m. *d'un (seul) tenant,* tutto d'un pezzo. || [d'une idée] difensore, sostenitore. || SP. detentore, trice. ◆ m. pl. FIG. *tenants et aboutissants,* annessi e connessi.
tendance [tɑ̃dɑ̃s] f. tendenza, propensione. | *procès de tendance,* processo alle intenzioni.
tendancieux, euse [tɑ̃dɑ̃sjø, øz] adj. tendenzioso.
tendeur [tɑ̃dœr] m. tenditore ; [Sandow] elastico.
tendon [tɑ̃dõ] m. tendine.
1. tendre [tɑ̃dr] v. tr. tendere. || [bras, main] (pro)tendere ; [oreille] tendere, porgere ; [cou] allungare. || [tapisser] tappezzare, parare. || [son esprit] concentrarsi. || *tendre le dos,* curvar la schiena. | *être tendu,* avere i nervi tesi. ◆ v. tr. ind. (à, vers) tendere, mirare (a). ◆ v. pr. [rapports] essere teso.
2. tendre adj. tenero, morbido, delicato. || *dès sa plus tendre enfance,* sin dalla prima infanzia. || FIG. tenero, affettuoso.
tendresse [tɑ̃drɛs] f. tenerezza.
ténèbres [tenɛbr] f. pl. tenebre.
ténébreux, euse [tenebrø, øz] adj. tenebroso.
1. teneur [tənœr] f. [contenu] tenore m.
2. teneur m. *teneur de livres,* contabile, computista, ragioniere.
ténia ou **tænia** [tenja] m. tenia f.
tenir [tənir] v. tr. [dans la main] tenere, reggere (in mano). || [exclam.]

tiens, tenez, to'. | [étonnement] *tiens, tiens !,* ma guarda un po' ! || [posséder] avere, possedere. | [un renseignement] avere. | [de bonne source] sapere (di fonte sicura). | *faire tenir une lettre à qn,* far recapitare una lettera a qlcu. || [être maître de] [une classe] tenere a freno ; [sa langue] tenere a posto. | [navire] reggere (il mare) ; [auto] tenere (la strada). || FAM. *tenir le coup,* incassare ; resistere (L.C.). || [occuper] tenere, occupare. | [sa droite] tenere (la destra). | *tenir lieu de,* far le veci di. || [garder] (man)tenere, adempire (una promessa). | [au chaud] mantenere (caldo). | [à l'œil] tener d'occhio. || [exercer] tenere, gestire. | [un emploi] avere. | [la caisse] tenere. | [un magasin] gestire. || [énoncer : un raisonnement] fare (un ragionamento). | [un rôle] sostenere, interpretare (una parte). || [considérer] ritenere. | *tenir qn pour un ami,* tenere qlcu. per un amico, ritenere qlcu. un amico. ◆ v. tr. ind. *tenir à,* [adhérer] essere attaccato a, aderente a, attiguo a. || FIG. [affection] essere attaccato a, affezionato a. || [attacher de l'importance à] far gran conto di, tenere a, importare a qlcu. | *je n'y tiens pas,* non ci tengo, non m'importa. || [résulter] dipendere da, provenire da. | *il ne tient qu'à toi de,* dipende solo da te. || *tenir de,* tenere da, assomigliare a. ◆ v. intr. [être durable] tenere, resistere, reggere, durare. || [résister] *tenir bon, ferme,* resistere ; tener duro, saldo. | *tenir debout,* reggersi in piedi. ◆ v. pr. [à la rampe] reggersi (alla ringhiera). || [dans une pièce, à l'écart] starsene in una stanza ; tenersi in disparte. || [avoir lieu] tenersi, aver luogo. || [se comporter bien, mal, à table, dans le monde] sapere stare, comportarsi. | *ne pas se tenir de joie,* non stare in sé dalla gioia. | *s'en tenir à,* limitarsi a, attenersi a.

tennis [tenis] m. tennis. | *joueur, euse de tennis,* tennista n.

ténor [tenɔr] m. MUS. tenore. || FIG. esponente.

tension [tɑ̃sjɔ̃] f. tensione. || MÉD. tensione, pressione.

tentacule [tɑ̃takyl] m. tentacolo.

tentant, e [tɑ̃tɑ̃, ɑ̃t] adj. seducente, attraente, allettante.

tentation [tɑ̃tasjɔ̃] f. tentazione.

tentative [tɑ̃tativ] f. tentativo m. || JUR. *tentative de vol, de meurtre,* tentato furto, omicidio.

tente [tɑ̃t] f. tenda.

tenter [tɑ̃te] v. tr. tentare, provare. || [entraîner au mal] tentare ; indurre in tentazione. || [allécher] tentare, allettare. ◆ v. tr. ind. (**de**) tentare (di), cercare (di).

tenture [tɑ̃tyr] f. parato m. ◆ pl. paramenti (m. pl.) funebri.

tenu, e [təny] adj. tenuto, curato. || *être tenu à, de,* essere tenuto a.

ténu, e [teny] adj. tenue, sottile.

tenue [təny] f. [entretien] tenuta, cura. || AUT. *tenue de route,* tenuta di strada. || [comportement] contegno m., comportamento m. || FIN. [Bourse] fermezza, sostenutezza. || [habillement] modo (m.) di vestire ; vestito m. || MIL. *grande tenue,* gran tenuta. | *en tenue,* in divisa. ◆ *d'une seule tenue, tout d'une tenue,* tutto d'un pezzo.

térébenthine [terebɑ̃tin] f. trementina. | *essence de térébenthine,* essenza di trementina, acqua ragia.

tergiverser [tɛrʒivɛrse] v. intr. tergiversare.

terme [tɛrm] m. termine, limite. | *mener à terme,* condurre a termine. || [loyer] affitto. || FIN. termine, scadenza f. || *acheter, vendre à terme,* comprare, vendere a termine. || MÉD. *né avant terme,* prematuro. || [mot] termine, parola f., vocabolo. | *en d'autres termes,* in altri termini, con altre parole. ◆ pl. [relations] termini, relazioni f. pl.

terminaison [tɛrminɛzɔ̃] f. GR. terminazione, desinenza, uscita.

terminal, e, aux [tɛrminal, o] adj. et m. terminale.

terminer [tɛrmine] v. tr. terminare, ultimare, concludere. | *et pour terminer,* e infine ; e da ultimo. ◆ v. pr. terminare v. intr., finire v. intr. ; concludersi ; aver fine. || GR. *se terminer par,* uscire in.

terminus [tɛrminys] m. capolinea.

termite [tɛrmit] m. termite f.

terne [tɛrn] adj. smorto, sbiadito, spento. || FIG. scialbo, sciatto, squallido.

ternir [tɛrnir] v. tr. sbiadire, appannare. || FIG. offuscare, oscurare.

terrain [tɛrɛ̃] m. terreno. | *terrain à bâtir,* area (f.) fabbricabile. || *(véhicule) tout terrain,* campagnola f. || MIL., SP. terreno, campo.

terrasse [tɛras] f. terrazza, terrazzo m.

terrassement [tɛrasmɑ̃] m. sterro, sterramento.

terrasser [tɛrase] v. tr. sterrare. || atterrare, abbattere. || MÉD. colpire.

terrassier [tɛrasje] m. sterratore, terrazziere, badilante.

terre [tɛr] f. terra. | *terre ferme,* terraferma. || *porter, mettre en terre,* seppellire, sotterrare. | *tomber face contre terre,* cadere bocconi. || MAR. *toucher terre,* approdare. || AGR. terra, humus m. || [propriété] terra, fondo m, podere m. || [région] paese m., regione. || *terre glaise,* creta, argilla. | *terre cuite,* terracotta. ◆ *terre à terre,* terra terra.

terreau [tɛro] m. terriccio.
terre-neuve [tɛrnœv] m. inv. terranova.
terre-plein [tɛrplɛ̃] m. terrapieno.
terrer (se) [sətɛre] v. pr. rintanarsi.
terrestre [tɛrɛstr] adj. terrestre. || FIG. [temporel] terreno.
terreur [tɛrœr] f. terrore m.
terreux, euse [tɛrø, øz] adj. terroso. || FIG. *teint terreux,* carnagione terrea. || V. CUL-TERREUX.
terrible [tɛribl] adj. terribile, spaventoso, spaventevole. || FAM. [exagéré] terribile.
terrier [tɛrje] m. tana f.
terrifiant, e [tɛrifjɑ̃, ɑ̃t] adj. terrificante.
terrifier [tɛrifje] v. tr. terrificare, atterrire.
terrine [tɛrin] f. terrina. || CULIN. pasticcio m.
territoire [tɛritwar] m. territorio.
territorial, e, aux [tɛritɔrjal, o] adj. territoriale.
terroir [tɛrwar] m. AGR. terreno. || FIG. regione f., paese. | *poète du terroir,* poeta regionalista.
terroriser [tɛrɔrize] v. tr. atterrire, terrificare, terrorizzare.
terrorisme [tɛrɔrism] m. terrorismo.
terroriste [tɛrɔrist] adj. terrorista, terroristico. ◆ n. terrorista.
tertiaire [tɛrsjɛr] adj. et n. terziario.
tertre [tɛrtr] m. monticello, poggetto. | *tertre funéraire,* tumulo.
tesson [tesɔ̃] m. coccio.
test [tɛst] m. test inv.
testament [tɛstamɑ̃] m. testamento.
testicule [tɛstikyl] m. testicolo.
tétanos [tetanɔs] m. tetano.
têtard [tɛtar] m. girino.
tête [tɛt] f. testa, capo m. | *la tête la première,* a capofitto. | *avoir la tête qui tourne,* avere un capogiro. | *ne savoir où donner de la tête,* non sapere dove sbattere la testa. || FIG. *tomber sur la tête,* impazzire. | *tenir tête à,* far fronte a. || [vie] testa, vita. || [visage] faccia, aspetto m. | *une sale tête,* un brutto ceffo. | *tête de mort,* teschio m. || FIG. *faire la tête,* fare, tenere il broncio. || FAM. *se payer la tête de qn,* pigliare in giro qlcu. || testa, mente, cervello m. | *homme, femme de tête,* uomo, donna di polso. || *avoir la tête chaude, froide,* avere il sangue caldo, essere di sangue freddo. | *tête de cochon,* zuccone m. | *tête brûlée,* scavezzacollo m. | *avoir toute sa tête,* avere la mente lucida. || *vote par tête,* voto individuale. | *par tête d'habitant,* per abitante ; pro capite (lat.). | *cent têtes de bétail,* cento capi di bestiame. || [des arbres] vetta, cima ; [d'épingle] capocchia ; [de lecture] testina. || *tête de pont,* testata ; MIL. testa di ponte, di sbarco, di aviosbarco. ◆ *en tête,* avanti ; all'inizio. || *en tête à tête,* da solo a solo. || *à la tête de,* alla testa di, a capo di.
tête-à-queue [tɛtakø] m. inv. [cheval] voltafaccia ; [voiture] testa coda f.
tête-à-tête [tɛtatɛt] m. inv. colloquio m.
tétée [tete] f. poppata.
téter [tete] v. tr. poppare.
tétine [tetin] f. tettarella.
téton [tetɔ̃] m. FAM. tetta f.
têtu, e [tety] adj. et n. testardo, caparbio, cocciuto.
texte [tɛkst] m. testo.
textile [tɛkstil] adj. et m. tessile.
textuel, elle [tɛkstɥɛl] adj. testuale.
thé [te] m. tè.
théâtral, e, aux [teatral, o] adj. teatrale.
théâtre [teatr] m. teatro. | *théâtre de verdure,* teatro verde. | *coup de théâtre,* colpo di scena.
théière [tejɛr] f. teiera.
thème [tɛm] m. tema, argomento. || traduzione f., versione f. (in una lingua straniera).
théologie [teɔlɔʒi] f. teologia.
théologien [teɔlɔʒjɛ̃] m. teologo.
théorème [teɔrɛm] m. teorema.
théoricien, enne [teɔrisjɛ̃, ɛn] n. teorico.
théorie [teɔri] f. teoria, teorica.
théorique [teɔrik] adj. teorico.
thérapeutique [terapøtik] adj. et f. terapeutico, a.
thérapie [terapi] f. terapia, terapeutica.
thermal, e, aux [tɛrmal, o] adj. termale.
thermes [tɛrm] m. pl. terme f. pl.
thermomètre [tɛrmomɛtr] m. termometro.
thermonucléaire [tɛrmonykleɛr] adj. termonucleare.
Thermos [tɛrmos] m. ou f. inv. t(h)ermos m., termo m. inv.
thermostat [tɛrmosta] m. termostato.
thésauriser [tezɔrize] v. tr. et intr. tesaurizzare, tesoreggiare.
thèse [tɛz] f. tesi. || UNIV. tesi di laurea.
thon [tɔ̃] m. tonno.
thorax [tɔraks] m. torace.
thym [tɛ̃] m. timo.
thyroïde [tirɔid] adj. ANAT. tiroideo. ◆ n. f. tiroide.
tiare [tjar] f. tiara. | *tiare pontificale,* tiara pontificia ; triregno m.
tibia [tibja] m. tibia f.
tic [tik] m. tic. || FIG. vezzo, mania f.
ticket [tikɛ] m. biglietto ; [de caisse] scontrino ; [de rationnement] tagliando.
tic-tac [tiktak] m. inv. tic tac.
tiède [tjɛd] adj. et n. t(i)epido.
tiédeur [tjedœr] f. t(i)epidezza, t(i)epidità, tepore m.

tiédir [tjedir] v. tr. et intr. int(i)epidire.
tien, tienne [tjɛ̃, tjɛn] pron. poss. *le tien, la tienne, les tiens, les tiennes,* il tuo, la tua, i tuoi, le tue. ◆ m. pl. *les tiens,* i tuoi parenti, amici, seguaci.
tierce [tjɛrs] f. MUS. terza.
tiercé [tjɛrse] m. [pari] totip inv.
tiers, tierce [tjɛr, tjɛrs] adj. terzo. ◆ m. terza persona. || [fraction] terzo.
tiers(-)monde [tjɛrmɔ̃d] m. Terzo Mondo.
tige [tiʒ] f. BOT. stelo m., gambo m. || [d'une famille] capostipite m. || [de botte] gambale m., tromba. || [de colonne] fusto m. || TECHN. asta.
tignasse [tiɲas] f. FAM. zazzera, zazzeraccia.
tigre [tigr] m. tigre f. (m. rare) ; tigre maschio.
tigresse [tigrɛs] f. tigre femmina.
tillac [tijak] m. MAR. coperta f.
tilleul [tijœl] m. BOT. tiglio. || [tisane] infusione (f.) di tiglio.
timbale [tɛ̃bal] f. MUS. timballo m., timpano m. || CULIN. timballo. || [gobelet] tazza, bicchiere (m.) di metallo.
timbrage [tɛ̃braʒ] m. [d'un document] bollatura f. || [d'un timbre-poste] obliterazione f.
timbre [tɛ̃br] m. [de bicyclette, d'appartement] campanello. || [d'instrument, de la voix] timbro, tempra f. || [cachet] bollo. || ***timbre-poste,*** francobollo. || ***timbre-quittance,*** marca (f.) da bollo.
timbré, e [tɛ̃bre] adj. *papier timbré,* carta bollata, da bollo. || FAM. un po' tocco.
timbrer [tɛ̃bre] v. tr. [document] bollare. || [lettre] affrancare.
timide [timid] adj. et n. timido.
timidité [timidite] f. timidezza.
timon [timɔ̃] m. timone.
timonier [timɔnje] m. timoniere.
timoré, e [timɔre] adj. [scrupuleux] timorato. || [craintif] timoroso.
tintamarre [tɛ̃tamar] m. FAM. baccano, chiasso.
tintement [tɛ̃tmɑ̃] m. tintinnio. || [d'oreilles] ronzio, zufolio.
tinter [tɛ̃te] v. intr. rintoccare, tintinnare ; tintinnire. || [oreilles] ronzare, zufolare.
tintouin [tɛ̃twɛ̃] m. FAM. grattacapo.
tir [tir] m. tiro. | *tir forain,* tirassegno. || [football] *tir au but,* tiro in porta, a rete.
tirade [tirad] f. tirata.
tirage [tiraʒ] m. [cheminée] tiraggio. || TYP. stampa f., tiratura f., ristampa f. | *tirage à part,* estratto. || [au sort] sorteggio. || COMM. emissione f. || FIN. [titres] sorteggio.
tirailler [tiraje] v. tr. stiracchiare ; dare strattoni a. ◆ v. intr. MIL. sparacchiare.
tirailleur [tirajœr] m. MIL. fuciliere, cacciatore, tiragliatore. | *en tirailleurs,* in ordine sparso.
tirant [tirɑ̃] m. *tirant d'eau,* pescaggio.
tire [tir] f. *vol à la tire,* borseggio m.
tiré [tire] m. COMM. trassato, trattario. || TYP. *tiré à part,* estratto.
tire-au-flanc [tiroflɑ̃] m. inv. FAM. lavativo, scansafatiche.
tire-bouchon [tirbuʃɔ̃] m. cavatappi inv. || FAM. *pantalons en tire-bouchon,* calzoni a fisarmonica.
tire-d'aile (à) [atirdɛl] loc. adv. con volo rapido. || FIG. come una saetta, come un fulmine.
tire-fesses [tirfɛs] m. inv. FAM. sciovia f. (L.C.).
tire-ligne [tirliɲ] m. tiralinee inv.
tirelire [tirlir] f. salvadanaio m.
tirer [tire] v. tr. tirare. | *tirer la jambe,* strascicare la gamba. | *tirer le diable par la queue,* stentare la vita, il pane. || [faire sortir] tirar fuori, tirar su, (ri)cavare. || [eau, vin] attingere. || [épée] sguainare. || [renseignement] (ri)cavare. || FIG. *tirer argument de qch. pour,* avvalersi di qlco. per. || FAM. [argent] spillare. || COMM. *tirer une traite sur le compte de qn,* spiccare tratta su qlcu. | *tirer à vue,* emettere a vista. || [avec une arme] tirare, sparare. || PHOT., TYP. tirare. || FIG. *tirer des plans,* fare progetti. ◆ v. tr. ind. (à) *tirer à sa fin,* volgere alla fine. | *tirer à conséquence,* avere gravi conseguenze. || (sur) sparare (a). || [couleur] tendere (a). ◆ v. intr. [poêle] tirare. || [arme] sparare. || [football] *tirer au but,* tirare a rete. ◆ v. pr. FAM. levare le tende, tagliare la corda. || *bien, mal s'en tirer,* cavarsela bene, male.
tiret [tirɛ] m. lineetta f., trattino.
tireur, euse [tirœr, øz] n. tiratore, trice. || *tireuse de cartes,* cartomante. ◆ m. COMM. traente.
tiroir [tirwar] m. cassetto. || COMM. ***tiroir-caisse,*** cassa f.
tisane [tizan] f. tisana, decotto m., infusione.
tison [tizɔ̃] m. tizzone.
tisonner [tizɔne] v. tr. et intr. attizzare (il fuoco).
tisonnier [tizɔnje] m. attizzatoio.
tissage [tisaʒ] m. tessitura f.
tisser [tise] v. tr. tessere. | *métier à tisser,* telaio.
tisserand, e [tisrɑ̃, ɑ̃d] n. tessitore, trice.
tissu [tisy] m. tessuto, stoffa f. || ***tissu-éponge,*** spugna f.
titre [titr] m. titolo. || [dignité, emploi] titolo, dignità f., qualifica f. || [de transport] biglietto. || [d'un alcool] gradazione f. ; [d'un alliage] titolo. ◆ ***à juste titre,*** con ragione, a buon diritto. || ***à***

titre de, in qualità di. || *au même titre que,* come, quanto.
titré, e [titre] adj. et n. titolato.
titrer [titre] v. tr. CHIM. titolare.
tituber [titybe] v. intr. barcollare.
titulaire [titylɛr] adj. et n. titolare. || [d'un poste] *être titulaire,* essere di ruolo.
toast [tost] m. brindisi inv. | *porter un toast à la santé de qn,* brindare alla salute di qlcu. || [pain] fetta di pane tostata.
toboggan [tɔbɔgɑ̃] m. toboga inv. || [sur route] viadotto, cavalcavia inv.
toc [tɔk] m. paccottiglia f., orpello, similoro. | *en toc,* falso. | *c'est du toc,* è roba fasulla.
tocsin [tɔksɛ̃] m. *sonner le tocsin,* suonare a martello, a stormo, a raccolta.
toge [tɔʒ] f. toga.
tohu-bohu [tɔybɔy] m. FAM. baraonda f., bailamme, baccano.
toi [twa] pron. pers. [compl.] te. | *chez toi,* a casa tua. || [avec un impér.] *regarde-toi,* guardati. || [sujet et vocatif] tu.
toile [twal] f. tela. | *toile d'araignée,* ragnatela. || [de tente] telo m. || ART tela, quadro m. || TH. *toile de fond,* sfondo m., fondale m.
toilette [twalɛt] f. to(e)letta. || [vêtement féminin] to(e)letta. || [nettoyage] to(e)letta, pulizia. ◆ pl. to(e)letta sing. ; gabinetto m.
toise [twaz] f. [règle graduée] antropometro m.
toiser [twaze] v. tr. FIG. guardare dall'alto in basso ; squadrare.
toison [twazɔ̃] f. vello m. || FAM. [cheveux] chioma, zazzera.
toit [twa] m. tetto.
toiture [twatyr] f. copertura, tetto m.
tôle [tol] f. lamiera. | *tôle ondulée,* lamiera ondulata.
tolérable [tɔlerabl] adj. tollerabile.
tolérance [tɔlerɑ̃s] f. tolleranza.
tolérant, e [tɔlerɑ̃, ɑ̃t] adj. tollerante.
tolérer [tɔlere] v. tr. tollerare.
tollé [tɔle] m. proteste (f. pl.) violente, levata (f.) di scudi.
tomate [tɔmat] f. pomodoro m.
tombal, e, als [tɔ̃bal] adj. tombale, sepolcrale.
tombant, e [tɔ̃bɑ̃, ɑ̃t] adj. *à la nuit tombante,* sul far della notte.
tombe [tɔ̃b] f. tomba, fossa. || [monument] tomba.
tombeau [tɔ̃bo] m. tomba f., sepolcro. | *mettre au tombeau,* seppellire. || *à tombeau ouvert,* a rotta di collo, a rompicollo.
tombée [tɔ̃be] f. *à la tombée du jour,* al tramonto.
tomber [tɔ̃be] v. intr. cadere, cascare, calare ; venir giù. || [s'effondrer] crollare. || FIG. crollare, cadere. || [diminuer] calare ; venir meno. || [soleil] tramontare. || [conversation] cadere. || [arriver, se trouver] capitare. || [date] ricorrere. || FIG. *tomber à l'eau,* andare a monte, in fumo ; sfumare. || *tomber dans le panneau,* cascarci. || JUR. *tomber sous le coup de la loi,* essere punibile a norma di legge. || *tomber sur qn* [hasard], imbattersi in qlcu. | *tomber sur l'ennemi,* piombare sul nemico. ◆ v. tr. [lutte] atterrare. || FAM. *tomber la veste,* togliersi, levarsi la giacca (L.C.).
tombola [tɔ̃bɔla] f. lotteria (di beneficenza).
tome [tɔm] m. tomo, volume.
1. ton [tɔ̃], **ta** [ta], **tes** [te] adj. poss. (il) tuo, (la) tua, i tuoi, le tue.
2. ton m. tono. || [style] tono, stile. || [manières] *le bon ton,* i bei modi, i modi garbati. | *de bon ton,* elegante, fine. || [couleur] tono, colore. || GR. tono. || MUS. tono, modo.
tonalité [tɔnalite] f. tonalità. || [téléphone] segnale (m.) acustico.
tondeuse [tɔ̃døz] f. tosatrice.
tondre [tɔ̃dr] v. tr. tosare, rasare ; [tissu] cimare. || FIG. *tondre qn,* tosare, pelare uno.
tonifier [tɔnifje] v. tr. tonificare.
tonique [tɔnik] adj. et m. tonico. ◆ f. tonica.
tonitruant, e [tɔnitryɑ̃, ɑ̃t] adj. FAM. tonante, tonitruante.
tonnage [tɔnaʒ] m. MAR. tonnellaggio.
tonne [tɔn] f. tonnellata.
tonneau [tɔno] m. botte f. || AV. mulinello. || AUT. *faire plusieurs tonneaux,* ribaltare parecchie volte. || MAR. tonnellata f.
tonnelet [tɔnlɛ] m. bariletto.
tonnelier [tɔnəlje] m. bottaio, barilaio.
tonnelle [tɔnɛl] f. [verdure] pergolato m. (a cupola).
tonner [tɔne] v. impers. et intr. tonare.
tonnerre [tɔnɛr] m. tuono. || FIG. scroscio, subisso.
tonsure [tɔ̃syr] f. tonsura, chierica.
tonte [tɔ̃t] f. tosatura.
tonus [tɔnys] m. tono. || FIG. energia f., dinamismo.
topaze [tɔpaz] f. topazio m.
topinambour [tɔpinɑ̃bur] m. topinambur inv.
topo [tɔpo] m. FAM. discorsetto.
topographie [tɔpɔgrafi] f. topografia.
toponymie [tɔpɔnimi] f. toponomastica, toponimia.
toponymique [tɔpɔnimik] adj. toponomastico, toponimico.
toquade [tɔkad] f. FAM. ghiribizzo m., grillo m.
toque [tɔk] f. tocco m.

toqué, e [tɔke] adj. FAM. tocco, picchiatello. || [épris] incapricciato, infatuato.
torche [tɔrʃ] f. torcia, fiaccola. || [pétrole] fiaccola. || *parachute en torche*, paracadute che cade in vite.
torchère [tɔrʃɛr] f. torciera. || [pétrole] fiaccola.
torchis [tɔrʃi] m. malta (f.) d'argilla e paglia.
torchon [tɔrʃɔ̃] m. canovaccio. | *coup de torchon*. PR. spolverata f. ; FIG., FAM. piazza pulita.
tordant, e [tɔrdɑ̃, ɑ̃t] adj. FAM. buffo.
tordre [tɔrdr] v. tr. torcere, attorcere, contorcere. || [linge] strizzare. ◆ v. pr. (con)torcersi. | *se tordre le pied*, farsi una storta al piede.
tordu, e [tɔrdy] adj. storto. || FAM. [fou] svitato, sonato.
tornade [tɔrnad] f. tornado m. inv.
torpeur [tɔrpœr] f. torpore m., torpidezza, torpidità.
torpille [tɔrpij] f. ZOOL. torpedine. || MAR. siluro m., torpedine.
torpiller [tɔrpije] v. tr. MAR., FIG. silurare.
torpilleur [tɔrpijœr] m. [marin] silurista. || [navire] torpediniera f., silurante f.
torréfier [tɔrefje] v. tr. torrefare, tostare.
torrent [tɔrɑ̃] m. torrente. | *pleuvoir à torrents*, piovere a catinelle, a dirotto.
torrentiel, elle [tɔrɑ̃sjɛl] adj. [pluie, éloquence] torrenziale. || *le régime torrentiel des eaux*, un corso d'acqua a regime torrentizio.
torride [tɔrid] adj. torrido.
tors, e [tɔr, tɔrs] adj. torto. || [jambes] storto, arcuato. || [colonne] tortile.
torsade [tɔrsad] f. tortiglione m.
torse [tɔrs] m. torso, busto.
torsion [tɔrsjɔ̃] f. torsione.
tort [tɔr] m. torto. || *à tort*, a torto. | *à tort ou à raison*, a torto o a ragione. | *à tort et à travers*, a vanvera, a casaccio.
torticolis [tɔrtikɔli] m. torcicollo.
tortillard [tɔrtijar] m. FAM. trenino lento (L.C.).
tortiller [tɔrtije] v. tr. (s)contorcere. ◆ v. pr. (s)contorcersi.
tortionnaire [tɔrsjɔnɛr] n. seviziatore, boia, carnefice.
tortue [tɔrty] f. tartaruga, testuggine. || FIG. *à pas de tortue*, a passo di lumaca.
tortueux, euse [tɔrtɥø, øz] adj. tortuoso.
torture [tɔrtyr] f. tortura, tormento m. | PR. et FIG. *mettre à la torture*, tormentare. | *être à la torture*, tormentarsi, angustiarsi.
torturer [tɔrtyre] v. tr. torturare, tormentare (pr. et fig.) ; angustiare (fig.).
torve [tɔrv] adj. torvo, bieco.
tôt [to] adv. presto. | *le plus tôt possible*, più presto possibile, al più presto, quanto prima. || *ne ... pas plus tôt ... que*, (non) appena.
total, e, aux [tɔtal, o] adj. et m. totale. || *au total*, tutto sommato ; a conti fatti ; insomma.
totalisateur [tɔtalizatœr] m. totalizzatore.
totaliser [tɔtalize] v. tr. totalizzare.
totalitaire [tɔtalitɛr] adj. totalitario.
totalité [tɔtalite] f. totalità. | *la totalité de l'humanité*, tutta l'umanità. | *en totalité*, totalmente ; tutto adj.
totem [tɔtɛm] m. totem inv.
toubib [tubib] m. FAM. medico (L.C.).
touchant [tuʃɑ̃] prép. riguardo a, in merito a.
touchant, e [tuʃɑ̃, ɑ̃t] adj. commovente, toccante.
touche [tuʃ] f. [de l'or, de l'argent] saggio m. || PR. et FIG. *pierre de touche*, pietra di paragone. || ART, FIG. tocco m., pennellata. || MUS. [piano, orgue] tasto m. ; [violon, guitare] tastiera. || SP. [escrime] botta ; [billard] colpo m. ; [football, rugby] *ligne de touche*, linea laterale.
touche-à-tout [tuʃatu] m. inv. FAM. toccatutto.
1. toucher [tuʃe] v. tr. toccare ; [un adversaire] colpire (pr. et fig.). || FIG. *toucher juste*, dar nel segno. || [bœufs] pungolare. || [joindre] trovare, raggiungere. || [recevoir] riscuotere. || [affecter] commuovere, toccare, colpire. || [concerner] riguardare, toccare. ◆ v. tr. ind. (à) toccare v. tr. || [être contigu] essere attiguo. || [à la loi] modificare v. tr. ; [à l'honneur] offendere v. tr., ledere v. tr. ; [à son capital] intaccare v. tr. || FIG. [au but] giungere a ; [à sa fin] volgere a.
2. toucher m. tatto. || MÉD. esplorazione f. || MUS. tocco.
touffe [tuf] f. ciuffo m. | *touffe d'arbres*, gruppo (m.) d'alberi.
touffu, e [tufy] adj. folto, fitto. || FIG. farraginoso.
touiller [tuje] v. tr. FAM. mescolare (L.C.).
toujours [tuʒur] adv. sempre. || [encore maintenant] sempre, ancora, tuttora. || [en tout cas] intanto, pure, comunque, nondimeno. || *toujours est-il que*, fatto sta che.
toupet [tupɛ] m. [cheveux] ciuffetto. || FAM. faccia tosta f.
toupie [tupi] f. trottola.
1. tour [tur] f. torre. || [échecs] torre, rocca.

2. tour m. TECHN. tornio. || [de couvent] ruota f.

3. tour m. giro. || FIG. *faire le tour de,* esaminare sotto ogni aspetto. || [promenade] giro, giretto, passeggiata f., passeggiatina f. || [mouvement (sur soi)] *tour de clef,* mandata f. || FIG. *à tour de bras,* a tutta forza. | *en un tour de main,* in un attimo, in quattro e quattr'otto. || [exercice difficile, ruse] gioco, tiro, scherzo. | *tour de force,* prodezza f. | *jouer un sale tour,* giocare un brutto tiro. || [tournure] piega f. || [succession] volta f., turno. | *être le tour de,* spettare, toccare a. ◆ *tour à tour, à tour de rôle,* a volta a volta, a turno.

tourbe [turb] f. torba.

tourbillon [turbijɔ̃] m. turbine, vortice.

tourbillonnant, e [turbijɔnɑ̃, ɑ̃t] adj. turbinoso, vorticoso.

tourbillonner [turbijɔne] v. intr. turbinare, vorticare (rare).

tourelle [turɛl] f. torretta.

tourisme [turism] m. turismo.

touriste [turist] n. turista. ◆ adj. turistico.

touristique [turistik] adj. turistico.

tourment [turmɑ̃] m. tormento.

tourmente [turmɑ̃t] f. PR. tormenta. || PR. et FIG. bufera.

tourmenter [turmɑ̃te] v. tr. tormentare, travagliare, torturare. || [importuner] tormentare, seccare, molestare.

tournage [turnaʒ] m. TECHN. tornitura f. ; [poterie] torneggio. || CIN. (il)girare ; riprese f. pl.

tournailler [turnaje] v. intr. FAM. gironzolare, girare e rigirare.

tournant, e [turnɑ̃, ɑ̃t] adj. girevole. | *escalier tournant,* scala a chiocciola. || *grève tournante,* sciopero a scacchiera. ◆ m. curva f., svolta f. | *tournant en épingle à cheveux,* tornante. || [coin de rue] angolo, canto, cantonata f. || FIG. svolta, piega f.

tourné, e [turne] adj. *bien, mal tourné,* ben, mal fatto. || FIG. tornito. || [aigri] inacetito, inacidito ; [lait] andato a male, guasto.

tournebroche [turnəbrɔʃ] m. girarrosto.

tourne-disque [turnədisk] m. giradischi inv.

tournée [turne] f. giro m. ; [d'artistes, de sportifs] tournée (fr.). || FAM. bevuta, bicchierata.

tournemain [turnəmɛ̃] m. *en un tournemain,* in quattro e quattr'otto, in un batter d'occhio.

tourner [turne] v. tr. TECHN., FIG. tornire. || [rotation] girare ; [demi-tour] voltare, girare. || FIG. volgere. || CIN. girare. || [contourner] aggirare, voltare. ◆ v. intr. girare, r(u)otare ; [demi-tour] voltare, girare. || [fonctionner] *tourner rond,* funzionare bene. || [changer] cambiare, mutare, volgere. || *tourner bien,* [chose] prendere una buona piega ; [personne] prendere una buona strada. || [concerner] vertere. || CIN. girare v. tr. || [s'altérer] inacetire, inacidire, inacidirsi ; andare a male ; guastarsi. ◆ v. pr. (vers) PR. volgersi, voltarsi, girarsi (verso) ; FIG. indirizzarsi, ricorrere (a).

tournesol [turnəsɔl] m. BOT. girasole. || CHIM. tornasole.

tourneur, euse [turnœr, øz] n. tornitore, trice.

tournevis [turnəvis] m. cacciavite.

tourniquet [turnikɛ] m. tornello.

tournoi [turnwa] m. torneo.

tournoiement [turnwamɑ̃] m. turbinio, roteamento, volteggiamento.

tournoyant, e [turnwajɑ̃, ɑ̃t] adj. turbinoso, vorticoso.

tournoyer [turnwaje] v. intr. [feuilles] turbinare. || [oiseaux, danseurs] volteggiare.

tournure [turnyr] f. [du corps] aspetto m., personale m. || [de l'esprit] disposizione mentale. || [de style] costrutto m. ; modo (m.) di dire. || FIG. piega.

tourte [turt] f. CULIN. torta (di carne, di pesce).

tourterelle [turtərɛl] f. tortora.

Toussaint [tusɛ̃] f. Ognissanti m. inv.

tousser [tuse] v. intr. tossire.

tout, e [tu, tut], **tous** [tu, tus, tuz], **toutes** [tut] adj. tutto. | *tout le monde,* tutta la gente ; tutti. | *tout ce qui, ce que,* tutto quello che, tutto quanto. | *de tout temps,* da sempre. | *de toute beauté,* bellissimo adj. | *c'est toute la question,* qui sta il punto. | *nous tous,* tutti noi. || [seul] solo, unico. || [chaque] ogni. | *de toute façon,* in ogni modo. | *toutes les cinq minutes,* ogni cinque minuti. || [pour récapituler] altrettanti, e. || *toutes demandes restées sans réponse,* altrettante domande rimaste senza risposta. || *tous les deux,* tutti e due. ◆ pron. [personnes] *tous,* tutti ; [choses] *tout,* tutto. ◆ m. (pl. rare *touts*) tutto. || *du tout au tout,* del tutto ; completamente. | *pas du tout,* niente affatto. ◆ adv. *tout émue,* tutta commossa. | *ce n'est pas tout laine,* non è tutta lana. || [devant gér.] pur(e). || *en tout,* in tutto ; complessivamente. | *tout à fait,* affatto, del tutto. || *tout ... que,* per quanto.

tout-à-l'égout [tutalegu] m. inv. fognatura f.

toutefois [tutfwa] adv. tuttavia, nondimento, però.

toutou [tutu] m. FAM. cagnolino.

tout-puissant [tupɥisɑ̃], **toute-puissante** [tutpɥisɑ̃t] adj. et n. onnipotente.
toux [tu] f. tosse.
toxicomane [tɔksikɔman] adj. et n. tossicomane.
toxine [tɔksin] f. tossina.
toxique [tɔksik] adj. et m. tossico.
trac [trak] m. FAM. tremarella f., paura f. (L.C.), apprensione f. (L.C.). ◆ *tout à trac,* tutt'a un tratto, di colpo, all'improvviso.
traçant, e [trasɑ̃, ɑ̃t] adj. BOT. strisciante. || MIL. tracciante.
tracas [traka] m. FAM. grattacapo, seccatura f.
tracasser [trakase] v. tr. FAM. seccare ; mettere in pensiero (L.C.). ◆ v. pr. FAM. prendersela ; preoccuparsi (L.C.), inquietarsi (L.C.).
trace [tras] f. traccia, impronta, orma ; peste f. pl. || [marque] segno m., traccia. || FIG. traccia, vestigio m.
tracé [trase] m. tracciato.
tracer [trase] v. tr. tracciare. || [décrire] abbozzare, tracciare, descrivere. || [indiquer] segnare.
trachée(-artère) [traʃe(artɛr)] f. trachea.
tract [trakt] m. volantino, manifestino.
tractation [traktasjɔ̃] f. trattativa. ◆ pl. maneggi m. pl.
tracter [trakte] v. tr. tirare, autotrasportare, autotrainare.
tracteur [traktœr] m. trattore ; [agricole] trattore, trice f.
traction [traksjɔ̃] f. trazione. || AUT. *traction avant, arrière,* tutto avanti, tutto dietro.
tradition [tradisjɔ̃] f. tradizione.
traditionnel, elle [tradisjɔnɛl] adj. tradizionale.
traducteur, trice [tradyktœr, tris] n. traduttore, trice.
traduction [tradyksjɔ̃] f. traduzione.
traduire [tradɥir] v. tr. tradurre, volgere. | *traduire en langue vulgaire,* volgarizzare. || FIG. esprimere, rispecchiare, palesare, rivelare. || JUR. *traduire en justice,* tradurre in giudizio.
trafic [trafik] m. traffico. || JUR. *trafic d'influence,* millantato credito.
trafiquant, e [trafikɑ̃, ɑ̃t] n. PÉJOR. trafficante, traffichino, trafficone.
trafiquer [trafike] v. tr. ind. (de) trafficare (in).
tragédie [traʒedi] f. tragedia.
tragédien, enne [traʒedjɛ̃, ɛn] n. attore tragico m., attrice tragica f.
tragique [traʒik] adj. tragico. || [terrible] luttuoso, doloroso. ◆ m. tragico, tragicità f. || [auteur] tragico.
trahir [trair] v. tr. tradire. || [révéler] tradire, manifestare, palesare.
trahison [traizɔ̃] f. tradimento m. | *par trahison,* a tradimento ; proditoriamente adv.
train [trɛ̃] m. [de mulets, de péniches] fila f. || AV. *train d'atterrissage,* treno d'atterraggio ; carrello. || MIL. treno, traino, trasporto. || *train de vie,* tenore di vita. || TR. treno. | *train de marchandises,* treno merci. || [jouet] trenino. || [allure] andatura f., passo. || *en train,* in forma, in gamba. | *mettre en train,* PR. mettere in moto ; FIG. avviare. || *en train de* [forme progressive] : *être en train de travailler,* star lavorando.
traînant, e [trɛnɑ̃, ɑ̃t] adj. [voix, pas] strascicato.
traînard, e [trɛnar, ard] n. chi rimane indietro. || FIG. perditempo inv.
traînasser [trɛnase] v. intr. andare per le lunghe. || [musarder] bighellonare.
traîne [trɛn] f. MODE strascico m. || MAR. [filet] sciabica. ◆ *à la traîne,* indietro, in ritardo.
traîneau [trɛno] m. slitta f.
traînée [trɛne] f. [de sang] traccia ; [de feu] falda ; [de parfum] scia. || FIG. *se répandre comme une traînée de poudre,* diffondersi in un lampo.
traîner [trɛne] v. tr. trascinare, tirare ; [jambe, pieds] strascicare. ◆ v. intr. strascicare. || [flotter : vapeurs, odeur] stendersi, rimanere. || [perdre du temps] gingillarsi ; [au lit] poltrire. || *traîner (en longueur),* andare per le lunghe. || *laisser traîner ses affaires,* lasciare la roba in giro. || [être en arrière] rimanere indietro. ◆ v. pr. (s)trascinarsi.
train-train ou **traintrain** [trɛ̃trɛ̃] m. inv. FAM. tran tran, trantran.
traire [trɛr] v. tr. mungere.
trait [trɛ] m. *cheval de trait,* cavallo da tiro. || [projectile] arma (f.) da lancio ; dardo, saetta f. || [ligne] tratto, linea f. || TYP. *trait d'union,* lineetta f., trattino. || FIG. vincolo, collegamento. || [signe] *trait d'esprit,* tratto, motto di spirito ; arguzia f. ; *trait de génie,* lampo di genio. || *boire à grands traits,* bere a lunghi sorsi. | *d'un seul trait,* d'un sol fiato. || [concerner] *avoir trait à,* riguardare, concernere ; riferirsi a. ◆ pl. [visage] tratti, lineamenti, fattezze f. pl.
traitant, e [trɛtɑ̃, ɑ̃t] adj. *médecin traitant,* medico curante.
traite [trɛt] f. mungitura. || [chemin] camminata, tappa. || FIG. *d'une (seule) traite,* tutto d'un fiato ; in una tirata sola. || COMM. [des Noirs, des Blanches] tratta. || FIN. cambiale, tratta.
traité [trete] m. trattato.
traitement [trɛtmɑ̃] m. trattamento. | *mauvais traitements,* maltrattamenti, sevizie f. pl. || [rémunération] stipen-

dio. || MÉD. trattamento, cura f. || CIN. trattamento. || TECHN. trattamento.
traiter [trete] v. tr. trattare. ◆ v. tr. ind. (de) trattare (di).
traiteur [trɛtœr] m. trattore (che vende a domicilio pranzi cucinati).
traître, esse [trɛtr, ɛs] n. et adj. traditore, trice, tora. || FAM. *pas un traître mot,* nemmeno una parola. || *en traître,* a tradimento, alla traditora.
traîtrise [trɛtriz] f. [acte] tradimento m. || [caractère] perfidia.
trajectoire [traʒɛktwar] f. traiettoria.
trajet [traʒɛ] m. tragitto, percorso, cammino.
trame [tram] f. TÉL., TEXT. trama. || TYP. retino m. || FIG. trama, ordito m., intreccio m.
tramer [trame] v. tr. TEXT. tramare. || [comploter] tramare, macchinare, ordire.
tramway [tramwɛ], FAM. **tram** [tram] m. tram, tranvai inv. ; [ligne] tranvia f.
tranchant, e [trɑ̃ʃɑ̃, ɑ̃t] adj. tagliente. || FIG. tagliente, reciso. ◆ m. tagliente. | *à double tranchant,* a doppio taglio.
tranche [trɑ̃ʃ] f. fetta, trancia. | *couper en tranches,* affettare. || [d'un livre] taglio m. || [partie] parte, serie inv. || FIN., MIL. scaglione m.
tranchée [trɑ̃ʃe] f. scavo m., fossa. || MIL. trincea.
trancher [trɑ̃ʃe] v. tr. tagliare, recidere, troncare. || FIG. decidere, risolvere, sciogliere. ◆ v. intr. (sur, avec) spiccare (su), risaltare (su), contrastare (con).
tranquille [trɑ̃kil] adj. tranquillo, quieto.
tranquillisant, e [trɑ̃kilizɑ̃, ɑ̃t] adj. tranquillizzante. ◆ m. MÉD. tranquillante.
tranquilliser [trɑ̃kilize] v. tr. tranquill(izz)are.
tranquillité [trɑ̃kilite] f. tranquillità, quiete.
transaction [trɑ̃zaksjɔ̃] f. transazione.
transat [trɑ̃zat] m. FAM. sdraia f. (L.C.).
transatlantique [trɑ̃zatlɑ̃tik] adj. et m. transatlantico. || [chaise longue] sdraia f.
transbordement [trɑ̃sbɔrdəmɑ̃] m. trasbordo.
transborder [trɑ̃sbɔrde] v. tr. trasbordare.
transbordeur [trɑ̃sbɔrdœr] adj. et m. *(pont) transbordeur,* ponte scorrevole.
transcender [trɑ̃sɑ̃de] v. tr. trascendere.
transcoder [trɑ̃skɔde] v. tr. transcodificare.
transcription [trɑ̃skripsjɔ̃] f. trascrizione.
transcrire [trɑ̃skrir] v. tr. trascrivere.
transe [trɑ̃s] f. trance (angl.) ; sonno ipnotico. ◆ pl. angoscia f. sing., ansia f. sing., affanno m. sing.
transept [trɑ̃sɛpt] m. transetto.
transférer [trɑ̃sfere] v. tr. trasferire.
transfert [trɑ̃sfɛr] m. traslazione f. || ADM. trasferimento ; [de détenus] traduzione f.
transformateur, trice [trɑ̃sfɔrmatœr, tris] adj. et m. trasformatore, trice.
transformer [trɑ̃sfɔrme] v. tr. trasformare.
transfuge [trɑ̃sfyʒ] m. transfuga.
transfusion [trɑ̃sfyzjɔ̃] f. MÉD. trasfusione.
transgresser [trɑ̃sgrese] v. tr. trasgredire v. tr. et intr. (a).
transgression [trɑ̃sgresjɔ̃] f. trasgressione.
transhumance [trɑ̃zymɑ̃s] f. transumanza.
transi, e [trɑ̃si, trɑ̃zi] adj. intirizzito, assiderato.
transiger [trɑ̃ziʒe] v. intr. transigere.
transistor [trɑ̃zistɔr] m. radiolina f., transistor.
transit [trɑ̃zit] m. transito.
transitif, ive [trɑ̃zitif, iv] adj. transitivo.
transition [trɑ̃zisjɔ̃] f. transizione.
transitoire [trɑ̃zitwar] adj. transitorio.
translucide [trɑ̃slysid] adj. traslucido.
transmetteur [trɑ̃smɛtœr] m. trasmettitore.
transmettre [trɑ̃smɛtr] v. tr. trasmettere, tramandare. || JUR. trasferire.
transmissible [trɑ̃smisibl] adj. trasmissibile.
transmission [trɑ̃smisjɔ̃] f. trasmissione, tramandamento m. || JUR. [des pouvoirs] passaggio m.
transmutation [trɑ̃smytasjɔ̃] f. tranmutazione.
transparaître [trɑ̃sparɛtr] v. intr. trasparire, tralucere, trapelare.
transparence [trɑ̃sparɑ̃s] f. trasparenza.
transparent, e [trɑ̃sparɑ̃, ɑ̃t] adj. trasparente. ◆ m. falsariga f.
transpercer [trɑ̃spɛrse] v. tr. trapassare, trafiggere, traforare.
transpiration [trɑ̃spirasjɔ̃] f. traspirazione. | *en transpiration,* tutto sudato.
transpirer [trɑ̃spire] v. intr. traspirare, sudare.
transplantation [trɑ̃splɑ̃tasjɔ̃] f. trapianto m.
transplanter [trɑ̃splɑ̃te] v. tr. trapiantare.
transport [trɑ̃spɔr] m. trasporto ; [routier] autotrasporto. | *indemnité de transport,* trasferta f. || JUR. *transport de justice,* sopralluogo. || FIG. impeto, entusiasmo, passione f.

transporté, e [trɑ̃spɔrte] adj. FIG. preso, acceso, trasportato.
transporter [trɑ̃spɔrte] v. tr. trasportare. || FIG. sopraffare, esaltare. || [transférer] trasferire. ◆ v. pr. recarsi. || FIG. [par l'esprit] trasportarsi.
transporteur, euse [trɑ̃spɔrtœr, øz] adj. et m. trasportatore, trice.
transposer [trɑ̃spoze] v. tr. trasporre.
transposition [trɑ̃spozisjɔ̃] f. trasposizione, trasporto m.
transvaser [trɑ̃svaze] v. tr. travasare.
transversal, e, aux [trɑ̃svɛrsal, o] adj. et f. trasversale.
trapèze [trapɛz] m. trapezio.
trappe [trap] f. trappola, tagliola, trabocchetto m. || [ouverture] botola.
trappeur [trapœr] m. cacciatore (di animali da pelliccia).
trapu, e [trapy] adj. tarchiato, tozzo.
traquenard [traknar] m. trappola f.
traquer [trake] v. tr. braccare.
traumatisme [tromatism] m. trauma.
1. travail, aux [travaj, o] m. [activité] lavoro. || [profession] arte f., mestiere, lavoro. || [technique] lavorazione f. || [ouvrage] lavoro, opera f., impresa f. || [enfantement] travaglio di parto ; doglie f. pl. ◆ pl. JUR. *travaux forcés,* lavori forzati ; [à perpétuité] ergastolo sing. || UNIV. *travaux pratiques,* esercitazioni f. pl.
2. travail, ails m. TECHN. travaglio.
travailler [travaje] v. tr. lavorare. || [s'exercer] studiare ; esercitarsi. || [agiter] sobillare, travagliare, tormentare. ◆ v. tr. ind. (à) lavorare (a). ◆ v. intr. lavorare. || [bois] imbarcarsi ; [vin] fermentare.
travailleur, euse [travajœr, øz] adj. et n. lavoratore, trice ; [élève] studioso, a.
travailliste [travajist] adj. et n. laburista.
travée [trave] f. [de poutre] portata. || [de pont] campata. || [rangée] fila. || [d'une assemblée] settore m. || [d'une bibliothèque] sezione, scaffale m.
travelling [travliŋ] m. CIN. carrellata f.
travers [travɛr] m. difetto, difettuccio. || ***à, au travers,*** a traverso. | ***de travers,*** di, in, per traverso. | ***en travers,*** di traverso, per il traverso. || ***au travers de, à travers,*** attraverso (a). | ***en travers de :*** *se mettre en travers de qch.,* opporsi a, ostacolare qlco. | *en travers du chemin,* di traverso, per traverso.
traverse [travɛrs] f. traversa. || *chemin de traverse,* traversa. || TR. traversa, traversina.
traversée [travɛrse] f. traversata. || AV. trasvolata.
traverser [travɛrse] v. tr. (at)traversare ; [cours d'eau] traghettare ; [en volant] trasvolare. || [transpercer] passare attraverso. || FIG. attraversare.
traversin [travɛrsɛ̃] m. capezzale.
travesti, e [travɛsti] adj. *bal travesti,* ballo in maschera. ◆ m. travestimento. || attore travestito.
travestir [travɛstir] v. tr. (en) travestire (da). || [déformer] travisare.
travestissement [travɛstismɑ̃] m. travestimento. || travisamento.
trayon [trɛjɔ̃] m. capezzolo.
trébuchant, e [trebyʃɑ̃, ɑ̃t] adj. barcollante, malsicuro, malcerto.
trébucher [trebyʃe] v. intr. (sur, contre) inciampare (in), incespicare (in).
trèfle [trɛfl] m. BOT. trifoglio. || [cartes] fiori pl.
treillage [trɛjaʒ] m. [support] graticolato ; [clôture] steccato.
treille [trɛj] f. [en berceau] pergola, pergolato m. ; [sur un mur] vite a spalliera.
treillis [treji] m. TEXT. traliccio. || MIL. tuta f. || [clôture] graticolato, steccato.
treize [trɛz] adj. num. card. inv. et m. inv. tredici. | *treize cents,* milletrecento.
treizième [trɛzjɛm] adj. num. ord. et n. tredicesimo.
tréma [trema] m. dieresi f.
tremblant, e [trɑ̃blɑ̃, ɑ̃t] adj. tremante ; [légèrement] tremolante, tremulo.
tremble [trɑ̃bl] m. tremulo.
tremblé, e [trɑ̃ble] adj. [écriture] tremante ; [son] tremolante.
tremblement [trɑ̃bləmɑ̃] m. tremito, tremore ; [continu] tremolio. || *tremblement de terre,* terremoto.
trembler [trɑ̃ble] v. intr. tremare. || FIG. (de, que) temere (di, che) ; (pour) trepidare (per).
trembloter [trɑ̃blɔte] v. intr. tremolare.
trémousser (se) [sətremuse] v. pr. dimenarsi.
trempe [trɑ̃p] f. tempra.
trempé, e [trɑ̃pe] adj. *trempé (jusqu'aux os),* bagnato, inzuppato (fino al midollo).
tremper [trɑ̃pe] v. tr. [immerger] intingere. || CULIN. [pain] inzuppare ; [vin] annacquare. || [mouiller] bagnare. || TECHN. [acier] temprare. || FIG. temprare. ◆ v. intr. *faire tremper le linge,* ammollare i panni.
trempette [trɑ̃pɛt] f. FAM. *faire trempette,* [avec du pain] inzuppare il pane (in una bevanda) ; [se baigner] fare un bagnettino.
tremplin [trɑ̃plɛ̃] m. trampolino.
trentaine [trɑ̃tɛn] f. trentina.
trente [trɑ̃t] adj. num. card. inv. et m. inv. trenta. || FAM. *voir trente-six chandelles,* vedere le stelle.

trente-et-un [trãteœ̃] m. FAM. *se mettre sur son trente-et-un,* mettersi in ghingheri.
trentième [trãtjɛm] adj. num. ord. et n. trentesimo.
trépan [trepã] m. trapano.
trépaner [trepane] v. tr. CHIR. trapanare.
trépasser [trepase] v. intr. trapassare.
trépidant, e [trepidã, ãt] adj. vibrante. || FIG. [vie] agitato, frenetico.
trépidation [trepidasjɔ̃] f. vibrazione. || FIG. agitazione.
trépider [trepide] v. intr. tremare, vibrare.
trépied [trepje] m. treppiede.
trépignement [trepiɲmã] m. trepestio, (il) pestare i piedi.
trépigner [trepiɲe] v. intr. pestare i piedi ; [d'impatience] spazientirsi.
très [trɛ(z)] adv. molto, assai. | *très beau,* molto, assai bello ; bellissimo. | *avoir très chaud,* sentire un gran caldo. | *avoir très faim,* avere molta fame, una gran fame.
trésor [trezɔr] m. tesoro. || FIN. *Trésor (public),* Erario.
trésorerie [trezɔ(r)ri] f. tesoreria ; [d'une entreprise privée] cassa.
trésorier, ère [trezɔrje, ɛr] n. tesoriere, a.
tressaillement [tresajmã] m. trasalimento, sobbalzo, sussulto.
tressaillir [trɛsajir] v. intr. sobbalzare, sussultare ; trasalire.
tresse [trɛs] f. treccia.
tresser [trɛse] v. tr. intrecciare.
tréteau [treto] m. cavalletto, trespolo.
treuil [trœj] m. arganello, verricello.
trêve [trɛv] f. tregua. || *sans trêve,* senza tregua, senza sosta, senza requie.
tri [tri] m. smistamento, scelta f., selezione f.
triage [trijaʒ] m. *gare de triage,* stazione di smistamento.
triangle [trijãgl] m. triangolo.
triangulaire [trijãgylɛr] adj. triangolare.
tribal, e, aux [tribal, o] adj. tribale.
tribord [tribɔr] m. dritta f., tribordo.
tribu [triby] f. tribù.
tribulation [tribylasjɔ̃] f. tribolazione. ◆ pl. guai m. pl.
tribunal, aux [tribynal, o] m. tribunale.
tribune [tribyn] f. tribuna, podio m.
tribut [triby] m. tributo.
tributaire [tribytɛr] adj. tributario. || FIG. (de) dipendente (da). || GÉOGR. tributario (di).
tricher [triʃe] v. intr. barare ; [aux examens] imbrogliare ; [sur les prix] frodare (su).
tricherie [triʃri] f. [jeu] (il) barare. || [tromperie] inganno m., imbroglio m., frode.
tricheur, euse [triʃœr, øz] n. [au jeu] baro m. || ingannatore, trice ; frodatore, trice.
tricolore [trikɔlɔr] adj. tricolore.
tricot [triko] m. (lavoro a) maglia f.
tricoter [trikɔte] v. tr. fare a maglia. | *aiguille à tricoter,* ago, ferro da calza. | *machine à tricoter,* macchina per maglieria. ◆ v. intr. lavorare a maglia, far la calza, sferruzzare.
trier [trije] v. tr. smistare, scegliere, cernere.
trigonométrie [trigɔnɔmetri] f. trigonometria.
trille [trij] m. trillo.
trimaran [trimarã] m. trimarano.
trimbaler [trɛ̃bale] v. tr. FAM. portarsi, tirarsi, trascinarsi dietro.
trimer [trime] v. intr. FAM. sgobbare, sfacchinare.
trimestre [trimɛstr] m. trimestre.
trimestriel, elle [trimɛstrijɛl] adj. trimestrale.
tringle [trɛ̃gl] f. barra, verga ; [de rideau] asta.
trinité [trinite] f. trinità.
trinquer [trɛ̃ke] v. intr. brindare ; fare un brindisi. || POP. [subir un préjudice] rimetterci ; essere danneggiato.
trio [trijo] m. MUS. [instruments] trio ; [voix] terzetto. || FIG. trio, terzetto.
triomphal, e, aux [trijɔ̃fal, o] adj. trionfale.
triomphant, e [trijɔ̃fã, ãt] adj. trionfante.
triomphe [trijɔ̃f] m. trionfo. | *faire un triomphe à qn,* tributare un'ovazione a qlcu.
triompher [trijɔ̃fe] v. intr. trionfare. || FIG. trionfare, esultare. ◆ v. tr. ind. (de) trionfare (su) ; vincere, superare v. tr.
tripes [trip] f. pl. CULIN. trippa f. sing.
triphasé, e [trifaze] adj. trifase.
triple [tripl] adj. [trois fois (plus)] triplo. || [en trois parties] triplice. ◆ m. triplo.
tripler [triple] v. tr. triplicare. ◆ v. intr. triplicarsi.
triplés, ées [triple] n. pl. gemelli, e, trigemini, e.
triporteur [tripɔrtœr] m. triciclo.
tripot [tripo] m. bisca f.
tripotée [tripɔte] f. FAM. [de coups] scarica di botte ; [d'enfants] serqua.
tripoter [tripɔte] v. tr. FAM. brancicar. ◆ v. intr. trafficare, brogliare.
trique [trik] f. FAM. randello m., manganello m.
triste [trist] adj. [affligé] triste, mesto. || [affligeant] penoso, triste. || [malheureux] *triste existence,* vita misera ; *faire*

une triste fin, fare una brutta fine. || PÉJOR. [méprisable] tristo.
tristement [tristəmɑ̃] adv. tristemente, mestamente. || PÉJOR. tristamente.
tristesse [tristɛs] f. tristezza, mestizia.
triturer [trityre] v. tr. triturare. || FAM. *se triturer les méninges,* spremersi le meningi.
trivial, e, aux [trivjal, o] adj. [grossier] triviale, scurrile, sguaiato. || [banal] triviale.
troc [trɔk] m. baratto, scambio.
troène [trɔɛn] m. BOT. ligustro.
troglodyte [trɔglɔdit] m. troglodita, cavernicolo. || ZOOL. scricciolo.
trognon [trɔɲɔ̃] m. torso, torsolo.
trois [trwa] adj. num. card. inv. et m. inv. tre.
troisième [trwazjɛm] adj. num. ord. et n. terzo.
trois-quarts [trwakar] m. inv. MODE trequarti.
trolleybus [trɔlɛbys] ou FAM. **trolley** [trɔlɛ] m. filobus, filovia f.
trombe [trɔ̃b] f. MÉTÉOR. tromba. | *trombe d'eau,* pioggia torrenziale. || FAM. *en trombe,* a tutta birra.
trombone [trɔ̃bɔn] m. trombone. || [agrafe] fermaglio.
trompe [trɔ̃p] f. MUS. tromba, corno m. || [d'automobile] tromba. || [d'éléphant, d'insecte] proboscide, tromba.
tromper [trɔ̃pe] v. tr. ingannare ; trarre in inganno. || [échapper à] ingannare, (d)eludere. || [la faim, la soif] ingannare, incantare. ◆ v. pr. sbagliare v. tr. et intr., sbagliarsi, ingannarsi.
tromperie [trɔ̃pri] f. inganno m., frode.
trompette [trɔ̃pɛt] f. tromba ; [jouet] trombetta. | *nez en trompette,* naso all'insù.
trompettiste [trɔ̃petist] m. trombettista ; tromba f.
trompeur, euse [trɔ̃pœr, øz] adj. et n. ingannatore, trice.
tronc [trɔ̃] m. tronco. || pour aumônes] cassetta (f.) delle elemosine ; ceppo. || [d'une famille] tronco, ceppo, stipite.
tronçon [trɔ̃sɔ̃] m. [d'épée] troncone. || [de colonne] tronco. || [de route] tronco, tratto.
tronçonneuse [trɔ̃sɔnøz] f. sega a catena.
trône [tron] m. trono. | *discours du trône,* discorso della corona.
tronqué, e [trɔ̃ke] adj. troncato, tronco, monco. | *colonne tronquée,* cippo m.
tronquer [trɔ̃ke] v. tr. troncare, mozzare. || FIG. troncare, mutilare.
trop [tro] adv. troppo. || *trop de,* troppo adj. | *trop de gens,* troppa gente ; troppi pron. indéf. || *de trop, en trop,* di troppo. | *par trop,* troppo. | *je ne sais pas trop,* non saprei. ◆ m. troppo.
trophée [trɔfe] m. trofeo.
tropical, e, aux [trɔpikal, o] adj. tropicale.
tropique [trɔpik] adj. et m. tropico.
trop-perçu [trɔpɛrsy] m. somma (f.) riscossa in soprappiù.
trop-plein [trɔplɛ̃] m. TECHN. troppopieno. || FIG. eccesso, sovrabbondanza f.
troquer [trɔke] v. tr. *(contre)* barattare (con), scambiare (con).
trot [tro] m. trotto.
trotte [trɔt] f. FAM. trottata. | *tout d'une trotte,* in una tirata sola.
trotter [trɔte] v. intr [cheval] trottare. || [homme] FAM. trottare. || FIG., FAM. [idées] frullare, ronzare, mulinare.
trotteur, euse [trɔtœr, øz] n. trottatore, trice. ◆ f. [aiguille de montre] lancetta dei secondi.
trottiner [trɔtine] v. intr. trotterellare.
trottinette [trɔtinɛt] f. monopattino m.
trottoir [trɔtwar] m. marciapiede. | *trottoir cyclable,* ciclopista f. || POP. *faire le trottoir,* battere il marciapiede.
trou [tru] m. buco, foro, pertugio ; [de serrure] toppa f. ; [d'aiguille] cruna f. || FIG. [de mémoire] vuoto. || [localité] paesetto sperduto, posticino. || AV. *trou d'air,* sacca (f.) d'aria.
troubadour [trubadur] m. trovatore.
troublant, e [trublɑ̃, ɑ̃t] adj. conturbante, sconcertante.
trouble [trubl] adj. torbido. ◆ m. agitazione f., confusione f. || [état affectif] turbamento. ◆ pl. disordini. || MÉD. [légers] disturbi ; [graves] turba f. sing., disfunzione f. sing.
troublé, e [truble] adj. FIG. torbido, confuso, emozionato.
trouble-fête [trubləfɛt] n. inv. guastafeste.
troubler [truble] v. tr. intorbidare, intorbidire. || FIG. confondere, alterare, turbare. ◆ v. pr. intorbidarsi, intorbidire v. intr., offuscarsi. || FIG. confondersi, smarrirsi.
trouée [true] f. [haie] buco m., passaggio m. ; [nuages] squarcio m. || MIL. sfondamento m.
trouer [true] v. tr. bucare, forare. || FIG. [nuages] squarciare.
trouille [truj] f. POP. fifa.
troupe [trup] f. [individus] truppa, torma ; [enfants] stormo m., sciame m., frotta ; [animaux] torma, branco m., stormo. || MIL. truppa. || TH. compagnia teatrale.
troupeau [trupo] m. [ovins] branco, gregge ; [chevaux, bœufs, buffles] branco, armento, mandra f. ; [animaux

sauvages] branco. || PÉJOR. [foule] frotta f., gregge, branco. || REL. gregge.
trousse [trus] f. astuccio m., borsa. || *aux trousses (de),* alle calcagna (di).
trousseau [truso] m. [vêtements] corredo. || [clefs] mazzo.
trouvaille [truvaj] f. trovata, ritrovato m., scoperta.
trouvé, e [truve] adj. *enfant trouvé,* trovatello, a. | *bureau des objets trouvés,* ufficio oggetti smarriti.
trouver [truve] v. tr. trovare, rinvenire, scoprire. || [par hasard] trovare, incontrare ; imbattersi in. || [surprendre] trovare, cogliere, sorprendere. || [inventer] trovare, inventare, escogitare. || [estimer] trovare, ritenere. ◆ v. pr. (ri)trovarsi ; essere (casualmente), stare. | *se trouver en danger,* versare in pericolo. || [se sentir] sentirsi, stare. | *se trouver mal,* venir meno, svenire. ◆ v. impers. esserci. | *il se trouve que,* fatto sta che.
trouvère [truvɛr] m. trov(i)ero.
truand [tryɑ̃] m. teppista, malvivente.
truc [tryk] m. FAM. trucco. || [chose] coso, cosino, arnese.
trucage m. = TRUQUAGE.
truchement [tryʃmɑ̃] m. *par le truchement de qn,* per il tramite, per opera di qlcu. ; tramite qlcu.
truculent, e [trykylɑ̃, ɑ̃t] adj. [personnage] violentemente espressivo ; [langage] realistico, crudo.
truelle [tryɛl] f. cazzuola.
truffe [tryf] f. tartufo m. || [au chocolat] cioccolatino m.
truffer [tryfe] v. tr. PR. tartufare. || FAM. infarcire.
truie [trɥi] f. troia, scrofa.
truite [trɥit] f. trota.
truquage [trykaʒ] m. trucco.
truqué, e [tryke] adj. truccato, falsificato.
truquer [tryke] v. tr. truccare, falsificare.
trust [trœst] m. trust.
truster [trœste] v. tr. ÉCON. accaparrare, incettare. || FAM. monopolizzare.
trusteur [trœstœr] m. accaparratore, incettatore.
tsar [tzar] m. zar inv.
tsigane ou **tzigane** [tsigan] adj. zingaresco. ◆ n. zingaro.
tu [ty] pron. tu.
tuant, e [tɥɑ̃, ɑ̃t] adj. FAM. [épuisant] massacrante. || [énervant] asfissiante.
tuba [tyba] m. MUS. tuba f.
tube [tyb] m. tubo. || [à essais] provetta f. || [de dentifrice] tubetto. || FAM. successo strepitoso.
tuberculeux, euse [tybɛrkylø, øz] adj. et n. tubercoloso, tubercolotico, tisico.
tuberculose [tybɛrkyloz] f. tubercolosi.
tubulaire [tybylɛr] adj. tubolare.
tue-mouches [tymuʃ] adj. inv. *papier tue-mouches,* carta moschicida.
tuer [tɥe] v. tr. [homme] uccidere, ammazzare ; [animal] abbattere, ammazzare, macellare. || FIG. *tuer dans l'œuf,* stroncare sul nascere. | [le temps] ammazzare il tempo. ◆ v. pr. [réfl.] uccidersi. || [dans un accident] morire. || *se tuer à,* affaticarsi a, sgolarsi a, spolmonarsi a.
tuerie [tyri] f. macello m., massacro m., strage.
tue-tête (à) [atytɛt] loc. adv. a squarciagola.
tueur, euse [tɥœr, øz] n. uccisore, ucciditrice ; [à gages] sicario ; [abattoir] macellatore.
tuile [tɥil] f. tegola. || FAM. [ennui] tegola.
tulipe [tylip] f. tulipano m.
tuméfier [tymefje] v. tr. tumefare. ◆ v. pr. tumefarsi.
tumeur [tymœr] f. tumore m.
tumulte [tymylt] m. tumulto. | *en tumulte,* PR. in tumulto ; PR. et FIG. tumultuante adj.
tumultueux, euse [tymyltɥø, øz] adj. tumultuoso.
tumulus [tymylys] m. tumulo.
tungstène [tœ̃kstɛn] m. tungsteno, wolframio.
tunique [tynik] f. tunica.
tunisien, enne [tynizjɛ̃, ɛn] adj. et n. tunisino.
tunnel [tynɛl] m. tunnel (angl.), galleria f., traforo.
turban [tyrbɑ̃] m. turbante.
turbine [tyrbin] f. turbina.
turbiner [tyrbine] v. intr. POP. sfacchinare.
turboréacteur [tyrbɔreaktœr] m. turboreattore, turbogetto, aeroreattore.
turbot [tyrbo] m. rombo.
turbulent, e [tyrbylɑ̃, ɑ̃t] adj. turbolento.
turc, turque [tyrk] adj. et n. turco. | *café turc,* caffè alla turca. | *tête de Turc,* zimbello m. | *fort comme un Turc,* forte come un toro.
turf [tœrf, tyrf] m. [terrain] turf, ippodromo. || [milieu] turf, ippica f.
turfiste [tœrfist, tyrfist] n. ippofilo m.
turlupiner [tyrlypine] v. tr. FAM. seccare.
turpitude [tyrpityd] f. turpitudine, sconcezza.
turquoise [tyrkwaz] f. turchese.
tutelle [tytɛl] f. tutela. | *autorité de tutelle,* autorità tutoria.
tuteur, trice [tytœr, tris] n. tutore, trice. ◆ m. AGR. tutore, sostegno.
tutoyer [tytwaje] v. tr. dare del tu.

tutu [tyty] m. tutù.
tuyau [tɥijo] m. tubo, canna f. || [de pipe] cannuccia f. | [d'orgue] canna. || FAM. informazione (f.) confidenziale (L.C.).
tuyauter [tɥijote] v. tr. FAM. informare confidenzialmente (L.C.).
tuyauterie [tɥijotri] f. tubatura.
tuyère [tɥijɛr, tyjɛr] f. ugello m. | [de haut fourneau] tubiera.
tympan [tɛ̃pɑ̃] m. timpano.
type [tip] m. tipo. | *famille type,* famiglia tipo. | *erreur type,* errore tipico. || FAM. [original] macchietta f.; [individu] tipo, tizio, individuo. | *un brave type,* un brav'uomo. | *un pauvre type,* un povero diavolo, un poveraccio. | *un sale type,* un tristo figuro.
typhoïde [tifɔid] f. tifoidea, febbre tifoide.
typhon [tifɔ̃] m. tifone.
typhus [tifys] m. tifo (esantematico).
typique [tipik] adj. tipico.
typographe [tipɔgraf] ou FAM. **typo** [tipo] n. tipografo.
typographie [tipɔgrafi] f. tipografia. || [présentation du texte] veste tipografica.
tyran [tirɑ̃] m. tiranno.
tyrannie [tirani] f. tirannide, tirannia (rare). || FIG. tirannia, prepotenza.
tyrannique [tiranik] adj. tirannico. || FIG. tirannico, prepotente.
tyranniser [tiranize] v. tr. PR. et FIG. tiranneggiare ; FIG. asservire.
tyrrhénien, enne [tirenjɛ̃, ɛn] adj. tirrenico.
tzar m. = TSAR.
tzigane adj. et n. V. TSIGANE.

u

u [y] m. u m. ou f.
ulcère [ylsɛr] m. ulcera f.
ulcérer [ylsere] v. tr. ulcerare. || FIG. (es)ulcerare.
ultérieur, e [ylterjœr] adj. ulteriore.
ultimatum [yltimatɔm] m. ultimatum.
ultime [yltim] adj. (rare) ultimo, estremo.
ultra [yltra] m. oltranzista.
ultrason [yltrasɔ̃] m. ultrasuono.
ultrasonique [yltrasɔnik] adj. ultrasonico.
ultraviolet, ette [yltravjɔlɛt, ɛt] adj. ultravioletto.
ululer [ylyle] v. intr. ululare, stridere.
un [œ̃], **une** [yn] adj. num. card. un(o), una. ◆ art. indéf. un(o), una, un'. ◆ pron. indéf. un(o), una. | *l'un, l'une ... l'autre,* l'uno, l'una ... l'altro, l'altra. | *de deux choses l'une,* una delle due. ◆ n. uno, a. | *un à un,* a uno a uno. ◆ f. JOURN. *à la une,* in prima pagina. || FAM. *en griller une,* fumare una sigaretta (L.C.).
unanime [ynanim] adj. unanime, concorde.
unanimité [ynanimite] f. unanimità.
uni, e [yni] adj. unito, concorde. || [égal, lisse] uniforme, liscio, piano.
unième [ynjɛm] adj. num. ord. [après les dizaines, les centaines et les mille] -unesimo (suff.).
unifier [ynifje] v. tr. unificare.
1. uniforme [ynifɔrm] m. uniforme f., divisa f.
2. uniforme adj. uniforme.
uniformément [ynifɔrmemɑ̃] adv. uniformemente.
uniformiser [ynifɔrmize] v. tr. uniformare.
uniformité [ynifɔrmite] f. uniformità.
unijambiste [yniʒɑ̃bist] n. persona priva di una gamba.
unilatéral, e [ynilateral] adj. unilaterale.
uniment [ynimɑ̃] adv. [(tout) uniment] semplicemente, in poche parole.
union [ynjɔ̃] f. unione. || [mariage] unione, matrimonio m.
unique [ynik] adj. unico. || FIG. unico, senza pari.
unir [ynir] v. tr. unire, congiungere. ◆ v. pr. [couleurs] armonizzare insieme.
unisexe [ynisɛks] adj. unisex.
unisson [ynisɔ̃] m. *à l'unisson,* all'unisono.
unitaire [ynitɛr] adj. unitario.
unité [ynite] f. unità ; [de vues] identità ; [de couleur, de style] uniformità. || MIL. unità, reparto m.
univers [ynivɛr] m. universo, mondo.
universel, elle [ynivɛrsel] adj. universale.
universitaire [ynivɛrsitɛr] adj. universitario. ◆ n. docente universitario, a.
université [ynivɛrsite] f. università, ateneo m. ; [enseignants] corpo (m.) insegnante.
uppercut [ypɛrkyt] m. montante.
uranium [yranjɔm] m. uranio.
urbain, e [yrbɛ̃, ɛn] adj. urbano. || [affable] cortese, urbano.
urbaniser [yrbanize] v. tr. urbanizzare.
urbanisme [yrbanism] m. urbanistica f.
urgence [yrʒɑ̃s] f. urgenza. || MÉD. caso (m.) urgente. | *service des urgen-*

ces, (posto di) pronto soccorso. || POL. *état d'urgence,* stato di emergenza. || *d'urgence, de toute urgence,* d'urgenza, con urgenza.
urgent, e [yrʒɑ̃, ɑ̃t] adj. urgente, pressante, impellente. | *être urgent,* urgere, essere urgente.
urinal, aux [yrinal, o] m. pappagallo.
urine [yrin] f. orina, urina.
uriner [yrine] v. tr. et intr. orinare. | MÉD. mingere.
urne [yrn] f. urna.
urticaire [yrtikɛr] f. MÉD. orticaria, urticaria.
us [ys] m. pl. *les us et coutumes,* gli usi e i costumi.
usage [yzaʒ] m. uso. | *hors d'usage,* fuori uso. | *à l'usage de,* a uso di. || [d'un service public] utenza f. ◆ pl. educazione f., buona creanza f.
usagé, e [yzaʒe] adj. usato.
usager [yzaʒe] m. [qui utilise] utente. ◆ pl. utenza f. sing.
usé, e [yze] adj. logoro, consunto, malandato. || FIG. [sujet] trito (e ritrito). | *eaux usées,* acque di scarico ; [industrielles] scoli m. pl.
user [yze] v. tr. ind. **(de)** far uso (di), servirsi (di), usare v. tr. ◆ v. tr. consumare, logorare, rovinare, sciupare. || FIG. *user sa santé,* guastarsi, rovinarsi la salute.
usine [yzin] f. fabbrica, officina, stabilimento m. (industriale) ; [de ciment] cementificio m. || COMM. *prix à l'usine,* prezzo franco fabbrica.
usiner [yzine] v. tr. lavorare (alla macchina utensile). || fabbricare (in officina).
usité, e [yzite] adj. usitato, in uso, di uso.
ustensile [ystɑ̃sil] m. attrezzo, utensile.
usuel, elle [yzɥɛl] adj. comune, corrente, solito, usuale. ◆ m. opera (f.) di consultazione (corrente).
usufruit [yzyfrɥi] m. JUR. usufrutto.
1. usure [yzyr] f. consumo m., logorio m., logoramento m., usura.
2. usure f. JUR. usura.
usurier, ère [yzyrje, ɛr] n. usuraio, a, strozzino, a.
usurpateur, trice [yzyrpatœr, tris] adj. et n. usurpatore, trice.
usurpation [yzyrpasjɔ̃] f. usurpazione.
usurper [yzyrpe] v. tr. usurpare.
ut [yt] m. MUS. do.
utérin, e [yterɛ̃, in] adj. uterino.
utérus [yterys] m. utero.
utile [ytil] adj. utile, vantaggioso. | *être utile de,* giovare. ◆ m. utile.
utilisable [ytilizabl] adj. utilizzabile.
utilisateur, trice [ytilizatœr, tris] n. utente.
utilisation [ytilizasjɔ̃] f. utilizzazione.
utiliser [ytilize] v. tr. utilizzare, impiegare, adoperare ; giovarsi di, valersi di.
utilitaire [ytilitɛr] adj. utilitario.
utilité [ytilite] f. utilità. || [profit] vantaggio m., profitto m., tornaconto m. ◆ pl. *acteur, actrice qui joue les utilités,* (attore) generico, (attrice) generica.
utopie [ytɔpi] f. utopia.
utopique [ytɔpik] adj. utopistico, da utopista.
uval, e, aux [yval, o] adj. di uva, dell'uva.

V

v [ve] m. v m. ou f.
va [va] interj. FAM. [encouragement, menace] va' ! ; va' là ! || [soit !] sia (pure). || [accord] *va pour cent francs,* vada per cento franchi.
vacance [vakɑ̃s] f. vacanza. ◆ pl. vacanze, ferie.
vacancier, ère [vakɑ̃sje, ɛr] n. villeggiante.
vacant, e [vakɑ̃, ɑ̃t] adj. vacante, non occupato.
vacarme [vakarm] m. baccano, chiasso, fracasso.
vacation [vakasjɔ̃] f. vacazione.
vaccin [vaksɛ̃] m. vaccino.
vaccination [vaksinasjɔ̃] f. vaccinazione.
vacciner [vaksine] v. tr. MÉD. vaccinare. || PR. et FIG. immunizzare.
vache [vaʃ] f. vacca ; [laitière] mucca. || FAM. *manger de la vache enragée,* tirare la cinghia. | *coup (de pied) en vache,* colpo a tradimento. || [cuir] vacchetta. || POP. [très méchant] carogna. ◆ adj. POP. severo (L.C.) ; [problème] difficile.
vachement [vaʃmɑ̃] adv. FAM. [méchamment] maledettamente. || POP. [très] follemente, un pozzo. | *ça me plaît vachement,* mi piace un pozzo.
vacher, ère [vaʃe, ɛr] n. vaccaio m., vaccaro m. ; guardiana di vacche.
vacherie [vaʃri] f. POP. carognata.
vachette [vaʃɛt] f. vacchetta.
vacillant, e [vasijɑ̃, ɑ̃t] adj. vacillante.
vacillement [vasijmɑ̃] m. vacillamento.
vaciller [vasije] v. intr. vacillare.
vacuité [vakɥite] f. vacuità.

vadrouille [vadruj] f. POP. passeggiata (L.C.).
vadrouiller [vadruje] v. intr. POP. bighellonare (L.C.), andare a zonzo (L.C.).
va-et-vient [vaevjɛ̃] m. inv. ÉLECTR. deviatore (elettrico, di corrente). || [allées et venues] andirivieni m., via-vai.
vagabond, e [vagabɔ̃, ɔ̃d] adj. et n. vagabondo.
vagabondage [vagabɔ̃daʒ] m. vagabondaggio.
vagabonder [vagabɔ̃de] v. intr. vagabondare, vagare, errare.
vagin [vaʒɛ̃] m. vagina f.
vagir [vaʒir] v. intr. vagire.
vagissement [vaʒismɑ̃] m. vagito.
1. vague [vag] f. onda ; [puissante] maroso m., ondata.
2. vague adj. *terrain vague,* terreno incolto, abbandonato.
3. vague adj. vago, indefinito, impreciso, incerto. || ANAT. *nerf vague,* vago. ◆ m. vago ; [regard] vuoto. | *vague à l'âme,* tedio, malinconia f.
vaguemestre [vagmɛstr] m. MIL. sottufficiale addetto alla posta.
vaguer [vage] v. intr. vagare, errare. || FIG. fantasticare.
vaillance [vajɑ̃s] f. valore m., coraggio m.
vaillant, e [vajɑ̃, ɑ̃t] adj. valoroso, coraggioso. || [vigoureux] robusto.
vaille que vaille [vajkəvaj] loc. adv. V. VALOIR.
vain, e [vɛ̃, vɛn] adj. vano, privo di consistenza. || [inefficace] infruttuoso, inutile. || [frivole] futile, frivolo. || [vaniteux] fatuo. ◆ *en vain,* invano.
vaincre [vɛ̃kr] v. tr. vincere. || ABS. vincere ; avere il sopravvento. || FIG. vincere, superare, dominare.
vaincu, e [vɛ̃ky] adj. et n. vinto. | *s'avouer vaincu,* darsi per vinto.
vainqueur [vɛ̃kœr] adj. m. et m. vincitore, trice adj.
vair [vɛr] m. vaio.
vaisseau [vɛso] m. MAR. bastimento, vascello ; nave f. || AV. *vaisseau spatial,* veicolo spaziale ; astronave f. || ANAT. vaso. || ARCHIT. navata f.
vaisselier [vɛsəlje] m. credenza f.
vaisselle [vɛsɛl] f. stoviglie f. pl., piatti m. pl. ; [précieuse] vasellame m. | *faire, laver la vaisselle,* lavare i piatti, rigovernare le stoviglie. | *machine à laver la vaisselle,* lavastoviglie f. inv.
val, vaux ou **vals** [val, vo] m. valle f.
valable [valabl] adj. valido, valevole. || [interlocuteur] qualificato.
valablement [valabləmɑ̃] adv. JUR. validamente.
valdôtain, e [valdotɛ̃, ɛn] adj. et n. valdostano.
valence [valɑ̃s] f. CHIM. valenza.
valériane [valerjan] f. valeriana.
valet [valɛ] m. servo, domestico, servitore. | *valet de chambre,* cameriere. | [de ferme, d'écurie] garzone. || [cartes] fante.
valeur [valœr] f. valore m., merito m. || [courage] valore, eroismo m. || [qualité] valore, pregio m. || ÉCON. valore, prezzo m. | *mettre en valeur,* valorizzare. | *taxe à la valeur ajoutée* (T.V.A.), imposta sul valore aggiunto (IVA). || COMM. valuta.
valeureux, euse [valørø, øz] adj. valoroso.
validation [validasjɔ̃] f. convalida.
valide [valid] adj. [sain] valido, vigoroso. || [valable] valido.
valider [valide] v. tr. convalidare.
validité [validite] f. validità.
valise [valiz] f. valigia.
vallée [vale] f. valle, vallata.
vallon [valɔ̃] m. vallone, valletta f.
vallonné, e [valɔne] adj. ondulato.
vallonnement [valɔnmɑ̃] m. ondulazione f.
valoir [valwar] v. intr. valere, costare. || valere, meritare. | *valoir la peine, le coup (de)* (fam.), valere la pena (di). || *(se) faire valoir,* far(si) valere. | [son argent] valorizzare, far fruttare. ◆ v. impers. *mieux vaut, il vaut mieux,* è meglio. ◆ v. tr. valere, meritare, procurare. ◆ v. pr. equivalersi. || FAM. *ça se vaut,* una cosa vale l'altra. ◆ *vaille que vaille,* alla men peggio, alla meglio.
valoriser [valɔrize] v. tr. avvalorare, valorizzare.
valse [vals] f. valzer m.
valser [valse] v. intr. ballare il valzer.
valve [valv] f. TECHN. valvola.
vampire [vɑ̃pir] m. vampiro.
vandale [vɑ̃dal] n. vandalo.
vandalisme [vɑ̃dalism] m. vandalismo.
vanille [vanij] f. vaniglia.
vanité [vanite] f. vanità, vanagloria. || [coquetterie, inefficacité] vanità. | *tirer vanité de,* vantarsi di, gloriarsi di.
vaniteux, euse [vanitø, øz] adj. et n. vanitoso, vanaglorioso.
vanne [van] f. TECHN. cateratta, paratoia, saracinesca.
vanner [vane] v. tr. AGR. spulare, ventilare, ventolare. || FAM. spossare, sfinire. | *je suis vanné,* sono stracco morto.
vannerie [vanri] f. articoli (m. pl.) di vimini.
vannier [vanje] m. canestraio, panieraio.
vantail, aux [vɑ̃taj, o] m. battente.
vantard, e [vɑ̃tar, ard] adj. et n. millantatore, trice.

vantardise [vɑ̃tardiz] f. vanteria, fanfaronata.
vanter [vɑ̃te] v. tr. lodare, vantare. ◆ v. pr. millantarsi, vanagloriarsi. | *se vanter de,* vantarsi di, gloriarsi di.
va-nu-pieds [vanypje] n. inv. pezzente m. ; straccione, a.
vapeur [vapœr] f. vapore m. | *bain de vapeur,* bagno a vapore. ◆ m. vapore.
vaporisateur [vapɔrizatœr] m. vaporizzatore, spruzzatore. || AGR. irroratrice f.
vaporiser [vapɔrize] v. tr. vaporizzare, spruzzare, irrorare.
vaquer [vake] v. intr. essere in vacanza. ◆ v. tr. ind. (à) attendere (a), accudire (a), badare (a).
varappe [varap] f. [alpinisme] scalata.
varech [varɛk] m. BOT. alghe f. pl., fuco.
vareuse [varøz] f. [blouse] camiciotto m. || [veste] giaccone m.
variable [varjabl] adj. variabile, mutevole. || MÉTÉOR. variabile, incerto.
variante [varjɑ̃t] f. variante.
variation [varjasjɔ̃] f. variazione.
varice [varis] f. varice.
varicelle [varisɛl] f. varicella.
varié, e [varje] adj. (s)variato, vario. | *musique variée,* musica varia, leggera. || [couleurs] variegato, variopinto.
varier [varje] v. tr. variare, cambiare. ◆ v. intr. variare, cambiare, mutare, divergere.
variété [varjete] f. varietà, diversità. ◆ pl. *spectacle de variétés,* spettacolo di varietà ; varietà m.
variole [varjɔl] f. vaiolo m.
vasculaire [vaskylɛr] adj. vascolare.
1. vase [vaz] m. vaso. | *vase de nuit,* vaso da notte, orinale.
2. vase f. melma.
vaseline [vazlin] f. vaselina.
vaseux, euse [vazø, øz] adj. melmoso. || FAM. [fatigué] *se sentir vaseux,* esser giù di corda. || FIG., FAM. [médiocre] fiacco, insulso.
vasque [vask] f. vasca.
vassal, e, aux [vasal, o] n. vassallo.
vaste [vast] adj. vasto, ampio, esteso.
va-t-en-guerre [vatɑ̃gɛr] adj. et n. inv. spavaldo.
va-tout [vatu] m. inv. *jouer son va-tout,* JEU puntare tutto il proprio denaro ; FIG. giocare l'ultima carta.
vau-l'eau (à) [avolo] loc. adv. FIG. *aller à vau-l'eau,* andare a rotoli, a monte.
vaurien, enne [vorjɛ̃, ɛn] n. mascalzone m., donnaccia f.
vautour [votur] m. avvoltoio. || FIG. strozzino.
vautrer (se) [səvotre] v. pr. [dans la boue] (av)voltolarsi ; [dans un fauteuil, sur un lit] stravaccarsi. || FIG. sprofondarsi.
va-vite (à la) [alavavit] loc. adv. alla svelta, alla (bell'e) meglio.
veau [vo] m. ZOOL. vitello. || [cuir] vitello. || FAM. bue, stupidone.
vecteur, trice [vɛktœr, tris] adj. et m. vettore, trice.
vécu, e [veky] adj. et m. vissuto.
vedette [vədɛt] f. [artiste] divo m., diva ; stella ; [politique] esponente n. || SP. asso m. | *en vedette,* in vista, in mostra, in risalto. || MAR. vedetta. | *vedette de combat, lance-torpilles,* motosilurante, mas m. inv.
végétal, e, aux [veʒetal, o] adj. et m. vegetale.
végétarien, enne [veʒetarjɛ̃, ɛn] adj. et n. vegetariano.
végétarisme [veʒetarism] m. vegetarianismo.
végétation [veʒetasjɔ̃] f. vegetazione.
végéter [veʒete] v. intr. vegetare.
véhémence [veemɑ̃s] f. veemenza.
véhément, e [veemɑ̃, ɑ̃t] adj. veemente.
véhiculaire [veikylɛr] adj. *langue véhiculaire,* lingua strumentale.
véhicule [veikyl] m. veicolo.
veille [vɛj] f. [absence de sommeil] veglia. | *entre la veille et le sommeil,* nel dormiveglia. || [jour précédent] vigilia ; giorno (m.) precedente, giorno prima. | *la veille au soir,* la sera prima. || FIG. *être à la veille de,* essere sul punto di.
veillée [veje] f. veglia, serata.
veiller [veje] v. intr. vegliare ; stare sveglio. || [être vigilant] vigilare, vegliare, stare all'erta. || [passer la soirée] stare a veglia. ◆ v. tr. *veiller un malade,* fare la veglia a un infermo. ◆ v. tr. ind. (à) vigilare (a, su), badare (a) ; (sur) vegliare (su).
veilleur [vɛjœr] m. *veilleur de nuit,* guardiano notturno ; [dans un hôtel] portiere notturno.
veilleuse [vɛjøz] f. lumino (m.) da notte. || [d'un chauffe-eau] fiammella spia ; beccuccio m. || *mettre en veilleuse,* PR. smorzare, abbassare la luce di ; FIG. mettere la sordina a.
veinard, e [vɛnar, ard] adj. FAM. fortunato.
veine [vɛn] f. ANAT. vena. || FIG. *veine poétique,* vena poetica. | *en veine de,* in vena di, disposto a. || MIN. vena, filone m. || [du bois, de la pierre] venatura. || FAM. fortuna. | *pas de veine !,* che sfortuna ! ; che disdetta !
veiné, e [vɛne] adj. venato.
vélo [velo] m. FAM. bici f.
vélomoteur [velomɔtœr] m. ciclomotore.

velours [vəlur] m. velluto. | *velours côtelé,* velluto a coste.
velouté, e [velute] adj. vellutato. || *vin velouté,* vino abboccato.
velu, e [vəly] adj. villoso, peloso.
venaison [vənɛzɔ̃] f. selvaggina, cacciagione.
vénal, e, aux [venal, o] adj. venale.
vénalité [venalite] f. venalità.
venant [vənɑ̃] m. *à tout venant,* al primo venuto, al primo che capita.
vendable [vɑ̃dabl] adj. vendibile.
vendange [vɑ̃dɑ̃ʒ] f. vendemmia.
vendanger [vɑ̃dɑ̃ʒe] v. tr. et intr. vendemmiare.
vendetta [vɑ̃dɛta] f. vendetta.
vendeur, euse [vɑ̃dœr, øz] n. venditore, trice ; [employé] commesso, a.
vendre [vɑ̃dr] v. tr. vendere. | *à vendre,* vendesi. || [trahir] vendere, tradire.
vendredi [vɑ̃drədi] m. venerdì.
vénéneux, euse [venenø, øz] adj. velenoso, venefico.
vénérable [venerabl] adj. venerabile, venerando.
vénération [venerasjɔ̃] f. venerazione.
vénérer [venere] v. tr. venerare.
vénerie [venri] f. caccia coi cani.
vénérien, enne [venerjɛ̃, ɛn] adj. venereo.
veneur [vənœr] m. capocaccia.
vengeance [vɑ̃ʒɑ̃s] f. vendetta.
venger [vɑ̃ʒe] v. tr. vendicare.
vengeur, eresse [vɑ̃ʒœr, ərɛs] adj. et n. vendicatore, trice.
véniel, elle [venjɛl] adj. veniale.
venimeux, euse [vənimø, øz] adj. velenoso.
venin [vənɛ̃] m. veleno.
venir [vənir] v. intr. venire. | *faire venir qn,* mandare a chiamare qlcu. || FIG. *voir venir qn,* indovinare dove uno va a parare. | *venir à l'esprit,* venire in mente. | *en venir aux mains,* venire alle mani. | *de là vient que,* donde, di qui viene che ; donde deriva che ; è la ragione per cui. || [passé proche] *elle vient de sortir,* è appena uscita ; è uscita or ora, poco fa. || [survenir] succedere, capitare, giungere. || [pousser] venire, venir su, crescere, spuntare. ◆ v. pr. *s'en venir,* venirsene. ◆ *à venir,* di là da venire ; futuro, venturo adj.
vénitien, enne [venisjɛ̃, ɛn] adj. et n. veneziano.
vent [vɑ̃] m. vento. | *vent du nord,* tramontana f., aquilone ; [dans l'Adriatique Nord] bora f. | *vent du sud-est, du sud-ouest* [en Méditerranée], libeccio, scirocco. | *il fait du vent,* tira vento. || MAR. *sous le vent,* sottovento. | *au vent,* sopravvento. || FIG. *avoir vent de qqch.,* aver sentore di qlco. | *être dans le vent,* adottare l'ultima moda. ◆ pl. MUS. strumenti a fiato.
vente [vɑ̃t] f. vendita. | *vente de charité,* fiera di beneficenza.
venter [vɑ̃te] v. impers. tirar vento.
venteux, euse [vɑ̃tø, øz] adj. ventoso.
ventilateur [vɑ̃tilatœr] m. ventilatore.
ventilation [vɑ̃tilasjɔ̃] f. ventilazione.
ventiler [vɑ̃tile] v. tr. ventilare.
ventouse [vɑ̃tuz] f. ventosa. | *faire ventouse,* aderire.
ventre [vɑ̃tr] m. ventre ; pancia f. (fam.) | *dormir sur le ventre,* dormire bocconi. || FIG. *se mettre à plat ventre devant qn,* strisciarsi a qlcu. || FAM. *avoir du ventre,* metter su pancia. || [renflement] pancia, ventre. | *faire ventre,* far pancia.
ventricule [vɑ̃trikyl] m. ventricolo.
venu, e [vəny] adj. *être mal venu à, de,* aver torto di ; non avere il diritto di. ◆ m. *le premier venu,* il primo venuto ; chiunque pron. indéf.
venue [vəny] f. venuta, arrivo m. || [croissance] crescita, sviluppo m.
vêpres [vɛpr] f. pl. vespro m., vespri.
ver [vɛr] m. verme ; [de terre] lombrico ; [à soie] baco da seta ; filugello. | *ver blanc,* larva (f.) del maggiolino. | *ver luisant,* lucciola f. | *ver solitaire,* verme solitario ; tenia f. | *ver du bois,* tarlo. | *mangé aux vers,* tarlato.
véracité [verasite] f. veracità.
véranda [verɑ̃da] f. veranda.
verbal, e, aux [vɛrbal, o] adj. verbale.
verbaliser [vɛrbalize] v. intr. contestare una contravvenzione.
verbe [vɛrb] m. verbo. || *avoir le verbe haut,* parlare con arroganza.
verbeux, euse [vɛrbø, øz] adj. verboso.
verbiage [vɛrbjaʒ] m. vaniloquio.
verdâtre [vɛrdɑtr] adj. verdastro.
verdeur [vɛrdœr] f. asprezza, acidità. || FIG. [de langage] crudezza. || [vigueur] vigore m., forza, giovinezza.
verdict [vɛrdikt] m. JUR. verdetto. || [avis] giudizio. || [du médecin] responso.
verdir [vɛrdir] v. intr. (r)inverdire, verdeggiare. || FIG. impallidire, illividire.
verdure [vɛrdyr] f. [couleur] verde m. || CULIN. verdura, verdure.
véreux, euse [verø, øz] adj. bacato. || FIG. losco.
verge [vɛrʒ] f. verga, bacchetta. ◆ pl. verghe.
verger [vɛrʒe] m. frutteto.
verglacé, e [vɛrglase] adj. coperto di vetrato, di vetrone.
verglas [vɛrgla] m. vetrato, vetrone.
vergogne [vɛrgɔɲ] f. *sans vergogne,* spudorato, scostumato adj.
vergue [vɛrg] f. MAR. pennone m.

véridique [veridik] adj. veridico, veritiero, verace.
vérificateur, trice [verifikatœr, tris] n. verificatore, trice.
vérification [verifikasjɔ̃] f. verifica, controllo m., riscontro m. | *vérification d'identité,* accertamento (m.) d'identità.
vérifier [verifje] v. tr. verificare, controllare, riscontrare.
vérin [verɛ̃] m. MÉC. martinetto.
véritable [veritabl] adj. vero, autentico, genuino, reale.
vérité [verite] f. verità, vero m. || *à la vérité,* in verità ; per dire la verità, il vero. || *en (toute) vérité,* in verità.
vermeil, eille [vɛrmɛj] adj. vermiglio. ◆ m. argento dorato.
vermicelle [vɛrmisɛl] m. CULIN. vermicelli pl.
vermifuge [vɛrmifyʒ] adj. et m. vermifugo.
vermillon [vɛrmijɔ̃] adj. inv. et m. vermiglio.
vermine [vɛrmin] f. parassiti m. pl.
vermoulu, e [vɛrmuly] adj. tarlato.
vernaculaire [vɛrnakylɛr] adj. vernacolare.
verni, e [vɛrni] adj. *souliers vernis,* scarpe di vernice, di cop(p)ale.
vernir [vɛrnir] v. tr. (in)verniciare.
vernis [vɛrni] m. vernice f. ; [de poterie] vetrina f. ; [à ongles] smalto. || FIG. vernice, (in)verniciatura f. ; [de connaissances] infarinatura f.
vernissage [vɛrnisaʒ] m. (in)verniciatura f. || [d'une exposition] vernice f.
vernisser [vɛrnise] v. tr. (in)verniciare.
vérole [verɔl] f. MÉD. *petite vérole,* vaiolo m. || POP. sifilide.
verre [vɛr] m. vetro. | *papier de verre,* carta (f.) vetrata. || [contenant] bicchiere. | *choquer les verres,* brindare. || OPT. lente f. ◆ pl. [lunettes] occhiali, lenti f. pl.
verrerie [vɛrri] f. vetreria. || [objets] vetrame m.
verrier [vɛrje] m. vetraio.
verrière [vɛrjɛr] f. vetrata.
verrou [veru] m. chiavistello, catenaccio. | *verrou de sûreté,* serratura (f.) di sicurezza. || *mettre sous les verrous,* mettere sotto chiave ; imprigionare.
verrouiller [vɛruje] v. tr. chiudere col chiavistello, col catenaccio. || MIL. *verrouiller une brèche,* chiudere una sacca.
verrue [vɛry] f. verruca ; porro m. (fam.).
1. vers [vɛr] m. verso. | *vers blancs,* versi sciolti.
2. vers prép. verso. || [suivi d'un pron. pers.] verso di.
versant [vɛrsɑ̃] m. versante.
versatile [vɛrsatil] adj. volubile, incostante.
verse (à) [avɛrs] loc. adv. *pleuvoir à verse,* piovere a dirotto, a scroscio, a catinelle.
versé, e [vɛrse] adj. (dans) versato, esperto (in) ; dotto (di, in).
Verseau [vɛrso] m. ASTR. A(c)quario.
versement [vɛrsəmɑ̃] m. versamento, pagamento.
verser [vɛrse] v. tr. versare, rovesciare, spargere. || [payer] versare, pagare, corrispondere. || [joindre] allegare. || [affecter] assegnare. ◆ v. intr. [basculer] capovolgersi, rovesciarsi, ribaltare.
verset [vɛrsɛ] m. versetto.
verseur [vɛrsœr] adj. m. *bec verseur,* beccuccio.
version [vɛrsjɔ̃] f. versione, traduzione (nella lingua materna).
verso [vɛrso] m. verso, tergo.
vert, e [vɛr, vɛrt] adj. verde. | *haricots verts,* fagiolini. | *chêne vert,* leccio, cerro. || FIG. verde, livido. | *verte réprimande,* acerbo, aspro rimprovero. || [gaillard] arzillo, in gamba. ◆ m. verde.
vert-de-gris [vɛrdəgri] m. inv. verderame.
vertébral, e, aux [vɛrtebral, o] adj. vertebrale.
vertèbre [vɛrtɛbr] f. vertebra.
vertement [vɛrtəmɑ̃] adv. vivacemente, aspramente.
vertical, e, aux [vɛrtikal, o] adj., m., f. verticale. || AV. *être à la verticale de,* sorvolare.
vertige [vɛrtiʒ] m. vertigine f., vertigini f. pl., capogiro.
vertigineux, euse [vɛrtiʒinø, øz] adj. vertiginoso.
vertu [vɛrty] f. virtù, valore m. || [pouvoir] virtù, facoltà, capacità. || *en vertu de,* in, per virtù di.
vertueux, euse [vɛrtɥø, øz] adj. virtuoso.
verve [vɛrv] f. brio m., estro m. | *être en verve,* essere in vena.
verveine [vɛrvɛn] f. verbena.
vésicule [vezikyl] f. vescicola. | *vésicule biliaire,* vescicola biliare ; cistifellea.
vespasienne [vɛspazjɛn] f. vespasiano m.
vessie [vɛsi] f. vescica.
vestale [vɛstal] f. vestale.
veste [vɛst] f. giacca. || FIG. *retourner sa veste,* voltare gabbana.
vestiaire [vɛstjɛr] m. guardaroba inv. || [pour se déshabiller] spogliatoio.
vestibule [vɛstibyl] m. anticamera f. ; [de palais, théâtre, église] vestibolo.
vestige [vɛstiʒ] m. vestigio (pl. le vestigia ; i vestigi).
veston [vɛstɔ̃] m. giacca f.
vêtement [vɛtmɑ̃] m. vestito, abito. | *vêtements sacerdotaux,* vestimenti sacerdotali. | [industrie] abbigliamento.

vétéran [veterɑ̃] m. veterano.
vétérinaire [veterinɛr] adj. et n. veterinario.
vétille [vetij] f. bagattella, inezia, bazzecola.
vétilleux, euse [vetijø, øz] adj. cavilloso, meticoloso ; pignolo (fam.).
vêtir [vɛtir] v. tr. vestire. ◆ v. pr. vestirsi.
veto [veto] m. inv. veto.
vétuste [vetyst] adj. vetusto, logoro, malandato.
veuf, veuve [vœf, vœv] adj. et n. vedovo, a. ◆ adj. *veuf de,* privo di.
veule [vøl] adj. molle, debole, fiacco.
veuvage [vœvaʒ] m. vedovanza f.
vexant, e [vɛksɑ̃, ɑ̃t] adj. irritante, seccante. || [blessant] offensivo.
vexation [vɛksasjɔ̃] f. [brimade] vessazione, angheria, sopruso m. || [humiliation] mortificazione, offesa.
vexer [vɛkse] v. tr. [humilier] mortificare, offendere. | *être vexé,* essere contrariato, irritato. ◆ v. pr. offendersi.
via [vja] prép. via.
viabilité [vjabilite] f. [urbanisme] viabilità.
viable [vjabl] adj. vitale. || FIG. durevole, duraturo.
viaduc [vjadyk] m. viadotto ; [pont routier] cavalcavia inv.
viager, ère [vjaʒe, ɛr] adj. et m. vitalizio. | *en viager,* vita natural durante.
viande [vjɑ̃d] f. carne.
viatique [vjatik] m. viatico.
vibrant, e [vibrɑ̃, ɑ̃t] adj. vibrante.
vibration [vibrasjɔ̃] f. vibrazione.
vibrer [vibre] v. intr. vibrare.
vibreur [vibrœr] m. vibratore.
vicaire [vikɛr] m. vicario.
1. vice [vis] m. vizio.
2. vice- préf. vice.
vice(-)versa [vis(e)vɛrsa] loc. adv. viceversa.
vicier [visje] v. tr. viziare, corrompere. | *sang vicié,* sangue guasto.
vicieux, euse [visjø, øz] adj. vizioso, depravato ; [cheval] ombroso ; [coup] mancino. | *cercle vicieux,* circolo vizioso. ◆ n. vizioso, a.
vicissitudes [visisityd] f. pl. vicissitudini, vicende.
vicomte, esse [vikɔ̃t, ɛs] n. visconte, essa.
victime [viktim] f. vittima. | *être victime d'un malaise,* essere colto da un malore.
victoire [viktwar] f. vittoria.
victorieux, euse [viktɔrjø, øz] adj. vittorioso.
victuailles [viktɥaj] f. pl. vettovaglie, viveri m. pl.
vidange [vidɑ̃ʒ] f. svuotamento m., spurgo m. || AUT. *vidange (d'huile),* cambio (m.) dell'olio. | *bouchon de vidange,* tappo scarico. ◆ pl. spurghi m. pl.
vidanger [vidɑ̃ʒe] v. tr. svuotare, spurgare. || AUT. cambiar l'olio.
vidangeur [vidɑ̃ʒœr] m. vuotacessi inv., bottinaio.
vide [vid] adj. vuoto. ◆ m. *vide sanitaire,* vespaio. || FIG. vuotaggine f., vacuità f., vanità f. || *à vide,* a vuoto.
vidé, e [vide] adj. FIG. esausto, spossato, sfinito.
vidéo [video] adj. et f. video adj. et m. inv.
vidéocassette [videokasɛt] f. videocassetta.
vide-ordures [vidɔrdyr] m. inv. condotto (m.) di immondezzaio.
vider [vide] v. tr. (s)vuotare ; [poulet, poisson] svuotare, sventrare, sbuzzare. | *faire vider une salle,* (fare) sgomb(e)rare una sala. || FAM. [chasser] cacciar via. | *se faire vider,* farsi cacciar via. || [fatiguer] spossare. || [régler : querelle, etc.] accomodare, comporre, regolare, sistemare.
vie [vi] f. vita. | *avoir la vie dure,* essere duro a morire. || vita, animazione. || *jamais de la vie !,* mai e poi mai !, nemmeno per sogno ! || vita, biografia. || *vie chère,* carovita m. inv. || [durée] vita, durata.
vieillard [vjɛjar] m. vecchio, anziano.
vieillesse [vjɛjɛs] f. vecchiaia, vecchiezza.
vieillir [vjɛjir] v. tr. et intr. invecchiare. ◆ v. pr. farsi più vecchio, più anziano.
vieillot, otte [vjɛjo, ɔt] adj. vecchiotto.
vierge [vjɛrʒ] adj. et f. vergine. | *feuille (de papier) vierge,* foglio bianco. || ASTR. Vergine.
vietnamien, enne [vjɛtnamjɛ̃, ɛn] adj. et n. vietnamita.
vieux [vjø] ou **vieil** [vjɛj], **vieille** [vjɛj] adj. vecchio, anziano ; in là con gli anni. | *vieux garçon,* scapolo adj. et n. | *vieille fille,* zitella. || FIG. *une vieille barbe,* un vecchio barbogio. | *le bon vieux temps,* il buon tempo antico. | *vieille habitude,* abitudine inveterata. || [qui n'a plus cours] antiquato. | *vieil italien,* italiano antico. ◆ n. *petit vieux, petite vieille,* vecchietto, a ; vecchierello, a.
vif, vive [vif, viv] adj. [vivant] vivo. | *eau vive,* acqua sorgiva. || [qui a de la vie] vivo, vivace. || [couleurs] vivo, intenso ; [froid] pungente ; [douleur] acuto. ◆ m. vivo. | *peindre sur le vif,* ritrarre dal vero. || *à vif,* in carne viva. | *plaie à vif,* piaga scoperta. | *avoir les nerfs à vif,* avere i nervi a fior di pelle. || *de vive force,* a viva forza. || *de vive voix,* a viva voce.

vif-argent [vifarʒɑ̃] m. argento vivo, mercurio.
vigie [viʒi] f. MAR. vedetta.
vigilance [viʒilɑ̃s] f. vigilanza.
vigilant, e [viʒilɑ̃, ɑ̃t] adj. vigilante, vigile. | *soins vigilants,* cure sollecite.
vigile [viʒil] f. REL. vigilia.
vigne [viɲ] f. [plant] vite. || [plantation] vigna, vigneto m.
vigneron, onne [viɲərɔ̃, ɔn] n. vignaiolo m., viticoltore m.
vignette [viɲɛt] f. vignetta. || AUT. bollo (m.) di circolazione. || PHARM. fustella.
vignoble [viɲɔbl] m. vigna f., vigneto.
vigoureux, euse [vigurø, øz] adj. vigoroso.
vigueur [vigœr] f. vigore m., vigoria, forza, energia. || *en vigueur,* in vigore; vigente adj.
vil, e [vil] adj. [méprisable] vile, abietto, spregevole. || *à vil prix,* a vil prezzo.
vilain, e [vilɛ̃, ɛn] adj. [méprisable] vile. | *vilain mot,* parolaccia f. || FAM. [méchant] brutto, cattivo. || [laid] brutto. | *vilain temps,* tempaccio.
vilebrequin [vilbrəkɛ̃] m. TECHN. menarola f. || MÉC. albero a gomito.
vilenie [vil(e)ni] f. villania, sgarbo m., insulto m.
villa [villa] f. villa, villino m.
village [vilaʒ] m. villaggio, paese. | *village de toile,* tendopoli f. inv.
villageois, e [vilaʒwa, az] adj. campagnolo, paesano, rusticano. ◆ n. paesano, a.
ville [vil] f. città. | *aller en ville,* andare in centro. | *hôtel de ville,* municipio.
villégiature [vileʒjatyr] f. villeggiatura.
vin [vɛ̃] m. vino. | *vin rouge,* vino rosso, nero. | *petit vin,* vinello. | *marchand de vin,* oste, vinaio. || FAM. *cuver son vin,* smaltire la sbornia.
vinaigre [vinɛgr] m. aceto.
vinaigrier [vinɛgrije] m. ampolla (f.) per l'aceto ; oliera f.
vindicatif, ive [vɛ̃dikatif, iv] adj. et n. vendicativo.
vingt [vɛ̃] adj. num. card. et m. venti. | *vingt et un,* ventun(o).
vingtaine [vɛ̃tɛn] f. ventina.
vingtième [vɛ̃tjɛm] adj. num. ord. et n. ventesimo.
vinicole [vinikɔl] adj. vinicolo.
viol [vjɔl] m. stupro ; violenza (f.) carnale.
violacé, e [vjɔlase] adj. violaceo, paonazzo.
violation [vjɔlasjɔ̃] f. violazione.
violemment [vjɔlamɑ̃] adv. violentemente.
violence [vjɔlɑ̃s] f. violenza. || FIG. *faire violence qn,* far forza a qlcu.
violent, e [vjɔlɑ̃, ɑ̃t] adj. violento, impetuoso.
violenter [vjɔlɑ̃te] v. tr. violentare.
violer [vjɔle] v. tr. violentare, violare, stuprare. || FIG. violare.
violet, ette [vjɔlɛ, ɛt] adj. et m. viola inv., violetto. ◆ f. BOT. viola (mammola), mammola, violetta.
violon [vjɔlɔ̃] m. violino. || FIG. *violon d'Ingres,* pallino, passatempo. || FAM. [prison] guardina f., camera (f.) di sicurezza.
violoncelle [vjɔlɔ̃sɛl] m. violoncello, cello.
violoncelliste [vjɔlɔ̃sɛlist] m. violoncellista.
violoniste [vjɔlɔnist] n. violinista.
vipère [vipɛr] f. vipera.
virage [viraʒ] m. AV. virata f., viraggio. || [d'une route] curva f., svolta f. || PHOT. viraggio.
viral, e, aux [viral, o] adj. virale.
virée [vire] f. FAM. giro m. (L.C.).
virement [virmɑ̃] m. COMM. *virement bancaire,* giraconto, bancogiro. | *virement postal,* postagiro.
virer [vire] v. tr. COMM. girare. || PHOT. sottoporre al viraggio. || FAM. *virer qn,* sbattere fuori, sbalestrare qlcu. ◆ v. intr. AV., MAR., PHOT. virare. || AUT. svoltare, curvare. ◆ v. tr. ind. (à) virare (a).
virevolter [virvɔlte] v. intr. far giravolte.
virginal, e, aux [virʒinal, o] adj. verginale.
virginité [virʒinite] f. verginità.
virgule [virgyl] f. virgola.
viril, e [viril] adj. virile.
virilité [virilite] f. virilità.
virole [virɔl] f. ghiera.
virtuel, elle [virtɥɛl] adj. virtuale, potenziale.
virtuose [virtɥoz] n. virtuoso, a.
virtuosité [virtɥozite] f. virtuosismo m.
virulence [virylɑ̃s] f. virulenza.
virulent, e [virylɑ̃, ɑ̃t] adj. virulento.
virus [virys] m. virus.
vis [vis] f. vite.
visa [viza] m. visto.
visage [vizaʒ] m. faccia f., viso, volto.
vis-à-vis [vizavi] loc. adv. di fronte, faccia a faccia. ◆ loc. prép. *vis-à-vis de,* [en face de] di fronte a, dirimpetto a ; [à l'égard de] verso (di), rispetto a, nei riguardi di, nei confronti di ; [par rapport à] in confronto a. ◆ m. inv. *mon vis-à-vis,* la persona di fronte a me.
viscère [visɛr] m. viscere. ◆ pl. visceri, viscere f. pl.
visée [vize] f. MIL., OPT. mira. ◆ pl. FIG. mire, scopi m. pl., intenti m. pl., propositi m. pl.

1. viser [vize] v. tr. ou intr. mirare (a). || [ambitionner] mirare (a), aspirare (a), ambire (a). ◆ v. tr. ind. (à) tendere (a).
2. viser v. tr. [document] vistare. || [signature] vidimare, autenticare.
viseur [vizœr] m. OPT. mirino.
visibilité [vizibilite] f. visibilità.
visible [vizibl] adj. visibile. || [évident] manifesto, evidente.
visière [vizjɛr] f. visiera. || *mettre sa main en visière,* far(si) solecchio.
vision [vizjɔ̃] f. (il) vedere, capacità visiva. || OPT. vista. || CIN. visione. || FIG. concezione, visione, intuizione. || apparizione, visione.
visionnaire [vizjɔnɛr] adj. et n. visionario.
visionner [vizjɔne] v. tr. visionare.
visionneuse [vizjɔnøz] f. visore m.
visite [vizit] f. visita. | *rendre visite à,* visitare ; far visita a. || JUR. *visite domiciliaire,* perquisizione domiciliare. | *visite des lieux,* sopralluogo m.
visiter [vizite] v. tr. visitare. || [examiner] esaminare, visitare ; [douane] ispezionare.
visiteur, euse [vizitœr, øz] n. visitatore, trice. || [douane] ispettore, trice.
vison [vizɔ̃] m. visone.
visqueux, euse [viskø, øz] adj. PHYS. viscoso. || [gluant] vischioso, viscido. || FIG. viscido.
visser [vise] v. tr. MÉC. avvitare. || FAM. *visser qn,* tenere a briglia qlcu.
visualiser [vizɥalize] v. tr. visualizzare.
visuel, elle [vizɥɛl] adj. visivo. | *champ visuel,* campo visivo ; visuale f.
vital, e, aux [vital, o] adj. vitale. || FIG. essenziale, fondamentale.
vitalité [vitalite] f. vitalità.
vitamine [vitamin] f. vitamina.
vite [vit] adv. presto. | *au plus vite,* al più presto, quanto prima. | *faire vite,* far presto ; sbrigarsi.
vitesse [vitɛs] f. velocità, rapidità, celerità. || AUT. marcia. | *boîte de vitesses,* cambio m. || FAM. *en quatrième vitesse,* a tutta birra. || *coureur de vitesse,* velocista.
viticole [vitikɔl] adj. viticolo.
viticulteur [vitikyltœr] m. viticoltore.
vitrail, aux [vitraj, o] m. vetrata f.
vitre [vitr] f. vetro m.
vitrer [vitre] v. tr. invetriare.
vitreux, euse [vitrø, øz] adj. ANAT. vitreo. || GÉOL. vetroso. || FIG. vitreo.
vitrier [vitrije] m. vetraio.
vitrifier [vitrifje] v. tr. vetrificare. || [parquet] invetriare.
vitrine [vitrin] f. vetrina, bacheca.
vitriol [vitrijɔl] m. vetriolo.
vitupérer [vitypere] v. tr. ind. (contre) vituperare v. tr.
vivable [vivabl] adj. FAM. tollerabile (L.C.).
vivace [vivas] adj. BOT. perenne. || [résistant] vivace, rigoglioso. || FIG. durevole, tenace.
vivacité [vivasite] f. vivacità. || [d'esprit] vivezza, prontezza. || [couleur, style] vivacità, vivezza. || FIG. irritabilità, impazienza.
vivant, e [vivɑ̃, ɑ̃t] adj. vivo, vivente. | *langue vivante,* lingua viva. || [animé] vivo, vivace, animato. ◆ m. vivente, vivo. | *bon vivant,* buontempone, allegrone. ◆ *du vivant de,* da vivo, da viva ; *de son vivant,* in vita sua.
vivat [viva] m. evviva inv.
vive ! [viv] interj. (ev)viva !
vivement [vivmɑ̃] adv. presto, in fretta, rapidamente. || [avec vivacité] aspramente, con impazienza ; [chaleureusement] vivamente, sentitamente.
viveur [vivœr] m. vitaiolo.
vivier [vivje] m. vivaio.
vivifiant, e [vivifjɑ̃, ɑ̃t] adj. vivificante.
vivifier [vivifje] v. tr. vivificare, ravvivare.
vivisection [vivisɛksjɔ̃] f. vivisezione.
vivoter [vivɔte] v. intr. FAM. vivacchiare.
vivre [vivr] v. intr. vivere. | *art de vivre,* arte del vivere. || [subsister] vivere, nutrirsi ; campare (fam.). | *vivre aux dépens de,* vivere alle spalle di. || [expérience, durée] (soprav)vivere. | *homme qui a vécu,* uomo vissuto. || MIL. *qui vive ?,* chi vive ?, chi va là ? ◆ v. tr. *vivre sa vie,* vivere la propria vita. ◆ m. vitto. ◆ m. pl. viveri.
vocable [vɔkabl] m. parola f., vocabolo, termine. || REL. patronato.
vocabulaire [vɔkabylɛr] m. vocabolario.
vocal, e, aux [vɔkal, o] adj. vocale.
vocalise [vɔkaliz] f. vocalizzo m.
vocation [vɔkasjɔ̃] f. vocazione ; *avoir vocation à, pour,* essere qualificato per.
vociférations [vɔsiferasjɔ̃] f. pl. urla, sbraitio m.
vociférer [vɔsifere] v. intr. sbraitare, urlare. ◆ v. tr. urlare, gridare, scagliare.
vœu [vø] m. voto. || [souhait] desiderio. ◆ pl. auguri.
vogue [vɔg] f. voga, successo m. | *en vogue,* in voga, di moda.
voguer [vɔge] v. intr. navigare.
voici [vwasi] adv. ecco (qui). | *me voici,* eccomi. | *l'argent que voici,* questo denaro. || [durée écoulée] *voici trois ans,* tre anni or sono, tre anni fa.
voie [vwa] f. via, strada, cammino m. | *voie navigable,* idrovia. | *voie ferrée,* ferrovia ; strada ferrata. | *à voie étroite,* a scartamento (m.) ridotto. || [rails] binario m. || [chaussée] carreggiata ; [d'autoroute] corsia. || *voie d'eau,* falla. || [sens moral] via, strada. | *mettre sur*

la voie, avviare. || *par voie de,* per mezzo di. | *par voie de conséquence,* di conseguenza ; quindi. || *en voie de,* in via di.

voilà [vwala] prép. ecco (là). | *le voilà,* eccolo là ! | *les choses que voilà,* quelle cose. | *voilà qui est bien !,* così va bene ! | *nous voilà bien !,* stiamo freschi ! || [durée écoulée] *c'est arrivé voilà trois semaines,* è successo tre settimane fa, tre settimane or sono.

voilage [vwalaʒ] m. velo, tenda f., tendina f.

1. voile [vwal] m. velo. || REL. *prendre le voile,* prendere il velo, monacarsi. || FIG. velo. | *sous le voile de,* sotto le parvenze, il manto di. || ANAT. *voile du palais,* velo palatino, pendulo. || TECHN. svergolamento.

2. voile f. MAR. vela. | *mettre à la voile,* salpare. || SP. *faire de la voile,* fare della vela.

voilé, e [vwale] adj. velato. || PHOT. velato. || TECHN. svergolato.

voiler [vwale] v. tr. velare. || FIG. velare, nascondere. || MAR. armare. || TECHN. svergolare.

voilette [vwalɛt] f. veletta.

voilier [vwalje] m. veliero.

voilure [vwalyr] f. AV., MAR. velatura. || [de parachute] calotta.

voir [vwar] v. tr. vedere. || FAM. *se faire bien, mal voir de,* essere bene, male accetto, a. | *voir venir,* lasciare che le cose maturino. ◆ v. tr. ind. (à) [veiller] cercare (di), procurare (di), badare (a). ◆ v. intr. vedere. || [encouragement] *voyons, un peu de courage !,* su, via, un po' di coraggio ! ◆ v. pr. vedersi, frequentarsi.

voire [vwar] adv. anzi, e anche, perfino.

voirie [vwari] f. rete stradale. | *service de voirie,* nettezza urbana. || [dépôt] (im)mondezzaio m.

voisin, e [vwazɛ̃, in] adj. (de) vicino (a). || FIG. vicino (a), simile (a), affine (a). ◆ n. (de) vicino (di).

voisinage [vwazinaʒ] m. vicinato. || *dans le, au voisinage de,* nelle vicinanze di.

voiture [vwatyr] f. vettura, veicolo m. || [à bras] carretto (m.) a mano ; [d'enfant] carrozzella, carrozzina, carrozzino m. ; [d'infirme] carrozzella. || macchina, automobile. || TR. carrozza. | *voiture-lit,* carrozza letto. | *voiture-restaurant,* carrozza ristorante.

voix [vwa] f. voce. | *de vive voix,* a (viva) voce. | *à voix basse,* sottovoce adv. || MUS. voce. || [d'animal] verso m., grido m. || [suffrage] voto m., suffragio. | *voix consultative,* voce consultiva.

1. vol [vɔl] m. volo. | *saisir au vol,* cogliere, afferrare a volo. | *à vol d'oiseau,* a volo d'uccello, in linea d'aria. || [groupe d'oiseaux] stormo, volata f., branco, passo. || AV. volo, trasvolata f. | *vol à voile,* volo a vela.

2. vol m. [action] furto ; [à l'étalage] taccheggio ; [à la tire] borseggio ; [à l'arraché] scippo ; [à main armée] rapina f. || [produit] furto, refurtiva f.

volage [vɔlaʒ] adj. volubile, incostante.

volaille [vɔlɑj] f. pollame m.

volant [vɔlɑ̃] m. AUT. volante, sterzo. || [feuillet détachable] figlia f. || MÉC. volano. || FIN. *volant de trésorerie,* riserva (f.) di tesoreria. || MODE balza f., gala f.

volant, e [vɔlɑ̃, ɑ̃t] adj. [qui vole] volante. || [mobile] mobile. | *feuille volante,* foglio volante, staccato, sciolto.

volatil, e [vɔlatil] adj. volatile.

volatile [vɔlatil] m. volatile ; uccello da cortile.

volatiliser [vɔlatilize] v. tr. volatilizzare. ◆ v. pr. FIG. volatilizzarsi, scomparire, dileguarsi.

volcan [vɔlkɑ̃] m. vulcano.

volcanique [vɔlkanik] adj. vulcanico.

volcanologue [vɔlkanɔlɔg] m. vulcanologo.

volée [vɔle] f. [vol] volata, volo m. || [d'oiseaux] volo, volata, stormo m., branco m. ; [d'enfants] stuolo m., brigata. || [coups] scarica. | *bonne volée,* fracco m. || [d'escalier] branca. || SP. volata. || *à la volée,* a volo ; [semer] a spaglio. | [cloches] *à toute volée,* a distesa.

1. voler [vɔle] v. intr. [en l'air] volare.

2. voler v. tr. [dérober : qch.] rubare ; [qn] derubare. || FAM. *il ne l'a pas volé,* se l'è meritata.

volet [vɔlɛ] m. imposta f. ; [à claire-voie] persiana f. ; [intérieur] scuro. || AV. aletta f., alettone, deflettore. || [d'un triptyque] sportello, ala f.

voleter [vɔlte] v. intr. svolazzare.

voleur, euse [vɔlœr, øz] adj. et n. ladro.

volière [vɔljɛr] f. uccelliera, voliera.

volley-ball [vɔlɛbɔl] m. pallavolo f.

volontaire [vɔlɔ̃tɛr] adj. volontario. || [décidé] volitivo. || [têtu] caparbio, testardo. ◆ m. MIL. volontario.

volontariat [vɔlɔ̃tarja] m. volontariato.

volonté [vɔlɔ̃te] f. volontà, volere m. | *de bonne volonté,* di buona volontà, di buon volere ; volonteroso adj. ◆ *à volonté,* a volontà, a piacere, a piacimento.

volontiers [vɔlɔ̃tje] adv. volentieri, di buon grado.

volt [vɔlt] m. volt inv.

voltage [vɔltaʒ] m. voltaggio.

volte-face [vɔltəfas] f. inv. voltafaccia m. inv.
voltige [vɔltiʒ] f. acrobatismo m.
voltiger [vɔltiʒe] v. intr. svolazzare.
volubile [vɔlybil] adj. sciolto nel parlare ; loquace.
volubilité [vɔlybilite] f. prontezza e facilità di parola ; loquacità.
volume [vɔlym] m. volume. || [cubage] volume, massa f.
volumineux, euse [vɔlyminø, øz] adj. voluminoso.
volupté [vɔlypte] f. voluttà.
voluptueux, euse [vɔlyptɥø, øz] adj. voluttuoso.
volute [vɔlyt] f. voluta.
vomir [vɔmir] v. tr. vomitare.
vomissement [vɔmismɑ̃] m. vomito.
vorace [vɔras] adj. vorace.
voracité [vɔrasite] f. voracità.
votant, e [vɔtɑ̃, ɑ̃t] adj. et n. votante.
vote [vɔt] m. [suffrage] voto. | *bulletin, bureau de vote,* scheda, seggio elettorale. || [scrutin] votazione f., scrutinio.
voter [vɔte] v. intr. et tr. votare.
votre [vɔtr], pl. **vos** [vo] adj. poss. (il) vostro, (la) vostra, (i) vostri, (le) vostre ; (il) Suo, (i) Suoi, (la) Sua, (le) Sue.
vôtre [votr] adj. poss. vostro ; Suo ; *affectueusement vôtre,* con affetto (il) vostro, (il) Suo. ◆ pron. poss. *le, la vôtre, les vôtres,* il vostro, la vostra, i vostri, le vostre ; il Suo, la Sua, i Suoi, le Sue. || FAM. *à la (bonne) vôtre !,* alla vostra !, alla Sua ! ◆ m. *mettez-y du vôtre,* metteteci del vostro, ci metta del suo. ◆ m. pl. i vostri, i Suoi. || *je serai des vôtres,* verrò da voi, da Lei.
voué, e [vwe] adj. (à) votato (a), destinato (a).
vouer [vwe] v. tr. votare, consacrare, dedicare. || [destiner] votare, destinare. ◆ v. pr. votarsi, consacrarsi, dedicarsi.
vouloir [vulwar] v. tr. volere. | *veuillez me suivre,* voglia, favorisca seguirmi. | *vouloir du mal, du bien à,* voler male, bene a. || volere, ammettere, concedere. | *moi je veux bien,* per me ben volentieri. || [exigence] volere, richiedere. || *en vouloir à qn,* serbare rancore a qlcu., avercela con uno. || *s'en vouloir de,* rammaricarsi di. || *vouloir dire,* voler dire ; significare. || *sans le vouloir,* senza farlo apposta. || FAM. *en veux-tu en voilà,* a bizzeffe, a iosa. ◆ m. volere, volontà f. | *bon, mauvais vouloir,* buon volere, malavoglia f. | *à ton bon vouloir,* a tuo piacimento.
voulu, e [vuly] adj. voluto, intenzionale, fatto apposta. | *les qualités voulues,* le doti richieste.
vous [vu] pron. [suj.] voi, Lei ; [compl. atone] vi, La, Le (compl. d'attribution) ; [pron. groupés] ve-, Glie-. | *vous-mêmes, vous autres,* voi stessi, voialtri. ◆ m. *employer le vous,* dare del voi, del Lei.
voûte [vut] f. volta.
voûté, e [vute] adj. ARCHIT. a volta. || FIG. curvo.
voûter [vute] v. tr. coprire con una volta. ◆ v. pr. FIG. incurvarsi ; ingobbire.
voyage [vwajaʒ] m. viaggio. | *chèque de voyage,* assegno turistico.
voyager [vwajaʒe] v. intr. viaggiare.
voyageur, euse [vwajaʒœr, øz] n. viaggiatore, trice. | *commis voyageur, voyageur (de commerce),* commesso viaggiatore, viaggiatore di commercio. || [touriste] turista.
voyance [vwajɑ̃s] f. veggenza.
voyant, e [vwajɑ̃, ɑ̃t] adj. vistoso, sgargiante. ◆ n. veggente ; indovino, a. ◆ m. TECHN. segnale, spia f. | *voyant lumineux,* lampada (f.) spia.
voyelle [vwajɛl] f. vocale.
voyeur, euse [vwajœr, øz] n. scopofilo, a ; guardone m.
voyou [vwaju] m. mascalzone, canaglia f. || FAM. *petit voyou,* monello, birichino.
vrac (en) [ɑ̃vrak] loc. adv. alla rinfusa.
vrai, e [vrɛ] adj. vero, reale, autentico. | *il n'en est pas moins vrai que,* nondimeno conj. || FAM. *pas vrai ?,* nevvero ?, vero ? ◆ m. vero, verità f. | *à vrai dire,* a dire il vero, a dir vero, a onor del vero. || FAM. *pour de vrai,* per davvero, sul serio.
vraiment [vrɛmɑ̃] adv. veramente. || davvero, proprio. || [interr.] davvero ?
vraisemblable [vrɛsɑ̃blabl] adj. et m. verosimile.
vraisemblance [vrɛsɑ̃blɑ̃s] f. verosimiglianza.
vrille [vrij] f. BOT. cirro m., viticcio m. || TECHN. succhiello m. || *tomber en vrille,* cadere a vite.
vrombir [vrɔ̃bir] v. intr. ronzare, rombare.
vrombissement [vrɔ̃bismɑ̃] m. ronzio, rombo.
vu, e [vy] adj. [considéré] *bien vu (de),* benvisto, benvoluto (da) ; *mal vu (de),* malvisto (da), inviso (a). || FAM. *vu ?,* capito ? ◆ prép. visto adj., stante. ◆ m. *au vu et au su de,* a veduta e saputa di. | *sur le vu de,* dall'esame di. || *vu que,* visto che, considerato che, atteso che.
vue [vy] f. vista. || [regard] vista, sguardo m. | *perdre de vue,* perdere di vista, d'occhio. | *ne pas perdre de vue,* tenere d'occhio ; non perdere di vista, d'occhio. || FIG. *être en vue,* essere in vista. || *à perte de vue,* a perdita d'occhio. | *point de vue,* PR. et FIG. punto di vista ; aspetto m, lato m. | *du*

point de vue, dal punto di vista, dal lato, sotto l'aspetto. ‖ veduta, panorama m., spettacolo m. | *vue cavalière,* veduta a vol d'uccello. ‖ CIN. *prise de vues,* (ri)presa. ‖ [coup d'œil] occhiata. | *à première vue,* a prima vista, sul momento. ‖ FIG. *à vue de nez,* a lume di naso ; a occhio e croce ; a vista d'occhio. ‖ [ouverture] veduta, finestra, luce. ‖ [conception] veduta, idea, opinione. ‖ [intention] mira, scopo m. ◆ *à vue,* a vista. ‖ *déchiffrer à vue,* leggere a prima vista. ‖ *en vue de,* in vista di, a scopo di.

vulcaniser [vylkanize] v. tr. vulcanizzare.

vulgaire [vylgɛr] adj. volgare. ◆ m. volgo, plebe f. ‖ volgarità f.

vulgariser [vylgarize] v. tr. [faire connaître] volgarizzare. ‖ rendere volgare, triviale.

vulgarité [vylgarite] f. volgarità, trivialità.

vulnérable [vylnerabl] adj. vulnerabile.

vulve [vylv] f. vulva.

w [dubləve] m. w m. ou f.

wagon [vagɔ̃] m. TR. vagone, carro. | *wagon de marchandises,* carro merci. | *wagon-citerne,* vagone cisterna. | *wagon-poste,* vagone postale, ambulante postale.

wagonnet [vagɔnɛ] m. vagoncino.

wallon, onne [walɔ̃, ɔn] adj. et n. vallone.

water-closet [watɛrklɔzɛt] m. ou **waters** [watɛr] ou abr. **W.-C.** [(dublə)vese] m. pl. water-closet m. sing., gabinetto m. sing.

water-polo [watɛrpolo] m. SP. pallanuoto f.

watt [wat] m. watt inv.

watt-heure [watœr] m. wattora f.

W.-C. → WATER-CLOSET.

week-end [wikɛnd] m. week-end m. inv ; fine-settimana m. ou f. inv.

welter [vɛltɛr] m. [boxe] medio leggero.

wisigoth, e [vizigo, ɔt] adj. et n. visigoto.

wisigothique [vizigɔtik] adj. visigotico.

x [iks] m. x m. ou f. ‖ PHYS. *rayons X,* raggi X.

xénophile [ksenɔfil] adj. et n. esterofilo, senofilo, xenofilo.

xénophobe [ksenofɔb] adj. et n. senofobo, xenofobo.

xénophobie [ksenofɔbi] f. senofobia, xenofobia.

xérophile [kserofil] adj. BOT. xerofilo.

xérus [kserys] m. ZOOL. xero.

xylophone [ksilofɔn] m. MUS. silofono, xilofono.

1. y [igrɛk] m. y m. ou f.

2. y [i] adv. ci ; vi (plus rare). | *ça y est !,* ecco fatto ! ; doveva capitare ! ◆ pron. [chose] ci. | *j'y pense,* ci penso. | *tu peux y compter,* ci puoi contare. | *s'y connaître, s'y entendre,* intendersene.

yacht [jot] m. SP. panfilo, yacht.

yacht-club [jotklœb] m. circolo nautico.

yachting [joti] m. velismo.

yacht(s)man [jot(s)man] m. (pl. **yacht(s)men**) velista.

yaourt [jaurt] ou **yogourt** [jɔgurt] m. yogurt inv., iogurt inv.

yard [jard] m. iarda f.

yeuse [jøz] f. BOT. leccio m.

yoga [jɔga] m. inv. yoga.

yole [jɔl] f. MAR. iole, yole.

yogourt m. V. YAOURT.

yougoslave [jugɔslav] adj. et n. iugoslavo.

youyou [juju] m. MAR. yuyu.

ypérite [iperit] f. CHIM. iprite.

yucca [juka] m. BOT. iucca f.

Z

z [zɛd] m. z f. ou m.

zèbre [zɛbr] m. zebra f.

zébré, e [zebre] adj. zebrato.

zébrer [zebre] v. tr. striare, rigare.

zébrure [zebryr] f. zebratura.

zèle [zɛl] m. zelo ; impegno assiduo. ‖ FAM. *faire du zèle,* fare lo zelante. ‖ *grève du zèle,* sciopero bianco.

zélé, e [zele] adj. zelante.

zénith [zenit] m. zenit. ‖ FIG. apice, apogeo, zenit.

zéphyr [zefir] m. [vent] zef(f)iro. ‖ [tissu] zefir.

zéro [zero] m. zero. | *mettre à zéro,* azzerare. || FIG. *réduire à zéro,* annichilare. | *reprendre à zéro,* ricominciare, rifare, riprendere daccapo. | *être un zéro,* essere uno zero, una nullità.
zeste [zɛst] m. *zeste de citron,* pezzettino di scorza di limone.
zézaiement [zezɛmɑ̃] m. blesità f.
zézayer [zezeje] v. intr. pronunziare in modo bleso.
zibeline [ziblin] f. zibellino m.
zigoteau [zigoto] m. POP. tipo (fam.), tomo (fam.).
zigouiller [ziguje] v. tr. POP. far fuori.
zigzag [zigzag] m. zigzag inv.
zigzaguer [zigzage] v. intr. zigzagare.
zinc [zɛ̃g] m. zinco. || FAM. [comptoir] banco (L.C.).
zinguer [zɛ̃ge] v. tr. zincare.
zizanie [zizani] f. zizzania.
zizi [zizi] m. FAM. pistolino.
zodiaque [zɔdjak] m. zodiaco.
zona [zona] m. MÉD. erpete, zona f.
zone [zon] f. zona. || FIN. arca. || *zone bleue,* zona disco. || [quartier misérable] squallido sobborgo.
zoo [zo(o)] m. zoo inv.
zoologie [zoolɔʒi] f. zoologia.
zoologique [zoolɔʒik] adj. zoologico.
zoologiste [zoolɔʒist] n. zoologo, a.
zoom [zum] m. CIN., PHOT. zoom inv., trasfocatore.
zouave [zwav] m. MIL. zuavo.
zozoter [zɔzɔte] FAM. = ZÉZAYER.
zut ! [zyt] interj. FAM. accidenti !

ITALIANO-FRANCESE
ITALIEN-FRANÇAIS

a

a [a] f. o m. a m. *dall'a alla zeta,* de a à z.

a [a] prep. (+ art. : al, all', allo m. sing., ai, agli m. pl., alla, all' f. sing., alle f. pl.) [luogo : stato, moto, direzione, distanza] à. | *a Sud,* au sud. || [tempo] à, en, de. | *alle quattro,* à quatre heures. | *oggi a otto,* d'aujourd'hui en huit. | *ai nostri giorni,* de nos jours. || [attribuzione, termine] a. || [modo] a, en. | *comprare a rate,* acheter à tempérament. | *diapositiva a colori,* diapositive en couleurs. | *a capo scoperto,* nu-tête. | *a occhi chiusi,* les yeux fermés. || [mezzo, destinazione] a. | *battere a macchina,* taper à la machine. || [distribuzione] à, par. | *due al giorno,* deux par jour. | *cento lire al litro,* cent lires le litre. || + infin. *hai fatto bene a rivederlo,* tu as bien fait de le revoir. | *a sentir ciò,* en entendant cela.

abate [a'bate] m. abbé.

abbacchiare [abbak'kjare] v. tr. gauler. || Fig., Fam. abattre, déprimer (L.C.).

abbacchiato [abbak'kiato] agg. Fig., Fam. abattu, déprimé (L.C), à plat (fam.).

abbacchio [ab'bakkjo] m. Culin. agneau de lait.

abbacinare [abbatʃi'nare] v. tr. éblouir.

abbagliante [abbaʎ'ʎante] agg. éblouissant, éclatant, aveuglant. || Aut. *fari abbaglianti,* phares, feux de route.

abbagliare [abbaʎ'ʎare] v. tr. éblouir, aveugler.

abbaglio [ab'baʎʎo] m. Fig. méprise f., bévue f. || *prendere un abbaglio,* se tromper.

abbaiare [abba'jare] v. intr. aboyer.

abbaino [abba'ino] m. lucarne f.

abbandonare [abbando'nare] v. tr. [lasciare] abandonner, quitter. || [rinunciare a] abandonner, renoncer à. || ◆ v. rifl. Fig. s'abandonner, se livrer, céder à.

abbandono [abban'dono] m. abandon. || [desolazione] abandon, délaissement.

abbarbicare [abbarbi'kare] v. intr. s'enraciner v. rifl.

abbassamento [abbassa'mento] m. abaissement, baisse f.

abbassare [abbas'sare] v. tr. abaisser, baisser. | *abbassare il capo,* baisser la tête. || Mar. *abbassare le vele,* amener les voiles. ◆ v. rifl. [umiliarsi] s'abaisser, se plier.

abbasso [ab'basso] avv. en bas. ◆ interiez. à bas !

abbastanza [abbas'tantsa] avv. [a sufficienza] assez. || [in misura notevole] assez, pas mal. || Loc. *ne ho abbastanza,* j'en ai assez ; j'en ai marre (pop.).

abbattere [ab'battere] v. tr. abattre. || Fig. [far cadere] renverser. ◆ v. rifl. s'abattre, s'affaisser, s'écrouler, tomber (sur). || Fig. [scoraggiarsi] se laisser abattre, se décourager.

abbattimento [abbatti'mento] m. abattage. || Fig. abattement, accablement.

abbattuto [abbat'tuto] part. pass. e agg. abattu. || Fig. abattu, déprimé.

abbazia [abbat'tsia] f. abbaye.

abbellimento [abbelli'mento] m. embellissement. || Fig. enjolivement, enjolivure f.

abbellire [abbel'lire] v. tr. embellir. || Fig. orner, enjoliver.

abbeverare [abbeve'rare] v. tr. abreuver. ◆ v. rifl. s'abreuver.

abbeveratoio [abbevera'tojo] m. abreuvoir.

abbiccì [abbit'tʃi] m. a b c, alphabet.

abbiente [ab'bjɛnte] agg. et n. aisé, riche.

abbigliamento [abbiʎʎa'mento] m. habillement, vêtements pl. || [modo di vestire] mise f.

abbigliare [abbiʎ'ʎare] v. tr. habiller, vêtir. ◆ v. rifl. s'habiller.

abbinamento [abbina'mento] m. jumelage.

abbinare [abbi'nare] v. tr. jumeler, accoupler.

abbindolare [abbindo'lare] v. tr. Tess. dévider, bobiner. || Fig., Fam. embobiner, duper. | *lasciarsi abbindolare,* se faire rouler.

abbisognare [abbizoɲ'ɲare] v. intr. avoir besoin (de). || [occorrere] falloir.

| *abbisognano grosse somme,* il faut de grosses sommes.
abboccamento [abbokka'mento] m. entretien, entrevue f.
abboccare [abbok'kare] v. tr. mordre (à) v. intr. ◆ v. intr. FIG. se laisser prendre. ◆ v. rifl. s'aboucher.
abboccatura [abbok'katura] f. TECN. abouchement m., jonction.
abbonamento [abbona'mento] m. abonnement.
abbonare [abbo'nare] v. tr. abonner. ◆ v. rifl. s'abonner, prendre un abonnement.
abbonato [abbo'nato] agg. e n. abonné. ‖ SCHERZ. habitué.
abbondanza [abbon'dantsa] f. abondance. ‖ FIG. richesse, luxe m.
abbondare [abbon'dare] v. intr. abonder, foisonner. ‖ FIG. [eccedere] exagérer.
abbordabile [abbor'dabile] agg. abordable.
abbordare [abbor'dare] v. tr. MAR. aborder. ‖ FIG. aborder, accoster.
abbordo [ab'bordo] m. abord.
abborracciare [abborrat'tʃare] v. tr. bâcler, gâcher, bousiller (fam.).
abbottonare [abbotto'nare] v. tr. boutonner. ◆ v. rifl. FIG., FAM. rester sur ses gardes (L.C.).
abbottonato [abbotto'nato] part. pass. e agg. boutonné. ‖ FIG., FAM. réservé (L.C.).
abbottonatura [abbottona'tura] f. boutonnage m.
abbozzare [abbot'tsare] v. tr. esquisser, ébaucher.
abbozzo [ab'bɔttso] m. esquisse f., ébauche f.
abbracciare [abbrat'tʃare] v. tr. embrasser, enlacer, étreindre. ‖ FIG. [scegliere] embrasser, choisir, adopter.
abbraccio [ab'brattʃo] m. embrassement, enlacement, étreinte f., accolade f.
abbreviare [abbre'vjare] v. tr. abréger, écourter.
abbreviazione [abbrevjat'tsjone] f. abréviation.
abbronzare [abbron'dzare] v. tr. bronzer, brunir, hâler.
abbronzato [abbron'dzato] part. pass. e agg. basané, bronzé, hâlé.
abbronzatura [abbron'dzatura] f. bronzage m., hâle m.
abbrunare [abbru'nare] v. tr. [una bandiera] mettre un crêpe à un drapeau.
abbrustolire [abbrusto'lire] v. tr. [pane] griller. ‖ [caffè] torréfier.
abbrutire [abbru'tire] v. tr. abrutir, abêtir. ◆ v. rifl. s'abrutir.
abbuffarsi [abbuf'farsi] v. rifl. bâfrer v. tr. e intr. (pop.), s'empiffrer (pop.).
abbuono [ab'bwɔno] m. réduction f., remise f., rabais.
abdicare [abdi'kare] v. intr. (a) abdiquer v. tr.
abdicazione [abdikat'tsjone] f. abdication.
aberrazione [aberrat'tsjone] f. aberration.
abete [a'bete] m. sapin.
abietto [a'biɛtto] agg. abject, ignoble, abominable.
abile ['abile] agg. habile, adroit, capable. ‖ [idoneo] apte.
abilità [abili'ta] f. habileté, adresse ; intelligence.
abilitare [abili'tare] v. tr. habiliter.
abilitazione [abilitat'tsjone] f. GIUR. habilitation. ‖ [titolo di abilitazione] titre de capacité à.
abisso [a'bisso] m. gouffre, abîme.
abitabile [abi'tabile] agg. habitable, logeable.
abitabilità [abitabili'ta] f. habitabilité.
abitante [abi'tante] n. habitant.
abitare [abi'tare] v. tr. e intr. habiter.
abitato [abi'tato] part. pass. habité. ‖ FIG. hanté. ◆ m. agglomération f., zone habitée.
abitazione [abitat'tsjone] f. habitation, maison.
abito [abito] m. [da donna] robe f. ‖ [da uomo] complet, costume. ‖ [in senso generale] tenue f., habit.
abituale [abitu'ale] agg. habituel, coutumier.
abituare [abitu'are] v. tr. habituer, accoutumer. ◆ v. rifl. (a) s'habituer (à).
abitudinario [abitudi'narjo] n. e agg. routinier.
abitudine [abi'tudine] f. habitude. ◆ pl. habitudes, usages m. pl.
abiura [a'bjura] f. abjuration.
abiurare [abju'rare] v. tr. e intr. abjurer.
ablativo [abla'tivo] agg. e m. ablatif.
abluzione [ablut'tsjone] f. ablution.
abnegazione [abnegat'tsjone] f. abnégation.
abnorme [ab'nɔrme] agg. inv. anormal agg.
abolire [abo'lire] v. tr. abolir, annuler, supprimer.
abominazione [abominat'tsjone] f. abomination.
abominevole [abomi'nevole] agg. abominable, affreux.
abominio [abo'minjo] (**-ni** pl.) m. abomination f.
aborigeno [abo'ridʒeno] agg. e n. aborigène.
aborrire [abor'rire] v. tr. abhorrer.
abortire [abor'tire] v. intr. avorter, faire une fausse couche. ‖ FIG. [fallire] avorter, échouer.

aborto [a'borto] m. MED. avortement, fausse couche f. || FIG. avorton. | [lavoro] échec.
abrasione [abra'zjone] f. MED., GEOL. abrasion.
abrogare [abro'gare] v. tr. abroger, abolir.
abside ['abside] f. ARCHIT. abside, chevet m.
abulia [abu'lia] f. aboulie.
abusare [abu'zare] v. intr. (di) abuser (de).
abusivo [abu'zivo] agg. abusif, illégal.
abuso [a'buzo] m. [uso eccessivo di qlco.] abus.
acacia [a'katʃa] f. acacia m.
acagiù [aka'dʒu] m. BOT. acajou.
acanto [a'kanto] m. acanthe f.
acca ['akka] f. e m. h m. || LOC. FIG. [nulla] *non sapere un' acca*, ne savoir ni a ni b.
accademia [akka'dɛmja] f. académie.
accademico [akka'dɛmiko] (**-ci** pl.) agg. académique. ◆ n. académicien, enne.
accadere [akka'dere] v. intr. arriver, se produire v. rifl.
accagionare [akkadʒo'nare] v. tr. accuser.
accalappiacani [akkalappja'kani] m. employé de la fourrière.
accalappiare [akkalap'pjare] v. tr. attraper.
accalcare [akkal'kare] v. tr. entasser. ◆ v. rifl. s'entasser, se presser.
accaldarsi [akkal'darsi] v. rifl. s'échauffer.
accalorare [akkalo'rare] v. tr. FIG. échauffer. ◆ v. rifl. FIG. s'échauffer, s'enflammer.
accampamento [akkampa'mento] m. camp. || MIL. campement. | *porre, togliere l'accampamento*, établir, lever le camp.
accampare [akkam'pare] v. intr. camper, s'établir, être installé. || FIG. [produrre, mettere innanzi] alléguer, prétexter v. tr.
accanimento [akkani'mento] m. acharnement.
accanirsi [akka'nirsi] v. rifl. (contro) s'acharner (contre). || FIG. [ostinarsi] (in) s'acharner (à).
accanto [ak'kanto] loc. avv. à côté, tout près. ◆ *accanto a*, à côté de, près de. || FIG. [paragonato a] à côté de, en comparaison de.
accantonare [akkanto'nare] v. tr. mettre de côté, stocker. || FIG. laisser de côté.
accaparramento [akkaparra'mento] m. accaparement.
accaparrare [akkapar'rare] v. tr. accaparer.
accapigliarsi [akkapiʎ'ʎarsi] v. rifl. s'empoigner. || [litigare] se disputer.
accapo o **a capo** [ak'kapo] loc. avv. à la ligne.
accappatoio [akkappa'tojo] m. peignoir (de bain), sortie f. (de bain).
accapponarsi [akkappo'narsi] v. rifl. LOC. avoir la chair de poule.
accarezzare [akkaret'tsare] v. tr. caresser.
accartocciare [akkartot'tʃare] v. tr. rouler en cornet. ◆ v. rifl. se recroqueviller.
accasare [akka'sare] v. tr. marier. ◆ v. rifl. s'établir.
accasciamento [akkaʃʃa'mento] m. affaissement. || FIG. abattement, accablement.
accasciare [akkaʃ'ʃare] v. tr. abattre, accabler. ◆ v. rifl. s'abattre, s'écrouler, s'affaisser.
accatastare [akkatas'tare] v. tr. entasser, amasser, empiler. ◆ v. rifl. [cose] s'amonceler, s'entasser, s'empiler.
accattare [akkat'tare] v. tr. solliciter (avec insistance) ; mendier. || FIG. [idee] emprunter.
accattonaggio [akkatto'naddʒo] m. mendicité f.
accattone [akkat'tone] n. mendiant, e.
accavallamento [akkavalla'mento] m. chevauchement.
accavallare [akkaval'lare] v. tr. superposer, croiser. ◆ v. rifl. se superposer, s'accumuler.
accecamento [attʃeka'mento] m. MED. cécité f. || FIG. aveuglement.
accecare [attʃe'kare] v. tr. crever les yeux (à). || FIG. aveugler.
accedere [at'tʃɛdere] v. intr. [recarsi] se rendre, accéder, avoir accès. || [aderire, acconsentire] adhérer, consentir.
accelerare [attʃele'rare] v. tr. accélérer, activer.
acceleratore [attʃelera'tore] agg. e m. accélérateur.
accendere [at'tʃɛndere] v. tr. allumer. || FIG. [suscitare] susciter, provoquer. ◆ v. rifl. FIG. s'enflammer.
accendigas [attʃendi'gas] m. inv. allume-gaz.
accendino [attʃen'dino] m. briquet.
accennare [attʃen'nare] v. intr. [fare cenno] faire signe. || PER EST. (a) faire allusion (à), évoquer v. tr. ◆ v. tr. [abbozzare] indiquer, ébaucher.
accenno [at'tʃenno] m. signe. || [allusione] (a) allusion f. (à). || [d'un sorriso] ébauche f. | [di febbre] soupçon.
accensione [attʃen'sjone] f. allumage m. || AUT. contact.
accentare [attʃen'tare] v. tr. GR. accentuer.
accento [at'tʃɛnto] m. accent.

accentramento [attʃentra'mento] m. [di popolazione] concentration f. || POL. [di poteri] centralisation f.
accentrare [attʃen'trare] v. tr. centraliser.
accentuare [attʃentu'are] v. tr. accentuer.
accerchiare [attʃer'kjare] v. tr. encercler.
accertamento [attʃerta'mento] m. vérification f.
accertare [attʃer'tare] v. tr. vérifier. ◆ v. rifl. s'assurer, vérifier v. tr.
acceso [at'tʃeso] agg. allumé. || FIG. enflammé.
accessibile [attʃes'sibile] agg. accessible, abordable.
accessione [attʃes'sjone] f. accession.
accesso [at'tʃɛsso] m. accès, entrée f. || MED. accès.
accessorio [attʃes'sɔrjo] agg. e m. accessoire.
accetta [at'tʃetta] f. hachette.
accettabile [attʃet'tabile] agg. acceptable.
accettare [attʃet'tare] v. tr. [qlcu. o qlco.] accepter.
accettazione [attʃettat'tsjone] f. acceptation.
accetto [at'tʃɛtto] agg. bien accueilli.
accezione [attʃet'tsjone] f. acception.
acchetare [akke'tare] v. tr. e rifl. V. ACQUIETARE.
acchiappare [akkjap'pare] v. tr. attraper. ◆ v. recipr. s'attraper.
acchito [ak'kito] m. [al biliardo] acquit. || FIG. *di primo acchito,* du premier coup, de prime abord, d'emblée.
acciaccare [attʃak'kare] v. tr. écraser. || [infiacchire] abattre.
acciacco [at'tʃakko] (**-chi** pl.) m. maladie f., infirmité f.
acciaiare [attʃa'jare] v. tr. aciérer.
acciaieria [attʃaje'ria] f. aciérie.
acciaio [at'tʃajo] m. acier.
acciambellare [attʃambel'lare] v. tr. rouler. || MAR. [di corda, cavo] lover. ◆ v. rifl. se rouler (en boule), se lover.
acciarino [attʃa'rino] m. (pierre f. à) fusil, allumeur, briquet.
accidentale [attʃiden'tale] agg. accidentel.
accidente [attʃi'dɛnte] m. accident, incident, malchance f., maladie f. || [colpo apoplettico] attaque f. || [malanno] mal. || FAM. *mandare un accidente a qlcu.,* envoyer qn au diable. || FAM. [niente] rien (du tout) (L.C.). | *non si capisce un accidente,* on n'y comprend que dalle (pop.). ◆ interiez. *accidenti !,* zut !, flûte !, mince !
accidia [at'tʃidja] f. paresse.
accidioso [attʃi'djoso] agg. paresseux.
accigliarsi [attʃiʎ'ʎarsi] v. rifl. froncer le(s) sourcil(s).
accigliato [attʃiʎ'ʎato] agg. renfrogné.
accingersi [at'tʃindʒersi] v. rifl. [prepararsi] (a) se préparer (à), s'apprêter (à), se disposer (à).
acciò [at'tʃɔ] o **acciocché** [attʃok'ke] cong. LETT. afin que (L.C.), pour que (L.C.).
acciottolare [attʃotto'lare] v. tr. caillouter, paver.
acciuffare [attʃuf'fare] v. tr. attraper. ◆ v. rifl. se colleter, s'empoigner.
acciuga [at'tʃuga] f. anchois m.
acclamare [akkla'mare] v. tr. acclamer, applaudir.
acclimatare [akklima'tare] v. tr. acclimater. ◆ v. rifl. s'acclimater.
accludere [ak'kludere] v. tr. inclure, joindre.
accluso [ak'kluzo] agg. (ci-)joint, (ci-)inclus.
accoccolarsi [akkokko'larsi] v. rifl. s'accroupir.
accodare [akko'dare] v. tr. mettre en file. ◆ v. rifl. se mettre en file. || se mettre à la queue.
accoglienza [akkoʎ'ʎɛntsa] f. accueil m.
accogliere [ak'kɔʎʎere] v. tr. accueillir, recevoir.
accolito [ak'kɔlito] m. PR. e FIG. acolyte.
accollare [akkol'lare] v. tr. [responsabilità, spese] faire supporter, faire endosser. ◆ v. rifl. (qlco.) assumer (qch.).
accollato [akkol'lato] agg. montant, fermé jusqu'au cou.
accollatura [akkolla'tura] f. encolure.
accolta [ak'kɔlta] f. assemblée, réunion. || PEGG. ramassis m.
accoltellare [akkoltel'lare] v. tr. poignarder, frapper à coups de couteau. ◆ v. rifl. se battre au couteau.
accomiatare [akkomja'tare] v. tr. congédier. ◆ v. rifl. prendre congé.
accomodamento [akkomoda'mento] m. accommodement, arrangement, conciliation f.
accomodare [akkomo'dare] v. tr. PR. e FIG. arranger, réparer. || IRON. *ora t'accomodo io !,* attends un peu, tu vas voir ça ! ◆ v. rifl. [sedersi] s'asseoir, prendre place, s'installer. || [adattarsi] s'adapter.
accomodatura [akkomoda'tura] f. réparation.
accompagnamento [akkompaɲɲa'mento] m. accompagnement, cortège, suite f.
accompagnare [akkompaɲ'ɲare] v. tr. accompagner. || [armonizzare] assortir. ◆ v. rifl. (con) se joindre (à).

accompagnatore [akkompaɲɲa'tore] (**-trice** f.) n. [di comitive] accompagnateur, trice ; guide. || Mus. accompagnateur.
accomunare [akkomu'nare] v. tr. mettre en commun, unir. | *nulla ci accomuna,* nous n'avons rien de commun.
acconciare [akkon'tʃare] v. tr. [i capelli] coiffer. || [abbigliare] parer, apprêter. ◆ v. rifl. se coiffer. || se parer.
acconciatura [akkontʃa'tura] f. coiffure.
acconcio [ak'kontʃo] agg. approprié, adapté.
accondiscendere [akkondiʃ'ʃendere] v. intr. (a) accéder (à), condescendre (à), céder (à), consentir (à).
acconsentire [akkonsen'tire] v. intr. (a) consentir (à), accepter v. tr., adhérer (à).
accontentare [akkonten'tare] v. tr. contenter, satisfaire. ◆ v. rifl. se contenter.
acconto [ak'konto] m. acompte.
accoppare [akkop'pare] v. tr. Fam. tuer (L.C.). || Per Est. assommer (L.C.), rosser, dérouiller (pop.), tabasser (pop.). ◆ v. rifl. [ferirsi] se blesser (L.C.).
accoppiamento [akkoppja'mento] m. accouplement.
accoppiare [akkop'pjare] v. tr. accoupler, jumeler. ◆ v. rifl. s'accoupler. || [unirsi a coppia] former un couple.
accoppiata [akkop'pjata] f. pari couplé.
accorare [akko'rare] v. tr. affliger, peiner, attrister, chagriner. ◆ v. rifl. s'affliger, se chagriner, s'attrister.
accorciare [akkor'tʃare] v. tr. raccourcir. || [abbreviare] abréger. ◆ v. rifl. o intr. raccourcir v. intr.
accorciatura [akkortʃa'tura] f. raccourcissement m.
accordare [akkor'dare] v. tr. mettre d'accord, accorder, concilier, assortir. || Mus. accorder. || [concedere] accorder. ◆ v. recipr. s'accorder, se mettre d'accord. || [armonizzarsi] s'harmoniser, bien aller ensemble.
accordatore [akkorda'tore] (**-trice** f.) n. Mus. accordeur m.
accordo [ak'kɔrdo] m. accord, entente f., harmonie f. ◆ *d'accordo !,* d'accord ! ; entendu !
accorgersi [ak'kɔrdʒersi] v. rifl. (di, che) s'apercevoir (de, que), se rendre compte (de, que), remarquer v. tr. (que).
accorgimento [akkordʒi'mento] m. moyen, mesure f. || [precauzione] précaution f.
accorrere [ak'korrere] v. intr. accourir.
accortezza [akkor'tettsa] f. astuce, adresse, perspicacité.
accorto [ak'kɔrto] agg. adroit, avisé, prudent.
accosciarsi [akkoʃ'ʃarsi] v. rifl. s'accroupir.
accostamento [akkosta'mento] m. Pr. accès, abord. || [combinazione] combinaison f., assemblage. || Fig. rapprochement.
accostare [akkos'tare] v. tr. approcher, rapprocher. || [persone] aborder. ◆ v. rifl. (di) s'approcher (de), se rapprocher (de).
accostato [akkos'tato] agg. rapproché. | *porta accostata,* porte entrebâillée.
accovacciarsi [akkovat'tʃarsi] v. rifl. se blottir, se pelotonner. || s'accroupir.
accozzaglia [akkot'tsaʎʎa] f. [persone o cose] ramassis m. ; [cose] fouillis m., fatras m.
accozzare [akkot'tsare] v. tr. mélanger, mêler, amalgamer.
accreditamento [akkredita'mento] m. confirmation f. || Comm. crédit.
accreditare [akkredi'tare] v. tr. accréditer, autoriser. || Comm. créditer.
accrescere [ak'kreʃʃere] v. tr. accroître, augmenter.
accrescimento [akkreʃʃi'mento] m. accroissement, augmentation f.
accrescitivo [akkreʃʃi'tivo] agg. augmentatif.
accucciarsi [akkut'tʃarsi] v. rifl. [cani] se coucher. || [persone] se blottir, se pelotonner. || [sedersi sulle calcagna] s'accroupir.
accudire [akku'dire] v. intr. (a) s'occuper (de), s'appliquer (à), vaquer (à).
accumulare [akkumu'lare] v. tr. accumuler, amasser.
accumulatore [akkumula'tore] m. Tecn. accumulateur, accu (fam.).
accumulazione [akkumulat'tsjone] f. accumulation.
accuratezza [akkura'tettsa] f. soin m., précision.
accurato [akku'rato] agg. [fatto con cura] soigné. || [che opera con diligenza] soigneux, consciencieux.
accusa [ak'kuza] f. accusation, inculpation, imputation. || Giochi [carte] déclaration.
accusare [akku'zare] v. tr. accuser.
accusativo [akkuza'tivo] agg. e m. accusatif.
accusato [akku'zato] n. accusé, inculpé.
accusatore [akkuza'tore] (**-trice** f.) n. accusateur, trice.
acedia [atʃe'dia] f. apathie, inertie.
acerbità [atʃerbi'ta] f. Pr. verdeur, acidité, âpreté.
acerbo [a'tʃɛrbo] agg. Pr. vert ; [acre] aigre. || Fig. immature (lett.).

acero ['atʃero] m. érable.
acerrimo [a'tʃɛrrimo] agg. [superl. di ACRE] implacable, acharné.
acetilene [atʃeti'lɛne] m. acétylène.
aceto [a'tʃeto] m. vinaigre.
acetone [atʃse'tone] m. acétone.
acidità [atʃidi'ta] f. acidité, aigreur.
acido ['atʃido] agg. acide, aigre. ◆ m. acide.
acidulo [a'tʃidulo] agg. acidulé, aigrelet.
acino ['atʃino] m. [dell'uva] grain.
aconfessionale [akonfessio'nale] agg. laïque, laïc.
acqua ['akkwa] f. eau ; flotte (fam.). ‖ [pioggia] pluie. ‖ LOC. *acqua in bocca !*, (motus et) bouche cousue ! | *aver l'acqua alla gola,* avoir le couteau sur, sous la gorge. | *far un buco nell'acqua,* donner un coup d'épée dans l'eau. | *intorbidare le acque,* embrouiller les choses. | *trovarsi in cattive acque,* être en fâcheuse posture. | *è acqua passata,* c'est de l'histoire ancienne.
acquaforte [akkwa'fɔrte] f. eau-forte.
acquaio [ak'kwajo] m. évier.
acquaiolo [akkwa'jɔlo] m. porteur d'eau ; vendeur d'eau.
acquamarina [akkwama'rina] (**acquemarine** pl.) f. aigue-marine.
acquaragia [akkwa'radʒa] f. térébenthine.
acquarello [akkwa'rɛllo] m. = ACQUERELLO.
acquario [ak'kwarjo] m. aquarium. ‖ ASTR. *Acquario,* Verseau.
acquasanta [akkwa'santa] f. eau bénite.
acquasantiera [akkwasan'tjɛra] f. bénitier m.
acquattarsi [akkwat'tarsi] v. rifl. se tapir.
acquavite [akkwa'vite] f. eau-de-vie.
acquazzone [akkwat'tsone] m. averse f., grain.
acquedotto [akkwe'dotto] m. aqueduc.
acqueo ['akkweo] agg. aqueux. | *vapore acqueo,* vapeur d'eau.
acquerello [akkwe'rɛllo] m. aquarelle f.
acquerugiola [akkwe'rudʒola] f. bruine, crachin m.
acquetta [ak'kwetta] f. PEGG. lavasse. ‖ [vino] piquette.
acquiescere [ak'kwjɛʃʃere] v. intr. LETT. (a) acquiescer (à).
acquietare [akkwje'tare] v. tr. calmer, apaiser.
acquirente [akkwi'rɛnte] m. acquéreur, acheteur, preneur.
acquisire [akkwi'zire] v. tr. acquérir.
acquisizione [akkwizit'tsjone] f. acquisition, achat m.
acquistare [akkwis'tare] v. tr. acquérir. ‖ [comperare] acheter. ‖ FIG. [stima] gagner, obtenir. | *acquistar tempo,* gagner du temps. | *acquistare la stima di qlcu.,* gagner, obtenir l'estime de qn.
acquisto [ak'kwisto] m. acquisition f. ‖ *potere d'acquisto,* pouvoir d'achat.
acquitrino [akkwi'trino] m. marécage.
acquolina [akkwo'lina] f. LOC. *far venire, avere l'acquolina in bocca,* faire venir, avoir l'eau à la bouche.
acquoso [ak'kwoso] agg. aqueux.
acre ['akre] agg. âcre, aigre, acide.
acredine [a'krɛdine] f. âcreté.
acrimonia [akri'mɔnja] f. acrimonie, aigreur.
acrobata [a'krɔbata] (**-i** pl. m.) n. acrobate.
acrobatismo [akroba'tizmo] m. PR. e FIG. acrobatie f.
acrobazia [akrobat'tsia] f. acrobatie.
acuire [aku'ire] v. tr. aiguiser, aviver.
acuità [akui'ta] f. acuité.
aculeo [a'kuleo] m. ZOOL. aiguillon, dard. ‖ BOT. aiguillon, épine f.
acume [a'kume] m. pénétration f., finesse f.
acuminato [akumi'nato] agg. acéré, pointu.
acustica [a'kustika] f. acoustique.
acutezza [aku'tettsa] f. acuité. ‖ FIG. finesse, acuité.
acutizzarsi [akutid'dzarsi] v. rifl. [crisi, malattia] s'aggraver.
acuto [a'kuto] agg. aigu, pointu. ‖ FIG. [penetrante] pénétrant. ‖ [intenso] intense. ‖ ARCHIT. *arco a sesto acuto,* arc brisé.
adagiare [ada'dʒare] v. tr. étendre. ◆ v. rifl. [mettersi comodo] s'étendre, s'allonger. ‖ FIG. s'abandonner (à), se laisser aller (à).
1. adagio [a'dadʒo] avv. lentement, doucement.
2. adagio m. adage.
adamitico [ada'mitiko] (**-ci** pl.) agg. adamique.
adattabile [adat'tabile] agg. adaptable.
adattamento [adatta'mento] m. adaptation f.
adattare [adat'tare] v. tr. adapter, ajuster. ◆ v. rifl. (a) s'adapter (à).
adatto [a'datto] agg. [cose] qui convient, indiqué, approprié. ‖ [persone] propre (à), apte (à), fait (pour). | *è l'uomo adatto,* c'est la personne qui convient.
addebitare [addebi'tare] v. tr. COMM., FIN. débiter. ‖ FIG. (qlco. a qlcu.) imputer (qch. à qn), accuser (qn de qch.).
addebito [ad'debito] m. COMM., FIN. débit. ‖ FIG. accusation f., imputation f.
addensamento [addensa'mento] m. épaississement. ‖ [di nuvole] accumulation f. ‖ [di persone] rassemblement.

addensarsi [adden'sarsi] v. rifl. [nuvole] s'amonceler. || [persone] se rassembler.
addentare [adden'tare] v. tr. mordre.
addentrare [adden'trare] v. tr. enfoncer, faire pénétrer. ◆ v. rifl. pénétrer v. intr., s'enfoncer.
addentro [ad'dentro] avv. *scavare addentro,* creuser profondément. | *essere molto addentro nelle questioni sociali,* connaître à fond les questions sociales.
addestramento [addestra'mento] m. entraînement, formation f. || [di animali] dressage.
addestrare [addes'trare] v. tr. exercer, entraîner. || dresser.
addetto [ad'detto] agg. et n. (a) préposé (à), chargé (de). || POL. [diplomazia, ecc.] attaché. | *addetto stampa,* attaché de presse.
addiaccio [ad'djattʃo] m. bivouac. || LOC. *dormire all'addiaccio,* dormir à la belle étoile.
addietro [ad'djɛtro] avv. [luogo] PR. e FIG. en arrière. | V. INDIETRO. || [tempo] avant ; auparavant.
addio [ad'dio] m. adieu.
addirittura [addirit'tura] avv. carrément, franchement. | *è addirittura impossibile,* c'est tout simplement impossible. || même. | *ne ho addirittura tre,* j'en ai même trois. || [nelle risposte] à ce point !, sérieusement ?
addirsi [ad'dirsi] v. rifl. (a) convenir (à), seoir (à) (lett.).
additare [addi'tare] v. tr. montrer (du doigt). || PER EST. montrer, indiquer.
addizionale [addittsjo'nale] agg. additionnel. ◆ f. FIN. centime additionnel.
addizionare [addittsjo'nare] v. tr. additionner. || PER EST. ajouter.
addizione [addit'tsjone] f. addition.
addobbare [addob'bare] v. tr. orner, décorer, parer.
addobbo [ad'dɔbbo] m. décoration f.
addolcimento [addoltʃi'mento] m. adoucissement.
addolcire [addol'tʃire] v. tr. PR. sucrer. || FIG. [ammorbidire] adoucir ; [mitigare] atténuer, calmer.
addolorare [addolo'rare] v. tr. attrister, chagriner. ◆ v. rifl. être peiné, s'affliger.
addolorato [addolo'rato] agg. peiné, affligé, attristé. ◆ f. REL. *l'Addolorata,* Notre-Dame des Sept-Douleurs.
addome [ad'dɔme] m. abdomen.
addomesticare [addomesti'kare] v. tr. domestiquer, apprivoiser. || [ammaestrare] dresser. ◆ v. rifl. (con) s'apprivoiser, se familiariser (avec).
addominale [addomi'nale] agg. abdominal.
addormentare [addormen'tare] v. tr. endormir. || FIG. calmer, atténuer. ◆ v. rifl. s'endormir. || [intorpidirsi] s'engourdir.
addormentato [addormen'tato] agg. endormi. || [intorpidito] engourdi.
addossare [addos'sare] v. tr. PR. adosser. || FIG. attribuer (qch. à qn), faire endosser (qch. à qn). || [con particella pronominale] *addossarsi qlco.,* assumer, prendre à sa charge.
addosso [ad'dɔsso] avv. sur moi, toi, etc. || *non aveva niente addosso,* il n'avait rien sur le dos. || *ho addosso una febbre da cavallo,* j'ai une fièvre de cheval. ◆ ***d'addosso** : togliersi i panni d'addosso,* enlever ses vêtements. | *levarsi qlcu. d'addosso,* se débarrasser de qn. ◆ ***addosso a,*** [su] sur. | *la polizia ha trovato una pistola addosso al tuo amico,* la police a trouvé un pistolet sur ton ami. || [assai vicino] contre, sur. | *la mia casa è addosso al municipio,* ma maison est (tout) contre la mairie. || [contro] contre, sur, dans. | *il ciclista è andato addosso al muro,* le cycliste est entré dans le mur (fam.). || *mettere le mani addosso a qlcu.,* [picchiare] lever la main sur qn.
addottrinare [addottri'nare] v. tr. instruire. || PEGG. endoctriner. ◆ v. rifl. s'instruire.
addurre [ad'durre] v. tr. invoquer, alléguer. | *addurre a pretesto qlco.,* prendre qch. pour prétexte. || fournir, présenter. | *addurre una prova,* fournir une preuve.
adduzione [addut'tsjone] f. ANAT., TECN. adduction.
adeguamento [adegwa'mento] m. adaptation f., ajustement.
adeguare [ade'gware] v. tr. conformer, proportionner, adapter. ◆ v. rifl. se conformer, s'adapter.
adeguato [ade'gwato] agg. adéquat, approprié. || proportionné, en rapport (avec).
adempiere [a'dempjere] = ADEMPIRE.
adempimento [adempi'mento] m. accomplissement, exécution f. || [soddisfazione] réalisation f., satisfaction f.
adempire [adem'pire] v. tr. accomplir, s'acquitter (de), exécuter. || [esaudire] réaliser, exaucer. ◆ v. rifl. s'accomplir, se réaliser.
adepto [a'dɛpto] n. adepte.
aderente [ade'rɛnte] agg. adhérent. || collant, ajusté. || FIG. (a) qui colle (à), exact, fidèle (à). ◆ n. adhérent, e.
aderenza [ade'rɛntsa] f. adhérence. || FIG. [fedeltà] fidélité.
aderire [ade'rire] v. intr. (a) adhérer (à). || [essere vicino] coller, être près (de). || [acconsentire] accéder.

adescamento [adeska'mento] m. séduction f. || [pompa] amorçage.
adescare [ades'kare] v. tr. amorcer, attirer. || aguicher.
adescatore [adeska'tore] (**-trice** f.) n. séducteur, trice ; aguicheur, euse.
adesione [ade'zjone] f. adhésion. || accord m., assentiment m.
adesivo [ade'zivo] agg. adhésif, collant. ◆ m. NEOL. vignette adhésive.
adesso [a'dɛsso] avv. [presentemente] maintenant, à présent, actuellement. || [poco fa] il y a un instant. || [tra poco] dans un instant, tout de suite.
adiacente [adja'tʃɛnte] agg. (a) attenant (à), adjacent, voisin.
adiacenza [adja'tʃɛntsa] f. proximité. ◆ pl. voisinage m. sing.
adibire [adi'bire] v. tr. destiner à. | *adibire un locale ad un uso,* destiner un local à un usage.
adipe ['adipe] m. graisse f.
adirarsi [adi'rarsi] v. rifl. (con) se fâcher (contre), se mettre en colère (contre).
adire [a'dire] v. tr. GIUR. recourir (à), engager (une action légale).
adito ['adito] m. accès. || FIG. *dare adito alla critica,* donner matière à (la) critique.
adocchiare [adok'kjare] v. tr. lorgner (fam.). || remarquer.
adolescente [adoleʃ'ʃɛnte] n. adolescent, e.
adolescenza [adoleʃ'ʃɛntsa] f. adolescence.
adombrare [adom'brare] v. tr. ombrager. || FIG. [velare] voiler. || [idee, sentimenti] refléter, exprimer. ◆ v. rifl. [animale] s'effrayer, s'effaroucher. || [persona] se froisser, se vexer.
adoperare [adope'rare] v. tr. employer, se servir (de), utiliser. ◆ v. rifl. s'employer (à), se dépenser (pour), mettre tout en œuvre (pour).
adorabile [ado'rabile] agg. adorable.
adorare [ado'rare] v. tr. adorer.
adoratore [adora'tore] (**-trice** f.) n. PR. e FIG. adorateur.
adorazione [adorat'tsjone] f. PR. e FIG. adoration.
adornare [ador'nare] v. tr. orner, agrémenter. ◆ v. rifl. se parer.
adorno [a'dorno] agg. orné. || PER EST. beau.
adottare [adot'tare] v. tr. PR. e FIG. adopter.
adottivo [adot'tivo] agg. adoptif.
adozione [adot'tsjone] f. PR. e FIG. adoption.
adriatico [adri'atiko] (**-ci** pl.) agg. de l'Adriatique.
adulare [adu'lare] v. tr. flatter, aduler (lett.).
adulatore [adula'tore] (**-trice** f.) n. flatteur, euse ; adulateur, trice.
adulazione [adulat'tsjone] f. flatterie, adulation.
adulterare [adulte'rare] v. tr. falsifier, frelater, adultérer.
adulterazione [adulterat'tsjone] f. falsification, altération, adultération.
adulterio [adul'tɛrjo] m. adultère.
adultero [a'dultero] (**-a** f.) agg. e n. adultère.
adulto [a'dulto] agg. e n. PR. e FIG. adulte.
adunanza [adu'nantsa] f. réunion.
adunare [adu'nare] v. tr. réunir, rassembler.
adunata [adu'nata] f. rassemblement m.
adunco [a'dunko] agg. crochu.
adunque [a'dunkwe] cong. LETT. V. DUNQUE.
aedo [a'ɛdo] m. aède.
aerare [ae'rare] v. tr. aérer.
aerazione [aerat'tsjone] f. aération.
aereo [a'ɛreo] agg. PR. e FIG. aérien. ◆ m. avion.
aerodinamica [aerodi'namika] f. FIS. aérodynamique.
aerodromo [ae'rɔdromo] m. aérodrome.
aerolito [ae'rɔlito] m. aérolit(h)e.
aeronauta [aero'nauta] (**-i** pl.) m. aéronaute. || PER EST. aviateur.
aeronautica [aero'nautika] f. aéronautique, aviation.
aeronave [aero'nave] f. aérostat m., dirigeable m.
aeroplano [aero'plano] m. avion.
aeroporto [aero'pɔrto] o **aeroscalo** [aero'skalo] m. aéroport.
aerosol [aero'sɔl] m. aérosol.
aerostato [ae'rɔstato] m. aérostat.
afa ['afa] f. chaleur étouffante.
afasia [afa'zia] f. MED. aphasie.
affabile [af'fabile] agg. affable, aimable.
affabilità [affabili'ta] f. affabilité, amabilité.
affaccendamento [affattʃenda'mento] m. affairement.
affaccendarsi [affattʃen'darsi] v. rifl. s'affairer, s'activer.
affacciarsi [affat'tʃarsi] v. rifl. se placer, se présenter, se montrer. | *affacciarsi alla finestra,* se mettre à la fenêtre. || FIG. *misi affaccia un dubbio,* il me vient un doute.
affamare [affa'mare] v. tr. affamer.
affannare [affan'nare] v. tr. essouffler. || FIG. tourmenter, tracasser. ◆ v. rifl. se fatiguer. || (a) s'évertuer (à), s'efforcer (de).
affanno [af'fanno] m. essoufflement. || FIG. anxiété f., peine f.

affannoso [affan'noso] agg. PR. haletant. || [che reca affanno] suffocant. || FIG. pénible, difficile.
affaraccio [affa'rattʃo] m. sale affaire f. ; sale histoire f.
affare [af'fare] m. [faccenda] affaire f. || LOC. FIG. *farne un affare di Stato,* en faire toute une histoire. || FAM. [oggetto] truc, machin, engin (fam.).
affascinante [affaʃʃi'nante] agg. séduisant, charmeur, fascinant.
affascinare [affaʃʃi'nare] v. tr. charmer, fasciner, séduire.
affastellare [affastel'lare] v. tr. mettre en fagots ; entasser.
affaticare [affati'kare] v. tr. fatiguer. ◆ v. rifl. se fatiguer. || FIG. se donner du mal.
affatto [af'fatto] avv. tout à fait, complètement, parfaitement. || [per rinforzare una negazione] pas du tout, absolument pas, pas le moins du monde. | *non sono affatto d'accordo,* je ne suis absolument pas d'accord.
affermare [affer'mare] v. tr. affirmer. || ASSOL. répondre par l'affirmative, dire (que) oui. ◆ v. rifl. s'affirmer.
affermativa [afferma'tiva] f. affirmation. | *rispondere con l'affermativa,* répondre par l'affirmative.
affermazione [affermat'tsjone] f. affirmation. || [successo] succès m.
afferrare [affer'rare] v. tr. saisir, attraper, prendre. || [capire] saisir, comprendre. ◆ v. rifl. PR. e FIG. (a) s'accrocher, s'agripper (à).
1. affettare [affet'tare] v. tr. couper en tranches.
2. affettare v. tr. affecter.
1. affettato [affet'tato] agg. affecté, étudié.
2. affettato m. charcuterie f. (en tranches).
affettazione [affettat'tsjone] f. affectation.
affettività [affettivi'ta] f. affectivité.
affetto [af'fɛtto] m. affection f.
affezionarsi [affettsjo'narsi] v. rifl. (a) s'attacher (à), prendre (qn) en affection.
affezionato [affettsjo'nato] agg. attaché, affectionné.
affezione [affet'tsjone] f. affection. || [morbo] affection.
affiancare [affjan'kare] v. tr. [mettere a fianco] placer (qch.) à côté (de qch.). || [stare al fianco] rester à côté (de). || FIG. [aiuto] adjoindre. || [sostenere] appuyer, soutenir. ◆ v. rifl. se mettre à côté, aux côtés (de).
affiatamento [affjata'mento] m. entente f., accord.
affiatare [affja'tare] v. tr. mettre d'accord. ◆ v. recipr. (bien) s'entendre, s'accorder.
affiatato [affja'tato] agg. [squadra, musicisti] bien accordé, uni, homogène.
affibbiare [affib'bjare] v. tr. PR. boucler, agrafer. || [con lacci, ecc.] attacher, nouer. || FIG., PEGG. [schiaffo, calcio, multa] donner, gratifier (de), flanquer.
affidamento [affida'mento] m. confiance f. | *fare affidamento su,* compter sur, se fier à. || [l'affidare] action (f.) de confier.
affidare [affi'dare] v. tr. confier. ◆ v. rifl. (a) se fier (à), s'en remettre (à).
affievolire [affjevo'lire] v. tr. affaiblir. ◆ v. rifl. s'affaiblir.
affiggere [af'fiddʒere] v. tr. afficher, placarder.
affilare [affi'lare] v. intr. aiguiser, affiler, affûter, repasser. ◆ v. rifl. FIG. maigrir v. intr., s'amaigrir, s'émacier.
affilato [affi'lato] agg. aiguisé, affilé, acéré, tranchant. || FIG. mince, fin.
affilatura [affila'tura] f. affilage m., affûtage m., aiguisage m.
affiliare [affi'ljare] v. tr. affilier.
affinare [affi'nare] v. tr. PR. e FIG. affiner. ◆ v. rifl. s'affiner.
affinché [affin'ke] cong. pour que, afin que.
affine [af'fine] agg. semblable, voisin, proche, similaire.
affinità [affini'ta] f. affinité, ressemblance, analogie.
affiochire [affjo'kire] v. tr. affaiblir. ◆ v. rifl. s'affaiblir.
affiorare [affjo'rare] v. intr. affleurer, émerger, se faire jour.
affissione [affis'sjone] f. affichage m.
affisso [af'fisso] agg. affiché, placardé.
affittacamere [affitta'kamere] n. logeur, euse.
affittare [affit'tare] v. tr. [dare, prendere in affitto] louer.
affitto [af'fitto] m. [locazione] location f., loyer, bail. | *prendere in affitto,* louer.
affittuario [affittu'arjo] m. locataire. || [di fondo rustico] fermier.
affliggere [af'fliddʒere] v. tr. [rattristare] affliger. || [tormentare] tourmenter. ◆ v. rifl. s'affliger, se désoler.
afflizione [afflit'tsjone] f. chagrin m., peine. || [causa di tormento] tourment m.
afflosciarsi [affloʃ'ʃarsi] v. rifl. [sgonfiarsi] se dégonfler. || [persona] s'affaisser. || FIG. perdre courage.
affluente [afflu'ɛnte] m. affluent.
affluenza [afflu'entsa] f. [grande quantità] abondance, affluence.
affluire [afflu'ire] v. intr. couler, affluer. || arriver en grand nombre, en grande quantité.
afflusso [af'flusso] m. afflux. || affluence f.

affogare [affo'gare] v. tr. noyer. || PER EST. étouffer, éteindre. ◆ v. intr. se noyer v. rifl. || FIG. *affogare nei debiti*, être perdu, criblé de dettes. ◆ v. rifl. se noyer.
affollamento [affolla'mento] m. grande affluence f., foule f.
affollare [affol'lare] v. tr. se presser (dans, sur), remplir. ◆ v. rifl. se presser, se masser, s'entasser, s'amasser.
affollato [affol'lato] agg. plein de monde, bondé.
affondamento [affonda'mento] m. naufrage.
affondare [affon'dare] v. tr. [di navi] couler, envoyer par le fond. || [far penetrare] enfoncer. ◆ v. intr. [penetrare] s'enfoncer, pénétrer. | *affondare nel fango*, s'enfoncer dans la boue. || FIG. sombrer. | *affondare nella disperazione*, sombrer dans le désespoir.
affossamento [affossa'mento] m. [l'affossarsi] affaissement, dépression f. || FIG. abandon.
affossare [affos'sare] v. tr. FIG. enterrer, abandonner. ◆ v. rifl. s'affaisser, s'enfoncer. || se creuser.
affrancamento [affranka'mento] m. affranchissement, libération f.
affrancare [affran'kare] v. tr. affranchir, libérer. || [posta] affranchir, timbrer. ◆ v. rifl. s'affranchir, se libérer.
affrancatura [affranka'tura] f. [posta] affranchissement m.
affranto [af'franto] agg. épuisé, harassé, accablé, abattu.
affratellamento [affratella'mento] m. fraternisation f.
affratellare [affratel'lare] v. tr. unir, rapprocher, rendre frères. ◆ v. rifl. (con) fraterniser (avec) v. intr.
affrescare [affres'kare] v. tr. orner, décorer de fresques.
affresco [af'fresko] (**-chi** pl.) m. fresque f.
affrettare [affret'tare] v. tr. [rendere più rapido] hâter, presser, accélérer. || [anticipare] avancer. ◆ v. rifl. se dépêcher, se hâter, se presser. || [farsi premura] s'empresser.
affrettato [affret'tato] agg. rapide, pressé. || [prematuro] précipité, hâtif.
affrontare [affron'tare] v. tr. affronter. ◆ v. recipr. s'affronter.
affronto [af'fronto] m. affront, outrage.
affumicare [affumi'kare] v. tr. [stanza, api] enfumer. || [alimenti] fumer.
affumicato [affumi'kato] agg. [stanza] enfumé. || [alimento, occhiali] fumé.
affusolare [affuso'lare] v. tr. fuseler. || [assottigliare] amincir.
affusto [af'fusto] m. affût.
afono ['afono] agg. aphone.
afoso [a'foso] agg. étouffant, lourd.
africano [afri'kano] agg. e n. africain.
afrodisiaco [afrodi'ziako] (**-ci** pl.) agg. e m. aphrodisiaque.
afta ['afta] f. aphte m.
agape ['agape] f. agapes pl., festin m. sing.
agave ['agave] f. agave m.
agenda [a'dʒɛnda] f. agenda m.
agente [a'dʒɛnte] m. agent. ◆ agg. agissant.
agenzia [adʒen'tsia] f. agence.
agevolamento [adʒevola'mento] m. = AGEVOLAZIONE.
agevolare [adʒevo'lare] v. tr. faciliter.
agevolazione [adʒevolat'tsjone] f. aide. || COMM. [al pl.] facilités de paiement.
agevole [a'dʒevole] agg. aisé, facile.
agevolezza [adʒevo'lettsa] f. facilité, aisance.
agganciamento [aggantʃa'mento] m. accrochage.
agganciare [aggan'tʃare] v. tr. [vagoni] accrocher, atteler. || [allacciare, abbottonare] attacher, agrafer. || FIG. retenir.
aggancio [ag'gantʃo] m. = AGGANCIAMENTO.
aggeggio [ad'dʒeddʒo] m. machin (fam.), truc (fam.).
aggettivo [addʒet'tivo] m. adjectif.
agghiacciare [aggjat'tʃare] v. tr. FIG. glacer. ◆ v. intr. o rifl. PR. geler v. intr. || FIG. se glacer.
agghindare [aggin'dare] v. tr. parer, apprêter, attifer (pegg.). ◆ v. rifl. se parer ; s'attifer (pegg.).
aggio ['addʒo] m. FIN. agio.
aggiogare [addʒo'gare] v. tr. PR. e FIG. mettre sous le joug. || FIG. assujettir, subjuguer.
aggiornamento [addʒorna'mento] m. mise (f.) à jour. | *corso di aggiornamento*, cours, stage de perfectionnement, d'information f. || [rinvio] ajournement.
aggiornare [addʒor'nare] v. tr. mettre à jour. || [rinviare] ajourner, renvoyer. ◆ v. rifl. se mettre à jour, se mettre au courant.
aggiramento [addʒira'mento] m. encerclement, débordement.
aggirare [addʒi'rare] v. tr. encercler. || [ingannare] attraper, circonvenir. ◆ v. rifl. rôder v. intr. (pegg.), traîner v. intr., errer v. intr.
aggiudicare [addʒudi'kare] v. tr. adjuger, décerner. ◆ v. rifl. obtenir v. tr., remporter v. tr.
aggiudicazione [addʒudikat'tsjone] f. adjudication.
aggiungere [ad'dʒundʒere] v. tr. ajouter, rajouter. ◆ v. rifl. s'ajouter.
aggiunta [ad'dʒunta] f. ajout m., addition, adjonction.

aggiunto [ad'dʒunto] agg. e n. adjoint.
aggiustamento [addʒusta'mento] m. arrangement, accommodement. || [riparazione] réparation f.
aggiustare [addʒus'tare] v. tr. Pr. e Fig. [riparare, accomodare] arranger, réparer. || [capelli, cravatta] arranger. || [mettere a punto] ajuster. ◆ v. rifl. Fam. s'arranger.
agglomeramento [agglomera'mento] m. [azione] agglomération f.
agglomerare [agglome'rare] v. tr. agglomérer, agglutiner. ◆ v. rifl. s'agglutiner, s'agglomérer.
agglomerato [agglome'rato] m. [di abitazioni] agglomération f.
agglomerazione [agglomerat'tsjone] f. agglomération.
agglutinare [aggluti'nare] v. tr. agglutiner, agglomérer. ◆ v. rifl. s'agglutiner.
aggomitolare [aggomito'lare] v. tr. rouler en boule, en pelote. ◆ v. rifl. Fig. se pelotonner, se blottir.
aggradare [aggra'dare] v. intr. [si usa solo la 3ª pers. sing.] plaire, convenir.
aggraffare [aggraf'fare] v. tr. agrafer. || agripper, happer.
aggrappare [aggrap'pare] v. tr. agripper, saisir. ◆ v. rifl. s'agripper, se cramponner, s'accrocher.
aggravamento [aggrava'mento] m. aggravation f.
aggravante [aggra'vante] agg. aggravant. ◆ f. Giur. circonstance aggravante.
aggravare [aggra'vare] v. tr. Pr. e Fig. aggraver. ◆ v. rifl. s'aggraver, empirer v. intr.
aggravio [ag'gravjo] m. aggravation f. || [fiscale] augmentation f.
aggraziare [aggrat'tsjare] v. tr. embellir, enjoliver. || *aggraziarsi qlcu.*, s'attirer la sympathie de qn.
aggraziato [aggrat'tsjato] agg. gracieux.
aggredire [aggre'dire] v. tr. attaquer, assaillir, agresser.
aggregare [aggre'gare] v. tr. associer. || réunir. || Fis. agréger. ◆ v. rifl. s'agréger.
aggregato [aggre'gato] agg. associé. ◆ m. agrégat.
aggregazione [aggregat'tsjone] f. agrégation.
aggressione [aggres'sjone] f. agression.
aggressivo [aggres'sivo] agg. agressif.
aggressore [aggres'sore], **aggreditrice** [aggredi'tritʃe] f. agg. e n. agresseur.
aggrondare [aggron'dare] v. tr. = AGGROTTARE.
aggrottare [aggrot'tare] v. tr. [le sopracciglia] froncer ; [la fronte] plisser.
aggrovigliare [aggroviʎ'ʎare] v. tr. Pr. e Fig. emmêler, enchevêtrer, embrouiller. ◆ v. rifl. s'emmêler, s'embrouiller.
agguagliare [aggwaʎ'ʎare] v. tr. égaliser. || [confrontare] comparer, mettre sur le même plan (que). || égaler. ◆ v. recipr. être équivalent.
agguantare [aggwan'tare] v. tr. empoigner, attraper, saisir. ◆ v. rifl. s'accrocher, se cramponner, s'agripper.
agguato [ag'gwato] m. embuscade f., guet-apens. | *in agguato,* à l'affût.
agguerrire [aggwer'rire] v. tr. Pr. e Fig. aguerrir. ◆ v. rifl. Pr. e Fig. s'aguerrir.
aghetto [a'getto] m. lacet.
agiatezza [adʒa'tettsa] f. aisance.
agiato [a'dʒato] agg. aisé.
agibile [a'dʒibile] agg. Lett. praticable.
agile ['adʒile] agg. agile, vif.
agilità [adʒili'ta] f. Pr. e Fig. agilité, aisance, vivacité.
agio ['adʒo] m. aise f. || *a mio, tuo agio,* (tout) à loisir ; en prenant mon, ton temps. ◆ pl. aisance f. sing. | *vivere negli agi,* vivre dans l'aisance.
agiografia [adʒogra'fia] f. hagiographie.
agire [a'dʒire] v. intr. agir.
agitare [adʒi'tare] v. tr. agiter, secouer. || Fig. exciter. ◆ v. rifl. s'agiter, remuer. || Fig. [turbarsi] se troubler.
agitazione [adʒitat'tsjone] f. agitation, mouvement m., nervosité, surexcitation.
aglio ['aʎʎo] m. ail.
agnello [aɲ'ɲɛllo] (**-a** f.) n. agneau m., agnelle f.
agnizione [aɲɲit'tsjone] f. reconnaissance, agnition (raro).
agnolotto [aɲɲo'lɔtto] m. (specie pl.) Culin. « agnolotto », ravioli.
ago ['ago] m. aiguille f.
agognare [agoɲ'ɲare] v. tr. désirer ardemment ; aspirer (à).
agone [a'gone] m. Lett. compétition f., lutte f. || Fig. *scendere nell'agone,* entrer en lice.
agonia [ago'nia] f. Pr. e Fig. agonie. || Fig. angoisse.
agonismo [ago'nizmo] m. esprit de compétition.
agonizzare [agonid'dzare] v. intr. Pr. e Fig. agoniser.
agopuntura [agopun'tura] f. Med. acupuncture, acuponcture.
agoraio [ago'rajo] m. étui à aiguilles, aiguillier.
agosto [a'gosto] m. août.
agraria [a'grarja] f. agronomie, agriculture.
agrario [a'grarjo] agg. agricole. ◆ m. [proprietario] propriétaire foncier.
agreste [a'grɛste] agg. Lett. agreste, champêtre (L.C.).

agrezza [a'grettsa] f. aigreur, acidité.
agricoltore [agrikol'tore] m. agriculteur, cultivateur.
agricoltura [agrikol'tura] f. agriculture.
agrifoglio [agri'fɔλλo] m. houx.
agrimensore [agrimen'sore] m. arpenteur.
1. agro ['agro] agg. aigre, acide. || FIG. acerbe. ◆ m. aigre, aigreur f., acidité f.
2. agro m. campagne f. | *agro romano,* campagne romaine.
agrodolce ['agro'doltʃe] agg. PR. e FIG. aigre-doux.
agronomia [agrono'mia] f. agronomie.
agrume [a'grume] m. [frutto] agrumes (specie pl.).
agucchiare [aguk'kjare] v. intr. [con ago] coudre. || [con ferri da calza] tricoter.
aguzzare [agut'tsare] v. tr. tailler en pointe ; aiguiser.
aguzzino [agud'dzino] m. STOR. argousin. || PER EST. geôlier. || FIG. bourreau, tyran.
aguzzo [a'guttso] agg. pointu, aigu, acéré.
ah ! [a] interiez. ah !
ahi ! ['ai] interiez. aïe !
ahimè ! o **aimè !** [ai'mɛ] interiez. hélas !
aia ['aja] f. aire. || FIG. *menar il can per l'aia,* tourner autour du pot.
aiola [a'jola] f. parterre m., massif m.
airone [ai'rone] m. héron.
aitante [ai'tante] agg. vigoureux, bien bâti.
aiuola [a'jwɔla] f. LETT. = AIOLA.
aiutante [aju'tante] n. aide, assistant, e.
aiutare [aju'tare] v. tr. aider. ◆ v. rifl. s'aider. ◆ v. recipr. s'aider, s'entraider.
aiuto [a'juto] m. aide f., assistance f. || [soccorso] secours. ◆ interiez. *aiuto !,* au secours !, à l'aide !
aizzare [ait'tsare] v. tr. exciter ; pousser (à).
ala ['ala] (**ali** pl.) f. aile. || PER EST. [parte laterale] aile. | *ali di un edificio,* ailes d'une construction. || [fila di persone] haie.
alabarda [ala'barda] f. hallebarde.
alabastro [ala'bastro] m. albâtre.
alacre ['alakre] agg. actif, dynamique. || FIG. vif, prompt, rapide.
alacremente [alakre'mente] avv. avec entrain.
alacrità [alakri'ta] f. dynamisme m., zèle m.
alaggio [a'laddʒo] m. halage.
alamaro [ala'maro] m. brandebourg.
alambicco [alam'bikko] (**-chi** pl.) m. alambic.
1. alare [a'lare] m. chenet, landier.
2. alare v. tr. MAR. haler.
alba ['alba] f. PR. e FIG. aube.
albeggiare [albed'dʒare] v. intr. impers. commencer à faire jour. | *albeggiava,* l'aube pointait, naissait. ◆ m. inv. point du jour.
alberare [albe'rare] v. tr. planter d'arbres. || MAR. mâter.
alberatura [albera'tura] f. MAR. mâture.
albergare [alber'gare] v. tr. héberger, loger, accueillir.
albergatore [alberga'tore] (**-trice** f.) n. hôtelier, ère.
albergo [al'bɛrgo] (**-ghi** pl.) m. hôtel.
albero ['albero] m. arbre.
albicocca [albi'kɔkka] f. abricot m.
albicocco [albi'kɔkko] m. abricotier.
albino [al'bino] agg. e m. albinos.
albo ['albo] m. tableau, panneau d'affichage. || [elenco] tableau. | *albo degli avvocati,* tableau de l'ordre des avocats. || [fascicolo illustrato ; per raccolta] album.
album ['album] m. inv. album.
albume [al'bume] m. albumen.
albumina [albu'mina] f. albumine.
alcanna [al'kanna] f. BOT. henné m. | *olio di alcanna,* henné.
alce ['altʃe] f. ZOOL. élan m.
alchimia [alki'mia] f. alchimie.
alchimista [alki'mista] (**-i** pl.) m. alchimiste.
alcol ['alkol], **alcole** ['alkole], **alcool** ['alkool] (**alcoli** pl.) m. alcool.
alcolico [al'kɔliko] (**-ci** pl.) agg. alcoolique. ◆ m. alcool.
alcolismo [alko'lizmo] m. alcoolisme, éthylisme.
alcolizzare [alkolid'dzare] v. tr. alcooliser. ◆ v. rifl. s'alcooliser (fam.).
alcova [al'kɔva] f. alcôve.
alcunché [alkun'ke] pron. indef. LETT. quelque chose. || [in frasi negative] rien.
alcuno [al'kuno] agg. indef. [pl.] [valore affermativo] quelques. | *alcuni esempi,* quelques exemples. || [sing.] [valore negativo] aucun. | *non c'è dubbio alcuno,* il n'y a aucun, pas le moindre doute. ◆ pron. indef. [pl.] [valore affermativo] quelques-uns, certains ; [solo di persone, solo sogg.] d'aucuns (lett.). | *alcuni pretendono che ...,* certains prétendent que ... || [sing.] [valore negativo] (raro) personne. | *non c'era alcuno,* il n'y avait personne.
aldilà [aldi'la] m. inv. au-delà.
alea ['alea] f. risque m., aléa m.
aleatorio [alea'tɔrjo] agg. aléatoire.
aleggiare [aled'dʒare] v. intr. voleter, voltiger. || FIG. [odore] flotter.
alessandrino [alessan'drino] agg. e m. alexandrin.

aletta [a'letta] f. [uccelli, squali] aileron m. || [altri pesci] nageoire. || AV. volet m. || MIL., TECN. ailette.
alfa ['alfa] f. alpha m.
alfabeto [alfa'bɛto] m. alphabet. || [concreto] alphabet, abécédaire.
alfiere [al'fjɛre] m. porte-drapeau ; [ufficiale] enseigne. || [scacchi] fou. || FIG. champion, défenseur.
alfine [al'fine] avv. enfin.
alga ['alga] (**alghe** ['alge] pl.) f. algue.
algebra ['aldʒebra] f. algèbre.
algerino [aldʒe'rino] agg. e n. algérien, enne.
aliante [ali'ante] m. planeur.
alibi ['alibi] m. inv. alibi m.
alice [a'litʃe] f. anchois m.
alienare [alje'nare] v. tr. aliéner. ◆ v. rifl. s'aliéner. | *alienarsi la simpatia di qlcu.*, s'aliéner la sympathie de qn.
alienazione [aljenat'tsjone] f. GIUR. e PER EST. aliénation. || MED. aliénation, folie.
alieno [a'ljɛno] agg. (**da**) étranger (à). || [contrario] opposé (à), non disposé (à).
1. alimentare [alimen'tare] v. tr. alimenter, nourrir, entretenir. | *alimentare l'odio,* entretenir la haine. ◆ v. rifl. s'alimenter, se nourrir.
2. alimentare agg. alimentaire.
alimentazione [alimentat'tsjone] f. alimentation.
alimento [ali'mento] m. PR. e FIG. aliment, nourriture f. ◆ pl. GIUR. aliments.
aliseo [ali'zɛo] agg. e m. alizé.
alitare [ali'tare] v. intr. respirer.
alito ['alito] m. haleine f. || [di vita, di vento] souffle.
allacciare [allat'tʃare] v. tr. lacer, attacher. || PER EST. relier. || FIG. nouer, lier. | *allacciare un'amicizia con qlcu.*, nouer une amitié avec qn.
allagamento [allaga'mento] m. inondation f.
allagare [alla'gare] v. tr. inonder. || FIG. envahir.
allampanato [allampa'nato] agg. maigre, étique.
allargamento [allarga'mento] m. élargissement.
allargare [allar'gare] v. tr. élargir ; agrandir, étendre. | *allargare le ricerche,* étendre les recherches. || FIG. *allargare il freno,* lâcher la bride. ◆ v. rifl. PR. e FIG. s'élargir. || FIG. s'agrandir.
allarmante [allar'mante] agg. alarmant.
allarmare [allar'mare] v. tr. alarmer, inquiéter. ◆ v. rifl. s'alarmer, s'inquiéter.
allarme [al'larme] m. alarme f., alerte f. || [timore] inquiétude f.
allarmismo [allar'mizmo] m. défaitisme, pessimisme. || [stato di timore diffuso] inquiétude f.
allattamento [allatta'mento] m. allaitement.
allattare [allat'tare] v. tr. allaiter, donner le sein (à).
alleanza [alle'antsa] f. alliance.
allearsi [alle'arsi] v. rifl. s'allier.
alleato [alle'ato] agg. e n. allié.
1. allegare [alle'gare] v. tr. joindre, ajouter. ◆ v. intr. BOT. nouer.
2. allegare v. tr. invoquer, alléguer, produire.
allegato [alle'gato] agg. joint, inclus. ◆ m. pièce jointe.
allegazione [allegat'tsjone] f. allégation.
alleggerimento [alleddʒeri'mento] m. PR. e FIG. allégement.
alleggerire [alleddʒe'rire] v. tr. PR. e FIG. alléger. ◆ v. rifl. s'habiller plus légèrement.
allegoria [allego'ria] f. allégorie.
allegramente [allegra'mente] avv. gaiement. || avec insouciance, allègrement (anche pegg.).
allegria [alle'gria] f. gaieté. | *in allegria,* en fête, en liesse.
allegro [al'legro] agg. gai, joyeux, enjoué, riant. | vif, allègre. || [spensierato] insouciant, qui ne s'en fait pas (fam.). | *prospettive poco allegre,* perspectives peu réjouissantes. ◆ m. MUS. allégro. ◆ avv. allegro (it.).
alleluia [alle'luja] m. alléluia.
allenamento [allena'mento] m. SP. entraînement.
allenare [alle'nare] v. tr. SP. entraîner. ◆ v. rifl. s'entraîner.
allenatore [allena'tore] (**-trice** f.) n. SP. entraîneur, euse.
allentamento [allenta'mento] m. PR. e FIG. relâchement. || [di viti o bulloni] desserrage.
allentare [allen'tare] v. tr. [rendere meno teso] relâcher, détendre, desserrer. || [mitigare] alléger, adoucir. ◆ v. rifl. se relâcher, se détendre, se desserrer. || FIG. s'atténuer.
allergia [aller'dʒia] f. MED. allergie.
allerta o **all'erta** [al'lerta] avv. sur le qui-vive, sur ses gardes. ◆ f. alerte.
allestimento [allesti'mento] m. préparation f., préparatifs pl., aménagement. || TEAT. mise (f.) en scène.
allestire [alles'tire] v. tr. préparer, disposer, équiper. || TEAT. monter.
allettare [allet'tare] v. tr. allécher, séduire, attirer.
allevamento [alleva'mento] m. élevage. || éducation f.
allevare [alle'vare] v. tr. élever.
allevatore [alleva'tore] (**-trice** f.) n. éleveur, euse.

alleviare [alle'vjare] v. tr. soulager, adoucir, alléger.
allibire [alli'bire] v. intr. [restare sbalordito] être interdit, abasourdi, stupéfait. || [impallidire] blêmir.
allibramento [allibra'mento] m. FIN. enregistrement. | *certificato di allibramento,* reçu ; attestation (f.) de versement.
allibratore [allibra'tore] m. bookmaker (ingl.).
allietare [allje'tare] v. tr. égayer, réjouir.
allievo [al'ljɛvo] (**-a** f.) n. élève, disciple.
allignare [alliɲ'ɲare] v. intr. BOT. prendre, pousser.
allineamento [allinea'mento] m. alignement.
allineare [alline'are] v. tr. PR. e FIG. aligner. ◆ v. rifl. s'aligner.
allocco [al'lɔkko] m. ZOOL. hulotte f., chat-huant. ◆ n. (**-a** f.) FIG. niais, e, nigaud, e.
allocuzione [allokut'tsjone] f. allocution.
allodola [al'lɔdola] f. alouette.
allogare [allo'gare] v. tr. placer, loger. ◆ v. rifl. se placer.
allogeno [al'lɔdʒeno] n. allogène.
alloggiamento [alloddʒa'mento] m. cantonnement.
alloggiare [allod'dʒare] v. tr. loger, héberger. ◆ v. intr. loger.
alloggio [al'lɔddʒo] m. [abitazione] logement. || [ospitalità] hébergement.
allontanamento [allontana'mento] m. éloignement. || [estromissione] renvoi.
allontanare [allonta'nare] v. tr. éloigner, écarter, renvoyer. ◆ v. rifl. [assentarsi] s'absenter. || FIG. s'éloigner, s'écarter.
allora [al'lora] avv. alors, à ce moment(-là), à cette époque(-là). || *era uscito allora,* il venait juste de sortir. | *da allora non l'ho più visto,* je ne l'ai pas revu depuis. | *fino (a) allora,* jusqu'à ce moment(-là). || [valore di agg.] *l'allora presidente Bianchi,* Bianchi, qui était alors président.
allorché [allor'ke] cong. lorsque, quand.
alloro [al'lɔro] m. BOT., FIG. laurier.
allorquando [allor'kwando] cong. lorsque, quand.
alluce ['allutʃe] m. gros orteil.
allucinazione [allutʃinat'tsjone] f. hallucination.
alludere [al'ludere] v. intr. faire allusion (à).
allume [al'lume] m. alun.
alluminio [allu'minjo] m. aluminium.
allungamento [allunga'mento] m. allongement.
allungare [allun'gare] v. tr. allonger, étendre, tendre. || FIG. *allungare le mani,* chaparder, voler. ◆ v. rifl. s'allonger.
allusione [allu'zjone] f. allusion.
allusivo [allu'zivo] agg. allusif.
alluvione [allu'vjone] f. inondation. || masse, tas m., alluvion.
almanaccare [almanak'kare] v. intr. [fantasticare] tirer des plans sur la comète ; se creuser la cervelle (fam.).
almanacco [alma'nakko] m. almanach.
almeno [al'meno] avv. au moins, au minimum, pour le moins. || [con valore restrittivo] du moins, si au moins.
alone [a'lone] m. halo. || FIG. auréole f.
alpe ['alpe] f. [pascolo] alpage m., alpe. || [montagna] haute montagne.
alpigiano [alpi'dʒano] (**-a** f.) agg. e n. montagnard.
alpinismo [alpi'nizmo] m. alpinisme.
alpino [al'pino] agg. alpin.
alquanto [al'kwanto] agg. indef. [sing.] un certain ; pas mal de. | [solo di quantità indeterminata] une certaine, une assez grande quantité de. || [pl.] un assez grand nombre de, pas mal de. ◆ pron. indef. sing. une certaine quantité. ◆ avv. pas mal, assez, quelque peu.
alsaziano [alsat'tsjano] (**-a** f.) agg. e n. alsacien, enne.
alt ['alt] interiez. halte !
altalena [alta'lena] f. balançoire. || FIG. suite de hauts et de bas.
altana [al'tana] f. belvédère m., mirador m.
altare [al'tare] m. autel.
altarino [alta'rino] m. DIM. petit autel. || *scoprire gli altarini,* découvrir le pot aux roses.
alterare [alte'rare] v. tr. altérer. || FIG. troubler. ◆ v. rifl. s'altérer.
alterazione [alterat'tsjone] f. PR. e FIG. altération. || MED. dérèglement m.
altercare [alter'kare] v. intr. se disputer v. rifl., se quereller v. rifl.
alterco [al'tɛrko] (**-chi** pl.) m. altercation f., dispute f.
alterigia [alte'ridʒa] f. hauteur, arrogance, fierté.
alternare [alter'nare] v. tr. faire alterner. ◆ v. rifl. alterner v. intr. || [di persone] se relayer, se succéder. ◆ m. alternance f., succession f.
alternativa [alterna'tiva] f. alternative. | *non abbiamo alternativa,* nous n'avons pas le choix.
alterno [al'tɛrno] agg. qui alterne, alternatif.
altero [al'tɛro] agg. altier, fier, hautain (pegg.).

altezza [al'tettsa] f. hauteur, profondeur. | *altezza dell'acqua,* profondeur de l'eau. || [titolo] altesse.

altezzoso [altet'tsozo] agg. hautain, arrogant.

alticciio [al'tittʃo] agg. éméché, gris, gai, pompette (fam.).

altipiano [alti'pjano] = ALTOPIANO.

altisonante [altiso'nante] agg. retentissant, grandiloquent.

altitudine [alti'tudine] f. altitude.

alto ['alto] agg. haut, élevé. || [specificando numericamente] haut (de). | *muro alto due metri,* mur de deux mètres de haut, haut de deux mètres. | *quanto sei alto ?,* combien mesures-tu ?, quelle est ta taille ? || [stoffa] large. || || [in posizione dominante] haut. | *la città alta,* la ville haute. || GEOGR. *alta Italia,* Italie du Nord. | *alto Nilo,* haut Nil. || [nel tempo] *alto Medio Evo,* haut Moyen Âge. || [profondo] profond. | *acqua molto alta,* eau profonde. | *alto mare,* haute mer. || [di notevole spessore] gros, grand, épais. || [inoltrato] avancé, plein. | *a notte alta,* en pleine nuit. || [di suono acuto] haut, aigu. || [grande, elevato] élevé, haut. | *prezzi alti,* prix élevés. || FIG. *andare a testa alta,* marcher la tête haute. | *tenere alto il morale,* garder bon moral. | *essere in alto mare* [questione], être loin de la solution. ◆ m. haut. | *l'alto di,* le haut de. | *salto in alto,* saut en hauteur (f.). || FIG. *gli alti ed i bassi,* les hauts et les bas. ◆ PR. e FIG. *dall' alto,* de haut, d'en haut.

altoatesino [altoate'zino] agg. du Haut-Adige. ◆ m. habitant du Haut-Adige.

altoforno [alto'forno] (**altiforni** pl.) m. haut fourneau.

altolà [alto'la] interiez. halte-là !

altolocato [altolo'kato] agg. haut placé.

altopiano [alto'pjano] m. (haut) plateau.

altrettanto [altret'tanto] agg. indef. autant de avv. | *dieci donne ed altrettanti uomini,* dix femmes et autant, le même nombre d'hommes. ◆ pron. indéf. autant. || [la stessa cosa] de même loc. avv. | *tutti risero ed io feci altrettanto,* tout le monde se mit à rire, et je fis de même. ◆ avv. [con verbi] autant. | *soffro altrettanto di te,* je souffre autant que toi.

altri ['altri] pron. indef. sing. un autre, quelqu'un d'autre.

altro ['altro] agg. indef. autre, qui reste. | *gli altri venti uomini si misero al lavoro,* les vingt autres hommes se mirent au travail. || [ancora uno, ancora un po'] autre ; encore un ; encore du, de la. | *dammi dell'altro vino,* donne-moi encore du vin. || [secondo, nuovo] autre, nouveau. || [riferito al tempo, trascorso] dernier. | *l'altr'anno,* l'année dernière. || [immediatamente anteriore a quello precedente] *l'altro ieri, ieri l'altro,* avant-hier. || [riferito al futuro] prochain. | *quest'altr'anno,* l'an prochain. ◆ pron. celui-là ; [di persone, pegg.] celui-là, l'autre. || *gli altri,* les autres. | *mi sento un altro,* je me sens un autre homme. || [uno in più, qualcosa in più] encore un, encore (un peu). | *ne vuoi un altro ?,* tu en veux encore un ? ◆ sostant. [neutro] autre chose. | *ho altro da fare,* j'ai autre chose à faire. || *altro che* [nelle frasi negative], ne ... (rien d'autre) que. | *non desidera altro che la mia partenza,* il ne désire (rien d'autre) que mon départ. || [nelle risposte] (mais) comment donc ! ; et comment ! | *« ti piace ? », « altro che ! »,* « Il te plaît ? », « et comment ! » ◆ loc. avv. loin de là, au contraire. | *non ti critico, tutt'altro,* je ne te critique pas, (bien) au contraire. || *più che altro,* surtout, plutôt. || *se non altro,* (tout) au moins. || *senz' altro,* sans aucun doute.

altronde (d') [dal'tronde] loc. avv. d'autre part, d'ailleurs.

altrove [al'trove] avv. ailleurs, autre part.

altrui [al'trui] agg. poss. inv. d'autrui, des autres. ◆ m. bien d'autrui.

altura [al'tura] f. hauteur, éminence, élévation, butte.

alunno [a'lunno] (**-a** f.) n. élève.

alveare [alve'are] m. ruche f.

alzare [al'tsare] v. tr. lever, soulever. || [la bandiera, le vele] hisser. || [salpare] lever l'ancre. || GIOCHI *alzare le carte,* couper (les cartes). || [costruire] bâtir, construire. || [sopraelevare] surélever, hausser. || FIG. élever, hausser. ◆ v. rifl. se lever. | *non ti sei ancora alzato ?,* tu n'es pas encore levé, debout ? || [diventare più alto] s'élever, monter. ◆ m. lever.

alzata [al'tsata] f. [di terra] élévation. || [di spalle] haussement m. || [costruzione] construction. || FIG. *alzata di scudi,* levée de boucliers.

amabile [a'mabile] agg. aimable, affable. || [di vino] doux.

amabilità [amabili'ta] f. amabilité, obligeance.

amaca [a'maka] f. hamac m.

amalgama [a'malgama] (**-i** pl.) m. CHIM. e FIG. amalgame.

amalgamare [amalga'mare] v. tr. amalgamer, mêler, fondre. ◆ v. rifl. s'amalgamer, se mêler.

amante [a'mante] agg. qui aime ; épris de ◆ n. amant, e, maîtresse f. || *gli amanti,* les amants.

amaranto [ama'ranto] m. e agg. inv. amarante (f).
amare [a'mare] v. tr. aimer. ◆ v. rifl. s'aimer (soi-même). ◆ v. recipr. s'aimer.
amareggiare [amared'dʒare] v. tr. attrister, chagriner, peiner. ◆ v. rifl. s'attrister, s'affliger, se tourmenter.
amarena [ama'rɛna] f. BOT. griotte.
amaretto [ama'retto] m. macaron.
amarezza [ama'rettsa] f. PR. et FIG. amertume.
amaro [a'maro] agg. amer. ◆ m. amertume f. || FIG. rancœur f.
amarognolo [ama'rɔɲɲolo] agg. un peu amer, légèrement amer.
amarrare [amar'rare] = AMMARRARE.
amatore [ama'tore] (**-trice** f.) n. amateur m.
amazzone [a'maddzone] f. amazone.
ambagi [am'badʒi] f. pl. détours m. pl.
ambasciata [ambaʃ'ʃata] f. ambassade.
ambasciatore [ambaʃʃa'tore] (**-trice** f.) n. ambassadeur, drice ; messager, ère.
ambedue [ambe'due] agg. inv. e pron. LETT. (tous, toutes) les deux (L.C.).
ambientare [ambjen'tare] v. tr. acclimater. || FIG. situer. | *ambientare un romanzo nel Settecento,* situer un roman au XVIIIe siècle. ◆ v. rifl. PR. e FIG. s'acclimater, s'adapter.
ambiente [am'bjɛnte] m. milieu, habitat. || FIG. ambiance f., climat. || [vano] pièce f. ◆ agg. [temperatura] ambiant.
ambiguità [ambigui'ta] f. ambiguïté.
ambiguo [am'biguo] agg. ambigu, équivoque, douteux, suspect.
ambire [am'bire] v. tr. e intr. ambitionner v. tr., convoiter v. tr., aspirer (à).
1. ambito [am'bito] agg. convoité, recherché.
2. ambito ['ambito] m. PR., LETT. intérieur, limites f. pl. | *nell'ambito del nostro territorio,* à l'intérieur, dans les limites de notre territoire. || FIG. domaine, cadre. || [cerchia sociale] cercle, groupe.
ambivalenza [ambiva'lɛntsa] f. ambivalence.
ambizione [ambit'tsjone] f. ambition.
ambo ['ambo] agg. num. inv. (anche pl., m. ambi, f. ambe) LETT. les deux. ◆ m. [lotto] ambe.
ambra ['ambra] f. ambre m.
ambrosia [am'brɔzja] f. ambroisie.
ambulante [ambu'lante] agg. ambulant.
ambulanza [ambu'lantsa] f. ambulance.
ambulatorio [ambula'tɔrjo] m. dispensaire.
ameba [a'mɛba] f. amibe.
amen ['amen] avv. e m. amen.
amenità [ameni'ta] f. agrément m., charme m. || [modo di esprimersi] boutade. || IRON. sottise.
ameno [a'mɛno] agg. agréable, plaisant, attrayant.
americano [ameri'kano] (**-a** f.) agg. e n. américain, e.
amicizia [ami'tʃittsja] f. amitié. || [persona] ami m., relation, fréquentation.
amico [a'miko] (**-a** f. ; **-ci** pl. m.) n. ami, e.
amido ['amido] m. amidon.
ammaccare [ammak'kare] v. tr. [cose] cabosser, bosseler. || [corpo] meurtrir, contusionner. ◆ v. rifl. se cabosser, se faire un bleu.
ammaccatura [ammakka'tura] f. bosse, contusion, meurtrissure.
ammaestramento [ammaestra'mento] m. [animali] dressage. || [persone] éducation f., formation f.
ammaestrare [ammaes'trare] v. tr. [animali] dresser. || [persone] instruire, éduquer.
ammainare [ammai'nare] v. tr. MAR. [le vele] amener.
ammalarsi [amma'larsi] v. rifl. tomber malade. | *ammalarsi di tifo,* attraper, contracter le typhus.
ammaliare [amma'ljare] v. tr. PR. e FIG. ensorceler, enchanter.
ammanco [am'manko] (**-chi** pl.) m. COMM. déficit, découvert, manque.
ammanettare [ammanet'tare] v. tr. mettre, passer les menottes (à).
ammannire [amman'nire] v. tr. préparer, apprêter.
ammansire [amman'sire] v. tr. apprivoiser, amadouer, adoucir, apaiser.
ammantare [amman'tare] v. tr. couvrir (d'un manteau). || [cose] recouvrir. || [nascondere] masquer. ◆ v. rifl. s'envelopper, se couvrir, se draper. || [di cose] se recouvrir.
ammarare [amma'rare] v. intr. amerrir.
ammarrare [ammar'rare] v. tr. MAR. amarrer.
ammassare [ammas'sare] v. tr. PR. e FIG. [cose] amasser, entasser, accumuler. ◆ v. rifl. [cose] s'amasser, s'entasser, s'accumuler. || [persone] s'amasser, se masser, s'entasser.
ammasso [am'masso] m. amas, tas, monceau, entassement, masse f.
ammattire [ammat'tire] v. intr. PR. e FIG. devenir fou.
ammattonato [ammatto'nato] agg. pavé (de briques). ◆ m. pavage, pavement (en briques).
ammazzare [ammat'tsare] v. tr. tuer ; abattre, assommer. || FIG. [il tempo] tuer. || PER EST. exténuer, éreinter, claquer (fam.), crever (pop.). ◆ v. rifl. se

tuer. || PER EST. se tuer, s'éreinter, se claquer (fam.). ◆ v. recipr. s'entre-tuer.

ammenda [am'mɛnda] f. amende, contravention. || FIG. *fare ammenda di un fallo,* réparer une faute.

ammendare [ammen'dare] v. tr. V. EMENDARE. || AGR. amender.

ammesso [am'messo] agg. admis. ◆ agg. e n. UNIV. (a sostenere l'esame orale) admissible.

ammettere [am'mettere] v. tr. admettre. || [riconoscere] reconnaître. || [supporre] admettre, supposer. | *ammettiano che sia vero,* admettons que ce soit vrai.

ammezzato [ammed'dzato] m. entresol, mezzanine f.

ammiccare [ammik'kare] v. intr. cligner de l'œil.

amministrare [amminis'trare] v. tr. administrer.

amministrativo [amministra'tivo] agg. administratif.

amministratore [amministra'tore] (**-trice** f.) n. administrateur, trice ; régisseur m. ; gérant, e.

amministrazione [amministrat'tsjone] f. administration.

ammiragliato [ammiraʎ'ʎato] m. amirauté f.

ammiraglio [ammi'raʎʎo] m. amiral.

ammirare [ammi'rare] v. tr. admirer.

ammirato [ammi'rato] agg. émerveillé, ébloui.

ammiratore [ammira'tore] (**-trice** f.) n. admirateur, trice.

ammirazione [ammirat'tsjone] f. admiration.

ammirevole [ammi'revole] agg. admirable.

ammissibile [ammis'sibile] agg. admissible, recevable, valable.

ammissione [ammis'sjone] f. admission. || [assenso] acceptation m., approbation.

ammobiliare [ammobi'ljare] v. tr. meubler.

ammodernare [ammoder'nare] v. tr. moderniser.

ammodo [am'modo] avv. comme il faut ; correctement, bien. ◆ agg. inv. comme il faut, bien.

ammogliare [amoʎ'ʎare] v. tr. marier. ◆ v. rifl. se marier, prendre femme.

ammollare [ammol'lare] v. tr. faire tremper, mettre à tremper. ◆ v. rifl. se mouiller.

ammollire [ammol'lire] v. tr. amollir, ramollir. || FIG. amollir, affaiblir. || LETT. adoucir. ◆ v. rifl. PR. e FIG. s'amollir, se ramollir.

ammoniaca [ammo'niaka] f. ammoniac m. | *ammoniaca liquida,* ammoniaque.

ammonimento [ammoni'mento] m. avertissement, réprimande f., observation f.

ammonire [ammo'nire] v. tr. réprimander, admonester (lett.). || [consigliare severamente] avertir. || [di cose] instruire.

ammonizione [ammonit'tsjone] f. avertissement m., blâme m., admonestation.

ammontare [ammon'tare] v. intr. se monter v. rifl., s'élever v. rifl. ◆ m. montant.

ammorbare [ammor'bare] v. tr. infecter, souiller, polluer, corrompre.

ammorbidire [ammorbi'dire] v. tr. [cuoio, carne] assouplir, attendrir. || [burro, cera] ramollir, amollir. || FIG. adoucir. ◆ v. rifl. o intr. s'amollir, s'assouplir, s'attendrir.

ammortare [ammor'tare] v. tr. FIN. amortir.

ammortizzare [ammortid'dzare] v. tr. FIN., MECC. amortir.

ammucchiare [ammuk'kjare] v. tr. entasser, amonceler, accumuler. ◆ v. rifl. s'entasser, s'amonceler, s'accumuler.

ammuffire [ammuf'fire] v. intr. moisir. || [di persona] se confiner. | *ammuffire a casa,* s'enterrer chez soi.

ammutinamento [ammutina'mento] m. mutinerie f.

ammutinarsi [ammuti'narsi] v. rifl. se mutiner.

ammutolire [ammuto'lire] v. intr. PR. e FIG. devenir muet.

amnesia [amne'zia] f. amnésie.

amnistia [amnis'tia] f. amnistie.

amnistiare [amnis'tjare] v. tr. amnistier.

amo ['amo] m. hameçon.

amorale [amo'rale] agg. amoral.

amore [a'more] m. amour. || [vicenda amorosa] amours pl. (f. lett.). || [persona amata] *amore (mio)!,* mon amour ! ; [persona o cosa graziosa] amour. || LOC. *per amore,* de plein gré. | *d'amore e d'accordo,* dans une entente parfaite.

amoreggiamento [amoreddʒa'mento] m. flirt (ingl.).

amorevole [amo'revole] agg. affectueux, tendre, aimant.

amorfo [a'mɔrfo] agg. PR. e FIG. amorphe. | *fiammiferi amorfi,* allumettes suédoises, de sûreté.

amorino [amo'rino] m. ARTI amour. || BOT. réséda.

amoroso [amo'roso] agg. [affettuoso] aimant, tendre, affectueux. ◆ n. amoureux, euse. || TEAT. *primo amoroso,* jeune premier.

ampiezza [am'pjettsa] f. [di un locale, di una piazza] dimensions f. pl. ; [di

una gonna] largeur, ampleur. || FIG. [di vedute] largeur ; [di mezzi] importance ; [di conoscenze] étendue, ampleur ; [di esempi] abondance. || [di marea] amplitude.
ampio ['ampjo] agg. vaste, grand, spacieux. | [di vestiti] ample. || FIG. [scelta] large ; [conoscenze] étendu.
amplesso [am'plɛsso] m. union sexuelle, charnelle. || LETT. étreinte f., enlacement, embrassement.
ampliamento [amplja'mento] m. agrandissement. || FIG. élargissement, extension f.
ampliare [am'pljare] v. tr. [locale] agrandir. || FIG. [influenza, cognizioni] étendre. ◆ v. rifl. s'agrandir. || FIG. s'étendre, s'amplifier, s'élargir. ◆ m. élargissement, extension f.
amplificare [amplifi'kare] v. tr. amplifier, agrandir.
amplificatore [amplifika'tore] m. amplificateur.
amplitudine [ampli'tudine] f. ASTR. amplitude. || LETT. étendue, ampleur.
ampolla [am'polla] f. fiole, burette, ampoule.
ampollosità [ampollosi'ta] f. emphase, enflure, boursouflure.
amputare [ampu'tare] v. tr. amputer. || FIG. mutiler, couper.
amputazione [amputat'tsjone] f. amputation. || FIG. mutilation.
amuleto [amu'lɛto] m. amulette f., gri-gri.
anabbagliante [anabbaʎ'ʎante] agg. qui n'éblouit pas. ◆ m. pl. AUT. feux de croisement, codes.
anacoreta [anako'rɛta] (**-i** pl.) m. PR. e FIG. anachorète.
anacronismo [anakro'nizmo] m. anachronisme.
anagrafe [a'nagrafe] f. [registro] registre (m.) d'état civil. || [ufficio] bureau (m.) de l'état civil ; état civil.
anagramma [ana'gramma] m. anagramme f.
analcolico [anal'kɔliko] (**-ci** pl.) agg. sans alcool. ◆ m. boisson (f.) sans alcool.
anale [a'nale] agg. anal.
analfabeta [analfa'beta] (**-i** pl.) n. analphabète, illettré, e.
analgesico [anal'dʒɛsiko] (**-ci** pl.) agg. e m. analgésique.
analisi [a'nalizi] f. analyse.
analista [ana'lista] (**-i** pl. m.) n. analyste.
analizzare [analid'dzare] v. tr. PR. e FIG. analyser.
analogia [analo'dʒia] f. analogie.
analogo [a'nalogo] (**-ghi** pl. m.) agg. analogue, comparable, voisin.
ananasso [ana'nasso] m. ananas.
anarchia [anar'kia] f. anarchie.
anarchico [a'narkiko] (**-ci** pl. m.) agg. anarchiste, anarchique. ◆ n. POL. anarchiste.
anatema [ana'tɛma] (**-i** pl.) m. PR. e FIG. anathème.
anatomia [anato'mia] f. anatomie. dissection.
anatomico [ana'tɔmiko] (**-ci** pl. m.) agg. anatomique.
anatomizzare [anatomid'dzare] v. tr. disséquer.
anatra ['anatra] f. canard m., cane f.
anca ['anka] f. ANAT. hanche.
ancella [an'tʃɛlla] f. LETT. o SCHERZ. servante.
anche ['anke] cong. [in più] aussi avv. | *anch'io,* moi aussi, moi de même. || *non solo ..., ma anche,* non seulement ..., mais encore, mais aussi. || [in proposizioni ipotetiche] bien ; aussi. | *potrebbe anche succedere,* cela pourrait bien arriver. || [perfino] même. | *anche tu mi hai tradito,* même toi, toi aussi tu m'as trompé. ◆ *anche se, se anche* (+ indic. o congiunt.), même si (+ indic.). || [benché] bien que (+ congiunt.). || *quand'anche, anche quando* (+ congiunt.), même si (+ indic.). | *quand' anche lo facessi,* même si je le faisais.
anchilosi [anki'lɔzi] f. ankylose.
ancillare [antʃil'lare] agg. ancillaire.
1. ancora ['ankora] f. ancre. || FIG. *ancora di salvezza,* planche de salut.
2. ancora [an'kora] avv. encore.
ancoraggio [anko'raddʒo] m. MAR. ancrage, mouillage. || TECN. ancrage, fixation f.
ancorare [anko'rare] v. tr. ancrer, fixer. ◆ v. rifl. mouiller v. intr. ; jeter l'ancre ; s'ancrer. || FIG. [ad una speranza] s'accrocher.
ancorché [ankor'ke] cong. LETT. encore que, bien que (L.C.), quoique (L.C.).
andamento [anda'mento] m. marche f., cours, développement. | *andamento della malattia,* cours de la maladie.
andante [an'dante] agg. ordinaire, commun, moyen. ◆ m. MUS. andante.
1. andare [an'dare] v. intr. 1. MUOVERSI DA UN POSTO VERSO UN ALTRO : [recarsi] aller, se rendre. || [spostarsi] aller. | *andare a piedi,* aller à pied. || [partire] s'en aller, partir. | *è ora ch'io vada,* il est temps que je m'en aille. || [trascorrere] s'en aller, passer. | *l'estate è già andata,* l'été est déjà passé. || *andare a monte,* tomber à l'eau, échouer. 2. PROCEDERE : marcher, aller, fonctionner. | *mi è andata bene,* ça a (bien) marché, j'ai eu de la chance. | *il mio orologio non va,* ma montre ne marche pas. 3. ESSERE ADATTO : aller, convenir, plaire. | *quel tipo non mi va,*

ce type ne me plaît pas. | *andrà bene lo stesso,* ça ira quand même. || [aver successo] être à la mode. | *va molto il rosso,* le rouge se porte beaucoup. || [essere necessario] être nécessaire. | *qua ci andrebbe un altro chiodo,* il faudrait encore un clou ici. **4.** [+ agg.] aller, être. | *andare scalzo,* aller, marcher pieds nus. | *andare pazzo (per),* adorer v. tr., être fou (de). **5.** DIVENTARE : [persone] devenir. | *andar(e) soldato,* faire son service militaire. | *andare in collera,* se mettre en colère. || [cose] être réduit, s'en aller. | *andare a male,* se gâter, s'abîmer. **6.** SUCCEDERE : se faire. | *come va che sei sempre stanco?,* comment se fait-il que tu sois toujours fatigué ? **7.** AUSILIARE : [con gerundio] aller. | *andare crescendo,* aller en augmentant. || [con part. passato] devoir être. | *questo va fatto subito,* il faut faire cela tout de suite. || [di passivo] être. | *l'originale è andato perduto,* l'original a été perdu. **8.** LOC. *lasciar andare,* laisser aller, lâcher ; [lasciar partire] laisser partir ; laisser tomber ; [trascurare] négliger. | *andare a finire,* se terminer, finir. | *andare di mezzo,* être compromis. ◆ v. rifl. [partire] s'en aller, partir v. intr. | *me ne vado,* je m'en vais. || EUF. [morire] partir, quitter ce monde.

2. andare m. [andata] aller. || [andatura] allure f., démarche f. || [del tempo] écoulement. || *spendere a tutto andare,* dépenser sans compter.

andata [an'data] f. aller m. | *il viaggio di andata,* le voyage (d')aller ; l'aller.

andato [an'dato] agg. passé. || FAM. [guasto] fichu, abîmé (L.C.).

andatura [anda'tura] f. allure, démarche.

andazzo [an'dattso] m. mode f., habitudes f. pl. || [andamento] tour, allure f. | *le cose hanno preso un andazzo preoccupante,* les choses ont pris un tour inquiétant.

andirivieni [andiri'vjɛni] m. [viavai] va-et-vient inv., allées et venues f. pl. || PER EST. [intrico di vie, corridoi] dédale.

andito ['andito] m. couloir, entrée f., vestibule. || PER EST. [stanzino riposto] recoin.

androne [an'drone] m. passage, couloir, allée f.

aneddoto [a'nɛddoto] m. anecdote f.

anelare [ane'lare] v. intr. LETT. haleter ; être essouflé, hors d'haleine. || FIG. (a) désirer ardemment ; aspirer (à).

anelito [a'nɛlito] m. halètement, essoufflement. | *ultimo anelito,* dernier soupir. || FIG., LETT. désir ardent (L.C.), aspiration f. (L.C.).

anello [a'nɛllo] m. anneau, bague f. || PER ANAL. *anelli di fumo,* ronds de fumée. || *anello di una catena,* maillon, chaînon.

anemia [ane'mia] f. MED. anémie.

anemico [a'nɛmiko] (**-ci** pl.) agg. anémique.

anemone [a'nɛmone] m. anémone f.

anestesia [aneste'zia] f. anesthésie.

anestetico [anes'tɛtiko] (**-ci** pl.) agg. e m. anesthésique, anesthésiant.

anfibio [an'fibjo] agg. e m. amphibie.

anfiteatro [anfite'atro] m. amphithéâtre.

anfora ['anfora] f. amphore.

anfrattuosità [anfrattuosi'ta] f. anfractuosité.

angariare [anga'rjare] v. tr. brimer, maltraiter, molester, opprimer.

angelico [an'dʒɛliko] (**-ci** pl.) agg. angélique.

angelo ['andʒelo] m. ange.

angheria [ange'ria] f. vexation, tracasserie, brimade.

angina [an'dʒina] f. angine.

anglicano [angli'kano] agg. e n. anglican.

angolare [ango'lare] agg. angulaire.

angolazione [angolat'tsjone] f. CIN., FOT. angle (m.) de prise de vues.

angolo ['angolo] m. [cantone] angle, coin.

angoloso [ango'loso] agg. anguleux. || FIG. [scontroso] rébarbatif, rude.

angoscia [an'gɔʃʃa] f. angoisse, affres f. pl.

angosciare [angoʃ'ʃare] v. tr. angoisser, tourmenter. ◆ v. rifl. se tourmenter.

angoscioso [angoʃ'ʃoso] agg. [affannoso] angoissant.

anguilla [an'gwilla] f. anguille.

anguria [an'gurja] f. pastèque, melon (m.) d'eau.

angustia [an'gustja] f. PR. e FIG. étroitesse, gêne, misère. || FIG. anxiété, souci m.

angustiare [angus'tjare] v. tr. inquiéter, tourmenter, angoisser.

angusto [an'gusto] agg. étroit, limité, resserré, restreint, exigu.

anice ['anitʃe] m. anis.

anidride [ani'dride] f. anhydride m.

anilina [ani'lina] f. aniline.

anima ['anima] f. [principio di vita] âme. | *rendere l'anima,* rendre l'âme. | *la buon'anima di mio padre,* mon défunt père. || FIG. *senz'anima* [detto di cose], sans vie, inexpressif. || [sede degli affetti e delle passioni] cœur m. | *anima tenera, sensibile,* âme, cœur tendre, sensible. || [persona] âme. | *non si vedeva anima viva,* on ne voyait âme qui vive. || [parte centrale, vitale di un oggetto] âme. | *anima di un cavo,* âme d'un câble. || FIG., FAM. *mangiarsi l'anima*, se ronger les sangs, se faire du mauvais sang. | *rompere l'anima*, casser les pieds (pop.).

animale [ani'male] m. animal. || FIG. bête f., brute f.

animalesco [anima'lesko] (**-chi** pl.) agg. animal, bestial.

animare [ani'mare] v. tr. [dare vita] animer. || [dare movimento] animer, égayer, aviver, stimuler, exciter. ◆ v. rifl. s'animer.

animatore [anima'tore] (**-trice** f.) agg. e n. animateur, trice.

animazione [animat'tsjone] f. animation.

animella [ani'mella] f. CULIN. ris m. || TECN. clapet m.

animo ['animo] m. [sede dei sentimenti] âme f., cœur. | *animo debole*, caractère faible. | *mettersi l'animo in pace*, se tranquilliser. || [mente, ingegno] esprit, intelligence f., jugement, attention f. || [intento] intention f., idée f. | *avere in animo di fare qlco.*, avoir l'intention, avoir dans l'idée de faire qch. || [coraggio] courage. | *farsi animo*, se donner du courage.

animosità [animosi'ta] f. animosité, malveillance, inimitié, hostilité, hargne.

animoso [ani'moso] agg. courageux, audacieux, hardi.

anisetta [ani'zetta] f. anisette.

anitra ['anitra] f. = ANATRA.

annacquare [annak'kware] v. tr. étendre d'eau, allonger, couper, mouiller, tremper. || FIG. [mitigare] adoucir, édulcorer.

annaffiare [annaf'fjare] v. tr. arroser. || SCHERZ. *annaffiare il vino*, baptiser le vin.

annaffiatoio [annaffja'tɔjo] m. arrosoir.

annali [an'nali] m. pl. PR. e FIG. annales f. pl.

annalista [anna'lista] n. annaliste.

annaspare [annas'pare] v. intr. se démener, gesticuler, se débattre.

annata [an'nata] f. année. || FIN. annuité.

annebbiamento [annebbja'mento] m. formation (f.) de brouillard, obscurcissement. || FIG. confusion f., trouble.

annebbiare [anneb'bjare] v. tr. embrumer, voiler, couvrir ; assombrir, obscurcir. || FIG. troubler, brouiller, obscurcir. ◆ v. rifl. se troubler, se voiler. | *la vista gli si annebbiò*, sa vue se brouilla.

annegare [anne'gare] v. tr. PR. e FIG. noyer. ◆ v. intr. se noyer v. rifl. || FIG. se noyer ; être submergé ; être plongé (dans). || *annegare in un bicchiere d'acqua*, se noyer dans un verre d'eau. ◆ v. rifl. se noyer.

annerire [anne'rire] v. tr. noircir. || [col fumo] enfumer.

annessione [annes'sjone] f. annexion, rattachement m.

annesso [an'nɛsso] agg. annexé, annexe, attenant. || AMM. *qui annesso*, ci-joint. ◆ m. pl. annexe f. sing., dépendances f. pl. || GIUR. e FIG. *annessi e connessi*, tenants et aboutissants.

annettere [an'nɛttere] v. tr. [allegare] annexer, joindre. || FIG. *annettere grande importanza a*, attacher une grande importance à.

annichilare [anniki'lare] v. tr. = ANNICHILIRE.

annichilimento [annikili'mento] m. annihilation f., anéantissement.

annichilire [anniki'lire] v. tr. anéantir, détruire, réduire à néant. ◆ v. rifl. s'anéantir, se détruire. || FIG. s'annihiler ; s'abaisser, s'effacer.

annidare [anni'dare] v. tr. [dar ricetto] abriter. | *annidare nell' animo pensieri colpevoli*, nourrir dans son esprit des pensées coupables. ◆ v. rifl. nicher v. intr., se nicher.

annientamento [annjenta'mento] m. PR. e FIG. anéantissement, écrasement, destruction f.

annientare [annjen'tare] v. tr. PR. e FIG. anéantir, annihiler, écraser. ◆ v. rifl. s'anéantir, s'annihiler.

anniversario [anniver'sarjo] agg. e m. anniversaire.

anno ['anno] m. année f., an. | *Capo d'anno*, Nouvel An. || [età] *portare bene gli anni*, bien porter son âge. | *con gli anni*, avec le temps.

annobilire [annobi'lire] v. tr. ennoblir, élever.

annodare [anno'dare] v. tr. nouer, attacher, lier. ◆ v. rifl. nouer v. tr., attacher v. tr. || PR. e FIG. s'emmêler.

annoiare [anno'jare] v. tr. ennuyer, assommer (fam.) ; embêter (fam.), raser (fam.). ◆ v. rifl. s'ennuyer, s'embêter (fam.), s'empoisonner (fam.).

annoiato [anno'jato] agg. blasé, dégoûté.

annonario [anno'narjo] agg. de ravitaillement, d'alimentation. | *tessera annonaria*, carte de rationnement.

annoso [an'noso] agg. PR., LETT. chargé d'ans, vieux (L.C.) ; [di cose] vétuste. || FIG. interminable.

annotare [anno'tare] v. tr. [prender nota] noter, inscrire, marquer, annoter.

annotazione [annotat'tsjone] f. [promemoria] note, mémorandum m., annotation.

annottare [annot'tare] v. impers. commencer à faire nuit.

annoverare [annove'rare] v. tr. [elencare] énumérer, dénombrer, passer en revue. || [includere] compter (au nombre de). ◆ m. dénombrement, énumération f.

annuale [annu'ale] agg. annuel.

annualità [annuali'ta] f. annualité. || FIN. annuité.

annuario [annu'arjo] m. annuaire ; indicateur.

annuire [annu'ire] v. intr. acquiescer (à). || PER EST. approuver v. tr.

annullamento [annulla'mento] m. annulation f., abolition f. || GIUR. abrogation f., résiliation f.

annullare [annul'lare] v. tr. annuler, abolir. || *annullare una marca da bollo,* oblitérer un timbre. ◆ v. rifl. PR. e FIG. s'annuler.

annunciare [annun'tʃare] v. tr. [rendere noto] annoncer, informer (de). || [predire] annoncer, prédire.

annunciatore [annuntʃa'tore] (**-trice** f.) n. RAD., TV speaker, speakerine f., présentateur, trice.

annunciazione [annuntʃat'tsjone] f. REL., ARTI Annonciation.

annuncio [an'nuntʃo] m. annonce f., nouvelle f., avis, signe.

annunziare [annun'tsjare] v. tr. e deriv. V. ANNUNCIARE e deriv.

annuo ['annuo] agg. annuel.

annusare [annu'zare] v. tr. sentir, humer ; [di animali] flairer.

annuvolare [annuvo'lare] v. tr. ennuager, couvrir de nuages ; assombrir. || FIG. troubler, brouiller. ◆ v. rifl. s'ennuager, se couvrir, se troubler. || FIG. se rembrunir, se renfrogner.

ano ['ano] m. anus.

anomalia [anoma'lia] f. anomalie, irrégularité.

anonimato [anoni'mato] m. anonymat.

anonimo [a'nɔnimo] agg. e n. anonyme.

anormale [anor'male] agg. anormal, inhabituel, insolite ; déficient. ◆ m. anormal, arriéré.

ansa ['ansa] f. anse. || PER EST. [di un fiume] boucle, méandre m.

ansante [an'sante] agg. essoufflé, haletant.

ansare [an'sare] v. intr. haleter. ◆ m. halètement.

ansia ['ansja] f. anxiété ; inquiétude. || désir m. ◆ pl. alarmes.

ansietà [ansje'ta] f. anxiété.

ansimare [ansi'mare] v. intr. haleter, souffler. ◆ m. halètement.

ansioso [an'sjoso] agg. anxieux, inquiet, impatient.

anta ['anta] f. [di armadio] porte. || [di finestra] volet m. || ARCHIT. ante.

antagonismo [antago'nizmo] m. antagonisme, rivalité f.

antagonista [antago'nista] agg. antagoniste ; rival. ◆ n. antagoniste ; rival, e.

antartico [an'tartiko] (**-ci** pl.) agg. e m. antarctique.

antecedente [antetʃe'dɛnte] agg. antérieur, précédent. ◆ m. antécédent.

antecedenza [antetʃe'dɛntsa] f. antériorité. ◆ *in antecedenza,* précédemment.

antecessore [antetʃes'sore] m. prédécesseur, devancier.

antefatto [ante'fatto] m. antécédents m. pl.

antenato [ante'nato] m. ancêtre. ◆ pl. ancêtres, aïeux (lett.).

antenna [an'tenna] f. antenne.

anteporre [ante'porre] v. tr. placer avant. || FIG. faire passer avant, préférer.

anteriore [ante'rjore] agg. antérieur.

anteriorità [anterjori'ta] f. antériorité.

antesignano [antesiɲ'ɲano] m. e agg. précurseur.

anticaglia [anti'kaʎʎa] f. antiquaille (pegg.), vieillerie.

anticamera [anti'kamera] f. antichambre, vestibule m., hall m.

antichità [antiki'ta] f. [l'essere antico] antiquité, ancienneté. || [oggetto antico] (particol. pl.) antiquité, objet ancien.

anticipare [antitʃi'pare] v. tr. avancer, anticiper. || FIN. payer par anticipation, par avance ; faire une avance. ◆ v. intr. être en avance, arriver en avance.

anticipazione [antitʃipat'tsjone] f. anticipation. || ECON. avance. || PER EST. antécédents m. pl.

anticipo [an'titʃipo] m. avance f.

antico [an'tiko] (**-chi** pl.) agg. antique, ancien. || PER EST. démodé. ◆ m. antique. | *gli antichi,* les antiques.

anticoncettivo [antikontʃet'tivo] o **anticoncezionale** [antikontʃet'tsjonale] agg. MED. anticonceptionnel, contraceptif.

anticostituzionale [antikostitut-tsjo'nale] agg. anticonstitutionnel.

anticristo [anti'kristo] m. antéchrist.

antidiluviano [antidilu'vjano] agg. PR. e FIG. antédiluvien.

antidoto [an'tidoto] m. antidote, remède.

antifona [an'tifona] f. MUS., REL. antienne. || FIG. refrain m.

antifurto [anti'furto] agg. inv. e m. antivol.

antimeridiano [antimeri'djano] agg. du matin. ◆ m. GEOGR. antiméridien.

antimilitarismo [antimilita'rizmo] m. antimilitarisme.

antincendio [antin'tʃɛndjo] agg. inv. contre l'incendie.

antinfortunistico [antinfortu'nistiko] (**-ci** pl.) agg. contre les accidents.
antipasto [anti'pasto] m. CULIN. hors-d'œuvre inv.
antipatia [antipa'tia] f. antipathie, aversion.
antipatico [anti'patiko] (**-ci** pl.) agg. antipathique. || [spiacevole] désagréable, déplaisant.
antipiega [anti'pjɛga] agg. inv. infroissable agg.
antipode [an'tipode] m. antipode
antiquariato [antikwa'rjato] m. commerce d'antiquités. || [oggetti antichi] antiquités f. pl.
antiquario [anti'kwarjo] m. antiquaire.
antiquato [anti'kwato] agg. démodé, suranné, périmé, arriéré.
antisemita [antise'mita] m. e agg. antisémite.
antisettico [anti'sɛttiko] (**-ci** pl.) agg. e m. antiseptique.
antispastico [antis'patiko] (**-ci** pl.) agg. e m. antispasmodique.
antistante [antis'tante] agg. qui est en face.
antitesi [an'titezi] f. antithèse. || FIG. contraste m., contradiction.
antitetanico [antite'taniko] (**-ci** pl.) agg. e m. antitétanique.
antitetico [anti'tɛtiko] (**-ci** pl.) agg. antithétique ; opposé.
antivigilia [antivi'dʒilja] f. avant-veille.
antologia [antolo'dʒia] f. anthologie.
antracite [antra'tʃite] f. anthracite m.
antro ['antro] m. caverne f., antre (lett.). || FIG. taudis.
antropofago [antro'pɔfago] (**-ci** pl.) agg. e n. anthropophage, cannibale.
antropologia [antropolo'dʒia] f. anthropologie.
antropomorfo [antropo'mɔrfo] agg. anthropomorphe.
anulare [anu'lare] agg. e m. annulaire.
anzi ['antsi] avv. [al contrario] au contraire. | *così non mi aiuti, anzi,* de cette façon tu ne m'aides pas, au contraire. || [ancor più] même, que dis-je. | *sono contento, anzi, contentissimo,* je suis content, même très content. ◆ *poc' anzi,* il y a un moment, peu avant.
anzianità [antsjani'ta] f. [di persone] vieillesse, âge m. || ancienneté.
anziano [an'tsjano] agg. [vecchio] âgé, vieux. ◆ n. personne âgée.
anziché o **anzi che** [antsi'ke] cong. au lieu de, plutôt que. || [nel tempo] avant que.
anzidetto [antsi'detto] agg. susdit.
anzitutto [antsi'tutto] avv. avant tout, en premier lieu, d'abord.
aorta [a'ɔrta] f. aorte.
apatia [apa'tia] f. apathie, inertie.
ape ['ape] f. abeille.
aperitivo [aperi'tivo] agg. e m. apéritif ; apéro m. (pop.).
aperto [a'pɛrto] agg. ouvert. || PER EST. [senza limiti definiti] libre, illimité.
apertura [aper'tura] f. ouverture. || [ampiezza dell' apertura] écart m., écartement m. | *apertura alare,* envergure. || FIG. ouverture.
apice ['apitʃe] m. sommet, faîte, cime f. || FIG. sommet, comble.
apicoltore [apikol'tore] m. apiculteur.
apocalisse [apoka'lisse] f. apocalypse.
apocrifo [a'pɔkrifo] agg. e m. apocryphe.
apogeo [apo'dʒɛo] m. apogée.
apolide [a'pɔlide] agg. e n. apatride.
apologia [apolo'dʒia] f. apologie.
apologo [a'pɔlogo] m. apologue.
apoplessia [apoples'sia] f. apoplexie.
apoplettico [apo'plɛttiko] (**-ci** pl.) agg. e n. apoplectique.
apostasia [aposta'zia] f. apostasie.
apostata [a'pɔstata] n. apostat agg. e n.
apostolato [aposto'lato] m. apostolat.
apostolo [a'pɔstolo] m. apôtre.
apostrofare [apostro'fare] v. tr. apostropher.
apostrofe [a'pɔstrofe] f. RET. apostrophe.
apostrofo [a'pɔstrofo] m. GR. apostrophe f.
apotema [apo'tɛma] m. apothème.
apoteosi [apote'ɔzi] f. PR. e FIG. apothéose.
appagare [appa'gare] v. tr. satisfaire. || [qlco.] assouvir. | *appagare un desiderio,* satisfaire un désir. ◆ v. rifl. se contenter ; se rassasier.
appaiare [appa'jare] v. tr. accoupler. || TECN. coupler.
appaltare [appal'tare] v. tr. AMM. [dare in appalto] adjuger ; attribuer par adjudication.
appaltatore [appalta'tore] m. AMM. [chi prende in appalto] adjudicataire, entrepreneur.
appalto [ap'palto] m. AMM. adjudication f.
appannaggio [appan'naddʒo] m. apanage, prérogative f.
appannare [appan'nare] v. tr. embuer. || FIG. estomper ; brouiller. ◆ v. rifl. PR. e FIG. s'embuer, se brouiller.
apparato [appa'rato] m. [pompa] apparat, pompe f., faste. || FIG. appareil.
apparecchiare [apparek'kjare] v. tr. préparer, apprêter. ◆ v. rifl. LETT. s'apprêter, se préparer.
apparecchiatura [apparekkja'tura] f. appareillage m., outillage m., équipement m. || [preparazione] préparation. || [di carta o stoffa] apprêt m.
apparecchio [appa'rekkjo] m. appareil. || FAM. [aeroplano] avion.

apparentare [apparen'tare] v. tr. apparenter. ◆ v. rifl. s'apparenter.
apparenza [appa'rɛntsa] f. apparence, aspect m. || FIG. dehors m. pl., enveloppe, façade. ◆ *in apparenza,* en apparence.
apparire [appa'rire] v. intr. apparaître, paraître, se montrer v. rifl., sembler. || TECN. [edizione] paraître, sortir.
appariscente [appariʃ'ʃɛnte] agg. voyant, tapageur.
apparizione [apparit'tsjone] f. apparition.
appartamento [apparta'mento] m. appartement, logement, habitation f.
appartarsi [appar'tarsi] v. rifl. se mettre à l'écart, s'isoler.
appartenenza [apparte'nɛntsa] f. appartenance.
appartenere [apparte'nere] v. intr. appartenir (à), être (à), faire partie (de). ◆ v. rifl. s'appartenir.
appassionare [appassjo'nare] v. tr. passionner, captiver. ◆ v. rifl. se passionner (pour).
appassionato [appassjo'nato] agg. [di cose] passionné, ardent. ◆ m. amateur ; fervent.
appassire [appas'sire] v. intr. PR. e FIG. se faner v. rifl., se flétrir v. rifl.
appellarsi [appel'larsi] v. rifl. en appeler (à), s'en remettre (à). || GIUR. faire appel (de, contre).
appellativo [appella'tivo] m. surnom, sobriquet. ◆ agg. GIUR. d'appel.
appello [ap'pɛllo] m. appel.
appena [ap'pena] avv. e cong. avv. [a fatica] à peine, avec peine. || [con valore limitativo] à peine, tout juste. | *sono appena le dieci,* il n'est que dix heures. || [temporale] à peine, tout juste. | *siamo appena arrivati,* nous venons d'arriver. ◆ cong. dès que, aussitôt que ; sitôt que. | *appena avrai finito me lo mostrerai,* dès que tu auras fini, tu me le montreras.
appendere [ap'pɛndere] v. tr. [attaccare] suspendre, accrocher, fixer, pendre. ◆ v. rifl. se suspendre, s'accrocher.
appendice [appen'ditʃe] f. appendice m. || *romanzo d'appendice,* roman-feuilleton, feuilleton.
appendicite [appendi'tʃite] f. appendicite.
appesantire [appesan'tire] v. tr. alourdir. || FIG. appesantir. ◆ v. rifl. PR. e FIG. s'alourdir, s'appesantir.
appestare [appes'tare] v. tr. [contagiare] contaminer.
appestato [appes'tato] agg. e n. pestiféré. ◆ agg. FIG. empesté.
appetito [appe'tito] m. appétit. || FIG. désir, soif f.
appetitoso [appeti'toso] agg. appétissant, alléchant.
appezzamento [appettsa'mento] m. pièce (f.) de terre.
appianare [appja'nare] v. tr. aplanir, niveler, égaliser. || FIG. régler.
appiattare [appjat'tare] v. tr. cacher. ◆ v. rifl. se cacher, se blottir, se tapir.
appiattire [appjat'tire] v. tr. aplatir. ◆ v. rifl. s'aplatir.
appiccare [appik'kare] v. tr. *appicare il fuoco,* mettre le feu. || [appendere] accrocher.
appiccicare [appittʃi'kare] v. tr. coller. ◆ v. rifl. coller v. intr., se coller, adhérer v. intr. || FIG. s'accrocher (à). | *si appiccica a me,* il ne me lâche plus.
appiccicaticcio [appittʃika'tittʃo] agg. collant, gluant, poisseux.
appiccicoso [appittʃi'koso] agg. collant, poisseux.
appiedare [appje'dare] v. tr. MIL. démonter, faire descendre (de cheval, de voiture, etc.). || PER EST. obliger à aller à pied.
appieno [ap'pjɛno] avv. LETT. pleinement, complètement ; à plein.
appigliarsi [appiʎ'ʎarsi] v. rifl. PR. e FIG. s'accrocher, s'agripper ; se cramponner.
appiglio [ap'piʎʎo] m. point d'appui ; prise f.
appiombo [ap'pjombo] m. aplomb.
appioppare [appjop'pare] v. tr. FAM. flanquer, ficher. | *appioppare un ceffone,* flanquer une claque. | *appioppare un soprannome a qlcu.,* affubler qn d'un sobriquet.
appisolarsi [appizo'larsi] v. rifl. s'assoupir.
applaudire [applau'dire] v. tr. e intr. applaudir. ◆ v. intr. FIG. applaudir (à), approuver v. tr.
applauso [ap'plauzo] m. applaudissement. || FIG. approbation f.
applicare [appli'kare] v. tr. appliquer, mettre, placer, poser. || [mettere in atto] appliquer, mettre en pratique. | *applicare la legge,* appliquer la loi. ◆ v. rifl. s'appliquer.
applicazione [applikat'tsjone] f. application, mise en vigueur. || FIG. diligence, zèle m. || [cucito] ornement appliqué.
appoggiare [appod'dʒare] v. tr. [accostare] appuyer, adosser, poser (contre). || FIG. appuyer, soutenir. | *appoggiare una proposta,* appuyer une proposition. ◆ v. rifl. s'appuyer, s'adosser. || FIG. compter (sur).
appoggio [ap'pɔddʒo] m. appui, soutien, support.
appollaiarsi [appolla'jarsi] v. rifl. se percher.
apporre [ap'porre] v. tr. apposer. || ajouter. | *apporre una clausola a un atto,* insérer une clause dans un acte.

apportare [appor'tare] v. tr. [cagionare] causer, occasionner, apporter.
apporto [ap'pɔrto] m. apport, contribution f.
appositamente [appozita'mente] avv. exprès ; à dessein.
apposito [ap'pɔzito] agg. fait exprès ; approprié.
apposizione [appozit'tsjone] f. apposition.
apposta [ap'pɔsta] avv. exprès. | *non l'ho fatto apposta,* je ne l'ai pas fait exprès. | *neanche (neppure) a farlo apposta,* c'est comme un fait exprès. ◆ agg. FAM. exprès, spécial ; étudié pour (fam.).
appostamento [apposta'mento] m. guet, surveillance f. || [imboscata] embuscade f., affût.
appostare [appos'tare] v. tr. guetter, épier, surveiller. ◆ v. rifl. se poster, s'embusquer.
apprendere [ap'prɛndere] v. tr. apprendre.
apprendimento [apprendi'mento] m. étude f., initiation f.
apprendista [appren'dista] n. apprenti, e.
apprendistato [apprendis'tato] m. apprentissage.
apprensione [appren'sjone] f. appréhension, inquiétude.
appresso [ap'prɛsso] avv. LETT. à côté (L.C.), derrière. | *vienimi appresso,* suis-moi. || par la suite. | *come si vide appresso,* comme on le vit par la suite.
apprestarsi [appres'tarsi] v. rifl. s'apprêter, se préparer.
apprezzabile [appret'tsabile] agg. appréciable, notable, important.
apprezzamento [apprettsa'mento] m. appréciation f., évaluation f., jugement, avis.
apprezzare [appret'tsare] v. tr. apprécier, évaluer. || FIG. estimer. | *lo apprezzo molto,* j'ai beaucoup d'estime pour lui.
approccio [ap'prɔttʃo] m. premier contact ; avances f. pl. | *tentare un approccio,* faire des avances.
approdare [appro'dare] v. intr. aborder. || FIG. aboutir.
approdo [ap'prɔdo] m. MAR. abord. || accès, point d'accès.
approfittare [approfit'tare] v. intr. profiter. ◆ v. rifl. profiter (de), abuser (de). | *ti approfitti della sua debolezza,* tu profites, tu abuses de sa faiblesse.
approfondire [approfon'dire] v. tr. approfondir.
approntare [appron'tare] v. tr. préparer.
appropriarsi [appro'prjarsi] v. rifl. [adattarsi] convenir. || [attribuirsi] s'approprier, s'adjuger.
appropriato [appro'prjato] agg. approprié, adéquat.
appropriazione [approprjat'tsjone] f. appropriation.
approssimarsi [approssi'marsi] v. rifl. approcher v. intr., s'approcher, se rapprocher. ◆ m. approche f.
approssimativo [approssima'tivo] agg. approximatif.
approssimazione [approssimat'tsjone] f. approche. || MAT. approximation.
approvare [appro'vare] v. tr. approuver.
approvazione [approvat'tsjone] f. approbation.
approvvigionamento [approvvidʒona'mento] m. [azione] approvisionnement, ravitaillement, réserve f.
approvvigionare [approvvidʒo'nare] v. tr. approvisionner, alimenter, ravitailler. ◆ v. rifl. s'approvisionner, se fournir.
appuntamento [appunta'mento] m. rendez-vous.
1. appuntare [appun'tare] v. tr. tailler (en pointe) ; aiguiser. || [con uno spillo] épingler. || [puntare] pointer, braquer. ◆ v. rifl. se diriger, se tendre.
2. appuntare v. tr. noter ; prendre note (de).
1. appunto [ap'punto] avv. justement, précisément.
2. appunto m. note f. | *prendere appunti,* prendre des notes. || [rimprovero] reproche, observation f.
appurare [appu'rare] v. tr. vérifier, contrôler, s'assurer (de).
apribottiglie [apribot'tiʎʎe] m. inv. ouvre-bouteilles, décapsuleur m.
aprile [a'prile] m. avril.
aprire [a'prire] v. tr. ouvrir. ◆ v. rifl. s'ouvrir. ◆ *apriti cielo !,* grand(s) dieu(x) !
apriscatole [apris'katole] m. inv. ouvre-boîtes.
aquila ['akwila] f. aigle m.
aquilino [akwi'lino] agg. aquilin, en bec d'aigle.
aquilone [akwi'lone] m. [giocattolo] cerf-volant.
1. ara ['ara] f. LETT. autel m. (L.C.).
2. ara f. [misura] are m.
arabesco [ara'besko] m. arabesque f. ◆ agg. arabe ; de style arabe.
arabico [a'rabiko] (**-ci** pl.) agg. arabe.
arabile [a'rabile] agg. arable, labourable.
arabo ['arabo] agg. e n. arabe.
arachide [a'rakide] f. arachide, cacahouète.
aragosta [ara'gosta] f. langouste.
araldica [a'raldika] f. héraldique, blason m.
araldo [a'raldo] m. héraut.

aranceto [aran'tʃeto] m. orangeraie f.
arancia [a'rantʃa] f. orange.
aranciata [aran'tʃata] f. orangeade.
arancio [a'rantʃo] m. oranger. || [colore] orange. ◆ agg. orange (inv.).
arare [a'rare] v. tr. labourer.
aratore [ara'tore] m. laboureur.
aratro [a'ratro] m. charrue f.
aratura [ara'tura] f. labourage m., labour m.
arazzo [a'rattso] m. tapisserie f.
arbitraggio [arbi'traddʒo] m. arbitrage.
arbitrare [arbi'trare] v. intr. être arbitre. ◆ v. tr. SP. arbitrer.
arbitrario [arbi'trarjo] (**-ri** pl.) agg. arbitraire.
arbitrato [arbi'trato] m. arbitrage.
arbitrio [ar'bitrjo] (**-ri** pl.) m. volonté f. | *puoi agire a tuo arbitrio,* tu peux agir à ta guise, à ton gré. || [abuso] acte arbitraire ; abus.
arbitro ['arbitro] m. arbitre.
arboreto [arbo'reto] m. verger. || jardin botanique.
arboricoltura [arborikol'tura] f. arboriculture.
arbusto [ar'busto] m. arbuste, arbrisseau.
arca ['arka] f. sarcophage m. || REL. arche. || FIG. *arca di scienza,* puits (m.) de science.
arcadico [ar'kadiko] (**-ci** pl.) agg. arcadien. || FIG. idyllique. | précieux, maniéré.
arcaico [ar'kaiko] (**-ci** pl.) agg. archaïque.
arcaismo [arka'izmo] m. archaïsme.
arcangelo [ar'kandʒelo] m. archange.
arcano [ar'kano] agg. mystérieux, énigmatique, hermétique. ◆ m. arcanes pl., mystère, énigme f.
arcata [ar'kata] f. arcade. | *arcate di un ponte,* arches d'un pont.
arcato [ar'kato] agg. arqué.
archeologia [arkeolo'dʒia] f. archéologie.
archeologo [arke'ɔlogo] (**-gi** pl.) n. archéologue.
archetipo [ar'kɛtipo] m. archétype.
archetto [ar'ketto] m. MUS. archet.
archibugio [arki'budʒo] m. arquebuse f.
architettare [arkitet'tare] v. tr. dresser le projet (de), échafauder, tramer (pegg.).
architetto [arki'tetto] n. architecte.
architettura [arkitet'tura] f. architecture.
architrave [arki'trave] m. architrave f. || linteau.
archiviare [arki'vjare] v. tr. mettre aux archives. || FIG. classer.
archivio [ar'kivjo] m. archives f. pl.
archivista [arki'vista] (**-i** pl.) n. archiviste.
arciduca [artʃi'duka] m. archiduc.
arciduchessa [artʃidu'kessa] f. archiduchesse.
arciere [ar'tʃɛre] m. archer.
arcigno [ar'tʃiɲɲo] agg. hargneux ; revêche.
arcione [ar'tʃone] m. arçon. || selle f.
arcipelago [artʃi'pɛlago] m. archipel.
arcivescovado [artʃivesko'vado] o **arcivescovato** [artʃivesko'vato] m. archevêché.
arcivescovo [artʃi'veskovo] m. archevêque.
arco ['arko] (**-chi** pl.) m. arc. || ANAT. arc, arcade f. || ARCHIT. arc ; arche f. || PER EST. *arco celeste,* voûte (f.) céleste. || FIG. *arco di tempo,* période (f.) de temps. || MUS. archet. | *quartetto d'archi,* quatuor à cordes.
arcobaleno [arkoba'leno] m. arc-en-ciel.
arcolaio [arko'lajo] m. dévidoir.
arcuare [arku'are] v. tr. arquer, courber.
ardente [ar'dɛnte] agg. PR. [che brucia] ardent, embrasé, enflammé. || FIG. brûlant.
ardere ['ardere] v. tr. e intr. brûler.
ardesia [ar'dɛzja] f. ardoise.
ardimento [ardi'mento] m. LETT. hardiesse f., audace f., courage.
ardire [ar'dire] v. intr. oser v. tr., avoir le courage (de). | *ardire di fare qlco.,* se permettre de faire qch. ◆ m. hardiesse f., audace f., courage.
arditezza [ardi'tettsa] f. hardiesse, courage m.
ardito [ar'dito] agg. [coraggioso] hardi, courageux, audacieux. ◆ m. soldat d'élite.
ardore [ar'dore] m. PR. e FIG. ardeur f.
arduo ['arduo] agg. raide, escarpé. || FIG. ardu, difficile.
area ['area] f. terrain m. || zone, aire. | *area depressa,* région sous-équipée. || surface, superficie. | *area di un quadrato,* aire d'un carré.
1. arena [a'rena] f. sable m.
2. arena [a'rɛna] f. [centro di anfiteatro] arène. || FIG. lice. || PER EST. [anfiteatro] arènes pl.
arenamento [arena'mento] m. échouement. || FIG. échec ; enlisement.
arenarsi [are'narsi] v. rifl. MAR. s'ensabler, s'échouer. || FIG. échouer.
arenaria [are'narja] f. grès m.
arenile [are'nile] m. plage f.
argano ['argano] m. treuil. || MAR. cabestan.
argentare [ardʒen'tare] v. tr. argenter. || [specchi] étamer.
argenteo [ar'dʒɛnteo] agg. [di argento] en argent. || [colore] argenté.

argenteria [ardʒente'ria] f. argenterie.
argentiere [ardʒen'tjɛre] m. orfèvre. ‖ STOR. [tesoriere] argentier.
argento [ar'dʒɛnto] m. [metallo] argent. ‖ *gli argenti,* l'argenterie f. sing.
argilla [ar'dʒilla] f. argile, terre glaise.
argilloso [ardʒil'loso] agg. argileux.
arginamento [ardʒina'mento] m. PR. e FIG. endiguement.
arginare [ardʒi'nare] v. tr. endiguer. ‖ FIG. contenir, enrayer.
argine ['ardʒine] m. berge f. ; digue f. ; chaussée f. ‖ talus.
argomentare [argomen'tare] v. intr. (L.C.) argumenter, raisonner.
argomentazione [argomentat'tsjone] f. argumentation.
argomento [argo'mento] m. argument. ‖ [tema] sujet, thème. | *argomento di una discussione,* thème, sujet d'une discussion. ‖ [pretesto] prétexte.
arguire [argu'ire] v. tr. [dedurre] déduire, arguer (lett.).
argutezza [argu'tettsa] f. finesse, esprit m.
arguto [ar'guto] agg. [sottile] fin, subtil. ‖ [brioso] spirituel, brillant.
arguzia [ar'guttsja] f. esprit m., finesse ; malice.
1. aria ['arja] f. air m. ‖ [vento] vent m. ‖ FIG. *qui non è aria buona per lui,* il ne fait pas bon pour lui par ici. ◆ loc. avv. FIG. *all'aria,* en l'air. | *ho voglia di mandare all'aria tutto,* j'ai envie de tout envoyer promener.
2. aria f. air m., aspect m., apparence. ‖ [espressione] expression, mine. | *ha l'aria di voler piovere,* on dirait qu'il va pleuvoir.
3. aria f. MUS. air m. ; aria.
aridità [aridi'ta] f. PR. e FIG. aridité, sécheresse.
arido ['arido] agg. PR. e FIG. aride ; sec.
arieggiare [arjed'dʒare] v. tr. aérer. ‖ [imitare] imiter.
ariete [a'rjɛte] m. MIL., ZOOL. bélier. ‖ ASTR. *Ariete,* Bélier.
aringa [a'ringa] f. hareng m.
arioso [a'rjoso] agg. aéré ; spacieux, vaste.
aristocratico [aristo'kratiko] (**-ci** pl.) agg. aristocratique, noble. ◆ n. aristocrate.
aristocrazia [aristokrat'tsia] f. aristocratie, noblesse. ‖ FIG. aristocratie, élite, crème (fam.), gratin m. (pop.). ‖ [signorilità] distinction, raffinement m., aristocratie.
aritmetica [arit'mɛtika] f. arithmétique.
aritmetico [arit'mɛtiko] (**-ci** pl.) agg. arithmétique. ◆ m. arithméticien.
aritmia [arit'mia] f. arythmie.
arlecchino [arlek'kino] m. arlequin. ‖ PER EST. pitre. ◆ agg. inv. multicolore, bariolé.
arma ['arma] (**-i** pl. ; **-e** pl. ARC.) f. arme. | *chiamare alle armi,* appeler sous les drapeaux. ‖ [milizia] armée, troupe.
armadillo [arma'dillo] m. tatou.
armadio [ar'madjo] m. armoire f.
armaiolo [arma'jɔlo] m. armurier.
armamentario [armamen'tarjo] (**-ri** pl.) m. équipement, attirail.
armamento [arma'mento] m. armement. ‖ MAR. équipage. ‖ TECN. équipement.
armare [ar'mare] v. tr. armer. ◆ v. rifl. s'armer.
armata [ar'mata] f. armée.
armatore [arma'tore] m. armateur.
armatura [arma'tura] f. armure. ‖ TECN. armature, charpente.
armeggiare [armed'dʒare] v. intr. s'affairer, se démener, s'escrimer v. pr. ‖ intriguer.
armeggio [armed'dʒio] m. manigance f. ‖ [confusione] remue-ménage inv.
armento [ar'mento] m. troupeau.
armeria [arme'ria] f. armurerie. ‖ [collezione] collection d'armes.
armistizio [armis'tittsjo] m. armistice.
armonia [armo'nia] f. harmonie. ‖ PER EST. équilibre m., concordance. ‖ FIG. entente, union.
armonica [ar'mɔnika] f. [strumento musicale] harmonica m. ‖ harmonique.
armonioso [armo'njoso] agg. harmonieux, mélodieux. ‖ PER EST. (bien) proportionné.
armonium [ar'mɔnjum] m. harmonium.
armonizzare [armonid'dzare] v. tr. harmoniser. ‖ PER EST. accorder. ◆ v. intr. s'harmoniser v. rifl., bien aller (ensemble).
arnese [ar'nese] m. outil. ‖ FAM. [oggetto qualsiasi] machin.
arnia ['arnja] f. ruche.
aroma [a'rɔma] m. [spezia] aromate, épice f. ‖ parfum, essence f. | *aroma di un vino,* arôme, bouquet d'un vin.
arpa ['arpa] f. harpe.
arpeggio [ar'peddʒo] m. arpège.
arpia [ar'pia] f. harpie, mégère.
arpionare [arpjo'nare] v. tr. harponner. ◆ m. harponnage.
arpione [ar'pjone] m. crochet. ‖ [arma] harpon.
arpista [ar'pista] n. harpiste.
arra ['arra] f. arrhes pl. ‖ gage m.
arrabattarsi [arrabat'tarsi] v. rifl. s'escrimer, se démener, s'évertuer.
arrabbiarsi [arrab'bjarsi] v. rifl. se fâcher, se mettre en colère.

arrabbiato [arrab'bjato] agg. PR. enragé. || FIG. en colère, furieux.
arraffare [arraf'fare] v. tr. rafler, arracher.
arrampicarsi [arrampi'karsi] v. rifl. grimper v. intr. || FIG. *arrampicarsi sugli specchi,* faire des pieds et des mains.
arrampicatore [arrampika'tore] (**-trice** f.) n. grimpeur, euse. || FIG. arriviste.
arrancare [arran'kare] v. intr. boiter. || avancer péniblement.
arrangiare [arran'dʒare] v. tr. [aggiustare] arranger, retaper. ◆ v. rifl. se débrouiller (fam.), s'arranger. || [accordarsi] se mettre d'accord, s'arranger.
arrecare [arre'kare] v. tr. provoquer, causer, entraîner.
arredamento [arreda'mento] m. [azione] installation f., décoration f. || ameublement, mobilier.
arredare [arre'dare] v. tr. meubler, installer, décorer.
arredatore [arreda'tore] (**-trice** f.) n. ensemblier, décorateur, trice.
arredo [ar'rɛdo] m. (generalmente pl.) ornement, décoration f.
arrembaggio [arrem'baddʒo] m. abordage.
arrendersi [ar'rɛndersi] v. rifl. se rendre, céder v. intr.
arrendevole [arren'devole] agg. arrangeant, conciliant, souple. || [di cose] malléable.
arrendevolezza [arrendevo'lettsa] f. complaisance. || [di cose] malléabilité.
arrestare [arres'tare] v. tr. arrêter. ◆ v. rifl. s'arrêter, s'immobiliser.
arresto [ar'rɛsto] m. arrêt, interruption f. || GIUR. arrestation f.
arretrare [arre'trare] v. tr. [di cose] reculer.
arretrato [arre'trato] agg. arriéré. ◆ m. pl. arrérages, arriéré sing.
arricchimento [arrikki'mento] m. PR. e FIG. enrichissement.
arricchire [arrik'kire] v. tr. PR. e FIG. enrichir. ◆ v. rifl. o intr. s'enrichir.
arricciare [arrit'tʃare] v. tr. friser, boucler, onduler. || [cucito] froncer. || LOC. *sentirsi arricciare i capelli,* sentir ses cheveux se dresser sur la tête. ◆ v. rifl. friser, boucler.
arricciato [arrit'tʃato] agg. frisé, bouclé, ondulé. || [corrugato] froncé.
arridere [ar'ridere] v. intr. FIG. sourire. | *la sorte ci arrideva,* la chance nous souriait.
arringa [ar'ringa] f. [discorso] harangue. || GIUR. [difesa] plaidoirie, plaidoyer m.
arringare [arrin'gare] v. tr. haranguer.
arrischiare [arris'kjare] v. tr. risquer. ◆ v. rifl. se risquer.
arrivare [arri'vare] v. intr. arriver, parvenir, atteindre v. tr.
arrivederci [arrive'dertʃi] o **arrivederla** [arrive'derla] interiez. au revoir.
arrivista [arri'vista] n. arriviste.
arrivo [ar'rivo] m. arrivée f. | *essere in arrivo,* être sur le point d'arriver. ◆ pl. nouveautés f. pl.
arroccare [arrok'kare] v. tr. [negli scacchi] roquer. ◆ v. intr. se retrancher v. pr.
arrogante [arro'gante] agg. arrogant, hautain. ◆ n. FAM. insolent, effronté.
arroganza [arro'gantsa] f. arrogance, insolence.
arrogarsi [arro'garsi] v. rifl. s'arroger, s'approprier.
arrossamento [arrossa'mento] m. [l'essere rosso] rougeur f. || [l'arrossire] rougissement.
arrossare [arros'sare] v. tr. rougir, colorer de rouge. ◆ v. intr. (raro) o rifl. V. ARROSSIRE.
arrossire [arros'sire] v. intr. PR. e FIG. rougir.
arrostire [arros'tire] v. tr. rôtir. faire rôtir, griller. ◆ v. intr. o rifl. FIG. rôtir, se rôtir.
arrosto [ar'rɔsto] m. rôti.
arrotare [arro'tare] v. tr. [affilare] aiguiser, affiler, affûter, repasser.
arrotino [arro'tino] m. rémouleur, repasseur. || aiguiseur, affûteur.
arrotolare [arroto'lare] v. tr. enrouler, rouler.
arrotondare [arroton'dare] v. tr. arrondir. ◆ v. rifl. s'arrondir.
arrovellare [arrovel'lare] v. tr. LOC. *arrovellarsi il cervello,* se casser la tête.
arroventare [arroven'tare] v. tr. [metalli] chauffer à blanc, chauffer au rouge. || PER EST. rendre brûlant. || FIG. attiser. ◆ v. rifl. devenir incandescent. || FIG. s'envenimer, s'aggraver.
arruffare [ar'ruffare] v. tr. emmêler, embrouiller, enchevêtrer. || FIG. embrouiller, brouiller, enchevêtrer. || *arruffare la matassa,* PR. emmêler l'écheveau ; FIG. embrouiller l'affaire.
arruffato [arruf'fato] agg. emmêlé, embrouillé. | *pelo arruffato,* poil hérissé. || FIG. embrouillé, confus, compliqué.
arruffone [arruf'fone] (**-a** f.) n. [disordinato] brouillon, onne. || [imbroglione] filou m., fripouille f.
arrugginire [arruddʒi'nire] v. tr. rouiller. ◆ v. intr. o rifl. rouiller, se rouiller.
arruolamento [arrwola'mento] m. MIL. enrôlement ; levée f.
arruolare [arrwo'lare] v. tr. enrôler, recruter. ◆ v. rifl. s'engager, s'enrôler.
arsella [ar'sɛlla] f. palourde.

arsenale [arse'nale] m. arsenal. || [oggetti eterogenei] bazar, fourbi.
arsenico [ar'sɛniko] m. arsenic.
arso ['arso] agg. brûlé ; sec, desséché, aride.
arsura [ar'sura] f. [dell'atmosfera] chaleur ardente, torride. || [del corpo] brûlure, feu m.
arte ['arte] f. art m. || PER EST. [mestiere] métier m. | *arti liberali,* arts libéraux. | *non avere né arte né parte,* être un bon à rien. || [abilità] habileté, don m. | *ha l'arte di accontentare tutti,* il a l'art de contenter tout le monde. ◆ **ad arte,** exprès, à dessein.
artefatto [arte'fatto] agg. artificiel, frelaté. || FIG. affecté.
artefice [ar'tefitʃe] m. artisan, auteur.
arteria [ar'tɛrja] f. ANAT. artère. || PER EST. [via di comunicazione] artère.
arterioso [arte'rjoso] agg. artériel.
artico ['artiko] (**-ci** pl.) agg. arctique.
1. articolare [artiko'lare] agg. ANAT. articulaire.
2. articolare v. tr. [pronunciare] articuler. || ANAT. faire jouer une articulation ; plier. || FIG. articuler, diviser, organiser. | *articolare un libro in capitoli,* diviser un livre en chapitres. ◆ v. rifl. PR. e FIG. s'articuler.
articolazione [artikolat'tsjone] f. articulation, jointure.
articolo [ar'tikolo] m. article.
artificiale [artifi'tʃale] agg. artificiel.
artificio [arti'fitʃo] m. artifice, astuce f., subterfuge. || [affettazione] recherche f., affectation f.
artificioso [artifi'tʃoso] agg. artificiel, recherché, affecté. || [insincero] spécieux. | *ragionamento artificioso,* raisonnement spécieux.
artigianale [artidʒa'nale] agg. artisanal.
artigianato [artidʒa'nato] m. artisanat.
artigiano [arti'dʒano] m. artisan. ◆ agg. artisanal.
artigliere [artiʎ'ʎɛre] m. artilleur.
artiglieria [artiʎʎe'ria] f. artillerie.
artiglio [ar'tiʎʎo] m. griffe f. || [rapaci] serre f.
artista [ar'tista] (**-i** pl. m.) n. artiste.
artistico [ar'tistiko] (**-ci** pl.) agg. artistique.
arto ['arto] m. membre. | *arti inferiori, superiori,* membres inférieurs, supérieurs.
artrite [ar'trite] f. arthrite.
artrosi [ar'trɔzi] f. arthrose.
arzigogolare [ardzigogo'lare] v. intr. subtiliser (lett.), couper les cheveux en quatre (fam.). || [fantasticare] rêvasser.
arzigogolato [ardzigogo'lato] agg. alambiqué, contourné, tarabiscoté, (fam.).
arzillo [ar'dzillo] agg. alerte, fringant, guilleret, ingambe. || SCHERZ. [alticcio] éméché.
ascella [aʃ'ʃɛlla] f. ANAT., BOT. aisselle.
ascendente [aʃʃen'dɛnte] agg. ascendant. ◆ m. [influenza] ascendant, emprise f., empire.
ascendere [aʃ'ʃendere] v. intr. PR. e FIG. [salire] monter, s'élever v. pr. || [ammontare] s'élever (à), monter (à).
ascensione [aʃʃen'sjone] f. ascension.
ascensore [aʃʃen'sore] m. ascenseur.
ascesa [aʃ'ʃesa] f. PR. montée, ascension. || [più spesso FIG.] ascension, élévation.
ascesi [aʃ'ʃɛzi] f. ascèse.
ascesso [aʃ'ʃɛsso] m. MED. abcès.
asceta [aʃ'ʃɛta] n. ascète.
ascia ['aʃʃa] (**asce** pl.) f. hache.
asciugamano [aʃʃuga'mano] m. serviette f. (de toilette). || essuie-main(s).
asciugare [aʃʃu'gare] v. tr. essuyer ; sécher. || [disseccare] sécher, dessécher. ◆ v. intr. o rifl. sécher. ◆ v. rifl. se sécher. ◆ m. essuyage.
asciutto [aʃ'ʃutto] agg. sec. || PARTICOL. *pasta asciutta,* pâtes f. pl. || [magro] sec, maigre. || [brusco] sec, bref. || FIG. *rimanere a bocca asciutta,* rester Gros-Jean comme devant.
ascoltare [askol'tare] v. tr. écouter. || [dar retta] écouter. || [esaudire] écouter, entendre. ◆ v. rifl. s'écouter.
ascoltatore [askolta'tore] (**-trice** f.) n. auditeur, trice.
ascolto [as'kolto] m. écoute f. || [attenzione] attention f.
ascrivere [as'krivere] v. tr. admettre. || [attribuire] attribuer. ◆ v. rifl. s'inscrire.
asettico [a'sɛttiko] (**-ci** pl.) agg. aseptique.
asfaltare [asfal'tare] v. tr. asphalter, goudronner.
asfalto [as'falto] m. asphalte, goudron.
asfissia [asfis'sia] f. PR. e FIG. asphyxie.
asfissiare [asfis'sjare] v. tr. asphyxier. || FIG. étouffer, suffoquer. || [infastidire] assommer, raser. ◆ v. intr. PR. e FIG. mourir d'asphyxie ; étouffer, suffoquer.
asiatico [a'zjatiko] (**-ci** pl.) agg. e n. asiatique.
asilo [a'zilo] m. asile. || PER EST. refuge, abri. || [edificio] asile. | *asilo notturno,* asile de nuit.
asimmetria [asimme'tria] f. asymétrie.
asineria [asine'ria] f. ânerie.
asino ['asino] (**-a** f.) n. âne m., ânesse f. ; baudet m. (fam.). || [testardo] mule f. || [stupido] âne, imbécile n., bourrique f. || *qui casca l'asino,* voilà le hic (fam.).
asma ['azma] f. asthme m.
asola ['azola] f. boutonnière.

asparago [as'parago] (**-gi** pl.) m. asperge f.
aspergere [as'pɛrdʒere] v. tr. asperger.
asperità [asperi'ta] f. aspérité. || Fig. rudesse, difficulté.
aspersione [asper'sjone] f. aspersion.
aspersorio [asper'sɔrjo] m. Rel. goupillon, aspersoir.
aspettare [aspet'tare] v. tr. attendre. || Prov. *chi la fa l'aspetti,* c'est un prêté pour un rendu. ◆ v. rifl. s'attendre (à), prévoir v. tr.
aspettativa [aspetta'tiva] f. attente ; expectative. || Amm. *ho chiesto un anno di aspettativa,* j'ai demandé une (mise en) disponibilité d'un an.
1. aspetto [as'pɛtto] m. *sala d'aspetto,* salle d'attente f.
2. aspetto m. aspect, apparence f. | *aspetto florido,* bonne mine. || Fig. [punto di vista] aspect, point de vue.
aspirapolvere [aspira'polvere] m. inv. aspirateur m.
aspirare [aspi'rare] v. tr. aspirer. ◆ v. intr. aspirer (à). | *aspirare alla gloria,* aspirer à la gloire.
aspirazione [aspirat'tsjone] f. Pr. e Fig. aspiration.
aspirina [aspi'rina] f. aspirine.
asportare [aspor'tare] v. tr. emporter. || Med. [chirurgia] pratiquer l'ablation (de).
asprezza [as'prettsa] f. Pr. e Fig. âpreté, âcreté, aigreur. | *asprezza di un vino,* âpreté d'un vin. || Fig. rudesse, dureté.
aspro ['aspro] agg. âpre, âcre ; aigre, rude, rugueux. || Per Est. [scosceso] abrupt.
assaggiare [assad'dʒare] v. tr. goûter. || [saggiare] essayer. || Fig. *assaggiare il terreno,* tâter le terrain.
assaggio [as'saddʒo] m. dégustation f. | *dare in assaggio,* faire goûter. || [campione] échantillon. || [prova] essai.
assai [as'sai] avv. [molto] beaucoup. | *assai meno,* beaucoup moins, bien moins. | *assai prima, assai dopo,* bien avant, bien après. || [per antifrasi] pas du tout. | *m'importa assai,* cela m'est complètement égal. || [nei superlativi] très. | *assai difficile,* très difficile. || [a sufficienza] assez, suffisamment.
assalire [assa'lire] v. tr. attaquer, assaillir.
assaltare [assal'tare] v. tr. attaquer ; prendre d'assaut.
assalto [as'salto] m. assaut, attaque f.
assaporare [assapo'rare] v. tr. Pr. e Fig. savourer, déguster.
assassinare [assassi'nare] v. tr. assassiner.
assassinio [assas'sinjo] m. assassinat, meurtre.
assassino [assas'sino] n. assassin m., meurtrier, ère. ◆ agg. assassin, criminel.
1. asse ['asse] f. planche.
2. asse m. axe.
assecondare [assekon'dare] v. tr. favoriser, seconder.
assediare [asse'djare] v. tr. Pr. e Fig. assiéger. || Per Est. [importunare] assaillir, harceler.
assedio [as'sɛdjo] m. siège.
assegnamento [asseɲɲa'mento] m. confiance f. | *fare assegnamento su qlcu., qlco.,* faire confiance à qn, qch.
assegnare [asseɲ'ɲare] v. tr. attribuer, assigner. || [somma di denaro] allouer. || [concedere] accorder.
assegnazione [asseɲɲat'tsjone] f. attribution. || [destinazione] affectation.
assegno [as'seɲɲo] m. allocation f. | *assegni familiari,* allocations familiales. || Fin. [titolo di credito] chèque. | *libretto di assegni,* carnet de chèques, chéquier. | *spedizione contr'assegno,* expédition contre remboursement.
assemblea [assem'blɛa] f. assemblée.
assembramento [assembra'mento] m. rassemblement, attroupement.
assennato [assen'nato] agg. sensé, judicieux.
assenso [as'sɛnso] m. assentiment, approbation f.
assentarsi [assen'tarsi] v. rifl. s'absenter.
assente [as'sɛnte] agg. absent. || Fig. distrait. ◆ n. absent.
assentire [assen'tire] v. intr. consentir, acquiescer, adhérer.
assenza [as'sɛntsa] f. absence. || [mancanza] manque m., défaut m.
assenzio [as'sɛntsjo] m. Bot. absinthe f.
asserire [asse'rire] v. tr. affirmer.
asserragliarsi [asserraʎ'ʎarsi] v. rifl. Pr. e Fig. se retrancher, se barricader.
assertore [asser'tore] (**-trice** f.) n. défenseur, partisan, ane ; champion, onne.
asservire [asser'vire] v. tr. asservir. ◆ v. rifl. s'asservir.
asserzione [asser'tsjone] f. affirmation, assertion.
assessore [asses'sore] m. adjoint ; assesseur.
assestamento [assesta'mento] m. mise (f.) en ordre. | *assestamento tellurico,* tassement de terrain.
assestare [asses'tare] v. tr. mettre en ordre, agencer, ranger. ◆ v. rifl. s'installer, s'organiser. || [della terra] se tasser.
assetare [asse'tare] v. tr. donner soif, altérer, assoiffer. || Fig. exciter le désir (de). ◆ v. intr. Pr. e Fig. avoir soif, être assoiffé, être altéré.

assettare [asset'tare] v. tr. mettre en ordre, ranger, arranger. ◆ v. rifl. s'arranger, se rajuster.

assetto [as'sɛtto] m. rangement ; ordre. | *città in assetto di guerra,* ville sur le pied de guerre.

asseverare [asseve'rare] v. tr. LETT. affirmer (L.C.).

assicurare [assiku'rare] v. tr. assurer, garantir, certifier. || [fissare] fixer. ◆ v. rifl. s'assurer, vérifier, contrôler. || [fare una assicurazione] s'assurer. || [procurarsi] s'assurer, se procurer.

assicuratore [assikura'tore] m. assureur, agent d'assurances.

assicurazione [assikurat'tsjone] f. assurance.

assiderare [asside'rare] v. intr. o rifl. geler, se geler.

assiduità [assidui'ta] f. assiduité.

assiduo [as'siduo] agg. assidu, appliqué.

assieme [as'sjɛme] avv. ensemble. ◆ loc. prep. **assieme a**, avec. ◆ m. ensemble.

assiepare [assje'pare] v. tr. FIG. encombrer, remplir. ◆ v. rifl. s'amasser, s'entasser.

assillare [assil'lare] v. tr. harceler, obséder.

assillo [as'sillo] m. obsession f., hantise f., idée (f.) fixe.

assimilare [assimi'lare] v. tr. assimiler. ◆ v. rifl. s'assimiler.

assioma [as'sjɔma] (**-i** pl.) m. axiome.

assise [as'size] f. pl. assises.

assistente [assis'tɛnte] n. assistant, e ; aide.

assistenza [assis'tɛntsa] f. [presenza] assistance. || [aiuto] aide, secours m.

assistere [as'sistere] v. intr. assister (à). ◆ v. tr. assister, aider.

assito [as'sito] m. [parete] cloison (f.) de planches. || [pavimento] plancher.

asso ['asso] m. as. || LOC. *lasciare, piantare in asso qlcu.,* planter là qn.

associare [asso'tʃare] v. tr. associer, unir, lier. || [trasferire] conduire. | *associare qlcu. al carcere,* écrouer qn. ◆ v. rifl. s'associer, s'unir, se joindre.

associazione [assotʃat'tsjone] f. association, union.

assodare [asso'dare] v. tr. raffermir, durcir, fortifier. || [accertare] établir, démontrer, vérifier.

assoggettare [assoddʒet'tare] v. tr. soumettre, asservir, assujettir. ◆ v. rifl. se soumettre, se plier, s'assujettir.

assolato [asso'lato] agg. ensoleillé, inondé de soleil.

assoldare [assol'dare] v. tr. engager, recruter, soudoyer.

assoluto [asso'luto] agg. absolu. || [completo] complet, entier, total. ◆ m. FILOS. absolu.

assoluzione [assolut'tsjone] f. acquittement m. || REL. absolution.

assolvere [as'sɔlvere] v. tr. acquitter. || REL. absoudre. || [adempiere] s'acquitter (de), remplir, accomplir.

assomigliare [assomiʎ'ʎare] v. intr. ressembler. ◆ v. recipr. se ressembler.

assommare [assom'mare] v. tr. PR. additionner. || FIG. réunir. ◆ v. intr. s'élever (à).

assopire [asso'pire] v. tr. assoupir, endormir, engourdir, apaiser, calmer. ◆ v. rifl. s'assoupir, se calmer, s'apaiser.

assorbente [assor'bɛnte] agg. absorbant. ◆ m. *assorbente (igienico),* serviette (f.) hygiénique.

assorbire [assor'bire] v. tr. absorber. || FIG. assimiler.

assordare [assor'dare] v. tr. assourdir, étourdir. || [attutire] assourdir, amortir. ◆ v. intr. devenir sourd. ◆ v. rifl. s'affaiblir.

assortire [assor'tire] v. tr. assortir.

assorto [as'sɔrto] agg. absorbé.

assottigliare [assottiʎ'ʎare] v. tr. amincir. || FIG. réduire, diminuer. || [la mente] affiner, aiguiser. ◆ v. rifl. s'amincir, se réduire, diminuer.

assuefare [assue'fare] v. tr. accoutumer, habituer. ◆ v. rifl. s'accoutumer, s'habituer.

assuefazione [assuefat'tsjone] f. accoutumance, adaptation.

assumere [as'sumere] v. tr. [prendere su di sé] assumer. || [presentare] prendre. | *assumere un atteggiamento,* prendre une attitude. || [procurarsi] prendre, se procurer. | *assumere informazioni,* prendre des renseignements. || [prendere alle proprie dipendenze] engager. || [operai] embaucher. || [innalzare] élever.

assunta [as'sunta] f. Assomption. || Notre-Dame de l'Assomption.

assunzione [assunt'tsjone] f. recrutement m., embauche. || [di un compito] prise en main. || [ascesa] accession, élévation. | *assunzione al trono,* accession au trône. || REL. Assomption.

assurdità [assurdi'ta] f. absurdité.

assurdo [as'surdo] agg. absurde, inepte. ◆ m. absurdité f., absurde.

asta ['asta] f. hampe, mât m. | *bandiera a mezz'asta,* drapeau en berne. || lance. || barre. | *aste degli occhiali, di un compasso,* branches des lunettes ; branches, jambes d'un compas. || [esercizi di scrittura] bâton m. || [vendita] vente aux enchères, vente à la criée.

astante [as'tante] n. personne présente. ◆ pl. *gli astanti,* l'assistance f. sing.
astemio [as'tɛmjo] agg. qui ne boit pas d'alcool.
astenersi [aste'nersi] v. rifl. s'abstenir (de), renoncer (à). | *astenersi da ogni commento,* s'abstenir de tout commentaire.
astensione [asten'sjone] f. abstention.
asterisco [aste'risko] (**-chi** pl.) m. TIP. astérisque. || GIORN. [trafiletto] entrefilet.
astice ['astitʃe] m. homard.
astinenza [asti'nɛntsa] f. abstinence.
astio ['astjo] m. rancune f., rancœur f., animosité f., haine f.
astioso [as'tjoso] agg. rancunier, vindicatif, haineux.
astrarre [as'trarre] v. tr. abstraire ; isoler. ◆ v. intr. faire abstraction (de), négliger. ◆ v. rifl. s'abstraire.
astratto [as'tratto] agg. abstrait. ◆ m. abstrait. | *in astratto,* dans l'abstrait.
astrazione [astrat'tsjone] f. abstraction.
astringente [astrin'dʒɛnte] agg. e m. MED. astringent.
astro ['astro] m. astre.
astrologia [astrolo'dʒia] f. astrologie.
astrologo [as'trɔlogo] (**-gi** o **-ghi** pl.) m. astrologue.
astronauta [astro'nauta] (**-i** pl.) m. astronaute.
astronomia [astrono'mia] f. astronomie.
astronomo [as'trɔnomo] m. astronome.
astruso [as'truzo] agg. obscur, incompréhensible, difficile, confus ; abstrus (lett.).
astuccio [as'tuttʃo] m. étui, écrin. || trousse f.
astuto [as'tuto] agg. astucieux, rusé, ingénieux.
astuzia [as'tuttsja] f. finesse, astuce, ruse, habileté.
ateismo [ate'izmo] m. athéisme.
ateneo [ate'nɛo] m. STOR. ANTIC. athénée. || université f.
ateniese [ate'njese] agg. e n. athénien.
ateo ['ateo] agg. e n. athée.
atlante [a'tlante] m. atlas.
atlantico [a'tlantiko] (**-ci** pl.) agg. atlantique.
atleta [a'tlɛta] (**-i** pl.) n. athlète.
atmosfera [atmos'fɛra] f. atmosphère. || FIG. climat m., ambiance.
atollo [a'tɔllo] m. atoll.
atomizzatore [atomiddza'tore] m. atomiseur, vaporisateur. || [grande] pulvérisateur.
atomo ['atomo] m. atome. || FIG. grain, brin.
atonia [ato'nia] f. atonie, inertie.
atrio ['atrjo] m. hall. || STOR. atrium.
atroce [a'trotʃe] agg. atroce, horrible, affreux, épouvantable.
atrocità [atrotʃi'ta] f. atrocité.
atrofia [atro'fia] f. MED. atrophie.
atrofizzare [atrofid'dzare] v. tr. PR. e FIG. atrophier. ◆ v. rifl. PR. e FIG. s'atrophier.
attaccabrighe [attakka'brige] n. inv. FAM. querelleur, euse, chamailleur, euse.
attaccamento [attakka'mento] m. (gall.) attachement, affection f.
attaccapanni [attakka'panni] m. portemanteau.
attaccare [attak'kare] v. tr. [mediante sostanza adesiva] coller. || [mediante cucitura] coudre. || [legando] attacher, nouer, lier. || [appendere] accrocher, suspendre. || [dare inizio] commencer. | *attaccare discorso,* engager, lier conversation. || [assalire] attaquer.
attaccatura [attakka'tura] f. (raro) action d'attacher ; point (m.) d'attache.
attacchino [attak'kino] m. colleur d'affiches, afficheur.
attacco [at'takko] (**-chi** pl.) m. attaque f., assaut. || FIG. critique f. || [accesso] crise f., accès, attaque f. | *attacco cardiaco,* crise cardiaque. || TECN. attache f. || [tiro] attelage.
attanagliare [attanaʎ'ʎare] v. tr. saisir avec des tenailles. || FIG. tenailler, torturer.
attardarsi [attar'darsi] v. rifl. s'attarder.
attecchire [attek'kire] v. intr. s'enraciner v. rifl., prendre racine, prendre.
atteggiamento [atteddʒa'mento] m. attitude f., air. || [posizione] position f.
atteggiarsi [atted'dʒarsi] v. rifl. se donner des airs (de), se poser (en).
attempato [attem'pato] agg. d'un certain âge, âgé.
attendamento [attenda'mento] m. campement.
attendarsi [atten'darsi] v. rifl. camper v. intr.
attendente [atten'dɛnte] m. MIL. ordonnance f.
attendere [at'tɛndere] v. tr. attendre. ◆ v. intr. s'occuper (de), s'appliquer (à). | *attendere ai propri affari,* s'occuper de ses affaires. ◆ v. rifl. s'attendre (à).
attendibile [atten'dibile] agg. digne de foi. | *testimone attendibile,* témoin digne de foi.
attenersi [atte'nersi] v. rifl., se conformer (à), suivre v. tr. | *attenersi ai fatti,* s'en tenir aux faits.
attentare [atten'tare] v. intr. PR. e FIG. attenter, porter atteinte.
attentato [atten'tato] m. PR. e FIG. attentat.

attenti [at'tɛnti] m. e interiez. MIL. garde à vous !
attento [at'tɛnto] agg. attentif. | *stare attento,* faire attention. ◆ interiez. *attento !, attenti !,* attention ! f.
attenuante [attenu'ante] agg. GIUR. atténuant.
attenuare [attenu'are] v. tr. atténuer. ◆ v. rifl. s'atténuer.
attenzione [atten'tsjone] f. attention. ◆ interiez. *attenzione !,* attention ! ◆ pl. [premure] attentions, égards m. pl.
atterraggio [atter'raddʒo] m. AV., MAR. atterrissage.
atterrare [atter'rare] v. tr. terrasser, renverser. || [una cosa] abattre. || FIG. accabler, anéantir, atterrer. ◆ v. intr. AV., MAR., SP. atterrir.
atterrire [atter'rire] v. tr. terrifier, effrayer. ◆ v. rifl. s'épouvanter.
attesa [at'tesa] f. attente.
atteso [at'teso] agg. attendu.
attestare [attes'tare] v. tr. attester, certifier. || PER EST. prouver.
attestato [attes'tato] m. attestation f., certificat.
attestazione [attestat'tsjone] f. attestation, témoignage m. || [attestato] certificat m. || preuve, marque. | *attestazione di stima,* marque d'estime.
attico ['attiko] (**-ci** pl.) agg. attique. ◆ m. ARCHIT. attique.
attiguo [at'tiguo] agg. contigu, attenant, voisin.
attillato [attil'lato] agg. collant ; qui moule le corps. || [vestito con cura] tiré à quatre épingles.
attimo ['attimo] m. instant.
attinente [atti'nɛnte] agg. relatif (à), se rapportant (à), concernant.
attinenza [atti'nɛntsa] f. rapport m., relation. ◆ pl. annexes, dépendances.
attingere [at'tindʒere] v. tr. PR. e FIG. puiser.
attirare [atti'rare] v. tr. PR. e FIG. attirer. ◆ v. rifl. e recipr. s'attirer.
1. attitudine [atti'tudine] f. aptitude, disposition.
2. attitudine f. [atteggiamento] attitude.
attivare [atti'vare] v. tr. mettre en service, mettre en action. || [rendere più attivo] activer.
attività [attivi'ta] f. activité.
attivo [at'tivo] agg. actif. ◆ m. COMM. actif.
attizzare [attit'tsare] v. tr. attiser, ranimer, tisonner.
1. atto ['atto] agg. apte (à), capable (de).
2. atto m. acte, action f. || *atto notarile,* acte notarié. ◆ in atto, actuel, en cours. | all'atto (di), au moment (de).
attonito [at'tɔnito] agg. stupéfait, ébahi.
attorcigliare [attortʃiʎ'ʎare] v. tr. entortiller, tortiller, enrouler.
attore [at'tore] (**-trice** f.) n. acteur, trice ; comédien, enne. || FIG. protagoniste.
attorniare [attor'njare] v. tr. entourer. ◆ v. rifl. s'entourer.
attorno [at'torno] avv. autour, alentour. || [nei dintorni] aux alentours, dans les environs. || LOC. *levati d'attorno !,* va-t'en ! ◆ prep. *attorno a,* autour de, aux environs de. | *ha attorno ai cinquant'anni,* il a environ cinquante ans.
attraccare [attrak'kare] v. intr. MAR. aborder, accoster v. tr.
attraente [attra'ɛnte] agg. attrayant, séduisant, attirant.
attrarre [at'trarre] v. tr. PR. e FIG. attirer.
attrattiva [attrat'tiva] f. attrait m., charme m., séduction. ◆ pl. agréments m. pl., charmes m. pl.
attraversare [attraver'sare] v. tr. PR. e FIG. traverser, franchir.
attraverso [attra'vɛrso] prep. e ***attraverso a*** loc. prep. à travers, au travers de. || FIG. [per mezzo di] par. | *attraverso la radio,* par la radio.
attrazione [attrat'tsjone] f. attraction. || FIG. attirance, attrait m.
attrezzare [attret'tsare] v. tr. équiper. || TECN. outiller. ◆ v. rifl. s'équiper.
attrezzatura [attrettsa'tura] f. équipement m. || outillage m.
attrezzo [at'trettso] m. outil. || [di cucina] ustensile.
attribuire [attribu'ire] v. tr. attribuer. ◆ v. rifl. s'attribuer, s'approprier, s'arroger.
attributo [attri'buto] m. attribut.
attrice [at'tritʃe] f. V. ATTORE.
attrito [at'trito] m. friction f., frottement.
attrupparsi [attrup'parsi] v. rifl. s'attrouper.
attuale [attu'ale] agg. actuel.
attualità [attuali'ta] f. actualité.
attuare [attu'are] v. tr. réaliser, exécuter. ◆ v. rifl. se réaliser.
attuazione [attuat'tsjone] f. réalisation, exécution.
attutire [attu'tire] v. tr. amortir. || FIG. assourdir ; calmer, apaiser. ◆ v. rifl. s'amortir, s'assourdir.
audace [au'datʃe] agg. hardi, intrépide, audacieux. || PEGG. provocant. || PER EST. osé.
audacia [au'datʃa] f. audace ; hardiesse.
audio ['audjo] m. inv. TV son m.
auditore [audi'tore] m. = UDITORE.
audizione [audit'tsjone] f. audition.

auge ['audʒe] f. (sempre sing.) sommet m., faîte m., apogée m. || *essere in auge,* être en vogue.
augurare [augu'rare] v. tr. souhaiter. ◆ v. rifl. espérer v. tr. | *mi auguro che finisca presto,* j'espère que cela finira vite. ◆ v. intr. augurer, présager v. tr.
augurio [au'gurjo] m. vœu, souhait. | *auguri !,* bonne chance !, tous mes vœux ! || [presagio] augure, présage.
augusto [au'gusto] agg. auguste.
aula ['aula] f. salle (de classe) ; classe. | *aula magna,* grand amphithéâtre. | *aula delle udienze,* salle d'audience.
aumentare [aumen'tare] v. tr. augmenter, accroître, agrandir. ◆ v. intr. augmenter, s'accroître v. rifl.
aumento [au'mento] m. augmentation f., accroissement. || [della temperatura] hausse f.
aura ['aura] f. brise. || FIG. aura, atmosphère.
aureo ['aureo] agg. d'or, en or. || [colore] doré.
aureola [au'rɛola] f. auréole.
auricolare [auriko'lare] agg. auriculaire. ◆ m. [del telefono] écouteur.
aurora [au'rɔra] f. aurore, aube.
auscultare [auskul'tare] v. tr. MED. ausculter.
ausiliare [auzi'ljare] agg. e n. auxiliaire.
ausilio [au'ziljo] m. aide f., secours.
auspicio [aus'pitʃo] m. auspice, augure, présage.
austerità [austeri'ta] f. austérité.
austero [aus'tɛro] agg. austère, sévère.
australe [aus'trale] agg. austral.
australiano [austra'ljano] agg. e n. australien.
austriaco [aus'triako] (**-ci** pl.) agg. e n. autrichien.
autarchia [autar'kia] f. autarcie. || AMM. autonomie.
aut aut ['aut'aut] loc. lat. alternative f. | *imporre un aut aut (a qlcu.),* obliger (qn) au choix.
autenticare [autenti'kare] v. tr. AMM. authentifier, légaliser, certifier.
autenticazione [autentikat'tsjone] f. authentification, légalisation.
autenticità [autentitʃi'ta] f. authenticité.
autentico [au'tɛntiko] (**-ci** pl.) agg. authentique.
autista [au'tista] m. chauffeur.
autoadesivo [autoade'zivo] agg. adhésif.
autoarticolato [autoartiko'lato] m. semi-remorque.
autobiografia [autobiogra'fia] f. autobiographie.
autobotte [auto'botte] f. camion-citerne m.
autobus ['autobus] m. inv. autobus, bus.
autocarro [auto'karro] m. camion ; poids lourd.
autocorriera [autokor'rjɛra] f. autocar m., car m.
autocoscienza [autokoʃ'ʃɛntsa] f. conscience de soi.
autocrazia [autokrat'tsia] f. autocratie.
autofficina [autoffi'tʃina] f. garage m., atelier (m.) de réparations.
autografo [au'tɔgrafo] agg. e m. autographe.
autogrill [auto'gril] m. inv. Restoroute.
autogru [auto'gru] f. inv. dépanneuse f.
autolettiga [autolet'tiga] f. ambulance.
automa [au'tɔma] (**-mi** pl.) m. PR. e FIG. automate.
automatico [auto'matiko] (**-ci** pl.) agg. PR. e FIG. automatique. | *bottone automatico,* bouton-pression.
automezzo [auto'mɛddzo] m. véhicule automobile.
automobile [auto'mɔbile] f. automobile, voiture.
automotrice [automo'tritʃe] f. autorail m., automotrice.
autonomia [autono'mia] f. autonomie.
autonomo [au'tɔnomo] agg. autonome.
autopsia [autop'sia] f. autopsie.
autore [au'tore] (**-trice** f.) n. auteur m.
autorevole [auto'revole] agg. qui fait autorité.
autorimessa [autori'messa] f. garage m.
autorità [autori'ta] f. autorité. || [organi del potere] pouvoir m. || [influenza] ascendant m.
autoritario [autori'tarjo] agg. autoritaire.
autorizzare [autorid'dzare] v. tr. autoriser.
autorizzazione [autoriddzat'tsjone] f. autorisation.
autostrada [autos'trada] f. autoroute.
autotrasportatore [autotrasporta'tore] m. transporteur routier.
autotreno [auto'trɛno] m. camion à remorque, poids lourd.
autunnale [autun'nale] agg. automnal.
autunno [au'tunno] m. PR. e FIG. automne.
avallare [aval'lare] v. tr. avaliser. || FIG. confirmer, garantir.
avallo [a'vallo] m. aval.
avambraccio [avam'brattʃo] m. avant-bras.
avana [a'vana] agg. e m. inv. havane.
avanguardia [avan'gwardja] f. avant-garde.
avannotto [avan'nɔtto] m. alevin. ◆ pl. frai sing.

avanti [a'vanti] avv. en avant. | *venire avanti,* (s')avancer, (s')approcher. | *andare avanti,* aller de l'avant. || *tirare avanti,* vivoter, survivre. || *essere avanti,* être en avance. || [tempo] *molto avanti nella notte,* tard dans la nuit. ◆ interiez. *avanti!;* en avant! ; entrez! ; allons! ; allez! | *fatti coraggio, avanti!,* allons, un peu de courage! ◆ m. MAR., SP. avant.

avantreno [avan'trɛno] m. avant-train.

avanzamento [avantsa'mento] m. avancement, progrès.

1. avanzare [avan'tsare] v. intr. avancer, progresser. ◆ v. tr. présenter. ◆ v. rifl. s'avancer, s'approcher. || FIG. se risquer, se hasarder.

2. avanzare v. intr. rester v. impers. | *è avanzato del pane,* il reste du pain. ◆ v. tr. être créditeur (de). | *quanto avanzi (da me?),* combien te dois-je?

avanzata [avan'tsata] f. avance, progression.

avanzo [a'vantso] m. reste. ◆ d'avanzo, plus qu'assez.

avaria [ava'ria] f. MAR. avarie. || PER EST. détérioration.

avariarsi [ava'rjarsi] v. rifl. s'avarier, s'abîmer.

avariato [ava'rjato] agg. avarié, détérioré, endommagé.

avarizia [ava'rittsja] f. avarice.

avaro [a'varo] agg. e n. PR. e FIG. avare.

ave ['ave] interiez. salut! ◆ f. Ave m., Ave Maria m.

avemaria [avema'ria], **avemmaria** o **ave Maria** f. Ave Maria m., Ave m. || angélus m.

avena [a'vena] f. avoine.

1. avere [a'vere] v. tr. 1. POSSEDERE : PR. e FIG. avoir, posséder. | *avere degli obblighi, un mestiere, tempo,* avoir des obligations, un métier, le temps. || [qualità] *avere vent'anni,* avoir vingt ans. | *avere coraggio,* avoir du courage. || [provare, sentire] avoir. | *avere sete,* avoir soif. || [senso indebolito] *aveva le scarpe rotte,* ses chaussures étaient trouées. || [alla prima pers. pl.] *quando abbiamo gli esami?,* quand sont les examens? 2. RICEVERE, PROCURARSI : avoir, recevoir. | *hai avuto notizie?,* as-tu eu des nouvelles? 3. FARE, PRODURRE : avoir. | *ebbe un singhiozzo,* il eut un sanglot. 4. LOC. *avere piacere,* être content. | *avere a mente,* se rappeler, ne pas oublier. | *avere in animo di,* avoir l'intention de. | *avere in odio, in orrore,* détester, avoir en horreur. | *avercela con qlcu.,* en vouloir à qn. | *non voglio avere a che fare con lui,* je ne veux rien avoir à faire avec lui. | *aversela, aversene a male (di qlco.),* se vexer (de qch.), mal prendre (qch.). | *avere (qlco.) di,* tenir de. | *ha molto del nonno,* il tient beaucoup de son grand-père. | *averla vinta,* obtenir gain de cause. 5. AUS. avoir. | *ho guardato,* j'ai regardé. | *ha avuto,* il a eu.

2. avere m. avoir, bien. || COMM. crédit.

aviatore [avja'tore] (**-trice** f.) n. aviateur, trice.

aviazione [avjat'tsjone] f. aviation.

avidità [avidi'ta] f. avidité, voracité. || FIG. cupidité.

avido ['avido] agg. avide, vorace. || FIG. avide, affamé, cupide.

avo ['avo] (**-a** f.) n. aïeul, e ; grand-père, grand-mère. ◆ pl. aïeux (lett.), ancêtres (L.C.).

avocado [avo'kado] m. [albero] avocatier. || [frutto] avocat.

avocare [avo'kare] v. tr. GIUR. évoquer. || PER EST. confisquer.

avocazione [avokat'tsjone] f. GIUR. évocation.

avorio [a'vɔrjo] m. ivoire.

avulso [a'vulso] agg. séparé, détaché, sans rapport (avec).

avvalersi [avva'lersi] v. rifl. se servir (de), faire usage (de), user (de).

avvallamento [avvalla'mento] m. dépression f., affaissement, creux.

avvalorare [avvalo'rare] v. tr. valoriser, accréditer, renforcer. ◆ v. rifl. se renforcer, se confirmer.

avvampare [avvam'pare] v. intr. s'enflammer, s'embraser, flamboyer. || [del viso] rougir.

avvantaggiare [avvantad'dʒare] v. tr. avantager, favoriser. ◆ v. rifl. tirer avantage (de), tirer profit (de), profiter (de). || [guadagnare tempo] gagner du temps. || [sopravanzare] prendre l'avantage (sur).

avvedersi [avve'derʒi] v. rifl. s'apercevoir, se rendre compte.

avvedutezza [avvedu'tettsa] f. perspicacité, sagacité.

avveduto [avve'duto] agg. avisé, prudent. || [furbo] adroit.

avvelenamento [avvelena'mento] m. empoisonnement.

avvelenare [avvele'nare] v. tr. empoisonner. || FIG. gâcher. ◆ v. rifl. PR. e FIG. s'empoisonner.

avvelenatore [avvelena'tore] (**-trice** f.) n. empoisonneur, euse.

avvenente [avve'nɛnte] agg. avenant, gracieux, agréable.

avvenenza [avve'nɛntsa] f. grâce, agrément m., charme m.

avvenimento [avveni'mento] m. événement.

1. avvenire [avve'nire] v. intr. arriver, se passer, se produire, avoir lieu. ◆ v. impers. arriver, advenir. | *avvenga quel che vuole,* advienne que pourra.

2. avvenire m. avenir. ◆ agg. à venir, futur.
avventarsi [avven'tarsi] v. rifl. se lancer, s'élancer, se précipiter. | *gli si avventò contro,* il se précipita sur lui.
avventato [avven'tato] agg. inconsidéré, irréfléchi, hasardé. || [persona] étourdi.
avventizio [avven'tittsjo] agg. provisoire. || [cosa] occasionnel. || AMM. auxiliaire m. || FILOS. adventice.
avvento [av'vɛnto] m. avènement, arrivée f., venue f. || REL. Avent.
avventore [avven'tore] (**-a** f.) n. client, e.
avventura [avven'tura] f. aventure.
avventurare [avventu'rare] v. tr. aventurer, exposer, risquer. ◆ v. rifl. s'aventurer, se risquer, se hasarder.
avventuroso [avventu'roso] agg. aventureux.
avverare [avve'rare] v. tr. réaliser, vérifier, confirmer. ◆ v. rifl. s'avérer, se vérifier, se réaliser.
avverbio [av'vɛrbjo] (**-bi** pl.) m. adverbe.
avversare [avver'sare] v. tr. contrecarrer, contrarier. || s'opposer (à), se dresser (contre).
avversario [avver'sarjo] (**-i** pl.) n. adversaire. ◆ agg. opposé, adverse.
avversione [avver'sjone] f. aversion, antipathie.
avversità [avversi'ta] f. hostilité. || [disgrazia] adversité, malheur m., épreuve.
avverso [av'vɛrso] agg. défavorable, contraire, hostile.
avvertenza [avver'tɛntsa] f. prudence, précaution. || [ammonimento] avertissement m., avis m. ◆ pl. [istruzioni] instructions, mode d'emploi m. sing.
avvertire [avver'tire] v. tr. avertir, prévenir, informer, aviser (lett. o amm.). || [percepire] percevoir. || [provare] sentir, éprouver.
avvezzare [avvet'tsare] v. tr. habituer, accoutumer. ◆ v. rifl. (a) s'habituer (à), s'accoutumer (à), se faire (à).
avvezzo [av'vettso] agg. habitué, accoutumé.
avviamento [avvia'mento] m. acheminement. || orientation f. | *avviamento professionale,* orientation professionnelle. || MECC. mise (f.) en route, démarrage.
avviare [avvi'are] v. tr. acheminer, diriger (vers, sur). || FIG. orienter. || [dare inizio] commencer, amorcer. ◆ v. rifl. (a) se diriger (vers), s'acheminer (vers). || ASSOL. se mettre en route ; partir v. intr. ; démarrer v. intr. || FIG. approcher (de).
avviato [avvi'ato] agg. PR. parti, en route. || FIG. commencé.
avvicendare [avvitʃen'dare] v. tr. faire alterner. || [di persone] faire se relayer. ◆ v. rifl. alterner v. intr., se relayer. ◆ m. alternance f., succession f.
avvicinare [avvitʃ'inare] v. tr. approcher, rapprocher. || [farsi vicino] s'approcher (de). ◆ v. rifl. (a) PR. e FIG. s'approcher (de), approcher (de) (spec. fig.). || FIG. ressembler (à).
avvilire [avvi'lire] v. tr. démoraliser, abattre, décourager. || [mortificare] humilier, mortifier. || [degradare] avilir, dégrader. ◆ v. rifl. [perdersi d'animo] se démoraliser, se laisser abattre. || [abbassarsi] s'abaisser, s'avilir.
avviluppare [avvilup'pare] v. tr. envelopper ; encercler. || [aggrovigliare] embrouiller. || [raggirare] circonvenir. ◆ v. rifl. s'envelopper, s'enrouler.
avvincere [av'vintʃere] v. tr. PR., LETT. enlacer, étreindre, enserrer. || [legare] lier, attacher. || FIG. captiver, passionner.
avvinghiare [avvin'gjare] v. tr. enserrer, étreindre, enlacer. ◆ v. rifl. s'accrocher.
avvio [av'vio] m. départ, début.
avvisaglia [avvi'zaʎʎa] f. escarmouche. || FIG. *prime avvisaglie,* premiers symptômes.
avvisare [avvi'zare] v. tr. avertir, informer, prévenir ; aviser (lett. o amm.).
avviso [av'vizo] m. avis, annonce f., communication f. || (raro) avertissement. | *mettere sull'avviso,* mettre en garde.
avvistare [avvis'tare] v. tr. repérer ; apercevoir.
avvitare [avvi'tare] v. tr. visser. ◆ v. rifl. (senso pass.) se visser.
avviticchiare [avvitik'kjare] v. tr. entortiller, enrouler. ◆ v. rifl. s'entortiller, s'enrouler.
avvivare [avvi'vare] v. tr. V. RAVVIVARE.
avvizzire [avvit'tsire] v. intr. PR. e FIG. se faner v. rifl., se flétrir v. rifl. ◆ v. tr. faner, flétrir.
avvocato [avvo'kato] (**-essa** f.) n. avocat, e. || [titolo] maître.
avvocatura [avvoka'tura] f. profession d'avocat. || [insieme degli avvocati] barreau m.
avvolgere [av'vɔldʒere] v. tr. [arrotolare] enrouler, rouler. || [avviluppare] envelopper. ◆ v. rifl. s'enrouler, s'envelopper.
avvolgibile [avvol'dʒibile] m. store. || [saracinesca] rideau de fer.
avvoltoio [avvol'tojo] m. PR. e FIG. vautour. || FIG. charognard.
avvoltolarsi [avvolto'larsi] v. rifl. PR. e FIG. se rouler, se vautrer.

azalea [addza'lɛa] f. azalée.
azienda [ad'dzjɛnda] f. entreprise, établissement m. || *azienda autonoma,* régie autonome.
azionare [attsjo'nare] v. tr. actionner.
1. azione [at'tsjone] f. action. || [atto] acte m. || [movimento] activité, mouvement m.
2. azione f. FIN. action
azionista [attsjo'nista] (**-i** pl.) n. actionnaire.
azoto [ad'dzɔto] m. azote.
azzannare [attsan'nare] v. tr. saisir entre ses crocs ; enfoncer ses crocs (dans). || FIG. déchirer.
azzardare [addzar'dare] v. tr. risquer, exposer, hasarder. ◆ v. rifl. (a) se hasarder (à), se risquer (à), oser v. tr.
azzardo [ad'dzardo] m. risque ; hasard.
azzardoso [addzar'doso] agg. hasardeux, risqué.
azzeccare [attsek'kare] v. tr. deviner, trouver, tomber (sur). || FAM. *non ne azzecca (mai) una,* rien ne lui réussit.
azzerare [addze'rare] v. tr. mettre au zéro.
azzimo ['addzimo] agg. azyme. ◆ m. pain azyme.
azzoppare [attsop'pare] v. tr. estropier ; rendre boiteux.
azzuffarsi [attsuf'farsi] v. rifl. se bagarrer, échanger des coups, se colleter (fam.), s'empoigner.
azzurro [ad'dzurro] agg. bleu ciel inv., bleu, azuré. ◆ m. bleu, azur (lett.). ◆ agg. e m. SP. membre d'une équipe nationale italienne.

b

b [bi] f. e m. b m.
babau [ba'bau] m. inv. FAM. méchant loup m., croque-mitaine m., père (m.) fouettard.
babbeo [bab'bɛo] agg. e m. benêt. ◆ m. dadais.
babbo ['babbo] m. FAM. papa, père (L.C.).
babbuccia [bab'buttʃa] (**-ucce** pl.) f. babouche, mule.
babbuino [babbu'ino] m. babouin. || FIG., FAM. ballot, sot.
babilonia [babi'lɔnja] f. FIG. tohu-bohu m. inv., pagaille.
babordo [ba'bordo] m. bâbord.
bacare [ba'kare] v. tr. gâter, corrompre. ◆ v. intr. devenir véreux, se piquer, se gâter.
bacca ['bakka] f. BOT. baie.
baccalà [bakka'la] m. CULIN. morue f. (sèche), merluche f.
baccano [bak'kano] m. vacarme, chahut.
baccante [bak'kante] f. bacchante.
baccellierato [battʃellje'rato] m. baccalauréat.
baccelliere [battʃel'ljɛre] m. STOR. bachelier.
baccello [bat'tʃɛllo] m. BOT. cosse f., gousse f.
bacchetta [bak'ketta] f. baguette.
bacchettone [bakket'tone] m. bigot, faux dévot.
bacchiare [bak'kjare] v. tr. gauler.
Bacco ['bakko] nell'interiez. *per Bacco,* parbleu !, sapristi ! (fam.) | *corpo di Bacco !,* bigre !
bacheca [ba'kɛka] f. vitrine, tableau m. | *affiggere un avviso alla bacheca,* afficher un avis au tableau.
bachicoltura [bakikol'tura] f. magnanerie, sériciculture.
baciamano [batʃa'mano] m. baisemain.
baciapile [batʃa'pile] m. bigot, faux dévot.
baciare [ba'tʃare] v. tr. embrasser, baiser. ◆ v. rifl. s'embrasser.
bacile [ba'tʃile] m. bassin, bassine f., cuvette f.
bacillo [ba'tʃillo] m. bacille.
bacinella [batʃi'nɛlla] f. cuvette.
bacino [ba'tʃino] m. bassin, cuvette f. || vasque f., pièce (f.) d'eau.
bacio ['batʃo] m. baiser, bise f. (fam.) || FIG., FAM. *al bacio,* parfait (L.C.), épatant (fam.).
baco ['bako] m. ver. || FIG. démon, désir.
bacucco [ba'kukko] agg. gâteux, gaga (fam.). | *vecchio bacucco,* vieux gâteux, vieux gaga (fam.).
bada ['bada] f. LOC. *tenere a bada,* tenir en respect, surveiller.
badare [ba'dare] v. intr. s'occuper (de). | *bada ai fatti tuoi,* occupe-toi de tes affaires. || faire attention. | *non badate alle chiacchiere,* ne faites pas attention aux commérages. | *non badare a spese,* ne pas regarder à la dépense. ◆ v. tr. [sorvegliare] garder. | *badare il gregge,* garder le troupeau. ◆ v. rifl. se garder (de).
badessa [ba'dessa] f. abbesse.
badia [ba'dia] f. LETT. abbaye (L.C.).
badile [ba'dile] m. pelle f., bêche f.
baffo ['baffo] m. moustache f., bacchantes f. pl. || POP. *me ne faccio un baffo,* je m'en balance ; je m'en moque (L.C.).

baffuto [baf'futo] agg. moustachu.
bagagliaio [bagaʎ'ʎajo] m. AUT. coffre (à bagages). || TR. fourgon, compartiment, wagon à bagages. || [deposito dei bagagli] consigne f. (des bagages).
bagaglio [ba'gaʎʎo] m. bagage.
bagarino [baga'rino] m. vendeur à la sauvette, trafiquant.
baggianata [baddʒa'nata] f. bêtise, sottise.
bagigi [ba'dʒidʒi] m. pl. REG. VEN. cacah(o)uètes f. pl.
bagliore [baʎ'ʎore] m. lueur f.
bagnante [baɲ'ɲante] n. baigneur, euse.
bagnare [baɲ'ɲare] v. tr. [cospargere d'acqua] mouiller. || [immergere in acqua] tremper. || [annafiare] arroser. | *una città bagnata dal mare,* une ville au bord de la mer. ◆ v. rifl. se mouiller, se tremper. || [farsi il bagno] se baigner.
bagnato [baɲ'ɲato] agg. mouillé. ◆ m. mouillé. || PROV. *piove sempre sul bagnato,* un malheur n'arrive jamais seul.
bagnatura [baɲɲa'tura] f. PR. arrosage m., mouillage m. || [stagione dei bagni] saison des bains.
bagnino [baɲ'ɲino] m. gardien de plage, maître nageur.
bagno ['baɲɲo] m. bain, baignade f. | *fare il bagno,* prendre un, son bain. || *mettere a bagno,* faire tremper. || FIG. *essere in un bagno di sudore,* être en nage. || [vasca da bagno e acqua contenuta] baignoire f., bain. || [locale] salle (f.) de bains, cabinet de toilette. || [stabilimento] (établissement de) bains pl.
bagnomaria [baɲɲoma'ria] m. inv. CULIN. bain-marie m.
bagordo [ba'gordo] m. bombance f., noce f., ripaille f. || débauche.
1. baia ['baja] f. [beffa] moquerie. || [fandonia] blague.
2. baia f. GEOGR. baie.
bailamme [bai'lamme] m. chahut, tohu-bohu inv., cohue f.
baio ['bajo] **(bai** pl.) agg. e m. ZOOL. (cheval) bai.
baionetta [bajo'netta] f. baïonnette.
baita ['baita] f. cabane de berger, buron m., chalet m.
balaustra [bala'ustra] o **balaustrata** [balaus'trata] f. ARCHIT. balustrade.
balbettare [balbet'tare] v. intr. et tr. bégayer. || [farfugliare] bredouiller, bafouiller (fam.). || [bambini] balbutier.
balbettio [balbet'tio] m. bégaiement. || bredouillement. || balbutiement.
balbuzie [bal'buttsje] f. bégaiement m.
balbuziente [balbut'tsjɛnte] agg. e n. bègue.
balcone [bal'kone] m. balcon.
baldacchino [baldak'kino] m. baldaquin, dais. || [sopra un letto] ciel de lit.
baldanza [bal'dantsa] f. assurance, hardiesse.
baldanzoso [baldan'tsoso] agg. plein d'assurance, crâne, hardi.
baldo ['baldo] agg. hardi, vaillant.
baldoria [bal'dɔrja] f. noce (fam.), foire (fam.).
baldracca [bal'drakka] f. VOLG. putain, gueuse, femme de mauvaise vie.
balena [ba'lena] f. ZOOL. baleine.
balenare [bale'nare] v. intr. impers. faire des éclairs. ◆ v. intr. briller, étinceler. || FIG. *mi è balenata un'idea,* il m'est venu une idée.
baleno [ba'leno] m. éclair. | *in un baleno,* avec la rapidité de l'éclair.
balestra [ba'lɛstra] f. [arma] arbalète.
balia ['balja] f. nourrice, nounou.
balìa [ba'lia] f. toute-puissance, empire m. | *essere in balìa di,* être à la merci de, en proie à. || STOR. bailliage m.
balistica [ba'listika] f. balistique.
balla ['balla] f. ballot m., colis m., balle. | *una balla di cotone,* une balle de coton. || FIG., VOLG. [fandonia] bobard m. (fam.). || POP. [ubriacarsi] *essere in balla,* être paf.
ballare [bal'lare] v. intr. danser. || [essere scosso] branler, ballotter. || PROV. *siamo in ballo e bisogna ballare,* le vin est tiré, il faut le boire ◆ v. tr. danser.
ballata [bal'lata] f. POES., MUS. ballade.
ballatoio [balla'tɔjo] m. coursive f. || galerie f., balcon. || passerelle f.
ballerina [balle'rina] f. danseuse, ballerine.
ballerino [balle'rino] m. danseur.
balletto [bal'letto] m. ballet.
ballo ['ballo] m. danse f. || bal. || ballet. | *corpo di ballo,* corps de ballet. || FIG. *essere in ballo,* être en jeu, en cause.
ballotta [bal'lɔtta] f. marron bouilli.
ballottaggio [ballot'taddʒo] m. POL. ballottage.
balneare [balne'are] agg. balnéaire.
baloccare [balok'kare] v. tr. amuser. ◆ v. rifl. s'amuser, jouer (avec).
balocco [ba'lɔkko] m. (raro) jouet, joujou (fam.). || FIG. passe-temps.
balordo [ba'lordo] agg. balourd, nigaud. || [intontito] *sentirsi balordo,* se sentir (tout) drôle. || [assurdo] extravagant. | *un tipo balordo,* un drôle de type. | *un affare balordo,* une affaire qui ne promet rien de bon.
balsamico [bal'samiko] agg. balsamique.
balsamo ['balsamo] m. baume.
balteo ['balteo] m. baudrier.

baltico ['baltiko] agg. balte. | *i paesi baltici,* les pays baltes.
baluardo [balu'ardo] m. rempart, bastion.
balza ['baltsa] f. GEOGR., escarpement m. ; corniche. || [abbigliamento] volant m.
balzano [bal'tsano] agg. [cavallo] balzan. || FIG. [strambo] drôle (de), farfelu.
balzare [bal'tsare] v. intr. bondir, sauter. | *balzare giù dal letto,* sauter (à bas) du lit. || FIG. [sussultare] tressaillir, sursauter. || [apparire evidente] *balzare agli occhi,* sauter aux yeux.
balzo ['baltso] m. bond. || [sobbalzare] sursaut. | *vedendomi ebbe un balzo,* il sursauta en me voyant. || FIG. *cogliere la palla al balzo,* prendre, saisir la balle au bond.
bambagia [bam'badʒa] f. ouate ; déchets (m. pl.) de coton.
bambina [bam'bina] f. enfant, petite fille, fillette.
bambinaia [bambi'naja] f. bonne d'enfants, nurse.
bambinata [bambi'nata] f. enfantillage m., puérilité.
bambinesco [bambi'nesko] agg. enfantin, puéril.
bambino [bam'bino] m. enfant, petit garçon, garçonnet, gosse (fam.). ◆ agg. enfant.
bambocciata [bambot'tʃata] f. enfantillage m.
bamboccio [bam'bɔttʃo] m. poupon, gros bébé. || [ingenuo] enfant, grand bébé. || poupée (f.) de chiffon.
bambola ['bambola] f. poupée.
bamboleggiare [bamboled'dʒare] v. intr. minauder, faire l'enfant, bêtifier.
bambù [bam'bu] m. BOT. bambou.
banale [ba'nale] agg. banal.
banalità [banali'ta] f. banalité.
banalizzare [banalid'dzare] v. tr. banaliser.
banana [ba'nana] f. BOT. banane.
banano [ba'nano] m. BOT. bananier.
banca ['banka] f. banque.
bancarella [banka'rella] f. éventaire m. | *bancarella di un venditore di libri usati,* boîte d'un bouquiniste.
bancario [ban'karjo] agg. bancaire. ◆ m. employé de banque.
bancarotta [banka'rotta] f. banqueroute.
banchettare [banket'tare] v. intr. banqueter.
banchetto [ban'ketto] m. banquet, festin.
banchiere [ban'kjɛre] m. banquier.
banchina [ban'kina] f. quai m. | *banchina di scarico,* quai de débarquement, débarcadère m. || [stradale] accotement m. ; bas-côté m.
banco ['banko] m. banc. || [bancone] comptoir, éventaire, étalage. | *merce di sotto banco,* marchandise clandestine. || établi. | *banco di falegname,* établi de menuisier. || banque f. | *banco di sconto,* comptoir d'escompte. || *banco del lotto,* bureau de loterie.
banconota [banko'nɔta] f. billet (m.) de banque.
1. banda ['banda] f. bande. || [complesso musicale] fanfare. | *banda militare,* fanfare militaire.
2. banda f. [striscia] bande.
banderuola [bande'rwɔla] f. girouette. || [piccola bandiera] banderole.
bandiera [ban'djɛra] f. drapeau m. ; étendard m. ; pavillon m.
bandire [ban'dire] v. tr. proclamer, annoncer, publier. || PER EST. bannir.
bandista [ban'dista] m. musicien de fanfare.
bandita [ban'dita] f. [di caccia] réserve.
banditismo [bandi'tizmo] m. banditisme.
bandito [ban'dito] agg. [esiliato] banni. ◆ m. [malvivente] bandit.
banditore [bandi'tore] m. crieur public. || commissaire-priseur.
bando ['bando] m. [annunzio di interesse pubblico] avis, ban. | *bando d'asta,* avis de vente aux enchères. || [condanna all' esilio] ban, bannissement. | *mettere al bando,* mettre au ban, mettre à l'index.
bandolo ['bandolo] m. bout de l'écheveau. || FIG. *il bandolo della matassa,* le nœud de la question.
bar ['bar] m. inv. (ingl.) bar. || buvette f.
bara ['bara] f. bière, cercueil m.
baracca [ba'rakka] f. baraque. || FIG. *piantar baracca e burattini,* tout plaquer (fam.).
baraonda [bara'onda] f. [gente] cohue, tohu-bohu m., pagaille. || [oggetti sparsi] fouillis m.
barare [ba'rare] v. intr. PR. e FIG. tricher.
baratro ['baratro] m. gouffre, abîme.
barattare [barat'tare] v. tr. échanger, troquer.
baratteria [baratte'ria] f. prévarication.
baratto [ba'ratto] m. échange, troc, change.
barattolo [ba'rattolo] m. (petit) pot, boîte f. | *barattolo di vetro,* bocal.
barba ['barba] f. barbe. || BOT. racine, barbe.
barbabietola [barba'bjɛtola] f. betterave.
barbaglio [bar'baʎʎo] m. éblouissement, berlue f.
barbarico [bar'bariko] agg. barbare.
barbarie [bar'barje] f. barbarie. || [atto] cruauté.

barbarismo [barba'rizmo] m. barbarisme.
barbaro ['barbaro] agg. e n. barbare.
barbato [bar'bato] agg. BOT. barbu. || LETT. V. BARBUTO. || ARALD. barbé.
barbera [bar'bɛra] m. [vino del Piemonte] « barbera ».
barbero ['barbero] agg. e m. [cavallo] barbe.
barbiere [bar'bjɛre] m. coiffeur (pour hommes), barbier (antiq.).
barbino [bar'bino] agg. [meschino] piètre. | *che figura barbina !*, quelle piètre figure !
barbo ['barbo] m. ZOOL. barbeau ; barbillon m.
barbone [bar'bone] m. grande barbe f. || [uomo barbuto] barbu. || [vagabondo] clochard. || ZOOL. barbet.
barboso [bar'boso] agg. ennuyeux, assommant (fam.).
barbugliare [barbuʎ'ʎare] v. intr. bredouiller, bafouiller (fam.).
barbuto [bar'buto] agg. barbu.
1. barca ['barka] f. barque, bateau m.
2. barca f. [covone] meule, gerbier m. || PER EST. tas m., montagne. | *una barca di soldi*, un tas d'argent.
barcaccia [bar'kattʃa] f. PEGG. vieille barque, rafiot m., barcasse. || TEAT. loge d'avant-scène, corbeille.
barcaiolo [barka'jɔlo] m. passeur, batelier.
barcamenarsi [barkame'narsi] v. rifl. louvoyer v. intr., mener habilement sa barque, se débrouiller.
barcollare [barkol'lare] v. intr. chanceler, tituber.
barcone [bar'kone] m. barge f., chaland, péniche f.
bardare [bar'dare] v. tr. barder, harnacher. | *bardare cavalli*, harnacher des chevaux. || CULIN. barder.
bardatura [barda'tura] f. harnachement m., harnais m. || FIG. accoutrement m.
bardolino [bardo'lino] m. [vino del Garda] « bardolino ».
barella [ba'rɛlla] f. brancard m., civière.
barellare [barel'lare] v. tr. brancarder, transporter sur une civière, sur un brancard. ◆ v. intr. V. BARCOLLARE.
barelliere [barel'ljɛre] m. brancardier.
bargello [bar'dʒɛllo] m. STOR. [capo della polizia nel Medioevo e palazzo dove risiedeva] barigel.
barile [ba'rile] m. baril, barrique f., fût. || FIG. *fare a scarica barile*, se renvoyer la balle.
barista [ba'rista] n. barman m., barmaid f.
baritono [ba'ritono] agg. e m. baryton.
barlume [bar'lume] m. lueur f.
baro ['baro] m. tricheur. || filou.
barocco [ba'rɔkko] m. ARTI baroque. ◆ agg. baroque.
barolo [ba'rɔlo] m. [vino del Piemonte] « barolo ».
barometro [ba'rɔmetro] m. baromètre.
barone [ba'rone] m. baron. || PER EST. maître. || magnat. | *i baroni della finanza*, les magnats de la finance. | *i baroni dell' università*, les mandarins de l'université.
baronessa [baro'nessa] f. baronne.
barra ['barra] f. barre.
barrato [bar'rato] agg. barré. | *assegno barrato*, chèque barré.
barricare [barri'kare] v. tr. barricader. ◆ v. rifl. se barricader [anche fig.].
barricata [barri'kata] f. barricade.
barriera [bar'rjɛra] f. barrière.
barrire [bar'rire] v. intr. barrir.
barroccio [bar'rɔttʃo] o **baroccio** [ba'rɔttʃo] m. charrette f., tombereau.
baruffa [ba'ruffa] f. bagarre, échauffourée, chamaillerie (fam.).
baruffare [baruf'fare] v. intr. se quereller, se bagarrer, se chamailler (fam.).
barzelletta [bardzel'letta] f. histoire drôle, historiette, plaisanterie.
basamento [baza'mento] m. ARCHIT. base f., soubassement ; socle.
basare [ba'zare] v. tr. fonder, baser, appuyer. ◆ v. rifl. (su) se fonder (sur), s'appuyer (sur).
basco ['basko] agg. e n. basque.
base ['baze] f. base. ◆ *in base a*, d'après, selon, sur la base de.
basetta [ba'zetta] f. favoris m. pl.
basilare [bazi'lare] agg. fondamental, essentiel, de base.
basilica [ba'zilika] f. ARCHIT. basilique.
basilico [ba'ziliko] m. BOT. basilic.
basire [ba'zire] v. intr. défaillir, s'évanouir.
bassetto [bas'setto] m. MUS. basset.
bassezza [bas'settsa] f. bassesse.
basso ['basso] agg. [non alto] bas. || [tardo] *basso Impero*, bas Empire. || bas, grave. | *a bassa voce*, à voix basse. || [di qualità inferiore] *bassa macelleria*, bas morceaux. || [occhi] baissé. | *a capo basso*, la tête basse. || LOC. *far man bassa*, faire main basse. ◆ avv. bas. || *da basso*, en bas. ◆ m. [parte bassa] bas. || MUS. basse f.
bassofondo [basso'fondo] (**bassifondi** pl.) m. bas-fond. ◆ pl. FIG. basfonds.
bassorilievo [bassori'ljɛvo] (**bassorilievi** pl.) m. bas-relief.
1. basta ['basta] f. [imbastitura] faufil m. || [piega] rempli m.
2. basta interiez. assez !, ça suffit ! | *punto e basta !*, un point, c'est tout !
bastante [bas'tante] agg. suffisant.

bastardo [bas'tardo] agg. e m. bâtard. || PER EST. altéré, corrompu. || FIG. *scrittura bastarda,* écriture bâtarde. | *letto bastardo,* lit à une place et demie.
bastare [bas'tare] v. intr. suffire. ◆ v. impers. il suffit. | *basta chiedere,* il suffit de demander. | *e non basta,* et ce n'est pas tout. || LOC. *basta che,* pourvu que.
bastiano [bas'tjano] m. LOC. *fare il bastian contrario,* fronder.
bastimento [basti'mento] m. MAR. bâtiment, navire. || cargaison f.
bastione [bas'tjone] m. PR. e FIG. bastion, rempart.
basto ['basto] m. bât.
bastonare [basto'nare] v. tr. bâtonner ; frapper à coups de bâton. | *bastonare di santa ragione,* battre comme plâtre. ◆ v. rifl. se battre à coups de bâton.
bastonata [basto'nata] f. bastonnade, coup (m.) de bâton. || FIG. coup dur.
bastoncino [baston'tʃino] m. petit bâton. || [pane] baguette f., flûte f. || ARCHIT. astragale, baguette f.
bastone [bas'tone] m. bâton. || [da golf] canne f. || FIG. *tenere il bastone del comando,* avoir le commandement ; détenir le pouvoir.
batacchio [ba'takkjo] m. gourdin. || [bacchio] gaule f. || [battaglio] battant (de cloche).
batista [ba'tista] agg. e f. TESS. batiste f.
batocchio [ba'tɔkkjo] m. bâton, canne blanche d'aveugle. || battant (de cloche).
batosta [ba'tɔsta] f. [legnata] coup m. (de bâton), raclée (fam.). || FIG. rude coup m., échec m.
batraci [ba'tratʃi] m. pl. (**batrace** sing.) ZOOL. batraciens.
battaglia [bat'taʎʎa] f. bataille. || [combattimento] combat m. || FIG. *nome di battaglia,* nom de guerre.
battagliare [battaʎ'ʎare] v. intr. combattre. || [lottare] batailler.
battagliero [battaʎ'ʎɛro] agg. batailleur, combatif, guerrier.
battaglio [bat'taʎʎo] m. [della campana] battant (de cloche). || [martello della porta] heurtoir, marteau.
battaglione [battaʎ'ʎone] m. bataillon.
battelliere [battel'ljɛre] m. batelier.
battello [bat'tɛllo] m. bateau.
battente [bat'tɛnte] m. battant (de porte), vantail. || heurtoir, marteau.
battere ['battere] v. tr. [picchiare] battre, frapper. | *battere i denti,* claquer des dents. | *battere i tacchi,* claquer des talons. || [urtare] cogner. | *battere la testa contro qlco.,* se cogner la tête contre qch. || [percorrere] parcourir, battre. | *battere la campagna,* battre la campagne. || [vincere] vaincre, battre. | *battere un primato,* battre un record. || LOC. *battere le ore,* sonner les heures. | *non saper dove battere la testa,* ne pas savoir où donner de la tête. || FAM. *battersela,* prendre la clef des champs, déguerpir. | *battere cassa,* taper qn. ◆ v. intr. battre, cogner, frapper. || [insistere] insister. ◆ v. rifl. e recipr. se battre. ◆ m. *il battere delle palpebre,* le clignotement des paupières. | *in un batter d'occhio,* en un clin d'œil, en un tour de main.
batteria [batte'ria] f. batterie.
batterio [bat'tɛrjo] m. bactérie f.
batterista [batte'rista] m. MUS. batteur.
battesimo [bat'tezimo] m. baptême.
battezzare [batted'dzare] v. tr. baptiser. || [soprannominare] nommer, appeler, surnommer. ◆ v. rifl. recevoir le baptême. || FIG. s'attribuer le titre de, se faire passer pour.
battibaleno [battiba'leno] m. *in un battibaleno,* en un clin d'œil.
battibecco [batti'bekko] m. querelle f., prise (f.) de bec, accrochage (fam.).
batticuore [batti'kwɔre] m. battements (pl.) de cœur. || FIG. inquiétude f., appréhension f.
battigia [bat'tidʒa] f. GEOGR. laisse.
battilardo [batti'lardo] m. inv. hachoir, planche (f.) à hacher.
battimano [batti'mano] m. spec. pl. applaudissements pl.
battipanni [batti'panni] m. tapette f.
battistero [battis'tɛro] m. baptistère. || fonts (pl.) baptismaux.
battistrada [battis'trada] m. inv. avant-courrier. | *fare da battistrada,* ouvrir la route. || AUT. [parte esterna dei pneumatici] bande (f.) de roulement, chape f.
battito ['battito] m. battement.
battitore [batti'tore] m. [a caccia] rabatteur, traqueur. || AGR., SP. batteur.
battitrice [batti'tritʃe] f. AGR. batteuse.
battitura [batti'tura] f. coup m. || FIG. malheur m. || AGR. battage m.
battuta [bat'tuta] f. battement m. || [effetto] coup m. || [in dattilografia] frappe. | *un errore di battuta,* une faute de frappe. || MUS. mesure. || FIG. temps (m.) d'arrêt. | *essere alle prime battute,* être au début. || TEAT. réplique. || FIG. *avere sempre la battuta pronta,* avoir toujours la repartie prompte. || PER ANAL. [frase spiritosa] *battuta di spirito,* boutade ; mot (m.) d'esprit. || PER EST. battue. || SP. [tennis] service m.
battuto [bat'tuto] agg. battu, frappé. | *ferro battuto,* fer forgé. || fréquenté. | *sentiero battuto,* sentier battu. ◆ m. CULIN. hachis.

batuffolo [ba'tuffolo] m. tampon. | *batuffolo di cotone,* tampon d'ouate. | *batuffolo di lana,* flocon de laine.
baule [ba'ule] m. malle f.
bava ['bava] f. bave, écume.
bavaglino [bavaʎ'ʎino] m. bavette f., bavoir.
bavaglio [ba'vaʎʎo] m. bâillon.
bavarese [bava'rese] agg. e n. bavarois. ◆ f. CULIN. bavaroise.
bavero ['bavero] m. col, collet.
bavoso [ba'voso] agg. baveux.
bazar [bad'dzar] m. inv. bazar m.
1. bazza ['baddza] f. menton (m.) en galoche.
2. bazza f. [fortuna] chance, aubaine. | *bazza a chi tocca !,* heureux qui l'aura !
bazzecola [bad'dzɛkola] f. babiole, bagatelle. | *litigare per una bazzecola,* discuter pour un rien.
bazzicare [battsi'kare] v. tr. fréquenter, hanter (lett.). ◆ v. intr. fréquenter. | *non bazzica più da queste parti,* on ne le voit plus par ici.
bazzotto [bad'dzɔtto] agg. mollet. | *uovo bazzotto,* œuf mollet.
beare [be'are] v. tr. LETT. charmer. ◆ v. rifl. se délecter, prendre plaisir.
beatificare [beatifi'kare] v. tr. combler de joie.
beatitudine [beati'tudine] f. béatitude, félicité.
beato [be'ato] agg. heureux, bienheureux. | *far vita beata,* mener joyeuse vie, la bonne vie. ◆ m. bienheureux.
beccaccia [bek'kattʃa] f. ZOOL. bécasse.
beccaio [bek'kajo] m. boucher.
beccamorti [bekka'mɔrti] m. inv. PEGG. fossoyeur (L.C.), croque-mort (fam.).
beccare [bek'kare] v. tr. becqueter, picorer. || donner des coups de bec. || [stuzzicare] taquiner. || FIG. [prendere] attraper. | *mi son beccato un bel raffreddore,* j'ai attrapé un gros rhume. | *non mi beccano più,* on ne m'y reprendra plus. ◆ v. rifl. se donner des coups de bec. || se chamailler, se lancer des pointes.
beccheggiare [bekked'dʒare] v. intr. MAR. tanguer.
beccheria [bekke'ria] f. boucherie.
becchime [bek'kime] m. pâtée f.
becchino [bek'kino] m. fossoyeur, croque-mort (fam.).
1. becco ['bekko] m. bec. | *mettere il becco in,* se mêler de, fourrer son nez dans. || LOC. FAM. *essere senza il becco di un quattrino,* ne pas avoir le sou.
2. becco m. ZOOL. bouc.
beccuccio [bek'kuttʃo] m. bec. || [pinzetta] pince (f.) à cheveux.
befana [be'fana] f. Épiphanie, jour (m.) des Rois. || PER EST. sorcière.
beffa ['bɛffa] f. farce, (bon) tour. | *farsi beffa di uno,* se moquer de qn. || FIG. *una beffa del destino,* un coup du sort.
beffardo [bef'fardo] agg. railleur, narquois, moqueur.
beffare [bef'fare] v. tr. bafouer, berner. ◆ v. rifl. se gausser (de), se moquer (de).
beffeggiare [beffed'dʒare] v. tr. [beffare con insistenza] V. BEFFARE.
bega ['bɛga] f. querelle, chicane, dispute, histoire.
beghina [be'gina] f. béguine.
belare [be'lare] v. intr. bêler, chevroter. ◆ v. tr. FIG. bêler.
belato [be'lato] m. bêlement (anche fig.).
belga ['belga] (**-gi** pl.) agg. e n. belge.
bella ['bɛlla] f. belle, beauté. | *bella mia !,* ma belle ! || [bella copia] copie définitive. | *mettere in bella,* mettre au propre ; recopier.
bellamente [bella'mente] avv. [con baldanza] tranquillement. || [garbatamente] gentiment, poliment.
belletto [bel'letto] m. fard.
bellezza [bel'lettsa] f. beauté. || IRON. *dove si va bellezza ?,* où allez-vous la belle ? || LOC. *che bellezza !,* quelle joie ! | *quest'orologio funziona che è una bellezza,* cette montre marche à merveille. | *per bellezza,* pour faire joli. | *la bellezza di un milione,* la jolie somme d'un million. ◆ pl. beautés.
bellico ['bɛlliko] agg. de guerre.
bellicoso [belli'koso] agg. belliqueux.
belligerante [bellidʒe'rante] agg. e m. belligérant.
bellimbusto [bellim'busto] m. bellâtre, godelureau (fam.), mirliflore, joli cœur.
bello ['bɛllo] agg. beau, joli. || FAM. *bella roba !,* c'est du joli ! | *questa è bella !,* elle est (bien) bonne ! || [buono] bon. | *una bella occasione,* une bonne occasion. | *belle maniere,* de bonnes façons. | *darsi al bel tempo,* se donner du bon temps. || IRON. *bella figura hai fatto !,* tu as fait (une) piètre impression, une piètre figure. || [con valore di già, completamente] *un vestito bell'e fatto,* un costume de confection. | *è bell'e finita,* c'est bien fini. || LOC. FAM. *e compagnia bella,* et tout ce qui s'ensuit. ◆ m. beau. || FAM. [il fidanzato] amoureux, flirt. || LOC. *che c'è di bello ?,* quoi de neuf ? | *sul più bello,* au plus beau moment.
belloccio [bel'lɔttʃo] agg. assez beau.
beltà [bel'ta] f. LETT. beauté.
belva ['belva] f. fauve m., bête féroce.
belvedere [belve'dere] m. inv. belvédère.
bemolle [be'mɔlle] m. bémol.

benarrivato [benarri'vato] agg. bienvenu. ◆ m. bienvenue f.
benaugurato [benaugu'rato] agg. tant souhaité, heureux.
benché [ben'ke] cong. bien que, quoique, encore que. | *benché scontento,* bien que mécontent.
benda ['bɛnda] f. MED. bande. || FIG. bandeau m.
bendare [ben'dare] v. tr. bander.
bendatura [benda'tura] f. bandage m.
1. bene ['bɛne] avv. bien. | *(va) tutto bene?,* ça va?, ça marche? | *non sto bene,* je ne me sens pas bien. | *va bene, ho capito,* ça va, j'ai compris. | *è bene a sapersi,* c'est bon à savoir. || LOC. *fare qlco. per bene,* faire qch. comme il faut. | *ben bene,* tout à fait bien. | *andiamo bene!,* nous voilà frais! | *di bene in meglio,* de mieux en mieux. ◆ interiez. bien!, bon!
2. bene m. bien. || [affetto] amour, affection f. | *volersi bene,* s'aimer. ◆ spec. pl. [ricchezze] biens.
benedettino [benedet'tino] agg. e n. bénédictin, e.
benedetto [bene'detto] agg. bénit. || PER EST. [ben dotato] béni. || FAM. [esclamativo] sacré, cher. | *quel benedetto uomo non arriva mai!,* ce diable d'homme n'arrive jamais!
benedire [bene'dire] v. tr. bénir. || FIG., FAM. *andate a farvi benedire,* allez au diable! | *i loro progetti sono andati a farsi benedire,* leurs projets sont tombés à l'eau.
benedizione [benedit'tsjone] f. bénédiction.
benefattore [benefat'tore] (**-trice** f.) n. bienfaiteur, trice.
beneficare [benefi'kare] v. tr. faire du bien (à).
beneficenza [benefi'tʃɛntsa] f. bienfaisance.
beneficiare [benefi'tʃare] v. intr. bénéficier (de).
beneficiario [benefi'tʃarjo] agg. bénéficiaire.
beneficio [bene'fitʃo] m. bienfait. || PER EST. avantage. | *a beneficio di,* au bénéfice de. | *a titolo di beneficio,* à titre de faveur.
benefico [be'nɛfiko] agg. bienfaisant, bénéfique.
benefizio [bene'fittsjo] m. = BENEFICIO.
benemerenza [beneme'rɛntsa] f. (titre de) mérite m.
benemerito [bene'mɛrito] agg. méritant, qui a bien mérité.
beneplacito [bene'platʃito] m. consentement, agrément.
benessere [be'nɛssere] m. bien-être; aisance f.
benestante [benes'tante] agg. aisé. ◆ n. personne aisée.
benestare [benes'tare] m. [autorizzazione] autorisation f., approbation f. || [benessere] bien-être.
benevolenza [benevo'lɛntsa] f. bienveillance.
benevolo [be'nɛvolo] agg. bienveillant, bénévole.
beniamino [benja'mino] m. enfant gâté, enfant chéri. || PER EST. favori.
benignità [beniɲɲi'ta] f. bienveillance, bénignité. || [mitezza] douceur.
benigno [be'niɲɲo] agg. bienveillant, bénin, indulgent. || FIG. propice, favorable. || MED. bénin.
benino [be'nino] avv. DIM. assez bien. | *per benino,* comme il faut, soigneusement.
beninteso [benin'teso] avv. bien entendu, naturellement, cela va sans dire.
benna ['bɛnna] f. benne.
benservito [benser'vito] m. certificat de bons services. || EUF. *dare il benservito a qlcu.,* donner son congé à qn.
bensì [ben'si] cong. mais plutôt. || [tuttavia] mais, cependant. || certes. | *lo sforzo era bensì notevole,* certes, l'effort était remarquable.
bentornato [bentor'nato] agg. bienvenu. ◆ m. bienvenue f.
benvenuto [benve'nuto] agg. bienvenu. ◆ m. bienvenue f.
benvisto [ben'visto] agg. bien vu, aimé.
benvolere [benvo'lere] v. tr. [solo infin.] aimer. | *farsi benvolere,* attirer la sympathie. ◆ m. bienveillance f., affection f., estime f.
benzina [ben'dzina] f. essence. || [per smacchiare] benzine.
benzinaio [bendzi'najo] m. pompiste.
beone [be'one] m. gros, grand buveur; ivrogne.
bequadro [be'kwadro] m. bécarre.
berciare [ber'tʃare] v. intr. brailler (fam.).
1. bere ['bere] v. tr. boire. || FIG. *darla a bere a qlcu.,* en faire accroire à qn.
2. bere m. boisson f. | *darsi al bere,* s'adonner à la boisson.
bergamotta [berga'mɔtta] agg. e f. BOT. bergamote f.
berlina [ber'lina] f. [pena e luogo] pilori m. || FIG. *mettere qlcu. alla berlina,* clouer qn au pilori. || AUT. berline.
bernardino [bernar'dino] agg. e m. bernardin.
bernoccolo [ber'nɔkkolo] m. bosse f., enflure f. || [di vegetali] nœud.
berretta [ber'retta] f. bonnet m. || [copricapo ecclesiastico] calotte, barrette. || [di magistrati] toque.
berrettaio [berret'tajo] m. chapelier, bonnetier.

berretto [ber'retto] m. bonnet. | *berretto con visiera,* casquette f. | *berretto basco,* béret basque. || MIL. képi.
bersagliare [bersaʎ'ʎare] v. tr. tirer sur, tirailler. || FIG. poursuivre, harceler, persécuter.
bersagliere [bersaʎ'ʎɛre] m. [in Italia] bersaglier. || [in Francia] tirailleur.
bersaglio [ber'saʎʎo] m. cible f.
berta ['bɛrta] f. [burla] raillerie, moquerie. || ZOOL. geai m.
bertesca [ber'teska] f. bretèche.
bertoldo [ber'tɔldo] m. [balordo] benêt, sot, niais.
bertuccia [ber'tuttʃa] f. ZOOL. magot m. || FIG. macaque m.
bertuello [bertu'ɛllo] m. [rete] verveux, nasse f., épuisette f.
bestemmia [bes'temmja] f. blasphème m. || [imprecazione] juron m. ; énormité.
bestemmiare [bestem'mjare] v. intr. jurer, dire des énormités. ◆ v. tr. blasphémer.
bestemmiatore [bestemmja'tore] m. blasphémateur.
bestia ['bestja] f. bête, animal m. | *le bestie,* le bétail. || FIG., FAM. *andare in bestia,* se mettre en colère, s'emporter.
bestiale [bes'tjale] agg. bestial. || FAM. terrible, énorme, atroce. | *un caldo bestiale,* une chaleur terrible.
bestialità [bestjali'ta] f. bestialité. || FAM. bêtise (L.C.), énormité.
bestiame [bes'tjame] m. bétail, cheptel.
bestiario [bes'tjarjo] m. bestiaire.
betta ['betta] f. [piccola nave] bette.
bettola ['bettola] f. gargote, bistro m. (fam.), caboulot m.
bettoliere [betto'ljɛre] m. cabaretier, gargotier. || POP. mastroquet.
betulla [be'tulla] f. bouleau m.
bevanda [be'vanda] f. boisson.
beveraggio [beve'raddʒo] m. breuvage. || [intruglio] philtre.
bevitore [bevi'tore] m. buveur.
bevuta [be'vuta] f. gorgée, lampée. | *fare una bevuta,* boire un coup.
bezzicare [bettsi'kare] v. tr. picoter, becqueter. || FIG. taquiner, harceler. ◆ v. rifl. se quereller, se chamailler.
biacca ['bjakka] f. céruse.
biacco ['bjakko] m. couleuvre f.
biada ['bjada] f. avoine. ◆ pl. LETT. moissons, blés m. pl.
bianca ['bjanka] f. [donna di razza bianca] Blanche.
biancheggiare [bjanked'dʒare] v. intr. blanchir. || tirer sur le blanc. | *il mare biancheggia,* la mer moutonne, est blanche d'écume.
biancheria [bjanke'ria] f. linge m.
bianchetto [bjan'ketto] m. CHIM. lait de chaux, blanc. || [belletto] fard.
bianchezza [bjan'kettsa] f. blancheur.
bianchiccio [bjan'kittʃo] agg. blanchâtre.
bianchire [bjan'kire] v. tr. [solo per i metalli o lo zucchero] blanchir. || V. IMBIANCHIRE.
bianco ['bjanko] agg. blanc. ◆ m. [colore] blanc. || [di razza bianca] Blanc. || [cibo non condito] sans sauce, bouilli. | *pesce in bianco,* poisson bouilli. | *pasta in bianco,* pâtes au beurre. || COMM. *firma in bianco,* blanc-seing. | *fare una tratta in bianco,* tirer à découvert.
biancospino [bjankos'pino] m. aubépine f.
biascicare [bjaʃʃi'kare] v. tr. mâchouiller (fam.), mâchonner. || FIG. bredouiller. || [una lingua] baragouiner (fam.).
biascicatura [bjaʃʃika'tura] f. mâchonnement m. || FIG. bredouillage m., bafouillage m. || [di una lingua] baragouin m., baragouinage m.
biasimare [bjazi'mare] v. tr. blâmer, réprouver.
biasimevole [bjazi'mevole] agg. blâmable, répréhensible, condamnable.
biasimo ['bjazimo] m. blâme, reproche, réprobation f.
bibbia ['bibbja] f. bible.
bibita ['bibita] f. boisson. ◆ pl. rafraîchissements m. pl.
biblico ['bibliko] agg. biblique.
bibliografia [bibljogra'fia] f. bibliographie.
biblioteca [bibljo'tɛka] f. bibliothèque.
bibliotecario [bibljote'karjo] n. bibliothécaire.
bicarbonato [bikarbo'nato] m. bicarbonate.
bicchierata [bikkje'rata] f. tournée. | vin (m.) d'honneur.
bicchiere [bik'kjɛre] m. verre. | *bicchiere a calice,* verre à pied. | *bere un bicchiere,* boire un verre, un coup (fam.).
bicchierino [bikkje'rino] m. DIM. petit verre, verre à liqueur.
bicicletta [bitʃi'kletta] f. bicyclette, vélo m.
bicipite [bi'tʃipite] agg. bicéphale. ◆ m. ANAT. biceps.
bicocca [bi'kɔkka] f. FAM. bicoque.
bicolore [biko'lore] agg. bicolore, de deux couleurs.
bicorno [bi'kɔrno] m. [copricapo] bicorne.
bidè [bi'dɛ] m. inv. bidet m.
bidello [bi'dɛllo] m. concierge. || UNIV. appariteur. || [in parlamento] huissier.
bidonare [bido'nare] v. tr. POP. rouler, duper (L.C.).
bidone [bi'done] m. bidon. | *bidone della spazzatura,* poubelle f. || POP. *fare*

un bidone a qlcu., rouler qn. || [appuntamento mancato] *mi ha fatto il bidone,* il m'a posé un lapin.
bieco ['bjɛko] agg. oblique. || torve, louche. | *azione bieca,* action malhonnête.
biella ['bjɛlla] f. bielle.
biennale [bien'nale] agg. biennal. || bisannuel. ◆ f. biennale. | *la biennale di Venezia,* la biennale de Venise.
biennio [bi'ɛnnjo] m. période (f.) de deux ans. || UNIV. cours de deux ans.
bietola ['bjɛtola] f. BOT. bette.
biffa ['biffa] f. jalon m.
biffare [bif'fare] v. tr. jalonner. || [cancellare] biffer.
bifolco [bi'folko] m. bouvier, laboureur. || FIG., PEGG. péquenot (pop.), rustre.
biforcarsi [bifor'karsi] v. rifl. bifurquer v. intr.
biforcazione [biforkat'tsjone] f. bifurcation, fourche, embranchement m.
biforcuto [bifor'kuto] agg. fourchu. || FIG. *lingua biforcuta,* langue de vipère.
biga ['biga] f. [carro romano] bige m. || MAR. bigue.
bigamia [biga'mia] f. bigamie.
bighellonare [bigello'nare] v. intr. flâner, vagabonder. || fainéanter, paresser.
bighellone [bigel'lone] m. flâneur, vagabond. || [disoccupato] désœuvré.
bigia ['bidʒa] f. fauvette.
bigiotteria [bidʒotte'ria] f. bijoux (m. pl.) fantaisie ; bimbeloterie. || magasin (m.) de frivolités.
biglia ['biʎʎa] f. = BILIA.
bigliardo [biʎ'ʎardo] m. = BILIARDO.
bigliettaio [biʎʎet'tajo] m. [autobus] receveur. || [treno] contrôleur. || [addetto alle biglietterie] guichetier.
biglietteria [biʎʎette'ria] f. [alla stazione] billetterie, guichets m. pl.
biglietto [biʎ'ʎetto] m. billet. | *fare il biglietto,* prendre son billet. | *biglietto da mille,* billet de mille. || carte f. | *biglietto da visita,* carte de visite.
bigotta [bi'gɔtta] f. bigote, fausse dévote.
bigotto [bi'gɔtto] m. bigot.
bilancia [bi'lantʃa] f. balance. || FIG. *in bilancia,* en équilibre. || ASTR. *Bilancia,* Balance.
bilanciare [bilan'tʃare] v. tr. tenir en équilibre, équilibrer. || [compensare] balancer, contrebalancer v. intr. | *le entrate bilanciano le uscite,* les recettes balancent les dépenses. || FIG. balancer, peser. | *bilanciare il pro e il contro,* peser le pour et le contre.
bilanciere [bilan'tʃɛre] m. balancier.
bilancio [bi'lantʃo] m. budget. | *fare quadrare il bilancio,* boucler son budget. || bilan. | *fare un bilancio,* dresser, faire un bilan. || COMM. balance f.
bile ['bile] f. bile. || FIG. *crepare dalla bile,* crever de dépit.
bilia ['bilja] f. [buca del biliardo] trou m., blouse. || [pallina di vetro] bille.
biliardo [bi'ljardo] m. billard.
bilico ['biliko] m. équilibre instable. | *essere in bilico,* être en équilibre instable.
bilingue [bi'lingwe] agg. e n. bilingue.
bilioso [bi'ljoso] agg. bilieux. || FIG. colérique, irascible.
bimbo ['bimbo] m. FAM. bébé. || [bambino] enfant.
bimestre [bi'mɛstre] m. bimestre, espace de deux mois.
binario [bi'narjo] agg. binaire. ◆ m. TR. rail. || [linea] voie f. | *il treno è al binario n° 5,* le train se trouve au quai n° 5.
binda ['binda] f. MECC. cric m.
binocolo [bi'nɔkolo] m. OTT. jumelles f. pl.
binomio [bi'nɔmjo] m. MAT. binôme.
bioccolo ['bjɔkkolo] m. [lana] flocon. || [grumo] grumeau.
biografia [biogra'fia] f. biographie.
biografo [bi'ɔgrafo] n. biographe.
biologia [biolo'dʒia] f. biologie.
biologo [bi'ɔlogo] n. biologiste.
biondeggiare [bjonded'dʒare] v. intr. blondir.
biondina [bjon'dina] f. DIM. blondinette, blondine.
biondino [bjon'dino] m. DIM. blondinet, blondin.
biondo ['bjondo] agg. et m. blond.
bipartitico [bipar'titiko] agg. POL. bipartite.
bipede ['bipede] agg. e m. bipède.
biplano [bi'plano] m. AV. biplan.
birba ['birba] f. [furfante] filou m., coquin m. || SCHERZ. petit coquin, petit fripon.
birbante [bir'bante] m. [furfante] fripon, coquin, vaurien, gredin. || SCHERZ. coquin, fripon.
birbonata [birbo'nata] f. friponnerie. || SCHERZ. gaminerie.
birbone [bir'bone] m. vaurien, mauvais drôle. || SCHERZ. coquin.
birichinata [biriki'nata] f. espièglerie, friponnerie.
birichino [biri'kino] m. polisson, petit diable. ◆ agg. espiègle, fripon.
birillo [bi'rillo] m. GIOCHI quille f.
biro ['biro] f. inv. stylo (m.) à bille.
birra ['birra] f. bière. | *birra alla spina,* bière (à la) pression. || FIG., FAM. *correre a tutta birra,* filer à toute allure.
birraio [bir'rajo] m. brasseur.
birreria [birre'ria] f. brasserie.
bis ['bis] avv. e interiez. bis. ◆ m. bis. ◆ agg. bis.
bisaccia [bi'zattʃa] f. besace, bissac m.

bisavolo [bi'zavolo] m. bisaïeul.
bisbetico [biz'bɛtiko] agg. acariâtre, grincheux, hargneux. || LETT. *la Bisbetica domata,* la Mégère apprivoisée.
bisbigliare [bizbiʎ'ʎare] v. intr. e tr. chuchoter, susurrer, murmurer.
bisbiglio [biz'biʎʎo] m. chuchotement, murmure. || [pettegolezzo] potin, commérage.
bisbocciare [bizbot'tʃare] v. intr. faire bombance, ripailler, bambocher (fam.), faire la noce (fam.).
bisca ['biska] f. maison de jeu, tripot m. (pegg.).
bischero ['biskero] m. MUS. [piolo] cheville f., fiche f. || [tosc.] TRIV. e POP. con, couillon.
biscia ['biʃʃa] f. ZOOL. couleuvre.
biscottare [biskot'tare] v. tr. CULIN. recuire, sécher au four. | *fette biscottate,* biscottes.
biscottino [biskot'tino] m. petit biscuit, gâteau sec.
biscotto [bis'kɔtto] m. biscuit. || [terracotta] biscuit.
biscroma [bis'krɔma] f. MUS. double croche.
biscugino [bisku'dʒino] m. cousin au second degré.
bisecolare [biseko'lare] agg. bicentenaire.
bisello [bi'zɛllo] m. biseau.
bisestile [bizes'tile] agg. bissextile f.
bislacco [biz'lakko] agg. farfelu, extravagant ; loufoque. | *un gusto bislacco,* un drôle de goût. || FIG. *essere bislacco,* avoir l'esprit de travers.
bislungo [biz'lungo] agg. oblong, barlong.
bisnipote [bizni'pote] n. arrière-neveu, -nièce. || arrière-petit-fils, -petite-fille.
bisnonni [biz'nɔnni] m. pl. arrière-grands-parents. || PER EST. aïeux.
bisnonno [biz'nɔnno] (**-a** f.) n. arrière-grand-père, -grand-mère ; bisaïeul, e.
bisognare [bizoɲ'ɲare] v. impers. [obbligazione] falloir, convenir. | *bisogna che tu venga,* il faut que tu viennes.
bisogno [bi'zɔɲɲo] m. besoin. | *di cosa hai bisogno ?,* de quoi as-tu besoin ? || nécessité f. | *lavora per bisogno,* il travaille par nécessité. || indigence f. | *trovarsi nel bisogno,* se trouver dans l'indigence. || LOC. *c'è bisogno di pane,* il faut du pain.
bisognoso [bizoɲ'ɲoso] agg. e n. besogneux, nécessiteux, indigent.
bisonte [bi'zonte] m. bison.
bissare [bis'sare] v. tr. [concedere un bis] reprendre.
bisso ['bisso] m. TESS. soie (f.) de mer.
bistecca [bis'tekka] f. CULIN. bifteck m., steak (ingl.).
bisticciare [bistit'tʃare] v. intr. e rifl. se quereller, se disputer.
bisticcio [bistit'tʃo] m. dispute f., querelle f., accrochage (fam.). || [gioco di parole] calembour, jeu de mots.
bistrattare [bistrat'tare] v. tr. bousculer. || FIG. maltraiter, rudoyer.
bistro ['bistro] m. bistre.
bisunto [bi'zunto] agg. graisseux, crasseux.
bitorzolo [bi'tortsolo] m. bosse f. || MED. bouton.
bitume [bi'tume] m. bitume.
bivaccare [bivak'kare] v. intr. bivouaquer, camper.
bivacco [bi'vakko] m. bivouac.
bivio ['bivjo] m. bifurcation f., fourche f., carrefour, embranchement.
bizantino [biddzan'tino] agg. byzantin. || FIG. byzantin, oiseux. | *questioni bizantine,* querelles byzantines.
bizza ['biddza] f. caprice m., colère.
bizzarria [biddzar'ria] f. [stravaganza] bizarrerie, extravagance. || caprice m.
bizzarro [bid'dzarro] agg. bizarre, étrange, fantasque, drôle. | *idee bizzarre,* drôles d'idées.
bizzeffe (a) [abid'dzɛffe] loc. avv. à foison.
bizzoso [bid'dzoso] agg. capricieux, emporté.
blandire [blan'dire] v. tr. flatter. || [lenire] apaiser, adoucir.
blando ['blando] agg. léger, faible. || [affabile] doux.
blasfemo [blas'fɛmo] agg. blasphématoire.
blasone [bla'zone] m. blason, armoiries f. pl.
blaterare [blate'rare] v. intr. parler à tort et à travers.
blatta ['blatta] f. ZOOL. blatte, cafard m., cancrelat m.
blindare [blin'dare] v. tr. blinder.
bloccare [blok'kare] v. tr. bloquer. || immobiliser, coincer. || TECN. *bloccare il motore,* caler le moteur. ◆ v. pr. se bloquer, se coincer.
blocchetto [blok'ketto] m. carnet, bloc-notes.
1. blocco ['blɔkko] m. bloc. ◆ *in blocco,* en bloc.
2. blocco m. blocus. || blocage. | *blocco dei freni,* blocage des freins. || LOC. *posto di blocco,* barrage de police.
blu [blu] agg. e m. bleu.
bluffare [bluf'fare] v. tr. bluffer. ◆ v. intr. [vantarsi] bluffer, se vanter v. rifl.
blusa ['bluza] f. blouse ; chemisette.
1. boa ['bɔa] m. inv. ZOOL. boa. || PER ANAL. boa.
2. boa f. MAR. bouée, flotte.
boario [bo'arjo] agg. des bœufs. | *foro boario,* marché au bétail.

boaro [bo'aro] m. bouvier.
boato [bo'ato] m. grondement. || détonation f.
bobina [bo'bina] f. bobine.
bocca ['bokka] f. bouche. | *stare a bocca aperta,* rester bouche bée. || Loc. Fig. *restare a bocca asciutta,* rester sur sa faim. | *non metto bocca* (in conversazione), je n'interviens pas. | *essere sulla bocca di tutti,* être la fable de tout le monde. | *avere molte bocche da sfamare,* avoir de nombreuses bouches à nourrir. | *acqua in bocca!,* motus et bouche cousue! | *in bocca al lupo!,* bonne chance! || [apertura] *bocca di calore,* bouche de chaleur. | *bocca di una caverna,* entrée d'une caverne. || Geogr. embouchure.
boccaccesco [bokkat'tʃesko] agg. Lett. à la manière de Boccace. || grivois.
boccaccia [bok'kattʃa] f. Pegg. mauvaise langue. || Loc. *fare le boccacce,* faire la grimace.
boccale [bok'kale] m. broc, pichet, cruche f. || *boccale di birra,* chope f.
boccaporto [bokka'pɔrto] m. Mar. écoutille f.
boccata [bok'kata] f. [di cibo] bouchée. || [di fumo] bouffée.
boccetta [bot'tʃetta] f. flacon m., fiole.
boccheggiare [bokked'dʒare] v. intr. haleter.
bocchino [bok'kino] m. fume-cigarette m. inv. || Mus. embouchure f.
boccia ['bɔttʃa] f. [di vetro] carafe. || [di legno] boule.
bocciare [bot'tʃare] v. tr. refuser, recaler.
bocciatura [bottʃa'tura] f. insuccès m., ajournement m., recalage m.
boccio ['bɔttʃo] m. Bot. bouton. | *in boccio,* en bouton.
bocciolo [bot'tʃɔlo] o **bocciuolo** [bot'tʃw'ɔlo] m. Bot. bouton.
boccola ['bɔkkola] f. boucle d'oreille.
bocconcino [bokkon'tʃino] m. Dim. petite bouchée.
boccone [bok'kone] m. bouchée f., morceau. || [cibo squisito] fin morceau.
bocconi [bok'koni] avv. à plat ventre, sur le ventre.
boccuccia [bok'kuttʃa] f. petite bouche.
boemo [bo'ɛmo] agg. de Bohême, bohémien.
bofonchiare [bofon'kjare] v. intr. grommeler, marmonner.
boia ['bɔja] m. inv. Giur. bourreau m. || [ribaldo] scélérat. ◆ agg. Fam. *fa un freddo boia,* il fait un froid de canard.
boiata [bo'jata] f. Fam. [opera mancata] navet m., loupé m.
boicottare [boikot'tare] v. tr. boycotter.
boleto [bo'lɛto] m. bolet.
bolgia ['bɔldʒa] f. fosse (de l'enfer dantesque). || Fig. chaos m., pagaille.
1. bolla ['bolla] f. bulle. | *bolla di sapone,* bulle de savon. || Med. cloque, ampoule.
2. bolla f. Rel. bulle. || Comm. bulletin m.
bollare [bol'lare] v. tr. timbrer. || [col fuoco] *bollare a fuoco,* Pr. marquer au fer rouge; Fig. stigmatiser. || [con ceralacca] sceller.
bollato [bol'lato] agg. timbré. | *carta bollata,* papier timbré. || [a fuoco] marqué. || [su ceralacca] scellé.
bollatura [bolla'tura] f. timbrage m., marquage m.
bollente [bol'lɛnte] agg. bouillant. || Fig. ardent.
bolletta [bol'letta] f. [ricevuta] quittance, récépissé m., facture. || Comm. bulletin m. | *bolletta di spedizione,* bordereau (m.) d'envoi. || Fig., Fam. *essere in bolletta,* être fauché.
bollettino [bollet'tino] m. bulletin.
bollire [bol'lire] v. intr. bouillir. || Loc. Fig. *sapere quel che bolle in pentola,* savoir ce qui se mijote (fam.). ◆ v. tr. Fam. faire bouillir.
bollito [bol'lito] agg. bouilli. ◆ m. Culin. bouilli, pot-au-feu.
bollitore [bolli'tore] m. bouilloire f. || Tecn. bouilleur.
bollitura [bolli'tura] f. ébullition.
bollo ['bollo] m. timbre. || [timbro] cachet. || [marchio] marque (f.) de contrôle. || [per una tassa] vignette f. || Fig. [marchio d'infamia] flétrissure f.
bollore [bol'lore] m. ébullition f.
bolso ['bolso] agg. poussif.
bomba ['bomba] f. bombe. || Loc. *a prova di bomba,* à toute épreuve. || [di lava] bombe. || Fig. *torniamo a bomba,* revenons à nos moutons.
bombardamento [bombarda'mento] m. bombardement.
bombardare [bombar'dare] v. tr. bombarder.
bombardiere [bombar'djɛre] m. bombardier.
bombetta [bom'betta] f. (chapeau) melon m.
bombola ['bombola] f. bouteille, bonbonne. || ballon m. | *bombola di ossigeno,* ballon d'oxygène.
bonaccia [bo'nattʃa] f. Mar. calme plat, bonace. || Fig. accalmie.
bonaccione [bonat'tʃone] agg. débonnaire, bonasse.
bonarietà [bonarje'ta] f. bonhomie.
bonario [bo'narjo] agg. bonasse, débonnaire. | *un'aria bonaria,* un air bon enfant.
bonifica [bo'nifika] f. bonification. || [di terreno paludoso] assainissement m., assèchement m.

bonificare [bonifi'kare] v. tr. bonifier. || assécher, assainir. || COMM. pratiquer une réduction.
bonifico [bo'nifiko] m. COMM. bonification f. || FIN. virement, transfert.
bonomia [bono'mia] f. bonhomie.
bontà [bon'ta] f. bonté. || amabilité. | *bontà sua !,* c'est bien aimable à vous ! | *abbiate la bontà di,* ayez l'obligeance, de. || LOC. *che bontà !,* comme c'est bon !
bonzo ['bondzo] m. bonze.
bora ['bɔra] f. [vento] bora.
borboglio [borboʎ'ʎio] m. murmure, gargouillement, gargouillis.
borbonico [bor'bɔniko] agg. bourbonien.
borborigmo [borbo'rigmo] m. borborygme.
borbottare [borbot'tare] v. intr. [lamentarsi] grommeler, grogner, bougonner. ◆ v. tr. marmotter, bredouiller.
borbottio [borbot'tio] m. murmure prolongé, bougonnement. || [dell'intestino] gargouillement.
borchia ['bɔrkja] f. [ornamento sul morso del cavallo] bossette. || clou (m.) de tapissier.
bordare [bor'dare] v. tr. [orlare] border, liserer, ourler.
bordata [bor'data] f. MAR. bordée.
bordeggiare [borded'dʒare] v. intr. louvoyer, tirer une bordée.
bordeggio [bor'deddʒo] m. louvoiement.
bordello [bor'dɛllo] m. POP. bordel. || FIG. pagaille f. (fam.), tapage (L.C.).
borderò [bordə'ro] m. inv. (fr.) bordereau m.
bordo ['bordo] m. bord. | *essere a bordo di un'auto,* être à bord d'une automobile. || FIG. *persona d'alto bordo,* personne de haut rang, du grand monde. || [di stoffa] bordure f., ourlet.
bordone [bor'done] m. [bastone] bourdon. || MUS. bourdon. || FIG. *prendere il bordone,* s'en aller. | *tener bordone a uno,* prêter la main à qn.
boreale [bore'ale] agg. boréal. | *aurora boreale,* aurore boréale.
borgata [bor'gata] f. bourgade.
borghese [bor'geze] agg. e n. bourgeois. || [non militare] civil. | *mettersi in borghese,* se mettre en civil.
borghesia [borge'zia] f. bourgeoisie.
borgo ['borgo] m. bourg. || [annesso a città] faubourg.
borgomastro [borgo'mastro] m. bourgmestre.
boria ['bɔrja] f. orgueil m., suffisance, arrogance.
boriarsi [bo'rjarsi] v. pr. se vanter, se donner des airs.
borico ['bɔriko] agg. borique, boriqué.
borioso [bo'rjoso] agg. arrogant, suffisant, hâbleur.
borotalco ['bɔro'talko] m. (n. brev.) talc boré.
borraccia [bor'rattʃa] f. bidon m., gourde.
borraccina [borrat'tʃina] f. BOT. mousse. ◆ agg. moussu.
borsa ['borsa] f. sac m. || trousse. | *borsa da toilette,* trousse de toilette. || *borsa d'acqua calda,* bouillotte. | *borsa da tabacco,* blague à tabac. || [denaro] bourse. || [sussidio] *borsa di studio,* bourse d'études. || FIN. Bourse. | *quotazioni di Borsa,* le cours de la Bourse. || COMM. *borsa nera,* marché noir.
borsaiolo [borsa'jɔlo] m. pickpocket, voleur à la tire (fam.).
borseggio [bor'seddʒo] m. vol à la tire (fam.).
borsellino [borsel'lino] m. porte-monnaie m. inv.
borsetta [bor'setta] f. sac m. (à main).
borsista [bor'sista] m. boursier.
boscaglia [bos'kaʎʎa] f. fourré m., hallier m., broussailles pl.
boscaiolo [boska'jɔlo] m. bûcheron.
boschetto [bos'ketto] m. bosquet, boqueteau, touffe (f.) d'arbres.
boschivo [bos'kivo] agg. boisé. || [proprio del bosco] forestier.
bosco ['bɔsko] m. bois, forêt f. || LOC. FIG. *essere uccel di bosco,* être libre comme l'air.
bosso ['bɔsso] m. buis.
bossolo ['bɔssolo] m. petit pot, sébile f. || MIL. douille f., étui de cartouche.
botanica [bo'tanika] f. botanique.
botola ['bɔtola] f. trappe.
botolo ['bɔtolo] m. roquet.
botro ['bɔtro] m. ravin, ravine f.
botta ['bɔtta] f. coup m. || LOC. *fare a botte,* se bagarrer. | *dare botte da orbi,* frapper, taper comme un sourd. || FIG. *a botta calda,* sur le coup. | *a botta e risposta,* du tac au tac.
bottaio [bot'tajo] m. tonnelier.
bottame [bot'tame] m. futaille f.
botte ['botte] f. tonneau m. ; barrique ; baril m. || ARCHIT. *volta a botte,* voûte en berceau. || LOC. FIG. *dare un colpo al cerchio e uno alla botte,* ménager la chèvre et le chou. || PROV. *non si può avere la botte piena e la moglie ubriaca,* on ne fait pas d'omelette sans casser des œufs.
bottega [bot'tega] f. boutique. || atelier m. | *la bottega del falegname,* l'atelier du menuisier.
bottegaio [botte'gajo] m. boutiquier, commerçant. ◆ agg. PEGG. boutiquier, mercantile.
botteghino [botte'gino] m. échoppe f., petite boutique. || guichet de location. || [del lotto] bureau de loterie.
bottiglia [bot'tiʎʎa] f. bouteille. | *vino in bottiglia,* vin bouché.

bottiglieria [bottiʎʎe'ria] f. commerce (m.) de vins, débit (m.) de boissons.
bottinare [botti'nare] v. intr. [saccheggiare] butiner (arc.).
1. bottino [bot'tino] m. butin.
2. bottino m. [residui organici] gadoue f. || PER EST. [deposito] fosse (f.) d'aisances.
botto ['bɔtto] m. coup. | *in un botto*, d'un seul coup. ◆ *di botto*, tout d'un coup, brusquement.
bottone [bot'tone] m. bouton. || LOC. FIG. *attaccare bottone a qlcu.*, tenir la jambe à qn.
bovaro [bo'varo] m. bouvier.
bove ['bɔve] m. LETT. = BUE.
bovino [bo'vino] agg. bovin. ◆ m. pl. bovins, bovidés.
bozza ['bɔttsa] f. ARCHIT. bossage m. || ANAT. bosse. || TIP. épreuve. | *licenziare le bozze*, donner le bon à tirer.
bozzetto [bot'tsetto] m. ARTI étude f. || ébauche f., esquisse f. || maquette f.
bozzolo ['bɔttsolo] m. cocon. || [bitorzolo] bosse f. || [grumo] grumeau.
bozzoluto [bottso'luto] agg. bosselé. | *tronco bozzoluto*, tronc bosselé, noueux.
braca ['braka] (**-che** pl.) f. FAM. pantalon m. sing. (L.C.), culotte (L.C.). || FIG., FAM. *calare le brache*, caler, se dégonfler.
bracalone [braka'lone] m. FAM. individu débraillé, négligé.
braccare [brak'kare] v. tr. PR. e FIG. traquer.
braccetto (a) [abrat'tʃetto] loc. avv. bras dessus, bras dessous.
bracciale [brat'tʃale] m. bracelet. || PER EST. brassard. || [bracciolo] accoudoir.
braccialetto [brattʃa'letto] m. bracelet.
bracciante [brat'tʃante] m. journalier, ouvrier agricole.
bracciata [brat'tʃata] f. brassée. || SP. brasse.
braccio ['brattʃo] m. (**braccia** f. pl. ; **bracci** m. pl.) bras. || *braccio di un edificio*, aile (f.) d'un bâtiment. || [unità di misura] brasse f. ◆ pl. *braccia*, main-d'œuvre f. sing.
bracciolo [brat'tʃɔlo] m. accoudoir, bras. || [di scala] main (f.) courante.
bracco ['brakko] m. ZOOL. braque. || FIG. [segugio] limier.
bracconiere [brakko'njɛre] m. braconnier.
brace ['bratʃe] f. braise, escarbille. || FIG. *essere sulla brace*, être sur le gril. | *soffiare sulla brace*, jeter de l'huile sur le feu. | *cadere dalla padella nella brace*, aller de mal en pis.
bracia ['bratʃa] o **bragia** ['bradʒa] f. = BRACE.
braciere [bra'tʃɛre] m. brasier. || [contenitore] brasero.
braciola [bra'tʃɔla] f. CULIN. côtelette.
brado ['brado] agg. en liberté, (à l'état) sauvage.
braga ['braga] f. [sett.] = BRACA.
brago ['brago] m. boue f., bourbe f.
brama ['brama] f. désir ardent, envie, soif, convoitise. | *brama di conoscere*, soif de connaître.
bramare [bra'mare] v. tr. LETT. convoiter, désirer ardemment, ambitionner.
bramino [bra'mino] m. REL. brahmane.
bramire [bra'mire] v. intr. bramer.
bramosia [bramo'sia] f. convoitise.
bramoso [bra'moso] agg. désireux, avide, assoiffé.
branca ['branka] f. griffe. || [di rapace] serres f. pl. || [di crostacei] pinces f. pl. || [ramo principale] branche.
brancata [bran'kata] f. poignée. | *una brancata d'erba*, une poignée d'herbe. || coup (m.) de griffe.
branchia ['brankja] f. branchie.
brancicare [brantʃi'kare] v. tr. tripoter (fam.). ◆ v. intr. tâtonner.
branco ['branko] m. troupeau, bande f., compagnie f. | *un branco di oche*, un troupeau d'oies. || [di cerbiatti] harde f. || [di pesci] banc.
brancolare [branko'lare] v. intr. hésiter, tâtonner, avancer à tâtons.
branda ['branda] f. lit (m.) de camp. || MAR. hamac m.
brandello [bran'dɛllo] m. lambeau, haillon, loque f. | *a brandelli*, en lambeaux, en loques. || FIG. bribe f., brin.
brandire [bran'dire] v. tr. brandir.
brano ['brano] m. [pezzo] lambeau, fragment. || passage. | *un brano dei Miserabili*, un passage des *Misérables*.
brasare [bra'zare] v. tr. CULIN. braiser.
bravacciata [bravat'tʃata] f. = SPACCONATA.
bravare [bra'vare] v. tr. braver.
bravata [bra'vata] f. bravade.
bravo ['bravo] agg. [abile, esperto] bon, fort, habile. | *è bravo a scuola*, c'est un bon écolier. || [antifrastico] *bravo, complimenti !*, c'est malin, tu peux être fier de toi ! || [onesto, dabbene] brave, sage. | *un brav'uomo*, un brave homme. | *su, da bravi, state a sentirmi*, allons, soyez gentils, écoutez-moi. || [coraggioso] brave. || FAM. [rafforzativo] *avrà i suoi bravi motivi*, il a sans doute de bonnes raisons. ◆ *alla brava*, à la va-vite ; en moins de deux (fam.). ◆ interiez. TEAT. *bravo !*, *brava !*, *bravi !*, bravo ! (inv.)

bravura [bra'vura] f. habileté, bravoure.
breccia ['brettʃa] f. brèche. || FIG. *far breccia su qlcu.*, gagner qn à sa cause.
brefotrofio [brefo'trɔfjo] m. orphelinat.
bretella [bre'tɛlla] f. bretelle. || [spallina] épaulette.
bret(t)one ['brɛt(t)one] agg. e n. breton, onne.
breve ['breve] agg. bref, court. || LOC. *tra breve,* sous peu, avant peu. | *per farla breve,* pour tout dire ; en un mot.
brevettare [brevet'tare] v. tr. breveter.
brevettato [brevet'tato] agg. breveté.
brevetto [bre'vetto] m. brevet.
breviario [bre'vjarjo] m. bréviaire. || [compendio] condensé, précis.
brevità [brevi'ta] f. brièveté.
brezza ['breddza] f. brise.
bricco ['brikko] m. coquemar, bouilloire f., bouillotte f., pot.
bricconata [brikko'nata] f. coquinerie, tour (m.) de coquin, gaminerie.
briccone [brik'kone] m. coquin, fripon, vaurien.
briciola ['britʃola] f. miette ; bribe.
briciolo ['britʃolo] m. petit morceau, petit bout, brin.
bricolla [bri'kɔlla] f. sac m. (de contrebandier).
briga ['briga] f. ennui m., souci m., tracas m., peine. | *darsi, prendersi la briga di qlco.,* se donner la peine de qch. | *attaccar, cercar briga con qlcu.,* chercher querelle à qn.
brigadiere [briga'djɛre] m. brigadier.
brigantaggio [brigan'taddʒo] m. brigandage.
brigante [bri'gante] m. brigand. || SCHERZ. coquin, canaille f., vaurien.
brigantino [brigan'tino] m. brigantin, brick.
brigare [bri'gare] v. intr. e tr. intriguer v. intr., briguer v. tr.
brigata [bri'gata] f. bande, compagnie. || MIL. brigade.
briglia ['briʎʎa] f. rêne, bride, guides pl. | *allentare le briglie,* lâcher la bride. | *a briglia sciolta,* à bride abattue.
brillantare [brillan'tare] v. tr. [tagliare le pietre dure] brillanter. || [rendere lucido] brillanter.
brillante [bril'lante] agg. brillant. | *poco brillante,* peu reluisant. ◆ m. brillant.
brillantina [brillan'tina] f. brillantine.
brillare [bril'lare] v. intr. briller, reluire, avoir de l'éclat. || [esplodere] exploser, éclater. | *far brillare una mina,* faire exploser une mine. || [togliere l'involucro al riso, ecc.] décortiquer.
brillatura [brilla'tura] f. décorticage m.
brillo ['brillo] agg. FAM. gris, éméché.
brina ['brina] f. givre m., gelée blanche.
brinare [bri'nare] v. intr. impers. *questa notte è brinato,* cette nuit il y a eu de la gelée blanche. ◆ v. tr. givrer.
brindare [brin'dare] v. intr. *brindare alla salute di qlcu.,* boire à la santé de qn ; trinquer, porter un toast.
brindellone [brindel'lone] (**-a** f.) agg. e n. personne déguenillée.
brindisi ['brindizi] m. inv. toast. | *fare un brindisi,* porter un toast, boire à la santé (de qn).
brio ['brio] m. verve f., entrain, allant, brio, abattage.
brioso [bri'oso] agg. entraînant, enlevé, plein de verve, plein d'entrain, fringant.
briscola ['briskola] f. GIOCHI brisque, mariage m. || atout m. || LOC. FIG. *valere come il due di briscola,* ne rien valoir. || FAM. [bussa] coups m. pl.
britannico [bri'tanniko] agg. britannique.
brivido ['brivido] m. frisson, frissonnement. || LOC. *mi dà i brividi,* cela me donne froid dans le dos.
brizzolato [brittso'lato] agg. grivelé, moucheté. || [di capelli] grisonnant.
brocca ['brɔkka] f. broc m., cruche, aiguière (antiq.).
broccato [brok'kato] m. brocart.
brocco ['brɔkko] m. [stecco spinoso] brindille sèche. || [punta al centro di un bersaglio] mouche f. || [cavallo di poco pregio] canasson (fam.), haridelle f. || PER EST. [persona inetta] empoté (fam.).
broccolo ['brɔkkolo] m. brocoli.
broda ['brɔda] f. brouet m. (lett.). || PEGG. [minestra o bevanda insipida] lavasse. || [scritto prolisso] verbiage m.
brodetto [bro'detto] m. CULIN. soupe (f.) de poisson.
brodo ['brɔdo] m. bouillon. | *minestra in brodo,* potage. || LOC. FIG. *tutto fa brodo,* tout peut servir. | *andare in brodo di giuggiole,* boire du petit lait.
brogliaccio [broʎ'ʎattʃo] m. COMM. brouillard, brouillon, main (f.) courante.
brogliare [broʎ'ʎare] v. intr. briguer v. tr., intriguer.
broglio ['brɔʎʎo] m. brigue f., manœuvre f., manipulation f. | *broglio elettorale,* truquage des élections.
bronchite [bron'kite] f. bronchite.
broncio ['brontʃo] m. moue f., bouderie f. | *tenere il broncio a qlcu.,* bouder qn.
bronco ['bronko] m. bronche f.
broncopolmonite [bronkopolmo'nite] f. broncho-pneumonie.
brontolare [bronto'lare] v. intr. [lamentarsi] grogner, grommeler, mau-

gréer, rouspéter (fam.), gronder. ◆ v. tr. grommeler, marmonner.

brontolio [bronto'lio] m. grognement, bougonnement. || [del tuono] grondement.

brontolone [bronto'lone] m. grognon, bougon, rouspéteur (fam.).

bronzeo ['brondzeo] agg. [di bronzo] de bronze. || [del colore del bronzo] bronzé. || [suono del bronzo] d'airain.

bronzina [bron'dzina] f. MECC. coussinet m. || AUT. *fondere una bronzina,* couler une bielle.

bronzo ['brondzo] m. bronze, airain (lett.). || LOC. FIG. *avere una faccia di bronzo,* avoir du toupet. || [opera d'arte] bronze.

brucare [bru'kare] v. tr. brouter.

bruciapelo (a) [abrutʃa'pelo] loc. avv. à bout portant ; à brûle-pourpoint.

bruciare [bru'tʃare] v. tr. [distruggere col fuoco] brûler, consumer, calciner. || carboniser, griller. | *il freddo ha bruciato il raccolto,* le froid a grillé la récolte. || FIG. *bruciare i ponti,* couper les ponts. | *bruciare le tappe,* brûler les étapes. | *bruciare le proprie energie,* gaspiller ses forces. | *bruciare un avversario politico,* griller un adversaire politique. | *bruciare la scuola,* sécher les cours. ◆ v. intr. [ardere] brûler, flamber, griller. || [scottare] brûler. | *stai attento che brucia !,* attention, ça brûle ! || FIG. *mi bruciano le mani,* la main me démange. | *mi bruciano gli occhi,* les yeux me brûlent, me piquent. || [per un' offesa] être cuisant. ◆ v. rifl. se brûler, s'ébouillanter.

bruciato [bru'tʃato] agg. [arso] brûlé, calciné. || [inaridito] brûlé, grillé. || *zucchero bruciato,* caramel m. || [colore] *marrone bruciato,* pain brûlé. || [soppiantato] grillé, brûlé. | *un concorrente bruciato,* un concurrent grillé. | *una spia bruciata,* un espion brûlé. ◆ m. brûlé. | *c'è puzza di bruciato,* ça sent le roussi, le brûlé (pr. e fig.).

bruciatore [brutʃa'tore] m. TECN. brûleur.

bruciatura [brutʃa'tura] f. brûlure.

bruciore [bru'tʃore] m. brûlure f. | *bruciore di stomaco,* brûlure d'estomac. || FIG. douleur f.

bruco ['bruko] m. ZOOL. chenille f.

brughiera [bru'gjɛra] f. bruyère, lande.

brulicare [bruli'kare] v. intr. fourmiller, grouiller, pulluler.

brulichio [bruli'kio] m. fourmillement, grouillement, pullulement.

brullo ['brullo] agg. aride, dénudé, pelé, nu, chauve. | *un paesaggio brullo,* un paysage dénudé.

bruma ['bruma] f. LETT. [nebbia] brume. || POET. [cattiva stagione] bise, hiver m.

brunire [bru'nire] v. tr. TECN. brunir.

bruno ['bruno] agg. brun, basané, noiraud. ◆ m. [colore] brun. ◆ n. [persona bruna] brun, e.

brusco ['brusko] agg. [sapore asprigno] âpre, aigre. | *vino brusco,* vin âpre. || FIG. [burbero, sgarbato] brusque, cassant, abrupt. | *tono brusco,* ton cassant, brusque. || [improvviso, violento] brusque.

bruscolo ['bruskolo] m. fétu ; grain de poussière. | *avere un bruscolo nell' occhio,* avoir un grain de poussière dans l'œil.

brusio [bru'zio] m. bourdonnement, bruissement, brouhaha. | *il brusio delle foglie,* le bruissement des feuilles.

brutale [bru'tale] agg. [selvaggio, animalesco] brutal, féroce. | *istinti brutali,* instincts brutaux. || [rozzo] grossier.

brutalità [brutali'ta] f. brutalité.

brutalizzare [brutalid'dzare] v. tr. brutaliser.

bruto ['bruto] agg. brut, brutal. *animale bruto,* bête brute. || brut. | *materia bruta,* matière brute. ◆ m. [essere irragionevole, istintivo] brute f. || [uomo dagli istinti perversi] maniaque.

brutta ['brutta] f. [brutta copia, abbozzo] brouillon m.

bruttare [brut'tare] v. tr. salir, souiller.

bruttezza [brut'tettsa] f. laideur, hideur. || [cosa brutta] horreur.

brutto ['brutto] agg. [sgraziato] laid, vilain. | *delle gambe brutte,* de vilaines jambes. | *brutte parole,* gros mots. | *avere brutta cera,* avoir mauvaise mine. | *brutta copia,* brouillon m. || FIG. *far brutta figura,* faire une piètre figure. || [cattivo, sgradevole, riprovevole] mauvais, vilain. | *un brutto voto,* une mauvaise note. | *brutto segno,* mauvais signe. | *brutta notizia,* mauvaise nouvelle. | *brutta ferita,* vilaine blessure. || LOC. *è arrivato in un brutto momento,* il est mal tombé. | *corrono brutti tempi,* les temps sont durs. | *con le buone o con le brutte,* par la douceur ou par la force. || FIG. *essere in brutte acque,* être en fâcheuse posture. || [del tempo] mauvais, sale (fam.). | *il mare è brutto,* la mer est mauvaise. || [rafforzativo] *brutto bugiardo,* sale menteur ! (fam.). | *brutto stupido !,* espèce d'idiot ! ◆ m. laid, laideur f. | *il bello e il brutto,* le beau et le laid. || LOC. *il brutto è che ...,* le malheur est que ...

bruttura [brut'tura] f. laideur. || [cosa sudicia] saleté, ordure.

bua ['bua] f. [infantile] bobo m. (fam.). | *farsi la bua,* se faire bobo.

bubbolare [bubbo'lare] v. intr. [del tuono] gronder. || [del mare] mugir. || [brontolare] grogner.

bubbolo ['bubbolo] m. grelot, sonnaille f.

bubbone [bub'bone] m. bubon.

buca ['buka] f. [cavità del terreno] trou m., fosse. || [apertura] *buca delle lettere,* boîte aux lettres. || [del bigliardo] blouse. || [delle palline] pot m. || *buca dell'orchestra,* fosse (d'orchestre). || [avvallamento] creux m.

bucaneve [buka'neve] m. inv. perce-neige m. o f. inv.

bucare [bu'kare] v. tr. trouer, percer. || AUT. *ho bucato una gomma,* j'ai crevé. || FIG. *ha le mani bucate,* l'argent lui file entre les doigts. || [ferire, pungere] piquer.

bucatini [buka'tini] m. pl. CULIN. sorte de spaghetti creux.

bucato [bu'kato] m. lessive f.

buccia ['buttʃa] f. peau, écorce. | *buccia delle patate,* peau des pommes de terre. | *buccia dell'arancia,* écorce de l'orange. | *buccia di limone,* zeste (m.) de citron. || [corteccia] écorce. | *buccia del gelso,* écorce du mûrier. || [pelle] *buccia di serpe,* peau de serpent. ◆ pl. [scarti] épluchures, pelures.

buccinare [buttʃi'nare] v. intr. sonner du buccin. || FIG. [divulgare] crier sur tous les toits.

buccola ['bukkola] f. [orecchino] boucle d'oreille. | *buccola a perno,* dormeuse. || [ricciolo] boucle.

buccolo ['bukkolo] m. boucle f.

bucherellare [bukerel'lare] v. tr. cribler de trous, trouer.

bucinare [butʃi'nare] v. tr. chuchoter, murmurer.

bucintoro [butʃin'tɔro] m. STOR. MAR. bucentaure.

buco ['buko] (**-chi** pl.) m. trou. | *il buco della chiave,* le trou de la serrure. || LOC. *fare un buco nell'acqua,* donner un coup d'épée dans l'eau. | *non cavare un ragno da un buco,* ne pas savoir se débrouiller. || [luogo riposto] coin. | *vivere nel proprio buco,* vivre dans son coin. || [ambiente angusto] *un buco di bottega,* une boutique pas plus grande qu'un mouchoir de poche. || FAM. *non riesce a trovare un buco,* il n'arrive pas à se caser. || FIG. [intervallo libero] trou. ◆ interiez. POP. loupé !

bucolico [bu'kɔliko] agg. bucolique.

buddismo [bud'dizmo] m. bouddhisme.

budello [bu'dɛllo] (PR. **-a** pl. f. ; FIG. **-i** pl. m.) m. boyau, tripe f. || LOC. VOLG. *riempirsi le budella,* se remplir le ventre. | *sentirsi tremare le budella,* avoir une peur bleue (fam.).

budino [bu'dino] m. CULIN. crème renversée, flan, pouding.

bue ['bue] m. (**buoi** pl.) bœuf. || FIG. [uomo ottuso] lourdaud. | *pezzo di bue !,* espèce d'imbécile !

bufalo ['bufalo] m. ZOOL. buffle.

bufera [bu'fɛra] f. tempête. || FIG. tourmente.

buffa ['buffa] f. [cappuccio] cagoule.

buffata [buf'fata] f. bouffée.

buffetto [buf'fetto] m. chiquenaude f., pichenette f.

buffo ['buffo] agg. drôle, cocasse, rigolo (fam.). | *una storiella molto buffa,* une histoire très drôle. || [singolare] drôle, curieux. | *che buffa coincidenza !,* quelle curieuse coïncidence ! | *sarebbe buffo che arrivasse prima di te,* ce serait drôle s'il arrivait avant toi. || TEAT. *opera buffa,* opera (m.) bouffe.

buffonata [buffo'nata] f. pitrerie, drôlerie, bouffonnerie. || fumisterie. | *è tutta una buffonata,* tout ça n'est pas sérieux.

buffone [buf'fone] m. [giullare] bouffon, fou. | *buffone di corte,* fou du roi. || pitre, clown. | *ti sembra il momento di fare il buffone ?,* crois-tu que ce soit le moment de faire le pitre ?

buffoneria [buffone'ria] f. bouffonnerie.

buggerare [buddʒe'rare] v. tr. VOLG. rouler (fam.), embobiner (fam.).

1. bugia [bu'dʒia] f. mensonge m. | *non dico bugie,* je n'exagère pas, je ne mens pas.

2. bugia f. [piccolo candeliere] bougeoir m.

bugiardo [bu'dʒardo] agg. e n. menteur. ◆ agg. mensonger.

bugigattolo [budʒi'gattolo] m. [stanzino buio] réduit, cagibi (fam.), débarras.

bugno [buɲɲo] m. ruche f.

bugnola ['buɲɲola] f. corbeille, petit panier.

buio ['bujo] agg. sombre, obscur. ◆ m. noir, obscurité f. | *buio pesto, fitto,* obscurité profonde. | *si fa buio,* il commence à faire nuit. || FIG. *tenere qlcu. al buio di qlco.,* tenir qn dans l'ignorance de qch. | *fare un salto nel buio,* se lancer à l'aveuglette. || [prigione] *lo hanno messo al buio,* on l'a mis au frais (fam.), à l'ombre (fam.).

bulbo ['bulbo] m. bulbe. | *bulbo di tulipano,* bulbe, oignon de tulipe.

bulgaro ['bulgaro] agg. e n. bulgare. ◆ m. [lingua] bulgare. || [cuoio odoroso] cuir de Russie.

bulinare [buli'nare] v. tr. buriner.

bulletta [bul'letta] f. [chiodo a testa larga] broquette. || [per scarpe] clou (m.) à chaussures, caboche.

bullo ['bullo] m. REG. ROM. casseur (fam.), dur (fam.). | *fare il bullo,* jouer les durs.

bullone [bul'lone] m. boulon.
bum [bum] onomat. boum !, pan !
buonanima [bwo'nanima] f. [solo sing.] *mio nonno buonanima,* feu mon grand-père, mon pauvre grand-père.
buonanotte [bwona'nɔtte] f. bonne nuit. | *dare la buonanotte,* souhaiter une bonne nuit. || FAM. *gli si dice di no e buonanotte,* on lui dit que non, un point c'est tout. || SCHERZ. *e buonanotte suonatori !,* adieu paniers, vendanges sont faites.
buonasera [bwona'sera] f. bonsoir m.
buoncostume [bwonkos'tume] m. bonnes mœurs f. pl. | *reato contro il buoncostume,* attentat aux mœurs. | *squadra del buoncostume,* police des mœurs.
buondì [bwon'di] m. bonjour.
buongiorno [bwon'dʒorno] m. bonjour.
buongustaio [bwongus'tajo] m. (fin) gourmet, fine bouche.
buongusto [bwon'gusto] m. (bon) goût. | *vestire con buongusto,* s'habiller avec goût.
1. buono ['bwɔno] agg. bon. || [senso morale] *una buona azione,* une bonne action. || [efficace] *buon consiglio,* bon conseil. || [capace] *buon medico,* bon médecin. || [integro] *in buono stato,* en bon état. || [livello sociale] *buona società,* bonne société. || [propizio] *al momento buono,* au bon moment. | *a buon mercato,* à bon marché. || [piacevole] *buon sapore,* bon goût. || [onesto] brave. | *è un buon diavolo,* c'est un brave type. || [tranquillo] sage. | *state buoni,* soyez sages. || [valido] valable, bon. | *il biglietto non è buono,* le billet n'est pas valable. || [misura] *una buona dose,* une bonne dose. || LOC. *far buon viso a cattivo gioco,* faire contre mauvaise fortune bon cœur. | *tenersi buono qlcu.,* ménager qn. | *tre volte buono,* trop bon, trop bête. | *non sono buono a,* je suis incapable de. | *buon per me,* heureusement pour moi. | *Dio ce la mandi buona !,* Dieu nous aide ! | *alla buona,* sans façons. | *con le buone o con le cattive,* de gré ou de force ; bon gré mal gré. | *a buon diritto,* à juste titre. | *ad ogni buon conto,* en tout cas. ◆ m. bon. | *un poco di buono,* un vaurien, un pas grand-chose.
2. buono m. bon. | *buono di consegna,* bon de livraison. | *buono per la benzina,* coupon d'essence.
buonora o **buon'ora** [bwo'nora] f. *di buonora,* de bonne heure.
buontempone [bwontem'pone] m. bon vivant, joyeux compère. ◆ agg. jovial, réjoui.
buonuscita [bwonuʃ'ʃita] f. pas-de-porte m., reprise. || [gratifica a un dipendente] indemnité.
burattino [burat'tino] m. marionnette f., pantin. || [animato con le dita] guignol. || FIG., PEGG. fantoche, polichinelle.
buratto [bu'ratto] m. [setaccio] blutoir.
burbanza [bur'bantsa] f. arrogance, morgue.
burbero ['burbero] agg. bourru, revêche.
burchio ['burkjo] m. MAR. chaland.
burla ['burla] f. plaisanterie, farce.
burlare [bur'lare] v. tr. [schernire] railler. || [ingannare] tromper, jouer. | *ci ha burlati,* il nous a joués. ◆ v. rifl. se moquer (de), se jouer (de).
burlesco [bur'lesko] agg. burlesque, plaisant.
burlone [bur'lone] m. farceur, blagueur. ◆ agg. plaisant, facétieux.
burocratico [buro'kratiko] agg. bureaucratique. | *lungaggini burocratiche,* lenteurs de la bureaucratie.
burocrazia [burokrat'tsia] f. bureaucratie (anche pegg.).
burrasca [bur'raska] f. bourrasque. | *il mare è in burrasca,* la mer est grosse, démontée. | *burrasca di neve,* tourmente de neige. || FIG. *c'è aria di burrasca,* il y a de l'orage dans l'air.
burrascoso [burras'koso] agg. orageux. || FIG. orageux, houleux.
burriera [bur'rjɛra] f. beurrier m.
burro ['burro] m. beurre.
burrone [bur'rone] m. ravin.
burroso [bur'roso] agg. crémeux. || [morbido] fondant.
busca ['buska] f. quête, recherche. | *andare in busca di,* aller à la recherche de.
buscare [bus'kare] v. tr. [più comune **buscarsi**] se procurer, gagner. || FIG. *buscarsi un raffreddore,* attraper un rhume. || FAM. *buscarne, buscarle,* ramasser une volée.
buscherare [buske'rare] v. tr. POP. [raggirare] tromper (L.C.), rouler.
bussa ['bussa] f. coup m.
bussare [bus'sare] v. intr. frapper, heurter, cogner. | *bussare a tutte le porte,* frapper à toutes les portes.
1. bussola ['bussola] f. boussole. || MAR. compas m. || FIG. *perdere la bussola,* perdre le nord, la boussole (fam.).
2. bussola f. [portantina] chaise à porteurs. || [porta ruotante] tambour m., porte tournante. || [cassetta] urne ; tronc m.
bussolotto [busso'lɔtto] m. [per i dadi] gobelet.
busta ['busta] f. enveloppe. | *busta paga,* enveloppe de paye. || [cartella per documenti] serviette. || [custodia]

étui m., trousse. | *busta per occhiali,* étui à lunettes.

bustarella [busta'rɛlla] f. NEOL. pot-de-vin m.

bustina [bus'tina] f. petite enveloppe. || sachet m. | *tè in bustina,* thé en sachet. || [per fiammiferi] pochette. || MIL. calot m., bonnet (m.) de police.

busto ['busto] m. ANAT., ARTI buste. || [capo di vestiario] corset. || [corsetto] corselet.

buttafuoco [butta'fwɔko] m. STOR. MIL. boutefeu.

buttare [but'tare] v. tr. [gettare] jeter. | *buttare in acqua,* jeter à l'eau. | *buttare via qlco.,* jeter qch. | FIG. *non è da buttare,* ce n'est pas mal du tout. || [abbattere] *buttar giù qlcu.,* renverser qn, faire tomber qn. | FIG. *la malattia lo ha buttato tanto giù,* la maladie l'a tellement affaibli. || [inghiottire] *buttar giù una medicina,* avaler un médicament. || [scrivere in fretta] *buttar giù quattro righe,* jeter quelques lignes sur le papier. || [emettere] *buttare fumo,* jeter, cracher de la fumée. || LOC. *buttar fuori qlcu.,* mettre qn à la porte, chasser qn. | *buttare all'aria,* mettre sens dessus dessous. | *buttar là una proposta,* lâcher une proposition. ◆ v. intr. [germogliare] bourgeonner. ◆ v. rifl. se jeter. | *buttarsi in acqua,* se jeter à l'eau. || FIG. *buttarsi giù,* se décourager. || [impegnarsi con tutte le forze] se lancer.

butterato [butte'rato] agg. grêlé, variolé.

buttero ['buttero] m. marque (f.) de la variole.

buzzo ['buddzo] m. VOLG. ventre (L.C.), panse f.

C

c [tʃi] m. o f. c m.

ca' [ka] f. ANTIQ. [casa] maison (L.C.).

cab [kæb] m. inv. (ingl.) cab.

cabala ['kabala] f. cabale. | *la cabala del lotto,* le pronostic sur les numéros sortants du « lotto ». || [intrigo] intrigue.

cabalistico [kaba'listiko] agg. PR. e FIG. cabalistique.

cabarè o **cabaret** [kaba'rɛ] m. (fr.) cabaret.

cabbala ['kabbala] e deriv. V. CABALA e deriv.

cabestano [kabes'tano] m. TECN. cabestan.

cabina [ka'bina] f. cabine. | *cabina telefonica,* cabine téléphonique. || [gru] guérite. || *cabina elettrica,* poste (m.) d'électricité. || *cabina elettorale,* isoloir m.

cabinato [kabi'nato] m. MAR. canot à moteur doté d'une cabine.

cablo ['kablo] m. TEL. câble.

cablogramma [kablo'gramma] (**-mi** pl.) m. TEL. câblogramme.

cabotaggio [kabo'taddʒo] (**-gi** pl.) m. cabotage.

cabotare [kabo'tare] v. intr. caboter.

cabrare [ka'brare] v. intr. AV. cabrer v. tr., se cabrer v. rifl. | *far cabrare un aereo,* cabrer un avion.

cabriolet [kabriɔ'lɛ] m. (fr.) cabriolet.

cacadubbi [kaka'dubbi] n. inv. (raro) POP. barguigneur m.

cacao [ka'kao] m. BOT. [pianta] cacaoyer, cacaotier. || [polvere] cacao.

cacare [ka'kare] v. intr. POP. chier.

cacarella [kaka'rɛlla] f. POP. chiasse. || FIG. trouille.

cacatoa [kaka'tɔa] o **cacatua** [kaka'tua] m. inv. cacatoès.

cacca ['kakka] (**-che** pl.) f. POP. merde. || [linguaggio infantile] caca m.

caccia ['kattʃa] (**-ce** pl.) f. [azione] chasse. | *andare a caccia,* aller à la chasse ; chasser. || [terreno] chasse. || [selvaggina] chasse, gibier m. || [inseguimento, ricerca] chasse. | *essere a caccia di notizie,* être en quête de nouvelles. || AV., MAR. MIL. chasse. | *nave da caccia,* contre-torpilleur m., destroyer m. ◆ m. AV. MIL. chasseur.

cacciagione [kattʃa'dʒone] f. gibier m., chasse.

cacciare [kat'tʃare] v. intr. [andare a caccia] chasser. ◆ v. tr. [inseguire] chasser. || [scacciare] PR. e FIG. chasser. | *cacciare via qlcu.,* chasser qn. | *si è fatto cacciare fuori,* il s'est fait vider. || FAM. [tirare fuori] sortir. | *caccia fuori i soldi !,* sors l'argent ! || FAM. [spingere, ficcare] fourrer, flanquer (pop.). | *cacciare degli oggetti in una borsa,* fourrer des objets dans un sac. | *lo hanno cacciato in prigione,* on l'a jeté en prison. || FIG. *cacciare qlcu. in un affare losco,* engager, embarquer qn dans une affaire louche. | *cacciati in testa,* mets-toi bien dans la tête. ◆ v. rifl. [intrufolarsi] se faufiler, se fourrer (fam.), se cacher. | *dove ti sei cacciato ?,* où t'es-tu fourré ? || FIG. s'engager, s'embarquer. | *cacciarsi in un brutto affare,* s'embarquer dans une mauvaise affaire. || LOC. *cacciarsi le mani nei capelli,* s'arracher les cheveux.

cacciata [kat'tʃata] f. [partita di caccia] partie de chasse. || [espulsione] expulsion. || POP. [salasso] saignée (L.C.).

cacciatora [kattʃa'tora] f. LOC. *vestirsi alla cacciatora,* s'habiller en chasseur. || CULIN. *pollo alla cacciatora,* poulet sauté chasseur.

cacciatore [kattʃa'tore] m. chasseur. || AV. pilote de chasse ; avion de chasse. || MIL. chasseur.

cacciatrice [kattʃa'tritʃe] f. chasseuse. || POET. chasseresse.

cacciavite [kattʃa'vite] m. TECN. tournevis.

cacciucco [kat'tʃukko] m. [zuppa di pesce] bouillabaisse f.

caccola [kak'kola] f. [muco] VOLG. morve (L.C.). || [cispa] chassie. || [sterco di pecora] crotte.

cachessia [kakes'sia] f. MED. cachexie.

cachet [ka'ʃɛ] m. inv. (fr.) FARM. cachet. || [retribuzione di un artista] cachet. || [impronta] cachet ; style. || [colorante per capelli] rinçage, shampooing colorant.

1. cachi ['kaki] m. inv. BOT. [pianta] kaki, plaqueminier du Japon. || [frutto] kaki, plaquemine f.

2. cachi agg. inv. [colore] kaki.

cacio ['katʃo] (**-ci** pl.) m. fromage. || LOC. FIG. *è alto come un soldo di cacio,* il n'est pas plus haut qu'une botte. | *sono come pane e cacio,* ils sont comme les doigts de la main. | *arrivare come il cacio sui maccheroni,* arriver comme marée en carême.

cacofonia [kakofo'nia] f. cacophonie.

cactus ['kaktus] o **cacto** ['kaktɔ] m. BOT. cactus.

cadauno [kada'uno] pron. indef. chacun. ◆ agg. chaque.

cadavere [ka'davere] m. cadavre. || LOC. FIG. *bianco come un cadavere,* pâle comme un mort.

cadaverico [kada'vɛriko] agg. [di cadavere] cadavérique. || FIG. cadavéreux. | *avere un aspetto cadaverico,* avoir une mine de déterré.

cade ['kade] m. cade. | *olio di cade,* huile de cade.

cadente [ka'dɛnte] part. pres. e agg. [in rovina] tombant, e, croulant, e. || FIG. *spalle cadenti,* épaules tombantes. | *anno, mese cadente,* année, mois en cours. || *stella cadente,* étoile filante.

cadenza [ka'dɛntsa] f. cadence. || [inflessione] accent m. | *cadenza veneta,* accent vénitien.

cadere [ka'dere] v. intr. 1. PR. [caduta] tomber. || LOC. *cadere a capofitto,* tomber la tête la première. | *cadere di mano,* échapper. || PER EST. *gli cadono i capelli,* il perd ses cheveux. || [pendere] tomber, retomber. | *vestito che cade bene,* robe qui tombe bien. || [posarsi] *i suoi occhi caddero sul foglio,* ses yeux tombèrent sur le papier. 2. FIG. [fenomeni atmosferici] tomber. | *tra poco cadrà la nebbia,* le brouillard va tomber sous peu. || [finire] tomber. | *il discorso cadde improvvisamente,* la conversation tomba tout à coup. || [fenomeni fisiologici e psicologici] tomber. | *cadere ammalato,* tomber malade. || LOC. *cadere tra capo e collo,* tomber sur le dos. || FIG. *cadere in errore,* se tromper v. rifl. | *cadere in contraddizione,* se contredire v. rifl. | *cadere in tentazione,* succomber à la tentation. | *cadere su,* tomber sur. 3. USATO CON UN ALTRO VERBO. [fare] *far cadere,* faire tomber, renverser, abattre. || FIG. *far cadere le responsabilità su qlcu.,* rejeter les responsabilités sur qn. || [lasciare] *lasciar cadere,* laisser tomber. || FAM. *lasciarsi cadere,* s'abattre v. rifl., s'affaler v. rifl., s'écrouler v. rifl. | *lasciarsi cadere su una poltrona,* s'écrouler dans un fauteuil. ◆ m. *al cadere della notte,* à la tombée de la nuit.

cadetto [ka'detto] agg. e m. cadet.

cadi [ka'di] m. [magistrato arabo] cadi.

cadmio ['kadmjo] m. cadmium.

caduca [ka'duka] f. ANAT. caduque.

caducità [kadutʃi'ta] f. caducité. || FIG. précarité.

caduco [ka'duko] (**-chi** pl.) agg. caduc, caduque. || FIG. précaire.

caduta [ka'duta] f. [azione di cadere] chute. || [capitolazione] chute, capitulation.

caduto [ka'duto] m. mort. | *monumento ai caduti,* monument aux morts.

caffè [kaf'fɛ] m. inv. caféier. || [seme] café. | *caffè macchiato, corretto,* café crème, arrosé. || [locale] café, bistrot. ◆ agg. inv. café.

caffeina [kaffe'ina] f. caféine.

caffellatte [kaffel'latte] o **caffelatte** m. inv. café au lait.

caffettano [kaffe'tano] m. cafetan, caftan.

caffetteria [kaffette'ria] f. rafraîchissements m. pl.

caffettiera [kaffet'tjɛra] f. cafetière. || FAM. [auto] guimbarde, tacot m.

caffo ['kaffo] agg. e m. (tosc.) impair. | *giocare a pari e caffo,* jouer à pair ou impair.

cafonata [kafo'nata] f. goujaterie.

cafone [ka'fone] m. PEGG. cul-terreux, bouseux. || [zoticone] mufle, goujat. ◆ agg. de mauvais goût.

cafoneria [kafone'ria] f. muflerie, goujaterie.

cafro ['kafro] agg. e m. cafre.

cagionare [kadʒo'nare] v. tr. causer, provoquer, occasionner. | *cagionare dolore a qlcu.,* chagriner qn.

cagione [ka'dʒone] f. motif m., cause. ◆ *a cagione di,* à cause de.
cagionevole [kadʒo'nevole] agg. inv. fragile, souffreteux, euse.
cagliare [kaʎ'ʎare] v. intr. cailler, se cailler v. rifl. | *il latte caglia,* le lait caille. | *far cagliare,* cailler v. tr.
caglio ['kaʎʎo] (**-gli** pl.) m. [sostanza] présure f. || BOT. gaillet. || [ruminanti] caillette f.
cagna ['kaɲɲa] f. chienne. || [donna impudica] garce. || [donna astiosa] pie-grièche.
cagnara [kaɲ'ɲara] f. FIG., FAM. vacarme m. (L.C.), chahut m., boucan m. | *far cagnara,* chahuter.
cagnesco [kaɲ'ɲesko] (**-chi** pl.) agg. de chien. || LOC. FIG. *guardare qlcu. in cagnesco,* regarder qn de travers. | *guardarsi in cagnesco,* se regarder en chiens de faïence.
cagnetto [kaɲ'ɲetto] o **cagnolino** [kaɲɲo'lino] m. DIM. petit chien. || [linguaggio infantile] toutou.
cagnotte [ka'ɲot] f. (fr.) GIOCHI [roulette, ecc.] cagnotte.
cagnotto [kaɲ'ɲɔtto] m. [poliziotto] limier (de police).
caiac(c)o [ka'jako] (**-chi** pl.) m. (ingl.) SP. kayak.
Caio ['kajo] m. *parlare con Tizio, Caio e Sempronio,* parler avec n'importe qui.
cake ['kɛk] m. (ingl.) cake.
cala ['kala] f. calanque, crique. || MAR. cale. || [immersione delle reti da pesca] jet m.
calabrese [kala'brese] agg. e n. calabrais, e.
calabro ['kalabro] agg. calabrais. | *regione calabra,* région calabraise.
calabrone [kala'brone] m. bourdon, frelon.
calafatare [kalafa'tare] v. tr. MAR. calfater.
calamaio [kala'majo] (**-ai** pl.) m. encrier. || ZOOL. [raro] calmar.
calamaro [kala'maro] m. ZOOL. calmar. ◆ pl. [occhiaie] cernes.
calamita [kala'mita] f. FIS., FIG. aimant m. || MINER. calamite.
calamità [kalami'ta] f. calamité, catastrophe, malheur m.
calamitare [kalami'tare] v. tr. aimanter. || FIG. attirer.
calamo ['kalamo] m. [canna] LETT. roseau (L.C.). || [filo d'erba] tige f. || [parte basale della penna di uccello] tuyau.
calanco [ka'lanko] (**-chi** pl.) m. GEOL. calanque f.
1. calandra [ka'landra] f. ZOOL. [uccello, insetto] calandre. | *calandra del grano,* charançon (m.) du blé.
2. calandra f. TECN. calandre, lisseuse.
calante [ka'lante] part. pres. e agg. décroissant, e. || *luna calante,* lune en décroît.
calappio [ka'lappjo] m. collet, lacet. || FIG. piège.
calapranzi [kala'prandzi] m. inv. monte-plats.
calare [ka'lare] v. tr. [far scendere] descendre. | *calare una bara nella fossa,* descendre un cercueil dans la fosse. || [abbassare] baisser, abaisser. | *calarsi il cappello sugli occhi,* rabattre son chapeau sur ses yeux. || [lavori a maglia] diminuer. || FIG., VOLG. *calarsi le brache,* se dégonfler v. rifl. || COMM. *calare i prezzi,* diminuer les prix. || MAR. *calare le vele,* amener les voiles. ◆ v. intr. [venire giù] descendre. | *sta calando la notte,* la nuit descend. || [diminuire] baisser. | *il fiume è calato di due metri,* la rivière a baissé de deux mètres. | *la febbre cala,* la fièvre diminue. || [dimagrire] maigrir. ◆ v. rifl. descendre v. intr., se laisser glisser. ◆ m. *il calare del sipario,* la chute du rideau. | *il calare di un astro,* le déclin d'un astre.
calata [ka'lata] f. [azione] descente. || [cadenza] accent m. | *calata veneta,* accent vénitien. || [pendio] raidillon m. || MAR. quai m., cale.
calca ['kalka] f. cohue, foule ; presse (lett.). | *fendere la calca,* fendre la foule.
calcagno [kal'kaɲɲo] (**-gni** pl. m. PR. ; **-gna** pl. f. FIG.) m. talon. || LOC. *avere qlcu. alle calcagna,* avoir qn à ses trousses.
1. calcare [kal'kare] m. calcaire. ◆ agg. *pietra calcare,* calcaire m.
2. calcare v. tr. [premere con i piedi] fouler. || [percorrere] fouler. | *calcare il suolo della patria,* fouler le sol de sa patrie. || [pigiare] tasser, presser. | *calcarsi gli occhiali sul naso,* se camper les lunettes sur le nez. || ASSOL. *calcare (con) la matita,* appuyer sur son crayon. || [copiare] calquer, décalquer.
calcareo [kal'kareo] agg. calcaire. | *pietra calcarea,* pierre à chaux. || *altipiano calcareo,* causse m.
calce ['kaltʃe] f. chaux. ◆ loc. avv. *in calce,* ci-dessous, au bas de loc. prep. | *firma (apposta) in calce,* signature apposée ci-dessous.
calcestruzzo [kaltʃes'truttso] m. IND. béton.
calcetto [kal'tʃetto] m. chausson. | *calcetto da ballo,* chausson de danse. || GIOCHI baby-foot (ingl.).
calciare [kal'tʃare] v. intr. [persone] donner des coups de pied. || [animali] ruer. || [colpire con forza la palla] botter, shooter (ingl.).
calciatore [kaltʃa'tore] (**-trice** f.) n. footballeur, euse.

calcificare [kaltʃifi'kare] v. intr. calcifier. ◆ v. rifl. se calcifier.
calcina [kal'tʃina] f. chaux éteinte. ‖ [malta] mortier m.
calcinaccio [kaltʃi'nattʃo] (**-ci** pl.) m. plâtras, gravats pl. ‖ [rovine] décombres.
calcinare [kaltʃi'nare] v. tr. calciner ; brûler.
calcinazione [kaltʃinat'tsjone] f. calcination. ‖ AGR. chaulage m.
1. calcio ['kaltʃo] (**-ci** pl.) m. [persona] coup de pied. ‖ [animale] ruade f. ‖ MAR. [di albero] pied. ‖ MIL. [di fucile] crosse f. ‖ SP. *(gioco del) calcio,* football (ingl.). ‖ TR. talon.
2. calcio m. CHIM. calcium.
calcistico [kal'tʃistiko] (**-ci** pl.) agg. de football. | *incontro calcistico,* match de football.
calco ['kalko] (**-chi** pl.) m. [impronta] moulage. | *fare il calco di un busto,* mouler un buste. ‖ [riproduzione, lucido] calque, décalque, décalquage. ‖ TECN. empreinte f. ‖ TIP. cliché.
calcografia [kalkogra'fia] f. chalcographie, gravure sur cuivre. ‖ TIP. impression en taille-douce.
calcolabile [kalko'labile] agg. calculable, chiffrable ; évaluable.
calcolare [kalko'lare] v. tr. [determinare mediante calcolo] calculer, évaluer, supputer (lett.), chiffrer, mesurer. | *calcolare il danno,* évaluer le dommage. ‖ [tener conto] compter. | *senza calcolare che,* sans compter que. ‖ [giudicare, valutare in anticipo] calculer, mesurer, peser. | *calcolare il pro e il contro,* peser le pour et le contre. ‖ [ponderare attentamente] *calcolare i gesti,* mesurer ses gestes. ‖ [riflettere] calculer, combiner. | *piano ben calcolato,* plan bien agencé.
calcolatore [kalkola'tore] (**-trice** f.) agg. MAT. *macchina calcolatrice,* machine à calculer. ‖ FIG. *spirito calcolatore,* esprit calculateur. ◆ m. PR. e FIG. calculateur. ‖ TECN. ordinateur. ◆ f. machine à calculer.
1. calcolo ['kalkolo] m. calcul. | *sbagliare i calcoli,* se tromper dans ses calculs. ‖ [in anticipo] calcul, évaluation f. ; supputation f. (lett.). | *faccio calcolo di partire domani,* je compte partir demain. ‖ FIG. calcul. | *agire per calcolo,* agir par calcul. | *fare calcolo su qlcu., su qlco.,* compter sur qn, sur qch.
2. calcolo m. MED. calcul.
caldaia [kal'daja] f. chaudière.
caldano [kal'dano] m. brasero.
caldarrosta [kaldar'rɔsta] f. marron grillé, châtaigne rôtie.
caldeggiare [kalded'dʒare] v. tr. soutenir, appuyer, chaudement.
calderaio [kalde'rajo] (**-ai** pl.) m. chaudronnier.
calderone [kalde'rone] m. cuiseur, chaudron. ‖ FIG. *mettere tutto nello stesso calderone,* mettre tout dans le même panier.
caldo ['kaldo] agg. PR. e FIG. chaud. | *pigliarsela calda,* s'en faire. | *tavola calda,* snack m. (ingl.). ‖ PER ANAL. *cappotto caldo,* manteau chaud. ‖ [caloroso] *accoglienza calda,* accueil chaleureux. | *caldo affetto,* affection vive. ◆ m. chaleur f., chaud.
calduccio [kal'duttʃo] agg. DIM. tiède. ◆ m. tiédeur f., bonne chaleur. | *fa un bel calduccio qui,* il fait bon ici.
caldura [kal'dura] f. grande chaleur.
caleidoscopio [kaleidos'kɔpjo] (**-pi** pl.) m. kaléidoscope.
calendario [kalen'darjo] (**-ri** pl.) m. calendrier.
calende [ka'lɛnde] f. pl. calendes.
calendola [ka'lɛndola] f. BOT. souci m.
calere [ka'lere] v. impers. difett. ANTIQ., LETT. chaloir. | *poco mi cale,* peu m'en chaut.
calesse [ka'lɛsse] m. calèche f.
calettare [kalet'tare] v. tr. empatter, emboîter, embrever.
calibrare [kali'brare] v. tr. calibrer, étalonner, jauger.
calibro ['kalibro] m. calibre. ‖ TECN. jauge f., pied.
calice ['kalitʃe] m. [bicchiere a piede allungato] flûte f., verre à pied. ‖ ANAT., BOT., REL. calice.
calicò [kali'ko] m. calicot.
califfo [ka'liffo] m. calife.
caligine [ka'lidʒine] f. brume, brouillard m.
caliginoso [kalidʒi'noso] agg. brumeux.
calle ['kalle] m. ANTIQ. sentier (L.C.). ◆ f. [a Venezia] « calle ».
callifugo [kalli'fugo] (**-ghi** pl.) m. coricide.
calligrafia [kalligra'fia] f. calligraphie, écriture.
calligrafico [kalli'grafiko] (**-ci** pl.) agg. calligraphique. ‖ GIUR. *perizia calligrafica,* expertise graphologique.
calligrafo [kal'ligrafo] m. calligraphe.
callista [kal'lista] (**-ti** pl. m.) n. pédicure.
callo ['kallo] m. MED. cal, durillon. ‖ [ai piedi] cor, oignon. ‖ FIG. *ci ho fatto il callo,* je m'y suis fait.
calloso [kal'loso] agg. calleux. ‖ FIG. endurci.
calma ['kalma] f. calme m. | *calma assoluta,* calme plat. ‖ tranquillité, répit m. ‖ FIG. [morale] calme. | *parlategli con calma !,* parlez-lui gentiment !

| *non perdere la calma,* garder son sang-froid. | *prendersela con calma,* ne pas se presser.

calmante [kal'mante] agg. e m. FARM. calmant.

calmare [kal'mare] v. tr. [cose] calmer, apaiser. ◆ v. rifl. se calmer. | *il mare si è calmato,* la mer s'est calmée.

calmierare [kalmje'rare] v. tr. taxer.

calmiere [kal'mjεre] m. taxe f.

calmo ['kalmo] agg. calme, étale. || FIG. tranquille, paisible. | *a mente calma,* à tête reposée.

calo ['kalo] m. [diminuzione] baisse f., abaissement. || [dimagrimento] *che calo hai fatto !,* que tu as maigri ! || [invecchiamento] *ha fatto un calo notevole,* ces derniers mois il a vieilli. || FAM. *essere in calo,* être en baisse. || COMM. [perdita di peso] déchet, freinte f. || *calo di volume, di peso,* déchet en volume, en poids. || FIN. baisse, fléchissement. | *calo in Borsa,* fléchissement en Bourse.

calore [ka'lore] m. chaleur f., chaud. | *senza calore,* sans chaleur. | *calore animale,* chaleur animale. || [fregola] *essere in calore,* être en chaleur. || POP. [eruzione] éruption f. (L.C.).

caloria [kalo'ria] f. calorie.

calorifero [kalo'rifero] m. [impianto] calorifère. || [radiatore] radiateur.

caloroso [kalo'roso] agg. [che dà calore] échauffant. || [che non teme il freddo] *è un tipo caloroso,* c'est un type qui n'est pas frileux. || FIG. chaleureux. | *accoglienza calorosa,* accueil chaleureux. || [animato] *discussione calorosa,* discussion passionnée.

caloscia [ka'lɔʃʃa] (**-sce** pl.) f. caoutchouc m.

calotta [ka'lɔtta] f. [zucchetto] calotte. || TECN. *calotta di orologio,* boîtier (m.) de montre.

calpestare [kalpes'tare] v. tr. piétiner, écraser, fouler aux pieds. || FIG. mépriser.

calpestio [kalpes'tio] m. piétinement, bruit (de pas). | *calpestio di cavalli,* piétinement de chevaux.

calunnia [ka'lunnja] f. calomnie.

calunniare [kalun'njare] v. tr. calomnier.

calunniatore [kalunnja'tore] (**-trice** f.) n. e agg. calomniateur, trice.

calunnioso [kalun'njoso] agg. calomnieux.

calura [ka'lura] f. LETT. chaleur (L.C.).

calvario [kal'varjo] (**-ri** pl.) m. REL. e FIG. calvaire.

calvinismo [kalvi'nizmo] m. calvinisme.

calvizie [kal'vittsje] f. inv. calvitie f.

calvo ['kalvo] agg. e m. chauve.

calza ['kaltsa] f. chaussette. || bas m. || FAM. *fare la calza,* tricoter (L.C.). || [lucignolo] mèche.

calzamaglia [kaltsa'maʎʎa] f. collant m. || [ballerini] maillot m., collant m.

calzante [kal'tsante] agg. *scarpa calzante,* soulier qui chausse bien. || FIG. *risposta calzante,* réponse appropriée. ◆ m. chausse-pied.

calzare [kal'tsare] v. tr. [scarpe] chausser. | *che numero calza ?,* quelle est votre pointure ? | *queste scarpe mi calzano bene,* ces chaussures me chaussent bien. || [guanti] mettre. ◆ v. intr. *calzare a pennello,* aller comme un gant.

calzatoio [kaltsa'tojo] (**-oi** pl.) m. chausse-pied.

calzatura [kaltsa'tura] f. chaussure.

calzaturificio [kaltsaturi'fitʃo] (**-ci** pl.) m. fabrique (f.) de chaussures.

calzetta [kal'tsetta] f. chaussette. || FIG., PEGG. *essere una mezza calzetta,* être une personne de peu de poids (L.C.).

calzettone [kaltset'tone] m. chaussette montante, mi-bas.

calzino [kal'tsino] m. chaussette f.

calzolaio [kaltso'lajo] (**-ai** pl.) m. cordonnier, chausseur, bottier.

calzoleria [kaltsole'ria] f. [bottega] cordonnerie. || [negozio] magasin (m.) de chaussures.

calzoncini [kaltson'tʃini] m. pl. culottes courtes. | short sing. (ingl.)

calzone [kal'tsone] m. [parte che ricopre la gamba] jambe f. || CULIN. *calzone ripieno di composta di mele,* chausson aux pommes. ◆ pl. [indumento maschile] pantalon sing. || LOC. FIG. *è sua moglie che porta i calzoni,* c'est sa femme qui porte la culotte.

camaleonte [kamale'onte] m. ZOOL. e FIG. caméléon.

camarlengo [kamar'lengo] m. = CAMERLENGO.

cambiabile [kam'bjabile] agg. inv. changeable.

cambiale [kam'bjale] f. FIN. effet m., billet (m.) à ordre, lettre de change, traite. | *cambiale attiva, passiva,* effet à recevoir, à payer. | *cambiale in bianco,* effet en blanc.

cambiamento [kambja'mento] m. [modificazione] changement, variation f., modification f.

cambiare [kam'bjare] v. tr. [scambiare] changer, échanger. || FIN. *cambiare sterline in dollari,* changer des livres en dollars. | *mi può cambiare mille lire ?,* est-ce que vous pouvez me faire la monnaie de mille lires ? || [sostituire] changer (contre, pour), remplacer (par), substituer (à). | *cambiare* *un vetro rotto,* remplacer un carreau cassé. | *cambiare le lenzuola,* changer les draps. || PER EST. *cambiare un bambino, un malato,* changer un enfant, un malade. || *cambiare di,* changer de. | *cambiare (di) argomento, abito, indirizzo,* changer de sujet, de vêtement, d'adresse. | *cambiamo casa domani,* nous déménageons demain. || LOC. *cambiare discorso* (L.C.), détourner la conversation. || AUT. *cambiare marcia,* changer de vitesse. || [modificare] changer, modifier. | *(tanto) per cambiare,* pour changer. | FAM. *cambiare da così a così,* changer du tout au tout. ◆ v. intr. changer, évoluer, se modifier v. rifl., se transformer v. rifl. || [azione] *le cose sono cambiate,* les choses ont changé. || [situazione] *sono cambiati i tempi !,* les temps sont bien changés ! | *le idee cambiano,* les idées évoluent. ◆ v. rifl. [modificarsi, trasformarsi] se changer, se modifier, se transformer. || [d'abito] se changer, changer (de) v. tr. ind.

cambiavalute [kambjava'lute] m. inv. FIN. agent de change ; cambiste.

cambio ['kambjo] (**-bi** pl.) m. [scambio] échange, change. | *guadagnare al cambio,* gagner au change. || FIN. change. || [azione] relève f., relais. | *dare il cambio a qlcu.,* prendre le relais de qn. || AUT. *scatola del cambio,* boîte de vitesses. ◆ loc. prep. *in cambio di,* en échange de, à la place de.

cambusa [kam'buza] f. MAR. cambuse.

camelia [ka'mɛlja] f. BOT. camélia m.

1. camera ['kamera] f. [stanza] chambre, pièce. | *camera da letto,* chambre à coucher. | *musica da camera,* musique de chambre. || PER EST. *camera di sicurezza,* chambre de sécurité, de sûreté. | *camera mortuaria,* morgue. || [mobilio] chambre. || POL. [associazione] *Camera dei deputati,* Chambre des députés. || COMM. *Camera del lavoro,* Bourse du travail. || FIS., TECN. *camera d'aria,* [di pneumatici] chambre à air. | *camera di combustione,* chambre de combustion.

2. camera f. CIN., FOT., TV. caméra.

1. camerata [kame'rata] (**-ti** pl. m.) n. camarade.

2. camerata f. [dormitorio] chambrée.

cameretta [kame'retta] f. DIM. chambrette.

cameriera [kame'rjɛra] f. [addetta al servizio di sala] serveuse. | *chiamare la cameriera,* appeler la serveuse. || [domestica] femme de chambre, bonne, caméristе (lett.).

cameriere [kame'rjɛre] m. [domestico] domestique. || garçon (de café), serveur. | *cameriere !,* garçon !

camerino [kame'rino] m. DIM. chambrette f. || MAR. MIL. cabine f. || TEAT. loge f.

camerlengo [kamer'lengo] m. REL. camerlingue.

camice ['kamitʃe] (**-ci** pl.) m. [di medico, ecc.] blouse f. || REL. [di sacerdote] aube f.

camiceria [kamitʃe'ria] f. chemiserie.

camicetta [kami'tʃetta] f. chemisette. || chemisier m.

camicia [ka'mitʃa] (**-cie** pl.) f. chemise, liquette (gerg.). | *in maniche di camicia,* en bras de chemise. || LOC. FIG. *sudare sette camicie,* suer sang et eau. | *essere nato con la camicia,* être né coiffé. || AMM. [cartella] chemise. || CULIN. *uova in camicia,* œufs pochés.

camiciaio [kami'tʃajo] (**-ai** pl.) m. chemisier.

camiciola [kami'tʃɔla] f. [maglietta che si porta sulla carne] maillot (m.) de corps, gilet (m.) (de corps).

camiciotto [kami'tʃɔtto] m. [tunica da lavoro] blouse (f.) de travail. || [abbigliamento] blouson.

caminetto [kami'netto] m. cheminée f.

camino [ka'mino] m. cheminée f. | *spazzare il camino,* ramoner.

camion ['kamjon] m. inv. TR. camion, poids lourd.

camioncino [kamjon'tʃino] m. camionnette f.

camionetta [kamjo'netta] f. camionnette.

camionista [kamjo'nista] (**-ti** pl.) m. camionneur.

camma ['kamma] f. MECC. came.

cammelliere [kammel'ljɛre] m. chamelier.

cammello [kam'mɛllo] m. ZOOL. chameau. || TESS. [tessuto] poil de chameau.

cammeo [kam'mɛo] m. [pietra] camée.

camminare [kammi'nare] v. intr. marcher. | *camminare di buon passo,* marcher bon train. | *camminare su e giù,* faire les cent pas. | *modo di camminare,* démarche f. || FIG. *camminare dritto,* filer droit. || FAM. *cammina !,* [spicciati] dépêche-toi ! (L.C.) ; [vattene] file !, décampe ! ◆ m. [azione] marche f. || [andatura] démarche f.

camminata [kammi'nata] f. [azione] marche, promenade. | *che camminata !,* quelle marche ! || [andatura] marche, démarche, allure.

camminatore [kammina'tore] (**-trice** f.) n. marcheur, euse.

cammino [kam'mino] m. [azione, durata] chemin, route f. | *proseguire il cammino,* poursuivre sa marche, son chemin. || [percorso] chemin, parcours, route f. | *conoscere il cammino,* connaître la route. | *aprirsi un cammino,* se frayer un chemin. || FIG. *allontanarsi* *dal retto cammino,* s'écarter du droit chemin.

camomilla [kamo'milla] f. Bot. camomille.

camorra [ka'mɔrra] f. bande, gang m. || Fig., Fam. [chiasso] boucan m., vacarme m. (L.C.).

camoscio [ka'mɔʃʃo] (**-sci** pl.) m. chamois. || [pelle] chamois, daim. | *pelle di camoscio,* peau de chamois. ◆ agg. inv. chamois.

campagna [kam'paɲɲa] f. [in opposizione a città] campagne. | *abitare, andare in campagna,* habiter, aller à la campagne. || [terra coltivata] *avere molte campagne,* avoir beaucoup de terres. || Comm., Econ. *campagna di vendita,* campagne de vente. || Fig. *campagna elettorale, pubblicitaria,* campagne électorale, publicitaire.

campagnola [kampaɲ'ɲɔla] f. paysanne. || Aut. tout(-)terrain inv.

campagnolo [kampaɲ'ɲɔlo] agg. campagnard. ◆ m. campagnard, paysan.

campale [kam'pale] agg. Mil. *battaglia campale,* bataille rangée. || Fig. *giornata campale,* rude journée.

campana [kam'pana] f. [strumento] cloche. | *suonare le campane a morto, a martello,* sonner le glas, le tocsin. || Per Anal. *gonna a campana,* jupe cloche. || Fig. *sordo come una campana,* sourd comme un pot.

campanaccio [kampa'nattʃo] (**-ci** pl.) m. [campanello del bestiame] sonnaille f., clarine f.

campanario [kampa'narjo] (**-ri** pl.) agg. *torre campanaria,* clocher m.

campanaro [kampa'naro] m. sonneur de cloches, carillonneur.

campanella [kampa'nɛlla] f. Dim. clochette, sonnette. || [anello metallico] anneau m. || [battente in ferro] heurtoir m. || [orecchino] boucle d'oreille. || Bot. clochette.

campanello [kampa'nɛllo] m. sonnette f. || [con martelletto] timbre.

campanile [kampa'nile] m. clocher ; campanile. || Geogr. [alpinismo] aiguille f.

campanilismo [kampani'lizmo] m. esprit de clocher.

campanula [kam'panula] f. Bot. campanule, clochette.

campare [kam'pare] v. intr. [mantenersi in vita] vivre. || Fam. *campare alla giornata,* vivre au jour le jour. | *non camperà a lungo,* il ne fera pas de vieux os. || Prov. *campa cavallo che l'erba cresce,* tu peux toujours attendre !

campata [kam'pata] f. Archit. travée. || Av. envergure.

campato [kam'pato] agg. Loc. *campato in aria,* en l'air. | *progetti campati in aria,* projets irréalisables.

campeggiare [kamped'dʒare] v. intr. camper. || Fig. [risaltare] se détacher (sur), se découper (sur), ressortir (sur).

campeggiatore [kampeddʒa'tore] (**-trice** f.) n. campeur, euse.

campeggio [kam'peddʒo] m. [azione e dimora] camping (ingl.).

campestre [kam'pɛstre] agg. champêtre. | *lavori campestri,* travaux des champs. | *guardia campestre,* garde (m.) champêtre.

campionare [kampjo'nare] v. tr. Comm. échantillonner. || [metalli] étalonner.

campionario [kampjo'narjo] (**-ri** pl.) m. Comm. carnet, catalogue d'échantillons, échantillonnage. ◆ agg. Comm. *fiera campionaria,* foire-exposition.

campionato [kampjo'nato] m. Sp. championnat.

campionatura [kampjona'tura] f. échantillonnage m. || [metalli] étalonnage m.

campione [kam'pjone] m. Pr. e Fig. champion. || Comm. échantillon. | *come da campione,* conforme à l'échantillon. || [di pesi e misure] étalon. || [di pubblicazioni] spécimen. || Sp. *campione di pugilato,* champion de boxe.

campionessa [kampjo'nessa] f. Sp. e Fig. championne.

campo ['kampo] m. champ. | *campo di grano,* champ de blé. || Per Est. *campo d'aviazione,* champ, camp, terrain d'aviation. | *campo di battaglia,* champ de bataille. | *campo di lavoro,* camp de travail. || Mil. camp. | *levare il campo,* lever le camp. | *ospedale da campo,* hôpital de campagne. || Fig. champ, domaine, secteur. | *nel campo della storia,* dans le domaine de l'histoire. | *rientrare nel campo (di),* relever (de), dépendre (de). | *mettere in campo,* avancer. | *cedere il campo,* abandonner le terrain. | *fuori campo,* hors limite. || Elettr., Fis., Ling., Miner. champ. || Sp. *campo sportivo,* terrain de sport. | *campo da bocce,* jeu de boules.

camposanto [kampo'santo] m. cimetière.

camuffamento [kamuffa'mento] m. camouflage.

camuffare [kamuf'fare] v. tr. Pr. e Fig. camoufler, déguiser. ◆ v. rifl. (da) se déguiser (en).

camuso [ka'muzo] agg. camus.

canadà [kana'da] m. inv. Bot. *mela canadà,* canada f.

canadese [kana'dese] agg. e n. canadien, enne. ◆ f. [giacca] canadienne. || [canoa] canadienne.

canaglia [ka'naʎʎa] f. crapule, canaille, fripouille (pop.). || Fam., Euf. [di bambini] coquin, fripon.

canale [ka'nale] m. canal. | *canale di scarico,* rigole (f.), canal d'écoulement, d'évacuation. || [fogna] égout. || [tetto] gouttière f. || FIG. *canale diplomatico,* voie (f.) diplomatique. | *canali d'informazione,* moyens d'information. || GEOGR. canal, détroit ; chenal.
canaletto [kana'letto] m. DIM. [per lo scolo delle acque] caniveau.
canalizzare [kanalid'dzare] v. tr. canaliser.
canalizzazione [kanaliddzat'tsjone] f. canalisation.
canalone [kana'lone] m. [alpinismo] couloir.
canapa ['kanapa] f. BOT. chanvre m.
canapè [kana'pɛ] m. inv. canapé. || CULIN. canapé.
canapino [kana'pino] agg. de chanvre. | *tela canapina,* toile de chanvre. ◆ m. TESS. toile (f.) tailleur.
canarino [kana'rino] m. canari, serin. || [in apposizione] *giallo canarino,* jaune serin, jaune canari.
cancan [kan'kan] m. inv. (fr.) [danza] cancan. || [chiasso] *fare cancan,* faire du barouf (pop.), du foin (pop.), du chahut.
cancellare [kantʃel'lare] v. tr. [grattare, strofinare] effacer. | *cancellare una parola con la gomma,* gommer un mot. || [cancellare con un tratto di penna] biffer, barrer, rayer. | *cancellare qlcu. da una lista,* rayer qn d'une liste. || [disdire] *cancellare un appuntamento,* annuler un rendez-vous. || FIG. *cancellare un'ingiuria con il sangue,* laver une injure dans le sang. || GIUR. *cancellare un'ipoteca,* lever une hypothèque. | *cancellare una sentenza,* casser un jugement. ◆ v. rifl. s'effacer, s'estomper.
cancellata [kantʃel'lata] f. grille.
cancellatura [kantʃella'tura] f. [frego] biffage m., rature.
cancellazione [kantʃellat'tsjone] f. effacement m. || radiation. | *cancellazione di qlcu. da una lista,* radiation de qn d'une liste.
cancelleria [kantʃelle'ria] f. POL. chancellerie. || GIUR. *cancelleria giudiziaria,* greffe m. || [materiale scrittorio] matériel (m.) de bureau. | *spese di cancelleria,* frais de papeterie.
cancelliere [kantʃel'ljɛre] m. POL. chancelier. || GIUR. greffier.
cancellino [kantʃel'lino] m. [spugna] éponge f. ; [panno] torchon.
cancello [kan'tʃɛllo] m. grille f.
cancerogeno [kantʃe'rɔdʒeno] agg. cancérigène.
canceroso [kantʃe'roso] agg. e n. cancéreux.
canchero ['kankero] m. POP. cancer (L.C.). || [malattia] maladie. || LOC. *ti venisse un canchero !,* que le diable t'emporte ! || [individuo fastidioso] casse-pieds m. e agg. inv.
cancrena [kan'krɛna] f. gangrène.
cancro ['kankro] m. MED. cancer. || ASTR. Cancer. || BOT. chancre.
candeggiare [kanded'dʒare] v. tr. CHIM. blanchir.
candeggina [kanded'dʒina] f. CHIM. eau de Javel.
candela [kan'dela] f. bougie ; chandelle. | *accendere una candela,* brûler un cierge. || LOC. *puoi accendergli una candela,* tu lui dois une fière chandelle.
candelabro [kande'labro] m. flambeau, candélabre.
candeliere [kande'ljɛre] m. chandelier, bougeoir.
Candelora [kande'lɔra] f. Chandeleur.
candelotto [kande'lɔtto] m. grosse bougie, grosse chandelle. || PER EST. *candelotto di dinamite,* cartouche (f.) de dynamite.
candidato [kandi'dato] m. candidat. | *presentarsi candidato,* se porter candidat.
candidatura [kandida'tura] f. candidature. | *presentare la propria candidatura,* faire acte de candidature.
candido ['kandido] agg. blanc. || FIG. candide, naïf, ingénu, innocent.
candire [kan'dire] v. tr. CULIN. confire (dans le sucre).
candore [kan'dore] m. blancheur f., blanc. || FIG. candeur f.
1. cane ['kane] m. chien. | *attenti al cane !,* chien méchant. || [uomo spietato] canaille f., animal. | *quel cane me la pagherà,* l'animal, il me le paiera ! || FIG., FAM. *non c'è un cane,* il n'y a pas un chat. | *fa un freddo cane,* il fait un froid de canard. | *menare il can(e) per l'aia,* tourner autour du pot. || TECN. [arma] chien. ◆ esclam. *porco cane !,* nom d'un chien !
2. cane m. [titolo di alta sovranità tartara] khān.
canestro [ka'nɛstro] m. corbeille f., panier, couffin. || SP. panier.
canfora ['kanfora] f. camphre m.
cangiante [kan'dʒante] part. pres. e agg. changeant, chatoyant. | *colore cangiante,* couleur changeante. | *stoffa cangiante,* étoffe chatoyante.
cangiare [kan'dʒare] v. tr. e intr. changer ; chatoyer v. intr.
canguro [kan'guro] m. kangourou.
canicola [ka'nikola] f. canicule.
canile [ka'nile] m. chenil. | *canile comunale,* fourrière f.
canino [ka'nino] agg. canin. || FIG. *avere una fame canina,* avoir une faim de loup. || ANAT. *dente canino,* canine f. || BOT. *rosa canina,* églantine f. || MED., POP. *tosse canina,* coqueluche f. (L.C.).

canizie [ka'nittsje] f. inv. [capelli bianchi] cheveux blancs. || FIG., POET. [vecchiaia] vieillesse (L.C.).
canna ['kanna] f. canne, roseau m. | *canna da zucchero,* canne à sucre. || LOC. FIG. *essere come una canna al vento,* être comme une feuille au vent. | *povero in canna,* pauvre comme Job. || MIL. canon m. | *baionetta in canna !,* baïonnette au canon ! || TECN. tuyau m. | *canna della bicicletta,* cadre (m.) de la bicyclette. || POP. [gola] gosier m. (L.C.).
1. cannella [kan'nɛlla] f. BOT. cannelle.
2. cannella [kan'nɛlla] f. [rubinetto] cannelle, canette.
cannello [kan'nɛllo] m. chalumeau. || PER EST. *cannello di una pipa,* tuyau d'une pipe. | *cannello di ceralacca,* bâton de cire. || CHIR. canule f.
cannelloni [kannel'loni] m. pl. cannelloni.
canneto [kan'neto] m. cannaie f.
cannibale [kan'nibale] m. cannibale.
cannibalismo [kanniba'lizmo] m. cannibalisme.
cannocchiale [kannok'kjale] m. lunette f., longue-vue f. | *mettere a fuoco il cannocchiale,* mettre la lunette au point.
cannonata [kanno'nata] f. coup (m.) de canon. || FIG. *che cannonata !,* formidable ! || SP. [calcio] shoot m. (ingl.).
cannone [kan'none] m. canon. || FAM. *è un cannone,* c'est un type formidable.
cannoneggiamento [kannoneddʒa'mento] m. canonnade f. || [azione] canonnage.
cannoniera [kanno'njɛra] f. MIL. embrasure. || MAR. MIL. canonnière.
cannoniere [kanno'njɛre] m. MIL. [soldato] canonnier. || SP. [calcio] buteur.
cannuccia [kan'nuttʃa] f. BOT. chalumeau m. || [per bibite] paille.
canoa [ka'nɔa] f. canoë m.
canocchia o **cannocchia** [ka'nɔkkja] f. ZOOL. squille, sauterelle, cigale de mer.
canocchiale [kanok'kjale] m. = CANNOCCHIALE.
canone ['kanone] m. ARTI, FILOS., MUS., REL. canon. || [somma] redevance f. | *canone d'affitto,* loyer.
canonica [ka'nɔnika] f. cure.
1. canonico [ka'nɔniko] (**-ci** pl.) m. chanoine.
2. canonico (**-ci** pl.) agg. REL. canon, canonique. | *diritto canonico,* droit canon, canonique. || FAM. *è l'ora canonica,* c'est le moment opportun.
canonizzare [kanonid'dzare] v. tr. REL. canoniser.
canoro [ka'nɔro] agg. chantant, mélodieux.
canottaggio [kanot'taddʒo] (**-gi** pl.) m. canotage, aviron.
canottiera [kanot'tjɛra] f. maillot (m.) de corps. || [cappello] canotier m.
canottiere [kanot'tjɛre] m. canotier. || SP. canoteur.
canotto [ka'nɔtto] m. canot.
canovaccio [kano'vattʃo] (**-ci** pl.) m. [tessuto] canevas. || [per uso cucina] torchon.
cantabile [kan'tabile] agg. chantant. | *moderato cantabile,* moderato cantabile (it.).
cantante [kan'tante] m. chanteur. | *cantante lirico,* chanteur d'opéra. ◆ f. chanteuse. | *cantante lirica,* cantatrice.
cantare [kan'tare] v. intr. chanter. ◆ v. tr. chanter. || FIG., FAM. *cantare vittoria,* chanter victoire. | *gliele ho cantate,* je lui ai dit ses quatre vérités. | *lascialo cantare !,* laisse-le dire ! || POP. [essere indiscreto] jaser. | [confessare] lâcher le paquet, manger le morceau. || *far cantare qlcu.,* confesser qn.
cantarello [kanta'rɛllo] m. BOT. chanterelle f., girolle f.
cantastorie [kantas'tɔrje] n. inv. chanteur, euse des rues.
cantata [kan'tata] f. cantate.
cantatrice [kanta'tritʃe] f. (raro) cantatrice, chanteuse (L.C.).
canterano [kante'rano] m. ANTIQ. commode f. (L.C.).
canterellare [kanterel'lare] v. tr. e intr. fredonner, chantonner.
cantica ['kantika] (**-che** pl.) f. LETT. poème m., chant m. | *le cantiche della Divina Commedia,* les parties de la *Divine Comédie.*
canticchiare [kantik'kjare] v. tr. e intr. fredonner, chantonner.
cantico ['kantiko] (**-ci** pl.) m. cantique.
cantiere [kan'tjɛre] m. chantier.
cantilena [kanti'lɛna] f. cantilène. || [ninna nanna] berceuse. || FIG. rengaine. || [intonazione monotona] voix traînante. || [cadenza dialettale] accent chantant.
cantina [kan'tina] f. cave, cellier m. || [bottega del vinaio] débit (m.) de boissons. || *cantina sociale,* coopérative vinicole.
cantiniere [kanti'njɛre] m. sommelier, caviste. || marchand de vins.
cantino [kan'tino] m. MUS. chanterelle f.
1. canto ['kanto] m. chant. | *canto a solo,* chant à une seule voix. | *scuola di canto,* maîtrise f. || PER EST. chanson f. | *canto piano,* plain-chant. || LETT. poème ; chant.
2. canto m. [angolo] coin, encoignure f. | *mettersi in un canto,* se

mettre dans un coin. || Loc. *levarsi da canto qlcu.*, se débarrasser de qn. | *d'altro canto,* d'autre part. | *da un canto, dall'altro,* d'un côté, de l'autre. | *dal canto mio,* pour ma part, quant à moi.

cantonale [kanto'nale] agg. cantonal. ◆ m. meuble de coin, encoignure f.

cantonata [kanto'nata] f. coin m. | *svoltare alla cantonata,* tourner au coin de la rue. || Fig., Fam. [grosso equivoco] gaffe, bévue (L.C.), impair m. (L.C.). | *pigliare una cantonata,* faire une gaffe, une bourde.

cantone [kan'tone] m. [angolo] coin, encoignure f. || Amm. canton.

cantoniere [kanto'njɛre] m. cantonnier.

cantore [kan'tore] m. Pr. e Fig. chantre.

cantoria [kanto'ria] f. tribune des chantres. || Mus. [complesso di cantori] maîtrise.

cantuccio [kan'tuttʃo] m. Dim. coin, recoin. || [pezzetto] morceau, bout. || Fig. *stare in un cantuccio,* se tenir à l'écart.

canuto [ka'nuto] agg. chenu.

canzonare [kantso'nare] v. tr. railler, se moquer (de) v. rifl. ◆ v. intr. blaguer, plaisanter (L.C.).

canzonatore [kantsona'tore] (**-trice** o **-tora** f.) n. railleur, euse ; moqueur, euse.

canzonatura [kantsona'tura] f. raillerie, moquerie, persiflage m.

canzone [kan'tsone] f. chanson.

canzonetta [kantso'netta] f. chanson, chansonnette.

canzonettista [kantsonet'tista] (**-ti** pl.) n. chanteur, euse de café-concert.

canzoniere [kantso'njɛre] m. [autore ; raccolta] chansonnier.

caolino [kao'lino] m. kaolin.

caos ['kaos] m. Pr. e Fig. chaos.

caotico [ka'ɔtiko] (**-ci** pl.) agg. chaotique.

capace [ka'patʃe] agg. Assol. [capiente] *stanza molto capace,* pièce spacieuse. || Fig. *essere capace,* être à la hauteur (fam.). || Con preposizione [cose] *cisterna capace di duecentotrenta litri,* citerne qui cube deux cent trente litres. || [persona] capable (de), à même (de), apte (à). | *è capacissimo di ripeterlo !,* il est tout à fait capable de le répéter ! || [convincersi] *farsi capace di qlco.,* se persuader, se convaincre de qch. || Giur. *rendere capace,* habiliter.

capacità [kapatʃi'ta] f. [capienza] capacité. || [recipienti] contenance. || [competenza, talento, attitudine] capacité, compétence, aptitude, moyens m. pl. || [potere, potenziale] capacité, pouvoir m.

capacitare [kapatʃi'tare] v. tr. persuader, convaincre. ◆ v. rifl. se persuader, se convaincre, se rendre compte. | *non so capacitarmene,* je n'en reviens pas.

capanna [ka'panna] f. hutte, cabane. || [paesi africani] case, paillote. || [tugurio] masure.

capannello [kapan'nɛllo] m. groupe. | *fare capannello attorno a qlcu.,* se rassembler autour de qn.

capannone [kapan'none] m. hangar.

caparbietà [kaparbje'ta] f. entêtement m., obstination.

caparra [ka'parra] f. Comm. arrhes pl.

capatina [kapa'tina] f. Dim. *fare una capatina da qlcu.,* faire un saut chez qn.

capeggiare [kaped'dʒare] v. tr. être à la tête (de), mener, guider.

capello [ka'pello] m. cheveu. || Loc. *cacciarsi, mettersi le mani nei capelli,* s'arracher les cheveux. | *avere un diavolo per capello,* avoir les nerfs tendus. | *averne fin sopra i capelli,* en avoir pardessus la tête.

capellone [kapel'lone] m. Neol. beatnik (ingl.). ◆ agg. chevelu.

capelluto [kapel'luto] agg. chevelu.

capelvenere [kapel'vɛnere] m. Bot. cheveu-de-Vénus, capillaire.

capestro [ka'pɛstro] m. licol, licou. || Per Est. *condannare al capestro,* condamner à la pendaison.

capezzale [kapet'tsale] m. [guanciale] traversin. || Per Est. [parte del letto presso la spalliera] chevet. | *stare al capezzale di un ammalato,* être au chevet d'un malade.

capezzolo [ka'pettsolo] m. Anat. mamelon. || Zool. tétine f., trayon.

capidoglio [kapi'dɔʎʎo] m. cachalot.

capienza [ka'pjɛntsa] f. [di recipiente] contenance, capacité.

capigliatura [kapiʎʎa'tura] f. chevelure.

capillare [kapil'lare] agg. capillaire.

capillarità [kapillari'ta] f. Fis. capillarité. || Fig. minutie.

capire [ka'pire] v. tr. comprendre, entendre, saisir. | *farsi capire,* se faire comprendre, se faire entendre. | *parla più forte, non ti capisco,* parle plus haut, je ne t'entends pas. || Loc. *non voler capire,* faire la sourde oreille. | *pago io, si capisce,* c'est moi qui paie, bien entendu. ◆ v. rifl. se comprendre, s'entendre.

capitale [kapi'tale] agg. capital. | *pena capitale,* peine capitale. | *di capitale importanza,* d'une importance capitale. ◆ m. Fin. capital. | *costare un capitale,* coûter une fortune. ◆ f. [città] capitale.

capitalismo [kapita'lizmo] m. capitalisme.

capitalista [kapita'lista] (**-ti** pl.) m. capitaliste agg. e m.

capitalizzare [kapitalid'dzare] v. tr. FIN. capitaliser.

capitanare [kapita'nare] v. tr. commander ; diriger.

capitaneria [kapitane'ria] f. capitainerie.

capitano [kapi'tano] m. [capo di un corpo d'armata] capitaine. || MAR. capitaine. | *capitano di ventura,* condottiere. || SP. *capitano di una squadra,* capitaine d'une équipe.

capitare [kapi'tare] v. intr. [di persone] arriver, survenir, tomber. | *se capiti a Napoli,* si tu passes par Naples. | *capitare tra i piedi di qlcu.,* tomber sur le dos de qn. || [di cose] tomber, arriver. | *capitare a proposito,* tomber à pic. || [presentarsi, offrirsi] *se capita un buon affare,* si une bonne affaire se présente. || [accadere] arriver v. impers., advenir v. impers. | *che cosa gli capita ?,* qu'est-ce qui lui arrive ? | *se ti capitasse di dimenticarlo,* s'il t'arrivait de l'oublier. ◆ v. impers. arriver. | *capita che,* il arrive que. | *dove capita,* n'importe où. | *quando capita,* n'importe quand.

capitello [capi'tɛllo] m. ARCHIT., TECN. chapiteau.

1. capitolare [kapito'lare] agg. inv. capitulaire. | *sala capitolare,* salle capitulaire.

2. capitolare v. intr. PR. e FIG. capituler, se rendre.

capitolazione [kapitolat'tsjone] f. PR. e FIG. capitulation.

capitolo [ka'pitolo] m. chapitre. || [di legge, contratto] article. || [di bilancio] chapitre. || REL. chapitre. | *sala del capitolo,* salle du chapitre, salle capitulaire.

capitombolare [kapitombo'lare] v. intr. rouler, culbuter, dégringoler (fam.).

capo ['kapo] m. [testa] tête f. | *a capo scoperto,* nu-tête. | *a capo chino,* tête basse. || [chi capeggia] chef m. || *capo di stato maggiore,* chef d'état-major. || FIG. tête f. | *essere a capo di,* être à la tête de. || LOC. *tra capo e collo,* à l'improviste. | FAM. *lavata di capo,* réprimande (L.C.). || [unità] tête f., pièce f. | *cento capi di bestiame,* cent têtes de bétail. | *capi di vestiario,* pièces de vêtement. || [capitolo] chapitre. || [punto] point. | *capo primo,* premièrement. || GEOGR. cap. || [inizio] *capo d'anno,* jour de l'an, premier de l'an. | *discorsi senza capo né coda,* propos sans queue ni tête. | *andare a capo* [scrivendo], aller à la ligne. | *venire a capo di qlco.,* venir à bout de qch. | *da capo,* derechef. ◆ loc. avv. *per sommi capi,* à grands traits. ◆ loc. prep. *in capo a : andare in capo al mondo,* aller au bout du monde.

capobanda [kapo'banda] (**capibanda** pl.) m. chef de bande.

capocchia [ka'pɔkkja] f. tête. | *capocchia di spillo,* tête d'épingle. | *smeraldo a capocchia,* émeraude (f.) en cabochon. || [testa] tête, caboche (fam.).

capoccia [ka'pɔttʃa] (**-cia** o **-ci** pl.) m. [famiglia colonica] chef de famille. || [sorvegliante] contremaître. || [pezzo grosso] patron.

capocomico [kapo'kɔmiko] (**capocomici** o **capicomici** pl.) m. TEAT. directeur, chef de troupe.

capocronista [kapokro'nista] (**capicronisti** pl.) m. rédacteur en chef de la chronique locale.

capocuoco [kapo'kwɔko] (**capicuochi** pl.) m. CULIN. chef (cuisinier). || MAR. maître coq.

capodanno [kapo'danno] (**-ni** pl.) m. jour de l'an, premier de l'an.

capodoglio [kapo'dɔλλo] (**capidoglio** pl.) m. cachalot.

capofamiglia [kapofa'miλλa] (**capifamiglia** pl.) m. chef de famille.

capofila [kapo'fila] (**capifila** pl.) m. chef de file.

capofitto (a) [akapo'fitto] loc. avv. *cadere (a) capofitto,* tomber la tête la première. || FIG. *gettarsi a capofitto in un lavoro,* se jeter tête baissée dans un travail.

capogiro [kapo'dʒiro] m. vertige, étourdissement, éblouissement.

capolavoro [kapola'voro] m. chef-d'œuvre.

capolinea [kapo'linea] (**capilinea** pl.) m. [punto di partenza] tête (f.) de ligne. || [punto d'arrivo] terminus.

capolino [kapo'lino] m. LOC. *far capolino (da),* passer le bout du nez (par), percer, pointer.

capolista [kapo'lista] n. inv. tête (f.) de liste. || SP. leader m. (ingl.)

capoluogo [kapo'lwɔgo] (**-ghi** pl.) m. chef-lieu.

capomastro [kapo'mastro] m. chef de chantier. || ARCHIT. contremaître, conducteur de travaux.

capoofficina [kapoffi'tʃina] (**capiofficina** pl.) m. chef d'atelier.

caporale [kapo'rale] m. caporal. | *caporal(e) maggiore* caporal-chef. || SCHERZ. gendarme.

caporedattore [kaporedat'tore] (**capiredattori** pl.) m. rédacteur en chef.

caporeparto [kapore'parto] (**capireparto** pl.) m. COMM. chef de rayon. || IND. chef d'atelier, contremaître.

caporione [kapo'rjone] m. PEGG., POP. caïd. || chef de bande.

caposala [kapo'sala] (**capisala** pl.) n. [di ufficio, stabilimento, ospedale, ecc.] gardien de salle.
caposaldo [kapo'saldo] (**capisaldo** pl.) m. (point de) repère. || MIL. point d'appui. || FIG. fondement.
caposquadra [kapos'kwadra] (**capisquadra** pl.) m. MIL. chef d'escouade. || TECN. chef d'équipe.
capostazione [kapostat'tsjone] (**capistazione** pl.) m. TR. chef de gare.
capostipite [kapos'tipite] m. souche f.
capotare [kapo'tare] v. intr. AUT., AV. capoter.
capotavola [kapo'tavola] (**capitavola** pl.) m. haut (bout) de la table. || PER EST. celui qui occupe la place d'honneur.
capotreno [kapo'trɛno] (**capitreno** o **capitreni** pl.) m. TR. chef de train.
capoturno [kapo'turno] (**capiturno** pl.) n. chef d'équipe.
capoufficio [kapouf'fitʃo] (**capiufficio** pl.) n. chef de bureau.
capoverso [kapo'vɛrso] m. TIP. alinéa.
capovolgere [kapo'vɔldʒere] v. tr. retourner, basculer, chavirer, renverser. | *capovolgere la situazione,* renverser la situation. ◆ v. rifl. capoter v. intr., verser v. intr., se renverser, chavirer v. intr.
capovolgimento [kapovoldʒi'mento] m. retournement, renversement. || FIG. bouleversement.
1. cappa ['kappa] f. [mantello] cape. || ARCHIT. chape. || MAR. [telone] bâche, capot m. || TECN. [di camino] manteau (m.) de cheminée, hotte. || ZOOL. solen m., couteau m., coque.
2. cappa m. [lettera dell'alfabeto] k m.
1. cappella [kap'pɛlla] f. chapelle.
2. cappella f. [funghi] chapeau m. (de champignon).
cappellaio [kappel'lajo] (**-ai** pl.) m. chapelier.
cappellano [kappel'lano] m. chapelain ; aumônier.
cappellata [kapel'lata] f. coup (m.) de chapeau. ◆ loc. avv. *a cappellate,* à foison.
cappelleria [kappelle'ria] f. chapellerie.
cappelliera [kappel'ljɛra] f. carton (m.) à chapeaux.
cappello [kap'pɛllo] m. [copricapo] chapeau. | *cappello duro,* (chapeau) melon, cape f. | *cappello a cilindro,* (chapeau) haut de forme. | *portare il cappello sulle ventitré,* porter le chapeau sur l'oreille. || FAM. *ti faccio tanto di cappello !,* chapeau !
capperi ! ['kapperi] interiez. EUF. fichtre !
cappero ['kappero] m. [pianta] câprier. || [frutto] câpre f.
cappio ['kappjo] m. [nodo] nœud coulant. || LOC. FIG. *avere il cappio al collo,* avoir les mains liées.
cappone [kap'pone] m. ZOOL. chapon.
cappotta [kap'pɔtta] f. capote.
cappotto [kap'pɔtto] m. manteau, pardessus. || MIL. capote f. || GIOCHI [vincere] faire capot ; [perdere] être capot.
cappuccina [kapput'tʃina] f. BOT., REL. capucine.
cappuccino [kapput'tʃino] m. REL., ZOOL. capucin. || [bibita] cappuccino.
cappuccio [kap'puttʃo] (**-ci** pl.) m. [di monaco] capuce. || [copricapo] capuche f., capuchon, chaperon. || PER ANAL. *cappuccio di penna stilografica,* capuchon de stylo.
capra ['kapra] f. ZOOL. chèvre, bique (fam.). || LOC. FIG. *salvare capra e cavoli,* ménager la chèvre et le chou.
capraio [ka'prajo] (**-ai** pl.) m. chevrier.
capretto [ka'pretto] m. ZOOL. chevreau, cabri, biquet (fam.). || [pelle] chevreau.
capriccio [ka'prittʃo] (**-ci** pl.) m. [voglia o idea irragionevole] caprice, fantaisie f. || [collera passeggera, sbalzo d'umore] caprice, colère f. | *fare un capriccio,* faire une colère. || [amore passeggero] caprice, toquade f. (fam.), béguin (fam.). | *capricci della moda,* caprices de la mode.
capriccioso [kaprit'tʃoso] agg. capricieux, changeant, inconstant.
Capricorno [kapri'kɔrno] m. ASTR. Capricorne.
caprifoglio [kapri'fɔʎʎo] m. chèvrefeuille.
caprino [ka'prino] agg. de chèvre, caprin.
capriola [kapri'ɔla] f. [salto] cabriole, culbute.
capriolo [kapri'ɔlo] m. chevreuil.
capro ['kapro] m. ZOOL. bouc. || FIG. *capro espiatorio,* bouc émissaire.
capsula ['kapsula] f. capsule.
captare [kap'tare] v. tr. TEL. capter. || FIG. gagner, se concilier v. rifl.
capziosità [kaptsjosi'ta] f. spéciosité.
carabattola [kara'battola] f. bricole, bagatelle. ◆ pl. fourbi m. sing. (fam.)
carabina [kara'bina] f. carabine.
carabiniere [karabi'njɛre] m. gendarme.
carachiri [kara'kiri] m. inv. harakiri m.
caracollare [karakol'lare] v. intr. PR. e FIG. caracoler.
caracollo [kara'kɔllo] m. caracole f.
caracul [kara'kul] m. inv. caracul, karakul.
caraffa [ka'raffa] f. carafe.

carambola [ka'rambola] f. carambolage m.
carambolare [karambo'lare] v. intr. [biliardo] caramboler.
caramella [kara'mɛlla] f. bonbon m.
caramellare [karamel'lare] v. tr. caraméliser.
caramello [kara'mɛllo] m. CULIN. caramel. ◆ agg. inv. caramel.
caramelloso [karamel'loso] agg. douceâtre. ‖ FIG. doucereux, mielleux.
caramente [kara'mente] avv. affectueusement, chèrement. ‖ [a caro prezzo] cher, chèrement.
carapace [kara'patʃe] m. ZOOL. carapace f.
carato [ka'rato] m. carat.
carattere [ka'rattere] m. [segno grafico] caractère. | *caratteri tipografici,* caractères d'imprimerie. | *a caratteri cubitali,* en gros caractères. ‖ [segno distintivo delle cose] caractère, caractéristique f., marque f., trait. ‖ [natura umana] caractère, naturel, tempérament, nature f. | *aspetto del carattere,* trait de caractère. ‖ PER EST. fermeté f., personnalité f. | *fermezza di carattere,* force de caractère.
caratterino [karatte'rino] m. DIM. *ha un caratterino,* il (elle) n'est pas commode.
caratteristica [karatte'ristika] (**-che** pl.) f. caractéristique, caractère (m.) propre.
caratteristico [karatte'ristiko] (**-ci** pl.) agg. caractéristique, particulier, typique.
caratterizzare [karatterid'dzare] v. tr. caractériser.
caravanserraglio [karavanser'raʎʎo] (**-gli** pl.) m. caravansérail. ‖ FIG. capharnaüm.
caravella [kara'vɛlla] f. STOR. MAR. caravelle.
carbonaia [karbo'naja] f. meule de charbonnière. ‖ [stanza dove si conserva il carbone] charbonnerie.
carbonaio [karbo'najo] (**-ai** pl.) m. charbonnier.
carboncino [karbon'tʃino] m. charbon à dessiner ; fusain.
carbone [kar'bone] m. charbon. ‖ *carbone bianco,* houille blanche. ◆ agg. *carta carbone,* papier (m.) carbone.
carbonella [karbo'nɛlla] f. charbon (m.) de bois, braise.
carboniero [karbo'njɛro] agg. houiller. | *industria carboniera,* industrie houillère.
carbonifero [karbo'nifero] agg. houiller, carbonifère.
carbonio [kar'bɔnjo] m. CHIM. carbone.
carbonizzare [karbonid'dzare] v. tr. [ridurre in carbone] carboniser. ◆ v. rifl. [ridursi in carbone] charbonner v. intr. ‖ se calciner.
carburante [karbu'rante] m. e agg. carburant.
carburare [karbu'rare] v. intr. PR. e FIG. carburer.
carburazione [karburat'tsjone] f. carburation.
carburo [kar'buro] m. carbure.
carcame [kar'kame] m. carcasse f.
carcassa [kar'kassa] f. carcasse.
carcerare [kartʃe'rare] v. tr. emprisonner, enfermer, écrouer, incarcérer.
carcerario [kartʃe'rarjo] (**-ri** pl.) agg. de(s) prison(s), carcéral. | *guardia carceraria,* gardien (m.) de prison.
carcerato [kartʃe'rato] m. détenu, prisonnier.
carcerazione [kartʃerat'tsjone] f. [azione] emprisonnement m., incarcération. ‖ GIUR. écrou m.
carcere ['kartʃere] (**-ri** pl. f.) m. [luogo] prison f., tôle f. (pop.). ‖ PER EST. prison f., emprisonnement, réclusion f. | *scontare due anni di carcere,* purger deux ans de prison.
carceriere [kartʃe'rjɛre] m. gardien de prison, geôlier.
carciofo [kar'tʃɔfo] m. BOT. artichaut.
carda ['karda] f. TESS. carde, cardeuse.
cardano [kar'dano] m. cardan.
cardare [kar'dare] v. tr. carder.
cardatura [karda'tura] f. cardage m.
cardellino [kardel'lino] m. chardonneret.
cardiaco [kar'diako] (**-ci** pl.) agg. e m. MED. cardiaque.
cardinale [kardi'nale] agg. GEOGR., GR., MAT., REL. cardinal. ◆ m. REL. cardinal.
cardinalizio [kardina'littsjo] (**-zi** pl.) agg. cardinalice, de cardinal.
cardine ['kardine] m. gond. ‖ FIG. pivot, charnière f.
cardiologia [kardjolo'dʒia] f. cardiologie.
cardiologo [kar'djɔlogo] (**-gi** pl.) m. cardiologue.
cardiopalmo [kardjo'palmo] m. MED. palpitations f. pl.
cardo ['kardo] m. BOT. [commestibile] cardon ; carde f. ‖ TESS. [strumento] carde f.
carena [ka'rɛna] f. carène.
carenaggio [kare'naddʒo] m. MAR. carénage, radoub.
carenare [kare'nare] v. tr. AUT., AV., MAR. caréner.
carente [ka'rɛnte] agg. inv. insuffisant, incomplet, pauvre (en).
carenza [ka'rɛntsa] f. carence, pénurie, insuffisance, pauvreté, manque m.
carestia [kares'tia] f. [mancanza di derrate alimentari] famine, disette. ‖ [scarsezza] pénurie, manque m.

carezza [ka'rettsa] f. caresse, cajolerie, câlinerie.
carezzare [karet'tsare] v. tr. = ACCAREZZARE.
cargo ['kargo] (**-ghi** pl.) m. MAR. cargo.
cariare [ka'rjare] v. tr. BOT., MED. carier. ◆ v. rifl. se carier.
cariatide [ka'rjatide] f. cariatide, caryatide.
carica ['karika] (**-che** pl.) f. AMM. [grado] charge. | *le alte cariche dello Stato,* les hautes fonctions de l'État. | *entrare in carica,* entrer en exercice. | *il governo in carica,* le gouvernement établi. || MIL. [assalto] charge. | *passo di carica,* pas de charge. || TECN. charge. | *carica (di un orologio),* [molla] ressort m. ; [azione] remontage m. || LOC. FIG. *tornare alla carica,* revenir à la charge.
caricare [kari'kare] v. tr. charger. || MIL. [attaccare] charger, attaquer. || TECN. *caricare una molla,* bander un ressort. || PER ANAL. *caricare la pipa,* bourrer sa pipe. || FIG. cribler, accabler, surcharger. | *caricare di debiti,* cribler de dettes. || [esagerare] exagérer. | *caricare la mano,* avoir la main lourde.
caricatore [karika'tore] m. [operaio] chargeur.
caricatura [karika'tura] f. caricature, charge.
caricaturista [karikatu'rista] (**-ti** pl. m.) n. caricaturiste.
carico ['kariko] (**-chi** pl.) agg. PR. e FIG. chargé. | *carico di lavoro,* surchargé de travail. | *tè carico,* thé fort. | *orologio carico,* horloge remontée. ◆ m. [peso] charge f., poids, fardeau. | *carico massimo trasportabile,* charge utile (maximum). || [azione di caricare] chargement. | *nave sotto carico,* navire en chargement. || [materiale trasportato] chargement, cargaison f., fret. || AMM. *avere figli a carico,* avoir des enfants à sa charge. || COMM. *registro di carico e scarico,* livre des entrées (f. pl.) et des sorties. | *spese a carico,* frais au débit. || GIUR. *testimone a carico,* témoin à charge.
carie ['karje] f. BOT., MED. carie.
carino [ka'rino] agg. joli, mignon. | *è una ragazza carina,* c'est une jolie fille. || [gentile] gentil. | *essere carino con qlcu.,* être gentil avec qn.
carisma [ka'rizma] (**-i** pl.) m. charisme.
carità [kari'ta] f. charité. || *per carità !,* pour l'amour de Dieu !
carlino [kar'lino] m. FIN., ZOOL. carlin.
carlona (alla) [allakar'lona] loc. avv. *fare qlco alla carlona,* faire qch. pardessus l'épaule.
carme ['karme] m. poème, poésie f.
carminio [kar'minjo] (**-ni** pl.) m. carmin.
carmino [kar'mino] m. LETT. carmin (L.C.).
carnaccia [kar'nattʃa] f. PEGG. mauvaise viande, carne (pop.).
carnagione [karna'dʒone] f. carnation, teint m.
carnaio [kar'najo] (**-ai** pl.) m. [cumulo di cadaveri] charnier. || [carneficina] carnage, massacre, boucherie f.
carne ['karne] f. [uomo] chair. | *essere bene in carne,* être bien en chair. || [per alimentazione] viande. | *carne in scatola,* viande en conserve. || LOC. FIG. *mettere troppa carne al fuoco,* entreprendre trop de choses à la fois.
carnefice [kar'nefitʃe] m. PR. e FIG. bourreau.
carneficina [karnefi'tʃina] f. carnage m., massacre m., tuerie, boucherie.
carnevalata [karneva'lata] f. PR. e FIG. mascarade.
carnevale [karne'vale] m. carnaval.
carniera [kar'njɛra] f. carnassière, gibecière, carnier m.
carniere [kar'njɛre] m. carnassière f., gibecière f., carnier.
carnivoro [kar'nivoro] agg. e m. carnassier, carnivore.
carnoso [kar'noso] agg. charnu.
caro ['karo] agg. [amato] cher, aimé, chéri. | *mio caro, mia cara,* mon cher, ma chère. | *eh no, mio caro,* eh non, mon bon. | *cari voi,* mes chers. || [gentile] gentil, aimable. | *quanto sei caro !,* que tu es gentil ! || LOC. *avrei caro che ci fosse anche lui,* j'aimerais qu'il y fût lui aussi. || [costoso] cher, coûteux. ◆ avv. cher, chèrement. | *vender cara la pelle,* vendre chèrement sa vie. || ◆ m. pl. *i propri cari,* [genitori] ses parents ; [famiglia] sa famille.
carogna [ka'roɲɲa] f. charogne. || FIG., FAM. *è una carogna,* [spregevole] c'est un salaud.
carosello [karo'zɛllo] m. carrousel, (manège de) chevaux (pl.) de bois.
carota [ka'rɔta] f. carotte.
carotide [ka'rɔtide] f. carotide.
carovana [karo'vana] f. caravane, roulotte.
carovita [karo'vita] m. inv. cherté (f.) de la vie, vie chère.
carpa ['karpa] f. ZOOL. carpe.
carpenteria [karpente'ria] f. [struttura portante] charpente. || [officina] charpenterie.
carpentiere [karpen'tjɛre] m. charpentier.
carpine ['karpine] m. BOT. charme.
carpire [kar'pire] v. tr. extorquer, escroquer, soutirer. | *carpire denaro a*

qlcu., soutirer de l'argent à qn. | *carpire la buona fede di qlcu.*, tromper qn.
carpo [ˈkarpo] m. ANAT. carpe.
carponi [karˈponi] o **carpone** [karˈpone] avv. à quatre pattes.
carrabile [karˈrabile] agg. charretier. | *passo carrabile*, passage pour voitures.
carraio [karˈrajo] (**-ai** pl.) agg. *porta carraia*, porte charretière.
carreggiabile [karredˈdʒabile] agg. carrossable.
carreggiare [karredˈdʒare] v. tr. [trasportare su carro o altro veicolo] charroyer, charrier.
carreggiata [karredˈdʒata] f. ornière. ‖ PER EST. voie. ‖ PER ANAL. chaussée. | *strada a carreggiata doppia*, route à double voie. | *rimettersi in carreggiata*, reprendre sa route.
carrellata [karrelˈlata] f. CIN., TV. travelling m. (ingl.).
carrello [karˈrɛllo] m. chariot. ‖ [in casa] table roulante f. ‖ AV. train. | *carrello d'atterraggio*, train d'atterrissage.
carretta [karˈretta] f. charrette, carriole. ‖ LOC. FIG. *tirare la carretta*, avoir de la peine à vivre.
carrettiere [karretˈtjɛre] m. charretier.
carretto [karˈretto] m. chariot, charrette f.
carriera [karˈrjɛra] f. [professione] carrière. ‖ [uomo] *andare di gran carriera*, aller à vive allure.
carriola [karˈrjɔla] f. brouette.
carro [ˈkarro] m. chariot, charrette f. ‖ PARTICOL. *carro funebre*, corbillard. | *carro attrezzi*, voiture (f.) de dépannage, dépanneuse f. | *carro bestiame*, wagon à bestiaux. | *carri armati*, engins blindés. ‖ LOC. FIG. *mettere il carro davanti ai buoi*, mettre la charrue avant les bœufs.
carrozza [karˈrɔttsa] f. voiture. | *carrozza di piazza*, fiacre m. ‖ TR. voiture, wagon m. ‖ STOR. carrosse.
carrozzare [karrotˈtsare] v. tr. AUT. carrosser.
carrozzella [karrotˈtsella] f. voiture d'enfant, poussette, landau m. ‖ [per infermi] fauteuil (m.) d'invalide.
carrozzeria [karrottseˈria] f. AUT. [officina, sovrastruttura] carrosserie.
carrozziere [karrotˈtsjɛre] m. carrossier.
carrozzina [karrotˈtsina] f. voiture d'enfant, poussette, landau m.
carrozzone [karrotˈtsone] m. [nomadi] roulotte f. ‖ TR. wagon. ‖ [cellulare] voiture (f.) cellulaire.
car(r)uba [ka(r)ˈruba] f. caroube, carouge.
carrucola [karˈrukola] f. MECC. poulie.
carta [ˈkarta] f. papier m. | *carta assorbente*, papier buvard. | *carta da lucido, da ricalco*, papier-calque. | *carta da parati*, papier peint. | *carta pesta*, papier mâché. ‖ [foglio di carta] (feuille de) papier. | *carta semplice, bollata*, papier libre, timbré. | *carta protocollo*, papier ministre. ◆ pl. [documento, atto pubblico] papiers. | *fare le carte per sposarsi*, réunir les papiers nécessaires pour se marier. ‖ FIG. *avere tutte le carte in regola*, n'avoir rien à se reprocher. ‖ GIOCHI *carte (da gioco)*, cartes (à jouer). | *fare una partita a carte*, faire une partie de cartes. ‖ FIG. *mettere le carte in tavola*, jouer cartes sur table. ‖ GEOGR. carte. ‖ POL., STOR. charte.
cartamodello [kartamoˈdɛllo] m. MODA patron, tracé de coupe.
cartamoneta [kartamoˈneta] f. papier-monnaie.
cartapecora [kartaˈpɛkora] f. parchemin m.
cartastraccia [kartasˈtrattʃa] (**cartestracce** pl.) f. papier (m.) brouillard. ‖ FIG. paperasse, chiffon (m.) de papier.
carteggio [karˈteddʒo] (**-gi** pl.) m. correspondance f.
cartella [karˈtɛlla] f. [cartoncino con cifre] fiche. | *cartella clinica*, fiche médicale. ‖ FIN. *cartella delle tasse*, feuille d'impôt. ‖ [titolo] titre m. | *cartella di rendita*, titre de rente. ‖ [copertura di libro] couverture. ‖ PER EST. *cartella da disegno*, carton à dessin. ‖ [custodia] chemise, carton m. ‖ [portacarte in pelle] serviette. ‖ [da scolaro] cartable m. ‖ TIP. [foglio di originale] page.
cartellino [kartelˈlino] m. étiquette f. ‖ [targhetta con il nome] plaque f. ‖ [scheda] fiche f. ‖ [sul lavoro] *timbrare il cartellino*, pointer (la fiche).
cartello [karˈtɛllo] m. écriteau, placard, pancarte f. | *cartello stradale*, panneau indicateur, de signalisation. ‖ [insegna] enseigne f.
cartellone [kartelˈlone] m. affiche f., placard. | *cartellone pubblicitario*, affiche publicitaire. | *spettacolo in cartellone*, spectacle au programme.
cartiera [karˈtjɛra] f. papeterie.
cartilagine [kartiˈladʒine] f. cartilage m.
cartina [karˈtina] f. DIM. papier m. ‖ [piccola confezione] paquet m. ‖ GEOGR. carte.
cartoccio [karˈtɔttʃo] (**-ci** pl.) m. cornet (de papier). | *cartoccio di patate fritte*, cornet de frites.
cartografia [kartograˈfia] f. cartographie.
cartolaio [kartoˈlajo] (**-ai** pl.) m. papetier.
cartoleria [kartoleˈria] f. papeterie.

cartolina [karto'lina] f. carte postale, carte-lettre. || MIL. *cartolina precetto,* feuille d'appel.
cartomante [karto'mante] n. cartomancien, enne ; tireur, euse (de cartes).
cartomanzia [kartoman'tsia] f. cartomancie.
cartonare [karto'nare] v. tr. cartonner.
cartoncino [karton'tʃino] m. [cartone leggero] carton (léger). || [biglietto] carte (f.) de visite.
cartone [kar'tone] m. [materiale] carton.
cartuccia [kar'tuttʃa] (**-ce** pl.) f. cartouche. || LOC. FIG. *sparare l'ultima cartuccia,* brûler sa dernière cartouche. || PEGG., FAM. *è una mezza cartuccia,* c'est un freluquet.
cartucciera [kartut'tʃɛra] f. étui (m.) à cartouches, cartouchière.
caruncola [ka'runkola] o **caroncola** [ka'ronkola] f. ANAT., BOT. caroncule.
casa ['kasa] f. [costruzione] maison, immeuble m., édifice m. || PARTICOL. *casa di pena,* pénitencier m. || [abitazione] maison, logis m., foyer m., intérieur m., chez-soi m. | *metter su casa,* monter son ménage. | *cambiare casa,* déménager. | *casa paterna,* foyer paternel. || [con prep.] *restare in casa,* rester à la maison, chez soi. | *vicino a casa mia,* près de chez moi. || [ambiente familiare] maison, famille. | *saluti a casa,* bien des choses chez toi. | *scrivi spesso a casa?,* est-ce que tu écris souvent à ta famille ? | *sono di casa qui,* je suis un familier de la maison. || [stirpe] maison, famille. | *casa regnante,* famille régnante. || COMM. maison, firme. | *casa editrice,* maison d'édition. || GIOCHI [scacchiera] case.
casacca [ka'zakka] (**-che** pl.) f. casaque.
casaccio (a) [aka'zattʃo] loc. avv. [a caso] au petit bonheur, au hasard. || [male] à la va-comme-je-te-pousse (fam.).
casale [ka'sale] m. [agglomerato rurale] hameau. || [edificio rustico isolato] ferme f.
casalinga [kasa'linga] (**-ghe** pl.) f. ménagère. || AMM. « sans profession ». ◆ loc. avv. *alla casalinga, cucinare alla casalinga,* faire des plats maison.
casalingo [kasa'lingo] agg. casanier. ◆ m. pl. articles ménagers. | *negoziante di casalinghi,* marchand d'articles ménagers.
casamento [kasa'mento] m. bâtisse f.
casareccio [kasa'rettʃo] (**-ci** pl.) agg. *pane casareccio,* pain maison.
casata [ka'sata] f. maison, famille.
casato [ka'sato] m. [cognome] nom de famille. || LETT. [stirpe] famille (L.C.), maison (L.C.).
cascame [kas'kame] m. bourre f. ◆ pl. TESS. déchets.
cascare [kas'kare] v. intr. FAM. chuter. || LOC. FIG. *cascare bene, male,* bien, mal tomber. | *ci è cascato anche lui!,* il s'y est laissé prendre lui aussi !
cascata [kas'kata] f. chute, cascade.
cascina [kaʃ'ʃina] f. ferme ; mas m. (in Provenza).
cascinale [kaʃʃi'nale] m. ferme f. ; mas (in Provenza).
1. casco ['kasko] (**-chi** pl.) m. casque.
2. casco m. BOT. *casco di banane,* régime de bananes.
caseario [kaze'arjo] (**-ri** pl.) agg. fromager.
caseggiato [kased'dʒato] m. [edificio] immeuble.
caseificio [kazei'fitʃo] (**-ci** pl.) m. laiterie f., fromagerie f.
caseina [kaze'ina] f. caséine.
casella [ka'sɛlla] f. case. | *casella postale,* boîte postale.
casellante [kasel'lante] m. TR. cantonnier. || [di passaggio a livello] garde-barrière n.
casellario [kasel'larjo] (**-ri** pl.) m. [mobile] casier. || GIUR. *casellario giudiziale,* casier judiciaire.
casello [ka'sɛllo] m. maison (f.) du cantonnier. || [autostrada] péage. || [ai passaggi a livello] guérite (f.) de garde-barrière.
caserma [ka'zɛrma] f. MIL. caserne ; [di carabinieri] gendarmerie.
casinò [kazi'nɔ] m. inv. GIOCHI casino. || [casa di prostituzione] bordel (pop.), maison close. || FIG., VOLG. bordel, foutoir.
casistica [ka'zistika] (**-che** pl.) f. TEOL. e PER EST. casuistique.
caso ['kazo] m. [tutti i sensi] cas. || LOC. *non farci caso,* n'y fais pas attention. | *in ogni caso,* de toute manière, de toute façon. | *questo fa al caso nostro,* cela fait notre affaire. || [caso fortuito] hasard. | *non lasciare nulla al caso,* ne rien laisser au hasard. || LOC. *si può dare il caso che,* il se peut que. ◆ loc. avv. *per caso,* par hasard. | *a caso,* au hasard. ◆ loc. prep. *in caso di,* en cas de. ◆ pl. [eventi, circostanze] cas, circonstances f. pl. | *badare ai casi propri,* penser à ses affaires.
casolare [kaso'lare] m. bicoque f., petite maison solitaire.
casomai [kazo'mai] loc. cong. au cas où, dans le cas où, si par hasard. | *casomai arrivasse prima di me,* si par hasard il arrivait avant moi. || ASSOL. éventuellement. | *casomai scrivimi,* éventuellement, écris-moi.
casotto [ka'sɔtto] m. maisonnette f. || [del giornalaio] kiosque. || [del portinaio] loge f. || [al mare] cabine f. ||

[del cane] niche f. || [di sentinella] guérite f.

caspita! ['kaspita] interiez. diantre!, fichtre!, mâtin!, par exemple!

cassa ['kassa] f. caisse. | *cassa da morto,* cercueil m. | *cassa di orologio,* boîtier (m.) de montre. || COMM. *si accomodi alla cassa,* passez à la caisse. || FIN. *Cassa di previdenza sociale,* Caisse de sécurité sociale. | *le casse dello Stato,* les coffres (m.) de l'État. || LOC. *batter cassa da qlcu.,* taper qn.

cassaforte [kassa'fɔrte] (**casseforti** pl.) f. coffre-fort m.

cassapanca [kassa'panka] (**-che** o **cassepanche** pl.) f. coffre m.

cassare [kas'sare] v. tr. [depennare] biffer, rayer. || PER ANAL. *cassare un funzionario,* casser un fonctionnaire.

cassata [kas'sata] f. cassate.

cassazione [kassat'tsjone] f. cassation. | *Corte di cassazione,* Cour de cassation.

casseruola [kasse'rwɔla] f. casserole.

cassetta [kas'setta] f. caisse, caissette. || [per frutta e legumi] cageot m. || PARTICOL. *cassetta degli attrezzi,* caisse à outils. | *cassetta delle lettere,* boîte aux lettres. | *cassetta di sicurezza,* coffre m. || [cassetto] tiroir m. || [incasso] *successo di cassetta,* succès de recette. || [sedile in alto della carrozza] siège m. || CULIN. *pane a cassetta,* pain de mie.

cassettiera [kasset'tjɛra] f. [mobile] chiffonnier m.

cassetto [kas'setto] m. tiroir.

cassettone [kasset'tone] m. commode f. || ARCHIT. caisson.

cassiere [kas'sjɛre] (**-a** f.) n. caissier, ère.

cassone [kas'sone] m. caisson. || PER EST. coffre.

casta ['kasta] f. caste.

castagna [kas'taɲɲa] f. châtaigne, marron m. || FIG. *prendere qlcu. in castagna,* prendre qn en faute.

castagnaccio [kastaɲ'ɲattʃo] (**-ci** pl.) m. gâteau de marrons.

castagneto [kastaɲ'ɲeto] m. châtaigneraie f.

castagnette [kastaɲ'ɲette] f. pl. MUS. [nacchere] castagnettes.

1. castagno [kas'taɲɲo] m. châtaignier. | *castagno d'India,* marronnier.

2. castagno o **castano** [kas'tano] agg. châtain.

castaldo [kas'taldo] m. [amministratore di proprietà rurale, di castello] intendant.

castellana [kastel'lana] f. châtelaine.

castellano [kastel'lano] m. châtelain.

castello [kas'tɛllo] m. château, manoir. || PER EST. *letti a castello,* lits superposés. || FIG. *fare castelli in aria,* bâtir des châteaux en Espagne. || TECN. [edilizia] échafaudage.

castigare [kasti'gare] v. tr. châtier, corriger, punir.

castigatezza [kastiga'tettsa] f. pureté, austérité, sévérité.

castigato [kasti'gato] part. pass. e agg. châtié. | *stile castigato,* style châtié. | *abito castigato,* robe sévère, austère. | *edizione castigata,* édition expurgée.

castigo [kas'tigo] (**-ghi** pl.) m. châtiment, punition f.

castità [kasti'ta] f. chasteté.

castorino [kasto'rino] m. ragondin. || [stoffa] castorine f.

castoro [kas'tɔro] m. castor.

castrare [kas'trare] v. tr. castrer, châtrer, émasculer.

castrato [kas'trato] part. pass. e agg. châtré. || ZOOL. *cavallo castrato,* (cheval) hongre m. ◆ m. MUS. castrat. || ZOOL. [agnello castrato] mouton.

castratura [kastra'tura] o **castrazione** [kastrat'tsjone] f. castration, émasculation.

castrone [kas'trone] m. hongre. || FIG., VOLG. con.

castroneria [kastrone'ria] f. VOLG. connerie.

casuale [kazu'ale] agg. inv. casuel, accidentel, fortuit, occasionnel.

casualità [kazuali'ta] f. hasard m.

casupola [ka'supola] f. PEGG. bicoque, cahute, cagna, masure.

cataclisma [kata'klizma] (**-mi** pl.) m. PR. e FIG. cataclysme.

catacomba [kata'komba] f. catacombe.

catafalco [kata'falko] (**-chi** pl.) m. catafalque.

catafascio (a) [akata'faʃʃo] loc. avv. pêle-mêle, en vrac. || FIG. *andare a catafascio,* s'écrouler.

catalogare [katalo'gare] v. tr. PR. e FIG. cataloguer.

catalogo [ka'talogo] (**-ghi** pl.) m. catalogue.

catapecchia [kata'pekkja] f. masure, bicoque, baraque; taudis m.

catapultare [katapul'tare] v. tr. AV. e FIG. catapulter.

catarifrangente [katarifran'dʒɛnte] agg. *dispositivo catarifrangente,* dispositif qui réfléchit la lumière. ◆ m. AUT. catadioptre, Cataphote.

catasta [ka'tasta] f. amas m., tas m., pile, échafaudage m. ◆ loc. avv. *a cataste,* à foison.

catasto [ka'tasto] m. cadastre.

catastrofe [ka'tastrofe] f. catastrophe.

catastrofico [katas'trɔfiko] (**-ci** pl.) agg. catastrophique.

catechismo [kate'kizmo] m. catéchisme.

catechizzare [katekid'dzare] v. tr. catéchiser.
categoria [katego'ria] f. catégorie. || [classe] classe.
categorico [kate'gɔriko] (**-ci** pl.) agg. catégorique.
catena [ka'tena] f. chaîne. || [concatenamento, serie] chaîne, enchaînement m., suite. | *reazione a catena,* réaction en chaîne. | *lavoro a catena,* travail à la chaîne.
catenaccio [kate'nattʃo] (**-ci** pl.) m. loquet, verrou, cadenas ; targette f. | *chiudere a catenaccio,* verrouiller.
catenella [kate'nɛlla] f. chaînette, chaîne.
cateratta [kate'ratta] f. cataracte.
caterva [ka'tɛrva] f. tas m., quantité, multitude.
catinella [kati'nɛlla] f. cuvette. || LOC. FIG. *piove a catinelle,* il pleut à verse.
catino [ka'tino] m. bassine f., cuvette f.
catodo ['katodo] m. cathode f.
catone [ka'tone] m. censeur. | *fare il catone,* faire le censeur.
catramare [katra'mare] v. tr. goudronner, bitumer.
catrame [ka'trame] m. goudron.
cattedra ['kattedra] f. chaire. | *dalla cattedra,* du haut de la chaire. || [ufficio di professore] poste (m.) de professeur.
cattedrale [katte'drale] f. cathédrale.
cattivarsi [katti'varsi] v. rifl. captiver v. tr., gagner v. tr., charmer v. tr. | *cattivarsi qlcu.,* captiver qn.
cattiveria [katti'vɛrja] f. méchanceté, malveillance.
cattività [kattivi'ta] f. captivité.
cattivo [kat'tivo] agg. [imperfetto, sgradevole] mauvais. | *di cattivo umore,* de mauvaise humeur. | *cattivo esito,* insuccès m. || [immorale] mauvais, méchant. | *in cattiva fede,* de mauvaise foi. | *è più stupido che cattivo,* il est plus bête que méchant. || [senza valore] mauvais, méchant. | *fare cattivi versi,* faire de méchants vers. || LOC. *essere in cattive acque,* être dans une mauvaise passe. ◆ m. [cose] mauvais. || [uomo] méchant. || LOC. *con le buone o con le cattive,* bon gré, mal gré. ◆ avv. mauvais.
cattolicesimo [kattoli'tʃezimo] o **cattolicismo** [kattoli'tʃizmo] m. catholicisme.
cattolico [kat'tɔliko] (**-ci** pl.) agg. e n. catholique.
cattura [kat'tura] f. capture. || GIUR. *mandato di cattura,* mandat d'arrêt m.
catturare [kattu'rare] v. tr. capturer.
caucciù [kaut'tʃu] m. caoutchouc.
causa ['kauza] f. cause, motif m., raison. | *essere causa di,* être (la) cause de. || GIUR. cause, procès m. | *vincere una causa,* avoir gain de cause ; gagner un procès. | *intentare causa (contro),* poursuivre en justice, intenter un procès (à). | *chiamare in causa,* mettre en cause.
causale [kau'zale] agg. causal. ◆ f. [motivo] mobile m., cause, motif m. | *causale di un versamento,* cause d'un versement.
causare [kau'zare] v. tr. [provocare] causer. | *causare dispiacere (a),* chagriner. || [avere per conseguenza] engendrer, entraîner, causer.
causticità [kaustitʃi'ta] f. causticité.
cautela [kau'tɛla] f. circonspection, précaution, prudence.
cautelare [kaute'lare] v. tr. protéger, assurer. || GIUR. cautionner. ◆ v. rifl. se garantir (contre), se prémunir (contre).
cauterizzare [kauterid'dzare] v. tr. cautériser.
cauto ['kauto] agg. circonspect, prudent. || LOC. FIG. *andar cauto,* agir avec circonspection.
cauzione [kaut'tsjone] f. caution, cautionnement m.
cava ['kava] f. [pietre] carrière.
cavalcare [kaval'kare] v. intr. aller à cheval, faire du cheval. ◆ v. tr. monter, chevaucher.
cavalcata [kaval'kata] f. chevauchée ; promenade, course à cheval.
cavalcatura [kavalka'tura] f. monture.
cavalcavia [kavalka'via] m. inv. viaduc, passage supérieur.
cavalcioni (a) [akkaval'tʃoni] loc. prep. e avv. à califourchon, à cheval. | *essere a cavalcioni,* être à califourchon.
cavaliere [kava'ljɛre] m. cavalier. || STOR. chevalier. | *i cavalieri della Tavola Rotonda,* les Chevaliers de la Table ronde. || [accompagnatore di una dama] cavalier, galant. | *cavalier(e) servente,* chevalier, cavalier servant. || [titolo onorifico] *cavaliere della Legion d'onore,* chevalier de la Légion d'honneur.
cavalla [ka'valla] f. jument.
cavalleresco [kavalle'resko] (**-chi** pl.) agg. chevaleresque. || PER ANAL. *ordine cavalleresco,* ordre de chevalerie.
cavalleria [kavalle'ria] f. cavalerie. || FIG., FAM. *il libro che gli hai prestato è passato, è andato in cavalleria,* le livre que tu lui as prêté, tu ne le reverras plus. || STOR. chevalerie. || PER EST. galanterie. | *un gesto di cavalleria,* un geste galant.
cavallerizza [kavalle'riddza] f. écuyère.
cavallerizzo [kavalle'riddzo] m. écuyer.
cavalletta [kaval'letta] f. ZOOL. criquet m., sauterelle.

cavalletto [kaval'letto] m. chevalet. || TECN. tréteau.

cavallina [kaval'lina] f. DIM. pouliche. || FIG., FAM. *corre la cavallina,* c'est un coureur de jupons. || GIOCHI saute-mouton m. inv.

1. cavallino [kaval'lino] agg. PR. e FIG. chevalin. || MED., POP. *tosse cavallina,* coqueluche f. || ZOOL. *mosca cavallina,* taon m.

2. cavallino m. DIM. petit cheval, poulain. || PER ANAL. *cavallino a dondolo,* cheval à bascule.

cavallo [ka'vallo] m. cheval. || FIG., FAM. *febbre da cavallo,* fièvre de cheval. | *essere a cavallo,* tenir le bon bout. || GIOCHI [scacchi] cavalier ; [tarocchi] chevalier. || [dei pantaloni] entrejambe. || AUT. *una quattro cavalli,* une quatre-chevaux.

cavallone [kaval'lone] m. MAR. grosse vague f.

cavapietre [kava'pjɛtre] m. inv. carrier m.

cavare [ka'vare] v. tr. [tirare fuori] tirer, sortir. | *cavare le mani di tasca,* sortir les mains de ses poches. || [togliere] enlever, arracher. | *cavare un dente,* arracher une dent. | *cavati i guanti !,* ôte tes gants ! || FIG. *cavare la sete,* étancher la soif. | *cavare d'impaccio,* tirer d'embarras. | *non saper cavar(e) un ragno dal buco,* ne pas savoir s'en tirer. ◆ v. rifl. FAM. *cavarsela,* s'en tirer, s'en sortir, tenir le coup. | *non se la caverà* [non guarirà], il ne s'en relèvera pas.

cavatappi [kava'tappi] m. inv. tire-bouchon m.

cavedano [kave'dano] m. chevesne, chevenne, chevaine.

caverna [ka'vɛrna] f. caverne, grotte, antre m.

cavernoso [kaver'noso] agg. caverneux, creux. || FIG. sépulcral. | *voce cavernosa,* voix caverneuse, sépulcrale.

cavezza [ka'vettsa] f. [fune] longe, licol m., licou m., caveçon m.

cavia ['kavja] f. ZOOL. cobaye m., cochon (m.) d'Inde. || LOC. FIG. *servire, fare da cavia,* servir de cobaye.

caviale [ka'vjale] m. caviar.

caviglia [ka'viʎʎa] f. cheville.

cavillare [kavil'lare] v. intr. chicaner.

cavillo [ka'villo] m. [obiezione capziosa] chicane f., subtilité f.

cavità [kavi'ta] f. inv. cavité f., creux m.

1. cavo ['kavo] agg. creux. ◆ m. [concavità] creux. | *cavo della mano,* creux de la main.

2. cavo m. câble. || MAR. cordage, filin, câble.

cavolfiore [kavol'fjore] m. BOT. chou-fleur.

cavolo ['kavolo] m. BOT. chou. || FIG., VOLG. *non fa un cavolo,* il ne fiche rien. | *non ci capisce un cavolo,* il ne comprend rien à rien. | *come i cavoli a merenda,* comme des cheveux sur la soupe. ◆ esclam. VOLG. fichtre ! | *un cavolo !, col cavolo !,* pas le moins du monde !

cazzo ['kattso] m. VOLG. verge.

cazzottare [kattsot'tare] v. tr. POP. donner, assener des coups de poings (à). ◆ v. rifl. se battre à coups de poings.

cazzuola [kat'tswɔla] f. truelle.

ce [tʃe] pron. pers. [1ª pers. pl.] nous. | *ce lo disse,* il nous le dit, il nous l'a dit. | *ce lo ha portato lui,* c'est lui qui nous l'a porté. | *vuole darcele tutte,* il veut nous les donner toutes. | *portatecene,* portez-nous-en. | *diccelo,* dis-le-nous. || [coniug. dei verbi riflessivi] nous. | *ce ne andiamo,* nous nous en allons. || [rinforzo enfatico] *ce ne torniamo a casa,* nous rentrons à la maison. ◆ avv. y, là. | *ce lo porterò domani,* je l'y amènerai demain. | *sono stato io a mettercelo,* c'est moi qui l'ai mis là. | *non ce n'è più,* il n'y en a plus. | *ce ne vuole poco,* il en faut très peu.

cece ['tʃetʃe] m. BOT. pois chiche. || [verruca] verrue f.

cecità [tʃetʃi'ta] f. inv. PR. e FIG. cécité f.

cedere ['tʃɛdere] v. intr. [di persone : ritirarsi] céder, faiblir ; se rendre v. rifl. || FIG. [desistere, piegarsi] céder (à, devant). | *cedere alle minacce,* céder devant les menaces. | *non cede !,* il n'en démord pas ! || [di cose : deformarsi, rompersi] céder, faiblir, s'affaisser v. rifl., craquer. | *il terreno ha ceduto a tratti,* le sol s'est affaissé par endroits. ◆ v. tr. PR. e FIG. céder, donner, livrer. | *cedere il posto a qlcu.,* céder sa place à qn. || [vendere] céder, vendre, se défaire (de). | *cedere un negozio,* céder un magasin.

cedevole [tʃe'devole] agg. malléable, souple. | *terreno cedevole,* terrain mouvant. || FIG. docile, conciliant.

cedimento [tʃedi'mento] m. affaissement, éboulement, effondrement. || FIG. fléchissement.

cedola ['tʃɛdola] f. cédule. || FIN. [Borsa] coupon m.

1. cedro ['tʃedro] m. BOT. [albero] cédratier ; [frutto] cédrat.

2. cedro m. [conifera] cèdre.

cedrone [tʃe'drone] m. ZOOL. *gallo cedrone,* coq de bruyère.

cefalalgia [tʃefalal'dʒia] o **cefalgia** [tʃefal'dʒia] o **cefalea** [tʃefa'lɛa] f. céphalée.

ceffo [ˈtʃɛffo] m. museau, mufle. ‖ FAM., PEGG. gueule f. | *ha un brutto ceffo,* il a une sale gueule.
ceffone [tʃefˈfone] m. claque f., gifle f.
celare [tʃeˈlare] v. tr. celer, cacher. ◆ v. rifl. se cacher.
celeberrimo [tʃeleˈbɛrrimo] agg. très célèbre.
celebrare [tʃeleˈbrare] v. tr. célébrer ; fêter.
celebrazione [tʃelebratˈtsjone] f. célébration.
celebre [ˈtʃɛlebre] agg. célèbre, fameux.
celebrità [tʃelebriˈta] f. [fama e persona] célébrité.
celere [ˈtʃɛlere] agg. rapide. ◆ f. [polizia] police secours.
celeste [tʃeˈlɛste] agg. céleste. | *occhi celesti,* yeux bleus. ‖ FIG. [divino] céleste, divin.
celia [ˈtʃɛlja] f. badinerie, plaisanterie. | *dire, fare per celia,* dire, faire pour rire.
celibato [tʃeliˈbato] m. célibat.
celibe [ˈtʃɛlibe] agg. [uomo e donna] célibataire. ◆ m. célibataire.
cella [ˈtʃɛlla] f. [stanza] cellule. | *cella di rigore,* cellule disciplinaire. | *cella mortuaria,* chambre mortuaire. | *cella frigorifera,* chambre froide.
cellula [ˈtʃɛllula] f. cellule.
cellulare [tʃelluˈlare] agg. cellulaire.
cellulosa [tʃelluˈlosa] f. cellulose.
celtico [ˈtʃɛltiko] (**-ci** pl.) agg. e m. celtique.
cembalo [ˈtʃembalo] m. clavecin. ◆ pl. STOR. cymbales.
cementare [tʃemenˈtare] v. tr. PR. e FIG. cimenter. ‖ METALL. cémenter.
cementificio [tʃementiˈfitʃo] (**-ci** pl.) m. cimenterie f.
cemento [tʃeˈmento] m. PR. e FIG. ciment. ‖ ANAT., METALL. cément.
cena [ˈtʃena] f. dîner m. ‖ REL. Cène.
cenacolo [tʃeˈnakolo] m. PR. e FIG. cénacle.
cenare [tʃeˈnare] v. intr. dîner.
cenciaiolo [tʃentʃaˈjɔlo] m. [trafficante] chiffonnier.
cencio [ˈtʃentʃo] (**-ci** pl.) m. chiffon, torchon. ‖ PEGG. loque f., haillon, guenille f.
cencioso [tʃenˈtʃoso] agg. [coperto di cenci] déguenillé, loqueteux.
cenere [ˈtʃenere] f. cendre. ◆ agg. *color cenere,* couleur cendrée.
cenerentola [tʃeneˈrɛntola] f. cendrillon.
cenerino [tʃeneˈrino] agg. cendré. | *nuvole cenerine,* nuages cendrés.
cenno [ˈtʃenno] m. signe. | *fece un cenno con la mano,* il fit un signe de la main. | *far cenno di qlco. a qlcu.,* toucher un mot de qch. à qn.
cenone [tʃeˈnone] m. [di Natale e Capodanno] réveillon.
censire [tʃenˈsire] v. tr. recenser, dénombrer.
censo [ˈtʃɛnso] m. STOR. [a Roma] cens. ‖ [ricchezza] richesse f., patrimoine.
censore [tʃenˈsore] m. PR. e FIG. censeur.
censura [tʃenˈsura] f. censure.
censurare [tʃensuˈrare] v. tr. censurer.
centellinare [tʃentelliˈnare] v. tr. boire à petits coups, siroter.
centenario [tʃenteˈnarjo] (**-ri** pl.) agg. e m. centenaire. ◆ m. [ricorrenza] centennal.
centesimo [tʃenˈtɛzimo] agg. num. ord. e m. centième. ◆ m. [moneta] centime.
centigrado [tʃenˈtigrado] agg. e m. centigrade.
centigrammo [tʃentiˈgrammo] m. centigramme.
centilitro [tʃenˈtilitro] m. centilitre.
centimetro [tʃenˈtimetro] m. centimètre.
centinaio [tʃentiˈnajo] (**-aia** pl. f.) m. centaine f.
centinare [tʃentiˈnare] v. tr. COSTR. cintrer.
cento [ˈtʃɛnto] agg. num. card. cent. ‖ [con valore di agg. num. ord. : centesimo] cent. | *pagina cento,* page cent. ◆ m. *fare i cento all'ora,* faire du cent à l'heure.
centogambe [tʃentoˈgambe] m. inv. mille-pattes.
centrale [tʃenˈtrale] agg. central. ◆ f. *centrale telefonica,* central (m.) téléphonique. ‖ [di polizia] commissariat (m.), centre (m.) de police.
centralinista [tʃentraliˈnista] (**-ti** pl.) n. standardiste.
centralino [tʃentraˈlino] m. poste téléphonique. ‖ [apparecchio] standard.
centralizzare [tʃentralidˈdzare] v. tr. centraliser.
centrare [tʃenˈtrare] v. tr. centrer. ‖ *centrare il bersaglio,* PR. faire mouche ; FIG. toucher juste.
centrifugare [tʃentrifuˈgare] v. tr. centrifuger.
centrino [tʃenˈtrino] m. napperon de dentelle.
centrismo [tʃenˈtrizmo] m. POL. centrisme ; politique (f.) du centre.
centro [ˈtʃɛntro] m. [punto centrale] centre. ‖ FIG. *il centro del problema,* le nœud du problème. ‖ [sede] centre.
centuplicare [tʃentupliˈkare] v. tr. centupler. ◆ v. rifl. centupler v. intr.
centuria [tʃenˈturja] f. STOR. [a Roma] centurie.
centurione [tʃentuˈrjone] m. STOR. [a Roma] centurion, centenier.

ceppo ['tʃeppo] m. BOT. souche f. ; [di vite] cep. || PER EST. billot. || [di Natale] bûche f. || FIG. [capostipite] souche f. ◆ pl. [di un prigioniero] fers.

1. cera ['tʃera] f. cire ; cirage m. | *cera da pavimento,* cire à parquet, encaustique.

2. cera f. [aspetto] mine. | *avere una brutta cera,* avoir mauvaise mine. || FIG. *far buona cera a qlcu.,* faire bon accueil à qn.

ceralacca [tʃera'lakka] (**-che** pl.) f. cire à cacheter.

ceramica [tʃe'ramika] (**-che** pl.) f. céramique.

cerato [tʃe'rato] part. pass. e agg. [impermeabilizzato] ciré. ◆ m. FARM. cérat.

cerbero ['tʃɛrbero] m. cerbère, dogue.

cerbiatto [tʃer'bjatto] m. faon.

cerbottana [tʃerbot'tana] f. sarbacane.

cerca ['tʃerka] f. LOC. *essere, mettersi in cerca di qlco.,* être, se mettre en quête de qch.

cercare [tʃer'kare] v. tr. [sforzarsi di trovare] chercher. | *cercare rifugio,* se réfugier v. rifl. ◆ v. intr. chercher (à), tenter (de), tâcher (de), essayer (de). | *cerca di salvare la faccia,* il cherche à sauver la face. ◆ v. rifl. se chercher.

cerchia ['tʃerkja] f. enceinte, ceinture, couronne. | *cerchia di colline,* couronne de collines. || [gruppo, cerchio] cercle m., groupe m.

cerchiare [tʃer'kjare] v. tr. [circondare] entourer, enclore, encercler, cercler.

cerchietto [tʃer'kjetto] m. DIM. [anello, braccialetto] jonc.

cerchio ['tʃerkjo] (**-chi** pl.) m. cerceau. || GEOM. cercle. || PER ANAL. *a forma di cerchio,* en cercle. | *sedersi in cerchio,* s'asseoir en rond.

cerchione [tʃer'kjone] m. TECN. [di ruota] jante f., ceinture f., couronne f., bandage.

cereale [tʃere'ale] agg. céréale. ◆ m. pl. céréales f. pl.

cerebrale [tʃere'brale] agg. ANAT., MED. e FIG. cérébral.

cereo ['tʃɛreo] agg. PR. e FIG. cireux.

cerimonia [tʃeri'mɔnja] f. cérémonie. ◆ pl. [cortesie eccessive] façons, histoires (fam.). | *senza cerimonie,* sans cérémonie.

cerino [tʃe'rino] m. allumette-bougie f. || [stoppino rivestito di cera] rat de cave.

cernere ['tʃɛrnere] v. tr. [separare] séparer, trier. || [discernere] discerner.

cerniera [tʃer'njɛra] f. charnière. || [di borse e astucci] fermoir m. || LOC. *cerniera lampo,* fermeture Éclair.

cernita ['tʃɛrnita] f. tri m., triage m.

cero ['tʃero] m. cierge. ◆ pl. [lampade] luminaire sing.

cerotto [tʃe'rɔtto] m. FARM. sparadrap. || FIG., FAM. emplâtre.

certamente [tʃerta'mente] avv. certainement, certes, bien sûr !

certezza [tʃer'tettsa] f. certitude. | *lo so con certezza,* j'en ai la certitude.

certificare [tʃertifi'kare] v. tr. certifier, attester. ◆ v. rifl. s'assurer.

certificato [tʃertifi'kato] m. certificat. || AMM. *certificato elettorale,* carte (f.) d'électeur. | *certificato di nascita,* acte de naissance.

certo ['tʃɛrto] agg. [sicuro] certain, sûr, assuré. || [abbastanza grande] certain. | *un certo numero di ore,* un certain nombre d'heures. ◆ agg. indef. certain, quelque. | *certi amici miei,* certains amis à moi. | *in un certo modo,* en quelque sorte. ◆ pron. indef. pl. certains, quelques-uns. | *certi lo negano,* certains le nient. ◆ avv. certainement, bien sûr.

certosa [tʃer'tɔza] f. [convento] chartreuse.

certosino [tʃerto'zino] m. chartreux.

certuno [tʃer'tuno] pron. indef. quelqu'un, certain.

ceruleo [tʃe'ruleo] agg. LETT. céruléen, bleu d'azur.

cerva ['tʃɛrva] f. ZOOL. biche.

cervello [tʃer'vɛllo] (**-i** pl. m., **-a** pl. f. arc.) m. ANAT. cerveau. || CULIN. cervelle f. || FIG. *uomo di cervello,* homme de tête. | *gli da di volta il cervello,* il a perdu la tête.

cervellotico [tʃervel'lɔtiko] (**-ci** pl.) agg. fantasque. || bizarre, impossible.

cervice [tʃer'vitʃe] f. LETT. nuque (L.C.).

cervo ['tʃɛrvo] m. ZOOL. cerf.

cesare ['tʃezare] m. [imperatore] césar.

cesellare [tʃezel'lare] v. tr. PR. e FIG. ciseler.

cesoia [tʃe'zoja] f. cisaille.

cespo ['tʃespo] m. touffe f. | *cespo di insalata,* pied de salade.

cespuglio [tʃes'puʎʎo] (**-gli** pl.) m. buisson ; broussailles f. pl.

cessare [tʃes'sare] v. intr. e tr. cesser.

cessione [tʃes'sjone] f. cession, abandon m.

cesso ['tʃɛsso] m. POP. chiottes f. pl., cabinets pl. (L.C.).

cesta ['tʃesta] f. panier m.

cestinare [tʃesti'nare] v. tr. jeter au panier.

cestino [tʃes'tino] m. corbeille f. | *cestino da lavoro,* boîte (f.) à ouvrage. | *cestino della carta,* corbeille à papier.

1. cesto ['tʃesto] m. cabas. || SP. [pallacanestro] *fare un cesto,* faire un panier.

2. cesto m. BOT. pied.

ceto [ˈtʃɛto] m. [ordine sociale] classe f. | *il ceto medio,* les classes moyennes.

cetra [ˈtʃɛtra] f. MUS. cithare. || FIG. lyre.

cetriolo [tʃetriˈɔlo] m. BOT. concombre. || FIG. cornichon (pop.).

châssis [ʃaˈsi] m. (fr.) AUT. châssis.

1. che [ke] pron. rel. [sogg.] qui. | *l'uomo che parla,* l'homme qui parle. | *da quel che sembra,* à ce qu'il paraît. || [compl. ogg.] que. | *la persona che ascolti,* la personne que tu écoutes. || *il che,* [sogg.] ce qui ; [compl. ogg.] ce que. || *del che,* ce dont. || *al che,* (ce) à quoi. || *dal che,* d'où. | *dal che si deduce che,* d'où l'on déduit que. || [compl. indir.] quoi. | *non c'è di che,* il n'y a pas de quoi. || [loc. circostanziali] *l'anno che l'ho conosciuta,* l'année où je l'ai connue. ◆ pron. interr. dir. [sogg.] *che, che cosa,* que, qu'est-ce qui. | *che cosa ve ne sembra ?,* qu'est-ce que vous en pensez ? || [compl. ogg. con v. coniugato] que, qu'est-ce que. | *che (cosa) fai ?,* que fais-tu ? || [compl. ogg. con v. all'infin.] que (L.C.), quoi (fam.). | *che dire ?,* que, quoi dire ? || [compl. ind.] quoi. | *a che pensi ?,* à quoi penses-tu ? || [esclam.] que. | *che buono !,* que c'est bon ! ◆ pron. interr. ind. [sogg.] *che, che cosa,* ce qui. | *digli che cosa, quello che è successo,* dis lui ce qui s'est passé. || [compl. ogg. con v. coniugato] ce que. | *guarda che cosa sei diventato !,* regarde ce que tu es devenu ! || [compl. ogg. con v. all' infinito] que (L.C.), quoi (fam.). | *non so che fare,* je ne sais que faire. ◆ agg. [interr.] quel. | *a che ora parti ?,* à quelle heure pars-tu ? || [esclam.] | *che pazzo sono !,* fou que je suis ! ◆ m. *un non so che,* un je-ne-sais-quoi. | *non me ne importa un gran che,* cela ne m'intéresse pas beaucoup. ◆ esclam. [stupore, indignazione] *che cosa !, hai la sfrontatezza di,* quoi !, tu as le front de.

2. che cong. [prop. indipendente] que. | *che entri !,* qu'il entre ! || [cong. di subordinazione] que. | *credo che sia qui,* je crois qu'il est là. | *(sia) che venga o no,* qu'il vienne ou non. | *aspetta che esca almeno !,* attends au moins qu'il sorte ! || [cong. di coordinazione] que. | *ha più volontà che intelligenza,* il a plus de volonté que d'intelligence. ◆ loc. avv. *non ... che,* ne ... que. | *non ho altro che pane,* je n'ai que du pain. | *non fa altro che giocare,* il passe son temps à jouer. ◆ loc. cong. *dato che,* étant donné que, attendu que, en considération de. | *dopo che,* après que. | *prima che,* avant que. | *in modo che,* de façon que, de telle sorte que. | *per paura che,* de peur que. | *visto che,* vu que. || [espletivo] que. | *sono cinque mesi che è partito,* il y a cinq mois qu'il est parti. || *sia ... che,* autant ... que, autant que ; et. | *sia suo padre che sua madre sono francesi,* aussi bien son père que sa mère sont français.

checchessia [kekkesˈsia] pron. indef. n'importe quoi. || [in frasi negative, con valore di *nulla*] quoi que ce soit.

chepì [keˈpi] m. MIL. képi.

cherubino [keruˈbino] m. chérubin.

chetare [keˈtare] v. tr. calmer, apaiser. ◆ v. rifl. [calmarsi] se calmer, s'apaiser. || [tacere] se taire.

chetichella (alla) [allaketiˈkɛlla] loc. avv. en cachette, en catimini. | *andarsene alla chetichella,* filer à l'anglaise.

cheto [ˈketo] agg. coi. | *star cheto,* se tenir coi. || FIG. *è un' acqua cheta,* c'est une eau dormante.

chi [ki] pron. rel. dim. [sogg. : colui che] celui qui. | *chi parla troppo, spesso sbaglia,* celui qui parle trop se trompe souvent. || [compl. ogg. : colui che] celui que. || [compl. ind.] [sogg.] celui qui ; [ogg.] celui que. | *chiedilo a chi te lo ha venduto,* demande-le à celui qui te l'a vendu. | *fanno a chi parlerà per ultimo,* c'est à qui parlera le dernier. ◆ pron. rel. indef. [chiunque] quiconque, celui qui. | *venga chi vuole,* vienne qui voudra. || *chi ... chi,* qui ... qui ; les uns ... les autres. | *c'è chi ride, c'è chi piange,* les uns rient, les autres pleurent. ◆ pron. interr. [dir.] [sogg.] qui ?, qui est-ce qui ? | *bussano ; chi è ?,* on frappe ; qui est-ce ? | [compl. ogg.] qui ?, qui est-ce que ? | *chi vedi ?,* qui vois-tu ? || [compl. ind.] *di chi è ?,* à qui est-ce ? || [ind.] qui. | *non saprei a chi rivolgermi,* je ne saurais à qui m'adresser. ◆ pron. esclam. qui. | *chi lo avrebbe detto !,* qui l'aurait dit !

chiacchiera [ˈkjakkjera] f. [notizia senza fondamento, pettegolezzo] bavardage m., commérage m., racontar m. | *non crederci, sono chiacchiere,* n'y crois pas, ce sont des racontars. || [parlantina] bagou(t) m. | ◆ pl. [ciarle] babillage m. sing., boniment m. pl., | *niente chiacchiere, venga al punto !,* pas de bavardage, venez-en aux faits. || LOC. *fare quattro chiacchiere,* tailler une bavette, faire un brin de causette.

chiacchierare [kjakkjeˈrare] v. intr. [conversare] bavarder, causer, discuter, discourir, parler. || [pettegolare] causer, jaser. | *una persona molto chiacchierata,* une personne dont on dit beaucoup de mal.

chiacchierata [kjakkjeˈrata] f. causerie, conversation, bavardage m., discussion.

chiacchierona [kjakkjeˈrona] agg. f. bavarde. ◆ f. causeuse, jacasse (fam.).

chiacchierone [kjakkje'rone] agg. bavard, causeur. ◆ m. bavard, discoureur (pegg.), phraseur.

chiamare [kja'mare] v. tr. appeler. | *chiamare qlcu.*, appeler qn. | *mandare a chiamare qlcu.*, envoyer chercher qn. | *la chiamano al telefono,* on vous demande au téléphone. | *chiamare aiuto,* appeler au secours. | *chiamare qlcu. ad un posto,* nommer qn à un poste. || [dare un nome] appeler, nommer. | *la chiamano Mimì,* on l'appelle Mimi. ◆ medio intr. [aver nome] s'appeler v. rifl. | *come ti chiami?,* comment t'appelles-tu? | *questo si chiama parlar chiaro!,* voilà ce qui s'appelle parler clair!

chiamata [kja'mata] f. appel m. | *chiamata telefonica,* appel téléphonique. || [carte] demande. || MIL. *chiamata alle armi,* appel sous les drapeaux.

chiappa ['kjappa] f. POP. fesse.

chiappare [kjap'pare] v. tr. = ACCHIAPPARE.

chiara ['kjara] f. FAM. *chiara d'uovo,* blanc (m.) d'œuf.

chiaramente [kjara'mente] avv. clairement. | *parlare chiaramente,* parler clairement. || FIG. carrément.

chiarezza [kja'rettʃa] f. [luminosità] clarté, luminosité. || [limpidità] limpidité. || TV e FIG. netteté.

chiarificare [kjarifi'kare] v. tr. clarifier, éclaircir.

chiarimento [kjari'mento] m. élucidation f., éclaircissement, explication f.

chiarire [kja'rire] v. tr. clarifier, éclaircir, élucider, expliciter, expliquer. | *voglio chiarire questa faccenda,* je veux tirer cette affaire au clair. ◆ v. rifl. s'éclaircir.

chiarissimo [kja'rissimo] agg. superl. très clair. || FIG. [illustre] illustre.

chiaro ['kjaro] agg. PR. e FIG. clair. || PER EST. *scrittore di chiara fama,* écrivain célèbre. ◆ m. clair. | *chiaro di luna,* clair de lune. || FIG. *mettere in chiaro qlco.,* tirer qch. au clair. ◆ avv. clair. | *parlare chiaro,* parler clair.

chiarore [kja'rore] m. lueur f., faible clarté f.

chiaroscuro [kjaros'kuro] m. ARTI clair-obscur. || [pittura monocroma] camaïeu.

chiaroveggente [kjaroved'dʒɛnte] agg. clairvoyant. ◆ f. [arti divinatorie] voyante extralucide.

chiaroveggenza [kjaroved'dʒɛntsa] f. clairvoyance. || [arti divinatorie] divination.

chiasso ['kjasso] m. tapage, vacarme.

chiassoso [kjas'soso] agg. [rumoroso] bruyant, tapageur. || [vistoso] voyant, criant, criard.

chiatta ['kjatta] f. MAR. chaland m., bac m., barge.

chiavare [kja'vare] v. tr. VOLG. baiser (pop.).

chiave ['kjave] f. clef, clé.

chiavica ['kjavika] (**-che** pl.) f. égout m.

chiavistello [kjavis'tɛllo] m. verrou, loquet.

chiazza ['kjattsa] f. tache.

chiazzare [kjat'tsare] v. tr. tacheter.

chicchera ['kikkera] f. tasse.

chicchessia [kikkes'sia] pron. indef. inv. LETT. n'importe qui (L.C.), quiconque (L.C.).

chicchirichì [kikkiri'ki] onomat. cocorico.

chicco ['kikko] (**-chi** pl.) m. grain. | *chicco d'uva,* grain de raisin.

chiedere ['kjɛdere] v. tr. [pregare di dare, desiderare] demander. | *chiedere il permesso,* demander la permission. | *non chiede di meglio,* il ne demande pas mieux. | *chiedere un prezzo eccessivo,* demander un prix excessif. || [fare una domanda] demander. | *chiedere l'ora,* demander l'heure. || COMM. *chiedere a prestito,* emprunter. ◆ v. rifl. [interrogarsi] se demander.

chierico ['kjɛriko] (**-ci** pl.) m. REL. clerc. || [chierichetto] enfant de chœur,

chiesa ['kjɛza] f. [cattolica] église; [protestante] temple m. | *uomo di chiesa,* homme pieux. || [istituzione] Église.

chiffon [ʃi'fɔ̃] m. (fr.) MODA voile.

chiglia ['kiλλa] f. MAR. quille.

chilo ['kilo] m. kilo.

chilogrammo [kilo'grammo] m. kilogramme.

chilolitro [ki'lɔlitro] m. kilolitre.

chilometrico [kilo'mɛtriko] (**-ci** pl.) agg. kilométrique. || FIG. [lunghissimo] interminable.

chilometro [ki'lɔmetro] m. kilomètre.

chilowattora [kilovat'tora] m. kilowattheure.

chimera [ki'mɛra] f. FIG. chimère.

chimica ['kimika] f. chimie.

chimico ['kimiko] (**-ci** pl.) agg. chimique. ◆ m. chimiste.

1. china ['kina] f. [pendio] pente, descente.

2. china f. BOT., MED. quinquina.

3. china f. LOC. *inchiostro di China,* encre de Chine.

chinare [ki'nare] v. tr. plier, baisser, courber, incliner. | *chinare la testa,* baisser, courber la tête. ◆ v. rifl. se pencher, s'incliner, se baisser. || FIG. *chinarsi ai voleri di qlcu.,* s'incliner devant qn.

chincaglierie [kinkaλλe'rie] f. pl. [oggetti] quincaillerie sing.

chinina [ki'nina] f. o **chinino** [ki'nino] m. quinine f.
chioccia ['kjɔttʃa] (**-ce** pl.) f. couveuse. || FIG. mère poule.
chiocciare [kjot'tʃare] v. intr. glousser. || [fare la chioccia] couver.
chiocciata [kjot'tʃata] f. couvée. || FIG. nichée, flopée (fam.).
chioccio ['kjɔttʃo] agg. rauque.
chiocciola ['kjɔttʃola] f. ZOOL. escargot m., limaçon m., colimaçon m. || FIG. *scala a chiocciola,* escalier en colimaçon. || MUS. *chiocciola del violino,* crosse du violon.
chioccolo ['kjɔkkolo] m. pipeau.
chiodato [kjo'dato] part. pass. e agg. clouté. | *scarpe chiodate,* souliers ferrés.
chiodino [kjo'dino] m. [fungo] armillaire couleur de miel.
chiodo ['kjɔdo] m. clou. || FIG., FAM. [idea fissa] dada, marotte f. | *è il suo chiodo,* c'est son dada. || [alpinismo] piton. || BOT. *chiodo di garofano,* clou de girofle.
chioma ['kjɔma] f. [capelli] chevelure. || [criniera] crinière. || [pennacchio] panache m.
chiosare [kjo'zare] v. tr. gloser.
chiosco ['kjɔsko] (**-chi** pl.) m. [padiglione, edicola] kiosque.
chiostro ['kjɔstro] m. cloître.
chiromanzia [kiroman'tsia] f. chiromancie.
chirurgia [kirur'dʒia] f. chirurgie.
chirurgo [ki'rurgo] (**-gi** o **-ghi** pl.) m. chirurgien.
chissà [kis'sa] avv. (va, allez) savoir ! (fam.), qui sait ? | *chissà chi si crede di essere !,* qui croit-il donc être ! | *ritornerà chissà quando,* il reviendra Dieu sait quand. | *chissà che tempo farà domani !,* savoir quel temps il fera demain ! ◆ loc. cong. *chissà che,* peut-être. | *chissà che non venga,* peut-être viendra-t-il.
chitarra [ki'tarra] f. guitare.
chitarrista [kitar'rista] (**-ti** pl.) n. guitariste.
chiudere ['kjudere] v. tr. [senso generale] fermer. | *chiudere una porta, una finestra, un libro,* fermer une porte, une fenêtre, un livre. || COMM. *chiudere il bilancio in parità,* boucler son budget. || ELETTR. *chiudere la corrente,* couper le courant. || [proibire l'accesso] fermer. | *chiudere le frontiere,* fermer les frontières. || [rinchiudere] enfermer, fermer, enclore, clore. | *chiudere con recinto, steccato, palizzata,* clôturer. || LOC. *chiudere la marcia,* fermer la marche. | *chiudere una discussione,* mettre fin à, clore une discussion. | *chiudere un occhio su qlco.,* fermer un œil sur qch. | *chiudere la partita, il conto con qlcu.,* régler ses comptes avec qn. ◆ v. intr. fermer. | *si chiude !,* on ferme ! || FIG. *chiudere con qlcu.,* rompre avec qn. ◆ v. rifl. [senso generale] se fermer. || [ferita] se (re)fermer. || FIG. s'enfermer, se renfermer. | *chiudersi in se stesso,* se renfermer sur soi-même, dans sa coquille. || [del cielo] se couvrir, être bouché.
chiunque [ki'unkwe] pron. indef. [seguito da un v. all'indic.] quiconque, n'importe qui. | *chiunque può farlo,* n'importe qui peut le faire. || [seguito da un v. al congiunt.] [congiunt. pres.] qui que ce soit qui [sogg.], qui que ce soit que [ogg.] ; | *a chiunque vi rivolgiate,* à qui que ce soit que vous vous adressiez. || [seguito dal v. essere] qui que, [3ª pers. sing. e pl.] quel(s) qu'il(s). | *chiunque tu sia,* qui que tu sois. | *chiunque esse siano,* quelles qu'elles soient. || [in relazione a due verbi] quiconque. | *sarà criticato da chiunque conosca l'argomento,* il sera critiqué par quiconque connaît le sujet. || [nelle espressioni comparative] quiconque, aucun autre. | *so meglio di chiunque altro che cosa mi rimane da fare,* je sais mieux que quiconque ce qu'il me reste à faire.
chiusa ['kjusa] f. [di terreno] enclos m., clôture, enceinte. || [restringimento di valle fluviale] cluse. || TECN. écluse, vanne. || [di lettera] fin, conclusion.
chiuso ['kjuso] part. pass. di CHIUDERE e agg. [senso generale] fermé. | *strada chiusa al traffico,* route barrée. || FIG. *circolo chiuso,* cercle vicieux. | *la seduta è chiusa,* la séance est close. || [carattere] renfermé. || [tempo] bouché. ◆ m. [spazio chiuso] enclos, enceinte f. || LOC. *sapere di chiuso,* sentir le renfermé.
chiusura [kju'sura] f. fermeture, clôture. | *ora della chiusura dei negozi,* heure de la fermeture des magasins. || [di una porta] serrure. || *chiusura lampo,* fermeture Éclair, à glissière.
ci [tʃi] pron. pers. di 1ª pers. pl. [compl. ogg.] nous. | *non ci ha visto nessuno,* personne ne nous a vus. || [compl. ind.] nous. | *ci sembra che,* il nous semble que. || [verbi rifl.] nous. | *ci siamo addormentati subito,* nous nous sommes endormis tout de suite. || [enclitica] nous. | *eccoci !,* nous voilà ! | *raccontaci qualcosa !,* raconte-nous quelque chose ! || [costruzione impers.] on. | *ci si diverte molto qui,* on s'amuse beaucoup ici. ◆ pron. dim. [a ciò, di ciò, ecc.] y. | *non ci credo,* je n'y crois pas. | *ci penseremo,* nous y réfléchirons. | *ci farò l'abitudine,* je m'y ferai. ◆ avv. [qui, lì] y, là. | *ci vivo da un anno,* j'y vis depuis un an. | *ci andrò*

domani, j'irai demain. | *vacci!,* vas-y! || [pleonastico] *ci sento molto male,* j'entends très mal. | *ci vedi bene?,* tu vois bien ?
ciabatta [tʃa'batta] f. savate.
ciabattino [tʃabat'tino] m. cordonnier.
cialda ['tʃalda] f. gaufre, gaufrette. || FARM. cachet m.
cialdone [tʃal'done] m. CULIN. gaufre f., cornet.
cialtrone [tʃal'trone] m. goujat, malotru, mufle.
ciambella [tʃam'bɛlla] f. CULIN. gimblette, pain (m.) en couronne. || [cuscino] bourrelet m. || [di gabinetto] lunette. || [salvagente] bouée de sauvetage.
ciambellano [tʃambel'lano] m. chambellan. || FIG. courtisan.
ciancia ['tʃantʃa] (**-ce** pl.) f. [chiacchiera] bavardage m. || [pettegolezzo] ragot m., racontar m.
cianciare [tʃan'tʃare] v. intr. [chiacchierare] bavarder, jacasser, jaser.
ciancicare [tʃantʃi'kare] v. intr. bredouiller, bafouiller.
cianfrugliare [tʃanfruʎ'ʎare] v. tr. e intr. [abborracciare] bâcler. || [parlare in modo confuso] bredouiller, bafouiller.
cianfrusaglia [tʃanfru'zaʎʎa] f. fanfreluche, bric-à-brac m.
cianotico [tʃa'nɔtiko] (**-ci** pl.) agg. cyanotique.
cianuro [tʃa'nuro] m. cyanure.
ciao ['tʃao] interiez. [saluto confidenziale] salut!
ciaramella [tʃara'mɛlla] f. cornemuse.
ciarda ['tʃarda] f. csardas.
ciarla ['tʃarla] f. [chiacchiera] bavardage m., blablabla m. inv. (fam.). || LOC. *fare quattro ciarle con qlcu.,* faire un brin de causette avec qn, tailler une bavette avec qn. || [pettegolezzo] cancan m., commérage m.
ciarlatano [tʃarla'tano] m. charlatan. || [impostore] imposteur, escroc.
ciarliero [tʃar'ljɛro] agg. bavard, babillard.
ciarpame [tʃar'pame] m. friperie f.
ciascheduno [tʃaske'duno] pron. indef. inv. = CIASCUNO.
ciascuno [tʃas'kuno] agg. indef. chaque. | *ciascuno alunno verrà interrogato,* chaque élève sera interrogé. ◆ pron. indef. chacun, chaque (fam.). | *ciascuno ritornò a casa contento,* chacun rentra chez lui content. | *queste cravatte costano due mila lire ciascuna,* ces cravates coûtent deux mille lires chaque.
cibare [tʃi'bare] v. tr. PR. e FIG. nourrir. ◆ v. rifl. se nourrir, s'alimenter. || FIG. se repaître.
cibarie [tʃibarje] f. pl. victuailles.
cibernetica [tʃiber'nɛtika] f. cybernétique.
cibo ['tʃibo] m. aliment, nourriture f. | *cibi in scatola,* aliments en boîte, en conserve. || PER EST. mets ; repas. || [degli animali] pâture f. ; pâtée.
ciborio [tʃi'bɔrjo] (**-ri** pl.) m. ciboire.
cicala [tʃi'kala] f. ZOOL. cigale. || [campanello] sonnette. || FIG. [chiacchierone] bavard m.
cicalare [tʃika'lare] v. intr. bavarder, jacasser.
cicaleccio [tʃika'lettʃo] m. bavardage, caquet.
cicalio [tʃika'lio] m. bavardage, babil, caquetage, caquet.
cicatrice [tʃika'tritʃe] f. cicatrice ; [allungata] couture ; [sfregio] balafre. | *viso coperto di cicatrici,* visage tout couturé. || FIG. blessure.
cicatrizzare [tʃikatrid'dzare] v. tr. e intr. cicatriser. ◆ v. rifl. se cicatriser.
cicca ['tʃikka] (**-che** pl.) f. FAM. mégot m. || [tabacco da masticare] chique. || LOC. FIG. *non vale una cicca,* ça ne vaut pas deux sous.
cicchetto [tʃik'ketto] m. POP. [bicchierino] goutte f. (fam.). | *bere un cicchetto,* boire une goutte. || FIG., FAM. [ramanzina] attrapade f., savon.
ciccia ['tʃit'tʃa] (**-ce** pl.) f. FAM. viande (L.C.), bidoche (pop.). || [adipe] embonpoint m.
cicciona [tʃit'tʃona] f. FAM. dondon.
ciccione [tʃit'tʃone] m. homme gros et gras ; gros lard (pop.).
cicerone [tʃitʃe'rone] m. [guida] cicérone, guide.
cicisbeo [tʃitʃiz'bɛo] m. chevalier servant.
ciclamino [tʃikla'mino] m. cyclamen.
ciclico ['tʃikliko] (**-ci** pl.) agg. cyclique.
ciclismo [tʃi'klizmo] m. cyclisme.
ciclista [tʃi'klista] n. cycliste.
ciclo ['tʃiklo] m. [tutti i sensi] cycle. | *ciclo solare, lunare, economico, mestruale,* cycle solaire, lunaire, économique, menstruel. || FAM. [bicicletta] bicyclette f. (L.C.), vélo.
ciclofurgone [tʃiklofur'gone] m. triporteur.
ciclomotore [tʃiklomo'tore] m. cyclomoteur, vélomoteur.
ciclone [tʃi'klone] m. PR. e FIG. cyclone.
ciclope [tʃi'klɔpe] m. MIT., ZOOL. cyclope.
ciclostilare [tʃiklosti'lare] v. tr. polycopier, ronéotyper.
ciclostile [tʃiklos'tile] m. machine (f.) à polycopier, ronéo f.
cicogna [tʃi'koɲɲa] f. cigogne.
cicoria [tʃi'kɔrja] f. BOT. chicorée.
cicuta [tʃi'kuta] f. BOT. ciguë.

cieco ['tʃɛko] (**-chi** pl.) agg. aveugle. || PR. e FIG. *vicolo cieco,* impasse f., rue (f.) sans issue, cul-de-sac m. || FIG. aveugle. | *odio cieco,* haine (f.) aveugle. | *cieco di rabbia,* fou de rage. || GIOCHI *giocare a mosca cieca,* jouer à colin-maillard. ◆ loc. avv. *alla cieca,* à tâtons, à l'aveuglette. ◆ n. aveugle.

cielo ['tʃɛlo] m. ciel. | *cielo chiuso,* ciel bas. || [clima] ciel, climat. || LOC. FIG. *storie che non stanno né in cielo né in terra,* histoires à dormir debout. || REL. ciel. | *il regno dei cieli,* le royaume des cieux.

cifra ['tʃifra] f. chiffre m. | *far cifra tonda,* arrondir un chiffre. || [somma di denaro] somme. | *cifre astronomiche,* des sommes énormes. || *cifra d'affari,* chiffre d'affaires.

cifrare [tʃi'frare] v. tr. [crittografia] chiffrer, coder.

cifrato [tʃi'frato] part. pass. e agg. [crittografia] chiffré, codé.

ciglio ['tʃiʎʎo] (**-glia** pl. f. L.C. ; **-gli** pl. m. POP.) m. cil. | *battere le ciglia,* ciller des yeux. || LOC. FIG. *senza batter ciglio,* sans broncher. || (**-gli** pl. m.) [orlo, bordo] bord, bordure f. | *sul ciglio della strada,* en bordure de la route.

cigno ['tʃiɲɲo] m. ZOOL. e FIG. [poeta] cygne.

cigolare [tʃigo'lare] v. intr. grincer, crier, gémir. | *porta che cigola,* porte qui grince. ◆ m. grincement.

cigolio [tʃigo'lio] m. grincement.

cilecca [tʃi'lekka] f. *far cilecca,* MIL. s'enrayer v. rifl., rater v. intr. ; FIG. échouer v. intr., rater.

cilicio [tʃi'litʃo] (**-ci** pl.) m. cilice, haire f. || FIG. supplice.

ciliegia [tʃi'ljɛdʒa] (**-gie** o **-ge** pl.) f. cerise. ◆ agg. inv. *(color) ciliegia,* cerise.

ciliegio [tʃi'ljɛdʒo] (**-gi** pl.) m. cerisier. | *ciliegio selvatico,* merisier.

cilindrata [tʃilin'drata] f. MECC. cylindrée.

cilindrico [tʃi'lindriko] (**-ci** pl.) agg. cylindrique.

cilindro [tʃi'lindro] m. cylindre. || [cappello] (chapeau) haut de forme.

cima ['tʃima] f. [senso generale] cime, sommet m., faîte m., haut m. | *cima del tetto,* faîte du toit. || [personalità eminente] aigle m. | *non è una cima,* ce n'est pas un aigle. || [estremità] bout m., bord m., extrémité. ◆ loc. prep. *in cima a,* en haut de. ◆ loc. avv. *(proprio) in cima,* tout en haut.

cimare [tʃi'mare] v. tr. AGR. étêter, écimer, rabattre.

cimbalo ['tʃimbalo] m. cymbale f. || [piatto di batteria] disque du gong.

cimelio [tʃi'mɛljo] (**-li** pl.) m. relique f. || SCHERZ. vieillerie f.

cimentare [tʃimen'tare] v. tr. essayer, éprouver. | *cimentare le proprie forze,* éprouver ses forces. ◆ v. rifl. s'essayer, se risquer, se hasarder. | *cimentarsi con qlcu.,* se mesurer avec qn.

cimento [tʃi'mento] m. risque, épreuve f. | *mettere a cimento la propria vita,* risquer sa vie.

cimice ['tʃimitʃe] f. ZOOL. punaise. || [puntina da disegno] punaise.

ciminiera [tʃimi'njɛra] f. cheminée. | *ciminiera di fabbrica,* cheminée d'usine.

cimitero [tʃimi'tɛro] m. cimetière.

cimosa [tʃi'mosa] f. TESS. [orlo] lisière. || [cancellino] chiffon m.

cimurro [tʃi'murro] m. VETER. gourme f., morve f.

cincia ['tʃintʃa] (**-ce** pl.) f. ZOOL. mésange.

cincin [tʃin'tʃin] onomat. [brindisi] à ta, votre santé ; à la tienne, à la vôtre (fam.). | *fare un cincin,* trinquer v. intr.

cincischiare [tʃintʃis'kjare] v. intr. [operare distrattamente] lambiner, lanterner, traînasser. || [toccare macchinalmente] tripoter. || [sgualcire] friper, chiffonner. ◆ v. rifl. [sgualcirsi] se friper, se chiffonner, se froisser.

cinema ['tʃinema] m. inv. cinéma m.

cinematografare [tʃinematogra'fare] v. tr. filmer, tourner.

cinematografo [tʃinema'tɔgrafo] m. cinéma.

cinepresa [tʃine'presa] f. CIN. caméra.

cineraria [tʃine'rarja] f. cinéraire.

cinerario [tʃine'rarjo] (**-ri** pl.) agg. cinéraire. ◆ m. [vaso] urne (f.) cinéraire. || TECN. [di stufa, caldaia, ecc.] cendrier.

cinereo [tʃi'nɛreo] agg. cendré, cendreux.

cinese [tʃi'nese] agg. e n. chinois.

cineseria [tʃinese'ria] f. PR. e FIG. chinoiserie.

cinesiterapia [tʃinezitera'pia] f. kinésithérapie.

cinetica [tʃi'nɛtika] f. FIS. cinétique.

cingere ['tʃindʒere] v. tr. entourer, ceindre (lett.). | *cingere d'assedio una fortezza,* assiéger une forteresse. || [di giardino, orto, ecc.] enclore, clôturer, clore.

cinghia ['tʃingja] f. [di pantalone] ceinture. | *affibbiarsi la cinghia,* boucler sa ceinture. || FIG. *stringere, tirare la cinghia,* se serrer la ceinture, se serrer d'un cran (fam.). || [di finimenti] sangle. || MIL. [di fucile] bretelle. || TECN. courroie.

cinghiale [tʃin'gjale] m. ZOOL. sanglier. || [pelle] pécari.

cingolato [tʃingo'lato] agg. TECN. chenillé. | *mezzo cingolato,* véhicule chenillé, à chenilles.
cinguettare [tʃingwet'tare] v. intr. gazouiller, babiller.
cinguettio [tʃingwet'tio] m. gazouillement, gazouillis, babil, ramage.
cinico ['tʃiniko] (**-ci** pl.) agg. e n. cynique.
ciniglia [tʃi'niʎʎa] f. chenille.
cinismo [tʃi'nizmo] m. cynisme.
cinquanta [tʃin'kwanta] agg. num. card. inv. e m. cinquante.
cinquantenario [tʃinkwante'narjo] (**-ri** pl.) agg. e m. cinquantenaire.
cinquantenne [tʃinkwan'tɛnne] agg. e n. quinquagénaire.
cinquantennio [tʃinkwan'tɛnnjo] (**-ni** pl.) m. espace de cinquante ans.
cinquantesimo [tʃinkwan'tɛzimo] agg. num. ord. cinquantième.
cinque ['tʃinkwe] agg. num. card. inv. cinq. ◆ m. cinq. || GIOCHI *cinque di quadri,* cinq de carreau. ◆ f. pl. [indicazione delle ore] *sono le cinque del pomeriggio,* il est cinq heures de l'après-midi.
cinquecento [tʃinkwe'tʃɛnto] agg. num. card. inv. cinq cents. | *nel Cinquecento,* au XVIe siècle. ◆ f. AUT. [utilitaria Fiat] *ha comperato una cinquecento,* il a acheté une Fiat 500, une petite Fiat.
cinquina [tʃin'kwina] f. GIOCHI [lotto e tombola] quine m.
cinta ['tʃinta] f. [per difesa] enceinte, ceinture. | *muro di cinta,* mur d'enceinte.
cintare [tʃin'tare] v. tr. ceinturer, ceindre. || PER EST. clôturer, enclore, clore.
cintola ['tʃintola] f. FAM. [cintura] ceinture (L.C.).
cintura [tʃin'tura] f. [fascia, striscia che si stringe in vita] ceinture. | *gonna stretta alla cintura,* jupe serrée à la taille.
cinturino [tʃintu'rino] m. [di orologio] bracelet-montre. || [di scarpa] bride f.
cinturone [tʃintu'rone] m. ceinturon.
ciò [tʃɔ] pron. dim. inv. [questo] ceci ; [quello] cela, ça (fam.). | *tutto ciò è vero,* tout cela est vrai. || [antecedente di pron. rel.] ce. | *tutto ciò che fai è ben fatto,* tout ce que tu fais est bien fait. | *raccontagli ciò che è successo,* raconte-lui ce qui est arrivé. || USI PARTICOL. *con ciò,* ce faisant, par là. | *ciò nonostante,* en dépit de cela, malgré cela. | *con tutto ciò,* malgré tout.
ciocca ['tʃɔkka] (**-che** pl.) f. [di capelli] mèche.
ciocco ['tʃɔkko] (**-chi** pl.) m. bûche f.
cioccolata [tʃokko'lata] f. [prodotto e bevanda] chocolat m.
cioccolatino [tʃokkola'tino] m. bonbon au chocolat. | *ciocolatino ripieno,* bouchée (f.) au chocolat, crotte (f.) en chocolat.
cioccolato [tʃokko'lato] m. chocolat. | *cioccolato al latte,* chocolat au lait.
cioè [tʃo'ɛ] avv. c'est-à-dire (abbr. c.-à-d.). || (à) savoir. | *bisogna riconoscergli alcune virtù, cioè la bontà, la generosità, ecc.,* il faut lui reconnaître quelques vertus, à savoir la bonté, la générosité, etc.
ciondolare [tʃondo'lare] v. intr. [penzolare] balancer, se balancer v. rifl. || FIG. [aggirarsi oziosamente] flâner. ◆ v. tr. balancer.
ciondolo ['tʃondolo] m. [al polso] breloque f. || [al collo] pendentif. || [alle orecchie] pendeloque f.
ciondoloni [tʃondo'loni] avv. *con le braccia ciondoloni,* les bras ballants.
ciotola ['tʃɔtola] f. bol m., jatte.
ciottolato [tʃotto'lato] m. cailloutage.
ciottolo ['tʃɔttolo] m. caillou.
cipiglio [tʃi'piʎʎo] (**-gli** pl.) m. air renfrogné.
cipolla [tʃi'polla] f. BOT. oignon m.
cipollina [tʃipol'lina] f. BOT. ciboule, ciboulette, civette ; échalote.
cippo ['tʃippo] m. ARCHIT. cippe. || [di confine] borne f.
cipresso [tʃi'prɛsso] m. cyprès.
cipria ['tʃiprja] f. poudre de riz. | *darsi la cipria,* se poudrer.
circa ['tʃirka] avv. environ, à peu près, quelque chose comme. | *sarò di ritorno alle dieci circa,* je serai de retour à dix heures environ. ◆ prep. [intorno a, riguardo a] quant à, au sujet de.
circo ['tʃirko] (**-chi** pl.) m. [in tutti i significati] cirque.
1. circolare [tʃirko'lare] agg. inv. circulaire. | *moto circolare,* mouvement circulaire. ◆ f. [lettera] circulaire. || [linea ferroviaria] train (m.) de ceinture.
2. circolare v. intr. [in tutti i significati] circuler. | *circola la voce che ...,* le bruit court que ... || FIN. [capitali] rouler.
circolazione [tʃirkolat'tsjone] f. circulation. || AUT. *libretto di circolazione,* carte grise.
circolo ['tʃirkolo] m. cercle. | *in circolo,* en rond, en cercle. || FIG. [luogo di riunione] cercle, club (ingl.). || [ambiente] milieu.
circoncidere [tʃirkon'tʃidere] v. tr. circoncire.
circoncisione [tʃirkontʃi'zjone] f. circoncision.
circondare [tʃirkon'dare] v. tr. entourer, environner, border, cerner. | *la piazza è circondata da vecchie case,* la place est bordée de vieilles maisons.

|| [avviluppare] envelopper, entourer. | *circondare di cure,* entourer de soins. ◆ v. rifl. s'entourer.
circondario [tʃirkon'darjo] (**-ri** pl.) m. AMM. circonscription f. || [territorio limitrofo] alentours pl., environs pl.
circonferenza [tʃirkonfe'rɛntsa] f. circonférence.
circonflettere [tʃirkon'flɛttere] v. tr. [incurvare] courber.
circonlocuzione [tʃirkonlokut'tsjone] f. circonlocution, circonvolution.
circonscrivere [tʃirkon'skrivere] e deriv. v. tr. V. CIRCOSCRIVERE e deriv.
circonvallazione [tʃirkonvallat'tsjone] f. circonvallation. || [a Parigi] (boulevard) périphérique m.
circonvenire [tʃirkonve'nire] v. tr. circonvenir.
circonvenzione [tʃirkonvent'tsjone] f. GIUR. abus m.
circonvoluzione [tʃirkonvolut'tsjone] f. circonvolution.
circoscrivere [tʃirkos'krivere] v. tr. circonscrire, délimiter.
circoscrizione [tʃirkoskrit'tsjone] f. AMM. circonscription.
circospetto [tʃirkos'pɛtto] agg. circonspect, prudent, défiant.
circospezione [tʃirkospet'tsjone] f. circonspection, prudence.
circostante [tʃirkos'tante] agg. environnant, avoisinant.
circostanza [tʃirkos'tantsa] f. circonstance.
circostanziato [tʃirkostan'tsjato] part. pass. e agg. circonstancié, détaillé.
circuire [tʃirku'ire] v. tr. circonvenir.
1. circuito [tʃir'kuito] m. circuit.
2. circuito [tʃirku'ito] part. pass. e agg. FIG. circonvenu.
cireneo [tʃire'nɛo] m. FIG. bouc émissaire.
cirro ['tʃirro] m. METEOR. cirrus.
cirrosi [tʃir'rɔzi] f. cirrhose.
cisposo [tʃis'poso] agg. chassieux.
ciste ['tʃiste] f. MED. kyste m.
cistercense [tʃister'tʃɛnse] agg. e n. REL. cistercien.
cisterna [tʃis'tɛrna] f. citerne.
cistifellea [tʃisti'fɛllea] f. ANAT. vésicule (biliaire).
cistite [tʃis'tite] f. cystite.
citante [tʃi'tante] n. GIUR. demandeur m., demanderesse f.
citare [tʃi'tare] v. tr. [in tutti i significati] citer.
citazione [tʃitat'tsjone] f. [in tutti i significati] citation.
citiso ['tʃitizo] m. BOT. cytise.
citofono [tʃi'tɔfono] m. Interphone.
citrato [tʃi'trato] m. citrate.
citrullo [tʃi'trullo] m. (grand) dadais, niais.
città [tʃit'ta] f. inv. [agglomerato urbano] ville f. | *è in città,* il est en ville. || [centro storico, città con particolari caratteristiche] cité f. | *città del Vaticano,* Cité du Vatican. | PER EST. *città universitaria,* cité universitaire.
cittadella [tʃitta'dɛlla] f. citadelle.
1. cittadina [tʃitta'dina] f. DIM. petite ville.
2. cittadina f. citoyenne.
cittadinanza [tʃittadi'nantsa] f. nationalité, citoyenneté. || [abitanti] population. | *appello alla cittadinanza,* appel à la population.
cittadino [tʃitta'dino] agg. [della città] de la ville, urbain. | *vie cittadine,* rues de la ville. ◆ m. [chi abita in una città] habitant (de la ville). | [in opposizione a campagna] citadin. || [che appartiene ad uno stato] citoyen. | *essere cittadino italiano,* être citoyen italien.
ciucciare [tʃut'tʃare] v. tr. e intr. FAM. suçoter.
ciuccio ['tʃuttʃo] (**-ci** pl.) m. [tettarella di gomma] sucette f.
ciuco ['tʃuko] (**-chi** pl.) m. âne, baudet. || FIG. bourrique f.
ciuffo ['tʃuffo] m. houppe f. || [di capelli] toupet, touffe f., houppe f., mèche f. || [di uccelli] huppe f., aigrette f. || [di erba] touffe f. || [di piante] bouquet, massif.
ciurma ['tʃurma] f. MAR. [basso equipaggio] équipage m. || STOR. [rematori di una galera] chiourme. || FIG., PEGG. canaille, racaille.
civetta [tʃi'vetta] f. ZOOL. chouette, chevêche. || FIG. coquette agg. e f.
civettare [tʃivet'tare] v. intr. FIG. faire la coquette.
civetteria [tʃivette'ria] f. coquetterie.
civettuolo [tʃivet'twɔlo] agg. coquet.
civico ['tʃiviko] (**-ci** pl.) agg. [diretto all'ordine] civique. | *educazione civica,* éducation civique. || [municipale] municipal. | *biblioteca civica,* bibliothèque municipale.
civile [tʃi'vile] agg. civil, civique. || [opposto a selvaggio] civilisé. || FIG. [cortese] poli, courtois. || AMM. *stato civile,* état civil. || GIUR. *codice civile,* Code civil. ◆ m. [opposto a militare] civil.
civilizzare [tʃivilid'dzare] v. tr. PR. e FIG. civiliser. ◆ v. rifl. se civiliser.
civilizzazione [tʃiviliddzat'tsjone] f. civilisation.
civilmente [tʃivil'mente] avv. AMM., GIUR. civilement. || FIG. [educatamente] poliment.
civiltà [tʃivil'ta] f. inv. civilisation f. || FIG. [urbanità] civilité f., politesse f., courtoisie f.
civismo [tʃi'vizmo] m. civisme.

clamore [kla'more] m. clameur f., vacarme.
clamoroso [klamo'roso] agg. bruyant, retentissant. ‖ FIG. éclatant, retentissant. | *avere un successo clamoroso,* avoir un succès éclatant.
clandestinità [klandestini'ta] f. clandestinité.
clarinetto [klari'netto] m. clarinette f. ‖ [clarinettista] clarinettiste.
clarino [kla'rino] m. clarinette f.
classare [klas'sare] v. tr. classer.
classe ['klasse] f. classe. ‖ AMM. [categoria] cadre m. ‖ [aula] (salle de) classe. ‖ [insieme degli alunni di una classe] classe. | *classe mista,* classe mixte.
classicismo [klassi'tʃizmo] m. classicisme.
classico ['klassiko] (**-ci** pl.) agg. e n. [in tutti i significati] classique.
classifica [klas'sifika] (**-che** pl.) f. classement m.
classificare [klassifi'kare] v. tr. [catalogare] classer ; classifier. ◆ v. rifl. se classer.
classificazione [klassifikat'tsjone] f. [azione] classement m. ‖ [distribuzione in classi] classification.
classismo [klas'sizmo] m. politique (f.) de classe.
claudicare [klaudi'kare] v. intr. LETT. claudiquer, boiter (L.C.).
clausola ['klauzola] f. GIUR. clause.
claustrofobia [klaustrofo'bia] f. claustrophobie.
clausura [klau'zura] f. [isolamento] claustration. ‖ REL. clôture. | *suore di clausura,* religieuses cloîtrées.
clava ['klava] f. massue, casse-tête m. inv.
clavicembalo [klavi'tʃembalo] m. clavecin.
clavicola [kla'vikola] f. clavicule.
clematide [klema'tide] f. clématite.
clemente [kle'mɛnte] agg. [in tutti i significati] clément.
clemenza [kle'mentsa] f. clémence.
cleptomania [kleptoma'nia] f. cleptomanie, kleptomanie.
clericalismo [klerika'lizmo] m. cléricalisme.
clero ['klɛro] m. clergé.
clicchettio [klikket'tio] m. cliquetis, cliquettement.
cliente [kli'ɛnte] m. client ; [di caffè e ristorante] consommateur. | *i clienti abituali,* les habitués.
clientela [klien'tɛla] f. PR. e FIG. clientèle.
clima ['klima] (**-i** pl.) m. climat, ciel. | *clima temperato,* climat tempéré. | *vivere in altri climi,* vivre sous d'autres cieux. ‖ FIG. climat, ambiance f. | *clima ostile,* ambiance hostile.
climaterio [klima'tɛrjo] (**-i** pl.) m. MED. retour d'âge, ménopause f.
clinica ['klinika] (**-che** pl.) f. clinique.
clinico ['kliniko] (**-ci** pl.) agg. clinique. | *cartella clinica,* fiche médicale. ◆ m. clinicien.
clistere [klis'tɛre] m. MED. [medicamento] lavement. ‖ [strumento] bock (ingl.).
cloaca [klo'aka] (**-che** pl.) f. PR. e FIG. cloaque m.
cloche [klɔʃ] f. (fr.) (chapeau [m.]) cloche. ‖ AV. cloche. ‖ AUT. *cambio a cloche,* changement de vitesse au plancher.
cloro ['klɔro] m. chlore.
clorofilla [kloro'filla] f. chlorophylle.
cloroformio [kloro'fɔrmjo] m. chloroforme.
cloruro [klo'ruro] m. chlorure.
coabitare [koabi'tare] v. intr. cohabiter.
coabitazione [koabitat'tsjone] f. cohabitation.
coadiutore [koadju'tore] (**-trice** f.) n. collaborateur. ‖ REL. coadjuteur.
coadiuvare [koadju'vare] v. tr. aider, coopérer (avec).
coagulare [koagu'lare] v. tr. figer, cailler, coaguler. ◆ v. rifl. se coaguler, prendre v. intr. ‖ [sangue] se figer, se cailler. ‖ FIG. se figer.
coagulazione [koagulat'tsjone] f. coagulation, prise. ‖ [latte] caillement m., caillage m.
coalizione [koalit'tsjone] f. coalition.
coalizzare [koalid'dzare] v. tr. coaliser. ◆ v. rifl. se coaliser.
coatto [ko'atto] agg. forcé, obligatoire. ‖ GIUR. *domicilio coatto,* résidence forcée.
cobalto [ko'balto] m. cobalt.
cobra ['kɔbra] m. inv. cobra m.
coca ['koka] f. BOT. [pianta] coca m. ‖ [sostanza] coca.
cocaina [koka'ina] f. cocaïne.
1. cocca ['kɔkka] (**-che** pl.) f. [tacca] encoche.
2. cocca (**-che** pl.) f. MAR. coque.
3. cocca (**-che** pl.) f. FIG. [termine affettuoso] cocotte.
cocchiere [kok'kjɛre] m. cocher.
cocchio ['kokkjo] (**-chi** pl.) m. carrosse. ‖ STOR. [Roma] bige.
coccinella [kottʃi'nɛlla] f. coccinelle.
coccio ['kɔttʃo] (**-ci** pl.) m. [terracotta] terre cuite. ‖ [frammento] débris. | *coccio di bottiglia,* tesson de bouteille.
cocciuto [kot'tʃuto] agg. entêté, têtu, buté.
1. cocco ['kɔkko] (**-chi** pl.) m. [pianta] cocotier. ‖ [frutto] (noix (f.) de) coco, cocotier. ‖ [frutto] (noix (f.) de) coco.

2. cocco (**-chi** pl.) m. [batterio] coque, coccus.

3. cocco (**-chi** pl.) m. FIG. [termine affettuoso] chouchou.

coccodrillo [kokko'drillo] m. ZOOL. e FIG. crocodile.

coccolare [kokko'lare] v. tr. cajoler, dorloter.

cocente [ko'tʃɛnte] agg. PR. e FIG. brûlant, cuisant.

cocomero [ko'komero] m. pastèque f., melon (d'eau).

cocorita [koko'rita] f. ZOOL. perruche.

cocuzzolo [ko'kuttsolo] m. [di cappello] calotte f. || [di testa] sommet. || [di vetta] sommet, faîte.

coda ['koda] f. queue. | *coda di una cometa,* queue d'une comète. || FIG. *mettersi in coda,* se mettre à la queue. || LOC. *quando il diavolo ci mette la coda,* quand le diable s'en mêle. | *guardare con la coda dell'occhio,* regarder en coulisse. || ZOOL. *coda di rospo,* crapaud de mer, baudroie.

codardo [ko'dardo] agg. e m. couard, lâche.

codazzo [ko'dattso] m. cortège, suite f.

codesto [ko'desto] agg. dim. m. [davanti a cons. e h aspirata] ce, [davanti a voc.] cet ; f. cette ; pl. m. e f. ces. ◆ pron. dim. m. celui-là ; f. celle-là ; pl. m. ceux-là ; pl. f. celles-là.

codice ['kɔditʃe] m. [manoscritto antico] manuscrit. || GIUR., LING., MAR., MIL. code.

codicillo [kodi'tʃillo] m. GIUR. codicille. || [di lettera o documento] post-scriptum.

codificare [kodifi'kare] v. tr. codifier.

codino [ko'dino] m. DIM. [piccola coda] couette f. || [dei Cinesi] natte f. || [di parucca] queue f. || FIG., PEGG. [retrogrado] rétrograde, réactionnaire.

coefficiente [koeffi'tʃɛnte] m. [fattore] facteur. || FIS., MAT. coefficient.

coercizione [koertʃit'tsjone] f. coercition.

coerenza [koe'rɛntsa] f. cohérence. || FIG. [di persona] esprit (m.) de suite.

coesione [koe'zjone] f. cohésion.

coesistere [koe'zistere] v. intr. coexister.

coetaneo [koe'taneo] agg. du même âge. ◆ n. [della stessa età] *i suoi coetanei,* ceux de son âge. || [della stessa epoca] contemporain.

cofano ['kofano] m. [cassa antica] bahut, coffre. || AUT. capot.

cogliere ['kɔʎʎere] v. tr. cueillir. || [afferrare] saisir. | *cogliere il momento buono,* choisir le bon moment. || [sorprendere] *cogliere in flagrante,* prendre en flagrant délit. ◆ v. intr. *cogliere nel segno,* deviner juste.

coglione [koʎ'ʎone] m. VOLG. [testicolo] couille f. || FIG. [imbecille] con, couillon.

cognata [koɲ'ɲata] f. belle-sœur.

cognato [koɲ'ɲato] m. beau-frère.

cognizione [koɲɲit'tsjone] f. connaissance. | *Pietro è venuto a cognizione del fatto,* l'affaire est venue à la connaissance de Pierre. || [comprensione] intelligence, compréhension. ◆ pl. connaissances, acquis m. sing., notions.

cognome [koɲ'ɲome] m. nom de famille.

coincidenza [kointʃi'dɛntsa] f. [casualità] coïncidence. || [corrispondenza] correspondance. | *coincidenza di idee, di sentimenti,* correspondance d'idées, de sentiments. || TR. correspondance.

coincidere [koin'tʃidere] v. intr. PR. e FIG. coïncider.

coinquilino [koinkwi'lino] n. colocataire.

coinvolgere [koin'vɔldʒere] v. tr. [trascinare] entraîner. | *lo ha coinvolto nella sua rovina,* il l'a entraîné dans sa ruine. || [implicare] impliquer, engager. | *essere coinvolto in un affare,* être impliqué dans une affaire.

colà [ko'la] avv. là, là-bas. | *non andrò mai colà,* je n'irai jamais là-bas.

colabrodo [kola'brɔdo] m. passoire f.

colapasta [kola'pasta] m. inv. passoire f.

colare [ko'lare] v. tr. [di liquido] passer, filtrer. | *colare la pasta,* égoutter les pâtes. || TECN. [di statue] couler ; [di metalli] fondre. ◆ v. intr. [gocciolare, stillare] couler, dégouliner (fam.). || [versare a goccia a goccia] couler goutte à goutte. || MAR. *colare a picco,* couler à pic.

colazione [kolat'tsjone] f. [mattino] (Centro e Sud) petit déjeuner m. || [mezzogiorno] (Nord) déjeuner. | *andare a colazione da qlcu.,* aller déjeuner chez qn.

colchico ['kɔlkiko] m. colchique.

colei [ko'lɛi] pron. dim. f. sing. celle-là. || [seguito da pron. rel.] celle. | *colei di cui mi hai parlato,* celle dont tu m'as parlé.

coleottero [kole'ɔttero] m. coléoptère.

colera [ko'lɛra] m. MED. choléra.

colf [kɔlf] f. NEOL. [collaboratrice familiale] collaboratrice familiale.

colibrì [koli'bri] m. colibri.

colica ['kɔlika (**-che** pl.) f. colique.

colino [ko'lino] m. passoire f.

colla ['kɔlla] f. colle. | *colla di falegname,* colle à bois.

collaborare [kollabo'rare] v. intr. collaborer.

collaborazione [kollaborat'tsjone] f. collaboration.

collana [kol'lana] f. collier m. || FIG. [serie di opere] collection.

collare [kol'lare] m. [per guinzaglio] collier. || [di ordine cavalleresco] collier. || [di prete] petit collet. | *gettare il collare,* se défroquer v. rifl.

collasso [kol'lasso] m. MED. collapsus.

collaudare [kollau'dare] v. tr. [macchine e motori] essayer. || [costruzioni] éprouver, faire l'épreuve (de). || [lavori dati in appalto] recevoir, réceptionner. || FIG. mettre à l'épreuve.

collaudo [kol'laudo] m. épreuve f., essai. || [di costruzioni] réception f. | *collaudo di un ponte,* réception d'un pont. || FIG. [verifica] vérification f.

colle ['kɔlle] m. GEOGR. [rilievo] colline f. || [passo] col.

collega [kol'lɛga] (**-ghi** pl. m.) n. collègue. || [tra professionisti] confrère m.

collegamento [kollega'mento] m. liaison f. | *mettere in collegamento,* mettre en liaison. || ELETTR. branchement, connexion f., raccordement. | MECC. assemblage, jonction f.

collegare [kolle'gare] v. tr. [unire] unir, joindre. relier, lier, réunir. || FIG. (re)lier, coordonner, enchaîner. | *collegare due fatti,* mettre en rapport deux faits.

collegiale [kolled'dʒale] agg. [da collegio] de collège, de pensionnat. || [costituito da molti membri] collégial. || [collettivo] collectif. || REL. collégial. ◆ n. [convittore] collégien, enne, pensionnaire, interne.

collegio [kol'lɛdʒo] (**-gi** pl.) m. POL., REL., STOR. collège. || UNIV. [pensionato per studenti] collège, pensionnat, pension f. ; [associazione] *il collegio dei professori,* le conseil des professeurs.

collera ['kɔllera] f. colère.

colletta [kol'lɛtta] f. collecte. || REL. quête.

collettivismo [kolletti'vizmo] m. collectivisme.

collettività [kollettivi'ta] f. collectivité.

collettivo [kollet'tivo] m. *collettivo di lavoro,* collectif de travail.

colletto [kol'letto] m. [parte di vestito] col. || LOC. FAM. *prendere qlcu. per il colletto,* prendre, saisir qn au collet.

collezionare [kollettsjo'nare] v. tr. collectionner.

collezione [kollet'tsjone] f. collection. | *far collezione di,* collectionner v. tr.

collimare [kolli'mare] v. intr. [combaciare] se toucher v. rifl. || FIG. [corrispondere] correspondre, s'accorder v. rifl., coïncider, concorder. | *le date non collimano,* les dates ne correspondent pas.

collina [kol'lina] f. colline.

collisione [kolli'zjone] f. collision.

1. collo ['kɔllo] m. ANAT. cou. || LOC. *portare qlcu. al collo,* porter qn dans ses bras. || FAM. *a rotta di collo,* à toute vitesse, à tout casser. | *gli affari vanno a rotta di collo,* les affaires vont de mal en pis. || [parte stretta] *collo di bottiglia,* col, goulot de bouteille. || ANAT. *collo del femore,* col du fémur. || [di camicia e maglione] col.

2. collo m. [pacco] colis. | *collo postale,* colis postal.

collocamento [kolloka'mento] m. [operazione] rangement. || [effetto] disposition f. || [posto di lavoro] situation f., place f. | *ufficio di collocamento,* bureau de placement.

collocare [kollo'kare] v. tr. ranger, placer, disposer.

collocazione [kollokat'tsjone] f. disposition, arrangement m.

colloquiare [kollo'kwjare] v. intr. converser, s'entretenir (avec).

colloquio [kol'lɔkwjo] (**-qui** pl.) m. entretien, entrevue f. | *chiedere, concedere un colloquio a qlcu.,* demander, accorder une entrevue à qn. || POL. [trattativa] dialogue, pourparler. | *i colloqui continuano,* le dialogue se poursuit.

colloso [kol'loso] agg. visqueux, gluant, collant.

collottola [kol'lɔttola] f. nuque. || FAM. *prendere qlcu. per la collottola,* prendre qn par la peau du cou.

colluttazione [kolluttat'tsjone] f. (lutte) corps à corps m.

colmare [kol'mare] v. tr. remplir jusqu'au bord. || [interrare] combler, boucher. | *colmare le buche di una strada,* combler les creux d'une route. || FIG. combler. | *colmare di gioia,* combler de joie. | *colmare una lacuna,* combler une lacune.

1. colmo ['kolmo] agg. rempli jusqu'au bord, tout plein, comble. | *la sala era colma,* la salle était comble.

2. colmo m. [il più alto grado] comble. | *il colmo del ridicolo,* le comble du ridicule.

colomba [ko'lomba] f. ZOOL. colombe. || FIG. oie blanche.

colombaccio [kolom'battʃo] (**-ci** pl.) m. ZOOL. (pigeon) ramier.

colombaia [kolom'baja] f. colombier m., pigeonnier m.

colombo [ko'lombo] m. ZOOL. pigeon.

1. colonia [ko'lɔnja] f. [in tutti i sensi] colonie.

2. colonia f. *acqua di Colonia,* eau de Cologne.

coloniale [kolo'njale] agg. colonial.

colonialismo [kolonja'lizmo] m. colonialisme.

colonico [ko'lɔniko] (**-ci** pl.) agg. rural. | *casa colonica,* maison rurale, ferme f.
colonizzare [kolonid'dzare] v. tr. coloniser.
colonizzazione [koloniddzat'tsjone] f. colonisation.
colonna [ko'lonna] f. [in tutti i sensi] colonne. || CIN. *colonna sonora,* piste sonore.
colonnato [kolon'nato] agg. orné de colonnes. ◆ m. ARCHIT., GEOL. colonnade f.
colonnello [kolon'nɛllo] m. colonel.
colonnetta [kolon'netta] f. DIM. colonnette. || [di distributore di benzina] pompe à essence.
colono [ko'lɔno] m. [coltivatore di una fattoria] fermier. || STOR. [abitante di una colonia] colon.
colorante [kolo'rante] agg. CHIM. colorant. ◆ m. colorant, couleur f.
colorare [kolo'rare] v. tr. colorer. || [con pastelli, acquarello, ecc.] colorier, peindre. ◆ v. rifl. se colorer. || [arrossire] rougir v. intr.
colorazione [kolorat'tsjone] f. [azione] coloration. || [risultato] couleur.
colore [ko'lore] m. couleur f. | *gamma di colori,* gamme de coloris. | *gente di colore,* gens de couleur. ◆ pl. [bandiera] couleurs f. pl. | *i colori nazionali,* les couleurs nationales.
colorificio [kolori'fitʃo] (**-ci** pl.) m. fabrique (f.) de colorants.
colorire [kolo'rire] v. tr. [ravvivare con colori] colorer, colorier. || FIG. [ornare] colorer, enluminer. | *colorire il discorso,* colorer son discours. ◆ medio intr. [acquistare colorito] prendre des couleurs.
colorito [kolo'rito] agg. coloré. colorié. ◆ m. [carnagione] teint, coloris, carnation f. | *colorito pallido, olivastro,* teint pâle, olivâtre.
coloro [ko'loro] pron. dim. m. pl. ceux-là, f. pl. celles-là. || [non specificato] ces gens-là. | *che chiedono, coloro?,* qu'est-ce qu'ils demandent, ces gens-là? || [antecedente di un pron. rel.] ceux, celles. | *andremo con coloro che partiranno per primi,* nous irons avec ceux qui partiront les premiers.
colosso [ko'lɔsso] m. [in tutti i sensi] colosse.
colpa ['kolpa] f. faute. | *sentirsi in colpa,* se sentir fautif. | *di chi è la colpa?,* à qui la faute? | *attribuire à qlcu. la colpa di qlco.,* attribuer à qn la responsabilité de qch.
colpevole [kol'pevole] agg. coupable, fautif. ◆ m. coupable.
colpevolezza [kolpevo'lettsa] f. culpabilité.
colpire [kol'pire] v. tr. PR. frapper, battre. || PR. e FIG. *colpire il bersaglio,* toucher la cible. || [con un'arma] frapper, blesser. || FIG. [affliggere] affecter, affliger, éprouver. | *il suo stato mi ha colpito,* son état m'a affecté. || [impressionare] frapper. | *sono rimasto colpito dalla sua bontà,* j'ai été frappé de sa bonté. || [provvedimenti] frapper. | *tassa che colpisce gli articoli di lusso,* taxe qui frappe les articles de luxe.
colpo ['kolpo] m. PR. e FIG. [in tutti i significati] coup. || [rumore] éclat. || POL. *colpo di Stato,* coup d'État. || FIG. *far colpo,* frapper, faire impression. || PROV. *dare un colpo al cerchio e uno alla botte,* ménager la chèvre et le chou.
colposo [kol'poso] agg. GIUR. par imprudence. | *omicidio colposo,* homicide par imprudence.
coltellaccio [koltel'lattʃo] (**-ci** pl.) m. coutelas.
coltellata [koltel'lata] f. coup (m.) de couteau.
coltelleria [koltelle'ria] f. coutellerie, industrie coutelière.
coltello [kol'tɛllo] m. couteau. || FIG. *avere il coltello dalla parte del manico,* être maître de la situation.
coltivare [kolti'vare] v. tr. AGR. cultiver. || FIG. *coltivare l'intelligenza,* cultiver son intelligence. | *coltivare un'amicizia,* cultiver une amitié. ◆ v. rifl. se cultiver.
coltivatore [koltiva'tore] (**-trice** f.) n. agriculteur, trice, cultivateur, trice. | *coltivatore diretto,* propriétaire-exploitant.
colto ['kɔlto] part. pass. e agg. V. COGLIERE.
coltre ['koltre] f. couverture. || [drappo funebre] drap (m.) mortuaire. || FIG. *coltre di neve,* manteau (m.) de neige, couche de neige.
coltura [kol'tura] f. culture.
colui [ko'lui] pron. dim. m. sing. celui-là. || [indeterminato] cet homme-là. | *che dice colui?,* qu'est-ce qu'il dit, cet homme-là? || [antecedente di un pron. rel.] celui. | *colui che parla,* celui qui parle.
coma ['kɔma] m. MED. coma.
comandamento [komanda'mento] m. REL. commandement.
comandante [koman'dante] m. commandant.
comandare [koman'dare] v. tr. [dare un ordine] ordonner, commander, enjoindre, imposer. | *ti comando di tacere,* je t'ordonne de te taire. | *cosa comanda?,* que désirez-vous? || AMM. [destinare] affecter, détacher.
comandato [koman'dato] part. pass. e agg. AMM. [di funzionario, impiegato]

affecté, détaché (de son poste, de sa résidence). || TECN. commandé.

comando [ko'mando] m. [ordine] ordre. || [funzione, potere] commandement. | *prendere il comando,* prendre le commandement. || AMM. [di funzionario, impiegato] affectation f., détachement. || TECN. commande par manivelle.

comare [ko'mare] f. ANTIQ. [madrina] marraine (L.C.). || FAM. [donna del vicinato chiacchierona] commère.

combaciare [komba'tʃare] v. intr. joindre, se toucher, fermer, s'ajuster (à). | *assi che combaciano male,* planches qui joignent mal.

combattente [kombat'tente] agg. e n. combattant.

combattere [kom'battere] v. intr. e tr. PR. e FIG. combattre.

combattimento [kombatti'mento] m. [soprattutto mil.] combat. || PR. e FIG. *mettere fuori combattimento,* mettre hors de combat.

combinare [kombi'nare] v. tr. combiner, conclure, arranger. || FAM. *che cosa stai combinando?,* qu'est-ce que tu fabriques? ◆ v. intr. [collimare] concorder, coïncider. | *i nostri punti di vista combinano,* nos points de vue concordent. ◆ medio intr. FAM. *come ti sei combinata?,* comment t'es-tu accoutrée? ◆ v. rifl. [accordarsi] se combiner, se mettre d'accord. | *combinarsi sul prezzo,* s'entendre sur le prix.

combinazione [kombinat'tsjone] f. [accostamento] combinaison. || FIG. [coincidenza] coïncidence, chance, hasard m. | *guarda che combinazione!,* quelle coïncidence!

combriccola [kɔm'brikkola] f. PEGG. e SCHERZ. clique, bande.

combustibile [kombus'tibile] agg. e m. combustible. | *olio combustibile,* fuel-oil (ingl.).

combustione [kombus'tjone] f. combustion. | *camera di combustione,* chambre de chauffe.

combutta [kom'butta] f. *essere in combutta con qlcu.,* être de mèche avec qn.

come ['kome] avv. [interr. dir. e ind.] comment. | *come sta?,* comment allez-vous? | *come mai?,* comment cela se fait-il? || [perché] pourquoi? | *non so come mai non ci sia,* je ne sais pas pourquoi il n'est pas là. || [paragone] que. | *mi piace così com'è,* je l'aime tel qu'il est. | *lavori come me,* tu travailles autant que moi. || [maniera] comme. | *è come ti dico,* c'est comme je te dis. || [quantità] comme, que. | *come è bello!,* que c'est beau! || [similitudine] comme. | *tremare come una foglia,* trembler comme une feuille. || [in qualità di] comme, pour, en, en tant que. | *è venuto da me come amico,* il est venu chez moi en ami. || [per così dire] comme. | *ho avuto come un presentimento,* j'ai eu comme un pressentiment. ◆ cong. [paragone] comme, que. | *non è tardi come pensavo,* il n'est pas si tard que je le pensais. || [maniera] comme. | *gli uni come gli altri,* les uns comme les autres. || [intensità] comme, combien. | *non mostrare come lo odi!,* ne montre pas combien tu le hais! || [tempo] dès que, aussitôt que, comme. | *come avrò sue notizie, ti telefonerò,* je te téléphonerai aussitôt que j'aurai de ses nouvelles. || [causa] (raro) comme, puisque, du moment que. | *come non ti interessava,* puisque cela ne t'intéressait pas. || LOC. *oggi come oggi,* aujourd'hui. | *Dio sa come,* Dieu sait comment. | *com'è, come non è,* tout à coup. ◆ m. comment. | *dimmi il come e il perché,* dis-moi le comment et le pourquoi. ◆ interiez. comment. | *come!, non lo sapevi?,* comment!, tu ne le savais pas?

cometa [ko'meta] f. comète.

comico ['kɔmiko] (**-ci** pl.) agg. comique, cocasse, drôle. ◆ m. [attore] comique. || [autore] auteur comique.

comignolo [ko'miɲɲolo] m. cheminée f.

cominciare [komin'tʃare] v. tr. commencer. || FIG. engager, aborder, entamer. | *cominciare una conversazione,* engager une conversation. ◆ v. intr. commencer.

comitato [komi'tato] m. comité.

comitiva [komi'tiva] f. bande, groupe m. || [seguito] suite, cortège m.

comizio [ko'mittsjo] (**-zi** pl.) m. meeting (ingl.). ◆ pl. STOR. comices.

commedia [kom'mɛdja] f. comédie.

commediante [komme'djante] n. ARC. comédien, enne (L.C.).

commemorare [kommemo'rare] v. tr. commémorer.

commemorazione [kommemorat'tsjone] f. commémoration. || REL. commémoraison.

commendatore [kommenda'tore] m. [in tutti i sensi] commandeur.

commensale [kommen'sale] n. commensal, dîneur. || [in uno banchetto] convive.

commentare [kommen'tare] v. tr. commenter, expliquer, illustrer.

commento [kom'mento] m. [in tutti i sensi] commentaire.

commerciale [kommer'tʃale] agg. [che ha rapporti con il commercio] commercial, de commerce. | *valore commerciale,* valeur marchande. | *città commerciale,* ville marchande.

commercialista [kommertʃa'lista] (**-ti** pl.) m. conseiller commercial.
commerciante [kommer'tʃante] agg. e n. commerçant, négociant, marchand.
commerciare [kommer'tʃare] v. intr. commercer, être dans le commerce, faire du commerce.
commercio [kom'mɛrtʃo] (**-ci** pl.) m. commerce.
1. commessa [kom'messa] f. COMM. commande, ordre m.
2. commessa f. [venditrice] vendeuse.
commesso [kom'messo] part. pass. V. COMMETTERE. ◆ m. commis, vendeur.
commestibile [kommes'tibile] agg. comestible. ◆ m. pl. comestibles.
commettere [kom'mettere] v. tr. commettre, faire. ‖ [incaricare di un lavoro, di vendere, ecc.] commissionner. ‖ COMM. commander. | *commettere una partita di stoffe,* commander un stock de tissus.
commiato [kom'mjato] m. [consenso a partire] congé. ‖ [saluto] adieu.
commilitone [kommili'tone] m. compagnon d'armes, camarade.
commiserare [kommize'rare] v. tr. plaindre, s'apitoyer (sur), compatir (à).
commiserazione [kommizerat'tsjone] f. commisération.
commissariato [kommissa'rjato] m. [in tutti i sensi] commissariat.
commissario [kommis'sarjo] (**-ri** pl.) m. commissaire.
commissionare [kommissjo'nare] v. tr. COMM. commander.
commissione [kommis'sjone] f. [incarico] commission. ‖ [spesa, acquisto] commission. ‖ [comitato, delegazione] commission, comité m. | *commissione d'inchiesta,* commission d'enquête. | COMM. commission, commande, ordre m. ‖ [compenso] commission, courtage m., remise.
commisurare [kommizu'rare] v. tr. [comparare] comparer, confronter, rapprocher. ‖ [adeguare] proportionner.
commosso [kom'mɔsso] part. pass. e agg. ému, touché.
commovente [kommo'vɛnte] agg. touchant, émouvant.
commozione [kommot'tsjone] f. émotion. ‖ [molto forte] commotion.
commuovere [kom'mwɔvere] v. tr. [toccare, intenerire] émouvoir, toucher, troubler. ◆ v. rifl. s'affecter, s'émouvoir, se troubler, être touché.
comò [ko'mɔ] m. commode f.
comodamente [komoda'mente] avv. [in modo comodo] confortablement. ‖ [lentamente] tranquillement, (tout) à loisir. ‖ [senza difficoltà] aisément.
comodare [komo'dare] v. intr. plaire, convenir.
comodino [komo'dino] m. table (f.) de nuit.
comodità [komodi'ta] f. inv. commodité f. ‖ [comodo] confort m. sing., aises f. pl.
comodo ['kɔmodo] agg. confortable. ‖ [di indumenti] commode. | [facile] facile, aisé. | *soluzione comoda,* solution commode. | FIG. [di persona] *non ha un carattere comodo!,* il n'est pas commode ! ‖ LOC. *mettiti comodo!,* mets-toi à ton aise ! | *stia comodo!,* ne vous dérangez pas ! ◆ m. [agio] confort, commodités f. pl. ‖ LOC. *mi fa comodo,* cela m'arrange. | *soluzione di comodo,* solution de facilité.
compaesano [kompae'zano] n. compatriote, pays (fam.).
compagine [kom'padʒine] f. organisation, équipe. | *compagine ministeriale,* équipe gouvernementale.
compagna [kom'paɲɲa] f. compagne, camarade.
compagnia [kompaɲ'ɲia] f. [azione di accompagnare, presenza] compagnie. | *fare compagnia à qlcu.,* tenir compagnie à qn. ‖ [gruppo] groupe m., compagnie. | *frequenta sempre la solita compagnia,* il fréquente toujours les mêmes gens. | *... e compagnia (bella),* ... et compagnie, ... et tout ce qui s'ensuit. ‖ [società] compagnie, société. | *compagnia d'assicurazioni,* compagnie d'assurances.
compagno [kom'paɲɲo] m. compagnon. ‖ [di scuola, giochi] camarade, copain (fam.). ‖ COMM. *ditta Bianchi e Compagni,* Maison Bianchi et Compagnie. ◆ agg. pareil, semblable.
companatico [kompa'natiko] (**-ci** pl.) m. ce qu'on mange avec le pain.
comparare [kompa'rare] v. tr. LETT. comparer (L.C.).
compare [kom'pare] m. parrain. ‖ témoin. ‖ PER EST. compère.
comparire [kompa'rire] v. intr. paraître, faire son apparition. ‖ GIUR. comparaître.
comparsa [kom'parsa] f. apparition. ‖ TEAT. [e per est. personaggio secondario] comparse n., figurant n.
compartecipare [kompartetʃi'pare] v. intr. participer.
compartimento [komparti'mento] m. compartiment. ‖ AMM. département.
compassato [kompas'sato] part. pass. e agg. FIG. compassé, affecté, guindé.
compassionare [kompassjo'nare] v. tr. plaindre.
compassione [kompas'sjone] f. compassion.

compassionevole [kompassjo'nevole] agg. compatissant. ‖ [lamentevole] piteux, pitoyable, lamentable.
compasso [kom'passo] m. compas.
compatibile [kompa'tibile] agg. [ammissibile] justifiable. ‖ [consigliabile] compatible.
compatimento [kompati'mento] m. compassion f., commisération f.
compatire [kompa'tire] v. tr. plaindre, avoir compassion (de), compatir (à). ‖ [tollerare] tolérer, excuser, pardonner. ◆ v. recipr. se supporter, se tolérer.
compatriot(t)a [kompatri'ɔ(t)ta] (**-ti** pl.) n. compatriote, pays (fam.).
compattezza [kompat'tettsa] f. compacité. ‖ FIG. solidarité.
compatto [kom'patto] agg. compact. ‖ [poco liquido] épais.
compendiare [kompen'djare] v. tr. condenser, abréger, résumer. ◆ v. rifl. se résumer.
compendio [kom'pɛndjo] (**-di** pl.) m. condensé, précis, abrégé, raccourci.
compenetrare [kompene'trare] v. tr. e intr. PR. e FIG. pénétrer. ◆ v. rifl. se pénétrer.
compensare [kompen'sare] v. tr. [retribuire] rétribuer, rémunérer. ‖ [di danni] dédommager. ‖ [équilibrare] compenser. ◆ v. rifl. se compenser.
compensato [kompen'sato] part. pass. e agg. V. COMPENSARE. ‖ TECN. *(legno) compensato,* (bois) contre-plaqué.
compenso [kom'pɛnso] m. [risarcimento] compensation f., dédommagement. ‖ [contropartita, contraccambio] échange, contrepartie f., compensation f. ‖ [ricompensa] récompense f. ‖ [remunerazione] rémunération f., payement. | *dietro compenso,* contre payement.
compera ['kompera] f. achat m., emplette.
comperare [kompe'rare] v. tr. = COMPRARE.
competenza [kompe'tentsa] f. compétence.
competere [kom'pɛtere] v. intr. [gareggiare] rivaliser (de), concurrencer v. tr., concourir. ‖ [riguardare] être de la compétence (de). ‖ [spettare] être dû. | *gli darò quello che gli compete,* je lui donnerai ce qui lui est dû.
competizione [kompetit'tsjone] f. compétition.
compiacente [kompja'tʃɛnte] agg. complaisant, obligeant.
compiacenza [kompja'tʃɛntsa] f. [amabilità, gentilezza] complaisance, amabilité, obligeance. ‖ [soddisfazione] satisfaction, contentement m., complaisance.
compiacere [kompja'tʃere] v. intr. [soddisfare] complaire (à), satisfaire. ◆ v. intr. rifl. [provare compiacimento] se plaire, se complaire. ‖ [degnarsi] daigner v. tr. | *si compiacque di ascoltarci,* il daigna nous écouter.
compiacimento [kompjatʃi'mento] m. [soddisfazione] complaisance f., satisfaction f., contentement.
compiangere [kom'pjandʒere] v. tr. plaindre. ‖ [di cosa] regretter.
compianto [kom'pjanto] part. pass. di COMPIANGERE e agg. regretté. ◆ m. [cordoglio] chagrin, peine f., douleur f.
compiere ['kompiere] v. tr. [realizzare] accomplir, faire, exécuter. | [perpetrare] commettre. | *compiere un crimine,* commettre, perpétrer un crime. ‖ LOC. *oggi compio gli anni,* aujourd'hui c'est mon anniversaire. ◆ v. intr. [aver luogo] avoir lieu. ‖ FIG. s'accomplir, se réaliser.
compilare [kompi'lare] v. tr. compiler. ‖ [redigere] dresser. | *compilare un elenco,* dresser une liste. ‖ [riempire] remplir. | *compilare un modulo,* remplir un formulaire.
compimento [kompi'mento] m. [realizzazione] accomplissement, exécution f. ‖ [conclusione].
compitare [kompi'tare] v. tr. épeler.
1. compito [kom'pito] part. pass. di COMPIRE e agg. poli.
2. compito ['kompito] m. tâche f., devoir. | *è compito mio, tuo,* c'est à moi, à toi (de). ‖ [foglio del compito] copie f.
compiutamente [kompjuta'mente] avv. complètement.
compiuto [kom'pjuto] part. pass. di COMPIERE e agg. accompli.
compleanno [komple'anno] m. anniversaire.
complemento [komple'mento] m. [in tutti i sensi] complément.
complessità [komplessi'ta] f. complexité.
complessivo [komples'sivo] agg. [intero] global, total. | *giudizio complessivo,* jugement d'ensemble.
complesso [kom'plɛsso] agg. complexe, compliqué. ◆ m. [totalità] ensemble. | *nel complesso,* dans l'ensemble, somme toute. f. ‖ PSIC. complexe.
completamente [kompleta'mente] avv. tout à fait.
completare [komple'tare] v. tr. compléter, achever, parachever. ◆ v. rifl. se compléter.
completo [kom'plɛto] agg. PR. e FIG. complet. ◆ m. [indumento] complet, costume.

complicare [kompli'kare] v. tr. compliquer, emmêler. ◆ v. rifl. se compliquer.
complicazione [komplikat'tsjone] f. complication.
complice ['komplitʃe] agg. complice. ◆ m. complice, compère (fam.).
complicità [komplitʃi'ta] f. complicité, connivence.
complimentare [komplimen'tare] v. tr. complimenter, féliciter. ◆ v. rifl. (con) complimenter v. tr., féliciter v. tr., se congratuler. | *complimentarsi con qlcu. per qlco.,* féliciter qn de qch.
complimento [kompli'mento] m. [congratulazioni] compliment, félicitation f., congratulation f. (antiq.). || [cerimonie] cérémonie f., façon f. | *fare complimenti,* faire des cérémonies, des manières.
complottare [komplot'tare] v. tr. e intr. comploter, conspirer.
complotto [kom'plɔtto] m. complot.
componente [kompo'nɛnte] agg. CHIM. composant, élément. ◆ m. [membro] membre.
componimento [komponi'mento] m. [lavoro letterario] pièce f. || GIUR. [accordo] composition f., accommodement.
comporre [kom'porre] v. tr. PR. composer. || [conciliare] concilier, ajuster. || MUS. écrire.
comportamento [komporta'mento] m. [di persone] comportement, tenue f., conduite f.
comportare [kompor'tare] v. tr. [ammettere] comporter, admettre. | *tale regola non comporta eccezioni,* cette règle n'admet pas d'exceptions. || [implicare] comporter, entraîner. | *questo non comporta nessun obbligo,* cela n'engage à rien. ◆ v. rifl. se conduire, se comporter, agir v. intr. | *comportarsi sfacciatamente,* agir cavalièrement.
composito [kom'pɔzito] agg. ARCHIT. e FIG. composite.
compositore [kompozi'tore] (**-trice** f.) n. MUS., TIP. compositeur, trice.
composizione [kompozit'tsjone] f. composition. || [conciliazione] arrangement m., conciliation.
composta [kom'posta] f. AGR. [concime] compost m. || CULIN. [frutta] compote.
compostezza [kompos'tettsa] f. bonne tenue. || FIG. mesure, sobriété.
composto [kom'posto] part. pass. di COMPORRE e agg. composé. || LOC. *stare composto,* se tenir bien. ◆ m. composé, mélange. || FIG. ensemble.
compra ['kompra] f. = COMPERA.
comprare [kom'prare] v. tr. PR. e FIG. acheter, acquérir (lett.).
compratore [kompra'tore] (**-trice** f.) n. acheteur, euse.
compravendita [kompra'vendita] f. COMM. achat (m.) et vente.
comprendere [kom'prɛndere] v. tr. comprendre, se composer (de), être composé (de). || [includere] inclure. | *servizio compreso,* service compris. || FIG. [capire, afferrare] comprendre, saisir, réaliser. || [rendersi conto] comprendre, concevoir. | *capiamo le sue difficoltà,* nous nous rendons compte de vos difficultés. ◆ v. rifl. recipr. se comprendre, s'entendre.
comprensione [kompren'sjone] f. compréhension, intelligence.
comprensivo [kompren'sivo] agg. compréhensif.
compreso [kom'preso] part. pass. di COMPRENDERE e agg. compris. || FIG. [preso, afferrato] pris, pénétré. | *compreso nel lavoro,* pris par son travail.
compressa [kom'prɛssa] f. MED. compresse. || FARM. comprimé m.
compressione [kompres'sjone] f. compression.
comprimere [kom'primere] v. tr. comprimer, réprimer, contenir.
compromesso [kompro'messo] part. pass. di COMPROMETTERE. ◆ m. compromis. | *scendere a un compromesso,* consentir à un compromis.
compromettere [kompro'mettere] v. tr. compromettre.
comproprietà [komproprje'ta] f. inv. copropriété.
comproprietario [komproprje'tarjo] (**-ri** pl.) n. copropriétaire.
comprovare [kompro'vare] v. tr. prouver, établir, démontrer.
compunto [kom'punto] agg. [addolorato] chagriné. || [con compunzione] d'un air de componction.
compunzione [kompun'tsjone] f. componction.
computare [kompu'tare] v. tr. calculer. || FIG. [addebitare] attribuer, faire peser (sur). || COMM. débiter.
computo ['kɔmputo] m. calcul, chiffrage, chiffrement, compte, supputation f.
comunale [komu'nale] agg. communal, municipal.
comunanza [komu'nantsa] f. [stato di ciò che è comune] communauté, indivision.
comune [ko'mune] agg. commun. | *far causa comune,* faire cause commune. | *è un caso molto comune,* c'est un cas très banal. | *gente comune,* des gens quelconques. || GR. *nome comune,* nom commun. ◆ m. commun. | *fuori del comune,* hors du commun. || AMM. commune f., municipalité f. || *la*

Camera dei comuni, la Chambre des communes. ◆ *in comune,* en commun.

comunicare [komuni'kare] v. tr. [trasmettere] communiquer, transmettre. || [divulgare] propager, donner communication (de). || [far parte] faire part (de). ◆ v. intr. communiquer. ◆ medio intr. [propagarsi] se communiquer, se répandre, se propager.

comunicarsi [komuni'karsi] v. rifl. communier v. intr. | *si è comunicato a Pasqua,* il a communié à Pâques.

comunicativa [komunika'tiva] f. *avere poca comunicativa,* être peu communicatif.

comunicato [komuni'kato] m. communiqué.

comunicazione [komunikat'tsjone] f. communication.

comunione [komu'njone] f. communion. || GIUR. *proprietà in comunione,* indivision.

comunismo [komu'nizmo] m. communisme.

comunista [komu'nista] (**-i** pl.) agg. e n. communiste.

comunità [komuni'ta] f. inv. communauté f.

comunque [ko'munkwe] avv. [in ogni modo] quoi qu'il en soit ; de toute façon, quand même. | *sarò comunque presente anch'io,* de toute façon moi aussi je serai là. || [correlativo] de quelque façon que, quoi que. | *comunque sia,* quoi qu'il en soit. ◆ cong. [tuttavia] de toute façon, quand même.

con [kon] prep. [compagnia, unione] avec. | *vieni con me !,* viens avec moi ! || [strumento] avec. | *aprire una scatola con un coltello,* ouvrir une boîte avec un couteau. || [mezzo] par. | *viaggiare con il treno,* voyager par le train. | *lo ha ottenuto con il ricatto,* il l'a obtenu par un chantage. || LOC. *pescare con la lenza,* pêcher à la ligne. || [maniera] avec. | *con gioia,* avec joie. || [simultaneità] avec. | *alzarsi con l'alba,* se lever avec le jour. || [condizioni atmosferiche] par. | *con questo freddo,* par le froid qu'il fait. || [stato] *ritornare con le mani vuote,* revenir les mains vides. || [avversativo] malgré. | *con tutto questo,* malgré cela. || [verso, contro] *agire bene con qlcu.,* bien agir envers qn. | *essere arrabbiato con qlcu.,* être fâché contre qn. || [davanti ad un infin.] en (+ ger.). | *con l'insistere, si ottiene tutto,* en insistant, on obtient tout. || *cominciare con, finire con,* commencer par, finir par. || USI PARTICOL. *con l'intenzione di,* dans l'intention de. | *prendere qlcu. con le buone,* prendre qn par la douceur. | *con voce alta,* à haute voix. | *con mia grande gioia,* à ma grande joie.

conca ['konka] (**-che** pl.) f. cuve. || [vasca] bassin m. || GEOGR. cuvette, vallée.

concatenare [konkate'nare] v. tr. [coordinare, collegare] enchaîner, coordonner. ◆ v. rifl. recipr. s'enchaîner. ◆ m. *il concatenarsi degli avvenimenti,* l'enchaînement des événements.

concedere [kon'tʃɛdere] v. tr. [accordare, permettere] concéder, accorder, consentir, autoriser. | *concedere la grazia a qlcu.,* octroyer la grâce à qn. | *mi conceda di dirle che ...,* permettez-moi de vous dire que ... || LOC. *dato e non concesso che ...,* à supposer que ... ◆ v. rifl. se donner.

concentramento [kontʃentra'mento] m. concentration f.

concentrare [kontʃen'trare] v. tr. concentrer. ◆ v. rifl. se concentrer.

concentrazione [kontʃentrat'tsjone] f. [in tutti i sensi] concentration.

concepimento [kontʃepi'mento] m. PR. e FIG. conception f.

concepire [kontʃe'pire] v. tr. concevoir. || [comprendere] concevoir, comprendre, admettre.

conceria [kontʃe'ria] f. [stabilimento] tannerie. || [tecnica] art (m.) du tannage.

concernere [kon'tʃɛrnere] v. tr. concerner, intéresser, regarder, toucher.

concertare [kontʃer'tare] v. tr. PR. e FIG. concerter. ◆ v. rifl. recipr. se concerter, s'accorder.

concertato [kontʃer'tato] part. pass. e agg. PR. e FIG. concerté, fixé, établi, convenu. | *un piano ben concertato,* un plan bien concerté.

concertazione [konʃertat'tsjone] f. orchestration.

concerto [kon'tʃɛrto] m. PR. e FIG. concert. || MUS. [composizione] concerto. || *di concerto,* de concert, ensemble.

concessionario [kontʃessjo'narjo] (**-ri** pl.) agg. e m. COMM. concessionnaire. | *società concessionaria,* société exploitante.

concessione [kontʃes'sjone] f. PR. e FIG. concession.

concetto [kon'tʃɛtto] m. [pensiero] concept, idée f. || [opinione] conception f., opinion f. | *farsi un concetto di qlco.,* se faire une opinion de qch.

concettuale [kontʃettu'ale] agg. conceptuel.

concezione [kontʃet'tsjone] f. conception.

conchiglia [kon'kiʎʎa] f. coquillage m. || [involucro] coquille.

concia ['kontʃa] (**-ce** pl.) f. [trattamento delle pelli] tannage m. || [trattamento del tabacco] traitement m. || [sostanza] tan m.

conciare [kon'tʃare] v. tr. [di pelli] tanner. || [di cuoio] corroyer. || [di tabacco] traiter. || FIG. [ridurre male] malmener. | *lo ha conciato per le feste!*, il l'a drôlement arrangé ! || [vestire male] IRON. affubler.

conciatetti [kontʃa'tetti] m. inv. couvreur m.

conciatura [kontʃa'tura] f. [di pelli] tannage m. || [di cuoio] corroyage m., corroierie f.

conciliante [kontʃi'ljante] agg. conciliant, arrangeant, accommodant.

1. conciliare [kontʃi'ljare] agg. REL. conciliaire.

2. conciliare v. tr. PR. e FIG. concilier. ◆ v. rifl. [venire ad un accordo] s'accorder. ◆ v. recipr. s'accorder. | *caratteri che si conciliano male*, caractères qui s'accordent mal.

conciliazione [kontʃiljat'tsjone] f. PR. e FIG. conciliation. || STOR. [tra Italia e Santa Sede] traité (m.) du Latran.

concilio [kon'tʃiljo] (**-li** pl.) m. REL. concile.

concimare [kontʃi'mare] v. tr. [con letame] fumer. || [con concimi artificiali] mettre des engrais, engraisser, amender.

concime [kon'tʃime] m. fumier, engrais, fertilisant.

concisione [kontʃi'zjone] f. concision.

concitamento [kontʃita'mento] m. excitation f., agitation f.

concitare [kontʃi'tare] v. tr. LETT. exciter (L.C.). || [sollevare] soulever (L.C.).

concitazione [kontʃitat'tsjone] f. excitation, agitation. || [molto forte] surexcitation.

concittadino [kontʃitta'dino] (**-a** f.) n. concitoyen, enne ; compatriote.

conclave [kon'klave] m. conclave.

concludente [konklu'dɛnte] agg. [convincente] concluant, probant, convaincant.

concludere [kon'kludere] v. tr. [condurre a buon termine] conclure. | *concludere affari*, faire des affaires. || [concretare] concrétiser, réaliser, aboutir (à). | *conclude poco o nulla*, il ne fait pas grand-chose. || [trarre a conseguenza] conclure, déduire. | *ne concludo che*, j'en déduis que. ◆ v. intr. [terminare] se terminer v. rifl.

conclusione [konklu'zjone] f. conclusion, épilogue m.

conclusivo [konklu'zivo] agg. décisif, conclusif, définitif. || [di conclusione] dernier, final.

concordante [konkor'dante] agg. concordant, correspondant, conforme. || [unanime] unanime.

concordanza [konkor'dantsa] f. [conformità] concordance, conformité, correspondance. || GR., MUS. accord m.

concordare [konkor'dare] v. tr. [accordare] concilier, mettre d'accord. || [convenire su] convenir (de), se mettre d'accord (sur). || GR. accorder. ◆ v. intr. [persone] tomber, être d'accord. | *concordiamo su molti punti*, nous sommes d'accord sur bien des points. || [cose] s'accorder, concorder.

concordato [konkor'dato] m. COMM., GIUR., REL. concordat.

concorde [kon'kɔrde] agg. [unanime] unanime. | *la decisione fu concorde*, la décision fut unanime. || [di persona, consenziente] d'accord. | *essere concordi con qlcu.*, être d'accord avec qn. || [di cosa, conforme] concordant.

concordia [kon'kɔrdja] f. concorde, entente.

concorrente [konkor'rɛnte] agg. concurrent. || GEOM. concourant. ◆ n. concurrent, e.

concorrenza [konkor'rɛntsa] f. [competizione] concurrence. || [affluenza] affluence, concours m. | *una grande concorrenza di pubblico*, un grand concours de public.

concorrere [kon'korrere] v. intr. concourir.

concorso [kon'korso] m. [in tutti i significati] concours.

concretare [konkre'tare] v. tr. concrétiser, réaliser, matérialiser. || [concludere] conclure. ◆ v. rifl. se concrétiser, se réaliser. || [concludersi] aboutir (à).

concretezza [konkre'tettsa] f. concret m., positivité, réalisme.

concretizzare [konkretid'dzare] v. tr. = CONCRETARE.

concreto [kon'krɛto] agg. concret. ◆ m. concret. || LOC. *venire al concreto*, en venir aux faits. | *in concreto*, en pratique.

concubina [konku'bina] f. concubine.

concupiscenza [konkupiʃ'ʃɛntsa] f. concupiscence.

condanna [kon'danna] f. PR. e FIG. condamnation. || FIG. désaveu m., blâme m., réprobation.

condannare [kondan'nare] v. tr. PR. e FIG. condamner. ◆ v. rifl. se condamner.

condannato [kondan'nato] part. pass., agg. e n. condamné.

condensamento [kondensa'mento] m. FIS. e FIG. condensation f.

condensare [konden'sare] v. tr. condenser. || FIG. condenser, concentrer. ◆ v. rifl. se condenser.

condensato [konden'sato] m. condensé, précis.

condensazione [kondensat'tsjone] f. FIS., TECN., FIG. condensation.

condimento [kondi'mento] m. assaisonnement.
condire [kon'dire] v. tr. assaisonner. || FIG. relever, agrémenter.
condirezione [kondiret'tsjone] f. codirection.
condiscendenza [kondiʃʃen'dɛntsa] f. condescendance, indulgence, complaisance.
condiscendere [kondiʃ'ʃendere] v. intr. condescendre.
condiscepolo [kondiʃ'ʃepolo] n. condisciple.
condividere [kondi'videre] v. tr. partager.
condizionale [kondittsjo'nale] agg. conditionnel. ◆ m. GR. conditionnel. ◆ f. GIUR. sursis m.
condizionamento [kondittsjona'mento] m. conditionnement.
condizionare [kondittsjo'nare] v. tr. PR. e FIG. conditionner.
condizione [kondit'tsjone] f. [rango, posizione sociale] condition, rang m., état m. | *gente di umile condizione,* gens de modeste condition. || [stato] condition, état m. | *macchina in buone condizioni,* voiture en bon état. || [requisito, richiesto] condition. | *ad una condizione,* à une condition. || LOC. *essere in condizioni di,* être en état de.
condoglianze [kondoʎ'ʎantse] f. pl. condoléances.
condominio [kondo'minjo] (**-ni** pl.) m. copropriété f. | *abitare in un condominio,* habiter une maison en copropriété.
condomino [kon'dɔmino] n. GIUR. copropriétaire.
condonare [kondo'nare] v. tr. remettre une peine ; pardonner.
condono [kon'dono] m. GIUR. remise f., rémission f. | *condono di una pena, di un debito,* remise d'une peine, d'une dette.
condotta [kon'dotta] f. [comportamento] conduite, comportement m. | *la sua condotta è sospetta,* son comportement est suspect. || [direzione] conduite, direction. || MED. [ufficio medico o veterinario a carico dei comuni] poste (m.) de médecin dans le service de santé et circonscription du service. || TECN. [per acque] conduite.
condotto [kon'dotto] m. TECN. conduit ; caniveau.
conducente [kondu'tʃɛnte] m. [chi conduce] conducteur. || [di auto] chauffeur.
condurre [kon'durre] v. tr. [guidare, accompagnare] conduire, mener, amener. || [dirigere] conduire, mener, diriger. | *condurre un affare,* mener une affaire. || FIG. mener. || [indurre] amener, porter. | *ciò mi conduce a pensare che ...,* cela m'amène à penser que ...
conduttività [konduttivi'ta] f. ELETTR. conductivité. || FIS., FISIOL. conductibilité.
conduttura [kondut'tura] f. TECN. [per acqua, gas, ecc.] conduite. || [insieme di condotti] canalisation.
conduzione [kondut'tsjone] f. FIS., ELETTR. conduction.
confabulare [konfabu'lare] v. intr. parler. || comploter.
confabulazione [konfabulat'tsjone] f. parlote.
confacente [konfa'tʃente] agg. convenable, approprié.
confarsi [kon'farsi] v. medio intr. [adattarsi] s'adapter, convenir, aller. || [giovare] convenir. | *questo clima mi confà,* ce climat me fait du bien.
confederare [konfede'rare] v. tr. confédérer. ◆ v. rifl. se confédérer.
confederazione [konfederat'tsjone] f. confédération.
conferenza [konfe'rɛntsa] f. conférence.
conferenziere [konferen'tsjɛre] m. conférencier.
conferire [konfe'rire] v. tr. [dare] conférer, décerner, accorder, remettre, donner. | *conferire un premio,* décerner un prix. | *conferire il grado di generale,* conférer le grade de général. ◆ v. intr. [intrattenersi] (con) conférer (avec), entretenir v. tr., s'entretenir (avec). | *conferire con qlcu. su qlco.,* conférer avec qn sur qch., entretenir qn de qch., s'entretenir avec qn de qch. || [giovare] convenir.
conferma [kon'ferma] f. confirmation. | *dar conferma di qlco.,* donner confirmation de qch.
confermare [konfer'mare] v. tr. confirmer. || FIG. affermir, fortifier.
confessare [konfes'sare] v. tr. avouer. | *confessare la propria ignoranza,* confesser son ignorance. ◆ v. rifl. [riconoscersi] s'avouer, se reconnaître. | *confessarsi colpevole,* s'avouer, se reconnaître coupable. || REL. se confesser.
confessionale [konfessjo'nale] agg. confessionnel. ◆ m. confessionnal.
confessione [konfes'sjone] f. [ammissione] aveu m. || REL. confession.
confessore [konfes'sore] m. confesseur.
confetteria [konfette'ria] f. [negozio] confiserie.
confettiere [konfet'tjɛre] m. confiseur.
confetto [kon'fɛtto] m. dragée f.
confettura [konfet'tura] f. confiture.
confezionare [konfettsjo'nare] v. tr. confectionner.

confezione [konfet'tsjone] f. confection. | *confezione di un pacco, di un vestito,* confection d'un paquet, d'un vêtement. || *confezione regalo,* paquet-cadeau.

conficcare [konfik'kare] v. tr. [far penetrare] enfoncer, ficher, planter. ◆ v. rifl. s'enfoncer.

confidare [konfi'dare] v. tr. confier. ◆ v. medio intr. se confier (à), se livrer. | *confidarsi con qlcu.,* se confier à qn. ◆ v. intr. [aver fiducia] s'en remettre (à), avoir confiance (en), se fier (à), reposer (sur). | *confidare solo nelle proprie forze,* ne compter que sur ses forces. || [sperare] espérer. ◆ v. recipr. se confier.

confidente [konfi'dɛnte] m. confident. || PEGG. [che informa la polizia] informateur, indicateur.

confidenza [konfi'dentsa] f. [familiarità] familiarité. | *essere in confidenza con qlcu.,* être intime avec qn. || [rivelazione] confidence.

confidenziale [konfiden'tsjale] agg. confidentiel. ◆ *in via confidenziale,* confidentiellement.

configgere [kon'fiddʒere] v. tr. [affondare] enfoncer, ficher.

configurare [konfigu'rare] v. tr. configurer, représenter.

confinante [konfi'nante] agg. avoisinant, limitrophe. ◆ n. voisin.

confinare [konfi'nare] v. intr. confiner (à, avec). ◆ v. tr. [relegare] confiner, reléguer. ◆ v. rifl. se confiner, s'isoler, se retirer, s'enfermer.

confine [kon'fine] m. [frontiera] frontière f., limite f. | *linea di confine,* ligne de démarcation f. ◆ pl. PR. e FIG. [parte estrema] confins, limites f. pl., bornes f. || FIG. *passare i confini,* dépasser les bornes.

confino [kon'fino] m. GIUR. relégation. | *condannare al confino,* reléguer v. tr.

confiscare [konfis'kare] v. tr. confisquer, mettre l'embargo (sur).

conflitto [kon'flitto] m. conflit.

confluente [konflu'ɛnte] agg. confluent, convergent. ◆ m. GEOGR. [affluente] confluent, affluent.

confluenza [konflu'ɛntsa] f. confluence, confluent m. || FIG. convergence.

confluire [konflu'ire] v. intr. PR. e FIG. confluer.

confondere [kon'fondere] v. tr. [mescolare] confondre, mêler, mélanger. || [scambiare] confondre, prendre (pour). | *confondere una persona con un'altra,* prendre une personne pour une autre. || [umiliare] confondre, humilier, mortifier. || [sconcertare] confondre, étonner. | *la tua generosità mi confonde,* ta générosité me confond. || ASSOL. confondre, se tromper. ◆ v. intr. [mescolarsi] se confondre, se mêler, se mélanger, se brouiller, s'embrouiller v. rifl.

conformare [konfor'mare] v. tr. PR. e FIG. conformer, accorder. ◆ v. rifl. se conformer, s'accorder, s'aligner (sur).

conformazione [konformat'tsjone] f. conformation.

conformista [konfor'mista] (-**i** pl. m.) agg. e n. conformiste.

conformità [konformi'ta] f. PR. e FIG. conformité.

confortare [konfor'tare] v. tr. encourager, réconforter. || [consolare] consoler. || [avvalorare] confirmer, appuyer. | *la tua opinione conforta la mia tesi,* ton opinion appuie ma thèse. ◆ v. rifl. se réconforter, se réjouir.

confortevole [konfor'tevole] agg. [comodo] confortable. || [che conforta] réconfortant.

conforto [kon'fɔrto] m. [consolazione] consolation f., réconfort, soulagement. || [comodità] confort.

confratello [konfra'tɛllo] m. confrère.

confraternita [konfra'tɛrnita] f. confrérie.

confrontare [konfron'tare] v. tr. comparer, confronter.

confronto [kon'fronto] m. comparaison f., confrontation f. | *reggere il, al confronto,* soutenir la comparaison. ◆ loc. prep. *a confronto di,* en comparaison de. | *in confronto a,* par comparaison avec. | *nei confronti di,* à l'égard de. ◆ loc. avv. *in confronto,* par comparaison.

confusionario [konfuzjo'narjo] (-**ri** pl.) agg. e m. brouillon.

confusione [konfu'zjone] f. confusion, fouillis m., pagaille, m., pêle-mêle m. inv. || [chiasso, tumulto] tumulte m., cohue, vacarme m. || [turbamento, imbarazzo] confusion, trouble m., embarras m. || [azione di confondere] confusion, méprise, erreur. | *ho fatto confusione,* je me suis mépris.

confuso [kon'fuzo] part. pass. di CONFONDERE e agg. confus, indistinct, désordonné. || [mescolato] confondu, mêlé, mélangé. | *confuso tra la folla,* perdu dans la foule. || [imbarazzato] confus, embarrassé.

confutare [konfu'tare] v. tr. réfuter.

congedare [kondʒe'dare] v. tr. congédier. || [mandare via] éconduire, licencier, renvoyer. ◆ v. rifl. prendre congé.

congedo [kon'dʒɛdo] m. congé. || renvoi.

congegnare [kondʒeɲ'ɲare] v. tr. agencer.

congegno [kon'dʒeɲɲo] m. mécanisme, dispositif. || [modo di congegnare] agencement.

congelamento [kondʒela'mento] m. congélation f.
congelare [kondʒe'lare] v. tr. congeler ; frigorifier. || ECON. geler. ◆ v. intr. se congeler v. rifl., geler.
congeniale [kondʒe'njale] agg. approprié, fait pour. | *argomento che mi è congeniale,* sujet fait pour moi.
congenito [kon'dʒɛnito] agg. [in tutti i sensi] congénital.
congestionare [kondʒestjo'nare] v. tr. congestionner. || [circolazione] embouteiller.
congestione [kondʒes'tjone] f. congestion. || [intralcio] encombrement m., embouteillage m.
congettura [kondʒet'tura] f. conjecture.
congetturare [kondʒettu'rare] v. tr. conjecturer.
congiungere [kon'dʒundʒere] v. tr. [porre in contatto] joindre. || [collegare] relier. ◆ v. rifl. [unirsi] se rejoindre, s'embrancher (sur). || AMM. *congiungersi in matrimonio,* se marier.
congiungimento [kondʒundʒi'mento] m. jonction f.
congiuntamente [kondʒunta'mente] avv. conjointement, concurremment.
congiuntivo [kondʒun'tivo] agg. GR. conjonctif. ◆ m. GR. subjonctif.
congiunto [kon'dʒunto] n. [parente] parent par alliance. ◆ pl. proches parents.
congiuntura [kondʒun'tura] f. conjoncture. || ANAT., TECN. jointure.
congiunzione [kondʒunt'tsjone] f. jonction. || ASTR., GR. conjonction.
congiura [kon'dʒura] f. conjuration, conspiration, complot m.
congiurare [kondʒu'rare] v. intr. conspirer, comploter, conjurer v. tr. || FIG. se conjurer, conspirer.
congiurato [kondʒu'rato] m. conjuré, conspirateur.
conglobare [konglo'bare] v. tr. englober.
conglomerato [konglome'rato] m. COSTR. aggloméré. || GEOL., TECN. conglomérat. || FIG. agglomération f.
congratularsi [kongratu'larsi] v. medio intr. (con) féliciter v. tr., complimenter v. tr.
congratulazione [kongratulat'tsjone] f. félicitation, compliment m., congratulation.
congregazione [kongregat'tsjone] f. congrégation.
congresso [kon'grɛsso] m. [in tutti i sensi] congrès.
congruo ['kɔngruo] agg. convenable.
conguaglio [kon'gwaʎʎo] (**-gli** pl.) m. AMM. égalisation f. | *riscuotere il conguaglio dello stipendio,* toucher son rappel de traitement. || COMM. balance f. || LOC. *a conguaglio,* pour solde. || FIN. *conguaglio tributario,* charge fiscale complémentaire.
coniare [ko'njare] v. tr. [di monete] frapper. || FIG. forger, créer.
coniatura [konja'tura] o **coniazione** [konjat'tsjone] f. frappe.
conico ['kɔniko] (**-ci** pl.) agg. conique.
conifera [ko'nifera] f. conifère.
conifero [ko'nifero] agg. conifère.
coniglio [ko'niʎʎo] (**-gli** pl.) m. ZOOL. lapin.
conio ['kɔnjo] (**-ni** pl.) m. [moneta] frappe f. || PER. EST. *vocabolo di nuovo conio,* mot de formation récente. || TECN. coin.
coniugare [konju'gare] v. tr. conjuguer. ◆ v. rifl. [unirsi in matrimonio] se marier. || GR. se conjuguer.
coniugato [konju'gato] part. pass. e agg. [sposato] marié. || GR. conjugué. ◆ n. marié.
coniugazione [konjugat'tsjone] f. BIOL., GR. conjugaison.
coniuge ['kɔnjudʒe] m. époux. || GIUR. conjoint.
connaturato [konnatu'rato] agg. invétéré, devenu comme une seconde nature.
connazionale [konnat'tsjonale] agg. e n. concitoyen, enne ; compatriote.
connessione [konnes'sjone] f. connexité. || FIG. connexion, liaison, relation.
connettere [kon'nɛttere] v. tr. joindre, unir. || FIG. associer, relier, enchaîner.
connivenza [konni'vɛntsa] f. connivence.
connotati [konno'tati] m. pl. signalement sing.
connubio [kon'nubjo] (**-bi** pl.) m. mariage, union f., association f.
cono ['kɔno] m. cône. || PER ANAL. *cono (di) gelato,* cornet de glace.
conoscente [konoʃ'ʃɛnte] n. [persona] connaissance f., relation f.
conoscenza [konoʃ'ʃɛntsa] f. [azione di conoscere] connaissance. | *far conoscenza,* faire connaissance. || LOC. *essere a conoscenza di ...,* avoir connaissance de. || [persona conosciuta] connaissance, relation. || FIG. [coscienza] connaissance. | *perdere conoscenza,* s'évanouir. ◆ pl. connaissances, savoir m. sing.
conoscere [ko'noʃʃere] v. tr. [in tutti i sensi] connaître. ◆ v. rifl. e recipr. se connaître.
conoscitivo [konoʃʃi'tivo] agg. cognitif.
conoscitore [konoʃʃi'tore] (**-trice** f.) agg. e n. connaisseur, euse.
conosciuto [konoʃ'ʃuto] part. pass. V. CONOSCERE. ◆ agg. connu, fameux, renommé, célèbre.

conquista [kon'kwista] f. [in tutti i sensi] conquête.
conquistare [konkwis'tare] v. tr. Pr. e Fig. conquérir.
conquistatore [konkwista'tore] (**-trice** f.) agg. conquérant. ◆ m. conquérant.
consacrare [konsa'krare] v. tr. consacrer. || Rel. ordonner, sacrer. || [dedicare] consacrer, employer. | *consacrare il proprio tempo a,* consacrer son temps à. ◆ v. rifl. se consacrer, se vouer, s'adonner.
consacrazione [konsakrat'tsjone] f. consécration. || [di un imperatore] sacre m.
consanguineità [konsangwinei'ta] f. consanguinité.
consapevole [konsa'pevole] agg. conscient. | *essere consapevole di,* avoir conscience de.
consapevolezza [konsapevo'lettsa] f. conscience.
conscio ['kɔnʃo] (**-sci** pl.) agg. conscient.
consecutivo [konseku'tivo] agg. [che segue] consécutif.
consegna [kon'seɲɲa] f. [azione di consegnare] remise, livraison. | *consegna di una lettera, di un pacco,* remise d'une lettre, d'un paquet. || Per Est. *prendere qlco. in consegna,* se charger de qch. | *violare la consegna,* forcer la consigne. || [punizione] consigne.
consegnare [konseɲ'ɲare] v. tr. remettre. || [affidare] confier. || [denunciare] livrer. || Mil. [privare di libera uscita] consigner. ◆ v. rifl. se constituer.
conseguente [konse'gwɛnte] agg. résultant (de). || [logico] conséquent. ◆ m. Log., Mat. conséquent.
conseguenza [konse'gwɛntsa] f. [conclusione, seguito] conséquence, conclusion. || Fig. [importanza] conséquence.
conseguimento [konsegwi'mento] m. obtention f.
conseguire [konse'gwire] v. tr. obtenir, atteindre. || [realizzare] réaliser. ◆ v. intr. [derivare] découler, résulter, s'ensuivre. | *ne consegue che* ..., il s'ensuit que ...
consenso [kon'sɛnso] m. [permesso, approvazione] consentement, approbation f. || Loc. *agire di consenso con qlcu.,* agir d'accord avec qn.
consentire [konsen'tire] v. intr. consentir (à), acquiescer (à). | *consento che partiate,* je consens à votre départ. ◆ v. tr. [autorizzare, concedere] consentir, admettre, tolérer, souffrir. | *il regolamento non consente eccezioni,* le règlement n'admet aucune exception.
consenziente [konsen'tsjɛnte] agg. consentant.
conserto [kon'sɛrto] agg. croisé. | *a braccia conserte,* bras croisés.
conserva [kon'sɛrva] f. conserve.
conservare [konser'vare] v. tr. conserver, entretenir, garder. ◆ v. medio intr. se conserver.
conservatore [konserva'tore] (**-trice** f.) agg. e n. [in tutti i sensi] conservateur, trice.
conservatorio [konserva'tɔrjo] (**-ri** pl.) m. conservatoire.
conservazione [konservat'tsjone] f. [azione, stato] conservation.
consesso [kon'sɛsso] m. assemblée f.
considerare [konside'rare] v. tr. [esaminare, vagliare] considérer, examiner. || [stimare] considérer, estimer. || [reputare, ritenere] considérer (comme), tenir (pour), estimer, réputer. ◆ v. rifl. [esaminarsi] s'examiner. || [stimarsi] se considérer, s'estimer.
considerato [konside'rato] part. pass. e agg. considéré. || Loc. *considerato che,* vu que. | *tutto considerato,* tout bien considéré.
considerazione [konsiderat'tsjone] f. considération. ◆ *in considerazione di,* eu égard à, en raison de.
consigliare [konsiʎ'ʎare] v. tr. conseiller. ◆ v. medio intr. demander conseil (à). ◆ v. rifl. se consulter (avec).
consigliere [konsiʎ'ʎere] m. Pr. e Fig. conseiller.
consiglio [kon'siʎʎo] (**-gli** pl.) m. conseil. | *dietro consiglio di,* sur le conseil de. || [assemblea] conseil. | *Consiglio dei ministri,* conseil des ministres.
consiliare [konsi'ljare] agg. du conseil.
consimile [kon'simile] agg. similaire.
consistenza [konsis'tɛntsa] f. consistance.
consistere [kon'sistere] v. intr. (in) consister (en, dans).
consociare [konso'tʃare] v. tr. associer. ◆ v. recipr. s'associer.
consocio [kon'sɔtʃo] (**-ci** pl.) m. coassocié.
1. consolare [konso'lare] v. tr. consoler, réconforter. ◆ v. rifl. se consoler. || [rallegrarsi] se réjouir.
2. consolare agg. consulaire.
consolato [konso'lato] m. consulat.
consolazione [konsolat'tsjone] f. consolation, réconfort m.
console ['kɔsole] m. consul.
consolidamento [konsolida'mento] m. consolidation f., affermissement.
consolidare [konsoli'dare] v. tr. Pr., Fig., Econ. consolider, affermir, renforcer. ◆ v. rifl. se solidifier. || Fig. se consolider, s'affermir.
consonanza [konso'nantsa] f. consonance. || Fig. correspondance.
consono ['kɔnsono] agg. conforme, en accord (avec).

consorte [kon'sɔrte] n. LETT. o SCHERZ. époux m., mari m., épouse f., femme f.
consorteria [konsorte'ria] f. coterie, clique, faction.
consorzio [kon'sɔrtsjo] (**-zi** pl.) m. [società] société f. || ECON. coopérative f.
constare [kons'tare] v. intr. se composer (de), comporter v. tr., comprendre v. tr. ◆ v. impers. *a quanto mi consta,* d'après ce que j'en sais.
constatare [konsta'tare] v. tr. constater.
constatazione [konstatat'tsjone] f. constatation. || GIUR. constat m.
consueto [konsu'ɛto] agg. coutumier, habituel, accoutumé. ◆ m. habitude f. | *come di consueto,* comme d'habitude.
consuetudine [konsue'tudine] f. coutume, usage m., habitude.
consulente [konsu'lɛnte] agg. consultant. ◆ m. consultant, conseil, conseiller.
consulenza [konsu'lɛntsa] f. consultation.
consulta [kon'sulta] f. [organo collegiale] assemblée. || STOR. consulte.
consultare [konsul'tare] v. tr. consulter. ◆ v. medio intr. (con) consulter v. tr. ◆ v. recipr. se consulter.
consultazione [konsultat'tsjone] f. consultation.
consumare [konsu'mare] v. tr. [cibarsi, bere] consommer. || [compiere] *consumare un delitto,* consommer un délit. || [distruggere] consumer, dévorer. || [logorare] abîmer, user. || FIG. *il dispiacere lo consuma,* le chagrin le consume. ◆ v. medio intr. s'abîmer, s'user v. pr. || FIG. *si consuma di nostalgia,* il est dévoré par la nostalgie.
consumato [konsu'mato] part. pass. di CONSUMARE. ◆ agg. [esperto] consommé, accompli, chevronné.
consumatore [konsuma'tore] (**-trice** f.) n. consommateur, trice.
consumazione [konsumat'tsjone] f. consommation.
consumo [kon'sumo] m. consommation f.
consuntivo [konsun'tivo] agg. ECON. *bilancio consuntivo,* compte rendu, bilan. ◆ m. PR. e FIG. bilan.
consunto [kon'sunto] agg. usé, consumé ; émacié, épuisé.
consunzione [konsun'tsjone] f. MED. consomption.
consustanziazione [konsustantsjat'tsjone] f. consubstantiation.
conta ['konta] f. LOC. *fare la conta,* réciter une comptine.
contabile [kon'tabile] agg. e n. comptable.
contabilità [kontabili'ta] f. comptabilité.
contadino [konta'dino] (**-a** f.) n. paysan, anne. || PEGG. rustre. ◆ agg. paysan, rural.
contado [kon'tado] m. campagne f.
contagiare [konta'dʒare] v. tr. PR. e FIG. contaminer.
contagio [kon'tadʒo] (**-gi** pl.) m. PR. e FIG. contagion f.
contaminare [kontami'nare] v. tr. contaminer, infecter. || FIG. corrompre, polluer.
contante [kon'tante] agg. e m. comptant. || FIN. *in contanti,* en espèces, en numéraire.
contare [kon'tare] v. tr. compter, dénombrer (L.C.). || FIG. *senza contare che,* sans compter que. ◆ v. intr. compter. || [proporsi di] *conto di partire domani,* je compte partir demain. || [raccontare] conter, raconter. || [limitare] compter.
contatore [konta'tore] m. compteur.
contattare [kontat'tare] v. tr. NEOL. contacter.
contatto [kon'tatto] m. PR. e FIG. contact. | *prendere contatto con,* prendre contact avec. | *a contatto di,* au contact de.
conte ['konte] m. comte.
contea [kon'tɛa] f. comté m., comtat m.
conteggiare [konted'dʒare] v. tr. calculer, chiffrer, compter. || [mettere in conto] comptabiliser. ◆ v. intr. compter.
conteggio [kon'teddʒo] (**-gi** pl.) m. comptage.
contegno [kon'teɲɲo] m. [comportamento] tenue f., comportement. || [atteggiamento] contenance f.
contegnoso [konteɲ'ɲoso] agg. réservé.
contemperare [kontempe'rare] v. tr. [commisurare] adapter, conformer, proportionner. || [moderare] modérer, corriger.
contemplare [kontem'plare] v. tr. contempler. || prévoir.
contemplazione [kontemplat'tsjone] f. contemplation.
contempo [kon'tɛmpo] loc. avv. *nel, al contempo,* en même temps.
contemporaneità [kontemporanei'ta] f. inv., contemporanéité f.
contemporaneo [kontempo'raneo] agg. [dello stesso tempo] contemporain (de). || [simultaneo] simultané. ◆ n. contemporain.
contendente [konten'dɛnte] agg. adverse. ◆ n. adversaire.
contendere [kon'tɛndere] v. tr. e intr. disputer. | *contendere un posto a qlcu.,* disputer un poste à qn. || FIG. *conten-*

dere per, rivaliser. ◆ v. recipr. [lottare per] se disputer.

contenere [konte'nere] v. tr. contenir, loger, enfermer, renfermer, comporter. || [trattenere] contenir, retenir. | *contenere le lacrime,* étouffer ses larmes. ◆ v. rifl. [controllarsi] se contrôler, se maîtriser.

contentare [konten'tare] v. tr. contenter. || [appagare] satisfaire. ◆ v. medio intr. [appagarsi] se contenter, s'accommoder. || [limitarsi] se borner (à).

contentezza [konten'tettsa] f. contentement m., joie, plaisir m. allégresse.

contentino [konten'tino] m. petit supplément. || petite satisfaction (donnée à qn).

contento [kon'tɛnto] agg. content, satisfait. | *puoi dirti contento,* tu peux t'estimer heureux.

1. contenuto [konte'nuto] part. pass. e agg. contenu, compris. || FIG. sobre.

2. contenuto m. contenu.

conterraneo [konter'raneo] agg. du même pays. ◆ n. compatriote.

contesa [kon'tesa] f. [disputa] dispute, différend m., querelle. || [gara] concours m.

contessa [kon'tessa] f. comtesse.

contestabile [kontes'tabile] agg. contestable, discutable.

contestare [kontes'tare] v. tr. contester. || [notificare] notifier. | *contestare una contravvenzione,* notifier une contravention.

contestazione [kontestat'tsjone] f. contestation. [notifica] notification.

contesto [kon'tɛsto] m. contexte.

contiguità [kontigwi'ta] f. inv. contiguïté f.

contiguo [kon'tigwo] agg. contigu, adjacent, attenant, limitrophe.

continentale [kontinen'tale] agg. e n. continental.

1. continente [konti'nɛnte] agg. [frugale] continent, sobre, frugal.

2. continente m. GEOGR. continent.

continenza [konti'nɛntsa] f. [frugalità] sobriété, frugalité. || REL. continence.

contingente [kontin'dʒente] agg. e m. contingent.

contingenza [kontin'dʒɛntsa] f. contingence. || FIG. occasion, circonstance. || ECON. conjoncture.

continuare [kontinu'are] v. tr. continuer, poursuivre. || [+ a seguito da infin.] continuer (à, de). || [segnaletica] *continua,* rappel m. ◆ v. intr. [durare] continuer, durer, se poursuivre. || LOC. *continuare per la propria strada,* passer son chemin.

continuativo [kontinua'tivo] agg. continu, durable.

continuato [kontinu'ato] agg. continu, poursuivi.

continuazione [kontinuat'tsjone] f. continuation, poursuite. || LOC. *in continuazione,* sans arrêt.

continuità [kontinui'ta] f. continuité.

continuo [kon'tinuo] agg. [senza interruzione nel tempo e nello spazio] continu, continuel, incessant, persistant. || [che si ripete] continuel, fréquent. ◆ loc. avv. *di continuo,* sans arrêt, sans cesse.

conto ['konto] m. calcul . || FIG. *a conti fatti,* tout compte fait. | *in fin dei conti,* en fin de compte. | *fare i conti con qlcu.,* régler (ses comptes) avec qn. | *Corte dei conti,* Cour des comptes. || [contabilità] *i conti,* les écritures f. || [fattura e conto d'albergo] note f. addition f. || [opportunità] compte. | *trovarci il proprio conto,* y trouver son compte. || [stima, considerazione] compte. | *tener qlcu. in poco conto,* faire peu de cas de qn. || [assegnamento] compter v. intr. || LOC. *per conto mio,* quant à moi, à mon avis. | *a ogni buon conto,* à toutes fins utiles.

contorcere [kon'tɔrtʃere] v. tr. tordre. ◆ v. rifl. [fare delle contorsioni] se contorsionner. || FIG. se tordre. ◆ v. intr. gauchir.

contorcimento [kontortʃi'mento] m. contorsion f.

contornare [kontor'nare] v. tr. [fare il giro di] contourner. || [circondare] entourer. || ARTI. cerner.

contorno [kon'torno] m. contours pl. || ARTI. cerne. || [raggruppamento di persone] entourage. || CULIN. garniture f. ; [verdure] légumes pl.

contorsione [kontor'sjone] f. contorsion.

contorto [kon'tɔrto] part. pass. = CONTORCERE. ◆ agg. FIG. contourné, compliqué.

contrabbandare [kontrabban'dare] v. tr. introduire en contrebande. || FIG. faire passer (une chose) pour (une autre).

contrabbandiere [kontrabban'djɛre] agg. e m. contrebandier.

contrabbando [kontrab'bando] m. contrebande f.

contrabbasso [kontrab'basso] m. contrebasse f.

contraccambiare [kontrakkam'bjare] v. tr. rendre (en retour). | *contraccambiare una visita,* rendre à qn sa visite.

contraccambio [kontrak'kambio] (**-bi** pl.) m. échange. | *rendere il contraccambio,* payer de retour.

contraccettivo [kontrattʃet'tivo] m. contraceptif, anticonceptionnel.

contraccolpo [kontrak'kolpo] m. contrecoup.
contraddire [kontrad'dire] v. tr. e intr. contredire v. tr. ◆ v. rifl. e recipr. se contredire.
contraddittorio [kontraddit'tɔrjo] (**-ri** pl.) agg. contradictoire. ◆ m. débat.
contraddizione [kontraddit'tsjone] f. contradiction.
contraffare [kontraf'fare] v. tr. contrefaire, imiter. || [per ingannare] simuler. || [imitare fraudolentemente] falsifier.
contraffatto [kontraf'fatto] part. pass. di CONTRAFFARE e agg. contrefait. || falsifié.
contraffazione [kontraffat'tsjone] f. contrefaçon.
contrafforte [kontraf'forte] m. ARCHIT., GEOGR. contrefort.
contralto [kon'tralto] agg. MUS. [voce] alto, contralto.
contrappeso [kontrap'peso] m. contrepoids. || FIG. compensation f., contrepartie f.
contrapporre [kontrap'porre] v. tr. opposer. ◆ v. rifl. e recipr. s'opposer.
contrariare [kontra'rjare] v. tr. [in tutti i significati] contrarier.
contrariato [kontra'rjato] part. pass. V. CONTRARIARE. ◆ agg. contrarié, fâché, ennuyé.
contrarietà [kontrarje'ta] f. inv. [delusione, amarezza] contrariété f., déception f., déplaisir m.
contrario [kon'trarjo] (**-ri** pl.) agg. [opposto] contraire, opposé, inverse. | *in senso contrario,* en sens inverse, à contresens. || FIG. [ostile, sfavorevole] contraire, défavorable. ◆ m. [opposto] contraire, inverse. | *se non ha nulla in contrario,* si vous n'y voyez pas d'inconvénient. ◆ loc. prep. *al contrario di,* au contraire de, contrairement à.
contrarre [kon'trarre] v. tr. [prendere un impegno per contratto e fig.] contracter. | *contrarre un debito,* contracter une dette. | *contrarre un'amicizia con qlcu.,* se lier d'amitié avec qn. ◆ v. intr. se contracter, se crisper. || ECON. se réduire.
contrassegnare [kontrasseɲ'ɲare] v. tr. contremarquer, marquer.
1. contrassegno [kontras'seɲɲo] m. contremarque f., marque f. || FIG. preuve f.
2. contrassegno avv. FIN. contre remboursement.
contrastante [kontras'tante] agg. discordant, opposé.
contrastare [kontras'tare] v. tr. contrecarrer, entraver. || *contrastare un progetto,* s'opposer à un projet. ◆ v. intr. [discordare] contraster.
contrasto [kon'trasto] m. [ostacolo] obstacle. || [disaccordo] désaccord, divergence f. | *trovarsi in contrasto con qlcu.* se trouver en désaccord avec qn. || [conflitto] querelle f. dispute f. || [contrapposizione di due cose] contraste.
contrattaccare [kontrattak'kare] v. tr. PR. e FIG. contre-attaquer.
contrattacco [kontrat'takko] (**-chi** pl.) m. contre-attaque f.
contrattare [kontrat'tare] v. tr. e intr. traiter, négocier, marchander.
contrattazione [kontrattat'tsjone] f. marchandage m., négociation.
contrattempo [kontrat'tɛmpo] m. contretemps.
1. contratto [kon'tratto] part. pass. di CONTRARRE e agg. contracté.
2. contratto m. contrat, marché.
contravvenire [kontravve'nire] v. intr. contrevenir.
contravvenzione [kontravven'tsjone] f. contravention.
contrazione [kontrat'tsjone] f. contraction.
contribuente [kontribu'ɛnte] n. contribuable.
contribuire [kontribu'ire] v. intr. contribuer.
contributo [kontri'buto] m. PR. e FIG. contribution f. | *contributi previdenziali,* cotisations à la Sécurité sociale.
contribuzione [kontribut'tsjone] f. contribution.
contristare [kontris'tare] v. tr. attrister, chagriner. ◆ v. medio intr. s'attrister, s'affliger v. pr.
contrito [kon'trito] agg. contrit.
contrizione [kontrit'tsjone] f. contrition.
contro ['kontro] prep. [opposizione] contre. | *uno contro l'altro,* l'un contre l'autre. || [contatto] contre. ◆ avv. contre. | *essere contro,* être contre. ◆ m. contre. | *il pro e il contro,* le pour et le contre.
controbattere [kontro'battere] v. tr. réfuter. || [ribattere] riposter.
controbilanciare [kontrobilan'tʃare] v. tr. contrebalancer.
controcanto [kontro'kanto] m. contrechant.
controcorrente [kontrokor'rɛnte] f. contre-courant m. ◆ avv. à contre-courant.
controcurva [kontro'kurva] f. [segnaletica] *curva e controcurva,* double tournant (m.).
controfagotto [kontrofa'gɔtto] m. contrebasson.
controffensiva [kontroffen'siva] f. contre-offensive.
controfigura [kontrofi'gura] f. CIN. doublure.

controfiletto [kontrofi'letto] m. CULIN. contre-filet, faux-filet.
controfirmare [kontrofir'mare] v. tr. contresigner.
controfuoco [kontro'fwɔko] (**-chi** pl.) m. contre-feu.
controgirello [kontrodʒi'rɛllo] m. CULIN. gîte à la noix.
controinchiesta [kontroin'kjɛsta] f. contre-enquête.
controindicare [kontroindi'kare] v. tr. contre-indiquer.
controinformazione [kontroinformat'tsjone] f. contre-information.
controllare [kontrol'lare] v. tr. [esaminare attentamente] contrôler, vérifier. ‖ [tenere sotto il proprio controllo] contrôler, maîtriser. ◆ v. rifl. se contrôler, être maître (de).
controllo [kon'trɔllo] m. contrôle.
controllore [kontrol'lore] m. contrôleur.
controluce [kontro'lutʃe] f. inv. contre-jour m. ◆ avv. à contre-jour.
contromano [kontro'mano] avv. en sens contraire.
contromarca [kontro'marka] (**-che** pl.) f. contremarque.
controparte [kontro'parte] f. partie adverse.
contropartita [kontropar'tita] f. contrepartie. ‖ FIG. compensation. ◆ *in contropartita,* en contrepartie, en compensation.
contropiede [kontro'pjɛde] m. SP. contre-pied. ‖ LOC. *prendere qlcu. in contropiede,* prendre qn au dépourvu
controproducente [kontroprodu'tʃɛnte] agg. à effet contraire, qui peut produire l'effet contraire.
controproposta [kontropro'posta] f. contre-proposition.
controprova [kontro'prɔva] f. contre-épreuve.
controrodine [kon'trordine] m. contrordre.
controsenso [kontro'sɛnso] m. contresens, non-sens, absurdité f.
controspionaggio [kontrospjo'naddʒo] (**-gi** pl.) m. contre-espionnage.
controvento [kontro'vɛnto] m. [struttura] contrevent. ◆ avv. contre le vent.
controversia [kontro'vɛrsja] f. controverse, différend m.
controverso [kontro'vɛrso] agg. controversé.
controvoglia [kontro'vɔʎʎa] avv. de mauvais gré, à son corps défendant.
contumacia [kontu'matʃa] f. GIUR. défaut m., contumace. ‖ [quarantena] quarantaine.
contumelia [kontu'mɛlja] f. LETT. injure (L.C.), insulte (L.C.).
contundere [kon'tundere] v. tr. MED. contusionner, froisser.
conturbare [kontur'bare] v. tr. PR. e FIG. troubler. ◆ v. medio intr. PR. e FIG. se troubler.
contusione [kontu'zjone] f. MED. contusion, ecchymose.
contuttociò [kontutto'tʃɔ] cong. cependant, pourtant.
convalescente [konvaleʃ'ʃɛnte] agg. e n. convalescent.
convalescenza [konvaleʃ'ʃɛntsa] f. convalescence.
convalida [kon'valida] f. confirmation. ‖ GIUR. validation.
convalidare [konvali'dare] v. tr. confirmer, appuyer. ‖ GIUR. valider.
convegno [kon'veɲɲo] m. congrès, colloque, conférence f. ‖ [raduno] réunion f. ‖ [appuntamento amoroso] rendez-vous. ‖ [luogo di incontro] carrefour.
convenevole [konve'nevole] agg. [opportuno] convenable. ◆ m. *oltre al convenevole,* outre mesure. ◆ m. pl. civilités f. pl.
conveniente [konve'njɛnte] agg. avantageux, abordable ; intéressant. | *il prezzo è conveniente,* le prix est intéressant. ‖ [appropriato] convenable, adéquat. | *scegliere il momento conveniente,* choisir le bon moment.
convenienza [konve'njɛntsa] f. [opportunità] opportunité. ‖ [conformità] convenance, conformité, rapport m. ‖ [utilità] convenance. ◆ pl. [decoro] convenances, bienséance sing.
convenire [konve'nire] v. intr. [radunarsi] affluer, arriver. ‖ [accordarsi su] convenir, décider, arrêter. ‖ [ammettere] convenir, reconnaître. | *ne convengo,* j'en conviens. ‖ [adattarsi] convenir, aller, s'adapter. ◆ v. impers. [tornare utile] convenir. | *conviene andarci subito,* il convient d'y aller tout de suite. ◆ v. medio intr. (a) convenir (à). ◆ v. tr. [fissare] établir, fixer. | *prezzo da convenire,* prix à débattre.
convento [kon'vɛnto] m. couvent.
convenuto [konve'nuto] part. pass. V. CONVENIRE. ◆ agg. [fissato] fixé, convenu, décidé. | *come convenuto,* comme convenu. ◆ m. pl. [partecipanti] assistance f. sing.
convenzionale [konventsjo'nale] agg. conventionnel. ◆ m. STOR. conventionnel.
convenzionare [konventsjo'nare] v. tr. COMM. fixer, établir par convention.
convenzione [konven'tsjone] f. convention. ◆ pl. convenances, conventions.
convergenza [konver'dʒɛntsa] f. convergence.

convergere [kon'vɛrdʒere] v. intr. PR. e FIG. converger.
conversare [konver'sare] v. intr. converser, causer, s'entretenir (de). ◆ m. conversation f.
conversatore [konversa'tore] (**-trice** f.) n. causeur, euse ; parleur, euse.
conversazione [konversat'tsjone] f. conversation, entretien m., causerie.
conversione [konver'sjone] f. [in tutti i sensi] conversion.
convertire [konver'tire] v. tr. [cambiare] changer, transformer, convertir. ◆ v. rifl. [mutarsi] se changer, se transformer. || REL. e FIG. se convertir.
convessità [konves'sita] f. inv. convexité f., bombement m.
convesso [kon'vɛsso] agg. convexe, bombé.
convezione [konvet'tsjone] f. FIS. convection, convexion.
convincente [konvin'tʃɛnte] agg. convaincant.
convincere [kon'vintʃere] v. tr. convaincre, persuader. ◆ v. rifl. se convaincre, se persuader.
convincimento [konvintʃi'mento] m. [persuasione] conviction f., persuasion f. || [certezza] conviction f., certitude f.
convinzione [konvin'tsjone] f. [in tutti in sensi] conviction.
convitare [konvi'tare] v. tr. LETT. convier.
convito [kon'vito] m. LETT. festin, banquet.
convitto [kon'vitto] m. collège, pensionnat.
convivenza [konvi'ventsa] f. cohabitation, vie en commun.
convivere [kon'vivere] v. intr. cohabiter, vivre (avec).
convocare [konvo'kare] v. tr. convoquer.
convocazione [konvokat'tsjone] f. convocation.
convogliare [konvoʎ'ʎare] v. tr. [di acque] canaliser. || [dirigere verso un punto] acheminer. || FIG. diriger. || [trascinare con sé, di corsi d'acqua] charrier.
convoglio [kon'vɔʎʎo] (**-gli** pl.) m. convoi.
convulsione [konvul'sjone] f. convulsion.
convulsivo [konvul'sivo] agg. convulsif.
convulso [kon'vulso] agg. convulsif. || FIG. *traffico convulso,* trafic chaotique. ◆ m. convulsions f. pl.
cooperare [koope'rare] v. intr. coopérer.
cooperativa [koopera'tiva] f. coopérative.
cooperazione [kooperat'tsjone] f. coopération.
cooptare [koop'tare] v. tr. coopter.
coordinamento [koordina'mento] m. coordination f.
coordinare [koordi'nare] v. tr. coordonner.
coordinata [koordi'nata] f. coordonnée.
coordinazione [koordinat'tsjone] f. coordination.
coorte [ko'ɔrte] f. cohorte.
coperchio [ko'pɛrkjo] (**-chi** pl.) m. couvercle.
coperta [ko'pɛrta] f. [tessuto] couverture. || MAR. pont supérieur.
copertina [koper'tina] f. DIM. petite couverture. || [di libro] couverture. | *prezzo di copertina,* prix de catalogue m.
coperto [ko'pɛrto] part. pass. e agg. couvert. ◆ m. [riparo] abri, couvert. | *mettersi al coperto,* se mettre à l'abri. || [di tavola] couvert.
copertone [koper'tone] m. [telone] bâche f., banne. || AUT. [auto, bicicletta] pneu, enveloppe f.
copertura [koper'tura] f. couverture.
copia ['kɔpja] f. [riproduzione] copie. | *brutta copia,* brouillon m. || [libro] exemplaire m.
copiare [ko'pjare] v. tr. [trascrivere] copier, recopier, transcrire. || FIG. [imitare] copier, imiter.
copione [ko'pjone] m. TEAT. manuscrit. || CIN. scénario.
copioso [ko'pjoso] agg. copieux.
copisteria [kopiste'ria] f. bureau (m.) de copie.
coppa ['kɔppa] f. [in tutti i significati] coupe. || AUT. *coppa copri-mozzo,* couvre-moyeu m. | *coppa dell'olio,* carter (m.) du moteur.
coppia ['kɔppja] f. couple m., paire. | *coppia di amici,* couple d'amis. || LOC. *giocare in coppia (con),* faire équipe (avec).
coppiere [kop'pjɛre] m. STOR. échanson.
copricapo [kopri'kapo] m. chapeau, coiffure f., couvre-chef m.
copricatena [koprika'tena] m. inv. TECN. carter (m.) de bicyclette.
coprifasce [kopri'faʃʃe] m. inv. brassière f.
coprifuoco [kopri'fwɔko] m. couvre-feu.
copriletto [kopri'lɛtto] m. couvre-lit, dessus-de-lit inv.
coprire [ko'prire] v. tr. PR. e FIG. couvrir. | *coprire una distanza,* couvrir une distance. | *coprire di ingiurie,* accabler d'injures. | *coprire di regali,* combler de cadeaux. | *coprire una cattedra,* occuper un poste. ◆ v. rifl. se couvrir. || ASSOL. [di nubi] *il cielo si copre,* le ciel se couvre. | *coprirsi contro un rischio,* se prémunir contre un risque.

coprivivande [koprivi'vande] m. inv. couvre-plat m.
copula ['kɔpula] f. [accoppiamento] copulation. || GR. copule.
copulazione [kopulat'tsjone] f. copulation.
coraggio [ko'raddʒo] m. [fermezza d'animo] courage, bravoure f., cran (fam.) || PEGG. [sfacciataggine] impudence f., culot (fam.).
coraggioso [korad'dʒoso] agg. courageux, brave, crâne (fam.).
corale [ko'rale] agg. choral. ◆ f. chorale.
corallino [koral'lino] agg. [colore] corail. || [formato di coralli] corallien, corallin.
corallo [ko'rallo] m. corail.
corazza [ko'rattsa] f. cuirasse. || ZOOL. carapace.
corazzare [korat'tsare] v. tr. PR. e FIG. cuirasser. ◆ v. rifl. PR. e FIG. se cuirasser.
corazzata [korat'tsata] f. MAR. cuirassé m.
corazziere [korat'tsjɛre] m. MIL. cuirassier.
corbelleria [korbelle'ria] f. bêtise, sottise.
corbezzolo [kor'bettsolo] m. arbousier.
corda ['kɔrda] f. corde. || LOC. FIG. *tagliare la corda,* prendre la clef des champs, ficher le camp (fam.). | *essere giù di corda,* avoir le cafard. | *dar corda a qlcu.,* laisser dire, laisser faire qn.
cordame [kor'dame] m. cordages pl.
cordata [kor'data] f. [alpinismo] cordée.
cordiale [kor'djale] agg. cordial. | *cordiali saluti,* cordialement avv. ◆ m. [bibita] cordial.
cordicella [kordi'tʃɛlla] f. ficelle, cordelette, cordeau m.
cordigliera [kordiʎ'ʎɛra] f. GEOGR. cordillère.
cordoglio [kor'dɔʎʎo] m. chagrin, peine f., douleur f. || [condoglianze] condoléances f. pl.
cordone [kor'done] m. cordon. || [di marciapiede] bordure f.
coreografia [koreogra'fia] f. chorégraphie.
coreografo [kore'ɔgrafo] m. chorégraphe.
coriaceo [ko'rjatʃeo] agg. coriace. || FIG. dur.
coriandolo [ko'rjandolo] m. [dischetto di carta] confetti (it.).
coricare [kori'kare] v. tr. coucher. ◆ v. intr. [andare a letto] se coucher. || [sole] se coucher.
corinzio [ko'rintsjo] (**-zi** pl.) agg. e m. corinthien.
corista [ko'rista] (**-i** pl. m.) n. choriste.
cornacchia [kor'nakkja] f. corneille. || FIG. pie.
cornamusa [korna'muza] f. cornemuse.
cornata [kor'nata] f. coup (m.) de corne.
cornea ['kɔrnea] f. MED. cornée.
corneo ['kɔrneo] agg. corné.
cornetta [kor'netta] f. cornet (m.) à piston. || [suonatore di cornetta] cornettiste n.
cornettista [kornet'tista] (**-i** pl. m.) n. MUS. cornettiste, cornet m.
cornetto [kor'netto] m. cornet. || CULIN. croissant.
cornice [kor'nitʃe] f. cadre m., encadrement m. || PER EST. décor m. || ARCHIT. corniche.
corniciaio [korni'tʃajo] (**-ai** pl.) m. encadreur.
cornicione [korni'tʃone] m. ARCHIT. corniche f.
corno ['kɔrno] (**-a** pl. f. con valore collettivo ; **-i** pl. m. negli altri casi) m. [degli animali o oggetto a forma di corno] corne f. | *le corna del cervo,* les bois m. pl. || [materia] corne. | *di corno,* de corne. || MUS. cor. || LOC. FIG. FAM. *facciamo le corna !,* touchons du bois ! | *non valere un corno,* ne rien valoir. | *dire peste e corna di qlcu.,* dire pis que pendre de qn. | *quando il diavolo ci mette le corna,* quand le diable s'en mêle.
coro ['kɔro] m. ARCHIT., MUS., FIG. chœur. | *in coro,* en chœur.
corografia [korogra'fia] f. chorographie.
corolla [ko'rɔlla] f. BOT. corolle.
corollario [korol'larjo] (**-ri** pl.) m. FILOS., MAT. corollaire.
corona [ko'rona] f. [in tutti i significati] couronne. || LETT. [raccolta] recueil m. || REL. chapelet m. || TECN. [di orologio] remontoir m.
coronamento [korona'mento] m. couronnement.
coronare [koro'nare] v. tr. couronner. || [circondare] entourer, encadrer. || [realizzare] couronner.
coronarie [koro'narje] f. pl. artères coronaires.
corpetto [kor'petto] m. corsage.
corpo ['kɔrpo] m. [in tutti i significati] corps. | *avere spirito di corpo,* avoir l'esprit de corps. || *corpo forestale dello Stato,* administration (f.) des Eaux et Forêts. || MIL. *corpo di guardia,* corps de garde. || [consistenza] *è un vino che ha corpo,* c'est un vin corsé. ◆ loc. avv. *a corpo morto,* à corps perdu. | *a corpo a corpo,* corps à corps.
corporale [korpo'rale] agg. corporel. ◆ m. REL. corporal.

corporatura [korpora'tura] f. taille, corps m., mesure du corps.
corporazione [korporat'tsjone] f. corporation.
corporeo [kor'pɔreo] agg. corporel.
corpulenza [korpu'lɛntsa] f. corpulence.
corpus domini ['kɔrpus'domini] m. (lat.) REL. Fête-Dieu f.
corredare [korre'dare] v. tr. fournir, équiper. || FIG. accompagner (de).
corredino [korre'dino] m. layette f.
corredo [kor'rɛdo] m. trousseau. || [attrezzatura] équipement, outillage. || [conoscenze] bagage.
correggere [kor'rɛddʒere] v. tr. corriger. || MIL. *correggere il tiro,* rectifier le tir. || [di caffè] (con) arroser (de). ◆ v. rifl. se corriger, s'amender.
cor(r)eggia [kor'rɛddʒa] (**-ge** pl.) f. lanière, courroie.
correità [korrei'ta] f. GIUR. complicité.
correlare [korre'lare] v. tr. mettre en relation.
correlazione [korrelat'tsjone] f. corrélation.
1. corrente [kor'rɛnte] agg. PR. e FIG. courant. ◆ m. courant. *essere al corrente,* être au fait de. | *mettersi al corrente,* se mettre au courant.
2. corrente f. PR. e FIG. courant m. | *risalire la corrente,* remonter le courant. || LOC. *togliere la corrente,* couper le courant.
correntista [korren'tista] (**-i** pl. m.) n. titulaire d'un compte courant.
correo [kor'rɛo] m. GIUR. complice (agg. e n.), coauteur.
correre ['korrere] v. intr. courir. || FIG. *correre ai ripari,* remédier (à qch.). | *sono corse parole grosse tra di loro,* ils se sont injuriés. || [di veicoli] rouler, marcher. || [snodarsi] courir. | *la strada corre lungo il lago,* la route longe le lac. || [diffondersi] courir, circuler. | *corre voce che ...,* le bruit court que ... || LOC. *correre (incontro) alla propria rovina,* courir à sa perte. || FAM. *lasciar correre,* laisser courir, laisser tomber. | *ci corre molto, poco,* il s'en faut de beaucoup, de peu. ◆ v. tr. [percorrere] courir. | *correre il mondo,* courir le monde. || PER ANAL. *lasciar correre il pensiero, la penna,* laisser errer sa pensée, sa plume. || FIG. [essere esposto a] *correre un pericolo,* courir un danger.
corresponsabilità [korresponsabili'ta] f. inv. GIUR. coresponsabilité.
corresponsione [korrespon'sjone] f. paiement m., acquittement m.
correttezza [korret'tettsa] f. PR. e FIG. correction.
correzionale [korrettsjo'nale] agg. GIUR. correctionnel. ◆ m. maison (f.) de correction.
correzione [korret'tsjone] f. [rettifica] correction. || [punizione] correction, punition. || [modifica] modification.
corridoio [korri'dojo] (**-oi** pl.) m. corridor, couloir.
corridore [korri'dore] agg. e m. coureur.
corriera [kor'rjɛra] f. TR. car m.
corriere [kor'rjɛre] m. [in tutti i significati] courrier.
corrispettivo [korrispet'tivo] agg. e m. équivalent.
corrispondente [korrispon'dɛnte] part. pres., agg. e m. correspondant.
corrispondenza [korrispon'dɛntsa] f. [conformità, concordanza] correspondance, conformité, concordance. || [scambio di lettere] correspondance. || [insieme delle lettere] courrier m.
corrispondere [korris'pondere] v. tr. ind. [essere in relazione] (con) correspondre (avec). || [avere un rapporto di conformità] (a) correspondre (à), concorder (avec). ◆ v. intr. [comunicare] correspondre, communiquer. | *sono stanze che corrispondono,* ce sont des pièces qui communiquent. ◆ v. tr. [pagare] verser, payer, servir. | *quella banca gli corrisponde un interesse molto elevato,* cette banque lui sert un intérêt très élevé. || FIG. [ricambiare, quasi esclusivamente al passivo] partager, répondre (à). | *il suo amore non era corrisposto,* son amour n'était pas partagé.
corroborare [korrobo'rare] v. tr. [rendere forte] fortifier, corroborer. || FIG. confirmer, appuyer.
corrodere [kor'rodere] v. tr. corroder, ronger. || FIG. miner. ◆ v. rifl. se corroder.
corrompere [kor'rompere] v. tr. [persone] corrompre, débaucher. || [cose] corrompre.
corrosione [korro'zjone] f. corrosion.
corrosivo [korro'zivo] agg. e m. corrosif, corrodant.
corroso [kor'rozo] part. pass. V. CORRODERE. ◆ agg. rongé, corrodé, cavé.
corrucciarsi [korrut'tʃarsi] v. rifl. *corrucciarsi (con),* se fâcher (contre), se courroucer (contre) (lett.).
corruccio [kor'ruttʃo] m. LETT. courroux.
corrugare [korru'gare] v. tr. plisser, froncer. ◆ v. medio intr. se froncer v. rifl. || [accigliarsi] froncer les sourcils.
corruttibilità [korruttibili'ta] f. corruptibilité.
corruttore [korrut'tore] (**-trice** f.) agg. e n. corrupteur, trice.
corruzione [korrut'tsjone] f. PR. e FIG. corruption.
corsa ['korsa] f. course. || TR. course. | *treno in corsa,* train en marche. ||

[capatina] saut m. | *fare una corsa a casa,* faire un saut chez soi. || LOC. *di corsa,* en courant. | *ha fatto tutto di corsa,* il a tout fait à la hâte.

corsaro [kor'saro] m. corsaire, pirate.

corsia [kor'sia] f. [passaggio] passage m., couloir m., allée, voie, piste. || [camerata di ospedale] salle. || MAR. [tavolato di nave] coursive.

corsivo [kor'sivo] agg. cursif. ◆ m. cursive f. || TIP. italique. || GIORN. billet.

1. corso ['korso] part. pass. V. CORRERE.

2. corso m. PR. [movimento] cours, mouvement. | *il corso della Senna,* le cours de la Seine. || PER ANAL. *il corso della vita,* le cours de la vie. | *seguire il corso di un affare,* suivre la marche d'une affaire. || [strada cittadina] boulevard, cours, avenue f. || [sfilata] corso (it.), défilé. || GEOGR. *corso d'acqua,* cours d'eau. || UNIV. *corsi serali,* cours du soir ; [anno] année f. | *terzo corso,* troisième année. ◆ loc. avv. *in corso,* en cours. ◆ loc. prep. *nel corso di,* au cours de.

corte ['korte] f. [di un fabbricato] cour. || [di un sovrano] cour. | *poeta di corte,* poète de cour. || FIG. *fare la corte ad una ragazza,* faire la cour. || GIUR. cour.

corteccia [kor'tettʃa] (**-ce** pl.) BOT. écorce, enveloppe.

corteggiare [korted'dʒare] v. tr. courtiser, faire la cour (à).

corteggiatore [korteddʒa'tore] (**-trice** f.) n. amoureux, euse, soupirant. || [adulatore] adulateur, trice ; flatteur, euse.

corteo [kor'tɛo] m. cortège, défilé. || [seguito] suite f.

cortese [kor'teze] agg. aimable, poli, gentil, courtois.

cortesia [korte'zia] f. [gentilezza] courtoisie, gentillesse, complaisance. | *mi faccia la cortesia di ...,* soyez assez aimable pour ... || [favore] faveur. | *ho una cortesia da chiederti,* j'ai une faveur à te demander.

cortigiana [korti'dʒana] f. courtisane. || [dama di corte] dame de la cour.

cortigiano [korti'dʒano] agg. e m. PR. e FIG. courtisan.

cortile [kor'tile] m. [di edificio] cour f. || [aia] basse-cour. | *animali da cortile,* basse-cour f. sing.

cortina [kor'tina] f. [tendaggio] rideau m. || PER EST. *cortina di nebbia,* nappe de brouillard. | *cortina di ferro,* rideau de fer.

corto ['korto] agg. [spazio e tempo] court. | *camicia a maniche corte,* chemise à manches courtes. | *essere di memoria corta,* avoir la mémoire courte. || LOC. *essere a corto d'argomenti,* être à court d'arguments. | *essere corto di mente,* être borné. | *tagliar corto,* couper court.

cortocircuito [kortotʃir'kuito] m. ELETTR. court-circuit.

cortometraggio [kortome'traddʒo] (**-gi** pl.) m. (film à) court métrage.

corvetta [kor'vetta] f. MAR., STOR. corvette.

corvino [kor'vino] agg. (couleur) aile de corbeau, très noir.

corvo ['kɔrvo] m. ZOOL. corbeau.

cosa ['kɔsa] f. [oggetto] chose. || [ciò che è, realtà, avvenimento] chose. | *a cose fatte,* après coup. || *la cosa pubblica,* la chose publique. || LOC. *è cosa da nulla,* ce n'est rien. | *per prima cosa,* avant tout. ◆ pl. [affari] affaires.

coscia ['kɔʃʃa] f. ANAT. cuisse. || [di selvaggina grossa] cuissot m. || [di agnello] gigot m.

cosciente [koʃ'ʃɛnte] agg. conscient.

coscienza [koʃ'ʃɛntsa] f. conscience. | *mettersi in pace con la (propria) coscienza,* décharger sa conscience. | *non aver coscienza di qlco.,* ne pas avoir conscience de qch. || PER EST. *perdere coscienza,* perdre conscience.

coscienzioso [koʃʃen'tsjoso] agg. consciencieux.

coscio ['kɔʃʃo] (**-sci** pl.) [di selvaggina grossa] m. cuissot. || [di vitello] cuisseau.

cosciotto [koʃ'ʃɔtto] m. cuisseau.

coscritto [kos'kritto] m. MIL. conscrit.

coscrizione [koskrit'tsjone] f. MIL. conscription.

così [ko'si] avv. [in questo modo] ainsi, de cette façon, comme cela, comme ça. | *se è così,* s'il en est ainsi. | *e così di seguito,* et ainsi de suite. | *va bene così,* ça va. | *e così ?,* et alors ? | *non fare così !,* ne fais pas comme ça ! || [comp.] aussi (in frasi affermative), si (in frasi negative). | *non è così difficile come credevo,* ce n'est pas si difficile que je le croyais. || [consecutivo] si, tellement (in relazione ad agg. e avv. in frasi affermative), assez (in relazione ad agg. e avv. in frasi negative). | *erano così stanchi che ritornarono subito a casa,* ils étaient si fatigués qu'ils rentrèrent tout de suite. | *non è così stupido da crederci,* il n'est pas assez sot pour y croire. || [desiderativo] *così sia,* ainsi soit-il. ◆ cong. [sia sia] ainsi. || [similitudine] comme, autant que. | *così in Francia come in Italia,* en France autant qu'en Italie. || [conseguenza] aussi, par conséquent. | *non lavorava più e così l'ho licenziato,* il ne travaillait plus, aussi je l'ai renvoyé. ◆ agg. inv. [simile] pareil, comme ça. | *un affare così,* une histoire comme ça. || LOC. *così lei va via ?,* comme ça, vous

partez ? | *mi ha detto così e così,* il m'a dit ceci et cela. | *così così,* comme ci comme ça, entre les deux.
cosicché [kosik'ke] loc. cong. [in modo che] de sorte que, si bien que. || [perciò] aussi, par conséquent.
cosiddetto [kosid'detto] agg. [designato così] *la cosiddetta valvola a farfalla,* celle qu'on appelle la soupape. || [che pretende essere] soi-disant agg. inv.
cosmetico [koz'mɛtiko] (**-ci** pl.) agg. e m. cosmétique.
cosmico ['kɔzmiko] (**-ci** pl.) agg. cosmique.
cosmo ['kɔzmo] m. cosmos.
cosmologia [kozmolo'dʒia] f. cosmologie.
cosmopolita [kozmopo'lita] (**-i** pl.) agg. e n. cosmopolite.
coso [ko'so] m. FAM. [di persone e di cose] machin, truc.
cospargere [kos'pardʒere] v. tr. parsemer, joncher. || [di zucchero e sale] saupoudrer.
cospetto [kos'pɛtto] m. présence f. || LOC. *al cospetto di,* devant, en présence de.
cospicuo [kos'pikuo] agg. considérable, imposant, important.
cospirare [kospi'rare] v. intr. (contro) conspirer (contre), comploter (contre). ◆ v. tr. indir. (a) conspirer (à), concourir (à).
cospirazione [kospirat'tsjone] f. conspiration, cabale, complot m., coup monté.
costa ['kɔsta] f. ANAT. côte. || [di cosa] nervure, côte. | *costa di un libro,* dos (m.) d'un livre. | *velluto a coste,* velours côtelé. || [pendio] côte, pente. || [riva] côte, rivage m.
costà [kos'ta] avv. là, là-bas.
costante [kos'tante] agg. constant, persévérant, persistant. ◆ f. MAT., FIS. constante.
costanza [kos'tantsa] f. constance, persévérance.
costare [kos'tare] v. intr. [in tutti i significati] coûter. | *costare caro,* coûter cher. | *quanto costa ?,* c'est combien ? ◆ v. impers. *mi costa dirvi che,* il m'en coûte de vous dire que. ◆ v. tr. [richiedere] coûter, causer. || LOC. *costi quel che costi,* coûte que coûte.
costata [kos'tata] f. entrecôte.
costatare [kosta'tare] e deriv. = CONSTATARE e deriv.
costato [kos'tato] m. côté.
costeggiare [kosted'dʒare] v. tr. [con o senza movimento] côtoyer, longer. || MAR. caboter.
costei [kos'tɛi] pron. dim. f. sing. celle-ci, celle-là.
costellare [kostel'lare] v. tr. consteller, étoiler.
costellazione [kostellat'tsjone] f. constellation.
costernare [koster'nare] v. tr. consterner.
costernazione [kosternat'tsjone] f. consternation.
costì [kos'ti] avv. là, là-bas.
costiera [kos'tjɛra] f. littoral m.
costipare [kosti'pare] v. tr. MED. constiper.
costipazione [kostipat'tsjone] f. MED. constipation. || [raffreddore] rhume m.
costituente [kostitu'ɛnte] agg. constituant. ◆ f. POL. *la Costituente,* la Constituante.
costituire [kostitu'ire] v. tr. constituer. ◆ v. rifl. se constituer.
costituzionale [kostituttsjona'le] agg. constitutionnel, elle.
costituzionalità [kostituttsjonali'ta] f. inv. constitutionnalité f.
costituzione [kostitut'tsjone] f. [in tutti i sensi] constitution. | *costituzione di una società,* constitution d'une société. | *persona di sana costituzione,* personne normalement constituée. || POL. *la costituzione,* la Constitution.
costo ['kɔsto] m. coût, prix. | *vendere sotto costo,* vendre à perte. || LOC. *a nessun costo,* à aucun prix. | *ad ogni costo,* à tout prix.
costola ['kɔstola] f. ANAT. côte. || PER ANAL. *costola di una foglia,* nervure d'une feuille. | *costola di un libro,* dos (m.) d'un livre. || LOC. *aver sempre qlcu. alle costole,* avoir toujours qn à ses trousses.
costoletta [kosto'letta] f. CULIN. côtelette.
costoro [kos'toro] pron. dim. m. pl. ceux-ci, ceux-là, ces gens-ci, ces gens-là. ◆ f. pl. celles-ci, celles-là, ces femmes-ci, ces femmes-là.
costoso [kos'toso] agg. coûteux, cher, de prix.
costringere [kos'trindʒere] v. tr. obliger, forcer, contraindre. | *sarò costretto a farlo,* je serai obligé de le faire. ◆ v. rifl. s'obliger (à), se forcer (à), s'imposer (de).
costrittivo [kostrit'tivo] agg. contraignant, coercitif.
costrizione [kostrit'tsjone] f. contrainte, entrave, gêne.
costruire [kostru'ire] v. tr. [innalzare] construire, bâtir, élever, édifier, établir. | *costruire una casa,* bâtir une maison. || [macchine] construire. || FIG. [creare] bâtir, édifier.
costruttivo [kostrut'tivo] agg. constructif.

costrutto [kos'trutto] m. Gr. tournure f., construction f. || [senso] sens. || [utilità] avantage, profit, résultat.
costruzione [kostrut'tsjone] f. [azione] construction. || [edifici] construction, bâtiment m., édifice m.
costui [kos'tui] pron. dim. m. sing. celui-ci, celui-là, cet homme-ci, cet homme-là.
costumare [kostu'mare] v. intr. [solere] avoir coutume (de), avoir l'habitude (de).
costumato [kostu'mato] agg. bien élevé.
costume [kos'tume] m. [abitudine] coutume f. usage, habitude f. || [condotta] mœurs f. pl., morale f. | *il mal costume governativo,* la corruption gouvernementale. || vêtement, costume. | *costume (da bagno),* maillot (de bain). | *ballo in costume,* bal costumé.
cotechino [kote'kino] m. Culin. andouille f.
cotenna [ko'tenna] f. couenne.
cotogna [ko'toɲɲa] agg. e f. (mela) *cotogna,* coing m.
cotognata [kotoɲ'ɲata] f. confiture de coings.
cotoletta [koto'letta] f. Culin. côtelette.
cotonare [koto'nare] v. tr. [di capelli] crêper.
cotonato [koto'nato] m. cotonnade f.
cotone [ko'tone] m. coton. | *cotone da rammendo, da ricamo,* fil à repriser, à broder.
cotonificio [kotoni'fitʃo] (**-ci** pl.) m. filature (f.) de coton.
cotonina [koto'nina] f. cotonnade, cotonnette.
1. cotta ['kɔtta] f. [cottura] cuisson. || [ubriacatura] cuite (pop.). | *prendere una cotta,* prendre une cuite, se cuiter (pop.). || [passione] béguin m.
2. cotta f. [tunica] cotte.
cottimo ['kɔttimo] m. travail à la pièce, aux pièces.
cotto ['kɔtto] part. pass. di cuocere e agg. cuit. ◆ m. brique f.
cottura [kot'tura] f. Culin. cuisson. || Metall. étuvage m. || Tecn. cuite.
coupé [ku'pe] m. (fr.) Aut. coupé.
cova ['kova] f. couvaison, incubation.
covare [ko'vare] v. tr. e intr. Pr. e Fig. couver. || Loc. *gatta ci cova !,* il y a quelque chose là-dessous !
covata [ko'vata] f. [uova] couvée. || [piccoli] nichée.
covo ['kovo] m. tanière f., gîte. || Fig. repaire, caverne f., nid.
covone [ko'vone] m. gerbe f.
cozza ['kɔttsa] f. Zool. moule.
cozzare [kot'tsare] v. intr. (con, contro) heurter (contre) v. intr., se heurter (à, contre) v. rifl. | *affermazioni che cozzano tra loro,* affirmations contradictoires. ◆ v. tr. se cogner v. rifl. | *cozzare la testa contro un muro,* se cogner la tête contre un mur. ◆ v. recipr. s'entrechoquer, se heurter.
cozzo ['kɔttso] m. [colpo violento] heurt, choc.
1. crac [krak] m. (fr.) Fin. krach.
2. crac ! interiez. crac !
crampo ['krampo] m. Med. crampe f.
cranico ['kraniko] (**-ci** pl.) agg. crânien.
cranio ['kranjo] m. crâne.
crapula ['krapula] m. Lett. bombance, ripaille (fam.).
crasso ['krasso] agg. Anat. *intestino crasso,* gros intestin. || Fig. crasse.
cratere [kra'tɛre] m. cratère.
crauti ['krauti] m. pl. Culin. choucroute f. sing.
cravatta [kra'vatta] f. cravate.
cravattino [kravat'tino] m. nœud papillon.
creanza [kre'antsa] f. éducation, bonnes manières. | *senza creanza,* mal élevé.
creare [kre'are] v. tr. créer. || [inventare] inventer, élaborer. || [fondare] établir, fonder. | *si è creato molti amici,* il s'est fait beaucoup d'amis. || Fig. *creare delle difficoltà,* créer des difficultés. ◆ v. rifl. se créer.
creatività [kreativi'ta] f. créativité.
creato [kre'ato] part. pass. e agg. créé. ◆ m. [universo] création f.
creatore [krea'tore] (**-trice** f.) agg. e n. créateur, trice. || [inventore] inventeur.
creatura [krea'tura] f. créature, être m. || [bimbo] enfant m. || [protetto] créature, protégé m.
creazione [kreat'tsjone] f. création.
credente [kre'dɛnte] agg. e n. croyant.
1. credenza [kre'dɛntsa] f. [mobile] buffet m., desserte.
2. credenza f. [fede, fiducia] crédit m., créance. || [opinione] croyance, opinion, conviction. | *è credenza diffusa che,* c'est une conviction répandue que.
credere ['kredere] v. intr. Rel. [aver fede] croire. || [prestar fede] (a) croire v. tr. | *credo a quella storia,* je crois cette histoire. || [pensare, supporre] (che) croire, penser, imaginer (que), [a torto] s'imaginer. | *credo che non abbia torto,* je crois qu'il n'a pas tort. | *credi che venga ?,* crois-tu qu'il viendra ? | *credo che sia un uomo di parola,* je le crois homme de parole. || (di) croire, [a torto] s'imaginer. | *crede di avere una grande mente,* il se croit du génie. | *credo di sì,* je crois que oui. ◆ v. tr. croire. || [con apposizione] supposer. ◆ v. rifl. [ritenersi] se croire.
credibile [kre'dibile] agg. croyable.

credibilità [kredibili'ta] f. crédibilité.
credito ['kredito] m. crédit. || [considerazione] considération f., estime f., influence f. | *godere di molto credito,* jouir d'une grande considération. || COMM., FIN. [prestito di denaro] crédit. | *far credito a qlcu.,* faire crédit à qn. || [somma da recuperare] créance f. | *titolo di credito,* créance.
creditore [kredi'tore] (**-trice** f.) agg. créditeur, trice. ◆ m. COMM., FIN. créditeur ; créancier.
credo ['krɛdo] m. TEOL. e FIG. credo.
credulità [kredulíta] f. crédulité.
credulo ['krɛdulo] agg. crédule.
crema ['krɛma] f. PR. e FIG. crème.
cremagliera [kremaλ'λɛra] f. TECN. crémaillère.
cremare [kre'mare] v. tr. incinérer.
cremazione [kremat'tsjone] f. crémation, incinération.
cremino [kre'mino] m. petit bonbon au chocolat ; chocolat fourré.
cremisi ['krɛmizi] agg. inv. e m. cramoisi.
cremoso [kre'moso] agg. crémeux.
crepa ['krɛpa] f. [di muro] lézarde, fissure, crevasse. || [di terreno] fente, fissure. || FIG. fissure.
crepaccio [kre'pattʃo] (**-ci** pl.) m. GEOL. [di ghiacciaio] crevasse f.
crepacuore [krepa'kwɔre] m. crèvecœur.
crepapelle [krepa'pɛlle] LOC. *ridere a crepapelle,* rire aux éclats. | *mangiare a crepapelle,* manger à crever.
crepare [kre'pare] v. intr. [fendersi] se lézarder, se fissurer, se crevasser. || [di vaso] se fêler. || FIG., FAM. mourir, crever. | *crepare dalla sete, dal freddo,* crever de soif, de froid. | *crepare di rabbia,* crever de rage.
crepitare [krepi'tare] v. intr. crépiter, grésiller ; craquer.
crepitio [krepi'tio] m. crépitement, grésillement. || [foglia secca] craquement.
crepuscolo [kre'puskolo] m. crépuscule.
crescente [kreʃ'ʃɛnte] agg. et m. ASTR. croissant.
crescenza [kreʃ'ʃɛntsa] f. croissance.
crescere ['kreʃʃere] v. intr. [svilupparsi] [persona] grandir ; [pianta, pelo] pousser. | *l'erba cresce lungo i fossi,* l'herbe pousse le long des fossés. || [aumentare di peso, volume, intensità, ecc.] croître, s'agrandir v. rifl., augmenter, monter, grossir. | *i prezzi crescono,* les prix montent, sont en hausse. | *sono cresciuta di tre chili,* j'ai grossi de trois kilos. ◆ v. tr. [allevare] élever. || [aumentare le quantità] augmenter.
crescione [kreʃ'ʃone] m. cresson.
crescita ['kreʃʃita] f. [di persona, animale] croissance. || [di pianta, pelo] pousse. || [di acque] crue. || [aumento di volume, peso, intensità] augmentation. || [dei prezzi] hausse.
cresima ['krɛzima] f. REL. confirmation.
cresimare [krezi'mare] v. tr. REL. confirmer.
crespa ['krespa] f. [ruga] ride. || [piega] pli m.
crespatura [krespa'tura] f. [di stoffa] fronce.
crespo ['krespo] agg. [di capelli] crépu. || [rugoso] plissé. ◆ m. TESS. crêpe. | *crespo di Cina,* crêpe de Chine.
cresta ['kresta] f. [di uccello] crête. || [ciuffo di piume] huppe. || [di elmo] cimier m. || [di montagna, di onda] crête.
creta ['kreta] f. argile, glaise.
cretaceo [kre'tatʃeo] agg. argileux, glaiseux. || GEOL. crétacé. ◆ m. GEOL. crétacé.
cretino [kre'tino] agg. e m. crétin, idiot, demeuré.
cricca ['krikka] (**-che** pl.) f. chapelle, coterie, camarilla, clique, clan m.
cricchiare [krik'kjare] v. intr. crisser.
cricchiolio [krikkjo'lio] m. craquement.
criminale [krimi'nale] agg. [persona e azione] criminel. ◆ n. criminel, elle.
criminalità [kriminali'ta] f. criminalité.
crimine ['krimine] m. GIUR. e FIG. crime.
criminologia [kriminolo'dʒia] f. criminologie.
crinale [kri'nale] m. GEOL. ligne (f.) de faîte.
crine ['krine] m. crin.
criniera [kri'njɛra] f. crinière.
cripta ['kripta] f. crypte.
crisalide [kri'zalide] f. chrysalide.
crisantemo [krizan'temo] m. chrysanthème.
crisi ['krizi] f. inv. [in tutti i significati] crise f.
crisma ['krizma] (**-i** pl.) m. REL. chrême. || FIG. approbation f.
cristalleria [kristalle'ria] f. [in tutti i sensi] cristallerie.
cristallino [kristal'lino] agg. cristallin. ◆ m. ANAT. cristallin.
cristallizzare [kristallid'dzare] v. tr. CHIM. e FIG. cristalliser. ◆ v. intr. o rifl. (se) cristalliser. || FIG. se fossiliser.
cristallizzazione [kristalliddzat'tsjone] f. cristallisation. || FIG. figement m.
cristallo [kris'tallo] m. MINER. cristal. || [vetro] cristal. || AUT. [di faro] glace f. ◆ pl. [oggetti] cristaux.

cristianesimo [kristja'nezimo] m. christianisme.
cristianità [kristjani'ta] f. chrétienté.
cristiano [kris'tjano] agg. e n. chrétien. || FIG. *da cristiano,* comme il faut, convenablement (avv.).
cristo ['kristo] m. ARTI [statua, pittura] christ. || LOC. *un povero cristo,* un pauvre hère, diable.
criterio [kri'tɛrjo] (**-ri** pl.) m. critère, critérium. || FAM. [assennatezza] bon sens, jugement.
critica ['kritika] (**-che** pl.) f. [in tutti i sensi] critique.
criticare [kriti'kare] v. tr. [in tutti i sensi] critiquer.
critico ['kritiko] agg. e m. critique.
crivellare [krivel'lare] v. tr. [vagliare] cribler, passer au crible. || [trapassare] cribler.
crivello [kri'vɛllo] m. PR. e FIG. crible. || [in legno o ferro] claie f.
croccante [krok'kante] agg. croustillant, croquant. ◆ m. CULIN. nougat.
crocchio ['krɔkkjo] (**-chi** pl.) m. groupe, cercle.
croce ['krotʃe] f. croix. || LOC. *puoi farci una croce sopra,* tu peux faire une croix dessus. | *a occhio e croce,* au jugé. | *giocare, fare a testa o croce,* jouer à pile ou face. ◆ loc. avv. *in croce,* en croix.
crocevia [krotʃe'via] m. inv. carrefour m., croisement m.
crociare [kro'tʃare] v. intr. MAR. croiser.
crociata [kro'tʃata] f. PR. e FIG. croisade.
crociato [kro'tʃato] agg. [contrassegnato con una croce] croisé. ◆ m. STOR. croisé.
crocicchio [kro'tʃikkjo] (**-chi** pl.) m. carrefour, croisement.
crociera [kro'tʃɛra] f. croisière. || ARCHIT. croisée.
crocifiggere [krotʃi'fiddʒere] v. tr. PR. e FIG. crucifier.
crocifissione [krotʃifis'sjone] f. crucifixion, crucifiement m.
crocifisso [krotʃi'fisso] m. [persona] crucifié. || [oggetto] crucifix.
crogiolarsi [krodʒo'larsi] v. rifl. FIG. se complaire, se dorloter. | *crogiolarsi al sole,* faire le lézard.
crogiolo [kro'dʒɔlo] m. [in tutti i sensi] creuset.
crollare [krol'lare] v. intr. crouler, s'effondrer, s'abattre, s'affaisser. || FIG. *crollare dal sonno,* tomber de sommeil.
crollo ['krɔllo] m. [caduta] écroulement, effondrement. || FIG. *crollo dei prezzi,* effondrement des prix. | *crollo di un regime,* chute (f.) d'un régime.
croma ['krɔma] f. croche.
cromare [kro'mare] v. tr. TECN. chromer.
cromatico [kro'matiko] (**-ci** pl.) agg. [colori e musica] chromatique.
cromo ['krɔmo] m. CHIM. chrome.
cromosoma [kromo'sɔma] (**-i** pl.) m. chromosome.
cronaca [krɔnaka] (**-che** pl.) f. GIORN. e PER. EST. chronique, courrier m. | *fatti, notizie di cronaca,* faits divers. | *cronaca letteraria,* courrier littéraire.
cronistoria [kronis'tɔrja] f. historique m.
cronologia [kronolo'dʒia] f. chronologie.
cronologico [krono'lɔdʒiko] (**-ci** pl.) agg. chronologique.
cronometrare [kronome'trare] v. tr. chronométrer.
cronometro [kro'nɔmetro] m. chronomètre.
crosta ['krɔsta] f. [di pane] croûte. || FIG. écorce, enveloppe. || ARTI, FAM. [brutto quadro] croûte.
crostaceo [kros'tatʃeo] m. crustacé.
crostata [kros'tata] f. CULIN. croustade. || [dolce] tarte.
crostino [kros'tino] m. CULIN. croûton, canapé.
crucciare [krut'tʃare] v. tr. irriter, agacer. ◆ v. medio intr. [adirarsi] s'irriter, se fâcher. || [affliggersi] se faire du souci.
cruccio ['kruttʃo] (**-ci** pl.) m. souci, inquiétude f.
cruciforme [krutʃi'forme] agg. cruciforme.
cruciverba [krutʃi'vɛrba] m. inv. mots croisés.
crudamente [kruda'mente] avv. crûment.
crudele [kru'dɛle] agg. cruel.
crudeltà [krudel'ta] f. inv. cruauté f.
crudezza [kru'dettsa] f. PR. e FIG. crudité, rudesse, dureté. | *crudezza della luce, del linguaggio,* crudité de la lumière, du langage. | *crudezza del clima,* rigueur du climat. | *crudezza d'animo,* dureté de cœur.
crudità [krudi'ta] f. inv. PR. e FIG. crudité. || FIG. dureté f.
crudo ['krudo] agg. [non cotto] cru. || [non lavorato] cru, écru. || LOC. *ne ha viste di cotte e di crude,* il en a vu de dures. ◆ m. cru. | *il crudo e il cotto,* le cru et le cuit.
cruento [kru'ɛnto] agg. LETT. sanglant (L.C.).
crumiro [kru'miro] m. briseur de grève, jaune (fam.).
cruna ['kruna] f. [dell'ago da cucire] chas m.
crusca ['kruska] (**-che** pl.) f. BOT. son m.

cruscotto [krus'kotto] m. AUT. tableau de bord.
cubare [ku'bare] v. tr. cuber.
cubatura [kuba'tura] f. cubage m.
cubico ['kubiko] (**-ci** pl.) agg. cubique.
cubismo [ku'bizmo] m. cubisme.
cubitale [kubi'tale] agg. ANAT. cubital. || TIP. *a caratteri cubitali,* en gros caractères.
cubito ['kubito] m. ANAT. coude. || [unità di misura] coudée f.
cubo ['kubo] m. cube.
cuccagna [kuk'kaɲɲa] f. cocagne.
cuccetta [kut'tʃetta] f. couchette.
cucchiaiata [kukkja'jata] f. cuillerée.
cucchiaino [kukkja'ino] m. petite cuiller, cuillère (f.) à café, à thé.
cucchiaio [kuk'kjajo] (**-ai** pl.) m. cuiller f., cuillère f. || [contenuto] cuillerée f.
cuccia ['kuttʃa] (**-ce** pl.) f. [di cane] niche. || SCHERZ. [letto] lit m. (L.C.).
cucciolo ['kuttʃolo] m. [piccolo di cane] chiot, petit chien.
cucco ['kukko] (**-chi** pl.) m. [prediletto] chouchou (fam.). || ZOOL. coucou.
cuccuma ['kukkuma] f. cafetière, bouillotte, bouilloire.
cucina [ku'tʃina] f. [luogo, arte, cibo] cuisine. || [apparecchio] cuisinière. | *cucina economica,* fourneau (m.) de cuisine.
cucinare [kutʃi'nare] v. tr. cuisiner. || FIG. *arranger.*
cucire [ku'tʃire] v. tr. coudre.
cucirino [kutʃi'rino] m. TESS. fil mercerisé, fil à coudre.
cucito [ku'tʃito] m. [azione, arte] couture f.
cucitura [kutʃi'tura] f. couture. || [rilegatura] brochage.
cuculo ['kukulo] m. ZOOL. coucou.
cuffia ['kuffja] f. coiffe. || [di bambino] bonnet m., béguin m. || TEL. casque (m.) d'écoute. || LOC. *uscirne per il rotto della cuffia,* s'en tirer de justesse.
cugino [ku'dʒino] (**-a** f.) n. cousin, e. | *primo cugino,* cousin germain. || ZOOL. cousin.
cui ['kui] pron. [senza prep.] [persona] à qui (*o* auquel, à laquelle, auxquels, auxquelles). | *il passante cui ho chiesto l'ora,* le passant à qui j'ai demandé l'heure. || [cosa] auquel, à laquelle, auxquels, auxquelles. | *i quadri cui mi riferisco,* les tableaux auxquels je me réfère. || [neutro] à quoi. | *ciò cui penso,* ce à quoi je pense. || *di cui* [persona e cosa], dont. | *l'uomo di cui vedo l'abito blu,* l'homme dont je vois le costume bleu. || [neutro] dont, de quoi. | *ciò di cui si tratta,* ce dont il s'agit, ce dont il est question. || *da cui* [separazione, provenienza, estrazione, allontanamento], dont, d'où. | *la camera da cui è uscito,* la chambre dont, d'où il est sorti. || [presso] chez qui, chez lequel, laquelle, lesquels, lesquelles. | *il macellaio da cui mi servo,* le boucher chez qui je me sers. || [agente] dont; par qui, par lequel, laquelle, lesquels, lesquelles. | *si voltò verso quello da cui si sentiva disprezzato,* il se retourna vers celui dont il se sentait méprisé. || *in cui* [persona], en qui, en lequel, laquelle, lesquels, lesquelles. | *il Dio in cui credo,* le Dieu en qui je crois. || [senso locativo] où, dans lequel, laquelle, lesquels, lesquelles. | *il libro in cui ho letto ciò,* le livre où, dans lequel j'ai lu ça. || [senso temporale] où. | *nel momento in cui arrivò,* au moment où il arriva. || [conseguenza] *da cui si deduce che,* d'où l'on déduit que. || [preceduto da altre prep.] [persona] prep. + qui (*o* lequel, laquelle, lesquels, lesquelles). | *la ragazza con cui è uscito è mia sorella,* la jeune fille avec qui il est sorti est ma sœur. || [cosa] prep. + lequel, laquelle, lesquels, lesquelles. | *il mezzo con cui speravi di vincere,* le moyen par lequel tu espérais gagner. || [neutro] prep. + quoi. | *ciò a cui penso,* ce à quoi je pense. ◆ agg. [preceduto da art.] dont. | *questa ragazza la cui madre è morta,* cette jeune fille dont la mère est morte. || [preceduto da prep. articolata] [persona] de qui (*o* duquel, de laquelle, desquels, desquelles). | *il ragazzo con la cui bicicletta sono venuto,* le garçon avec la bicyclette duquel je suis venu. ◆ prep. articolata [perciò] c'est pourquoi, ce pour quoi, pour cela, par conséquent. | *era ammalato, per cui non poteva uscire,* il était malade, c'est pourquoi il ne pouvait pas sortir.
culla ['kulla] f. [letto] berceau m.
cullare [kul'lare] v. tr. bercer.
culminare [kulmi'nare] v. intr. culminer.
culmine ['kulmine] m. sommet. || FIG. sommet, comble, faîte. | *la festa era al suo culmine,* la fête battait son plein.
culo ['kulo] m. POP. cul. || chance, veine.
culto ['kulto] m. PR. e FIG. culte.
cultore [kul'tore] (**-trice** f.) n. amateur inv.
cultuale [kultu'ale] agg. cultuel.
cultura [kul'tura] f. [in tutti i significati] culture.
cumino [ku'mino] m. cumin.
cumulare [kumu'lare] v. tr. cumuler.
cumulativo [kumula'tivo] agg. cumulatif. | *prezzo cumulativo,* prix d'ensemble.
cumulo ['kumulo] m. [mucchio] PR. e FIG. tas, amas. | *ha detto un cumulo di stupidaggini,* il a dit un tas de sottises. || METEOR. cumulus.

cuneo ['kuneo] m. TECN. coin. ‖ ARCHIT. voussoir, vousseau.
cunetta [ku'netta] f. [canale di scolo] caniveau m., ‖ [che attraversa una strada] cassis m.
cunicolo [ku'nikolo] m. galerie f. ‖ MIL. boyau.
cuoca ['kwɔka] (**-che** pl.) f. cuisinière.
cuocere ['kwɔtʃere] v. tr. e intr. cuire.
cuoco ['kwɔko] (**-chi** pl.) m. cuisinier. ‖ MAR. coq.
cuoio ['kwɔjo] (**cuoi** pl. PR. ; **cuoia** pl. FIG.) m. cuir. ◆ pl. LOC. *tirar le cuoia,* claquer v. intr. (fam.), casser sa pipe (fam.).
cuore ['kwɔre] m. ANAT. [organo] cœur. | *è ammalato di cuore,* il a une maladie de cœur. ‖ [petto] cœur. | *stringer(si) qlcu. al cuore,* presser qn sur son cœur. ‖ [sentimenti] cœur. | *amare con tutto il cuore,* aimer de tout son cœur. ‖ [bontà] *un uomo senza cuore,* un homme sans entrailles. ‖ [ardore] *questo mi sta a cuore,* cela me tient à cœur. ‖ [coraggio] *non mi basta il cuore,* le cœur me manque. ‖ [cose] *a cuore, a cuori,* en forme de cœur. ‖ [centro] cœur. | *cuore di carciofo,* cœur d'artichaut. ‖ FIG. *nel cuore della notte,* au cœur de la nuit. ‖ LOC. *col cuore in gola,* le cœur battant. | *in cuore suo,* dans son for intérieur.
cupidigia [kupi'didʒa] f. cupidité, convoitise.
cupidità [kupidi'ta] f. cupidité, avidité.
cupido ['kupido] agg. cupide.
cupo ['kupo] agg. [oscuro] sombre, noir, obscur, épais. ‖ [di suono] sourd. | *con voce cupa,* d'une voix sourde.
cupola ['kupola] f. [all'esterno] dôme m. ; [all'interno] coupole.
cupreo ['kupreo] agg. LETT. [colore] cuivreux, cuivré.
cura ['kura] f. [applicazione, attenzione] soin m., attention. | *eseguire un lavoro con la massima cura,* exécuter un travail avec le plus grand soin. | *abbiti cura,* ménage-toi. ‖ [preoccupazione] souci m. ‖ [responsabilità] soin m., charge. | *lasciare ad altri la cura di,* se décharger sur d'autres du soin de. ‖ MED. [trattamento] traitement m. | *essere in cura,* être en traitement. ◆ pl. soins m. pl., attentions.
curante [ku'rante] agg. *medico curante,* médecin traitant.
curare [ku'rare] v. tr. [attendere a] soigner ; prendre, avoir soin (de). | *curare la propria cultura,* prendre soin de sa culture. ‖ [procurare] veiller (à), prendre soin (que). | *curerò ch'egli non ne sappia nulla,* je veillerai à ce qu'il n'en sache rien. ◆ v. rifl. se soigner. ◆ v. medio intr. [preoccuparsi] se soucier ; s'inquiéter ; se préoccuper. | *non se ne cura affatto,* il ne s'en soucie guère. ‖ [darsi la pena] se donner, prendre la peine. | *non si è curato neppure di rispondermi,* il n'a même pas pris la peine de me répondre.
curaro [ku'raro] m. curare.
curativo [kurativo] agg. curatif.
curato [ku'rato] m. curé.
curia ['kurja] f. REL., STOR. curie. ‖ GIUR. [complesso degli avvocati] barreau m.
curiosare [kurjo'sare] v. intr. [comportarsi da curioso] fourrèr son nez. | *vengono a casa nostra solo per curiosare,* ils ne viennent chez nous que pour fourrer leur nez dans nos affaires. ‖ [frugare] fureter.
curiosità [kurjosi'ta] f. inv. curiosité. | *togliersi la curiosità,* satisfaire sa curiosité. | *suscitare curiosità,* intéresser v. tr. ◆ pl. [cose] curiosités.
curioso [ku'rjoso] agg. [che vuole sapere] curieux. ‖ [che fruga dappertutto] fureteur. ‖ [strano] curieux, bizarre, drôle. | *è un tipo curioso,* c'est un drôle de type. ◆ n. [persona] curieux.
cursore [kur'zore] m. ASTR., TECN. coulisseau, curseur.
curva ['kurva] f. courbe. ‖ PER ANAL. courbe, tournant m., virage m. | *curva pericolosa,* virage dangereux.
curvare [kur'vare] v. tr. [piegare] courber, couder, cambrer. ‖ [abbassare] courber, incliner, baisser. | *curvare la testa,* baisser la tête. ◆ v. rifl. [diventare curvo] se courber, se voûter. ‖ [chinarsi] se baisser, se courber. ‖ TECN. gauchir v. intr. ◆ v. intr. [fare una curva] tourner.
curvatura [kurva'tura] f. courbure. ‖ ANAT., AV. cambrure.
curvo ['kurvo] agg. courbe. ‖ [vecchio] courbé, voûté. ‖ [curvato] courbé, penché.
cuscinetto [kuʃʃi'netto] m. coussinet. ‖ MECC. *cuscinetto a sfere,* roulement à billes.
cuscino [kuʃ'ʃino] m. coussin. ‖ [guanciale] oreiller.
cuspide ['kuspide] f. [estremità appuntita] pointe. ‖ ARCHIT. *a cuspide,* en flèche.
custode [kus'tɔde] m. PR. e FIG. gardien. ‖ [portinaio] concierge.
custodia [kus'tɔdja] f. [sorveglianza] garde. | *lasciare in custodia,* laisser en garde. ‖ GIUR. *agente di custodia,* gardien de prison. ‖ [astuccio] étui m.
custodire [kusto'dire] v. tr. PR. e FIG. garder.
cutaneo [ku'taneo] agg. cutané.
cute ['kute] f. MED. peau.
czar [tsar] m. = ZAR.

d

da [da] prep. 1. de. | *vengo dall'Italia,* je viens d'Italie. | *abitare a due chilometri dalla città,* habiter à deux kilomètres de la ville. | *piangere dalla rabbia,* pleurer de rage. 2. chez. | *verrò da te domani,* je viendrai chez toi demain. 3. par. | *passare dal giardino,* passer par le jardin. 4. depuis, il y a ... que. | *la conosco da tre anni,* il y a trois ans que je la connais. | *da allora in poi,* depuis lors. 5. dès. | *fin da domani,* dès demain. 6. en. | *parlare da amico,* parler en ami. 7. à. | *vedo dai tuoi occhi che hai pianto,* je vois à tes yeux que tu as pleuré. | *carte da gioco,* cartes à jouer. | *ha una barca da affittare,* il a une barque à louer. | *pesche da 600 lire al chilo,* pêches à 600 lires le kilo. 8. d'après. | *da quello che mi hai detto,* d'après ce que tu m'as dit. 9. de quoi. | *non c'è da essere contenti,* il n'y a pas de quoi être satisfait(s). 10. pour. | *scarpe da uomo,* chaussures pour hommes. 11. lorsque, quand. | *come vivevi da studente?,* comment vivais-tu quand tu étais étudiant? 12. que. | *è così stanco da non riuscire a dormire,* il est si fatigué qu'il ne réussit pas à dormir. || LOC. *su, da bravo, coraggio,* allons, courage. | *da solo,* V. SOLO.

dabbene [dab'bɛne] agg. inv. honnête agg., comme il faut.

daccapo [dak'kapo] avv. V. CAPO.

dacché [dak'ke] cong. [da quando] depuis que.

dado ['dado] m. GIOCHI dé. || MECC. [vite] écrou. || CULIN. cube. | *dado di brodo,* cube de bouillon.

daffare [daf'fare] m. besogne f., travail, trafic (fam.).

dagli ['daʎʎi] interiez. V. DALLI.

dai ['dai] interiez. V. DALLI.

daino ['daino] m. daim.

dalia ['dalja] f. dahlia m.

dalli ['dalli] interiez. *e dalli che piange!,* il pleure encore! | *dalli che vinci!,* vas-y, tu vas gagner!

dama ['dama] f. dame. || [partner del ballerino] cavalière.

damascato [damas'kato] agg. e m. TESS. damassé.

damiera [da'mjɛra] f. GIOCHI damier m.

damigella [dami'dʒɛlla] f. demoiselle.

damigiana [dami'dʒana] f. bonbonne. || [ricoperta interamente di vimini intrecciato] dame-jeanne.

danaro [da'naro] m. *il pubblico danaro,* les deniers publics. || [senso corrente] V. DENARO.

danaroso [dana'roso] agg. riche, cossu, fortuné.

dannare [dan'nare] v. tr. damner. ◆ v. rifl. se damner. || FIG., FAM. se faire du mauvais sang, de la bile.

dannazione [dannat'tsjone] f. e interiez. damnation.

danneggiare [danned'dʒare] v. tr. endommager, détériorer, dégrader. || FIG. léser, nuire (à). ◆ v. rifl. s'endommager.

danno ['danno] m. dégât, dommage. | *riparare i danni,* réparer les dégâts. | *risarcimento dei danni,* dommages et intérêts.

dannoso [dan'noso] agg. nuisible, nocif.

danza ['dantsa] f. danse.

danzare [dan'tsare] v. intr. e tr. danser.

dappertutto [dapper'tutto] avv. partout, de toutes parts, de tous côtés.

dappoco [dap'pɔko] agg. inv. sans valeur, insuffisant, de rien. | *sono cose dappoco,* ce sont des choses de rien. || [persone] incapable m., bon à rien.

dappresso [dap'prɛsso] avv. (raro) V. VICINO.

dapprima [dap'prima] avv. (tout) d'abord, premièrement, avant tout.

dardeggiare [darded'dʒare] v. tr. darder.

dardo ['dardo] m. dard, trait.

1. dare ['dare] v. tr. 1. [senso generale] donner. | *dare qlco. a qlcu.,* donner qch. à qn. || PER ANAL. *dare il braccio,* donner le bras. || PER EST. *dare una cena,* donner un dîner. 2. [accordare] donner. | *dare una proroga,* donner un délai. || PER ANAL. *dare libero corso al proprio dolore,* donner libre cours à sa douleur. | *dammi tempo!,* donne-moi le temps! 3. [conferire] donner. | *dare pieni poteri,* donner les pleins pouvoirs. 4. [attribuire] donner. | *quanti anni gli dai?,* quel âge lui donnes-tu? 5. [assegnare] donner. | *gli sono stati dati dieci anni di carcere,* on lui a donné dix ans de prison. 6. [fissare] donner. | *dare un appuntamento a qlcu.,* donner rendez-vous à qn. 7. [produrre] donner. | *ciò non darà nulla di buono,* cela ne donnera rien de bon. 8. [consegnare, distribuire] *dare le carte,* donner, distribuer les cartes. 9. [procurare, causare] donner. | *dare delle preoccupazioni,* donner des soucis. | *ciò mi dà un' idea,* cela me donne une idée. 10. [emettere] donner. | *stufa che dà molto calore,* poêle qui donne une grande chaleur. 11. [creare, mettere al mondo] donner. | *gli ha dato* *due maschietti,* elle lui a donné deux petits garçons. 12. [far passare] (per) donner (pour). | *dare per morto,* donner pour mort. 13. [augurare] donner. | *dar il buongiorno,* donner le bonjour. 14. [pagare] donner. | *dare tremila lire all'ora,* donner trois mille lires de l'heure. || LOC. *dare le proprie generalità,* décliner son identité. | *dare dispiacere a,* chagriner v. tr. | *dar fondo a,* épuiser v. tr. || FAM. *dar i numeri,* travailler du chapeau. | *non darsi pace,* se tourmenter v. rifl. | *dar un'occhiata,* jeter un coup d'œil. | *dare retta,* écouter. | *darla vinta (a),* céder (à). ◆ v. intr. [essere esposto] donner (sur), ouvrir (sur). | *quella finestra dà sulla strada,* cette fenêtre donne sur la rue. || [tendere] tirer (sur). | *giallo che dà sul verde,* jaune qui tire sur le vert. || [colpire] cogner v. tr. || FIG. *dar nel segno,* frapper juste. || [prorompere] (in) *dar in lacrime,* fondre en larmes. || [affaccendarsi] *darsi da fare,* s'employer v. rifl., s'ingénier v. rifl., s'escrimer v. rifl. | *si è dato da fare per farti piacere,* il s'est ingénié à te faire plaisir. || LOC. FAM. *darla a bere a qlcu.,* tromper qn. | *dacci dentro !* fonce ! | *dare nel ridicolo,* tomber dans le ridicule. | *dare ai nervi,* horripiler v. tr. | *dare nell'occhio,* taper dans l'œil. | *dar alla testa,* étourdir (L.C.). | *darle di santa ragione a qlcu.,* rosser qn comme il faut. | *darsela a gambe,* prendre ses jambes à son cou. ◆ v. rifl. [dedicarsi] se donner, s'adonner. | *darsi alla lettura,* s'adonner à la lecture. || [farsi passare] (per) se faire passer (pour). | *si diede (per) malato,* il se fit passer pour malade. || [confessarsi] s'avouer. | *darsi per vinto,* s'avouer vaincu. ◆ v. recipr. se donner. | *darsi la mano,* se donner la main. ◆ v. impers. *si dà il caso che,* il arrive que. | *potrebbe darsi che,* il se pourrait que.

2. dare m. COMM. [opposto a AVERE] doit. | *dar e avere,* doit et avoir. || [opposto a CREDITO] débit.

darsena ['darsena] f. darse, dock m.

data ['data] f. date.

datare [da'tare] v. tr. dater. ◆ v. intr. dater. | *a datare da,* à compter de.

dato ['dato] agg. [permesso] donné, permis. | *non ci è dato uscire,* il ne nous est pas permis de sortir. || [certo, determinato] donné, certain. | *a un dato momento,* à un moment donné. || [posto, conosciuto] étant donné. | *date le circostanze,* en raison des circonstances. ◆ m. donnée f. || LOC. *sono dati di fatto,* ce sont des faits établis. ◆ loc. cong. *dato che,* puisque, du fait que.

datore [da'tore] (**-trice** f.) m. donneur. | *datore di lavoro,* employeur, patron.

dattero ['dattero] m. datte f. | *palma da dattero,* dattier m.

dattilografare [dattilogra'fare] v. tr. dactylographier.

dattilografia [dattilogra'fia] f. dactylographie.

dattiloscritto [dattilos'kritto] agg. dactylographié. ◆ m. feuille dactylographiée, texte dactylographié.

davanti [da'vanti] avv. [di fronte] devant, en face. | *abito proprio davanti,* j'habite juste en face. || [in testa, in avanti] en tête, en avant. || [opposto a DI DIETRO] par-devant. || LOC. *levati da davanti,* ôte-toi de là. ◆ agg. inv. de devant. | *ruota davanti,* roue avant. ◆ m. [di cose] devant. | *davanti di camicia,* devant de chemise. ◆ loc. prep. *davanti (a),* devant. | *davanti a lui,* devant lui.

davanzale [davan'tsale] m. appui (de fenêtre).

davvero [dav'vero] avv. [veramente] vraiment, réellement. | *sono davvero stupito,* je suis réellement étonné. || [sul serio] certainement, sérieusement, sans blague (fam.). | *sì davvero,* mais certainement, certes oui.

dazio ['dattsjo] (**-zi** pl.) m. [tassa] droit. | *dazio doganale,* droit de douane. || octroi.

dea ['dɛa] f. déesse.

debellare [debel'lare] v. tr. PR. e FIG. vaincre, battre.

debilitare [debili'tare] v. tr. MED. débiliter, affaiblir. ◆ v. rifl. se débiliter.

debitamente [debita'mente] avv. dûment. || [nel modo dovuto] comme il se doit.

debito ['debito] agg. [prescritto] dû. || [opportuno] voulu, convenable. | *con la debita precauzione,* avec la précaution nécessaire. | *a tempo debito,* en temps voulu. ◆ m. dette f. | *essere in debito con qlcu.,* devoir qch. à qn. || FIG. *essere sommerso dai debiti,* être accablé de dettes. || COMM. [partita del dare] débit. | *iscrivere qlco. a debito di qlcu.,* débiter qn de qch. || FIG. [obbligo morale] dette, devoir.

debitore [debi'tore] (**-trice** f.) n. débiteur m. ◆ agg. débiteur, redevable.

debole ['debole] agg. faible, fragile. | *venti deboli e moderati,* vents faibles et modérés. | *debole differenza,* faible différence. || LOC. *(punto) debole,* point faible. || FIG. [moralmente] faible, mou. | *fare deboli proteste,* faire de molles protestations. ◆ m. [persone] faible. | *difendere i deboli,* défendre les faibles.

|| [cose] faible. | *avere un debole per qlcu.,* avoir un faible pour qn.
debolezza [debo'lettsa] f. faiblesse. | *un momento di debolezza,* un moment de faiblesse.
debosciato [deboʃ'ʃato] agg. e m. débauché.
debuttare [debut'tare] v. intr. débuter, faire ses débuts.
debutto [de'butto] m. début.
deca ['dɛka] (**-che** pl.) f. [parte di un'opera] décade.
decade ['dɛkade] f. décade.
decadenza [deka'dɛntsa] f. décadence. || GIUR. déchéance, forclusion. | *decadenza di un diritto,* forclusion d'un droit. || LETT. décadence.
decadere [deka'dere] v. intr. [andare in declino] tomber en décadence. || [andare in disuso] tomber en désuétude. || GIUR. déchoir. | *decadere da un diritto,* être déchu d'un droit. || FIG. [perdere prestigio] déchoir.
decagrammo [deka'grammo] m. décagramme.
decalcificazione [dekaltʃifikat'tsjone] f. décalcification.
decalitro [de'kalitro] m. décalitre.
decalogo [de'kalogo] (**-ghi** pl.) m. décalogue.
decametro [de'kametro] m. décamètre, chaîne (f.) d'arpenteur.
decano [de'kano] m. doyen.
decantare [dekan'tare] v. tr. exalter, célébrer, vanter. || CHIM. décanter.
decapitare [dekapi'tare] v. tr. décapiter.
decappottare [dekapot'tare] v. tr. décapoter.
deceduto [detʃe'duto] part. pass. e agg. décédé. ◆ n. mort.
decennale [detʃen'nale] agg. décennal. ◆ m. dixième anniversaire.
decenne [de'tʃɛnne] agg. âgé de dix ans. ◆ n. enfant (âgé) de dix ans.
decennio [de'tʃɛnnjo] (**-i** pl.) m. décennie f., décade f.
decente [de'tʃɛnte] agg. [decoroso] décent, convenable. || [accettabile] passable.
decentramento [detʃentra'mento] m. décentralisation f. || FOT. décentrement.
decentrare [detʃen'trare] v. tr. décentraliser.
decenza [de'tʃɛntsa] f. décence. || [pudore] pudeur.
decesso [de'tʃɛsso] m. décès.
decidere [de'tʃidere] v. tr. décider. || [indurre, determinare] déterminer, décider. | *decidere qlcu. a fare qlco.,* déterminer qn à faire qch. ◆ v. rifl se décider.
decifrare [detʃi'frare] v. tr. PR. e FIG. déchiffrer.
decigrammo [detʃi'grammo] m. décigramme.
decilitro [de'tʃilitro] m. décilitre.
decima ['dɛtʃima] f. dîme.
decimale [detʃi'male] agg. décimal. ◆ m. [numero] décimale f.
decimare [detʃi'mare] v. tr. STOR. e FIG. décimer.
decimetro [de'tʃimetro] m. décimètre.
decimo ['dɛtʃimo] agg. num. ord. dixième. || [dopo nomi di sovrani o di papi, e dopo le parole « capitolo », « libro », « tomo », ecc.] dix. ◆ m. dixième.
decina [de'tʃina] f. = DIECINA.
decisione [detʃi'zjone] f. [risolutezza] décision, détermination. || [risoluzione] décision, résolution. || GIUR. arrêt m.
decisivo [detʃi'zivo] agg. décisif.
deciso [de'tʃizo] part. pass. e agg. décidé, déterminé. | *è un affare deciso,* c'est une affaire décidée. || [risoluto] crâne, courageux. | *era un uomo deciso,* c'était un homme courageux.
declamare [dekla'mare] v. tr. déclamer.
declamazione [deklamat'tsjone] f. déclamation.
declassare [deklas'sare] v. tr. déclasser.
declinare [dekli'nare] v. intr. décliner. ◆ v. tr. décliner. ◆ v. rifl. GR. se décliner. ◆ m. *il declinare del giorno,* la chute du jour.
declinazione [deklinat'tsjone] f. déclinaison.
declino [de'klino] m. déclin.
declivio [de'klivjo] m. pente f.
decollare [dekol'lare] v. intr. AV. décoller.
decollo [de'kɔllo] m. AV. décollage.
decomporre [dekom'porre] v. tr. décomposer. ◆ v. intr. pourrir, se décomposer v. rifl.
decomposizione [dekompozit'tsjone] f. [in tutti i significati] décomposition. || GEOL. désagrégation.
decorare [deko'rare] v. tr. décorer.
decoratore [dekora'tore] (**-trice** f.) n. décorateur, trice.
decorazione [dekorat'tsjone] f. ARTI décoration. || [insegna, onorificenza] décoration.
decoro [de'kɔro] m. [solo sing.] décence f. || [dignità] décorum, dignité f.
decoroso [deko'roso] agg. décent, convenable. || [degno] digne.
decorrenza [dekor'rɛntsa] f. *con decorrenza da,* à partir de, à compter de.
decorrere [de'korrere] v. intr. AMM. [di stipendio, interessi, ecc.] courir (depuis), avoir effet (depuis). ◆ v. tr. [trascorrere, scadere] s'écouler v. rifl., passer.

decorso [de'korso] part. pass. e agg. passé, écoulé. || COMM. échu. | *interessi decorsi,* intérêts échus. ◆ m. [tempo] cours.
decotto [de'kɔtto] m. FARM. décoction f. ◆ agg. FIN. en déconfiture.
decrepito [de'krɛpito] agg. [persone] décrépit, cassé.
decrescente [dekreʃ'ʃɛnte] agg. décroissant. || ASTR. *fase decrescente (della luna),* décroît m.
decrescenza [dekreʃ'ʃɛntsa] f. décroissance, diminution. || MAR. décrue.
decrescere [de'kreʃʃere] v. intr. décroître, diminuer. || MAR. baisser.
decretare [dekre'tare] v. tr. décréter. || [tributare] accorder. | *gli furono decretati grandi onori,* on lui accorda les grands honneurs.
decreto [de'kreto] m. décret, arrêté. || GIUR. arrêt. | *decreto della corte di Cassazione,* arrêt de la cour de Cassation.
decuplicare [dekupli'kare] v. tr. PR. e FIG. décupler. ◆ v. rifl. se décupler.
decuplo ['dɛkuplo] agg. e m. décuple.
dedalo ['dɛdalo] m. dédale, labyrinthe.
dedica ['dɛdika] f. dédicace.
dedicare [dedi'kare] v. tr. [in tutti i significati] dédier, consacrer. || FIG. vouer. ◆ v. rifl. [consacrarsi] s'adonner, se livrer, se consacrer.
dedito ['dɛdito] agg. adonné. | *essere dedito (a),* se consacrer (à), se livrer (à).
dedizione [dedit'tsjone] f. dévouement m.
dedotto [de'dotto] part. pass. e agg. déduit.
dedurre [de'durre] v. tr. déduire. || [arguire] arguer. || [trarre, derivare] tirer. || COMM. déduire, défalquer, rabattre. | *dedurremo le spese,* nous déduirons nos frais.
deduzione [dedut'tsjone] f. déduction. || COMM. déduction, soustraction, décompte m.
defalcare [defal'kare] v. tr. COMM. défalquer, décompter, déduire, soustraire.
defecare [defe'kare] v. tr. CHIM. déféquer, clarifier. ◆ v. intr. FISIOL. déféquer.
defecazione [defekat'tsjone] f. CHIM., FISIOL. défécation.
deferente [defe'rɛnte] agg. [in tutti i significati] déférent.
deferenza [defe'rɛntsa] f. déférence, respect m. | *con deferenza,* avec déférence.
deferire [defe'rire] v. tr. GIUR. déférer. ◆ v. intr. [condiscendere] déférer.
deficiente [defi'tʃɛnte] agg. déficient, insuffisant. ◆ n. MED. déficient, e. || FAM. idiot, e.
deficienza [defi'tʃɛntsa] f. manque m., insuffisance, défaut m. || [lacuna] lacune.
deficit ['dɛfitʃit] m. COMM. déficit, découvert.
defilare [defi'lare] v. tr. e intr. défiler.
definire [defi'nire] v. tr. définir. || [determinare] fixer. || COMM., GIUR. régler, trancher. | *definire un affare,* régler une affaire.
definitiva (in) [indefini'tiva] loc. avv. en définitive.
definizione [definit'tsjone] f. définition. || GIUR. règlement m.
deflagrazione [deflagrat'tsjone] f. déflagration.
deflazione [deflat'tsjone] f. ECON., GEOL. déflation.
deflettore [deflet'tore] m. TECN. déflecteur.
defluire [deflu'ire] v. intr. s'écouler v. rifl. ◆ m. écoulement.
deflusso [de'flusso] m. [di maree] reflux, jusant. || [di corso d'acqua] débit ; écoulement. || FIG. sortie f., écoulement.
deformare [defor'mare] v. tr. déformer. ◆ v. rifl. se déformer.
deformazione [deformat'tsjone] f. déformation.
deforme [de'forme] agg. déformé, difforme.
deformità [deformi'ta] f. difformité.
defraudare [defrau'dare] v. tr. [privare di quanto dovuto] frustrer, déposséder. || [derubare] frauder.
defunto [de'funto] agg. défunt. || [morto da poco] feu. ◆ m. mort, défunt. | *preghiere per i defunti,* prières pour les défunts.
degenerare [dedʒene'rare] v. intr. dégénérer, s'abâtardir v. rifl.
degenerazione [dedʒenerat'tsjone] f. dégénérescence.
degenere [de'dʒɛnere] agg. dégénéré.
degente [de'dʒɛnte] agg. *è degente in quella clinica da un mese,* il est dans cette clinique depuis un mois. ◆ m. malade.
degenza [de'dʒɛntsa] f. période d'hospitalisation. | *una degenza di un mese,* un mois d'hospitalisation.
deglutire [deglu'tire] v. tr. déglutir.
degnare [deɲ'ɲare] v. tr. daigner. | *non mi ha degnato di uno sguardo,* il n'a pas daigné me regarder.
degnazione [deɲɲat'tsjone] f. bienveillance ; condescendance.
degno ['deɲɲo] agg. digne. | *è un figlio degno di suo padre,* c'est un fils digne de son père.
degradare [degra'dare] v. tr. PR. e FIG. dégrader. ◆ v. rifl. se dégrader, se déclasser.

degradazione [degradat'tsjone] f. AMM., MIL. dégradation, cassation. || FIG. dégradation, avilissement m., déchéance.
deificare [deifi'kare] v. tr. PR. e FIG. déifier.
delatore [dela'tore] (**-trice** f.) n. délateur, trice.
delazione [delat'tsjone] f. délation ; mouchardage m. (fam.).
delega ['dɛlega] f. délégation.
delegare [dele'gare] v. tr. déléguer, mandater, députer.
delegato [dele'gato] m. e agg. délégué. || LOC. *delegato di pubblica sicurezza,* commissaire de police.
delegazione [delegat'tsjone] f. délégation.
deleterio [dele'tɛrjo] (**-ri** pl.) agg. PR. e FIG. délétère.
delfino [del'fino] m. STOR., ZOLL. dauphin.
delibera [de'libera] f. AMM. délibération, arrêté m.
deliberare [delibe'rare] v. tr. délibérer (sur), décider (de). || [decidere, risolvere] décider, délibérer.
deliberazione [deliberat'tsjone] f. délibération. || GIUR. délibéré m.
delicatezza [delika'tettsa] f. délicatesse, finesse. | *delicatezza di tinte,* délicatesse de coloris. || [prudenza] délicatesse.
delicato [deli'kato] agg. délicat. | *è un affare delicato,* c'est une affaire délicate. | *delicato di salute,* de santé délicate, fragile. | *persona troppo delicata,* douillet, ette n. ◆ n. délicat, douillet. | *non fare il delicato,* ne fais pas le délicat.
delimitare [delimi'tare] v. tr. délimiter, cerner, borner.
delineare [deline'are] v. tr. tracer le contour (de), cerner. || FIG. *delineare un piano di lavoro,* tracer un plan de travail. ◆ v. rifl. se dessiner, se découper. || FIG. s'annoncer. | *si delinea un pericolo,* un danger s'annonce.
delinquente [delin'kwɛnte] n. délinquant, e.
delinquenza [delin'kwɛntsa] f. délinquance.
delinquere [de'linkwere] v. intr. commettre un crime. | *associazione a delinquere,* association de malfaiteurs.
deliquio [de'likwio] (**-qui** pl.) m. évanouissement, défaillance f.
delirare [deli'rare] v. intr. PR. e FIG. délirer. || [farneticare] déraisonner.
delirio [de'lirjo] (**-ri** pl.) m. PR. e FIG. délire.
delitto [de'litto] m. PR. e FIG. crime. | *delitto perfetto,* crime parfait. | *delitto di lesa maestà,* crime de lèse-majesté. || [reato punito con pene correzionali] délit.
delittuoso [delittu'oso] agg. délictueux, criminel. | *fatto delittuoso,* fait délictueux.
delizia [de'littsja] f. délice m., plaisir m. || LOC. *piove che è una delizia,* il pleut à torrents. | *è una delizia ascoltarlo,* c'est un plaisir de l'écouter. | *è la mia delizia,* cela fait mes délices (pl. f.).
deliziare [delit'tsjare] v. tr. LETT. charmer (L.C.), délecter. ◆ v. rifl. se délecter, se complaire, se régaler.
delizioso [delit'tsjoso] agg. délicieux, charmant, exquis.
delta ['dɛlta] m. inv. delta m.
delucidare [delutʃi'dare] v. tr. élucider.
deludere [de'ludere] v. tr. décevoir, désappointer, désillusionner. | *ha deluso le mie aspettative,* il a déçu, il a trompé mon attente.
delusione [delu'zjone] f. déception, désillusion, déboire m., mécompte m.
demagogia [demago'dʒia] f. démagogie.
demagogo [dema'gɔgo] (**-ghi** pl.) m. démagogue.
demanio [de'manjo] (**-ni** pl.) m. AMM. domaine de l'État, Domaine. | *pubblico demanio,* domaine public.
demarcazione [demarkat'tsjone] f. démarcation.
demente [de'mɛnte] agg. e n. dément, e.
demenza [de'mɛntsa] f. démence.
demeritare [demeri'tare] v. tr. se rendre indigne (de). ◆ v. intr. démériter.
demerito [de'mɛrito] m. démérite.
demiurgo [de'mjurgo] (**-ghi** pl.) m. démiurge.
democratico [demo'kratiko] agg. e m. POL. [di partiti] démocrate. || [che appartiene alla democrazia in senso lato] démocratique. || [affabile] affable.
democrazia [demokrat'tsia] f. démocratie.
demografia [demogra'fia] f. démographie.
demolire [demo'lire] v. tr. PR. e FIG. démolir, démanteler, abattre.
demolizione [demolit'tsjone] f. démolition. | *materiali di demolizione,* démolitions f. pl. || TECN. démantèlement m. || PER EST. destruction.
demonio [de'mɔnjo] (**-ni** pl.) m. démon, diable.
demoralizzare [demoralid'dzare] v. tr. démoraliser, décourager. ◆ v. intr. se démoraliser, se décourager.
demoralizzazione [demoralid-dzat'tsjone] f. démoralisation, découragement m.

denaro [de'naro] m. [quattrini] argent. | *riscuotere denaro,* toucher de l'argent. || COMM. espèces f. pl. || FIN. *mercato del denaro,* marché des changes. || STOR. denier. || FAM. *far denaro a palate,* ramasser de l'argent à la pelle. ◆ pl. GIOCHI [seme delle carte da gioco] carreau sing.

denigrare [deni'grare] v. tr. dénigrer, décrier.

denigrazione [denigrat'tsjone] f. dénigrement m.

denominare [denomi'nare] v. tr. dénommer, nommer, appeler. ◆ v. rifl. se nommer, s'appeler.

denominatore [denomina'tore] m. dénominateur.

denominazione [denominat'tsjone] f. dénomination. || AGR. appellation. | *denominazione di origine controllata,* appellation d'origine contrôlée.

denotare [deno'tare] v. tr. dénoter, indiquer, révéler.

densità [densi'ta] f. densité. | *densità di popolazione,* densité de la population.

denso ['dɛnso] agg. dense, épais, chargé. | *nebbia densa,* brouillard épais, dense. || FIG. *compito denso di difficoltà,* devoir hérissé de difficultés.

dentata [den'tata] f. coup (m.) de dent, morsure.

dentato [den'tato] part. pass. e agg. denté, barbelé. | *ruota dentata,* roue dentée. || BOT. denté, dentelé.

dentatura [denta'tura] f. dentition, denture.

dente ['dɛnte] m. ANAT. dent f. | *denti del giudizio,* dents de sagesse. | *fare i denti,* percer ses dents. | *battere i denti,* claquer des dents ; grelotter. || LOC. *avere il dente avvelenato contro qlcu.,* avoir une dent contre qn. | *non è pane per i suoi denti,* cela n'est pas pour lui. | *parlare fuori dei denti,* parler carrément. | *la lingua batte dove il dente duole,* on revient toujours au point sensible. || CULIN. *riso, pasta al dente,* riz, pâtes pas trop cuit(es). || GEOGR., MECC. dent. | *dente di sega, di forchetta,* dent de scie, de fourchette. | *dente di ruota dentata,* cran. || ZOOL. [serpente] *dente velenoso,* crochet.

dentellare [dentel'lare] v. tr. denteler. || TECN. endenter.

dentellatura [dentella'tura] f. dentelure. || ARCHIT. crénelure, dentelure.

dentiera [den'tjɛra] f. MED. dentier m. || MECC. crémaillère.

dentifricio [denti'fritʃo] (**-ci** pl.) m. e agg. dentifrice.

dentista [den'tista] (**-i** pl.) n. dentiste. | *medico dentista,* chirurgien-dentiste.

dentizione [dentit'tsjone] f. dentition.

dentro ['dentro] avv. dedans, à l'intérieur. | *cosa c'è dentro?,* qu'est-ce qu'il y a dedans? || LOC. FAM. *mettere, schiaffare dentro qlcu.,* mettre qn dedans, boucler, coffrer qn. | *dacci dentro!,* fonce! | *esserci dentro,* être dans le bain. || FIG. *non si sfoga mai, tiene tutto dentro,* il ne se confie jamais, il garde tout pour lui. ◆ loc. avv. *là, lì, qui dentro,* là-dedans. | *uscite da lì dentro!,* sortez de là-dedans! || *in dentro,* en dedans. | *pancia in dentro!,* rentrez vos ventres! || *al di dentro,* au-dedans, à l'intérieur. | *dal di dentro,* du dedans, de l'intérieur. ◆ prep. [spesso usata con *di* o *a*] dans, à l'intérieur de, au-dedans de. | *dentro la città,* dans la ville. || [spazio di tempo] dans. | V. ENTRO. ◆ m. dedans, intérieur.

denudare [denu'dare] v. tr. dénuder, déshabiller. || FIG. dépouiller. ◆ v. rifl. se dénuder.

denuncia [de'nuntʃa] (**-cie** pl.) f. [alla giustizia, alla competente autorità] dénonciation. || AMM., FIN. déclaration. | *compilare la propria denuncia dei redditi,* remplir sa feuille d'impôts.

denunciare [denun'tʃare] v. tr. dénoncer, trahir, livrer. | *quel discorso denuncia chiaramente le sue intenzioni,* ce discours trahit clairement ses intentions. ◆ v. rifl. se dénoncer.

denunzia [de'nuntsja] f. = DENUNCIA.

denunziare [denun'tsjare] v. tr. = DENUNCIARE.

denutrito [denu'trito] agg. mal nourri, sous-alimenté.

deodorare [deodo'rare] o **deodorizzare** [deodorid'dzare] v. tr. désodoriser.

depauperare [depaupe'rare] v. tr. appauvrir.

depennare [depen'nare] v. tr. [cancellare] biffer, rayer. | *depennare una somma,* biffer une somme.

deperibile [depe'ribile] agg. périssable.

deperimento [deperi'mento] m. dépérissement. || [cose] délabrement. || [merci] détérioration f.

deperire [depe'rire] v. intr. PR., BOT. dépérir, s'étioler v. rifl. || COMM. se détériorer.

depilare [depi'lare] v. tr. dépiler, épiler. ◆ v. rifl. épiler v. tr.

depilazione [depilat'tsjone] f. épilation, dépilation.

deplorare [deplo'rare] v. tr. déplorer.

deplorazione [deplorat'tsjone] f. blâme m.

deplorevole [deplo'revole] agg. [in tutti i significati] déplorable.

deporre [de'porre] v. tr. déposer. | *deporre un mazzo di fiori su una tomba,* déposer une gerbe de fleurs sur une tombe. || [destituire, privare del grado] destituer. | *deporre un funzionario,* destituer, révoquer un fonctionnaire. || GIOCHI *deporre le carte,* étaler les cartes. || [le uova] pondre. ◆ v. intr. GIUR. déposer, faire sa déposition. | *deporre in favore di qlcu.,* déposer en faveur de qn.

deportare [depor'tare] v. tr. GIUR., POL. déporter.

deportazione [deportat'tsjone] f. GIUR., POL. déportation.

depositante [depozi'tante] n. COMM., GIUR. déposant, e. || [di merci] entrepositaire.

depositare [depozi'tare] v. tr. déposer. | *depositare una somma in banca,* déposer une somme à la banque. | *depositare un brevetto,* déposer un brevet. | *depositare le valigie al deposito bagagli,* déposer ses valises à la consigne. | *depositare un disegno, un progetto di legge,* déposer un projet de loi. ◆ v. intr. o rifl. se déposer.

deposito [de'pɔzito] m. [consegna in deposito] dépôt. | *dare, ricevere in deposito,* donner, recevoir en dépôt. | *deposito della firma,* dépôt de signature. || [cauzione, versamento] dépôt, caution f. | *esigere un deposito,* exiger une caution. || [oggetto messo in deposito] dépôt. | *depositi bancari,* dépôts bancaires. || COMM. consignation f. | *merci in deposito,* marchandises en consignation. | *deposito cauzionale,* cautionnement. || [locale] dépôt. | *deposito pubblico,* dépôt public. || TR. *deposito bagagli,* consigne f. || COMM. entrepôt. | *magazzino di deposito doganale,* entrepôt. || CHIM., FIS., GEOL. dépôt.

deposizione [depozit'tsjone] f. déposition.

depravazione [depravat'tsjone] f. PR. e FIG. dépravation.

deprecare [depre'kare] v. tr. [biasimare] blâmer, désapprouver. || [scongiurare] conjurer.

depredare [depre'dare] v. tr. saccager, piller. || [derubare] dépouiller.

depredazione [depredat'tsjone] f. déprédation, pillage m.

depressione [depres'sjone] f. PR. e FIG. dépression, abaissement m.

depresso [de'prɛsso] part. pass. e agg. PR. e FIG. déprimé. || ECON. *paesi depressi,* pays sous-développés.

deprezzamento [deprettsa'mento] m. dépréciation f., dévalorisation f.

deprezzare [depret'tsare] v. tr. PR. e FIG. déprécier, dévaloriser. ◆ v. rifl. se déprécier.

deprimere [de'primere] v. tr. déprimer. ◆ v. rifl. se déprimer.

depurare [depu'rare] v. tr. dépurer, épurer. ◆ v. rifl. se dépurer, s'épurer.

depurazione [depurat'tsjone] f. dépuration, épuration.

deputare [depu'tare] v. tr. députer.

deputato [depu'tato] m. mandataire. || POL. député. | *Camera dei deputati,* Chambre des députés.

deragliamento [deraλλa'mento] m. TR. déraillement.

derelitto [dere'litto] agg. délaissé, abandonné. ◆ m. *i derelitti,* les abandonnés.

deretano [dere'tano] m. fessier (fam.), derrière (fam.).

deridere [de'ridere] v. tr. railler, berner, se moquer (de) v. rifl.

derisione [deri'zjone] f. dérision.

deriva [de'riva] f. dérive.

derivare [deri'vare] v. tr. ind. [provenire] (da) dériver (de). || FIG. découler, résulter (de). | *ciò deriva dal fatto che,* cela vient du fait que. | *ne deriva che,* il s'ensuit que. ◆ v. tr. ELETTR., MAT., TECN. dériver. || FIG. tirer. ◆ v. intr. AV., MAR. [andare alla deriva] dériver.

derivazione [derivat'tsjone] f. [azione e risultato] dérivation.

derma ['dɛrma] m. derme.

dermatologo [derma'tɔlogo] m. dermatologiste, dermatologue.

deroga ['dɛroga] (**-ghe** pl.) f. dérogation.

derogare [dero'gare] v. intr. déroger.

derrata [der'rata] f. denrée.

derubare [deru'bare] v. tr. voler, dérober. | *è stato derubato dell'orologio,* on lui a volé sa montre.

deschetto [des'ketto] m. établi.

desco ['dɛsko] m. table f. | *il desco familiare,* la table de famille.

descrivere [des'krivere] v. tr. décrire. | *descrivere minutamente,* dépeindre.

descrizione [deskrit'tsjone] f. description.

desensibilizzare [desensibilid'dzare] v. tr. FOT., MED. désensibiliser.

deserto [de'zɛrto] agg. désert. || [disertato] *l'asta andò deserta,* la vente aux enchères n'eut pas lieu, faute de public. ◆ m. désert.

desiderare [deside'rare] v. tr. désirer. || [aspettare] demander, attendre. | *la signora è desiderata al telefono,* Madame, on vous demande au téléphone.

desiderio [desi'dɛrjo] (**-ri** pl.) m. désir, envie f. | *ardere di desiderio,* brûler d'envie.

desideroso [deside'roso] agg. désireux.

designare [deziɲ'ɲare] v. tr. désigner, indiquer. || [fissare] fixer, nommer.

designazione [deziɲɲat'tsjone] f. désignation.

desinare [dezi'nare] v. intr. déjeuner. ◆ m. déjeuner.

desinenza [dezi'nɛntsa] f. Gr. désinence, terminaison.
desistere [de'sistere] v. intr. (da) abandonner v. tr., renoncer (à). | *desistere da un progetto,* se détourner, se départir d'un projet. | *non desistere dalla propria opinione,* ne pas en démordre. || Giur. (da) se désister de.
desolare [dezo'lare] v. tr. désoler, dévaster. || Fig. affliger, navrer. ◆ v. rifl. se désoler.
desolato [dezo'lato] part. pass. e agg. désolé. | *terra desolata,* terre désolée. || Fig. désolé, navré. | *sono desolato di contraddirvi,* je suis désolé de vous contredire.
desolazione [dezolat'tsjone] f. désolation.
despota ['dɛspota] (**-ti** pl.) m. despote.
destare [des'tare] v. tr. Pr. e Fig. éveiller, réveiller. | *destare sospetti,* éveiller des soupçons. | *destare invidia,* faire des jaloux. ◆ v. rifl. s'éveiller, se réveiller.
destinare [desti'nare] v. tr. [a un posto] destiner, affecter, nommer. | *lo destinarono giudice a,* on le nomma juge à. || [devolvere] destiner, affecter. | *destinare una somma all'acquisto di qlco.,* destiner une somme à l'achat de qch. || [concernere] *questa osservazione era destinata a te,* cette remarque t'était destinée. || [del destino] décider. | *il cielo ha destinato così,* le ciel en a décidé ainsi. ◆ v. rifl. se destiner.
destinatario [destina'tarjo] (**-ri** pl.) m. destinataire. || Comm. [assegni, vaglia] bénéficiaire.
destinazione [destinat'tsjone] f. [uso, posto] affectation. || [scopo] destination.
destino [des'tino] m. destin, destinée f., sort. | *cambiare il proprio destino,* changer sa destinée. | *rassegnarsi al proprio destino,* se résigner à son sort. || [ciò che avverrà] sort, destin, avenir. | *il destino del mondo,* le destin du monde. || [prerogativa] destin, apanage. || [destinazione] destination f.
destituire [destitu'ire] v. tr. destituer, démettre, casser. | *destituire un funzionario,* casser un fonctionnaire.
destituzione [destitut'tsjone] f. destitution.
desto ['desto] agg. éveillé.
destra ['dɛstra] f. droite, main droite. | *prendere a destra,* prendre sur la droite. || Pol. droite. | *è un uomo di destra,* c'est un homme de droite.
destreggiarsi [destred'dʒarsi] v. intr. manœuvrer. || [barcamenarsi] louvoyer, se débrouiller v. rifl.
destrezza [des'trettsa] f. Pr. e Fig. dextérité, adresse, habileté, | *gioco di destrezza,* jeu d'adresse.
destro ['dɛstro] agg. [opposto di «sinistro»] droit. || [opposto di «maldestro»] Pr. e Fig. adroit, habile. ◆ m. [opportunità, occasione] opportunité f., occasion f. | *quando si presenta il destro,* quand l'occasion se présente.
destrorso [des'trɔrso] agg. [opposto di «mancino»] droitier agg. e m. || [che gira a destra] dextrorsum agg. inv. e avv. || Tecn. à droite loc. avv.
desumere [de'zumere] v. tr. [dedurre] déduire, arguer. | *da ciò desumo che,* j'en déduis que. || [ricavare] tirer.
detenere [dete'nere] v. tr. détenir.
detenuto [dete'nuto] part. pass. e agg. détenu. ◆ m. Giur. détenu.
detenzione [deten'tsjone] f. [in tutti i significati] détention.
detergere [de'tɛrdʒere] v. tr. nettoyer. ◆ v. rifl. s'éponger, s'essuyer.
deteriorare [deterjo'rare] v. tr. détériorer, dégrader, endommager, abîmer. ◆ v. intr. se détériorer v. rifl., se dégrader v. rifl.
deteriorazione [deterjorat'tsjone] f. détérioration, dégradation.
determinare [determi'nare] v. tr. [in tutti i significati] déterminer. ◆ v. rifl. se déterminer, se décider.
determinato [determi'nato] part. pass. e agg. [fissato, stabilito] déterminé, fixé. | *nel posto determinato,* au lieu fixé. || [certo] déterminé, donné, certain. | *una determinata quantità,* une certaine quantité, une quantité donnée. || [risoluto] déterminé, décidé.
determinazione [determinat'tsjone] f. [in tutti i sensi] détermination.
deterrente [deter'rɛnte] agg. de dissuasion. ◆ m. force (f.) de dissuasion.
detersivo [deter'sivo] agg. e m. détergent, détersif.
detestare [detes'tare] v. tr. détester. ◆ v. recipr. se détester.
detonazione [detonat'tsjone] f. détonation.
detrarre [de'trarre] v. tr. (da) déduire, défalquer, décompter, soustraire (de). || [denigrare] (raro) calomnier.
detrattore [detrat'tore] (**-trice** f.) n. détracteur, trice.
detrazione [detrat'tsjone] f. déduction, décompte m. | *fatta detrazione delle spese,* déduction faite des frais. || Fin. abattement m.
detrimento [detri'mento] m. détriment.
detrito [de'trito] m. détritus, déchet. || [macerie] décombres pl., débris pl.
detronizzare [detronid'dzare] v. tr. Pr. e Fig. détrôner.
detta ['detta] loc. prep. *a detta di,* au dire de, selon le dire de.

dettagliare [dettaʎ'ʎare] v. tr. [in tutti i sensi] détailler.
dettagliato [dettaʎ'ʎato] part. pass. e agg. détaillé, circonstancié.
dettaglio [det'taʎʎo] (**-gli** pl.) m. détail. | *perdersi nei dettagli,* se perdre dans les détails. || COMM. *commercio al dettaglio,* commerce de détail.
dettame [det'tame] m. précepte, loi f., règle f. | *i dettami della moda,* les impératifs de la mode.
dettare [det'tare] v. tr. dicter. || [imporre] imposer. || FIG. *dettare legge,* faire la loi.
dettato [det'tato] m. dictée f.
dettatura [detta'tura] f. dictée. | *scrivere sotto dettatura,* écrire sous la dictée.
detto [detto] part. pass. e agg. dit. | *detto fatto,* sitôt dit, sitôt fait. || [deciso] dit. | *ho detto,* j'ai dit. || [soprannominato] dit, nommé, surnommé. | *Ludovico detto il Pio,* Louis dit le Pieux. ◆ m. [parola] mot, parole f., tournure f. || [sentenza, massima] dicton, dit. | *un detto popolare,* un dicton populaire.
deturpare [detur'pare] v. tr. [persone] défigurer, enlaidir. || [cose] dégrader, endommager, abîmer.
devastare [devas'tare] v. tr. PR. e FIG. dévaster, désoler, ravager.
devastatore [devasta'tore] (**-trice** f.) agg. dévastateur, trice, destructeur, trice. ◆ m. destructeur, vandale.
devastazione [devastat'tsjone] f. dévastation, désolation, destruction, ravage m.
deviare [devi'are] v. intr. [cambiare direzione] dévier. | *deviare sulla destra,* tourner à droite. || [allontanarsi] dévier, s'écarter v. rifl. || TR. dérailler. ◆ v. tr. dévier, détourner, dériver, écarter. | *deviare i sospetti,* détourner, écarter les soupçons. || FIG. *deviare l'attenzione,* détourner l'attention. || [moralmente] détourner, fourvoyer.
deviazione [devjat'tsjone] f. déviation, détournement m. || PER EST. détour m.
devolvere [de'vɔlvere] v. tr. [trasmettere in proprietà o in godimento] transmettre, léguer. || [destinare] affecter, destiner.
devoto [de'vɔto] agg. [pio] dévot, pieux, religieux. || [affezionato] dévoué. | *amico devoto,* ami dévoué. || [formula di cortesia] *suo devotissimo,* votre dévoué serviteur. ◆ m. dévot.
devozione [devot'tsjone] f. REL. dévotion. || FIG. dévouement m.
di [di] prep. 1. de. | *il libro del professore,* le livre du professeur. | *essere dell'opinione di qlcu.,* être de l'avis de qn. | *un giorno d'inverno,* un jour d'hiver. | *di tanto in tanto,* de temps en temps, de temps à autre. | *di nobile famiglia,* de noble famille. | *uscire di casa,* sortir de la maison. | *notizia di fonte sicura,* nouvelle de source sûre. | *morire di sete,* mourir de soif. | *parlare di,* parler de. | *amico di casa,* ami de la maison. || [con un pronome] *ciascuno di noi,* chacun de, d'entre nous. || *bottiglia di vetro,* bouteille en verre. || *mangerò della carne,* je mangerai de la viande. || [apposizione] *la città di Venezia,* la ville de Venise. || [attributo] *il cielo è di un blu!,* le ciel est d'un bleu! || [indefinito] *qlco. di buono,* qch. de bon. || LOC. *parlare del più e del meno,* parler de la pluie et du beau temps. | *di primo acchito,* de prime abord. 2. en. | *d'estate,* en été. | *anello d'oro,* bague en or. | *studente di diritto,* étudiant en droit. | *di nascosto,* en cachette. | *di fretta,* en hâte. | *di modo che,* en sorte que. | *di sotto,* en bas. 3. à. | *la macchina è di mio padre,* la voiture est à mon père. | *mercato delle pulci,* marché aux puces. | *zuppa di cavoli,* potage aux choux. | *buca delle lettere,* boîte aux lettres. | *cerco di capire,* je cherche à comprendre. 4. [non si traduce] *di giorno, di notte,* le jour, la nuit. | *di domenica,* le dimanche. | *il venti di novembre,* le vingt novembre. | *dopo di te,* après toi. | *senza di lui,* sans lui. | *spero di vederti,* j'espère te voir. | *di proposito,* exprès. 5. que. | *sei migliore degli altri,* tu est meilleur que les autres. | *dire di sì, di no,* dire que oui, que non. 6. de. | *è un amore di bambino,* c'est un amour d'enfant.
dì [di] m. LETT. jour. | *a dì 20 novembre 1874,* ce 20 novembre 1874.
diabete [dja'bɛte] m. diabète.
diabolico [dja'bɔliko] agg. diabolique.
diacono ['djakono] m. diacre.
diadema [dja'dɛma] (**-i** pl.) m. PR. e FIG. diadème.
diafano ['djafano] agg. diaphane.
diaframma [dja'framma] (**-i** pl.) m. cloison f. || TECN. diaphragme.
diagnosi ['djaɲɲozi] f. MED. diagnostic m.
diagnosticare [djaɲɲosti'kare] v. tr. MED. diagnostiquer.
diagonale [djago'nale] agg. diagonal. ◆ f. diagonale. ◆ m. TESS. croisé. || SP. tir en diagonale. || TECN. croisillon.
diagramma [dja'gramma] (**-i** pl.) m. diagramme, courbe f., schéma.
dialettale [djalet'tale] agg. [proprio di un dialetto] dialectal. | *accento dialettale,* accent dialectal.
dialettica [dja'lɛttika] (**-che** pl.) f. dialectique.
dialetto [dja'lɛtto] m. dialecte, patois. | *il provenzale e il veneziano sono dia-*

letti, le provençal et le vénitien sont des dialectes.

dialogare [djalo'gare] v. intr. e tr. dialoguer.

dialogo ['djalogo] (**-ghi** pl.) m. dialogue. | *cercare di riaprire un dialogo,* chercher à reprendre un dialogue.

diamante [dja'mante] m. diamant.

diametro ['djametro] m. diamètre.

diamine ['djamine] interiez. diable !, diantre ! | *dive diamine si è cacciato ?,* où diable s'est-il fourré ?

dianzi ['djantsi] avv. tout à l'heure.

diapason ['djapazon] m. MUS. diapason.

diapositiva [djapozi'tiva] f. diapositive, diapo (fam.).

diaria ['djarja] f. indemnité journalière.

diario ['djarjo] (**-ri** pl.) m. [cronaca quotidiana] journal. | *diarlo intimo,* journal intime. || [registro] cahier. | *diario scolastico,* cahier de textes. || [calendario] calendrier. | *diario deglu esami,* calendrier des examens.

diarrea [djar'rɛa] f. diarrhée.

diaspora ['djaspora] f. diaspora.

diaspro ['djaspro] m. GEOL. jaspe.

diavola (alla) [alla'djavola] loc. avv. [alla peggio] à la diable.

diavoleria [djavole'ria] f. [intrigo] manigance, machination. || [invenzione bizzarra] diablerie.

diavolessa [djavo'lessa] f. diablesse.

diavoletto [djavo'letto] m. diablotin. || [capelli] bigoudi.

diavolio [djavo'lio] m. vacarme, chahut, brouhaha.

diavolo ['djavolo] m. diable, démon. | *un povero diavolo,* un pauvre hère, un pauvre diable. || LOC. *brutto come il diavolo,* laid comme les sept péchés capitaux. | *quando il diavolo ci mette la coda, lo zampino,* quand le diable s'en mêle. | *avere un diavolo per capello,* être hors de soi. | FAM. *un baccano del diavolo,* un bruit d'enfer, un vacarme de tous les diables. ◆ interiez. diable !

dibattere [di'battere] v. tr. [discutere] débattre, discuter, agiter. | *dibattere un problema,* débattre, agiter un problème. ◆ v. rifl. se débattre, se démener.

dibattito [di'battito] m. débat, discussion f. | *porre termine a un dibattito,* vider un débat.

dibattuto [dibat'tuto] part. passe. e agg. [discusso, controverso] discuté, controversé. || [tormentato] tourmenté, angoissé. | *spirito dibattuto,* esprit tourmenté.

diboscamento [diboska'mento] m. déboisement.

diboscare [disbos'kare] v. tr. déboiser.

dicastero [dikas'tɛro] m. AMM. [ministero] département.

dicembre [di'tʃɛmbre] m. décembre.

diceria [ditʃe'ria] f. cancan m. (fam.), racontar m. (fam.), ragot m. (fam.).

dichiarare [dikja'rare] v. tr. [proclamare] déclarer, proclamer. | *dichiarare colpevole,* déclarer coupable. | *dichiaro di aver ricevuto la somma di,* je déclare avoir reçu la somme de. ◆ v. rifl. se déclarer, se proclamer. | *dichiararsi contro, a favore di,* se déclarer contre, pour.

dichiarazione [dikjarat'tsjone] f. déclaration. | *dichiarazione di guerra, d'amore,* déclaration de guerre, d'amour. | *dichiarazione dei redditi,* déclaration de revenus. || GIOCHI [bridge] annonce.

diciannove [ditʃan'nɔve] agg. num. card. e m. dix-neuf.

diciannovenne [ditʃanno'vɛnne] agg. âgé de dix-neuf ans.

diciannovesimo [ditʃanno'vɛzimo] agg. num. ord. dix-neuvième. || [come ordinale dinastico o per suddivisione di libri] dix-neuf. ◆ m. [frazione] dix-neuvième.

diciassette [disʃas'sɛtte] agg. num. card. e m. dix-sept.

diciassettenne [ditʃasset'tɛnne] agg. âgé de dix-sept ans.

diciassettesimo [ditʃasset'tɛzimo] agg. num. ord. dix-septième. || [come ordinale dinastico o per suddivisione di libri] dix-sept. ◆ m. [frazione] dix-septième.

diciottenne [ditʃot'tɛnne] agg. âgé de dix-huit ans.

diciottesimo [ditʃot'tɛzimo] agg. num. ord. dix-huitième. || [come ordinale dinastico o per suddivisione di libri] dix-huit. ◆ m. [frazione] dix-huitième.

diciotto [di'tʃɔtto] agg. num. card. e m. dix-huit.

didascalia [didaska'lia] f. légende. || CIN. sous-titre m. || TEAT. avertissement m.

didascalico [didas'kaliko] agg. didactique.

didattica [di'dattika] (**-che** pl.) f. didactique.

didentro [di'dentro] m. FAM. intérieur, dedans. | *dal didentro,* de l'intérieur.

didietro [di'djɛtro] m. [parte posteriore] derrière, arrière. || [con valore di agg. inv.] derrière, arrière. | *ruota didietro,* roue arrière.

dieci ['djɛtʃi] agg. num. card. e m. dix. | *erano (in) dieci,* ils étaient dix. | *sono le dieci,* il est dix heures.

diecina [dje'tʃina] f. dizaine.

diesis ['djɛzis] agg. e m. dièse.

dieta ['djɛta] f. [in tutti i significati] diète.

dietetica [dje'tɛtika] f. diététique.
dietetico [dje'tɛtiko] agg. diététique.
dietro ['djɛtro] avv. derrière. ◆ prep. [opposto a « davanti »] derrière. | *dietro il tavolo,* derrière la table. | *dietro a me,* derrière moi. || [valore spaziotemporale] après. | *giorno dietro giorno,* jour après jour. || LOC. *andare dietro a qlcu.,* suivre qn. | *portarsi dietro qlcu.,* emmener qn. | FIG., FAM. *essere dietro a fare qlco.* (fam.), être en train de faire qch. (L.C.). || COMM. *dietro invito,* sur invitation. | *dietro rimborso,* contre remboursement. ◆ m. derrière. || [abiti] dos. || [pagine] verso.
dietrofront [djetro'front] m. demi-tour.
difatti [difatti] cong. V. INFATTI.
difendere [di'fɛndere] v. tr. (da) défendre, protéger (contre, de). || GIUR. plaider. ◆ v. rifl. [contro un attacco] se défendre, se protéger.
difensiva [difen'siva] f. PR. e FIG. défensive.
difensore [difen'sore] (**difenditrice** f.) n. défenseur m., protecteur, trice. ◆ agg. GIUR. *avvocato difensore,* avocat de la défense.
difesa [di'fesa] f. défense, protection. | *prendere le difese di qlcu.,* prendre la défense de qn. || [giustificazione] *a mia, tua difesa,* pour ma, ta défense. || GIUR. [arringa] plaidoyer m. || ZOOL. [zanne] *le difese,* les défenses.
difeso [di'feso] part. pass. e agg. défendu. || [fortificato] fortifié. || [custodito] défendu, protégé.
difettare [difet'tare] v. intr. manquer, faire défaut. || [essere difettoso] être défectueux.
difetto [di'fɛtto] m. [mancanza, assenza, scarsità] défaut, manque, faute f. | *far difetto,* faire défaut ; manquer v. intr. || [imperfezione materiale o morale] défaut, vice, défectuosité f. | *senza difetto,* sans défaut. || [errore] faille f., défaut. ◆ loc. prep. *in difetto di,* à défaut de.
difettoso [difet'toso] agg. [che presenta difetti] défectueux, imparfait. || FIG. déficient, insuffisant.
diffamare [diffa'mare] v. tr. diffamer, dénigrer.
diffamazione [diffamat'tsjone] f. diffamation, dénigrement m.
differente [diffe'rɛnte] agg. (da) différent, dissemblable (de).
differenza [diffe'rɛntsa] f. [rapporto di diversità] différence. | *con questa differenza,* à cette différence près. || [scarto] écart m., distance, écartement m. | *differenza di velocità,* écart de vitesse.
differenziale [differen'tsjale] agg. différentiel. ◆ m. AUT. différentiel. ◆ f. MAT. différentielle.
differenziare [differen'tsjare] v. tr. (da) différencier, distinguer (de). || MAT. différentier. ◆ v. intr. [distinguersi] de différencier v. rifl., se distinguer v. rifl., différer.
differire [diffe'rire] v. tr. [ritardare] différer, ajourner, renvoyer, remettre. ◆ v. intr. [essere differente] différer.
difficile [dif'fitʃile] agg. [che costa fatica] difficile, pénible, rude. | *ha avuto degli inizi difficili,* il a eu des débuts difficiles. || [da accontentare] difficile, pas commode. | *avere un carattere difficile,* avoir un caractère difficile. || [poco probabile] peu probable, rare. ◆ n. [persona, cosa] difficile. | *fare il, la difficile,* faire le, la difficile. | *il difficile è di,* le difficile est de. || LOC. *questo è il difficile,* voilà la difficulté !
difficilmente [diffitʃil'mente] avv. [con difficultà] difficilement. || [improbabilmente] probablement pas. || [raramente] rarement.
difficoltà [diffikol'ta] f. [fatica] difficulté, gêne, peine. || [ostacolo] difficulté, empêchement m., gêne, embarras m. | *non ci sono difficoltà,* il n'y a pas d'empêchements. || [obiezione] difficulté. | *fa sempre delle difficoltà,* il soulève toujours des difficultés.
diffida [dif'fida] f. sommation, interdiction, mise en demeure.
diffidare [diffi'dare] v. intr. [essere diffidente] (di) se défier v. rifl., se méfier v. rifl., se garder v. rifl. (de). ◆ v. tr. GIUR. (a) sommer (de), mettre en demeure (de). | *diffidare qlcu. a,* mettre qn en demeure de.
diffidenza [diffi'dɛntsa] f. méfiance, défiance.
diffondere [dif'fondere] v. tr. diffuser, répandre. || [notizie] faire circuler. ◆ v. intr. se répandre, s'étendre, s'épandre v. rifl. || [notizie] circuler v. intr. || FIG. [dilungarsi] s'étendre, se répandre. | *diffondere in chiacchiere,* se perdre en bavardages.
difforme [dif'forme] agg. différent, non conforme.
difformità [differmi'ta] f. différence.
diffusione [diffu'zjone] f. diffusion.
diffuso [dif'fuzo] part. pass. e agg. [sparso ovunque] diffus. || PER EST. répandu.
difilato [difi'lato] avv. *andare a casa difilato,* aller tout droit à la maison. || d'affilée, sans discontinuer. | *lavorare otto giorni difilato,* travailler huit jours sans dételer.
difterite [difte'rite] f. diphtérie.

diga ['diga] (**-ghe** pl.) f. [argine] digue. || [sbarramento] barrage m.
digerente [didʒe'rɛnte] agg. ANAT. digestif. | *apparato, tubo digerente,* appareil, tube digestif.
digeribile [didʒe'ribile] agg. digestible, digeste.
digerire [didʒe'rire] v. tr. FISIOL. digérer. || FIG. [assimilare] digérer, comprendre. || FAM. [accettare] digérer, supporter (L.C.). | *non digerire una persona,* ne pas supporter une personne. ◆ v. intr. MED. digérer.
digestione [didʒes'tjone] f. FISIOL. digestion.
digestivo [didʒes'tivo] agg. FISIOL. digestif. ◆ m. digestif.
digital [didʒi'tale] agg. ANAT. digital. | *impronte digitali,* empreintes digitales. ◆ f. BOT. digitale.
digiunare [didʒu'nare] v. intr. PR. e FIG. jeûner.
digiunatore [didʒuna'tore] (**-trice** f.) n. jeûneur, euse.
digiuno [di'dʒuno] agg. à jeun loc. avv. | *essere (a) digiuno,* être à jeun. || [privo] *essere digiuno di notizie,* ne pas avoir de nouvelles. ◆ m. PR. e FIG. jeûne. | *fare digiuno,* jeûner v. intr. || MED. diète f.
dignità [diɲɲi'ta] f. [rispettabilità] dignité. | *perdere la dignità,* perdre sa dignité. || [carica] dignité, caractère m. | *alzare qlcu. alle più alte dignità,* élever qn aux hautes dignités.
dignitario [diɲɲi'tarjo] (**-ri** pl.) m. dignitaire.
dignitoso [diɲɲi'toso] agg. digne, grave. || [onesto] convenable, décent.
digradare [digra'dare] v. intr. descendre en pente douce, s'étager v. rifl. || [colore] se dégrader v. rifl. ◆ v. tr. [colore] dégrader. ◆ m. *il digradare,* l'étagement.
digressione [digres'sjone] f. digression, divagation. || ASTR. digression.
digrignare [digriɲ'ɲare] v. tr. ANAT. e FIG. grincer v. intr.
dilagare [diia'gare] v. intr. déborder, déferler. || [spandersi in, su] envahir v. tr., se répandre v. rifl.
dilaniare [dila'njare] v. tr. [ridurre in brandelli] déchirer, déchiqueter, écharper. || FIG. déchirer. ◆ v. rifl. e recipr. se déchirer, s'entre-déchirer.
dilapidare [dilapi'dare] v. tr. dilapider, dissiper.
dilapidazione [dilapidat'tsjone] f. dilapidation.
dilatabile [dila'tabile] agg. dilatable.
dilatare [dila'tare] v. tr. PR. e FIG. dilater. ◆ v. intr. PR. et FIG. se dilater v. rifl.
dilatazione [dilatat'tsjone] f. MED., FIS. dilatation.
dilatorio [dila'tɔrjo] (**-ri** pl.) agg. dilatoire.
dilazionare [dilattsjo'nare] v. tr. COMM., FIN. différer, renvoyer, atermoyer.
dilazione [dilat'tsjone] f. COMM., FIN. délai m., renvoi m. | *senza dilazione,* sans délai.
dileggiare [diled'dʒare] v. tr. LETT. bafouer, railler, tourner en dérision.
dileggio [di'leddʒo] (**-i** pl.) m. LETT. dérision f. (L.C.).
dileguare [dile'gware] v. tr. PR. e FIG. dissiper, chasser, effacer. ◆ v. intr. o rifl. se dissiper, s'évanouir, s'effacer, s'envoler. | *dileguare in fumo,* se dissiper en fumée.
dilemma [di'lɛmma] m. dilemme.
dilettante [dilet'tante] n. [che pratica una attività non professionalmente] amateur, dilettante. ◆ agg. dilettante, amateur.
dilettantismo [dilettan'tizmo] m. dilettantisme. || PEGG. amateurisme. || SP. amateurisme.
dilettare [dilet'tare] v. tr. délecter (lett.), flatter, charmer, réjouir. ◆ v. rifl. [fare qlco. da dilettante] *si diletta di musica,* c'est un musicien amateur. || [divertirsi] de délecter, aimer (à).
diletto [di'lɛtto] agg. cher, chéri, bien-aimé. ◆ n. *mio diletto,* mon bien-aimé, ◆ m. délectation f., agrément, plaisir. | *fare qlco. per diletto,* faire qch. pour son plaisir.
diligenza [dili'dʒɛntsa] f. [scrupolo] diligence, zèle m. || [accuratezza] soin m. || STOR. [carrozza] diligence.
dilucidare [dilutʃi'dare] v. tr. V. DELUCIDARE.
diluire [dilu'ire] v. tr. [liquefare] diluer, délayer. || [rendere meno concentrato] délayer, éclaircir, étendre, allonger.
diluizione [diluit'tsjone] f. dilution, délayage m.
dilungare [dilun'gare] v. tr. prolonger. || [differire] différer. | *dilungare la partenza,* différer le départ. ◆ v. rifl. [allontanarsi] s'éloigner. || FIG. s'étendre. | *dilungarsi in chiacchiere,* se perdre en bavardages.
diluviare [dilu'vjare] v. intr. impers. PR. e FIG. pleuvoir à verse, à torrents, à seaux.
diluvio [di'luvjo] (**-i** pl.) m. déluge.
dimagramento [dimagra'mento] m. amaigrissement. || AGR. appauvrissement, épuisement.
dimagrire [dima'grire] v. intr. maigrir, fondre. ◆ v. tr. [far dimagrire] amaigrir.
dimenare [dime'nare] v. tr. remuer, agiter. | *dimenare il capo,* hocher la

tête. ◆ v. rifl. se démener, se débattre, s'agiter.

dimensione [dimen'sjone] f. dimension. ‖ FILOS. étendue.

dimenticanza [dimenti'kantsa] f. oubli m.

dimenticare [dimenti'kare] v. tr. oublier. ◆ v. intr. oublier v. tr. | *non dimenticarti degli amici!*, n'oublie pas les amis!

dimenticato [dimenti'kato] part. pass. e agg. oublié, enterré, classé. | *è una storia dimenticata,* c'est une histoire enterrée.

dimesso [di'messo] part. pass. e agg. humble, modeste. | *abbigliamento dimesso,* mise modeste. | *parlare con tono dimesso,* parler d'un ton humble.

dimestichezza [dimesti'kettsa] f. familiarité.

dimettere [di'mettere] v. tr. [lasciar andare da ospedali] laisser sortir; [dal carcere] relâcher. ‖ [licenziare] démettre, congédier. ◆ v. rifl. se démettre, démissionner v. intr.

dimezzare [dimed'dzare] v. tr. [dividere in due] partager, couper en deux. ‖ [ridurre di metà] réduire de moitié.

diminuire [diminu'ire] v. tr. [ridurre] diminuer, baisser. ◆ v. intr. [ridursi] diminuer, baisser, décroître. | *la temperatura è diminuita molto,* la température a beaucoup baissé. | *sono diminuito di due chili,* j'ai maigri de deux kilos. ‖ [affievolirsi] s'affaiblir v. rifl., baisser.

diminuzione [diminut'tsjone] f. [azione, risultato] diminution, baisse, décroissance, déperdition. | *diminuzione dei prezzi al dettaglio,* baisse des prix au détail. ‖ [lavori a maglia] diminution.

dimissione [dimis'sjone] f. [per lo più pl.] démission. | *dare, rassegnare le dimissioni,* démissionner.

dimora [di'mɔra] f. [domicilio] domicile m. | *essere senza fissa dimora,* être sans domicile fixe. ‖ [permanenza] séjour m.

dimorare [dimo'rare] v. intr. demeurer.

dimostrante [dimos'trante] n. manifestant, e.

dimostrare [dimos'trare] v. tr. [provare irrefutabilmente] démontrer, prouver. ‖ [manifestare] montrer, témoigner, prouver. | *non dimostra l'età che ha,* il ne paraît pas son âge. ◆ v. intr. manifester. | *gli scioperanti dimostrarono per le vie cittadine,* les grévistes manifestèrent dans les rues de la ville. ◆ v. rifl. se montrer, se révéler. | *ogni tentativo si è dimostrato inutile,* toute tentative s'et révélée inutile.

dimostrazione [dimostrat'tsjone] f. [ragionamento, prova] démonstration, preuve. ‖ [manifestazione] démonstration, témoignage m. | *dimostrazione di simpatia,* témoignage de sympathie.

dinamica [di'namika] (**-che** pl.) f. FIS. dynamique. ‖ FIG. *ricostruire la dinamica di un incidente,* reconstituer les phases d'un accident.

dinamico [di'namiko] (**-ci** pl.) agg. PR. e FIG. dynamique.

dinamismo [dina'mizmo] m. dynamisme.

dinamite [dina'mite] f. dynamite.

dinamo ['dinamo] f. dynamo.

dinanzi [di'nantsi] avv. e agg. V. DAVANTI.

dinastia [dinas'tia] f. dynastie.

dinastico [di'nastiko] (**-ci** pl.) agg. dynastique.

diniego [di'njɛgo] (**-ghi** pl.) m. dénégation f., refus. | *opporre un diniego,* opposer un refus. ‖ GIUR. déni.

dinoccolato [dinokko'lato] agg. dégingandé.

dintorni [din'torni] m. pl. abords, alentours, environs.

dintorno o **d'intorno** [din'torno] avv. (tout) autour, alentour. | *avere molta gente dintorno,* avoir beaucoup de monde autour de soi.

dio ['dio] m. (con majuscola) REL. [monoteismo] Dieu. ‖ FAM. *avere ogni ben di Dio,* avoir tout ce qu'on peut désirer (L.C.). | *piove che Dio la manda,* il pleut des hallebardes. ‖ (senza maiuscola) [politeismo] dieu. ‖ FIG. *fare di qlcu. il proprio dio,* faire de qn son dieu. ◆ interiez. Dieu! | *Dio santo!, Dio buono!,* grand Dieu!, bonté divine! | *Dio lo sa,* Dieu seul (le) sait. | *come Dio volle riuscimmo a parlargli,* finalement nous réussîmes à lui parler.

diocesi ['djɔtʃezi] f. REL. diocèse m.

dionisiaco [djoni'ziako] agg. dionysiaque.

dipanare [dipa'nare] v. tr. dévider, démêler. ‖ [chiarire] dévider, débrouiller, démêler.

dipartimento [diparti'mento] m. [ministero, in Francia e negli USA] département. | *dipartimento degli Affari Esteri,* département des Affaires étrangères. ‖ AMM. département. ‖ MAR., MIL. préfecture f.

dipendente [dipen'dɛnte] agg. dépendant, subordonné. ◆ m. [scala gerarchica] subordonné, personnel (solo sing.) employé. | *questa ditta ha molti dipendenti,* cette entreprise a un personnel nombreux. | *dipendente statale,* fonctionnaire. ◆ f. GR. subordonnée.

dipendenza [dipen'dɛntsa] f. dépendance. ◆ pl. [di un edificio] dépendances, communs m. pl.

dipendere [di'pɛndere] v. intr. (a) dépendre (de), être sous la dépendance (de). ‖ [far parte] dépendre, relever. | *territorio che dipende amministrativamente dalla Francia,* territoire qui relève administrativement de la France. ‖ Fig. [essere condizionato] dépendre (de), tenir (à). | *dipende da me,* cela dépend de moi.

dipingere [di'pindʒere] v. tr. peindre. ‖ [descrivere] peindre, dépeindre, dessiner, décrire. ◆ v. rifl. [truccarsi] *si sono dipinte le labbra,* elles ont mis du rouge à lèvres. ‖ [trasparire] se peindre. | *la paura si dipingeva sul suo volto,* la peur se peignait sur son visage.

dipinto [di'pinto] part. pass. e agg. peint. ‖ [impresso] peint, empreint. | *avera il terrore dipinto in volto,* la terreur était peinte sur son visage. ‖ [truccato] maquillé, fardé, peint. ◆ m. peinture f., tableau.

diploma [di'plɔma] (**-i** pl.) m. diplôme, brevet, certificat. | *diploma di ragioniere,* brevet d'expert-comptable.

diplomare [diplo'mare] v. tr. diplômer. ◆ v. rifl. obtenir son diplôme.

diplomatico [diplo'matiko] (**-ci** pl.) agg. Pr. e Fig. diplomate, diplomatique. ◆ m. Pr. e Fig. diplomate.

diplomazia [diplomat'tsia] f. diplomatie.

dipresso (a un) [aundi'prɛsso] loc. avv. à peu près.

diradare [dira'dare] v. tr. [rendere meno spesso] éclaircir, dissiper. ‖ [durata] espacer. | *diradare le visite,* espacer ses visites. ◆ v. rifl. [diventare meno fitto] s'éclaircir, se dissiper. ‖ [durata] s'espacer.

diramare [dira'mare] v. tr. [diffondere] diffuser, envoyer. | *diramare una notizia,* diffuser une nouvelle. | *diramare una circolare,* envoyer une circulaire. ◆ v. rifl. [diffondersi] se répandre. ‖ Agr. e Fig. se ramifier.

diramazione [diramat'tsjone] f. [tronco secondario] embranchement m., ramification. ‖ [diffusione] diffusion, distribution.

1. dire ['dire] v. tr. [enunciare] dire. | *dire di sì,* dire (que) oui. | *dire una parola,* dire un mot. | *si fa presto a dirlo,* c'est vite dit. | *dico a voi !,* c'est à vous que je parle ! | *cosa dice ?,* vous dites ? | *volevo ben dire,* je l'avais bien dit. ‖ [esprimere] dire. | *dire la propria opinione su qlco.,* dire son avis sur qch. ‖ [recitare] *dire messa,* dire la messe. ‖ [raccontare] dire. | *a quanto si dice,* à ce qu'on dit, d'après ce qu'on raconte. ‖ [annunciare] dire. | *per dirla in confidenza,* soit dit entre nous. ‖ [predire] dire. | *qualcosa mi dice che,* quelque chose me dit que. ‖ [pensare] dire. | *chi l'avrebbe detto ?,* qui l'eût dit ? ‖ [sembrare] *lo si direbbe un re,* on dirait un roi. ‖ [pretendere] dire. | *a quanto dice,* d'après ce qu'il dit. ‖ [obiettare] dire. | *non mi venga a dire che,* n'allez pas me dire que. ‖ [ordinare] dire. | *fa' quello che ti dico !,* fais ce que je te dis ! | *digli di venire,* dis-lui de venir. ‖ [piacere] dire. | *la pittura contemporanea non gli dice niente,* la peinture contemporaine ne lui dit rien. ‖ [ricordare] dire. | *non ti dice niente questa storia ?,* cette histoire ne te dit rien ? ‖ [voler dire] vouloir dire. | *non vuol dire gran che,* cela ne veut pas dire grand-chose. ‖ Loc. *a dire poco,* au bas mot. | *vale a dire,* c'est-à-dire. | *(come) sarebbe a dire ?,* qu'est-ce à dire ? | *e dire che,* et dire que. | *cosa intendi dire ?,* où veux-tu en venir ? | *in men che non si dica,* en moins de rien. | *dir addio a qlco.,* faire une croix sur qch (fam.). ◆ v. rifl. pers. e impers. [dirsi] se dire. ‖ [senso recipr.] se dire. | *si dicevano solo buongiorno,* ils ne se disaient que bonjour. ‖ [senso pass.] se dire. | *questo non si dice,* cela ne se dit pas. ‖ Loc. *lo stesso dicasi di,* il en est de même de.

2. dire m. dire, dires pl. | *il dire della gente,* les dires des gens.

direttissima [diret'tissima] f. ligne directe. ‖ [alpinismo] voie directe. ‖ Giur. *ricorso giudizio per direttissima,* référé.

direttiva [diret'tiva] f. (generalmente al pl.) directive, instruction.

direttivo [diret'tivo] agg. Pr. e Fig. directeur. | *comitato direttivo,* comité directeur. ◆ m. *il direttivo di un partito,* la direction d'un parti.

diretto [di'rɛtto] part. pass. e agg. [dritto, senza deviazioni] direct. ‖ [indirizzato] adressé. | *siamo diretti in Francia,* nous allons en France. ‖ [condotto] *questo concerto è stato diretto molto bene,* ce concert a été très bien dirigé. ‖ [destinato] destiné. | *provvedimenti diretti a tutelare l'ordine,* mesures destinées à sauvegarder l'ordre. ◆ avv. droit, directement. | *vado diretto a letto,* je vais directement me coucher. ◆ m. Tr. direct.

direttore [diret'tore] m. directeur. ‖ Comm. *direttore delle vendite,* chef des ventes. ‖ [scuole] *direttore didattico,* directeur d'école.

direttrice [diret'tritʃe] f. e agg. directrice.

direzione [diret'tsjone] f. [parte, senso] direction. | *direzione sbagliata,* fausse direction. ‖ [azione di dirigere] direction. | *essere alla direzione di* *qlco.,* être à la tête de qch. || [organismo] direction. | *rivolgersi alla direzione,* s'adresser à la direction. || FIG. conduite, direction. | *la direzione dei lavori,* la conduite des travaux. || MUS. direction.

dirigente [diri'dʒɛnte] agg. dirigeant.

dirigere [di'ridʒere] v. tr. [volgere verso] diriger (vers). | *dirigere i propri passi verso,* diriger ses pas vers. | *dirigere i propri sforzi (a),* concentrer ses efforts (sur). || [indirizzare] adresser. | *le sue parole erano dirette a noi,* ces paroles nous étaient adressées. || [avere la direzione] diriger. | *dirigere un giornale,* diriger un journal. ◆ v. rifl. (verso) se diriger (vers). || [indirizzarsi] s'adresser. | *si era diretto a suo padre,* il s'était adressé à son père.

dirimpettaio [dirimpet'tajo] (**-ai** pl.) m. FAM. voisin d'en face (L.C.).

dirimpetto [dirim'pɛtto] avv. en face, vis-à-vis. | *abito proprio dirimpetto,* j'habite juste en face. ◆ loc. prep. *dirimpetto a,* en face de, vis-à-vis de. ◆ agg. inv. d'en face.

diritta [di'ritta] f. V. DRITTA.

1. diritto [di'ritto] agg. [non curvo] droit. | *sta' su diritto!,* tiens-toi droit! | *capelli diritti,* cheveux raides. || FIG. [giusto] droit. || [opposto a «sinistro»] droit. ◆ avv. (tout) droit. | *va diritto allo scopo,* il va droit au but. | *tirar diritto,* passer, poursuivre son chemin. ◆ m. [opposto a «rovescio»] [tessuto, maglia] endroit m.; [moneta] face f. || SP. [tennis] coup droit. ◆ loc. avv. *per diritto, a diritto,* à l'endroit.

2. diritto m. GIUR. droit. | *studiare diritto,* faire son droit. || [facoltà di fare] droit. | *diritto di proprietà, di voto,* droit de propriété, de vote. | *essere in diritto di fare qlco.,* avoir le droit de faire qch. || LOC. *a buon diritto,* à juste titre, à bon droit. | *a maggior diritto,* à plus forte raison. ◆ pl. [tassa] droits. | *diritti d'autore,* droits d'auteur. | *diritti doganali,* droits de douane.

dirittura [dirit'tura] f. [direzione] direction. || [rettitudine] droiture.

dirizzare [dirit'tsare] v. tr. V. DRIZZARE.

diroccare [dirok'kare] v. tr. démolir. ◆ v. rifl. se détruire.

diroccato [dirok'kato] agg. délabré.

dirompente [dirom'pɛnte] agg. brisant.

dirottare [dirot'tare] v. tr. TR. dérouter. | *dirottare un aereo,* dérouter un avion. ◆ v. intr. TR. changer de route.

dirotto [di'rotto] agg. *dare in un pianto dirotto,* fondre en larmes. | *che pioggia dirotta!,* quelle pluie battante, diluvienne! ◆ loc. avv. *piovere a dirotto,* pleuvoir à verse.

dirupo [di'rupo] m. escarpement, abrupt.

disabitato [dizabi'tato] agg. [terre] inhabité; [edificio] inoccupé.

disabituare [dizabitu'are] v. tr. (a) déshabituer (de), désaccoutumer (de). ◆ v. rifl. (a) se déshabituer (de), se désaccoutumer (de).

disaccordo [dizak'kɔrdo] m. désaccord, désunion f., brouille f. | *essere in disaccordo con qlcu.,* être brouillé avec qn.

disadattato [dizadat'tato] agg. e n. PSICOL., SOCIOL. inadapté.

disadatto [diza'datto] agg. [cose] inadapté. || [persone] inapte.

disadorno [diza'dorno] agg. déparé, nu. || FIG. dépouillé.

disagevole [diza'dʒevole] agg. [difficoltoso] pénible, malaisé. || [senza comodità] inconfortable.

disagiato [diza'dʒato] agg. [scomodo] incommode, pénible, inconfortable. || [povero] pénible. | *vivere in condizioni disagiate,* vivre dans la gêne.

disagio [di'zadʒo] (**-gi** pl.) m. PR. e FIG. gêne f., incommodité f., embarras. | *i disagi di un viaggio,* les incommodités d'un voyage. | *mettere a disagio qlcu.,* mettre qn dans l'embarras.

disamina [di'zamina] f. examen attentif.

disamorarsi [dizamo'rarsi] v. rifl. (da) se désaffectionner (de), se détacher (de).

disapprovare [dizappro'vare] v. tr. désapprouver, désavouer.

disappunto [dizap'punto] m. désappointement, déconvenue f. || LOC. *con mio grande disappunto,* à mon grand regret.

disarcionare [dizartʃo'nare] v. tr. désarçonner, démonter.

disarmare [dizar'mare] v. tr. désarmer. ◆ v. intr. PR. e FIG. désarmer. | *non disarma!,* il n'en démord pas!

disarmo [di'zarmo] m. désarmement.

disarmonia [dizarmo'nia] f. discordance, dissonance. || FIG. désaccord m.

disarmonico [dizar'mɔniko] (**-ci** pl.) agg. inharmonieux, discordant.

disarticolare [dizartiko'lare] v. tr. désarticuler. ◆ v. rifl. se désarticuler, se disloquer.

disassuefare [dizassue'fare] v. tr. (a) désaccoutumer (de), déshabituer (de). ◆ v. rifl. se désaccoutumer (de), se déshabituer (de).

disastro [di'zastro] m. PR. e FIG. désastre, catastrophe f.

disattento [dizat'tɛnto] agg. inattentif, distrait.

disattenzione [dizatten'tsjone] f. inattention, inadvertance. | *errore di disattenzione,* faute d'étourderie.
disattivare [dizatti'vare] v. tr. MIL. désamorcer.
disavanzo [diza'vantso] m. COMM. déficit.
disavventura [dizavven'tura] f. mésaventure, malchance.
disbrigo [diz'brigo] (**-ghi** pl.) m. expédition f. | *disbrigo delle pratiche correnti,* expédition des affaires courantes.
discapito [dis'kapito] m. V. SCAPITO.
discarico [dis'kariko] (**-chi** pl.) m. décharge f. | *sono prove a loro discarico,* ce sont des preuves à leur décharge. || COMM. *dare discarico a qlcu.,* donner quitus à qn.
discendente [diʃʃen'dɛnte] part. pres., agg. e m. descendant.
discendenza [diʃʃen'dɛntsa] f. [origine] descendance. | *essere di discendenza nobile,* être de descendance noble. || [persone] descendance, lignée.
discendere [diʃ'ʃendere] v. intr. descendre. | *discendere dal treno,* descendre du train. || [provenire] (da) descendre (de), être issu (de). | *discendono da un'antica famiglia,* ils sont issus d'une ancienne famille. ◆ v. tr. descendre.
discepolo [diʃ'ʃepolo] m. disciple, élève.
discernere [diʃ'ʃɛrnere] v. tr. PR. e FIG. distinguer, discerner. | *discernere il vero dal falso,* discerner le vrai du faux.
discernimento [diʃʃerni'mento] m. discernement. | *agire senza discernimento,* agir sans discernement.
discesa [diʃ'ʃesa] f. [azione] descente. | *la discesa dei Barbari,* la descente, l'invasion des Barbares. || [pendio] pente. | *strada in discesa,* chemin en pente, qui descend.
dischiudere [dis'kjudere] v. tr. entrouvrir. | *dischiudere gli occhi,* entrouvrir les yeux. || FIG. dévoiler, révéler. ◆ v. rifl. s'entrouvrir. || BOT. s'épanouir, éclore v. intr.
discinto [diʃ'ʃinto] agg. débraillé.
disciplina [diʃʃi'plina] f. discipline.
1. disciplinare [diʃʃipli'nare] agg. disciplinaire. ◆ m. cahier des charges.
2. disciplinare v. tr. PR. e FIG. discipliner. ◆ v. rifl. s'imposer une discipline, une règle.
disco ['disko] (**-chi** pl.) m. [in tutti i significati] disque. || AUT. *zona disco,* zone bleue.
discografico [disko'grafiko] agg. du disque. | *casa discografica,* maison de disques.
discolo ['diskolo] agg. polisson ; [bambino] espiègle. ◆ m. espiègle.
discolpa [dis'kolpa] f. *dire qlco. a propria discolpa,* dire qch. à sa décharge.
discolpare [diskol'pare] v. tr. disculper, innocenter. ◆ v. rifl. se disculper (de), se défendre (de), se laver (de).
disconoscere [disko'noʃʃere] v. tr. méconnaître. || GIUR. désavouer.
disconoscimento [diskonoʃʃi'mento] m. méconnaissance f. || GIUR. désaveu. | *disconoscimento di paternità,* désaveu de paternité.
discontinuità [diskontinui'ta] f. discontinuité.
discontinuo [diskon'tinuo] agg. discontinu, inconstant, irrégulier.
discordante [diskor'dante] agg. discordant, dissonant.
discordanza [diskor'dantsa] f. discordance, dissonance. || FIG. désaccord m.
discordare [diskor'dare] v. intr. [di persone] ne pas être d'accord. || [di cose] être discordant, dissonant.
discorde [dis'kɔrde] agg. [persone] en désaccord. || [cose] discordant.
discordia [dis'kɔrdja] f. discorde, désaccord.
discorrere [dis'korrere] v. intr. [conversare] s'entretenir (avec) v. rifl., bavarder (avec), causer (avec). || LOC. *discorrere del più e del meno,* parler de la pluie et du beau temps. | *e via discorrendo,* et ainsi de suite. || [discutere] discourir, causer. ◆ m. *se ne fa un gran discorrere,* on en parle beaucoup.
discorsivo [diskor'sivo] agg. familier. | *stile discorsivo,* style familier.
discorso [dis'korso] m. [conversazione] discours, conversation f. | *sviare il discorso,* détourner la conversation. || [di oratore] discours. | *discorso funebre,* oraison (f.) funèbre. || [parole] propos, discours. | *sono discorsi fatti a vanvera,* ce sont des propos en l'air. || LOC. *non cambiare discorso !,* ne change pas de sujet !
discosto [dis'kɔsto] agg. PR. e FIR. éloigné.
discoteca [disko'tɛka] f. discothèque.
discreditare [diskredi'tare] v. tr. discréditer.
discredito [dis'kredito] m. discrédit, défaveur f. || LOC. *a mio, tuo discredito,* à mon, ton désavantage.
discrepanza [diskre'pantsa] f. discordance, désaccord m.
discretamente [diskreta'mente] avv. [con discretezza] discrètement. || [passabilmente] assez bien, honorablement. | *le cose sono andate discretamente,* ça n'a pas trop mal marché (fam.).
discreto [dis'kreto] agg. [di persona, che ha discrezione] discret. || [moderato] discret, raisonnable, modéré. ||

[soddisfacente] satisfaisant, honnête, acceptable, passable. | *un pasto discreto,* un repas honnête. | *una somma discreta,* une jolie somme. | *un prezzo discreto,* un prix raisonnable.

discrezione [diskret'tsjone] f. [in tutti i significati] discrétion.

discriminare [diskrimi'nare] v. tr. discriminer. || GIUR. atténuer.

discussione [diskus'sjone] f. [esame] discussion, examen m., débat m. | *aprire, intavolare una discussione,* ouvrir, engager une discussion. || [disputa] discussion, dispute.

discutere [dis'kutere] v. tr. débattre, discuter, examiner. || GIUR. *discutere una causa,* plaider une cause. || UNIV. *discutere una tesi,* soutenir une thèse. ◆ v. intr. [esaminare] discuter, examiner v. tr. | *discuteremo del problema con calma,* nous examinerons le problème avec calme. || [per contraddizione] discuter, raisonner. | *non discutete !,* ne discutez pas !, pas de discussion !

discutibile [disku'tibile] agg. discutable.

disdegnare [dizdeɲ'ɲare] v. tr. dédaigner. | *disdegnare gli onori,* dédaigner les honneurs.

disdegno [diz'deɲɲo] m. dédain, mépris. | *rifiutare con disdegno qlco.,* refuser qch. avec dédain.

disdetta [diz'detta] f. GIUR. congé m., dénonciation, dédit m. | *disdetta di un contratto,* dénonciation d'un contrat, dédit. | *dare disdetta di un contratto d'affitto,* résilier un bail. || [sfortuna] malchance, déveine (fam.).

disdicevole [dizdi'tʃevole] agg. LETT. malséant.

disdire [diz'dire] v. tr. [annullare, sciogliere] annuler, révoquer, décommander. | *disdire una prenotazione,* annuler une réservation. || GIUR. *disdire un contratto,* résilier un contrat. || [ritrattare quanto detto] se dédire (de) v. rifl., rétracter, retirer. | *disdire un impegno,* se dédire d'un engagement. || [smentire qlcu. o qlco.] démentir, désavouer. ◆ v. rifl. se dédire, se déjuger.

disegnare [diseɲ'ɲare] v. tr. PR. dessiner. || [far risaltare] *abito che disegna le forme del corpo,* vêtement qui dessine les formes du corps. || FIG. dessiner, esquisser. || [progettare] projeter. ◆ v. rifl. se dessiner, s'esquisser.

disegnatore [diseɲɲa'tore] (**-trice** f.) n. dessinateur, trice.

disegno [di'seɲɲo] m. dessin. | *disegni animati,* dessins animés. || [piano, progetto] dessin, plan, projet. | *disegno di una città,* plan d'une ville. || [progetto, risoluzione] dessein, projet, plan. | *concepire il disegno di,* former le dessein de. || [concezione, piano] plan, cadre. | *disegno di legge,* projet de loi. ◆ loc. avv. *a disegno,* à dessein, exprès.

disequilibrare [dizekwili'brare] v. tr. déséquilibrer.

diserbare [dizer'bare] v. tr. désherber.

diseredare [dizere'dare] v. tr. déshériter.

disertare [dizer'tare] v. tr. déserter. | *disertare le lezioni,* déserter les cours. ◆ v. intr. MIL. déserter.

diserzione [dizer'tsjone] f. MIL. e FIG. désertion.

disfacimento [disfatʃi'mento] m. [putrefazione] décomposition f., putréfaction f. | *andare in disfacimento,* se décomposer. || [separazione] dissolution, désagrégation. | *disfacimento di un impero,* dissolution d'un empire. || FIG. *società in disfacimento,* société en décadence.

disfare [dis'fare] v. tr. [distruggere ciò che è fatto] défaire. | *disfare un nodo,* défaire un nœud. || [sciogliere] faire fondre. | *il sole ha disfatto la neve,* le soleil a fait fondre la neige. || [salute] épuiser, défaire. | *quel lavoro lo ha disfatto,* ce travail l'a épuisé. || MIL. défaire. ◆ v. rifl. [slegarsi] se défaire. || [sciogliersi] fondre v. intr. || [separarsi] se dissoudre, se désagréger. | *famiglia che si disfà,* famille qui se désagrège. || [lasciare] se défaire (de), se dessaisir (de), se débarrasser (de).

disfatta [dis'fatta] f. défaite, débâcle.

disfatto [dis'fatto] part. pass. e agg. [contrario di « fatto »] défait. | *letto disfatto,* lit défait. || [sciolto] à moitié fondu. || MIL. *esercito disfatto,* armée défaite, en déroute. || [guasto] décomposé. || FIG. *volto disfatto,* visage décomposé.

disfunzione [disfun'tsjone] f. MED. trouble m. | *disfunzione epatica,* trouble hépatique.

disgelare [dizdʒe'lare] v. tr. e intr. dégeler, décongeler.

disgelo [diz'dʒɛlo] m. PR. e FIG. dégel.

disgiungere [diz'dʒundʒere] v. tr. désunir, disjoindre. ◆ v. rifl. se disjoindre.

disgrazia [diz'grattsja] f. [stato] malheur m., adversité, malchance, infortune. | *non si lascia abbattere dalle disgrazie,* il résiste à l'adversité. || [avvenimento] accident m., malheur m. | *gli è successa una disgrazia,* il lui est arrivé un malheur. || [sfavore] disgrâce, défaveur.

disgraziato [dizgrat'tsjato] agg. malheureux, malchanceux. | *condurre una vita disgraziata,* mener une vie malheureuse. | *è nato disgraziato,* il n'a jamais eu de chance. ◆ m. [sventurato] malheureux. || [sciagurato] vaurien.

disgregare [dizgre'gare] v. tr. FIS. désagréger. ◆ v. rifl. FIS. se désagréger.

disgregazione [dizgregat'tsjone] f. désagrégation.

disguido [diz'gwido] m. erreur f.

disgustare [dizgus'tare] v. tr. dégoûter, écœurer. ◆ v. rifl. se dégoûter (de).

disgusto [diz'gusto] m. [ripugnanza] dégoût, écœurement.

disgustoso [dizgus'toso] agg. dégoûtant, écœurant.

disidratare [dizidra'tare] v. tr. déshydrater.

disidratazione [dizidratat'tsjone] f. déshydratation.

disilludere [dizil'ludere] v. tr. désillusionner, décevoir. ◆ v. rifl. se détromper, se désabuser. | *disilluditi!*, détrompe-toi !

disillusione [dizillu'zjone] f. désillusion, désenchantement m., déception.

disimparare [dizimpa'rare] v. tr. désapprendre.

disimpegnare [dizimpeɲ'ɲare] v. tr. dégager. | *disimpegnare qlcu. da una promessa,* dégager qn d'une promesse. || [assolvere] *disimpegnare un mandato,* s'acquitter d'un mandat. ◆ v. rifl. [morale] (da) se dégager (de). || [sociale] se rendre libre (de). || [sbrogliarsela] se tirer d'affaire.

disimpegnato [dizimpeɲ'ɲato] part. pass. e agg. dégagé, désengagé.

disimpegno [dizim'peɲɲo] m. *disimpegno culturale, politico,* désengagement culturel, politique.

disincantare [dizinkan'tare] v. tr. désenchanter. ◆ v. rifl. se désabuser, se détromper.

disinfestare [dizinfes'tare] v. tr. désinsectiser. || [topi] dératiser.

disinfettare [dizinfet'tare] v. tr. désinfecter.

disinfezione [dizinfet'tsjone] f. désinfection.

disingannare [dizingan'nare] v. tr. désillusionner, détromper. ◆ v. rifl. se détromper.

disinganno [dizin'ganno] m. désenchantement, désillusion f., déception f.

disinnescare [dizinnes'kare] v. tr. désamorcer, éventer.

disinnestare [dizinnes'tare] v. tr. AUT. débrayer. | *disinnestare la marcia,* mettre au point mort. || ELETTR. débrancher, déconnecter. ◆ v. rifl. se dégager.

disintegrare [dizinte'grare] v. tr. PR. e FIG. désintégrer. ◆ v. rifl. se désintégrer.

disinteressare [dizinteres'sare] v. tr. désintéresser. ◆ v. rifl. se désintéresser.

disinteresse [dizinte'rɛsse] m. désintéressement.

disintossicare [dizintossi'kare] v. tr. désintoxiquer. ◆ v. rifl. se désintoxiquer.

disinvolto [dizin'vɔlto] agg. désinvolte, sans-gêne, décontracté.

disinvoltura [dizinvol'tura] f. [spigliatezza] désinvolture, aisance. || [impertinenza] désinvolture, impertinence, sans-gêne m.

disistima [dizis'tima] f. mésestime (lett.), déconsidération.

disistimare [dizisti'mare] v. tr. mésestimer.

dislivello [dizli'vɛllo] m. [differenza di livello] dénivellation f., dénivellement. | *dislivello stradale,* dénivellation d'une route. || [differenza] disparité f., décalage. | *dislivello sociale,* disparité sociale.

dislocare [dizlo'kare] v. tr. MAR. déplacer. || MIL. déplacer, détacher, disloquer. || IND. déplacer.

dislocazione [dizlokat'tsjone] f. [di una truppa] dislocation. || [trasferimento] déplacement m.

dismisura [dizmi'zura] f. démesure. ◆ loc. avv. *a dismisura,* démesurément.

disoccupato [dizokku'pato] agg. sans emploi. ◆ m. chômeur.

disoccupazione [dizokkupat'tsjone] f. chômage m.

disonestà [dizones'ta] f. malhonnêteté.

disonesto [dizo'nɛsto] agg. malhonnête.

disonorare [dizono'rare] v. tr. déshonorer. ◆ v. rifl. se déshonorer.

disonore [dizo'nore] m. déshonneur. | *non c'è disonore in ciò,* il n'y a pas de déshonneur à cela. || [vergogna] honte f.

disonorevole [dizono'revole] agg. déshonorant, honteux.

disopra [di'sopra] avv. V. (DI) SOPRA. ◆ m. [parte superiore] dessus. ◆ agg. inv. supérieur agg., du dessus. | *piano disopra,* étage supérieur. ◆ loc. prep. *al disopra di,* au-dessus de.

disordinato [dizordi'nato] agg. PR. e FIG. désordonné. | *fuga disordinata,* fuite désordonnée.

disordine [di'zordine] m. PR. e FIG. désordre, fouillis, pagaille f. (fam.). ◆ pl. [tumulto popolare] désordres, troubles. || [condotta sregolata] excès.

disorganizzare [dizorganid'dzare] v. tr. désorganiser. ◆ v. rifl. se désorganiser.

disorientamento [dizorjenta'mento] m. désorientation f. || FIG. affolement, dépaysement.

disorientare [dizorjen'tare] v. tr. PR. e FIG. désorienter, dérouter, déconcerter. ◆ v. rifl. se désorienter, s'affoler.

disossare [dizos'sare] v. tr. désosser.

disotto [di'sotto] avv. V. (DI) SOTTO. ◆ loc. avv. *al disotto,* au-dessous. ◆ m. [parte inferiore] dessous. ◆ agg. inv. du dessous, inférieur agg. | *l'appartamento disotto,* l'appartement du dessous. ◆ loc. prep. *al disotto di,* au-dessous de.

dispaccio [dis'pattʃo] (**-ci** pl.) m. dépêche f.

disparato [dispa'rato] agg. disparate.

dispari ['dispari] agg. inv. impair. || FIG. différent, inégal.

disparità [dispari'ta] f. disparité, inégalité.

disparte (in) [indis'parte] loc. avv. à l'écart. | *mettere in disparte,* mettre à l'écart.

dispendioso [dispen'djoso] agg. dispendieux.

dispensa [dis'pensa] f. [atto del dispensare] distribution. || [esonero] exonération, dispense, exemption. || [mobile] buffet m., garde-manger m. || [luogo] dépense. || [fascicolo] livraison, fascicule m.

dispensare [dispen'sare] v. tr. [distribuire] dispenser, distribuer. || [esonerare (da)] dispenser (de), exonérer (de), exempter (de). | *dispensare dal servizio militare,* exempter du service militaire. ◆ v. rifl. se dispenser.

dispensario [dispen'sarjo] (**-ri** pl.) m. dispensaire.

disperare [dispe'rare] v. intr. désespérer. | *disperare di fare qlco.,* désespérer de faire qch. ◆ v. tr. *fa disperare tutti,* elle désespère tout le monde. ◆ v. rifl. se désespérer.

disperata (alla) ['alladispe'rata] loc. avv. [macchina] *correre alla disperata,* rouler à toute vitesse.

disperato [dispe'rato] part. pass. e agg. désespéré, sans espoir. | *appello disperato,* appel désespéré. ◆ m. désespéré. || LOC. *urlare come un disperato,* hurler comme un possédé.

disperazione [disperat'tsjone] f. désespoir m., détresse. | *essere in preda alla disperazione,* être en proie au désespoir. || FAM. désespoir, cauchemar m. | *essere causa di disperazione a qlcu.,* faire le désespoir de qn.

disperdere [dis'pɛrdere] v. tr. PR. e FIG. éparpiller, disperser, répandre. | *la collezione è andata dispersa,* la collection a été dispersée. | *disperdere le proprie energie,* disperser ses efforts. ◆ v. rifl. se dissiper, s'éparpiller, se disperser.

dispersione [disper'sjone] f. dispersion, éparpillement m., dissémination. || FIS. *dispersione del calore,* déperdition de la chaleur.

dispersivo [disper'sivo] agg. *è un lavoro dispersivo,* c'est un travail qui disperse les forces. || FIS. dispersif.

disperso [dis'pɛrso] part. pass. e agg. disparu, manquant. | *dare per disperso,* porter disparu. || FIG. dispersé, éparpillé, épars. ◆ m. MIL. disparu.

dispetto [dis'pɛtto] m. [cattiveria] méchanceté f., taquinerie f. | *fare un dispetto a qlcu.,* faire une méchanceté à qn. || [contrarietà] dépit. ◆ loc. avv. *per dispetto,* par dépit. | *ma allora lo fai per dispetto !,* mais alors, tu le fais exprès ! ◆ loc. prep. *a dispetto di,* en dépit de, malgré.

dispettoso [dispet'toso] agg. e n. taquin. || [sgradevole] agaçant.

1. dispiacere [dispja'tʃere] v. intr. [opposto a « piacere »] déplaire. | *ha un modo di comportarsi che mi dispiace,* il a une façon de se conduire qui me déplaît. || [contrariare] *le sue parole mi sono dispiaciute molto,* ses paroles m'ont fait beaucoup de peine. || [essere spiacente] regretter v. tr., être désolé, être navré. | *ci dispiace di doverle comunicare che,* nous regrettons de devoir vous communiquer que. || [formule di cortesia] *ti dispiace prestarmi l'accendino ?,* est-ce que ça t'ennuie de me prêter ton briquet ?

2. dispiacere m. déplaisir, chagrin, déboire. | *dare un dispiacere a qlcu.,* chagriner qn. || LOC. *con mio grande dispiacere,* à mon grand regret.

disponibile [dispo'nibile] agg. disponible.

disponibilità [disponibili'ta] f. [in tutti i significati] disponibilité.

disporre [dis'porre] v. tr. [collocare] disposer, ranger, arranger. | *disporre in ordine alfabetico,* ranger par ordre alphabétique. || [preparare] disposer, préparer. | *disporre ogni cosa per la partenza,* préparer tout pour le départ. ◆ v. intr. AMM. [prescrivere] disposer, prescrire. || [avere a disposizione] disposer (de). | *non dispongo di nulla,* je ne dispose de rien. ◆ v. rifl. [prepararsi] (a) se disposer (à), s'apprêter (à).

disposizione [dispozit'tsjone] f. [collocazzione] disposition, rangement m. | *disposizione a scalinata,* disposition en gradins. || [potere di disporre] *essere a disposizione di qlcu.,* être à la disposition de qn. || GIUR. *per disposizione di legge,* aux termes de la loi. || [inclinazione] dispositions pl., penchant m. sing., inclination. ◆ pl. [misure] dispositions, mesures. | *dare disposizioni a qlcu.,* donner des instructions à qn.

disposto [dis'posto] part. pass. di DISPORRE. ◆ agg. disposé, rangé, arrangé.

|| [umore] *essere ben, mal disposto verso qlcu.*, être bien, mal disposé envers qn.
dispotico [dis'pɔtiko] agg. despotique.
dispotismo [dispo'tizmo] m. PR. e FIG. despotisme.
dispregio [dis'prɛdʒo] m. mépris. ◆ loc. prep. *in dispregio a,* au mépris de.
disprezzabile [dispret'tsabile] agg. méprisable.
disprezzare [dispret'tsare] v. tr. mépriser, dédaigner.
disprezzo [dis'prɛttso] m. mépris, dédain. | *tenere qlco. in disprezzo,* mépriser qch.
disputa ['disputa] f. dispute, discussion, explication. || [alterco] discussion, querelle.
disputare [dispu'tare] v. intr. [discutere] (di) disputer (de), discuter (de). ◆ v. tr. [contendere] disputer. | *disputare qlco. a qlcu.*, disputer qch. à qn. || GIUR. *disputare una causa,* plaider une cause. ◆ v. rifl. [contendersi] se disputer, lutter (pour) v. tr. ind.
disquisizione [diskwizit'tsjone] f. dissertation. || [ricerca] recherche.
dissanguamento [dissangwa'mento] m. hémorragie f. || FIG. épuisement.
dissanguare [dissan'gware] v. tr. saigner à blanc. || FIG. épuiser, saigner à blanc.
dissapore [dissa'pore] m. (usato quasi sempre al plur.) dissension f., désaccord. | *avere dei dissapori con qlcu.*, avoir des difficultés avec qn.
dissecare [disse'kare] v. tr. disséquer.
disseccare [dissek'kare] v. tr. dessécher, assécher. ◆ v. rifl. se dessécher. || FIG. se tarir.
disseminare [dissemi'nare] v. tr. BOT. disséminer. || FIG. semer.
dissenso [dis'sɛnso] m. [divergenza di opinioni] dissentiment, désaccord. || [disapprovazione] désapprobation f.
dissenteria [dissente'ria] f. dysenterie.
dissentire [dissen'tire] v. intr. ne pas être d'accord (avec), désapprouver v. tr.
dissenziente [dissen'tsjente] agg. qui n'est pas d'accord (avec). ◆ n. celui, celle qui n'est pas d'accord.
disseppellire [disseppel'lire] v. tr. PR. e FIG. déterrer, exhumer.
dissertare [disser'tare] v. intr. disserter.
disservizio [disser'vittsjo] m. mauvais fonctionnement (d'un service).
dissestare [disses'tare] v. tr. PR. e FIG. déranger, bouleverser. ◆ v. rifl. se déranger. || FIG. se détraquer.
dissestato [disses'tato] part. pass. e agg. *azienda dissestata,* entreprise en difficultés. | *strada dissestata,* chaussée déformée.
dissesto [dis'sɛsto] m. FIN. débâcle f., krach. | *azienda in dissesto,* entreprise en difficulté.
dissetare [disse'tare] v. tr. PR. e FIG. désaltérer. ◆ v. rifl. se désaltérer, s'abreuver (fam.).
dissezione [disset'tsjone] f. MED. dissection.
dissidenza [dissi'dɛntsa] f. dissidence.
dissidio [dis'sidjo] (**-di** pl.) m. dissension f., discorde f., désaccord.
dissimile [dis'simile] agg. dissemblable, différent, divers.
dissimulare [dissimu'lare] v. tr. déguiser, cacher, feindre. ◆ v. rifl. se dissimuler, se cacher.
dissimulazione [dissimulat'tsjone] f. dissimulation.
dissipare [dissi'pare] v. tr. PR. e FIG. dissiper. | *il sole dissipa la nebbia,* le soleil dissipe le brouillard. | *dissipare un malinteso,* dissiper un malentendu. ◆ v. rifl. se dissiper. || FIG. s'estomper.
dissipato [dissi'pato] part. pass. e agg. dissipé. || PER ANAL. dissolu. | *condurre una vita dissipata,* mener une vie dissolue. ◆ m. dissolu, débauché.
dissociare [disso'ʃare] v. tr. dissocier.
dissodamento [dissoda'mento] m. AGR. défrichage, défrichement.
dissodare [disso'dare] v. tr. AGR. défricher.
dissolutezza [dissolu'tettsa] f. dissipation, dissolution, débauche.
dissoluto [disso'luto] agg. dissolu, débauché.
dissoluzione [dissolu'tsjone] f. dissolution, désagrégation.
dissolvere [dis'sɔlvere] v. tr. dissoudre. || [disgregare] désagréger. || FIG. dissiper. ◆ v. rifl. se dissoudre. || FIG. se dissiper.
dissomiglianza [dissomiʎ'ʎantsa] f. dissemblance.
dissonante [disso'nante] agg. dissonant.
dissonanza [disso'nantsa] f. dissonance, discordance.
dissotterrare [dissotter'rare] v. tr. PR. e FIG. déterrer, exhumer.
dissuadere [dissua'dere] v. tr. dissuader, déconseiller, détourner. | *lo ho dissuaso dal suo progetto,* je l'ai détourné de son projet.
dissuasione [dissua'zjone] f. dissuasion.
distaccare [distak'kare] v. tr. [in tutti i significati] détacher. | *non distaccare lo sguardo da qlcu.*, ne pas détacher son regard de qn. | *distaccare i buoi dall' aratro,* dételer les bœufs de la charrue. ◆ v. rifl. se détacher.
distaccato [distak'kato] part. pass. e agg. [in tutti i significati] détaché. | *parlare con un'aria distaccata,* parler

d'un air détaché. || [ciclismo] distancé, détaché.

distacco [dis'takko] (**-chi** pl.) m. [azione] décollement. || [separazione] séparation f. | *il momento del distacco è spesso crudele,* le moment de la séparation est souvent cruel. || [rinuncia] détachement (de), renoncement (à). | *distacco dai beni materiali,* détachement des biens matériels. || PER EST. détachement. | *trattare qlcu. con tono di distacco,* traiter qn d'un ton détaché. || SP. écart, distance f. ; [vantaggio] avance f.

distante [dis'tante] agg. [spazio] éloigné, distant (de). | *è molto distante la macchina ?,* est-ce que la voiture est encore loin ? || [tempo] distant, éloigné, reculé, loin. || [lontano] éloigné. | *sono ben distante dalla tua concezione della vita,* je suis fort éloigné de ta conception de la vie. || [riservato] distant, réservé. | *è una persona molto distante,* c'est une personne très réservée. ◆ avv. loin. | *abitare distante,* habiter loin.

distanza [dis'tantsa] f. distance.

distanziamento [distantsja'mento] m. espacement.

distanziare [distan'tsjare] v. tr. [spaziare] espacer, éloigner. || PR. e FIG. distancer, dépasser, devancer.

distare [dis'tare] v. intr. *quanto dista il fiume ?,* à quelle distance est le fleuve ?

distendere [dis'tɛndere] v. tr. [allentare] détendre, relâcher. || [spiegare] étendre. | *distendere la biancheria,* étendre le linge. | *distendere le ali,* déployer les ailes. || FIG. détendre, délasser, relâcher, décontracter. | *ho bisogno di distendermi un po',* j'ai besoin de me détendre un peu. ◆ v. rifl. [sdraiarsi] s'étendre, s'allonger. || FIG. [rilassarsi] se détendre, se décontracter. || [diffondersi] s'étendre.

distensione [disten'sjone] f. PR. e FIG. détente, relâchement m.

distensivo [disten'sivo] agg. délassant. || POL. *politica distensiva,* politique de détente.

distesa [dis'tesa] f. [superficie] étendue. ◆ loc. avv. *cantare a distesa,* chanter à pleine voix.

disteso [dis'teso] part. pass. e agg. étendu, allongé, couché. | *lungo disteso,* étalé de tout son long. || [rilassato] détendu.

distillare [distil'lare] v. tr. CHIM. e FIG. distiller. ◆ v. intr. distiller.

distillato [distil'lato] part. pass. e agg. CHIM. distillé. ◆ m. distillat.

distilleria [distille'ria] f. distillerie. || [acquavite] brûlerie.

distinguere [dis'tingwere] v. tr. distinguer, discerner. | *distinguere il vero dal falso,* distinguer le vrai du faux. || PER ANAL. percevoir, reconnaître. || [contrassegnare] marquer. ◆ v. rifl. se distinguer.

distinta [dis'tinta] f. COMM. liste. | *distinta dei prezzi,* liste des prix. | *distinta delle spese,* note de frais. || FIN. bordereau m.

distintivo [distin'tivo] agg. distinctif. ◆ m. insigne. | *distintivo d'onore,* insigne honorifique.

distinto [dis'tinto] part. pass. e agg. [separato] distinct, différent. || [visibile] distinct, perceptible, visible. || [chiaro] net. || [cortese] distingué.

distinzione [distin'tsjone] f. [azione di non confondere] distinction. | *non fare distinzioni,* mettre sur le même rang, plan. || [onore accordato] distinction.

distogliere [dis'tɔλλere] v. tr. détourner. | *distogliere l'attenzione,* détourner l'attention.

distorcere [dis'tɔrtʃere] v. tr. [torcere] tordre. | *distorcere la bocca,* tordre la bouche. || FIG. déformer, altérer. ◆ v. rifl. se tordre, se fouler. || TECN. gauchir v. intr., se voiler, se déformer.

distorsione [distor'sjone] f. MED. entorse, distorsion.

distrarre [dis'trarre] v. tr. [sviare] distraire, détourner, dissuader. | *distrarre qlcu. da un progetto,* dissuader qn d'un projet. || FIG. [divertire] distraire, divertir. ◆ v. rifl. [sviarsi] se distraire.

distratto [dis'tratto] part. pass. e agg. distrait, dissipé, inattentif. | *lo guardò con aria distratta,* il le regarda d'un air absent. || COMM. détourné. ◆ n. distrait, étourdi.

distrazione [distrat'tsjone] f. [disattenzione] distraction, inattention. || [divertimento] distraction, divertissement m. || COMM. détournement m., distraction.

distretto [dis'tretto] m. district ; circonscription, subdivision administrative. || [ufficio del comando distrettuale] bureau de la place.

distribuire [distribu'ire] v. tr. [dispensare] distribuer, dispenser, donner. | *distribuire i posti,* assigner les places. || [disporre] distribuer, ordonner. ◆ v. rifl. se disposer.

distributore [distribu'tore] (**-trice** f.) n. [persona] distributeur, trice. ◆ m. TECN. distributeur. | *distributore di benzina,* pompe (f.) à essence.

distribuzione [distribut'tsjone] f. [in tutti i significati] distribution.

districare [distri'kare] v. tr. PR. e FIG. dévider, démêler, débrouiller. ◆ v. rifl. se libérer, se dégager. || FIG. se débrouiller (fam.), se tirer d'affaire (fam.).

distruggere [distruddʒere] v. tr. détruire. ◆ v. rifl. se détruire.
distruzione [distrut'tsjone] f. destruction.
disturbare [distur'bare] v. tr. déranger, gêner, incommoder. | *disturbo ?,* est-ce que je vous dérange ? || [turbare] troubler. | *disturbare la quiete pubblica,* troubler l'ordre public. || TEL. brouiller. ◆ v. rifl. se déranger, se gêner.
disturbatore [disturba'tore] (**-trice** f.) n. gêneur, importun, perturbateur.
disturbo [dis'turbo] m. [persona] dérangement. | *recar disturbo,* gêner, déranger, incommoder. | *tolgo il disturbo,* je ne veux pas vous déranger davantage. || MED. *disturbi intestinali,* troubles intestinaux.
disubbidienza [dizubbi'djɛntsa] f. désobéissance.
disubbidire [dizubbi'dire] v. intr. (a) désobéir (à).
disuguaglianza [dizugwaʎ'ʎantsa] f. PR. e FIG. inégalité, différence.
disuguale [dizu'gwale] agg. inégal. || [diverso] différent.
disumano [dizu'mano] agg. inhumain.
disunione [dizu'njone] f. désunion, désaccord m.
disunire [dizu'nire] v. tr. désunir, désassembler. ◆ v. rifl. SP. se désunir.
disuso [di'zuzo] m. désuétude f. | *cadere in disuso,* tomber en désuétude.
disvalore [dizva'lore] m. valeur (f.) négative.
ditale [di'tale] m. dé (à coudre).
ditata [di'tata] f. marque de doigt. | *libro pieno di ditate,* livre plein de marques de doigts. || [piccola quantità] pincée.
dito ['dito] (**-i** pl. m., **-a** pl. f.) m. doigt. | *dita del piede,* orteils. | *dito mignolo,* petit doigt. || LOC. *toccare il cielo con un dito,* être au septième ciel. | *legarsela al dito,* garder de la rancune. || [piccola quantità] doigt. | *essere a un dito da,* être à deux doigts de.
ditta ['ditta] f. maison (de commerce), firme, établissements m. pl. | *rappresentante della nostra ditta in Italia,* représentant de notre maison en Italie. || [corrispondenza] *spettabile ditta,* Messieurs.
dittatore [ditta'tore] m. dictateur, despote.
dittatura [ditta'tura] f. dictature.
dittico ['dittiko] (**-ci** pl.) m. ARTI diptyque.
diurno [di'urno] agg. de jour, diurne. | *servizio diurno,* service de jour. | *(albergo) diurno,* établissement avec toilettes et services.
diva ['diva] f. PR. e FIG. [dea] déesse. || CIN., TEAT. star (ingl.), vedette, étoile.
divagare [diva'gare] v. intr. s'écarter (de) v. rifl. | *divagare dal tema,* s'écarter du sujet. ◆ v. tr. distraire. ◆ v. rifl. se distraire.
divagazione [divagat'tsjone] f. divagation, digression.
divampare [divam'pare] v. intr. flamber. || [incendio che scoppia] éclater. || [diffondersi] faire rage.
divano [di'vano] m. divan ; canapé. || POES., STOR. divan.
divaricare [divari'kare] v. tr. écarter, éloigner. ◆ v. rifl. s'écarter.
divario [di'varjo] (**-ri** pl.) m. écart, éloignement, différence f. | *divario di opinioni,* divergence d'opinions. || COMM. décalage.
divenire [dive'nire] v. intr. V. DIVENTARE. ◆ m. FILOS. devenir.
diventare [diven'tare] v. intr. [cambiare stato] devenir. | *diventare vecchio,* devenir vieux. | *far diventare triste,* rendre triste. | *diventare professore,* devenir professeur. | *diventare protestante,* se faire protestant.
diverbio [di'vɛrbjo] (**-bi** pl.) m. altercation f., discussion f.
divergenza [diver'dʒɛntsa] f. PR. e FIG. divergence.
divergere [di'vɛrdʒere] v. intr. PR. e FIG. diverger.
diversamente [diversa'mente] avv. [in modo diverso] différemment, autrement, diversement. || [in caso contrario] autrement, sinon.
diversificare [diversifi'kare] v. tr. diversifier. ◆ v. rifl. se diversifier.
diversità [diversi'ta] f. [varietà] variété, diversité. || [differenza] différence, diversité.
diversivo [diver'sivo] agg. *a scopo diversivo,* pour faire diversion. ◆ m. dérivatif.
diverso [di'vɛrso] agg. [differente] différent. || LOC. *è diverso !,* c'est (une) autre chose ! ◆ pl. [parecchi] divers, plusieurs. | *diverse persone me lo hanno detto,* plusieurs personnes me l'ont dit. ◆ pron. *siamo in diversi,* nous sommes plusieurs.
divertimento [diverti'mento] m. amusement, divertissement, distraction f. | *buon divertimento !,* amusez-vous bien ! | *per divertimento,* pour s'amuser.
divertire [diver'tire] v. tr. divertir, amuser, distraire. ◆ v. rifl. se divertir. || FAM. *divertirsi un mondo,* s'en donner à cœur joie (L.C.).
dividere [di'videre] v. tr. diviser, partager, répartir. | *dividere il proprio pane con qlcu.,* partager son pain avec qn. || LOC. *non aver nulla da dividere con qlcu.,* ne vouloir avoir rien à faire avec qn. || PER EST. séparer. || MUS. *dividere*

il tempo, battre la mesure. ◆ v. rifl. PR. e FIG. se diviser, se partager. || [separarsi] se séparer.
divieto [di'vjɛto] m. défense f., interdiction f. | *divieto di affissione,* défense d'afficher. | *divieto di transito,* passage interdit.
divinatorio [divina'tɔrjo] agg. divinatoire.
divinazione [divinat'tsjone] f. divination.
divinità [divini'ta] f. divinité.
divino [di'vino] agg. PR. e FIG. divin. ◆ m. divin.
divisa [di'viza] f. MIL. uniforme m., tenue. || [scriminatura] raie. || [motto] devise. || COMM. devise.
divisibilità [divizibili'ta] f. divisibilité.
divisione [divi'zjone] f. division, partage m., répartition. | *divisione degli utili,* répartition des bénéfices. || [separazione] séparation, division.
diviso [di'vizo] part. pass. e agg. [separato] séparé. | *diviso dalla moglie,* séparé de sa femme. || [disunito] divisé, partagé. | *essere divisi su un punto,* être partagés sur un point.
divisore [divi'zore] m. diviseur.
divisorio [divi'zɔrjo] agg. mitoyen. | *muro divisorio,* mur mitoyen. ◆ m. cloison f.
divo ['divo] agg. LETT. [eccelso] divin (L.C.). ◆ m. CIN. vedette f.
divorare [divo'rare] v. tr. PR. e FIG. dévorer. | *divorare un libro,* dévorer un livre. ◆ v. rifl. se dévorer.
divorziare [divor'tsjare] v. intr. GIUR. e FIG. divorcer. | *divorziare da qlcu.,* divorcer d'avec qn.
divorziato [divor'tsjato] part. pass., agg. e n. divorcé.
divorzio [di'vɔrtsjo] (**-zi** pl.) m. GIUR. e FIG. divorce.
divulgare [divul'gare] v. tr. divulguer, ébruiter. | *divulgare un segreto,* ébruiter un secret. ◆ v. rifl. se propager, s'ébruiter.
divulgativo [divulga'tivo] agg. de vulgarisation.
divulgazione [divulgat'tsjone] f. divulgation, ébruitement m.
dizionario [dittsjo'narjo] (**-ri** pl.) m. dictionnaire.
dizione [dit'tsjone] f. diction.
do [dɔ] m. inv. MUS. do, ut.
doccia ['dottʃa] (**-ce** pl.) f. douche.
docente [do'tʃɛnte] agg. enseignant. ◆ m. professeur.
docenza [do'tʃɛntsa] f. enseignement m.
docile ['dɔtʃile] agg. docile, discipliné, obéissant.
docilità [dotʃili'ta] f. docilité, malléabilité, soumission.
documentare [dokumen'tare] v. tr. documenter. ◆ v. rifl. (su) se documenter (sur).
documentario [dokumen'tarjo] (**-ri** pl.) agg. documentaire. ◆ m. CIN. documentaire.
documentazione [dokumentat'tsjone] f. documentation. || GIUR. *documentazione,* pièces à l'appui.
documento [doku'mento] m. document. | *documento originale,* document original. | *documenti probatori,* pièces justificatives. | *documenti d'identità,* pièces d'identité. | *perdere i documenti,* perdre ses papiers.
dodecafonia [dodekafo'nia] f. dodécaphonisme m.
dodicenne [dodi'tʃɛnne] agg. âgé de douze ans. ◆ n. garçon (âgé), fillette (âgée) de douze ans.
dodicesimo [dodi'tʃɛzimo] agg. num. ord. douzième. || [come ordinale dinastico ecc.] douze. | *Luigi dodicesimo,* Louis douze. ◆ m. [serie, frazione] douzième.
dodici ['doditʃi] agg. num. card. e m. inv. douze. | *sono le dodici,* il est midi, il est douze heures.
dogana [do'gana] f. [amministrazione] douane. | *passare la dogana,* passer la douane. || [tassa] douane. | *pagare la dogana,* payer la douane.
doganale [doga'nale] agg. douanier, de douane. | *tariffa doganale,* tarif douanier. | *uffici doganali,* bureaux de la douane.
doganiere [doga'njɛre] m. douanier.
doge ['dɔdʒe] m. STOR. doge.
doglia ['dɔλλa] f. LETT. douleur (L.C.). || MED. [parto] *le doglie del parto,* les douleurs de l'accouchement.
dogma ['dɔgma] (**-mi** pl.) m. FILOS., REL. dogme.
dogmatismo [dogma'tizmo] m. PR. e FIG. dogmatisme.
dolce ['doltʃe] agg. [al gusto] doux, sucré. | *vino dolce,* vin doux. | *caffè troppo dolce,* café trop sucré. || PER EST. doux. | *dolce pendio,* pente douce. | *marinaio d'acqua dolce,* marin d'eau douce. || FIG. doux, tendre, paisible. | *carattere dolce,* caractère doux. ◆ m. [pasticceria] gâteau, dessert. | *dolce alla crema,* gâteau à la crème. || [sapore] douceur f. | *il dolce del miele,* la douceur du miel. ◆ pl. sucreries f., confiseries f., douceurs f.
dolcezza [dol'tʃettsa] f. douceur. | *dolcezza del clima,* douceur du climat. | *guardare qlcu. con dolcezza,* regarder qn avec douceur.
dolciastro [dol'tʃastro] agg. douceâtre, doucereux.
dolcificare [doltʃifi'kare] v. tr. édulcorer. || [acqua] adoucir.

dolciume [dol'tʃume] m. [sapore] saveur (f.) douceâtre. ◆ pl. friandises f., confiserie(s) f.

dolente [do'lɛnte] agg. [che duole] douloureux, endolori, dolent (lett.). || [che esprime sofferenza] dolent, plaintif. | *parlare con tono dolente,* parler d'un ton dolent. || [contrariato] fâché, désolé. | *sono dolente di,* je suis désolé de, je regrette que.

dolere [do'lere] v. intr. avoir mal à. | *mi duole la testa,* j'ai mal à la tête. || [dispiacere] regretter v. tr., être désolé. | *mi duole, ma non posso,* je regrette, mais je ne peux pas. ◆ v. rifl. [rammaricarsi] regretter v. tr., être désolé. || PER EST. se plaindre (à). | *dolersi con il direttore (di),* se plaindre au directeur (de).

dollaro ['dɔllaro] m. dollar.

dolomite [dolo'mite] f. MINER. dolomite.

dolore [do'lore] m. [fisico] douleur f. || [morale] douleur f., peine f., souffrance f., chagrin. | *partecipare al dolore di qlcu.,* partager la peine de qn. ◆ pl. FAM. [reumatismi] rhumatisme m. sing. (L.C.) || [doglie] douleurs (L.C.).

doloroso [dolo'roso] agg. [fisicamente] douloureux. || [di dolore] de douleur. | *sguardo doloroso,* regard de douleur.

doloso [do'loso] agg. GIUR. dolosif, intentionnel. | *omicidio doloso,* homicide volontaire.

domanda [do'manda] f. [richiesta] demande. | *domanda in carta bollata,* demande sur papier timbré. || [richiesta di informazioni] question. | *fare una domanda a qlcu.,* poser une question à qn. || GR. *punto di domanda,* point d'interrogation.

domandare [doman'dare] v. tr. [per avere] demander. | *domandare il permesso,* demander la permission. | *domandare scusa,* demander pardon. || [per sapere] demander, questionner (sur). | *domandare l'ora,* demander l'heure. ◆ v. intr. *domandare di qlcu.,* demander qn. ◆ v. rifl. se demander. | *mi domando che cosa farà,* je me demande ce qu'il va faire.

domani [do'mani] avv. [opposto a « oggi »] demain. | *domani l'altro, dopo domani,* après-demain. || [ulteriormente] demain, lendemain. | *rimandare a domani,* remettre au lendemain. ◆ m. [futuro] avenir, lendemain. | *pensare al domani,* songer à l'avenir. | *senza domani,* sans lendemain.

domare [do'mare] v. tr. dompter, soumettre, maîtriser. | *hanno domato l'incendio,* ils ont maîtrisé l'incendie.

domattina [domat'tina] avv. demain matin.

domenica [do'menika] (**-che** pl.) f. dimanche m. | *alla, di domenica,* le dimanche.

domenicano [domeni'kano] agg. et m. REL. dominicain.

domestica [do'mɛstika] (**-che** pl.) f. bonne. | *domestica a ore,* femme de ménage.

domestico [do'mɛstiko] (**-ci** pl.) agg. *accudire alle faccende domestiche,* vaquer aux soins du ménage. | *vita domestica,* vie de famille. || [animale] domestique. ◆ m. serviteur, domestique, employé de maison.

domicilio [domi'tʃiljo] (**-li** pl.) m. domicile. | *domicilio coatto,* résidence forcée. | *domicilio legale,* domicile légal.

dominare [domi'nare] v. intr. [predominare] dominer, prévaloir, triompher. | *dominerà l'opinione della maggioranza,* l'opinion de la majorité l'emportera. ◆ v. tr. [prevalere su] dominer. | *dominare un avversario,* dominer un adversaire. | *dominare un argomento,* dominer un sujet. || MIL. *postazione che domina il fiume,* emplacement qui commande le fleuve. || FIG. *dominare le proprie passioni,* maîtriser ses passions. ◆ v. rifl. se dominer, se maîtriser.

dominazione [dominat'tsjone] f. domination.

dominio [do'minjo] (**-i** pl.) m. [dominazione] domination f. | *cadere sotto il dominio di qlcu.,* tomber sous la coupe de qn. || [proprietà] domaine, propriété f. | *essere di pubblico dominio,* PR. faire partie du domaine public, FIG. être de notoriété publique. || [controllo] maîtrise f. | *dominio di sé,* maîtrise de soi-même. || [competenza] domaine. | *non è di mio dominio,* ce n'est pas de mon domaine.

domino ['dɔmino] m. inv. GIOCHI dominos pl. || [di carnevale] domino.

don ['dɔn] m. [titolo onorifico degli ecclesiastici] *don Giuseppe,* l'abbé Joseph. || [titolo onorifico di nobili] Don [sp.], Dom [port.]. | *don Giovanni,* don Juan.

donare [do'nare] v. tr. [far dono] donner, faire don (de). ◆ v. rifl. se donner, se dévouer, se consacrer. ◆ v. intr. aller bien. | *la barba gli dona molto,* la barbe lui va très bien.

donazione [donat'tsjone] f. donation.

donde ['donde] avv. interr. e relat. [da dove] d'où. | *donde vieni ?,* d'où viens-tu ? | *donde si deduce che,* d'où l'on déduit que.

dondolare [dondo'lare] v. tr. balancer, dodeliner v. intr. | *dondolare la testa,* dodeliner de la tête. ◆ v. rifl. se balancer, se dandiner. | *dondolarsi su una sedia,* se balancer sur une chaise.

|| [trastullarsi] perdre son temps. ◆ v. intr. se balancer v. rifl. || FIG. hésiter, balancer. ◆ m. dandinement.
dondolio [dondo'lio] m. balancement, dodelinement.
dondolo ['dondolo] m. balançoire f. | *cavallino a dondolo,* cheval à bascule. || LOC. *andare a dondolo,* flâner v. intr., traîner v. intr.
dongiovanni [dondʒo'vanni] m. don Juan.
donna ['dɔnna] f. femme. | *donna con la testa sulle spalle,* femme de tête. | *donna di casa,* ménagère. || [domestica] bonne. | *donna a ore,* femme de ménage. || [donna nobile] dame. || [in Italia] *«donna»,* madame. || GIOCHI [carte] dame ; [scacchi] reine.
donnaiolo [donna'jɔlo] m. homme à femmes, coureur de jupons.
donnola ['dɔnnola] f. belette.
dono ['dono] m. cadeau, présent. | *ricevere un dono,* recevoir un cadeau. || FIG. don (de), chic (pour). | *ha il dono della musica,* il a le don de la musique.
dopo ['dopo] avv. [tempo] après, ensuite, plus tard, puis. | *dieci anni dopo,* dix ans après. | *a dopo,* à plus tard. || [spazio] après, ensuite. | *il ponte è poco dopo,* le pont est un peu après. ◆ prep. après. | *dopo di noi,* après nous. | *dopo di che,* après quoi. | *dopo un'ora,* au bout d'une heure. | *dopo tutto,* après tout, au fond. ◆ cong. après que, depuis que. | *non ho mai scritto dopo che sono partito,* je n'ai jamais écrit depuis que je suis parti. ◆ agg. inv. d'après, suivant. | *la mattina dopo,* le matin suivant. | *la casa dopo,* la maison d'après. ◆ m. avenir. | *pensare al dopo,* songer à l'avenir.
dopopranzo [dopo'prantso] m. après-midi m. o f. inv. ◆ avv. dans l'après-midi.
dopotutto [dopo'tutto] avv. après tout, au fond, somme toute.
doppiare [dop'pjare] v. tr. [in tutti i significati] doubler.
doppietta [dop'pjetta] f. [fucile] fusil (m.) à deux coups, à deux canons. || [doppio colpo di fucile] doublé m. || AUT. double débrayage m.
doppiezza [dop'pjettsa] f. duplicité, fausseté, hypocrisie.
doppio ['doppjo] agg. double. | *chiudere a doppia mandata,* fermer à double tour. | *giacca (a) doppio petto,* veste croisée. | *fare il doppio gioco,* jouer un double jeu. ◆ m. double. || TEAT. [attore] doublure f. ◆ avv. double. | *pagare doppio,* payer double.
doppione [dop'pjone] m. [esemplare identico] double, copie f. || PER EST. *essere un doppione (di),* faire double emploi (avec).
doppiopetto [doppjo'pɛtto] agg. e m. inv. croisé agg. | *giacca a doppiopetto,* veste croisée.
dorare [do'rare] v. tr. dorer.
doratura [dora'tura] f. dorure, doré m. | *perdere la doratura,* perdre son doré. || TECN. dorure, dorage m.
dorico ['dɔriko] agg. [dei Dori] dorien. || ARCHIT. dorique.
dormicchiare [dormik'kjare] v. intr. sommeiller, somnoler.
dormiente [dor'mjɛnte] agg. dormant. ◆ n. dormeur, euse.
dormire [dor'mire] v. intr. [riposare] dormir, être couché. | *dormire supino, bocconi,* coucher sur le dos, à plat ventre. || [passare la notte] coucher. | *non trovare da dormire,* ne pas trouver à coucher. || FIG. *dormire sugli allori,* s'endormir sur ses lauriers. | *pratica che dorme in un ufficio,* dossier qui dort dans un bureau. ◆ v. tr. dormir v. tr. e intr. | *dormire il sonno del giusto,* dormir du sommeil du juste. ◆ m. sommeil.
dormita [dor'mita] f. somme m. | *una bella dormita,* un bon somme.
dormitorio [dormi'tɔrjo] (**-ri** pl.) m. dortoir.
dormiveglia [dormi'veʎʎa] m. inv. demi-sommeil.
dorsale [dor'sale] agg. ANAT. dorsal. ◆ f. GEOGR. dorsale.
dorso ['dɔrso] m. ANAT. dos. || [animale] râble, dos. | *ponte, strada a dorso d'asino,* pont, route en dos d'âne. || [cose] dos. | *dorso di un libro,* dos d'un livre.
dosaggio [do'zaddʒo] m. dosage.
dosare [do'zare] v. tr. PR. e FIG. doser.
dose ['dɔze] (**-i** pl.) f. dose. | *rincarare la dose,* doubler la dose.
dosso (in, di) [in'dɔsso, di'dɔsso] loc. avv. *mettersi qlco. in dosso,* se couvrir. | *togliti di dosso il cappotto,* ôte ton manteau !
dosso ['dɔsso] m. [strada] dos-d'âne. || GEOGR. [terreno] mamelon.
dotare [do'tare] v. tr. PR. e FIG. doter.
dotato [do'tato] part. pass. e agg. [fornito] doté. || FIG. doté, doué.
dotazione [dotat'tsjone] f. dotation. || MIL. équipement m.
dote ['dɔte] f. dot. || [dotazione] dotation. || [qualità] qualité. | *avere molte doti,* avoir beaucoup de qualités. || [attitudine] don m., facilité, aptitude.
dotto ['dɔtto] agg. savant, docte (lett.). ◆ m. érudit, humaniste.
dottorato [dotto'rato] m. licence f. ; doctorat. | *dottorato in lettere,* doctorat ès lettres. || [libera docenza] doctorat d'État.

dottore [dot'tore] m. [di tutte le facoltà] docteur, licencié. | *dottore in lettere,* licencié, docteur ès lettres. || [in medicina] docteur, médecin.
dottoressa [dotto'ressa] f. [di tutte le facoltà] licenciée, (femme) docteur. || [in medicina] doctoresse, (femme) médecin.
dottrina [dot'trina] f. [conoscenza] savoir m., culture. || FILOS., GIUR., REL., POL. doctrine.
dove ['dove] avv. [in proposizioni interrogative] où ? | *dove abiti ?,* où est-ce que tu habites ? | *da dove vieni ?,* d'où viens-tu ? || FIG. *dove sono rimasto ?,* où en suis-je resté ? || [in proposizioni relative] où. | *va dove ti pare,* va où tu veux. ◆ cong. [avversativa] tandis que, alors que. | *lo hanno condannato a morte dove avrebbero dovuto assolverlo,* on l'a condamné à mort alors qu'on aurait dû l'acquitter. || [condizionale] au cas où, si. ◆ m. endroit, lieu. | *diteci il dove e il quando,* dites-nous le lieu et la date. | *per, in ogni dove,* partout.
1. dovere [do'vere] v. tr. [con costruzione diretta : avere da pagare, da dare] devoir. | *quanto le devo ?,* combien vous dois-je ? || [essere tenuto a qlco.] devoir. | *gli devo rispetto,* je lui dois le respect. || [essere debitore a qlcu.] devoir (à), tenir (de). | *a chi devi questa informazione ?,* de qui tiens-tu ce renseignement ? || [con infin. : obbligo assoluto] devoir, falloir v. impers. | *lo avrei dovuto ascoltare,* j'aurais dû l'écouter. || [probabilità, presunzione] devoir, falloir v. impers. | *deve essere vero,* cela doit être vrai. | *che cosa si dovrebbe fare ?,* que faudrait-il faire ? || LOC. *come si deve,* comme il faut.
2. dovere [obbligo] m. devoir. | *avere il senso del dovere,* avoir le sens du devoir. ◆ pl. [omaggi] devoirs (L.C.). || LOC. *rivolgersi a chi di dovere,* s'adresser à qui de droit. | *più del dovere,* plus que de raison.
doveroso [dove'roso] agg. juste, convenable.
dovunque [do'vunkwe] cong. où que, partout où. | *dovunque tu vada,* où que tu ailles. ◆ avv. partout, n'importe où.
dovuto [do'vuto] part. pass. e agg. dû. || [necessario] *procedere con le dovute cautele,* procéder avec les précautions nécessaires. ◆ m. dû. | *pagare il dovuto,* payer son dû.
dozzina [dod'dzina] f. douzaine.
dozzinale [doddzi'nale] agg. ordinaire, grossier, médiocre.
dozzinante [doddzi'nante] n. pensionnaire.
draga ['draga] (**-ghe** pl.) f. TECN. drague.
dragare [dra'gare] v. tr. TECN. draguer, désensabler.
drago ['drago] (**-ghi** pl.) m. dragon. || [aquilone] *drago volante,* cerf-volant.
1. dramma ['dramma] (**-i** pl.) m. drame.
2. dramma f. [moneta] drachme.
drammaticità [drammatitʃi'ta] f. tragique m.
drammatizzare [drammatid'dzare] v. tr. PR. e FIG. dramatiser.
drappeggiare [drapped'dʒare] v. tr. draper. ◆ v. rifl. se draper.
drappeggio [drap'peddʒo] (**-gi** pl.) m. [vestito] drapé. || [pieghe] pli. || [tendaggio] draperie f.
drappello [drap'pɛllo] m. MIL. détachement. || [persone] troupe f., bande f., groupe.
drapperia [drappe'ria] f. [cose] draperie. || [negozio] draperie.
drappo ['drappo] m. [qualità di tessuto] drap. || PER EST. *drappo funebre,* drap funèbre.
drenaggio [dre'naddʒo] (**-gi** pl.) m. drainage.
drenare [dre'nare] v. tr. AGR., MED. drainer.
dritta ['dritta] f. [destra] droite. | *tenere la dritta,* tenir sa droite. || MAR. tribord m.
dritto ['dritto] agg., avv. e m. V. DIRITTO. ◆ m. FAM. malin, finaud.
drizzare [drit'tsare] v. tr. dresser, ériger, élever. | *drizzare una vela,* hisser une voile. || [rivolgere] diriger. | *drizzare lo sguardo verso qlcu.,* diriger son regard vers qn. ◆ v. rifl. se dresser. se hérisser.
droga ['drɔga] (**-ghe** pl.) f. [sostanza aromatica] épice. || FARM. drogue.
drogare [dro'gare] v. tr. [aromatizzare] épicer. || FARM. oguer. || SP. doper. ◆ v. rifl. [stupefacenti] se droguer. || SP. se doper.
drogheria [droge'ria] f. épicerie.
droghiere [dro'gjɛre] m. épicier.
dromedario [drome'darjo] (**-ri** pl.) m. dromadaire.
druida ['druida] o **druido** ['druido] (**-i** pl.) m. druide.
dualismo [dua'lizmo] m. PR. e FIG. dualisme.
dualità [duali'ta] f. dualité.
dubbio ['dubbjo] (**-i** pl.) agg. [incerto] douteux, incertain, indécis. | *senso dubbio,* sens douteux. || [poco chiaro] *tempo dubbio,* temps incertain. || [equivoco] douteux, équivoque, louche. | *di dubbio gusto,* d'un goût douteux. ◆ m. [incertezza] doute, incertitude f., indécision f. | *essere in dubbio se,* se demander si. | *stare nel dubbio,* demeu-

rer dans l'incertitude. | *senza possibilità di dubbio,* à n'en pas douter. || [sospetto] soupçon, doute. | *avere dei dubbi su qlcu.,* avoir des soupçons sur qn. ◆ loc. avv. *senza dubbio,* sans aucun doute.

dubbioso [dub'bjoso] agg. [esitante] hésitant, incertain, indécis, irrésolu. || PER ANAL. *sorte dubbiosa,* sort incertain.

dubitare [dubi'tare] v. intr. [esitare] hésiter, douter. | *dubitava se accettare o no,* il se demandait s'il devait accepter ou non. || [mettere in dubbio] douter. | *dubita di poter finire per domani,* il doute de pouvoir finir pour demain. || [diffidare] douter (de), se défier (de), se méfier (de).

duca ['duka] (**-chi** pl.) m. [titolo nobiliare] duc.

ducato [du'kato] m. titre de duc. || [giurisdizione] duché. || [antica moneta] ducat.

duce ['dutʃe] m. chef, guide m. || STOR. *il Duce,* le Duce.

duchessa [du'kessa] f. duchesse.

due ['due] agg. num. card. deux. | *tutti (e) due,* tous (les) deux. | *a due a due,* deux à deux. | *tagliare in due,* couper en deux. | *mangiare per due,* manger comme quatre. || [qualche] deux. | *a due passi da qui,* à deux pas d'ici. | *devo dirti due parole,* j'ai deux mots à te dire. || FIG. *su due piedi,* sur-le-champ. | FAM. *gliene ho dette due,* je lui ai dit ses quatre vérités. || LOC. *in due e due quattro,* en un clin d'œil. ◆ m. deux. | *scrivere un due,* écrire un deux. | *sono le due,* il est deux heures.

duecentesimo [duetʃen'tɛzimo] agg. num. ord. e m. deux centième.

duecento [due'tʃɛnto] agg. num. card. deux cents. ◆ m. *il Duecento,* le XIIIe siècle.

duellare [duel'lare] v. intr. se battre en duel.

duello [du'ɛllo] m. duel. | *sfidare in duello,* provoquer en duel.

duemila [due'mila] agg. num. card. deux mille. ◆ m. *il Duemila,* l'an deux mille. | *nel Duemila,* au XXIe siècle.

duna ['duna] f. dune.

dunque ['dunkwe] cong. donc, par conséquent. ◆ avv. donc. || [nelle interrogazioni] alors, eh bien. ◆ m. *venire al dunque,* venir au fait.

duo ['duo] m. MUS. duo, duetto.

duodeno [duo'dɛno] m. duodénum.

duomo ['dwɔmo] m. [cattedrale] cathédrale. || [in Italia e in Germania] dôme.

duplicare [dupli'kare] v. tr. [raddoppiare] doubler, redoubler. || AMM. faire le duplicata.

duplicato [dupli'kato] part. pass. e agg. doublé, redoublé. ◆ m. duplicata, double.

duplice ['duplitʃe] agg. double.

duplicità [duplitʃi'ta] f. FIG. duplicité.

durante [du'rante] prep. pendant, durant.

durare [du'rare] v. intr. [continuare] durer. | *non può durare,* ça ne peut durer. | *duri quel che duri,* ça durera ce que ça durera. || [resistere, conservarsi] durer, tenir, résister. | *durare due volte di più,* faire deux fois plus d'usage. ◆ v. tr. *durare fatica a,* avoir du mal, de la peine à.

durata [du'rata] f. [sussistenza nel tempo] durée. | *senza durata,* sans durée. || [resistenza] durée. | *durata di una macchina,* vie utile d'une machine.

duraturo [dura'turo] agg. durable.

durezza [du'rettsa] f. [solidità, resistenza] dureté. || [morale] dureté, raideur. | *durezza di cuore,* dureté de cœur.

duro ['duro] agg. [resistente] dur. | *pietre dure,* pierres dures. | *acqua dura,* eau dure, crue. || FIG. *sonno duro,* sommeil dur. | FAM. *quel tipo è un osso duro,* ce type est un dur à cuire. || [difficile da sopportare] dur, rude, difficile. | *rendere la vita dura a qlcu.,* faire la vie dure à qn. || [moralmente] dur, rude. | *carattere duro,* caractère rude. || LOC. *essere duro di testa,* avoir la tête dure. | *pregiudizio duro a morire,* préjugé qui a la vie dure. ◆ m. [cose] dur. | *dormire sul duro,* coucher sur la dure f. || FAM. [persone] *fare il duro,* jouer les durs. ◆ avv. dur, ferme. | *tener duro,* tenir bon.

durone [du'rone] m. MED. durillon. || BOT. [ciliegia] bigarreau.

e

e [e] f. o m. e m.

e [e] cong. et. | *io e Lei,* vous et moi. || LOC. *tutti e due,* tous les deux. | *bell'e fatto,* entièrement fait. || [senso avversativo] et, mais. | *aveva promesso di venire, e non si è visto,* il avait promis de venir, mais il ne s'est pas montré. || [enf.] *e muoviti !,* allons, remue-toi !

ebanista [eba'nista] (**-i** pl.) m. ébéniste.

ebano ['ɛbano] m. ébène f.

ebbene [eb'bɛne] avv. eh bien. | *ebbene, verrò,* eh bien, je viendrai.
ebbrezza [eb'brettsa] f. ivresse, ébriété. || PER EST. griserie, enivrement m.
ebbro ['ɛbbro] agg. PR. e FIG. ivre.
ebete ['ɛbete] agg. e n. abruti, ahuri ; idiot, e. ◆ agg. stupide, hébété.
ebollizione [ebollit'tsjone] f. ébullition.
ebraico [e'braiko] (**-ci** pl.) agg. hébraïque, hébreu m. ; juif, juive f. | *popolo ebraico,* peuple hébreu, juif. ◆ m. [lingua] hébreu.
ebreo [e'brɛo] agg. e n. juif, juive f., hébreu m., israélite.
eburneo [e'burneo] agg. en ivoire, d'ivoire.
ecatombe [eka'tombe] f. PR. e FIG. hécatombe.
eccedente [ettʃe'dɛnte] agg. excédentaire. ◆ m. excédent.
eccedenza [ettʃe'dɛntsa] f. excédent m., excès m., surplus m. | *eccedenza di peso,* excès de poids ; surcharge. || COMM. *eccedenza netta,* valeur nette.
eccedere [et'tʃɛdere] v. tr. excéder, dépasser. || ASSOL. exagérer, abuser. | *eccedere nel bere,* abuser de l'alcool, trop boire.
eccellente [ettʃel'lɛnte] agg. excellent.
eccellenza [ettʃel'lɛntsa] f. excellence, supériorité, perfection. | *per eccellenza,* par excellence. || [titolo] Excellence. | *Sua Eccellenza,* Son Excellence.
eccellere [et'tʃɛllere] v. intr. exceller, être supérieur.
eccelso [et'tʃɛlso] agg. très élevé. || PER EST. supérieur, insigne, sublime, éminent.
eccentricità [ettʃentritʃi'ta] f. PR. e FIG. excentricité.
eccentrico [et'tʃɛntriko] (**-ci** pl.) agg. PR. e FIG. excentrique. ◆ m. TECN. excentrique.
eccepire [ettʃe'pire] v. tr. objecter. | *non ho niente da eccepire,* je n'y vois pas d'objection. || GIUR. exciper v. intr.
eccessivo [ettʃes'sivo] agg. excessif.
eccesso [et'tʃɛsso] m. [quantità in troppo] excès. || [abuso] excès, abus. | *eccesso di velocità,* excès de vitesse. || LOC. *all' eccesso,* (jusqu') à l'excès.
eccetera [et'tʃɛtera] m. et cætera, et cetera loc. avv.
eccetto [et'tʃɛtto] prep. excepté, sauf, à part, à l'exception de. | *eccetto mia sorella,* sauf, excepté ma sœur. ◆ loc. cong. *eccetto che, eccettoché,* excepté que, sauf que, si ce n'est que. || [a meno che] à moins que (+ congiunt.), sauf si (+ indic.).
eccettuare [ettʃettu'are] v. tr. excepter.
eccezionale [ettʃettsjo'nale] agg. exceptionnel. | *tribunale eccezionale,* tribunal d'exception.
eccezione [ettʃet'tsjone] f. exception. | *salvo poche eccezioni,* à quelques exceptions près. || [obiezione] objection, critique. ◆ loc. prep. *ad eccezione di,* à l'exception de, à part, sauf.
ecchimosi [ek'kimozi] f. ecchymose.
eccidio [et'tʃidjo] m. massacre, tuerie f., carnage.
eccitabilità [ettʃitabili'ta] f. excitabilité.
eccitare [ettʃi'tare] v. tr. exciter. | *eccitare le masse,* exciter, agiter les masses. || [suscitare] exciter, provoquer. | *eccitare l'ammirazione,* susciter l'admiration. ◆ v. rifl. s'exciter, s'agiter.
eccitazione [ettʃitat'tsjone] f. excitation.
ecclesiastico [ekkle'zjastiko] (**-ci** pl.) agg. e m. ecclésiastique.
ecco ['ɛkko] avv. voilà, voici. | *eccomi,* me voilà, me voici. | *eccoti la tua parte,* tiens, voilà ta part. || [seguito dal part. pass.] voilà, voici. | *ecco fatto,* voilà (qui est fait), c'est fait. || [per introdurre una narrazione] voici, voilà. | *ecco quello che faremo,* voici, voilà ce que nous allons faire. || [riferendosi a qualcosa di passato] *ecco il vostro errore,* voilà, c'est là votre erreur. || [nelle risposte] *« vorrei un chilo di zucchero », « ecco (a Lei Signora) »,* « je voudrais un kilo de sucre », « voilà (Madame) ». || [valore di interiez.] enfin, quand même, voilà. | *ecco che avevo ragione io,* tu vois, vous voyez bien que j'avais raison.
eccome ! [ek'kome] avv. e interiez. et comment !
echeggiare [eked'dʒare] v. intr. résonner, retentir.
eclettismo [eklet'tizmo] m. éclectisme.
eclissare [eklis'sare] v. tr. ASTR. éclipser. || FIG. éclipser, surpasser. ◆ v. rifl. s'éclipser. || FIG. s'esquiver.
eclissi [e'klissi] o **eclisse** f. ASTR. éclipse.
eco ['ɛko] (**echi** pl.) m. [spesso f. al sing.] écho.
ecologia [ekolo'dʒia] f. écologie.
economia [ekono'mia] f. économie. | *economia politica,* économie politique. || [gestione] administration, gestion. | *saggia economia,* bonne gestion. || [risparmio] économie, épargne. | *fare qlco. in economia,* faire qch. en regardant à la dépense.
economico [eko'nɔmiko] (**-ci** pl.) agg. économique. | *annuncio economico,* petite annonce. | *cucina economica,* cuisinière à charbon, fourneau de cuisine.

economizzare [ekonomid'dzare] v. tr. PR. e FIG. économiser.
economo [e'konomo] agg. e m. économe.
ecumenismo [ekume'nizmo] m. œcuménisme.
ed ['ed] cong. (usata davanti a vocale, specie « e ») et.
edema [e'dɛma] (**-i** pl.) m. œdème.
eden ['ɛden] m. éden.
edera ['edera] f. BOT. lierre m.
edicola [e'dikola] f. kiosque (m.) à journaux. || [nicchia, tempietto] édicule m.
edificare [edifi'kare] v. tr. édifier, bâtir, construire. || [educare] édifier.
edificio [edi'fitʃo] m. édifice, bâtiment, immeuble, construction f. || [teoria] thèse f., argumentation f. | *l'edificio della difesa,* l'argumentation de la défense.
edile [e'dile] agg. de, du bâtiment. ◆ m. STOR. édile. || LOC. *gli edili,* les ouvriers du bâtiment.
edilizia [edi'littsja] f. [industrie e mestieri] bâtiment m. || [tecniche] construction. || [arte] architecture.
edito ['ɛdito] agg. édité, publié.
editore [edi'tore] (**-trice** f.) agg. e n. éditeur, trice. | *casa, società editrice,* maison d'édition.
editoria [edito'ria] f. édition.
editto [e'ditto] m. édit.
edizione [edit'tsjone] f. édition. | *edizione riveduta e corretta,* édition revue et corrigée. | *edizione straordinaria,* édition spéciale. || FIG. *la decima edizione della fiera di Milano,* la dixième foire de Milan.
edonismo [edo'nizmo] m. FILOS. hédonisme.
edotto [e'dɔtto] agg. informé. | *rendere edotto qlcu. di qlco.,* mettre qn au courant de qch.
educanda [edu'kanda] f. pensionnaire (d'un établissement religieux).
educare [edu'kare] v. tr. élever, éduquer. | *educare bene, male,* bien, mal élever. || [qlco.] éduquer, former. | *educare la volontà,* éduquer la volonté. | *educare il gusto,* former le goût.
educato [edu'kato] agg. poli, bien élevé.
educazione [edukat'tsjone] f. éducation. || [creanza] éducation, politesse, savoir-vivre m. | *è senza educazione,* il manque d'éducation, de politesse.
efelide [e'fɛlide] f. tache de rousseur, de son.
effemeride [effe'mɛride] f. éphéméride.
efferatezza [effera'tettsa] f. atrocité, horreur, cruauté.
efferato [effe'rato] agg. atroce, horrible.
effervescente [effervеʃ'ʃɛnte] agg. PR. e FIG. effervescent.
effervescenza [effervеʃ'ʃɛntsa] f. PR. e FIG. effervescence.
effettivo [effet'tivo] agg. effectif, réel. | *causa effettiva,* cause réelle. || PARTICOL. *socio effettivo,* membre actif. ◆ m. [insieme, numero] effectif.
effetto [ef'fɛtto] m. [in tutti i significati] effet. | *produrre un effetto,* faire effet. | *per effetto di,* par suite de, à cause de. || [scopo] effet, but, fin f. | *a questo, a tale effetto,* à cet effet, à cette fin, dans ce but. || [impressione] effet, impression f., sensation f. | *fare l'effetto di,* faire l'effet de, avoir l'air de. ◆ pl. effets. | *effetti di vestiario,* effets personnels. ◆ loc. avv. *in effetto, in effetti,* en fait, de fait, en réalité.
effettuare [effettu'are] v. tr. effectuer, réaliser. | *effettuare una riforma,* effectuer, réaliser une réforme.
efficace [effi'katʃe] agg. efficace, actif, agissant.
efficacia [effi'katʃa] f. efficacité. || [espressività] énergie, vigueur.
efficiente [effi'tʃɛnte] agg. qui a un bon rendement, qui fonctionne bien, efficace ; efficient.
efficienza [effi'tʃɛntsa] f. capacité de rendement, rendement m., efficacité, efficience.
effimero [ef'fimero] agg. éphémère, fugitif, sans lendemain.
efflusso [ef'flusso] m. écoulement. || [di gas] émanation f.
effluvio [ef'fluvjo] m. effluve, exhalaison f., émanation f.
effondere [ef'fondere] v. tr. répandre, verser. || FIG. épancher. ◆ v. rifl. se répandre.
effrazione [effrat'tsjone] f. GIUR. effraction.
effusione [effu'zjone] f. [liquido] écoulement m. || [gas] émanation. || FIG. effusion, épanchement m.
egemonia [edʒemo'nia] f. hégémonie.
egeo [e'dʒɛo] agg. égéen.
egittologia [edʒittolo'dʒia] f. égyptologie.
egittologo [edʒit'tɔlogo] m. égyptologue.
egiziano [edʒit'tsjano] agg. e m. égyptien.
egizio [e'dʒittsjo] agg. e m. STOR. [dell'antico Egitto] égyptien.
egli ['eʎʎi] pr. pers. 3ª pers. sing. m. sogg. [atono] il ; [tonico] lui. | *egli non rispose,* il ne répondit pas. | *tu non lo vedi, ma egli vede te,* tu ne le vois pas, mais lui te voit.
egocentrismo [egotʃen'trizmo] m. égocentrisme.
egoismo [ego'izmo] m. égoïsme.

egoista [ego'ista] (**-i** pl.) n. e agg. égoïste.
egregio [e'grɛdʒo] agg. éminent, remarquable. || [nelle intestazioni di lettere, negli indirizzi] *egregio signore,* Monsieur.
eguale [e'gwale] agg. e deriv. V. UGUALE e deriv.
ehi ! [ɛi] interiez. hé !, ohé !, hep !
eiezione [ejet'tsjone] f. éjection.
elaborare [elabo'rare] v. tr. élaborer. ◆ v. rifl. s'élaborer.
elargire [elar'dʒire] v. tr. prodiguer.
elasticità [elastitʃi'ta] f. élasticité. || FIG. souplesse.
elastico [e'lastiko] (**-ci** pl.) agg. élastique. || FIG. souple. ◆ m. élastique. || [rete del letto] sommier.
elefante [ele'fante] m. éléphant.
elegante [ele'gante] agg. élégant, chic.
eleganza [ele'gantsa] f. élégance.
eleggere [e'lɛddʒere] v. tr. élire.
elegia [ele'dʒia] f. élégie.
elementare [elemen'tare] agg. élémentaire. ◆ f. pl. *le elementari,* l'enseignement (m. sing.) primaire.
elementarità [elementari'ta] f. simplicité.
elemento [ele'mento] m. [parte costitutiva] élément, composante f. | *tutti gli elementi del problema,* toutes les données du problème. || [persona] élément. | *è un buon elemento,* c'est un bon élément. || [luogo naturale] *trovarsi nel proprio elemento,* être dans son élément, être comme un poisson dans l'eau. ◆ pl. [principi fondamentali] éléments, notions f.
elemosina [ele'mɔzina] f. aumône.
elemosinare [elemozi'nare] v. intr. mendier. ◆ tr. PR. e FIG. mendier, quémander.
elencare [elen'kare] v. tr. faire la liste (de). || [enumerare] énumérer.
elenco [e'lɛnko] (**-chi** pl.) m. liste f. | *elenco telefonico,* annuaire du téléphone. || [l'enumerare] énumération f.
elettivo [elet'tivo] agg. électif.
eletto [e'lɛtto] agg. élu. || [scelto] choisi. || [pregevole] élevé, noble. ◆ n. élu.
elettorale [eletto'rale] agg. électoral. | *scheda elettorale,* bulletin de vote.
elettricista [elettri'tʃista] (**-i** pl.) n. électricien, enne. | *montatore elettricista,* monteur électricien.
elettricità [elettritʃi'ta] f. électricité. || FIG. nervosité, tension.
elettrico [e'lɛttriko] (**-ci** pl.) agg. électrique. ◆ m. électricien.
elettrificare [elettrifi'kare] v. tr. électrifier.
elettrificazione [elettrifikat'tsjone] f. électrification.
elettrizzare [elettrid'dzare] v. tr. PR. e FIG. électriser. ◆ v. rifl. PR. s'électriser. || FIG. s'enflammer.
elettrocardiogramma [elettrokardjo'gramma] (**-i** pl.) m. électrocardiogramme.
elettrodo [e'lɛttrodo] m. électrode f.
elettrodomestico [elettrodo'mstiko] (**-ci** pl.) agg. électroménager. ◆ m. appareil électroménager.
elettrolisi [elet'trɔlizi] f. électrolyse.
elettromeccanico [elettromek'kaniko] (**-ci** pl.) agg. électromécanique. ◆ f. électromécanique.
elettromotore [elettromo'tore] (**-trice** f.) agg. e m. électromoteur, trice. ◆ f. motrice (électrique).
elettrone [elet'trone] m. électron.
elettronico [elet'trɔniko] (**-ci** pl.) agg. électronique. ◆ f. électronique.
elettrostatico [elettro'statiko] (**-ci** pl.) agg. électrostatique. ◆ f. électrostatique.
elettrotecnico [elettro'tɛkniko] (**-ci** pl.) agg. électrotechnique. ◆ m. technicien en électricité. ◆ f. électrotechnique.
elevare [ele'vare] v. tr. élever, hausser, lever. | *elevare le mani,* lever les mains. || [sopraelevare] surélever, hausser, exhausser. || [linguaggio burocratico] *elevare una contravvenzione,* dresser (une) contravention. ◆ v. rifl. PR. e FIG. s'élever, se hausser.
elevato [ele'vato] agg. PR. e FIG. élevé, haut. | *prezzo elevato,* prix élevé. || FIG. [nobile] élevé, noble.
elevazione [elevat'tsjone] f. PR. e FIG. élévation.
elezione [elet'tsjone] f. élection. || choix m.
elica ['ɛlika] f. hélice.
elicottero [eli'kɔttero] m. hélicoptère.
elidere [e'lidere] v. tr. annuler. || GR. élider.
eliminare [elimi'nare] v. tr. éliminer, exclure, supprimer. || FAM. [uccidere] supprimer, éliminer. ◆ v. rifl. s'éliminer.
eliminatorio [elimina'tɔrjo] agg. éliminatoire.
eliminazione [eliminat'tsjone] f. élimination. || FISIOL. excrétion.
eliografia [eljogra'fia] f. héliographie.
elioterapia [eljotera'pia] f. héliothérapie.
eliporto [eli'pɔrto] m. héliport.
elisione [eli'zjone] f. élision.
elisir [eli'zir] m. élixir.
ella ['ella] pron. pers. f. 3ª pers. sing., sogg. elle. || [forma di cortesia] vous. | *Ella stessa,* vous-même.
ellenismo [elle'nizmo] m. hellénisme.
ellisse [el'lisse] f. GEOM. ellipse.
ellissi [el'lissi] f. GR. ellipse.

ellissoidale [ellissoi'dale] agg. GEOM. ellipsoïdal.
ellittico [el'littiko] (**-ci** pl.) agg. GEOM. GR. elliptique.
elmetto [el'metto] m. casque.
elmo ['elmo] m. casque. || [medievale] heaume.
elocuzione [elokut'tsjone] f. élocution.
elogiare [elo'dʒare] v. tr. faire des éloges (à). || [celebrare] louer.
elogiativo [elodʒa'tivo] agg. élogieux.
elogio [e'lɔdʒo] m. éloge, louange f.
eloquente [elo'kwɛnte] agg. éloquent.
eloquenza [elo'kwɛntsa] f. PR. e FIG. éloquence.
eloquio [e'lɔkwjo] m. élocution f. | *facilità di eloquio,* facilité d'élocution.
eludere [e'ludere] v. tr. éluder, esquiver. || [sfuggire a] tromper, se dérober (à). | *eludere la sorveglianza,* tromper la surveillance.
emaciare [ema'tʃare] v. tr. émacier. ◆ v. rifl. s'émacier.
emanare [ema'nare] v. intr. PR. e FIG. émaner, se dégager. ◆ v. tr. exhaler. || CHIM. dégager. || FIG. publier, promulguer. | *emanare una legge,* promulguer une loi.
emanazione [emanat'tsjone] f. émanation. || FIG. publication, promulgation.
emancipare [emantʃi'pare] v. tr. émanciper. ◆ v. rifl. s'émanciper.
emancipazione [emantʃipat'tsjone] f. émancipation.
emarginare [emardʒi'nare] v. tr. émarger. || FIG. refuser.
ematoma [ema'tɔma] (**-i** pl.) m. hématome.
embargo [em'bargo] (**-ghi** pl.) m. embargo.
emblema [em'blɛma] (**-i** pl.) m. emblème.
emblematico [emble'matiko] (**-ci** pl.) agg. emblématique.
embolia [embo'lia] f. embolie.
embrione [embri'one] m. BIOL. e FIG. embryon.
emendamento [emenda'mento] m. amélioration f., correction f. || AGR., POL. amendement.
emendare [emen'dare] v. tr. corriger, améliorer, amender. ◆ v. rifl. s'amender.
emergenza [emer'dʒɛntsa] f. urgence.
emergere [e'mɛrdʒere] v. intr. émerger, affleurer. || PER EST. s'élever, se dresser, émerger. || FIG. émerger, apparaître, se faire jour. || [sovrastare] dominer v. tr., émerger (de).
emerito [e'mɛrito] agg. honoraire. | *professore emerito,* professeur honoraire. || [esperto] émérite.
emersione [emer'sjone] f. émersion.
emettere [e'mettere] v. tr. [produrre] émettre, produire. | *emettere un suono,* émettre un son. || [esprimere] émettre, exprimer. | *emettere un'opinione,* émettre une opinion. || [emanare] publier. | *emettere un decreto,* publier un décret.
emiciclo [emi'tʃiklo] m. hémicycle.
emicrania [emi'kranja] f. migraine.
emigrante [emi'grante] n. émigrant.
emigrare [emi'grare] v. intr. émigrer, s'expatrier v. rifl.
emigrato [emi'grato] agg. e n. émigré.
eminenza [emi'nɛntsa] f. excellence, supériorité, élévation. || ANAT. éminence, protubérance. || REL. [titolo] Éminence.
emiro [e'miro] m. émir.
emisfero [emis'fɛro] m. hémisphère.
emissario [emis'sarjo] m. émissaire.
emissione [emis'sjone] f. émission.
emittente [emit'tɛnte] agg. émetteur.
emofilia [emofi'lia] f. hémophilie.
emolliente [emol'ljɛnte] agg. e m. émollient.
emolumento [emolu'mento] m. [specie pl.] émoluments pl., traitement.
emorragia [emorra'dʒia] f. hémorragie.
emotività [emotivi'ta] f. émotivité.
emotivo [emo'tivo] agg. émotif, impressionnable. || [effetto] émouvant.
emozionare [emottsjo'nare] v. tr. émotionner, émouvoir, impressionner.
emozione [emot'tsjone] f. émotion, émoi m. (lett.).
empietà [empje'ta] f. impiété. || PER EST. cruauté.
empio ['empjo] agg. impie. || PER EST. impitoyable, cruel. || POET. néfaste, funeste.
empire [em'pire] v. tr. PR. e FIG. remplir. ◆ v. rifl. s'emplir, se remplir. || V. anche RIEMPIRE.
empirismo [empi'rizmo] m. empirisme.
emporio [em'pɔrjo] m. grand magasin, bazar. || centre commercial.
emulare [emu'lare] v. tr. chercher à égaler, à surpasser ; rivaliser (avec).
emulazione [emulat'tsjone] f. émulation.
emulo ['ɛmulo] (**-a** f.) n. émule ; concurrent, e, rival, e.
emulsionare [emulsjo'nare] v. tr. émulsionner.
emulsione [emul'sjone] f. émulsion.
encefalo [en'tʃɛfalo] m. encéphale.
enciclica [en'tʃiklika] f. encyclique.
enciclopedia [entʃiklope'dia] f. encyclopédie.
encomiare [enko'mjare] v. tr. louer, faire l'éloge (de), exalter.
encomio [en'kɔmjo] m. éloge.

endecasillabo [endeka'sillabo] agg. e m. hendécasyllabe.
endovenoso [endove'noso] agg. intraveineux.
energia [ener'dʒia] f. PR. e FIG. énergie, vigueur, force. || [efficacia] efficacité.
energico [e'nɛrdʒiko] (**-ci** pl.) agg. énergique. || [efficace] énergique, efficace.
enfasi ['ɛnfazi] f. emphase.
enfatico [en'fatiko] (**-ci** pl.) agg. emphatique.
enfisema [enfi'zema] (**-i** pl.) m. emphysème.
enigma [e'nigma] (**-i** pl.) m. PR. e FIG. énigme f.
enigmatico [enig'matiko] (**-ci** pl.) agg. énigmatique.
ennesimo [en'nɛzimo] agg. énième.
enologia [enolo'dʒia] f. œnologie.
enologo [e'nɔlogo] (**-ghi** pl.) m. œnologue.
enorme [e'norme] agg. énorme, immense.
enormità [enormi'ta] f. PR. e FIG. énormité. || FIG. immensité.
ente ['ɛnte] m. organisme, organisation f., office. | *ente per il turismo,* office du tourisme. || FILOS. être. | *Ente supremo,* Être suprême. || GIUR. *ente morale,* personne morale.
enterite [ente'rite] f. entérite.
entità [enti'ta] f. importance, étendue. | *perdita di poca entità,* perte peu importante. || FILOS. entité.
entomologia [entomolo'dʒia] f. entomologie.
entrambi [en'trambi] (**-e** f.) agg. num. pl. les deux. | *da entrambi i lati,* des deux côtés. ◆ pron. num. pl. tous les deux. | *le ho viste entrambe,* je les ai vues toutes les deux.
entrante [en'trante] agg. prochain. | *la settimana entrante,* la semaine prochaine, la semaine qui vient.
entrare [en'trare] v. intr. PR. entrer, pénétrer. | *far entrare,* faire entrer ; introduire. || [essere contenuto] entrer, tenir. | *il 4 nel 20 entra 5 volte,* 4 est contenu 5 fois dans 20. || FIG. entrer. | *entrare in una famiglia,* entrer dans une famille. | *entrare in possesso (di qlco.),* entrer en possession (de qch.). || LOC. *entrarci,* entrer pour qch. (dans qch.). ◆ m. FIG. début, commencement.
entrata [en'trata] f. [azione] entrée. | *entrata libera,* entrée libre. || [luogo che dà accesso] entrée. | *entrata di servizio,* entrée de service. || FIG. entrée. | *entrata in vigore,* entrée en vigueur. || COMM. (gener. pl.) entrée, rentrée, recette. | *entrate e uscite,* recettes et dépenses.
entro ['entro] prep. [tempo] d'ici, dans un délai de. | *entro domani,* d'ici (à) demain. || [entro l'unità del tempo in corso] dans ; d'ici à, avant la fin de. | *entro oggi,* dans la journée. || LETT. [luogo] dans, à l'intérieur de. | *entro le mura,* à l'intérieur des remparts.
entusiasmare [entuzjaz'mare] v. tr. enthousiasmer, transporter. ◆ v. rifl. s'enthousiasmer.
entusiasmo [entu'zjazmo] m. enthousiasme.
entusiasta [entu'zjasta] (**-i** pl.) agg. e n. enthousiaste ; fervent. || [soddisfatto] ravi.
enucleare [enukle'are] v. tr. clarifier ; dégager les éléments essentiels (de). || CHIR. énucléer.
enumerare [enume'rare] v. tr. énumérer, dénombrer.
enumerazione [enumerat'tsjone] f. énumération, dénombrement m.
enunciare [enun'tʃare] v. tr. énoncer, exposer, formuler.
enunciazione [enuntʃat'tsjone] f. énonciation.
eolio [e'ɔljo] agg. éolien. | *arpa eolia,* harpe éolienne.
epatico [e'patiko] (**-ci** pl.) agg. hépatique.
epatite [epa'tite] f. hépatite.
epica ['ɛpika] f. LETT. genre (m.) épique.
epicentro [epi'tʃɛntro] m. GEOL. épicentre. || FIG. foyer.
epico ['ɛpiko] (**-ci** pl.) agg. LETT. épique. ◆ m. poète épique.
epicureismo [epikure'izmo] m. épicurisme.
epicureo [epiku'rɛo] agg. e m. épicurien.
epidemia [epide'mia] f. MED. e FIG. épidémie.
epidemico [epi'dɛmiko] (**-ci** pl.) agg. épidémique.
epidermide [epi'dɛrmide] f. ANAT., BOT. épiderme m. || FIG. surface.
epiglottide [epi'glɔttide] f. épiglotte.
epigono [e'pigono] m. épigone.
epigrafe [e'pigrafe] f. épigraphe.
epigrafia [epigra'fia] f. épigraphie.
epigramma [epi'gramma] (**-i** pl.) m. épigramme f.
epilessia [epiles'sia] f. épilepsie.
epilogo [e'pilogo] m. épilogue, conclusion f., dénouement, fin f.
episcopale [episko'pale] agg. épiscopal.
episcopato [episko'pato] m. épiscopat.
episcopio [epis'kɔpjo] m. palais épiscopal ; évêché.
episodio [epi'zɔdjo] m. épisode.
epistemologia [epistemolo'dʒia] f. épistémologie.

epistola [e'pistola] f. épître, lettre. || REL. épître.
epistolario [episto'larjo] m. correspondance f.
epitaffio [epi'taffjo] o **epitafio** [epi'tafjo] m. épitaphe f.
epiteto [e'piteto] m. épithète f., qualificatif. || PER EST. injure f.
epoca ['ɛpoka] f. époque, ère, période. | PER EST. époque.
epopea [epo'pɛa] f. épopée.
eppure [ep'pure] cong. pourtant, cependant.
epurare [epu'rare] v. tr. AMM., POL. épurer.
epurazione [epurat'tsjone] f. AMM., POL. épuration.
equanime [e'kwanime] agg. impartial, équitable.
equanimità [ekwanimi'ta] f. impartialité, équité.
equatore [ekwa'tore] m. équateur.
equazione [ekwat'tsjone] f. équation.
equestre [e'kwestre] agg. équestre.
equilatero [ekwi'latero] agg. équilatéral.
equilibrare [ekwili'brare] v. tr. PR. e FIG. équilibrer. || [bilanciare] contrebalancer, compenser. ◆ v. rifl. PR. e FIG. s'équilibrer.
equilibrio [ekwi'librjo] m. équilibre.
equilibrismo [ekwili'brizmo] m. acrobatie f. || POL. e FIG. opportunisme.
equino [e'kwino] agg. chevalin, de cheval. ◆ m. équidé.
equinozio [ekwi'nɔttsjo] m. ASTR. équinoxe.
equipaggiamento [ekwipaddʒa'mento] m. [azione] équipement. || [materiale] attirail.
equipaggiare [ekwipad'dʒare] v. tr. équiper. ◆ v. rifl. s'équiper.
equipaggio [ekwi'paddʒo] m. [in tutti i significati] équipage.
equiparare [ekwipa'rare] v. tr. assimiler, considérer comme égal. || [rendere di pari valore] égaliser.
equiparazione [ekwiparat'tsjone] f. assimilation, égalisation.
equità [ekwi'ta] f. équité.
equitazione [ekwitat'tsjone] f. équitation.
equivalente [ekwiva'lɛnte] agg. et m. équivalent.
equivalenza [ekwiva'lɛntsa] f. équivalence.
equivalere [ekwiva'lere] v. intr. équivaloir. ◆ v. recipr. se valoir, être équivalent.
equivoco [e'kwivoko] agg. équivoque, ambigu. || [sospetto] louche, suspect. ◆ m. équivoque f., malentendu. | *c'è stato un equivoco,* il y a eu un malentendu.
equo ['ɛkwo] agg. équitable, impartial, juste.
era ['ɛra] f. ère, époque, âge m.
erariale [era'rjale] agg. du Trésor.
erario [e'rarjo] m. Trésor public.
erba ['ɛrba] f. herbe. | *filo d'erba,* brin d'herbe. | *sdraiarsi sull' erba,* se coucher dans l'herbe. || LOC. *far d'ogni erba un fascio,* tout mettre dans le même sac. || [cucito] *punto erba,* point de tige. ◆ pl. légumes m. pl. | *piazza delle erbe,* place du marché aux légumes.
erbario [er'barjo] m. herbier.
erbivendolo [erbi'vendolo] (**-a** f.) n. marchand de légumes. || [ambulante] marchand des quatre-saisons.
erborista [erbo'rista] (**-i** pl.) m. e f. herboriste.
erborizzare [erborid'dzare] v. intr. herboriser.
erboso [er'boso] agg. herbeux.
ercole ['ɛrkole] m. hercule.
erculeo [er'kuleo] agg. herculéen.
erede [e'rɛde] n. PR. e FIG. héritier, ère.
eredità [eredi'ta] f. PR. e FIG. héritage m. || BIOL. hérédité.
ereditare [eredi'tare] v. tr. PR. e FIG. hériter (de).
ereditarietà [ereditarje'ta] f. hérédité.
ereditario [eredi'tarjo] agg. héréditaire.
eremita [ere'mita] (**-i** pl.) m. PR. e FIG. ermite.
eremitaggio [eremi'taddʒo] m. PR. e FIG. ermitage.
eremo ['ɛremo] m. PR. e FIG. ermitage.
eresia [ere'zia] f. PR. e FIG. hérésie.
ereticale [ereti'kale] agg. hérétique.
eretico [e'rɛtiko] (**-ci** pl.) agg. e m. hérétique.
eretto [e'rɛtto] agg. droit.
erezione [eret'tsjone] f. [costruzione] érection (lett.), construction. || FIG. fondation.
ergastolano [ergasto'lano] m. forçat, bagnard.
ergastolo [er'gastolo] m. travaux forcés à perpétuité, prison (f.) à vie. || [stabilimento] pénitencier, bagne.
ergere ['ɛrdʒere] v. tr. élever. ◆ v. rifl. se dresser, s'élever.
erica ['ɛrika] f. BOT. bruyère.
erigere [e'ridʒere] v. tr. ériger, élever, édifier. || [fondare] ériger, instituer, fonder. || [assumere] ériger. ◆ v. rifl. s'ériger (en), se poser (en).
eritema [eri'tɛma] (**-i** pl.) m. érythème.
ermafrodito [ermafro'dito] agg. e m. hermaphrodite.
ermellino [ermel'lino] m. hermine f.
ermetico [er'mɛtiko] (**-ci** pl.) agg. PR. e FIG. hermétique.

ermetismo [erme'tizmo] m. hermétisme.
ernia ['ɛrnia] f. MED. hernie.
erodere [e'rodere] v. tr. éroder.
eroe [e'rɔe] m. PR. e FIG. héros.
erogare [ero'gare] v. tr. affecter, distribuer. || [acqua, gas, elettricità] distribuer.
eroico [e'rɔiko] (**-ci** pl.) agg. héroïque.
eroicomico [eroi'kɔmiko] (**-ci** pl.) agg. héroï-comique.
1. eroina [ero'ina] f. PR. e FIG. héroïne.
2. eroina f. CHIM. héroïne.
eroismo [ero'izmo] m. héroïsme.
erompere [e'rompere] v. intr. sortir avec violence, jaillir. || FIG. éclater.
erosione [ero'zjone] f. érosion.
erosivo [ero'zivo] agg. érosif.
erotico [e'rɔtiko] (**-ci** pl.) agg. érotique.
erotismo [ero'tizmo] m. érotisme.
erpicare [erpi'kare] v. tr. AGR. herser.
erpice ['erpitʃe] m. AGR. herse f.
errabondo [erra'bondo] agg. errant.
errante [er'rante] agg. errant.
errare [er'rare] v. intr. [andare di qua e di là] errer, vagabonder. || [sbagliare] se tromper, s'abuser. | *se non erro,* si je ne me trompe (pas). || [cadere in colpa] commettre une faute. ◆ m. errance f.
errato [er'rato] agg. inexact, erroné, faux, fautif.
erroneo [er'rɔneo] agg. erroné, inexact, incorrect.
errore [er'rore] m. erreur f., faute f. | *errore giudiziario,* erreur judiciaire. | *errore di grammatica,* faute de grammaire. | *salvo errore,* sauf erreur. || [in senso morale] faute, erreur, écart.
erta ['erta] f. montée abrupte, raidillon m. || LOC. *all'erta !,* alerte !
erto ['erto] agg. raide, abrupt, escarpé, rapide.
erudire [eru'dire] v. tr. instruire.
erudito [eru'dito] agg. e m. érudit.
erudizione [erudit'tsjone] f. érudition.
eruttare [erut'tare] v. intr. éructer, faire un renvoi. ◆ v. tr. [vulcano] vomir ; ASSOL. entrer en éruption.
eruttivo [erut'tivo] agg. GEOL., MED. éruptif.
eruzione [erut'tsjone] f. GEOL., MED. éruption.
esacerbare [ezatʃer'bare] v. tr. exacerber, exaspérer, aviver. ◆ v. rifl. s'exacerber, s'exaspérer.
esacerbazione [ezatʃerbat'tsjone] f. exacerbation, exaspération.
esagerare [ezadʒe'rare] v. tr. exagérer. ◆ v. intr. exagérer. | *esagerare nella gentilezza,* être trop aimable.
esagerato [ezadʒe'rato] agg. exagéré. || [di persona] excessif.
esagerazione [ezadʒerat'tsjone] f. exagération.
esagonale [ezago'nale] agg. hexagonal.
esagono [e'zagono] m. hexagone.
esalare [eza'lare] v. tr. exhaler. ◆ v. intr. s'exhaler v. rifl. ◆ m. exhalaison f.
esalazione [ezalat'tsjone] f. exhalaison. || FISIOL. exhalation.
esaltare [ezal'tare] v. tr. exalter, glorifier. || [entusiasmare] exalter, enfiévrer, enthousiasmer. || [elevare] élever. ◆ v. rifl. s'exalter, s'exciter, s'enthousiasmer.
esaltato [ezal'tato] agg. exalté, surexcité. ◆ m. exalté.
esaltazione [ezaltat'tsjone] f. [in tutti i significati] exaltation.
esame [e'zame] m. [disamina] examen, étude f., analyse f. | *prendere in esame un progetto,* examiner un projet. || [prova] examen. | *sostenere un esame,* passer un examen.
esaminare [ezami'nare] v. tr. examiner, étudier. | *esaminare il problema,* examiner, étudier le problème. || UNIV. interroger, examiner.
esangue [e'zangwe] agg. PR. e FIG. exsangue.
esanime [e'zanime] agg. inanimé, inerte.
esasperare [ezaspe'rare] v. tr. [irritare] exaspérer, excéder, irriter. || [inasprire] exaspérer, exacerber, aviver. ◆ v. rifl. s'exaspérer, s'irriter.
esasperazione [ezasperat'tsjone] f. exaspération.
esattezza [ezat'tettsa] f. exactitude, justesse, précision. | *per l'esattezza,* pour être exact.
1. esatto [e'zatto] agg. exact. || [preciso] précis. | *alle due esatte,* à deux heures précises.
2. esatto part. pass. e agg. [riscosso] perçu.
esattore [ezat'tore] m. receveur, percepteur. || [del gas] encaisseur.
esattoria [ezatto'ria] f. recette, perception.
esaudire [ezau'dire] v. tr. exaucer.
esauriente [ezau'rjɛnte] agg. exhaustif, complet. || [convincente] convaincant, concluant, probant.
esaurimento [ezauri'mento] m. épuisement. || MED. dépression f.
esaurire [ezau'rire] v. tr. épuiser. | *esaurire la pazienza di qlcu.,* épuiser, user la patience de qn. || [trattare compiutamente] épuiser, traiter à fond. | *esaurire l'argomento,* épuiser le sujet. || [portare a termine] conclure. | *esaurire l'inchiesta,* conclure l'enquête. ◆ v. rifl. s'épuiser.
esaurito [ezau'rito] agg. épuisé. | *teatro esaurito,* théâtre complet. || [di per-

sona] déprimé ; qui souffre d'une dépression.

esausto [e'zausto] agg. épuisé, harassé, exténué. || [consumato] épuisé.

esautorare [ezauto'rare] v. tr. destituer, révoquer, casser. || PER EST. discréditer. ◆ v. rifl. se discréditer, se déconsidérer.

esazione [ezat'tsjone] f. recouvrement m., perception, recette.

esborso [ez'borso] m. AMM., COMM. débours, déboursement. || [di cassa] décaissement.

esca ['eska] f. appât m., amorce. || [per accendere il fuoco o la polvere] amadou m. || LOC. *dare esca al fuoco,* jeter de l'huile sur le feu.

escandescenza [eskandeʃ'ʃɛntsa] f. crise de colère ; emportement m. ◆ pl. *dare in escandescenze,* sortir de ses gonds m.

escavatore [eskava'tore] m. TECN. excavatrice f., pelleteuse f.

escavazione [eskavat'tsjone] f. excavation.

esclamare [eskla'mare] v. intr. s'exclamer v. rifl., s'écrier v. rifl.

esclamazione [esklamat'tsjone] f. exclamation.

escludere [es'kludere] v. tr. exclure. ◆ v. rifl. recipr. s'exclure.

esclusione [esklu'zjone] f. exclusion. | *procedere per esclusione,* procéder par élimination. ◆ loc. prep. *ad esclusione di,* à l'exclusion de, sauf.

esclusiva [esklu'ziva] f. exclusivité. || GIUR., REL. exclusive.

esclusività [eskluzivi'ta] f. exclusivité.

esclusivo [esklu'zivo] agg. exclusif, ive.

escluso [es'kluzo] part. pass. e agg. exclu, impossible. | *non è escluso che,* il n'est pas impossible, il n'est pas exclu que. || [non compreso] non compris. || [eccettuato] sauf, à part, excepté. | *tutti, lui escluso,* tous sauf, excepté lui.

escogitare [eskodʒi'tare] v. tr. imaginer, inventer.

escoriare [esko'rjare] v. tr. écorcher, excorier. ◆ v. rifl. s'écorcher, s'excorier.

escoriazione [eskorjat'tsjone] f. éraflure, écorchure, excoriation.

escremento [eskre'mento] m. excrément.

escrescenza [eskreʃ'ʃɛntsa] f. excroissance.

escrezione [eskret'tsjone] f. FISIOL. excrétion, élimination. || [concreto] excréments pl.

escursione [eskur'sjone] f. excursion. || TECN. amplitude.

escussione [eskus'sjone] f. GIUR. audition. || [citazione] citation, assignation.

esecrare [eze'krare] v. tr. exécrer, abhorrer, abominer (lett.).

esecutivo [ezeku'tivo] agg. exécutif. || GIUR. exécutoire. ◆ m. POL. exécutif.

esecuzione [ezeku'tsjone] f. exécution, accomplissement m., réalisation. || GIUR. exécution. | *esecuzione (capitale),* exécution (capitale). || MUS. exécution, interprétation.

esedra [e'zɛdra] f. ARCHIT. exèdre.

esegesi [eze'dʒɛzi] f. exégèse.

esegeta [eze'dʒɛta] (-**i** pl.) m. exégète.

eseguire [eze'gwire] v. tr. exécuter, réaliser, accomplir, faire. | *eseguire una riparazione,* faire, effectuer une réparation. || [adempiere] exécuter, obéir (à). || GIUR. exécuter. | *eseguire una sentenza,* exécuter une sentence. || MUS. exécuter, jouer, interpréter.

esempio [e'zempjo] m. exemple. | *fare, portare un esempio,* donner un exemple. || [modello] exemple, modèle. | *esempio di fedeltà,* modèle de fidélité. || [esemplare] exemplaire, spécimen. ◆ loc. avv. *per esempio, ad esempio,* par exemple.

1. esemplare [ezem'plare] agg. exemplaire.

2. esemplare m. [copia] exemplaire, spécimen. || [modello] modèle.

esemplificare [ezemplifi'kare] v. tr. illustrer (par des exemples). ◆ v. intr. donner des exemples.

esemplificazione [ezemplifikat'tsjone] f. illustration (par des exemples).

esentare [ezen'tare] v. tr. exempter, dispenser, exonérer. ◆ v. rifl. se soustraire (à), se dispenser (de).

esente [e'zɛnte] agg. exempt (de), dispensé (de). || [immune] préservé (de). | *esente dal contagio,* à l'abri de la contagion.

esenzione [ezen'tsjone] f. exemption. || [di tasse] exonération.

esequie [e'zɛkwje] f. pl. funérailles, obsèques.

esercente [ezer'tʃɛnte] m. commerçant. || [bevande, tabacchi] débitant.

esercitare [ezertʃi'tare] v. tr. exercer. | *esercitare la memoria,* exercer, cultiver sa mémoire. || [praticare] exercer, pratiquer. | *esercitare la medicina,* exercer la médecine. || [fare uso di] exercer. | *esercitare un diritto,* exercer un droit, user d'un droit. ◆ v. rifl. s'exercer, s'entraîner, faire de l'exercice.

esercitazione [ezertʃitat'tsjone] f. exercice m.

esercito [e'zɛrtʃito] m. PR. e FIG. armée f.

esercizio [ezer'tʃittsjo] m. exercice. | *esercizio di una professione,* exercice d'une profession. || [il praticare] pratique f., exercice. || [l'allenare] entraînement, exercice. | *fare esercizio,* s'entraîner, [fare del moto] faire de l'exercice. || [prova] exercice. | *esercizio ginnico,* exercice de gymnastique. || [gestione] gestion f., exploitation f. | *spese di esercizio,* frais de gestion. || [periodo di gestione] exercice. || [negozio, bottega] magasin. | *esercizio pubblico,* établissement public. | *esercizio di vini,* débit de boissons.

esibire [ezi'bire] v. tr. présenter, produire, exhiber. ◆ v. rifl. se produire ; s'exhiber. || [mettersi in mostra] s'afficher.

esibizione [ezibit'tsjone] f. présentation, exhibition.

esibizionismo [ezibittsjo'nizmo] m. exhibitionnisme.

esigente [ezi'dʒɛnte] agg. exigeant.

esigenza [ezi'dʒɛntsa] f. [pretesa] exigence, prétention. || [desiderio, bisogno] nécessité, exigence.

esigere [e'zidʒere] v. tr. exiger. | *esigere qlco. da qlcu.,* exiger qch. de qn. || [essere imposto] exiger, nécessiter, imposer. | *le circonstanze lo esigono,* les circonstances l'exigent. || COMM., FIN. percevoir, encaisser, recouvrer.

esiguità [ezigwi'ta] f. [scarsità] insuffisance. || [modicità] modicité. || exiguïté. | *esiguità di una stanza,* exiguïté d'une pièce.

esiguo [e'zigwo] agg. minime, modique, modeste, petit, exigu.

esilarante [ezila'rante] agg. drôle, comique, irrésistible.

esilarare [ezila'rare] v. tr. égayer ; faire rire. ◆ v. rifl. rire.

esile ['ɛzile] agg. PR. e FIG. frêle, mince ; fluet, grêle.

esiliare [ezi'ljare] v. tr. exiler, bannir. ◆ v. rifl. s'exiler ; partir en exil.

esilio [e'ziljo] m. PR. e FIG. exil.

esilità [ezili'ta] f. gracilité, minceur. || [debolezza] faiblesse, fragilité.

esimere [e'zimere] v. tr. dispenser, exempter. ◆ v. rifl. se dispenser (de), se dérober (à).

esimio [e'zimjo] agg. éminent, insigne. || *Esimio Professore,* Monsieur le professeur.

esistenza [ezis'tɛntsa] f. existence. | *provare l'esistenza di un documento,* prouver l'existence d'un document. || [vita] existence, vie. || COMM. [di cassa] fonds m.

esistenzialismo [ezistentsja'lizmo] m. existentialisme.

esistere [e'zistere] v. intr. exister. || [esserci] exister v. impers. ; y avoir v. impers. | *non esistono più dubbi,* il n'y a plus de doutes. || [vivere] exister, vivre.

1. esitare [ezi'tare] v. intr. hésiter.

2. esitare v. tr. COMM. débiter, écouler.

esitazione [ezitat'tsjone] f. hésitation.

esito ['ɛzito] m. issue f., résultat, fin f. | *buon esito,* succès, heureuse issue. | *avere esito,* aboutir. | *esito fatale,* issue fatale.

esiziale [ezit'tsjale] agg. fatal, funeste.

esodo ['ɛzodo] m. exode.

esofago [e'zɔfago] m. œsophage.

esonerare [ezone'rare] v. tr. dispenser, exempter, exonérer. || [da un incarico] relever.

esonero [e'zɔnero] m. dispense f., exemption f. || [di tasse, ecc.] exonération f.

esorbitante [ezorbi'tante] agg. exorbitant, démesuré.

esorbitare [ezorbi'tare] v. intr. sortir. | *questo esorbita dalle mie attribuzioni,* cela sort de mes attributions.

esorcismo [ezor'tʃizmo] m. exorcisme.

esorcizzare [ezortʃid'dzare] v. tr. exorciser.

esordio [e'zɔrdjo] m. exorde, entrée (f.) en matière ; préambule. || PER. EST. début, commencement.

esordire [ezor'dire] v. intr. commencer, entrer en matière. || [debuttare] débuter, faire ses débuts.

esortare [ezor'tare] v. tr. exhorter, inciter, engager.

esortazione [ezortat'tsjone] f. exhortation.

esosità [ezozi'ta] f. [odiosità] caractère odieux. || [avarizia] avarice. || [eccessività] exagération.

esoso [e'zɔzo] agg. [odioso] odieux. || [avaro] avare. || [di prezzi] exorbitant.

esoterismo [ezote'rizmo] m. FILOS. ésotérisme.

esotico [e'zɔtiko] (**-ci** pl.) agg. exotique.

esotismo [ezo'tizmo] m. exotisme.

espandere [es'pandere] v. tr. étendre, développer, élargir. || [diffondere] répandre. ◆ v. rifl. s'étendre, se répandre.

espansione [espan'sjone] f. PR. e FIG. expansion, extension. || FIG. [effusione] épanchement m., effusion.

expansività [espansivi'ta] f. expansivité.

espatriare [espa'trjare] v. intr. s'expatrier v. rifl., émigrer. ◆ m. expatriation f.

espatrio [es'patrjo] m. expatriation f., émigration f.

espediente [espe'djɛnte] m. expédient.

espellere [es'pɛllere] v. tr. expulser.

esperanto [espe'ranto] m. espéranto.

esperienza [espe'rjɛntsa] f. expérience. | *per esperienza,* par expérience. | *esperienza di fisica,* expérience de physique.

esperimentare [esperimen'tare] v. tr. e deriv. V. SPERIMENTARE e deriv.
esperimento [esperi'mento] m. expérience f., essai.
esperire [espe'rire] v. tr. essayer, expérimenter. || [svolgere] mener, faire.
esperto [es'pɛrto] agg. expert, éprouvé, expérimenté, compétent. || [che ha esperienza] qui a beaucoup d'expérience. ◆ m. expert.
espiare [espi'are] v. tr. expier. || [subire] *espiare una pena,* purger une peine. | *espiare un torto,* réparer un tort.
espiazione [espiat'tsjone] f. expiation.
espirare [espi'rare] v. tr. e intr. FISIOL. expirer.
espirazione [espirat'tsjone] f. FISIOL. expiration.
espletamento [espleta'mento] m. AMM. accomplissement, exécution f., expédition f., achèvement.
espletare [esple'tare] v. tr. AMM. exécuter, achever. || [sbrigare] expédier. || [compiere] remplir, accomplir.
esplicare [espli'kare] v. tr. exercer. | *esplicare un' attività,* exercer une activité.
esplicito [es'plitʃito] agg. explicite, formel. | *divieto esplicito,* défense expresse.
esplodere [es'plɔdere] v. intr. exploser, sauter, éclater, faire explosion. ◆ v. tr. tirer, décharger. | *esplodere un colpo di fucile,* tirer un coup de fusil.
esplorare [esplo'rare] v. tr. PR. e FIG. explorer. || [scrutare] scruter. || [saggiare] sonder.
esplorazione [esplorat'tsjone] f. exploration. || [perlustrazione] inspection. || MIL. reconnaissance.
esplosione [esplo'zjone] f. explosion, éclatement m.
esplosivo [esplo'zivo] agg. PR. e FIG. explosif. ◆ m. explosif.
esponente [espo'nente] m. représentant. || MAT. exposant.
esporre [es'porre] v. tr. exposer. | *esporre un quadro,* exposer un tableau. || [affiggere] afficher. || [arrischiare] exposer, risquer. | *esporre la propria fama,* jouer sa réputation. || [riferire] exposer, énoncer, expliquer. | *esporre un desiderio,* formuler un désir. ◆ v. rifl. s'exposer.
esportare [espor'tare] v. tr. exporter.
esportatore [esporta'tore] (**-trice** f.) agg. e n. exportateur, trice.
esportazione [esportat'tsjone] f. exportation.
espositore [espozi'tore] (**-trice** f.) n. exposant, ante.
esposizione [espozit'tsjone] f. exposition. || posizione] exposition, orientation. || [presentazione] exposition, explication, exposé. | *fare un'esposizione sommaria della situazione,* faire un exposé sommaire de la situation.
esposto [es'posto] agg. exposé. || MED. *frattura esposta,* fracture ouverte. ◆ m. exposé, rapport. || [trovatello] enfant trouvé.
espressione [espres'sjone] f. expression.
espressionismo [espressjo'nizmo] m. expressionnisme.
espressionista [espressjo'nista] (**-i** pl.) n. expressionniste.
espressività [espressivi'ta] f. expressivité.
espresso [es'presso] agg. exprès, explicite, formel. | *desiderio espresso,* désir exprès, explicite. ◆ agg. inv. e m. [lettera, plico] exprès inv. | *ricevere un espresso,* recevoir un exprès. || [treno, caffè] express.
esprimere [es'primere] v. tr. exprimer. ◆ v. rifl. s'exprimer.
espropriare [espro'prjare] v. tr. exproprier. || PER EST. priver. ◆ v. rifl. se priver (de), renoncer (à).
espropriazione [espropriat'tsjone] f. o **esproprio** [es'prɔprjo] m. expropriation f.
espugnare [espuɲ'ɲare] v. tr. enlever, prendre (d'assaut). || FIG. triompher (de), vaincre.
espugnazione [espuɲɲat'tsjone] f. prise d'assaut.
espulsione [espul'sjone] f. expulsion. || MIL., TECN. éjection.
essa ['essa] pron. pers. f. 3ª pers. sing. elle. | *essa lo sapeva,* elle le savait. ◆ pl. *esse sono venute,* elles sont venues.
esse ['ɛsse] f. S. | *curva a esse,* tournant en S.
essenza [es'sɛntsa] f. essence. | *per essenza,* par essence (lett.). || [sostanza odorosa] essence, extrait m.
essenziale [essen'tsjale] agg. e m. essentiel.
essenzialità [essentsjali'ta] f. nécessité ; caractère essentiel.
1. essere ['ɛssere] v. intr. 1. ESISTERE : être, exister. | *Dio è,* Dieu existe, Dieu est. 2. IMPIEGHI IMPERSONALI. [data] être. | *è lunedì,* c'est lundi. || [condizioni climatiche] faire. | *è buio,* il fait sombre. || [succedere] arriver, être, se passer. | *sarà quel che sarà,* il arrivera ce qui arrivera. || [introducendo prop. soggettive] être. | *è a te che parlo,* c'est à toi que je parle. || [pleonastico] être, se faire. | *com'è che non ti si vede più ?,* comment se fait-il qu'on ne te voie plus ? 3. COPULA : être. | *è interessante,* c'est intéressant. | *sono bambini,* ce sont des enfants. | *il problema è capire,* le problème est de comprendre. | *chi è ?,* qui est-ce ? | *(che)*

cos'è?, qu'est-ce (que c'est)? 4. CON AVV. O PREP. [trovarsi] être, se trouver. | *è a Roma,* il est à Rome. || FIG. être. | *essere al verde,* être sans le sou. || [consistere] être, se trouver, consister. | *in questo è la difficoltà,* voilà, c'est là la difficulté. || être, aller. | *sono stato a Parigi,* je suis allé à Paris. 5. CON AVV. O PREP. (in) être. | *essere in dovere di,* avoir le devoir de. || (di) [appartenenza] être (à), appartenir (à); [provenienza] être (de). | *questo film è di Fellini,* c'est un film de Fellini; [partecipazione] être (de), appartenir (à). | *è della famiglia,* il est de la famille; [servire di] servir (de), être. | *mi è di conforto,* c'est pour moi un réconfort; [avere come] être (de). | *essere di opinione, d'avviso,* être d'opinion, d'avis; [stare] être. | *essere di pessimo umore,* être de très mauvaise humeur; [materia] être (en). | *essere di oro,* être en or. || (da) être (à). | *non sono cose da dire,* ce ne sont pas des choses à dire; [essere degno] être digne (de). | *non è da te,* cela n'est pas digne de toi. || (per, con) être. | *sono per il «no»,* je suis pour le «non». || (a) être. | *essere a cavallo,* être à cheval. || (quanto) coûter, peser. | *quant'è?,* combien cela coûte-t-il? | *quant'è questo formaggio?,* combien pèse ce fromage? || LOC. *sarà!,* je veux bien te, vous croire! | *che è che non è,* soudain, tout à coup. | *come sarebbe a dire?,* que veux-tu, que voulez-vous dire? 6. ESSERCI, ESSERVI : y avoir v. impers.; y être v. impers. (lett.). | *c'era una volta,* il était une fois. | *ce n'è, ce ne sono,* il y en a. || [unito a da] *c'è da temere che,* il est à craindre que. || [preceduto dal sogg.] y être, être là. | *il mio orologio non c'è più,* ma montre n'est plus là. || [valore locativo] être là, y être. | *chi c'è?,* qui est là? | *ci sei?,* tu es là?, tu y es? || [terminare] y être. | *finalmente ci sono,* enfin j'y suis, enfin j'en suis venu à bout. || [capire] y être. | *questa volta ci sono,* cette fois-ci j'y suis, je comprends. 7. AUS. être. | *sono venuto,* je suis allé, je suis venu. | *è accaduto che,* il est arrivé que. || avoir. | *sono stato,* j'ai été. | *non sono potuto venire,* je n'ai pas pu venir. | *sono invecchiato,* j'ai vieilli. | *è cambiato,* il a changé. | *sono corso a casa,* j'ai couru à la maison. | *è piovuto,* il a plu. | *mi è sembrato,* il m'a semblé.

2. essere m. [esistenza] être, existence f. | *il non essere,* le non-être. || [condizione] état, condition f. || [ente] être, créature f. | *essere vivente,* être vivant.

essiccare [essi'kkare] v. tr. dessécher, sécher. || AGR. assécher. ◆ v. rifl. se dessécher. || FIG. s'épuiser, se tarir.

esso ['esso] pron. pers. m. 3ª pers. sing. [sogg.] [atono] il; [tonico] lui. | *esso stesso,* lui-même. || [compl.] lui. | *con esso,* avec lui. ◆ pl. [sogg.] [atono] ils; [tonico] eux. | *nemmeno essi,* pas même eux. || [compl.] eux. | *qualcuno di essi,* quelques-uns d'entre eux. || V. anche EGLI, LUI, LORO.

est ['ɛst] m. e agg. est.

estasi ['ɛstazi] f. extase. || FIG. *mandare in estasi,* enthousiasmer.

estasiare [esta'zjare] v. tr. enthousiasmer, ravir. ◆ v. rifl. s'extasier.

estate [es'tate] f. été m. | *d'estate, in estate,* en été.

estatico [es'tatiko] (**-ci** pl.) agg. extatique. || FIG. extasié.

estemporaneo [estempo'raneo] agg. improvisé, impromptu. || [di persona] qui improvise, improvisateur.

estendere [es'tɛndere] v. tr. PR. e FIG. étendre, agrandir, accroître. ◆ v. rifl. s'étendre, s'agrandir, s'accroître, se propager.

estensibile [esten'sibile] agg. PR. e FIG. extensible.

estensione [esten'sjone] f. | [dimensione] étendue, extension. | *estensione dell'impero,* étendue de l'empire. | *estensione di un concetto,* extension d'un concept. || [sviluppo] extension, expansion, développement m.

estensivo [esten'sivo] agg. extensif.

estensore [esten'sore] agg. extenseur. ◆ m. [compilatore] rédacteur.

estenuare [estenu'are] v. tr. exténuer, épuiser. || FIG. (raro) appauvrir. ◆ v. rifl. s'exténuer, s'épuiser, s'éreinter.

esteriore [este'rjore] agg. extérieur. ◆ m. extérieur, apparence f.

esteriorità [esterjori'ta] f. extériorité, extérieur m., apparence.

esternare [ester'nare] v. tr. extérioriser, manifester, exprimer. ◆ v. rifl. s'extérioriser.

esternato [ester'nato] m. externat.

esterno [es'tɛrno] agg. extérieur, externe. | *bordo esterno,* bord extérieur, externe. | *allievi esterni,* (élèves) externes. ◆ m. extérieur. | *all'esterno,* à l'extérieur, dehors. || [alunno] externe. ◆ m. pl. CIN. extérieurs.

estero ['ɛstero] agg. [di altro stato] étranger. || [relativo ad altro Stato] extérieur, étranger. | *politica estera,* politique extérieure, étrangère. ◆ m. étranger. | *andare all'estero,* aller à l'étranger.

esterrefatto [esterref'fatto] agg. stupéfait, interdit. || [atterrito] terrifié.

estesamente [estesa'mente] avv. amplement.

esteso [es'teso] agg. PR. e FIG. étendu, vaste. ◆ loc. avv. *per esteso,* en entier, intégralement.

esteta [es'tɛta] (**-i** pl.) n. esthète.
estetica [es'tɛtika] f. esthétique.
estimazione [estimat'tsjone] f. estimation, évaluation.
estinguere [es'tinguere] v. tr. éteindre, apaiser, calmer. | *estinguere la sete,* étancher, éteindre (lett.) la soif. || [annullare] éteindre, annuler. | *estinguere un debito,* se libérer d'une dette. ◆ v. rifl. PR. e FIG. s'éteindre.
estinto [es'tinto] agg. éteint. || [scomparso] éteint, disparu. ◆ n. défunt.
estinzione [estin'tsjone] f. PR. e FIG. extinction.
estirpare [estir'pare] v. tr. PR. e FIG. extirper, arracher, déraciner.
estirpazione [estirpat'tsjone] f. extirpation. || AGR. arrachage m.
estivo [es'tivo] agg. estival, d'été. | *mesi estivi,* mois d'été.
estorcere [es'tɔrtʃere] v. tr. extorquer, arracher.
estorsione [estor'sjone] f. extorsion.
estradizione [estradit'tsjone] f. extradition.
estraneo [es'traneo] agg. étranger, extérieur. | *essere estraneo a qlco.,* n'être pour rien dans qch. ◆ n. étranger.
estraniare [estra'njare] v. tr. LETT. V. STRANIARE.
estrarre [es'trarre] v. tr. extraire. || [lotteria] tirer. | *estrarre a sorte,* tirer au sort.
estratto [es'tratto] m. extrait, essence f. || CULIN. extrait, concentré. || COMM., FIN. *estratto conto,* extrait, relevé de compte. || GIUR. *estratto dell'atto di nascita,* extrait de (l'acte de) naissance. || [opuscolo] tiré à part.
estrazione [estrat'tsjone] f. PR. e FIG. extraction. || [lotteria] tirage m.
estremismo [estre'mizmo] m. extrémisme.
estremità [estremi'ta] f. extrémité, bout m. | *da un'estremità all'altra,* de bout en bout. || [estremo, eccesso] extrémité, excès m.
estremo [es'trɛmo] agg. [nello spazio] extrême. || [nel tempo] extrême, ultime, dernier, suprême. | *estremi onori,* derniers honneurs, honneurs suprêmes. || [massimo] extrême, énorme, immense, grand. | *estrema urgenza,* extrême urgence. || POL. extrême. | *estrema destra,* extrême droite. ◆ m. extrémité f., bout. | *resistere fino all'estremo,* résister jusqu'au bout. || [opposto] extrême, contraire. | *gli estremi si toccano,* les extrêmes se touchent. || [eccesso] extrême, excès, comble. | *passare da un estremo all'altro,* passer d'un extrême à l'autre. ◆ m. pl. éléments essentiels, données essentielles. || GIUR. *estremi di un reato,* éléments (constitutifs) d'un délit.
estrinsecare [estrinse'kare] v. tr. extérioriser, exprimer. ◆ v. rifl. s'extérioriser, s'exprimer.
estrinseco [es'trinseko] (**-ci** pl.) agg. extrinsèque, extérieur, étranger.
estro ['ɛstro] m. inspiration f. || PER EST. caprice, fantaisie f.
estromettere [estro'mettere] v. tr. expulser, exclure, éliminer.
estromissione [estromis'sjone] f. expulsion, exclusion, élimination.
estroso [es'troso] agg. capricieux, original, plein de fantaisie.
estuario [estu'arjo] m. estuaire.
esuberanza [ezube'rantsa] f. exubérance, luxuriance, surabondance, profusion.
esulare [ezu'lare] v. intr. sortir (de), ne pas entrer (dans). | *questo esula dalle mie attribuzioni,* ceci sort du cadre de mes attributions.
esule ['ɛzule] agg. e m. exilé.
esultanza [ezul'tantsa] f. allégresse, jubilation, exultation.
esultare [ezul'tare] v. intr. exulter, jubiler (fam.).
esumare [ezu'mare] v. tr. PR. e FIG. exhumer.
età [e'ta] f. âge m. | *è l'età !,* c'est l'âge ! || [anni] âge. | *limiti di età,* limite d'âge. || [epoca] âge, époque, ère. | *la nostra età,* notre époque. | *età del bronzo,* âge du bronze.
etere ['ɛtere] m. CHIM., POET. éther.
etereo [e'tɛreo] agg. CHIM., LETT. éthéré.
eternare [eter'nare] v. tr. immortaliser, perpétuer. ◆ v. rifl. s'immortaliser, s'éterniser (lett.).
eternità [eterni'ta] f. PR. e FIG. éternité. || [immortalità] immortalité.
eterno [e'tɛrno] agg. éternel. | *eterno riposo,* repos éternel. || [immortale] immortel, impérissable. | *pagine eterne,* pages immortelles. || [che non si consuma] inusable. || [continuo] éternel, continuel, incessant. ◆ m. éternel, éternité f.
eterogeneo [etero'dʒɛneo] agg. hétérogène.
etica ['ɛtika] f. [morale] éthique.
etichetta [eti'ketta] f. PR. e FIG. étiquette. || [regole] étiquette, protocole m., cérémonial m.
1. etico ['ɛtiko] (**-ci** pl.) agg. éthique.
2. etico (**-ci** pl.) agg. e n. [tisico] tuberculeux.
etilismo [eti'lizmo] m. éthylisme.
etimologia [etimolo'dʒia] f. étymologie.
etimologico [etimo'lɔdʒiko] (**-ci** pl.) agg. étymologique.
etnico ['ɛtniko] (**-ci** pl.) agg. ethnique.

etnografia [etnogra'fia] f. ethnographie.
etnologia [etnolo'dʒia] f. ethnologie.
ettaro ['ɛttaro] m. hectare.
ette ['ɛtte] m. FAM. rien (L.C.). | *non ci capisco un ette,* je n'y comprends rien.
etto ['ɛtto] m. cent grammes. | *due etti di formaggio,* deux cents grammes de fromage.
ettogrammo [etto'grammo] m. hectogramme.
ettolitro [et'tɔlitro] m. hectolitre.
ettometro [et'tɔmetro] m. hectomètre.
eucaristia [eukaris'tia] f. eucharistie.
eufemismo [eufe'mizmo] m. euphémisme.
eufonia [eufo'nia] f. euphonie.
euforia [eufo'ria] f. euphorie.
eugenetica [eudʒe'nɛtika] f. eugénisme m., eugénique.
eunuco [eu'nuko] (**-chi** pl.) m. PR. e FIG. eunuque.
euritmia [eurit'mia] f. eurythmie.
europeo [euro'pɛo] agg. e n. européen.
eutanasia [eutana'zia] f. euthanasie.
evacuare [evaku'are] v. tr. évacuer.
evacuazione [evakuat'tsjone] f. évacuation.
evadere [e'vadere] v. intr. s'évader, s'enfuir v. rifl. | *è evaso dal carcere,* il s'est évadé de la prison. || [al fisco, ecc.] se soustraire (à), frauder v. tr. ◆ v. tr. AMM. expédier, régler. || [posta] répondre (à). || [ordini] exécuter.
evanescenza [evaneʃ'ʃɛntsa] f. évanescence.
evangelista [evandʒe'lista] (**-i** pl.) m. évangéliste.
evangelizzare [evandʒelid'dzare] v. tr. évangéliser.
evangelo [evan'dʒɛlo] m. = VANGELO.
evaporare [evapo'rare] v. intr. s'évaporer. ◆ v. tr. évaporer.
evasione [eva'zjone] f. PR. e FIG. évasion. || PER EST. *evasione fiscale,* fraude fiscale. || AMM. expédition, exécution.
evasivo [eva'zivo] agg. évasif.
evaso [e'vazo] agg. e m. évadé, fugitif.
evasore [eva'zore] m. fraudeur (du fisc).
evenienza [eve'njɛntsa] f. éventualité, cas m. | *per ogni evenienza,* à tout hasard.
evento [e'vɛnto] m. événement.
eventuale [eventu'ale] agg. éventuel.
eventualità [eventuali'ta] f. éventualité.
evidente [evi'dɛnte] agg. évident, manifeste.
evidenza [evi'dɛntsa] f. évidence. | *mettere in evidenza,* mettre en évidence. || [chiarezza] clarté.
evirare [evi'rare] v. tr. PR. e FIG. émasculer, châtrer, castrer.
evitare [evi'tare] v. tr. éviter. ◆ v. recipr. s'éviter.
evizione [evit'tsjone] f. éviction.
evo ['ɛvo] m. âge. | *medio evo, medioevo,* Moyen Âge.
evocare [evo'kare] v. tr. évoquer.
evocativo [evoka'tivo] agg. évocateur.
evocazione [evokat'tsjone] f. évocation.
evoluzione [evolut'tsjone] f. évolution.
evolversi [e'vɔlversi] v. rifl. évoluer v. intr. | *il suo pensiero si è evoluto,* sa pensée a évolué.
evviva ! [ev'viva] interiez. hourra ! || vive. | *evviva la libertà,* vive la liberté. ◆ m. inv. hourra m., vivat m.
ex [ɛks] pref. ex-, ancien agg. | *ex ministro, ex moglie,* ex-ministre, ex-femme. | *ex combattente,* ancien combattant.
extra ['ɛkstra] agg. inv. [di qualità] extra (fam.), supérieur. || [straordinario] supplémentaire, extraordinaire. | *ore extra,* heures supplémentaires. ◆ m. inv. extra, supplément m.
extra- ['ɛkstra] pref. extra-.
ex voto [ɛks'vɔto] m. inv. (lat.) ex-voto.
eziandio [ettsjan'dio] cong. aussi.

f

f ['effe] f. o m. f m.
1. fa [fa] m. inv. MUS. fa.
2. fa 3ª pers. sing. pres. ind. del v. FARE. | *poco fa,* il y a un moment, tout à l'heure.
fabbisogno [fabbi'zɔɲɲo] m. besoins pl., quantité (f.) nécessaire.
fabbrica ['fabbrika] f. [della grande industria] usine. | *lavorare in fabbrica,* travailler en usine. || [poco meccanizzata] fabrique. | *marchio, prezzo di fabbrica,* marque, prix de fabrique. | *fabbrica di arazzi,* manufacture de tapisseries. || [costruzione] construction, édification. || LOC. *essere (come) la fabbrica di San Pietro,* ne pas avoir de fin.
fabbricare [fabbri'kare] v. tr. fabriquer. || [costruire] bâtir, édifier, construire.
fabbricato [fabbri'kato] m. bâtiment, édifice, immeuble.

fabbricazione [fabbrikat'tsjone] f. fabrication. || [costruzione] construction, édification.
fabbro ['fabbro] m. forgeron, serrurier.
faccenda [fat'tʃɛnda] f. affaire, besogne, travail m. | *avere una faccenda da sbrigare,* avoir une affaire à régler.
faccetta [fat'tʃetta] f. [di poliedro o pietra] facette.
facchinaggio [fakki'naddʒo] m. portage, transport, factage. || FIG. travail de forçat.
facchino [fak'kino] m. porteur. || [nelle imprese di traslochi] déménageur. || FIG. forçat, esclave.
faccia ['fattʃa] (**facce** pl.) f. [volto] figure, visage m. | *hai la faccia sporca,* tu as la figure sale. || [espressione del volto] tête, figure, visage m., air m., mine. | *faccia strana,* drôle de tête. | *ha una brutta faccia oggi,* il a mauvaise mine aujourd'hui. || LOC. *mi ha chiuso la porta in faccia,* il m'a fermé la porte au nez. | *di faccia alla chiesa,* en face de l'église. | *a faccia aperta,* à visage découvert. | *avere una faccia tosta,* avoir de l'aplomb, de l'audace. || [apparenza] aspect m. | *le cose cambiano faccia,* les choses changent d'aspect. || PER EST. face. | *facce di una moneta,* faces d'une pièce de monnaie.
facciata [fat'tʃata] f. façade. || [di foglio] page, côté m.
faceto [fa'tʃɛto] agg. facétieux, plaisant, spirituel.
facezia [fa'tʃɛttsja] f. plaisanterie, mot (m.) d'esprit, facétie.
facile ['fatʃile] agg. facile, simple. | *è facile da dirsi,* c'est facile à dire. || [agile, sciolto] aisé, agile, facile. | *stile facile,* style aisé. || [mite, trattabile] facile à vivre, accommodant. | *ha un carattere facile,* il a un caractère accommodant. || [incline] porté, enclin. || [probabile] probable, vraisemblable. | *è facile che ....,* il est probable que ...
facilità [fatʃili'ta] f. facilité, simplicité. | *facilità di un problema,* facilité d'un problème. | *scrivere con facilità,* écrire avec facilité.
facilitare [fatʃili'tare] v. tr. faciliter.
facilitazione [fatʃilitat'tsjone] f. facilités pl.
facilmente [fatʃil'mente] avv. facilement, sans peine. || [probabilmente] probablement.
facinoroso [fatʃino'roso] agg. malfaisant, violent, criminel. ◆ m. malfaiteur, criminel.
facoltà [fakol'ta] f. faculté. || [di cosa] propriété, pouvoir, faculté (arc.). || UNIV. faculté. ◆ pl. moyens m., ressources.
facoltoso [fakol'toso] agg. riche.
facondia [fa'kondja] f. facilité de parole, verve, éloquence, faconde (spesso pegg.).
facondo [fa'kondo] agg. éloquent, loquace.
facsimile [fak'simile] m. fac-similé. || FIG. réplique f., copie f.
faggio ['faddʒo] m. hêtre.
fagiolo [fa'dʒɔlo] m. haricot.
1. fagotto [fa'gɔtto] m. basson.
2. fagotto m. paquet, ballot, bal(l)uchon. || LOC. *far fagotto,* [partire] plier bagage, [morire] s'en aller.
faida ['faida] f. vendetta (ital.), vengeance.
faina [fa'ina] f. ZOOL. fouine.
falange [fa'landʒe] f. ANAT. phalange. || POL., STOR. phalange.
falcata [fal'kata] f. [di cavallo] courbette. || SP. foulée.
falce ['faltʃe] f. faux ; faucille.
falcetto [fal'tʃetto] m. faucille f., serpette f.
falciare [fal'tʃare] v. tr. AGR. e FIG. faucher.
falciata [fal'tʃata] f. AGR. coup (m.) de faux.
falciatore [faltʃa'tore] (**-trice** f.) n. AGR. faucheur, euse.
falcidiare [faltʃi'djare] v. tr. diminuer, réduire considérablement. || [uccidere molta gente] décimer, faire un massacre.
falco ['falko] m. ZOOL. faucon. || FIG. vautour.
falcone [fal'kone] m. ZOOL. faucon.
falda ['falda] f. bande, feuille ; lame, plaque. | *nevica a larghe falde,* il neige à gros flocons. || [di vestito] pan m., basque. | *abito a falde,* habit. || [tesa del cappello] bord m. || [di montagna] bas m., base, pied m. | *alle falde del monte,* au pied du mont. || GEOL. nappe, couche. || TECN. [parte del tetto] pan.
falegname [faleɲ'ɲame] m. menuisier.
falena [fa'lɛna] f. ZOOL. phalène. || FIG. papillon m. || [residuo di combustione] poussière de cendre.
falla ['falla] f. voie d'eau. || TECN. brèche, fissure, fuite.
fallace [fal'latʃe] agg. fallacieux, trompeur, mensonger.
fallare [fal'lare] v. intr. LETT. se tromper, faire erreur.
fallimento [falli'mento] m. faillite f.
fallire [fal'lire] v. intr. échouer ; rater. | *il progetto è fallito,* le projet a échoué, a raté. || [di speranza] être déçu. || [venir meno] manquer. || GIUR. faire faillite. ◆ v. tr. manquer, rater.
fallito [fal'lito] agg. manqué, raté. ◆ m. raté. || GIUR. failli.
fallo ['fallo] m. faute f., erreur f. | *cadere in fallo,* faire, commettre une

faute, une erreur. || [imperfezione] défaut. || SP. faute. || LOC. *senza fallo,* sans faute.
falò [fa'lɔ] m. feu de joie.
falsare [fal'sare] v. tr. fausser, déformer, altérer.
falsariga [falsa'riga] f. transparent m. || FIG. modèle m., exemple m.
falsario [fal'sarjo] m. faussaire, contrefacteur.
falsetto [fal'setto] m. fausset.
falsificare [falsifi'kare] v. tr. falsifier, altérer. || [imitare] contrefaire.
falsificazione [falsifikat'tsjone] f. falsification, altération. || contrefaçon.
falsità [falsi'ta] f. fausseté. || [cosa falsa] mensonge m.
falso ['falso] agg. faux. | *falso concetto,* idée fausse. | *falsa piega,* faux pli. | *falso amico,* faux frère. | *moneta falsa,* fausse monnaie. ◆ avv. faux. | *cantar falso,* chanter faux. ◆ m. faux. | *sei nel falso,* tu es dans l'erreur f. || GIUR. faux. | *commettere un falso,* commettre un faux (en écriture).
fama ['fama] f. réputation. || [celebrità] célébrité, notoriété. || [voce] bruit. | *corre fama che,* le bruit court que.
fame ['fame] f. PR. e FIG. faim. || PER EST. faim, famine. | *li prenderemo per fame,* nous les aurons par la faim.
famelico [fa'mɛliko] (**-ci** pl.) agg. famélique, affamé.
famigerato [famidʒe'rato] agg. tristement célèbre.
famiglia [fa'miʎʎa] f. famille. | *stato di famiglia,* fiche familiale d'état civil. || [senso lato] famille, lignée, maison. || PER EST. famille. | *famiglia letteraria,* famille littéraire. || BOT., LING., ZOOL. famille.
familiare [fami'ljare] agg. [della famiglia] familial, de famille. || [semplice] familier. | *conversazione familiare,* conversation familière. || [ben conosciuto] familier. | *oggetti, visi familiari,* objets, visages familiers. ◆ m. membre de la famille, parent. | *i familiari,* la famille, les proches.
familiarità [familjari'ta] f. familiarité. || [pratica] expérience, pratique, habitude. | *aver familiarità con i motori,* s'y connaître en moteurs.
familiarizzarsi [familjarid'dzarsi] v. rifl. se familiariser.
famoso [fa'moso] agg. fameux, célèbre, illustre.
fanale [fa'nale] m. fanal. || [autoveicoli] feu. | *fanali posteriori,* feux rouges, feux arrière. || [treni ; navi] feu, fanal. || [lampione] réverbère, lampe f.
fanatismo [fana'tizmo] m. fanatisme.
fanatizzare [fanatid'dzare] v. tr. fanatiser.
fanciulla [fan'tʃulla] f. petite fille, fillette. || [giovinetta] jeune fille.
fanciullezza [fantʃul'lettsa] f. PR. e FIG. enfance.
fanciullo [fan'tʃullo] m. [senso generale] enfant. || [di sesso maschile] petit garçon, enfant. ◆ agg. LETT. enfantin (L.C.). || FIG. jeune.
fandonia [fan'dɔnja] f. histoire, blague (fam.).
fanfaluca [fanfa'luka] f. ANTIQ. billevesée (lett.), baliverne (L.C.). || [oggettino] bagatelle (L.C.).
fanfara [fan'fara] f. fanfare.
fanfarone [fanfa'rone] m. fanfaron, hâbleur, matamore.
fanghiglia [fan'giʎʎa] f. boue, gadoue (fam.), vase.
fango ['fango] m. PR. e FIG. boue f. || [nel fondo dell'acqua] vase f., boue f. || *coprire qlcu. di fango,* couvrir qn de boue. ◆ pl. GEOL. boues. | *fare i fanghi,* prendre des bains de boue.
fangoso [fan'goso] agg. boueux, fangeux, bourbeux. || FIG. abject.
fannullone [fannul'lone] (**-a** f.) n. fainéant.
fantascienza [fantaʃ'ʃɛntsa] f. science-fiction.
fantasia [fanta'zia] f. imagination. | *rivivere con la fantasia,* revivre en imagination. || [fantasticheria] rêverie, imagination. || [invenzione] imagination. || [capriccio] fantaisie. || MUS. fantaisie.
fantasioso [fanta'zjoso] agg. plein d'imagination, de fantaisie. || [bizzarro] fantaisiste, fantasque. || [senza fondamenta] fantaisiste.
fantasma [fan'tazma] (**-i** pl.) m. fantôme, revenant, esprit. || [prodotto della fantasia] fantasme, phantasme. ◆ agg. fantôme. | *nave fantasma,* vaisseau fantôme.
fantasmagoria [fantazmago'ria] f. fantasmagorie.
fantasticare [fantasti'kare] v. tr. rêver (à). ◆ v. intr. rêvasser, rêver.
fantasticheria [fantastike'ria] f. rêverie.
fantastico [fan'tastiko] (**-ci** pl.) agg. [frutto di fantasia] fantastique, fabuleux. | *animale fantastico,* animal fantastique, fabuleux. || IPERB. fantastique, formidable, sensationnel.
fante ['fante] m. MIL. fantassin. || [carte] valet.
fanteria [fante'ria] f. MIL. infanterie.
fantino [fan'tino] m. jockey (ingl.).
fantoccio [fan'tɔttʃo] m. mannequin. | *fantoccio di neve,* bonhomme de neige. || [giocattolo] poupée (f.) de chiffons. || FIG., PEGG. fantoche.
fantomatico [fanto'matiko] (**-ci** pl.) agg. fantomatique.

farabutto [fara'butto] m. crapule f., canaille f.

faraglione [faraʎ'ʎone] m. îlot rocheux ; récif.

faraona [fara'ona] f. pintade.

faraone [fara'one] m. pharaon.

farcire [far'tʃire] v. tr. CULIN. farcir.

fardello [far'dello] m. PR. e FIG. fardeau.

1. fare ['fare] 1. ESEGUIRE, COMPIERE : faire. | *fare (del) tennis,* faire du tennis. || FAM. *e uno che ci sa fare,* il sait y faire. | *non fa un accidente,* il ne fiche rien. 2. PRODURRE : faire, donner. | *fare frutti,* donner des fruits. || [provocare] faire. | *due più due fa quattro,* deux plus deux font quatre. || [determinare] faire, fixer. | *fare il prezzo,* fixer le prix. || [immaginare] supposer, imaginer. | *facciamo che muoia,* imaginons qu'il meure. 3. RIFORNIRSI DI : prendre, faire provision de. | *fare benzina,* prendre de l'essence. || [ottenere] gagner, faire. | *fare soldi,* gagner gros, faire beaucoup d'argent. | 4. RENDERE : rendre, faire. | *fare contento qlcu.,* faire plaisir à qn. || [nominare] nommer, élire, faire. | *fare qlcu. generale,* nommer qn général. 5. ESERCITARE UNA PROFESSIONE, UN'ARTE : être. | *fare il muratore, il medico,* être maçon, médecin. 6. COMPORTARSI COME : faire, jouer (à). | *fare la vittima,* jouer les victimes. 7. CON INFIN., VALORE CAUSATIVO : faire. | *fare riflettere,* faire réfléchir, donner à réfléchir. 8. USI IMPERSONALI : *fa caldo, fa notte,* il fait chaud, il fait nuit. | *non fa nulla,* cela ne fait rien. 9. CON PARTICELLA PRONOMINALE : faire. | *farsi la macchina,* s'acheter une voiture. 10. LOC. *farcela,* réussir, y arriver. | *non ce la farò mai,* je n'y arriverai jamais. | *non credere di fargliela,* ne t'imagine pas qu'il va se laisser avoir. | *non farne nulla,* renoncer. | *non so cosa farmene,* que veux-tu, que voulez-vous que j'en fasse ? ◆ v. intr. 1. AZIONE GENERICA : faire, agir. | *faccia lei,* faites-le vous-même ; [decida] décidez vous-même. 2. FARE DA : tenir lieu de, servir de. | *fare da sindaco,* tenir lieu de maire. 3. FARE PER : convenir, aller, être fait. | *questo cibo non fa per me,* cette nourriture ne me convient pas. 4. LOC. *darsi da fare per,* se donner de la peine pour. | *non ho niente a che fare con questa storia,* je ne suis pour rien dans cette histoire. | *faccio per dire,* c'est une façon de parler. ◆ v. rifl. 1. DIVENIRE : se faire. | *ti sei fatto alto,* tu as grandi. 2. SPOSTARSI [con avv.] : aller, se mettre. | *farsi avanti, indietro,* s'avancer, reculer. 3. USI IMPERSONALI : *si fa tardi,* il se fait tard.

2. fare m. [modo di comportarsi] manières f. pl., façon (f.) d'agir. | style. || [inizio] début, commencement. | *sul fare della primavera,* au début du printemps. || PROV. *tra il dire ed il fare c'è di mezzo il mare,* il y a loin du dire au faire.

farfalla [far'falla] f. PR. e FIG. papillon m. || *(cravatta a) farfalla,* nœud papillon.

farfugliare [farfuʎ'ʎare] v. intr. bredouiller, bafouiller.

farina [fa'rina] f. farine.

farinaceo [fari'natʃeo] agg. farineux. ◆ m. pl. farineux.

faringe [fa'rindʒe] f. o m. pharynx m.

faringite [farin'dʒite] f. pharyngite.

farinoso [fari'noso] agg. farineux. || [neve] poudreux.

fariseo [fari'zɛo] m. PR. e FIG. pharisien.

farmacia [farma'tʃia] f. pharmacie.

farmacista [farma'tʃista] (**-i** pl.) n. pharmacien, enne.

farmaco ['farmako] (**-ci** o **-chi** pl.) m. médicament, remède.

farneticare [farneti'kare] v. intr. délirer, divaguer. || PER EST. déraisonner, déménager (fam.).

faro ['faro] m. phare. || AUT. phare, feu. | *in fari spenti,* tous feux éteints. || FIG. phare, flambeau.

farragine [far'radʒine] f. PR. e FIG. fouillis m., fatras m.

farraginoso [farradʒi'noso] agg. confus, embrouillé.

farsa ['farsa] f. TEAT. e FIG. farce, bouffonnerie.

fascia ['faʃʃa] f. bande. || [per la testa] bandeau m., ruban m. || [simbolo di autorità] écharpe. | *fascia tricolore,* écharpe tricolore. ◆ pl. langes m. pl., maillot m. sing. ; couches. || FIG. *in fasce,* dans les langes, dans l'enfance.

fasciare [faʃ'ʃare] v. tr. bander. || [neonato] langer, emmailloter.

fasciatura [faʃʃa'tura] f. bandage m. || [di neonato] langes m. pl.

fascicolo [faʃ'ʃikolo] m. fascicule, livraison f. || [quaderno] cahier. || [libretto] plaquette f. || [insieme di carte] dossier.

fascina [faʃ'ʃina] f. fagot m.

fascino ['faʃʃino] m. charme, séduction f.

fascio ['faʃʃo] m. faisceau. || [di vegetali] botte f. || [di cereali] gerbe f. || [di fiori] bouquet, gerbe. || [di carte] liasse f. | *fascio di lettere,* liasse de lettres.

fascismo [faʃ'ʃizmo] m. fascisme.

fase ['faze] f. phase.

fastello [fas'tɛllo] m. [di legna] fagot. || [di erba, paglia] botte f.

fasti ['fasti] m. pl. fastes.

fastidio [fas'tidjo] m. gêne f. || [dispiacere o disturbo] ennui, désagrément, inconvénient. | *ho avuto tanti fastidi,* j'ai eu beaucoup d'ennuis. || Loc. *dar, recar fastidio,* déranger, ennuyer, gêner. | *prendersi il fastidio di,* se donner la peine de.
fastidioso [fasti'djoso] agg. ennuyeux.
fasto ['fasto] agg. faste.
fastoso [fas'toso] agg. fastueux.
fasullo [fa'zullo] agg. faux. || [scadente] qui ne vaut rien.
fata ['fata] f. Pr. e Fig. fée.
fatale [fa'tale] agg. fatal. || [disastroso] fatal, funeste.
fatalismo [fata'lizmo] m. fatalisme.
fatalità [fatali'ta] f. fatalité.
fatato [fa'tato] agg. enchanté.
fatica [fa'tika] f. effort m., fatigue, peine, travail m. | *cadere dalla fatica,* tomber de fatigue. || Loc. *ha fatto fatica a capire,* il a eu du mal à comprendre. | *a fatica,* avec peine, avec difficulté.
faticare [fati'kare] v. intr. avoir du mal, avoir de la peine. || [sottoporsi ad uno sforzo] peiner.
fato ['fato] m. destin, fatalité f.
fatta ['fatta] f. espèce, sorte, genre m. | *di quella fatta,* de cette espèce. || Loc. *male fatte,* méfaits m. pl.
fattezze [fat'tettse] f. pl. traits m. pl., linéaments m. pl. (lett.).
fattizio [fat'tittsjo] agg. factice, artificiel.
1. fatto ['fatto] part. pass. e agg. fait. | *ecco fatto,* c'est fait. || Loc. *mi vien fatto di,* [mi viene da] j'ai envie de ; [mi capita] il m'arrive de. || [che ha raggiunto il pieno sviluppo] fait, mûr.
2. fatto m. fait, chose f. | *fatti di cronaca,* faits divers. | *è un dato di fatto,* c'est un fait. || [intreccio] action f. | *il fatto si svolge nel' 500,* l'action est au XVIe siècle. || [caso] affaire f. | *sono fatti miei,* ce sont mes affaires. || Loc. *governo di fatto,* gouvernement de fait. | *vie di fatto,* voies de fait. ◆ loc. prep. *in fatto di,* en fait de.
fattore [fat'tore] m. [elemento, causa] facteur. || [direttore di azienda agricola] fermier ; régisseur.
fattoria [fatto'ria] f. ferme.
fattorino [fatto'rino] m. garçon de courses, livreur. | *fattorino del telegrafo,* télégraphiste. || [alberghi] chasseur, groom.
fattucchiere [fattuk'kjɛre] (**-a** f.) n. sorcier, ère.
fattura [fat'tura] f. façon, exécution. || [di opera d'arte] facture. || Pop. [stregoneria] envoûtement (L.C.). || Comm. facture.
fatturare [fattu'rare] v. tr. falsifier, frelater. || Comm. facturer.
fatuità [fatui'ta] f. fatuité.
fatuo ['fatuo] agg. fat, vaniteux. || Per Est. vain. | *discorsi fatui,* paroles vaines.
fauci ['fautʃi] f. pl. gueule sing. || Fig. ouverture sing.
fauna ['fauna] f. faune.
fauno ['fauno] m. Mit. faune.
fausto ['fausto] agg. faste, heureux, favorable.
fautore [fau'tore] (**-trice** f.) n. e agg. partisan, ane ; adepte n.
fava ['fava] f. fève.
favella [fa'vɛlla] f. parole. || [lingua] langage m.
favilla [fa'villa] f. Pr. e Fig. étincelle. || Per Est. petite flamme.
favo ['favo] m. rayon (de miel), gaufre f.
favola ['favola] f. fable, conte m., histoire. || [bugia] histoire, fable. || [diceria] commérage m. || [oggetto di dicerie] fable, risée. | *essere la favola del paese,* être la fable, la risée du pays.
favoleggiare [favoled'dʒare] v. intr. raconter des histoires, des fables.
favoloso [favo'loso] agg. fabuleux.
favore [fa'vore] m. [buona disposizione] faveur f. | *trovare, incontrare favore,* avoir du succès. || [atto] service ; [grazia] faveur. | *chiedere un favore,* demander un service. | *mi faccia il favore di,* soyez assez aimable pour. || Loc. *firma di favore,* signature de complaisance. || *in favore di, a favore di,* en faveur de, au profit de.
favoreggiare [favored'dʒare] v. tr. favoriser, aider. || Giur. se rendre complice (de).
favorevole [favo'revole] agg. favorable.
favorire [favo'rire] v. tr. favoriser. || [fare la grazia di] faire le plaisir de. | *vorreste favorirci di una vostra visita?,* nous feriez-vous l'honneur de nous rendre visite ? ◆ v. intr. [cortesia] *vuol favorire?,* servez-vous donc, je vous en prie. || [ordine] *favorisca uscire!,* veuillez sortir.
favorita [favo'rita] f. favorite.
favorito [favo'rito] agg. favori, préféré. ◆ m. favori.
fazione [fat'tsjone] f. faction.
fazzoletto [fattso'letto] m. mouchoir. || [da testa, da collo] foulard.
febbraio [feb'brajo] m. février.
febbre ['fɛbbre] f. fièvre.
febbricitante [febbritʃi'tante] agg. fiévreux.
febbrile [feb'brile] agg. fébrile, fiévreux.
feccia ['fɛttʃa] f. lie.
feci ['fɛtʃi] f. pl. selles, matières fécales.
fecola ['fɛkola] f. fécule.
fecondare [fekon'dare] v. tr. Pr. e Fig. féconder.
fecondità [fekondi'ta] f. fécondité.

fede ['fede] f. foi, confiance. | *aver fede in se stesso,* avoir foi en soi-même. || [cosa in cui si crede] foi, croyance. | *fede politica,* foi politique. || [fedeltà] fidélité. | *tener fede a una promessa,* être fidèle à une promesse. || [anello nuziale] alliance. || [attestato] certificat m., attestation. || LOC. *far fede,* faire foi.
fedele [fe'dele] agg. fidèle. || PER EST. fidèle, exact. ◆ n. fidèle.
fedeltà [fedel'ta] f. fidélité. || PER EST. fidélité, exactitude.
federa ['fɛdera] f. taie d'oreiller.
federalismo [federa'lizmo] m. fédéralisme.
federare [fede'rare] v. tr. fédérer. ◆ v. rifl. se fédérer.
federazione [federat'tsjone] f. fédération.
fedina [fe'dina] f. GIUR. casier (m.) judiciaire.
fedine [fe'dine] f. pl. favoris m. pl. ; pattes de lapin.
fegato ['fegato] m. foie. | *soffrire di fegato,* être malade, souffrir du foie. || LOC. FIG. *rodersi il fegato,* [preoccupazione] se faire de la bile ; [rabbia] enrager. || FIG. cran (fam.), courage. | *ci vuole fegato,* il faut du cran ; il ne faut pas avoir froid aux yeux.
felce ['feltʃe] f. fougère.
feldspato [felds'pato] m. feldspath.
felice [fe'litʃe] agg. [persone] heureux. | *far felice qlcu.,* faire plaisir à qn. | *felice di conoscerla,* enchanté de faire votre connaissance. || [cose] heureux, bon. | *idea felice,* bonne idée.
felicità [felitʃi'ta] f. bonheur m.
felicitazione [felitʃitat'tsjone] f. félicitation.
felino [fe'lino] agg. e m. félin.
fellone [fel'lone] m. félon.
fellonia [fello'nia] f. félonie.
felpato [fel'pato] agg. pelucheux. || FIG. feutré. | *passi felpati,* pas feutrés.
feltro ['feltro] m. feutre.
feluca [fe'luka] f. [veliero] felouque. || [cappello] bicorne m.
femmina ['femmina] f. e agg. femelle. || [riferito alla specie umana : figlia] fille. || [donna] femme.
femminismo [femmi'nizmo] m. féminisme.
femore ['fɛmore] m. fémur.
fendere ['fɛndere] v. tr. fendre. ◆ v. rifl. se fendre, se fissurer.
fenditura [fendi'tura] f. fente.
fenice [fe'nitʃe] f. phénix m.
fenomeno [fe'nɔmeno] m. phénomène.
feretro ['fɛretro] m. cercueil, bière f.
feria ['fɛrja] f. pl. congé m. sing., vacances. | *fare otto giorni di ferie,* prendre huit jours de congé.
feriale [fe'rjale] agg. [che si riferisce a giorno feriale] de semaine, des jours ouvrables.
ferimento [feri'mento] m. blessure f.
ferino [fe'rino] agg. féroce.
ferire [fe'rire] v. tr. PR. e FIG. blesser. ◆ v. rifl. se blesser.
ferita [fe'rita] f. PR. e FIG. blessure.
ferito [fe'rito] agg. e m. blessé.
feritoia [feri'tɔja] f. meurtrière, créneau m. || PER ANAL. fente (d'aération).
ferma ['ferma] f. service (m.) militaire. | *rinnovare la ferma,* se rengager. || [caccia] arrêt m. | *cane da ferma,* chien d'arrêt.
fermaglio [fer'maλλo] m. barrette f., agrafe f. || [di cintura] boucle f. || [di braccialetto] fermoir.
fermare [fer'mare] v. tr. PR. e FIG. arrêter. || [tenere saldo] fixer, bloquer. ◆ v. intr. arrêter, s'arrêter v. rifl. | *il treno ferma a tutte le stazioni,* le train s'arrête à toutes les gares. ◆ v. rifl. s'arrêter. || [trattenersi] rester. | *mi fermerò qui una settimana,* je resterai ici une semaine.
fermata [fer'mata] f. arrêt m., halte. | *aspettare alla fermata dell'autobus,* attendre à l'arrêt d'autobus.
fermentare [fermen'tare] v. intr. PR. e FIG. fermenter.
fermento [fer'mento] m. ferment. || FIG. fermentation f., bouillonnement, ébullition f.
fermezza [fer'mettsa] f. PR. solidité, stabilité. || FIG. fermeté, constance.
fermo ['fermo] agg. arrêté. | *il mio orologio è fermo,* ma montre est arrêtée. | *stava fermo,* il ne bougeait pas. | *acqua ferma,* eau stagnante. || FIG. ferme, sûr. | *mano ferma,* main ferme, sûre. | *è fermo nel suo rifiuto,* il est inébranlable dans son refus. || LOC. *restare fermo,* [stabilito] être convenu ; [valido] rester valable. | *fermo restando che,* étant (bien) entendu que. | *per fermo,* certainement, sans aucun doute. ◆ m. arrestation f. | *fermo di polizia,* garde (f.) à vue. || [chiusura] fermeture f. | *fermo di una porta,* fermeture d'une porte.
fermo posta [fermo'posta] loc. avv. e m. poste restante loc. avv. o f.
feroce [fe'rotʃe] agg. féroce. || [insopportabile] atroce. || [per esagerazione] *fame feroce,* faim terrible. || [duro] féroce, impitoyable. | *critica feroce,* critique féroce.
ferraglia [fer'raλλa] f. ferraille.
ferragosto [ferra'gosto] m. 15 août.
ferramenta [ferra'menta] f. pl. quincaillerie sing. | *negozio di ferramenta,* quincaillerie.
ferrare [fer'rare] v. tr. ferrer.
ferrato [fer'rato] agg. ferré.

ferravecchio [ferra'vɛkkjo] m. ferrailleur.
ferriera [fer'rjɛra] f. usine sidérurgique ; forge.
ferro ['fɛrro] m. fer. | *salute di ferro,* santé de fer. ‖ [oggetto metallico] objet métallique. ‖ [utensile] outil. | *ferro da stiro,* fer à repasser. | *ferro da calza,* aiguille (f.) à tricoter. ‖ LETT. [spada] fer, épée f. (L.C.). | *incrociare i ferri,* croiser le fer. ◆ pl. *ferri del mestiere,* instruments du métier. ‖ [catena] fers, chaînes f. | *mettere, essere ai ferri,* mettre, être aux fers. ‖ CULIN. *carne ai ferri,* grillade f.
ferrovia [ferro'via] f. chemin de fer m.
ferroviario [ferro'vjarjo] agg. ferroviaire, du chemin de fer. | *stazione ferroviaria,* gare du chemin de fer.
ferroviere [ferro'vjɛre] m. employé du chemin de fer, cheminot.
fertile ['fɛrtile] agg. fertile.
fertilità [fertili'ta] f. fertilité, fécondité.
fertilizzare [fertilid'dzare] v. tr. fertiliser.
ferula ['fɛrula] f. PR. e FIG. férule.
fervere ['fɛrvere] v. intr. LETT., FIG. être à son point culminant. | *fervono i preparativi,* on est en pleins préparatifs. ‖ battre son plein. | *ferve la battaglia,* la bataille fait rage.
fervido ['fɛrvido] agg. fervent, ardent, chaleureux. | *fervida fantasia,* imagination ardente.
fervore [fer'vore] m. ferveur f. ‖ [eccitazione] ardeur f.
1. fesso ['fesso] agg. e m. idiot. | *far fesso qlcu.,* rouler qn (fam.).
2. fesso part. pass. e agg. LETT. [spaccato] fendu (L.C.), fêlé (L.C.).
fessura [fes'sura] f. fissure, fente.
festa ['fɛsta] f. fête. ‖ [compleanno] anniversaire m. ‖ FAM. [vacanza] congé m. (L.C.), vacances pl. (L.C.). | *far festa,* ne pas travailler. ‖ LOC. *conciare qlcu. per le feste,* faire passer un mauvais quart d'heure à qn.
festaiolo [festa'jɔlo] agg. qui aime les fêtes. ◆ m. fêtard.
festeggiamento [festeddʒa'mento] m. célébration f., fête f., festivités f. pl.
festeggiare [fested'dʒare] v. tr. fêter, célébrer. ◆ v. intr. festoyer.
festività [festivi'ta] f. fête.
festivo [fes'tivo] agg. férié. | *riposo festivo,* repos hebdomadaire.
festone [fes'tone] m. feston, guirlande f.
fetente [fe'tɛnte] agg. puant, nauséabond, dégoûtant. ◆ m. VOLG. salaud.
feticcio [fe'tittʃo] m. PR. e FIG. fétiche.
feticismo [feti'tʃizmo] m. fétichisme.
fetido ['fɛtido] agg. fétide, infect.
feto ['fɛto] m. fœtus.
fetore [fe'tore] m. puanteur f., pestilence f.
fetta ['fetta] f. tranche ; rondelle. | *fetta biscottata,* biscotte. ‖ PER ANAL. bande. | *fetta di terra,* bande de terrain. ◆ pl. SCHERZ., FAM. pieds (L.C.).
fettuccia [fet'tuttʃa] f. extra-fort m.
feudalesimo [feuda'lezimo] m. féodalité f.
feudo ['fɛudo] m. fief.
fiaba ['fjaba] f. conte m.
fiacca ['fjakka] f. lassitude, fatigue.
fiaccare [fjak'kare] v. tr. PR. e FIG. épuiser, briser. ◆ v. rifl. s'épuiser. ‖ [spezzarsi] se briser, se casser.
fiacchezza [fjak'kettsa] f. lassitude, abattement m., faiblesse.
fiacco ['fjakko] (**-chi** pl.) agg. [stanco] fatigué, las. ‖ [privo di vigore] mou, faible.
fiaccola ['fjakkola] f. PR. e FIG. flambeau m.
fiaccolata [fjakko'lata] f. retraite aux flambeaux.
fiala ['fjala] f. FARM. ampoule.
fiamma ['fjamma] f. flamme. ‖ [passione] feu m., flamme, ardeur, passion. ‖ SCHERZ. [persona amata] amoureux m., béguin m. (fam.). ‖ LOC. *far fuoco e fiamme,* remuer ciel et terre. ‖ MIL. [bandiera] flamme. ◆ pl. [mostrine] écussons m.
fiammata [fjam'mata] f. flambée. ‖ FIG. feu (m.) de paille.
fiammeggiare [fjammed'dʒare] v. intr. flamboyer, être embrasé. ◆ v. tr. CULIN. flamber.
fiammifero [fjam'mifero] m. allumette f.
fiammingo [fjam'mingo] (**-ghi** pl.) agg. e m. flamand.
fiancata [fjan'kata] f. côté m. ; [di nave] flanc m. ‖ PR. coup (m.) de flanc.
fiancheggiare [fjanked'dʒare] v. tr. border. ‖ [passare vicino] côtoyer. ‖ FIG. appuyer, épauler.
fianco ['fjanko] (**-chi** pl.) m. côté. | *al mio fianco,* à côté de moi, à mes côtés. ‖ [anca] hanche f. | *fianchi larghi,* hanches larges. ‖ [di animali, di nave, di montagna] flanc. ‖ LOC. *di fianco,* de côté, latéralement.
fiasca ['fjaska] f. gourde.
fiaschetteria [fjaskette'ria] f. débit (m.) de vin.
fiasco ['fjasko] (**-chi** pl.) m. fiasque f. ‖ FIG. fiasco, échec.
fiatare [fja'tare] v. intr. FIG. ouvrir la bouche, dire un mot. | *senza fiatare,* sans souffler mot.
fiato ['fjato] m. haleine f., souffle. | *avere il fiato grosso,* avoir le souffle court. | *riprendere fiato,* reprendre haleine. ‖ LOC. *restare senza fiato,* en avoir le souffle coupé. | *bere d'un fiato,*

boire d'un coup, d'un trait. ◆ pl. MUS. instruments à vent.
fibbia ['fibbja] f. boucle.
fibra ['fibra] f. PR. e FIG. fibre.
fibroso [fi'broso] agg. fibreux.
ficcare [fik'kare] v. tr. enfoncer, planter. || FAM. fourrer, mettre (L.C.). | *ficcare le mani in tasca,* fourrer ses mains dans ses poches. ◆ v. rifl. se fourrer, se mettre. | *dove si sarà ficcato ?,* où a-t-il bien pu se fourrer ?
fico ['fiko] (**-chi** pl.) m. BOT. [albero] figuier. || [frutto] figue f.
fidanzare [fidan'tsare] v. tr. fiancer. ◆ v. rifl. se fiancer.
fidanzato [fidan'tsato] (**-a** f.) n. fiancé, e.
fidare [fi'dare] v. tr. confier. ◆ v. rifl. (di) se fier (à), avoir confiance (en), faire confiance (à). | *fidati di me,* aie confiance en moi. | *fidarsi di fare,* oser faire.
fidato [fi'dato] agg. fidèle, sûr. | *amico fidato,* ami sûr.
fido ['fido] m. FIN. crédit. | *concedere un fido,* consentir un crédit.
fiducia [fi'dutʃa] f. confiance.
fiducioso [fidu'tʃoso] agg. confiant.
fiele ['fjɛle] m. PR. e FIG. fiel.
fienile [fje'nile] m. grenier à foin, grange f.
fieno ['fjɛno] m. foin.
1. fiera ['fjɛra] f. foire.
2. fiera f. bête sauvage ; fauve m.
fierezza [fje'rettsa] f. fierté, dignité.
fiero ['fjɛro] agg. cruel, violent, horrible. || [altero] hautain, fier.
fievole ['fjɛvole] agg. faible.
fifa ['fifa] f. FAM. frousse. | *una fifa nera,* une peur bleue.
figgere ['fiddʒere] v. tr. fixer, enfoncer.
figlia ['fiʎʎa] f. fille.
figliare [fiʎ'ʎare] v. tr. mettre bas.
figliastra [fiʎ'ʎastra] f. belle-fille.
figliastro [fiʎ'ʎastro] m. beau-fils.
figliata [fiʎ'ʎata] f. ZOOL. portée.
figlio ['fiʎʎo] (**-a** f.) n. [di sesso maschile o femminile] enfant. || [di sesso maschile] fils m.
figlioccio [fiʎ'ʎɔttʃo] (**-a** f. ; **-ci** pl. m. ; **-ce** pl. f.) n. filleul.
figliola [fiʎ'ʎɔla] f. fille, jeune fille.
figliolanza [fiʎʎo'lantsa] f. progéniture (lett.), enfants m. pl.
figliolo [fiʎ'ʎɔlo] (**-a** f.) m. garçon, enfant.
figura [fi'gura] f. [in tutti i significati] figure. || [aspetto esterno] silhouette. | *figura slanciata,* silhouette élancée. || [apparenza] apparence, effet m. | *far figura,* faire de l'effet, son effet.
figurante [figu'rante] n. PR. e FIG. figurant, e.
figurare [figu'rare] v. tr. figurer, représenter. ◆ v. intr. figurer. || [comparire] paraître. || [far figura] faire de l'effet. ◆ v. rifl. se figurer, s'imaginer. | *si figuri !,* pensez-vous !, pensez donc !, pas du tout !, au contraire !
figurino [figu'rino] m. gravure (f.) de mode.
figuro [fi'guro] m. individu, type suspect.
fila ['fila] f. file, rang m., rangée, série. | *far la fila,* faire la queue. | *fila di poltrone,* rang, rangée de fauteuils. || LOC. *di fila,* de suite. | *fuoco di fila,* feu roulant.
filaccicoso [filattʃi'koso] o **filaccioso** [filat'tʃoso] agg. effiloché.
filamento [fila'mento] m. filament.
filanda [fi'landa] f. TESS. filature.
filantropo [fi'lantropo] m. philanthrope.
1. filare [fi'lare] m. rangée f., rideau, espalier.
2. filare v. tr. filer. ◆ v. intr. filer. || FAM. [andarsene] filer, déguerpir (L.C.). | *filare diritto,* filer doux, marcher droit. || [essere coerente] se tenir. | *il tuo ragionamento fila,* ton raisonnement se tient.
filarmonica [filar'mɔnika] f. philharmonie.
filastrocca [filas'trɔkka] f. comptine. || [successione di parole] kyrielle, litanie.
filatelia [filate'lia] f. philatélie.
filatoio [fila'tɔjo] m. métier, machine (f.) à filer.
filatura [fila'tura] f. [azione] filature. || [fabbrica] filature.
filettare [filet'tare] v. tr. [viti] fileter. || [fori] tarauder. || [ornare con filetti] liserer.
filetto [fi'letto] m. bordure f.
filiale [fi'ljale] agg. filial. ◆ f. COMM. filiale.
filiazione [filjat'tsjone] f. PR. e FIG. filiation.
filibustiere [filibus'tjɛre] m. flibustier.
filiera [fi'ljɛra] f. filière.
filigrana [fili'grana] f. filigrane m. || FIG. ouvrage délicat.
film ['film] m. inv. film m.
filmare [fil'mare] v. tr. filmer.
filo ['filo] (**-i** pl. ; con valore collettivo e in certe loc. : **le fila** f. pl.) m. fil. | *filo di ferro,* fil de fer. || PER EST. *filo di perle,* rang de perles. | *filo d'acqua,* filet d'eau. | *filo d'erba,* brin d'herbe. || [lato tagliente d'una lama] fil. | *filo del rasoio,* fil du rasoir. || [direzione] fil. | *filo della conversazione,* fil de la conversation. || LOC. *spiegare qlco. per filo e per segno,* expliquer qch. par le menu. | *c'è mancato un filo,* il était moins cinq (fam.).
filologia [filolo'dʒia] f. philologie.

filologo [fiˈlɔlogo] (**-gi** pl.) m. philologue.
filone [fiˈlone] m. filon. ‖ [pane] baguette f.
filosofare [filozoˈfare] v. intr. philosopher.
filosofia [filozoˈfia] f. philosophie.
filosofo [fiˈlɔzofo] (**-a** f.) n. philosophe.
filovia [filoˈvia] f. ligne, service (m.) de trolleybus.
filtrare [filˈtrare] v. tr. PR. e FIG. filtrer. ◆ v. intr. PR. e FIG. filtrer. | *l'umidità filtra dai muri,* l'humidité filtre à travers les murs.
1. filtro [ˈfiltro] m. [dell'aria, dell'olio] filtre.
2. filtro m. [bevanda magica] philtre.
filza [ˈfiltsa] f. enfilade, rangée. ‖ FIG. chapelet m. (fam.), kyrielle (fam.). | *filza di rimproveri,* kyrielle de reproches.
finale [fiˈnale] agg. final. ◆ m. fin f. | *il finale del film,* la fin du film. ‖ MUS. final(e). ◆ f. SP. finale.
finalità [finaliˈta] f. finalité. ‖ [fine] but m., fin.
finanza [fiˈnantsa] f. finance. ‖ MIL. *guardia di finanza,* service (m.), brigade des douanes ; [agente] douanier m.
finanziare [finanˈtsjare] v. tr. financer.
finanziere [finanˈtsjɛre] m. financier. ‖ MIL. douanier.
finché [finˈke] cong. [fino al momento in cui] jusqu'à ce que, jusqu'au moment où. | *aspettami qui finché (non) arrivo,* attends-moi ici jusqu'à ce que j'arrive. ‖ [per tutto il tempo che] tant que. | *puoi restare qua finché vuoi,* tu peux rester ici tant que tu veux.
1. fine [ˈfine] f. fin. | *il fine settimana,* le week-end. ‖ [estremità] bout m. | *la fine della strada,* le bout de la rue. ‖ [morte] fin, mort. | *tragica fine,* fin tragique. ◆ f. o m. fin f., issue f., résultat m., terme m. | *che fine ha fatto tuo fratello?,* qu'est devenu ton frère ? ◆ m. [scopo] fin, but m. | *a tal fine,* à cette fin, dans ce but.
2. fine agg. fin. ‖ [raffinato] raffiné, distingué.
finestra [fiˈnɛstra] f. fenêtre.
finezza [fiˈnettsa] f. PR. e FIG. finesse.
fingere [ˈfindʒere] v. tr. faire semblant de, feindre. | *fingeva di ascoltare,* il faisait semblant d'écouter. ‖ ASSOL. feindre, dissimuler, mentir. ‖ [immaginare] imaginer. | *fingiamo di essere al mare,* imaginons que nous sommes à la mer. ◆ v. rifl. faire semblant, feindre d'être.
finimento [finiˈmento] m. finition f. ‖ [ornamento] ornement. ◆ pl. harnachement sing., harnais sing.
finimondo [finiˈmondo] m. FIG. [scandalo] histoire f., drame. ‖ [caos] pagaille f. (fam.).
finire [fiˈnire] v. tr. finir, terminer, achever. ‖ [smettere] *finire di, finirla di,* en finir, arrêter, cesser. ‖ [consumare interamente] épuiser, finir. | *ho finito i soldi,* je n'ai plus d'argent. ‖ [uccidere] *finire qlcu.,* achever qn. ◆ v. intr. [avere una fine nel tempo] finir, se terminer. | *il sentiero finisce qui,* le sentier s'arrête ici. ‖ [sboccare] aboutir (à), déboucher (sur). ‖ [esaurirsi] terminer, finir. | *tutto è finito tra noi,* tout est fini entre nous. ‖ [avere un certo esito] *(andare a) finire,* finir, se terminer. | *finire in una bolla di sapone,* finir en queue de poisson. ‖ [destinazione casuale] *(andare a) finire,* échouer, finir par arriver. | *la macchina è finita nel fiume,* la voiture est tombée dans la rivière. ‖ [mirare] *andare a finire,* en venir. | *dove vogliono andare a finire?,* où veulent-ils en venir ? ‖ *finire con, per,* finir par. | *finirò col, per dirgli tutto,* je finirai par tout lui dire. ◆ v. impers. *va a finire che mi arrabbio,* je vais finir par me mettre en colère. ◆ m. *sul finire della primavera,* vers la fin du printemps.
finitezza [finiˈtettsa] f. [compiutezza] fini m., perfection. ‖ [incompiutezza] limites pl.
1. fino [ˈfino] prep. [spazio] jusque. | *fin dove?,* jusqu'où ? | *fino in fondo,* jusqu'au fond, jusqu'au bout. ‖ [tempo] jusque. | *fin qui,* jusqu'ici, jusqu'à maintenant, jusqu'à présent. ‖ [eccesso] jusque. | *fino a morirne,* jusqu'à en mourir. ‖ [spazio] *fin da,* depuis. | *fin dall'America,* depuis l'Amérique. ‖ [tempo] dès, depuis. | *fin d'ora,* dès maintenant, dès à présent.
2. fino agg. PR. e FIG. fin. ‖ FAM. *fa fino,* ça fait bien.
finocchio [fiˈnɔkkjo] m. BOT. fenouil. ‖ VOLG. pédéraste (L.C.).
finora [fiˈnora] avv. jusqu'à présent, jusqu'à maintenant.
finta [ˈfinta] f. feinte, simulation, comédie. ‖ LOC. *far finta,* faire semblant.
finto [ˈfinto] agg. feint, simulé, faux, factice. | *fiori finti,* fleurs artificielles.
finzione [finˈtsjone] f. simulation. ‖ [frutto della fantasia] fiction.
fioccare [fjokˈkare] v. intr. tomber en flocons. ‖ ASSOL. neiger. ‖ FIG. pleuvoir.
fiocco [ˈfjɔkko] m. flocon. | *fiocco di neve, di lana,* flocon de neige, de laine. ‖ [di nastro] nœud. ‖ LOC. *con i fiocchi,* magnifique, sensationnel, formidable.
fioco [ˈfjɔko] agg. faible. | *luce fioca,* faible lueur.

fionda ['fjonda] f. fronde, lance-pierres m. inv.
fioraio [fjo'rajo] (**-a** f.) n. fleuriste.
fiorami [fjo'rami] m. pl. fleurs f.
fiordo ['fjɔrdo] m. fjord.
fiore ['fjore] m. fleur f. | *albero in fiore,* arbre en fleur(s). || FIG. fleur, élite. | *il fior fiore,* la fine fleur, l'élite. | *fior di farina,* fleur de farine. || PEGG. *un fior di mascalzone,* une parfaite canaille. || LETT. anthologie f. || LOC. *a fior d'acqua,* à fleur d'eau, au ras de l'eau. | *fior di,* une énorme quantité de. | *costa fior di quattrini,* cela coûte un argent fou. ◆ pl. GIOCHI [carte] trèfle m.
1. fioretto [fjo'retto] m. [ornamento] fioritures f. pl. || REL. petit sacrifice. ◆ pl. florilège sing.
2. fioretto m. fleuret.
fiorire [fjo'rire] v. intr. PR. e FIG. fleurir. ◆ v. tr. [ornare di fiori] fleurir. || FIG. enjoliver, agrémenter.
fiorista [fjo'rista] (**-i** pl. m.) n. fleuriste.
fioritura [fjori'tura] f. PR. e FIG. floraison. || MUS., RET. fioritures pl.
fiorone [fjo'rone] m. ARCHIT. fleuron.
fiotto ['fjɔtto] m. PR. houle f. || PER EST. flot. | *fiotto di sangue,* flot de sang.
firma ['firma] f. signature. || LOC. *ci farei la firma,* je ne demanderais pas mieux. || [nome] nom m. | *è una grande firma,* c'est un grand nom.
firmamento [firma'mento] m. firmament (lett.). || FIG. monde.
firmare [fir'mare] v. tr. signer.
fisarmonica [fizar'mɔnika] f. accordéon m.
fiscalità [fiskali'ta] f. fiscalité.
fischiare [fis'kjare] v. intr. siffler. ◆ v. tr. siffler. || SP. *fischiare una punizione,* siffler une faute.
fischiata [fis'kjata] f. sifflet m.
fischiettare [fiskjet'tare] v. intr. e tr. siffloter.
fischio ['fiskjo] m. sifflement. | *dare, fare un fischio,* siffler. || LOC. *non valere un fischio,* ne pas valoir un clou (fam.).
fisco [fis'ko] m. fisc.
fisica ['fizika] f. physique.
fisico ['fiziko] (**-ci** pl.) agg. e m. physique. ◆ m. [studioso di fisica] physicien.
fisima ['fizima] f. caprice m., lubie.
fisiologia [fizjolo'dʒia] f. physiologie.
fisionomia [fizjono'mia] f. physionomie.
fissare [fis'sare] v. tr. PR. e FIG. fixer, attacher. || [stabilire] fixer, arrêter, déterminer. | *fissare di, che,* décider de, que. | *cosa avete fissato ?,* qu'avez-vous décidé ? || [prenotare] retenir, réserver, louer. ◆ v. rifl. se fixer. || [fare una fissazione] se mettre dans la tête. || [ostinarsi] s'obstiner.
fissazione [fissat'tsjone] f. fixation. || [mania] idée fixe.
fissità [fissi'ta] f. fixité.
fisso ['fisso] agg. [fermo] fixe. | *idea fissa, chiodo fisso,* idée fixe. || [con compl.] fixé. | *ho fisso nella mente questo ricordo,* ce souvenir est resté gravé dans mon esprit. || [che non varia] fixe, stable. | *stipendio, impiego fisso,* salaire, emploi fixe. ◆ m. fixe. ◆ avv. fixement. | *guardare fisso,* regarder fixement.
fistola ['fistola] f. fistule.
fitta ['fitta] f. élancement m. | *una fitta al cuore,* un coup au cœur.
fittabile [fit'tabile] m. fermier.
fittizio [fit'tittsjo] agg. fictif.
1. fitto ['fitto] part. pass. di FIGGERE e agg. enfoncé. || LOC. *buttarsi a capo fitto,* PR. se jeter la tête la première ; FIG. se jeter à corps perdu. || [denso] épais, dense. | *nebbia fitta,* brouillard épais. ◆ m. épaisseur f., profondeurs f. pl. | *il fitto del bosco,* les profondeurs du bois. ◆ avv. *piove fitto,* la pluie tombe dru.
2. fitto m. loyer. || [di fattoria] fermage.
fiumana [fju'mana] f. PR. e FIG. torrent, fleuve, flot.
fiume ['fjume] m. [grande] fleuve. || [piccolo] rivière f. || FIG. fleuve, flot. | *un fiume d'inchiostro,* des flots d'encre. || LOC. *a fiumi,* à flots.
fiutare [fju'tare] v. tr. flairer, humer, renifler. || [tabacco] priser.
fiuto ['fjuto] m. PR. e FIG. flair.
flaccido ['flattʃido] agg. flasque.
flacone [fla'kone] m. flacon.
flagellare [fladʒel'lare] v. tr. PR. e FIG. flageller, fouetter. ◆ v. rifl. se flageller.
flagellazione [fladʒellat'tsjone] f. flagellation.
flagello [fla'dʒɛllo] m. fouet. || FIG. fléau. || FAM. [gran quantità] tas, masse f.
flagrante [fla'grante] agg. flagrant. | *cogliere qlcu. in flagrante,* prendre qn en flagrant délit.
flagranza [fla'grantsa] f. évidence.
flanella [fla'nɛlla] f. flanelle.
flatulenza [flatu'lɛntsa] f. flatulence, vent m.
flautato [flau'tato] agg. flûté.
flautista [flau'tista] (**-i** pl. m.) n. flûtiste.
flauto ['flauto] m. flûte f.
flebile ['flɛbile] agg. plaintif, dolent (lett.). || [debole] faible.
flebite [fle'bite] f. phlébite.
flemma ['flɛmma] f. flegme m.
flemmatico [flem'matiko] (**-ci** pl.) agg. flegmatique.
flessibile [fles'sibile] agg. flexible.

flessione [fles'sjone] f. flexion. || FIG. fléchissement m.
flessuoso [flessu'oso] agg. onduleux, souple, flexible.
flora ['flɔra] f. flore.
florale [flo'rale] agg. floral.
floreale [flore'ale] agg. floréal.
floricoltura [florikol'tura] f. floriculture.
florido ['flɔrido] agg. florissant, prospère.
florilegio [flori'lɛdʒo] m. florilège.
floscio ['flɔʃʃo] agg. PR. e FIG. mou, flasque.
flotta ['flɔtta] f. flotte.
flottiglia [flot'tiʎʎa] f. flottille.
fluido ['fluido] agg. PR. e FIG. fluide. | *situazione fluida,* situation fluide, indécise. ◆ m. fluide.
fluire [flu'ire] v. intr. PR. e FIG. couler.
fluoro [flu'ɔro] m. fluor.
flussione [flus'sjone] f. fluxion.
flusso ['flusso] m. circulation f. | *flusso dell'acqua in un canale,* circulation de l'eau dans un canal. || FIG. flux, flot. | *flusso di parole,* flux, flot de paroles. || [del tempo] écoulement.
flutto ['flutto] m. flot.
fluttuare [flut'tuare] v. intr. flotter. || FIG. fluctuer.
fluviale [flu'vjale] agg. fluvial.
fobia [fo'bia] f. PR. e FIG. phobie.
foca ['fɔka] f. phoque m.
focaccia [fo'kattʃa] f. galette, fouace, fougasse. || LOC. *render pan per focaccia (a qlcu.),* rendre (à qn) la monnaie de sa pièce.
foce ['fotʃe] f. embouchure.
focolare [foko'lare] m. foyer, âtre. || FIG. foyer.
focoso [fo'koso] agg. fougueux, plein de feu, ardent.
fodera ['fɔdera] f. MODA doublure.
foderare [fode'rare] v. tr. [vestiti] doubler. || [libri] couvrir.
fodero ['fɔdero] m. fourreau.
foga ['foga] f. fougue.
foggia ['fɔddʒa] f. forme. || [maniera] façon. || MODA coupe.
foggiare [fod'dʒare] v. tr. PR. e FIG. façonner, former, modeler.
foglia ['fɔʎʎa] f. feuille.
fogliame [foʎ'ʎame] m. feuillage, frondaison f.
foglio ['fɔʎʎo] m. feuille f. | *foglio protocollo,* feuille de papier ministre. || [documento, modulo] feuille, papier. | *foglio rosa,* permis de conduire provisoire. || PER EST. feuille. | *foglio di compensato,* feuille de contre-plaqué.
fogna ['foɲɲa] f. PR. e FIG. cloaque, égout.
foia ['fɔja] f. rut m. || PER EST. frénésie.
folata [fo'lata] f. coup de vent m.
folclore [fol'klore] m. folklore.
folgorare [folgo'rare] v. intr. faire des éclairs. || FIG. fulgurer. || [inveire] fulminer. ◆ v. tr. PR. e FIG. foudroyer.
folgore ['folgore] f. foudre.
folla ['folla] f. PR. e FIG. foule.
follatura [folla'tura] f. TECN., TESS. foulage m.
folle ['fɔlle] agg. e n. fou. | *sei un folle ad agire così,* tu es fou d'agir ainsi. | *folle speranza,* fol espoir. || MECC. *mettere in folle,* mettre au point mort.
folleggiare [folled'dʒare] v. intr. folâtrer, s'ébattre v. rifl.
folletto [fol'letto] m. lutin, follet, farfadet.
follia [fol'lia] f. folie.
folto ['folto] agg. épais, touffu, dense. || [numeroso] nombreux. ◆ m. profondeur f. | *nel folto del bosco,* au cœur du bois.
fomentare [fomen'tare] v. tr. fomenter.
fon [fɔn] m. sèche-cheveux.
fondaco ['fondako] (**-chi** pl.) m. entrepôt. || [bottega] magasin.
fondale [fon'dale] m. fond, profondeur f. || TEAT. toile (f.) de fond.
fondamento [fonda'mento] (PR. **-a** pl. f. ; FIG. **-i** pl.) m. PR. fondations f. pl. || FIG. fondement.
fondare [fon'dare] v. tr. fonder, créer. || FIG. fonder, baser, appuyer. ◆ v. rifl. se fonder, se baser, s'appuyer. || [fare assegnamento] compter.
fondazione [fondat'tsjone] f. PR. e FIG. fondation.
fondere ['fondere] v. tr. fondre, couler. || FIG. fondre, amalgamer. || TECN. *fondere le bronzine,* couler les bielles. ◆ v. intr. fondre. ◆ v. rifl. se fondre, s'amalgamer.
fonderia [fonde'ria] f. TECN. fonderie.
fondiario [fon'djarjo] agg. foncier.
1. fondo ['fondo] m. fond. | *fondo di una bottiglia, del mare,* fond d'une bouteille, de la mer. || LOC. *dar fondo,* épuiser. | *dar fondo alle proprie riserve,* épuiser ses réserves. || *fondi di magazzino,* marchandises invendues, invendus pl. || [parte più distante dall'entrata] fond. | *in fondo al corridoio,* au fond, au bout du couloir. || FIG. *andremo fino in fondo alla faccenda,* nous irons au fond des choses. || [sfondo] fond. | *tela di fondo,* toile de fond. || [bene immobile, capitale] fonds. || [linea o superficie inferiore] bas. | *il fondo della pagina,* le bas de la page. | *fondo stradale,* chaussée f. ◆ loc. avv. *in fondo (in fondo),* au fond ; dans le fond. || *a fondo,* à fond. | *conoscere a fondo,* connaître à fond.
2. fondo agg. profond. | *a notte fonda,* à la nuit close, en pleine nuit.
fontana [fon'tana] f. fontaine.

fonte ['fonte] f. PR. e FIG. source. | *da fonte sicura,* de bonne source, de source sûre. ◆ m. REL. *fonte battesimale,* fonts baptismaux pl.
foraggiare [forad'dʒare] v. tr. affourager. || FIG. financer, subventionner. ◆ v. intr. faire du fourrage.
foraggio [fo'raddʒo] m. fourrage.
forare [fo'rare] v. tr. percer, forer, trouer, perforer. | *forare un biglietto,* perforer, poinçonner un billet. ◆ v. intr. [pneumatico] crever. ◆ v. rifl. crever v. intr.
foratura [fora'tura] f. perçage m. [pneumatico] crevaison. || [biglietto] poinçonnage m.
forbice ['fɔrbitʃe] f. (solitamente pl.) ciseaux m. pl. | *dare un colpo di forbici,* couper. || ZOOL. pinces.
forbire [for'bire] v. tr. nettoyer, fourbir, astiquer.
forca ['forka] f. fourche. | *(fatto) a forca,* fourchu. || [patibolo] gibet m., potence.
forcata [for'kata] f. fourchée. || [colpo] coup (m.) de fourche.
forcella [for'tʃɛlla] f. fourche.
forchetta [for'ketta] f. fourchette.
forcina [for'tʃina] f. épingle à cheveux.
forcipe ['fɔrtʃipe] m. forceps.
forense [fo'rɛnse] agg. judiciaire, du barreau, du palais.
foresta [fo'rɛsta] f. PR. e FIG. forêt.
forestale [fores'tale] agg. forestier.
foresteria [foreste'ria] f. [di convento] hôtellerie.
forestiero [fores'tjɛro] m. e agg. étranger.
forfora ['forfora] f. [capelli] pellicules pl.
forgia ['fɔrdʒa] f. forge.
forgiare [for'dʒare] v. tr. PR. e FIG. forger.
forma ['forma] f. forme. | *prender forma,* prendre forme. || [modo di essere] forme. | *forma mentis,* tournure d'esprit. || [modo prescritto] forme. | *nella debita forma,* en bonne (et due) forme. | *in forma privata,* non officiellement. | *pro forma,* de pure forme, pour la forme. | *salvare le forme,* sauver les apparences. || [condizione fisica] forme. | *essere giù di forma,* ne pas être en forme. || [arnese] forme. || [stampo] moule m. | *forma per dolci,* moule à gâteau.
formaggio [for'maddʒo] m. fromage.
formale [for'male] agg. formel.
formalismo [forma'lizmo] m. formalisme.
formalità [formali'ta] f. formalité.
formalizzarsi [formalid'dzarsi] v. rifl. se formaliser.
formare [for'mare] v. tr. former. || [foggiare] façonner, faire. || [costituire mediante una raccolta di elementi] former, constituer. | *formare un treno,* former un train. || [essere elemento di un insieme] former, constituer, composer. | *le persone che formano l'assemblea,* les personnes qui constituent l'assemblée. || [essere] constituer, être. ◆ v. rifl. se former.
formato [for'mato] m. format.
formella [for'mɛlla] f. [mattonella] carreau m. || [riquadro decorato] panneau m. || [di soffitto] caisson m. || [combustibile] briquette.
formica [for'mika] f. ZOOL. fourmi.
formicaio [formi'kajo] m. PR. e FIG. fourmilière f.
formicolare [formiko'lare] v. intr. fourmiller.
formicolio [formiko'lio] m. fourmillement, pullulement. || [sensazione] fourmillement.
formidabile [formi'dabile] agg. PR. e FIG. formidable.
formula ['formula] f. formule.
formulare [formu'lare] v. tr. formuler.
formulario [formu'larjo] m. formulaire.
fornace [for'natʃe] f. four m. || FIG. fournaise.
fornaio [for'najo] (**-a** f.) n. boulanger, ère.
fornata [for'nata] f. fournée.
fornello [for'nɛllo] m. réchaud, fourneau.
fornicare [forni'kare] v. intr. forniquer.
fornire [for'nire] v. tr. fournir. || [dotare] munir. ◆ v. rifl. se pourvoir, se fournir. || FIG. se munir, s'armer.
fornitura [forni'tura] f. fourniture.
forno ['forno] m. four. || [bottega del fornaio] boulangerie f. || FIG. fournaise f., étuve f.
1. foro ['foro] m. trou. || [galleria] tunnel.
2. foro ['fɔro] m. GIUR. barreau. || REL. *foro interno,* for intérieur. || STOR. forum.
forra ['forra] f. GEOL. gorge.
forse ['forse] avv. [dubbio] peut-être. | *forse ha ragione,* il a peut-être raison. || [approssimazione] environ, plus ou moins, peut-être. | *eravamo forse una ventina,* nous pouvions être une vingtaine, nous étions peut-être une vingtaine. || [nelle interrogazioni retoriche] *non è forse colpa tua?,* ce n'est pas de ta faute, peut-être ? ◆ m. *essere in forse,* être dans le doute, dans l'incertitude f.
forsennato [forsen'nato] agg. e m. forcené.
forte ['fɔrte] agg. fort, robuste. || [resistente] bon, grand, gros. | *forte camminatore, levitore, mangiatore,* bon mar-

cheur, grand buveur, gros mangeur. || Loc. *dar man forte,* prêter main forte. | *forte in matematica,* fort en mathématiques. | *anima forte,* âme forte. | *maniera forte,* manière forte. | *partito forte,* parti fort, puissant. | *il dolore era troppo forte,* la douleur était trop forte. | *forte vento,* grand vent. | *tinta forte,* couleur vive. | *forti perdite,* pertes importantes. | *piatto forte,* plat de résistance. | *forti sospetti,* graves soupçons. ◆ m. fort. || Mil. fort. ◆ avv. fort. | *e lo dirò forte !,* et je le dirai bien haut ! | *mangiar forte,* manger beaucoup. | *è stupido forte,* il est très sot. || [veloce] vite. | *correr forte,* courir vite. || Mus. forte.

fortezza [for'tettsa] f. fermeté. || Mil. forteresse.

fortificare [fortifi'kare] v. tr. fortifier. ◆ v. rifl. se fortifier, se retrancher.

fortilizio [forti'littsjo] m. fortin, redoute f.

fortuito [for'tuito] agg. fortuit, accidentel.

fortuna [for'tuna] f. [sorte buona o cattiva] sort m., fortune, chance. | *tentare la fortuna,* tenter sa chance. || [caso favorevole] chance, bonheur m. | *portar fortuna,* porter bonheur. | *per fortuna,* heureusement, par bonheur. || [successo] succès m. | *l'iniziativa ebbe molta fortuna,* l'initiative eut beaucoup de succès. || [sostanza] fortune. | *ha ereditato una fortuna,* il a hérité une fortune. || Loc. *di fortuna,* de fortune.

fortunale [fortu'nale] m. tempête f.

fortunato [fortu'nato] agg. [di persona] qui a de la chance, chanceux. | *che fortunato che sei !,* tu en as de la chance ! || [di cosa] heureux, bon. | *caso fortunato,* heureux hasard. || [nelle presentazioni] *fortunatissimo !,* enchanté !

fortunoso [fortu'noso] agg. mouvementé, aventureux.

foruncolo [fo'runkolo] m. furoncle, bouton.

forza ['fɔrtsa] f. [vigore fisico o morale] force. || Loc. *farsi forza,* reprendre courage. | *di prima forza,* de première force. || [intensità] force, intensité. | *forza del vento,* force du vent. || [violenza] force, violence. | *camicia di forza,* camisole de force. || [carattere irresistibile] force. | *decreto che ha forza di legge,* décret qui a force de loi. || [insieme di uomini] force. | *forze armate,* forces armées. ◆ loc. avv. *a forza, a viva forza, di forza, con la forza,* de force. || *per forza di cose,* par la force des choses. ◆ loc. prep. *a forza di,* à force de. || *in forza di,* en vertu de. | *in forza del contratto,* en vertu du contrat. ◆ interiez. *forza !,* courage !

forzare [for'tsare] v. tr. [in tutti i significati] forcer. ◆ v. intr. Mar. forcer, faire force. ◆ v. rifl. se forcer.

forzato [for'tsato] agg. forcé. ◆ m. forçat, bagnard.

forziere [for'tsjɛre] m. coffre(-fort).

forzoso [for'tsoso] agg. forcé.

fosco ['fosko] agg. Pr. e Fig. sombre, gris. || [che offre scarsa visibilità] brumeux.

fosfato [fos'fato] m. phosphate.

fosforescente [fosforeʃ'ʃɛnte] agg. phosphorescent.

fosforescenza [fosforeʃ'ʃɛntsa] f. phosphorescence.

fosforo ['fɔsforo] m. phosphore.

fossa ['fɔssa] f. fosse. || Pr. e Fig. tombe, fosse. | *avere un piede nella fossa,* avoir un pied dans la tombe.

fossato [fos'sato] m. fossé.

fossetta [fos'setta] f. fossette.

fossile ['fɔssile] agg. e m. Pr. e Fig. fossile.

fosso ['fɔsso] m. fossé.

fotografare [fotogra'fare] v. tr. Pr. e Fig. photographier.

fotografia [fotogra'fia] f. photo, photographie.

fotografico [foto'grafiko] (**-ci** pl.) agg. photographique.

fotografo [fo'tɔgrafo] (**-a** f.) n. photographe.

fotoincisione [fotointʃi'zjone] f. photogravure.

1. fra [fra] prep. = TRA.

2. fra m. = FRATE.

frac [frak] m. habit, frac.

fracassare [frakas'sare] v. tr. fracasser. ◆ v. rifl. se fracasser.

fracasso [fra'kasso] m. Pr. e Fig. fracas, vacarme.

fradicio ['fraditʃo] (**-ce** f. pl.) agg. [guasto] pourri, gâté. || [bagnato] trempé. || [per sottolineare un eccesso] complètement avv. | *sono bagnato fradicio,* je suis complètement trempé. ◆ m. [parte marcia] pourri, pourriture f. || [umidità] humidité f., mouillé.

fragile ['fradʒile] agg. Pr. e Fig. fragile.

fragilità [fradʒili'ta] f. Pr. e Fig. fragilité.

fragola ['fragola] f. Bot. fraise.

fragore [fra'gore] m. fracas, vacarme.

fragoroso [frago'roso] agg. assourdissant, bruyant.

fragrante [fra'grante] agg. odorant, parfumé.

fragranza [fra'grantsa] f. parfum m. || [di caffè] arôme m. || [di vino, liquore] bouquet m.

fraintendere [frain'tɛndere] v. tr. mal comprendre, se méprendre (sur) v. rifl. (lett.).

frammentario [frammen'tarjo] agg. fragmentaire.

frammento [fram'mento] m. fragment.
frammettersi [fram'mettersi] v. rifl. (tra, in) s'interposer (entre, dans).
frammischiare [frammis'kjare] v. tr. mélanger, entremêler.
frana ['frana] f. éboulement m., éboulis m. || FAM. nullard, e n.
franare [fra'nare] v. intr. s'ébouler v. rifl. || PR. e FIG. s'effondrer v. rifl., s'écrouler v. rifl.
francese [fran'tʃeze] agg. e n. français, e.
franchezza [fran'kettsa] f. franchise. || [disinvoltura] aisance, sûreté.
franchigia [fran'kidʒa] f. [esenzione] franchise.
1. franco ['franko] (**-chi** pl.) agg. [esente da spese, tributi, dazi] franc. || ANTIC. [libero] franc, libre. || [schietto] franc. | *ad esser franco,* pour être franc. || [disinvolto] sûr de soi. ◆ avv. franc, franchement. | *parlar franco,* parler franc.
2. franco (**-chi** pl.) m. [danaro] franc. ◆ agg. e m. [popolo] franc.
francobollo [franko'bollo] m. timbre(-poste).
frangente [fran'dʒɛnte] m. [onda] lame f. || [punto dove l'onda si frange] écueil, brisant, récif. || FIG. épreuve f., situation (f.) difficile.
frangere ['frandʒere] v. tr. LETT. PR. e FIG. briser (L.C.). ◆ v. rifl. se briser, déferler v. intr.
frangia ['frandʒa] (**-ge** pl.) f. frange.
frantoio [fran'tojo] m. pressoir, moulin à huile. || [per pietrame, ecc.] broyeur, concasseur.
frantumare [frantu'mare] v. tr. broyer, concasser. || PER EST. casser en mille morceaux. || FIG. briser. ◆ v. rifl. se briser en mille morceaux.
frantume [fran'tume] m. fragment, débris. || LOC. *ridurre in frantumi,* réduire en miettes.
frapporre [frap'porre] v. tr. interposer, placer. | *senza frapporre indugi,* sans perdre de temps. | *frapporre ostacoli,* faire obstacle. ◆ v. rifl. s'interposer. || [rendere difficile] s'opposer.
frasario [fra'zarjo] m. langage, langue f.
frasca ['fraska] f. branche. || LOC. *saltare di palo in frasca,* passer du coq à l'âne. ◆ pl. [fogliame] feuillage m. sing. || [fronzoli] fanfreluches.
frascheggiare [frasked'dʒare] v. intr. bruire. || FIG. [di donna] faire la coquette.
frase ['fraze] f. phrase. || [parola o locuzione] expression. | *frase fatta,* expression toute faite ; cliché m.
fraseggiare [frazed'dʒare] v. intr. faire des phrases, phraser.
frassino ['frassino] m. frêne.
frastagliare [frastaʎ'ʎare] v. tr. découper, denteler.
frastornare [frastor'nare] v. tr. [disorientare] désorienter, déconcerter. || [intontire] ahurir.
frastuono [fras'twɔno] m. vacarme, tapage, fracas.
frate ['frate] m. REL. frère, moine.
fratellanza [fratel'lantsa] f. PR. e FIG. fraternité. || [società] confrérie.
fratellastro [fratel'lastro] m. demi-frère.
fratello [fra'tɛllo] m. frère. || FIG. *fratelli di sventura,* compagnons d'infortune.
fraternità [fraterni'ta] f. fraternité. || [confraternita] confrérie.
fraternizzare [fraternid'dzare] v. intr. fraterniser.
fraterno [fra'tɛrno] agg. PR. e FIG. fraternel.
fratricida [fratri'tʃida] (**-i** pl. m.) agg. e n. fratricide.
fratricidio [fratri'tʃidjo] (**-di** pl.) m. fratricide.
fratta ['fratta] f. fourré m., broussailles pl.
frattaglie [frat'taʎʎe] f. pl. abats m. pl.
frattempo [frat'tɛmpo] m. *nel frattempo,* [nell'attesa] en attendant, pendant ce temps-là ; [nel medesimo tempo] entre-temps, dans l'intervalle.
frattura [frat'tura] f. PR. e FIG. cassure, rupture, fêlure. || GEOL., MED. fracture.
fratturare [frattu'rare] v. tr. fracturer.
fraudolento [fraudo'lɛnto] agg. frauduleux.
frazionare [frattsjo'nare] v. tr. fractionner. || [dividere] répartir, partager.
frazione [frat'tsjone] f. fraction. || [gruppo di case] hameau m.
freccia ['frettʃa] f. [in tutti i casi] flèche.
frecciare [fret'tʃare] v. tr. e intr. lancer des flèches (contre).
frecciata [fret'tʃata] f. coup (m.) de flèche. || FIG. pointe, raillerie.
freddare [fred'dare] v. tr. FIG. refroidir. || [uccidere] tuer sur le coup, abattre. ◆ v. rifl. PR. refroidir v. intr. ; FIG. se refroidir.
freddezza [fred'dettsa] f. PR. e FIG. froideur. || [autocontrollo] sang-froid.
freddo ['freddo] agg. PR. e FIG. froid. ◆ m. PR. e FIG. froid. | *fa un freddo cane,* il fait un froid de canard (fam.). ◆ loc. avv. PR. e FIG. *a freddo,* à froid.
freddoloso [freddo'loso] agg. frileux.
freddura [fred'dura] f. calembour m., boutade.
fregare [fre'gare] v. tr. frotter. | *fregarsi le mani,* se frotter les mains. || POP. [ingannare] avoir, rouler. | *rimanere fregato,* se faire avoir. || POP.

[rubare] piquer, faucher. || VOLG. *fregarsene,* s'en foutre, s'en balancer. ◆ v. rifl. se frotter contre.

1. fregata [fre'gata] f. FIG., POP. = FREGATURA.

2. fregata f. MAR. frégate.

fregatura [frega'tura] f. POP. tromperie (L.C.), duperie (lett.). | *prendere una fregatura,* se faire avoir. || [contrattempo] pépin, embêtement.

fregiare [fre'dʒare] v. tr. décorer, orner. || FIG. décorer. ◆ v. rifl. se parer.

fregio ['fredʒo] m. ARCHIT. frise f. || FIG. ornement, décoration f.

frego ['frego] (**-ghi** pl.) m. trait, raie f.

fregola ['fregola] f. ZOOL. [dei mammiferi] rut m., chaleur. || [dei pesci] frai m. || FIG., VOLG. manie (L.C.), frénésie (L.C.).

fremere ['frɛmere] v. intr. frémir, frissonner.

fremito ['frɛmito] m. frémissement, frisson.

frenare [fre'nare] v. tr. e intr. freiner. ◆ v. rifl. ralentir v. intr. || FIG. se retenir, se contrôler.

frenesia [frene'zia] f. PR. e FIG. frénésie.

frenetico [fre'nɛtiko] (**-ci** pl.) agg. frénétique.

freno ['frɛno] m. frein. || FIG. contrainte, limite f., bornes f. pl. | *non c'è più freno!,* il n'y a plus de limite! || LOC. *mordere il freno,* ronger son frein. | *allentare i freni,* lâcher la bride. | *tenere a freno,* retenir, refréner, modérer.

frequentare [frekwen'tare] v. tr. fréquenter. || [assistere regolarmente] suivre. | *frequentare (le lezioni),* suivre les cours.

frequentatore [frekwenta'tore] (**-trice** f.) n. habitué, e.

frequente [fre'kwɛnte] agg. fréquent. || [numeroso] nombreux. || LOC. *di frequente,* fréquemment.

frequenza [fre'kwɛntsa] f. [l'essere frequente] fréquence. || [il frequentare] assistance. | *la frequenza alle lezioni è obbligatoria,* l'assistance aux cours est obligatoire. || [concorso di persone] affluence, foule. || ELETTR. fréquence.

fresa ['frɛza] f. TECN. fraise.

fresare [fre'zare] v. tr. TECN. fraiser.

freschezza [fres'kettsa] f. PR. e FIG. fraîcheur.

fresco ['fresko] (**-chi** pl.) agg. PR. e FIG. frais. || LOC. *libro fresco di stampa,* livre fraîchement imprimé. || FAM. *star fresco!,* être frais!, être joli!, être dans de beaux draps!; [per esprimere un netto rifiuto] *stai fresco!,* tu peux toujours courir! ◆ m. frais, fraîcheur f. | *mettere il vino in fresco,* mettre le vin au frais. || FIG. [in prigione] *stare al fresco,* être à l'ombre (pop.), en tôle (gerg.). || ARTI *dipingere a fresco,* peindre à fresque.

frescura [fres'kura] f. fraîcheur.

fretta ['fretta] f. hâte. | *aver fretta,* être pressé. ◆ loc. avv. *in fretta,* vite, rapidement, à la hâte, à toute vitesse.

frettoloso [fretto'loso] agg. pressé. || [fatto in fretta] hâtif.

friabile [fri'abile] agg. friable.

friggere ['friddʒere] v. tr. frire. || LOC. *mandare qlcu. a farsi friggere,* envoyer qn au diable.

frigido ['fridʒido] agg. PR. e FIG. frigide, froid, glacé.

frignare [friɲ'ɲare] v. intr. pleurnicher (fam.).

frigorifero [frigo'rifero] agg. frigorifique, réfrigérant. ◆ m. réfrigérateur.

fringuello [frin'gwɛllo] m. pinson.

frittata [frit'tata] f. omelette. || LOC. *fare una frittata,* faire de la casse (fam.); faire une bêtise. | *rivoltare la frittata,* retourner la situation.

frittella [frit'tɛlla] f. beignet m.

fritto ['fritto] agg. frit. || FAM. *essere (bell'e) fritto,* être frit, cuit. || LOC. *fritto e rifritto,* dit et répété. ◆ m. friture f. | *fritto misto,* friture variée.

frittura [frit'tura] f. friture.

frivolezza [frivo'lettsa] f. frivolité.

frivolo ['frivolo] agg. frivole.

frizione [frit'tsjone] f. PR. e FIG. friction. || AUT. embrayage m.

frizzare [frid'dzare] v. intr. piquer. || [levanda] pétiller, mousser.

frodare [fro'dare] v. tr. frauder.

frode ['frɔde] f. fraude. || GIUR. fraude, escroquerie.

frodo ['frɔdo] m. fraude f. | *di frodo,* en fraude. | *caccia, pesca di frodo,* braconnage. || [contrabbando] contrebande f.

frollare [frol'lare] v. tr. faisander. ◆ v. intr. o rifl. [selvaggina] se faisander v. rifl. || [altra carne] s'attendrir v. rifl.

frollo ['frɔllo] agg. [selvaggina] faisandé. || [altra carne] tendre. || *pasta frolla,* pâte brisée. || FIG. *di pasta frolla,* ramolli (fam.).

1. fronda ['fronda] f. branche. || [fogliame] feuillage m., frondaison. ◆ pl. ramure sing. || FIG. ornements m.

2. fronda f. STOR. Fronde. || FIG. fronde.

frondoso [fron'doso] agg. feuillu, touffu.

frontale [fron'tale] agg. frontal. || de front loc. avv., de face loc. avv. | *fare un attacco frontale,* attaquer de front.

fronte ['fronte] f. front m. || LOC. *andare a fronte bassa,* marcher tête basse. | *tenere fronte,* tenir tête. || [di edificio] façade. || *far dietro front,* faire demi-tour; FIG. faire machine arrière.

◆ loc. avv. *a fronte,* en regard. | *traduzione a fronte,* traduction en regard. || *di fronte,* [di faccia] de face ; [dirimpetto] d'en face. ◆ loc. prep. *in fronte a,* en tête de, au début de. || *di fronte a,* en face de ; FIG. devant. | *di fronte ad une scelta difficile,* devant un choix difficile.

fronteggiare [fronted'dʒare] v. tr. [far fronte] PR. e FIG. faire face (à), affronter. || [trovarsi di fronte] être, se trouver en face (de). ◆ v. recipr. se faire face.

frontespizio [frontes'pittsjo] m. frontispice.

frontiera [fron'tjɛra] f. PR. e FIG. frontière.

frontone [fron'tone] m. fronton.

fronzolo ['frondzolo] m. (spec. pl.) ornement, fioriture f.

fronzuto [fron'dzuto] agg. feuillu.

frotta ['frɔtta] f. [gruppo] bande.

frottola ['frɔttola] f. histoire, baliverne.

frugale [fru'gale] agg. frugal.

frugalità [frugali'ta] f. frugalité.

frugare [fru'gare] v. intr. PR. e FIG. fouiller. ◆ v. tr. fouiller.

frugolo ['frugolo] (**-a** f.) n. petit démon, petit diable.

fruire [fru'ire] v. intr. jouir (de), bénéficier (de).

frullare [frul'lare] v. tr. CULIN. fouetter, battre. ◆ v. intr. [girare] tournoyer. || [rumoreggiare] ronfler. || LOC. *ma cosa gli frulla per il capo ?,* mais qu'est-ce qu'il a dans la tête ?

frullio [frul'lio] m. battement (d'ailes), bruit (d'ailes).

frumento [fru'mento] m. blé, froment.

frumentone [frumen'tone] m. maïs.

fruscio [fruʃ'ʃio] m. bruissement, froissement, frou-frou.

frusta ['frusta] f. fouet m. || [tipo di pane] ficelle.

frustare [frus'tare] v. tr. fouetter. || FIG. fustiger.

frustino [frus'tino] m. cravache f.

frusto ['frusto] agg. usé, élimé.

frustrare [frus'trare] v. tr. frustrer. || [deludere] décevoir, tromper.

frutta ['frutta] (**-a** o **-e** pl.) f. fruits m. pl.

fruttare [frut'tare] v. intr. fructifier, donner (des fruits). || FIG. être fructueux. || [dare un reddito] rapporter, rendre. | *far fruttare il proprio denaro,* faire fructifier son argent. ◆ v. tr. rapporter. || FIG. valoir, procurer.

frutteto [frut'teto] m. verger.

fruttifero [frut'tifero] agg. fruitier. || PER EST. fertile, fécond. || FIG. avantageux, profitable. || ECON. *buoni fruttiferi,* titres de rente.

fruttificare [fruttifi'kare] v. intr. PR. e FIG. fructifier, donner des fruits.

fruttivendolo [frutti'vendolo] (**-a** f.) n. marchand, e de fruits (et légumes), de primeurs.

frutto ['frutto] m. fruit.| *cogliere, mangiare un frutto,* cueillir, manger un fruit. || [prodotto della terra] fruit, produit. | *frutti della terra,* produits, fruits de la terre. || PER EST. *frutti di mare,* fruits de mer. || FIG. fruit. | *il frutto di dieci anni di lavoro,* le fruit de dix ans de travail. || ECON. fruits pl., rapport.

fruttuoso [frut'tuoso] agg. fructueux.

fu ['fu] agg. inv. feu adj. | *il fu Pietro Bianchi,* feu Pierre Bianchi.

fucilare [futʃi'lare] v. tr. fusiller.

fucilata [futʃi'lata] f. coup (m.) de fusil.

fucilazione [futʃilat'tsjone] f. exécution (par les armes) ; fusillade.

fucile [fu'tʃile] m. fusil.

fuciliere [futʃi'ljɛre] m. fusilier.

fucina [fu'tʃina] f. forge. || FIG. foyer m., creuset m.

fucinare [futʃi'nare] v. tr. forger. || FIG. machiner.

fucsia ['fuksja] f. fuchsia m.

fuga ['fuga] f. PR. e FIG. fuite. | *darsi alla fuga,* prendre la fuite. | *fuga di notizie,* fuite (d'informations). || LOC. *di fuga,* à la hâte. || [serie] enfilade, file, suite. | *fuga di stanze,* enfilade de pièces. || MUS. fugue.

fugace [fu'gatʃe] agg. fugace, fugitif.

fugare [fu'gare] v. tr. mettre en fuite, chasser.

fuggiasco [fud'dʒasko] (**-schi** pl.) agg. fugitif. ◆ m. fugitif, fuyard.

fuggi fuggi ['fuddʒi'fuddʒi] m. sauve-qui-peut inv.

fuggire [fud'dʒire] v. intr. fuir, s'enfuir, se sauver, s'échapper v. rifl. || LOC. *fuggir via,* se sauver, s'enfuir. || [sfuggire] échapper. | *fuggire all'arresto,* échapper à l'arrestation. || SP. [ciclismo] s'échapper. ◆ v. tr. fuir.

fuggitivo [fuddʒi'tivo] agg. fugitif. ◆ m. fugitif, fuyard.

fulcro ['fulkro] m. PR. e FIG. point d'appui. || [perno] pivot.

fulgido ['fuldʒido] agg. étincelant, éclatant, resplendissant.

fulgore [ful'gore] m. éclat, splendeur f. (lett.).

fuliggine [fu'liddʒine] f. suie.

fulminante [fulmi'nante] agg. [di malattia] foudroyant. || [che esplode] fulminant. ◆ m. [fiammifero] allumette f.

fulminare [fulmi'nare] v. tr. PR. e FIG. foudroyer. ◆ v. intr. impers. *fulmina,* il y a des éclairs. ◆ v. rifl. sauter v. intr., brûler v. intr. | *la lampadina si è fulminata,* l'ampoule est grillée.

fulmine [ˈfulmine] m. PR. foudre f. || FIG. éclair. || LOC. *fulmine a ciel sereno,* coup de tonnerre dans un ciel serein.
fulmineo [fulˈmineo] agg. foudroyant, fulgurant.
fulvo [ˈfulvo] agg. fauve. || [di capelli] roux.
fumaiolo [fumaˈjɔlo] m. cheminée f.
fumare [fuˈmare] v. intr. fumer. ◆ v. tr. fumer. | *fumare la pipa,* fumer la pipe. ◆ v. rifl. *fumarsi una sigaretta,* fumer une (bonne) cigarette.
fumata [fuˈmata] f. (colonne de) fumée. | *fumata bianca,* fumée blanche.
fumatore [fumaˈtore] (**-trice** f.) n. fumeur, euse.
fumetto [fuˈmetto] m. bande (f.) dessinée. || PEGG. ciné-roman.
fumigazione [fumigatˈtsjone] f. fumigation.
fumista [fuˈmista] (**-i** pl.) m. fumiste.
fumo [ˈfumo] m. fumée f. || [il fumare] habitude (f.) de fumer ; tabac. || *color fumo (di Londra), grigio fumo,* gris anthracite. || [vapore] fumée, vapeur f. || LOC. *mandare in fumo,* [rovinare] faire échouer, faire rater ; [dilapidare] gaspiller. | *vendere fumo,* jeter de la poudre aux yeux, bluffer. ◆ pl. [eccitazione] fumées, vapeurs. | *fumi del vino,* vapeurs du vin.
fumoso [fuˈmoso] agg. fumeux. || FIG. fumeux, brumeux, nébuleux.
funambolo [fuˈnambolo] m. funambule, équilibriste, acrobate.
fune [ˈfune] f. corde. || MAR., TECN. câble m., cordage m.
funebre [ˈfunebre] agg. funèbre ; [di oggetti] funéraire, mortuaire. || FIG. funèbre, lugubre.
funerale [funeˈrale] m. enterrement. || specie pl. [solenne] funérailles f. pl., obsèques f. pl. || LOC. *faccia da funerale,* mine d'enterrement.
funereo [fuˈnɛreo] agg. PR. e FIG. funèbre, lugubre.
funestare [funesˈtare] v. tr. endeuiller.
fungere [ˈfundʒere] v. intr. [persone] faire fonction (de). || [cose] servir (de), tenir lieu (de).
fungo [ˈfungo] m. BOT. champignon. | *andare per funghi,* aller aux champignons.
funicolare [funikoˈlare] agg. funiculaire. ◆ f. funiculaire m.
funzionamento [funtsjonaˈmento] m. fonctionnement.
funzionare [funtsjoˈnare] v. intr. fonctionner, marcher. | *c'è qlco. che non funziona,* il y a qch. qui ne va pas. || [fungere] faire fonction de.
funzionario [funtsjoˈnarjo] (**-a** f. ; **-i** pl. m.) n. [in enti pubblici] fonctionnaire. || [in enti privati] employé, e, agent.
funzione [funˈtsjone] f. fonction. | *entrare in funzione,* entrer en fonctions, en exercice. || LOC. *in funzione di,* en fonction de. || BIOL., BOT., CHIM., GR., MAT. fonction. || REL. fonction, office m.
fuoco [ˈfwɔko] m. feu. | *prendere, pigliare fuoco,* PR. e FIG. prendre feu. | *vigili del fuoco,* pompiers. || PER ANAL. *fuoco di un diamante,* feux d'un diamant. || LOC. *soffiare sul fuoco,* jeter de l'huile sur le feu. | *far fuoco e fiamme,* [accanirsi] faire des pieds et des mains. | *mettere troppa carne al fuoco,* faire trop de choses à la fois. | *diventare di fuoco,* devenir cramoisi. | *sguardo di fuoco,* regard enflammé. || [esplosione di una carica] feu. | *armi da fuoco,* armes à feu. | *fare fuoco,* faire feu. || FIG. feu, fougue, ardeur. | *parlare con fuoco,* parler avec feu. || MAT., OTT. foyer. | *messa a fuoco,* mise au point, réglage. || FIG. *mettere a fuoco una questione,* faire le point sur une question.
fuorché [fworˈke] cong. sauf, excepté. | *tutti fuorché tuo fratello,* tout le monde excepté ton frère.
fuori [ˈfwɔri] avv. dehors. | *andare, uscire fuori,* sortir. | *(di) fuori è come nuovo,* à l'extérieur il est comme neuf. | *lasciar fuori,* laisser de côté. | *eravamo tagliati fuori dal mondo,* nous étions coupés du monde. || [prop. imperative] *fuori !,* dehors ! ; sors !, sortez ! | *fuori i soldi !,* l'argent ! || LOC. *mandar fuori,* PR. faire sortir ; FIG. [pubblicare] sortir, publier. | *far fuori,* [uccidere] tuer ; [denaro] gaspiller ; [cibo] dévorer, engloutir. | *saltar, venir fuori,* [venirsi a sapere] être su, être découvert ; [intervenire in una conversazione] intervenir. | *saltare fuori con una battuta,* sortir, lâcher un mot d'esprit. ◆ m. *il di fuori,* l'extérieur, le dehors. || LOC. *essere fuori posto,* ne pas être à sa place. | *fuori uso,* hors d'usage. | *fuori luogo,* hors de propos, déplacé. | *fuori mano,* loin avv., éloigné agg. | *fuori corso,* [di moneta] qui n'a plus cours ; [di studente] redoublant. ◆ loc. prep. *fuori di,* hors de, en dehors de, à l'extérieur de. | *essere fuori di casa,* ne pas être chez soi, être sorti. | *essere fuori di sé,* être hors de soi. | [non entrarci] *essere fuori (di qlco.),* ne pas être mêlé (à qch.). | [liberarsi] *esserne, venirne fuori,* en venir à bout, s'en sortir. || *fuori da, de,* en dehors de. | *corse fuori dalla stanza,* il sortit de la pièce en courant. | *siamo fuori dall'argomento,* nous sommes sortis du sujet. | *cosa ne verrà fuori ?,* qu'est-ce que ça va donner ?

fuoribordo [fwori'bordo] m. hors-bord inv.
fuorilegge [fwori'leddʒe] n. inv. hors-la-loi m. inv.
fuoruscito [fworuʃ'ʃito] m. réfugié politique.
fuorviare [fworvi'are] v. intr. Pr. e Fig. se fourvoyer v. rifl.
furberia [fube'ria] f. ruse, rouerie.
furbo ['furbo] agg. malin, futé, rusé. ◆ m. malin, débrouillard (fam.). || Loc. *fare il furbo,* jouer au plus fin, faire le malin.
furente [fu'rɛnte] agg. furieux, hors de soi.
furetto [fu'retto] m. Zool. furet.
furfante [fur'fante] m. canaille f., bandit, fripouille f., coquin.
furgoncino [furgon'tʃino] m. fourgonnette f.
furgone [fur'gone] m. fourgon.
furia ['furja] f. [collera] fureur, furie, colère, rage. | *andare su tutte le furie,* se fâcher tout rouge. || [passione, violenza] fureur, furie, ardeur. || Loc. *a furia di,* à force de. | *a furia di botte,* à force de coups. | *furia degli elementi,* fureur des éléments. || [fretta] hâte. | *in fretta e furia,* en toute hâte.
furioso [fu'rjoso] agg. furieux, hors de soi.
furore [fu'rore] m. fureur f. || Loc. *a furore di popolo,* [col consenso del popolo] par la voix du peuple.
furoreggiare [furored'dʒare] v. intr. faire fureur.
furtivo [fur'tivo] agg. furtif.
furto ['furto] m. vol.
fusa ['fusa] f. pl. *far le fusa,* ronronner, faire ronron.
fuscello [fuʃ'ʃɛllo] m. brindille f., fétu.
fusello [fu'sɛllo] m. fuseau. || [di carro, carrozza] fusée f.
fusibile [fu'zibile] agg. fusible. ◆ m. Elettr. fusible, plomb.
fusione [fu'zjone] f. Pr. e Fig. fusion.
1. fuso ['fuzo] part. pass. e agg. fondu.
2. fuso m. fuseau.
fusoliera [fuzo'ljɛra] f. Av. fuselage m.
fustigare [fusti'gare] v. tr. Pr. e Fig. fouetter, fustiger.
1. fusto ['fusto] m. fût, tronc. || [bell'uomo] beau gars. || [intelaiatura] armature f., ossature f., charpente f.
2. fusto m. fût, tonneau.
futile ['futile] agg. futile.
futilità [futili'ta] f. futilité, frivolité.
futuro [fu'turo] agg. futur ; à venir. ◆ m. avenir, futur.

g

g [dʒi] f. o m. g m.
gabardina [gabar'dina] f. Tess. gabardine.
gabbamondo [gabba'mondo] m. inv. aigrefin m.
gabbano [gab'bano] m. caban.
gabbare [gab'bare] v. tr. tromper, duper. ◆ v. rifl. se moquer (de), berner v. tr.
gabbia ['gabbja] f. [in tutti i significati] cage. || Mar. [coffa] hune ; [vela quadra] hunier m.
gabbiano [gab'bjano] m. mouette f.
gabbiere [gab'bjɛre] m. Mar. gabier.
gabella [ga'bɛlla] f. Stor. gabelle. || [uffizio del dazio] octroi m.
gabellare [gabel'lare] v. tr. Pr., Antiq. taxer. || Fig. faire croire.
gabinetto [gabi'netto] m. [stanza di uso privato] cabinet. | *gabinetto del ministro,* cabinet du ministre. || Pol. *crisi di gabinetto,* crise ministérielle. || [studio] *gabinetto medico,* cabinet de consultation. || [luogo di decenza] cabinet, cabinets pl.
gagliardetto [gaλλar'detto] m. Mar. flamme f. || Sp. fanion.
gagliardia [gaλλar'dia] f. vigueur. || [arditezza] bravoure, vaillance.
gagliardo [gaλ'λardo] agg. vigoureux, robuste. || [ardito] vaillant, courageux. ◆ loc. avv. *alla gagliarda,* vigoureusement.
gaglioffo [gaλ'λɔffo] agg. e m. [persona goffa] balourd. || [furfante o ribaldo] canaille f.
gagnolare [gaɲɲo'lare] v. intr. glapir, japper.
gaiezza [ga'jettsa] f. gaieté, allégresse, enjouement m.
gaio ['gajo] agg. gai, joyeux, enjoué.
1. gala ['gala] f. gala m.
2. gala f. Moda volant m., falbala m. ; nœud m.
galante [ga'lante] agg. galant.
galanteria [galante'ria] f. galanterie. || [complimento] compliment m.
galantuomo [galan'twɔmo] m. honnête homme, homme de bien. || Prov. *il tempo è galantuomo,* le temps rend justice.
galassia [ga'lassja] f. galaxie.
galateo [gala'tɛo] m. savoir-vivre inv., bienséance f.
1. galea [ga'lɛa] f. Stor. Mar. galère.
2. galea ['galea] f. [elmo di cuoio] casque romain.
galena [ga'lɛna] f. Miner. galène.

galeone [gale'one] m. STOR. MAR. galion.
galeotto [gale'ɔtto] m. galérien. || [ergastolano] forçat, bagnard. || [furfante] coquin, fripon.
galera [ga'lɛra] f. MAR. galère. || [pena dell'ergastolo] bagne m., galères pl. || [carcere] prison.
galla ['galla] f. BOT. galle. || [vescica] ampoule, boursouflure. ◆ loc. avv. *a galla,* à la surface, sur l'eau. | *stare a galla,* nager, flotter.
galleggiante [galled'dʒante] agg. flottant. ◆ m. chaland, ponton. || [sughero che si attacca alla lenza] bouchon.
galleggiare [galled'dʒare] v. intr. flotter, rester à la surface, surnager.
galleria [galle'ria] f. tunnel m. || [in tutti i significati] galerie.
galletta [gal'letta] f. galette, biscuit m.
galletto [gal'letto] m. jeune coq, coquelet.
gallicano [galli'kano] agg. e m. REL. gallican.
gallicismo [galli'tʃizmo] m. gallicisme.
gallico ['galliko] agg. gaulois. || PER EST. français. ◆ m. Gaulois.
gallina [gal'lina] f. poule. || PROV. *meglio un uovo oggi che una gallina domani,* un tiens vaut mieux que deux tu l'auras.
1. gallo ['gallo] m. coq.
2. gallo agg. e n. gaulois.
gallone [gal'lone] m. galon. || MIL. galon.
galoppare [galop'pare] v. intr. galoper.
galoppatoio [galoppa'tojo] m. piste (f.) d'entraînement (des chevaux), piste cavalière.
galoppino [galop'pino] m. garçon de courses, coursier.
galoppo [ga'lɔppo] m. galop.
galvanizzare [galvanid'dzare] v. tr. PR. e FIG. galvaniser.
gamba ['gamba] f. ANAT. jambe. | *gambe dritte,* jambes droites. | *darsela a gambe, fuggire a gambe levate,* s'enfuir, se sauver à toutes jambes. | FIG. *fare il passo più lungo della gamba,* aller au-delà de ses moyens. || [di tavolo, sedia, ecc.] pied m. || [di compasso] branche, jambe. ◆ loc. agg. *in gamba,* [in buona salute] alerte, ingambe ; [essere valente] bon, bien, dégourdi, capable, fort.
gamberetto [gambe'retto] m. crevette f.
gambero ['gambero] m. [di fiume] écrevisse f. || [di mare] homard.
gambo ['gambo] m. [peduncolo di fiore] tige f. || [picciolo di frutto o foglia] queue f. || [di fungo] pied, tige. || [di sedano] branche f. || [elemento di sostegno] pied. || MECC. tige.
1. gamma ['gamma] m. inv. gamma. || FIS. *raggi gamma,* rayons gamma.
2. gamma f. PR. e FIG. gamme.
ganascia [ga'naʃʃa] f. (**-sce** pl.) mâchoire. || [negli animali] ganache. || TECN. mâchoire, griffe.
gancio ['gantʃo] m. crochet. || FIG. [cavillo] raisonnement captieux. || [pretesto] prétexte.
1. ganga ['ganga] f. o **gang** [gæ] m. (ingl.) [banda di malviventi] gang m. || PER EST. bande.
2. ganga f. MINER. gangue.
ganghero ['gangero] m. gond. || FIG. *sono fuori dai gangheri,* je suis hors de moi.
ganglio ['gangljo] m. ANAT. ganglion. || FIG. centre (vital).
ganzo ['gandzo] m. PEGG. jules (pop.). || POP. [persona furba] roublard.
gara ['gara] f. compétition, épreuve, course. ◆ loc. avv. *a gara,* à qui mieux mieux. | *fare a gara,* rivaliser d'efforts.
garante [ga'rante] agg. e m. garant. || GIUR. garant, caution f.
garantire [garan'tire] v. tr. garantir. | *garantire (per) un debito,* garantir une dette. || [assicurare] garantir. | *vi garantisco che è vero,* je vous assure que c'est vrai.
garantito [garan'tito] agg. garanti. | *garantito, me la pagherà,* je t'assure qu'il me le paiera.
garanzia [garan'tsia] f. garantie.
garbare [gar'bare] v. intr. plaire, aller. | *non mi garba troppo,* il ne me plaît guère.
garbatezza [garba'tettsa] f. amabilité, politesse.
garbo ['garbo] m. politesse f., grâce f. | *esprimersi con garbo,* s'exprimer avec grâce. | *mi chiese con garbo,* il me demanda avec politesse. || MAR. gabarit.
garbuglio [gar'buʎʎo] m. enchevêtrement.
gareggiare [gared'dʒare] v. intr. rivaliser. || SP. s'affronter.
garganella [garga'nɛlla] f. *bere a garganella,* boire à la régalade.
gargarismo [garga'rizmo] m. gargarisme.
garibaldino [garibal'dino] agg. STOR. garibaldien. || LOC. *alla garibaldino,* cavalièrement, lestement. ◆ m. garibaldien.
garitta [ga'ritta] f. guérite.
garofano [ga'rɔfano] m. BOT. œillet. || [spezia] giroflier ; [fiore essicato] girofle. | *chiodi di garofano,* clous de girofle.
garrese [gar'rese] m. [nei quadrupedi domestici] garrot.
garretto [gar'retto] m. jarret.
garrito [gar'rito] m. gazouillis.
garrotta [gar'rɔtta] f. garrotte.

garrulo ['garrulo] agg. LETT. gazouillant. ‖ [pettegolo] médisant. ‖ [chiassoso] bruyant. ‖ [di vele] claquant au vent.
garza ['gardza] f. gaze. ‖ ZOOL. aigrette.
garzone [gar'dzone] m. garçon, valet. | *garzone di bottega,* commis.
gas [gas] m. gaz. ◆ loc. avv. *a tutto gas,* PR. e FIG. à pleins gaz.
gasolio [ga'zɔljo] m. gas-oil, gasoil, fuel.
gassare [gas'sare] v. tr. [rendere gassoso] gazéifier. ‖ [uccidere col gas] gazer. ‖ TESS. gazer.
gassista [gas'sista] m. gazier, employé du gaz.
gassosa [gas'sosa] f. limonade.
gassoso [gas'soso] agg. [che è allo stato aeriforme] gazéiforme. ‖ [che contiene gas] gazeux.
gastrite [gas'trite] f. gastrite.
gastronomia [gastrono'mia] f. gastronomie.
gatta ['gatta] f. chatte. ‖ LOC. *avere altre gatte da pelare,* avoir d'autres chats à fouetter. | *gatta ci cova,* il y a anguille sous roche.
gattabuia [gatta'buja] f. POP. [prigione] violon m.
gattino [gat'tino] (**-a** f.) n. chaton ; minet, ette (fam.).
gatto ['gatto] m. chat, matou. ‖ LOC. *erano (in) quattro gatti,* ils étaient quatre pelés et un tondu (fam.).
gattoni [gat'toni] avv. à quatre pattes. ‖ FIG. *gatton gattoni,* en tapinois.
gattopardo [gatto'pardo] m. serval. | *gattopardo americano,* ocelot.
gaudente [gau'dɛnte] agg. joyeux. | *far vita gaudente,* mener joyeuse vie. ◆ m. jouisseur, fêtard (fam.).
gaudio ['gaudjo] m. joie f., allégresse f.
gavetta [ga'vetta] f. MOL. gamelle. ‖ FIG. *venire dalla gavetta,* sortir du rang.
gavotta [ga'vɔtta] f. MUS. gavotte.
gazza ['gaddza] f. pie.
gazzarra [gad'dzarra] f. chahut m., tapage m.
gazzella [gad'dzɛlla] f. gazelle.
gazzetta [gad'dzetta] f. gazette.
gazzettino [gaddzet'tino] m. PR. e FIG. gazette f.
gelare [dʒe'lare] v. tr. geler, glacer. ◆ v. intr. [diventare ghiaccio] geler. | *il lago è gelato,* le lac a gelé. ◆ v. rifl. se geler. | *qui ci si gela,* on se gèle ici. ◆ v. impers. geler. | *questa notte è gelato,* il a gelé cette nuit.
gelata [dʒe'lata] f. gelée, gel m.
gelataio [dʒela'tajo] m. glacier, marchand de glaces.
gelateria [dʒelate'ria] f. [bottega] glacier m., pâtissier-glacier m.
gelatina [dʒela'tina] f. CULIN. gelée. ‖ CHIM. gélatine.
gelato [dʒe'lato] agg. gelé, glacé. ◆ m. CULIN. glace f. | *gelato misto,* glace panachée.
gelido ['dʒɛlido] agg. glacial, glacé.
gelo ['dʒɛlo] m. gel, gelée f. | *i primi geli,* les premières gelées. ‖ LOC. *la notizia diffuse un senso di gelo,* la nouvelle jeta un froid.
gelone [dʒe'lone] m. engelure f.
gelosia [dʒelo'sia] f. jalousie. | *destare la gelosia,* exciter la jalousie. ‖ [cura attenta e scrupolosa] soin (m.) jaloux. ‖ [serramento di finestra] jalousie.
geloso [dʒe'loso] agg. jaloux.
gelso ['dʒɛlso] m. mûrier. | *gelso bianco, nero,* mûrier blanc, noir.
gelsomino [dʒelso'mino] m. BOT. jasmin.
gemellaggio [dʒemel'laddʒo] m. NEOL. jumelage.
1. gemellare [dzemel'lare] agg. gémellaire.
2. gemellare v. tr. jumeler.
gemello [dʒe'mɛllo] agg. jumeau, elle. ‖ FIG. *anima gemella,* âme sœur. ◆ n. jumeau. ◆ m. pl. boutons de manchette. ‖ ASTR. *i Gemelli,* les Gémeaux.
gemere ['dʒɛmere] v. intr. gémir, geindre. ‖ [gocciare] goutter, dégoutter. ‖ [trasudare] suinter. | *la botte geme,* le tonneau suinte.
gemito ['dʒɛmito] m. gémissement.
gemma ['dʒɛmma] f. BOT. bourgeon m., bouton m. | *mettere le gemme,* bourgeonner v. intr. ‖ MINER. pierre précieuse, gemme. ‖ FIG. bijou m., perle.
gemmazione [dʒemmat'tsjone] f. gemmation, bourgeonnement m.
gendarme [dʒen'darme] m. gendarme.
gendarmeria [dʒendarme'ria] f. gendarmerie.
gene ['dʒɛne] m. BIOL. gène.
genealogia [dʒenealo'dʒia] f. généalogie.
genepi [dʒene'pi] m. BOT. génépi.
1. generale [dʒene'rale] agg. général. | *idee generali,* généralités f. pl. | *i mercati generali,* les Halles. ◆ m. [la totalità di un insieme] général. ◆ loc. avv. *in generale,* en général.
2. generale m. MIL., REL. général.
generalità [dʒenerali'ta] f. généralité. | *un libro pieno di generalità,* un livre plein de généralités. ‖ [maggior parte] la majorité, la plupart. | *nella generalità dei casi,* dans la plupart des cas. ◆ pl. identité sing. | *dare false generalità,* donner une fausse identité.
generalizzare [dʒeneralid'dzare] v. tr. généraliser.
generare [dʒene'rare] v. tr. engendrer. ‖ [dare origine, cagionare] causer, susciter. | *generare un sospetto,* faire naître, éveiller un soupçon.

generatore [dʒenera'tore] agg. e m. générateur.
generazione [dʒenerat'tsjone] f. génération. ‖ [produzione] production. | *generazione di elettricità,* production d'électricité.
genere ['dʒɛnere] m. ARTI, BOT., GR., LETT., ZOOL. genre. | *genere umano,* genre humain. | *genere letterario,* genre littéraire. ‖ [cose o persone aventi caratteri comuni] genre, sorte f., espèce f. | *questo genere di vita non mi piace,* je n'aime pas ce genre de vie. | *una cosa del genere,* une chose pareille, de ce genre. ‖ spec. pl. [merce] denrée f., produit, article. | *generi alimentari,* denrées alimentaires. ◆ loc. avv. *in genere,* en général.
generico [dʒe'nɛriko] agg. [non preciso] général, vague. | *rispondere in termini generici,* répondre sans préciser. ‖ [non specifico] générique. | *natante è un termine generico,* embarcation est un terme générique. ‖ [persona non specializzata] *medico generico,* médecin de médecine générale, généraliste. ◆ m. vague. | *restare nel generico,* rester dans le vague.
genero ['dʒɛnero] m. gendre.
generosità [dʒenerosi'ta] f. générosité.
genesi ['dʒɛnezi] f. PR. e FIG. genèse.
genetica [dʒe'nɛtika] f. génétique.
genetliaco [dʒene'tliako] agg. e m. anniversaire.
gengiva [dʒen'dʒiva] f. gencive.
genia [dʒe'nia] f. PEGG. engeance, race.
geniale [dʒe'njale] agg. génial.
genialità [dʒenjali'ta] f. génialité, talent m., originalité.
geniere [dʒe'njɛre] m. MIL. sapeur, soldat du génie.
1. genio ['dʒɛnjo] m. génie. | *genio malefico,* génie du mal. | *uomo di genio,* homme de génie. | *avere il genio degli affari,* avoir le génie, la bosse (fam.) des affaires. ‖ [indole, gusto] penchant, goût. | *non mi va a genio,* cela ne me plaît pas.
2. genio m. MIL. génie. | *Genio Civile,* génie civil, Ponts et Chaussées.
genitale [dʒeni'tale] agg. e m. génital.
genitivo [dʒeni'tivo] agg. e m. génitif.
genitore [dʒeni'tore] m. SCHERZ. géniteur, père (L.C.). ◆ pl. *i genitori,* les parents, le père et la mère.
gennaio [dʒen'najo] m. janvier.
gentaglia [dʒen'taʎʎa] f. PEGG. racaille.
gente ['dʒɛnte] f. [persone in genere] gens m. pl. | *quella gente,* ces gens-là. | *c'è gente nuova,* il y a des nouveaux (venus). | *c'è gente che ...,* il y a des gens qui ... ‖ [collettivo] monde m. | *tutta la gente,* tout le monde. ‖ [componenti di una stessa famiglia] *la mia gente, la tua gente,* les miens, les tiens. ‖ [stirpe] race, peuple m. | *gente di colore,* gens de couleur.
gentildonna [dʒentil'dɔnna] f. (grande) dame.
gentile [dʒen'tile] agg. gentil, aimable, complaisant. | *è stato molto gentile con loro,* il a été très gentil avec eux. | *sei stato gentile a venire,* tu as été très aimable de venir. ‖ LOC. *Gentile Signore* [nelle lettere, negli indirizzi] Monsieur. ‖ [aggraziato] gracieux. | *il gentil sesso,* le sexe faible, le beau sexe. ‖ [nobile, delicato] délicat, généreux, noble.
gentilezza [dʒenti'lettsa] f. [l'essere gentile] gentillesse, délicatesse. ‖ [atto gentile] obligeance, complaisance, plaisir m. | *fammi la gentilezza di,* faismoi le plaisir de. ◆ pl. attentions. | *la colmarono di gentilezze,* ils la comblèrent d'attentions.
gentilizio [dʒenti'littsjo] agg. nobiliaire.
gentiluomo [dʒenti'lwɔmo] m. gentilhomme, gentleman (ingl.).
genuflessione [dʒenufles'sjone] f. génuflexion.
genuinità [dʒenuini'ta] f. [di un prodotto] pureté. ‖ [di un documento] authenticité. ‖ FIG. sincérité, spontanéité.
genuino [dʒenu'ino] agg. [naturale] naturel. ‖ [vero] vrai, authentique. ‖ [spontaneo] sincère, spontané.
genziana [dʒen'tsjana] f. BOT. gentiane.
geocentrismo [dʒeotʃen'trizmo] m. ASTR. géocentrisme.
geodesia [dʒeode'zia] f. géodésie.
geofisica [dʒeo'fizika] f. géophysique.
geografia [dʒeogra'fia] f. géographie.
geografo [dʒe'ɔgrafo] (**-a** f.) n. géographe.
geologia [dʒeolo'dʒia] f. géologie.
geologo [dʒe'ɔlogo] (**-a** f.) n. géologue.
geometra [dʒe'ɔmetra] n. géomètre.
geometria [dʒeome'tria] f. géométrie.
georgico [dʒe'ɔrdʒiko] agg. LETT. géorgique.
geranio [dʒe'ranjo] m. géranium.
gerarca [dʒe'rarka] m. hiérarque. ‖ STOR. haut dignitaire fasciste.
gerarchia [dʒerar'kia] f. hiérarchie.
geremiade [dʒere'miade] f. jérémiade.
gerente [dʒe'rɛnte] n. gérant, e.
gergale [dʒer'gale] agg. argotique.
gergo ['dʒɛrgo] m. argot. | *gergo della malavita,* argot du milieu. ‖ PER EST. jargon. | *gergo medico,* jargon médical.
geriatria [dʒerja'tria] f. gériatrie.
gerla ['dʒɛrla] f. hotte.
germanico [dʒer'maniko] agg. germanique. ‖ [tedesco] allemand.

1. germano [dʒer'mano] agg. germain. | *cugini germani,* cousins germains.
2. germano agg. [della Germania antica] germain.
3. germano m. ZOOL. canard sauvage.
germe ['dʒɛrme] m. PR. germe. || FIG. germe, origine f.
germinare [dʒermi'nare] v. intr. germer.
germogliare [dʒermoʎ'ʎare] v. intr. bourgeonner. || FIG. [crescere] germer.
germoglio [dʒer'moʎʎo] m. pousse f., rejeton, bourgeon.
geroglifico [dʒero'glifiko] agg. hiéroglyphique.
gerundio [dʒe'rundjo] m. gérondif.
gessare [dʒes'sare] v. tr. [ingessare] plâtrer.
gessetto [dʒes'setto] m. (bâton de) craie f.
gesso ['dʒɛsso] m. MINER. gypse. || [polvere] plâtre. | *statua di gesso,* statue en plâtre. || MED. plâtre. | *togliere il gesso,* déplâtrer.
gesta ['dʒɛsta] f. pl. hauts faits m. | *canzoni di gesta,* chansons de geste.
gestante [dʒes'tante] f. femme enceinte.
gestazione [dʒestat'tsjone] f. PR. e FIG. gestation.
gesticolare [dʒestiko'lare] v. intr. gesticuler.
gestione [dʒes'tjone] f. [attività] gestion. | *assumere la gestione di un'azienda,* prendre la gestion d'une entreprise. || [funzione] gérance. | *gestione di un bar,* gérance, exploitation d'un bar.
1. gestire [dʒes'tire] v. intr. gesticuler.
2. gestire v. tr. gérer, exploiter.
gesto ['dʒɛsto] m. PR. e FIG. geste.
gestore [dʒes'tore] m. gérant. || MIL. gestionnaire. || [di casa da gioco] tenancier.
gesuita [dʒezu'ita] (**-i** pl.) m. jésuite.
gesuitico [dʒezu'itiko] agg. jésuitique.
gettare [dʒet'tare] v. tr. jeter, lancer. | *gettare l'ancora,* jeter l'ancre. || [scartare] jeter. | *gettare via,* jeter. || FIG. *gettare uno sguardo,* jeter un coup d'œil. | *gettare qlcu. sul lastrico,* mettre qn sur le pavé. | *gettare a mare un progetto,* abandonner un projet. || TECN. [fare una gettata] jeter, couler. | *gettare una statua,* jeter, couler une statue. ◆ v. intr. [germogliare] jeter. || [lasciar uscire liquidi] couler. || FIN. [fruttare] rapporter. ◆ v. rifl. se jeter. | *gettarsi in acqua,* se jeter à l'eau. || [confluire] se jeter.
gettito ['dʒɛttito] m. [rendimento, provento] rendement, produit.
getto ['dʒɛtto] m. [in tutti i significati] jet.
gettone [dʒet'tone] m. jeton. || GIOCHI jeton, fiche f., marque f.
geyser ['gaizə] m. (ingl.) geyser.
ghermire [ger'mire] v. tr. saisir, agripper, happer.
ghetta ['getta] f. guêtre.
ghiacciaia [gjat'tʃaja] f. PR. e FIG. glacière.
ghiacciaio [gjat'tʃajo] m. GEOL. glacier.
ghiacciare [gjat'tʃare] v. tr. geler. || FIG. glacer. ◆ v. intr. et rifl. (se) geler, se congeler. || PER EST. [raffreddare] se refroidir.
ghiaccio ['gjattʃo] m. glace f. || [sulle strade] *strato di ghiaccio,* verglas. ◆ agg. glacé.
ghiacciolo [gjat'tʃɔlo] m. glaçon.
ghiaia ['gjaja] f. gravier m.
ghiaione [gja'jone] m. gravière f.
ghianda ['gjanda] f. gland m.
ghiandola ['gjandola] f. glande.
ghigliottina [giʎʎot'tina] f. guillotine.
ghigliottinare [giʎʎotti'nare] v. tr. guillotiner.
ghignare [giɲ'ɲare] v. intr. ricaner.
ghigno ['giɲɲo] m. rictus. || [sorriso malizioso] sourire malin.
ghinea [gi'nɛa] f. [moneta] guinée.
ghingheri ['gingeri] m. pl. FAM. *mettersi in ghingheri,* se mettre sur son trente-et-un.
ghiotto ['gjotto] agg. [di persona] gourmand, friand. | *essere ghiotto di,* être friand de. || [di cosa] appétissant. || FIG. savoureux. | *una notizia ghiotta,* une nouvelle savoureuse.
ghiottone [gjot'tone] m. glouton, goulu.
ghiottoneria [gjottone'ria] f. gourmandise.
ghirba ['girba] f. outre.
ghiribizzo [giri'bittso] m. lubie f., fantaisie f., caprice.
ghirlanda [gir'landa] f. guirlande.
ghiro ['giro] m. ZOOL. loir.
ghisa ['giza] f. fonte. | *pane di ghisa,* gueuse.
già [dʒa] avv. déjà. | *è già partito,* il est déjà parti. | *di già,* déjà. || [prima d'ora] déjà. | *l'ho già incontrato,* je l'ai déjà rencontré. | *un piatto già pronto,* un plat tout préparé. || [tempo fa] autrefois, ancien, ex-. | *piazza X, già piazza Y,* place X, anciennement place Y. || [fin da ora] (d'ores et) déjà. | *si sa già come andrà a finire,* on sait déjà comment ça va se terminer. || LOC. *già che ci siamo,* pendant qu'on y est. || FAM. [valore di affermazione] oui, en effet. | *ah già, l'avevo dimenticato!,* c'est vrai, je l'avais oublié! || [rafforzativo] *non già che ...,* ce n'est pas que ...

giacca ['dʒakka] f. veste. || [di completo da uomo] veston m. || [da cerimonia] jaquette.
giacché [dʒak'ke] cong. puisque, du moment que, comme, car.
giacente [dʒa'tʃɛnte] agg. gisant, étendu. || situé, placé. || FIG. en souffrance. | *lettera giacente,* lettre non réclamée. || [in sospeso] en suspens. | *affare giacente,* affaire en suspens. || [inattivo] improductif. | *capitale giacente,* capital improductif. || COMM. invendu, en stock. | *merce giacente,* marchandise invendue. || GIUR. jacent.
giacenza [dʒa'tʃɛntsa] f. [l'essere giacente] inutilisation, improductivité. || [avanzo, cosa giacente] stock m., disponibilité. | *giacenza di magazzino,* stock de magasin.
giacere [dʒa'tʃere] v. intr. être couché. | *giacere supino, bocconi,* être couché sur le dos, à plat ventre. || gésir (lett.). | *giaceva immobile,* il gisait immobile. | *qui giace,* ci-gît, ici repose. || [essere situato] être situé, se trouver. || [ristagnare] rester en souffrance.
giaciglio [dʒa'tʃiʎʎo] m. grabat.
giacimento [dʒatʃi'mento] m. GEOL. gisement.
giacinto [dʒa'tʃinto] m. BOT. jacinthe f. || MINER. hyacinthe f.
giaculatoria [dʒakula'tɔrja] f. oraison jaculatoire. || FIG. litanie. || FAM. [imprecazione] bordée de jurons.
giada ['dʒada] f. MINER. jade m.
giaggiolo [dʒad'dʒɔlo] m. BOT. iris.
giaguaro [dʒa'gwaro] m. jaguar.
giallo ['dʒallo] agg. jaune. || [poliziesco] policier. | *libro, film giallo,* roman, film policier. ◆ m. jaune. || [libro, film] (roman) policier, (film) policier.
giallognolo [dʒal'lɔɲɲolo] agg. jaunâtre.
giammai [dʒam'mai] avv. jamais.
giansenismo [dʒanse'nizmo] m. jansénisme.
giara ['dʒara] f. jarre.
giardinaggio [dʒardi'naddʒo] m. jardinage.
giardinetta [dʒardi'netta] f. AUT. break m.
giardiniera [dʒardi'njɛra] f. [in tutti i significati] jardinière.
giardiniere [dʒardi'njɛre] m. jardinier.
giardino [dʒar'dino] m. jardin.
giarrettiera [dʒarret'tjɛra] f. jarretelle, jarretière.
giavellotto [dʒavel'lɔtto] m. [arma, sport] javelot.
gibbosità [dʒibbosi'ta] f. gibbosité.
giga ['dʒiga] f. MUS. gigue.
gigante [dʒi'gante] m. géant. ◆ agg. géant, gigantesque.
gigione [dʒi'dʒone] m. histrion, cabotin.
giglio ['dʒiʎʎo] m. BOT. lis, lys.
gilda ['dʒilda] f. STOR. gilde, guilde, ghilde.
gilè [dʒi'lɛ] m. gilet.
gineceo [dʒine'tʃɛo] m. BOT., STOR. e SCHERZ. gynécée.
ginecologia [dʒinekolo'dʒia] f. gynécologie.
ginepraio [dʒine'prajo] m. genévrière f. || FIG. guêpier, bourbier.
ginepro [dʒi'nepro] m. [arbusto] genévrier. || [frutto] genièvre.
ginestra [dʒi'nɛstra] f. genêt m. | *ginestra spinosa,* ajonc m.
ginevrino [dʒine'vrino] agg. e n. genevois.
gingillarsi [dʒindʒil'larsi] v. rifl. [trastullarsi] s'amuser. || PER EST. s'amuser à des balivernes, lambiner.
ginnasio [dʒin'nazjo] m. STOR. gymnase. || [clasi intermediari dell'insegnamento al liceo classico] lycée.
ginnastica [dʒin'nastika] f. gymnastique.
ginnico ['dʒinniko] agg. gymnique.
ginocchiera [dʒinok'kjɛra] f. genouillère.
ginocchio [dʒi'nɔkkjo] (**-cchia** pl. f. con valore collettivo e duale ; **-cchi** pl. m.) m. genou. | *in ginocchio,* à genoux. || PR. e FIG. *piegar le ginocchia,* plier les genoux.
ginocchioni [dʒinok'kjoni] avv. à genoux.
giocare [dʒo'kare] v. intr. [in tutti i significati] jouer. || [essere in gioco] jouer. | *qui gioca la fortuna,* ici, c'est la chance qui joue. || TECN. jouer. ◆ v. tr. [in tutti i significati] jouer. || LOC. *giocarsi il posto,* risquer sa place. | *sei stato giocato,* on t'a roulé (fam.). | *mi ha giocato un tiro mancino,* il m'a tiré dans le dos.
giocatore [dʒoka'tore] (**-trice** f.) n. joueur, euse.
giocattolo [dʒo'kattolo] m. jouet, joujou (fam.).
gioco ['dʒɔko] m. jeu. | *campo di gioco,* terrain de jeu. | *gioco di parole,* jeu de mots ; calembour. || [serie] *un gioco di carte,* un jeu de cartes. || [partita] partie f., jeu. | *fuori gioco,* hors jeu. || [combinazione delle carte] jeu. | *aver un buon gioco,* avoir un beau jeu, du jeu. || FIG. *stare al gioco,* jouer le jeu. || [scherzo] jeu. | *farsi gioco delle leggi,* se jouer des lois. || [finzione] jeu. || *gioco scenico,* jeu de scène. || TECN. jeu. || [movimento] jeu. | *gioco dei muscoli,* jeu des muscles.
giocoforza [dʒoko'fɔrtsa] m. *è giocoforza,* il faut absolument.
giocoliere [dʒoko'ljɛre] m. jongleur, bateleur. || SP. virtuose.

giocondità [dʒokondi'ta] f. enjouement m., gaieté.
giogo ['dʒogo] m. PR. e FIG. joug. || [leva della bilancia] fléau. || GEOGR. faîte, massif, dôme.
1. gioia ['dʒɔja] f. joie, allégresse.
2. gioia f. bijou m. || FIG. [persona prediletta] bijou. | *gioia mia,* mon petit, mon trésor.
gioielleria [dʒojelle'ria] f. [negozio] bijouterie, joaillerie. || [arte] joaillerie.
gioiello [dʒo'jɛllo] m. PR. e FIG. bijou, joyau. ◆ pl. bijouterie f. sing.
gioioso [dʒo'joso] agg. joyeux, gai, enjoué.
gioire [dʒo'ire] v. intr. jouir.
giornalaio [dʒorna'lajo] (**-a** f.) n. vendeur, marchand de journaux.
giornale [dʒor'nale] m. journal. | *leggere sul giornale,* lire dans le journal. || [sede] journal. ◆ pl. [stampa] presse f. sing., journaux.
giornalista [dʒorna'lista] n. journaliste.
giornata [dʒor'nata] f. journée. | *entro la giornata,* dans la journée. || LOC. *vivere alla giornata,* vivre au jour le jour. || [salario giornaliero] journée.
giorno ['dʒorno] m. [opposto a « notte »] jour. | *spunta il giorno,* il commence à faire jour. | *lavorare di giorno,* travailler de jour. || FIG. *sono come la notte e il giorno,* c'est le jour et la nuit. || [giorno del calendario] jour. | *giorno feriale,* jour ouvrable. | *che giorno è oggi ?,* quel jour sommes-nous aujourd'hui ? | *entro quindici giorni,* dans les quinze jours. | *tre giorni fa,* il y a trois jours. | *da quel giorno,* depuis ce jour-là, depuis lors. | *da un giorno all'altro,* du jour au lendemain. | *il giorno dopo,* le lendemain. | *ogni due giorni, un giorno sì e uno no,* un jour sur deux ; tous les deux jours. || [epoca, momento] jour. | *ai giorni nostri,* de nos jours, de notre temps. | *verrà il giorno in cui,* le jour viendra où.
giostra ['dʒɔstra] f. STOR. joute. || [giochi] manège m., chevaux de bois.
giovamento [dʒova'mento] m. avantage, utilité f., bénéfice. | *trarre giovamento da qlco.,* tirer avantage de qch.
giovane ['dʒovane] agg. jeune. | *da giovane era un bell'uomo,* dans sa jeunesse c'était un bel homme. | *giovane di carattere,* jeune de caractère. | *una pianta giovane,* une jeune plante. ◆ m. jeune homme. | *i giovani,* les jeunes || [aiutante] commis, garçon. ◆ f. jeune fille.
giovanile [dʒova'nile] agg. juvénile, jeune. | *opere giovanili,* œuvres de jeunesse.
giovare [dʒo'vare] v. intr. être utile, servir, aider. | *non mi è giovato molto il suo aiuto,* son aide ne m'a pas été d'une grande utilité. | *giova alla salute,* cela fait du bien à la santé. ◆ v. intr. impers. être bon, être utile. | *non giova a nulla piangere,* cela ne sert à rien de pleurer. ◆ v. rifl. se servir, s'aider (de).
giovedì [dʒove'di] m. jeudi. || FIG. *gli manca qualche giovedì,* il ne tourne pas rond.
giovenca [dʒo'vɛnka] f. génisse, taure.
giovenco [dʒo'vɛnko] m. ZOOL. bouvillon.
gioventù [dʒoven'tu] f. [età] jeunesse. || [i giovani] jeunesse. | *ostello della gioventù,* auberge de jeunesse.
gioviale [dʒo'vjale] agg. jovial.
giovialità [dʒovjali'ta] f. jovialité.
giovinastro [dʒovi'nastro] m. voyou.
giovinezza [dʒovi'nettsa] f. PR. e FIG. jeunesse.
girabile [dʒi'rabile] agg. COMM. endossable, qui peut être endossé.
giradischi [dʒira'diski] m. tourne-disque, électrophone, pick-up.
giraffa [dʒi'raffa] f. CIN., ZOOL. girafe.
giramento [dʒira'mento] m. tour, révolution f. || [vertigine] vertige.
girandola [dʒi'randola] f. girandole. || [giocattolo] moulin (m.) à vent. || FIG. girouette.
girare [dʒi'rare] v. tr. tourner. | *girare la chiave nella toppa,* tourner la clef dans la serrure. | *girare le spalle,* tourner le dos. || [percorrere] courir, parcourir. | *girare il mondo,* courir le monde. | *girare i negozi,* courir, faire les magasins. || CIN. tourner. | *girare un film,* tourner un film. || COMM. [trasferire] endosser. | *girare un assegno,* endosser un chèque. || LOC. *giro la domanda a te,* je te pose la même question. ◆ v. intr. tourner. | *il motore gira a vuoto,* le moteur tourne à vide. | *girare a destra,* tourner à droite. | *la strada gira intorno al lago,* la route fait le tour du lac. | *gira e rigira, il risultato è sempre lo stesso,* on a beau faire, le résultat est toujours le même. || FAM. *se mi gira,* si ça me chante, si ça me dit. || [passeggiare] se promener. | *girare per i campi,* se promener dans les champs. || [diffondersi] circuler. | *il denaro gira,* l'argent circule. || [l'alterarsi del vino] tourner. ◆ v. rifl. se tourner.
girarrosto [dʒirar'rɔsto] m. tournebroche.
girasole [dʒira'sole] m. BOT. tournesol. || MINER. girasol.
girellare [dʒirel'lare] v. intr. flâner ; aller sans but, au hasard.
girello [dʒi'rɛllo] m. rondelle f. || [per bambini] chariot, trotteur. || [della

stecca da biliardo] procédé. || [in macelleria] gîte à la noix.
girellone [dʒirelˈlone] m. flâneur.
girevole [dʃiˈrevole] agg. tournant. | *ponte girevole,* pont tournant.
girino [dʒiˈrino] m. ZOOL. têtard.
giro [ˈdʒiro] m. [perimetro] tour. | *il giro delle mura,* le tour des remparts, l'enceinte f. | *maglia a giro collo,* pull ras du cou. || FIG. *giro di parole,* périphrase f. || [movimento circolare] tour. | *disco 33 giri,* disque 33 tours. || [itinerario] tour. | *fare un giro in centro,* faire un tour en ville. | *giro di conferenze,* tournée (f.) de conférences. || COMM. *giro d'affari,* chiffre d'affaires. || [trasferimento di denaro] virement. || [periodo di tempo] cours. | *nel giro di due ore,* en deux heures. || [gente, ambiente] milieu. | FAM. *è fuori dal giro,* il n'est pas dans le coup. || LOC. *andare in giro,* se balader (fam.), se promener. | *guardarsi in giro,* regarder autour de soi. | *in giro d'affari,* en voyage d'affaires. | *se l'è portato in giro,* il l'a emmené avec lui. | *mettere in giro,* mettre en circulation. | *prendere in giro,* se moquer (de), mettre en boîte (fam.), railler.
giroconto [dʒiroˈkonto] m. COMM. virement.
gironzolare [dʒirondzoˈlare] v. intr. flâner, se balader (fam.).
girotondo [dʒiroˈtondo] m. [giochi] ronde f.
girovagare [dʒirovaˈgare] v. intr. flâner, errer. || MAR. bourlinguer.
gita [ˈdʒita] f. [lunga] excursion. | *gita turistica,* excursion touristique. || [breve] promenade. | *fare una gita in bicicletta,* faire une promenade à bicyclette.
gitante [dʒiˈtante] n. excursionniste. || [turista] touriste.
giù [ˈdʒu] avv. bas, en bas. | *lì giù,* là-bas. | *più giù,* plus bas. | *il malato è molto giù,* le malade est bien bas. | *giù per la strada,* le long de la route. | *abito un po' più (in) giù,* j'habite un peu plus loin. || LOC. *su per giù,* à peu près, à peu de chose près, en gros. | *un anno o giù di lì,* quelque chose comme une année. | *camminare su e giù,* faire les cent pas. || *mettere giù,* poser. | *non mi va giù,* je ne puis digérer cela. | *è venuto giù il muro,* le mur s'est écroulé. | *buttar giù,* [demolire] abattre, démolir ; [deprimere] abattre, déprimer ; [inghiottire] avaler ; [scrivere] mettre sur le papier. | *buttar giù un articolo,* écrire à la hâte un article.
giubbetto [dʒubˈbetto] m. [da donna] casaque f., petit blouson. || [da uomo] vareuse f.
giubbotto [dʒubˈbɔtto] m. blouson.
giubilare [dʒubiˈlare] v. intr. jubiler (fam.). ◆ v. intr. [mettere a riposo] mettre à la retraite. || [destituire] destituer.
giubileo [dʒubiˈlɛo] m. REL. jubilé.
giubilo [ˈdʒubilo] m. jubilation f.
giudaismo [dʒudaˈizmo] m. judaïsme.
giudeo [dʒuˈdɛo] agg. e m. juif.
giudicare [dʒudiˈkare] v. tr. GIUR. juger. || [stimare] juger, estimer. | *giudicare opportuno,* juger bon, à propos. ◆ v. intr. juger. | *giudicare di qlco.,* juger de qch. ◆ v. rifl. [valutarsi] se juger, s'estimer.
giudicato [dʒudiˈkato] agg. jugé. ◆ m. GIUR. [giudizio] jugement. || [sentenza] sentence.
giudice [ˈdʒuditʃe] m. GIUR. juge. | *giudice popolare,* juré. || FIG. [arbitro, conoscitore] juge. || SP. juge.
giudiziario [dʒuditˈtsjarjo] agg. judiciaire.
giudizio [dʒuˈdittsjo] m. jugement. | *rimettersi al giudizio di qlcu.,* s'en remettre au jugement de qn. || avis, opinion f. | *a mio giudizio,* à mon avis. || [riflessione, senno] jugement, bon sens. | *uomo di giudizio,* homme de bon sens. || GIUR. sentence f. | *citare in giudizio,* citer, appeler en jugement, en justice f.
giudizioso [dʒuditˈtsjoso] agg. judicieux.
giugno [ˈdʒuɲɲo] m. juin.
giulivo [dʒuˈlivo] agg. joyeux, gai.
giullare [dʒulˈlare] (**-essa** f.) n. jongleur. || [buffone] bouffon.
giumento [dʒuˈmento] m. bête (f.) de somme.
giunca [ˈdʒunka] f. jonque.
giunco [ˈdʒunko] m. BOT. jonc.
giungere [ˈdʒundʒere] v. intr. arriver, parvenir. | *è giunto il momento,* le moment est arrivé. | *giungere nuovo,* surprendre, étonner. ◆ v. tr. [congiungere] joindre. | *a mani giunte,* les mains jointes.
giungla [ˈdʒungla] f. PR. e FIG. jungle.
1. giunta [ˈdʒunta] f. addition, supplément m., surplus m. | *per giunta,* par-dessus le marché, en outre, qui plus est. || [cucitura] allonge, rallonge.
2. giunta f. commission, comité m. | *giunta comunale,* les membres du conseil municipal.
giuntare [dʒunˈtare] v. tr. joindre. || [unire testa a testa] (r)abouter.
1. giunto [ˈdʒunto] agg. arrivé, rendu, joint.
2. giunto m. TECN. joint.
giuntura [dʒunˈtura] f. jointure, joint m.
giunzione [dʒunˈtsjone] f. jonction.
giuramento [dʒuraˈmento] m. serment.

giurare [dʒu'rare] v. tr. jurer.

giurato [dʒu'rato] agg. juré, assermenté. || PER EST. *nemico giurato,* ennemi juré. || [di corte d'assise] *collegio dei giurati,* jury. ◆ m. [giudice popolare] juré.

giuria [dʒu'ria] f. jury m.

giurisdizione [dʒurizdit'tsjone] f. juridiction.

giurisprudenza [dʒurispru'dɛntsa] f. GIUR. jurisprudence. || [scienza del diritto] droit m.

giurista [dʒu'rista] n. juriste.

giustamente [dʒusta'mente] avv. justement, comme il se doit.

giustapporre [dʒustap'porre] v. tr. juxtaposer.

giustapposizione [dʒustappozit'tsjone] f. juxtaposition.

giustezza [dʒus'tettsa] f. justesse.

giustificare [dʒustifi'kare] v. tr. justifier, légitimer. || [discolpare] disculper, justifier. ◆ v. rifl. se justifier. || [per un'assenza] s'excuser.

giustificazione [dʒustifikat'tsjone] f. justification.

giustizia [dʒus'tittsja] f. justice.

giustiziare [dʒustit'tsjare] v. tr. exécuter.

giustiziato [dʒustit'tsjato] m. supplicié.

giusto ['dʒusto] agg. juste. | *è più che giusto,* c'est tout à fait légitime, ce n'est que justice. || [esatto, preciso] juste, exact. | *arrivi al momento giusto,* tu arrives au bon moment. | *l'ora giusta,* l'heure exacte, l'heure juste. ◆ m. juste. ◆ avv. [esattamente] juste. | *mirare giusto,* viser juste, bien viser. || [appena] juste. | *ho giusto finito,* je viens juste de finir. || [per l'appunto] justement. | *cercavo giusto te,* c'est justement toi que je cherchais.

glaciale [gla'tʃale] agg. PR. e FIG. glacial. || GEOL. glaciaire.

glaciazione [glatʃat'tsjone] f. GEOL. glaciation.

gladiatore [gladja'tore] m. gladiateur.

gladio ['gladjo] m. glaive.

gladiolo [gla'diolo] m. glaïeul.

glassare [glas'sare] v. tr. CULIN. glacer.

1. gli [ʎi] art. det. m. pl. les. | *gli studenti,* les étudiants. || [con idea di possesso] mes, tes, ses. | *mettiti gli occhiali,* mets tes lunettes.

2. gli pron. pers. 3ª pers. m. sing. compl. ind. lui. | *gli ho parlato,* je lui ai parlé. | *glielo dirò,* je le lui dirai.

glicerina [glitʃe'rina] f. CHIM. glycérine, glycérol m.

glicine ['glitʃine] m. glycine f.

gliela ['ʎela], **gliele** ['ʎele], **glieli** ['ʎeli], **glielo** ['ʎelo], **gliene** ['ʎene] pron. pers. 3ª pers. la lui, les lui, le lui, lui en. | *gliela porterò,* je la lui porterai. | *gliene darò, dargliene, dagliene,* je lui en donnerai, lui en donner, donne-lui-en.

globale [glo'bale] agg. global.

globo ['glɔbo] m. globe.

globulo ['glɔbulo] m. globule.

gloria ['glɔrja] f. gloire. ◆ m. REL. gloria.

gloriarsi [glo'rjarsi] v. rifl. se glorifier, se faire gloire (de).

glorificare [glorifi'kare] v. tr. glorifier, exalter.

glossa ['glɔssa] f. glose.

glossare [glos'sare] v. tr. gloser.

glossario [glos'sarjo] m. glossaire.

glottide ['glɔttide] f. glotte.

glottologia [glottolo'dʒia] f. linguistique.

gluglu [glu'glu] m. glouglou. | *far gluglu,* gouglouter.

gluteo ['gluteo] m. ANAT. fesse f., muscle fessier.

glutine ['glutine] m. gluten.

gnocco ['ɲɔkko] m. DIAL. [bernoccolo] bosse f. || FIG. [sempliciotto] benêt, sot. ◆ pl. CULIN. gnocchi.

gnomo ['ɲɔmo] m. gnome.

gnosi ['ɲɔzi] f. gnose.

gnostico ['ɲɔstiko] agg. e m. gnostique.

goal ['gol] m. inv. (ingl.) SP. but. | *segnare un goal,* marquer un but.

gobba ['gɔbba] f. bosse.

gobbo ['gɔbbo] agg. bossu. || [curvo] courbé, voûté. ◆ m. bossu.

gobboni [gob'boni] avv. *andare gobboni,* marcher.

goccia ['gottʃa] f. goutte. ◆ pl. FARM. gouttes. || [ornamento a forma di goccia] goutte, pendeloque. || [di orecchini] pendant (m. sing.) d'oreille.

gocciare [got'tʃare] v. intr. e tr. = GOCCIOLARE.

goccio ['gottʃo] m. goutte f., larme f. | *ne voglio solo un goccio,* je n'en veux qu'une larme.

gocciolare [gottʃo'lare] v. intr. dégoutter, couler, tomber goutte à goutte. | *i muri gocciolano,* les murs suintent. ◆ v. tr. laisser couler.

gocciolio [gottʃo'lio] m. égouttement continu.

godere [go'dere] v. intr. [rallegrarsi] se réjouir v. rifl., être heureux. | *godo dei suoi progressi,* je me réjouis, je suis heureux de ses progrès. || [fruire] jouir (de). | *godere di una riduzione,* bénéficier d'une réduction. ◆ v. tr. jouir (de), goûter. | *goder(si) la libertà,* goûter, jouir de la liberté. || [fruire] jouir (de). | *godere la fiducia di qlcu.,* avoir la confiance de qn. | *godere ottima salute,* jouir d'une excellente santé. || LOC. *godersela,* s'amuser, s'en donner.

godimento [godi'mento] m. plaisir. | *trarre godimento da qlco.,* prendre plai-

sir à qch. || GIUR. [usufrutto] jouissance f. | *il godimento dei diritti civili,* la jouissance des droits civils.
goffaggine [gofˈfaddʒine] f. gaucherie, maladresse, lourdeur.
goffo [ˈgɔffo] agg. gauche, maladroit.
goffrare [gofˈfrare] v. tr. TECN. gaufrer, cloquer.
gogna [ˈgoɲɲa] f. pilori m., carcan m. || FIG. *mettere alla gogna,* mettre, clouer au pilori.
gola [ˈgola] f. [in tutti i significati] gorge. | *avere un groppo alla gola,* avoir la gorge nouée ; se sentir la gorge serrée. | *col cuore in gola,* le cœur battant. | *trovarsi con l'acqua alla gola,* être aux abois, au pied du mur. || [golosità] gourmandise. | *prendere qlcu. per la gola,* prendre qn par la gourmandise. | *fare gola,* faire envie.
goletta [goˈletta] f. goélette.
1. golf [gɔlf] m. (ingl.) chandail ; pullover.
2. golf m. (ingl.) SP. golf.
golfare [golˈfare] m. MAR. œillet.
golfo [ˈgolfo] m. golfe.
goliardia [goljarˈdia] f. esprit estudiantin. || [insieme dei goliardi] association des étudiants (de l'Université).
goloseria [goloseˈria] o **golosità** [golosiˈta] f. gourmandise.
goloso [goˈloso] agg. gourmand. || FIG. avide. || [appetitoso] appétissant. ◆ m. gourmand.
golpe [ˈgolpe] m. POL. (sp.) pronunciamento.
gomitata [gomiˈtata] f. coup (m.) de coude.
gomito [ˈgomito] m. [in tutti i significati] coude.
gomitolo [goˈmitolo] m. pelote f.
gomma [ˈgomma] f. caoutchouc m. || [per cancellare] gomme f. || [pneumatico] pneu m. | *forare una gomma,* crever (un pneu).
gommapiuma [gommaˈpjuma] f. caoutchouc (m.) mousse.
gommare [gomˈmare] v. tr. gommer. || [impermeabilizzare] caoutchouter.
gommista [gomˈmista] m. vendeur et réparateur de pneus.
gondola [ˈgondola] f. gondole.
gondoliere [gondoˈljɛre] m. gondolier.
gonfalone [gonfaˈlone] m. STOR. gonfalon, gonfanon. || [di corporazioni] bannière f.
gonfiare [gonˈfjare] v. tr. gonfler. | *gonfiare un pallone,* gonfler un ballon. | *gonfiare il petto,* bomber la poitrine. || FIG. [esagerare] grossir, enfler. | *gonfiare un avvenimento,* grossir un événement. || [adulare] aduler, flatter. || MED. ballonner. ◆ v. rifl. e intr. (se) gonfler. || [tumefarsi] (s')enfler. || [di capelli, gonne, ecc.] bouffer.
gonfiato [gonˈfjato] agg. gonflé. || FIG. enflé. | *è un pallone gonfiato,* il ne vaut pas ce qu'il paraît.
gonfio [ˈgonfjo] agg. gonflé. || [tumefatto] enflé, boursouflé. || MED. ballonné. || LOC. *tutto procede a gonfie vele,* tout marche comme sur des roulettes (fam.).
gongolare [gongoˈlare] v. intr. jubiler, être transporté d'aise.
gonna [ˈgɔnna] f. jupe.
gonnella [gonˈnɛlla] f. jupe, cotillon m.
gonzo [ˈgondzo] m. niais, nigaud, jobard, ballot (fam.), dupe f.
gorbia [ˈgorbja] f. pointe en fer. || [scalpello] gouge.
gorgheggio [gorˈgeddʒo] m. ramage, roulade f., gazouillis.
gorgo [ˈgorgo] m. PR. e FIG. tourbillon, remous, gouffre.
gorgogliare [gorgoʎˈʎare] v. intr. bouillonner. || [di ruscello] murmurer, gargouiller.
gorgoglio [gorgoʎˈʎio] m. gargouillis. || CHIM., TECN. barbotage.
gorilla [goˈrilla] m. ZOOL. e FIG. gorille.
gota [ˈgɔta] f. LETT. [guancia] joue (L.C.).
gotico [ˈgɔtiko] agg. gothique. ◆ m. ARTI gothique.
gotta [ˈgɔtta] f. MED. goutte.
governante [goverˈnante] adj. gouvernant. ◆ m. pl. gouvernants. ◆ f. gouvernante, bonne d'enfants.
governare [goverˈnare] v. tr. gouverner, diriger. || [avere cura di] soigner. | *governare il bestiame,* soigner le bétail. || [concimare] engraisser, fumer. || [il vino] traiter. ◆ v. intr. MAR. gouverner. ◆ v. rifl. se gouverner. || [comportarsi] se conduire.
governatore [governaˈtore] m. gouverneur.
governo [goˈvɛrno] m. gouvernement. || [del vino] traitement. || [del terreno] fumage.
gozzo [ˈgottso] m. [di uccello] jabot. || MED. goitre. || POP. [stomaco] panse f. | *riempirsi il gozzo,* s'empiffrer.
gracchiare [grakˈkjare] v. intr. croasser, jacasser, jaser. || [di altoparlante] grésiller.
gracchio [ˈgrakkjo] m. croassement.
gracidare [gratʃiˈdare] v. intr. coasser. || FIG. criailler.
gracile [ˈgratʃile] agg. frêle, délicat, fragile.
gradare [graˈdare] v. tr. graduer.
gradasso [graˈdasso] m. fanfaron, vantard.
gradazione [gradatˈtsjone] f. gradation. || [di colori] nuance. || [quantità di alcole] degré (m.) d'alcool, force.
gradevole [graˈdevole] agg. agréable.

gradimento [gradi'mento] m. goût, agrément, approbation f. | *indice di gradimento,* cote (f.) de popularité.
gradinata [gradi'nata] f. escalier m. || [all'esterno] perron m. || [allo stadio] gradins m. pl.
gradino [gra'dino] m. marche f., degré. || [di stadio] gradin.
gradire [gra'dire] v. tr. [accettare] agréer, accepter, apprécier. | *ho gradito molto la sua visita,* sa visite m'a fait grand plaisir. || [desiderare] aimer, vouloir. | *gradirei una tazza di caffè,* je prendrais volontiers une tasse de café.
gradito [gra'dito] agg. agréable. apprécié. | *in attesa di vostri graditi ordini,* dans l'attente de (recevoir) vos ordres.
1. grado ['grado] m. degré. | *grado di parentela,* degré de parenté. | *scuola di primo grado,* école primaire. || FIG. *salire di un grado,* monter d'un cran. | *interrogatorio di terzo grado,* passage à tabac (fam.). || [di temperatura] degré. | *ci sono cinque gradi sotto zero,* il fait moins cinq. || MIL. grade. || [rango] rang, classe f. | *gente di ogni grado,* des gens de toutes les catégories. || [condizione] état. | *non essere in grado di,* ne pas être en état de.
2. grado m. *di buon grado,* de bon gré.
gradualità [graduali'ta] f. gradation, progressivité.
graduare [gradu'are] v. tr. PR. e FIG. graduer.
graduato [gradu'ato] agg. gradué. ◆ m. MIL. gradé.
graduatoria [gradua'tɔrja] f. classement m., liste. | *essere il primo in graduatoria,* être en tête de liste.
graffa ['graffa] f. [segno grafico] accolade. || [graffetta] agrafe.
graffiare [graf'fjare] v. tr. griffer. || [scalfire] égratigner, érafler. ◆ v. rifl. s'égratigner.
graffiatura [graffja'tura] f. égratignure.
graffio ['graffjo] m. égratignure f. || [il graffiare] coup de griffe.
graffire [graf'fire] v. tr. graver.
graffito [graf'fito] m. graffiti pl. ◆ agg. gravé.
grafia [gra'fia] f. graphie.
grafico ['grafiko] agg. graphique. ◆ m. [diagramma] graphique. ◆ n. (**-a** f.) [operaio] imprimeur m.
grafologia [grafolo'dʒia] f. graphologie.
gragnola [graɲ'ɲɔla] o **gragnuola** [graɲ'ɲwɔla] f. PR. e FIG. grêle.
gramaglia [gra'maλλa] f. vêtements (m. pl.) de deuil. || [drappi funebri] draps (m. pl.) funéraires.
gramigna [gra'miɲɲa] f. chiendent m.
grammatica [gram'matika] f. grammaire.
grammo ['grammo] m. gramme.
gramo ['gramo] agg. LETT. misérable, malheureux. || [scarso] maigre. || [triste] triste. | *una vita grama,* une triste vie.
gran [gran] agg. V. GRANDE.
1. grana ['grana] f. graine d'écarlate. || [colore] écarlate.
2. grana f. grain m. | *pelle a grana fine,* peau à grain fin. ◆ m. [formaggio] parmesan.
3. grana f. FAM. embêtement m., histoire. | *non voglio grane,* je ne veux pas d'histoires.
4. grana f. GERG. [denaro] fric m., blé m., pèze m.
granaio [gra'najo] m. grenier.
1. granata [gra'nata] f. [scopa] balai m.
2. granata agg. inv. [colore] grenat.
3. granata f. MIL. obus m. || [bomba a mano] grenade.
granceola [gran'tʃɛola] o **grancevola** [gran'tʃɛvola] f. araignée de mer.
granchio ['grankjo] m. ZOOL. crabe. || FIG. [errore grossolano] bévue f., bourde f. | *ho preso un granchio,* j'ai fait une bourde.
grande ['grande] agg. [di grandi dimensioni] grand. | *una grande città,* une grande ville. || [adulto] grand. | *sei abbastanza grande per capire,* tu es assez grand pour comprendre. || [superiore, importante, nobile, alto locato] grand. | *grande ingegno,* grand esprit, esprit supérieur. || FAM. *sei stato grande,* tu as été formidable. || [principale] grand. | *le grandi linee,* les grandes lignes. | *in gran parte,* en grande partie. | FIG. [intenso, profondo] grand. | *gran bisogno,* grand besoin. | *correre grandi rischi,* courir de gros risques. || *una gran bella donna,* une fort belle femme. | *gli vuole un gran bene,* il l'aime beaucoup. | *non so gran che,* je ne sais pas grand-chose. | *di gran lunga,* de loin, de beaucoup. ◆ m. grand. ◆ loc. avv. *in grande,* en grand.
grandezza [gran'dettsa] f. PR. e FIG. grandeur.
grandicello [grandi'tʃɛllo] agg. grandelet (fam.).
grandiloquenza [grandilo'kwɛntsa] f. grandiloquence.
grandinare [grandi'nare] v. impers. grêler. | *è grandinato,* il a grêlé. ◆ v. intr. FIG. tomber comme (de) la grêle.
grandinata [grandi'nata] f. averse de grêle. || FIG. [di botte] grêle (de coups).
grandine ['grandine] f. grêle.
grandioso [gran'djoso] agg. grandiose.
granduca [gran'duka] m. (**granduchessa** [grandu'kessa] f.) grand-duc, grande-duchesse.
granducato [grandu'kato] m. STOR. grand-duché.

granello [gra'nɛllo] m. grain. || FIG. [briciolo] grain, brin. | *un granello di follia,* un grain de folie.
granfia ['granfja] f. griffe.
graniglia [gra'niʎʎa] f. grès m.
granita [gra'nita] f. [gelato] granité m.
granitico [gra'nitiko] agg. granitique. || FIG. inébranlable, inflexible.
1. granito [gra'nito] agg. grenu.
2. granito m. MINER. granit(e).
grano ['grano] m. [frumento] blé. | *un campo di grano,* un champ de blé. || pl. [cereali] grains. || FIG. [pizzico] grain.
granoturco [grano'turko] o **granturco** [gran'turko] m. maïs.
1. granulare [granu'lare] agg. [formato di piccoli grani] granulé, granuleux, granulaire.
2. granulare v. tr. granuler.
granulo ['granulo] m. granule, granulé.
1. grappa ['grappa] f. eau-de-vie (de marc), marc m., fine (champagne).
2. grappa f. TECN. griffe, agrafe de construction, crampon m.
grappolo ['grappolo] m. PR. e FIG. grappe f.
grassatore [grassa'tore] m. bandit de grand chemin.
grassetto [gras'setto] agg. e m. TIP. *(carattere) grassetto,* (caractère) gras.
grasso ['grasso] agg. gras. | *brodo grasso,* bouillon gras. || PER EST. *martedì grasso,* mardi gras. | *discorsi grassi,* propos gras, licencieux. || [di persone] gros. || [unto] graisseux, gras, huileux. || FIG. *un'annata grassa,* une bonne année. ◆ avv. gras. ◆ m. [materia grassa] graisse f. | *grassi animali,* graisses animales. || [parte grassa di qlco.] gras. | *il grasso del prosciutto,* le gras du jambon.
grata ['grata] f. grille.
graticcio [gra'tittʃo] m. claie f.
graticola [gra'tikola] f. [piccola grata] petite grille. || CULIN. gril m.
graticolato [gratiko'lato] agg. grillé, grillagé. ◆ m. grillage, clôture (f.) à claire-voie. || [armatura a sostegno delle piante] treillage.
gratifica [gra'tifika] f. gratification.
gratificare [gratifi'kare] v. tr. gratifier.
gratitudine [grati'tudine] f. gratitude, gré m., reconnaissance.
grato ['grato] agg. reconnaissant, obligé. || [piacevole] agréable. || [gradito] apprécié.
grattacapo [gratta'kapo] m. souci, ennui, préoccupation f.
grattare [grat'tare] v. tr. gratter. || [grattugiare] *grattare il formaggio,* râper le fromage. || GERG. [rubare] faucher, barboter. ◆ v. intr. gratter. ◆ v. rifl. se gratter.
grattugia [grat'tudʒa] f. râpe.
grattugiare [grattu'dʒare] v. tr. râper.
gratuità [gratui'ta] f. PR. e FIG. gratuité.
gravame [gra'vame] m. poids. || [imposta] charge f.
gravare [gra'vare] v. tr. charger, grever. || FIG. surcharger. ◆ v. intr. (su) reposer (sur), peser (sur). || [essere a carico] être à la charge (de). | *tutte le spese gravano su di me,* tous les frais sont à ma charge. || [di imposte] grever. ◆ v. rifl. se charger.
grave ['grave] agg. [pesante] lourd. || [gravato] chargé. || FIG. grave, sérieux. | *una cosa grave,* une chose sérieuse. | *un grave errore,* une grave erreur. || [difficile da sopportare] grave, lourd. | *gravi perdite,* de lourdes pertes. || [serio, severo] grave. || GR., MUS. grave.
gravemente [grave'mente] avv. gravement. || [di ferite] grièvement.
gravidanza [gravi'dantsa] f. grossesse.
gravido ['gravido] agg. [di donna] enceinte. || [di animali] gravide, pleine. || FIG. [pieno] (di) chargé (de), gros (de).
gravità [gravi'ta] f. [in tutti i significati] gravité.
gravitare [gravi'tare] v. intr. PR. e FIG. graviter. || [gravare] peser (sur), reposer.
gravoso [gra'voso] agg. lourd, dur. || [oneroso] onéreux.
grazia ['grattsja] f. grâce. | *concedere una grazia,* accorder une grâce, une faveur. || FIG. *stato di grazia,* état de grâce. || LOC. *fare grazia di qlco. a qlcu.,* faire grâce de qch. à qn. ◆ loc. prep. *in grazia di,* grâce à. ◆ pl. charmes m.
graziare [grat'tsjare] v. tr. GIUR. gracier. || [concedere] accorder.
grazie ['grattsje] interiez. merci. | ◆ loc. prep. *grazie a,* grâce à, à l'aide de, par l'entremise de.
graziosamente [grattsjosa'mente] avv. gracieusement.
grazioso [grat'tsjoso] agg. [leggiadro] gracieux.
greca ['grɛka] f. ARCHIT. grecque.
grecismo [gre'tʃizmo] m. hellénisme.
greco ['grɛko] agg. e n. grec, grecque. ◆ m. [lingua] grec.
gregario [gre'garjo] m. [seguace] partisan. || PEGG. subordonné. || MIL. simple soldat. || SP. coéquipier. ◆ agg. PR. e FIG. grégaire.
gregge ['greddʒe] m. PR. e FIG. troupeau.
greggio ['greddʒo] agg. brut. || [di filo e stoffa] grège, écru.
grembiale [grem'bjale] o **grembiule** [grem'bjule] m. tablier. || [camice] blouse f.
grembo ['grembo] m. giron. | *prendere qlcu. in grembo,* prendre qn sur ses genoux. || [ventre materno] ventre, sein (lett.). || FIG. sein, giron.

gremire [gre'mire] v. tr. remplir, encombrer. ◆ v. rifl. se remplir.
gres [grɛs] m. (fr.) grès.
greto ['greto] m. grève f.
grettezza [gret'tettsa] f. avarice. || [meschinità] mesquinerie.
grezzo ['greddzo] agg. = GREGGIO.
gridare [gri'dare] v. intr. crier. | *gridare contro qlcu.*, crier après qn. ◆ v. tr. crier. | *gridare aiuto*, crier au secours.
grido ['grido] (**-a** pl. f. con valore collettivo ; **-i** pl. m.) m. cri. | *cacciare un grido*, pousser un cri.
griffa ['griffa] f. [di scarpe da montagna] crampon m. || MECC. griffe. || CIN. [di un rullo] cran m., dent.
grifone [gri'fone] m. MIT., ZOOL. griffon.
grigio ['gridʒo] agg. e m. gris.
grigiore [gri'dʒore] m. PR. e FIG. grisaille f.
griglia ['griʎʎa] f. grille. || CULIN. [graticola] gril m.
grilletto [gril'letto] m. détente f., gâchette f.
grillo ['grillo] m. ZOOL. grillon, cri-cri (fam.). || FIG. [capriccio] fantaisie f., caprice, lubie f. | *gli è saltato il grillo di partire*, il lui a pris la fantaisie de partir.
grimaldello [grimal'dɛllo] m. rossignol, pince-monseigneur f.
grinfia ['grinfja] f. PR. e FIG. griffe.
grinta ['grinta] f. tête, faciès m. || PER EST. énergie, ressort m. | *con grinta*, avec décision.
grinza ['grintsa] f. [corrugamento] ride. || [di stoffa] fronce, (faux) pli m.
grippare [grip'pare] v. intr. MECC. gripper. ◆ v. rifl. se gripper.
grisaglia [gri'zaʎʎa] f. grisaille.
gronda ['gronda] f. avant-toit m. || PER EST. *a gronda*, en pente, incliné.
grondaia [gron'daja] f. gouttière, chéneau m.
grondare [gron'dare] v. intr. couler, ruisseler. ◆ v. tr. laisser couler. | *grondare acqua*, ruisseler.
groppa ['grɔppa] f. croupe. || FAM. [le spalle] dos m.
groppo ['grɔppo] m. nœud. || FIG. *avere un groppo alla gola*, avoir la gorge serrée. || [raffica di vento] grain.
grossa ['grɔssa] f. COMM. [dodici dozzine] grosse.
grossista [gros'sista] m. grossiste ; commerçant en gros.
grosso ['grɔsso] agg. [di grandi dimensioni] gros. | *caccia grossa*, chasse au gros gibier. || [gonfio] gros. | *mare grosso*, mer grosse. || [importante] gros. | *grossa perdita*, grosse perte. | *è un pezzo grosso*, c'est un gros bonnet (fam.). || [opposto a « fine »] gros, grossier. | *sale grosso*, gros sel. || [grave] gros, grave. | *grosso errore*, grosse faute, faute grave. || LOC. *l'ha fatta grossa*, il a dépassé la limite. ◆ m. gros. | *il grosso dell'esercito*, le gros de l'armée. ◆ avv. gros. ◆ loc. avv. *in grosso*, [approssivamente] en gros, à peu près.
grossolano [grosso'lano] agg. [rozzo] grossier. || [volgare] commun, vulgaire. | *gusti grossolani*, des goûts vulgaires.
grotta ['grɔtta] f. grotte.
grottesco [grot'tesko] agg. PR. e FIG. grotesque. ◆ m. grotesque. ◆ f. (**-a**) ARTI grotesques pl.
groviera [gro'vjɛra] f. o m. gruyère m.
groviglio [gro'viʎʎo] m. enchevêtrement.
gru [gru] f. TECN., ZOOL. grue.
gruccia ['gruttʃa] (**-ce** pl.) f. béquille. || [attaccapanni] cintre m. || [per uccelli] perchoir m.
grugnire [gruɲ'ɲire] v. intr. PR. e FIG. grogner. ◆ v. tr. FIG. grogner.
grugno ['gruɲɲo] m. groin. || PEGG. gueule f. (pop.), museau (fam.).
grullo ['grullo] agg. niais, benêt.
grumo ['grumo] m. grumeau. || [di sangue] caillot.
grumolo ['grumolo] m. [parte interiore e tenera] cœur.
gruppo ['gruppo] m. [in tutti i significati] groupe.
gruzzolo ['gruttsolo] m. pécule, magot, cagnotte f. | *farsi un bel gruzzolo*, mettre de côté une belle petite somme.
guadagnare [gwadaɲ'ɲare] v. tr. [esser retribuito] gagner. | *guadagna bene*, il gagne gros. || [conquistare, meritare] *guadagnare tempo*, gagner du temps. | *guadagnarsi la stima di qlcu.*, gagner l'estime de qn. || [trarre beneficio] gagner. | *che ci guadagni ad agire così ?*, qu'est-ce que ça te rapporte d'agir de la sorte ? || [raggiungere] gagner. | *guadagnare la riva*, gagner le rivage. || [vincere] gagner.
guadagno [gwa'daɲɲo] m. gain. || FIG. [vantaggio] *bel guadagno !*, belle affaire ! || COMM. bénéfice. | *guadagno netto*, bénéfice net.
guadare [gwa'dare] v. tr. passer à gué.
guado ['gwado] m. gué.
guai ['gwai] interiez. gare ! | *guai a te !*, gare à toi !
guaina [gwa'ina] f. [in tutti i significati] gaine.
guaio ['gwajo] m. [dispiacere] malheur, ennui. | *andare in cerca di guai*, chercher des ennuis. | *combinare guai*, faire des bêtises. | *essere nei guai, in un mare di guai*, avoir beaucoup d'ennuis. || [leggero impaccio] inconvénient. |

però c'è un guaio, toutefois il y a un inconvénient.
guaire [gwa'ire] v. intr. glapir, japper.
guaito [gwa'ito] m. glapissement, jappement, aboiement.
gualcire [gwal'tʃire] v. tr. chiffonner.
guancia ['gwantʃa] f. joue. || [di animale] bajoue.
guanciale [gwan'tʃale] m. oreiller.
guanto ['gwanto] m. gant.
guappo ['gwappo] m. voyou, gouape f. (pop.).
guardaboschi [gwarda'bɔski] m. inv. garde forestier m.
guardacaccia [gwarda'kattʃa] m. inv. garde-chasse m.
guardacoste [gwarda'kɔste] m. inv. MAR. garde-côte(s) m.
guardare [gwar'dare] v. tr. regarder. | *guardare con la coda dell'occhio,* regarder du coin de l'œil. | LOC. *non guardare in faccia a nessuno,* ne connaître ni Dieu ni diable. || [osservare] examiner, observer, regarder. | *guarda che modi!,* en voilà des manières! || LOC. *guardare per il sottile,* y regarder de près, faire le difficile. | *guarda chi si vede!,* tiens, qui est-ce qui arrive!; tiens, te voilà! | *guarda caso!,* comme par hasard! || [custodire, sorvegliare] garder. | *guardare a vista,* garder à vue. | *Dio me ne guardi!,* Dieu m'en garde! ◆ v. intr. [considerare] regarder (à). | *guardate ai fatti vostri,* occupez-vous de vos affaires! || [stare attento a] regarder. | *guardare al centesimo,* regarder à un centime près. | *guarda di non fare sciocchezze,* fais attention à ne pas faire de bêtises. || [essere esposto] donner (sur), avoir vue (sur). | *le finestre guardano sul giardino,* les fenêtres donnent sur le jardin. ◆ v. rifl. se regarder. | *guardarsi allo, nello specchio,* se regarder dans la glace. || [stare in guardia] prendre garde, se méfier (de). | *guardatevene,* méfiez-vous-en. || [astenersi] se garder. | *guardati bene dal,* garde-toi bien de. ◆ v. rifl. recipr. se regarder. | *guardarsi negli occhi,* se regarder dans les yeux.
guardaroba [gwarda'rɔba] m. inv. penderie f., garde-robe f. || [insieme degli abiti] garde-robe. || [nei locali pubblici] vestiaire m.
guardavia [gwarda'via] m. inv. [riparo stradale] barrière (f.) de sécurité; garde-fou m.
guardia ['gwardja] f. [sorveglianza, protezione] garde. | *sotto buona guardia,* sous bonne garde. | *guardia medica,* poste (m.) de secours. || MIL. *cambio della guardia,* relève de la garde. || [scherma o pugilato, posizione di difesa] garde. | *stare in guardia,* se tenir sur ses gardes. || [corpo di agenti o soldati] garde. | *guardia d'onore,* garde d'honneur. | *guardia giurata,* garde assermenté. | *guardia di finanza,* douanier (m.), agent des douanes. || [guardamano] garde. || [di un fiume] cote d'alerte. || TIP. garde, page de garde.
guardiano [gwar'djano] m. gardien.
guardina [gwar'dina] f. chambre de sûreté, dépôt m., poste (m.) de police.
guardingo [gwar'dingo] agg. circonspect.
guardiola [gwar'djɔla] f. [del portinaio, ecc.] loge.
guarigione [gwari'dʒone] f. guérison.
guarire [gwa'rire] v. tr. PR. e FIG. guérir. ◆ v. intr. guérir. ◆ v. rifl. se guérir.
guarnigione [gwarni'dʒone] f. MIL. garnison.
guarnire [gwar'nire] v. tr. garnir, orner.
guarnitura [gwarni'tura] f. garniture. || [il guarnire] garnissage m.
guarnizione [gwarnit'tsjone] f. [in tutti i significati] garniture.
guastare [gwas'tare] v. tr. abîmer, endommager, détériorer, gâter. || FIG. abîmer, gâcher. | *guastarsi la salute,* délabrer sa santé. | *guastarsi il sangue,* se faire du mauvais sang. || [usato con senso intr.] faire du mal. | *un pizzico di sale non guasterebbe,* une pincée de sel ne ferait pas de mal. ◆ v. rifl. se gâter, s'abîmer, s'altérer, s'endommager. || FIG. *temo che il tempo si guasti,* je crains que le temps ne se gâte. || TECN. se dérégler, se détraquer.
1. guasto ['gwasto] agg. endommagé, en panne. || [di meccanismi] détraqué. || [di cibo] avarié, pourri, éventé. || MED. *dente guasto,* dent gâtée.
2. guasto m. dégât, dommage. || [ad un meccanismo] panne f., dérangement.
guazza ['gwattsa] f. rosée. | *molle dalla guazza,* baigné de rosée.
guazzabuglio [gwattsa'buʎʎo] m. PR. e FIG. fatras, fouillis, gâchis, cafouillage (fam.). | *che guazzabuglio!,* quel cafouillage!
guazzare [gwat'tsare] v. intr. barboter, patauger.
guercio ['gwertʃo] agg. qui louche. ◆ n. loucheur, euse; bigle.
guerra ['gwɛrra] f. PR. e FIG. guerre.
guerrafondaio [gwerrafon'dajo] agg. e m. belliciste, jusqu'au-boutiste.
guerreggiare [gwerred'dʒare] v. intr. guerroyer, faire la guerre (à). ◆ v. tr. combattre.
guerriero [gwer'rjɛro] agg. e m. guerrier.
gufo ['gufo] m. ZOOL. hibou.
guglia ['guʎʎa] f. ARCHIT. flèche, aiguille. || GEORG. aiguille.

guida ['gwida] f. [persona] guide m. || [direzione] direction, conduite. | *sotto la guida di,* sous la direction, la conduite de. || [libro] guide m., indicateur m. | *guida telefonica,* annuaire (m.) du téléphone. || AUT. conduite. | *scuola guida,* auto-école. || [tappeto] chemin m. || TECN. glissière, guide. || [azione] guidage m.
guidare [gwi'dare] v. tr. PR. e FIG. guider. || [dirigere] diriger. || [veicoli] conduire.
guinzaglio [gwin'tsaλλo] m. laisse f.
guisa ['gwiza] f. manière, façon.
guizzare [gwit'tsare] v. intr. frétiller. | *un lampo guizzò nel cielo,* un éclair sillonna, raya le ciel. || [scivolar via] glisser.
guizzo ['gwittso] m. [l'atto del guizzare] frétillement. || [movimento inatteso] soubresaut, tressaillement.
guscio ['guʃʃo] m. [di uovo, noce, lumaca, ecc.] coquille f. || [di legumi] cosse f. || [di tartaruga o crostacei] carapace f. || MAR. coque f. || FIG. *rinchiudersi nel proprio guscio,* rentrer dans sa coquille.
gustare [gus'tare] v. tr. [assaggiare] goûter (à). || [assaporare] savourer, déguster. || FIG. goûter. ◆ v. intr. plaire.
gusto ['gusto] m. [senso del gusto] goût. || [sapore] goût. | *un gusto cattivo,* un mauvais goût. || [di gelato] parfum. || FIG. goût, plaisir. | *prendere gusto a qlco.,* prendre plaisir, du goût à qch. || [desiderio, capriccio] fantaisie f. | *prendersi il gusto di,* se payer le luxe de. | *levarsi il gusto di,* se passer l'envie, la fantaisie de. || [inclinazione] *ha dei gusti strani,* il a des goûts bizarres. || [senso estetico] goût. | *è privo di gusto,* il n'a pas de goût.
gustosità [gustosi'ta] f. saveur. || FIG. piquant m.
gustoso [gus'toso] agg. [saporito] savoureux. | *una pietanza gustosa,* un mets délicieux. || FIG. piquant. || [divertente] amusant.

h

h ['akka] f. e m. h m. | *h aspirata,* h aspiré. || FIS. *bomba H,* bombe H, à hydrogène. || TEL. *h come hôtel,* h comme Henri.
habitat ['abitat] m. habitat.
handicappato [andikap'pato] agg. e n. handicapé.
hascisc [aʃ'ʃiʃ] m. ha(s)chisch.
henna ['ɛnna] f. BOT. henné m.
herpes ['erpes] o **erpete** ['ɛrpete] m. herpès.
hevea [e'vɛa] f. hévéa m.
hinterland ['hintərlant] m. (ted.) hinterland, arrière-pays.
hoplà [ɔp'la] interiez. hop !
humus ['umus] m. humus.
hurrà [ur'ra] interiez. hourra !

i

1. i [i] m. e f. i m. || FIG. *mettere i puntini sugli i,* mettre les points sur les i.
2. i art. det. m. pl. V. IL.
iarda ['jarda] f. yard m.
iato ['jato] m. PR. e FIG. hiatus.
iattanza [jat'tantsa] f. jactance.
ibernare [iber'nare] v. intr. hiberner.
ibis ['ibis] m. ibis.
ibridare [ibri'dare] v. tr. hybrider.
ibrido ['ibrido] agg. e m. PR. e FIG. hybride.
icona [i'kɔna] f. REL. icône.
iconoclasta [ikono'klasta] n. e agg. iconoclaste.
iconografia [ikonogra'fia] f. iconographie. || [insieme d'immagini di stessa ispirazione] imagerie.
idea [i'dɛa] f. idée. | *destare in qlcu. l'idea di,* donner à qn l'idée de. | *ho una mezza idea di,* j'ai presque envie de. | *è solo una tua idea,* tu te fais des idées, ce sont des idées que tu te fais. | *non dà l'idea di,* il ne donne pas l'impression de. | *neanche per idea,* jamais de la vie, absolument pas. || [piccola quantità] idée, soupçon m. | *mettine appena un'idea,* mets-en juste un soupçon.
ideale [ide'ale] agg. e m. idéal.
idealista [idea'lista] n. idéaliste.
idealizzare [idealid'dzare] v. tr. idéaliser.
ideare [ide'are] v. tr. concevoir, imaginer, inventer, projeter. | *ideare un piano,* concevoir, échafauder un plan.
identificare [identifi'kare] v. tr. identifier. ◆ v. rifl. s'identifier (à, avec).
identità [identi'ta] f. identité.
ideologia [ideolo'dʒia] f. idéologie.
idi ['idi] m. e f. pl. STOR. ides f. pl.

idilliaco [idil'liako] o **idillico** [i'dilliko] agg. idyllique.
idillio [i'dilljo] m. LETT. idylle f.
idioma [i'djɔma] m. idiome.
idiota [i'djɔta] agg. e n. idiot.
idiozia [idjot'tsia] f. idiotie, bêtise.
idolatra [ido'latra] agg. e m. PR. e FIG. idolâtre.
idolatrare [idola'trare] v. tr. idolâtrer.
idolatria [idola'tria] f. idolâtrie.
idolo ['idolo] m. PR. e FIG. idole f.
idoneità [idonei'ta] f. aptitude, capacité. || UNIV. *esami di idoneità,* examens d'aptitude professionnelle.
idoneo [i'dɔneo] agg. apte. || [conveniente] propre (à), approprié, adéquat. | *mi sembra il mezzo più idoneo,* cela me paraît le moyen le plus indiqué. || UNIV. admissible.
idra ['idra] f. MIT., ZOOL. hydre.
idrante [i'drante] m. prise (f.), bouche (f.) d'eau. || [antincendio] lance (f.) à incendie. || [autobotte] camion d'arrosage.
idratare [idra'tare] v. tr. hydrater.
idraulico [i'drauliko] agg. hydraulique. ◆ m. plombier.
idrofilo [i'drɔfilo] agg. hydrophile. ◆ m. ZOOL. hydrophile.
idrofobia [idrofo'bia] f. MED. hydrophobie.
idrofobo [i'drɔfobo] agg. hydrophobe. || [rabbioso] enragé.
idrogeno [i'drɔdʒeno] m. hydrogène.
idrografia [idrogra'fia] f. hydrographie.
idromele [idro'mɛle] m. hydromel.
idroscalo [idros'kalo] m. AV. hydrobase f.
idrosfera [idros'fɛra] f. hydrosphère.
idroterapia [idrotera'pia] f. hydrothérapie.
idrovia [idro'via] f. voie d'eau.
idrovolante [idrovo'lante] m. AV. hydravion.
iena ['jɛna] f. ZOOL. hyène.
ieri ['jɛri] avv. hier. | *ieri l'altro, l'altro ieri, avant'ieri,* avant-hier.
iettatura [jetta'tura] f. [malocchio] (mauvais) sort m., mauvais œil m. || PER EST. malchance, guigne (fam.).
igiene [i'dʒɛne] f. hygiène.
igienico [i'dʒɛniko] agg. [conforme all'igiene] hygiénique, salubre, sain. | *impianti igienici,* installations sanitaires.
iglò [i'glɔ], **igloo** [i'glu] o **iglù** [i'glu] m. inv. igloo m.
ignaro [iɲ'ɲaro] agg. ignorant, ignare.
ignavia [iɲ'ɲavja] f. LETT. indolence, nonchalance, apathie.
ignifugo [iɲ'ɲifugo] agg. e m. CHIM. ignifuge.
ignobile [iɲ'ɲɔbile] agg. ignoble. || LETT. [di bassa condizione sociale] roturier (L.C.).
ignominia [iɲɲo'minja] f. ignominie. || FIG. [opera concepita o eseguita senza alcun gusto] horreur.
ignorante [iɲɲo'rante] n. e agg. [privo di istruzione] ignorant, ignare. || [non informato] ignorant. || [scortese] mufle, rustre. | *sarebbe da ignorante ...,* il serait impoli de ...
ignoranza [iɲɲo'rantsa] f. ignorance.
ignorare [iɲɲo'rare] v. tr. ignorer.
ignoto [iɲ'ɲɔto] agg. e m. inconnu. | *un viaggio verso l'ignoto,* un voyage vers l'inconnu.
ignudo [iɲ'ɲudo] agg. e m. LETT. nu (L.C.).
ih! interiez. [di sorpresa] oh! || [di ribrezzo] pouah!
il [il] art. det. m. sing. (davanti a consonanti che non siano affiancate a «s») le, l' [davanti a vocali e h muta]. | *il pane,* le pain. | *il denaro,* l'argent. ◆ **i** m. pl. les. || [con idea di possesso] mon, ton, son, ecc. | *è uscito con i genitori,* il est sorti avec ses parents. || [omissione dell'art. davanti a poss.] *i miei gatti,* mes chats. || [davanti a cognomi] *il Leopardi e il Foscolo erano poeti dell'800,* Leopardi et Foscolo étaient des poètes du XIXe siècle.
ilare ['ilare] agg. hilare, réjoui.
ilarità [ilari'ta] f. hilarité. | *suscitare l'ilarità,* déclencher l'hilarité.
iliaco [i'liako] agg. iliaque.
illanguidire [illangwi'dire] v. tr. alanguir. ◆ v. intr. languir, s'alanguir.
illazione [illat'tsjone] f. inférence, déduction, supposition.
illecito [il'letʃito] agg. illicite.
illegalità [illegali'ta] f. illégalité.
illeggibile [illed'dʒibile] agg. illisible.
illegittimità [illedʒittimi'ta] f. illégitimité.
illeso [il'lezo] agg. indemne, sain et sauf. || [intatto] intact.
illibatezza [illiba'tettsa] f. virginité, intégrité. || [purezza] pureté.
illibato [illi'bato] agg. vierge. || [puro] pur, irréprochable.
illimitato [illimi'tato] agg. illimité.
illividire [illivi'dire] v. intr. blêmir, devenir livide, verdir. ◆ v. tr. rendre livide, bleuir.
illogico [il'lɔdʒiko] agg. illogique.
illudere [il'ludere] v. tr. leurrer. | *tu la illudi,* tu lui donnes des illusions. ◆ v. rifl. se faire des illusions, se leurrer. | *non illuderti di,* ne crois pas ...
illuminare [illumi'nare] v. tr. éclairer. || [con intensità] illuminer. | *un sorriso gli illuminò il volto,* un sourire illumina son visage. || [informare] éclairer,

renseigner. ◆ v. rifl. s'éclairer, s'illuminer.
illuminazione [illuminat'tsjone] f. éclairage m. || [con intensità] illumination. || FIG. illumination.
illuminismo [illumi'nizmo] m. FILOS. philosophie (f.) des lumières. || [periodo storico] siècle des lumières.
illusione [illu'zjone] f. illusion.
illusionismo [illuzjo'nizmo] m. illusionnisme.
illuso [il'luzo] agg. e part. pass. V. ILLUDERE. ◆ m. rêveur, utopiste.
illustrare [illus'trare] v. tr. illustrer.
illustrativo [illustra'tivo] agg. explicatif. | *note illustrative,* notices explicatives.
illustrazione [illustrat'tsjone] f. illustration. || [spiegazione] illustration, explication.
illustre [il'lustre] agg. illustre.
ilota [i'lɔta] m. e f. STOR. e FIG. ilote.
imbacuccare [imbakuk'kare] v. tr. emmitoufler, affubler. ◆ v. rifl. s'emmitoufler, s'affubler.
imbaldanzire [imbaldan'tsire] v. tr. enhardir. ◆ v. rifl. s'enhardir.
imballaggio [imbal'laddʒo] m. emballage. || [spese d'imballaggio] frais d'emballage.
1. imballare [imbal'lare] v. tr. emballer.
2. imballare v. tr. AUT. emballer. | *imballare un motore,* emballer un moteur. ◆ v. rifl. s'emballer.
imballo [im'ballo] m. emballage. || [tessuto] toile (f.) d'emballage.
imbalsamare [imbalsa'mare] v. tr. embaumer. || [animali] naturaliser, empailler.
imbambolato [imbambo'lato] agg. ébahi, ahuri.
imbandierare [imbandje'rare] v. tr. pavoiser.
imbandire [imban'dire] v. tr. préparer un repas. | *imbandire la tavola,* mettre le couvert.
imbarazzare [imbarat'tsare] v. tr. embarrasser, gêner, encombrer. || [mettere a disagio] gêner, mettre dans l'embarras. | *la sua presenza mi imbarazza,* sa présence me gêne.
imbarazzo [imba'rattso] m. embarras, gêne f. | *levare qlcu. d'imbarazzo,* tirer qn d'embarras.
imbarcadero [imbarka'dɛro] m. MAR. débarcadère, embarcadère.
imbarcare [imbar'kare] v. tr. embarquer. ◆ v. rifl. s'embarquer, embarquer. || FIG. s'embarquer, s'engager. || TECN. gauchir v. intr. | *il legno si è imbarcato,* le bois a joué, travaillé.
imbarcazione [imbarkat'tsjone] f. embarcation, bateau m.
imbarco [im'barko] m. embarquement.
imbastardire [imbastar'dire] v. tr. PR. e FIG. abâtardir. ◆ v. rifl. PR. e FIG. s'abâtardir, dégénérer.
imbastire [imbas'tire] v. tr. faufiler, bâtir. || FIG. ébaucher, échafauder. | *imbastire un discorso,* échafauder, ébaucher un discours.
imbastitura [imbasti'tura] f. faufil m., faufilage m., bâti m. || [filo dell'imbastitura] faufil. || FIG. ébauche.
imbattersi [im'battersi] v. rifl. (in) rencontrer v. tr. | *imbattersi in qlcu.,* se trouver face à face avec qn. || FIG. se heurter (à). | *imbattersi in qualche difficoltà,* se heurter à des difficultés.
imbattibile [imbat'tibile] agg. imbattable.
imbavagliare [imbavaʎ'ʎare] v. tr. PR. e FIG. bâillonner, museler.
imbeccare [imbek'kare] v. tr. donner la becquée (à). || FIG. faire la leçon (à), endoctriner.
imbecille [imbe'tʃille] agg. imbécile.
imbelle [im'bɛlle] agg. [inetto alla guerra] non belliqueux. || PER EST. pusillanime, timoré.
imbellettare [imbellet'tare] v. tr. PR. e FIG. farder, maquiller. ◆ v. rifl. se farder, se maquiller.
imbestialire [imbestja'lire] v. intr. e rifl. [abbrutirsi] s'abêtir. || [adirarsi] enrager, s'emporter.
imbevere [im'bevere] v. tr. imbiber, imprégner. ◆ v. rifl. PR. e FIG. s'imbiber, s'imprégner.
imbevuto [imbe'vuto] agg. imbibé, imprégné. || FIG. imbu.
imbiancare [imbjan'kare] v. tr. blanchir. || [i muri] blanchir, peindre. ◆ v. intr. e rifl. blanchir.
imbianchino [imbjan'kino] m. peintre (en bâtiment).
imbianchire [imbjan'kire] v. tr. e intr. blanchir.
imbiondire [imbjon'dire] v. tr. rendre blond, faire blondir. ◆ v. intr. blondir, devenir blond.
imboccare [imbok'kare] v. tr. nourrir, donner à manger à la petite cuillère. || FIG. faire la leçon (à), seriner. || MUS. emboucher. || [entrare] s'engager (dans), enfiler. | *imboccare la via giusta,* s'engager dans le bon chemin.
imboccatura [imbokka'tura] f. embouchure. || [entrata] entrée. || MAR. embouquement m. ; [stretta] goulet m.
imbonire [imbo'nire] v. tr. raconter des boniments.
imborghesire [imborge'zire] v. tr. embourgeoiser. ◆ v. intr. e rifl. s'embourgeoiser.
imboscare [imbos'kare] v. tr. embusquer. || PER EST. cacher, receler. ◆ v. rifl. s'embusquer.
imboscata [imbos'kata] f. embuscade.

imbottigliare [imbottiʎ'ʎare] v. tr. embouteiller, mettre en bouteilles. || FIG. embouteiller. ◆ v. rifl. être pris dans un embouteillage.

imbottire [imbot'tire] v. tr. rembourrer, bourrer. || [trapuntando] capitonner, matelasser. || [riempire] fourrer. | *un panino imbottito,* un sandwich. || FIG. bourrer, farcir. | *imbottire il cervello,* bourrer le crâne. ◆ v. rifl. se bourrer, se gaver.

imbracciare [imbrat'tʃare] v. tr. passer à son bras. | *imbracciare il fucile,* épauler son fusil.

imbrattacarte [imbratta'karte] n. inv. PEGG. écrivassier, ère, écrivailleur, euse, écrivaillon m.

imbrattare [imbrat'tare] v. tr. barbouiller, salir. | *imbrattare di colori,* peinturer (fam.). | *imbrattare di fango,* crotter ; salir de boue. ◆ v. rifl. se barbouiller, se salir.

imbrigliare [imbriʎ'ʎare] v. tr. PR. e FIG. réfréner, brider, tenir en bride. || [consolidare un terreno] clayonner ; [consolidare un torrente] endiguer. || CULIN., MAR. brider.

imbroccare [imbrok'kare] v. tr. atteindre, toucher ; faire mouche. || PER EST. tomber (sur), deviner (juste). | *l'hai imbroccata,* tu as deviné juste, tu y es.

imbrogliare [imbroʎ'ʎare] v. tr. [mettere in disordine] embrouiller, emmêler. | *imbrogliare una matassa,* emmêler un écheveau. || [ingannare] tromper, duper. | *ci ha imbrogliati,* il nous a dupés. || MAR. carguer. ◆ v. rifl. s'embrouiller, s'emmêler. || FIG. s'embrouiller, s'empêtrer. | *imbrogliarsi nelle date,* s'embrouiller, s'empêtrer dans les dates.

imbroglio [im'brɔʎʎo] m. [faccenda o situazione equivoca] imbroglio, bourbier. | *cacciarsi in un imbroglio,* se mettre dans de beaux draps. || [inganno] duperie f., escroquerie f. | *sono caduto in un imbroglio,* j'ai été victime d'une escroquerie. || [groviglio] embrouillement, enchevêtrement. || MAR. cargue f.

imbroglione [imbroʎ'ʎone] m. filou, escroc.

imbronciare [imbron'tʃare] v. intr. e rifl. bouder, faire la moue, se renfrogner. || [del cielo] se couvrir de nuages.

1. imbrunire [imbru'nire] v. intr. s'obscurcir, (se) noircir, se rembrunir. ◆ v. impers. [farsi sera] faire nuit.

2. imbrunire m. crépuscule ; tombée (f.) de la nuit, du jour.

imbruttire [imbrut'tire] v. tr. enlaidir. ◆ v. intr. e rifl. (s')enlaidir.

imbucare [imbu'kare] v. tr. mettre à la poste, poster. || [nascondere] fourrer, cacher. ◆ v. rifl. se fourrer, se nicher.

imbullettare [imbullet'tare] v. tr. garnir avec des broquettes, clouter.

imburrare [imbur'rare] v. tr. beurrer.

imbuto [im'buto] m. entonnoir.

imene [i'mɛne] m. POET. = IMENEO.

imeneo [ime'nɛo] m. hyménée. || FIG. (spec. pl.) hyménée, hymen.

imitare [imi'tare] v. tr. imiter.

imitazione [imitat'tsjone] f. imitation.

immacolato [immako'lato] agg. immaculé.

immagazzinare [immagaddzi'nare] v. tr. emmagasiner, entreposer.

immaginare [immadʒi'nare] v. tr. [figurarsi nella mente] (s')imaginer, se figurer, se représenter. | *me l'ero immaginato,* je m'y attendais. || [supporre] imaginer, penser. | *immagino che sarà qui a momenti,* je pense qu'il sera là d'un moment à l'autre. || LOC. *s'immagini!* [non c'è di che], il n'y a pas de quoi ! ; [tutt'altro] mais pas du tout, pensez-vous ! ; [certamente] mais bien sûr !

immaginazione [immadʒinat'tsjone] f. imagination, fantaisie.

immagine [im'madʒine] f. [in tutti i significati] image.

immalinconire [immalinko'nire] v. tr. attrister, rendre mélancolique. ◆ v. intr. e rifl. devenir mélancolique, s'attrister.

immancabile [imman'kabile] agg. immanquable ; inévitable.

immancabilmente [immankabil'mente] avv. [sicuramente] sans faute, à coup sûr. || [sempre] inévitablement.

immane [im'mane] agg. LETT. [enorme] énorme (L.C.), monstrueux (L.C.). || [spaventoso] épouvantable.

immanenza [imma'nɛntsa] f. immanence.

immateriale [immate'rjale] agg. immatériel. || GIUR. *beni immateriali,* biens incorporels.

immatricolare [immatriko'lare] v. tr. immatriculer. ◆ v. rifl. se faire immatriculer, s'inscrire.

immatricolazione [immatrikolat'tsjone] f. immatriculation.

immaturità [immaturi'ta] f. inv. PR. e FIG. immaturité.

immaturo [imma'turo] agg. [non maturo] (qui n'est) pas mûr. || [acerbo] vert. || FIG. *discorsi immaturi,* propos puérils, enfantins.

immedesimare [immedezi'mare] v. tr. identifier. ◆ v. rifl. s'identifier.

immediatamente [immedjata'mente] avv. immédiatement, surle-champ.

immediatezza [immedja'tettsa] f. instantanéité.
immemore [im'mɛmore] agg. oublieux (lett.). | *essere immemore di,* oublier v. tr.
immensità [immensi'ta] f. PR. e FIG. immensité. || [grande quantità] infinité.
immergere [im'mɛrdʒere] v. tr. [in un liquido] immerger, plonger. || [in un corpo] enfoncer, plonger. ◆ v. rifl. se plonger, s'enfoncer, s'immerger.
immeritatamente [immeritata'mente] avv. [senza motivo] injustement.
immeritato [immeri'tato] agg. immérité.
immersione [immer'sjone] f. immersion. || [di sottomarino] plongée.
immettere [im'mettere] v. tr. introduire. ◆ v. rifl. s'introduire.
immigrare [immi'grare] v. intr. immigrer.
immigrazione [immigrat'tsjone] f. immigration.
imminenza [immi'nɛntsa] f. imminence.
immischiare [immis'kjare] v. tr. mêler. ◆ v. rifl. se mêler (de), s'immiscer (dans).
immissario [immis'sarjo] m. GEORG. affluent.
immissione [immis'sjone] f. introduction. | *immissione di nuovi prodotti sul mercato,* introduction de nouveaux produits sur le marché. || GIUR. mise en possession.
immobile [im'mɔbile] agg. immobile. || GIUR. immeuble. | *beni immobili,* biens immeubles, immobiliers. ◆ m. ECON., GIUR. immeuble, bien-fonds.
immobiliare [immobi'ljare] agg. ECON., GIUR. immobilier.
immobilizzare [immobilid'dzare] v. tr. immobiliser. ◆ v. rifl. s'immobiliser.
immoderato [immode'rato] agg. immodéré.
immodesto [immo'dɛsto] agg. immodeste. | *atteggiamento immodesto,* attitude indécente.
immollare [immol'lare] v. tr. mouiller, tremper. ◆ v. rifl. se mouiller.
immondezzaio [immondet'tsajo] m. PR. e FIG. dépotoir. || [pattumiera] poubelle f., boîte (f.) à ordures.
immondizia [immon'dittsja] f. saleté. || [spazzatura] ordures pl., immondices pl. | *il bidone dell'immondizia,* la poubelle.
immondo [im'mondo] agg. PR. e FIG. immonde.
immorale [immo'rale] agg. immoral.
immoralità [immorali'ta] f. immoralité.
immortalare [immorta'lare] v. tr. immortaliser. ◆ v. rifl. s'immortaliser.
immortale [immor'tale] agg. immortel.
immoto [im'mɔto] agg. immobile.
immune [im'mune] agg. exempt. | *immune da pregiudizi,* exempt de préjugés. || MED. immunisé.
immunità [immuni'ta] f. immunité. || [esenzione] exemption.
immunizzare [immunid'dzare] v. tr. immuniser.
immusonirsi [immuzo'nirsi] v. rifl. FAM. se renfrogner (L.C.).
immutabile [immu'tabile] agg. immuable, inchangeable.
immutato [immu'tato] agg. inchangé, inaltéré.
impacchettare [impakket'tare] v. tr. empaqueter. || FIG., FAM. embarquer, coffrer.
impacciare [impat'tʃare] v. tr. gêner, embarrasser. ◆ v. rifl. [intromettersi] se mêler (de).
impacciato [impat'tʃato] agg. [impedito] gêné, empêtré. || [goffo] gauche, emprunté.
impaccio [im'pattʃo] m. embarras, gêne f. | *cavare qlcu. d'impaccio,* tirer qn d'affaire.
impacco [im'pakko] m. MED. compresse f., enveloppement.
impadronirsi [impadro'nirsi] v. rifl. PR. e FIG. s'emparer de. || FIG. [conoscere] acquérir la maîtrise (de), posséder v. tr.
impagabile [impa'gabile] agg. [di cosa] inestimable, sans prix. || [di persona] irremplaçable. || SCHERZ. impayable (fam.).
impaginare [impadʒi'nare] v. tr. TIP. mettre en pages.
impagliare [impaʎ'ʎare] v. tr. [in tutti i significati] empailler.
impalato [impa'lato] agg. raide comme un piquet.
impalcatura [impalka'tura] f. échafaudage m. || FIG. charpente, structure. || [di albero] ramification.
impallidire [impalli'dire] v. intr. PR. e FIG. pâlir, blêmir. | *impallidire per la paura,* blêmir de peur. || PER EST. s'estomper.
impallinare [impalli'nare] v. tr. cribler de plombs, de balles.
impaludare [impalu'dare] v. tr. transformer en marais. ◆ v. rifl. devenir marécageux.
impanare [impa'nare] v. tr. paner.
impantanare [impanta'nare] v. tr. envaser. ◆ v. rifl. s'envaser. || [cacciarsi in un pantano] s'enliser, s'embourber (anche fig.).

impappinarsi [impappi'narsi] v. rifl. s'embarbouiller, s'embrouiller, s'emberlificoter (fam.).
imparare [impa'rare] v. tr. apprendre.
impareggiabile [impared'dʒabile] agg. incomparable, inégalable, sans pareil, hors pair.
imparentare [imparen'tare] v. tr. apparenter (à). ◆ v. rifl. s'apparenter (à), s'allier (avec).
impari ['impari] agg. inv. [disuguale] inégal agg. ‖ [dispari] impair agg.
impartire [impar'tire] v. tr. donner. ‖ REL. administrer.
imparziale [impar'tsjale] agg. impartial, équitable.
impastare [impas'tare] v. tr. pétrir, malaxer, mélanger.
impastato [impas'tato] agg. PR. e FIG. pétri. ‖ [pastoso] pâteux.
impasto [im'pasto] m. PR. e FIG. mélange. ‖ ARTI empâtement.
impastoiare [impasto'jare] v. tr. PR. e FIG. entraver.
impatto [im'patto] m. impact.
impaurire [impau'rire] v. tr. effrayer, épouvanter. ◆ v. rifl. s'effrayer.
impaziente [impat'tsjɛnte] agg. impatient.
impazienza [impat'tsjɛntsa] f. impatience.
impazzare [impat'tsare] v. intr. battre son plein. ‖ CULIN. tourner.
impazzata [impat'tsata] f. *correre all'impazzata,* courir comme un fou.
impazzire [impat'tsire] v. intr. devenir fou. | *c'è da impazzire,* il y a de quoi devenir fou. ‖ [delle bussola] s'affoler. ‖ CULIN. tourner.
impedimento [impedi'mento] m. PR. e FIG. empêchement, obstacle, entrave f. ◆ pl. PR. e FIG. impedimenta.
impedire [impe'dire] v. tr. empêcher. ‖ [ostruire] barrer, boucher. | *impedire il passaggio,* barrer, boucher le passage. ‖ [impacciare] gêner.
impedito [impe'dito] agg. empêché, encombré, embarrassé, gêné. ‖ [impegnato] occupé. | *sono stato impedito,* j'ai eu un empêchement. ‖ [ostruito] barré, bouché. ‖ [immobilizzato] perclus.
impegnare [impeɲ'ɲare] v. tr. [dare in pegno] engager, mettre en gage. | *impegnare i gioielli,* engager ses bijoux. ‖ [obbligare] engager, obliger. | *impegnare la propria parola,* engager sa parole. ‖ SP. *impegnare l'avversario,* obliger l'adversaire à s'engager (à fond). ‖ [prenotare] retenir. ‖ [occupare] occuper, absorber. | *è un lavoro che impegna molto,* c'est un travail qui absorbe beaucoup. ‖ [iniziare] engager. ◆ v. rifl. s'engager. ‖ [applicarsi] s'appliquer.
impegno [im'peɲɲo] m. engagement. | *assumere un impegno,* prendre un engagement. ‖ [cura] zèle, application f., ardeur f. | *lavorare d'impegno,* travailler avec zèle, d'arrache-pied.
impegolare [impego'lare] v. tr. poisser. ◆ v. rifl. FIG. s'enfoncer, se fourrer.
impelagarsi [impela'garsi] v. rifl. s'enfoncer, s'engager, se fourrer.
impellente [impel'lɛnte] agg. impérieux, pressant.
impenitente [impeni'tɛnte] agg. impénitent ; endurci. | *scapolo impenitente,* célibataire endurci.
impennacchiare [impennak'kjare] v. tr. panacher, empanacher.
impennarsi [impen'narsi] v. rifl. [di cavalli] se cabrer. ‖ FIG. s'emporter, s'emballer. ‖ AV., MAR. se cabrer.
impensato [impen'sato] agg. inopiné, imprévu, inattendu.
impensierire [impensje'rire] v. tr. préoccuper. ◆ v. rifl. se préoccuper, se soucier, s'inquiéter.
imperare [impe'rare] v. intr. dominer, régner. | *imperare sui mari,* régner sur les mers.
imperativo [impera'tivo] agg. e m. impératif.
imperatore [impera'tore] m. empereur.
imperatrice [impera'tritʃe] f. impératrice.
impercettibile [impertʃet'tibile] agg. imperceptible, insaisissable.
imperfetto [imper'fɛtto] agg. imparfait. ◆ m. GR. imparfait.
imperioso [impe'rjoso] agg. impérieux.
imperituro [imperi'turo] agg. LETT. impérissable (L.C.), immortel (L.C.).
imperizia [impe'rittsja] f. impéritie. ‖ LETT. inexpérience (L.C.).
imperlare [imper'lare] v. tr. orner de perles. ‖ FIG. perler à, sur ; emperler (lett.).
impermalire [imperma'lire] v. tr. se fâcher, agacer. ◆ v. rifl. se fâcher, prendre la mouche.
impermeabile [imperme'abile] agg. e m. imperméable.
imperniare [imper'njare] v. tr. fixer, monter sur un pivot. ‖ FIG. axer, centrer. ◆ v. rifl. pivoter. ‖ FIG. tourner, rouler.
impero [im'pɛro] m. empire. | *il Sacro Romano Impero,* le Saint Empire romain. ‖ [padronanza] empire, maîtrise f. ‖ ARTI Empire.
impersonare [imperso'nare] v. tr. personnifier. ‖ [rappresentare concretamente] incarner. ◆ v. rifl. s'incarner. ‖ [immedesimarsi] se mettre dans la peau de qn.

imperterrito [imper'tɛrrito] agg. imperturbable, impassible.
impertinenza [imperti'nɛntsa] f. impertinence.
imperturbabilità [imperturbabili'ta] f. imperturbabilité.
imperversare [imperver'sare] v. intr. [di elementi naturali] se déchaîner, faire rage. || [di persona] sévir. || SCHERZ. faire fureur.
impervio [im'pɛrvjo] agg. inaccessible, impraticable.
impeto ['impeto] m. impétuosité f., élan, violence f. | *gettarsi con impeto contro qlcu.*, se ruer sur qn. || FIG. élan, accès. | *un impeto di gioia*, un mouvement de joie.
impettito [impet'tito] agg. rengorgé, plastronnant.
impetuosità [impetuosi'ta] f. impétuosité.
impiallacciare [impjallat'tʃare] v. tr. plaquer.
impiantare [impjan'tare] v. tr. installer, établir. || COMM., IND. implanter. ◆ v. rifl. s'établir, s'installer, s'implanter.
impianto [im'pjanto] m. installation f. | *impianto elettrico*, installation électrique. || COMM. installation, implantation f.
impiastrare [impjas'trare] v. tr. enduire (de). || FIG. barbouiller. ◆ v. rifl. se barbouiller.
impiastro [im'pjastro] m. MED. emplâtre. || FIG. raseur, plaie f.
impiccagione [impikka'dʒone] f. pendaison.
impiccare [impik'kare] v. tr. pendre. ◆ v. rifl. se pendre.
impicciare [impit'tʃare] v. tr. gêner. ◆ v. rifl. se mêler (de). | *si impiccia sempre dei fatti altrui*, il se mêle toujours des affaires d'autrui.
impiccio [im'pittʃo] m. [fastidio] gêne f. | *essere d'impiccio a qlcu.*, être une gêne pour qn. || [guaio] pétrin (fam.), embarras.
impiccolire [impikko'lire] v. tr. rapetisser. ◆ v. intr. e rifl. (se) rapetisser.
impiegare [impje'gare] v. tr. employer, utiliser. || [occorrere] falloir, mettre. | *impiegherò due ore*, il me faudra deux heures. || COMM. placer, engager, investir. || [assumere] employer. ◆ v. rifl. trouver un emploi, une situation. || [applicarsi] s'employer (à).
impiegato [impje'gato] (**-a** f.) n. employé, e.
impiego [im'pjɛgo] (**-ghi** pl.) m. emploi, utilisation f. || [occupazione] emploi.
impietosire [impjeto'sire] v. tr. apitoyer, fléchir. ◆ v. rifl. s'apitoyer.
impigliare [impiʎ'ʎare] v. tr. empêtrer, accrocher. ◆ v. rifl. s'accrocher. || FIG. s'empêtrer.
impigrire [impi'grire] v. tr. rendre paresseux. ◆ v. rifl. devenir paresseux.
impinzare [impin'tsare] v. tr. AGR. empâter, gaver. ◆ v. rifl. se gaver.
implacabile [impla'kabile] agg. implacable, inexorable.
implicare [impli'kare] v. tr. impliquer.
implicito [im'plitʃito] agg. implicite ; tacite.
implorare [implo'rare] v. tr. implorer.
impolverare [impolve'rare] v. tr. empoussiérer. ◆ v. rifl. se couvrir de poussière.
impomatare [impoma'tare] v. tr. pommader. ◆ v. rifl. se pommader.
imponente [impo'nɛnte] agg. imposant.
imponenza [impo'nɛntsa] f. grandiose m. || [comportamente] majesté.
imponibile [impo'nibile] agg. FIN. imposable. ◆ m. FIN. matière (f.) imposable, assiette (f.) de l'impôt.
impopolarità [impopolari'ta] f. impopularité.
imporporare [imporpo'rare] v. tr. empourprer. ◆ v. rifl. s'empourprer.
imporre [im'porre] v. tr. imposer. ◆ v. rifl. s'imposer.
importante [impor'tante] agg. e m. important.
importanza [impor'tantsa] f. importance. | *che importanza ha ?*, qu'est-ce que ça peut faire ?
importare [impor'tare] v. tr. COMM. importer. || [comportare] comporter, impliquer. ◆ v. intr. importer. ◆ v. impers. [occorrere] être nécessaire, falloir, importer. | *importa sapere che ...*, il est important de savoir que ... || [interessare] importer. | *per me non importa*, cela m'est indifférent. | *che vuoi che me ne importi ?*, que veux-tu que ça me fasse ?
importazione [importat'tsjone] f. importation.
importo [im'pɔrto] m. montant. | *per l'importo di*, pour la somme de.
importunare [importu'nare] v. tr. importuner, déranger.
importuno [impor'tuno] agg. importun. ◆ m. importun, gêneur.
imposizione [impozit'tsjone] f. imposition. || [comando] ordre m. || FIN., TIP. imposition.
impossessarsi [imposses'sarsi] v. rifl. s'emparer, se rendre maître (de).
impossibile [impos'sibile] agg. e m. impossible. | *una persona impossibile*, une personne invivable. | *mi pare impossibile che*, je n'arrive pas à croire que.

impossibilità [impossibili'ta] f. impossibilité.

1. imposta [im'pɔsta] f. FIN. impôt m. | *modulo delle imposte,* feuille (de déclaration) d'impôts.

2. imposta f. volet m., contrevent m. || ARCHIT. imposte.

1. impostare [impos'tare] v. tr. poster ; mettre, jeter à la boîte.

2. impostare v. tr. [determinare i punti essenziali] établir, tracer (le plan de). | *impostare un problema,* poser un problème. || [iniziare] mettre en train, mettre en route. || COSTR. poser, asseoir. || MAR. mettre en chantier.

impostatura [imposta'tura] f. COSTR. assise, assiette. | *impostatura di un muro,* assise d'un mur. || MAR. mise en chantier. || MUS. pose.

impostore [impos'tore] m. imposteur.

impostura [impos'tura] f. imposture.

impotente [impo'tɛnte] agg. impuissant. ◆ agg. e m. MED. impuissant.

impoverire [impove'rire] v. tr. appauvrir. ◆ v. intr. e rifl. s'appauvrir.

impraticabilità [impratikabili'ta] f. impraticabilité.

impratichire [imprati'kire] v. tr. exercer, former, entraîner. ◆ v. rifl. s'exercer, se former (à).

imprecare [impre'kare] v. intr. maugréer, jurer, pester.

imprecazione [imprekat'tsjone] f. imprécation, juron m.

imprecisabile [impretʃi'zabile] agg. indéterminable.

imprecisato [impretʃi'zato] agg. non spécifié, non précisé.

imprecisione [impretʃi'zjone] f. imprécision, indétermination.

impregnare [impreɲ'ɲare] v. tr. imprégner, imbiber. || [fecondare] féconder. ◆ v. rifl. PR. e FIG. s'imprégner.

imprendibile [impren'dibile] agg. imprenable.

imprenditore [imprendi'tore] m. entrepreneur.

impreparato [imprepa'rato] agg. non préparé.

impresa [im'presa] f. entreprise. | *è stata una bell'impresa !,* ce fut un vrai tour de force ! || ECON. entreprise. | *impresa edile,* entreprise de construction.

imprescindibile [impreʃʃin'dibile] agg. dont il faut tenir compte, qu'on ne saurait négliger.

impressionare [impressjo'nare] v. tr. impressionner, affecter. ◆ v. rifl. s'impressionner.

impressione [impres'sjone] f. [l'imprimere, impronta] impression. || FIG. impression. | *mi ha fatto molta impressione,* cela m'a fait beaucoup d'impression.

impressionismo [impressjo'nizmo] m. impressionnisme.

imprevedibile [impreve'dibile] agg. imprévisible.

imprevidenza [imprevi'dɛntsa] f. imprévoyance.

imprevisto [impre'visto] agg. imprévu. ◆ m. imprévu. | *in caso d'imprevisti,* en cas d'imprévu.

imprigionare [impridʒo'nare] v. tr. emprisonner, incarcérer, écrouer. || FIG. emprisonner, bloquer, coincer.

imprimere [im'primere] v. tr. [in tutti i significati] imprimer. || FIG. graver, empreindre.

improbo ['improbo] agg. [disonesto] malhonnête. || [faticoso] rude, pénible, ingrat.

improduttivo [improdut'tivo] agg. improductif.

impronta [im'pronta] f. empreinte. || FIG. empreinte, marque, cachet m. | *l'impronta del genio,* la marque du génie.

improntare [impron'tare] v. tr. caractériser, marquer, empreindre. ◆ v. rifl. être empreint (de).

improntato [impron'tato] agg. plein, empreint. | *improntato a,* basé, fondé sur.

improntitudine [impronti'tudine] f. importunité. || [sfacciataggine] effronterie.

improperio [impro'pɛrjo] (**-ri** pl.) m. injure f., insulte f.

improprio [im'prɔprjo] agg. impropre.

improrogabile [improro'gabile] agg. qui ne peut pas être prorogé.

improvvido [im'prɔvvido] agg. LETT. imprévoyant (L.C.).

improvvisamente [improvviza'mente] avv. soudainement, tout à coup ; à l'improviste.

improvvisare [improvvi'zare] v. tr. improviser. ◆ v. rifl. s'improviser.

improvvisata [improvvi'zata] f. surprise.

improvvisazione [improvvizat'tsjone] f. improvisation. || LETT., MUS. impromptu m.

improvviso [improv'vizo] agg. soudain, brusque. || [inaspettato] inattendu, imprévu.

imprudente [impru'dɛnte] agg. e n. imprudent.

impudente [impu'dɛnte] agg. e n. impudent, e.

impudico [impu'diko] (**-chi** pl.) agg. impudique, immodeste.

1. impugnare [impuɲ'ɲare] v. tr. empoigner.

2. impugnare v. tr. [combattere] contester, s'opposer (à). || GIUR. attaquer ; faire opposition à.

impugnatura [impuɲɲa'tura] f. [atto, modo di impugnare] prise. || poignée. | *impugnatura di sciabola,* poignée de sabre.

impugnazione [impuɲɲat'tsjone] f. contestation. || GIUR. [appello] appel m., recours m., opposition.

impulsivo [impul'sivo] agg. et n. impulsif.

impulso [im'pulso] m. ELETTR., FIS. impulsion f. || FIG. [stimolo] impulsion, élan.

impunità [impuni'ta] f. impunité.

impuntare [impun'tare] v. intr. buter (contre). || FIG. bégayer. ◆ v. rifl. s'arrêter, buter. || FIG. se buter, s'obstiner.

impunturare [impuntu'rare] v. tr. [cucire] piquer.

impurità [impuri'ta] f. impureté.

impuro [im'puro] agg. impur.

imputare [impu'tare] v. tr. [attribuire] imputer. || [accusare] accuser, inculper. | *imputare qlcu. di un delitto,* accuser qn d'un crime.

imputato [impu'tato] agg. e n. accusé, inculpé.

imputazione [imputat'tsjone] f. imputation, inculpation, charge, accusation.

imputridire [imputri'dire] v. intr. pourrir, se putréfier. || [di acqua] croupir. || FIG. croupir. ◆ v. tr. putréfier.

in [in] prep. 1. en. | *in classe,* en classe. | *cogliere in fallo,* prendre en faute. | *in pochi giorni,* en quelques jours. | *di bene in meglio,* de mieux en mieux. | *andare in frantumi,* voler en éclats. | *in presenza di,* en la présence de. | *nel dire ciò,* en disant cela. 2. dans. | *in questa stanza,* dans cette pièce. | *in giornata,* dans la journée. | *salire in treno,* monter dans le train. | *stare in ansia,* être dans l'anxiété. 3. à. | *in Giappone,* au Japon. | *andare in ufficio,* aller au bureau. | *in chiesa,* à l'église. | *in primavera,* au printemps. | *andare in bicicletta,* aller à bicyclette. | *stare in ginocchio,* être à genoux. | *lasciare in abbandono,* laisser à l'abandon. | *in nome di,* au nom de. 4. sur. | *con il cappello in testa,* le chapeau sur la tête. | *in tavola,* sur la table. | *in carta bollata,* sur papier timbré. 5. [ostacolo] contre. | *inciampare in un gradino,* buter contre une marche. 6. [non espresso] *abito in questa città,* j'habite cette ville. | *in questo mese,* ce mois-ci. | *essere in dieci,* être dix. || LOC. *in modo strano,* d'une étrange façon. | *camminare in fretta,* marcher vite. | *prendere in moglie,* prendre pour femme. | *dare in prestito,* prêter. | *essere in dubbio se,* se demander si. ◆ loc. avv. *in più, in meno,* de plus, de moins. | *in breve,* en quelques mots. | *da quando in qua?,* depuis quand ? ◆ loc. cong. *in quanto,* en tant que. ◆ loc. prep. *in confronto a,* par rapport à, à côté de. | *nei confronti di,* à l'égard de. | *in fondo a,* [verticale] au fond de ; [orizzontale] au bout de.

inabile [i'nabile] agg. inapte, incapable (de). || MIL. inapte. || [maldestro] malhabile, maladroit.

inabissare [inabis'sare] v. tr. engloutir, engouffrer. ◆ v. rifl. s'enfoncer, couler, s'abîmer, sombrer, s'engloutir.

inabitabile [inabi'tabile] agg. inhabitable.

inaccessibile [inattʃes'sibile] agg. PR. e FIG. inacessible.

inaccettabile [inattʃet'tabile] agg. inacceptable.

inacidire [inatʃi'dire] v. tr. aigrir, rendre aigre. ◆ v. intr. e rifl. (s')aigrir ; s'acidifier.

inadatto [ina'datto] agg. inadapté, impropre. || [incapace] inapte.

inadeguato [inade'gwato] agg. inadéquat, insuffisant.

inadempimento [inadempi'mento] m. non-exécution f. || GIUR. défaillance f.

inafferrabile [inaffer'rabile] agg. insaisissable.

inalare [ina'lare] v. tr. MED. inhaler.

inalberare [inalbe'rare] v. tr. FIG. arborer, hisser. ◆ v. rifl. [impennarsi] se cabrer. || [insuperbire] s'enorgueillir.

inalienabile [inalje'nabile] agg. inaliénable.

inalterabile [inalte'rabile] agg. PR. e FIG. inaltérable.

inalveare [inalve'are] v. tr. canaliser.

inamidare [inami'dare] v. tr. amidonner, empeser.

inammissibile [inammis'sibile] agg. inadmissible.

inamovibile [inamo'vibile] agg. inamovible.

inane [i'nane] agg. LETT. vain (L.C.), inutile (L.C.).

inanimato [inani'mato] agg. inanimé.

inanità [inani'ta] f. LETT. inanité, inutilité (L.C.).

inappagato [inappa'gato] agg. inassouvi, insatisfait.

inappellabile [inappel'labile] agg. GIUR. sans appel.

inappetenza [inappe'tɛntsa] f. inappétence.

inapplicabile [inappli'kabile] agg. inapplicable.

inapprezzabile [inappret'tsabile] agg. inappréciable, inestimable. || [trascurabile] imperceptible, insignifiant.

inappuntabile [inappun'tabile] agg. irréprochable, impeccable.
inappurato [inappu'rato] agg. non vérifié.
inarcamento [inarka'mento] m. [azione] cambrement, cambrage. || [effetto] cambrure f.
inarcare [inar'kare] v. tr. arquer, cambrer. ◆ v. rifl. s'arquer, se cambrer.
inaridire [inari'dire] v. tr. PR. e FIG. dessécher. || [esaurire] tarir. ◆ v. intr. e rifl. PR. e FIG. se dessécher. || [esaurirsi] (se) tarir.
inarrestabile [inarres'tabile] agg. incessant, qu'on ne peut arrêter.
inarrivabile [inarri'vabile] agg. inaccessible. || FIG. inégalable.
inaspettatamente [inaspettata'mente] avv. à l'improviste, inopinément.
inaspettato [inaspet'tato] agg. inattendu, inopiné.
inasprimento [inaspri'mento] m. aigrissement. || [di situazione] aggravation f. || [di tasse] augmentation f. || [di clima] refroidissement.
inasprire [inas'prire] v. tr. PR. e FIG. aigrir. || [esacerbare] exacerber. || [aggravare] aggraver. ◆ v. intr. e rifl. aigrir. || FIG. s'aigrir. || [di situazione] s'envenimer.
inattendibile [inatten'dibile] agg. sans fondement, qui n'est pas digne de foi.
inatteso [inat'teso] agg. inattendu, imprévu, insoupçonné.
inattitudine [inatti'tudine] f. inaptitude.
inattività [inattivi'ta] f. inactivité.
inattuabile [inattu'abile] agg. inexécutable, infaisable, irréalisable.
inaudito [inau'dito] agg. inouï.
inaugurare [inaugu'rare] v. tr. PR. e FIG. inaugurer.
inavveduto [inavve'duto] agg. imprudent, inconsidéré, maladroit, involontaire.
inavvertenza [inavver'tɛntsa] f. inadvertance.
inavvertitamente [inavverti-ta'mente] avv. par inadvertance, par mégarde.
inavvertito [inavver'tito] agg. inaperçu.
incagliare [inkaʎ'ʎare] v. intr. e rifl. MAR. s'ensabler, s'échouer. || FIG. s'enliser, tourner court, échouer. ◆ v. tr. MAR. ensabler, échouer. || [ostacolare] entraver, embarrasser.
incaglio [in'kaʎʎo] m. PR. e FIG. [l'incagliarsi] enlisement. || [intoppo] obstacle, écueil.
incallire [inkal'lire] v. tr. rendre calleux. ◆ v. intr. e rifl. devenir calleux. || FIG. s'endurcir.
incalzare [inkal'tsare] v. tr. harceler, talonner, serrer de près. ◆ v. intr. [urgere] presser. | *il pericolo incalza,* le danger menace. ◆ v. rifl. se succéder rapidement.
incamerare [inkame'rare] v. tr. confisquer.
incamminare [inkammi'nare] v. tr. acheminer. ◆ v. rifl. se mettre en route, s'acheminer.
incanalare [inkana'lare] v. tr. canaliser. || PER EST. canaliser, aiguiller. ◆ v. rifl. se rassembler. || PER EST. se diriger.
incancellabile [inkantʃel'labile] agg. ineffaçable.
incancrenire [inkankre'nire] v. intr. e rifl. se gangrener. || FIG. se pervertir, se corrompre.
incandescente [inkandeʃ'ʃɛnte] agg. incandescent. || [arroventato] brûlant. || [teso] tendu.
incannucciare [inkannut'tʃare] v. tr. [chiudere, riparare mediante canne] entourer, couvrir de chaume. || [munire di un sostegno] tuteurer, ramer.
incantare [inkan'tare] v. tr. [ammaliare] ensorceler, charmer. || [affascinare] enchanter, fasciner. ◆ v. rifl. tomber en extase. || [arrestarsi] s'arrêter, s'enrayer.
incantesimo [inkan'tezimo] m. incantation f., ensorcellement, enchantement.
incantevole [inkan'tevole] agg. charmant ; enchanteur, eresse ; ravissant.
1. incanto [in'kanto] m. enchantement, ensorcellement, envoûtement, charme. | *come per incanto,* comme par enchantement. || [potere di seduzione] charme, enchantement. || LOC. *stare d'incanto,* se porter comme un charme.
2. incanto m. [vendita pubblica] encan, enchère f.
incanutire [inkanu'tire] v. intr. blanchir, grisonner.
incapace [inka'patʃe] agg. e n. incapable.
incapacità [inkapatʃi'ta] f. incapacité.
incaparbire [inkapar'bire] v. intr. o **incaparbirsi** [inkapar'birsi] v. rifl. s'entêter, s'obstiner.
incappare [inkap'pare] v. intr. FIG. tomber. | *incappare in qlcu.,* tomber sur qn.
incappucciare [inkapput'tʃare] v. tr. encapuchonner. ◆ v. rifl. s'encapuchonner.
incapricciarsi [inkaprit'tʃarsi] v. rifl. s'enticher, s'engouer, se toquer.
incapsulare [inkapsu'lare] v. tr. capsuler. || MED. mettre une couronne (à).
incarcerare [inkartʃe'rare] v. tr. incarcérer, emprisonner.

incaricare [inkari'kare] v. tr. charger, commissionner. | *incaricare qlcu. di qlco.*, charger qn de qch. ◆ v. rifl. se charger. | *me ne incarico io !*, c'est moi qui m'en charge !
incaricato [inkari'kato] agg. chargé, préposé. ◆ m. personne (f.) chargée (de), préposé, envoyé, représentant.
incarico [in'kariko] (**-chi** pl.) m. charge f. | *avere l'incarico di*, être chargé de. | *per incarico di*, de la part de. || LOC. *con l'incarico di*, en qualité de. || [posto d'insegnamento fuori ruolo] délégation f.
incarnare [inkar'nare] v. tr. incarner. ◆ v. rifl. s'incarner.
incarnato [inkar'nato] agg. e m. incarnat.
incartamento [inkarta'mento] m. dossier.
incartapecorito [inkartapeko'rito] agg. parcheminé, racorni. || FIG. ratatiné, rabougri.
incartare [inkar'tare] v. tr. envelopper (dans du papier).
incasellare [inkasel'lare] v. tr. [ordinare] ranger, classer dans des cases, dans un casier. || FIG. accumuler.
incassare [inkas'sare] v. tr. [in tutti i significati] encaisser. || PER EST. emboîter, encastrer. ◆ v. intr. [combaciare] s'emboîter.
incassato [inkas'sato] part. pass. e agg. [chiuso tra pareti alte e ripide] encaissé. || [infossato] enfoncé.
incasso [in'kasso] m. [l'incassare denaro] encaissement, recouvrement. || [somma incassata] recette f.
incastonare [inkasto'nare] v. tr. sertir, enchâsser, monter.
incastrare [inkas'trare] v. tr. emboîter, encastrer. || FIG., FAM. coincer. | *si è fatto incastrare*, il s'est laissé avoir. ◆ v. rifl. s'emboîter, s'encastrer. ◆ v. intr. [aderire] s'emboîter.
incastro [in'kastro] m. emboîtement, encastrement. || [cavità] emboîture f., logement, encastrement. || [collegamento] assemblage.
incatenare [inkate'nare] v. tr. PR. e FIG. enchaîner. || FIG. [attrarre] captiver. ◆ v. rifl. s'enchaîner.
incatramare [inkatra'mare] v. tr. goudronner.
incattivire [inkatti'vire] v. tr. aigrir, rendre méchant. ◆ v. intr. e rifl. s'aigrir, devenir méchant.
incauto [in'kauto] agg. imprudent, inconsidéré.
incavare [inka'vare] v. tr. creuser. || [internamente] évider. ◆ v. rifl. se creuser.
incavato [inka'vato] agg. creux. || [infossato] creux, enfoncé, cave.
incavo [in'kavo] m. [cavità] creux, cavité f. || [l'incavare] évidage.
1. incedere [in'tʃɛdere] v. intr. avancer d'un pas solennel.
2. incedere m. démarche majestueuse.
incendiare [intʃen'djare] v. tr. incendier. || FIG. enflammer, embraser. ◆ v. rifl. prendre feu, s'enflammer.
incendio [in'tʃɛndjo] m. incendie. || FIG. feu.
incenerire [intʃene'rire] v. tr. réduire en cendres, incinérer. || FIG. foudroyer. ◆ v. rifl. se réduire en cendres.
incensare [intʃen'sare] v. tr. encenser.
incenso [in'tʃɛnso] m. encens.
incensurato [intʃensu'rato] agg. GIUR. qui a un casier judiciaire vierge. || PER EST. irréprochable.
incentivo [intʃen'tivo] m. FIG. aiguillon, encouragement. || COMM. prime f. || ECON. facilités f. pl.
inceppare [intʃep'pare] v. tr. PR. e FIG. entraver. ◆ v. rifl. TECN. se coincer, se bloquer, se gripper. || [di armi] s'enrayer.
incerare [intʃe'rare] v. tr. cirer, encaustiquer.
incertezza [intʃer'tettsa] f. incertitude. || [indecisione] indécision, hésitation.
incerto [in'tʃɛrto] agg. [di persona, indeciso] incertain, indécis, hésitant. | *guardare con aria incerta*, regarder d'un air hésitant. || [poco chiaro, variabile] incertain. | *indicazioni incerte*, indications imprécises. ◆ m. incertain. ◆ pl. [rischi] *gli incerti del mestiere*, les risques du métier.
incessante [intʃes'sante] agg. incessant.
incesto [in'tʃɛsto] m. inceste.
incetta [in'tʃɛtta] f. accaparement m. | *fare incetta di qlco.*, accaparer qch.
incettare [intʃet'tare] v. tr. accaparer.
inchiesta [in'kjɛsta] f. enquête.
inchinare [inki'nare] v. tr. incliner, baisser. ◆ v. rifl. PR. e FIG. s'incliner.
inchino [in'kino] m. révérence f. || [esagerato] courbette f.
inchiodare [inkjo'dare] v. tr. PR. clouer. || FIG. [immobilizzare] clouer, river. || [fermare improvvisamente] bloquer. ◆ v. rifl. [fermarsi di colpo] se bloquer.
inchiostrare [inkjos'trare] v. tr. TIP. encrer.
inchiostro [in'kjostro] m. encre f.
inciampare [intʃam'pare] v. intr. buter (contre), trébucher (contre, sur). || FIG. tomber (sur).
inciampo [in'tʃampo] m. PR. e FIG. obstacle, accroc, pierre (f.) d'achoppement. | *essere d'inciampo*, faire obstacle. | *senza inciampo*, sans encombre.

incidentalmente [intʃidental'mente] avv. incidemment.

1. incidente [intʃi'dɛnte] agg. FIS., MAT. incident.

2. incidente m. incident. || [infortunio] accident. | *incidente stradale,* accident de la route.

1. incidere [in'tʃidere] v. tr. [tagliare] inciser. | *incidere la pelle,* inciser la peau. || PR. e FIG. graver. | *incidere nella mente,* graver dans son esprit. || [registrare] enregistrer. | *incidere un disco,* enregistrer un disque.

2. incidere v. intr. peser, avoir une incidence, une répercussion.

incinerare [intʃine'rare] v. tr. incinérer.

incinta [in'tʃinta] agg. f. enceinte.

incipiente [intʃi'pjɛnte] agg. initial, qui commence, à son début.

incipriare [intʃipri'are] v. tr. poudrer.

incirca [in'tʃirka] avv. environ. ◆ loc. avv. *all'incirca,* à peu près, environ, en gros.

incisione [intʃi'zjone] f. incision. || [riproduzione su legno, metallo, ecc.] gravure. || [stampa] gravure. || [registrazione] enregistrement m.

incisivo [intʃi'zivo] agg. incisif. || PER EST. net, clair. ◆ m. [dente] incisive f.

incitare [intʃi'tare] v. tr. inciter, inviter, encourager, exhorter.

incivile [intʃi'vile] agg. [selvaggio] barbare. || [maleducato] impoli, grossier.

inclemente [inkle'mɛnte] agg. impitoyable. || [del tempo] inclément.

inclinare [inkli'nare] v. tr. incliner, pencher. || FIG. incliner, disposer. ◆ v. intr. [propendere] pencher, incliner. || FIG. être enclin à. ◆ v. rifl. s'incliner, se pencher.

inclinazione [inklinat'tsjone] f. inclinaison. || FIG. inclination, penchant m.

incline [in'kline] agg. porté, enclin.

includere [in'kludere] v. tr. [inserire] inclure, joindre. || [comprendere] comprendre. | *te incluso,* toi aussi.

incluso [in'kluzo] agg. inclus, compris. || [allegato] ci-joint, ci-inclus.

incoerente [inkoe'rɛnte] agg. incohérent.

incogliere [in'kɔʎʎere] v. intr. [capitare] arriver. | *mal gliene incolse,* mal lui en prit.

incognita [in'kɔɲɲita] f. [in tutti i significati] inconnue.

incognito [in'kɔɲɲito] m. incognito. | *viaggiare in incognito,* voyager incognito. || [ciò che non si conosce] inconnu. | *avere paura dell'incognito,* avoir peur de l'inconnu.

incollare [inkol'lare] v. tr. coller. || TECN. encoller. ◆ v. rifl. PR. e FIG. se coller.

1. incollatura [inkolla'tura] f. collage m., encollage m.

2. incollatura f. [ippica] encolure.

incolonnare [inkolon'nare] v. tr. ranger, disposer en colonne. ◆ v. rifl. se mettre en colonne.

incolore [inko'lore] agg. PR. incolore. || FIG. incolore, terne, neutre.

incolpare [inkol'pare] v. tr. inculper, accuser. ◆ v. rifl. s'accuser.

incolto [in'kolto] agg. PR. e FIG. inculte, en friche.

incolume [in'kɔlume] agg. indemne.

incolumità [inkolumi'ta] f. sécurité.

incombente [inkom'bɛnte] agg. pressant, menaçant, imminent. || [spettante] qui incombe.

incombenza [inkom'bɛntsa] f. tâche, charge.

incombere [in'kombere] v. intr. [sovrastare] menacer, planer (sur). || [spettare] incomber.

incominciare [inkomin'tʃare] v. tr. e intr. commencer.

incommensurabile [inkommensu'rabile] agg. incommensurable, immense.

incomodare [inkomo'dare] v. tr. déranger, gêner, incommoder. ◆ v. rifl. se déranger, se gêner.

1. incomodo [in'kɔmodo] agg. incommode, inconfortable. || [inopportuno] inopportun. || FAM. *fare da terzo incomodo,* être de trop.

2. incomodo m. dérangement. | *e tolgo l'incomodo,* je m'en vais, je ne veux pas vous déranger davantage. | *s'è preso l'incomodo di,* il a pris la peine de.

incomparabile [inkompa'rabile] agg. incomparable.

incompatibile [inkompa'tibile] agg. incompatible. || [che non si può compatire] inexcusable.

incompetente [inkompe'tɛnte] agg. incompétent. ◆ n. personne incompétente.

incompiuto [inkom'pjuto] agg. inachevé, imparfait.

incompleto [inkom'plɛto] agg. incomplet.

incomposto [inkom'posto] agg. désordonné, en désordre. || [sguaiato, scorretto] indécent.

incomprensibile [inkompren'sibile] agg. incompréhensible, inintelligible.

incomprensione [inkompren'sjone] f. incompréhension.

incompreso [inkom'preso] agg. e n. incompris.

incomunicabile [inkomuni'kabile] agg. incommunicable.

inconcepibile [inkontʃe'pibile] agg. inconcevable, inadmissible.

inconcludente [inkonklu'dɛnte] agg. qui ne conclut rien ; qui n'aboutit à rien ; sans résultat.
inconfessabile [inkonfes'sabile] agg. inavouable.
inconfondibile [inkonfon'dibile] agg. unique, incomparable, caractéristique, bien reconnaissable.
inconfutabile [inkonfu'tabile] agg. irréfutable.
incongruente [inkongru'ɛnte] agg. incongru, incohérent.
incongruo [in'kɔngruo] agg. [non proporzionato] incongru, inadéquat. || [insufficiente] insuffisant.
inconsapevole [inkonsa'pevole] agg. inconscient, dans l'ignorance de.
inconsapevolmente [inkonsapevol'mente] avv. sans s'en rendre compte, sans le faire exprès, sans le vouloir.
inconscio [in'kɔnʃo] agg. [non conscio] inconscient. || [involontario] involontaire. ◆ m. inconscient.
inconsiderato [inkonside'rato] agg. inconsidéré, irréfléchi.
inconsistente [inkonsis'tɛnte] agg. Pr. e Fig. inconsistant.
inconsueto [inkonsu'ɛto] agg. inaccoutumé, inhabituel, insolite.
incontaminato [inkontami'nato] agg. pur, sans tache.
incontenibile [inkonte'nibile] agg. irrépressible, irrésistible.
incontentabile [inkonten'tabile] agg. difficile à contenter, jamais content.
incontinenza [inkonti'nɛntsa] f. incontinence, intempérance.
incontrare [inkon'trare] v. tr. rencontrer. | *l'ho incontrato per le scale,* je l'ai croisé dans l'escalier. || [piacere] plaire. | *incontrare il favore del pubblico,* avoir la faveur du public. || Geom. couper. || Sp. rencontrer. ◆ v. intr. [accadere] arriver. | *incontrare bene, male,* bien, mal tomber. ◆ v. rifl. (con) rencontrer v. tr. || [imbattersi] tomber (sur). ◆ v. rifl. recipr. se rencontrer, se retrouver. || Fig. [accordarsi] s'accorder, être d'accord.
incontrario (all') [allinkon'trarjo] loc. avv. au contraire. || en sens contraire.
incontrastato [inkontras'tato] agg. incontesté. || [non contrariato] non contrarié.
1. incontro [in'kontro] m. rencontre f., entrevue f. || [successo] succès. || [occasione] occasion f.
2. incontro avv. [dirimpetto] en face. ◆ loc. avv. *all'incontro,* au contraire. ◆ loc. prep. *incontro a,* à la rencontre de, au-devant de. || Per Est. *andare incontro a spese,* s'exposer à des frais.
incontrollato [inkontrol'lato] agg. incontrôlé.
inconveniente [inkonve'njɛnte] m. inconvénient.
incoraggiante [inkorad'dʒante] agg. encourageant, engageant.
incoraggiare [inkorad'dʒare] v. tr. encourager, favoriser. ◆ v. rifl. prendre courage. ◆ v. rifl. recipr. s'encourager.
incordare [inkor'dare] v. tr. mettre des cordes (à), corder. ◆ v. rifl. [di muscoli] se raidir.
incorniciare [inkorni'tʃare] v. tr. encadrer.
incoronare [inkoro'nare] v. tr. Pr. e Fig. couronner.
incorporare [inkorpo'rare] v. tr. incorporer, intégrer. || [assorbire] absorber. ◆ v. rifl. s'incorporer (à).
incorreggibile [inkorred'dʒibile] agg. incorrigible, invétéré.
incorrere [in'korrere] v. intr. (in) encourir v. tr., s'exposer (à). | *incorrere in un errore,* tomber dans une erreur, commettre une faute.
incorrotto [inkor'rotto] agg. intact. || Fig. pur, intègre.
incorruttibile [inkorrut'tibile] agg. Pr. e Fig. incorruptible.
incosciente [inkoʃ'ʃɛnte] agg. [privo di coscienza] sans connaissance. || [di cui non si ha coscienza] inconscient. ◆ n. inconscient, e. ◆ m. inconscient.
incostante [inkos'tante] agg. inconstant, irrégulier, changeant.
incostituzionale [inkostituttsjo'nale] agg. inconstitutionnel.
incredibile [inkre'dibile] agg. inouï, incroyable, fabuleux. | *somme incredibili,* des sommes fabuleuses, folles.
incredulo [in'krɛdulo] agg. incrédule.
incrementare [inkremen'tare] v. tr. accroître, donner un essor (à). ◆ v. rifl. s'accroître.
incremento [inkre'mento] m. accroissement, augmentation f., essor, extension f.
increscioso [inkreʃ'ʃoso] agg. fâcheux, déplorable, regrettable.
increspare [inkres'pare] v. tr. [superfici liquide] rider. || Tess. froncer, crêper. || *increspare la fronte,* froncer le(s) sourcil(s). ◆ v. rifl. se rider.
incriminare [inkrimi'nare] v. tr. Giur. incriminer.
incrinare [inkri'nare] v. tr. fêler. || Fig. entamer, compromettre. ◆ v. rifl. se fêler. || Fig. se gâter.
incrinatura [inkrina'tura] f. fêlure. || Fig. faille, fissure.
incrociare [inkro'tʃare] v. tr. croiser. ◆ v. intr. Mar. croiser. ◆ v. rifl. se croiser.

incrociato [inkro'tʃato] agg. croisé. || ARCHIT. intersecté. || POES. *rime incrociate,* rimes embrassées.
incrociatore [inkrotʃa'tore] m. MAR. MIL. croiseur.
incrocio [in'krotʃo] m. croisement, carrefour, intersection f. || BIOL., BOT. croisement.
incrollabile [inkrol'labile] agg. inébranlable.
incrostare [inkros'tare] v. tr. TECN. incruster, encrasser. ◆ v. rifl. s'encrasser, s'encroûter, se charger d'un dépôt.
incrudelire [inkrude'lire] v. intr. devenir cruel. || [infierire] sévir (contre), s'acharner (contre, sur).
incrudire [inkru'dire] v. tr. rendre âpre. ◆ v. intr. [del tempo] devenir rigoureux. || [di piaghe] s'envenimer. || [di male] empirer.
incruento [inkru'ɛnto] agg. sans effusion de sang.
incubazione [inkubat'tsjone] f. PR. e FIG. incubation.
incubo ['inkubo] m. PR. e FIG. cauchemar.
incudine [in'kudine] f. enclume.
incuneare [inkune'are] v. tr. enfoncer de force. || [fissare con cunei] coincer. ◆ v. rifl. s'introduire de force, s'insérer.
incupire [inku'pire] v. tr. PR. e FIG. obscurcir, assombrir. ◆ v. rifl. PR. e FIG. s'obscurcir, s'assombrir.
incuria [in'kurja] f. incurie, négligence, laisser-aller m. inv.
incuriosire [inkurjo'sire] v. tr. intriguer ; éveiller la curiosité (de). ◆ v. rifl. être intrigué (par), s'intéresser (à).
incurvare [inkur'vare] v. tr. courber, incurver. || TECN. cintrer, gauchir. ◆ v. rifl. se courber, fléchir v. intr., gauchir v. intr. || [di persona] se courber, se voûter.
incustodito [inkusto'dito] agg. sans surveillance, non gardé.
incutere [in'kutere] v. tr. inspirer. | *incutere rispetto,* inspirer, imposer le respect ; en imposer v. intr.
indaco ['indako] m. indigo.
indaffarato [indaffa'rato] agg. affairé, occupé.
indagare [inda'gare] v. tr. chercher à connaître, à pénétrer. ◆ v. intr. enquêter (sur), faire une enquête (sur).
indagatore [indaga'tore] agg. investigateur. | *commissione indagatrice,* commission d'enquête. ◆ m. investigateur.
indagine [in'dadʒine] f. enquête, investigation, information. | *nel corso delle indagini,* au cours de l'enquête.
indebitamente [indebita'mente] avv. indûment.
indebitare [indebi'tare] v. tr. endetter. ◆ v. rifl. s'endetter.
indebito [in'debito] agg. indu. || PER EST. illégitime, injuste, immérité. ◆ m. GIUR. indu.
indebolimento [indeboli'mento] m. affaiblissement, amollissement, défaillance f.
indebolire [indebo'lire] v. tr. affaiblir, alanguir, débiliter. ◆ v. rifl. s'affaiblir, s'alanguir, s'étioler, s'amollir. || [della vista] baisser.
indecente [inde'tʃɛnte] agg. indécent, déshonnête (lett.). | *è una cosa indecente !,* c'est une honte !
indeciso [inde'tʃizo] agg. indécis, irrésolu. || [di cose] incertain.
indeclinabile [indekli'nabile] agg. GR. indéclinable. || [inevitabile] inévitable.
indecoroso [indeko'roso] agg. inconvenant, malséant.
indefesso [inde'fesso] agg. infatigable, assidu.
indefinibile [indefi'nibile] agg. PR. e FIG. indéfinissable, incertain.
indegno [in'deɲɲo] agg. indigne.
indelebile [inde'lɛbile] agg. PR. e FIG. indélébile, ineffaçable.
indelicato [indeli'kato] agg. indélicat.
indemagliabile [indemaʎ'ʎabile] agg. indémaillable.
indemoniato [indemo'njato] agg. PR. possédé. || FIG. endiablé ; furieux. ◆ n. possédé. || PER EST. enragé.
indenne [in'dɛnne] agg. indemne.
indennità [indenni'ta] f. indemnité, allocation.
indennizzare [indennid'dzare] v. tr. indemniser, dédommager.
indennizzo [inden'niddzo] m. indemnisation f., indemnité f., dédommagement.
indentro [in'dentro] avv. en dedans. || [indietro] en arrière. || LOC. *all'indentro,* vers l'intérieur.
inderogabile [indero'gabile] agg. inéluctable ; auquel on ne peut pas se soustraire.
indescrivibile [indeskri'vibile] agg. indescriptible, inénarrable.
indeterminabile [indetermi'nabile] agg. indéterminable.
indeterminato [indetermi'nato] agg. indéterminé, indéfini.
indeterminazione [indetermi-nat'tsjone] f. indétermination. | *indeterminazione di idee,* manque (m.) de clarté dans les idées.
indi ['indi] avv. LETT. puis, ensuite. || de là, de cet endroit-là. | *per indi,* parlà.
indiano [in'djano] agg. e m. indien. | *fare l'indiano,* faire le niais, ne faire semblant de rien.

indiavolato [indjavo'lato] agg. démoniaque, possédé (du diable). || [sfrenato] endiablé, enragé.
indicare [indi'kare] v. tr. indiquer, montrer, désigner. | *indicare col dito,* montrer du doigt. || [suggerire] indiquer, dénoter, signifier. | *questo indica che ...,* ceci signifie que ...
indicato [indi'kato] agg. indiqué.
indicazione [indikat'tsjone] f. indication. | *secondo le tue indicazioni,* sur tes indications.
indice ['inditʃe] m. ANAT. index. || [elenco] index, table (f.) des matières. || ECON., COMM., FIS., MAT., TECN. indice. || MECC. index, aiguille f., languette f. || REL. Index. || STAT. index. || FIG. indice, signe.
indicibile [indi'tʃibile] agg. indicible, inexprimable.
indietreggiare [indjetred'dʒare] v. intr. PR. e FIG. reculer.
indietro [in'djɛtro] avv. en arrière. | *farsi indietro,* reculer. | *essere indietro con il lavoro,* être en retard dans son travail. || [di orologio] *essere indietro,* retarder. || LOC. *voltarsi indietro,* se retourner ; FIG. regarder en arrière. || *tirarsi indietro,* se dérober. | *lasciare indietro qlcu.,* laisser qn derrière soi. | *dare, rimandare indietro,* rendre, renvoyer. | *volere, domandare indietro,* vouloir récupérer. ◆ loc. avv. *all'indietro,* en arrière, à reculons. | *cadere all'indietro,* tomber à la renverse.
indifeso [indi'feso] agg. sans défense, sans protection.
indifferente [indiffe'rɛnte] agg. indifférent. | *per me è indifferente,* cela m'est égal.
indigente [indi'dʒɛnte] agg. e n. indigent, e.
indigesto [indi'dʒɛsto] agg. PR. e FIG. indigeste.
indignare [indiɲ'ɲare] v. tr. indigner. ◆ v. rifl. s'indigner.
indipendente [indipen'dɛnte] agg. e n. indépendant, e.
indire [in'dire] v. tr. [annunciare] annoncer, proclamer. | *indire le elezioni,* fixer les élections.
indiretto [indi'rɛtto] agg. indirect.
indirizzare [indirit'tsare] v. tr. adresser, envoyer. | *mi hanno indirizzato qui,* on m'a envoyé ici. | *indirizzare la parola a qlcu.,* adresser la parole à qn. || [dirigere] diriger. ◆ v. rifl. s'adresser. || [dirigersi] se diriger.
indirizzo [indi'rittso] m. adresse f. | *cambiare indirizzo,* changer d'adresse. || [orientamento] orientation f. | *scuola a indirizzo scientifico,* école à orientation scientifique. || POL. adresse f.
indisciplina [indiʃʃi'plina] f. indiscipline, insoumission.
indisciplinato [indiʃʃipli'nato] agg. indiscipliné, insoumis, indocile.
indiscrezione [indiskret'tsjone] f. indiscrétion.
indiscriminato [indiskrimi'nato] agg. sans discernement, aveugle (fig.).
indiscusso [indis'kusso] agg. indiscuté, indiscutable.
indiscutibile [indisku'tibile] agg. indiscutable. | *è indiscutibile che,* il est indiscutable que.
indispensabile [indispen'sabile] agg. e m. indispensable, nécessaire, essentiel.
indispettire [indispet'tire] v. tr. agacer, irriter. ◆ v. rifl. se fâcher, s'irriter, se dépiter.
indispettito [indispet'tito] agg. dépité.
indisponente [indispo'nɛnte] agg. contrariant, qui indispose.
indisporre [indis'porre] v. tr. indisposer.
indisposto [indis'posto] agg. indisposé, incommodé.
indistinto [indis'tinto] agg. indistinct.
indivia [in'divja] f. BOT. endive.
individuale [individu'ale] agg. individuel.
individuare [individu'are] v. tr. [caratterizzare] caractériser, individualiser. || MAT. déterminer. || PER EST. localiser, repérer. | *individuare qlcu. fra la folla,* reconnaître qn parmi la foule.
individuazione [individuat'tsjone] f. caractérisation. || FILOS. individuation. || MIL. repérage m.
individuo [indi'viduo] m. individu. || [uomo] individu, type. | *uno strano individuo,* un drôle de type.
indivisibile [indivi'zibile] agg. indivisible. || [che non può essere separato] inséparable.
indiviso [indi'vizo] agg. indivisé. || GIUR. indivis.
indiziare [indit'tsjare] v. tr. compromettre ; faire soupçonner.
indiziato [indit'tsjato] agg. e n. GIUR. suspect.
indizio [in'dittsjo] m. [segno] signe, indice. || GIUR. indice. | *indizio a carica,* charge f.
indocile [in'dɔtʃile] agg. indocile, rebelle, rétif.
indole ['indole] f. naturel m., nature, fond m., caractère m. | *essere d'indole buona,* avoir un bon fond.
indolente [indo'lɛnte] agg. indolent. || MED. indolore, indolent.
indolenzire [indolen'tsire] v. tr. endolorir, courbaturer. || [con torpore] engourdir. ◆ v. intr. e rifl. s'endolorir ; s'engourdir.
indomabile [indo'mabile] agg. PR. e FIG. indomptable.

indomani [indo'mani] m. (sempre con l'art.) lendemain. | *l'indomani della disgrazia,* le lendemain du malheur. | *all'indomani di,* au lendemain de. ◆ avv. *venne l'indomani,* il vint le lendemain.
indorare [indo'rare] v. tr. PR. e FIG. dorer. ◆ v. rifl. se dorer.
indossare [indos'sare] v. tr. [mettersi indosso] mettre, enfiler, endosser. || [avere indosso] porter.
indossatrice [indossa'tritʃe] f. [donna] mannequin m.
indosso [in'dɔsso] avv. sur soi, sur le dos. | *avere denaro indosso,* avoir de l'argent sur soi.
indotto [in'dotto] agg. [istigato] poussé (à). || ELETTR. induit. ◆ m. ELETTR. induit.
indovinare [indovi'nare] v. tr. deviner. || [azzeccare] réussir. | *indovinarla,* être bien inspiré. | *non ne indovina una,* rien ne lui réussit.
indovinello [indovi'nɛllo] m. devinette f. || PER EST. énigme f.
indovino [indo'vino] m. devin.
indubbio [in'dubbjo] agg. indubitable, certain, hors de doute.
indugiare [indu'dʒare] v. tr. [ritardare] différer. || [evitare di iniziare] tarder, hésiter. ◆ v. rifl. s'attarder, s'éterniser.
indugio [in'dudʒo] m. délai, atermoiement. | *senza indugio,* sans délai, sans retard. | *rompere ogni indugio,* se décider.
indulgente [indul'dʒɛnte] agg. indulgent.
indulgere [in'duldʒere] v. intr. [cedere] se prêter (à), céder (à).
indulto [in'dulto] m. GIUR. remise (f.) de peine.
indumento [indu'mento] m. vêtement. | *indumenti intimi,* sous-vêtements.
indurimento [induri'mento] m. durcissement. || FIG. endurcissement. || MED. induration f.
indurire [indu'rire] v. tr. (en)durcir. || MED. indurer. ◆ v. intr. e rifl. durcir. || PR. e FIG. se durcir, s'endurcir.
indurre [in'durre] v. tr. induire. | *indurre in errore,* induire en erreur. || [spingere] pousser, amener. | *tutto m'induce a credere che,* tout me porte à croire que. | *indurre qlcu. a fare qlco.,* déterminer qn à faire qch. ◆ v. rifl. (a) se décider (à), se résoudre (à), se déterminer (à).
industria [in'dustrja] f. industrie. || [fabbrica] fabrique. || [operosità] industrie.
industriale [indus'trjale] agg. e n. industriel, elle.
industriarsi [indus'trjarsi] v. rifl. s'ingénier à, s'évertuer à.
induttivo [indut'tivo] agg. ELETTR., FILOS. inductif.
inebetire [inebe'tire] v. tr. hébéter, abrutir. ◆ v. rifl. devenir hébété.
inebriare [inebri'are] v. tr. PR. e FIG. griser, enivrer. ◆ v. rifl. PR. e FIG. se griser, s'enivrer.
ineccepibile [inettʃe'pibile] agg. irréprochable, inattaquable.
inedia [i'nɛdja] f. inanition. || FIG., FAM. *morire d'inedia,* mourir d'ennui.
inedito [i'nɛdito] agg. e m. inédit.
inefficace [ineffi'katʃe] agg. inefficace, inopérant, impuissant.
inefficiente [ineffi'tʃɛnte] agg. [di persona] incompétent. || [di macchina] qui ne fonctionne pas.
ineguagliabile [inegwaʎ'ʎabile] agg. inégalable, incomparable.
ineguale [ine'gwale] agg. inégal.
inequivocabile [inekwivo'kabile] agg. non équivoque, sans équivoque, sans aucune ambiguïté.
inerente [ine'rɛnte] agg. inhérent.
inerme [i'nɛrme] agg. sans défense, désarmé. || BOT., ZOOL. inerme.
inerpicarsi [inerpi'karsi] v. rifl. (su di, su per) gravir v. tr., escalader v. tr., grimper v. intr. (sur, à).
inerte [i'nɛrte] agg. inerte.
inesattezza [inezat'tettsa] f. inexactitude. || [errore] incorrection.
inesatto [ine'zatto] agg. inexact. || [scorretto] incorrect.
inescusabile [inesku'zabile] agg. inexcusable, impardonnable.
inesistente [inezis'tɛnte] agg. inexistant.
inesorabile [inezo'rabile] agg. inexorable, implacable.
inesperto [ines'pɛrto] agg. inexpérimenté. || [senza abilità] inexpert, maladroit.
inesplicabile [inespli'kabile] agg. inexplicable.
inesplorato [inesplo'rato] agg. inexploré.
inespressivo [inespres'sivo] agg. inexpressif, sans expression.
inespresso [ines'prɛsso] agg. inexprimé.
inesprimibile [inespri'mibile] agg. inexprimable, indicible.
inestimabile [inesti'mabile] agg. inestimable, inappréciable.
inestinguibile [inestin'gwibile] agg. PR. e FIG. inextinguible.
inestricabile [inestri'kabile] agg. inextricable. | *situazione inestricabile,* situation sans issue.
inetto [i'nɛtto] agg. (a) inapte (à), incapable (de), impropre (à), nul. ◆ n. incapable.

inevitabile [inevi'tabile] agg. e m. inévitable.
inezia [i'nɛttsja] f. bagatelle, broutille, rien m. | *arrabbiarsi per un'inezia*, se fâcher pour un rien. || [sciocchezza] ineptie.
infagottare [infagot'tare] v. tr. emmitoufler. || [vestire male] fagoter, engoncer. ◆ v. rifl. s'emmitoufler, se fagoter, s'affubler.
infagottato [infagot'tato] agg. engoncé, mal ficelé (fam.).
infallibile [infal'libile] agg. infaillible.
infamante [infa'mante] agg. infamant, ignominieux.
infamare [infa'mare] v. tr. déshonorer, flétrir ; diffamer.
infame [in'fame] agg. PR. infâme. || SCHERZ. *un tempo infame*, un temps de chien.
infamia [in'famja] f. infamie. || SCHERZ. horreur.
infangare [infan'gare] v. tr. crotter, éclabousser. || FIG. souiller, salir.
infante [in'fante] n. (petit) enfant. ◆ (f. **-a**) n. infant, e.
infantile [infan'tile] agg. enfantin. | *asilo infantile*, école maternelle. || PEGG. puéril, infantile.
infanzia [in'fantsja] f. PR. e FIG. enfance.
infarcire [infar'tʃire] v. tr. PR. e FIG. farcir, bourrer.
infarinare [infari'nare] v. tr. [di farina] fariner. || [di altre polveri] saupoudrer. ◆ v. rifl. s'enfariner.
infarinatura [infarina'tura] f. saupoudrage (m.) de farine. || FIG. teinture, vernis m. | *avere un'infarinatura di scienze*, avoir quelques notions de sciences.
infarto [in'farto] m. infarctus (lat.).
infastidire [infasti'dire] v. tr. ennuyer, agacer. ◆ v. rifl. s'ennuyer, s'embêter, s'énerver.
infaticabile [infati'kabile] agg. infatigable, inlassable.
infatti [in'fatti] cong. en effet.
infatuare [infatu'are] v. tr. passionner, enthousiasmer. ◆ v. rifl. se passionner, s'engouer (de).
infatuazione [infatuat'tsjone] f. engouement m., infatuation (lett.).
infausto [in'fausto] agg. funeste, malencontreux, malheureux.
infedele [infe'dele] agg. infidèle. ◆ n. REL. infidèle.
infelice [infe'litʃe] agg. PR. e FIG. malheureux. || FIG. *esito infelice*, résultat négatif. ◆ n. malheureux, euse.
infelicità [infelitʃi'ta] f. [sventura] malheur m., tristesse. || [inopportunità] inopportunité.
infeltrire [infel'trire] v. tr. e intr. feutrer. ◆ v. rifl. se feutrer.
inferiore [infe'rjore] agg. inférieur. | *la parte inferiore della pagina*, le bas de la page. ◆ n. inférieur.
inferire [infe'rire] v. tr. [cagionare] infliger, causer, frapper. | *la guerra ha inferto un duro colpo all'economia*, la guerre a porté un rude coup à l'économie. || [dedurre] inférer. || LOG. induire. || MAR. enverguer.
infermiere [infer'mjɛre] (**-a** f.) n. [d'ospedale] infirmier. || [di case private] garde-malade.
infermità [infermi'ta] f. PR. e FIG. infirmité.
infermo [in'fermo] agg. infirme. ◆ n. malade.
infernale [infer'nale] agg. PR. e FIG. infernal.
inferno [in'fɛrno] m. PR. e FIG. enfer.
inferocire [infero'tʃire] v. tr. rendre furieux, exaspérer. ◆ v. intr. s'acharner. ◆ v. rifl. devenir furieux, se mettre en colère.
inferriata [infer'rjata] f. [di finestre] grille, barreaux m. pl.
infervorare [infervo'rare] v. tr. enflammer, enthousiasmer. ◆ v. rifl. s'enflammer, se passionner (pour).
infestare [infes'tare] v. tr. PR. e FIG. infester. || [di animali o vegetali] envahir.
infettare [infet'tare] v. tr. MED. infecter, envenimer. || PER EST. polluer, infecter. || FIG. corrompre. ◆ v. rifl. MED. s'infecter, s'envenimer.
infettivo [infet'tivo] agg. infectieux.
infeudare [infeu'dare] v. tr. STOR. inféoder. || FIG. assujettir. ◆ v. rifl. PR. e FIG. s'inféoder, s'assujettir, s'asservir.
infiacchire [infjak'kire] v. tr. affaiblir, aveulir. ◆ v. intr. s'affaiblir, s'aveulir.
infiammare [infjam'mare] v. tr. PR. e FIG. enflammer, embraser, incendier. ◆ v. rifl. s'enflammer, s'embraser, s'échauffer. || MED. s'enflammer.
inficiare [infi'tʃare] v. tr. GIUR. invalider.
infido [in'fido] agg. faux, déloyal, traître.
infierire [infje'rire] v. intr. s'acharner (contre, sur). || [di mali] sévir.
infiggere [in'fiddʒere] v. tr. enfoncer, ficher. ◆ v. rifl. [penetrare in profondità] s'enfoncer, se ficher. || FIG. se graver.
infilare [infi'lare] v. tr. [passare il filo attraverso] enfiler. || [trafiggere] embrocher. || [mettere] mettre, introduire. | *infilare la chiave nella toppa*, mettre la clef dans la serrure. || [far passare] passer. || [insinuare] glisser. | *infilare un biglietto sotto la porta*, glisser un billet sous la porte. || [un vestito] passer, enfiler, mettre. | *infilar(si) le scarpe*, se chausser. || [prendere] enfiler, prendre. |

infilare una strada, s'engager dans une rue. ◆ v. rifl. PR. e FIG. se faufiler, se glisser. | *infilarsi sotto le coperte,* se glisser sous les couvertures.
infilata [infi'lata] f. enfilade.
infiltrarsi [infil'trarsi] v. rifl. PR. e FIG. s'infiltrer.
infilzare [infil'tsare] v. tr. [trafiggere] percer de part en part. || [infilare] enfiler. | *infilzare perle,* enfiler des perles. || FIG. [dire di seguito] débiter, raconter. ◆ v. rifl. s'embrocher, s'enferrer, s'empaler.
infimo ['infimo] agg. bas, inférieur. | *albergo d'infimo ordine,* hôtel sordide.
infine [in'fine] avv. [finalmente] enfin, finalement. || [inconclusione] enfin, à la fin.
infingardo [infin'gardo] agg. e n. fainéant.
infinità [infini'ta] f. infinité. || FIG. infinité, quantité. | *un'infinità di cose,* un tas de choses.
infinito [infi'nito] agg. infini. ◆ m. infini. || GR. infinitif. || LOC. *all'infinito,* à l'infini.
infinocchiare [infinok'kjare] v. tr. FAM. rouler, empiler, duper (L.C.).
infioccare [infjok'kare] o **infiocchettare** [infjokket'tare] v. tr. enrubanner.
infiorare [infjo'rare] v. tr. fleurir. || FIG. orner, émailler. | *infiorare un testo di citazioni,* émailler un texte de citations. ◆ v. rifl. se couvrir de fleurs, fleurir v. intr.
infirmare [infir'mare] v. tr. GIUR. e FIG. infirmer.
infischiarsi [infis'kjarsi] v. rifl. se ficher (de) [fam.], se moquer (de).
infisso [in'fisso] m. [di porta, finestra, ecc.] cadre, dormant. || GR. infixe.
infittire [infit'tire] v. tr. épaissir. ◆ v. intr. e rifl. PR. e FIG. s'épaissir.
inflazione [inflat'tsjone] f. ECON. inflation.
inflessibile [infles'sibile] agg. inflexible.
inflessione [infles'sjone] f. inflexion.
infliggere [in'fliddʒere] v. tr. infliger.
influente [influ'ɛnte] agg. influent.
influenza [influ'ɛntsa] f. influence. || grippe.
influenzale [influen'tsale] agg. grippal, de grippe.
influenzare [influen'tsare] v. tr. influencer.
influire [influ'ire] v. intr. influer (sur).
influsso [in'flusso] m. influx. || [influenza] influence f. | *sotto l'influsso di,* sous l'empire de.
infocare [info'kare] v. tr. [arroventare] chauffer, rougir. || FIG. embraser, enflammer. ◆ v. rifl. [incendiarsi] s'enflammer.
infognarsi [infoɲ'ɲarsi] v. rifl. FIG. s'embourber, se mettre dans unc mauvaise situation.
infoltire [infol'tire] v. intr. e rifl. devenir touffu, s'épaissir. ◆ v. tr. épaissir.
infondato [infon'dato] agg. sans fondement, immotivé, injustifié.
infondere [in'fondere] v. tr. inspirer, infuser, insuffler.
inforcare [infor'kare] v. tr. ramasser avec une fourche. || [mettersi a cavalcioni] enfourcher. || PER EST. *inforcare gli occhiali,* mettre ses lunettes. || GIOCHI [a scacchi] prendre en fourchette.
informale [infor'male] agg. [non ufficiale] informel. ◆ agg. e m. ARTI informel.
informare [infor'mare] v. tr. informer. || [dare informazioni] renseigner. || [conformare] conformer. ◆ v. rifl. s'informer, s'enquérir, se renseigner. || [adeguarsi] s'adapter, se conformer. | *informarsi a un modello,* se conformer à un modèle.
informativo [informa'tivo] agg. d'information. | *a titolo informativo,* à titre de renseignement.
informazione [informat'tsjone] f. information, renseignement m., indication. | *secondo le tue informazioni,* sur tes indications. | *ufficio informazioni,* bureau de renseignements.
informe [in'forme] agg. informe.
informicolirsi [informiko'lirsi] v. rifl. fourmiller v. intr. | *mi si è informicolita una mano,* j'ai des fourmis dans une main.
infornare [infor'nare] v. tr. PR. e FIG. enfourner.
infortunarsi [infortu'narsi] v. rifl. avoir un accident.
infortunato [infortu'nato] agg. qui a eu un accident, accidenté.
infortunio [infor'tunjo] m. accident. || [colpo di sfortuna] infortune f., malheur.
infossamento [infossa'mento] m. enfoncement, creux, dépression f.
infossato [infos'sato] agg. enfoncé, creux, cave. | *occhi infossati,* yeux enfoncés, caves. | *guance infossate,* joues creuses.
infradiciare [infradi'tʃare] v. tr. tremper. ◆ v. rifl. se tremper. || [di frutta] (se) pourrir.
inframmettere [infram'mettere] v. tr. interposer, interférer. ◆ v. rifl. s'entremettre, s'ingérer, s'immiscer.
infrangere [in'frandʒere] v. tr. briser. || FIG. enfreindre, violer. | *infrangere un segreto,* violer un secret. ◆ v. rifl. PR. e FIG. se briser.
infrasettimanale [infrasettima'nale] agg. (qui tombe) pendant, au cours de la semaine.

infrazione [infrat'tsjone] f. infraction. || MED. fêlure.
infreddare [infred'dare] v. tr. enrhumer. ◆ v. rifl. s'enrhumer, attraper un rhume.
infreddolirsi [infreddo'lirsi] v. rifl. prendre froid.
infrequente [infre'kwɛnte] agg. rare.
infruttifero [infrut'tifero] agg. infructueux. || COMM. improductif.
infruttuoso [infruttu'oso] agg. infructueux.
infuori (all') [allin'fwɔri] loc. avv. à l'extérieur. ◆ loc. prep. *all'infuori di,* à l'exception de, sauf, excepté.
infuriare [infu'rjare] v. intr. faire rage, se déchaîner. || [incollerirsi] s'emporter, se mettre en colère. ◆ v. rifl. s'emporter, se mettre en colère, devenir furieux.
infusione [infu'zjone] f. infusion.
infuso [in'fuzo] agg. infus. (lett.). ◆ m. infusion f.
ingabbiare [ingab'bjare] v. tr. PR. e FIG. encager. || FIG. coincer, serrer.
ingaggiare [ingad'dʒare] v. tr. engager. || MIL. recruter, enrôler. || [dare inizio a] engager, livrer. ◆ v. rifl. [di corda] s'enchevêtrer, s'embrouiller. || MIL. s'engager.
ingagliardire [ingaʎʎar'dire] v. tr. [irrobustire] fortifier. ◆ v. intr. e rifl. se fortifier.
ingannare [ingan'nare] v. tr. tromper, leurrer, abuser. | *non ti lasciar ingannare,* ne te laisse pas avoir. || [deludere] décevoir, tromper. || [rendere meno gravosa la situazione] tromper. | *chiacchierare per ingannare il tempo,* bavarder pour tuer le temps. ◆ v. rifl. se tromper, se leurrer, s'abuser.
inganno [in'ganno] m. tromperie f., duperie f. | *con l'inganno,* par la ruse, par fraude.
ingarbugliare [ingarbuʎ'ʎare] v. tr. embrouiller, brouiller, emmêler, enchevêtrer. ◆ v. rifl. PR. e FIG. s'embrouiller, s'enchevêtrer.
ingegnarsi [indʒeɲ'ɲarsi] v. rifl. s'ingénier, s'évertuer, s'employer.
ingegnere [indʒeɲ'ɲɛre] m. ingénieur.
ingegneria [indʒeɲɲe'ria] f. ingénierie.
ingegno [in'dʒeɲɲo] m. [intelligenza] esprit, intelligence f. || [disposizione naturale] talent. || [persona dotata di grande intelligenza] esprit, intelligence.
ingelosire [indʒelo'sire] v. tr. rendre jaloux. ◆ v. intr. devenir jaloux.
ingenerare [indʒene'rare] v. tr. engendrer. || FIG. provoquer, engendrer. ◆ v. rifl. [avere origine] se produire.
ingeneroso [indʒene'roso] agg. dépourvu de générosité.
ingente [in'dʒɛnte] agg. considérable, imposant, énorme.
ingentilire [indʒenti'lire] v. tr. affiner, élever. || [nobilitare] ennoblir. ◆ v. rifl. s'affiner.
ingenuità [indʒenui'ta] f. naïveté, ingénuité, candeur, innocence.
ingenuo [in'dʒɛnuo] agg. naïf, ingénu, candide. ◆ m. ingénu.
ingerenza [indʒe'rɛntsa] f. ingérence, interférence.
ingerire [indʒe'rire] v. tr. ingérer, absorber. ◆ v. rifl. s'ingérer, s'immiscer, interférer.
ingessare [indʒes'sare] v. tr. plâtrer. || [murare con gesso] sceller avec du plâtre.
ingessatura [indʒessa'tura] f. MED. plâtre m.
ingestione [indʒes'tjone] f. ingestion, absorption.
inghiottire [ingjot'tire] v. tr. avaler. || [grosse quantità] engloutir, ingurgiter. || [far sparire] engloutir.
ingiallire [indʒal'lire] v. tr. jaunir. ◆ v. intr. e rifl. jaunir, devenir jaune.
ingigantire [indʒigan'tire] v. tr. grandir, grossir. || [esagerare] grandir, exagérer. ◆ v. intr. e rifl. devenir gigantesque, grandir démesurément.
inginocchiarsi [indʒinok'kjarsi] v. rifl. s'agenouiller.
ingioiellare [indʒojel'lare] v. tr. parer de bijoux. ◆ v. rifl. se couvrir de bijoux.
ingiù [in'dʒu] avv. = GIÙ. ◆ loc. avv. *all'ingiù,* vers le bas. | *con la testa all'ingiù,* la tête en bas.
ingiungere [in'dʒundʒere] v. tr. enjoindre, sommer, intimer, imposer.
ingiuria [in'dʒurja] f. injure, insulte. || PER EST. *le ingiurie del tempo,* l'injure du temps, des ans (lett.).
ingiuriare [indʒu'rjare] v. tr. injurier, insulter. ◆ v. rifl. recipr. s'injurier, s'insulter.
ingiurioso [indʒu'rjoso] agg. injurieux, insultant.
ingiustificato [indʒustifi'kato] agg. injustifié, illégitime, immotivé.
ingiustizia [indʒus'tittsja] f. injustice.
ingiusto [in'dʒusto] agg. injuste, inéquitable.
inglese [in'glese] agg. anglais. ◆ n. Anglais, e. ◆ m. anglais.
inglorioso [inglo'rjoso] agg. peu glorieux. | *fare una fine ingloriosa,* mal finir. || [disonorevole] honteux.
ingoiare [ingo'jare] v. tr. avaler. || [con avidità] engloutir, ingurgiter. || FIG. digérer. | *è dura da ingoiare!,* c'est dur à avaler, à digérer!
ingolfarsi [ingol'farsi] v. rifl. [del mare] former un golfe. || FIG. s'enfoncer, s'engouffrer, se plonger.
ingolosire [ingolo'sire] v. tr. allécher, affrioler. ◆ v. rifl. devenir gourmand.

ingombrare [ingom'brare] v. tr. PR. e FIG. encombrer. || FIG. encombrer. ◆ v. rifl. s'embarrasser.
ingordigia [ingor'didʒa] f. gloutonnerie, goinfrerie. || FIG. avidité.
ingorgare [ingor'gare] v. tr. engorger. || [di traffico] embouteiller. ◆ v. rifl. s'engorger, se boucher.
ingozzare [ingot'tsare] v. tr. gaver. || [inghiottire] engloutir, avaler, engouffrer. ◆ v. rifl. se gaver, s'empiffrer (fam.).
ingranaggio [ingra'naddʒo] m. engrenage.
ingranare [ingra'nare] v. tr. engrener, enclencher. ◆ v. intr. s'engrener. || FIG., FAM. mordre, s'accrocher. | *non riesco ad ingranare,* je n'arrive pas à m'y mettre. || AUT. passer. | *la seconda non ingrana,* la seconde ne passe pas.
ingrandire [ingran'dire] v. tr. agrandir. || [accrescere] accroître. || FIS., OTT. grossir. || FIG. grossir, grandir. ◆ v. rifl. s'agrandir.
ingrassare [ingras'sare] v. tr. engraisser. || [lubrificare] graisser. || [concimare] engraisser, fumer. ◆ v. intr. grossir, engraisser. ◆ v. rifl. [di bestie] s'engraisser. || [di persone] grossir, s'épaissir. || FIG. s'engraisser.
ingratitudine [ingrati'tudine] f. ingratitude.
ingrato [in'grato] agg. e n. ingrat.
ingravidare [ingravi'dare] v. tr. rendre grosse, engrosser (pop.). ◆ v. intr. devenir grosse, tomber enceinte.
ingraziare [ingrat'tsjare] v. tr. gagner les bonnes grâces (de).
ingrediente [ingre'djɛnte] m. ingrédient.
ingresso [in'grɛsso] m. entrée f.
ingrossare [ingros'sare] v. tr., intr. e rifl. grossir.
ingrosso (all') [allin'grɔsso] loc. avv. en gros. | *prezzi all'ingrosso,* prix de gros. || [all'incirca] en gros.
ingrullire [ingrul'lire] v. tr. abêtir. ◆ v. intr. s'abêtir.
inguaiare [ingwa'jare] v. tr. FAM. mettre dans le pétrin. ◆ v. rifl. FAM. se mettre dans le pétrin, se fourrer dans de beaux draps.
inguainare [ingwai'nare] v. tr. engainer, gainer.
ingualcibile [ingwal'tʃibile] agg. infroissable.
inguaribile [ingwa'ribile] agg. inguérissable, incurable. || PER EST. incorrigible.
inguine ['ingwine] m. ANAT. aine f.
inibire [ini'bire] v. tr. GIUR. interdire. || FISIOL., PSIC. inhiber.
iniettare [injet'tare] v. tr. MED., TECN. injecter. ◆ v. rifl. s'injecter.
iniezione [injet'tsjone] f. MED., TECN. injection.
inimicare [inimi'kare] v. tr. désunir, brouiller. | *inimicarsi qlcu.,* s'aliéner qn, se mettre qn à dos. ◆ v. rifl. se brouiller.
ininterrotto [ininter'rotto] agg. ininterrompu.
iniquità [inikwi'ta] f. iniquité, injustice.
iniquo [i'nikwo] agg. inique, inéquitable, injuste.
iniziale [init'tsjale] agg. initial. ◆ f. initiale.
iniziare [init'tsjare] v. tr. commencer. || [introdurre] initier (qn à). ◆ v. intr. e rifl. commencer, débuter.
iniziativa [inittsja'tiva] f. initiative.
iniziato [init'tsjato] m. initié.
iniziazione [inittsjat'tsjone] f. initiation. | *fare la propria iniziazione,* s'initier.
inizio [i'nittsjo] m. début, commencement.
innaffiare [innaf'fjare] v. tr. arroser.
innalzare [innal'tsare] v. tr. PR. élever, hisser, dresser. || FIG. élever, lever. ◆ v. rifl. PR. e FIG. s'élever.
innamorare [innamo'rare] v. tr. séduire. || PER EST. enchanter. ◆ v. rifl. s'éprendre, tomber amoureux. ◆ v. rifl. recipr. s'éprendre l'un de l'autre.
innamorato [innamo'rato] agg. épris, amoureux. || [pieno d'entusiasmo] passionné. ◆ n. amoureux, euse ; fiancé, e.
innanzi [in'nantsi] avv. en avant. | *farsi innanzi,* avancer, se présenter. || [prima] avant, auparavant, précédemment. || [in poi] *d'ora innanzi,* dorénavant, désormais. ◆ loc. prep. *innanzi a,* devant. ◆ loc. cong. *innanzi che,* avant que.
innato [in'nato] agg. inné. | *nobiltà innata,* noblesse native.
innaturale [innatu'rale] agg. qui n'est pas naturel.
innegabile [inne'gabile] agg. indéniable, incontestable.
inneggiare [inned'dʒare] v. intr. chanter des hymnes (à la louange de). || [celebrare] louer, célébrer, exalter (qch.).
innervosire [innervo'sire] v. tr. énerver, rendre nerveux. ◆ v. rifl. s'énerver, devenir nerveux.
innescare [innes'kare] v. tr. amorcer.
innesco [in'nesko] m. amorce f.
innestare [innes'tare] v. tr. greffer, enter. || AUT. embrayer. | *innestare una marcia,* engager, passer une vitesse. || ELETTR. brancher. || MED. inoculer. ◆ v. rifl. se rattacher (à), s'embrancher, se greffer.

innesto [in'nɛsto] m. greffe f., ente f. || AUT. embrayage. || ELETTR. branchement. || MED. inoculation f.
inno ['inno] m. hymne.
innocente [inno'tʃɛnte] agg. e n. innocent.
innocenza [inno'tʃɛntsa] f. innocence.
innocuo [in'nɔkwo] agg. inoffensif.
innominato [innomi'nato] agg. innominé ; anonyme.
innovare [inno'vare] v. tr. innover.
innovazione [innovat'tsjone] f. innovation.
innumerevole [innume'revole] agg. innombrable.
inoculare [inoku'lare] v. tr. PR. e FIG. inoculer.
inodoro [ino'doro] agg. inodore.
inoltrare [inol'trare] v. tr. [burocrazia] transmettre, faire suivre. | *inoltrare una domanda,* présenter une demande. || [far pervenire a destinazione] expédier, acheminer. ◆ v. rifl. [addentrarsi] s'avancer, s'engager, s'enfoncer.
inoltrato [inol'trato] agg. avancé. || LOC. *fino a notte inoltrata,* jusqu'à la nuit noire.
inoltre [i'noltre] avv. en outre, en plus, de plus, qui plus est.
inondare [inon'dare] v. tr. PR. e FIG. inonder. || TECN. noyer.
inoperoso [inope'roso] agg. inactif, inoccupé, inerte, oisif.
inopportuno [inoppor'tuno] agg. inopportun. || [fuori luogo] déplacé, hors de propos.
inoppugnabile [inoppuɲ'ɲabile] agg. inattaquable, incontestable.
inorganico [inor'ganiko] agg. inorganique. || désordonné.
inorgoglire [inorgoʎ'ʎire] v. tr. enorgueillir. ◆ v. intr. e rifl. s'enorgueillir.
inorridire [inorri'dire] v. tr. horrifier. ◆ v. intr. être saisi d'horreur. | *far inorridire,* horrifier. | *inorridisco all'idea di* ..., je frémis à l'idée de ...
inospitale [inospi'tale] agg. inhospitalier.
inosservanza [inosser'vantsa] f. inobservance, inobservation.
inosservato [inosser'vato] agg. inaperçu. || GIUR. inobservé.
inossidabile [inossi'dabile] agg. inoxydable.
inquadramento [inkwadra'mento] m. encadrement.
inquadrare [inkwa'drare] v. tr. encadrer. || FIG. situer. || PER EST. embrigader. || FOT. cadrer.
inquadratura [inkwadra'tura] f. FOT. cadrage m. || [immagine fotografica] photo. || CIN. prise de vues, plan m.
inquietare [inkwje'tare] v. tr. inquiéter. ◆ v. rifl. s'inquiéter. || [adirarsi] se fâcher. | *inquietarsi con qlcu.,* se fâcher contre qn.
inquieto [in'kwjɛto] agg. [agitato] agité. || [tormentato, preoccupato] inquiet. || [adirato] fâché.
inquietudine [inkwje'tudine] f. inquiétude. || [preoccupazione] souci m.
inquilino [inkwi'lino] (**-a** f.) n. locataire.
inquinamento [inkwina'mento] m. pollution f.
inquinare [inkwi'nare] v. tr. polluer. || FIG. corrompre. || [falsificare] altérer. ◆ v. rifl. se polluer. || FIG. se corrompre.
inquirente [inkwi'rɛnte] agg. enquêteur.
inquisire [inkwi'zire] v. tr. s'enquérir (de), se renseigner (sur), enquêter (sur). ◆ v. intr. (su) enquêter (sur), se renseigner (sur).
inquisitore [inkwizi'tore] agg. enquêteur. || FIG. inquisiteur. ◆ m. inquisiteur.
insabbiare [insab'bjare] v. tr. ensabler. || FIG. enterrer. ◆ v. rifl. s'ensabler, s'enliser. || FIG. être enterré. | *la pratica si è insabbiata,* le dossier a été enterré. || [di persona] s'enterrer.
insaccare [insak'kare] v. tr. ensacher. || FIG. entasser. || [infagottare] fagoter, engoncer. ◆ v. rifl. [ammassarsi] s'entasser.
insaccato [insak'kato] agg. ensaché. | *carne insaccata,* saucisson, mortadelle. ◆ m. pl. saucisses f.
insalata [insa'lata] f. PR. e FIG. salade.
insalatiera [insala'tjɛra] f. saladier m.
insalubre [insa'lubre] agg. insalubre.
insanabile [insa'nabile] agg. PR. e FIG. incurable, inguérissable. || [implacabile] implacable. || [irrimediabile] irrémédiable, irréductible.
insanguinare [insangwi'nare] v. tr. PR. e FIG. ensanglanter.
insano [in'sano] agg. LETT. [di persona] fou (L.C.). || [di azioni] insensé, fou.
insaponare [insapo'nare] v. tr. savonner.
insaporire [insapo'rire] v. tr. donner de la saveur, du goût (à). ◆ v. rifl. prendre du goût.
insaporo [insa'poro] agg. sans saveur, insipide.
insaputa (all') [allinsa'puta] loc. prep. (di) à l'insu (de). | *a mia insaputa,* à mon insu.
insaziabile [insat'tsjabile] agg. insatiable, inapaisable.
inscatolare [inskato'lare] v. tr. mettre en boîte.
inscenare [inʃʃe'nare] v. tr. mettre en scène. || FIG. [dimostrazione] organiser.

inscindibile [inʃʃin'dibile] agg. inséparable.
insediamento [insedja'mento] m. installation f. | *insediamento di un vescovo,* intronisation (f.) d'un évêque. || [stanziamento] habitat, implantation f. | *insediamento rurale,* habitat rural.
insediare [inse'djare] v. tr. installer. ◆ v. rifl. s'installer. || [stanziarsi] s'établir.
insegna [in'seɲɲa] f. [emblema] insigne m. || [stemma] armoiries pl. || [motto] devise. || MIL. étendard m., bannière, enseigne. || FIG. *all'insegna di,* sous le signe de.
insegnamento [inseɲɲa'mento] m. enseignement, instruction f. || [consiglio] enseignement, leçon f.
insegnante [inseɲ'ɲante] agg. e n. enseignant, e. | *insegnante elementare,* instituteur. | *insegnante di lettere,* professeur (m.) de lettres.
insegnare [inseɲ'ɲare] v. tr. enseigner, apprendre. || [indicare] montrer, enseigner, indiquer.
inseguimento [insegwi'mento] m. poursuite f.
inseguire [inse'gwire] v. tr. PR. e FIG. poursuivre. || FIG. *inseguire gli onori,* courir les honneurs.
inselvatichire [inselvati'kire] v. tr. rendre sauvage. ◆ v. rifl. devenir sauvage.
insenatura [insena'tura] f. crique, anse, calanque. || [grande] baie.
insensatezza [insensa'tettsa] f. manque (m.) de bon sens. || [discorso insensato] insanité, sottise.
insensato [insen'sato] agg. insensé, inepte. | *speranza insensata,* fol espoir. ◆ n. insensé ; fou, folle.
insensibile [insen'sibile] agg. [inavvertibile] insensible, imperceptible. || [che non avverte sensazioni o sentimenti] insensible, impassible.
inseparabile [insepa'rabile] agg. inséparable.
inserimento [inseri'mento] m. insertion f., introduction f. || [di persona] inclusion f., intégration f.
inserire [inse'rire] v. tr. insérer, introduire, intégrer. || [tra due cose] intercaler. || [incastrare] enchâsser. || [di persona] intégrer, inclure. || ELETTR. *inserire la corrente,* brancher. || TIP. encarter. ◆ v. rifl. s'insérer, s'intégrer.
inserto [in'sɛrto] m. [di documenti] dossier. || TIP. encart, supplément.
inservibile [inser'vibile] agg. inutilisable.
inserviente [inser'vjɛnte] m. homme de peine. || [d'ospedale] garçon de salle. || [di messa] servant (de messe).
inserzione [inser'tsjone] f. insertion. || [annuncio pubblicitario] annonce.
insetticida [insetti'tʃida] agg. e m. insecticide.
insetto [in'sɛtto] m. insecte. ◆ pl. [parassiti] bestioles f. (fam.).
insicuro [insi'kuro] agg. manquant d'assurance. | *sentirsi insicuro,* se sentir peu sûr.
insidia [in'sidja] f. PR. e FIG. embûche, piège m.
insidiare [insi'djare] v. tr. e intr. (a) dresser des embûches (à), tendre des pièges (à). | *insidiare una donna,* poursuivre une femme de ses assiduités.
insidioso [insi'djoso] agg. insidieux.
insieme [in'sjɛme] avv. ensemble. || LOC. *stare insieme,* aller ensemble. | *questo mobile non sta più insieme,* ce meuble ne tient plus debout. || *mettere insieme,* [riunire] réunir. | *mettere insieme una fortuna,* amasser une fortune. || [i pezzi di una macchina] monter, assembler || [formare] former. | *mettere insieme due righe,* écrire un mot. | *mettersi insieme,* s'associer. || [contemporaneamente] ensemble, en même temps, à la fois. | *parlare tutti insieme,* parler tous en même temps, tous à la fois. ◆ loc. prep. *insieme a, insieme con,* avec. ◆ m. ensemble. | *un insieme di fatti,* un ensemble de faits.
insigne [in'siɲɲe] agg. éminent, illustre, célèbre. || [di onori, favori] insigne.
insignire [insiɲ'ɲire] v. tr. décorer.
insincero [insin'tʃɛro] agg. insincère (lett.). | *è stato insincero con me,* il n'a pas été sincère avec moi.
insindacabile [insinda'kabile] agg. sans appel. || [incontestabile] incontestable, inattaquable.
insinuare [insinu'are] v. tr. PR. e FIG. insinuer. ◆ v. rifl. s'insinuer, s'infiltrer.
insipidezza [insipi'dettsa] o **insipidità** [insipidi'ta] f. PR. e FIG. insipidité, fadeur.
insipido [in'sipido] agg. insipide, fade.
insistente [insis'tɛnte] agg. insistant. | *non essere insistente,* n'insiste pas.
insistentemente [insistente'mente] avv. instamment, avec insistance. || [incessantemente] sans arrêt, sans cesse.
insistere [in'sistere] v. intr. insister.
insito ['insito] agg. inhérent (à). || [innato] inné.
insoddisfatto [insoddis'fatto] agg. insatisfait, inapaisé, inassouvi.
insofferente [insoffe'rɛnte] agg. intolérant. | *è insofferente di costrizioni,* il ne supporte pas les contraintes.
insofferenza [insoffe'rɛntsa] f. intolérance, impatience.
insolazione [insolat'tsjone] f. insolation.

insolente [inso'lɛnte] agg. insolent, impertinent, arrogant.
insolito [in'sɔlito] agg. insolite ; inaccoutumé, inhabituel.
insolubile [inso'lubile] agg. PR. e FIG. insoluble.
insoluto [inso'luto] agg. non résolu. || CHIM. non dissous. || [non pagato] impayé, non payé.
insolvibilità [insolvibili'ta] f. insolvabilité.
insomma [in'somma] avv. enfin, bref, en somme, pour tout dire. || [per esprimere l'impazienza] enfin, à la fin, mais enfin.
insonne [in'sɔnne] agg. sans sommeil. | *passare una notte insonne,* passer une nuit blanche. || [di persona sveglia] éveillé. || FIG. infatigable.
insonnia [in'sɔnnja] f. insomnie.
insonnolito [insonno'lito] agg. ensommeillé.
insopportabile [insoppor'tabile] agg. insupportable, intenable. || [di persona] invivable (fam.).
insopprimibile [insoppri'mibile] agg. qu'on ne peut (pas) supprimer.
insorgenza [insor'dʒɛntsa] f. MED. apparition.
insorgere [in'sɔrdʒere] v. intr. [ribellarsi] s'insurger, se soulever. || [manifestarsi] se déclarer, surgir, se présenter. ◆ m. *l'insorgere di qlco.,* l'apparition (f.) de qch.
insormontabile [insormon'tabile] agg. insurmontable, infranchissable.
insorto [in'sorto] agg. e m. insurgé.
insospettire [insospet'tire] v. tr. donner des soupçons (à), intriguer. ◆ v. rifl. concevoir, avoir des soupçons.
insostenibile [insoste'nibile] agg. insoutenable, indéfendable.
insostituibile [insostitu'ibile] agg. irremplaçable.
insozzare [insot'tsare] v. tr. PR. e FIG. salir, souiller.
insperato [inspe'rato] agg. inespéré.
inspiegabile [inspje'gabile] agg. inexplicable.
inspirare [inspi'rare] v. tr. FISIOL. inspirer.
instabile [in'stabile] agg. instable. || PER EST. variable, changeant, inconstant.
installare [instal'lare] v. tr. installer. ◆ v. rifl. s'installer.
instancabile [instan'kabile] agg. infatigable.
instaurare [instau'rare] v. tr. instaurer, établir. ◆ v. rifl. être instauré, s'instituer.
insù [in'su] avv. en haut. || LOC. *all'insù,* vers le haut.
insuccesso [insut'tʃɛsso] m. insuccès, échec.
insudiciare [insudi'tʃare] v. tr. PR. e FIG. souiller. ◆ v. rifl. se salir, s'encrasser.
insufficiente [insuffi'tʃɛnte] agg. insuffisant. | *è un po' insufficiente,* c'est (un peu) juste. | *voto insufficiente,* note au-dessous de la moyenne.
insufficienza [insuffi'tʃɛntsa] f. [in tutti i significati] insuffisance. || GIUR. *insufficienza di prove,* manque (m.) de preuves.
insufflare [insuf'flare] v. tr. PR. e FIG. insuffler.
insulare [insu'lare] agg. insulaire.
insulina [insu'lina] f. MED. insuline.
insulso [in'sulso] agg. fade, insignifiant, niais.
insultare [insul'tare] v. tr. insulter, injurier. || [qlco.] insulter (à). ◆ v. rifl. recipr. s'insulter.
insulto [in'sulto] m. insulte f., affront. || MED. accès. | *insulto cardiaco,* crise (f.) cardiaque.
insuperabile [insupe'rabile] agg. PR. e FIG. infranchissable. || [imbattibile] insurpassable, incomparable.
insuperato [insupe'rato] agg. inégalé, sans pareil.
insuperbire [insuper'bire] v. tr. remplir d'orgueil, enorgueillir. ◆ v. intr. e rifl. s'enorgueillir.
insurrezione [insurret'tsjone] f. insurrection.
insussistenza [insussis'tɛntsa] f. inexistence. || [infondatezza] manque (m.) de fondement.
intaccare [intak'kare] v. tr. entailler, encocher. || [corrodere] entamer, attaquer. || FIG. entamer. | *intaccare la reputazione di qlcu.,* porter atteinte à la réputation de qn. ◆ v. intr. [tartagliare] bégayer.
intacco [in'takko] m. [incisione] entaille f. || [tacca] encoche f. || [di lama] ébréchure f. || FIG. atteinte f.
intagliare [intaʎ'ʎare] v. tr. [scolpire] sculpter. || [incidere] graver. || [legno] chantourner, entailler. || [con la sgorbia] champlever. || [pietre preziose] tailler, intailler.
intanto [in'tanto] avv. pendant ce temps, en attendant, entre-temps. | *intanto il tempo passa,* en attendant, le temps passe. || [per ora] pour le moment, pour l'instant. | *intanto scrivi, poi ti spiegherò,* pour l'instant, écris, ensuite je t'expliquerai. || [opposizione] cependant, malgré cela. | *dice sempre di sì e intanto non lo fa mai,* il dit toujours oui, et, cependant, il ne le fait jamais. || [mentre] tandis que, en attendant. | *intanto avrebbe fatto meglio a star zitto,* en attendant, il aurait mieux

fait de se taire. || [con valore conclusivo] en attendant. | *intanto anche questa è fatta,* Dieu merci, cela aussi c'est fait ! || FAM. d'abord. ◆ loc. cong. *intanto che,* tandis que, pendant que.

intarsiato [intar'sjato] agg. marqueté.

intasare [inta'zare] v. tr. engorger, obstruer, boucher. || [il traffico] embouteiller, boucher. ◆ v. rifl. s'engorger, être bouché.

intascare [intas'kare] v. tr. empocher.

intatto [in'tatto] agg. intact.

intavolare [intavo'lare] v. tr. entamer, engager.

integrale [inte'grale] agg. intégral, complet, total. ◆ m. MAT. intégrale f.

integralismo [integra'lizmo] m. intégrisme.

integrante [inte'grante] agg. intégrant.

integrare [inte'grare] v. tr. compléter. || ECON., MAT. intégrer. ◆ v. rifl. recipr. se compléter.

integrativo [integra'tivo] agg. complémentaire. | *esame integrativo,* examen complémentaire.

integrità [integri'ta] f. intégrité, intégralité.

integro ['integro] agg. intégral, complet, entier. || [intatto] intact. || FIG. intègre.

intelaiatura [intelaja'tura] f. montage m. || [telaio di macchina, ecc.] châssis m. || [di bicicletta] cadre m. || AV. carcasse. || COSTR. charpente, bâti m. || FIG. structure.

intellettivo [intellet'tivo] agg. de l'entendement.

intelletto [intel'lɛtto] m. [facoltà di conoscere] intelligence f., esprit, intellect, raison f.

intellettuale [intellettu'ale] agg. e n. intellectuel, elle.

intellettualità [intellettuali'ta] f. intellectualité. || [élite degli intellettuali] intellectuels m. pl.

intelligente [intelli'dʒɛnte] agg. intelligent.

intelligenza [intelli'dʒɛntsa] f. intelligence. || [persona di grande intelligenza] esprit m. || [competenza] connaissance (profonde). || [concordia] intelligence, entente. | *intelligenza col nemico,* intelligences (f. pl.) avec l'ennemi.

intemperante [intempe'rante] agg. intempérant. | *linguaggio intemperante,* langage cru.

intemperie [intem'pɛrje] f. pl. intempéries.

intempestivo [intempes'tivo] agg. intempestif, inopportun.

intendente [inten'dɛnte] m. MIL. intendant.

intendenza [inten'dɛntsa] f. intendance.

intendere [in'tɛndere] v. tr. écouter, entendre. | *intendetemi bene,* écoutez-moi bien. || [capire] comprendre, entendre. | *dare a intendere,* donner à entendre. | *s'intende !,* cela va sans dire !, bien entendu ! || [concepire] entendre. | *che cosa intendi tu per ... ?,* qu'est-ce que tu entends par ... ? || [volere] entendre, vouloir. | *cosa intende fare ?,* qu'entendez-vous faire ? | *non intendo che,* je n'admets pas, je n'entends pas que. || [avere intenzione] avoir l'intention (de), entendre, compter. | *intendevo tornare presto,* je comptais rentrer de bonne heure. ◆ v. rifl. [avere cognizione di] s'entendre (à, en) ; s'(y) connaître. | *non intendersene,* n'y rien entendre. || [mettersi d'accordo] s'entendre, se mettre d'accord. ◆ v. rifl. recipr. [capirsi] se comprendre. || [mettersi d'accordo] s'entendre. | *intendersela con qlcu.,* être de connivence avec qn.

intendimento [intendi'mento] m. [facoltà di intendere] intelligence f., entendement. || [atto di intendere] compréhension f. || [proposito] intention f., dessein.

intenditore [intendi'tore] m. connaisseur. || PROV. *a buon intenditore poche parole,* à bon entendeur, salut !

intenerire [intene'rire] v. tr. attendrir. || FIG. fléchir. ◆ v. rifl. s'attendrir. || FIG. s'émouvoir.

intensificare [intensifi'kare] v. tr. intensifier. ◆ v. rifl. s'intensifier.

intensità [intensi'ta] f. intensité, force.

intensivo [inten'sivo] agg. intensif.

intenso [in'tɛnso] agg. intense.

intentare [inten'tare] v. tr. intenter.

intentato [inten'tato] agg. non tenté. | *non lasciare nulla d'intentato,* tout essayer.

1. intento [in'tɛnto] agg. occupé, absorbé. || [attento] attentif. | *era intento ad ascoltare,* il écoutait attentivement.

2. intento m. [scopo] but, dessein, intention f.

intenzionato [intentsjo'nato] agg. intentionné.

intenzione [inten'tsjone] f. intention. | *avrei una mezza intenzione di,* j'ai presque envie de. | *che intenzioni hai ?,* que penses-tu faire ?

interamente [intera'mente] avv. entièrement, tout entier. | *leggere un libro interamente,* lire un livre en entier.

1. intercalare [interka'lare] agg. intercalaire. ◆ m. [ritornello] refrain. || tic (de langage).

2. intercalare v. tr. intercaler.

intercambiabile [interkam'bjabile] agg. interchangeable.

intercapedine [interka'pɛdine] f. interstice m.
intercedere [inter'tʃɛdere] v. intr. intercéder. || [intercorrere] passer, y avoir.
intercessione [intertʃes'sjone] f. intercession. || [mediazione] entremise.
intercettare [intertʃet'tare] v. tr. intercepter.
intercettazione [intertʃettat'tsjone] f. interception.
intercomunicante [interkomuni'kante] agg. communicant.
intercontinentale [interkontinen'tale] agg. intercontinental.
intercorrere [inter'korrere] v. intr. exister, y avoir. | *tra noi due sono sempre intercorsi buoni rapporti,* il y a toujours eu de bons rapports entre nous deux. || [tempo] s'écouler, passer.
interdetto [inter'detto] agg. GIUR., REL. interdit. || [sbigottito] interdit, ahuri. | *rimanere interdetto,* rester interdit. ◆ m. GIUR. [persona] interdit.
interdire [inter'dire] v. tr. [proibire] interdire. || GIUR., REL. interdire.
interessamento [interessa'mento] m. intérêt. || [appoggio] appui. | *per interessamento di un amico,* grâce à un ami.
interessante [interes'sante] agg. intéressant. || FAM. *donna in stato interessante,* femme dans un état intéressant.
interessare [interes'sare] v. tr. intéresser. ◆ v. intr. intéresser v. tr. | *questo interessa a tutti,* cela intéresse tout le monde. ◆ v. rifl. (a) [mostrare interesse] s'intéresser (à). || [occuparsi] s'occuper. | *interessarsi di qlcu., di qlco.,* s'occuper de qn, de qch.
interessato [interes'sato] agg. e n. intéressé.
interesse [inte'rɛsse] m. [profitto] intérêt. | *lo fa solo per interesse,* il ne le fait que par intérêt. || [convenienza] intérêt. | *non ha interesse a parlare,* il n'a pas intérêt à parler. || [interessamento] intérêt. || COMM. intérêt. | *tasso d'interesse,* taux d'intérêt.
interezza [inte'rettsa] f. PR. e FIG. intégrité, intégralité.
interferire [interfe'rire] v. intr. FIS. interférer. || FIG. (in) intervenir (dans). || [immischiarsi] s'immiscer.
interiezione [interjet'tsjone] f. GR. interjection.
interinato [interi'nato] m. intérim.
interiora [inte'rjora] f. pl. entrailles.
interiore [inte'rjore] agg. PR. e FIG. intérieur.
interiorità [interjori'ta] f. intériorité. || [vita interiore] vie intérieure.
interlinea [inter'linea] f. interligne m.
interlocutore [interloku'tore] (**-trice** f.) n. interlocuteur, trice.
interlocutorio [interloku'tɔrjo] agg. préalable. || GIUR. interlocutoire.
interloquire [interlo'kwire] v. intr. [intervenire] intervenir. || GIUR. prononcer un jugement interlocutoire.
interludio [inter'ludjo] m. interlude.
intermediario [interme'djarjo] agg. e m. intermédiaire.
intermedio [inter'mɛdjo] agg. intermédiaire. ◆ m. [intermezzo teatrale] intermède.
intermezzo [inter'mɛddzo] m. entracte. || MUS. interlude. || TEAT. intermède.
interminabile [intermi'nabile] agg. interminable.
intermittente [intermit'tɛnte] agg. intermittent.
internamente [interna'mente] avv. intérieurement.
internamento [interna'mento] m. internement.
internare [inter'nare] v. tr. interner. ◆ v. rifl. (in) s'enfoncer, s'engager, pénétrer (dans).
1. internato [inter'nato] agg. e m. interné.
2. internato m. MED. internat. || [collegio] internat.
internazionale [internattsjo'nale] agg. international. ◆ f. Internationale.
internazionalizzare [internattsjonalid'dzare] v. tr. internationaliser.
internista [inter'nista] n. spécialiste de médecine interne.
interno [in'tɛrno] agg. intérieur. | *commissione interna,* comité d'entreprise. | *guerre, lotte interne,* guerres, luttes intestines. || GEOGR. *mare interno,* mer intérieure. || MAT. *angoli interni,* angles internes. || MED. interne. ◆ m. intérieur. || [di casa] intérieur. || MED., UNIV. interne. || POL. *ministero degli Interni,* ministère de l'Intérieur. || TEL. poste. | *mi può passare l'interno n° 34 ?,* pouvez-vous me passer le poste 34 ? ◆ loc. prep. *all'interno di,* à l'intérieur de.
intero [in'tero] agg. (tout) entier. | *l'intera classe,* toute la classe. || [assoluto] *avere intera fiducia in qlcu.,* avoir pleine confiance en qn. ◆ m. entier. || LOC. *per intero,* en entier, entièrement.
interpellanza [interpel'lantsa] f. POL. interpellation.
interpellare [interpel'lare] v. tr. interpeller. || [consultare] consulter.
interporre [inter'porre] v. tr. interposer. | *senza interporre tempo,* sans attendre. || GIUR. interjeter. ◆ v. rifl. s'interposer, intervenir.
interpretare [interpre'tare] v. tr. interpréter.
interprete [in'tɛrprete] n. interprète.

interramento [interra'mento] m. [di radici] enfouissement. || [colmare di terra] comblement.
interrare [inter'rare] v. tr. enterrer. || [colmare di terra] combler. ◆ v. rifl. s'ensabler.
interregno [inter'reɲɲo] m. interrègne.
interrogare [interro'gare] v. tr. interroger. || POL. *interrogare il governo,* interpeller le gouvernement. ◆ v. rifl. s'interroger.
interrogativo [interroga'tivo] agg. interrogateur, interrogatif. | *punto interrogativo,* point d'interrogation. ◆ m. [dubbio] problème, question f. | *porsi degli interrogativi,* se poser des questions. ◆ f. GR. interrogative.
interrogatorio [interroga'tɔrjo] agg. interrogatif, interrogateur. ◆ m. GIUR. interrogatoire.
interrogazione [interrogat'tsjone] f. interrogation. || POL. interpellation, question.
interrompere [inter'rompere] v. tr. interrompre. | *interrompere i lavori,* cesser les travaux. | *interrompere una seduta,* suspendre une séance. || [una strada] couper, barrer. ◆ v. rifl. s'interrompre. || [di strada] s'arrêter.
interrotto [inter'rotto] agg. interrompu. || [di voce, silenzio, ecc.] entrecoupé. || [di strada] coupé, barré.
interruttore [interrut'tore] m. interrupteur. ◆ (**-trice** f.) n. interrupteur, trice (lett.).
interruzione [interrut'tsjone] f. interruption. | *interruzione della corrente elettrica,* coupure du courant. | *interruzione delle trattative,* arrêt (m.), suspension des pourparlers.
intersecare [interse'kare] v. tr. couper. ◆ v. rifl. recipr. se couper, s'entrecroiser.
interstizio [inters'tittsjo] m. interstice.
interurbano [interur'bano] agg. interurbain. ◆ (**-a**) f. *fare un'interurbana,* faire une communication interurbaine.
intervallare [interval'lare] v. tr. espacer.
intervallo [inter'vallo] m. intervalle, espacement. || [nel tempo] intervalle, espace. | *a intervalli,* par intermittence. || MUS. intervalle. || SP. mi-temps f. || TEAT. entracte. || UNIV. interclasse, récréation.
intervenire [interve'nire] v. intr. intervenir. || [partecipare] prendre part, assister. || CHIR. intervenir. || [accadere] survenir, arriver.
intervento [inter'vɛnto] m. intervention f. || [partecipazione] participation f., présence f. | *con l'intervento di,* en présence de.
intervista [inter'vista] f. interview f. o m.
intervistare [intervis'tare] v. tr. interviewer.
intesa [in'tesa] f. entente, accord m.
inteso [in'teso] agg. [volto a un fine] qui tend, vise (à) ; tendant, visant (à). || [interpretato] compris, interprété. || [convenuto] entendu. | *rimane inteso che,* il est entendu que.
intessere [in'tɛssere] v. tr. tisser, tresser. || FIG. tisser. || [macchinare] tramer, ourdir.
intestardirsi [intestar'dirsi] v. rifl. s'entêter.
intestare [intes'tare] v. tr. écrire l'entête. || [di libro, ecc.] intituler. || COMM., GIUR. mettre au nom de. || TECN. abouter. ◆ v. rifl. [ostinarsi] s'obstiner, s'entêter.
intestatario [intesta'tarjo] agg. e n. titulaire.
1. intestino [intes'tino] agg. intestin. | *guerre intestine,* guerres intestines.
2. intestino m. intestin. || [di animali] boyau.
intiepidire [intjepi'dire] v. tr. attiédir, tiédir. || FIG. refroidir. ◆ v. intr. e rifl. tiédir, se refroidir.
intiero [in'tjɛro] agg. = INTERO.
intimare [inti'mare] v. tr. intimer (l'ordre de), enjoindre (de). || GIUR. sommer, mettre en demeure (de).
intimidatorio [intimida'tɔrjo] agg. intimidateur, trice. | *misure intimidatorie,* mesures d'intimidation.
intimidire [intimi'dire] v. tr. intimider. ◆ v. rifl. être intimidé.
intimità [intimi'ta] f. intimité.
intimo ['intimo] agg. intime, profond. || [che unisce strettamente] intime, étroit. | *i suoi più intimi collaboratori,* ses plus proches collaborateurs. || [segreto] intime. | *biancheria intima,* linge de corps. ◆ m. *nel suo intimo,* dans, en son for intérieur. || [amico stretto] intime, familier.
intimorire [intimo'rire] v. tr. effrayer. ◆ v. rifl. s'effrayer.
intingere [in'tindʒere] v. tr. tremper.
intingolo [in'tingolo] m. sauce f.
intirizzire [intirid'dzire] v. tr. engourdir, transir. ◆ v. intr. e rifl. s'engourdir, être transi.
intitolare [intito'lare] v. tr. donner un titre (à), intituler. || [dedicare] donner le nom de qn, dédier. ◆ v. rifl. s'intituler, se donner le titre (de). || [avere come titolo] avoir pour titre.
intoccabile [intok'kabile] agg. e m. intouchable.
intollerante [intolle'rante] agg. intolérant. | *essere intollerante di qlco.,* ne pas supporter qch.
intonacare [intona'kare] v. tr. [con malta] crépir, badigeonner ; [con gesso]

enduire (de plâtre), plâtrer. || [ricoprire] enduire.

intonaco [in'tɔnako] m. [di prima mano] crépi. || [di calce] badigeon. || [di cemento] enduit (de ciment).

intonato [into'nato] agg. [di voce] juste. || [di strumento musicale] accordé. || FIG. qui s'harmonise.

intonso [in'tonso] agg. [di libro] non coupé.

intontire [inton'tire] v. tr. ahurir, abrutir. || [stordire] étourdir. ◆ v. intr. s'étourdir.

intontito [inton'tito] agg. abruti, étourdi. || [istupidito] hébété.

intoppo [in'tɔppo] m. obstacle, difficulté f., accroc (fam.). | *senza intoppi,* sans encombre.

intorbidare [intorbi'dare] o **intorbidire** [intorbi'dire] v. tr. PR. e FIG. troubler. ◆ v. intr. FIG. se gâter, se brouiller.

intorno [in'torno] avv. autour. | *guardarsi intorno,* regarder autour de soi. | *levati d'intorno,* ôte-toi de là. ◆ loc. prep. *intorno a,* autour de. || [circa] à peu près, environ, vers. | *intorno all'inizio del secolo,* vers le début du siècle. || [a proposito di] sur. | *lavorare intorno a un progetto,* travailler à un projet.

intorpidire [intorpi'dire] v. tr. PR. e FIG. engourdir. ◆ v. rifl. e intr. s'engourdir. || FIG. croupir, s'amollir.

intossicare [intossi'kare] v. tr. PR. e FIG. intoxiquer.

intraducibile [intradu'tʃibile] agg. intraduisible.

intralciare [intral'tʃare] v. tr. gêner, entraver. | *intralciare un progetto,* contrarier, entraver un projet. ◆ v. rifl. recipr. se gêner.

intralcio [in'traltʃo] m. entrave f., embarras. | *senza intralci,* sans encombre.

intramezzare [intramed'dzare] v. tr. faire alterner.

intransigente [intransi'dʒɛnte] agg. intransigeant.

intrappolare [intrappo'lare] v. tr. prendre au piège.

intraprendente [intrapren'dɛnte] agg. entreprenant.

intraprendenza [intrapren'dɛntsa] f. esprit (m.) d'entreprise, initiative.

intraprendere [intra'prɛndere] v. tr. entreprendre.

intrattabile [intrat'tabile] agg. intraitable.

intrattenere [intratte'nere] v. tr. (di) [parlare] entretenir (de). || [mantenere] entretenir. ◆ v. rifl. s'entretenir. || [indugiare su un argomento] s'attarder.

intrav(v)edere [intrav(v)e'dere] v. tr. PR. e FIG. entrevoir.

intrecciare [intret'tʃare] v. tr. entrelacer, entrecroiser. || [di capelli, vimini] tresser, natter. || [le dita] croiser. || FIG. nouer. | *intrecciare una relazione,* nouer une relation. ◆ v. rifl. recipr. s'entrelacer, s'entrecroiser.

intreccio [in'trettʃo] m. entrelacement, enlacement, entrecroisement. || [l'intrecciare] tressage, nattage. || FIG. intrigue f., trame f. || ARCHIT. entrelacs.

intrepido [in'trɛpido] agg. intrépide. || [spavaldo] effronté.

intricare [intri'kare] v. tr. emmêler, embrouiller, enchevêtrer. ◆ v. rifl. s'emmêler, s'embrouiller, s'enchevêtrer.

intridere [in'tridere] v. tr. (di) imprégner (de). || [bagnare] tremper.

intrigante [intri'gante] agg. intrigant. ◆ n. intrigant, indiscret.

intrigare [intri'gare] v. intr. intriguer. ◆ v. rifl. (di, in) se mêler (de).

intrigo [in'trigo] m. intrigue f., manège. || [situazione intricata] intrigue f. | *cacciarsi in un bell'intrigo,* se fourrer dans un bel embarras.

intrinseco [in'trinseko] agg. intrinsèque. || [intimo] intime.

intriso [in'trizo] agg. trempé. || FIG. imprégné. ◆ m. [miscuglio] mélange, pâte f. || [per il pollame] pâtée f. || COSTR. gâchis, mortier.

intristire [intris'tire] v. intr. se rabougrir, s'étioler. || [deperire] dépérir.

introdotto [intro'dotto] agg. [conosciuto] connu, introduit.

introdurre [intro'durre] v. tr. [far entrare] introduire, entrer. || [diffondere] introduire. | *introdurre innovazioni,* innover v. tr. e intr. || [di persone, presentare] introduire ; initier. ◆ v. rifl. s'introduire. || [furtivamente] s'insinuer, se glisser.

introduzione [introdut'tsjone] f. introduction. || [in un libro] avant-propos m. || [in un discorso] entrée en matière.

introito [in'trɔito] m. recette f. | *gli introiti di una famiglia,* les revenus d'une famille. || REL. introït.

intromettersi [intro'mettersi] v. rifl. s'entremettre, interférer (dans), intervenir (dans). || [come mediatore] s'interposer.

intromissione [intromis'sjone] f. entremise. || [ingerenza] ingérence.

intronare [intro'nare] v. tr. assourdir, abasourdir, étourdir.

introspettivo [introspet'tivo] agg. introspectif.

introvabile [intro'vabile] agg. introuvable.

introverso [intro'vɛrso] agg. PSIC. introverti. ◆ m. introverti ; personne renfermée ; caractère renfermé.

intrufolare [intrufo'lare] v. tr. fourrer, glisser. ◆ v. rifl. se faufiler, se glisser.
intruglio [in'truλλo] m. mixture f., saleté f. ‖ Fig., Fam. tripotage.
intrupparsi [intrup'parsi] v. rifl. s'embrigader, s'enrégimenter.
intruso [in'truzo] m. intrus.
intuibile [intu'ibile] agg. prévisible.
intuire [intu'ire] v. tr. avoir l'intuition (de), entrevoir.
intuitivo [intui'tivo] agg. intuitif.
intuito [in'tuito] m. intuition f.
intuizione [intuit'tsjone] f. intuition.
inturgidire [inturdʒi'dire] v. intr. e rifl. enfler, se gonfler.
inumano [inu'mano] agg. inhumain.
inumare [inu'mare] v. tr. inhumer, ensevelir, enterrer.
inumidire [inumi'dire] v. tr. humecter, humidifier, mouiller. ◆ v. rifl. s'humecter.
inurbamento [inurba'mento] m. urbanisation f.
inurbano [inur'bano] agg. incivil, grossier.
inusato [inu'zato] agg. inusité.
inusitato [inuzi'tato] agg. inusité, inaccoutumé, insolite.
inutile [i'nutile] agg. inutile.
invadere [in'vadere] v. tr. envahir. ‖ Fig. envahir, inonder. ‖ [usurpare] empiéter (sur).
invaghire [inva'gire] v. tr. charmer. ◆ v. rifl. s'engouer, s'enticher, s'éprendre.
invalicabile [invali'kabile] agg. infranchissable.
invalidare [invali'dare] v. tr. Giur., Pol. invalider, infirmer.
invalido [in'valido] agg. invalide, impotent, infirme. ‖ Giur. invalide. ◆ m. invalide, infirme.
invano [in'vano] avv. en vain, vainement.
invariato [inva'rjato] agg. inchangé.
1. invasare [inva'zare] v. tr. posséder. | *essere invasato dal demonio,* être possédé du démon. ◆ v. rifl. s'engouer.
2. invasare v. tr. [mettere in un vaso] empoter.
invasione [inva'zjone] f. Pr. e Fig. invasion, envahissement m.
invaso [in'vazo] agg. envahi. ‖ Fig. inondé, envahi.
invecchiare [invek'kjare] v. intr. e tr. Pr. e Fig. vieillir.
invece [in'vetʃe] avv. au contraire. | *io, invece, sono rimasto a casa,* moi, au contraire, je suis resté à la maison. ‖ [ma] mais. | *doveva partire, invece è rimasto,* il devait partir mais il est resté. ‖ [piuttosto] plutôt. | *smettila di giocare, vieni invece ad aiutarmi,* cesse de jouer, viens plutôt m'aider. ◆ loc. prep. *invece di,* au lieu de. ‖ [al posto di] à la place de.
inveire [inve'ire] v. intr. invectiver. | *inveire contro i soprusi,* s'élever contre les abus.
invendibile [inven'dibile] agg. invendable.
invenduto [inven'duto] agg. invendu. ◆ m. Comm. invendu. ‖ Tip. bouillons pl.
inventare [inven'tare] v. tr. inventer.
inventario [inven'tarjo] m. inventaire. | *fare l'inventario,* faire l'inventaire, inventorier. ‖ Iron. énumération f. (L.C.).
inventiva [inven'tiva] f. imagination, invention.
inventore [inven'tore] agg. créateur. ◆ m. inventeur.
invenzione [inven'tsjone] f. invention.
inverecondia [invere'kondja] f. impudeur.
invernale [inver'nale] agg. d'hiver, hivernal, hibernal.
inverno [in'vɛrno] m. hiver.
inverosimiglianza [inverosimiλ'λantsa] f. invraisemblance.
inverosimile [invero'simile] agg. invraisemblable.
inversione [inver'sjone] f. inversion. ‖ [disposizione inversa di parole o di fattori] interversion. ‖ [direzione opposta] changement m. | *fare inversione di marcia,* faire demi-tour.
inverso [in'vɛrso] agg. inverse. ◆ m. inverse, contraire. ‖ Loc. *all'inverso di,* à l'inverse de.
invertire [inver'tire] v. tr. inverser, invertir. ‖ [capovolgere] intervertir. ‖ [cambiare direzione] *invertire la rotta,* faire demi-tour.
investigare [investi'gare] v. tr. rechercher ; examiner ; étudier. ◆ v. intr. enquêter.
investigatore [investiga'tore] agg. investigateur. ◆ m. investigateur, enquêteur.
investire [inves'tire] v. tr. investir. ‖ Comm., Econ. investir, placer. ‖ [urtare violentemente] tamponner, heurter. ‖ Mar. [urtare] aborder. ‖ Mil. investir. ‖ Fig. [assalire] assaillir. ◆ v. rifl. se pénétrer.
investitura [investi'tura] f. investiture.
inveterato [invete'rato] agg. invétéré.
invettiva [invet'tiva] f. invective.
inviare [invi'are] v. tr. envoyer. ‖ [spedire] envoyer, expédier.
inviato [invi'ato] m. envoyé.
invidia [in'vidja] f. envie.
invidiare [invi'djare] v. tr. envier. ‖ [essere invidioso di qlcu.] jalouser.
invidioso [invi'djoso] agg. e m. envieux.

invilire [invi'lire] v. tr. avilir. || [indebolire] affaiblir. || [abbassare il valore] avilir, déprécier. ◆ v. rifl. [degradarsi] s'avilir. || [perdere del valore] se déprécier.
invincibile [invin'tʃibile] agg. PR. e FIG. invincible.
invio [in'vio] m. envoi, expédition f.
inviolabile [invio'labile] agg. inviolable.
inviperire [invipe'rire] v. intr. e rifl. devenir furieux, s'irriter.
invischiare [invis'kjare] v. tr. engluer. ◆ v. rifl. s'engluer. || FIG. s'embourber, s'empêtrer.
invisibile [invi'zibile] agg. invisible.
inviso [in'vizo] agg. mal vu, impopulaire, exécré.
invitante [invi'tante] agg. engageant ; invitant.
invitare [invi'tare] v. tr. PR. e FIG. inviter, convier.
invitato [invi'tato] agg. e n. invité.
invito [in'vito] m. invitation f. || GIOCHI [carte] invite f.
invocare [invo'kare] v. tr. invoquer. | *invocare aiuto,* appeler au secours. || GIUR. *invocare le attenuanti,* plaider les circonstances atténuantes.
invogliare [invoʎ'ʎare] v. tr. donner envie (de).
involontario [involon'tarjo] agg. involontaire.
involtare [invol'tare] v. tr. envelopper. ◆ v. rifl. s'envelopper.
involtino [invol'tino] m. paupiette f.
involto [in'vɔlto] m. [pacco] paquet, ballot. || [involucro] enveloppe f.
involucro [in'vɔlukro] m. emballage, enveloppe f. || BOT. involucre.
involutivo [involu'tivo] agg. régressif.
involuto [invo'luto] agg. contourné, confus.
involuzione [involut'tsjone] f. confusion, enchevêtrement m. || [regresso] régression, déclin m. || BIOL. involution.
invulnerabile [invulne'rabile] agg. invulnérable.
inzaccherare [intsakke'rare] v. tr. crotter, éclabousser. ◆ v. rifl. se crotter.
1. inzeppare [intsep'pare] v. tr. [fissare con zeppe] caler.
2. inzeppare v. tr. PR. e FIG. bourrer.
inzuccherare [intsukke'rare] v. tr. saupoudrer (de sucre). || [addolcire] sucrer. || FIG. adoucir.
inzuppare [intsup'pare] v. tr. tremper, imbiber, imprégner. ◆ v. rifl. se tremper.
io ['io] pron. pers. m. e f. 1ª pers. sing. je. | *io sottoscritto ...,* je soussigné ... || [in posizione di rilievo] moi. | *ve lo dico io,* c'est moi qui vous le dis. | *« Chi è ? » « (Sono) io ! »,* « Qui est-ce ? » « (C'est) moi ! ». || LOC. *io come io ...,* si c'était moi ..., quant à moi ... ◆ m. FILOS., PSIC. moi.
iodio ['jɔdjo] m. iode. | *tintura di iodio,* teinture d'iode.
iogurt ['jɔgurt] m. yogourt, yaourt.
ionico ['jɔniko] agg. ionien. || ARCHIT. ionique. | *ordine ionico,* ordre ionique.
iosa (a) [a 'jɔza] loc. avv. à foison ; en veux-tu, en voilà.
iota ['jɔta] m. e f. inv. [lettera greca] iota m. || LOC. *non vale un iota,* ça ne vaut rien du tout.
iperbole [i'pɛrbole] f. GEOM., RET. hyperbole.
ipercritico [iper'kritiko] agg. e n. hypercritique.
ipernutrizione [ipernutrit'tsjone] f. suralimentation.
ipersensibile [ipersen'sibile] agg. hypersensible.
ipertensione [iperten'sjone] f. MED. hypertension.
ipertrofia [ipertro'fia] f. MED. hypertrophie.
ipnosi [ip'nɔzi] f. hypnose.
ipnotico [ip'nɔtiko] agg. hypnotique.
ipnotizzare [ipnotid'dzare] v. tr. PR. e FIG. hypnotiser.
ipocrisia [ipokri'zia] f. hypocrisie.
ipocrita [i'pɔkrita] agg. e n. hypocrite.
ipodermico [ipo'dɛrmiko] agg. hypodermique.
ipofisi [i'pɔfizi] f. hypophyse.
ipoteca [ipo'tɛka] f. GIUR. hypothèque.
ipotecare [ipote'kare] v. tr. PR. e FIG. hypothéquer.
ipotensione [ipoten'sjone] f. MED. hypotension.
ipotesi [i'pɔtezi] f. hypothèse. | *nella peggiore delle ipotesi,* en mettant les choses au pire.
ipotetico [ipo'tɛtiko] agg. hypothétique.
ippica ['ippika] f. hippisme m., turf m.
ippocampo [ippo'kampo] m. ZOOL. hippocampe.
ippocastano [ippokas'tano] m. marronnier (d'Inde).
ippodromo [ip'pɔdromo] m. hippodrome.
ippopotamo [ippo'pɔtamo] m. ZOOL. hippopotame.
ipsilon ['ipsilon] m. e f. [lettera greca] upsilon m., i grec m.
ira ['ira] f. colère. | *avere uno scatto d'ira,* avoir un mouvement de colère. | *fare un'ira di Dio,* faire un vacarme de tous les diables. | *costare l'ira di Dio,* coûter les yeux de la tête.
iracondia [ira'kondja] f. colère, irascibilité (lett.).
irascibile [iraʃ'ʃibile] agg. irascible, coléreux.
irato [i'rato] agg. en colère, irrité. | *sguardo irato,* regard courroucé.

iridato [iri'dato] agg. irisé, diapré. ◆ m. SP. champion du monde.
iride ['iride] f. ANAT., BOT. iris m. || [arcobaleno] arc-en-ciel m.
iris ['iris] f. BOT. iris m.
ironia [iro'nia] f. ironie.
ironico [i'rɔniko] agg. ironique.
ironizzare [ironid'dzare] v. intr. ironiser. ◆ v. tr. railler.
iroso [i'roso] agg. irascible, coléreux, colérique.
irradiamento [irradja'mento] m. rayonnement. || MED. irradiation f.
irradiare [irra'djare] v. tr. PR. e FIG. éclairer. || [diffondere] diffuser. | *irradiare luce,* diffuser de la lumière. || MED. irradier. ◆ v. intr. rayonner, émaner, irradier. ◆ v. rifl. partir (de), rayonner. | *dal centro si irradiano sei strade,* six routes partent du centre.
irraggiungibile [irraddʒun'dʒibile] agg. inaccessible, hors d'atteinte.
irragionevole [irradʒo'nevole] agg. déraisonnable.
irragionevolezza [irradʒonevo'lettsa] f. manque (m.) de bon sens, de raison.
irrancidire [irrantʃi'dire] v. intr. PR. e FIG. rancir.
irrazionale [irrattsjo'nale] agg. irrationnel.
irreale [irre'ale] agg. e m. irréel.
irrealizzabile [irrealid'dzabile] agg. irréalisable.
irrecuperabile [irrekupe'rabile] agg. irrécupérable. | *tassa irrecuperabile,* taxe irrécouvrable.
irrecusabile [irreku'zabile] agg. irrécusable.
irrefrenabile [irrefre'nabile] agg. irrépressible, incoercible.
irrefutabile [irrefu'tabile] agg. irréfutable.
irreggimentare [irreddʒimen'tare] v. tr. enrégimenter.
irregolare [irrego'lare] agg. irrégulier.
irregolarità [irregolari'ta] f. irrégularité.
irremovibile [irremo'vibile] agg. PR. e FIG. inébranlable. | *su questo punto fu irremovibile,* il a été intraitable sur ce point.
irreparabile [irrepa'rabile] agg. irréparable, irrémédiable.
irreperibile [irrepe'ribile] agg. introuvable. | *si è reso irreperibile,* on a perdu ses traces.
irreprensibile [irrepren'sibile] agg. irrépréhensible, irréprochable, impeccable.
irrequieto [irre'kwjɛto] agg. agité. inquiet. || [esuberante] turbulent.
irrequietudine [irrekwje'tudine] f. [in senso spirituale] inquiétude.
irresistibile [irresis'tibile] agg. irrésistible.
irresoluto [irreso'luto] agg. incertain, irrésolu, indécis.
irrespirabile [irrespi'rabile] agg. PR. e FIG. irrespirable.
irresponsabile [irrespon'sabile] agg. e m. irresponsable.
irrestringibile [irrestrin'dʒibile] agg. irrétrécissable.
irretire [irre'tire] v. tr. embobiner (fam.), entortiller (fam.), séduire.
irreversibile [irrever'sibile] agg. irréversible.
irrevocabile [irrevo'kabile] agg. irrévocable.
irriconoscibile [irrikonoʃ'ʃibile] agg. méconnaissable.
irridere [ir'ridere] v. tr. LETT. railler, se moquer (de) [L.C.].
irriducibile [irridu'tʃibile] agg. irréductible.
irriflessivo [irrifles'sivo] agg. irréfléchi, étourdi.
irrigare [irri'gare] v. tr. AGR., MED. irriguer.
irrigidimento [irridʒidi'mento] m. raidissement. || [intorpidimento] engourdissement. || [della temperatura] refroidissement. || FIG. durcissement.
irrigidire [irridʒi'dire] v. tr. raidir. || [intorpidire] engourdir. || FIG. durcir. ◆ v. rifl. se raidir. || [intorpidirsi] s'engourdir. || [della temperatura] se refroidir.
irriguardoso [irrigwar'doso] agg. irrespectueux.
irrilevante [irrile'vante] agg. insignifiant, peu important.
irrimediabile [irrime'djabile] agg. irrémédiable.
irripetibile [irripe'tibile] agg. [che non si ripeterà più] unique. || [che non si osa ripetere] qu'on ne peut pas, qu'on n'ose pas répéter.
irrisorio [irri'zɔrjo] agg. dérisoire. || [irrisore] railleur, moqueur.
irritare [irri'tare] v. tr. irriter, agacer, énerver, contrarier. ◆ v. rifl. s'irriter.
irriverente [irrive'rɛnte] agg. irrévérencieux, irrespectueux.
isola ['izola] f. île. || [isolato] îlot m., quartier m. || [spartitraffico] refuge m. || MAR. îlot. ◆ pl. ANAT. îlots.
isolamento [izola'mento] m. isolement. || FIS. isolation f. | *isolamento acustico,* insonorisation f.
isolano [izo'lano] agg. e n. [abitante di un'isola] insulaire.
isolante [izo'lante] agg. e m. FIS. isolant, isolateur.
isolare [izo'lare] v. tr. isoler. ◆ v. rifl. s'isoler.
1. isolato [izo'lato] agg. isolé. | *luogo isolato,* endroit isolé, écarté.

2. isolato m. [gruppo di edifici] îlot ; pâté de maisons. || SP. indépendant.
irrobustire [irrobus'tire] v. tr. fortifier. ◆ v. rifl. se fortifier, devenir robuste, forcir.
irrompere [ir'rompere] v. intr. faire irruption, s'engouffrer.
irrorare [irro'rare] v. tr. mouiller. || AGR. pulvériser.
irruente [irru'ɛnte] agg. impétueux.
irruvidire [irruvi'dire] v. tr. rendre rugueux. ◆ v. rifl. devenir rugueux.
irruzione [irrut'tsjone] f. irruption.
irto ['irto] agg. PR. e FIG. hérissé.
iscritto [is'kritto] part. pass. e agg. inscrit. ◆ m. inscrit. || LOC. *per iscritto,* par écrit.
iscrivere [is'krivere] v. tr. inscrire. ◆ v. rifl. s'inscrire.
iscrizione [iskrit'tsjone] f. [in tutti i significati] inscription.
isoletta [izo'letta] f. o **isolotto** [izo'lɔtto] m. GEOGR. îlot m.
ispessire [ispes'sire] v. tr. épaissir. || [intensificare] intensifier, augmenter. ◆ v. rifl. épaissir v. intr., s'épaissir.
ispettivo [ispet'tivo] agg. d'inspection.
ispettorato [ispetto'rato] m. inspectorat. || [organismo e funzione] inspection f.
ispezionare [ispettsjo'nare] v. tr. inspecter. | *ispezionare dei bagagli,* fouiller des bagages.
ispido ['ispido] agg. PR. hirsute, hérissé. || FIG. revêche. || [irto di difficoltà] épineux. || BOT. hispide.
ispirare [ispi'rare] v. tr. inspirer. ◆ v. rifl. (a) s'inspirer (de).
ispirazione [ispirat'tsjone] f. inspiration. | *gli venne un'ispirazione,* une idée lui est venue.
israelita [izrae'lita] agg. e n. israélite.
issare [is'sare] v. tr. hisser. ◆ v. rifl. se hisser.
istantanea [istan'tanea] f. FOT. instantané m. || CIN. flash m.
istante [is'tante] m. instant, moment. | *nell'istante in cui, in che,* à l'instant (même) où.
istanza [is'tantsa] f. instance, demande. | *in ultima istanza,* en dernière instance, en dernier ressort. || [insistenza] instance.
isterico [is'tɛriko] agg. e n. hystérique.
isterilire [isteri'lire] v. tr. PR. e FIG. stériliser, rendre stérile. ◆ v. intr. e rifl. PR. e FIG. devenir stérile.
isterismo [iste'rizmo] m. MED. hystérie f.
istigare [isti'gare] v. tr. inciter, pousser, exciter.
istigazione [istigat'tsjone] f. instigation, incitation.
istillare [istil'lare] v. tr. PR. e FIG. instiller.
istintivamente [istintiva'mente] avv. instinctivement, d'instinct.
istintivo [istin'tivo] agg. instinctif. | *paura istintiva,* crainte irraisonnée. ◆ m. (être) instinctif.
istinto [is'tinto] m. instinct.
istituire [istitu'ire] v. tr. instituer, établir. | *istituire una scuola,* fonder une école.
istituto [isti'tuto] m. institut. || [ente] établissement. | *istituto di credito,* établissement de crédit. | *istituto magistrale,* école normale. || [istituzione] institution f.
istituzione [istitut'tsjone] f. institution, établissement m., fondation. || [cosa istituita] institution. | *le istituzioni di un paese,* les institutions d'un pays.
istmo ['istmo] m. GEOGR. isthme.
istradare [istra'dare] v. tr. acheminer, diriger. ◆ v. rifl. se diriger.
istrice ['istritʃe] m. ZOOL. porc-épic. || FIG. hérisson.
istruire [istru'ire] v. tr. instruire. || [insegnare qlco.] apprendre, enseigner. || [ammaestrare] dresser. || [informare] informer ; donner des indications. || GIUR. instruire. ◆ v. rifl. s'instruire. || [informarsi] se renseigner, s'informer.
istruttivo [istrut'tivo] agg. instructif.
istruttore [istrut'tore] m. instructeur. || AUT. moniteur (d'auto-école). ◆ agg. GIUR. *giudice istruttore,* juge d'instruction.
istruttoria [istrut'tɔrja] f. GIUR. instruction.
istruzione [istrut'tsjone] f. [in tutti i significati] instruction. | *istruzione professionale,* formation professionnelle. | *ministero della pubblica Istruzione,* ministère de l'Éducation nationale. ◆ pl. [direttive] instructions. | *istruzioni per l'uso,* mode (m.) d'emploi.
istupidire [istupi'dire] v. tr. abrutir, abêtir ◆ v. rifl. s'abrutir.
italianità [italjani'ta] f. caractère italien ; italianisme m.
italiano [ita'ljano] agg. italien. ◆ n. [abitante] Italien. ◆ m. [lingua] italien.
itinerario [itine'rarjo] agg. e m. itinéraire.
itterizia [itte'rittsja] f. MED. jaunisse, ictère m.
ittico ['ittiko] agg. du poisson. | *mercato ittico,* marché du poisson.
ittiologia [ittjolo'dʒia] f. ichtyologie.
iuta ['juta] f. jute m.
ivi ['ivi] avv. LETT. là. | *ivi accluso,* ci-joint, ci-inclus. | *ivi compreso,* y compris. || [nel tempo] *ivi a poco,* peu (de temps) après. || [rimando nelle citazioni] ibidem.

j

j ['jɔd] f. o m. j m.
jazz [dʒæz] m. inv. (ingl.) jazz.
jet [dʒet] m. inv. (ingl.) Av. avion (m.) à réaction ; jet m.
jockey ['dʒɔki] m. inv. (ingl.) jockey m.
jolly ['dʒɔli] m. inv. (ingl.) GIOCHI joker m.
judo ['ʒu:do] m. inv. judo m.
judoista [dʒudo'ista] (**-i** pl.) n. judoka.
jujitsu [dʒu'dʒitsu] m. inv. jiu-jitsu.
jumbo ['dʒœmbo] m. inv. (ingl.) Av. jumbo-jet m., gros-porteur m.
junior ['junjor] agg. inv. junior. ◆ agg. e n. (**-ores** pl.) SP. junior.

k

k ['kappa] f. o m. k m.
kayak [ka'jak] m. inv. kayak m.
kibbutz [kib'buts] m. kibboutz (kibboutzim pl.).
killer ['killer] m. inv. (ingl.) tueur (m.) à gages.
kivi ['kivi] m. kiwi.
knut [knut] m. inv. knout m.
kolchoz [kal'kɔz] m. kolkhoz(e).
krapfen ['krapfən] m. inv. (ted.) beignet m.
kris [kris] m. criss.

l

l ['ɛlle] f. o m. l m.
1. la [la] art. det. f. la ; [davanti a voc. e h muta] l'.
2. la pron. pers. 3ª pers. f. sing. compl. ogg. la ; [davanti a voc. e h muta] l'. || [pron. di cortesia] vous. || [valore neutro] *me la pagherai,* tu me le paieras.
3. la m. MUS. la. || PR. e FIG. *dare il la,* donner le la.
là [la] avv. là ; [molto lontano] là-bas. | *là dentro,* là-dedans. || [rafforzativo] *quelli là,* ceux-là. | *guarda là che sporcizia,* regarde un peu quelle saleté. || LOC. *là, ci siamo,* enfin on y est ; ça y est. | FAM. *(ma) va' là !,* allons donc ! ◆ loc. avv. *qua e là,* par-ci, par-là. || *in là,* d'un autre côté, de l'autre côté. | *tirarsi in là,* PR. s'écarter ; FIG. s'effacer. | *andare in là,* [luogo, tempo e FIG.] avancer. || PR. e FIG. *più in là,* [più lontano] plus loin ; [più indietro] plus en arrière ; [più tardi] plus tard, par la suite. || *di là : è passato di là,* [moto per luogo] il est passé par là ; [moto a luogo] il est passé à côté, dans l'autre pièce. | *essere più di là che di qua,* être plus mort que vif. | *al di là,* au-delà. ◆ loc. prep. *al di là di, di là da,* au-delà de. || FIG. *è ancora di là da venire,* ce n'est pas pour demain.
labbro ['labbro] (**-a** pl. f. PR. ; **-i** pl. m. FIG.) m. lèvre f. | *stringere le labbra,* pincer les lèvres. || [di ferita] lèvre f. || [margine] bord. | *labbri di un vaso,* bords d'un vase.
labile ['labile] agg. [fugace] fugitif, éphémère. || [debole] faible, instable, fragile. || CHIM. instable, labile.
labirinto [labi'rinto] m. PR. e FIG. labyrinthe.
laboratorio [labora'tɔrjo] m. laboratoire. || [di operai, artigiani] atelier.
laboriosità [laborjosi'ta] f. capacité de travail. || [difficoltà] difficulté.
laborioso [labo'rjoso] agg. [difficile] laborieux, difficile. || [operoso, attivo] laborieux, travailleur.
laburismo [labu'rizmo] m. POL. travaillisme.
lacca ['lakka] f. [sostanza] laque. || [oggetto] laque m. || [per unghie] vernis (m.) à ongles.
laccare [lak'kare] v. tr. laquer.
lacchè [lak'kɛ] m. inv. laquais, larbin m. (fam.).
laccio ['lattʃo] m. lacet. || [per catturare cavalli, bovini] lasso. || FIG. piège.
lacerare [latʃe'rare] v. tr. PR. e FIG. déchirer, lacérer. ◆ v. rifl. se déchirer.
lacerazione [latʃerat'tsjone] f. [azione] déchirement m., lacération. || [risultato] déchirure.
lacero ['latʃero] agg. déchiré, en loques.
lacrima ['lakrima] f. larme. || FIG. [piccola quantità] larme (fam.), goutte.
lacrimare [lakri'mare] v. intr. pleurer, larmoyer.
lacuna [la'kuna] f. lacune.
lacustre [la'kustre] agg. lacustre.
laddove [lad'dove] avv. là où. ◆ cong. LETT. alors que (L.C.), tandis que (L.C.).

ladino [la'dino] agg. e m. ladin.
ladreria [ladre'ria] f. vol m.
ladro ['ladro] (**-a** f.) n. voleur. ◆ agg. voleur, malhonnête. ‖ FIG. *occhi ladri,* yeux fripons.
ladrone [la'drone] m. voleur, bandit, brigand, larron (lett.).
laggiù [lad'dʒu] avv. là-bas.
lagna ['laɲɲa] f. FAM. jérémiade, pleurnicheries pl. ‖ [persona noiosa] raseur m. | *quella donna è una lagna,* cette femme est assommante. ‖ [cosa noiosa] *che lagna !,* quelle barbe !
lagnanza [laɲ'ɲantsa] f. doléance, plainte, grief m.
lagnarsi [laɲ'ɲarsi] v. rifl. se plaindre.
lago ['lago] (**-ghi** pl.) m. lac. ‖ FIG. [di sangue] mare f. | *essere in un lago di sudore,* être tout en nage.
lagrima ['lagrima] e deriv. V. LACRIMA.
laguna [la'guna] f. lagune.
laicale [lai'kale] agg. laïque, laïc. | *ridurre allo stato laicale,* réduire à l'état laïque.
laicità [laitʃi'ta] f. laïcité.
laico ['laiko] (**-ci** pl.) agg. laïque, laïc.
laido ['laido] agg. hideux, répugnant, immonde, obscène.
1. lama ['lama] f. lame.
2. lama m. ZOOL. lama.
3. lama m. REL. lama.
lambiccare [lambik'kare] v. tr. distiller (à l'alambic). ◆ v. rifl. FIG. *lambiccarsi il cervello,* se creuser, se torturer la cervelle.
lambire [lam'bire] v. tr. lécher. | *l'acqua lambiva gli scogli,* l'eau effleurait les rochers.
lambrì [lɑ̃'bri] m. lambris.
lamella [la'mɛlla] f. lamelle.
lamentare [lamen'tare] v. tr. déplorer, regretter. | *si lamentano tre morti,* on déplore trois victimes. ◆ v. rifl. se plaindre. | *lamentarsi con qlcu.,* se plaindre à qn.
lamentazione [lamentat'tsjone] f. lamentation.
lamentela [lamen'tɛla] f. plainte, doléance.
lamentevole [lamen'tevole] agg. lamentable.
lamento [la'mento] m. plainte f. ‖ POES. complainte f. ‖ MUS. lamento.
lametta [la'metta] f. lame (de rasoir).
lamiera [la'mjɛra] f. TECN. tôle.
lamina ['lamina] f. lame, feuille, plaque. ‖ ANAT. lame. ‖ BOT. limbe m.
laminato [lami'nato] agg. TECN. laminé. ‖ [ricoperto] plaqué. ◆ m. laminé.
lampada ['lampada] f. lampe.
lampadario [lampa'darjo] m. lustre.
lampadina [lampa'dina] f. [globo di vetro] ampoule. ‖ [lampada] lampe. | *lampadina tascabile,* lampe de poche.
lampante [lam'pante] agg. [lucido] éclatant. ‖ FIG. évident, manifeste.
lampeggiare [lamped'dʒare] v. intr. METEOR. [impers.] *lampeggia,* il y a des éclairs. ‖ FIG. étinceler, briller. ‖ PER EST. clignoter. ‖ AUT. *far lampeggiare i fari,* faire des appels de phares.
lampeggio [lamped'dʒio] m. [serie di lampi] succession (f.) d'éclairs. ‖ [di luce artificiale] clignotement.
lampione [lam'pjone] m. [elettrico] lampadaire, réverbère. ‖ [a gas] réverbère, bec de gaz. ‖ [di carrozza] lanterne f.
lampo ['lampo] m. éclair. ‖ [con funzione aggettivale] éclair ; très rapide. | *guerra, visita lampo,* guerre, visite éclair.
lampone [lam'pone] m. [pianta] framboisier. ‖ [frutto] framboise f.
lana ['lana] f. laine.
lancetta [lan'tʃetta] f. aiguille. ‖ BOT. tulipe sauvage. ‖ CHIR. lancette.
1. lancia ['lantʃa] (**-ce** pl.) f. lance. ‖ [fiocina] harpon m.
2. lancia (**-ce** pl.) f. [a remi] chaloupe, canot m. ‖ [a motore] vedette, canot m.
lanciare [lan'tʃare] v. tr. [in tutti i significati] lancer. | *lanciare delle pietre,* lancer, jeter des pierres. | *lanciare una canzone,* lancer une chanson. ◆ v. rifl. se lancer, s'élancer, se jeter. ◆ v. recipr. se lancer. | *si sono lanciati degli insulti,* ils se sont lancé des injures.
lancinante [lantʃi'nante] agg. lancinant.
lancio ['lantʃo] m. lancement, jet. ‖ SP. lancer. ‖ [dall'alto : il lanciarsi] saut. ‖ [il lanciare] largage. ‖ [pubblicità] lancement.
landa ['landa] f. lande.
landau [lɑ̃'do] m. (fr.) o **landò** [lan'dɔ] m. landau.
lanetta [la'netta] f. lainage (m.) fin.
languidamente [langwida'mente] avv. languissamment (lett.).
languido ['langwido] agg. affaibli, faible, languissant, langoureux.
languire [lan'gwire] v. intr. PR. e FIG. languir. ‖ [vegetali] s'étioler. ‖ [di fiamma] s'affaiblir, mourir.
languore [lan'gwore] m. langueur f. ‖ LOC. *languore allo stomaco,* creux à l'estomac.
lanificio [lani'fitʃo] m. filature (f.) de laine.
lanolina [lano'lina] f. lanoline.
lanoso [la'noso] agg. laineux.
lanterna [lan'tɛrna] f. lanterne. ‖ [di un faro] fanal m., phare m.

lanternino [lanter'nino] m. *cercare col lanternino*, chercher partout, chercher avec un soin minutieux.

lanugine [la'nudʒine] f. duvet m.

lapidare [lapi'dare] v. tr. PR. e FIG. lapider.

lapidario [lapi'darjo] (**-i** pl.) agg. PR. e FIG. lapidaire. ◆ m. [incisore di lapidi] graveur sur pierre. ‖ [gioielliere] lapidaire. ‖ [raccolta di epigrafi] collection (f.) d'inscriptions.

lapide ['lapide] f. [sepolcrale] pierre tombale ; [commemorativa] plaque commémorative.

lapis ['lapis] m. inv. crayon m.

lappare [lap'pare] v. tr. e intr. laper.

lapsus ['lapsus] m. inv. lapsus.

lardello [lar'dɛllo] m. lardon.

lardo ['lardo] m. lard (gras).

largheggiare [larged'dʒare] v. intr. être généreux. | *largheggiare nelle spese*, dépenser sans compter.

larghezza [lar'gettsa] f. largeur. ‖ [abbondanza] importance, abondance. ‖ [apertura] largeur. | *larghezza di vedute*, largeur de vues. ‖ [indulgenza] compréhension. ‖ [generosità] générosité, largesse, libéralité.

largo ['largo] (**-ghi** pl.) agg. [opposto a « lungo, alto »] large. ‖ [ampio, vasto] grand, vaste, large. ‖ [di vestito] ample, large. ‖ FIG. *qui si sta più larghi*, on est plus à l'aise ici. | *essere di manica larga*, être coulant (fam.), indulgent. ‖ [considerevole] large, grand, étendu. | *in larga misura*, dans une large mesure. | *dispone di larghi poteri*, il dispose de pouvoirs étendus. ‖ [generoso] généreux. ‖ [indulgente] compréhensif. ◆ m. large, largeur f. | *in lungo e in largo*, en long et en large. ‖ LOC. *farsi largo*, PR. se frayer un chemin ; FIG. faire son chemin. ‖ [alto mare] large. ‖ FIG. *tenersi al largo*, se tenir à distance. ‖ [piazza] place f. ‖ MUS. largo. ◆ f. *alla larga*, à distance.

larice ['laritʃe] m. mélèze.

laringe [la'rindʒe] f. larynx m.

larva ['larva] f. larve. ‖ FIG. loque.

larvato [lar'vato] agg. FIG. voilé, déguisé.

lasagna [la'zaɲɲa] f. lasagne.

lasca ['laska] f. gardon m.

lasciare [laʃ'ʃare] v. tr. 1. ABBANDONARE, SEPARARSI DA. quitter, laisser, abandonner. | *lasciare il commercio*, se retirer des affaires. ‖ FIG. *lasciare questo mondo*, [morire] quitter ce monde. | *lasciare il certo per l'incerto*, lâcher la proie pour l'ombre. 2. SEGUITO DA INFIN. O DA CHE + CONGIUNT. [consentire, permettere] laisser. | *lasciami pensare*, laisse-moi réfléchir. | *lascia che faccia quello che vuole*, laisse-le faire ce qu'il veut. | *lasciare andare*, [mollare] lâcher. | *lasciare stare, perdere*, [non insistere] laisser tomber ; [non toccare] *lascia stare la mia roba !*, ne touche pas à mes affaires ; [lasciare in pace] laisser tranquille ; [non occuparsi] laisser. | *lasci stare, pago io*, laissez, je vous en prie, c'est moi qui paie. ‖ [con particella pronominale] *lasciarsi scappare un'occasione*, laisser échapper une occasion. 3. CONCEDERE, DARE, NON TOGLIERE. laisser. | *lasciamogli le sue illusioni*, laissons-lui ses illusions. | *lasciare tempo al tempo*, laisser agir le temps. 4. DARE, AFFIDARE. laisser. | *ho lasciato i bagagli al deposito*, j'ai laissé les bagages à la consigne. | *ha lasciato detto nulla ?*, est-ce qu'il n'a pas laissé de message ? ‖ [lasciare in eredità] laisser, léguer. 5. SEGUITO DA AGG. O COMPL. [far restare in un dato stato] laisser. | *lasciare qlcu. nel dubbio*, laisser qn dans le doute. | *il suo lavoro lascia a desiderare*, son travail laisse à désirer. | *lasciare fuori*, laisser dehors. 6. CON PARTICELLA AVV. [perdere] (y) laisser, perdre. | *lasciarci la vita*, y laisser la vie, sa peau (fam.). ◆ v. rifl. [seguito da infin.] se laisser. | *lasciarsi andare*, se laisser aller. ◆ v. recipr. se quitter.

lascito ['laʃʃito] m. GIUR. legs.

lascivia [laʃ'ʃivja] f. lascivité.

lascivo [laʃ'ʃivo] agg. lascif.

lassativo [lassa'tivo] agg. e m. laxatif.

lassismo [las'sizmo] m. laxisme.

1. lasso ['lasso] agg. lâche. ‖ FIG. souple.

2. lasso m. [nodo scorsoio] lasso.

3. lasso m. *lasso di tempo*, laps de temps.

lassù [las'su] avv. là-haut.

lastra ['lastra] f. plaque, feuille. | *lastra di metallo*, plaque, feuille de métal. ‖ [di pietra, marmo] dalle, plaque. ‖ [di vetro] plaque ; [vetro di finestra] vitre, carreau m. ‖ [di ghiaccio] verglas m. ‖ MED. *lastra radiografica*, radio(graphie). ‖ FOT. plaque (sensible).

lastricare [lastri'kare] v. tr. paver.

lastrico ['lastriko] m. pavé. ‖ FIG. *essere sul lastrico*, être sur la paille, sur le pavé.

latente [la'tɛnte] agg. latent.

laterale [late'rale] agg. latéral. ◆ f. rue transversale.

laterizi [late'rittsi] m. pl. matériaux (de construction), briques f. pl., tuiles f. pl.

latifondo [lati'fondo] m. grande propriété foncière.

latino [la'tino] agg. e m. latin.

latitante [lati'tante] agg. GIUR. en fuite, qui se cache. ‖ [che rifiuta di

comparire in giudizio] contumace, contumax. ◆ n. fugitif, ive.
latitudine [lati'tudine] f. latitude.
lato ['lato] m. côté. | *a lato di,* à côté de. | *per ogni lato,* de tous (les) côtés. || FIG. côté, aspect, point de vue. | *il lato economico,* l'aspect, le point de vue économique. | *d'altro lato,* d'un autre côté, d'autre part.
latore [la'tore] (**-trice** f.) n. porteur, euse.
latrare [la'trare] v. intr. aboyer.
latrato [la'trato] m. aboiement.
latrina [la'trina] f. latrines pl., cabinets m. pl.
latta ['latta] f. fer-blanc m.
lattaio [lat'tajo] (**-a** f.) n. laitier, ère ; crémier, ère.
lattante [lat'tante] m. nourrisson.
latte ['latte] m. lait.
latteo ['latteo] agg. lacté. || FIG. laiteux.
latteria [latte'ria] f. laiterie, crémerie.
latticinio [latti'tʃinjo] (**-ni** pl.) m. laitage, produit laitier.
lattiginoso [lattidʒi'noso] agg. laiteux. || [di piante] lactifère, lactescent.
lattivendolo [latti'vendolo] (**-a** f.) n. laitier, ère.
lattoniere [latto'njɛre] m. ferblantier.
lattuga [lat'tuga] f. laitue.
laudano ['laudano] m. FARM. laudanum.
laurea ['laurea] f. [in Italia] laurea ; [in Francia] licence, maîtrise ; [il massimo titolo conferito dall'Università] doctorat m. ; [per medici] doctorat ; [per ingegneri] diplôme (m.) d'ingénieur. | *tesi di laurea,* thèse (de 3e cycle) ; [di « doctorat »] thèse de doctorat.
laureare [laure'are] v. tr. [in Italia] décerner la « laurea ». || [in Francia] décerner la licence, la maîtrise, le doctorat, le diplôme d'ingénieur. ◆ v. rifl. passer, obtenir sa « laurea », sa licence, son doctorat ; obtenir le diplôme d'ingénieur.
laureato [laure'ato] (**-a** f.) agg. e n. diplômé, docteur.
lauro ['lauro] m. laurier.
lauto ['lauto] agg. [di cibo] plantureux, abondant, copieux. || [di compenso] considérable, généreux.
lava ['lava] f. lave.
lavabiancheria [lavabjanke'ria] f. inv. machine (f.) à laver.
lavabo [la'vabo] m. lavabo. || REL. lavabo.
lavaggio [la'vaddʒo] m. lavage.
lavagna [la'vaɲɲa] f. [roccia] ardoise. || [lastra per scrivere] tableau (m.) noir.
lavanda [la'vanda] f. lavage m. || REL. *lavanda dei piedi,* lavement (m.) des pieds.
lavanda [la'vanda] f. BOT. lavande.
lavandaia [lavan'daja] f. laveuse. || [che tiene una lavanderia] blanchisseuse.
lavandaio [lavan'dajo] (**-a** f.) n. blanchisseur, euse.
lavanderia [lavande'ria] f. blanchisserie. | *lavanderia a secco,* teinturerie. || [stanza in casa] buanderie.
lavandino [lavan'dino] m. évier. || [lavabo] lavabo.
lavapiatti [lava'pjatti] n. inv. plongeur, euse. ◆ f. machine à laver la vaisselle.
lavare [la'vare] v. tr. laver. | *lavare i piatti,* faire, laver la vaisselle. || FIG. laver, purifier, effacer. ◆ v. rifl. se laver.
lavastoviglie [lavasto'viʎʎe] n. inv. = LAVAPIATTI.
lavata [la'vata] f. lavage m. || FIG. *dare una lavata di capo,* passer un savon (fam.).
lavatrice [lava'tritʃe] f. machine à laver.
lavatura [lava'tura] f. lavage m. | *lavatura a secco,* nettoyage (m.) à sec.
lavello [la'vɛllo] m. évier.
lavoraccio [lavo'rattʃo] m. [lavoro duro] corvée f., sale boulot. || [lavoro mal fatto] travail bâclé.
lavorante [lavo'rante] n. ouvrier, ère. | *lavorante a domicilio,* travailleur à domicile.
lavorare [lavo'rare] v. intr. travailler. | *lavorare a cottimo,* travailler aux pièces. || [servirsi di] jouer, travailler. | *lavorare di gomiti,* jouer des coudes. || [riflettere] faire travailler son cerveau. | *lavora di fantasia,* son imagination travaille. || [agire] travailler, agir. | *il male lavorava dentro,* la maladie le minait, le rongeait. || [funzionare] fonctionner, travailler. || [essere prospero] faire des affaires. | *negozio che lavora poco,* magasin qui fait peu d'affaires. ◆ v. tr. travailler. | *lavorare la terra,* travailler la terre.
lavorativo [lavora'tivo] agg. de travail. | *ore lavorative,* heures de travail.
lavoratore [lavora'tore] (**-trice** f.) n. travailleur, euse. | *lavoratrice domestica,* employée de maison. || [chi lavora molto] grand travailleur. ◆ agg. travailleur, laborieux.
lavorazione [lavorat'tsjone] f. travail m. || [di film] tournage m., réalisation.
lavorio [lavo'rio] m. activité (f.) intense, affairement. || [occulto] manœuvres f. pl., intrigue f.
lavoro [la'voro] m. travail. || PARTICOL. *lavori in corso !,* attention, travaux ! || [cucito] ouvrage. | *cesto da lavoro,* panier à ouvrage. | *lavoro a maglia,* tricot. || [occupazione retribuita] travail. | *offerta di lavoro,* offre d'emploi. |

datore di lavoro, employeur. || [insieme dei lavoratori] travail. | *mondo del lavoro,* monde du travail. || IRON. *ha fatto davvero un buon lavoro!,* vous avez fait du beau travail! || [azione degli agenti naturali] travail, action.

lazzaretto [laddza'retto] m. lazaret.

lazzarone [laddza'rone] m. FAM. filou, canaille f. || SCHERZ. fripon. || [fannullone] fainéant.

lazzo ['lattso] m. lazzi.

1. le [le] art. det. f. pl. les. || [con idea di possesso o di relazione col sogg.] mes, tes... | *non sa più niente delle sorelle,* il n'a plus de nouvelles de ses sœurs. || [non usato davanti a poss.] *le mie carte,* mes papiers. || V. anche LA, IL.

2. le pron. pers. f. 3ª pers. sing. lui. | *le veniva dietro,* il la suivait. || [formula di cortesia] vous. | *vorrei parlarle, signore,* je voudrais vous parler, monsieur. || V. anche GLI.

3. le pron. pers. f. 3ª pers. pl. ogg. les. | *dammele,* donne-les-moi. || V. anche LA, LO, LI.

leale [le'ale] agg. loyal.

lealtà [leal'ta] f. loyauté.

lebbra ['lebbra] f. PR. e FIG. lèpre.

lebbroso [leb'broso] agg. e m. lépreux.

lecca-lecca ['lekka'lekka] m. inv. sucette f.

leccare [lek'kare] v. tr. lécher. || LOC. *leccare i piedi a qlcu.,* lécher les bottes à qn (fam.); faire de la lèche à qn (fam.). || [curare] fignoler, lécher. ◆ v. rifl. FAM. se pomponner (L.C.).

leccio ['lettʃo] m. chêne vert, yeuse f.

leccornia [lekkor'nia] f. morceau (m.) de choix. ◆ pl. gourmandises.

lecitamente [letʃita'mente] avv. légitimement, à bon droit.

lecito ['letʃito] agg. permis. | *mi sia lecito dire,* permettez-moi de dire. || [consentito dalla legge] légitime, licite. ◆ m. ce qui est permis, ce qui est juste.

ledere ['lɛdere] v. tr. léser, porter atteinte à, nuire à. || MED. léser, blesser.

1. lega ['lega] f. ligue. || [di carattere economico] union. | *lega monetaria,* union monétaire. || TECN. alliage m. || LOC. *scherzo di bassa lega,* plaisanterie de mauvais goût.

2. lega f. [unità di misura] lieue.

legaccio [le'gattʃso] m. lien, lacet, ficelle f. || [di scarpe] lacet.

legale [le'gale] agg. légal. | *consulente legale,* conseiller juridique. | *medico legale,* médecin légiste. | *studio legale,* étude d'avocat. | *ufficio legale,* [in un'azienda] bureau du contentieux. ◆ m. avocat(-conseil).

legalità [legali'ta] f. légalité.

legalizzare [legalid'dzare] v. tr. légaliser.

legame [le'game] m. PR. e FIG. lien.

1. legare [le'gare] v. tr. e intr. [stringere con un legame] lier; [con uno spago] ficeler. || [fermare una cosa ad un'altra] attacher, lier. || [di persona] ligoter. | *i ladri l'avevano legato soldamente,* les voleurs l'avaient solidement ligoté. || FIG. lier, unir. | *legare la teoria alla pratica,* unir la théorie à la pratique. || [di legame affettivo] lier. || LOC. *me la lego al dito,* je te (lui, vous) revaudrai ça; je ne suis pas près de l'oublier. || [saldare, amalgamare] lier. || MED. lier, ligaturer. || METALL. allier. || MUS. lier. || PARTICOL. [rilegare] relier; [di gemma] enchâsser, sertir. ◆ v. intr. se lier v. rifl. || METALL. s'allier. ◆ v. rifl. e recipr. se lier.

2. legare v. tr. GIUR. léguer.

1. legato [le'gato] agg. lié, attaché. || FIG. embarrassé, qui manque d'aisance. || [di muscolo] raide. ◆ avv. e m. MUS. legato.

2. legato m. légat.

3. legato m. GIUR. legs.

legatoria [legato'ria] f. atelier (m.) de reliure.

legatura [lega'tura] f. [di libri] reliure. || MED. ligature. || MUS. liaison.

legge ['leddʒe] f. loi. || [la scienza del diritto] droit m. | *studiare legge,* étudier le droit, faire son droit.

leggenda [led'dʒɛnda] f. légende.

leggere ['lɛddʒere] v. tr. PR. e FIG. lire. || [leggere di] *ho letto del suo ultimo film,* j'ai lu un article sur son dernier film. || PER ANAL. *l'incaricato del gas legge il contatore,* l'employé du gaz relève le compteur.

leggerezza [leddʒe'rettsa] f. PR. e FIG. légèreté.

leggero [led'dʒɛro] agg. léger. || [agile] léger, agile, leste. | *passo leggero,* démarche légère. || [poco importante] léger, petit, faible. | *in leggera discesa,* en pente douce. | *leggero difetto,* petit, léger défaut. || [non forte] léger. | *vino leggero,* vin léger. || [non grave] léger. | *ferita leggera,* blessure légère. || [facile] facile; léger. | *letture leggere,* lectures faciles. || [superficiale] léger, superficiel. ◆ avv. légèrement. | *mangiare leggero,* manger légèrement.

leggiadro [led'dʒadro] agg. gracieux, charmant.

leggibile [led'dʒibile] agg. lisible.

leggio [led'dʒio] m. pupitre; [in chiesa] lutrin.

leggiucchiare [leddʒuk'kjare] v. tr. lire en diagonale.

legiferare [ledʒife'rare] v. intr. légiférer. || FIG., SCHERZ. faire la loi.

legione [le'dʒone] f. légion.

legislativo [ledʒizla'tivo] agg. législatif.

legislatura [ledʒizla'tura] f. législature.

legittimare [ledʒitti'mare] v. tr. GIUR. légitimer. || PER EST. justifier, excuser.
legittimo [le'dʒittimo] agg. légitime. || [giusto] juste. || [conforme alla regola] correct.
legna ['leɲɲa] (**-a** o **-e** pl.) f. bois m.
legnaia [leɲ'ɲaja] f. bûcher m.
legname [leɲ'ɲame] m. bois.
legnata [leɲ'ɲata] f. coup (m.) de bâton.
legno ['leɲɲo] m. bois. || [pezzo di legno] morceau, bout de bois. || [da ardere] bûche f. || [bastone] bâton. || [nave] bateau. ◆ pl. MUS. bois.
legnoso [leɲ'ɲoso] agg. ligneux. || PER ANAL. filandreux. || FIG. raide, sans grâce.
legume [le'gume] m. légumineuse f. || PER EST. légume.
lei ['lɛi] pron. pers. 3ª pers. sing. f. sogg. elle. | *è proprio lei,* c'est bien elle. | *nemmeno lei lo sa,* elle ne le sait pas elle-même. || [compl. ogg.] elle, la. | *amo solo lei,* je n'aime qu'elle. || [compl. di termine] *mi sono rivolto a lei,* je me suis adressé à elle. || [compl. con prep.] elle. | *vado da lei,* je vais chez elle. || [forma di cortesia : sogg. e compl.] vous. | *verrò da lei oggi,* je viendrai chez vous aujourd'hui. || LOC. *dare del lei a qlcu.,* vouvoyer qn.
lembo ['lɛmbo] m. pan. || PER EST. bout, morceau. | *lembo di stoffa,* bout, morceau d'étoffe. || [orlo] bord. || BOT. limbe.
lemme lemme ['lɛmme'lɛmme] loc. avv. tout doucement.
lemure ['lɛmure] m. lémurien. ◆ pl. MIT. lémures.
lendine ['lɛndine] m. lente f.
lenire [le'nire] v. tr. adoucir, apaiser, calmer.
lenocinio [leno'tʃinjo] (**-i** pl.) m. proxénétisme. || FIG. artifice.
lente ['lɛnte] f. lentille. | *lente (d'ingrandimento),* loupe. ◆ pl. [da vista] verres m. || [occhiali] lunettes.
lentezza [len'tettsa] f. lenteur.
lenticchia [len'tikkja] f. lentille.
lentiggine [len'tiddʒine] f., tache de rousseur, de son.
lento ['lɛnto] agg. lent | *a fuoco lento,* à feu doux, à petit feu. || [allentato] lâche. ◆ m. e avv. MUS. lento.
lenza ['lɛntsa] f. [pesca] ligne.
lenzuolo [len'tswɔlo] (**-i** pl. ; **-a** pl. f. [in senso collettivo]) m. drap (de lit). | *rimboccare le lenzuola,* border le lit. || PER EST. *lenzuolo da bagno,* serviette (f.), drap de bain. | *lenzuolo mortuario,* linceul.
leone [le'one] m. PR. e FIG. lion. || BOT. *bocca di leone,* gueule-de-loup f. | *dente di leone,* dent-de-lion f., pissenlit. || ASTR. Lion.
leonessa [leo'nessa] f. ZOOL. lionne.
leopardo [leo'pardo] m. léopard.
leporino [lepo'rino] agg. de lièvre. || LOC. *labbro leporino,* bec-de-lièvre m.
lepre ['lɛpre] f. lièvre m. ; [femmina] hase. || CULIN. *lepre in salmì,* civet de lièvre.
lercio ['lɛrtʃo] (**-ce** pl. f.) agg. crasseux. || FIG. abject, immonde.
lerciume [ler'tʃume] m. crasse f., ordure f.
lesbico ['lɛzbiko] (**-ci** pl.) agg. lesbien, enne. ◆ f. lesbienne.
lesina ['lezina] f. alène.
lesinare [lezi'nare] v. tr. e intr. lésiner (sur). || FIG. marchander.
lesionare [lezjo'nare] v. tr. lézarder.
lesione [le'zjone] f. atteinte, dommage m., préjudice m., lésion. || [di edifici] lézarde, fente, fissure.
lesivo [le'zivo] agg. qui lèse ; qui porte atteinte (à).
lessare [les'sare] v. tr. cuire à l'eau, faire bouillir.
lessico ['lessiko] (**-ci** pl.) m. lexique.
lesso ['lesso] agg. bouilli, (cuit) à l'eau. ◆ m. bouilli.
lesto ['lɛsto] agg. leste, agile ; prompt, rapide. || [usato come avv.] vite, rapidement. || [di cosa] vite fait ; rapide. | *sarà una cosa lesta,* ce sera vite fait. || LOC. *alla lesta,* en vitesse.
lestofante [lesto'fante] m. filou, escroc.
letale [le'tale] agg. mortel. || BIOL. *fattore letale,* facteur létal.
letamaio [leta'majo] m. fosse (f.) à fumier. || FIG. porcherie f.
letame [le'tame] m. fumier.
letargo [le'targo] (**-ghi** pl.) m. [animali] hibernation f. || [persone] léthargie. || FIG. torpeur f.
letizia [le'tittsja] f. joie, allégresse, sérénité, félicité. | *in letizia,* dans l'allégresse, dans la joie.
lettera ['lɛttera] f. [in tutti i significati] lettre. ◆ pl. [letteratura] lettres. | *uomo di lettere,* homme de lettres.
letterale [lette'rale] agg. littéral.
letterario [lette'rarjo] agg. littéraire.
letterato [lette'rato] agg. lettré. ◆ (**-a** f.) n. lettré ; homme, femme de lettres.
letteratura [lettera'tura] f. littérature.
lettiga [let'tiga] f. ANTIQ. [letto portatile] litière. || [per ammalati] civière, brancard m.
letto ['lɛtto] m. lit. | *camera da letto,* chambre à coucher. | *andare a letto,* aller au lit, se coucher. | *andare a letto con qlcu.,* coucher avec qn. || [di corso d'acqua] lit. || [strato, fondo] lit, couche f. | *letto di foglie,* lit de feuilles.

lettore [let'tore] (**-trice** f.) n. [persona] lecteur, trice ; [che legge molto] liseur.
lettura [let'tura] f. lecture. || [di misura] relevé m. | *lettura del contatore del gas,* relevé du compteur à gaz. || PER EST. lecture, livre m. | *cattive letture,* mauvaises lectures. || [discorso di argomento culturale] causerie, conférence. || [interpretazione] interprétation.
leucemia [leutʃe'mia] f. leucémie.
1. leva ['lɛva] f. levier m. || FIG. *far leva su,* jouer sur, miser sur, faire jouer.
2. leva f. appel (m.) sous les drapeaux, conscription, recrutement m. | *visita di leva,* conseil de révision. | *(servizio di) leva,* service (m.) militaire. | *soldato di leva,* soldat du contingent m. || FIG. *le nuove leve,* la jeune génération.
levante [le'vante] m. est, levant. || [paesi del Mediterraneo orientale] Levant.
levare [le'vare] v. tr. [alzare] soulever, lever. | *levare qlcu. di peso,* soulever qn. | *levare il capo,* lever la tête. || FAM. *levare i tacchi,* s'en aller, décamper. || MAR. *levare l'ancora,* lever l'ancre. || [emettere] pousser, jeter, lancer. | *levare un grido,* pousser un cri. || [togliere] enlever, ôter. | *leva le mani da lì !,* ne touche pas à ça ! | *levarsi le scarpe,* enlever, ôter ses chaussures. || [far cessare] lever, supprimer. | *levare la seduta,* lever la séance. || PARTICOL. *levarsi la fame,* manger à sa faim. || [estrarre] enlever, ôter ; arracher, extraire. | *levare un dente,* arracher, extraire une dent. || [attingere] tirer. || LOC. *levar qlcu. di mezzo,* supprimer qn, faire disparaître qn. | *levare d'impiccio,* tirer d'embarras. | *non te lo leva nessuno,* tu n'y couperas pas. || [con particella pronominale] *levarsi la voglia di,* se payer le luxe de. ◆ v. intr. [lievitare] lever. ◆ v. rifl. [alzarsi] se lever. | *levarsi in piedi,* se lever, se mettre debout. || [innalzarsi] PR. e FIG. s'élever. | *un grido si levò,* un cri s'éleva. || [aereo] décoller, s'élever. || FIG. *levarsi in difesa di qlcu.,* prendre la défense de qn. || [togliersi] s'éloigner, s'écarter, s'ôter (de). | *levati di torno !,* va-t'en !, fiche le camp ! (fam.).
levato [le'vato] agg. [che non è a letto] levé. || [sollevato] soulevé. || LOC. *scappare a gambe levate,* se sauver à toutes jambes.
levatrice [leva'tritʃe] f. sage-femme.
levatura [leva'tura] f. intelligence, niveau m.
levigare [levi'gare] v. tr. polir, lisser.
levita [le'vita] (**-i** pl.) m. STOR. lévite.
levità [levi'ta] f. LETT. légèreté (L.C.), délicatesse (L.C.).
levitare [levi'tare] v. intr. léviter.
levriere [le'vrjɛre] (**-a** f.) n. ZOOL. lévrier m.
lezione [let'tsjone] f. leçon, cours m. || [nella scuola elementare] classe ; [al liceo e all'università] cours. | *andare, essere a lezione,* aller, être en classe, au cours. | *orario delle lezioni,* emploi du temps. || [compito] leçon ; [scritto] devoir m. | *fare le lezioni,* faire ses devoirs. || FIG. leçon. | *sarà una buona lezione per lui,* cela lui servira de leçon.
lezioso [let'tsjoso] agg. affecté, maniéré.
lezzo ['leddzo] m. puanteur f., infection f.
li [li] pron. pers. m. 3ª pers. pl. ogg. les. | *non abbandonarli !,* ne les abandonne pas ! | *eccoli,* les voilà.
lì [li] avv. là. | *lì sopra,* là-dessus. | *lì vicino, lì accanto,* (tout) à côté, tout près. || [rafforzativo] *quel libro lì,* ce livre-là. | *fermo lì !,* stop, arrête ! || FIG. *siamo sempre lì,* on en est toujours là. | *e lì a ridere,* et de rire. || LOC. *da, di lì,* [moto da luogo] de là ; [moto per luogo] par là. | *giù di lì !,* descends, descendez de là ! ; [tempo] d'ici là. | *di lì a poco,* peu de temps après. | *fin lì,* jusque-là. || *essere lì lì* [per + infin.], être sur le point (de + infin.). | *è stato lì lì per perdere il treno,* il a failli manquer le train. | *se non sono cento, siamo lì,* s'ils ne sont pas cent, il s'en faut de peu. | *tutto lì,* rien de plus ; un point, c'est tout. | *lì per lì non seppe cosa fare,* sur le moment il ne sut que faire. || V. anche LÀ.
liana ['ljana] f. BOT. liane.
libagione [liba'dʒone] f. PR. e FIG. libation.
libbra ['libbra] f. livre.
libeccio [li'bettʃo] m. vent du sud-ouest, libeccio.
libello [li'bɛllo] m. pamphlet, libelle. || GIUR. mémoire.
libellula [li'bɛllula] f. ZOOL. libellule.
liberale [libe'rale] agg. e n. [in tutti i significati] libéral.
liberalità [liberali'ta] f. libéralité, générosité. || [azione] largesses pl.
liberalizzare [liberalid'dzare] v. tr. libéraliser.
liberare [libe'rare] v. tr. PR. e FIG. libérer, délivrer. || [eliminare quanto costituisce ingombro] débarrasser, dégager. | *liberare il campo dalle erbacce,* débarrasser le champ des mauvaises herbes. || [svincolare da un obbligo] libérer, dégager, délier. | *liberare qlcu. da un impegno,* libérer qn d'un engagement. ◆ v. rifl. se libérer, se délivrer, se dégager. || *liberarsi da un impegno,* se dégager d'une obligation.

liberazione [liberat'tsjone] f. libération, délivrance. || FIG. *provare un senso di liberazione,* se sentir soulagé.

libero ['libero] agg. [in tutti i significati] libre. | *è uno spirito libero,* il a une grande liberté d'esprit. | *Lei è libero di decidere,* vous êtes libre de décider. || ECON. *libero professionista,* personne qui exerce une profession libérale. | *è il mio giorno libero,* c'est mon jour de congé. || [non impedito] *lasciar libero il passo,* ne pas encombrer le passage. | *scendere a ruota libera,* descendre en roue libre. || FIG. *dare via libera,* donner le feu vert. | *verso libero,* vers libre.

libertà [liber'ta] f. liberté. | *libertà provvisoria,* liberté provisoire. | *non ho un minuto di libertà,* je n'ai pas une minute de libre. || [mancanza di rispetto] liberté ; familiarité. | *prendersi delle libertà,* prendre des libertés ; ne pas se gêner. || [licenza] liberté. | *libertà di costumi,* liberté de mœurs.

libertario [liber'tarjo] (**-i** pl.) agg. e m. libertaire.

libertino [liber'tino] agg. e m. libertin.

libidine [li'bidine] f. luxure, lubricité. || FIG. convoitise.

libra ['libra] f. ASTR. Balance.

libraio [li'brajo] m. libraire.

librarsi [li'brarsi] v. rifl. être, se tenir en équilibre. || [essere sospeso in aria] planer ; [salire] s'élever (dans les airs).

libreria [libre'ria] f. librairie. || [mobile, raccolta di libri] bibliothèque.

libretto [li'bretto] m. carnet. || [documento] livret, carnet. | *libretto di assegni,* carnet de chèques. || AUT. *libretto di circolazione,* carte grise. || MUS. livret.

libro ['libro] m. livre ; bouquin (fam.). || [registro] livre, registre. | *libro di cassa,* livre de caisse. || MUS. livret.

liceità [litʃei'ta] f. caractère (m.) licite.

licenza [li'tʃɛntsa] f. autorisation, permission. || [documento] permis m. ; [specie per attività commerciali] licence. | *licenza di caccia, di pesca,* permis de chasse, de pêche. || [di un brevetto] licence. || [esame, diploma] examen m., certificat m. | *licenza elementare,* certificat d'études primaires. || [libertà] liberté. | *prendersi la licenza di,* prendre la liberté de ; se permettre de. || [abuso] licence. || MIL. permission.

licenziamento [litʃentsja'mento] m. licenciement ; renvoi. | *indennità di licenziamento,* indemnité de licenciement.

licenziare [litʃen'tsjare] v. tr. licencier, renvoyer, mettre à la porte. || [conferire una licenza di studio] décerner un diplôme, faire passer un examen. ◆ v. rifl. quitter son emploi, donner sa démission. || [prendere una licenza] passer un examen ; obtenir un certificat. || [accomiatarsi] prendre congé.

liceo [li'tʃɛo] m. lycée.

lichene [li'kɛne] m. lichen.

lido ['lido] m. plage f., bord, rivage ; lido. || POET. pays. | *prendere il volo per altri lidi,* s'envoler vers d'autres cieux.

lieto ['ljɛto] agg. gai, joyeux, content. | *di umor lieto,* de bonne humeur. | *sono lieto di saperlo,* je suis heureux de l'apprendre. | *lieto di conoscerla,* enchanté de vous connaître. || [che provoca gioia] heureux, bon. | *lieta notizia,* bonne nouvelle.

lieve ['ljɛve] agg. [facile da portare] léger. | *lieve carico,* charge légère. || [non ripido] *lieve salita,* petite côte. || [poco importante] léger, petit. | *lieve difetto,* léger, petit défaut. || [tenue] léger, faible. | *lieve brezza,* brise légère.

lievità [ljevi'ta] f. légèreté.

lievitare [ljevi'tare] v. intr. lever. || [di prezzi] monter.

lievitazione [ljevitat'tsjone] f. levage m. || ECON. hausse.

lievito ['ljɛvito] m. levure f. ; levain.

ligio ['lidʒo] (**-gie** pl. f.) agg. fidèle, respectueux (de). | *ligio al dovere,* fidèle à son devoir.

lignaggio [liɲ'ɲaddʒo] m. lignage, lignée f.

ligneo ['liɲɲeo] agg. de bois, en bois.

lignite [liɲ'ɲite] f. lignite m.

ligure ['ligure] agg. e n. ligurien, enne ; ligure.

lilla ['lilla] m. e agg. inv. lilas.

lima ['lima] f. lime.

limaccia [li'mattʃa] f. ZOOL. limace.

limaccioso [limat'tʃoso] agg. boueux, limoneux.

limanda [li'manda] f. ZOOL. limande.

limare [li'mare] v. tr. limer. || FIG. polir.

limbo ['limbo] m. PR. e FIG. limbes pl.

liminare [limi'nare] agg. LETT. liminaire.

limitare [limi'tare] v. tr. limiter. || [ridurre, contenere] limiter, réduire, restreindre. | *limitare le spese,* limiter, réduire les frais. ◆ v. rifl. ASSOL. se limiter. || [limitarsi a] se limiter, se borner. || [limitarsi in qlco.] se limiter, se restreindre. | *limitarsi nelle spese,* limiter ses dépenses.

limitatamente [limitata'mente] avv. avec mesure, avec modération. || [proporzionalmente a] dans la limite de.

limitatezza [limita'tettsa] f. étroitesse.

limitato [limi'tato] agg. PR. e FIG. limité.

limite ['limite] m. [in tutti i significati] limite f. | *al limite del bosco,* à l'orée, la lisière du bois. | *mettere un limite agli*

abusi, mettre un frein aux abus. | *ha oltrepassato (tutti) i limiti,* il a dépassé les bornes, les limites. || AUT. limitation (de vitesse). || SP. *superare un limite,* battre un record.
limitrofo [li'mitrofo] agg. limitrophe.
limo ['limo] m. vase f. || GEOL. limon.
limonata [limo'nata] f. citronnade. || [spremuta di limone] citron (m.) pressé.
limoncina [limon'tʃina] f. BOT. citronnelle.
limone [li'mone] m. [albero] citronnier. || [frutto] citron.
limpidezza [limpi'dettsa] f. PR. e FIG. limpidité.
limpidità [limpidi'ta] f. limpidité, transparence.
limpido ['limpido] agg. PR. e FIG. limpide.
lince ['lintʃe] f. ZOOL. lynx m.
linciare [lin'tʃare] v. tr. lyncher.
lindo ['lindo] agg. net, propre (et soigné). || FIG. net, clair.
linea ['linea] f. ligne. | *linea di confine,* frontière. | *in linea d'aria,* à vol (m.) d'oiseau. || [suddivisione di scala graduata] degré m. | *aver qualche linea di febbre,* avoir un peu de fièvre. || [corpo, viso] ligne. | *linee del volto,* lignes, traits (m.) du visage. || [foggia] ligne, coupe, style m. || FIG. ligne. | *a grandi linee,* dans les grandes lignes. | *in linea generale, in linea di massima,* en principe. || MUS. *linea melodica,* ligne mélodique. || [traiettoria] ligne. | *linea di tiro,* ligne de tir. || FIG. *linea di condotta,* ligne de conduite. || [nelle comunicazioni] ligne. | *linea ferroviaria,* ligne de chemin de fer. || [telefono] *essere in linea,* être en ligne. | *rimanga in linea,* ne coupez pas. || MIL. *fanteria di linea,* infanterie de ligne. || FIG. *passare in prima linea,* passer au premier, plan. || [nella parentela] ligne.
lineamenti [linea'menti] m. pl. traits. || FIG. éléments, notions f., rudiments.
lineare [line'are] agg. linéaire. || FIG. clair, cohérent.
lineetta [line'etta] f. TIP. tiret m. ; [che unisce due parole] trait (m.) d'union.
linfa ['linfa] f. ANAT. lymphe. || BOT. e FIG. sève.
lingotto [lin'gɔtto] m. METALL. e TIP. lingot.
lingua ['lingwa] f. langue. | *lingua di terra,* langue de terre. || [organo della parola] langue. | *mala lingua !,* mauvaise, méchante langue ! | *non aver peli sulla lingua,* ne pas mâcher ses mots. || [sistema di espressione e comunicazione] langue. | *madre lingua,* langue maternelle.
linguaggio [lin'gwaddʒo] m. langage. || LOC. *cambiar linguaggio,* changer de langage, de ton.
linguetta [lin'gwetta] f. languette. || TECN. clavette.
lino ['lino] m. lin.
linoleum [li'nɔleum] m. linoléum.
linotipia [linoti'pia] f. linotypie.
liocorno [lio'kɔrno] m. MIT. licorne f.
liofilizzato [liofilid'dzato] agg. lyophilisé, déshydraté, desséché. | *caffè liofilizzato,* café soluble.
lipide [li'pide] m. lipide.
liquame [li'kwame] m. eaux (f. pl.) d'égout ; eaux usées. || [liquido organico] pus.
liquefare [likwe'fare] v. tr. liquéfier. || [fondere] faire fondre. ◆ v. rifl. se liquéfier, fondre v. intr.
liquidare [likwi'dare] v. tr. ECON., GIUR. liquider. | *liquidare un conto,* liquider un compte. || [sbarazzarsi di qlco., qlcu.] en finir (avec), liquider.
liquidato [likwi'dato] agg. liquidé. || FIG. fini.
liquidazione [likwidat'tsjone] f. ECON., GIUR. liquidation. || [pagamento] versement m., paiement m., liquidation. || [somma pagata] montant m., indemnité. || COMM. liquidation, soldes m. pl.
liquido ['likwido] agg. liquide. ◆ m. liquide. || [denaro liquido] (argent) liquide.
liquigas [likwi'gas] m. gaz liquide.
liquirizia [likwi'rittsja] f. réglisse.
liquore [li'kwɔre] m. liqueur f.
1. lira ['lira] f. [in Italia, simbolo LIT] lire. || [in altri paesi] livre. | *lira sterlina,* livre sterling.
2. lira f. lyre.
lirica ['lirika] f. POES. poésie lyrique. || [componimento lirico] poème m., poésie. || MUS. théâtre (m.) lyrique, opéra m. | [breve componimento] mélodie, romance, lied m.
lisca ['liska] f. arête.
lisciare [liʃ'ʃare] v. tr. polir, lisser. | *lisciare il pelo del cane,* caresser le chien. || LOC., IRON. *lisciare il pelo a qlcu.,* rosser qn. || FIG. flatter. || SP. manquer, louper (fam.). ◆ v. rifl. [di animale] lisser son poil. || [di persona] se pomponner.
liscio ['liʃʃo] (**-sce** f. pl.) agg. lisse, poli. || FIG. simple, facile. || [di bevanda] nature ; [senza acqua] sec. || LOC. *gli è andata liscia,* il s'en est bien tiré.
liscivia [liʃ'ʃivja] f. lessive.
liso ['lizo] agg. élimé, râpé, usé.
lista ['lista] f. [striscia] bande. || [di legno] baguette, moulure, listel m. || [elenco] liste. | *lista delle spese,* liste des courses à faire. || PARTICOL. *lista elettorale,* liste électorale.
listare [lis'tare] v. tr. border. || [in legatoria] renforcer.

listino [lis'tino] m. [catalogo] catalogue. || [della Borsa] cours (des prix).
litania [lita'nia] f. PR. e FIG. litanie.
lite ['lite] f. dispute, querelle. || GIUR. litige m. ; [processo] procès m.
litico ['litiko] (**-ci** pl.) agg. de pierre.
litigare [liti'gare] v. intr. e recipr. se disputer.
litigio [li'tidʒo] m. litige, dispute f., querelle f., bagarre f. (fam.).
litografia [litogra'fia] f. lithographie.
litorale [lito'rale] agg. e m. littoral.
litoraneo [lito'raneo] agg. littoral, côtier.
litro ['litro] m. litre. | *mezzo litro,* demi-litre.
littorina [litto'rina] f. micheline.
littorio [lit'tɔrjo] (**-i** pl.) agg. fasciste. ◆ m. fascisme.
liturgia [litur'dʒia] f. liturgie.
liutaio [liu'tajo] m. luthier.
liuto [li'uto] m. MUS. luth.
livellare [livel'lare] v. tr. PR., FIG. e TECN. niveler, égaliser. ◆ v. rifl. [pareggiarsi] atteindre le même niveau, se niveler.
livello [li'vɛllo] m. niveau. | *passaggio a livello,* passage à niveau. | *livello di vita,* niveau de vie.
livido ['livido] agg. blême, livide, blafard. | *luce livida,* lumière blafarde. ◆ m. bleu.
livore [li'vore] m. FIG. aigreur f., rancœur f., fiel.
livrea [li'vrɛa] f. PR., FIG. e ZOOL. livrée.
lizza ['littsa] f. lice.
1. lo [lo] (**l'** davanti a voc.) art. det. m. sing. le ; [davanti a voc. o h muta] l'. || [reso col poss.] *è uscito con lo zio,* il est sorti avec son oncle. || V. anche IL.
2. lo pron. pers. 3ª pers. sing. m. compl. ogg. le ; [davanti a voc. o ad h muto] l'. | *non voglio vederlo,* je ne veux pas le voir. | *l'ho visto,* je l'ai vu. || [con valore neutro] le. | *non lo puoi sapere,* tu ne peux pas le savoir. || [con il v. essere] le. | *sembra cattivo ma non lo è,* il semble méchant mais il ne l'est pas.
lobbia ['lɔbbja] f. chapeau (m.) mou.
lobo ['lɔbo] m. lobe.
1. locale [lo'kale] agg. local.
2. locale m. local ; salle f. ; [in un'abitazione] pièce f. | *locale da ballo,* salle de bal. || [esercizio pubblico] *locale pubblico,* établissement public. || [bar] café, bar. || [ristorante] restaurant.
località [lokali'ta] f. endroit m., localité. || [luogo di villeggiatura] station.
localizzare [lokalid'dzare] v. tr. localiser. ◆ v. rifl. se localiser.
localizzato [lokalid'dzato] agg. localisé, circonscrit.
locanda [lo'kanda] f. auberge.
locandiere [lokan'djɛre] (**-a** f.) n. aubergiste.
locandina [lokan'dina] f. affiche.
locare [lo'kare] v. tr. louer.
locazione [lokat'tsjone] f. location. | *canone di locazione,* loyer m.
locomotiva [lokomo'tiva] f. locomotive.
locomotore [lokomo'tore] (**-trice** f.) agg. FISIOL. locomoteur, trice. ◆ m. locomotive (f.) électrique, locomotrice f.
loculo ['lɔkulo] m. niche (f.) funéraire. || BOT. loge f.
lodare [lo'dare] v. tr. louer. | *lodo la vostra scelta,* je vous félicite de votre choix. | *sia lodato il cielo!,* le ciel soit loué ! ◆ v. rifl. se vanter.
lodativo [loda'tivo] agg. laudatif, louangeur, élogieux.
lode ['lɔde] f. éloge m., louange. | *lodi sperticate,* louanges, flatteries outrées. || UNIV. *ha avuto 30 e lode,* il a eu 30 sur 30 avec les félicitations du jury.
lodevole [lo'devole] agg. louable.
loggia ['lɔddʒa] f. ARCHIT., BOT. loge, loggia. || [dei massoni] loge. || ANAT. capsule.
loggiato [lod'dʒato] m. galerie f., portique, arcades f. pl.
loggione [lod'dʒone] m. TEAT. poulailler, paradis.
logica ['lɔdʒika] f. logique.
logico ['lɔdʒiko] (**-ci** pl.) agg. logique. || [normale] normal, naturel.
loglio ['lɔλλo] m. BOT. ivraie f.
logoramento [logora'mento] m. PR. e FIG. usure f.
logorante [logo'rante] agg. usant.
logorare [logo'rare] v. tr. PR. e FIG. user. ◆ v. rifl. PR. e FIG. s'user.
logorio [logo'rio] m. PR. e FIG. usure f.
logoro ['logoro] agg. usé. || FIG. usé, épuisé.
lombaggine [lom'baddʒine] f. lumbago m.
lombare [lom'bare] agg. lombaire.
lombata [lom'bata] f. longe. | *lombata di vitello,* longe de veau. | *lombata di lepre,* râble (m.) de lièvre.
lombo ['lombo] m. lombes f. pl. || PER EST. flancs pl.
lombrico [lom'briko] (**-chi** pl.) m. lombric.
longanime [lon'ganime] agg. indulgent, bienveillant, généreux.
longevo [lon'dʒɛvo] agg. qui vit très vieux ; très âgé.
longilineo [londʒi'lineo] agg. longiligne.
longitudine [londʒi'tudine] f. longitude.
lontanamente [lontana'mente] avv. de loin, vaguement, un peu.

lontananza [lonta'nantsa] f. distance. | *in lontananza,* au loin, dans le lointain. || [l'essere lontano] éloignement m., absence, séparation.

lontano [lon'tano] agg. [nello spazio] lointain, éloigné ; [con funzione predicativa] loin avv. | *era già lontano,* il était déjà loin. ◆ loc. prep. *lontano da,* loin de, éloigné de. | *siamo lontani dalla meta,* nous sommes loin du but. | *star lontano da qlcu., da qlco.,* éviter qn, qch. || [determinato] à (une distance de) ... (de) ; à ... de distance de ; éloigné de ... de. | *la città è lontana dieci chilometri,* la ville est à dix kilomètres (d'ici). || [astratto] éloigné, loin avv. | *son ben lontano dal crederci,* je suis bien loin d'y croire. || [vago] lointain, vague. | *lontana somiglianza,* vague ressemblance. || [diverso] différent, éloigné. || [nel tempo] lointain, éloigné ; [riferito al passato solo] reculé. | *in un futuro lontano,* dans un avenir éloigné. ◆ loc. avv. *alla lontana,* PR. à distance, de loin ; FIG. vaguement. ◆ avv. loin. | *andare lontano,* aller loin.

lontra ['lontra] f. ZOOL. loutre.

lonza ['lontsa] f. [macelleria] échine.

loquace [lo'kwatʃe] agg. loquace, bavard.

lordare [lor'dare] v. tr. PR. e FIG. salir, souiller.

lordo ['lordo] agg. PR. e FIG. souillé. || [peso, importo] brut.

lordura [lor'dura] f. saleté ; ordure.

1. loro ['loro] pron. pers. 3ª pers. pl. m. e f. [ogg.] eux m., elles f. ; [se non gli si vuole dare particolare rilievo] les. | *ho punito loro e te,* je vous ai tous punis, eux (elles) et toi. || [compl. di termine] leur ; [preceduto da prep.] eux m., elles f. | *date loro questo libro,* donnez-leur ce livre. | *ho pensato a loro,* j'ai pensé à eux, à elles. || [compl. preceduto da prep.] eux m., elles f. | *uno di loro,* un d'entre eux. | [sogg.] eux m., elles f. ; [se non gli si vuole dare particolare rilievo] ils m., elles f. | *anche loro verranno,* eux (elles) aussi viendront. || [predicato] *se io fossi loro,* si j'étais eux (elles), si j'étais à leur place. || [forma di cortesia] vous.

2. loro agg. poss. di 3ª pers. pl. [inv. in genere e numero] leur m. e f. sing. ; leurs m. e f. pl. || [uso normale] *la loro famiglia,* leur famille. | *hai ricevuto loro notizie ?,* as-tu reçu de leurs nouvelles ? || [in espressioni ellittiche] *devono sempre dire la loro,* ils ont toujours leur mot à dire. || [loro proprio] *i tuoi bambini hanno una stanza loro ?,* est-ce que tes enfants ont une chambre à eux ? || [preceduto da num. o indef.] *un loro amico,* un de leurs amis. | *per causa loro,* à cause d'eux, d'elles. | *è affar loro,* c'est leur affaire. || [forma di cortesia] votre ; à vous [si comporta come leur, à eux, d'eux : V. SUPRA]. ◆ pron. poss. m. e f. di 3ª pers. pl. le leur m. sing., la leur f. sing. ; les leurs m. e f. pl. | *la nostra macchina è più vecchia della loro,* notre voiture est plus vieille que la leur. || [formula di cortesia] le vôtre m. sing., la vôtre f. sing. ; les vôtres m. e f. pl. ◆ m. pl. *sono dai loro (genitori),* ils sont chez leurs parents.

losanga [lo'zanga] f. losange m.

losco ['losko] (**-schi** pl.) agg. louche, torve. || FIG. louche, suspect. ◆ m. *c'è del losco,* il y a du louche.

loto ['lɔto] m. BOT. lotus.

lotta ['lɔtta] f. PR. e FIG. lutte. || [contrasto] désaccord m., conflit m.

lottare [lot'tare] v. intr. PR. e FIG. lutter, combattre, se battre v. rifl. | *lottare con qlcu.,* lutter contre qn, se battre avec qn.

lotteria [lotte'ria] f. loterie.

lottizzare [lottid'dzare] v. tr. lotir.

lotto ['lɔtto] m. [parte] lot. || [di terreno] lot, lotissement. || GIOCHI loterie f. | *banco, botteghino del lotto,* bureau de loterie.

lozione [lot'tsjone] f. lotion.

lubricità [lubritʃi'ta] f. lubricité.

lubrificare [lubrifi'kare] v. tr. lubrifier, graisser.

lucchetto [luk'ketto] m. cadenas.

luccicare [luttʃi'kare] v. intr. luire, briller ; [con piccoli, frequenti bagliori] scintiller, étinceler ; [di acqua] miroiter.

luccichio [luttʃi'kio] m. scintillement ; [di acqua] miroitement.

luccio ['luttʃo] m. brochet.

luce ['lutʃe] f. lumière. | *essere contro luce,* être à contre-jour. || [chiarore] lueur. || [splendore] éclat m. || PER EST. jour m., éclairage m. | *mettere in buona, cattiva luce,* montrer sous un jour favorable, défavorable. | *dare alla luce un bambino,* donner le jour à un enfant. || [vista] *la luce degli occhi,* la vue. || [illuminazione artificiale] lumière ; électricité, courant m. | *è mancata la luce,* il y a eu une panne de courant. | *pagare la bolletta della luce,* payer la facture d'électricité. || AUT. phare m., feu m. | *accendere le luci,* allumer les phares. || [nell'edilizia] ouverture, jour. || ARCHIT. portée. || GIUR. jour.

lucente [lu'tʃɛnte] agg. brillant, luisant.

lucernario [lutʃer'narjo] m. lucarne f.

lucertola [lu'tʃɛrtola] f. lézard m.

lucidamente [lutʃida'mente] avv. lucidement.

lucidare [lutʃi'dare] v. tr. astiquer, faire briller. || [con la cera] cirer.

lucidatrice [lutʃida'tritʃe] f. cireuse électrique.
lucidità [lutʃidi'ta] f. lucidité.
lucido ['lutʃido] agg. brillant, luisant ; poli ; [trattato con la cera] ciré. || PARTICOL. *carta lucida,* papier calque. || FIG. lucide. ◆ m. brillant, luisant, lustre. || [per lucidare] cire f., cirage.
lucro ['lukro] m. gain, lucre.
luculliano [lukul'ljano] agg. somptueux. | *un pranzo luculliano,* un vrai festin.
ludico ['ludiko] (**-ci** pl.) agg. ludique.
ludo ['ludo] m. LETT. jeu (L.C.).
lue ['lue] f. syphilis. || FIG., LETT. peste.
luetico [lu'ɛtiko] agg. e m. syphilitique.
luglio ['luʎʎo] m. juillet.
lugubre ['lugubre] agg. lugubre.
lui ['lui] pron. pers. 3ª pers. sing. m. ogg. lui ; [se non gli si vuol dare particolare rilievo] le. | *devi guardare lui non me,* c'est lui que tu dois regarder, pas moi. || [compl. di termine, compl. preceduto da prep.] lui. | *per lui, con lui,* pour lui, avec lui. || [stile burocratico] *il di lui padre,* son père. || [sogg.] lui ; [se non gli si vuole dare particolare rilievo] il. | *l'ha voluto lui,* c'est lui qui l'a voulu. | *lui leggeva,* il lisait. || [predicato] *se io fossi lui,* si j'étais lui, à sa place.
luigi [lu'idʒi] m. louis.
lumaca [lu'maka] f. PR. e FIG. limace.
lume ['lume] m. lampe f. || [luce] clarté f., lueur f. | *a lume di candela,* à la lueur d'une bougie. || LOC. *perdere il lume degli occhi,* voir rouge, se mettre en colère.
lumicino [lumi'tʃino] m. filet de lumière. || FIG. *essere ridotto al lumicino,* n'avoir plus qu'un souffle de vie.
luminare [lumi'nare] m. PR., ARC. astre. || FIG. sommité f., lumière f.
lumino [lu'mino] m. veilleuse f., lumignon.
luminoso [lumi'noso] agg. PR. e FIG. lumineux.
luna ['luna] f. lune. || [simbolo dell'Islam] croissant m. || LOC. *aver la luna (di traverso),* être mal luné. || ARC. [mese lunare] lune ; [mese] mois m. (L.C.). || CULIN. *mezza luna,* hachoir m.
lunapark [luna'park] m. (ingl.) foire f., fête (f.) foraine.
lunare [lu'nare] agg. lunaire.
lunario [lu'narjo] m. almanach. || LOC. *sbarcare il lunario,* joindre les deux bouts.
lunedì [lune'di] m. lundi.
lunetta [lu'netta] f. [di orologio] lunette. || ARCHIT. lunette.
lunga ['lunga] f. MUS. longue.
lungaggine [lun'gaddʒine] f. lenteur. || [di un testo] longueurs pl.
lungarno [lun'garno] m. quai, bord de l'Arno.
lunghezza [lun'gettsa] f. longueur, long m. | *era disteso in tutta la sua lunghezza,* il était étendu de tout son long. || FIG. longueur, durée. | *lunghezza della vita,* durée de la vie.
lungi ['lundʒi] avv. loin. ◆ loc. prep. *lungi da,* loin de. | *essere (ben) lungi dal fare qlco.,* être (bien) loin de faire qch.
lungimirante [lundʒimi'rante] agg. clairvoyant.
1. lungo ['lungo] agg. long. | *capelli lunghi,* cheveux longs. | *capitano di lungo corso,* capitaine au long cours. || LOC. *fare il muso lungo,* faire la tête. | *fare il passo più lungo della gamba,* faire une chose au-dessus de ses moyens. | *a lungo andare,* à la longue. || [opposto a « breve », nella durata] long. | *piano a lunga scadenza,* plan à longue échéance. || [lento] lent, long. | *come sei lunga a fare la spesa !,* tu es bien longue à faire tes courses ! ◆ loc. avv. *a lungo,* [per lungo tempo] longtemps ; [diffusamente] longuement. || [eccessivamente diluito] clair, léger. | *caffè lungo,* café léger. ◆ m. longueur f., long. || LOC. *in lungo ed in largo,* en long et en large. ◆ f. LOC. *tirare per le lunghe,* faire traîner. | *saperla lunga,* en savoir long.
2. lungo prep. (tout) le long de, au long de. | *lungo la strada,* le long de la route. || [durante] pendant, au cours de. | *lungo il viaggio,* pendant le voyage.
lungofiume [lungo'fjume] (**-i** pl.) m. quai.
lungolago [lungo'lago] (**-ghi** pl.) m. promenade (f.) du bord du lac.
lungomare [lungo'mare] (**-i** pl.) m. front de mer.
lunotto [lu'nɔtto] m. AUT. lunette (f.) arrière, glace (f.) arrière.
luogo ['lwɔgo] (**-ghi** pl.) m. lieu ; [punto determinato] endroit. | *luogo di nascita,* lieu de naissance. | *i costumi del luogo,* les coutumes locales. | *nello stesso luogo,* au même endroit. || [parte di un oggetto, di un corpo] endroit. || [passo di uno scritto] passage, endroit. || GR. *avverbio di luogo,* adverbe de lieu. || LOC. *in alto luogo,* en haut lieu. | *in primo, in secondo luogo,* en premier, en second lieu. | *fuori luogo,* déplacé, hors de propos. | *dar luogo a,* donner lieu à. | *in ogni luogo,* partout. | *in qualunque luogo,* n'importe où. | *in luogo di,* [+ sostant.] à la place de ; [+ infin. o sostant.] au lieu de.
luogotenente [lwogote'nɛnte] m. lieutenant.
lupa ['lupa] f. ZOOL. louve.

lupara [lu'para] f. fusil (m.) à canon court.
lupo ['lupo] m. ZOOL. loup. || LOC. *in bocca al lupo!,* bonne chance!
luppolo ['luppolo] m. houblon.
lurido ['lurido] agg. crasseux, sale. || FIG. sale, repoussant, abject.
luridume [luri'dume] m. PR. e FIG. saleté f., ordure f., crasse f.
lusinga [lu'zinga] f. flatterie. || [illusione] espoir trompeur, illusion.
lusingare [luzin'gare] v. tr. flatter. || [ingannare] abuser, leurrer. ◆ v. rifl. se flatter. || ASSOL. se faire des illusions.
lussazione [lussat'tsjone] f. MED. luxation.
lusso ['lusso] m. luxe. || LOC. *permettersi il lusso di dire qlco.,* se payer le luxe de dire qch. || [abbondanza superflua] luxe, surabondance, profusion.
lussuoso [lussu'oso] agg. luxueux, fastueux, somptueux.
lussureggiante [lussured'dʒante] agg. luxuriant.
lussuria [lus'surja] f. luxure.
lustrare [lus'trare] v. tr. astiquer, faire briller; [con cera, lucido] cirer. || LOC. *lustrare le scarpe a qlcu.,* lécher les bottes à qn (fam.). || TECN. lustrer. ◆ v. intr. briller.
lustrascarpe [lustras'karpe] m. inv. cireur m. (de chaussures).
lustrino [lus'trino] m. paillette f.
1. lustro ['lustro] agg. brillant, (re)luisant. ◆ m. PR. e FIG. lustre.
2. lustro m. LETT. [periodo di 5 anni] lustre.
luteranesimo [lutera'nezimo] m. luthéranisme.
lutoterapia [lutotera'pia] f. cure de bains de boue.
lutto ['lutto] m. deuil.
luttuoso [lut'tuoso] agg. douloureux, funeste.

m

m ['ɛmme] m. o f. m m.
1. ma [ma] cong. [opposizione] mais. | *è severo, ma giusto,* il est sévère, mais juste. | *ho chiamato, ma nessuno ha risposto,* j'ai appelé, mais personne n'a répondu. || [in principio di periodo] mais. | *ma, a proposito,* mais, à propos. || FAM. [particella rafforzativa] mais. | *ma sì,* mais oui. | *ma parla dunque!,* mais parle donc! | *ma che bel regalo!,* quel beau cadeau! | *ma come?,* comment? ◆ m. mais. | *c'è un ma,* il y a un mais.
2. ma interiez. [dubbio] bah! | *«Che te ne pare?» «Ma! non saprei!»,* «Qu'en penses-tu?» «Bah! je ne saurais que dire!» || [disapprovazione] *ha venduto la sua bella casa, ma!,* il a vendu sa belle maison, quelle idée!
macabro ['makabro] agg. macabre.
macaco [ma'kako] m. macaque.
macché [mak'ke] interiez. mais non! | *«L'hai fatto?» «Macché!»,* «Est-ce que tu l'as fait?» «Mais non!».
maccherone [makke'rone] m. (al pl.) CULIN. macaroni. | *pasticcio di maccheroni,* macaroni(s) au gratin. || FIG. [sciocco] bête, nigaud.
maccheronico [makke'rɔniko] (**-ci** m. pl.) agg. macaronique.
1. macchia ['makkja] f. tache. || ASTR. *macchie solari,* taches solaires. || FIG. *è una macchia al suo buon nome,* c'est une tache à sa réputation.
2. macchia f. [boscaglia] maquis m. || FIG. *fare qlco. alla macchia,* faire qch. clandestinement.
macchiaiolo [makkja'jɔlo] m. ARTI tachiste.
macchiare [mak'kjare] v. tr. tacher. ◆ v. rifl. se tacher. || FIG. *macchiarsi d'infamia,* se couvrir d'infamie.
macchiato [mak'kjato] agg. taché. || [cosparso di chiazze] taché, tacheté. | *marmo macchiato di verde,* marbre taché de vert. || PER EST. *caffè macchiato,* café avec un peu de lait.
macchietta [mak'kjetta] f. ARTI esquisse, ébauche. || PER EST. caricature; TEAT. imitation caricaturale, parodie. || FIG. *che macchietta!,* quel drôle de type!, quel numéro!
macchiettista [makkjet'tista] (**-i** m. pl.) n. ARTI caricaturiste. || TEAT. imitateur, trice; mime.
macchina ['makkina] f. [congegno meccanico] machine. | *macchina agricola,* machine agricole. | *scrivere a macchina,* écrire, taper à la machine. | *macchina da caffè,* cafetière; [nei bar] percolateur m. | *macchina fotografica,* appareil (m.) photographique. | *macchina da presa,* caméra. || FIG. *la macchina dello Stato,* la machine de l'État. || AUT. voiture, automobile, auto (fam.). | *guidare una macchina,* conduire une automobile. || TR. machine, locomotive. | *macchina diesel,* machine Diesel. || MAR. machine. | *fermare le macchine,* stopper les machines.
macchinale [makki'nale] agg. machinal.

macchinare [makki'nare] v. tr. machiner, manigancer.
macchinario [makki'narjo] (**-ri** pl.) m. machinerie f., outillage. | *il macchinario di una fabbrica,* l'outillage d'une usine.
macchinazione [makkinat'tsjone] f. machination, complot m.
macchinetta [makki'netta] f. *macchinetta accendisigari,* briquet m. || [per tagliare i capelli] tondeuse.
macchinista [makki'nista] (**-i** pl.) m. TR., MAR. mécanicien. || TEAT. machiniste. || TIP. conducteur.
macchinoso [makki'noso] agg. compliqué.
macedonia [matʃe'dɔnja] f. CULIN. macédoine ; salade de fruits.
macellaio [matʃel'lajo] m. boucher.
macellare [matʃel'lare] v. tr. abattre. | *macellare una bestia,* abattre une bête. || FIG. massacrer.
macelleria [matʃelle'ria] f. boucherie.
macello [ma'tʃɛllo] m. [mattatoio] abattoir. || [macellazione] abattage. | *bestie, carne da macello,* bêtes, viande de boucherie. || FIG. boucherie, massacre. | *che macello !,* quel massacre !
macerare [matʃe'rare] v. tr. macérer. ◆ v. rifl. FIG. se consumer ; être dévoré. | *macerarsi dal dolore,* se consumer de douleur.
macerie [ma'tʃɛrje] f. pl. gravats m. pl., décombres m. pl. | *le macerie di una città,* les ruines d'une ville. || FIG. débris m. pl., ruines pl.
1. macero ['matʃero] agg. macéré.
2. macero m. macération f. || IND. [cartaria] trempage ; pourrissoir. || [tessile] rouissage ; rouissoir. || [maceratoio] macérateur. || LOC. *carta da macero,* vieux papiers.
macigno [ma'tʃiɲɲo] m. roc, rocher, pierre f. || GEOL. (pierre) meulière f. || FIG. *è duro come un macigno,* il est dur comme un roc.
macilento [matʃi'lɛnto] agg. maigre, émacié, hâve.
macina ['matʃina] f. meule. | *macina da mulino,* meule de moulin.
macinacaffè [matʃinakaf'fɛ] m. moulin à café.
macinapepe [matʃina'pepe] m. moulin à poivre.
macinare [matʃi'nare] v. tr. moudre, broyer. || FIG. *macinare chilometri,* dévorer des kilomètres.
macinato [matʃi'nato] agg. moulu. | *carne macinata,* hachis, viande hachée. ◆ m. farine f. ; [carne] hachis.
macinatura [matʃina'tura] f. mouture, broyage m.
macinino [matʃi'nino] m. moulin. | *macinino da caffè,* moulin à café. || FIG., IRON. coucou, tacot.
maciullare [matʃul'lare] v. tr. TESS. macquer. || PER EST. broyer.
macroscopico [makros'kɔpiko] (**-ci** m. pl.) agg. macroscopique. || FIG., IRON. énorme.
madama [ma'dama] f. madame.
madamigella [madami'dʒɛlla] f. IRON. mademoiselle.
madia ['madja] f. huche, maie.
madido ['madido] agg. humide, moite.
madonna [ma'dɔnna] f. ARC. madame (L.C.). || REL. Vierge, Notre-Dame, Madone.
madornale [mador'nale] agg. énorme.
madre ['madre] f. mère. | *madre nubile,* mère célibataire. | *regina madre,* reine mère. || FIG. *madre natura,* notre mère nature. | *lingua madre,* langue maternelle. || [di un registro] souche. | *blocchetto a madre e figlia,* carnet à souches. || CHIM. *madre dell'aceto,* mère du vinaigre. || REL. *madre superiora, priora,* mère supérieure, prieure. | *casa madre,* maison mère.
madreperla [madre'pɛrla] f. nacre.
madrigale [madri'gale] m. LETT., MUS. madrigal.
madrina [ma'drina] f. marraine.
maestà [maes'ta] f. [grandezza, titolo] majesté. | *Vostra Maestà,* Votre Majesté. || ARTI majesté. | *Cristo in maestà,* Christ en majesté.
maestoso [maes'toso] agg. majestueux. || MUS. maestoso.
maestra [ma'ɛstra] f. maîtresse. | *maestra elementare,* maîtresse d'école, institutrice. | *maestra di sci,* monitrice de ski. | *maestra d'asilo,* jardinière d'enfants. || *maestra di sartoria,* première d'atelier. || FIG. *la storia è maestra di vita,* l'histoire apprend à vivre. || TIP. maquette.
maestrale [maes'trale] m. vent du nord-ouest ; [in Provenza] mistral.
maestranze [maes'trantse] f. pl. ouvriers m. pl.
maestria [maes'tria] f. maestria, maîtrise, habileté.
maestro [ma'ɛstro] m. maître. || ARTI, LETT. *i maestri della pittura italiana,* les maîtres de la peinture italienne. || MUS. *maestro di musica,* maître, professeur de musique ; [direttore d'orchestra] *bravo maestro !,* bravo, maestro ! || SP. *maestro di nuoto,* maître-nageur. || [mestieri] | *maestro muratore,* maître maçon. || [chi ha funzioni direttive] *maestro di casa,* maître d'hôtel. || FIG. *trovare un maestro,* trouver son maître. || LOC. *con tocco da maestro,* de main de maître. ◆ agg. [abile] *colpo maestro,* coup de maître. || [principale] *strada maestra,* grand-route. | *trave maestra,* poutre maîtresse. || MAR.

albero maestro, grand mât. | *vela maestra,* grand-voile.
mafia ['mafja] f. maf(f)ia.
maga ['maga] f. magicienne.
magagna [ma'gaɲɲa] f. défaut m., imperfection.
magari [ma'gari] interiez. plût au ciel que, si seulement. | *magari potessi partire!,* si seulement je pouvais partir! || [assenso] si vous voulez ; je veux bien ; très volontiers. ◆ cong. [con valore concessivo] même si, quand bien même. | *lo farò, magari dovessi perdere la sua amicizia,* je le ferai, même si je devais perdre son amitié. ◆ avv. [forse] peut-être (bien) ; [perfino] même. | *magari non verrà,* peut-être ne viendra-t-il pas.
magazziniere [magaddzi'njɛre] m. magasinier.
magazzino [magad'dzino] m. magasin, dépôt. | *avere delle merci in magazzino,* avoir des marchandises en magasin, en stock. || COMM. entrepôt. | *magazzini portuali,* docks. | *magazzini generali,* magasins généraux. || FOT., TIP. magasin. || [punto di vendita] *i grandi magazzini,* les grands magasins.
maggio ['maddʒo] m. mai.
maggiolino [maddʒo'lino] m. hanneton.
maggiorana [maddʒo'rana] f. marjolaine.
maggioranza [maddʒo'rantsa] f. majorité, majeure partie. | *nella maggioranza dei casi,* dans la plupart des cas. || POL. majorité.
maggiorare [maddʒo'rare] v. tr. majorer, augmenter.
maggiordomo [maddʒor'dɔmo] m. majordome, maître d'hôtel.
maggiore [mad'dʒore] agg. [più grande : comp.] plus grand ; plus de, davantage (de). | *è sceso a profondità maggiore,* il est descendu à une plus grande profondeur. | *per maggiore sicurezza,* pour plus de sûreté. || [più grande : superl. rel.] *il maggiore sforzo possibile,* le plus grand effort possible. | *la maggior parte degli alunni,* la plus grande partie, la majorité, la plupart des élèves. | *le arti maggiori,* les arts majeurs. || [età : comp.] *sono maggiore di mio fratello,* je suis plus âgé que mon frère. || [età : superl. rel.] *ecco il mio fratello maggiore,* voilà mon frère aîné. || [maggiorenne] *fra un anno sarà maggiore,* dans un an il sera majeur. || COMM. *vendere, aggiudicare al maggiore offerente,* vendre, adjuger au plus offrant. || MAR. *albero maggiore,* grand mât. || MIL. *caporal, sergente maggiore,* caporal-chef, sergent-major. || MUS. *do maggiore,* ut majeur. | *intervallo di terza maggiore,* tierce majeure. || REL. *altare maggiore,* maître-autel. || LOC. *a maggiore ragione,* à plus forte raison. | *in attesa di maggiori chiarimenti,* jusqu'à plus ample informé. | *andare per la maggiore,* être à la mode, en vogue. ◆ m. [età : primogenito] aîné ; [il più anziano] le plus âgé. || MIL. commandant, chef.
maggiorenne [maddʒo'rɛnne] agg. e n. majeur, e.
maggiormente [maddʒor'mente] avv. [di più] davantage ; [comp. : più] plus ; [ancor più] encore plus, à plus forte raison ; [tanto più] d'autant plus. | *non mi dilungherò maggiormente,* je ne m'attarderai pas davantage. || [superl.] le plus. | *è l'operaio che lavora maggiormente,* c'est l'ouvrier qui travaille le plus.
magi ['madʒi] m. pl. mages. || REL. *i Re magi,* les Rois mages.
magia [ma'dʒia] f. magie. || FIG. magie, charme m.
magico ['madʒiko] (**-ci** m. pl.) agg. magique.
magistero [madʒis'tɛro] m. enseignement, magistère.
magistrale [madʒis'trale] agg. magistral. || FARM. magistral. || UNIV. *istituto magistrale,* école normale d'instituteurs.
magistrato [madʒis'trato] m. magistrat.
magistratura [madʒistra'tura] f. magistrature.
maglia ['maʎʎa] f. TESS. maille. | *lavorare a maglia,* tricoter, faire du tricot. || [indumento intimo] tricot (m.) de peau, maillot (m.) de corps. || [pullover] pull-over m., chandail m., tricot. || SP. maillot m. || [di rete] maille. || [di catena] maille, chaînon m., maillon m.
magliaia [maʎ'ʎaja] f. tricoteuse ; [operaia di un maglificio] ouvrière de l'industrie de la bonneterie.
maglieria [maʎʎe'ria] f. COMM., IND. bonneterie.
maglificio [maʎʎi'fitʃo] m. fabrique (f.) de tricots.
maglio ['maʎʎo] m. maillet. || SP. [croquet, polo] maillet ; [pallamaglio] mail ; [hockey] crosse f. || TECN. marteau-pilon.
maglione [maʎ'ʎone] m. chandail, pull-over.
magnanimo [maɲ'ɲanimo] agg. magnanime.
magnate [maɲ'ɲate] (**-i** pl.) m. magnat.
magnesia [maɲ'ɲɛzja] f. magnésie.
magnete [maɲ'ɲɛte] m. FIS. aimant. || MECC. magnéto f.

magnetico [maɲ'ɲɛtiko] (**-ci** m. pl.) agg. magnétique.
magnetizzare [maɲɲetid'dzare] v. tr. FIS. magnétiser, aimanter. || FIG. magnétiser ; hypnotiser.
magnetofono [maɲɲe'tɔfono] m. magnétophone.
magnificare [maɲɲifi'kare] v. tr. magnifier, glorifier.
magnificenza [maɲɲifi'tʃɛntsa] f. magnificence. || [sfarzo] magnificence, éclat m., faste m.
magnifico [maɲ'ɲifiko] (**-ci** m. pl.) agg. magnifique, superbe, splendide, remarquable.
magno ['maɲɲo] agg. LETT. grand (L.C.). || LOC. *in pompa magna,* en grande pompe.
magnolia [maɲ'ɲɔlja] f. [albero] magnolia m. ; [fiore] fleur de magnolia.
mago ['mago] (**-ghi** pl. nel sign. 1 ; **-gi** pl. nel sign. 2) m. magicien. || [antico sacerdote persiano] mage.
magra ['magra] f. étiage m., basses eaux pl. || FIG. disette, pénurie.
magrezza [ma'grettsa] f. PR. e FIG. maigreur.
magro ['magro] agg. maigre. || FIG. maigre. | *ha un magro stipendio,* il touche un traitement de misère. | *fare una magra figura,* faire (une) piètre figure. ◆ n. [di persona] maigre. ◆ m. [di carne] maigre. || REL. *mangiare di magro,* faire maigre.
mah [ma] interiez. = MA 2.
mai ['mai] avv. jamais. | *non parla mai,* il ne parle jamais. | *non si sa mai,* on ne sait jamais. || [usato da solo] jamais. | *mai che egli dica la verità,* jamais il ne dit la vérité. || LOC. *mai e poi mai,* au grand jamais, jamais de la vie ! || [in frasi interrogative o ipotetiche] jamais. | *chi l'ha mai incontrato ?,* qui l'a jamais rencontré ? | *che c'è mai da gridare ?,* pourquoi donc ces cris ? || [in frasi comparative] jamais. | *è più gentile che mai,* il est plus aimable que jamais. || FAM. *avevamo una sete che mai,* nous avions très soif (L.C.).
maiale [ma'jale] m. porc, cochon. || FIG. cochon.
maialetto [maja'letto] o **maialino** [maja'lino] m. porcelet, goret.
maiolica [ma'jɔlika] f. faïence ; [italiana, specialmente del Rinascimento] majolique, maïolique.
maionese [majo'nese] f. mayonnaise.
mais ['mais] m. BOT. maïs.
maiuscolo [ma'juskolo] agg. majuscule. || FIG., SCHERZ. énorme, inouï. ◆ m. majuscule f.
malafede [mala'fede] f. mauvaise foi.
malaffare [malaf'fare] m. *gente di malaffare,* malfaiteurs m. pl. | *casa di malaffare,* maison de passe.
malagrazia [mala'grattsja] f. impolitesse, grossièreté.
malalingua [mala'lingwa] f. mauvaise langue.
malamente [mala'mente] avv. mal. | *sono caduto malamente,* j'ai fait une mauvaise chute.
malandato [malan'dato] agg. en mauvais état ; [di salute] mal en point.
malandrino [malan'drino] m. brigand, malandrin (arc.). || SCHERZ. coquin, fripon.
malanimo [ma'lanimo] m. animosité f., malveillance f. || LOC. *di malanimo,* à contrecœur, contre son gré.
malanno [ma'lanno] m. malheur. || [acciacco, malattia] maladie f., infirmité f. | *con questo freddo, c'è da buscarsi un malanno,* par ce froid, on peut prendre mal. || FIG., SCHERZ. peste f. | *quel bambino è un vero malanno,* cet enfant est une peste.
malapena (a) [amala'pena] loc. avv. à peine, à grand-peine. | *sa leggere a malapena,* il sait tout juste lire.
malaria [ma'larja] f. malaria, paludisme m.
malarico [ma'lariko] (**-ci** m. pl.) agg. e n. paludéen.
malato [ma'lato] agg. malade. | *è malato di polmonite,* il est atteint de pneumonie. | *darsi malato,* se faire porter malade | *essere malato di nostalgia,* avoir le mal du pays. ◆ n. malade.
malattia [malat'tia] f. PR. e FIG. maladie. | *prendersi, buscarsi una malattia,* attraper, contracter une maladie. | *essere in congedo per malattia,* être en congé de maladie. | *farne una malattia,* en faire une maladie, en être malade.
malaugurato [malaugu'rato] agg. [infausto] malheureux ; [deprecabile] fâcheux, malencontreux. | *ha avuto la malaugurata idea di partire,* il a eu la fâcheuse idée de partir.
malaugurio [malau'gurjo] m. mauvais augure.
malaventura [malaven'tura] f. malheur m. | *per malaventura,* malheureusement, par malheur.
malavita [mala'vita] f. milieu m., pègre.
malavoglia [mala'vɔʎʎa] f. mauvaise volonté. || LOC. *di malavoglia,* à contrecœur.
malavveduto [malavve'duto] agg. malavisé.
malavvezzo [malav'vettso] agg. mal élevé, malappris.
malcapitato [malkapi'tato] agg. malheureux, infortuné.
malconcio [mal'kontʃo] agg. en mauvaise forme, mal en point.

malcontento [malkon'tɛnto] agg. mécontent. ◆ m. mécontentement.
malcostume [malkos'tume] m. mauvaises mœurs f. pl., corruption f.
maldestro [mal'dɛstro] agg. maladroit, gauche.
maldicente [maldi'tʃɛnte] agg. e n. médisant.
maldicenza [maldi'tʃɛntsa] f. médisance.
1. male ['male] avv. mal. | *scrivere male,* écrire mal. | *parla male di noi,* il dit du mal de nous, | *gli affari vanno male,* les affaires vont mal. | *vai male a scuola,* tu ne réussis pas en classe. | *sentirsi male,* se sentir mal. | *quella ragazza non è male,* cette jeune fille n'est pas mal. ◆ interiez. *niente male !, mica male !,* pas mal ! (fam.). || *meno male,* à la bonne heure, heureusement.
2. male m. mal. | *il bene e il male,* le bien et le mal. | *fare del male a qlcu.,* faire du mal à qn. | *non c'è nulla di male,* il n'y a pas de mal à cela. || [sfortuna, sventura] malheur. | *il male è che non lo conosco,* le malheur, c'est que je ne le connais pas. | *portare male a qlcu.,* porter malheur à qn. || [sofferenza] mal. | *dove senti male ?, dove ti fa male ?,* où as-tu mal ? || [malattia] maladie f., mal. | *mal contagioso, incurabile,* maladie contagieuse, incurable. || Loc. *andare a male,* se gâter, s'abîmer. | *il latte è andato a male,* le lait a tourné. | *mandare a male,* faire échouer.
maledettamente [maledetta'mente] avv. excessivement, terriblement.
maledetto [male'detto] agg. maudit. || Fam. damné, sacré. | *che tempo maledetto !,* quel sacré temps ! | *avere una fame maledetta,* avoir une faim terrible.
maledire [male'dire] v. tr. maudire.
maledizione [maledit'tsjone] f. malédiction. || [disgrazia] malheur m. ; calamité. ◆ interiez. malédiction !, zut (alors) !
maleducato [maledu'kato] agg. e n. mal élevé, impoli.
malefatta [male'fatta] f. méfait m.
maleficio [male'fitʃo] m. maléfice, sortilège, envoûtement.
malefico [ma'lɛfiko] (**-ci** m. pl.) agg. nuisible, malfaisant ; maléfique.
maleodorante [maleodo'rante] agg. malodorant.
malerba [ma'lɛrba] f. mauvaise herbe.
malessere [ma'lɛssere] m. malaise. || [ristrettezze economiche] gêne f.
malevolo [ma'lɛvolo] agg. e m. malveillant.
malfamato [malfa'mato] agg. malfamé, mal famé.
malfatto [mal'fatto] agg. mal fait. ◆ m. méfait.
malfattore [malfat'tore] (**-trice** f.) n. malfaiteur m.
malfermo [mal'fermo] agg. Pr. e Fig. [instabile] branlant ; [insicuro] chancelant, mal assuré.
malformazione [malformat'tsjone] f. malformation.
malgoverno [malgo'vɛrno] m. mauvaise administration f. || [trascuratezza] négligence f., désordre, incurie f.
malgrado [mal'grado] prep. malgré. | *mio malgrado,* malgré moi, contre mon gré. ◆ cong. quoique, bien que.
malia [ma'lia] f. enchantement m., charme m., maléfice m.
maliardo [ma'ljardo] agg. enchanteur, fascinateur, ensorcelant.
malignamente [maliɲɲa'mente] avv. malignement, méchamment.
malignare [maliɲ'ɲare] v. intr. (su) dire du mal (de), médire (de).
malignità [maliɲɲi'ta] f. malignité, méchanceté.
maligno [ma'liɲɲo] agg. malin, malveillant, méchant. || [dannoso] pernicieux, malfaisant. | *clima maligno,* climat malsain. || Med. malin. | *febbre maligna,* fièvre maligne. ◆ m. méchant, malveillant. || Rel. le Malin.
malinconia [malinko'nia] f. mélancolie, tristesse. || Med. neurasthénie.
malincuore (a) [amalin'kwɔre] loc. avv. à contrecœur, à regret.
malinteso [malin'teso] agg. mal compris. ◆ m. malentendu, équivoque f.
malizia [ma'littsja] f. malignité, méchanceté, malice. | *ha parlato per pura malizia,* il a parlé par pure méchanceté. || [furbizia] malice. | *sguardo pieno di malizia,* regard plein de malice. || [azione astuta] astuce, ruse.
malizioso [malit'tsjoso] agg. malicieux, malin, espiègle. | *un sorriso malizioso,* un sourire malicieux.
malleabile [malle'abile] agg. malléable, souple.
mallo ['mallo] m. brou.
malloppo [mal'lɔppo] m. Fam. balluchon. || Gerg. [denaro] grisbi, fric. || Loc. *ho un malloppo sullo stomaco,* j'ai un poids sur l'estomac.
malmenare [malme'nare] v. tr. malmener, maltraiter, brutaliser.
malmesso [mal'messo] agg. mal habillé ; mal arrangé.
malo ['malo] agg. mauvais. | *è una mala lingua,* c'est une mauvaise langue. | *mala sorte,* malchance. | *la mala vita,* la pègre.
malocchio [ma'lɔkkjo] m. mauvais œil.

malora [ma'lora] f. PR. e FIG. ruine, perte. || [imprecazione] *andate in malora !,* allez au diable !
malore [ma'lore] m. malaise, indisposition f.
malsano [mal'sano] agg. malsain, insalubre ; [di salute] maladif. || FIG. malsain, morbide.
malsicuro [malsi'kuro] agg. peu sûr ; [malfermo] chancelant, mal assuré. || [incerto] incertain.
malta ['malta] f. TECN. mortier m., coulis m.
maltempo [mal'tεmpo] m. mauvais temps.
malto ['malto] m. malt.
maltolto [mal'tɔlto] m. *restituire il maltolto,* rendre ce qu'on a mal acquis.
maltrattare [maltrat'tare] v. tr. maltraiter, malmener.
maltusianismo [maltuzja'nizmo] m. ECON. malthusianisme.
malumore [malu'more] m. (mauvaise) humeur. | *mettere di malumore,* mettre de mauvaise humeur. || [malcontento] mécontentement.
malva ['malva] f. BOT. mauve.
malvagio [mal'vadʒo] agg. méchant, malfaisant. || FIG. mauvais. | *il film non era malvagio,* le film n'était pas mauvais. ◆ m. méchant.
malvivente [malvi'vεnte] m. malfaiteur.
malvolentieri [malvolen'tjεri] avv. à contrecœur.
malvolere [malvo'lere] v. tr. détester. ◆ m. [volontà di fare il male] malveillance f. ; [cattiva volontà] mauvaise volonté.
mamma ['mamma] f. maman, mère. ◆ interiez. *mamma mia !,* mon Dieu !
mammella [mam'mεlla] f. ANAT. mamelle, sein m. ; [di animali] tétine, pis m.
mammellone [mammel'lone] m. GEOGR. mamelon.
mammifero [mam'mifero] agg. e m. mammifère.
mammola ['mammola] f. BOT. violette.
manata [ma'nata] f. [manciata] poignée. || [colpo] tape.
manca ['manka] agg. e f. V. MANCO 1.
mancamento [manka'mento] m. manque, défaut. || FIG. défaut, faute f., manquement. || [malore] évanouissement, défaillance f.
mancanza [man'kantsa] f. manque m., défaut m. | *mancanza di esercizio,* manque d'exercice. || [assenza di persona] absence. || [errore, fallo] faute, manquement m. ◆ loc. prep. *in mancanza di,* à défaut de, faute de.
mancare [man'kare] v. intr. manquer, faire défaut. | *il pane comincia a mancare,* le pain commence à manquer. || [in senso affettivo] manquer. | *ci mancate molto,* vous nous manquez beaucoup. || [venir meno] manquer. | *si sente mancare le forze,* le cœur lui manque. || [essere assente] manquer. | *mancare all'appello,* manquer à l'appel. || PER EST. mourir. || [tempo e distanza] *manca un quarto alle tre,* il est trois heures moins le quart. || [per colpa] manquer. | *in che cosa abbiamo mancato ?,* en quoi avons-nous manqué ? || [tralasciare] manquer. | *non mancherò,* je n'y manquerai pas. || LOC. *manca, poco,* il s'en faut de peu. | *non ci mancava che questa !,* c'est complet ! ◆ v. tr. [fallire] manquer, rater, louper (fam.). | *mancare il colpo,* manquer, rater son coup.
mancato [man'kato] agg. manqué, raté. || [non avvenuto] *mancata consegna,* non-livraison.
manchevolezza [mankevo'lettsa] f. défaut m., imperfection. || [mancanza] faute. | *non ammettere nessuna manchevolezza,* n'admettre aucune faute.
mancia ['mantʃa] (**-ce** pl.) f. pourboire m. | *mancia compresa,* service (m.) compris.
manciata [man'tʃata] f. poignée. | *a manciate,* à poignées, à pleines mains.
mancino [man'tʃino] agg. gaucher. || FIG. [scorretto] déloyal. | *colpo mancino,* coup bas, mauvais tour.
1. manco ['manko] (**-chi** m. pl.) agg. gauche. || LOC. *a manca,* à gauche.
2. manco avv. [meno] *far di manco,* se passer. | *manco male !,* heureusement ! | *al manco,* au moins. || [nemmeno] pas même, même pas. | *manco per idea, manco per sogno,* jamais de la vie, il n'en est pas question. | *manco a dirlo !,* certainement !, bien sûr !
mandamento [manda'mento] m. canton.
mandante [man'dante] m. COMM., GIUR. mandant, commettant.
mandarancio [manda'rantʃo] m. clémentine f.
mandare [man'dare] v. tr. 1. RIFERITO A PERSONA. [compl. ogg. espresso] envoyer. | *mandare i propri figli a scuola,* envoyer ses enfants à l'école. || FAM. [permettere] laisser. | *« Mamma, mi mandi al cinema ?»,* « Maman, tu me laisses aller au cinéma ? » || [compl. ogg. sottinteso] envoyer. | *non glielo mandai a dire,* je ne le lui ai pas envoyé dire. 2. RIFERITO A COSA. [inviare] envoyer. | *mandare una lettera,* envoyer une lettre. || [compl. di luogo espresso] envoyer, lancer, jeter. | *il vento manda le onde contro gli scogli,* le vent jette les vagues contre les récifs. || [emettere] répandre, émettre,

pousser. | *mandare un sospiro,* pousser un soupir. || [con determinazioni avverbiali] *mandar fuori una legge,* promulguer une loi. | *mandare giù degli insulti,* encaisser (fam.) des injures. | *« Manda su quel signore »,* « Fais monter ce monsieur ». | *è stato mandato via,* on l'a renvoyé. || LOC. *mandare in malora, in rovina,* ruiner. | *mandare al diavolo, all'inferno, a quel paese, a farsi friggere, a farsi benedire,* envoyer au diable (fam.), envoyer promener (fam.), paître (fam.). | *mandare a monte,* faire avorter, faire échouer. | *mandare in pezzi, in frantumi,* casser, briser en mille morceaux. | *che Dio ce la mandi buona !,* que Dieu nous aide !

mandarino [manda'rino] m. [albero] mandarinier. || [frutto] mandarine f.

mandata [man'data] f. envoi m. || TECN. tour (m.) de clef. | *a doppia mandata,* à double tour.

mandato [man'dato] m. mandat. | *adempiere, svolgere, eseguire il proprio mandato,* remplir son mandat. || COMM. mandat. || GIUR. *mandato di comparizione,* mandat d'amener.

mandibola [man'dibola] f. mâchoire inférieure, mandibule.

mandolino [mando'lino] m. MUS. mandoline f.

mandorla ['mandorla] f. amande. || LOC. *a mandorla,* en amande.

mandorlato [mandor'lato] agg. aux amandes. ◆ m. gâteau aux amandes ; nougat aux amandes.

mandorlo ['mandorlo] m. amandier.

mandria ['mandrja] f. troupeau m.

mandriano [mandri'ano] m. gardien de troupeau.

mandritta [man'dritta] f. main droite. || LOC. *a mandritta,* à droite.

maneggiare [maned'dʒare] v. tr. manier.

maneggio [ma'neddʒo] m. maniement. || [manovre oscure] manège, manigance f. (fam.). | *c'è sotto qualche maneggio,* il y a quelque manigance là-dessous. || [equitazione] manège.

manesco [ma'nesko] (**-schi** m. pl.) agg. brutal, grossier.

manette [ma'nette] f. pl. menottes.

manganello [manga'nɛllo] m. matraque f.

mangereccio [mandʒe'rettʃo] (**-ce** f. pl.) agg. comestible.

mangiabile [man'dʒabile] agg. mangeable.

mangianastri [mandʒa'nastri] m. inv. NEOL. FAM. magnétophone (m.) à cassette.

mangiare [man'dʒare] v. tr. manger. | *mangiare di magro, di grasso,* faire maigre, faire gras. | *mangiare alla carta,* manger à la carte. | *fare da mangiare,* faire la cuisine. || [corrodere] manger, ronger. | *la ruggine mangia il ferro,* la rouille mange, ronge le fer. || FIG. *mangiare con gli occhi,* manger des yeux. | *mangiarsi il fegato,* se ronger les sangs. || GIOCHI prendre. | *mangio una pedina,* je prends un pion. ◆ m. manger, repas. || [cibo] nourriture f., aliment.

mangiata [man'dʒata] f. FAM. gueuleton m. (pop.).

mangiatoia [mandʒa'toja] f. mangeoire.

mangime [man'dʒime] m. [per uccelli e pollame] grain. || [per cavalli] provende f. || [pastone] pâtée f.

mani ['mani] m. pl. REL. mânes.

mania [ma'nia] f. manie, marotte.

maniaco [ma'niako] (**-ci** m. pl.) agg. e n. maniaque.

manica ['manika] f. [parte di un indumento] manche. || LOC. FIG. *avere un asso nella manica,* avoir un atout dans son jeu. | *essere di manica stretta,* être rigoureux, sévère. | *essere di manica larga,* être indulgent, coulant (fam.). || AV., MAR. *manica a vento,* manche à vent ; manche à air. || METALL. fourneau m. || TECN. tuyau m. || PEGG. [schiera] bande. | *è una manica di fessi,* c'est une bande d'idiots.

manicaretto [manika'retto] m. bon petit plat, plat appétissant.

manichino [mani'kino] m. mannequin (anche pegg.).

manico ['maniko] (**-chi** o **-ci** pl.) m. manche. | *manico di scopa,* manche à balai. || [di vaso, tazza] anse f. | *il manico di un cestino,* l'anse d'un panier. || [di valigia, borsa] poignée f. || MUS. manche.

manicomio [mani'kɔmjo] (**-mi** pl.) m. asile d'aliénés, asile psychiatrique. || FIG. *è un manicomio,* c'est une maison de fous.

manicotto [mani'kɔtto] m. manchon.

manicure [mani'kure] f. inv. manucure f.

maniera [ma'njɛra] f. manière, façon. | *usare la maniera forte,* employer la manière forte. | *le sue maniere mi irritano,* ses façons m'agacent. || ARTI manière, style m. | *quadro alla maniera di Botticelli,* tableau à la manière de Botticelli. || PEGG. *pittore di maniera,* peintre maniéré. || GR. manière. ◆ loc. avv. *in ogni maniera,* de toute manière, de toute façon. ◆ loc. prep. *in maniera da,* de manière à, de façon à. ◆ loc. cong. *in maniera tale che,* de (telle) manière que.

manierismo [manje'rizmo] m. ARTI maniérisme.

maniero [ma'njɛro] m. manoir.

manifattura [manifat'tura] f. manufacture, fabrique, atelier m. || [fabbricazione] fabrication, confection.
manifatturiere [manifattu'rjɛre] m. fabricant, industriel. || [operaio] ouvrier d'une manufacture.
manifestante [manifes'tante] n. manifestant.
manifestare [manifes'tare] v. tr. manifester, montrer, révéler. ◆ v. rifl. se révéler, se montrer. ◆ v. intr. POL. manifester.
manifestazione [manifestat'tsjone] f. manifestation, démonstration. || POL. manifestation.
1. manifesto [mani'fɛsto] agg. manifeste, évident, certain, sûr.
2. manifesto m. affiche f. || [programma] manifeste. || COMM. manifeste.
maniglia [ma'niλλa] f. poignée. | *girare la maniglia di una porta,* tourner la poignée d'une porte. || MAR., TECN. manille.
manioca [ma'njɔka] f. manioc m.
manipolare [manipo'lare] v. tr. manipuler. || [adulterare] frelater. || FIG. manipuler, altérer.
manipolazione [manipolat'tsjone] f. manipulation. || [sofisticazione] frelatage m. || FIG. manipulation, tripotage m.
maniscalco [manis'kalko] (**-chi** pl.) m. maréchal-ferrant.
manna ['manna] f. manne. || FIG. manne, bénédiction.
mannaia [man'naja] f. hache. | *mannaia del boia,* hache du bourreau. || [della ghigliottina] couperet m.
mano ['mano] (**-i** pl.) f. main. | *alzare, stendere la mano,* lever, étendre la main. || FIG. *la mano del destino, di Dio,* la main du destin, de Dieu. || LOC. [con prep.] *sgusciare di mano,* glisser entre les doigts. | *portare qlcu. in palma di mano,* porter qn aux nues. | *freno a mano,* frein à main. | *lavoro a mano,* travail à la main. | *persona alla mano,* personne simple, sans façons. | *a mano a mano, man mano,* au fur et à mesure, peu à peu. | *questo lavoro è passato dalle sue mani,* ce travail est passé par ses mains. | *tenere un oggetto in mano,* tenir un objet à la main. | *toccare con mano,* toucher de la main, du doigt. | *starsene colle mani in mano,* demeurer les bras croisés. | *prendere per mano,* prendre par la main. | *avere per le mani un buon affare,* être sur une bonne affaire. | *avere sottomano,* avoir sous la main. | *abitare fuori mano,* habiter au diable (fam.). | *una via fuori mano,* une rue écartée. || [con avv.] *qua la mano,* serrons-nous la main. || [compl. dir. di un v.] *avere mano libera,* avoir les mains libres. | *dare man forte,* prêter main-forte. | *calcar la mano,* forcer la main. | *avere le mani in pasta,* être dans le bain (fam.). | *mettere le mani avanti,* prendre ses précautions. | *menare le mani,* se bagarrer. || [strato] couche. | *una mano di colore,* une couche de couleur. || AUT. *andare contro mano,* ne pas tenir la droite. || GIOCHI *essere ultimo di mano,* être le dernier à jouer. || TESS. *lavorazione a mano,* façon main.
manodopera [mano'dɔpera] f. main-d'œuvre.
manomettere [mano'mettere] v. tr. [lettere] ouvrir (indûment) ; [porte] forcer ; [documenti] manipuler ; [tombe] violer. || GIUR., STOR. affranchir.
manopola [ma'nɔpola] f. [paramano] parement m. || [guanto] moufle ; crispin m. || [per lavarsi] gant (m.) de toilette. || [parte di armatura] gantelet m. || [impugnatura] poignée. || [organo di comando] bouton m.
manoscritto [manos'kritto] agg. e m. manuscrit.
manovalanza [manova'lantsa] f. main-d'œuvre, manœuvres m. pl.
manovale [mano'vale] m. manœuvre. | *manovale muratore,* aide-maçon. | *manovale ferroviario,* homme d'équipe.
manovella [mano'vɛlla] f. manivelle.
manovra [ma'nɔvra] f. PR. e FIG. manœuvre.
manovrare [mano'vrare] v. tr. e intr. PR. e FIG. manœuvrer.
mansalva (a) [aman'salva] loc. avv. *rubare a mansalva,* voler à pleines mains.
mansarda [man'sarda] f. mansarde.
mansioni [man'sjoni] f. pl. fonction(s), attribution(s). | *mansioni di fiducia,* fonctions de confiance.
mansueto [mansu'ɛto] agg. doux, paisible, débonnaire.
mantecare [mante'kare] v. tr. CULIN. écraser en purée ; travailler.
mantecato [mante'kato] agg. CULIN. *baccalà mantecato,* brandade (f.) de morue.
mantella [man'tɛlla] f. cape. || MIL. capote.
mantello [man'tɛllo] m. manteau, paletot ; [senza maniche] mante f., cape f. || FIG. manteau, voile. || ZOOL. pelage ; [di cavalli] robe f. ; [di molluschi] manteau.
mantenere [mante'nere] v. tr. maintenir, garder, conserver. | *mantenere le distanze,* maintenir, garder ses distances. || [alimentare] entretenir, nourrir. | *mantenere i propri figli,* nourrir, élever ses enfants. || [rispettare] tenir, remplir. | *mantenere una promessa,* tenir une promesse. || [curare] entretenir. | *questa strada è mantenuta male,* cette route

est mal entretenue. ◆ v. rifl. se maintenir, se conserver.

mantenimento [manteni'mento] m. maintien, conservation f. || [sostentamento] entretien, alimentation f. | *spese di mantenimento,* frais d'entretien. || [manutenzione] entretien.

mantice ['mantitʃe] m. soufflet. || [di carrozza] capote f.

mantide ['mantide] f. ZOOL. mante.

mantiglia [man'tiʎʎa] f. mantille.

manto ['manto] m. manteau. || FIG. manteau, voile. | *un manto di tristezza,* un voile de tristesse. | *un manto di neve,* un linceul de neige. || ZOOL. pelage ; [di cavalli] robe f.

1. manuale [manu'ale] agg. manuel.

2. manuale m. [libro] manuel.

manubrio [ma'nubrjo] m. guidon. || MIL. [parte del fucile] levier. || SP. haltère.

manufatto [manu'fatto] agg. manufacturé, fait à la main. ◆ m. produit manufacturé. || [edilizia] œuvre f.

manutenzione [manuten'tsjone] f. entretien m.

manzo ['mandzo] m. ZOOL. bouvillon. || CULIN. [carne] bœuf.

mappa ['mappa] f. carte, plan m.

mappamondo [mappa'mondo] m. [planisferio] mappemonde f. ; [sfera del globo terrestre] globe.

marachella [mara'kɛlla] f. tour m. ; [di bambino] gaminerie.

marameo [mara'mɛo] interiez. turlututu. || LOC. *fare marameo a qlcu.,* faire un pied de nez à qn.

marasca [ma'raska] (**-sche** pl.) f. BOT. griotte, marasque.

maraschino [maras'kino] m. marasquin.

maraviglia [mara'viʎʎa] f. = MERAVIGLIA.

marca ['marka] (**-che** pl.) f. marque. | *marca di fabbrica,* marque de fabrique. || [biglietto] ticket m. ; [gettone] jeton m. ; [di bagagli] bulletin m. || [francobollo] timbre m. | *marca da bollo,* timbre fiscal.

marcare [mar'kare] v. tr. marquer. || MIL. *marcare visita,* se faire porter malade.

marchesa [mar'keza] f. [nobildonna, anello] marquise.

marchese [mar'keze] m. marquis.

marchiano [mar'kjano] agg. énorme. | *uno sbaglio marchiano,* une erreur énorme.

marchiare [mar'kjare] v. tr. marquer.

marchio ['markjo] (**-chi** pl.) m. marque f. || [di metalli] poinçon. || COMM. marque. | *marchio depositato,* marque déposée.

1. marcia ['martʃa] f. MED. pus m.

2. marcia (**-ce** pl.) f. [azione di camminare] marche. || [funzionamento] marche. | *marcia avanti, indietro,* marche avant, arrière. || FIG. *la marcia del tempo,* la marche du temps. || AUT. vitesse. | *cambiare marcia,* changer de vitesse. | *innestare la marcia,* embrayer. || MUS. marche.

marciapiede [martʃa'pjɛde] m. trottoir. || MAR. marchepied. || TR. quai.

marciare [mar'tʃare] v. intr. marcher. || [funzionare] marcher.

marcio ['martʃo] (**-ci** m. pl.) agg. pourri. | *carne marcia,* viande pourrie, avariée. || [umido] *un tempo marcio,* un temps pourri. || [in suppurazione] qui suppure. || LOC. *ha torto marcio,* il a tout à fait tort. ◆ m. pourri.

marcire [mar'tʃire] v. intr. pourrir. || [di acqua] croupir. || [suppurare] suppurer. || FIG. pourrir, croupir. | *marcire in prigione,* pourrir en prison. ◆ v. tr. pourrir.

marciume [mar'tʃume] m. PR. e FIG. pourriture f.

marco ['marko] (**-chi** pl.) m. [moneta] mark (ted.).

marconista [marko'nista] (**-i** pl.) m. radiotélégraphiste, radio.

mare ['mare] m. mer f. | *mare aperto,* pleine mer. || FIG. *un mare di soldi,* une montagne d'argent. | *essere in un mare di guai,* être dans le pétrin (fam.). || METEOR. *mare forza 2, 7,* mer belle, grosse. || LOC. *in riva al mare,* au bord de la mer. | *in alto mare,* en pleine mer. | *promettere mari e monti,* promettre monts et merveilles. || PROV. *tra il dire e il fare c'è di mezzo il mare,* il y a loin du dire au faire.

marea [ma'rɛa] f. marée. || FIG. flot m., quantité.

mareggiata [mared'dʒata] f. bourrasque, tempête de mer.

maremma [ma'remma] f. maremme ; terrain marécageux.

maremoto [mare'mɔto] m. raz de marée.

marengo [ma'rengo] (**-ghi** pl.) m. [moneta] napoléon.

maresciallo [mareʃ'ʃallo] m. MIL. maréchal ; [sottufficiale] adjudant.

marezzato [mared'dzato] agg. [di marmo, di legno] madré, veiné. || [di stoffa] moiré. || [di carta] jaspé.

margarina [marga'rina] f. margarine.

margherita [marge'rita] f. BOT. marguerite. || CULIN. *torta margherita,* gâteau (m.) mousseline.

margheritina [margeri'tina] f. pâquerette.

marginare [mardʒi'nare] v. tr. TIP. marger.

margine ['mardʒine] m. marge f. || [di corso d'acqua] bord ; [di bosco, di ter-

reno] lisière f., orée f. || [di una ferita] lèvre f.
mariano [ma'rjano] agg. marial. | *anno mariano,* année mariale.
marina [ma'rina] f. bord (m.) de la mer, plage ; [mare] mer. || MAR. marine. | *marina mercantile,* marine marchande.
marinaio [mari'najo] m. marin, matelot. | *marinaio d'acqua dolce,* marinier ; marin d'eau douce.
marinare [mari'nare] v. tr. mariner. || GERG. UNIV. *marinare la scuola,* faire l'école buissonnière, sécher les cours.
marinaro [mari'naro] agg. de marins ; maritime. | *repubbliche marinare,* républiques maritimes. ◆ loc. avv. *vestito alla marinara,* costume marin. || CULIN. *anguille alla marinara,* matelote d'anguille. ◆ m. = MARINAIO.
marinata [mari'nata] f. marinade.
marino [ma'rino] agg. marin, de mer. | *acqua, brezza marina,* eau de mer, brise marine.
mariolo [ma'rjɔlo] m. filou, canaille f., coquin.
marionetta [marjo'netta] f. marionnette. || FIG. pantin m., fantoche m.
maritare [mari'tare] v. tr. marier. ◆ v. rifl. e recipr. se marier.
marito [ma'rito] m. mari. | *prendere marito,* se marier.
maritozzo [mari'tɔttso] m. CULIN. petit pain ovale.
marittimo [ma'rittimo] agg. maritime. || LOC. *per via marittima,* par mer. ◆ m. inscrit maritime.
marmellata [marmel'lata] f. confiture ; marmelade.
marmista [mar'mista] (**-i** pl.) m. marbrier.
marmitta [mar'mitta] f. marmite. || AUT. pot (m.) d'échappement. || GEOL. marmite.
marmo ['marmo] m. marbre.
marmocchio [mar'mɔkkjo] (**-chi** pl.) m. FAM. marmot, mioche.
marmoreo [mar'mɔreo] agg. de marbre. || FIG. marmoréen.
marmotta [mar'mɔtta] f. ZOOL. marmotte. || FIG., FAM. lourdaud m., lambin m. || TR. appareil (m.) de signalisation.
marna ['marna] f. GEOL. marne.
marocchino [marok'kino] agg. e n. marocain. ◆ m. [cuoio] maroquin.
maroso [ma'roso] m. lame f., vague f.
marrone [mar'rone] agg. marron inv. ◆ m. BOT. [frutto] marron ; [albero] marronnier.
marsina [mar'sina] f. frac m., habit (m.) de cérémonie.
martedì [marte'di] m. mardi.
martellare [martel'lare] v. tr. marteler. || PER EST. taper, frapper. || FIG. harceler. || MIL. pilonner. ◆ v. intr. [pulsare] battre violemment.
martellata [martel'lata] f. coup (m.) de marteau. || FIG. coup (m.) de massue.
martello [mar'tɛllo] m. marteau. | *martello di legno,* maillet. || [della porta] heurtoir. || LOC. *suonare le campane a martello,* sonner le tocsin. || ANAT. marteau. || ZOOL. *(pesce) martello,* (requin) marteau.
martinetto [marti'netto] m. TECN. vérin, martinet. || [cricco] cric.
martire ['martire] n. martyr, e.
martirio [mar'tirjo] m. martyre. | *subire il martirio,* souffrir le martyre. || FIG. martyre, supplice.
martora ['martora] f. ZOOL. marte, martre.
martoriare [marto'rjare] v. tr. tourmenter, torturer. ◆ v. rifl. se tourmenter, se torturer.
marxismo [mark'sizmo] m. marxisme.
marzapane [martsa'pane] m. massepain.
marziale [mar'tsjale] agg. martial.
marzo ['martso] m. mars.
mascalzone [maskal'tsone] m. voyou, fripouille f.
mascella [maʃ'ʃɛlla] f. mâchoire.
maschera ['maskera] f. masque m. || [per travestimento] déguisement m. | *mettersi in maschera,* se déguiser, se travestir. || [persona] masque, personne masquée. || FIG. masque, apparence ; air m., expression. | *togliere, gettare la maschera,* enlever, jeter son masque. || [inserviente di cinema, di teatro] ouvreur, euse n. || ARCHIT. masque, mascaron m. || AUT. calandre, couvre-radiateur m. || FOT. cache m. || MECC. gabarit m. || TEAT. personnage m. || TECN. volet (m.) protecteur. || TIP. flan m.
mascherare [maske'rare] v. tr. masquer, déguiser. || PER EST. cacher. || MIL. camoufler. ◆ v. rifl. se masquer, se déguiser. || MIL. se camoufler.
mascherata [maske'rata] f. PR. e FIG. mascarade.
maschile [mas'kile] agg. masculin. || BIOL., BOT. mâle. || GR. masculin. ◆ m. GR. masculin.
maschio ['maskjo] (**-chi** m. pl.) agg. mâle. | *fiore, vite maschio,* fleur, vis mâle. ◆ m. mâle. || [figlio maschio] garçon.
masnada [maz'nada] f. PEGG. bande, troupe, horde.
masochismo [mazo'kismo] m. masochisme.
massa ['massa] f. masse. || [quantità] masse, quantité. | *ho ricevuto una massa di lettere,* j'ai reçu une quantité de lettres. || [moltitudine] masse. | *le masse contadine, operaie,* les masses

paysannes, ouvrières. || Loc. *in massa,* en masse, en foule, en bloc.
massacrante [massa'krante] agg. massacrant, exténuant, harassant.
massacrare [massa'krare] v. tr. massacrer. || FIG., FAM. esquinter, exténuer.
massacro [mas'sakro] m. massacre, tuerie f., carnage.
massaggiare [massad'dʒare] v. tr. masser.
massaggio [mas'saddʒo] m. massage.
massaia [mas'saja] f. ménagère.
massaio [mas'sajo] o **massaro** [mas'saro] m. fermier, métayer.
masseria [masse'ria] f. ferme, métairie.
masserizia [masse'rittsja] f. (spesso al pl.) mobilier m.
massicciata [massit'tʃata] f. macadam m. ; [di ghiaia] cailloutis m. || TR. ballast m.
massiccio [mas'sittʃo] agg. massif. || [robusto] trapu, solide. || FIG. grossier, grave. | *ha preso una cantonata massiccia,* il a commis une bévue énorme. ◆ m. GEOGR. massif.
massima ['massima] f. maxime, sentence, dicton m. || [regola di condotta] maxime, principe m., règle. | *avere come massima, per massima,* avoir pour principe, pour règle. | *accordo di massima,* accord de principe.
massimale [massi'male] agg. maximal, maximum. ◆ m. maximum.
massimamente [massima'mente] avv. surtout, principalement.
massimo ['massimo] agg. superl. [il più grande] le plus grand ; [il più alto] maximal, maximum. | *con la massima cura,* avec le plus grand soin. | *la velocità massima di una macchina,* la vitesse maximale d'une voiture. | *prezzi massimi,* prix maximums, maximaux. || MAT. *massimo comun denominatore,* le plus grand commun dénominateur. || SP. *pesi massimi,* poids lourds. || STOR. *Pontefice Massimo,* grand pontife. || [grandissimo] très grand. ◆ m. maximum. || Loc. *al massimo,* au maximum, (tout) au plus.
masso ['masso] m. roc, rocher. || [segnaletica stradale] *caduta massi,* chute de pierres.
massone [mas'sone] m. (franc-)maçon.
massoneria [massone'ria] f. (franc-)maçonnerie.
mastello [mas'tɛllo] m. bac, baquet, cuve f. || [da muratore] auge f.
masticare [masti'kare] v. tr. mâcher, mastiquer. || FIG. mâchonner. | *ha masticato qualche scusa,* il a marmonné quelques excuses.
mastice ['mastitʃe] m. mastic.
mastino [mas'tino] m. ZOOL. mâtin, dogue.
mastodontico [masto'dɔntiko] (**-ci** m. pl.) agg. colossal, énorme, immense.
mastro ['mastro] m. maître. | *mastro falegname,* maître charpentier. || [appellativo] maître. | *mastro Giovanni,* maître Jean. || COMM. grand livre. ◆ agg. COMM. *libro mastro,* grand livre.
masturbazione [masturbat'tsjone] f. masturbation.
matassa [ma'tassa] f. écheveau m. || FIG. affaire embrouillée. | *dipanare, sbrogliare la matassa,* démêler, débrouiller l'écheveau.
matematica [mate'matika] f. mathématiques pl., maths pl. (fam.).
matematico [mate'matiko] (**-ci** m. pl.) agg. mathématique.
materassaio [materas'sajo] (**-a** f.) n. matelassier, ère.
materasso [mate'rasso] m. matelas.
materia [ma'tɛrja] f. matière. | *materia vivente, inerte,* matière vivante, inerte. || MED. pus m., matière. || FIG. matière, sujet m. | *entrare in materia,* entrer en matière. | *materie d'esame,* matières d'examen.
materiale [mate'rjale] agg. matériel. | *bisogni materiali,* besoins matériels. | *errore materiale,* erreur matérielle. || FIG., PEGG. matériel, grossier. || FIS., MAT. matériel. ◆ m. matériel ; [da costruzione] matériau. || [documentazione] *mettere assieme il materiale per un libro,* réunir des matériaux pour un livre.
materialismo [materja'lizmo] m. FILOS. matérialisme.
materializzare [materjalid'dzare] v. tr. matérialiser. ◆ v. rifl. se matérialiser.
maternità [materni'ta] f. maternité.
materno [ma'tɛrno] agg. maternel. || [natale] natal. | *paese materno,* pays natal.
matita [ma'tita] f. crayon m.
matriarcato [matrjar'kato] m. matriarcat.
matrice [ma'tritʃe] f. matrice. || COMM. souche. | *blocchetto a matrice,* carnet à souches. || MECC. matrice, moule m. || TECN. stencil m. || TIP. matrice, cliché m.
matricola [ma'trikola] f. matricule m, numéro m. || GERG. UNIV. bizut(h) m.
matricolato [matriko'lato] agg. SCHERZ. patenté. | *bugiardo matricolato,* menteur patenté.
matrigna [ma'triɲɲa] f. belle-mère ; PEGG. marâtre.
matrimoniale [matrimo'njale] agg. matrimonial. | *letto matrimoniale,* grand lit, lit à deux places.
matrimonio [matri'mɔnjo] (**-ni** pl.) m. mariage.

matrona [ma'trɔna] f. matrone.
matroneo [matro'nεo] m. ARCHIT. tribune f.
matta ['matta] f. folle. || GIOCHI joker m.
mattana [mat'tana] f. lubie, fantaisie.
mattatoio [matta'tojo] m. abattoir.
mattatore [matta'tore] m. tueur. || TEAT. acteur qui tient toute la scène.
matterello [matte'rεllo] m. rouleau (à pâtisserie).
mattina [mat'tina] f. matin m., matinée. | *di mattina, alla mattina,* le matin. | *la mattina prima,* la veille au matin. | *la mattina del 4 luglio,* le 4 juillet au matin. | *abbiamo giocato tutta la mattina,* nous avons joué toute la matinée.
mattinata [matti'nata] f. matinée.
mattino [mat'tino] m. matin. | *giornali del mattino,* journaux du matin.
1. matto ['matto] agg. fou, fol (davanti a voc.), folle f. | *c'è da diventar matto,* il y a de quoi devenir fou. | *andar matto per lo sport,* raffoler du sport. || [opaco] mat. || [falso] *è uno smeraldo matto,* c'est une émeraude fausse. ◆ n. fou, folle. | *roba da matti,* histoire de fous.
2. matto m. [scacchi] *scacco matto,* échec et mat.
mattone [mat'tone] m. brique f. | *mattone crudo, cotto,* brique crue, cuite. || FIG. *quel film è un vero mattone,* ce film est assommant. || [peso] pierre f., poids.
mattonella [matto'nεlla] f. carreau m. | *pavimento di mattonelle,* carrelage m. || [di carbone] briquette. || [di gelato] tranche. || [biliardo] bande.
mattutino [mattu'tino] agg. matinal, du matin. ◆ m. REL. matines f. pl.
maturare [matu'rare] v. intr. mûrir. || COMM. échoir. ◆ v. tr. mûrir. | *maturare un progetto,* mûrir un projet || UNIV. accepter au baccalauréat. ◆ v. rifl. se mûrir. ◆ m. COMM. *il maturare degli interessi,* l'échéance (f.) des intérêts.
maturità [maturi'ta] f. PR. e FIG. maturité. || UNIV. *esame di maturità,* baccalauréat, bachot (fam.).
maturo [ma'turo] agg. PR. e FIG. mûr. | *i tempi sono maturi,* les temps sont mûrs. || COMM. échu. | *interessi maturi,* intérêts échus.
mauro ['mauro] agg. e m. maure, more.
mazza ['mattsa] f. canne. || [strumento di offesa] gourdin m., bâton m., massue. || [insegna di grado] bâton (m.) de commandement. || [da pittore] appuimain m. || SP. [baseball] batte ; [golf] club m. ; [hockey] crosse.
mazzata [mat'tsata] f. coup (m.) de massue.
mazzo ['mattso] m. bouquet. | *mazzo di rose,* bouquet de roses. || [di ortaggi] botte f. | *mazzo di porri,* botte de poireaux. || [di fogli, banconote] liasse f. || [di chiavi] trousseau. || GIOCHI jeu (m.) de cartes.
mazzuolo [mat'tswɔlo] m. TECN. [di legno] maillet ; [di metallo] massette f. || MUS. mailloche f.
me [me] pron. pers. di 1ª pers. sing. [sogg. in frasi comparative e nelle esclamazioni] moi. | *non parlate come me,* ne parlez pas comme moi. | [compl. ogg. dopo un v.] moi. | *vogliono me,* c'est moi qu'on demande. || [dopo prep.] moi. | *cercate di me,* c'est moi que vous cherchez. | *per me, voi sbagliate,* selon moi, vous vous trompez. || [in unione a *lo, la, li, le, ne*] me, moi. | *me l'hanno detto,* on me l'a dit. | *non darmene più,* ne m'en donne plus.
meandro [me'andro] m. méandre. || ARTI grecque f., frette f. || FIG. détour.
meccanica [mek'kanika] f. mécanique. | *meccanica celeste,* mécanique céleste. || [meccanismo] mécanique, mécanisme m. || FIG. mécanisme m.
meccanicità [mekkanitʃi'ta] f. automatisme m., automaticité.
meccanico [mek'kaniko] agg. mécanique. | *energia meccanica,* énergie mécanique. || [automatico] mécanique, automatique, machinal. ◆ m. mécanicien. || AUT. mécanicien, dépanneur, garagiste.
meccanismo [mekka'nizmo] m. PR. e FIG. mécanisme.
meccanizzare [mekkanid'dzare] v. tr. mécaniser. ◆ v. rifl. se mécaniser.
mecenate [metʃe'nate] m. mécène.
medaglia [me'daʎʎa] f. médaille. || PER EST. [persona] médaillé m.
medaglione [medaʎ'ʎone] m. médaillon. || LETT. portrait, aperçu
medesimo [me'dezimo] agg. indef. même. | *dice sempre le medesime cose,* il dit toujours les mêmes choses. | *è la prudenza medesima,* c'est la prudence même, en personne. ◆ pron. indef. même. | *sono i medesimi che,* ce sont les mêmes.
media ['mεdja] f. moyenne. || [scuola] premier cycle de l'enseignement secondaire m., lycée m. | *andare alle medie,* aller au lycée.
medianico [me'djaniko] (**-ci** m. pl.) agg. médiumnique.
mediano [me'djano] agg. médian. ◆ m. SP. demi.
mediante [me'djante] prep. au moyen de, moyennant, par ; [con l'aiuto di] à l'aide de, grâce à ; [tramite] par l'intermédiaire de, par l'entremise de, par. | *ci siamo conosciuti mediante*

un amico comune, nous nous sommes connus par l'intermédiaire d'un ami commun.
mediare [me'djare] v. intr. s'interposer. ◆ v. tr. être médiateur dans, concilier, négocier.
mediatore [medja'tore] (**-trice** f.) n. médiateur, trice ; intermédiaire. || COMM. courtier. ◆ agg. médiateur.
mediazione [medjat'tsjone] f. médiation, entremise. || COMM. courtage m., commission.
medicamento [medika'mento] m. médicament.
medicare [medi'kare] v. tr. soigner, panser. || FIG. porter remède, remédier à. ◆ v. rifl. se soigner.
medicazione [medikat'tsjone] f. pansement m. | *posto di medicazione,* poste de secours m.
medicina [medi'tʃina] f. médecine. | *studiare medicina,* faire sa médecine. || [preparato] médicament m., remède m. | *prendere una medicina,* prendre un remède. || FIG. remède.
medicinale [meditʃi'nale] agg. médicinal, médical. ◆ m. [medicina] médicament, remède.
medico ['mɛdiko] (**-ci** m. pl.) agg. médical. | *visita medica,* visite médicale. || [medicinale] médicinal. ◆ m. médecin, docteur.
medievale [medje'vale] agg. médiéval, du Moyen Âge. || FIG. suranné, moyenâgeux.
medio ['mɛdjo] (**-di** m. pl.) agg. moyen. | *ceti medi,* classes moyennes. || UNIV. *istruzione media,* enseignement secondaire, du second degré. | *scuola media,* premier cycle de l'enseignement secondaire. ◆ m. ANAT. médius, majeur. || MAT. moyen.
mediocre [me'djɔkre] agg. médiocre.
mediocrità [medjokri'ta] f. médiocrité.
medioevale [medjoe'vale] agg. = MEDIEVALE.
medioevo [medjo'ɛvo] m. Moyen Âge.
meditare [medi'tare] v. tr. méditer. || [progettare] méditer, projeter. | *meditare la propria vendetta,* méditer sa vengeance. ◆ v. intr. méditer, réfléchir.
mediterraneo [mediter'raneo] agg. méditerranéen.
medium ['mɛdjum] n. médium m.
medusa [me'duza] f. ZOOL. méduse.
megera [me'dʒɛra] f. mégère.
meglio ['mɛʎʎo] avv. [comp.] mieux. | *mia madre sta meglio,* ma mère va mieux. | *si sieda qui, starà meglio,* asseyez-vous là, vous serez mieux. || LOC. *come meglio vi aggrada,* comme bon vous semble. || [superl.] le mieux. | *ecco gli studenti meglio preparati,* voilà les élèves les mieux, le mieux préparés. ◆ agg. inv. mieux. | *la trovo meglio di ieri,* je la trouve mieux qu'hier. | *non trova niente di meglio da fare,* il ne trouve rien de mieux à faire. || meilleur. | *i meglio sono i vostri,* ce sont les vôtres les meilleurs. ◆ m. mieux ; meilleur. | *farò del mio meglio per aiutarti,* je t'aiderai de mon mieux. | *gli abbiamo dato il meglio del nostro tempo,* nous lui avons donné le meilleur de notre temps. ◆ f. *avere la meglio su qlcu.,* l'emporter sur qn. || LOC. *alla meglio,* tant bien que mal.
mela ['mela] f. BOT. pomme. | *mela cotogna,* coing m.
melagrana [mela'grana] f. BOT. grenade.
melanzana [melan'dzana] f. BOT. aubergine.
melato [me'lato] agg. mielleux.
melenso [me'lɛnso] agg. balourd, niais.
meleto [me'leto] m. pommeraie f.
mellifluo [mel'lifluo] agg. FIG. mielleux, doucereux.
melma ['melma] f. vase, boue. || FIG. fange, bourbe.
melo ['melo] m. pommier.
melodia [melo'dia] f. mélodie.
melodramma [melo'dramma] m. mélodrame.
melograno [melo'grano] m. BOT. grenadier.
melone [me'lone] m. BOT. melon.
membrana [mem'brana] f. ANAT., BIOL., CHIM., FIS. membrane. || [pergamena] parchemin m.
membratura [membra'tura] f. membrure.
membro ['mɛmbro] (**-i** pl. ; **-a** pl. f. per le parti del corpo) m. membre. ◆ agg. membre. | *Stato membro,* État membre.
memorabile [memo'rabile] agg. mémorable.
memore ['mɛmore] agg. qui se souvient de. || [riconoscente] reconnaissant.
memoria [me'mɔrja] f. mémoire. | *sapere a memoria,* savoir par cœur. || [ricordo] mémoire, souvenir m. | *a memoria d'uomo,* de mémoire d'homme. | *a memoria perpetua,* en souvenir perpétuel. || [annotazione, monografia] mémoire m. | *pubblicare una memoria,* publier un mémoire. ◆ pl. Mémoires m.
memorizzare [memorid'dzare] v. tr. mémoriser.
mena ['mena] f. menées pl., intrigue.
menabò [mena'bɔ] m. TIP. maquette f.
menadito (a) [ammena'dito] loc. avv. sur le bout du doigt, par cœur.
menare [me'nare] v. tr. mener, conduire. || FIG. *menare qlcu. per il naso,* mener qn par le bout du nez. | *menare per le lunghe,* traîner en longueur. |

menare vanto, se vanter. || [muovere rapidamente] *menare la lingua,* bavarder. || [assestare] *menare pugni,* allonger des coups de poing. || POP. passer à tabac. ◆ v. rifl. recipr. POP. se battre (L.C.).

mendace [men'datʃe] agg. trompeur, mensonger, faux. ◆ m. menteur.

mendicante [mendi'kante] agg. mendiant. ◆ m. mendiant, gueux.

mendicare [mendi'kare] v. tr. PR. e FIG. mendier. ◆ v. intr. mendier, demander l'aumône.

menefreghismo [menefre'gizmo] m. FAM. je-m'en-fichisme ; je-m'en-foutisme (pop.).

meninge [me'nindʒe] f. méninge.

meno ['meno] agg. e avv. [comp.] moins. || [davanti a agg. e avv.] *fa meno caldo di ieri,* il fait moins chaud qu'hier. | *parlate meno spesso,* parlez moins souvent. || [davanti a n.] moins (de). | *ha meno denaro di noi,* il a moins d'argent que nous. || [con un v.] *lavora sempre meno,* il travaille de moins en moins. || [superl.] le moins. | *è il meno interessante di tutti,* c'est le moins intéressant de tous. ◆ prep. moins. | *sono le quattro meno dieci,* il est quatre heures moins dix. || [eccetto] sauf, excepté, à l'exception de. | *è sempre nevicato, meno due o tre giorni,* sauf deux ou trois jours, il a toujours neigé. ◆ m. moins. | *è il meno che si possa fare,* c'est le moins qu'on puisse faire. || [pl.] *i meno di trent'anni,* les moins de trente ans. || [la minoranza] *sono i meno,* c'est la minorité. ◆ loc. avv. *per meno,* à moins. | *lavorerebbero per meno,* ils travailleraient à moins. || *per lo meno,* au moins, pour le moins. || *senza meno,* sans faute, certainement. || *più o meno,* plus ou moins, environ, à peu près. | *sono più o meno le sette,* il doit être sept heures. || *di meno, in meno,* de moins, en moins. ◆ loc. prep. *a meno di,* à moins de. || *in meno di,* en moins de. || *tra meno di,* dans moins de. ◆ loc. cong. *a meno che,* à moins que. ◆ *(quanto) meno ..., (tanto) meno,* moins ..., moins. | *(quanto) più ..., (tanto) meno,* plus ..., moins. | *meno che meno,* encore moins. | *in meno che non si dica,* en un instant, en un tournemain. | *giorno più giorno meno,* à un jour près. | *non so se partirà o meno,* je ne sais pas s'il partira ou non. | *meno male,* heureusement, à la bonne heure. | *fare a meno,* [far senza] se passer de ; [astenersi da] s'empêcher de. | *sentirsi da meno,* se sentir inférieur à. | *parlare del più e del meno,* parler de choses et d'autres, de la pluie et du beau temps. | *venir meno,* [svenire] s'évanouir, perdre connaissance ; [mancare] manquer.

menomamente [menoma'mente] avv. = MINIMAMENTE.

menomare [meno'mare] v. tr. diminuer.

menomato [meno'mato] agg. diminué, affaibli. || [in seguito a mutilazione] invalide, infirme.

menopausa [meno'pauza] f. ménopause.

mensa ['mɛnsa] f. table. | *preparare la mensa,* dresser la table. || PER EST. repas m. || PARTICOL. cantine. || MIL. mess m. || [di convento] réfectoire m. || UNIV. restaurant (m.) universitaire.

mensile [men'sile] agg. mensuel. ◆ m. [salario] mois, salaire mensuel. || [pubblicazione] publication (f.) mensuelle.

mensilità [mensili'ta] f. mensualité. || [salario mensile] mois m., salaire mensuel.

mensola ['mɛnsola] f. console, étagère, tablette. || ARCHIT. console, corbeau m.

menta ['menta] f. menthe.

mentale [men'tale] agg. mental.

mente ['mente] f. esprit m., intelligence, tête. | *essere sano di mente,* être sain d'esprit. | *che gli salta in mente?,* qu'est-ce qui lui prend ? | *essere di mente larga,* être large d'esprit. | *questo motivo m'è rimasto in mente,* cet air m'est resté dans la tête. | *sapere a mente,* savoir par cœur. || PER EST. [persona] esprit m. | *è una mente illuminata,* c'est un esprit éclairé.

mentecatto [mente'katto] agg. e m. pauvre d'esprit.

mentina [men'tina] f. pastille de menthe.

mentire [men'tire] v. intr. mentir.

mentito [men'tito] agg. faux. | *sotto mentite spoglie,* sous de fausses apparences.

mento ['mento] m. menton.

mentre ['mentre] cong. [valore temporale] pendant que, tandis que, comme. | *mentre parlava, ci guardava,* pendant qu'il nous parlait, il nous regardait. || LETT. [finché] tant que. || [valore avversativo] tandis que, alors que. | *voi chiaccherate mentre dovreste lavorare,* vous bavardez alors que vous devriez travailler. ◆ m. *in quel mentre,* à ce moment-là, sur ces entrefaites loc. avv.

menù [me'nu] m. (fr.) menu, carte f.

menzionare [mentsjo'nare] v. tr. mentionner, nommer, signaler.

menzogna [men'tsoɲɲa] f. mensonge m.

menzognero [mentsoɲ'ɲɛro] agg. mensonger, menteur. || PER EST. mensonger, trompeur.

meraviglia [mera'viʎʎa] f. étonnement m., surprise. | *non manifestare* *meraviglia,* ne pas manifester d'étonnement. || [fatto meraviglioso] merveille. || LOC. *con mia grande meraviglia,* à ma grande surprise. | *mi fa meraviglia che,* cela m'étonne que.

meravigliare [meraviʎ'ʎare] v. tr. étonner, émerveiller. ◆ v. rifl. s'étonner. | *mi meraviglio di te,* cela m'étonne de ta part.

meraviglioso [meraviʎ'ʎoso] agg. merveilleux, étonnant. ◆ m. merveilleux.

mercante [mer'kante] m. marchand. || LOC. *far orecchie da mercante,* faire la sourde oreille.

mercanteggiare [merkanted'dʒare] v. intr. marchander. || [speculare] spéculer. ◆ v. tr. marchander, trafiquer.

mercantile [merkan'tile] agg. marchand, commercial, mercantile. || MAR. *marina mercantile,* marine marchande. ◆ m. MAR. navire marchand, cargo.

mercanzia [merkan'tsia] f. marchandise. || FAM. camelote, pacotille.

mercato [mer'kato] m. [luogo] marché. || [piazza di contrattazione] *mercato azionario,* marché des actions. | *mercato del lavoro,* marché du travail. || FIG. *per soprammercato,* par-dessus le marché.

merce ['mɛrtʃe] f. marchandise. || TR. *scalo merci,* quai de chargement m.

mercé [mer'tʃe] f. grâce, pitié. | *chiedere mercé,* demander grâce. || [balia] merci. | *essere alla mercé di qlcu.,* être à la merci de qn.

mercede [mer'tʃɛde] f. récompense, prix m. || [salario] salaire m., rétribution.

merceria [mertʃe'ria] f. mercerie.

merciaio [mer'tʃajo] (**-ai** pl.) m. mercier.

mercoledì [merkole'di] m. mercredi.

merda ['mɛrda] f. VOLG. merde.

merenda [me'rɛnda] f. goûter m. ; [spuntino] casse-croûte m.

meretrice [mere'tritʃe] f. prostituée.

meridiana [meri'djana] f. [linea] méridienne. || [orologio] cadran (m.) solaire.

meridiano [meri'djano] agg. méridien.

meridionale [meridjo'nale] agg. méridional. ◆ n. Méridional, personne du Midi.

meridione [meri'djone] m. Midi, Sud.

meringa [me'ringa] (**-ghe** pl.) f. meringue.

meritare [meri'tare] v. tr. mériter, être digne de. | *l'ho trattato come (si) meritava,* je l'ai traité comme il le méritait. || LOC. *meritar conto di,* valoir la peine de. | *ha ricevuto quanto meritava,* il a reçu son compte.

meri(ta)tamente [meri(ta)ta'mente] avv. justement, à juste titre.

merito ['mɛrito] m. mérite. | *tutto il merito è suo,* tout le mérite lui en revient. || [valore] mérite, valeur f. || PER EST. *entrare nel merito della questione, del problema,* venir au cœur de la question. ◆ loc. avv. e prep. *in merito (a),* à ce sujet, à ce propos ; au sujet de, à propos de.

merlatura [merla'tura] f. ARCHIT. MIL. crénelure. || [di merletto] dentelure.

merlettaia [merlet'taja] f. dentellière.

merletto [mer'letto] m. TESS. dentelle f.

merlo ['mɛrlo] m. ZOOL. merle. || FIG. niais, benêt.

merluzzo [mer'luttso] m. morue f. ; [fresco] cabillaud ; [seccato] merluche f.

mero ['mɛro] agg. PR. e FIG. pur.

mescere ['meʃʃere] v. tr. verser. | *mescere da bere,* verser à boire.

meschino [mes'kino] agg. mesquin ; [misero] pauvre, misérable ; [debole, gracile] chétif. | *è un regalo meschino,* c'est un pauvre cadeau. || LOC. *fare una figura meschina,* faire piètre figure.

mescita ['meʃʃita] f. débit m., distribution. || [spaccio di bevande] débit (m.) de boissons, buvette. | *banco di mescita,* comptoir m.

mescolare [mesko'lare] v. tr. mêler, mélanger. || FIG. *mescolare le idee,* brouiller, mêler les idées. ◆ v. rifl. se mêler.

mese ['mese] m. mois. || [mensile] mois. | *riscuotere il mese,* toucher son mois.

1. messa ['messa] f. messe. | *andare a(lla) messa,* aller à la messe.

2. messa f. mise. | *messa in opera,* mise en œuvre. || AUT. *messa in marcia,* mise en marche. || COMM. *messa in vendita,* mise en vente. || ELETTR. *messa a terra, a massa,* mise à la terre, à la masse. || FOT. *messa a fuoco,* mise au point. || GIOCHI mise, enjeu m. || TEAT. *messa in scena,* mise en scène.

messaggeria [messaddʒe'ria] f. messagerie.

messaggio [mes'saddʒo] m. message.

messe ['mɛsse] f. PR. e FIG. moisson.

messia [mes'sia] m. REL. Messie.

1. messo ['messo] part. pass. e agg. mis. || [di vestito] *è ben messo,* il est bien mis, bien habillé. || [di costituzione] *è ben, mal messo,* il est bien bâti, mal en point.

2. messo m. messager, envoyé. || AMM., GIUR. huissier.

mestamente [mesta'mente] avv. tristement.

mestare [mes'tare] v. tr. remuer. ◆ v. intr. FIG. intriguer, manigancer (fam.).
mesticare [mesti'kare] v. tr. ARTI mélanger les couleurs. | *mesticare la tela,* apprêter la toile, imprimer.
mesticheria [mestike'ria] f. magasin (m.) de couleurs, droguerie.
mestiere [mes'tjɛre] m. métier, profession f. | *che mestiere fa?,* quel est votre métier? | *è gente del mestiere,* ce sont des gens du métier. || [abilità] métier. | *gli manca il mestiere,* il manque de métier.
mesto ['mɛsto] agg. triste, mélancolique. | *ha un'aria mesta,* il a un air triste.
mestola ['mestola] f. louche; [coi buchi] écumoire. || [cazzuola] truelle. || [della lavandaia] battoir m.
mestolo ['mestolo] m. louche f.; [di legno] cuillère (f.) à pot.
mestruazione [mestruat'tsjone] f. menstruation, règles pl.
meta ['mɛta] f. destination, but m. | *giungere alla meta,* arriver à destination. || FIG. but, objectif. | *andare diritti alla meta,* aller droit au but. || [rugby] essai m.
metà [me'ta] f. moitié. | *cinquanta è la metà di cento,* cinquante est la moitié de cent. || [punto di divisione] milieu m. | *si è interrotto a metà del suo discorso,* il s'est interrompu au milieu de son discours. || FAM. [uno dei due coniugi] moitié. || LOC. *a metà strada,* à mi-chemin. | *fare una cosa a metà,* faire une chose à moitié.
metafisica [meta'fizika] f. métaphysique.
metafora [me'tafora] f. métaphore.
metallico [me'talliko] (**-ci** m. pl.) agg. métallique.
metallo [me'tallo] m. métal.
metallurgia [metallur'dʒia] f. métallurgie.
metallurgico [metal'lurdʒiko] (**-ci** m. pl.) agg. métallurgique. || [persona] métallurgiste. ◆ m. métallurgiste, métallo (fam.).
metalmeccanico [metalmek'kaniko] (**-ci** m. pl.) agg. métallurgique et mécanique. ◆ m. pl. ouvriers métallurgistes et mécaniciens.
metamorfosi [meta'mɔrfozi] f. métamorphose.
metano [me'tano] m. méthane.
metastasi [me'tastazi] f. métastase.
meteora [me'tɛora] f. PR. e FIG. météore m.
meteorologia [meteorolo'dʒia] f. météorologie, météo (fam.).
meticcio [me'tittʃo] (**-ci** m. pl.) agg. e n. métis, isse.
meticoloso [metiko'loso] agg. méticuleux.
metodico [me'tɔdiko] (**-ci** m. pl.) agg. méthodique.
metodismo [meto'dizmo] m. méthodisme.
metodo ['mɛtodo] m. méthode f. | *metodo sperimentale,* méthode expérimentale. || [manuale tecnico] méthode f. | *metodo di pianoforte,* méthode de piano.
metodologia [metodolo'dʒia] f. méthodologie.
metraggio [me'traddʒo] m. métrage. || CIN. *corto metraggio,* court métrage.
metratura [metra'tura] f. métrage m.
metrica ['mɛtrika] f. métrique.
metrico ['mɛtriko] (**-ci** m. pl.) agg. métrique.
metro ['mɛtro] m. [in tutti i significati] mètre.
metronotte [metro'nɔtte] m. gardien de nuit.
metropoli [me'trɔpoli] f. métropole.
metropolitana [metropoli'tana] f. TR. métropolitain m., métro m. (fam.).
metropolitano [metropoli'tano] agg. métropolitain. ◆ m. [vigile urbano] agent de police.
mettere ['mettere] v. tr. 1. [seguito da compl. ogg. solo] [appore] mettre; apposer. | *mettere la data, la firma,* mettre la date, apposer sa signature, signer. || [dare] *mettere nome,* appeler. || [emettere] pousser. | *mettere (le) radici,* pousser des racines; FIG. prendre racine. | *mettere i denti,* faire ses dents. || [importare] *non mette conto di parlare con lui,* cela ne vaut pas la peine de parler avec lui. || [indossare] mettre. | *mettersi le scarpe,* mettre ses souliers. || [infliggere] mettre, infliger. | *mettere una multa,* infliger une contravention. || [preparare] mettre. | *mettere la tavola,* mettre, dresser la table. || [provocare] mettre, faire, donner. | *mettere paura,* faire peur. | *mettere sete, fame,* donner soif, faim. 2. FAM. *mettere giudizio,* devenir raisonnable. || [far pagare] *«Quanto mette questo vino?»,* «Ce vin, combien le vendez-vous le litre?» || [installare] installer. | *mettere il telefono,* installer le téléphone. || [paragonare] comparer. | *vuol mettere la sua casa con la mia,* il prétend comparer sa maison à la mienne. 3. AUT. mettre. | *mettere la prima,* mettre la première. 4. [seguito da avv. e da compl. ogg.] *mettere avanti l'orologio,* avancer sa montre. | *mettere le mani avanti,* prendre ses précautions. | *mettere giù la valigia, un articolo,* poser la valise, écrire un article. | *mettere insieme una fortuna,* amasser une fortune. | *mettere su pan-*

cia, la minestra, prendre du ventre, mettre la soupe sur le feu. | *mettere via le proprie cose,* ranger ses affaires. 5. [seguito da compl. ogg. e da prep.] *mettere bocca in una discussione,* intervenir dans une discussion. | *mettere le carte in tavola,* ne pas cacher son jeu. | *mettere fine a una contesa,* trancher un différend. | *mettere tempo in mezzo,* gagner du temps. 6. [ammettere, supporre] admettre, supposer. | *mettendo che ciò sia vero,* en admettant que cela soit vrai. 7. [impiegare] mettre, employer. | *ci ha messo tutto il pomeriggio,* il a employé tout l'après-midi. 8. Loc. *mettere a disposizione di qlcu.,* mettre à la disposition de qn. | *mettere a punto,* mettre au point, régler. | *mettere alle strette,* mettre au pied du mur. | *mettere di traverso,* mettre de travers. | *mettere in caldo,* mettre au chaud. | *mettere in conto a qlcu.,* mettre sur le compte de qn. | *mettere fuori strada,* fourvoyer. | *mettere per iscritto,* mettre par écrit. | *mettere sotto chiave,* enfermer. | *mettere sull'avviso,* mettre en garde. ◆ v. intr. [di fiume] se jeter ; [di via] aboutir ; [di porta, di finestra] donner. | *questa porta mette nel cortile,* cette porte donne sur la cour. ◆ v. rifl. 1. [porsi] se mettre. | *mettiti là,* metstoi là. 2. [vestirsi] se mettre. | *non ho niente da mettermi,* je n'ai rien à me mettre. 3. [mettercisi] s'y mettre. | *bisogna mettercisi d'impegno,* il faut s'y mettre pour de bon. 4. Loc. [con avv.] *le cose si mettono bene, male,* les choses prennent une bonne, une mauvaise tournure. || [con prep.] *mettersi a fianco di qlcu.,* se mettre à côté de qn. | *mettersi a sedere,* s'asseoir. | *mettersi con, contro qlcu.,* se mettre avec qn, prendre parti contre qn. | *mettersi di buona voglia,* s'y mettre de bon cœur. | *mettersi in un angolo,* se mettre dans un coin. | *mettersi nelle mani di qlcu.,* s'abandonner entre les mains de qn. | *mettersi per strada,* se mettre en route. | *mettersi su una cattiva strada,* suivre une mauvaise pente.

mezza ['meddza] f. demie. | *questo orologio suona le mezze,* cette horloge sonne les demies. || [mezzogiorno e mezzo] midi (m.) et demi.

mezzadria [meddza'dria] f. métayage m.

mezzadro [med'dzadro] (**-a** f.) m. métayer, ère ; colon m.

mezzala [med'dzala] f. Sp. intérieur m., inter m.

mezzaluna [meddza'luna] (**mezzelune** pl.) f. Astr. [luna] premier quartier, dernier quartier. || Culin. hachoir m. || Mil. demi-lune.

mezzanino [meddza'nino] m. entresol, mezzanine f.

mezzano [med'dzano] agg. moyen. ◆ m. [intermediario] médiateur. || [ruffiano] entremetteur.

mezzanotte [meddza'nɔtte] (**mezzenotti** pl.) f. minuit m. || [punto cardinale] Nord m.

mezzasta (a) [amed'dzasta] loc. avv. *bandiera a mezzasta,* drapeau en berne.

mezzeria [meddze'ria] f. ligne médiane.

mezzo ['mɛddzo] agg. demi- ; mi- ; moyen ; moitié f. | *un mezzo litro,* un demi-litre ; *un mezzo chilo,* un demi-kilo, une livre. | *mezzo biglietto,* demi-place. | *mezza pensione,* demi-pension. | *è di mezza statura,* il est de taille moyenne. | *abbiamo fatto mezza strada,* nous avons parcouru la moitié de la route. | *l'ha detto a mezzo mondo,* il l'a dit presque à tout le monde. | *ho una mezza idea di andarmene,* j'ai presque envie de m'en aller. | *non dice neanche mezza parola,* il ne dit pas un mot. || Loc. *a mezza altezza,* à mi-hauteur. | *a mezza bocca,* du bout des lèvres. | *a mezza voce,* à mi-voix. ◆ avv. mi-, à demi, à moitié. | *fiori mezzo chiusi,* fleurs mi-closes. | *mezzo cotto,* à demi cuit. | *bottiglia mezzo vuota,* bouteille à moitié vide. ◆ m. [metà] demi, moitié f. | *un mezzo,* un demi. | *fare un lavoro a mezzo,* faire un travail à moitié. || [parte centrale] milieu. | *segare un'asse nel mezzo, per il mezzo,* scier une planche en son milieu. || [strumento] moyen. | *mezzi di comunicazione,* moyens de communication. | *non c'è mezzo di convincerlo,* il n'y a pas moyen de le convaincre. ◆ loc. avv. *abbiamo scelto una via di mezzo,* nous sommes arrivés à un compromis. | *non voglio andarci di mezzo,* je ne veux pas subir les conséquences. | *ne va di mezzo la mia felicità,* il y va de mon bonheur. | *togliere di mezzo qlcu., qlco.,* se débarrasser de qn, de qch. || *in quel mezzo,* [frattanto] entre-temps. ◆ loc. prep. *in mezzo a,* au milieu de, entre, parmi. | *in mezzo a noi ci sono dei nemici,* parmi nous il y a des ennemis. || *a mezzo posta,* par poste. || *per mezzo di un amico,* par l'intermédiaire d'un ami, grâce à un ami.

mezzobusto [meddzo'busto] (**mezzibusti** pl.) m. buste.

mezzodì [meddzo'di] m. inv. midi m.

mezzogiorno [meddzo'dʒorno] m. midi. || Geogr. Midi.

mezz'ora [med'dzora] f. demi-heure.

mezzosangue [meddzo'sangwe] m. inv. [di cavalli] demi-sang. ◆ n. inv. [di persona] métis, isse.

mezzuccio [med'dzuttʃo] (**-ci** pl.) m. PEGG. expédient.

1. mi [mi] m. MUS. mi.

2. mi pron. pers. compl. m. e f. sing. me ; [davanti a voc. o h muta] m' ; [con un v. all' imper. affermativo] -moi ; [seguito da en, y] m'. | *mi guardano, chiamano,* on me regarde, on m'appelle. | *eccomi,* me voilà. | *dammi del pane, dammene ancora,* donne-moi du pain, donne-m'en encore. | *accompagnamici,* accompagne-m'y. || [nei v. rifl. vedi i casi singoli] *mi ero dimenticato di dirtelo,* j'avais oublié de te le dire. | *stammi bene !,* porte-toi bien !

miagolare [mjago'lare] v. intr. miauler.

miagolio [mjago'lio] (**-ii** pl.) m. miaulement.

miao ['mjao] onomat. miaou. | *fare miao,* miauler.

miasma [mi'azma] (**-i** pl.) m. miasme.

1. mica ['mika] f. mica m.

2. mica avv. FAM. pas du tout (L.C.). | *non gliel'ho mica detto,* je ne le lui ai pas dit. | *mica male,* pas mal, pas mal du tout.

miccia ['mittʃa] (**-ce** pl.) f. mèche. || FIG. *dar fuoco alle micce,* mettre le feu aux poudres.

micia ['mitʃa] f. FAM. chatte (L.C.), minette.

micidiale [mitʃi'djale] agg. meurtrier, mortel.

micio ['mitʃo] (**-i** pl.) m. FAM. matou, minou.

microbio [mi'krɔbjo] (**-i** pl.) m. microbe.

microbo ['mikrobo] m. = MICROBIO.

micromotore [mikromo'tore] m. micromoteur. || [mezzo di trasporto] scooter, cyclomoteur.

microscopio [mikros'kɔpjo] (**-i** pl.) m. microscope.

midollare [midol'lare] agg. MED. médullaire.

midollo [mi'dollo] (**-i** pl. ; **-a** pl. f.) m. moelle f. || FIG. *bagnato fino al midollo,* trempé jusqu'aux os.

miele ['mjɛle] m. miel.

mietere ['mjɛtere] v. tr. PR. e FIG. moissonner, récolter.

mietitura [mjeti'tura] f. AGR. moisson.

migliaio [miʎ'ʎajo] (**-a** pl. f.) m. millier, mille. | *a migliaia,* par milliers.

1. miglio ['miʎʎo] (**-a** pl. f.) m. [misura di lunghezza] mille. || FIG. *essere lontano mille miglia da ...,* être à cent lieues de ...

2. miglio m. millet, mil.

migliorare [miʎʎo'rare] v. tr. améliorer. ◆ v. intr. s'améliorer. | *il malato migliora,* le malade va mieux. ◆ v. rifl. s'améliorer.

migliore [miʎ'ʎore] agg. [comp.] meilleur. | *non c'è ristorante migliore,* il n'y a pas de meilleur restaurant. | *sono migliori di quanto sperassi,* ils sont meilleurs que je n'espérais. || [superl. rel.] le meilleur. | *è il mio migliore amico,* c'est mon meilleur ami. || COMM. *il migliore offerente,* le plus offrant. || LOC. *nel modo migliore,* le mieux possible, pour le mieux. ◆ m. meilleur.

miglioria [miʎʎo'ria] f. amélioration.

mignolo ['miɲɲolo] m. petit doigt, auriculaire ; [del piede] petit orteil.

migrare [mi'grare] v. intr. émigrer.

migratore [migra'tore] (**-trice** f.) agg. e m. migrateur, trice.

miliardesimo [miljar'dɛzimo] agg. num. ord. e m. milliardième.

miliardo [mi'ljardo] m. milliard.

miliare [mi'ljare] agg. milliaire. | *pietra miliare,* pierre milliaire, borne kilométrique.

milione [mi'ljone] m. million.

milionesimo [miljo'nɛzimo] agg. num. ord. e m. millionième.

militante [mili'tante] agg. e m. militant.

militare [mili'tare] agg. e m. militaire.

militare [mili'tare] v. intr. faire son service militaire. || [combattere] combattre. || FIG. militer.

milite ['milite] m. soldat. || [carabiniere] carabinier.

militesente [milite'zɛnte] agg. e m. exempté ; libéré du service militaire.

milizia [mi'littsja] f. milice. || [esercito] armée, troupe. | *milizia territoriale,* armée territoriale. || [guardia pontificia] *milizie pontificie,* garde pontificale. || [il militare] *milizia politica,* militantisme (m.) politique.

millantare [millan'tare] v. tr. vanter, exalter. ◆ v. pr. se vanter.

millantato [millan'tato] agg. GIUR. *millantato credito,* trafic d'influence.

mille ['mille] (**mila** pl.) agg. num. e m. mille ; [nelle date, anche] mil. | *nel millenovecentosettanta,* en mil(le) neuf cent soixante-dix. | *grazie mille,* mille fois merci. | *mille volte,* mille et mille fois. | *a mille a mille,* par milliers.

millecento [mille'tʃɛnto] agg. num. e m. onze cents, [meno usato] mille cent.

millennio [mil'lɛnnjo] (**-ni** pl.) m. millénaire.

millepiedi [mille'pjɛdi] m. inv. mille-pattes, mille-pieds.

millesimo [mil'lɛzimo] agg. num. ord. millième. ◆ m. millième. || [data] millésime.

milligramma [milli'gramma] o **milligrammo** [milli'grammo] (**-i** pl.) m. milligramme.

millimetro [mil'limetro] m. millimètre.
milza ['miltsa] f. ANAT. rate.
mimare [mi'mare] v. tr. mimer.
mimetico [mi'mɛtiko] (**-ci** m. pl.) agg. mimétique. || [imitativo] mimique.
mimetizzare [mimetid'dzare] v. tr. MIL. camoufler. ◆ v. rifl. se camoufler.
mimica ['mimika] (**-che** pl.) f. mimique.
mimo ['mimo] m. mime.
mimosa [mi'mosa] f. mimosa m.
1. mina ['mina] f. MIL., TECN. mine.
2. mina f. [di matita] mine.
minaccia [mi'nattʃa] (**-ce** pl.) f. menace.
minacciare [minat'tʃare] v. tr. menacer. | *il tempo minaccia pioggia,* le temps est à la pluie.
minaccioso [minat'tʃoso] agg. menaçant.
minare [mi'nare] v. tr. miner.
minatore [mina'tore] m. mineur.
minatorio [mina'tɔrjo] (**-ri** pl. m.) agg. menaçant. | *lettera minatoria,* lettre de menaces.
minerale [mine'rale] agg. minéral. | *sali minerali,* sels minéraux. ◆ m. minéral ; [grezzo] minerai.
mineralogia [mineralo'dʒia] f. minéralogie.
minerario [mine'rarjo] (**-ri** pl. m.) agg. minier.
minestra [mi'nɛstra] f. soupe, potage m. || LOC. *è sempre la stessa minestra,* c'est toujours la même chanson.
minestrone [mines'trone] m. soupe (f.) aux légumes ; minestrone (it.).
mingere ['mindʒere] v. intr. uriner.
mingherlino [minger'lino] agg. malingre, maigrelet.
miniatura [minja'tura] f. enluminure, miniature. | *in miniatura,* en miniature.
miniera [mi'njɛra] f. mine ; [all'aperto] minière ; [di carbon fossile] houillère. || FIG. mine.
minima ['minima] f. METEOR. température minimum. || MUS. minime, blanche.
minimamente [minima'mente] avv. nullement, aucunement, pas du tout.
minimizzare [minimid'dzare] v. tr. minimiser.
minimo ['minimo] agg. superl. minime, minimum, très petit ; le moindre, le plus petit. | *velocità minima,* vitesse minimum. | *non ho il minimo dubbio,* je n'ai pas le moindre doute. | *il minimo sforzo lo affatica,* le plus petit effort le fatigue. || MAT. *minimo comune multiplo,* le plus petit commun multiple. ◆ m. minimum. || AUT. ralenti. | *il motore gira al minimo,* le moteur tourne au ralenti.
ministero [minis'tɛro] m. ministère.
ministro [mi'nistro] m. ministre.
minoranza [mino'rantsa] f. minorité.
minorare [mino'rare] v. tr. diminuer.
minorato [mino'rato] agg. diminué, amoindri. ◆ n. [fisico] invalide ; [psichico] arriéré mental.
minore [mi'nore] agg. [comp. : più piccolo] plus petit, moindre, moins grand ; [davanti a n.] moins de. | *vendere a minore prezzo,* vendre à moindre prix, à un prix plus bas. | *hanno lavorato con minore cura,* ils ont travaillé avec moins de soin. || [di età] plus jeune, moins âgé. | *Pietro è minore di te di cinque anni,* Pierre a cinq ans de moins que toi. || ARTI, LETT. *le arti minori,* les arts mineurs. || ASTR. *l'Orsa Minore,* la Petite Ourse. || MUS. *« la » minore,* « la » mineur. || REL. *ordini minori,* ordres mineurs. || [superl. rel.] le plus petit, le moindre, le moins de. | *la minore quantità,* la plus petite quantité. | *ha fatto il minore sforzo possibile,* il a fait le moins d'efforts possible. || [di età] le moins âgé, le plus jeune ; [l'ultimogenito] le cadet. ◆ n. le plus petit, le plus jeune.
minorenne [mino'rɛnne] agg. e n. GIUR. mineur.
minorile [mino'rile] agg. des mineurs.
minoritario [minori'tarjo] (**-ri** m. pl.) agg. minoritaire.
minuetto [minu'etto] m. MUS. menuet.
minuscolo [mi'nuskolo] agg. minuscule. ◆ m. minuscule f.
minuta [mi'nuta] f. brouillon m. || [di contratto] minute.
minutamente [minuta'mente] avv. [a pezzettini] menu. || [nei particolari] en détail.
1. minuto [mi'nuto] agg. petit, minuscule ; [sottile] mince, fin ; [in piccole parti] menu, fin ; [esile] mince, menu ; [particolareggiato] détaillé ; [minuzioso] minutieux. ◆ m. [in tutti i significati] détail.
2. minuto m. minute f. | *un minuto secondo,* une seconde.
minuzioso [minut'tsjoso] agg. minutieux, méticuleux ; [particolareggiato] détaillé.
mio ['mio] (**mia** f., **mie** pl. f., **miei** pl. m.) agg. poss. m. sing. mon (f. sing. ma, davanti a voc. o h muta mon ; m. e f. pl. mes). | *il mio amico, l'amico mio,* mon ami. | *la mia ora,* mon heure. | *un mio cugino,* un de mes cousins. | *andiamo a casa mia,* allons chez moi. || [indicante il possesso] à moi. | *queste sono terre mie,* ces terres sont à moi. || [in espressioni ellittiche] *sono, stanno dalla mia,* ils sont avec moi, ils prennent parti pour moi. ◆ pron.

mien, mienne. | *è la tua opinione, non la mia,* c'est ton opinion, ce n'est pas la mienne. ◆ m. [attività] le mien. | *per riuscire ci ho messo del mio,* pour réussir j'y ai mis du mien. ◆ m. pl. [famigliari] les miens. | *è dei miei,* il est des miens.

miope ['miope] agg. e n. myope.

miosotide [mio'zɔtide] f. myosotis m.

mira ['mira] f. visée. | *prendere qlcu. di mira,* mettre, coucher qn en joue ; prendre qn pour cible. || [balistica] mire ; [mirino] guidon m. | *punto, linea di mira,* point, ligne de mire. || PR. e FIG. *sbagliare la mira,* manquer le but.

mirabile [mi'rabile] agg. admirable, merveilleux, extraordinaire.

miracolo [mi'rakolo] m. miracle, merveille f., prodige. | *fa miracoli,* il fait des miracles, des merveilles.

miracoloso [mirako'loso] agg. miraculeux. ◆ m. miracle, prodige.

miraggio [mi'raddʒo] (**-gi** pl.) m. mirage.

mirare [mi'rare] v. intr. viser. || FIG. viser, tendre. | *mirare a uno scopo,* viser à un but. ◆ v. rifl. se mirer, se contempler.

mirino [mi'rino] m. FOT. viseur. || MIL. guidon.

mirtillo [mir'tillo] m. myrtille f., airelle f.

misantropia [mizantro'pia] f. misanthropie.

miscela [miʃ'ʃɛla] f. mélange m.

miscelare [miʃʃe'lare] v. tr. mélanger.

mischia ['miskja] f. mêlée.

mischiare [mis'kjare] v. tr. mélanger, mêler. ◆ v. rifl. se mêler. | *mischiarsi alla folla,* se mêler à la foule.

misconoscere [misko'noʃʃere] v. tr. méconnaître.

miscredente [miskre'dɛnte] agg. e n. mécréant, incroyant, incrédule.

miscuglio [mis'kuʎʎo] (**-gli** pl.) m. mélange.

miserabile [mize'rabile] agg. misérable. || PEGG. sale, misérable. | *miserabile assassino,* sale assassin. ◆ m. misérable.

miserabilmente [mizerabil'mente] avv. misérablement.

miserevole [mize'revole] agg. pitoyable.

miseria [mi'zɛrja] f. pauvreté, misère, indigence. || [condizione infelice] misère, chagrin m., malheur m. | *raccontare le proprie miserie,* raconter ses misères, ses malheurs. || [penuria] manque m. || [cose da poco] misère, bagatelle.

misericordia [mizeri'kɔrdja] f. miséricorde, pitié.

misero ['mizero] agg. misérable, malheureux. || [povero] pauvre, misérable. || [di vestiti] pauvre, étriqué. || [insufficiente] misérable, maigre. | *un misero raccolto,* une maigre récolte. || [meschino] misérable, mesquin, piètre. | *è una misera scusa,* c'est une piètre excuse.

misfatto [mis'fatto] m. crime, forfait.

misoginia [mizodʒi'nia] f. misogynie.

missile ['missile] m. MIL. missile, fusée f., engin.

missione [mis'sjone] f. mission.

misterioso [miste'rjoso] agg. mystérieux.

mistero [mis'tɛro] m. mystère.

mistica ['mistika] (**-che** pl.) f. mystique.

mistico ['mistiko] (**-ci** m. pl.) agg. e m. mystique.

mistificare [mistifi'kare] v. tr. mystifier, duper.

misto ['misto] agg. mixte. || CULIN. *insalata mista,* salade composée. || [mescolato] mélangé, mêlé. | *misto lana,* mi-laine. | *misto lino,* métis. ◆ m. mélange.

mistura [mis'tura] f. mélange m. || FARM., PEGG. mixture.

misura [mi'zura] f. mesure. | *misura di lunghezza,* mesure de longueur. || [di abiti] taille, mesure ; [di scarpe] pointure. | *fatto su misura,* fait sur mesure. || [decisione] mesure. || [moderazione] mesure, modération. | *passare la misura,* passer la mesure. || MUS., POES. mesure. ◆ loc. avv. *di stretta misura,* de justesse. ◆ loc. cong. *nella misura in cui,* dans la mesure où.

misurare [mizu'rare] v. tr. mesurer. || [provare indumenti] essayer. | *misurare una gonna,* essayer une jupe. || FIG. *misurare le parole,* peser ses mots. || FAM. *misurare un ceffone,* flanquer une gifle. ◆ v. rifl. se mesurer. || FIG. *misurarsi con qlcu.,* se mesurer avec qn.

misurato [mizu'rato] agg. mesuré, modéré.

misurazione [mizurat'tsjone] f. mesurage m.

misurino [mizu'rino] m. doseur, (petite) mesure f.

mite ['mite] agg. PR. e FIG. doux. || [modico] modéré. | *prezzi miti,* prix modérés.

mitico ['mitiko] (**-ci** m. pl.) agg. mythique.

mitigare [miti'gare] v. tr. mitiger, adoucir, apaiser. ◆ v. rifl. s'adoucir, s'apaiser.

mitilo ['mitilo] m. ZOOL. mytilus, moule f.

mito ['mito] m. mythe.

mitologia [mitolo'dʒia] f. mythologie.

mitomane [mi'tɔmane] m. mythomane.

1. mitra ['mitra] f. REL. mitre.

2. mitra m. inv. MIL. mitraillette f.

mitragliare [mitraλ'λare] v. tr. MIL. e FIG. mitrailler.

mitragliatrice [mitraλλa'tritʃe] f. MIL. mitrailleuse.

mittente [mit'tɛnte] m. expéditeur.

mo' [mɔ] m. [apocope di MODO] *a mo' d'esempio,* à titre d'exemple.

1. mobile ['mɔbile] agg. mobile, mouvant. ‖ FIG. instable, changeant. ‖ ECON. *scala mobile,* échelle mobile. ‖ GIUR. *beni mobili,* biens meubles. | *ricchezza mobile,* richesse mobilière. ◆ m. FIS. mobile.

2. mobile m. meuble.

mobilia [mo'bilja] f. mobilier m., meubles m. pl.

1. mobiliare [mobi'ljare] agg. mobilier. | *valori mobiliari,* valeurs mobilières.

2. mobiliare v. tr. meubler.

mobilificio [mobili'fitʃo] (**-ci** pl.) m. fabrique (f.) de meubles.

mobilio [mo'biljo] m. = MOBILIA.

mobilitare [mobili'tare] v. tr. mobiliser.

moca ['mɔka] m. [caffè] moka.

moccio ['mottʃo] m. morve f.

moccolo ['mɔkkolo] m. bout de bougie, de chandelle ; lumignon. ‖ POP. [bestemmia] juron (L.C.). ‖ [muco nasale] morve f.

moda ['mɔda] f. mode. ◆ pl. *negozio di mode,* magasin de modes.

modalità [modali'ta] f. inv. modalité f.

modella [mo'dɛlla] f. modèle m. ‖ [di moda] mannequin m.

modellare [model'lare] v. tr. PR. e FIG. modeler. ‖ [in uno stampo] mouler. ◆ v. rifl. se modeler, se mouler.

modellato [model'lato] agg. e m. modelé.

modello [mo'dɛllo] m. modèle. | *proporre come modello,* donner en exemple. ‖ [tipo] modèle. | *modello corrente,* modèle courant. ‖ [a scala ridotta] modèle ; [bozzetto] maquette f. ‖ [manichino] mannequin. ‖ [di carta] patron. ◆ agg. modèle.

moderare [mode'rare] v. tr. modérer, tempérer, adoucir. | *moderare una pena,* adoucir une peine. | *moderare il tono della voce,* baisser le ton. ◆ v. rifl. se modérer.

moderato [mode'rato] agg. e m. modéré. ◆ avv. MUS. moderato.

modernismo [moder'nizmo] m. modernisme.

modernità [moderni'ta] f. modernité.

modernizzare [modernid'dzare] v. tr. moderniser. ◆ v. rifl. se moderniser.

moderno [mo'dɛrno] agg. e m. moderne.

modestia [mo'dɛstja] f. modestie. ‖ FAM. *modestia a parte,* sans me vanter.

modesto [mo'dɛsto] agg. modeste, humble, simple. | *secondo il mio modesto parere,* à mon humble avis.

modico ['mɔdiko] (**-ci** m. pl.) agg. modique.

modifica [mo'difika] f. modification.

modificare [modifi'kare] v. tr. modifier, changer. ◆ v. rifl. se modifier, changer.

modista [mo'dista] f. modiste.

modo ['mɔdo] m. manière f., façon f., mode. | *modo di vivere,* façon de vivre ; mode de vie. | *agire in modo brutale,* agir de façon brutale. ‖ [mezzo] mode, moyen. | *modo di pagamento,* mode de paiement. | *non c'è modo di convincerlo,* il n'y a pas moyen de le convaincre. ‖ [contegno] manière f., façon f. | *i suoi modi mi irritano,* ses manières, ses façons m'agacent. | *mi ha accolto in malo modo,* il m'a mal reçu. ‖ [espressione] expression f., tournure f. | *modo familiare,* expression familière. ‖ GR., MUS. mode. ◆ loc. avv. *ad ogni modo,* de toute façon, quoi qu'il en soit. | *in nessun modo,* en aucune manière, en aucun cas. | *nel migliore modo,* pour le mieux. | *in tal modo,* de telle manière, de la sorte. ◆ loc. cong. *in modo da,* de manière à, de façon à.

modulare [modu'lare] v. tr. moduler.

modulo ['mɔdulo] m. AMM. formule f., formulaire, imprimé. | *modulo per telegramma,* formule de télégramme. ‖ ARCHIT., MAT. module.

mogano ['mɔgano] m. acajou.

moggio ['mɔddʒo] (**-gi** pl.) m. boisseau.

mogio ['mɔdʒo] (**-gi** m. pl.) agg. mortifié, penaud.

moglie ['moλλe] f. femme, épouse. | *chiedere in moglie,* demander en mariage. | *aver moglie,* être marié.

moina [mo'ina] f. cajolerie, câlinerie. | *far moine,* minauder.

mola ['mɔla] f. meule. ‖ [per arrotare la falce] pierre à aiguiser.

1. molare [mo'lare] agg. [da mola] meulier. ◆ m. ANAT. molaire f.

2. molare agg. CHIM., FIS. molaire.

3. molare v. tr. aiguiser. ‖ [smerigliare] biseauter, polir.

mole ['mɔle] f. masse, quantité, volume m. | *un'enorme mole d'acqua, di terra,* une énorme masse d'eau, de terre.

molestare [moles'tare] v. tr. importuner, ennuyer, déranger. | [tormentare] tourmenter, harceler.

molestia [mo'lɛstja] f. ennui m., désagrément m.

molesto [mo'lɛsto] agg. importun, agaçant, fastidieux.

molino [mo'lino] m. = MULINO.

molla ['mɔlla] f. ressort m. | *coltello a molla,* couteau à cran (m.) d'arrêt. | *caricare una molla,* remonter un ressort. ◆ pl. [per il fuoco] pincettes.

mollare [mol'lare] v. tr. lâcher. | *mollare la presa,* lâcher prise. || FAM. lâcher, flanquer. | *mollare un pugno,* flanquer un coup de poing. || MAR. larguer. | *mollare le vele,* larguer les voiles. ◆ v. intr. céder, renoncer.

molle ['mɔlle] agg. mou ; [davanti a voc. o h muta] mol. | *carattere molle,* caractère mou, faible. || [bagnato] trempé, mouillé, baigné. | *molle di sudore,* trempé de sueur. ◆ m. *mettere in molle,* faire tremper.

molleggiato [molled'dʒato] agg. [di divano, ecc.] élastique, souple, confortable. || [di andatura] élastique, souple.

molleggio [mol'leddʒo] (**-gi** pl.) m. [di veicolo] suspension f. || [di divano, ecc.] ressorts pl.

molletta [mol'letta] f. épingle à linge. || [da capelli] barrette, pince. ◆ pl. [per lo zucchero o il ghiaccio] pince sing.

mollettone [mollet'tone] m. molleton.

mollezza [mol'lettsa] f. mollesse.

mollica [mol'lika] f. mie.

molliccio [mol'littʃo] (**-ci** m. pl.) agg. mollasse. || [umidiccio] moite, détrempé. | *mani mollicce,* mains moites.

mollo ['mɔllo] agg. POP. *è una pappa molla,* c'est une chiffe molle. ◆ m. *mettere a mollo,* faire tremper.

mollusco [mol'lusko] (**-chi** pl.) m. mollusque.

molo ['mɔlo] m. MAR. môle ; [diga foranea] jetée f. ; [banchina] débarcadère, quai.

molteplice [mol'teplitʃe] agg. multiple. || [numeroso] nombreux. || [multiforme] multiforme.

moltiplicare [moltipli'kare] v. tr. multiplier. ◆ v. rifl. se multiplier, augmenter.

moltiplicazione [moltiplikat'tsjone] f. multiplication.

moltissimo [mol'tissimo] agg. superl. [davanti a n.] une très grande quantité de, énormément de, infiniment de, un très grand nombre de. | *ha moltissimo coraggio,* il a un très grand courage. | *c'era moltissima gente,* il y avait un monde fou. | *non viene più da moltissimo tempo,* il ne vient plus depuis très longtemps. ◆ pron. indef. un très grand nombre, une très grande quantité, une infinité, énormément. | *moltissimi dicono che ...,* un très grand nombre de personnes disent que ... ◆ avv. énormément, infiniment. | *ti ringrazio moltissimo,* je te remercie infiniment.

moltitudine [molti'tudine] f. multitude, foule.

molto ['molto] agg. indef. beaucoup de ; bien du, de l', de la, des ; une grande quantité de ; (un grand) nombre de. | *molti amici,* beaucoup d'amis. | *molti altri potrebbero venire,* bien d'autres pourraient venir. | *da molti anni,* depuis nombre d'années. | *da molto tempo,* depuis longtemps. | *fra non molto (tempo),* bientôt. | *i miei molti amici,* mes nombreux amis. | *la molta abilità che ha mostrato,* la grande habileté qu'il a montrée. | *fa molto freddo,* il fait très froid. | *ho molta voglia di farlo,* j'ai très envie de le faire. ◆ pron. indef. beaucoup. | *molti di noi,* beaucoup d'entre nous. ◆ avv. [davanti ad agg. o avv.] très, bien ; [davanti a comp. o con v.] beaucoup, bien. | *è molto attento,* il est très attentif. | *parla molto poco,* il parle très peu. | *questo libro m'è piaciuto molto,* ce livre m'a beaucoup plu. | *sta molto meglio,* il se porte bien mieux. | *ci supera di molto,* il nous dépasse de beaucoup.

momentaneo [momen'taneo] agg. momentané, passager.

momento [mo'mento] m. moment, instant, seconde f., minute f. | *è questione di un momento,* c'est l'affaire d'un instant. | *è arrivato un momento fa,* il est arrivé tout à l'heure. | *non perde un momento,* il ne perd pas un instant. | *non posso trattenermi un momento di più,* je ne peux pas rester une minute de plus. || [occasione] moment, instant, minute f., heure f. | *cogliere il momento giusto,* saisir le bon moment. | *non vedo il momento di,* il me tarde de. || FIS., MUS. moment. ◆ loc. avv. *dovrebbe partire a momenti,* il devrait partir d'un moment à l'autre. | *a momenti perdevo il treno,* j'ai failli manquer le train. | *(a) ogni momento,* à chaque instant. | *a un dato momento,* à un certain moment. | *fin dal primo momento,* dès le premier instant. | *nei primi momenti,* au début. | *sul momento,* immédiatement, à l'instant. ◆ loc. prep. *al momento di,* au moment de. ◆ loc. cong. *nel momento in cui,* au moment où. | *dal momento che,* du moment que, dès l'instant que, puisque.

monaca ['mɔnaka] (**-che** pl.) f. religieuse, sœur.

monachesimo [mona'kɛzimo] m. monachisme.

monaco ['mɔnako] (**-ci** pl.) m. moine, religieux. || [scaldaletto] chauffe-lit. || ARCHIT. poinçon.

monarca [mo'narka] (**-chi** pl.) m. monarque.
monarchia [monar'kia] f. monarchie.
monarchico [mo'narkiko] (**-ci** m. pl.) agg. monarchique ; [fautore della monarchia] monarchiste, royaliste. ◆ m. monarchiste, royaliste.
monastero [monas'tεro] m. monastère.
moncherino [monke'rino] m. moignon.
monco ['monko] (**-chi** m. pl.) agg. manchot. || FIG. imparfait, incomplet. ◆ m. manchot.
moncone [mon'kone] m. moignon. || [di oggetto] tronçon.
mondana [mon'dana] f. prostituée.
mondanità [mondani'ta] f. mondanité.
mondano [mon'dano] agg. terrestre, de ce monde. || [di società] mondain.
mondare [mon'dare] v. tr. monder, émonder, sarcler. || [sbucciare] éplucher, peler. || FIG. purifier. ◆ v. rifl. se purifier.
mondezzaio [mondet'tsajo] m. fosse (f.) à ordures. || [letamaio] fumier. || FIG. porcherie f.
mondina [mon'dina] f. AGR. repiqueuse, éplucheuse de riz.
1. mondo ['mondo] agg. épluché. || FIG. pur.
2. mondo m. monde, Terre f., univers. | *le origini del mondo,* les origines du monde, de l'univers. | *non è in capo al mondo,* ce n'est pas au bout du monde. || [vita] *venire al mondo,* venir au monde, naître. || PER EST. *il Nuovo Mondo,* le Nouveau Monde. | *l'altro mondo,* l'autre monde. || LOC. *divertirsi un mondo,* s'en donner à cœur joie. | *non è poi la fine del mondo,* ce n'est pas la mer à boire. | *da che mondo è mondo,* de toute éternité. | *tutto il mondo è paese,* c'est la même chose partout. || [società, ambiente] monde. | *vivere nel mondo,* vivre dans le monde. | *appartengono allo stesso mondo,* ils sont du même monde, du même milieu. || FAM. [gran quantità] monde, foule f., tas. | *un mondo di stupidaggini,* un tas de sottises.
monello [mo'nεllo] m. gamin, polisson, voyou (pegg.).
moneta [mo'neta] f. [valuta] monnaie. || [spiccioli] petite monnaie, monnaie.
monetare [mone'tare] v. tr. monnayer, monétiser.
mongolfiera [mongol'fjεra] f. montgolfière.
mongoloide [mongo'lɔide] agg. MED. mongoloïde. ◆ m. MED. mongolien.
monile [mo'nile] m. [gioiello] bijou. || [collana] collier.
monito ['mɔnito] m. avertissement, admonestation f.
monitore [moni'tore] (**-trice** f.) n. moniteur, trice. ◆ m. MAR. monitor. || TEL. moniteur.
monocolore [monoko'lore] agg. unicolore. || FIG., POL. *governo monocolore,* gouvernement monocolore.
monocromia [monokro'mia] f. ARTI monochromie.
monogamia [monoga'mia] f. monogamie.
monografia [monogra'fia] f. monographie.
monogramma [mono'gramma] (**-i** pl.) m. monogramme.
monolito [mo'nɔlito] m. monolithe.
monologare [monolo'gare] v. intr. monologuer.
monomania [monoma'nia] f. monomanie.
monopattino [mono'pattino] m. trottinette f., patinette f.
monopolio [mono'pɔljo] (**-li** pl.) m. monopole.
monopolizzare [monopolid'dzare] v. tr. monopoliser.
monosillabo [mono'sillabo] m. monosyllabe.
monoteismo [monote'izmo] m. monothéisme.
monotonia [monoto'nia] f. monotonie.
monsignore [monsiɲ'ɲore] m. monseigneur.
monsone [mon'sone] m. mousson f.
monta ['monta] f. monte, saillie. || SP. monte.
montacarichi [monta'kariki] m. inv. monte-charge.
montaggio [mon'taddʒo] (**-gi** pl.) m. CIN., FOT., TECN. montage.
montagna [mon'taɲɲa] f. PR. e FIG. montagne.
montagnola [montaɲ'ɲɔla] f. butte, colline.
montanaro [monta'naro] agg. e m. montagnard.
montano [mon'tano] agg. de (la) montagne, des montagnes.
montante [mon'tante] m. [sostegno] montant.
montare [mon'tare] v. intr. PR. e FIG. [in tutti i significati] monter. ◆ v. tr. [accoppiamento di animali] monter, couvrir, saillir. || [mettere assieme] monter. | *montare una macchina, un film,* monter une machine, un film. || SP. *montare un cavallo,* monter un cheval. ◆ v. rifl. se monter. | *montarsi la testa,* se monter la tête.
montato [mon'tato] agg. CULIN. *panna montata,* crème fouettée. || FIG. plein de suffisance ; qui se donne des airs.
montatura [monta'tura] f. montage m. || [di gioiello, di occhiali] mon-

ture. || FIG. *è tutta una montatura,* c'est un coup monté.
monte ['monte] m. montagne f. ; [accompagnato da n. pr. o lett.] mont. | *il monte Bianco,* le mont Blanc. || FIG. *un monte di riviste,* un tas de revues. | *c'è un monte di gente,* il y a un monde fou. | *andare a monte,* échouer, rater. | *mandare a monte,* faire échouer, faire avorter. || GIOCHI [mazzo di carte] talon. | *monte premi,* montant total.
montone [mon'tone] m. bélier, mouton mâle.
monumentale [monumen'tale] agg. monumental.
monumento [monu'mento] m. monument.
1. mora ['mɔra] f. BOT. [del gelso] mûre ; [del rovo] mûre sauvage.
2. mora f. GIUR. retard m. | *interessi di mora,* intérêts moratoires, || [dilazione] délai m., sursis m. || [ammenda] amende.
morale [mo'rale] agg. moral. ◆ m. moral. | *essere giù di morale,* avoir mauvais moral. ◆ f. morale.
moralità [morali'ta] f. moralité.
moralizzare [moralid'dzare] v. tr. moraliser.
moratoria [mora'tɔrja] f. GIUR. moratoire m.
morbido ['mɔrbido] agg. doux, moelleux, souple. | *luce morbida,* lumière douce. | *guanti morbidi,* gants souples. || ARTI flou.
morbillo [mor'billo] m. rougeole f.
morbo ['mɔrbo] m. mal, maladie f.
morboso [mor'boso] agg. morbide.
morchia ['mɔrkja] f. dépôt (m.) de l'huile. || [residuo di lubrificanti] cambouis m.
mordacchia [mor'dakkja] f. [per cavalli] morailles f. pl.
mordace [mor'datʃe] agg. mordant.
mordente [mor'dɛnte] agg. mordant, caustique. ◆ m. PR. e FIG. mordant.
mordere ['mɔrdere] v. tr. mordre. || FIG. *mordere il freno,* ronger son frein, être impatient. || [di insetto, di rettile] mordre, piquer. || [far presa, intaccare] mordre. | *gli acidi mordono il rame,* les acides mordent le cuivre.
morena [mo'rɛna] f. moraine.
morente [mo'rɛnte] agg. e n. mourant.
morfina [mor'fina] f. morphine.
morfologia [morfolo'dʒia] f. morphologie.
moria [mo'ria] f. grande mortalité.
moribondo [mori'bondo] agg. e n. moribond, mourant.
morigerare [moridʒe'rare] v. tr. morigéner.
morigerato [moridʒe'rato] agg. modéré. || [costumato] honnête.
morire [mo'rire] v. intr. mourir. || FIG., IPERB. mourir. | *morire di caldo,* mourir de chaleur. | *muoio dalla voglia di vederlo,* je meurs d'envie de le voir. | *peggio di così si muore,* on ne pourrait pas trouver pire. || PER EST. mourir. | *il giorno muore,* le jour meurt. | *lasciar morire la conversazione,* laisser tomber la conversation. ◆ m. PR. e FIG. mort f.
mormorare [mormo'rare] v. intr. murmurer. || [protestare] murmurer, protester. | *mormorare tra i denti,* murmurer, grommeler entre ses dents. || [dir male di qlcu.] médire. ◆ v. tr. murmurer, chuchoter.
mormorazione [mormorat'tsjone] f. médisance.
mormorio [mormo'rio] m. murmure.
moro ['mɔro] agg. maure, more ; mauresque, moresque. || [bruno] brun. ◆ m. STOR. Maure, More. || [negro] Noir.
morosa [mo'rosa] f. POP. bonne amie, petite amie.
morosità [morosi'ta] f. retard (m.) de paiement.
1. moroso [mo'roso] agg. GIUR. retardataire, en retard.
2. moroso m. POP. bon ami, petit ami.
morra ['mɔrra] f. GIOCHI mourre.
morsa ['mɔrsa] f. étau m.
morsicare [morsi'kare] v. tr. mordre. || [di insetti] piquer.
morso ['mɔrso] m. morsure f. || [di insetti] morsure f., piqûre f. || FIG. morsure f. || [boccone] morceau, bout. || [per i cavalli] mors. || LOC. *mordere il morso,* ronger son frein.
mortadella [morta'dɛlla] f. mortadelle.
mortaio [mor'tajo] m. mortier.
mortale [mor'tale] agg. e m. mortel.
mortaretto [morta'retto] m. pétard.
morte ['mɔrte] f. mort. | *morte improvvisa,* mort subite. | *silenzio di morte,* silence de mort. | *prendersela a morte con qlcu.,* en vouloir à mort à qn.
mortificare [mortifi'kare] v. tr. mortifier, blesser, humilier. ◆ v. rifl. se mortifier.
morto ['mɔrto] agg. PR. e FIG. mort. | *morto di stanchezza,* mort de fatigue. || FIG. *è un uomo morto,* c'est un homme fini. | *è la stagione morta,* c'est la morte-saison. | *è un peso morto,* c'est un poids mort. || ARTI *natura morta,* nature morte. || ECON. *capitale morto,* capital improductif, mort. || TR. *binario morto,* voie de garage. ◆ n. mort. || FIG., FAM. *è un morto di fame,* c'est un crève-la-faim. || SP. *fare il morto,* faire la planche.

mortorio [mor'tɔrjo] (**-ri** pl.) m. enterrement.

mosaico [mo'zaiko] (**-ci** pl.) m. mosaïque f.

mosca ['moska] (**-che** pl.) f. mouche. ‖ Loc. *è una mosca bianca,* c'est un merle blanc. | *restare con un pugno di mosche,* rester les mains vides. ‖ Giochi *giocare a mosca cieca,* jouer à colin-maillard. ‖ [cucito] *punto mosca,* point de chausson.

moscato [mos'kato] agg. Bot. *uva moscata,* raisin muscat. | *noce moscata,* noix muscade. ◆ m. [vino] muscat.

moscerino [moʃʃe'rino] m. moucheron.

moschea [mos'kɛa] f. mosquée.

moschetto [mos'ketto] m. mousqueton. ‖ Stor. Mil. mousquet.

moscio ['moʃʃo] agg. mou. | *erre moscia,* « r » grasseyé.

moscone [mos'kone] m. grosse mouche f. ‖ Fig. soupirant, galant. ‖ Mar. Pédalo.

mossa ['mɔssa] f. mouvement m., geste m. ‖ Fig. *prendere le mosse da,* partir de, commencer par. | *mossa sbagliata,* fausse manœuvre. ‖ Giochi [scacchi, dama] coup m.

mosso ['mɔsso] agg. agité. | *mare mosso,* mer agitée, houleuse. ‖ [ondulato] *capelli mossi,* cheveux ondulés. ‖ Fot. flou.

mostarda [mos'tarda] f. moutarde. | *mostarda di frutta,* fruits (m. pl.) confits au vinaigre aromatisé.

mosto ['mosto] m. moût.

mostra ['mostra] f. étalage m., montre, devanture, vitrine. ‖ [esposizione] exposition. | *mostra d'arte,* exposition d'art. ‖ Fig. *mettere in mostra,* étaler, exhiber. ‖ Archit. cimaise. ‖ Mus. *mostra d'organo,* montre d'orgue.

mostrare [mos'trare] v. tr. montrer. | *mostrare il passaporto,* montrer, exhiber son passeport. | *mostrare la strada,* indiquer le chemin. ‖ Fig. *mostrare coraggio,* montrer, manifester du courage. ‖ [dimostrare] montrer, témoigner ; [di età] paraître. | *mostrare affetto,* montrer de l'affection. ‖ [far sfoggio] étaler, exhiber. ‖ [fingere] feindre, faire semblant. ◆ v. rifl. se montrer.

mostro ['mostro] m. Pr. e Fig. monstre.

mostruoso [mostru'oso] agg. monstrueux ; énorme.

mota ['mɔta] f. boue, argile.

motivare [moti'vare] v. tr. motiver.

motivo [mo'tivo] m. motif, raison f., cause f. | *chiuso per motivi di salute,* fermé pour cause de maladie. | *non c'è motivo di chiamarlo,* il n'y a pas de raison pour l'appeler. ‖ Arti motif.

1. moto ['mɔto] m. [in tutti i significati] mouvement. ‖ Mecc. *mettersi in moto,* [di meccanismi] se mettre en mouvement, en marche ; [di veicoli] démarrer. ‖ Sp. exercice. | *fare del moto,* faire de l'exercice. ‖ Stor. insurrection f., mouvement insurrectionnel.

2. moto f. Fam. [motocicletta] moto.

motocicletta [mototʃi'kletta] f. motocyclette, moto (fam.).

motofurgoncino [motofurgon'tʃino] m. triporteur à moteur.

motonautica [moto'nautika] f. Sp. motonautisme m.

motonave [moto'nave] f. paquebot m., cargo m.

motopeschereccio [motopeske'rettʃo] (**-ci** pl.) m. chalutier à moteur.

1. motore [mo'tore] (**-trice** f.) agg. moteur, trice.

2. motore m. moteur.

motoretta [moto'retta] f. scooter m. (ingl.).

motorino [moto'rino] m. cyclomoteur. ‖ Mecc. démarreur.

motorizzare [motorid'dzare] v. tr. motoriser. ◆ v. rifl. Fam. se motoriser.

motoscafo [motos'kafo] m. canot automobile, à moteur.

motteggiare [motted'dʒare] v. tr. railler, persifler. ◆ v. intr. plaisanter.

mottetto [mot'tetto] m. Lett., Mus. motet.

motto ['mɔtto] m. bon mot, plaisanterie f. | *motto di spirito,* mot d'esprit. ‖ [frase emblematica] devise f. ‖ Per Est. mot. | *senza far motto,* sans mot dire.

movente [mo'vɛnte] m. Giur. mobile.

movenza [mo'vɛntsa] f. attitude, geste m.

movimentare [movimen'tare] v. tr. animer, mouvementer (lett.).

movimento [movi'mento] m. Pr. e Fig. [in tutti i significati] mouvement.

moviola [mo'vjɔla] f. Cin. Moviola.

mozione [mot'tsjone] f. motion.

mozzare [mot'tsare] v. tr. couper, trancher.

1. mozzo ['mottso] agg. coupé, tronqué, tranché. | *coda mozza,* queue tronquée.

2. mozzo m. Mar. mousse.

3. mozzo ['mɔddzo] m. [di ruota] moyeu. ‖ [di campana] mouton.

mucca ['mukka] (**-che** pl.) f. Zool. vache.

mucchio ['mukkjo] (**-chi** pl.) m. tas, amas.
mucillagine [mutʃil'ladʒine] f. BOT. mucilage m.
muco ['muko] (**-chi** pl.) m. mucus, glaire f.
mucosa [mu'kosa] f. muqueuse.
muda ['muda] f. mue.
mudare [mu'dare] v. intr. muer.
muffa ['muffa] f. moisissure, moisi m. | *sa di muffa,* ça sent le moisi.
muffire [muf'fire] v. intr. moisir.
muffola ['muffola] f. moufle.
muflone [mu'flone] m. mouflon.
mugghiare [mug'gjare] v. intr. mugir, beugler, meugler.
muggine ['muddʒine] m. muge, mulet.
muggire [mud'dʒire] v. intr. mugir, beugler, meugler.
mughetto [mu'getto] m. BOT. muguet.
mugnaio [muɲ'ɲajo] m. meunier.
mugolare [mugo'lare] v. intr. glapir, gémir. || [di persona] geindre, gémir.
mugolio [mugo'lio] m. glapissement. || [di persona] gémissement, geignement.
mugugnare [muguɲ'ɲare] v. intr. grommeler, bougonner, rouspéter.
mula ['mula] f. ZOOL. mule.
mulattiera [mulat'tjɛra] f. chemin (m.) muletier.
mulatto [mu'latto] agg. e n. mulâtre, mulâtresse.
mulinare [muli'nare] v. tr. faire tournoyer, faire des moulinets avec. || FIG. rêver, rêvasser, ruminer. ◆ v. intr. tourbillonner, tournoyer.
mulinello [muli'nɛllo] m. tourbillon. || [con un bastone, una spada] moulinet. || [argano] moulinet, treuil. || [della canna da pesca] moulinet.
mulino [mu'lino] m. moulin.
mulo ['mulo] m. ZOOL. mulet. || LOC. *testardo come un mulo,* têtu comme une mule.
multa ['multa] f. amende ; [contravvenzione] contravention.
multare [mul'tare] v. tr. frapper d'amende, infliger une amende (à).
multiplo ['multiplo] agg. multiple. ◆ m. MAT. multiple.
mummia ['mummja] f. momie.
mummificare [mummifi'kare] v. tr. momifier. ◆ v. rifl. se momifier.
mungere ['mundʒere] v. tr. traire ; tirer le lait. || FIG. pressurer, soutirer de l'argent.
municipale [munitʃi'pale] agg. municipal.
municipalità [munitʃipali'ta] f. municipalité.
municipio [muni'tʃipjo] (**-pi** pl.) m. mairie f. ; [nelle grandi città] hôtel de ville. || [territorio comunale] commune f.
munifico [mu'nifiko] (**-ci** m. pl.) agg. munificent (lett.), généreux. || [di cosa] splendide.
munire [mu'nire] v. tr. munir, pourvoir. || [fortificare] fortifier, garnir. ◆ v. rifl. se munir, se pourvoir. | *munirsi di denaro,* se pourvoir d'argent.
munizione [munit'tsjone] f. MIL. munition.
muovere ['mwɔvere] v. tr. mouvoir, remuer ; déplacer. | *muovere una sedia,* déplacer une chaise. | *non ha mosso un dito per me,* il n'a pas remué le petit doigt pour moi. || [provocare] provoquer, susciter. || [spingere] pousser. | *lo mosse la paura,* c'est la peur qui l'a poussé. || [intentare] intenter ; faire. | *muovere causa,* intenter un procès. || [formulare] adresser, faire, exprimer. | *muovere dei rimproveri,* faire des reproches. ◆ v. intr. partir. | *muovere incontro a qlcu.,* aller au-devant, à la rencontre de qn. || GIOCHI jouer. ◆ v. rifl. se mouvoir, bouger v. intr., (se) remuer. | *si muove in continuazione,* il remue sans cesse. | *muoviti !,* dépêche-toi ! || [mettersi in movimento] se mettre en mouvement, en marche ; [di veicoli] démarrer v. intr. ; [di treni] s'ébranler. || [di sentimenti] être poussé par.
muraglia [mu'raʎʎa] f. muraille. || FIG. barrière, mur m.
murare [mu'rare] v. tr. murer. | *murare una porta,* murer, condamner une porte. || [costruire in muratura] maçonner. ◆ v. rifl. FIG. s'enfermer, se cloîtrer.
murario [mu'rarjo] (**-ri** m. pl.) agg. de maçonnerie.
muratore [mura'tore] m. maçon. || STOR. *libero muratore,* franc-maçon.
murena [mu'rɛna] f. murène.
muro ['muro] (**-i** pl. ; **-a** pl. f.) m. mur. | *muro maestro,* mur porteur. || LOC. *mettere, essere con le spalle al muro,* mettre, être au pied du mur. ◆ f. pl. murs m. pl., remparts m. pl. | *le mura di una città,* les murs, les remparts, l'enceinte d'une ville.
musa ['muza] f. MIT. muse.
muschiato [mus'kjato] agg. musqué.
1. muschio ['muskjo] (**-chi** pl.) m. BIOL., ZOOL. musc.
2. muschio (**-chi** pl.) o **musco ['musko] m.** BOT. mousse f.
muscolo ['muskolo] m. muscle. || CULIN. gîte. || ZOOL. moule f.
muscoso [mus'koso] agg. moussu.
museo [mu'zɛo] m. musée.

museruola [muze'rwola] f. muselière.
musica ['muzika] (**-che** pl.) f. musique. || Loc. *è sempre la stessa musica,* c'est toujours la même chanson.
musicare [muzi'kare] v. tr. mettre en musique.
musicista [muzi'tʃista] (**-i** pl. m.) n. musicien, enne.
musivo [mu'zivo] agg. de la mosaïque. || Chim. mussif. | *oro musivo,* or mussif.
muso ['muzo] m. museau, mufle; [di maiale] groin. || Fig. [di persona] figure f., gueule f. (pop., volg.). | *rompere il muso a qlcu.,* casser la gueule à qn. || [broncio] *tenere il muso,* bouder. || [di oggetto] nez.
musone [mu'zone] m. boudeur.
mussare [mus'sare] v. intr. mousser.
mussola ['mussola] f. mousseline.
musulmano [musul'mano] agg. e n. musulman.
muta ['muta] f. relève. | *dare la muta,* prendre la relève. || [di cavalli] relais m. || [cambiamento di pelle, di voce] mue. || [gruppo] | *muta di cani,* meute. || [corredo] parure.
mutabile [mu'tabile] agg. variable, changeant.
mutamento [muta'mento] m. changement, transformation f.
mutande [mu'tande] f. pl. [da uomo] caleçon m. sing., slip m. sing.; [da donna] culotte sing., slip m. sing.
mutandine [mutan'dine] f. pl. culotte sing., slip m. sing. | *mutandine da bagno,* caleçon (m. sing.) de bain.
mutare [mu'tare] v. tr. Pr. e Fig. changer. | *mutare parere,* changer d'avis. || [trasformare] changer, transformer. | *la morte di suo padre l'ha mutato,* la mort de son père l'a changé. || [di animali] muer. ◆ v. intr. changer.
mutazione [mutat'tsjone] f. changement m. || [della voce] mue. || Biol. mutation.
mutevole [mu'tevole] agg. changeant, instable.
mutilare [muti'lare] v. tr. mutiler.
mutismo [mu'tizmo] m. mutisme.
muto ['muto] (**-a** f.) agg. e n. muet, muette.
mutua ['mutua] f. mutuelle; assurance mutuelle.
mutuamente [mutua'mente] avv. mutuellement, réciproquement.
mutuare [mutu'are] v. tr. [prendere a prestito] emprunter. || [dare in prestito] prêter.
mutuato [mutu'ato] m. mutualiste.
mutuo ['mutuo] agg. mutuel, réciproque. | *società di mutuo soccorso,* société de secours mutuel. ◆ m. [somma presa a prestito] emprunt; [somma data a prestito] prêt. | *contrarre un mutuo,* contracter un emprunt.

n

n ['ɛnne] f. o m. n m.
nababbo [na'babbo] m. nabab.
nacchere ['nakkere] f. pl. castagnettes, cliquette sing.
nafta ['nafta] m. naphte. || Aut. gas-oil. || [olio combustibile] mazout, fuel-oil.
naftalina [nafta'lina] f. naphtaline.
1. naia ['naja] f. naja m., cobra m., serpent (m.) à lunettes.
2. naia f. Gerg. *essere sotto la naia,* être sous les drapeaux, faire son service (L.C.).
naiade ['najade] f. naïade.
nailon ['nailon] m. Nylon.
nanismo [na'nizmo] m. nanisme.
nanna ['nanna] f. dodo m. | *mettere a nanna,* mettre au lit.
nano ['nano] agg. nain, naine. ◆ n. nain. || Pegg. nabot, ote.
napoletano [napole'tano] agg. e n. [in tutti gli usi] napolitain.
nappa ['nappa] f. pompon m.; gland m. || [parte crinita della coda dei grandi mammiferi] fouet m. | *guanti di nappa,* gants de peau fine. || Geol. nappe. | *nappa acquifera,* nappe d'eau.
narciso [nar'tʃizo] m. Bot. e Fig. narcisse.
narcotico [nar'kɔtiko] (**-ci** m. pl.) agg. e m. narcotique.
narcotizzare [narkotid'dzare] v. tr. Med. endormir, narcotiser.
nardo ['nardo] m. Bot. nard.
narice [na'ritʃe] f. narine. || [di mammiferi] naseau m.
narrare [nar'rare] v. tr. raconter; exposer, rapporter. | *ha narrato il fatto come è veramente accaduto,* il a rapporté le fait tel qu'il s'est vraiment passé. ◆ v. intr. parler.
narrativa [narra'tiva] f. Lett. genre (m.) narratif, roman m. || Giur. exposé m.
narratore [narra'tore] m. narrateur, conteur. || [scrittore] romancier.
nartece [nar'tɛtʃe] m. narthex.
nasale [na'sale] agg. nasal. || [di voce] nasillard. | *parlare con voce nasale,* parler du nez, nasiller. ◆ f. Gr. nasale.

nascente [naʃ'ʃɛnte] agg. PR. e FIG. naissant.

nascere ['naʃʃere] v. intr. naître. | *mi è nata una figlia,* il m'est né une fille. | *un sorriso nasce sulle sue labbra,* un sourire apparaît sur ses lèvres. || [di volatili] éclore. || [di vegetali] naître, pousser, éclore. || FIG. *come i funghi,* pousser comme des champignons. || [di denti, ecc.] pousser. || [di un fiume] naître, prendre sa source. || [del sole, del giorno] se lever, naître. || LOC. *nascere con la camicia,* naître coiffé. | *da cosa nasce cosa,* une chose en entraîne une autre. ◆ m. *il nascere del sole,* le lever du soleil.

nascita ['naʃʃita] f. naissance. || [origine] naissance. | *francese di nascita,* français de naissance. || PER EST. naissance. | *la nascita delle foglie,* la naissance des feuilles. || [di volatili] éclosion. || FIG. naissance, éclosion. | *la nascita di un'idea,* l'éclosion d'une idée.

nascituro [naʃʃi'turo] agg. qui va naître. ◆ n. enfant à naître.

nascondere [nas'kondere] v. tr. cacher, dissimuler, dérober. | *nascondere il viso con le mani,* se cacher le visage dans les mains. | *nascondere lo sguardo,* dérober le regard. || [impedire la vista] cacher, boucher. | *una curva nasconde la visuale,* une courbe bouche la vue. || FIG. cacher, taire. | *nascondere la verità,* taire la vérité. || [non manifestare] cacher, dissimuler. | *nascondere i propri sentimenti,* cacher, dissimuler ses sentiments. ◆ v. rifl. se cacher, se dissimuler.

nascondiglio [naskon'diλλo] m. cachette f., cache f., planque f. (pop.).

nascondino [naskon'dino] m. GIOCHI cache-cache inv.

nascosto [nas'kosto] part. pass. e agg. caché. || [segreto] dérobé, secret. | *una scala nascosta,* un escalier dérobé. ◆ loc. avv. *di nascosto,* en cachette, à la dérobée. ◆ loc. prep. *di nascosto a,* en cachette de, à l'insu de.

nasello [na'sɛllo] m. ZOOL. merlu, merlan ; [a Parigi] colin. || MECC. mentonnet. || MIL. tenon.

naso ['naso] m. nez. | *soffiarsi il naso,* se moucher. | *turarsi, tapparsi il naso,* se boucher le nez. || LOC. *a lume di naso,* à vue de nez. | *restare con un palmo di naso,* rester tout penaud. | *fare una cosa sotto il naso di qlcu.,* faire une chose au nez (et à la barbe) de qn. || FAM. *ficcare il naso dappertutto,* mettre, fourrer son nez partout. | *mettere fuori la punta del naso,* mettre le nez dehors. || [del cane] truffe f. || [fiuto] nez, flair.

nassa ['nassa] f. [pesca] nasse, casier m.

nastro ['nastro] m. ruban. || SP. corde f., ligne f. | *il nastro di partenza, di arrivo,* la ligne de départ, d'arrivée. || [di montaggio] *nastro trasportatore,* chaîne f. ; [per persone e merci] tapis roulant.

1. natale [na'tale] agg. natal. | *lingua natale,* langue maternelle. ◆ m. jour, anniversaire de la naissance. ◆ m. pl. [nascita] *dare i natali,* donner naissance f.

2. natale m. Noël.

natalità [natali'ta] f. natalité.

natalizio [natalit'tsjo] agg. de Noël. || [della nascita] de la naissance, natal. ◆ m. [compleanno] anniversaire.

natante [na'tante] agg. flottant. ◆ m. embarcation f.

natica ['natika] f. fesse. || ZOOL. natice.

nativo [na'tivo] agg. natal. | *paese nativo,* pays natal. || [oriundo] originaire, natif. | *è nativo di Marsiglia,* il est natif de Marseille. || [innato] inné, naturel. ◆ n. natif, ive ; indigène, autochtone.

nato ['nato] agg. né. | *musicista nato,* musicien-né.

natura [na'tura] f. nature. | *i tre regni della natura,* les trois règnes de la nature. || LOC. *scambio in natura,* troc m. || [caratteristiche umane] nature, caractère m., naturel m. | *è un uomo debole di natura,* c'est un homme d'un naturel fragile. || [caratteristiche degli esseri e delle cose] nature, sorte, genre m. | *la natura divina,* la nature de Dieu. || ARTI *natura morta,* nature morte.

naturale [natu'rale] agg. naturel. || [genuino] naturel, spontané, aisé. | *uno stile naturale,* un style naturel, aisé. || [innato] naturel, inné. | *una bontà naturale,* une bonté naturelle, innée. || [ovvio] naturel, normal. | *è naturale,* c'est tout naturel, cela va sans dire. || ARTI *un ritratto al naturale,* un portrait grandeur nature. || MAT., MUS. naturel. ◆ m. [indole] naturel. || CULIN. nature, au naturel.

naturalezza [natura'lettsa] f. naturel m., aisance, facilité.

naturalismo [natura'lizmo] m. naturalisme.

naturalizzare [naturalid'dzare] v. tr. GIUR. naturaliser. ◆ v. rifl. GIUR. se faire naturaliser. || BOT., ZOOL. acclimater v. tr., s'acclimater v. rifl.

naturalmente [natural'mente] avv. naturellement. || [ovviamente] naturellement, bien entendu. | *« Verrai ? » « Naturalmente ! »,* « Tu viendras ? » « Bien sûr ! ».

naufragare [naufra'gare] v. intr. faire naufrage, échouer, sombrer. || FIG. échouer, sombrer.

naufragio [nau'fradʒo] m. naufrage.
naufrago ['naufrago] (**-ghi** m. pl.) n. naufragé.
nausea ['nauzea] f. nausée, haut-le-cœur m. inv. || FIG. nausée, dégoût m.
nauseabondo [nauzea'bondo] o **nauseante** [nauze'ante] agg. PR. e FIG. nauséabond, écœurant, dégoûtant, répugnant.
nauseare [nauze'are] v. tr. PR. e FIG. donner la nausée, écœurer, dégoûter.
nautico ['nautiko] (**-ci** m. pl.) agg. nautique.
navale [na'vale] agg. naval.
navata [na'vata] f. ARCHIT. nef.
nave ['nave] f. navire m., bateau m. | *nave da carico,* cargo m. | *nave da diporto,* bateau de plaisance. | *nave cisterna,* navire-citerne ; pétrolier m. | *nave passeggeri,* paquebot m. | *nave traghetto,* ferry-boat m.
navetta [na'vetta] f. TECN. navette.
navicella [navi'tʃɛlla] f. nacelle. || REL. navette.
navigabile [navi'gabile] agg. navigable.
navigante [navi'gante] agg. AV., MAR. navigant.
navigare [navi'gare] v. intr. MAR. naviguer. || LOC. *navigare in brutte acque,* être dans une mauvaise passe. ◆ v. tr. parcourir, traverser.
navigato [navi'gato] agg. traversé, parcouru par des navires. || FIG. [esperto] expérimenté, chevronné.
navigazione [navigat'tsjone] f. navigation. || [l'insieme dei natanti] batellerie.
naviglio [na'viʎʎo] m. MAR. flotte f. || [canale] canal navigable.
nazionale [nattsjo'nale] agg. national. ◆ f. SP. *la nazionale di calcio,* l'équipe nationale de football.
nazionalismo [nattsjona'lizmo] m. nationalisme.
nazionalizzare [nattsjonalid'dzare] v. tr. nationaliser.
nazione [nat'tsjone] f. nation.
nazismo [nat'tsizmo] m. nazisme.
ne [ne] avv. [di moto da luogo] en. | *« È andato al cinema ?» « Si, ne torna ora »,* « Est-il allé au cinéma ? » « Oui, il en revient. » ◆ pron. pers. [con rapporto di modo, di causa, di argomento, di conseguenza] en. | *non me ne ricordo molto bene,* je ne m'en souviens pas très bien. | *non parlarne a tutti,* n'en parle pas à tout le monde. || [riferito a persona] de lui, d'elle, d'eux, d'elles ; [più raramente] en. | *non li conosco, non ne ho mai udito parlare,* je ne les connais pas, je n'ai jamais entendu parler d'eux. || [con valore di poss. riferito a cosa] en ; [riferito a persona] son, sa, ses, leur, leurs. | *i ladri sono fuggiti e la polizia ne ha perso le tracce,* les voleurs se sont échappés et la police a perdu leur trace. || [partitivo riferito a persone e a cose] en. | *« Hai figli ?» « No, non ne ho »,* « As-tu des enfants ? » « Non, je n'en ai pas. » | *« Se chiedono denaro, non dargliene »,* « S'ils demandent de l'argent, ne leur en donne pas. » || LOC. *aversene a male,* se fâcher.
né [ne] cong. [e neppure, e neanche] ni. || [ripetuto] ni ... ni ... | *né oggi né domani,* ni aujourd'hui ni demain.
neanche [ne'anke] cong. ni ; ni même ; non plus. | *voi non desiderate partire e neanche io,* vous ne désirez pas partir et moi non plus. ◆ avv. même. | *non mi ha neanche visto,* il ne m'a même pas vu. || LOC. *neanche per idea, neanche per sogno,* jamais de la vie, pas le moins du monde. | *neanche uno,* pas un, pas un seul.
nebbia ['nebbja] f. brouillard m. ; [leggera] brume. || MAR. brume. || FIG. brume, brouillard.
nebbioso [neb'bjoso] agg. brumeux, embrumé.
nebulizzare [nebulid'dzare] v. tr. atomiser, pulvériser, vaporiser.
nebuloso [nebu'loso] agg. PR. e FIG. nébuleux, brumeux.
necessariamente [netʃessarja'mente] avv. absolument, forcément, nécessairement.
necessario [netʃes'sarjo] agg. nécessaire, indispensable. | *mi è necessario saperlo,* il faut que je le sache. | *sa rendersi necessario,* il sait se rendre indispensable. ◆ m. nécessaire. | *fare il necessario,* faire le nécessaire.
necessità [netʃessi'ta] f. nécessité. || [bisogno] besoin m., nécessité. | *ha necessità di essere consigliato,* il a besoin qu'on le conseille. || [povertà] *vivere nella necessità,* vivre dans l'indigence.
necessitare [netʃessi'tare] v. tr. nécessiter, rendre nécessaire, exiger. | *questa casa necessita costose riparazioni,* cette maison exige des réparations coûteuses. ◆ v. intr. [abbisognare] avoir besoin. || [essere necessario] être nécessaire, falloir. | *necessita che io lo faccia,* il faut que je le fasse.
necrologio [nekro'lɔdʒo] m. nécrologe. || [elogio funebre] éloge funèbre.
necropoli [ne'krɔpoli] f. nécropole.
necroscopia [nekrosko'pia] f. MED. autopsie.
necrosi [ne'krɔzi] f. nécrose.
necrotizzare [nekrotid'dzare] v. tr. nécroser. ◆ v. rifl. se nécroser.
nefando [ne'fando] agg. infâme.
nefasto [ne'fasto] agg. néfaste, funeste.
nefrite [ne'frite] f. MED., MINER. néphrite.

nefritico [ne'fritiko] (**-ci** m. pl.) agg. e n. MED. néphrétique.

negare [ne'gare] v. tr. nier. || [rifiutare] refuser, dénier. | *negare il proprio consenso,* refuser son consentement. || [impedire] *negare l'accesso,* interdire l'entrée. ◆ v. rifl. se défendre, s'interdire, se refuser. | *si nega ogni piacere,* il se défend tout plaisir.

negativa [nega'tiva] f. négative. || FOT. négatif m., cliché m.

negativo [nega'tivo] agg. négatif. | *critica negativa,* critique défavorable.

negato [ne'gato] agg. nul, pas doué pour.

negazione [negat'tsjone] f. négation. || PSIC. dénégation.

neghittoso [negit'toso] agg. paresseux, indolent, fainéant.

negletto [ne'glɛtto] agg. négligé. || [disprezzato] méprisé, dédaigné.

negligente [negli'dʒente] agg. négligent. || PER EST. négligé.

negligenza [negli'dʒɛntsa] f. négligence.

negoziante [negot'tsjante] m. commerçant, marchand ; négociant.

negoziare [negot'tsjare] v. tr. COMM. négocier. | *negoziare un affare,* traiter une affaire. || PER EST. négocier, traiter, discuter. | *negoziare una resa,* négocier une capitulation. ◆ v. intr. négocier, commercer.

negoziato [negot'tsjato] m. négociation f.

negozio [ne'gɔttsjo] m. magasin, boutique f., commerce. || [affare] affaire f. || GIUR. acte juridique.

negra ['negra] f. Noire ; négresse (pegg.).

negriere [ne'grjɛre] m. négrier.

negro ['negro] agg. noir, nègre (arc. o pegg.). || ARTI *arte negra,* art nègre. ◆ n. Noir, nègre (arc. o pegg.).

negromante [negro'mante] n. nécromancien, enne, magicien, enne.

neh [nɛ] interiez. FAM. hein ?, n'est-ce pas ?

nembo ['nembo] m. nuage, nuée f. || METEOR. nimbus.

nemico [ne'miko] (**-ci** m. pl.) agg. ennemi, hostile, contraire. | *natura nemica,* nature hostile. | *un destino nemico,* un destin contraire. || [relativo a belligeranti] ennemi. || [nocivo] nuisible. | *clima nemico,* climat nuisible. ◆ n. [avversario] ennemi, adversaire. ◆ m. [belligeranti] ennemi.

nemmeno [nem'meno] avv. e cong. = NEANCHE.

nenia ['nɛnja] f. nénies pl. || [canto lento] cantilène, complainte. || FIG., FAM. scie.

neo ['nɛo] m. grain de beauté. || [disegnato] mouche f. || FIG. imperfection f., défaut, hic (fam.).

neofita [ne'ɔfita] o **neofito** [ne'ɔfito] (**-i** pl. m.) n. néophyte.

neolitico [neo'litiko] (**-ci** m. pl.) agg. e m. GEOL. néolithique.

neonato [neo'nato] (**-a** f.) agg. e n. nouveau-né, nouveau-née f.

nepotismo [nepo'tizmo] m. népotisme.

neppure [nep'pure] avv. e cong. = NEANCHE.

nerastro [ne'rastro] agg. noirâtre.

nerbo ['nɛrbo] m. nerf de bœuf. || FIG. nerf, vigueur f. || LOC. *il nerbo della guerra è il denaro,* l'argent est le nerf de la guerre.

nerboruto [nerbo'ruto] agg. musclé, vigoureux, costaud (fam.).

nereggiare [nered'dʒare] v. intr. noircir ; s'assombrir v. rifl.

neretto [ne'retto] m. TIP. (caractère) gras.

nero ['nero] agg. noir. | *un caffè nero,* un café noir. || [di razza] noir. | *il continente nero,* le continent noir. || [di qualità] *pane nero,* pain noir. || [buio] *una notte nera,* une nuit noire. || FIG. *è la pecora nera della famiglia,* c'est la brebis galeuse de la famille. || [triste] *essere nero,* être d'une humeur noire. || [colpevole] *ingratitudine nera,* noire ingratitude. || LOC. *mercato nero,* marché noir. | *pozzo nero,* fosse d'aisance. | *vino nero,* vin rouge. ◆ m. [colore] noir. ◆ n. V. NEGRA, NEGRO.

nervatura [nerva'tura] f. nerfs m. pl. || BOT., MODA, ZOOL. nervure.

nervo ['nɛrvo] m. nerf. || LOC. *avere i nervi,* avoir ses nerfs, être à cran (fam.). | *avere i nervi saldi,* ne pas se laisser démonter. || FAM. [muscolo, tendine] nerf. | *stirarsi un nervo,* se fouler, se froisser un nerf. || BOT. nervure f.

nervosità [nervosi'ta] f. nervosité, excitation.

nervoso [ner'voso] agg. PR. e FIG. nerveux. ◆ m. FAM. nerfs pl. | *mi fa venire il nervoso,* il me tape sur les nerfs.

nespola ['nɛspola] f. BOT. nèfle. || FIG., FAM. [botte] coup m.

nesso ['nɛsso] m. lien, rapport. | *non c'è nesso logico,* il n'y a aucun rapport logique.

nessuno [nes'suno] agg. indef. [con valore negativo] aucun, nul, nulle ; pas un, une. | *non c'è più nessun interesse,* il n'y a plus aucun intérêt. | *nessun dubbio che,* nul doute que. | *non ne ho nessun bisogno,* je n'en ai nul besoin. || [con valore positivo in frasi interrogative] quelque. ◆ pron. indef. [con valore negativo assol. riferito a pers.] personne ; [lett. solo sogg.] nul ; [riferito a compl. partitivo] aucun ; [con valore negativo rafforzato] pas un. | *non lo sa nessuno, nessuno lo sa,* personne ne le sait. | *non ci sono per nessuno,* je n'y suis pour personne. | *non conosco nessuno dei vostri amici,* je ne connais aucun de vos amis. || [con valore positivo in frasi interrogative] quelqu'un ; personne ; aucun. | *« Hai visto nessuno ? »,* « As-tu vu quelqu'un ? » | *dubito che nessuno voglia farlo,* je doute que personne veuille le faire. || [con valore di sostant.] *non è nessuno,* c'est un zéro.

nettamente [netta'mente] avv. nettement ; décidément.

1. nettare ['nettare] m. BOT. e FIG. nectar.

2. nettare [net'tare] v. tr. nettoyer, récurer. || [verdura] éplucher.

nettezza [net'tettsa] f. propreté. || [nitidezza] netteté. || [servizio publico] *nettezza urbana,* service de la voirie.

netto ['netto] agg. PR. e FIG. net, propre. || PER EST. *un taglio netto,* une coupure nette. || COMM., FIN. net. | *peso netto,* poids net. ◆ avv. net.

netturbino [nettur'bino] m. éboueur, balayeur, boueux (fam.).

neurastenia [neuraste'nia] f. MED. neurasthénie.

neurite [neu'rite] f. névrite.

neurolettico [neuro'lɛttiko] agg. et m. neuroleptique.

neurologia [neurolo'dʒia] f. neurologie.

neurologo [neu'rɔlogo] m. neurologue, neurologiste.

neuropatico [neuro'patiko] (**-ci** m. pl.) agg. névropathique, névropathe. ◆ n. névropathe.

neurosi [neu'rɔzi] f. = NEVROSI.

neutrale [neu'trale] agg. neutre. | *essere neutrale ; mantenersi, restare neutrale,* être neutre ; rester neutre. ◆ m. POL. neutre.

neutralizzare [neutralid'dzare] v. tr. neutraliser.

neutro ['nɛutro] agg. e m. neutre.

nevaio [ne'vajo] m. névé.

neve ['neve] f. neige. || CULIN. *uova montate a neve,* œufs battus en neige.

nevicare [nevi'kare] v. intr. impers. neiger.

nevicata [nevi'kata] f. chute de neige.

nevischio [ne'viskjo] m. neige fondue, grésil.

nevoso [ne'voso] agg. neigeux ; enneigé.

nevralgia [nevral'dʒia] f. névralgie.

nevralgico [ne'vraldʒiko] (**-ci** m. pl.) agg. névralgique.

nevrastenia [nevraste'nia] f. MED. neurasthénie.

nevrite [ne'vrite] f. = NEURITE.

nevrosi [ne'vrɔzi] f. névrose.

nevrotico [ne'vrɔtiko] (**-ci** m. pl.) agg. névrotique ; névrosé. ◆ n. névrosé.

nicchia ['nikkja] f. niche.

nicchiare [nik'kjare] v. intr. hésiter, être indécis.

nichel ['nikel] m. nickel.

nichelino [nike'lino] m. sou.

nichilismo [niki'lizmo] m. FILOS., POL. nihilisme.

nicotina [niko'tina] f. nicotine.

nidiata [ni'djata] f. nichée, couvée.

nidificare [nidifi'kare] v. intr. nicher, nidifier. || [di rapaci] airer.

nido ['nido] m. PR. e FIG. nid. || [nidiata] nichée f.

niente ['njɛnte] pron. indef. [con valore negativo] rien. | *non ho capito niente,* je n'ai rien compris. || [con valore positivo] rien. | *c'è niente di più facile ?,* n'y a-t-il rien de plus facile ? || [poca cosa] rien ; peu de chose. | *comperare per niente,* acheter pour rien. || LOC. *come se niente fosse,* comme si de rien n'était. ◆ agg. inv. *oggi, niente giornali,* aujourd'hui, pas de journaux. | *niente paura,* n'aie pas peur, n'ayez pas peur. ◆ m. rien. | *per un niente, fa delle storie,* il fait des histoires pour des riens. || FILOS. néant. ◆ avv. rien (du tout) ; pas du tout. | *non c'entro per niente,* je n'y suis pour rien. ◆ loc. avv. *nient'affatto,* pas du tout, nullement, aucunement, absolument pas.

nientedimeno [njentedi'meno] o **nientemeno** [njente'meno] avv. rien moins que. || IRON. rien que ça !

ninfa ['ninfa] f. nymphe.

ninfea [nin'fɛa] f. nymphéa m., nénuphar m.

ninnananna [ninna'nanna] f. berceuse.

ninnolo ['ninnolo] m. bibelot, colifichet. || [giocattolo] jouet, joujou (fam.).

nipote [ni'pote] m. [di nonni] petit-fils ; pl. [maschi e femmine] petits-enfants. || [di zii] neveu ; pl. [maschi e femmine] neveux et nièces. ◆ m. pl. FIG. [posteri] fils, descendants. ◆ f. [di nonni] petite-fille. || [di zii] nièce.

nitidezza [niti'dettsa] f. [pulizia] netteté, propreté. || FIG. netteté, clarté.

nitido ['nitido] agg. net, propre ; limpide. || PER EST. net, clair. || FIG. net, pur.

nitrire [ni'trire] v. intr. hennir.

1. nitrito [ni'trito] m. hennissement.

2. nitrito m. nitrite.

no [nɔ] avv. [risposta negativa] non ; pas ; non pas. | *« Hai finito ? » « No »,* « As-tu fini ? » « Non. » | *ma no,* mais non. | *perché no ?,* pourquoi pas ? || [come rafforzativo] non, pas. | *tutti si sono alzati, lui no,* tout le monde s'est levé, lui non, lui pas, pas lui. || [con significato di « nevvero »] n'est-ce pas ; non (fam.). | *è meraviglioso, no ?,* c'est merveilleux, n'est-ce pas ? ‖ [compl. di v.] non. | *dire no a tutto,* dire non à tout. | *sembra di no,* il semble que non. ‖ Loc. *un giorno sì e un giorno no,* tous les deux jours, un jour sur deux. | *abbiamo aspettato sì e no dieci minuti,* nous avons attendu dix minutes environ. ◆ m. inv. non. | *un no chiaro e tondo,* un non catégorique. ‖ [voto] non. | *abbiamo contato dieci no,* nous avons compté dix voix contre.

nobildonna [nobil'dɔnna] f. dame noble.

nobile ['nɔbile] agg. e m. noble.

nobiliare [nobi'ljare] agg. nobiliaire.

nobilitare [nobili'tare] v. tr. anoblir. ‖ Fig. ennoblir. ◆ v. rifl. s'ennoblir, s'élever.

nobiltà [nobil'ta] f. noblesse.

nobiluomo [nobi'lwɔmo] m. noble, gentilhomme.

nocca ['nɔkka] (**-che** pl.) f. Anat. jointure, articulation, nœud m. ‖ [di cavallo] boulet m.

nocchio ['nɔkkjo] m. [di alberi] broussin, nœud, nodosité f. ; [di frutti] pierre f.

nocciola [not'tʃɔla] f. Bot. noisette. ◆ agg. inv. [colore] noisette.

nocciolato [nottʃo'lato] m. chocolat aux noisettes.

nocciolina (americana) [nottʃo'linaameri'kana] f. cacah(o)uète.

1. nocciolo ['nɔttʃolo] m. noyau. ‖ Fig. nœud, cœur. | *il nocciolo della questione,* le cœur de la question.

2. nocciolo [not'tʃɔlo] m. noisetier, coudrier.

1. noce ['notʃe] m. [albero e legno] noyer.

2. noce f. Bot. [frutto] noix. ‖ Anat. *noce del piede,* malléole. ‖ Culin. *noce di burro,* noix de beurre. | *noce di vitello,* noix de veau.

nocivo [no'tʃivo] agg. nuisible, malfaisant, nocif.

nodo ['nɔdo] m. nœud. | *nodo semplice, doppio, scorsoio,* nœud simple, double, coulant. ‖ Fig. nœud, lien. | *i nodi dell'amicizia,* les liens de l'amitié. ‖ [punto cruciale] nœud. ‖ [groppo] *avere un nodo in gola,* avoir la gorge serrée. ‖ Anat. nœud, articulation f.

nodoso [no'doso] agg. noueux.

noi ['noi] pron. pers. m. e f. 1ª pers. pl. sogg. nous. | *«Chi è?» «Siamo noi»,* «Qui est-ce ?» «C'est nous.» | *«Chi viene ?» «Noi»,* «Qui vient ?» «Nous.» | *(in quanto a) noi, partiremo domani,* quant à nous, pour notre part, nous partirons demain. | *l'abbiamo fatto noi,* c'est nous qui l'avons fait. | *noi altri quattro,* nous quatre. ‖ [compl. ogg.] nous. | *hanno fermato proprio noi,* c'est nous qui avons été arrêtés. ‖ [preceduto da prep.] nous. | *credi a noi,* crois-nous. | *dalla a noi !,* donne-la-nous ! ‖ *da noi* [nella nostra famiglia, a casa nostra, nel nostro paese], chez nous. ‖ *tra noi,* entre nous. ‖ [con valore impers.] nous, on. | *quando noi vediamo che,* quand on voit que. ‖ [pl. di modestia o di maestà] nous. ‖ Loc. *tocca a noi,* c'est à nous.

noia ['nɔja] f. ennui m., dégoût m., lassitude. | *tutto m'è venuto a noia,* je n'ai plus goût à rien. ‖ Per Est. ennui m., souci m., contrariété, difficulté. | *noie finanziarie,* difficultés financières, ennuis d'argent. | *dar noia,* incommoder, déranger, gêner.

noialtri [no'jaltri], **noialtre** [no'jaltre] pron. pers. m. e f. 1ª pers. pl. nous autres.

noioso [no'joso] agg. ennuyeux, assommant. ‖ Per Est. importun.

noleggiare [noled'dʒare] v. tr. [dare a nolo] louer. | Comm., Tr. fréter. ‖ [prendere a nolo] louer. | Comm., Tr. affréter, noliser.

noleggio [no'leddʒo] m. location f. | *macchina da noleggio,* voiture de louage. ‖ Comm., Tr. affrètement.

nolente [no'lɛnte] agg. Lett. *volente o nolente,* bon gré mal gré, de gré ou de force (L.C.).

nolo ['nɔlo] m. location f. ‖ Comm., Tr. affrètement ; [prezzo del trasporto] fret.

nomade ['nɔmade] agg. e n. nomade.

nome ['nome] m. [cognome] nom ; [prenome] prénom. | *dare nome e cognome,* décliner ses nom et prénom. | *dare un nome a un nuovo prodotto,* nommer un nouveau produit. | *un delitto senza nome,* un crime sans nom. ‖ [fama] nom, renom, renommée f., réputation f. | *farsi un nome,* se faire un nom. ‖ Comm. nom. | *nome depositato,* nom déposé. ‖ Gr. nom. ‖ Loc. *in nome della legge,* au nom de la loi.

nomignolo [no'miɲɲolo] m. sobriquet, surnom.

nomina ['nɔmina] f. nomination.

nominale [nomi'nale] agg. nominal.

nominare [nomi'nare] v. tr. [eleggere] nommer. ‖ [ricordare] *ti nominiamo spesso,* on parle souvent de toi.

nominativo [nomina'tivo] agg. nominatif. ◆ m. [nome] nom. | *elenco dei nominativi,* liste des noms. ‖ Gr. nominatif. ‖ Mar., Tel. indicatif.

non [non] avv. [con un v.] ne ... pas ; ne pas. ‖ [tempo semplice] *non ho tempo,* je n'ai pas le temps. | *non parlare !,* ne parle pas ! ‖ [tempo composto] *non ha risposto,* il n'a pas répondu. ‖ [infin.] *preferisco non dirtelo,* je préfère ne pas te le dire. ‖ [con i verbi seguiti da infin.] ne ... (pas). | *non smette di parlare,* il ne cesse (pas) de parler. || [con altra negazione ; in frasi interrogative ; in espressioni particolari] ne. | *non ne voglio più,* je n'en veux plus. | *non l'ha capito proprio nessuno,* nul ne l'a compris. | *non è per niente soddisfatto del suo mestiere,* il n'est nullement satisfait de son métier. | *se non sbaglio,* si je ne me trompe. || [in costrutti comparativi] ne. | *il tempo è migliore di quanto non fosse ieri,* le temps est meilleur qu'il ne l'était hier. || [con valore pleonastico] ne. | *per poco non è scivolato,* peu s'en est fallu qu'il (ne) glisse. | *non appena mi vede, mi saluta,* dès qu'il me voit, il me salue. || [con idea di opposizione] non ; pas ; non pas. | *l'ho preso per lei e non per te,* je l'ai pris pour elle et pas pour toi. | *non oggi, ma domani,* non pas aujourd'hui, mais demain. || [davanti a n., agg., part., avv.] pas ; non. | *non un rumore,* pas un bruit. | *delle pesche non mature,* des pêches pas mûres. | *i paesi non impegnati,* les pays non engagés. | *non più di dieci,* pas plus de dix. ◆ pref. non, non-. | *il non intervento,* la non-intervention. ◆ loc. cong. *non che,* non pas que.

nona ['nɔna] f. REL. none.

nonché [non'ke] o **non che** [nonke] cong. [inoltre] et même ; non seulement ..., mais aussi, mais encore. | *ha lavorato il giorno nonché la notte,* il a travaillé non seulement le jour, mais aussi la nuit. || [e neppure] ni (même).

noncurante [nonku'rante] agg. indifférent, négligent. || [sprezzante] dédaigneux.

nondimeno [nondi'meno] cong. néanmoins, toutefois, cependant.

none ['nɔne] f. pl. [calendario romano] nones.

nonna ['nɔnna] f. grand-mère ; mémé (fam.). || FAM. [vecchietta] grand-mère.

nonno ['nɔnno] m. grand-père ; pépé (fam.). || FAM. [vecchietto] grand-père.

nonnulla [non'nulla] m. rien.

nono ['nɔno] agg. num. ord. neuvième. || [papi e sovrani ; atto ; libro] neuf. ◆ n. neuvième.

nonostante [nonos'tante] prep. malgré, en dépit de. | *nonostante tutto,* malgré tout. ◆ cong. [sebbene] bien que, quoique. ◆ loc. cong. *ciò nonostante* [tuttavia], néanmoins, cependant ; malgré tout.

nonsenso [non'sɛnso] m. inv. nonsens.

nord [nɔrd] m. nord, septentrion (lett.). ◆ agg. inv. nord.

nordico ['nɔrdiko] (**-ci** m. pl.) agg. nordique, du Nord. ◆ n. Nordique.

norma ['nɔrma] f. norme, règle ; normale. | *stabilire, fissare, imporre una norma,* établir, fixer, imposer une règle. | *fenomeno che sfugge alla norma,* phénomène qui échappe à la règle. | *è buona norma ...,* il est bon de ... | *intelligenza sopra la norma,* intelligence au-dessus de la normale. || [istruzione] *norme per l'uso,* mode (m.) d'emploi. || LOC. *di norma,* en principe. || GIUR. *a norma di legge,* aux termes de la loi.

normale [nor'male] agg. normal. ◆ m. normale f. | *inferiore, superiore al normale,* au-dessous, au-dessus de la normale. ◆ f. normale.

normalizzare [normalid'dzare] v. tr. normaliser.

nossignore [nossiɲ'ɲore] loc. avv. non, monsieur.

nostalgia [nostal'dʒia] f. nostalgie.

nostrano [nos'trano] agg. du pays. | *vino nostrano,* vin du pays.

nostro ['nɔstro] agg. poss. m. e f. sing. notre (m. e f. pl. nos). | *il nostro amico, l'amico nostro,* notre ami. | *un nostro cugino,* un de nos cousins, un cousin à nous. | *andiamo a casa nostra,* allons à la maison, allons chez nous. || [indicante il possesso] à nous. | *questo giardino è nostro,* ce jardin est à nous, c'est notre jardin. || [in espressioni ellittiche] *sono, stanno dalla nostra,* ils sont avec nous, ils prennent parti pour nous. ◆ pron. poss. m. sing. le nôtre (f. sing. la nôtre ; m. e f. pl. les nôtres). ◆ m. [denaro ; sforzo] le nôtre. | *per riuscire ci abbiamo messo del nostro,* pour réussir nous y avons mis du nôtre. || *il Nostro* [l'autore di cui si parla], notre auteur. ◆ pl. [familiari, parenti] les nôtres. | *è dei nostri,* il est des nôtres.

nostromo [nos'trɔmo] m. MAR. quartier-maître.

nota ['nɔta] f. note, annotation, notation. | *note critiche,* notes critiques. || [giudizio] note. | *nota di condotta,* note de conduite. || [conto] note. | *nota spese,* note de frais. || [elenco] *la nota dei libri,* la liste des livres. || [nota diplomatica] note. || FIG. [tono] note. || MUS. note.

notabile [no'tabile] agg. notable. ◆ m. notable, notabilité f.

notaio [no'tajo] m. notaire.

notare [no'tare] v. tr. remarquer, noter. | *bisogna notare, è da notare, giova notare che,* il faut noter, il est à noter que. | *farsi notare,* se faire remarquer. || [prendere nota] noter.

notarile [nota'rile] agg. notarial, de notaire. || [fatto da un notaio] notarié.

notazione [notat'tsjone] f. CHIM., MAT., MUS. notation. || [di un libro]

pagination. || [osservazione] observation.
notes ['nɔtes] m. (fr.) bloc-notes, carnet de notes, calepin.
notevole [no'tevole] agg. considérable, remarquable, notable.
notifica [no'tifika] f. avis m. || GIUR. notification, exploit m.
notificare [notifi'kare] v. tr. notifier. || PER EST. déclarer.
notizia [no'tittsja] f. nouvelle. | *buona, cattiva notizia,* bonne, mauvaise nouvelle. | *ultime notizie,* dernières nouvelles. || [nota] notice. | *notizia biografica,* notice biographique.
notiziario [notit'tsjarjo] m. GIORN. faits (pl.) divers, nouvelles (f. pl.) du jour ; bulletin, chronique f. | *notiziario politico,* chronique politique. || TV *notiziario televisivo,* journal télévisé.
noto ['nɔto] agg. connu. || [notorio] notoire. ◆ m. connu.
notorio [no'tɔrjo] agg. notoire.
nottambulo [not'tambulo] agg. e n. noctambule.
nottata [not'tata] f. nuit. | *far nottata bianca,* passer une nuit blanche. || [in un albergo] nuitée.
notte ['nɔtte] f. nuit. | *notte buia,* nuit noire. | *brutta notte,* mauvaise nuit. | *lunedì notte,* nuit de lundi. || FIG. *la notte dei tempi,* la nuit des temps. ◆ loc. avv. *di notte,* (pendant) la nuit, de nuit. | *per notti e notti,* durant des nuits entières.
notturno [not'turno] agg. nocturne. | *ore notturne,* heures de la nuit. ◆ m. MUS., REL. nocturne.
notula ['nɔtula] f. note (d'honoraires).
novanta [no'vanta] agg. num. card. e m. quatre-vingt-dix.
novantenne [novan'tɛnne] agg. (âgé) de quatre-vingt-dix ans, nonagénaire. ◆ n. nonagénaire.
novantesimo [novan'tɛzimo] agg. num. ord. e n. quatre-vingt-dixième.
novantina [novan'tina] f. quatre-vingt-dix environ.
nove ['nɔve] agg. num. card. e m. neuf.
novecento [nove'tʃɛnto] agg. num. card. neuf cents. ◆ m. *il Novecento,* le XXe siècle.
novella [no'vɛlla] f. [notizia] nouvelle. || LETT. conte m., nouvelle.
novelliere [novel'ljɛre] m. nouvelliste, conteur.
novellino [novel'lino] agg. e m. novice.
novello [no'vɛllo] agg. nouveau. | *sposi novelli,* jeunes mariés. ◆ m. BOT. [pollone] bourgeon.
novembre [no'vɛmbre] m. novembre.
novennale [noven'nale] agg. de neuf ans. || [ricorrente ogni nove anni] qui a lieu tous les neuf ans.
noverare [nove'rare] v. tr. énumérer ; mettre au nombre de. || LETT. [ricordare] rappeler, évoquer.
novilunio [novi'lunjo] m. nouvelle lune f.
novità [novi'ta] f. nouveauté. || [notizia] nouvelle, nouveau m. | *nessuna novità,* rien de nouveau.
noviziato [novit'tsjato] m. REL. noviciat. || PER EST. apprentissage.
nozione [not'tsjone] f. notion.
nozze ['nɔttse] f. pl. noces, mariage m. sing.
nube ['nube] f. nuage m. || PER ANAL. *nube di polvere,* nuage de poussière. || PER EST. *nube di insetti,* nuée d'insectes. || FIG. *felicità senza nubi,* bonheur sans nuages.
nubifragio [nubi'fradʒo] m. orage très violent et soudain ; ouragan.
nubile ['nubile] agg. e f. célibataire.
nuca ['nuka] f. nuque.
nucleare [nukle'are] agg. BIOL., FIS. nucléaire.
nucleo ['nukleo] m. groupe, noyau. || BIOL. nucléus, nucleus inv. || FIS. *nucleo atomico,* noyau atomique.
nudo ['nudo] agg. nu. | *parete nuda,* mur nu. | *a occhio nudo,* à l'œil nu. ◆ m. ARTI nu, nudité f.
nulla ['nulla] pr. indef. m. e avv. V. NIENTE.
nullaosta [nulla'ɔsta] m. inv. permis, autorisation f.
nullatenente [nullate'nɛnte] agg. e n. qui ne possède rien, économiquement faible.
nullità [nulli'ta] f. nullité.
nullo ['nullo] agg. nul.
nume ['nume] m. dieu, divinité f.
numerale [nume'rale] agg. e m. numéral.
numerare [nume'rare] v. tr. numéroter. || [le pagine] folioter, paginer.
numerario [nume'rarjo] (**-ri** pl.) agg. e m. COMM. numéraire. | *valore numerario,* valeur numéraire.
numerazione [numerat'tsjone] f. numérotage m., numérotation.
numero ['numero] m. MAT. nombre. | *numero cardinale, ordinale,* nombre cardinal, ordinal. || [insieme di persone, di cose] nombre. | *numero di alunni di una scuola,* nombre d'élèves d'une école. || [quantità] nombre. | *sei venuto per far numero,* tu es venu pour faire nombre. || [contrassegno] numéro. | *numero civico,* numéro d'une maison. | *numero di telefono,* numéro de téléphone. || [di taglia] pointure f. ; taille f. | *« Che numero di scarpe porta ? »* « Quelle pointure chaussez-vous ? » || [lotteria] numéro. || [di spettacolo] numéro. | *presentare un numero,* présenter un numéro. || [di giornale]

numéro. ‖ GR. nombre. ◆ pl. [qualità] *avere dei buoni numeri,* avoir de bonnes qualités, du talent.
numeroso [nume'roso] agg. nombreux.
numismatica [numiz'matika] f. numismatique.
nunzio ['nuntsjo] m. REL. nonce. ‖ LETT. messager (L.C.).
nuocere ['nwɔtʃere] v. intr. nuire. | *nuocere al buon nome,* nuire, porter préjudice à la réputation. ‖ PROV. *non tutto il male vien per nuocere,* à quelque chose malheur est bon. | *tentar non nuoce,* qui ne risque rien n'a rien.
nuora ['nwɔra] f. belle-fille, bru.
nuotare [nwo'tare] v. intr. [in tutti i significati] nager. | *nuotare nell'abbondanza, nella ricchezza,* nager dans l'abondance, dans la richesse. ◆ v. tr. nager.
nuoto ['nwɔto] m. nage f. ‖ SP. natation f. | *maestro di nuoto,* maître nageur.
nuova ['nwɔva] f. [notizia] nouvelle.
nuovo ['nwɔvo] agg. [contrapposto a «vecchio»] nouveau; [davanti a voc. o h muta] nouvel. ‖ [recente o prossimo] *nuovi ricchi,* nouveaux riches. ‖ [che appare dopo un altro] *nuovo governo,* nouveau gouvernement. | *Nuovo Testamento,* Nouveau Testament. ‖ [originale] *arte nuova,* art nouveau. | *per me è una cosa nuova,* c'est pour moi une chose nouvelle. ‖ [ancora uno] *fare un nuovo tentativo,* faire une nouvelle tentative, une autre tentative. ‖ [contrapposto a «usato»] neuf. | *libri nuovi,* livres neufs. ‖ FAM. *nuovo di zecca,* flambant neuf. ‖ [contrapposto a «antico»] neuf. | *la città nuova,* la ville nouvelle, moderne. ‖ FIG. [inesperto] neuf, nouveau. | *nuovo del mestiere,* neuf dans le métier. ◆ m. neuf, nouveau. | *ecco qualche cosa di nuovo,* voilà du nouveau. ◆ loc. avv. *di nuovo,* de nouveau, à nouveau.
nutrice [nu'tritʃe] f. nourrice.
nutriente [nutri'ɛnte] agg. nourrissant.
nutrimento [nutri'mento] m. PR. e FIG. nourriture f.
nutrire [nu'trire] v. tr. nourrir, alimenter. ◆ v. intr. nourrir. ◆ v. rifl. PR. e FIG. se nourrir.
nutrito [nu'trito] agg. PR. e FIG. nourri.
nuvola ['nuvola] f. nuage m., nuée (lett.). ‖ LOC. *cadere dalle nuvole,* tomber des nues.
nuvolo ['nuvolo] agg. nuageux. ◆ m. temps nuageux.
nuvolosità [nuvolosi'ta] f. état nuageux. ‖ METEOR. nébulosité.
nuziale [nut'tsjale] agg. nuptial.

O

1. o [o] m. o f. o m.
2. o cong. ou. | *presto o tardi, arriveranno,* tôt ou tard, ils arriveront. | *o lui o me, dovete scegliere!,* ou bien c'est lui ou bien c'est moi, vous devez choisir! ‖ [altrimenti] ou (bien), autrement, sans quoi, sinon. | *accettate, o me ne vado,* acceptez ou je m'en vais. ‖ [quando unisce due proposizioni] ni. | *non vuole o non può rifiutare,* il ne veut ni ne peut refuser.
3. o interiez. ô. | *o Signore!,* ô Seigneur!
oasi ['ɔazi] f. PR. e FIG. oasis.
obbedienza [obbe'djɛntsa] f. REL. obédience. ‖ GIUR. obéissance. | *rifiuto d'obbedienza,* refus d'obéissance.
obbedire [obbe'dire] v. intr. = UBBIDIRE.
obbiettare [obbjet'tare] v. tr. V. OBIETTARE e deriv.
obbligare [obbli'gare] v. tr. obliger. ‖ [costringere] obliger, contraindre, forcer. | *lo hanno obbligato a dimettersi,* on l'a obligé à démissionner. ‖ [rendere grato] obliger. ◆ v. rifl. s'engager.
obbligato [obbli'gato] agg. [in tutti i significati] obligé.
obbligazione [obbligat'tsjone] f. engagement m. ‖ FIN., GIUR. obligation.
obbligo ['ɔbbligo] (**-ghi** pl.) m. obligation f. | *questo non comporta nessun obbligo,* cela n'engage à rien. | *la scuola dell'obbligo,* l'instruction obligatoire. ‖ LOC. *come è d'obbligo,* comme il se doit.
obbrobrio [ob'brɔbrjo] (**-ri** pl.) m. opprobre (lett.), honte f., ignominie f.
obelisco [obe'lisko] (**-chi** pl.) m. obélisque.
oberato [obe'rato] agg. accablé, écrasé. ‖ [indebitato] obéré, chargé de dettes.
obeso [o'bɛzo] agg. e m. obèse.
obice ['ɔbitʃe] m. MIL. obusier. ‖ PER EST. obus.
obiettare [objet'tare] v. tr. objecter.
obiettivo [objet'tivo] agg. objectif. ◆ m. FOT., MIL., OTT. e FIG. objectif.
obiezione [objet'tsjone] f. objection. | *obiezione di coscienza,* objection de conscience.
obitorio [obi'tɔrjo] (**-ri** pl.) m. morgue f.
oblazione [oblat'tsjone] f. REL. oblation. ‖ GIUR. paiement (m.) d'une amende.
obliare [obli'are] v. tr. LETT. oublier (L.C.).

obliquamente [oblikwa'mente] avv. obliquement. || [di traverso] de biais. || FIG. de façon ambiguë.

obliquo [o'blikwo] agg. oblique. || FIG. indirect, ambigu, tortueux.

oblò [o'blɔ] m. MAR. hublot.

oblungo [ob'lungo] (**-ghi** m. pl.) agg. oblong, allongé.

oboe ['ɔboe] m. hautbois. || [suonatore] hautbois, hautboïste.

obolo ['ɔbolo] m. obole f.

obsoleto [obso'lɛto] agg. obsolète, désuet, périmé.

oca ['ɔka] f. PR. e FIG. oie. || LOC. *avere la pelle d'oca,* avoir la chair de poule.

occasionale [okkazjo'nale] agg. occasionnel.

occasionalmente [okkazjonal'mente] avv. occasionnellement, de temps en temps. || [per caso] fortuitement, par hasard.

occasionare [okkazjo'nare] v. tr. occasionner, causer, provoquer.

occasione [okka'zjone] f. occasion. | *se si presenta l'occasione,* le cas échéant, à l'occasion. || [circonstanza] occasion, circonstance. || [motivo, causa] occasion. || COMM. occasion. | *una macchina d'occasione,* une voiture d'occasion. ◆ loc. prep. *in occasione di,* à l'occasion de.

occhiacci [ok'kjattʃi] m. pl. *fare gli occhiacci,* faire les gros yeux.

occhiaia [ok'kjaja] f. cerne m. | *avere le occhiaie,* avoir les yeux cernés, battus. || ANAT. orbite.

occhiali [ok'kjali] m. pl. OTT. [da vista] lunettes f.

occhiata [ok'kjata] f. coup (m.) d'œil, œillade, regard m.

occhieggiare [okkjed'dʒare] v. tr. lorgner. ◆ v. intr. [mostrarsi qua e là] pointer.

occhiello [ok'kjɛllo] m. boutonnière f. || [per stringhe] œillet. | *occhielli delle scarpe,* œillets des chaussures. || TIP. faux-titre. || [in calligrafia] boucle f.

occhio ['ɔkkjo] m. œil (pl. yeux). | ANAT. *occhi strabici,* yeux qui louchent. | *occhi pesti,* yeux battus. || LOC. *non credere ai propri occhi,* ne pas en croire ses yeux. | *l'occhio della coscienza,* l'œil de la conscience. | *aprire gli occhi, l'occhio,* ouvrir l'œil, être très attentif. | *chiudere un occhio,* fermer les yeux. | *avere un occhio infallibile,* avoir le compas dans l'œil. | *aver occhi solo per qlcu.,* n'avoir d'yeux que pour qn. | *dare un occhio a ...,* avoir l'œil sur ... | *vedere di buon occhio,* voir d'un bon œil. | *strizzare l'occhio,* faire de l'œil. | *a occhio e croce,* à vue d'œil, au jugé, en gros. | *con la coda dell'occhio,* du coin de l'œil. | *in un batter d'occhio,* en un clin d'œil. | *a quattr'occhi,* entre quatre yeux. | *perdere il lume degli occhi,* être aveuglé de colère. || [callo] *occhio di pernice,* œil-de-perdrix, durillon. || AGR. *innestare a occhio,* enter en écusson, en œillet. || ARCHIT. *occhio di bue,* œil-de-bœuf. || BOT. [germoglio] œil, œilleton, bourgeon. | *occhi della patata,* yeux de la pomme de terre. || CULIN. *uova all'occhio di bue,* œufs au plat. || TECN. *occhio del martello, della zappa,* œil du marteau, de la pioche. || TIP. *occhio del carattere,* œil de la lettre.

occhiolino [okkjo'lino] m. *far l'occhiolino,* cligner de l'œil.

occidentale [ottʃiden'tale] agg. occidental.

occidente [ottʃi'dɛnte] m. occident, ouest.

occipite [ot'tʃipite] m. occipital. || PER EST. occiput.

occitanico [ottʃi'taniko] (**-ci** m. pl.) agg. LING. occitan.

occlusione [okklu'zjone] f. CHIM., LING., MED. occlusion.

occorrente [okkor'rɛnte] agg. (per) nécessaire (pour). ◆ m. nécessaire. | *lo stretto occorrente,* le strict nécessaire.

occorrenza [okkor'rɛntsa] f. cas m., circonstance, éventualité. | *all'occorrenza,* le cas échéant, au besoin. || LING. occurrence.

occorrere [ok'korrere] v. intr. falloir, être nécessaire, avoir besoin. | *ho quanto mi occorre,* j'ai tout ce qu'il me faut. | *non occorre partire,* ce n'est pas la peine de partir. || [capitare] arriver.

occultamento [okkulta'mento] m. action (f.) de cacher. || GIUR. dissimulation f. ; recel.

occultare [okkul'tare] v. tr. cacher, dissimuler. || ASTR. occulter. || GIUR. receler. ◆ v. rifl. se cacher. || ASTR. s'occulter.

occulto [ok'kulto] agg. caché, secret, occulte.

occupare [okku'pare] v. tr. [spazio] occuper, remplir. || [tempo] occuper, passer, employer. || [impiego] occuper. || [distrarre] occuper, distraire, amuser. || [dar lavoro] occuper, employer. || MIL. occuper, envahir. ◆ v. rifl. (di) s'occuper (de), s'intéresser (à). | *non occuparti dei fatti miei!,* ne t'occupe pas, ne te mêle pas de mes affaires ! || [impiegarsi] trouver un emploi.

occupato [okku'pato] agg. occupé, pris. || [con un lavoro] *è occupato in banca,* il est employé, il travaille à la banque.

occupazione [okkupat'tsjone] f. occupation, activité, travail m., emploi m. || GIUR., MIL. occupation.

oceanico [otʃe'aniko] (**-ci** m. pl.) agg. océanique. || FIG. [folla] immense.

oceano [o'tʃɛano] m. océan.
oceanografia [otʃeanogra'fia] f. océanographie.
ocra ['ɔkra] f. ocre.
oculare [oku'lare] agg. e m. oculaire.
oculato [oku'lato] agg. prudent, circonspect, réfléchi, avisé.
oculista [oku'lista] (**-i** m. pl.) n. oculiste.
od [od] cong. = o2.
odalisca [oda'liska] f. odalisque.
ode ['ɔde] f. POES. ode.
odiare [o'djare] v. tr. haïr, détester ; exécrer. ◆ v. rifl. recipr. se haïr, se détester.
odierno [o'djɛrno] agg. d'aujourd'hui, actuel, présent.
odio ['ɔdjo] m. haine f. ◆ loc. prep. *in odio a ...,* en, par haine de ...
odioso [o'djoso] agg. odieux, haïssable, détestable.
odissea [odis'sɛa] f. odyssée.
odontoiatra [odonto'jatra] (**-i** pl. m.) n. odontologiste, dentiste.
odontologia [odontolo'dʒia] f. odontologie.
odontotecnico [odonto'tɛkniko] m. mécanicien-dentiste.
odorare [odo'rare] v. tr. sentir, humer ; [specialmente per gli animali] flairer. ◆ v. intr. sentir. | *odorare di chiuso, di muffa,* sentir le renfermé, le moisi.
odorato [odo'rato] m. odorat.
odore [o'dore] m. odeur f. | *c'è odore di gas,* ça sent le gaz. ◆ pl. CULIN. fines herbes f., herbes aromatiques, aromates.
odoroso [odo'roso] agg. odoriférant, parfumé.
offendere [of'fɛndere] v. tr. offenser, insulter, injurier, outrager. || [contravvenire a una regola] offenser, outrager, braver, mépriser. | *offendere le regole, le leggi,* braver, mépriser les règles, les lois. || [colpire la suscettibilità] froisser, blesser, vexer, humilier. || [provocare una lesione fisica] blesser, meurtrir. ◆ v. rifl. s'offenser, se froisser, se vexer.
offensiva [offen'siva] f. offensive.
offensivo [offen'sivo] agg. offensant, blessant, injurieux. | *far discorsi offensivi,* tenir des propos offensants. || MIL. offensif.
offerente [offe'rɛnte] n. COMM. offrant ; [a un'asta] enchérisseur. | *vendere al migliore offerente,* vendre au plus offrant.
offerta [of'fɛrta] f. offrande. || [proposta] offre. | *offerta di lavoro,* offre d'emploi. || COMM. offre ; [per un appalto] soumission ; [in un'asta] enchère.
offesa [of'fesa] f. offense, affront m., injure, insulte, outrage m. | *prendere qlco. come un'offesa,* ressentir qch. comme une insulte. || FIG. offense, outrage.
offeso [of'feso] agg. offensé, humilié. || PR. e FIG. blessé.
officiare [offi'tʃare] v. intr. REL. officier.
officina [offi'tʃina] f. [fabbrica] usine ; [bottega artigianale o reparto di una fabbrica] atelier m. | *officina meccanica,* atelier de réparation, garage m.
offrire [of'frire] v. tr. offrir, proposer, présenter. ◆ v. rifl. s'offrir ; se montrer, se présenter.
offuscamento [offuska'mento] m. PR. e FIG. obscurcissement.
offuscare [offus'kare] v. tr. obscurcir, assombrir. || [la vista] brouiller. || FIG. [attenuare] estomper ; [cancellare] effacer, éclipser ; [confondere] brouiller, troubler. ◆ v. rifl. s'obscurcir, s'assombrir. | *il sole si offusca,* le soleil s'obscurcit. || FIG. s'obscurcir, se brouiller, se troubler. | *la sua mente si offusca,* son esprit s'obscurcit, se trouble. || [risentirsi] s'offusquer, se fâcher.
oftalmico [of'talmiko] (**-ci** m. pl.) agg. ANAT. ophtalmique. || MED. ophtalmologique.
oggettivare [oddʒetti'vare] v. tr. objectiver, extérioriser, manifester. ◆ v. rifl. s'objectiver.
oggettivo [oddʒet'tivo] agg. objectif.
oggetto [od'dʒɛtto] m. objet. | *oggetti smarriti,* objets trouvés. || [motivo] objet, but ; [argomento] objet, matière f. | *avere come oggetto,* avoir comme but, comme objet. | *l'oggetto di un discorso,* l'objet d'un discours. || FILOS., GIUR., GR. objet.
oggi ['ɔddʒi] avv. aujourd'hui. | *oggi a otto, a quindici,* d'aujourd'hui en huit, en quinze. || PER EST. aujourd'hui, actuellement, de nos jours. ◆ m. aujourd'hui. | *dall'oggi all'indomani,* du jour au lendemain.
oggidì [oddʒi'di] o **oggigiorno** [oddʒi'dʒorno] avv. aujourd'hui, à présent, de nos jours. ◆ m. aujourd'hui.
ogiva [o'dʒiva] f. ogive.
ogni ['oɲɲi] agg. indef. inv. chaque. | *ogni alunno ha dato una risposta diversa,* chaque élève a donné une réponse différente. || [con significato distributivo o generale] chaque ; tout, toute, tous, toutes. | *visita i suoi clienti ogni mese,* il visite ses clients chaque mois, tous les mois. | *da ogni parte,* de tous les côtés. | *hanno preso ogni cosa,* ils ont tout pris. || [seguito da numerali con indicazione di periodicità o di intervallo] tous les, toutes les. | *ad ogni primo del mese,* tous les premiers du

mois. || Loc. *ogni tanto,* de temps en temps. | *ad ogni costo,* coûte que coûte.

ognuno [oɲ'ɲuno] pron. indef. chacun. | *abbiamo ricevuto una lettera (per) ognuno,* nous avons reçu une lettre chacun. || [con valore di « tutti »] chacun, tout le monde ; tous. | *ognuno può sbagliare,* chacun peut se tromper.

oh [ɔ] interiez. oh !, ho !, eh !

ohi ['ɔi] interiez. ah !, aïe !

ohimè [oi'mɛ] interiez. hélas !

oleaginoso [oleadʒi'noso] agg. oléagineux.

oleandro [ole'andro] m. laurier-rose.

oleato [ole'ato] agg. huilé.

oleificio [olei'fitʃo] m. huilerie f.

oleodotto [oleo'dotto] m. oléoduc, pipe-line.

oleografia [oleogra'fia] f. Tip. chromolithographie. || Fig. e Pegg. chromo m.

oleoso [ole'oso] agg. oléagineux, huileux.

olezzare [oled'dzare] v. intr. Lett. embaumer, fleurer, sentir bon (L.C.).

olfatto [ol'fatto] m. odorat.

oliare [o'ljare] v. tr. huiler, lubrifier.

oliera [o'ljɛra] f. huilier m.

oligarchia [oligar'kia] f. oligarchie.

olimpiade [olim'piade] f. Stor. olympiade. ◆ pl. Sp. jeux (m.) Olympiques.

olimpico [o'limpiko] (**-ci** m. pl.) agg. olympien. || Sp. olympique.

olio ['ɔljo] (**oli** pl.) m. huile f. | *oli vegetali, animali, minerali, alimentari,* huiles végétales, animales, minérales, alimentaires. || Fig. *andare liscio come l'olio,* aller comme sur des roulettes (fam.).

oliva [o'liva] f. e agg. inv. olive.

oliveto [oli'veto] m. olivaie f., oliveraie f., olivette f.

olivo [o'livo] m. olivier.

olmo ['olmo] m. orme.

olocausto [olo'kausto] m. Pr. e Fig. holocauste.

oltraggiare [oltrad'dʒare] v. tr. outrager, offenser.

oltraggio [ol'traddʒo] m. outrage, affront, insulte f., offense f. || Fig., Lett. *l'oltraggio degli anni, del tempo,* l'injure des ans, du temps.

oltraggioso [oltrad'dʒoso] agg. outrageant, injurieux, insultant.

oltralpe [ol'tralpe] loc. avv. e m. inv. au-delà des Alpes.

oltranza [ol'trantsa] f. outrance.

oltranzismo [oltran'tsizmo] m. extrémisme.

oltre ['oltre] avv. [in senso spaziale] (plus) loin, (plus) avant, au-delà. | *andate un poco oltre,* allez un peu plus loin. || [in senso temporale] plus longtemps, davantage. | *non parleremo oltre di questo problema,* nous ne parlerons pas plus longtemps de ce problème. || Fig. loin, outre. | *è andato troppo oltre,* il est allé trop loin, il a exagéré, il a passé la mesure. ◆ prep. [di là da] Pr. e Fig. au-delà de. | *oltre il ponte,* au-delà du pont. | *oltre mare,* au-delà des mers, outre-mer. | *oltre misura,* outre mesure. || [dopo] après. | *oltre le otto,* après 8 heures. || [più di] plus de. | *oltre la metà,* plus de la moitié. || [in più] en plus de, outre ; en plus, de plus, en outre. | *oltre a essere simpatico, è intelligente,* il est sympathique et, en outre, intelligent. || [all'infuori] *oltre a voi, non è venuto nessuno,* en dehors de vous, personne n'est venu.

oltrecortina [oltrekor'tina] m. inv. pays (m. pl.) situés au-delà du rideau de fer.

oltremare [oltre'mare] loc. avv. outremer. ◆ m. [colore] outremer. || Miner. outremer.

oltremisura [oltremi'zura] o **oltremodo** [oltre'modo] loc. avv. outre mesure, excessivement, extrêmement.

oltrepassare [oltrepas'sare] v. tr. franchir, aller de l'autre côté de. || [superare] dépasser, doubler. || Fig. outrepasser, dépasser.

oltretomba [oltre'tomba] m. inv. outre-tombe.

omaccione [omat'tʃone] m. costaud (fam.), gaillard.

omaggio [o'maddʒo] m. hommage. || [dono] hommage, présent. ◆ pl. hommages, compliments.

ombelico [ombe'liko] m. nombril, ombilic.

ombra ['ombra] f. ombre. | *ci sono 30 gradi all'ombra,* il fait 30 degrés à l'ombre. | *all'ombra degli alberi,* à l'ombre des arbres. || Fig. *far ombra,* porter ombrage. | *non ha l'ombra di un quattrino,* il est sans le sou. || Per Est. ombre, fantôme m.

ombreggiare [ombred'dʒare] v. tr. ombrager. || Arti ombrer.

ombrello [om'brɛllo] m. parapluie. || [da sole] ombrelle f., parasol.

ombrellone [ombrel'lone] m. parasol.

ombretto [om'bretto] m. fard à paupières.

ombrina [om'brina] f. Zool. ombrine, bar m., loup m.

ombroso [om'broso] agg. ombragé. || [suscettibile] ombrageux, méfiant.

omeopatia [omeopa'tia] f. homéopathie.

omero ['ɔmero] m. Anat. humérus. || Lett. épaule f. (L.C.).

omertà [omer'ta] f. loi du silence.

omettere [o'mettere] v. tr. omettre.

ometto [o'metto] m. petit homme, petit bonhomme.
omicidio [omi'tʃidjo] m. homicide ; [volontario] meurtre ; [premeditato] assassinat. | *omicidio colposo,* homicide par imprudence.
omissione [omis'sjone] f. omission.
omogeneo [omo'dʒɛneo] agg. PR. e FIG. homogène.
omologare [omolo'gare] v. tr. homologuer.
omonimo [o'mɔnimo] agg. du même nom. || LING. homonyme. ◆ m. homonyme.
omosessualità [omosessuali'ta] f. homosexualité.
oncia ['ontʃa] f. [misura di peso] once.
onda ['onda] f. vague, lame, flot m. | *le onde si infrangono,* les lames déferlent. || LETT. [acqua, mare] onde, flots m. pl., mer. | *un'onda limpida,* une onde limpide. || FIG. [foga, impeto] vague, élan m. | *essere sulla cresta dell'onda,* avoir du succès, avoir le vent en poupe. || FIS., TEL. onde.
ondata [on'data] f. vague, lame ; [colpo di mare] paquet (m.) de mer. || FIG. vague, flot m. | *ondata di freddo,* vague de froid.
onde ['onde] avv. d'où. | *la città onde veniva,* la ville d'où il venait. ◆ cong. d'où, de là, c'est pourquoi. | *onde arguisco,* d'où je déduis. || [valore finale] afin que, pour que ; afin de, pour.
ondeggiante [onded'dʒante] agg. ondoyant, ondulant. || [sinuoso] onduleux. || FIG. flottant, hésitant.
ondeggiare [onded'dʒare] v. intr. se balancer. || [di erba] ondoyer ; [di bandiere, di capelli] ondoyer, flotter. || FIG. balancer, flotter, hésiter.
ondoso [on'doso] agg. ondulatoire. || [agitato dalle onde] houleux.
ondulare [ondu'lare] v. intr. e tr. onduler.
onerare [one'rare] v. tr. [gravare di un onere] accabler, écraser.
onere ['ɔnere] m. charge f., poids. || FIG. *addossarsi un onere pesante,* assumer une lourde charge. || FIN. *oneri fiscali,* charges fiscales.
oneroso [one'roso] agg. onéreux, coûteux, lourd.
onestà [ones'ta] f. honnêteté, probité.
onesto [o'nɛsto] agg. honnête. ◆ m. honnête homme. ◆ m. pl. les honnêtes gens f. pl.
onice ['ɔnitʃe] f. onyx m.
onnipossente [onnipos'sɛnte] o **onnipotente** [onnipo'tɛnte] agg. tout-puissant, omnipotent.
onniveggenza [onnived'dʒɛntsa] f. faculté de tout voir.
onnivoro [on'nivoro] agg. omnivore.
onomastico [ono'mastiko] (**-ci** m. pl.) agg. onomastique. ◆ m. fête f. | *oggi è il mio onomastico,* aujourd'hui, c'est ma fête. ◆ f. LING. onomastique.
onoranza [ono'rantsa] f. honneur m. | *onoranze funebri,* honneurs funèbres.
onorare [ono'rare] v. tr. honorer ; rendre, faire honneur (à) ; célébrer. | *queste parole vi onorano,* ces mots vous font honneur. | *onorare la memoria di un poeta,* célébrer, honorer la mémoire d'un poète. || COMM. honorer. ◆ v. rifl. (di) s'honorer (de) ; avoir l'honneur (de). | *mi onoro (di) comunicarvi,* j'ai l'honneur de vous annoncer.
onorario [ono'rarjo] (**-ri** m. pl.) agg. honoraire, d'honneur. | *membro onorario,* membre d'honneur. ◆ m. [retribuzione] honoraires pl.
onorato [ono'rato] agg. honoré. | *sono molto onorato,* je suis très honoré. || [rispettabile] honorable, digne. || IRON. *l'onorata società,* la maf(f)ia.
onore [o'nore] m. honneur, dignité f. | *farsi un punto d'onore,* mettre son point d'honneur (à), se faire un point d'honneur (de). || [stima] honneur, estime f., considération f. | *posto d'onore,* place d'honneur. || GIOCHI [al bridge] honneur. || [atto di omaggio] honneur. | *fare gli onori di casa,* faire les honneurs de la maison.
onorevole [ono'revole] agg. honorable. | *onorevoli senatori,* messieurs les sénateurs. | *fare onorevole ammenda,* faire amende honorable. ◆ n. député ; sénateur.
onorificenza [onorifi'tʃɛntsa] f. distinction honorifique ; décoration.
onta ['onta] f. honte, humiliation. | *coprire d'onta,* couvrir de honte. || [ingiuria] injure, affront m., outrage m. || LOC. *a onta del buon senso,* en dépit du bon sens.
ontano [on'tano] m. au(l)ne.
opacità [opatʃi'ta] f. opacité. || PER EST. matité.
opaco [o'pako] (**-chi** m. pl.) agg. opaque. || PER EST. opaque, mat, terne.
opale [o'pale] m. o f. opale f.
opalina [opa'lina] f. opaline.
opera ['ɔpera] f. œuvre, ouvrage m., travail m. | *l'opera della natura,* l'œuvre de la nature. | *opera storica,* travail historique. | *opere in muratura,* ouvrages en maçonnerie. || LOC. *mano d'opera,* main-d'œuvre. || [assistenza, aiuto] aide. || [lavoro a giornata] journée. | *lavorare a opera,* travailler à la journée. || AMM. œuvre. | *opera nazionale dei mutilati e invalidi,* œuvre nationale des mutilés et des invalides. || MAR. œuvres. || MIL. *opere di fortificazione,* ouvrages de fortifica-

tion. || Mus. opéra m. || [teatro] opéra. ◆ loc. prep. *per opera di, a opera di,* par, grâce à.

operaio [ope'rajo] agg. e n. ouvrier.

operante [ope'rante] agg. agissant, efficace. || Giur. en vigueur. || Mil. en action. || Teol. opérant.

operare [ope'rare] v. intr. opérer, agir, procéder ; travailler. | *è un pittore che operava a Venezia nel Seicento,* c'est un peintre qui travaillait à Venise au XVIIe siècle. || [essere efficace] opérer, agir. || Chir. opérer, intervenir. || Mat. opérer. ◆ v. tr. opérer, faire, accomplir, effectuer. | *operare una scelta,* opérer, faire un choix. ◆ v. rifl. s'opérer, avoir lieu, se produire.

operativo [opera'tivo] agg. opérant, agissant. || [in fase esecutiva] en vigueur. || Mat. opérationnel. || Mil. opérationnel, d'opération.

operato [ope'rato] agg. Chir. opéré. || Tess. façonné, ouvré. ◆ m. [attività, condotta] conduite f., actes pl., actions f. pl. ◆ n. Chir. opéré, e.

operatore [opera'tore] m. [in tutti i significati] opérateur.

operazione [operat'tsjone] f. opération.

operetta [ope'retta] f. petit ouvrage. || Mus. opérette.

operosità [operosi'ta] f. activité, dynamisme m. | *premio d'operosità,* prime de rendement.

operoso [ope'roso] agg. actif, laborieux. | *fede operosa,* foi agissante.

opificio [opi'fitʃo] (**-ci** pl.) m. usine f., établissement industriel.

opinabile [opi'nabile] agg. discutable, contestable.

opinare [opi'nare] v. intr. estimer, penser.

opinione [opi'njone] f. opinion, avis m., idée. | *condivido la tua opinione,* je suis de ton avis. | *mi son fatto la mia opinione sulla questione,* j'ai mon idée sur la question. | *secondo la mia modesta opinione,* à mon humble avis. || [posizione intellettuale] opinion, idée. || [giudizio di merito] opinion. | *buona opinione,* bonne opinion. || [atteggiamento collettivo] opinion. | *opinione pubblica,* opinion publique.

opossum [o'pɔssum] m. opossum.

oppiato [op'pjato] agg. opiacé. ◆ m. Farm. opiat.

oppio ['ɔppjo] m. Pr. e Fig. opium.

opporre [op'porre] v. tr. opposer. || [obiettare] opposer, objecter. | *ha sempre qlco. da opporre,* il a toujours qch. à opposer, à objecter. ◆ v. rifl. (a) s'opposer (à). || Giur. *mi oppongo !,* objection !

opportunità [opportuni'ta] f. opportunité, à-propos m. | *avere il senso dell'opportunità,* avoir l'esprit d' à-propos. || [circostanza favorevole] occasion, possibilité, chance. | *cogliere l'opportunità,* profiter de l'occasion.

opportuno [oppor'tuno] agg. opportun, convenable, favorable. | *un comportamento opportuno,* un comportement convenable. | *a tempo opportuno,* en temps opportun.

oppositore [oppozi'tore] (**-trice** f.) n. opposant, adversaire.

opposizione [oppozit'tsjone] f. opposition, contraste m.

opposto [op'posto] part. pass. e agg. Pr. e Fig. opposé. | *direzioni opposte,* directions opposées, contraires. | *siamo di opposto parere,* nous sommes d'un avis opposé. ◆ m. opposé, contraire.

oppressione [oppres'sjone] f. oppression.

oppressivo [oppres'sivo] agg. oppressif. || [opprimente] oppressant, accablant, étouffant.

oppresso [op'prɛsso] agg. Pr. e Fig. oppressé, accablé. || [angariato] opprimé. ◆ m. opprimé.

opprimente [oppri'mɛnte] agg. étouffant, accablant, oppressant. || Fig. oppressant, accablant ; assommant.

opprimere [op'primere] v. tr. oppresser, accabler, étouffer. || [tiranneggiare] opprimer.

oppugnabile [oppuɲ'ɲabile] agg. attaquable, criticable, réfutable.

oppure [op'pure] cong. ou (bien). | *parti ora oppure più tardi ?,* est-ce que tu pars maintenant ou plus tard ? || [altrimenti] autrement, sinon.

optare [op'tare] v. intr. opter, choisir v. tr.

opulenza [opu'lɛntsa] f. Pr. e Fig. opulence.

opuscolo [o'puskolo] m. brochure f., opuscule.

opzione [op'tsjone] f. option, choix m. || Comm., Giur. option.

1. ora ['ora] f. heure. | *mezz'ora,* demi-heure. | *entro due ore,* dans les deux heures. | *tre ore prima,* trois heures avant, plus tôt. | *è questione di un'ora,* c'est l'affaire d'une heure. || [indicazione dell'ora] heure. | *che ora è ?, che ore sono ?,* quelle heure est-il ? | *la corriera parte alle (ore) otto,* le car est à huit heures. | *sono le (ore) quattro passate,* il est quatre heures passées. || [momento] heure, moment m., temps m. | *non ho un'ora libera,* je n'ai pas une heure à moi. | *ore di punta,* heures de pointe. | *alla solita ora,* à l'heure habituelle. | *è arrivata la sua ora,* son heure est arrivée. | *le grandi ore della storia,* les grands moments de l'histoire. | *nell'ora attuale,* dans le moment présent. || [misura di distanza] heure. | *un'ora di strada,* une heure de route. | *il chilometro ora,* le kilomètre-heure. || [unità di lavoro, di salario] heure. | *ore straordinarie,* heures supplémentaires. || REL. heure. | *ore canoniche,* heures canoniales.

2. ora avv. maintenant, à présent. | *ora è troppo presto,* c'est trop tôt maintenant. || [da questo momento in poi] maintenant, désormais. | *ora starà più attento,* maintenant, il sera plus attentif. || [per il momento] maintenant, pour le moment. | *ora non posso uscire,* pour l'instant, je ne peux pas sortir. || [poco fa, un momento fa] tout à l'heure, il y a un instant. | *ho telefonato ora,* je viens de téléphoner. || [in questo momento : azione continuata] en ce moment. | *ora parla con il direttore,* en ce moment, elle parle avec le directeur. || [fra poco] *papà arriverà ora,* papa va arriver. || [immediatamente] tout de suite, immédiatement. | *aspetta, ora vengo,* attends, j'arrive tout de suite. ◆ loc. avv. *per ora,* pour le moment, pour l'instant. | *fin d'ora, sin d'ora,* dès maintenant. | *d'ora in poi, d'ora innanzi, d'ora in avanti,* dorénavant, désormais, à partir de maintenant. | *fino ad ora,* jusqu'à présent, jusqu'ici. | *ora come ora,* en ce moment, pour l'instant. | *or è, or sono,* il y a. | *due anni or sono,* il y a deux ans. ◆ cong. or. || *ora, or bene, or dunque,* eh bien !, donc ! || [correlativa] *ora ..., ora ...,* tantôt ..., tantôt ... || [avversativa] mais.

orafo ['ɔrafo] m. orfèvre.

orale [o'rale] agg. e m. oral.

oramai [ora'mai] avv. maintenant, à présent. | *oramai è già arrivato,* maintenant il est déjà arrivé. || [da questo momento in poi] maintenant, désormais. || [riferito al pass.] à ce moment-là.

orario [o'rarjo] (**-ri** m. pl.) agg. horaire. ◆ m. horaire. || [libretto] indicateur. | *orario ferroviario,* indicateur des chemins de fer. || LOC. *arrivare in orario,* arriver à l'heure.

oratore [ora'tore] m. orateur.

oratoria [ora'tɔrja] f. art (m.) oratoire, éloquence.

oratorio [ora'tɔrjo] (**-ri** pl.) m. patronage. || MUS. oratorio. || REL. oratoire.

orazione [orat'tsjone] f. REL. oraison, prière. || [discorso] discours m., oraison.

orbene [or'bɛne] cong. donc ; alors. || [suvvia] allons.

orbitare [orbi'tare] v. intr. graviter (autour de).

orbo ['ɔrbo] agg. e m. aveugle.

orchestra [or'kɛstra] f. orchestre m.

orchestrale [orkes'trale] agg. orchestral. ◆ n. musicien d'orchestre, instrumentiste.

orcio ['ortʃo] m. jarre f.

orciolo [or'tʃolo] m. cruche f.

orco ['ɔrko] (**-chi** pl.) m. ogre.

orda ['ɔrda] f. PR. e FIG. horde.

ordigno [or'diɲɲo] m. engin.

ordinale [ordi'nale] agg. e m. GR., MAT. ordinal.

ordinamento [ordina'mento] m. [assetto] ordre. || [complesso di norme] organisation f., système, règlement.

ordinanza [ordi'nantsa] f. GIUR. ordonnance, décret m. ; arrêté m. || MIL. *divisa d'ordinanza* tenue réglementaire. | *pistola d'ordinanza,* pistolet d'ordonnance.

ordinare [ordi'nare] v. tr. ordonner, ranger ; classer. | *ordinare delle carte,* mettre en ordre des papiers. || [organizzare] organiser. || [comandare] ordonner, commander. || [prescrivere] ordonner, prescrire. || [nominare] nommer. | *fu ordinato prefetto,* on l'a nommé préfet. || REL. ordonner. ◆ v. rifl. se préparer. || MIL. se ranger.

ordinario [ordi'narjo] (**-ri** m. pl.) agg. ordinaire, habituel, courant. || [dozzinale] ordinaire, commun ; [volgare] vulgaire, grossier. || UNIV. titulaire. ◆ m. ordinaire. | *fuori dell'ordinario,* hors du commun, de l'ordinaire. || UNIV. professeur titulaire.

ordinato [ordi'nato] agg. ordonné, soigneux. || [in ordine] ordonné, rangé.

ordinazione [ordinat'tsjone] f. COMM. commande. | *fare un'ordinazione,* faire, passer une commande. || MED. prescription, ordonnance. || REL. ordination.

ordine ['ordine] m. ordre. | *ordine alfabetico,* ordre alphabétique. | *richiamo all'ordine,* rappel à l'ordre. || [qualità personale] *aver ordine,* avoir de l'ordre. || [organizzazione sociale] *ordine economico,* ordre économique. || [natura, carattere] ordre. | *affermazioni di ordine generale,* affirmations d'ordre général. || [categoria] *di primo ordine,* de premier ordre. | *un debito dell'ordine di tre milioni,* une dette de l'ordre de trois millions. || [associazione] ordre. | *ordini cavallereschi,* ordres de chevalerie. || ARCHIT. *ordine ionico,* ordre ionique. | *un doppio ordine di colonne,* une double rangée (f.) de colonnes. || [comando] ordre. | *ordine scritto,* ordre écrit. || COMM. ordre, commande f. | *ordine di consegna, di pagamento, di vendita,* ordre de livraison, de paiement, de vente. | *in ordine alla vostra richiesta,* nous référant à votre demande. || MIL. [in tutti

gli usi] ordre. || REL. *ordini minori,* ordres mineurs. || ZOOL. ordre.
ordire [or'dire] v. tr. ourdir.
ordito [or'dito] m. TESS. chaîne f. || FIG. plan, trame f.
orecchia [o'rekkja] f. oreille. ◆ pl. *orecchie a sventola,* oreilles en feuilles de chou. | *avere le orecchie tese,* être tout oreilles.
orecchiabile [orek'kjabile] agg. [musica] facile à retenir.
orecchino [orek'kino] m. boucle (f.) d'oreille, pendant d'oreille.
orecchio [o'rekkjo] m. oreille f. | *sento un ronzio negli orecchi,* mes oreilles bourdonnent. || PER EST. *essere duro d'orecchio,* être dur d'oreille, avoir l'oreille dure. | *cantare a orecchio,* chanter sans avoir de connaissances musicales, en se fiant à son oreille. || FIG. *arrivare agli orecchi di qlcu.,* arriver à l'oreille de qn. | *fare orecchi da mercante,* faire la sourde oreille. | *essere tutt'orecchi,* écouter de toutes ses oreilles, être tout ouïe (fam.). || AGR. [di aratro] versoir, oreille f. ; [di vanga] hausse-pied.
orecchioni [orek'kjoni] m. pl. MED. oreillons.
orefice [o'refitʃe] m. orfèvre.
oreficeria [orefitʃe'ria] f. orfèvrerie.
orfana ['ɔrfana] o **orfanella** [orfa'nɛlla] f. orpheline.
orfano ['ɔrfano] o **orfanello** [orfa'nɛllo] agg. e n. orphelin, ine.
orfanotrofio [orfano'trɔfjo] m. orphelinat.
organetto [orga'netto] m. MUS. orgue de Barbarie ; [fisarmonica] accordéon ; [armonica] harmonica.
organicità [organitʃi'ta] f. organisation fonctionnelle, rationnelle.
organico [or'ganiko] (**-ci** pl. m.) agg. organique. || FIG. organique, organisé. ◆ m. AMM. (effectif du) personnel permanent. || MIL. cadres, effectif.
organismo [orga'nizmo] m. PR. e FIG. organisme.
organista [orga'nista] (**-i** pl. m.) n. organiste.
organizzare [organid'dzare] v. tr. organiser, ordonner, disposer. ◆ v. rifl. s'organiser.
organo ['ɔrgano] m. ANAT., MECC. organe. || MUS. orgue. || FIG. organe. | *organi giudiziari,* organes judiciaires. || [giornale] *organo dell'opposizione,* organe de l'opposition.
organza [or'gandza] f. organdi m.
orgasmo [or'gazmo] m. agitation f., surexcitation f. || [eccitamento sessuale] orgasme.
orgia ['ɔrdʒa] f. orgie, débauche.
orgoglio [or'goʎʎo] m. orgueil, fierté f., amour-propre.
orientale [orjen'tale] agg. oriental, de l'Est. ◆ n. Oriental.
orientamento [orjenta'mento] m. PR. e FIG. orientation f.
orientare [orjen'tare] v. tr. orienter. ◆ v. rifl. s'orienter.
orientativo [orjenta'tivo] agg. d'orientation. | *a titolo orientativo,* à titre indicatif.
oriente [o'rjɛnte] m. orient, levant, est. || [perle] orient.
orificio [ori'fitʃo] o **orifizio** [ori'fittsjo] m. orifice.
origano [o'rigano] m. origan.
originale [oridʒi'nale] agg. original. | *testo originale,* texte original. || FIG. original, inédit, neuf. || PER EST. singulier, bizarre. || GIUR. authentique, conforme à l'original. || REL. originel. ◆ m. ARTI, GIUR., LETT. original. ◆ n. [persona stravagante] original, e.
originare [oridʒi'nare] v. tr. faire naître, engendrer, susciter. ◆ v. intr. être la conséquence. || GEOGR. prendre sa source, naître.
originario [oridʒi'narjo] agg. originaire. || [primo, primitivo] originaire, originel, primitif.
origine [o'ridʒine] f. origine, naissance, genèse. | *origine dell'universo,* origine de l'univers. || [ascendenza, provenienza] origine, extraction, naissance, provenance. | *arte di origine romana,* art d'origine romaine. || COMM. origine. | *origine di una merce,* origine d'une marchandise. || GEOGR. source. || MAT. origine.
origliare [oriʎ'ʎare] v. intr. écouter. | *origliare dietro le porte,* écouter aux portes.
orinare [ori'nare] v. intr. uriner.
oriundo [o'rjundo] agg. originaire. ◆ m. originaire. | *oriundo tedesco,* originaire d'Allemagne.
orizzontale [oriddzon'tale] agg. horizontal.
orizzontare [oriddzon'tare] v. tr. orienter. ◆ v. rifl. s'orienter.
orizzonte [orid'dzonte] m. PR. e FIG. horizon.
orlare [or'lare] v. tr. ourler, border.
orlo ['orlo] m. ourlet. || [bordo] bord. || FIG. *essere sull'orlo del fallimento,* être au bord de la faillite.
orma ['orma] f. trace, empreinte. | *orme di passi,* traces de pas. || FIG. *ricalcare le orme di qlcu.,* suivre les traces de qn.
ormai [or'mai] avv. = ORAMAI.
ormeggiare [ormed'dʒare] v. tr. MAR. amarrer ; mouiller. ◆ v. rifl. MAR. s'amarrer ; mouiller v. intr.
ormeggio [or'meddʒo] m. MAR. amarrage ; [al largo] mouillage. | *essere all'ormeggio,* être au mouillage. | *posto*

d'ormeggio, poste d'amarrage. ◆ pl. amarres f.

ormone [or'mone] m. hormone f.

ornamento [orna'mento] m. ornementation f., décoration f. || [mezzo di abbellimento] ornement.

ornare [or'nare] v. tr. orner, décorer. ◆ v. rifl. s'orner, se parer.

ornitologia [ornitolo'dʒia] f. ornithologie.

oro ['ɔro] m. [metallo] or. | *oro di bassa lega,* or bas. | *oro zecchino,* or pur. || [simbolo della ricchezza] or. | *per tutto l'oro del mondo,* pour tout l'or du monde. || FIG. *è un affare d'oro,* c'est une affaire en or. | *è un cuore d'oro,* c'est un cœur d'or. | *prendere per oro colato,* prendre pour argent comptant. || BOT. *botton d'oro,* bouton d'or, renoncule f. || MIN. *oro nero,* or noir, pétrole. ◆ pl. objets en or. || GIOCHI deniers.

orografia [orogra'fia] f. orographie.

orologeria [orolodʒe'ria] f. horlogerie. || [meccanismo] mouvement (m.) d'horlogerie. || PER EST. *orologeria svizzera,* horlogerie suisse.

orologiaio [orolo'dʒajo] m. horloger.

orologio [oro'lodʒo] m. horloge f. ; [da polso] montre f. | *orologio a pendolo,* pendule f. | *orologio da polso,* montre-bracelet f. || LOC. *caricare l'orologio,* remonter l'horloge, sa montre. | *il mio orologio va avanti, va indietro,* ma montre avance, retarde.

oroscopo [o'rɔskopo] m. horoscope.

orpello [or'pɛllo] m. oripeau, clinquant.

orrendo [or'rɛndo] agg. PR. e FIG. horrible, effroyable, affreux.

orribile [or'ribile] agg. horrible, effroyable, hideux.

orrido ['ɔrrido] agg. effroyable, effrayant. ◆ m. abîme, gouffre, gorge f.

orrore [or'rore] m. horreur f., effroi. | *grido d'orrore,* cri d'horreur. || [avversione, odio] horreur, aversion f. | *fare orrore,* faire horreur. ◆ pl. horreurs.

orsa ['orsa] f. ZOOL. ourse. || ASTR. *orsa maggiore, minore,* Grande, Petite Ourse.

orso ['orso] m. ZOOL. ours.

orsù [or'su] interiez. allons !, allons donc !, courage !

ortaggio [or'taddʒo] m. légume. | *ortaggi freschi,* légumes verts.

ortensia [or'tɛnsja] f. hortensia m.

ortica [or'tika] f. ortie.

orticaria [orti'karja] f. urticaire.

orticoltura [ortikol'tura] f. horticulture, culture maraîchère, maraîchage m.

orto ['ɔrto] m. (jardin) potager.

ortodossia [ortodos'sia] f. orthodoxie.

ortodosso [orto'dɔsso] agg. PR. e FIG. orthodoxe. ◆ n. REL. orthodoxe.

ortofrutticolo [ortofrut'tikolo] agg. *mercato ortofrutticolo,* marché des fruits et des légumes.

ortogonale [ortogo'nale] agg. orthogonal.

ortografia [ortogra'fia] f. orthographe. || ARCHIT. orthographie.

ortolano [orto'lano] m. maraîcher. || [rivenditore] marchand de légumes, des quatre-saisons. || ZOOL. ortolan.

ortopedia [ortope'dia] f. orthopédie.

orzaiolo [ordza'jɔlo] m. orgelet.

orzata [or'dzata] f. orgeat m., lait (m.) d'amandes.

orzo ['ɔrdzo] m. orge f. | *farina, pane d'orzo,* farine, pain d'orge.

osannare [ozan'nare] v. intr. ovationner v. tr., acclamer v. tr. || [far pubbliche lodi] vanter v. tr., exalter v. tr.

osare [o'zare] v. tr. oser. || [tentare] tenter. | *ha osato l'impossibile,* il a tenté l'impossible.

osceno [oʃ'ʃɛno] agg. obscène, inconvenant. || FAM. affreux.

oscillare [oʃʃil'lare] v. tr. osciller, basculer. | *il prezzo dell'oro oscilla sempre,* le prix de l'or est toujours instable. || [esitare] osciller, hésiter, flotter.

oscillazione [oʃʃillat'tsjone] f. PR. e FIG. oscillation, variation.

oscuramente [oskura'mente] avv. obscurément.

oscuramento [oskura'mento] m. PR. e FIG. obscurcissement. || [in tempo di guerra] black-out m. inv. (ingl.).

oscurantismo [oskuran'tizmo] m. obscurantisme.

oscurare [osku'rare] v. tr. PR. e FIG. obscurcir, masquer, cacher. | *oscurare la gloria di qlcu.,* éclipser la gloire de qn. ◆ v. rifl. s'obscurcir, s'assombrir. | *la sua mente si oscura,* son esprit devient confus.

oscurità [oskuri'ta] f. PR. e FIG. obscurité.

oscuro [os'kuro] agg. PR. e FIG. obscur, sombre, noir. | *i secoli oscuri,* les siècles obscurs. | *ha un'aria oscura,* il a un air sombre. || FOT. *camera oscura,* chambre noire. ◆ m. obscurité f. || FIG. ignorance f. | *sono all'oscuro di tutto,* j'ignore tout, je suis dans l'ignorance absolue.

osmosi [oz'mɔzi] f. osmose.

ospedale [ospe'dale] m. hôpital.

ospedaliero [ospeda'ljɛro] agg. e m. hospitalier. | *istituto ospedaliero,* établissement hospitalier.

ospitale [ospi'tale] agg. hospitalier, accueillant.

ospitare [ospi'tare] v. tr. loger, héberger. || [accogliere] accueillir, recevoir.

ospite ['ɔspite] n. hôte, hôtesse. || [che è ospitato] hôte ; invité, e. | *camera degli ospiti,* chambre d'ami.
ospizio [os'pittsjo] m. hospice, asile.
ossario [os'sarjo] m. ossuaire.
ossatura [ossa'tura] f. ANAT. ossature, squelette m., charpente. || FIG. ossature, membrure, charpente. | *ossatura di una nave,* ossature, membrure d'un bateau.
ossequente [osse'kwɛnte] agg. respectueux.
ossequiare [osse'kwjare] v. tr. rendre hommage (à), présenter ses hommages (à), complimenter.
ossequio [os'sɛkwjo] m. respect, hommage, compliment. | *trattare qlcu. con ossequio,* traiter qn avec respect, avec déférence. | *ossequi alla padrona di casa,* mes hommages à la maîtresse de maison. || [in chiusura di lettera] *voglia gradire, accogliere i miei più distinti ossequi,* veuillez agréer mes sentiments les plus respectueux. || LOC. *in ossequio alla verità,* par respect, par souci de la vérité.
ossequioso [osse'kwjoso] agg. respectueux, déférent, poli. || [servile] obséquieux.
osservante [osser'vante] agg. respectueux. | *persona osservante delle regole,* personne respectueuse des règles. || [praticante] pratiquant.
osservanza [osser'vantsa] f. [rispetto] observation. || REL. observance.
osservare [osser'vare] v. tr. observer, examiner. | *osservare il cielo,* observer le ciel. || [notare] observer, remarquer, noter. | *la sua assenza è stata osservata,* on a remarqué son absence. || [rispettare] observer, respecter. | *osservare le distanze,* observer, garder les distances.
osservatorio [osserva'tɔrjo] m. observatoire.
osservazione [osservat'tsjone] f. observation, attention, étude. | *osservazione degli astri,* observation astronomique. || MED. *essere in osservazione,* être en observation. || MIL. *punto, posto d'osservazione,* point, poste d'observation. || [considerazione] observation, remarque. | *non ho osservazioni da fare a questo proposito,* je n'ai rien à dire à ce sujet. || [rimprovero] observation, remarque, reproche m. | *non tollera osservazioni,* il ne supporte aucune observation, aucun reproche.
ossessionante [ossessjo'nante] agg. obsédant.
ossessionare [ossessjo'nare] v. tr. obséder, hanter. | *sono ossessionato da questa idea,* cette idée m'obsède, me hante.
ossessione [osses'sjone] f. obsession, hantise, idée fixe. || PSICAN. psychose.
ossessivo [osses'sivo] agg. PSICAN. obsessionnel. || PER EST. obsédant.
ossesso [os'sɛsso] agg. e n. obsédé, possédé. | *gridare come un ossesso,* crier comme un possédé.
ossia [os'sia] cong. [cioè] ou, à savoir, c'est-à-dire. || [o meglio] ou plutôt. | *parte stasera, ossia fra un'ora,* il part ce soir, ou plutôt dans une heure.
ossidare [ossi'dare] v. tr. oxyder. ◆ v. rifl. s'oxyder.
ossido ['ɔssido] m. oxyde.
ossidrico [os'sidriko] agg. oxhydrique.
ossificare [ossifi'kare] v. tr. ossifier. ◆ v. rifl. s'ossifier.
ossigenare [ossidʒe'nare] v. tr. oxygéner. ◆ v. rifl. s'oxygéner.
ossigeno [os'sidʒeno] m. CHIM. oxygène. | *bombola di ossigeno,* ballon, bouteille d'oxygène.
ossiuro [ossi'uro] m. oxyure.
osso ['ɔsso] (**-i** pl. ; PR. e con valore collettivo **-a** pl. f.) m. os. | *osso frontale,* os frontal. | *avere ossa minute,* avoir de petits os. || [resti mortali] *le ossa,* les ossements. || PER ANAL. *osso di seppia,* os de seiche. || [nocciolo] *osso di ciliegia,* noyau de cerise. || LOC. *avere le ossa rotte per la fatica,* être brisé de fatigue. | *imbattersi in un osso duro,* tomber sur un os. | *farsi le ossa,* faire ses premières armes.
ossobuco [osso'buko] (**ossibuchi** pl.) m. CULIN. jarret de veau, osso-buco inv. (it.).
ossuto [os'suto] agg. osseux.
ostacolare [ostako'lare] v. tr. entraver, contrarier ; gêner (dans). | *ostacolare il traffico,* gêner, entraver la circulation. | *ostacolare i progetti di qlcu.,* gêner qn dans ses projets.
ostacolo [os'takolo] m. obstacle. || SP. obstacle, haie.
ostaggio [os'taddʒo] m. otage.
ostare [os'tare] v. intr. s'opposer. | *nulla osta,* rien ne s'y oppose.
oste ['ɔste] m. patron de bistrot ; [gestore di trattoria] aubergiste, hôtelier.
osteggiare [osted'dʒare] v. tr. contrarier, s'opposer (à).
ostello [os'tɛllo] m. LETT. logis. || *ostello della gioventù,* auberge (f.) de la jeunesse.
ostentare [osten'tare] v. tr. afficher, affecter, étaler, exhiber. | *ostentare austerità,* affecter l'austérité.
ostentatamente [ostentata'mente] avv. avec ostentation.
ostentato [osten'tato] agg. affecté, peu naturel.
osteologia [osteolo'dʒia] f. ostéologie.
osteria [oste'ria] f. cabaret m., bistrot m. (fam.).

ostessa [os'tessa] f. aubergiste, patronne (de bistrot).
ostetrica [os'tɛtrika] f. sage-femme, accoucheuse.
ostetrico [os'tɛtriko] (**-ci** m. pl.) agg. obstétrical, obstétrique. ◆ m. médecin accoucheur, obstétricien.
ostia ['ɔstja] f. REL. hostie. ‖ CULIN. pain (m.) azyme. ‖ FARM. cachet m.
ostico ['ɔstiko] (**-ci** pl. m.) agg. LETT. désagréable (L.C.). ‖ FIG. dur, difficile, fatigant. | *un libro ostico,* un livre difficile, obscur.
ostilità [ostili'ta] f. hostilité. ◆ pl. MIL. hostilités.
ostinarsi [osti'narsi] v. rifl. s'obstiner, s'entêter.
ostinato [osti'nato] agg. obstiné, entêté, opiniâtre. | *un silenzio ostinato,* un silence obstiné. ‖ PER EST. obstiné, tenace. ‖ FIG. persistant, opiniâtre. | *pioggia ostinata,* pluie persistante.
ostracismo [ostra'tʃizmo] m. ostracisme, exclusion f.
ostrica ['ɔstrika] f. ZOOL. huître.
ostruire [ostru'ire] v. tr. obstruer ; [un tubo] engorger, boucher. ‖ MED. obstruer, engorger. ◆ v. rifl. s'obstruer, s'engorger.
ostruzione [ostrut'tsjone] f. obstruction, engorgement m. ‖ MAR., MIL. barrage m. ‖ SP. obstruction.
ostruzionismo [ostruttsjo'nizmo] m. POL. obstructionnisme.
otite [o'tite] f. otite.
otorinolaringoiatra [otorinolaringo'jatra] (**-i** pl. m.) n. oto-rhino-laryngologiste.
otre ['otre] m. outre f.
ottagono [ot'tagono] m. octogone.
ottanta [ot'tanta] agg. num. card. e m. quatre-vingts.
ottantenne [ottan'tɛnne] agg. (âgé) de quatre-vingts ans, octogénaire. ◆ n. octogénaire.
ottantesimo [ottan'tɛzimo] agg. num. ord. e m. quatre-vingtième.
ottantina [ottan'tina] f. quatre-vingts environ, à peu près.
ottativo [otta'tivo] agg. e m. optatif.
ottava [ot'tava] f. MUS. octave. | *ottava superiore, inferiore,* octave au-dessus, au-dessous. ‖ POES. huitain m. ‖ REL. octave.
ottavo [ot'tavo] agg. num. ord. huitième. | *in ottavo luogo,* huitièmement. ‖ [papi e sovrani ; atto, libro] huit. | *Carlo ottavo,* Charles VIII. ◆ m. huitième. ‖ TIP. *in ottavo,* in-octavo.
ottemperare [ottempe'rare] v. intr. AMM. obtempérer.
ottenebrare [ottene'brare] v. tr. PR. e FIG. obscurcir. | *ottenebrare la gloria di qlcu.,* éclipser la gloire de qn. ◆ v. rifl. s'obscurcir, s'assombrir. | *si ottenebra in viso,* son visage s'obscurcit, se rembrunit.
ottenere [otte'nere] v. tr. obtenir, acquérir. | *ottenere la prova della sua innocenza,* acquérir la preuve de son innocence. ‖ [conseguire] remporter, recueillir. | *ottenere dei voti, dei suffragi,* recueillir des voix, des suffrages. ‖ [ricavare] obtenir, retirer, tirer. | *ottenere una nuova fibra tessile dal petrolio,* tirer une nouvelle fibre textile du pétrole.
ottica ['ɔttika] f. FIS. optique. ‖ FIG. optique, manière de voir.
ottico ['ɔttiko] agg. optique. ◆ m. opticien.
ottimale [otti'male] agg. optimal, optimum inv.
ottimamente [ottima'mente] avv. très bien, à merveille.
ottimismo [otti'mizmo] m. optimisme.
ottimo ['ɔttimo] agg. [superl. di « buono »] excellent, très bon. ◆ m. optimum.
otto ['ɔtto] agg. num. card. huit. | *sono le otto,* il est huit heures. ‖ LOC. FAM. *in quattro e quattr'otto,* en moins de deux, en un tournemain. ◆ m. huit.
ottobre [ot'tobre] m. octobre.
ottocentesimo [ottotʃen'tɛzimo] agg. num. ord. e m. huit centième.
ottocento [otto'tʃɛnto] agg. num. card. huit cents. ◆ m. ARTI, STOR. dixneuvième (siècle).
ottomana [otto'mana] f. ottomane.
ottone [ot'tone] m. METALL. laiton, cuivre jaune. ◆ pl. MUS. cuivres.
ottuagenario [ottuadʒe'narjo] agg. e n. octogénaire.
ottundere [ot'tundere] v. tr. LETT. émousser, affaiblir.
otturare [ottu'rare] v. tr. obturer, boucher. ◆ v. rifl. se boucher.
ottuso [ot'tuzo] agg. obtus. ‖ [di suono] mat.
ovaia [o'vaja] (**ovaia** e **ovaie** pl.) f. ANAT. ovaire m.
ovale [o'vale] agg. ovale.
ovatta [o'vatta] f. ouate ; [cotone idrofilo] coton (m.) hydrophile.
ovattato [ovat'tato] agg. ouatiné. ‖ FIG. feutré, étouffé. | *passi ovattati,* pas étouffés.
ovazione [ovat'tsjone] f. ovation.
ove ['ove] avv. V. DOVE. ◆ cong. si ; au cas où. | *ove lo facesse,* s'il le faisait.
ovest ['ɔvest] m. ouest, occident, couchant. ◆ agg. ouest inv., occidental. | *il versante ovest,* le versant ouest, occidental.
ovile [o'vile] m. bergerie f.
ovino [o'vino] agg. ovin.
ovini [o'vini] m. pl. ovinés.
oviparo [o'viparo] agg. ovipare.

ovo ['ɔvo] m. = UOVO.
ovulo ['ɔvulo] m. ANAT., BOT. ovule.
ovunque [o'vunkwe] avv. = DOVUNQUE.
ovvero [ov'vero] cong. = OPPURE.
ovviare [ovvi'are] v. intr. obvier.
ovvio ['ɔvvjo] agg. évident. | *è una cosa ovvia, è ovvio,* cela va sans dire.
oziare [ot'tsjare] v. intr. paresser. || [bighellonare] flâner.
ozio ['ɔttsjo] m. oisiveté f., désœuvrement. || PER EST. loisir.
oziosità [ottsjosi'ta] f. paresse, oisiveté. || [inutilità] vanité, vacuité.
ozioso [ot'tsjoso] agg. oisif, paresseux. || [inutile] oiseux, vain.
ozono [od'dzɔno] m. ozone.

p

p [pi] f. o m. p m.
pacare [pa'kare] v. tr. (raro) apaiser (L.C.).
pacatezza [paka'tettsa] f. calme m.
pacato [pa'kato] agg. calme, serein, tranquille.
pacca ['pakka] f. tape.
pacchetto [pak'ketto] m. paquet.
pacchia ['pakkja] f. FAM. aubaine (L.C.). | *che pacchia !,* quelle chance !
pacco ['pakko] (**-chi** pl.) m. paquet. | *pacco postale,* colis postal.
paccottiglia [pakkot'tiλλa] f. pacotille, camelote (fam.).
pace ['patʃe] f. paix. || [tra persone] (bonne) entente. | *far la pace con qlcu.,* faire la paix, se réconcilier avec qn. || [quiete] paix, tranquillité. || [tregua] répit m. | *la malattia non gli dà pace,* la maladie ne lui laisse pas un instant de répit. || [serenità] paix, tranquillité, calme m. || LOC. *mettere il cuore, l'anima in pace,* se résigner, se consoler. || [in formule di cortesia] *con vostra (buona) pace,* avec votre permission.
paciere [pa'tʃɛre] (**-a** f.) n. médiateur, trice.
pacificare [patʃifi'kare] v. tr. pacifier. || [riconciliare] réconcilier. ◆ v. rifl. (con) se réconcilier (avec). ◆ v. recipr. se réconcilier.
pacifico [pa'tʃifiko] (**-ci** pl.) agg. pacifique. || PER EST. [placido] paisible, tranquille. || [fuori discussione] incontestable, évident.
padano [pa'dano] agg. padan, (de la vallée) du Pô.
padella [pa'dɛlla] f. CULIN. poêle (à frire). || LOC. *cadere dalla padella nella brace,* aller de mal en pis. || [per infermi] bassin m. (de lit).
padiglione [padiλ'λone] m. [in tutti i significati] pavillon. || MAR. gréement.
padre ['padre] m. père. || REL. [appellativo] mon Père.
padreterno [padre'tɛrno] m. REL. Père éternel. || FIG. personnage important, ponte (fam.), pontife (fam.). | *credersi un padreterno,* se prendre pour qn.
padrino [pa'drino] m. parrain. || [testimone] témoin.
padrona [pa'drona] f. V. PADRONE.
padronale [padro'nale] agg. de maître. || [imprenditoriale] patronal.
padronanza [padro'nantsa] f. autorité. || PER EST. contrôle m. | *padronanza di sè,* maîtrise de soi. || FIG. maîtrise. | *ha una perfetta padronanza dell' inglese,* il maîtrise parfaitement l'anglais.
padronato [padro'nato] m. patronat.
padrone [pa'drone] (**-a** f.) n. maître, maîtresse. | *padrona di casa,* maîtresse de maison. || [proprietario] propriétaire. | *il mio padrone di casa,* mon propriétaire. || [proprietario di un animale domestico] maître. || MAR. [comandante] patron. || [datore di lavoro] patron. || FIG. maître. | *padrone della situazione,* maître de la situation. || PER EST. *sei padrone di andartene,* tu es libre de t'en aller.
padroneggiare [padroned'dʒare] v. tr. dominer, maîtriser. || FIG. [conoscere] posséder.
paesaggio [pae'zaddʒo] m. paysage.
paesano [pae'zano] agg. campagnard. || [di un certo paese] local, du pays, du cru. ◆ n. (**-a** f.) villageois, e.
paese [pa'eze] m. pays, région f. || [nazione] pays, nation f. || [villaggio] village, pays. || LOC. *mandare a quel paese qlcu.,* envoyer promener qn, envoyer qn au diable.
paesista [pae'zista] (**-i** pl.) n. paysagiste.
paffuto [paf'futo] agg. potelé, dodu.
paga ['paga] f. salaire m., paie. | *libro paga,* registre des salaires. || FIG. salaire m., récompense.
pagaia [pa'gaja] f. pagaie.
pagamento [paga'mento] m. paiement. || LOC. *a pagamento,* payant ; [di via di comunicazione] à péage.
paganesimo [paga'nezimo] m. paganisme.
pagano [pa'gano] (**-a** f.) agg. e n. païen, enne.
pagare [pa'gare] v. tr. payer. || LOC. *(quanto) pagherei per,* je donnerais

cher, je donnerais n'importe quoi pour. || POP. [offrire] payer (fam.). || FIG. payer. | *gliela farò pagare,* il me le paiera.

pagella [pa'dʒɛlla] f. [a scuola] bulletin (m.) de notes.

paggio ['paddʒo] m. page.

pagherò [page'rɔ] m. inv. billet (m.) à ordre.

pagina ['padʒina] f. PR. e FIG. page. | *voltar pagina,* tourner la page.

paglia ['paʎʎa] f. paille. || LOC. *uomo di paglia,* homme de paille. | *aver la coda di paglia,* être chatouilleux, être susceptible.

pagliaccetto [paʎʎat'tʃetto] m. barboteuse f.

pagliaccio [paʎ'ʎattʃo] m. clown. || [nell'antico teatro italiano] paillasse. || FIG. comédien, guignol.

pagliaio [paʎ'ʎajo] m. meule (f.) de paille.

paglierino [paʎʎe'rino] agg. [colore] (couleur) paille (inv.).

paglietta [paʎ'ʎetta] f. [cappello] canotier m. || [lana d'acciaio] paille de fer.

pagliuzza [paʎ'ʎuttsa] f. fétu m. (de paille), brin (m.) de paille. || [di oro] paillette. ◆ pl. [lustrini] paillettes.

pagnotta [paɲ'ɲɔtta] f. miche.

pago ['pago] agg. LETT. satisfait (L.C.).

pagoda [pa'gɔda] f. pagode.

paio ['pajo] (**paia** pl. f.) m. paire f. | *paio di forbici, di occhiali,* paire de ciseaux, de lunettes. || [elementi non necessariamente associati] deux ; [con imprecisione] deux ou trois, un ou deux, quelques. | *tra un paio di giorni,* dans deux ou trois jours, dans quelques jours.

paiolo [pa'jɔlo] m. chaudron, marmite f.

pala ['pala] f. pelle. || PER EST. pale. | *pale di un mulino a vento,* ailes d'un moulin à vent. || ARTI *pala d'altare,* retable m.

paladino [pala'dino] m. STOR. paladin. || FIG. champion, défenseur.

palafitta [pala'fitta] f. ARCHEOL. palafitte m. ; cité lacustre. || [nelle costruzioni] pilotis m.

palanca [pa'lanka] f. poutre. || [ponticello] passerelle.

palandrana [palan'drana] f. houppelande.

palata [pa'lata] f. pelletée. || LOC. *a palate,* à la pelle, en abondance. || [colpo] coup (m.) de pelle. || [di remo] coup de rame, d'aviron.

palatale [pala'tale] agg. palatal.

1. palatino [pala'tino] agg. STOR. palatin. | *guardia palatina,* garde pontificale.

2. palatino agg. ANAT. palatin.

palato [pa'lato] m. ANAT. palais. | *stuzzicare il palato,* flatter le palais.

palazzo [pa'lattso] m. palais. || PER ANAL. *palazzo comunale,* hôtel de ville. || [casa di abitazione civile] immeuble.

palco ['palko] m. plancher ; [soffitto] plafond. || [impalcatura] échafaudage. || [piano rialzato] estrade f. ; [patibolo] échafaud. || TEAT. [palcoscenico] scène f. ; [per spettatori] loge f.

palcoscenico [palkoʃ'ʃɛniko] (**-ci** pl.) m. scène f.

palesare [pale'zare] v. tr. révéler, manifester. | *palesare un segreto,* révéler un secret. ◆ v. rifl. se révéler, se manifester.

palese [pa'leze] agg. évident, manifeste.

palestra [pa'lɛstra] f. gymnase m. ; [in una scuola] salle de gymnastique. || [esercizi ginnici] gymnastique. || FIG. école, leçon.

paletta [pa'letta] f. pelle. || [segnale] disque m. || TECN. ailette.

paletto [pa'letto] m. piquet, pieu. || [sistema di chiusura] verrou.

palio ['paljo] m. fanion. || [competizione] jeu. || LOC. *mettere, essere in palio,* mettre, être en jeu.

palissandro [palis'sandro] m. palissandre.

palizzata [palit'tsata] f. palissade.

palla ['palla] f. [sfera elastica] balle ; [pallone] ballon m. || LOC. *prendere la palla al balzo,* saisir la balle au bond. || [di legno, metallo] bille, boule. || [per votazioni] boule. || [peso dei prigionieri] boulet m. || FIG. *mettere la palla al piede,* mettre la corde au cou. || [proiettile di canone] boulet m. ; [di fucile, pistola, ecc.] balle. || [qualsiasi oggetto sferico] boule. | *palla di neve,* boule de neige. || ANAT. *palla dell'occhio,* globe (m.) oculaire (L.C.).

pallacanestro [pallaka'nɛstro] f. basket-ball m. (ingl.), basket m.

pallanuoto [palla'nwɔto] f. water-polo m. (ingl.).

pallavolo [palla'volo] f. volley-ball m. (ingl.).

palleggiare [palled'dʒare] v. intr. se renvoyer la balle, une balle ; (se) faire des passes ; [al tennis] faire des balles. ◆ v. tr. balancer. ◆ v. recipr. FIG. *palleggiarsi le responsabilità,* se renvoyer la balle.

pallido ['pallido] agg. pâle. | *pallida imitazione,* pâle imitation. || [debole] vague. | *pallido ricordo,* vague souvenir.

pallino [pal'lino] m. [boccino] cochonnet. || FIG. manie f., idée (f.) fixe, dada (fam.). | *ha il pallino dei cruciverba,* il a la manie des mots croisés. ◆ pl. [munizioni da caccia] plombs. || [stampati su stoffa] pois.

pallone [pal'lone] m. ballon. || FAM. *è un pallone gonfiato,* il se prend pour quelqu'un.
pallore [pal'lore] m. pâleur f.
pallottola [pal'lɔttola] f. boule, bille. || [proiettile] balle.
pallottoliere [pallotto'ljɛre] m. boulier.
1. palma ['palma] f. ANAT. paume. || LOC. *tenere qlcu. in palma di mano,* porter qn aux nues.
2. palma f. BOT. palmier m. || [ramo di palma] palme. || REL. *domenica delle Palme,* dimanche des Rameaux.
palmento [pal'mento] m. [macina] meule f. || [per la pigiatura del vino] pressoir.
palmeto [pal'meto] m. palmeraie f.
palmipede [pal'mipede] agg. e m. palmipède.
palmo ['palmo] m. [spanna] empan, palme. || FIG. *un palmo d'acqua,* quelques centimètres d'eau. | *perlustrare la città a palmo a palmo,* fouiller la ville centimètre par centimètre. | *restare con un palmo di naso,* être bien attrapé. || [palma della mano] paume f.
palo ['palo] m. poteau ; [di legno] pieu ; [per piante] échalas. | *palo telegrafico,* poteau télégraphique. || [supplizio] pal. || MAR. mât. || LOC. *fare il palo,* faire le guet.
palombaro [palom'baro] m. scaphandrier.
palombo [pa'lombo] m. [squalo] émissole f., chien de mer. || [colombo] pigeon, palombe f.
palpare [pal'pare] v. tr. palper, tâter. || FIG. toucher du doigt.
palpebra ['palpebra] f. paupière.
palpitare [palpi'tare] v. intr. palpiter. || PER EST. palpiter, frémir.
palpitazione [palpitat'tsjone] f. palpitation, battement (m.) de cœur. || FIG. appréhension.
palpito ['palpito] m. battement (de cœur), pulsation f. || FIG. frémissement.
paltò [pal'tɔ] m. manteau ; [solo da uomo] pardessus.
paludamento [paluda'mento] m. vêtements (pl.) somptueux. || SCHERZ. accoutrement.
palude [pa'lude] f. marais m., marécage m.
palustre [pa'lustre] agg. palustre, paludéen.
pampano ['pampano] o **pampino** ['pampino] m. pampre.
panacea [pana'tʃɛa] f. panacée.
panca ['panka] f. banc m.
pancetta [pan'tʃetta] f. lard m. (maigre). | *pancetta affumicata,* lard fumé, bacon (ingl.). || SCHERZ. ventre m.
panchina [pan'kina] f. banc m., banquette.
pancia ['pantʃa] (**-ce** pl.) f. ventre m. || PER ANAL. ventre m., panse. | *pancia di un vaso,* ventre d'un vase.
panciera [pan'tʃɛra] f. ceinture.
pancione [pan'tʃone] m. FAM. gros ventre, bedaine f.
panciotto [pan'tʃɔtto] m. gilet.
panciuto [pan'tʃuto] agg. bedonnant. || [cose] ventru, bombé.
pancone [pan'kone] m. madrier, grosse planche. || [banco di lavoro] établi ; [di vendita] comptoir.
pancreas ['pankreas] m. pancréas.
pandemonio [pande'mɔnjo] m. pagaille f., vacarme, chahut (fam.). || [protesta] tollé.
1. pane ['pane] m. pain. || LOC. *non è pane per i miei denti,* ce n'est pas fait pour moi. || PER EST. *guadagnarsi il pane,* gagner son pain. || FIG. nourriture f. (spirituelle). || PER ANAL. *pane di sapone,* pain de savon. || [di metallo] saumon, lingot.
2. pane m. filetage, pas de vis.
panegirico [pane'dʒiriko] (**-ci** pl.) m. panégyrique.
panetteria [panette'ria] f. boulangerie.
panettiere [panet'tjɛre] m. boulanger.
panfilo ['panfilo] m. yacht.
pangrattato [pangrat'tato] m. chapelure f., panure f.
panico ['paniko] m. panique f.
paniere [pa'njɛre] m. panier, corbeille f.
panificare [panifi'kare] v. intr. faire du pain. ◆ v. tr. panifier.
panificio [pani'fitʃo] m. boulangerie f.
1. panna ['panna] f. crème. | *panna montata,* crème fouettée.
2. panna f. MAR., MECC. panne. | *essere in panna,* être en panne.
panneggio [pan'neddʒo] m. drapé.
pannello [pan'nɛllo] m. panneau. | *pannello di comando,* tableau de contrôle.
panno ['panno] m. tissu, étoffe f. || [di lana] drap. | *panno fine,* drap fin. || [pezzo di stoffa] linge. | *pulire con un panno umido,* nettoyer avec un linge humide. | *panni caldi,* compresses f. (chaudes). ◆ pl. [biancheria] linge. | *lavare i panni,* laver le linge, faire la lessive. || [vestiti] vêtements, habits. | *panni da inverno,* vêtements d'hiver. || LOC. *mettersi nei panni di qlcu.,* se mettre à la place de qn. | *tagliare i panni addosso a qlcu.,* casser du sucre sur le dos de qn (fam.).
pannocchia [pan'nɔkkja] f. épi (m.) de maïs.
pannolino [panno'lino] m. [per i neonati] couche f. || [per l'igiene femminile] serviette (f.) hygiénique.
panorama [pano'rama] (**-i** pl.) m. PR. e FIG. panorama.

panpepato [panpe'pato] m. pain d'épices.
pantaloni [panta'loni] m. pl. pantalon sing.
pantano [pan'tano] m. bourbier, fondrière f., marécage. || FIG. bourbier, mélasse f., guêpier.
panteismo [pante'izmo] m. panthéisme.
pantera [pan'tεra] f. panthère.
pantofola [pan'tɔfola] f. pantoufle ; [aperta dietro] mule.
pantomima [panto'mima] f. pantomime. || PER EST. mimique.
papa ['papa] (**-i** pl.) m. REL. pape.
papà [pa'pa] m. papa. | *figlio di papà,* fils à papa.
papalina [papa'lina] f. calotte.
papato [pa'pato] m. papauté f.
papavero [pa'pavero] m. BOT. pavot. | *papavero (rosso),* coquelicot. || SCHERZ. huile f. (pop.), gros bonnet.
papera ['papera] f. ZOOL. oison m. || FIG. lapsus m.
papero ['papero] m. oison.
papessa [pa'pessa] f. papesse.
papilla [pa'pilla] f. papille.
papiro [pa'piro] m. BOT. papyrus. || PER EST. [documento] papier.
pappa ['pappa] f. [cibo per bambini] bouillie ; [minestra] soupe. || PER EST. bouillie. || FIG. *pappa molle,* chiffe molle.
pappagallo [pappa'gallo] m. PR. e FIG. perroquet. || [giovinastro] dragueur. || [recipiente] urinal.
pappagorgia [pappa'gɔrdʒa] f. double menton m.
pappardella [pappar'dεlla] f. SCHERZ. tartine, tirade. ◆ pl. CULIN. lasagne.
pappare [pap'pare] v. tr. e intr. bouffer (pop.), s'empiffrer (de). || FIG. rafler (fam.), s'engraisser.
para ['para] f. caoutchouc m. ; [in fogli] crêpe m.
parabola [pa'rabola] f. PR. e FIG. parabole.
parabrezza [para'breddza] m. inv. pare-brise.
paracadute [paraka'dute] m. parachute.
paracarro [para'karro] m. borne f. ; [messo a protezione di un muro] chasse-roue.
paracleto [para'klεto] m. REL. paraclet.
paradigma [para'digma] (**-i** pl.) m. paradigme. || FIG. exemple, modèle.
paradiso [para'dizo] m. REL. e FIG. paradis, ciel.
paradossale [parados'sale] agg. paradoxal.
paradosso [para'dɔsso] m. paradoxe.
parafango [para'fango] (**-ghi** pl.) m. garde-boue inv. || AUT. aile f.
paraffina [paraf'fina] f. paraffine.
parafrasi [pa'rafrazi] f. paraphrase.
parafulmine [para'fulmine] m. paratonnerre, parafoudre.
parafuoco [para'fwɔko] m. garde-feu inv.
paraggio [pa'raddʒo] m. MAR. parage. ◆ pl. parages, environs.
paragonare [parago'nare] v. tr. comparer. ◆ v. rifl. se comparer.
paragone [para'gone] m. comparaison f. || PR. e FIG. *(pietra di) paragone,* pierre (f.) de touche.
paragrafo [pa'ragrafo] m. paragraphe.
paralisi [pa'ralizi] f. PR. e FIG. paralysie.
paralizzare [paralid'dzare] v. tr. PR. e FIG. paralyser.
parallela [paral'lεla] f. GEOM. parallèle.
parallelismo [paralle'lizmo] m. PR. e FIG. parallélisme.
parallelo [paral'lεlo] agg. PR. e FIG. parallèle. ◆ m. [paragone] parallèle. || ELETTR., GEOGR., GEOM. parallèle.
paraluce [para'lutʃe] m. inv. abat-jour.
paramano [para'mano] m. parement.
paramento [para'mento] m. ornement ; [di altare] parement. || [nelle costruzioni] parement.
parametro [pa'rametro] m. MAT. paramètre.
paranoia [para'nɔja] f. paranoïa.
paranoico [para'nɔiko] (**-ci** pl.) agg. e n. paranoïaque.
paranza [pa'rantsa] f. barque de pêche.
paraocchi [para'ɔkki] m. inv. PR. e FIG. œillère f.
parapetto [para'pεtto] m. parapet, garde-fou. || MAR. bastingage.
parapiglia [para'piλλa] m. inv. mêlée f., cohue f., bousculade f.
parapioggia [para'pjɔddʒa] m. inv. parapluie m.
parare [pa'rare] v. tr. parer. | *parare un colpo,* parer un coup. || [riparare] abriter, protéger. || [porgere] tendre, présenter. || [impedire] empêcher. || [trattenere] retenir. || [guidare] conduire, mener. || [ornare] parer, orner. ◆ v. intr. *dove vuoi andare a parare ?,* où veux-tu en venir ? ◆ v. rifl. [ripararsi] s'abriter, se protéger. || [presentarsi] surgir, apparaître. || [di prete] revêtir les ornements sacerdotaux.
parasole [para'sole] m. inv. ombrelle f. || FOT. parasoleil m.
parassita [paras'sita] (**-i** pl.) agg. e n. PR. e FIG. parasite.
parassitismo [parassi'tizmo] m. PR. e FIG. parasitisme.
parastatale [parasta'tale] agg. semipublic. ◆ n. employé d'un service semipublic.
1. parata [pa'rata] f. [di un colpo] parade. || [sbarramento] barrage m.

2. parata f. MIL. parade. || LOC. *veder la mala parata,* voir que les choses tournent mal.
paratia [para'tia] f. MAR. cloison.
paratifo [para'tifo] m. paratyphoïde f.
parato [pa'rato] m. tenture f., tapisserie f. | *carta da parati,* papier peint. || MAR. traverse f.
paraurti [para'urti] m. inv. pare-chocs.
paravento [para'vɛnto] m. PR. e FIG. paravent.
parcella [par'tʃɛlla] f. (note d')honoraires m. pl. || [appezzamento di terra] parcelle.
parcheggiare [parked'dʒare] v. tr. garer, parquer. ◆ v. intr. se garer, se parquer.
parcheggio [par'keddʒo] m. parc de stationnement, parking (ingl.).
1. parco ['parko] (**-chi** pl.) agg. frugal, modéré. || [gretto] parcimonieux.
2. parco (**-chi** pl.) m. parc.
parecchio [pa'rekkjo] agg. indef. [con un n. al pl.] plusieurs, nombreux, beaucoup (de), bien (des). | *parecchie volte,* plusieurs fois. | *in parecchi casi,* dans bien des cas. || [con n. al sing.] beaucoup (de), bien (du), pas mal (de). | *parecchio denaro,* beaucoup, pas mal d'argent. ◆ pron. indef. [diversi] plusieurs ; [molti] beaucoup. | *hai già fatto parecchio,* tu as déjà fait beaucoup. ◆ avv. *ho speso parecchio,* j'ai dépensé pas mal, beaucoup (d'argent). || [con v. o comp.] beaucoup, bien. | *è parecchio più grande,* il est beaucoup, bien plus grand.
pareggiare [pared'dʒare] v. tr. égaliser, aplanir. || [equilibrare] équilibrer. | *pareggiare il bilancio,* équilibrer le budget. || [uguagliare] égaler. || SP. égaliser ; [risultato finale] faire match nul. ◆ v. rifl. être égal.
pareggio [pa'reddʒo] m. FIN. équilibre, balance f. || SP. égalisation f. ; [risultato finale] match nul.
parente [pa'rɛnte] n. parent, e.
parentela [paren'tɛla] f. PR. e FIG. parenté. || [i parenti] famille.
parentesi [pa'rɛntezi] f. PR. e FIG. parenthèse. | *parentesi quadra,* crochet m.
1. parere [pa'rere] v. intr. avoir l'air (de), paraître, sembler. | *mi pare una brava persona,* il m'a l'air d'un brave homme. || [falsamente] *pareva un santo,* on aurait dit un saint, il avait l'air d'un saint. || [con infin.] *paiono dormire,* on dirait qu'ils dorment, ils ont l'air de dormir. || LOC. *pare impossibile,* c'est incroyable. || [assomigliare] ressembler (à). ◆ v. intr. impers. [con pron. compl. di termine] *mi pare,* j'ai l'impression, je crois, il me semble. || [giudizio] *non mi pare il momento,* je trouve que ce n'est pas le moment. | *che te ne pare ?,* qu'en penses-tu ? | *fa quel che gli pare (e piace),* il fait ce qu'il veut, ce qui lui plaît. || [in formule di cortesia] *«Disturbo ?», «Ma le pare !»,* «Je vous dérange ?», «Mais pas du tout !» | *«Grazie !», «Ti pare !»,* «Merci !», «De rien !» || [senza compl. di termine] *pare,* il paraît. || [sembra] on dirait, on a l'impression. | *pare che voglia piovere,* on dirait qu'il va pleuvoir.
2. parere m. avis. | *mutar parere,* changer d'avis.
parete [pa'rete] f. mur m. ; paroi, cloison. || LOC. *tra le pareti domestiche,* dans l'intimité. || [fianco di una montagna] paroi.
pargolo ['pargolo] m. LETT. enfant (L.C.). ◆ agg. LETT. petit (L.C.).
1. pari ['pari] agg. inv. égal, même. || [col v. «essere»] *siamo pari di età, di pari età,* nous avons le même âge, nous sommes du même âge. | *essere pari al proprio compito,* être à la hauteur de sa tâche. || [con altri verbi, altre costruzioni] *avere pari diritti,* avoir les mêmes droits. | *a pari merito,* à égalité de mérite. || LOC. *saltare a piè pari,* PR. sauter à pieds joints ; FIG. *saltare a piè pari una difficoltà,* esquiver une difficulté. || GIOCHI, SP. à égalité. || [in un rapporto di dare ed avere] quitte. || MAT. pair. | *i numeri pari,* les nombres pairs. ◆ m. égal, pair. | *non accetto le critiche dai tuoi pari,* je n'accepte pas les critiques des gens comme toi. | *essere senza pari,* être sans égal, être hors (de) pair. ◆ loc. *in pari,* [in equilibrio] en équilibre ; [allo stesso livello] au même niveau, de niveau ; [aggiornato] à jour, en règle. | *non sono in pari col lavoro,* j'ai du travail en retard. || [di prestazione di servizio] au pair. || *pari pari,* textuellement, mot à mot. | *del pari,* (tout) aussi bien ; aussi. | *al pari di,* comme, aussi bien que.
2. pari m. [nobile] pair.
parietale [parje'tale] agg. e m. pariétal.
parimenti [pari'menti] avv. pareillement, également, de même.
parità [pari'ta] f. égalité, parité .
paritetico [pari'tɛtiko] (**-ci** pl.) agg. paritaire.
1. parlamentare [parlamen'tare] agg. e n. parlementaire.
2. parlamentare v. intr. parlementer.
parlamento [parla'mento] m. parlement.
parlare [par'lare] v. intr. parler. | [senza compl.] *è andato via senza parlare,* il est parti sans rien dire, sans mot dire. || [al telefono] *chi parla ?,* qui est à l'appareil ? || [in pubblico] *aver*

facoltà di parlare, avoir la parole. || [con compl. di modo, causa, ecc.] *parlare difficile,* parler de façon compliquée. | *parla tanto per parlare,* il parle pour ne rien dire. || *parlare a, con qlcu.,* parler à, avec qn. | *parlare di qlcu., di qlco.,* parler de qn, de qch. | *parlare del più e del meno,* parler, causer de choses et d'autres. | *non se ne parla neanche,* il n'en est pas question. | *parlare bene, male di qlcu.,* dire du bien, du mal de qn. | *parlare di politica,* parler, causer (fam.) politique. || [far correre la voce] *si parla di un milione di danni,* on parle d'un million de dégâts. || [esprimersi] *parlare a gesti,* parler par gestes. || [sogg. = cosa] parler. | *tutti i giornali ne parlano,* tous les journaux en parlent. ◆ v. tr. parler. | *parlare (il) russo,* parler (le) russe. ◆ v. recipr. se parler. || Pop. [amoreggiare] se fréquenter. ◆ m. parler, manière (f.), façon (f.) de parler. || [riguardo all'impronta stilistica] langage, parler.

parlato [par'lato] agg. parlé. || Cin. *film parlato,* film parlant.

parlatorio [parla'tɔrjo] m. parloir.

parlottare [parlot'tare] v. intr. parler à voix basse ; chuchoter.

parmigiano [parmi'dʒano] agg. de Parme, parmesan. ◆ n. habitant de Parme. ◆ m. [formaggio] parmesan.

parodia [paro'dia] f. Pr. e Fig. parodie.

parodiare [paro'djare] v. tr. parodier.

parola [pa'rɔla] f. mot m. ; [espressione del pensiero] mot, parole. | *in parole povere,* en un mot. | *in altre parole,* en d'autres termes, autrement dit. | *non ne so una parola,* je n'en sais pas le premier mot. || Particol. *parole incrociate,* mots croisés. | *gioco di parole,* jeu de mots. || Loc. *parola per parola,* mot à mot. | *è un uomo di poche parole,* il n'est pas bavard. | *passar parola,* avertir. | *prendere in parola,* prendre au mot ; [fidarsi] croire sur parole. | *è una parola !,* c'est facile à dire ! | *la persona in parola,* la personne en question. | *essere in parola,* être en pourparlers. || [impegno] parole, promesse. | *venir meno alla parola,* manquer à sa parole. || [facoltà di parlare] parole. | *libertà di parola,* liberté d'expression. ◆ pl. [discorso] paroles, mots, propos m. | *parole sconnesse,* propos décousus. || [simbolo di inconsistenza] discours m., mots, paroles. | *sono solo parole,* ce ne sont que des mots.

parolaccia [paro'lattʃa] f. Pegg. gros mot.

parolaio [paro'lajo] agg. verbeux. ◆ n. bavard, arde.

parossismo [paros'sizmo] m. paroxysme.

parricidio [parri'tʃidjo] m. parricide.

parrocchia [par'rɔkkja] f. paroisse.

parroco ['parroko] (**-ci** pl.) m. curé.

parrucca [par'rukka] f. perruque.

parrucchiere [parruk'kjɛre] (**-a** f.) n. coiffeur, euse.

parsimonia [parsi'mɔnja] f. parcimonie, économie.

parte ['parte] f. 1. partie. | *parti del corpo,* parties du corps. | *parti di ricambio,* pièces de rechange. 2. [quantità o numero] partie. | *gran parte degli studenti,* une grande partie des étudiants. || [di tempo] *la maggior parte del tempo,* la plupart du temps. | *da un anno a questa parte,* depuis un an. 3. [zona, regione] partie. | *la parte montuosa del paese,* la région, la zone montagneuse du pays. || [senza compl. di specificazione] *che fai da queste parti ?,* que fais-tu par ici ? || [lato] côté m. | *dall'altra parte della strada,* de l'autre côté de la rue. || [direzione] côté. | *da che parte vai ?,* de quel côté vas-tu ? || Fig. côté. | *si è messo dalla parte del più forte,* il s'est mis du côté du plus fort. || [provenienza] part, côté. | *diglielo da parte mia,* dis-le-lui de ma part. 4. [ciò che spetta a qlcu.] part. | *ognuno ebbe la sua parte,* chacun eut sa part. 5. [fazione, partito] parti m., faction, camp m. | *uomo di parte,* homme partial, esprit partisan. 6. Giur. [ogni contendente] partie. || [avversario] partie, adversaire m. 7. Mus. partie. || [in un'opera lirica] rôle m. | *la parte di Figaro,* le rôle de Figaro. 8. Teat. e Fig. rôle m. | *far la parte della vittima,* jouer les victimes. | *mi avete fatto far la parte dello stupido,* vous m'avez fait passer pour un imbécile. 9. Loc. *essere a parte di,* être au courant de. | *far parte di un gruppo,* faire partie d'un groupe. ◆ avv. [correlativo] *pagherò parte subito, parte a rate,* je payerai une partie tout de suite et le reste à crédit. ◆ loc. avv. *in parte,* en partie. || *a parte,* à part. || *da parte,* de côté. || *d'altra parte,* d'autre part.

partecipare [partetʃi'pare] v. intr. participer (à), prendre part (à). || [essere partecipe di] participer (lett.), tenir de. ◆ v. tr. faire part (de), annoncer. | *partecipare il proprio matrimonio a qlcu.,* faire part de son mariage à qn.

partecipazione [partetʃipat'tsjone] f. participation. || [comunicazione] communication, annonce. || [biglietto] faire-part m. inv.

partecipe [par'tɛtʃipe] agg. qui participe (à), qui prend part (à).

parteggiare [parted'dʒare] v. intr. être pour, prendre parti pour.

partenopeo [parteno'pɛo] agg. e n. LETT. parthénopéen, napolitain (L.C.).
partenza [par'tɛntsa] f. départ m. | *essere di partenza,* être prêt à, sur le point de partir.
particella [parti'tʃɛlla] f. FIS., GR. particule. || GIUR. [di terra] parcelle.
participio [parti'tʃipjo] m. participe.
particola [par'tikola] f. REL. hostie.
particolare [partiko'lare] agg. particulier. | *nulla di particolare,* rien de spécial, rien de particulier. ◆ m. détail. | *esaminare nei particolari,* examiner en détail.
particolareggiato [partikolared'dʒato] agg. détaillé.
particolarismo [partikola'rizmo] m. particularisme.
particolarità [partikolari'ta] f. particularité, caractéristique. || [particolare] détail m.
particolarmente [partikolar'mente] avv. particulièrement, en particulier, spécialement.
partigiano [parti'dʒano] n. partisan ; [nella Resistenza] maquisard, partisan. ◆ agg. de(s) partisans, partisan, ane.
partire [par'tire] v. intr. partir, s'en aller. || [iniziare un movimento] partir. | *partire di corsa,* partir en courant. | *far partire un'automobile,* faire démarrer une voiture. || FIG. partir. | *partire dal niente,* partir de rien. || [provenire] partir, venir. | *un urlo partì dalla folla,* un cri partit de la foule. || FAM., SCHERZ. [guastarsi] *il carburatore è partito,* le carburateur est fichu. ◆ v. rifl. LETT. partir (L.C.), s'éloigner (L.C.).
partita [par'tita] f. [di merce] (certaine) quantité ; stock m. || [contabilità] partie. | *saldare una partita,* régler ses comptes. || GIOCHI partie. || SP. partie, match m. || [divertimento] *partita di piacere, di caccia,* partie de plaisir, de chasse. || LOC. *aver partita vinta,* gagner la partie. || MUS. partita (it.), suite.
partito [par'tito] m. POL. parti. || [soluzione] solution f., parti, décision f. | *non saper quale partito prendere,* ne pas savoir quel parti prendre. || LOC. *mettere la testa a partito,* se ranger. || [occasione di matrimonio] parti. || [situazione] *a mal partito,* en fâcheuse posture ; [riferito alla salute] mal en point. || [profitto] *trarre partito da qlco.,* tirer parti de qch.
partitura [parti'tura] f. MUS. partition.
partizione [partit'tsjone] f. répartition, division.
parto ['parto] m. accouchement. || [di animale] mise (f.) bas ; [di mucca] vêlage ; [di cavalla] poulinage. || FIG. création f. ; [risultato] fruit, produit.
partorire [parto'rire] v. tr. accoucher (de). || [di animali] mettre bas ; [di mucca] vêler ; [di cavalla] pouliner. || FIG. [produrre] engendrer.
parvenza [par'vɛntsa] f. apparence, semblant m. | *una parvenza di libertà,* une apparence de liberté. || [indizio] signe m.
parziale [par'tsjale] agg. partiel. || [non equo] partial.
pascere ['paʃʃere] v. tr. paître. || [portare al pascolo] faire paître. || FIG. nourrir. ◆ v. rifl. PR. e FIG. se nourrir, se repaître.
pascià [paʃ'ʃa] m. inv. pacha m.
pasciuto [paʃ'ʃuto] agg. bien nourri, florissant.
pascolare [pasko'lare] v. tr. faire paître. ◆ v. intr. paître, pâturer.
pascolo ['paskolo] m. pâturage.
pasqua ['paskwa] f. REL. [presso gli Ebrei] Pâque. || [presso i Cristiani] Pâques f. pl. ; [il giorno di Pasqua] Pâques m. sing. | *buona Pasqua !,* joyeuses Pâques !
passabile [pas'sabile] agg. passable.
passaggio [pas'saddʒo] m. passage. || [trasferimento] transfert, changement. | *passaggio di proprietà,* transfert de propriété. || LOC. *di passaggio,* PR. de passage ; FIG. en passant. || [in automobile] *mi dai un passaggio ?,* tu m'emmènes ? || [luogo dove si passa] passage. | *passaggio pedonale,* passage pour piétons. || LETT., MUS. passage. || SP. passe f.
passamaneria [passamane'ria] f. passementerie.
passamano [passa'mano] m. rampe f., main courante. || [passaggio di oggetti] chaîne f. | *far passamano,* faire la chaîne.
passante [pas'sante] agg. e n. passant. ◆ m. [anello] passant.
passaporto [passa'pɔrto] m. passeport.
passare [pas'sare] v. intr. 1. passer. | *è passato di qui,* il est passé par ici. || LOC. *passare oltre, avanti,* continuer son chemin, passer son chemin. | *passare attraverso molte difficoltà,* traverser bien des difficultés. || [esistenza di un rapporto] y avoir. | *i buoni rapporti che passano tra loro,* les bons rapports qu'il y a entre eux. || [indulgenza] passer. | *passare sopra a qlco.,* passer sur qch. || CULIN. *passare di cottura,* être trop cuit. 2. [trasferirsi da un luogo ad un altro] passer, aller. | *passiamo in salotto,* passons au salon. || [cambiar stato, condizione] passer. | *passare all'opposizione,* passer à l'opposition. || [avanzamento] *passare di grado,* monter en grade. || [inserimento] *passare alla storia,* entrer dans l'histoire. || LOC. *passare a seconde nozze,* se remarier. |

mi è passato di mente, cela m'est sorti de la tête, cela m'a échappé. 3. [entrare] entrer, passer. | *lo faccia passare,* faites-le entrer. || [recarsi] passer. | *passerò a prenderti,* je viendrai, passerai te chercher. 4. [detto del tempo] passer, s'écouler. | *sono passati due anni,* deux années ont passé, se sont écoulées. 5. [cessare] passer. | *mi è passata la voglia,* je n'en ai plus envie. 6. [venire accettato] passer. | *la legge è passata,* la loi a passé. || [venire promosso] être reçu, admis. || [indulgenza] *passi per questa volta,* c'est bon pour une fois. 7. [passare per] passer pour, être regardé, considéré comme. ◆ v. tr. 1. [attraversare] passer, traverser, franchir. | *passare un fiume,* passer, traverser un fleuve. || [trafiggere] traverser, transpercer. || [oltrepassare] dépasser, passer. || [subire] passer. | *passare un esame,* [farlo] passer un examen ; [essere promosso] être reçu à un examen. || LOC. *ne ha passate tante !,* il a eu bien des malheurs ! | *passarla liscia,* s'en tirer à bon compte. 2. [spostare] transporter, faire passer. || [trasferire] *lo hanno passato in un altro servizio,* il a été muté dans un autre service. || [far scorrere] passer. | *passare una spugna sul tavolo,* passer une éponge sur la table. || [perdonare] passer, pardonner. | *sua madre gli passa tutto,* sa mère lui passe tout. || ASSOL., GIOCHI *passo,* je passe. 3. [dare] passer. | *passami il sale,* passe-moi le sel. || [di denaro] payer, verser, donner. | *deve passare gli alimenti alla ex-moglie,* il doit verser une pension alimentaire à son ex-femme. || [provvedere a] fournir. || [al telefono] *le passo mio marito,* je vous passe mon mari. 4. [trascorrere] passer. | *passare l'estate al mare,* passer l'été à la mer. || FAM. *passarsela bene,* se la couler douce. | *passarsela male,* être dans de sales draps. ◆ m. *col passare del tempo,* avec le temps.

passata [pas'sata] f. *dare una passata di colore,* passer une couche de peinture.

passato [pas'sato] part. pass. e agg. passé. | *l'anno passato,* l'année passée, l'année dernière. || PARTICOL. *frutto passato,* fruit trop mûr. || GR. *participio passato,* participe passé. ◆ m. passé. || CULIN. purée f. | *passato di piselli,* purée de pois. || GR. passé.

passeggero [passed'dʒero] agg. e n. passager, ère.

passeggiare [passed'dʒare] v. intr. se promener v. rifl.

passeggiata [passed'dʒata] f. promenade. || [strada] promenade.

passeggiatrice [passeddʒa'tritʃe] f. EUF. péripatéticienne (scherz.).

passeggino [passed'dʒino] m. poussette f.

passeggio [pas'seddʒo] m. promenade f. || [luogo] promenade.

passerella [passe'rɛlla] f. passerelle.

passero ['passero] m. moineau.

passibile [pas'sibile] agg. passible. || [che può] susceptible de.

passionale [passjo'nale] agg. passionné, passionnel.

passione [pas'sjone] f. passion.

passivo [pas'sivo] agg. e m. passif.

1. passo ['passo] agg. sec, fané. | *uva passa,* raisin sec.

2. passo m. pas. | *procedere di buon passo,* marcher d'un bon pas. || [orma] pas, trace (f.) de pas. || [andatura lenta] pas. | *a passo d'uomo,* au pas. || FIG. démarche f. | *ho fatto tutti i passi necessari,* j'ai fait toutes les démarches nécessaires. || [brano] passage. | *tradurre un passo di Virgilio,* traduire un passage de Virgile. || CIN. format. || TECN. pas. | *passo di una vite,* pas d'une vis. || [di veicolo] empattement, écartement. || LOC. *far due, far quattro passi,* faire un tour. | *segnare il passo,* PR. e FIG. marquer le pas ; FIG. piétiner. | *andando avanti di questo passo,* à ce train-là. | *e via di questo passo,* et ainsi de suite.

3. passo m. [il passare] passage. | *cedere il passo,* céder le passage, le pas. || [luogo] passage. | *passo carrabile,* porte cochère. || GEOGR. col. | *il passo del San Gottardo,* le col du Saint-Gothard. || [braccio di mare] pas, détroit.

pasta ['pasta] f. CULIN. pâte. | *pasta frolla, sfoglia,* pâte brisée, feuilletée. || [alimentare] pâtes pl. (alimentaires). | *pasta in brodo,* potage aux pâtes. || [dolce] gâteau m. || [materia molle] pâte. | *pasta d'acciughe,* beurre (m.) d'anchois.

pasteggiare [pasted'dʒare] v. intr. manger. | *pasteggiare a carne,* manger de la viande.

pastella [pas'tɛlla] f. pâte à frire, pâte à beignets.

pastellista [pastel'lista] (**-i** pl.) n. pastelliste.

pastello [pas'tɛllo] m. pastel.

pasticca [pas'tikka] f. pastille.

pasticceria [pastittʃe'ria] f. pâtisserie. || [dolci] pâtisseries pl., gâteaux m. pl. | *pasticceria da tè,* petits fours m. pl.

pasticciare [pastit'tʃare] v. tr. gâcher, bâcler.

pasticciere [pastit'tʃɛre] (**-a** f.) n. pâtissier, ère.

pasticcio [pas'tittʃo] m. CULIN. pâté. || FIG. [cosa mal fatta] désastre ; [situazione intricata] gâchis ; [guaio] pétrin

(fam.). | *cacciarsi nei pasticci,* se fourrer dans le pétrin. || MUS. pastiche.
pasticcione [pastit'tʃone] (**-a** f.) n. brouillon, onne.
pastificio [pasti'fitʃo] m. usine (f.) de pâtes (alimentaires).
pastiglia [pas'tiλλa] f. pastille. || AUT. plaquette de frein.
pastina [pas'tina] f. pâtes pl. (à potage).
pasto ['pasto] m. repas. | *vino da pasto,* vin de table. || LOC. *dare in pasto,* donner en pâture.
pastoia [pas'tɔja] f. PR. e FIG. entrave.
pastone [pas'tone] m. pâtée f. || [minestra troppo cotta] bouillie f.
1. pastorale [pasto'rale] agg. PR., LETT. e REL. pastoral. ◆ f. MUS. pastorale. || REL. (lettre) pastorale.
2. pastorale m. [del vescovo] crosse f.
pastore [pas'tore] m. berger, pâtre (lett.). || FIG. pasteur, berger. || [cane] berger. | *pastore tedesco,* berger allemand.
pastorella [pasto'rɛlla] f. (jeune) bergère. || LETT., MUS. pastourelle.
pastorizia [pasto'rittsja] f. élevage m.
pastorizzare [pastorid'dzare] v. tr. pasteuriser.
pastoso [pas'toso] agg. pâteux. || FIG. moelleux.
pastrano [pas'trano] m. pardessus. || [dei militari] capote f.
pastura [pas'tura] f. pâture, pâturage m. || [esche per i pesci] amorce.
patacca [pa'takka] f. sou m., pièce de peu de valeur. || [oggetto falso] faux m., contrefaçon ; [oggetto senza valore] bricole (fam.). || SCHERZ. [medaglia] macaron m. (fam.), médaille (L.C.). || FAM. [macchia] tache (L.C.).
patata [pa'tata] f. BOT., CULIN. pomme de terre, patate (fam.).
patema [pa'tɛma] (**-i** pl.) m. tourment, angoisse f., préoccupation f.
patentato [paten'tato] agg. patenté, diplômé, fieffé (peggior.).
1. patente [pa'tɛnte] agg. patent, évident.
2. patente f. permis m. | *prendere la patente (di guida),* passer son permis (de conduire).
patentino [paten'tino] m. permis.
paternale [pater'nale] f. sermon m., semonce.
paternità [paterni'ta] f. PR. e FIG. paternité. || AMM. [nome del padre] prénom (m.) du père.
paterno [pa'tɛrno] agg. paternel.
patetico [pa'tɛtiko] (**-ci** pl.) agg. pathétique. || PEGG. mélodramatique. ◆ m. pathétique.
patibolo [pa'tibolo] m. échafaud.
patimento [pati'mento] m. souffrance f.
patina ['patina] f. PR. e FIG. patine. || [di protezione] enduit m.
patinare [pati'nare] v. tr. patiner.
patire [pa'tire] v. tr. souffrir (de). | *patire il freddo, la fame,* souffrir du froid, de la faim. || [subire] subir, souffrir, supporter. | *patire il martirio,* souffrir le martyre. || LETT. [acconsentire] souffrir. ◆ v. intr. souffrir.
patito [pa'tito] agg. qui a mauvaise mine ; [malato] souffrant ; [di costituzione debole] malingre, souffreteux. ◆ n. mordu (fam.), fervent, fana (fam.).
patologia [patolo'dʒia] f. pathologie.
patria ['patrja] f. patrie, pays m.
patriarca [patri'arka] (**-chi** pl.) m. patriarche.
patrigno [pa'triɲɲo] m. beau-père.
patrimonio [patri'mɔnjo] m. GIUR. e FIG. patrimoine. || IPERB. *costa un patrimonio !,* ça coûte une fortune !
patrio ['patrjo] agg. de la patrie, du pays. | *amor patrio,* amour de la patrie. || [del padre] *patria potestà,* autorité paternelle.
patriot(t)a [patri'ɔtta] (**-i** pl.) n. patriote.
patriottismo [patrjot'tizmo] m. patriotisme.
patrizio [pa'trittsjo] (**-a** f.) n. aristocrate, patricien, enne. ◆ agg. patricien, aristocratique.
patrocinare [patrotʃi'nare] v. tr. GIUR. plaider (pour, en faveur de), défendre. || FIG. [sostenere] plaider la cause (de), défendre, soutenir.
patrocinio [patro'tʃinjo] m. protection f., patronage. || GIUR. défense f.
patronato [patro'nato] m. [protezione, istituzione benefica] patronage. || [storia rom.] patronat.
patrono [pa'trɔno] (**-a** f.) n. GIUR. (avocat) défenseur m. || REL. patron, onne.
patta ['patta] f. [abbigliamento] patte.
patteggiare [patted'dʒare] v. tr. négocier. | *patteggiare la resa,* négocier la capitulation. ◆ v. intr. négocier, traiter.
pattinare [patti'nare] v. intr. patiner.
pattino ['pattino] m. patin.
patto ['patto] m. pacte. || LOC. *stare ai patti,* respecter ses engagements. | *scendere ai patti,* composer. || [condizione] condition f. | *a patto che,* à condition que.
pattuglia [pat'tuλλa] f. patrouille.
pattugliare [pattuλ'λare] v. intr. patrouiller. ◆ v. tr. surveiller.
pattuire [pattu'ire] v. tr. se mettre d'accord (sur) ; convenir (de).
pattume [pat'tume] m. ordures f. pl., ordure f.
pattumiera [pattu'mjɛra] f. poubelle.
pauperismo [paupe'rizmo] m. paupérisme.

paura [pa'ura] f. peur. | *niente paura !,* n'aie, n'ayez pas peur !
pauroso [pau'roso] agg. peureux. || [spaventoso] effrayant, terrible, affreux, épouvantable, effroyable.
pausa ['pauza] f. pause. || MUS. silence m.
paventare [paven'tare] v. tr. craindre. ◆ v. intr. avoir peur.
pavesare [pave'zare] v. tr. pavoiser.
pavido ['pavido] agg. e n. peureux, craintif, poltron.
pavimentare [pavimen'tare] v. tr. planchéier ; parqueter ; [con mattonelle] carreler, paver ; [con marmo, pietra] daller, paver. || [una strada con selci] paver.
pavimento [pavi'mento] m. sol. || [di legno] plancher ; [a parquet] parquet ; [di mattonelle] carrelage ; [di marmo, pietra] dallage, pavage, pavement. || [stradale] pavé ; [catrame] macadam.
pavone [pa'vone] m. PR. e FIG. paon.
pavoneggiarsi [pavoned'dʒarsi] v. rifl. se pavaner.
pazientare [pattsjen'tare] v. intr. patienter.
paziente [pat'tsjɛnte] agg. patient. ◆ n. patient, malade.
pazienza [pat'tsjentsa] f. patience. | *porta pazienza, abbi pazienza,* sois patient, un peu de patience. || [scusa] *abbi pazienza, ma ti sbagli,* excuse-moi, mais tu te trompes. || [rassegnazione] *se non puoi, pazienza !,* si tu ne peux pas, tant pis ! || [impazienza] *santa pazienza !,* Seigneur (Dieu) !, Bon Dieu !
pazzerello [pattse'rɛllo] agg. un peu fou. ◆ n. petit fou.
pazzesco [pat'tsesko] agg. fou, insensé. | *prezzo pazzesco,* prix insensé.
pazzia [pat'tsia] f. folie. || PER ANAL. *fare una pazzia,* faire une folie.
pazzo ['pattso] agg. PR. e FIG. fou ; [davanti a vocale o h muta] fol ; folle f. | *andar pazzo per qlco.,* être fou de qch., raffoler de qch. | *velocità pazza,* vitesse folle. ◆ n. fou, folle f. || IPERB. fou, cinglé (pop.). || LOC. *roba da pazzi,* c'est de la folie (pure) !
pecca ['pɛkka] f. défaut m., imperfection. || [di persona] faiblesse.
peccaminoso [pekkami'noso] agg. coupable.
peccare [pek'kare] v. intr. pécher.
peccato [pek'kato] m. péché. || PER EST. péché, erreur f. || LOC. *(che) peccato !,* (quel) dommage ! | *è un vero peccato,* c'est vraiment dommage.
pece ['petʃe] f. poix. || LOC. *nero come la pece,* noir comme du charbon, du cirage, de l'encre.
pecora ['pɛkora] f. mouton m. ; [femmina] brebis. || FIG. [simbolo di passività] mouton m. | *e una pecora,* il est doux comme un agneau. || LOC. *pecora nera,* brebis galeuse.
pecoraio [peko'rajo] (**-a** f.) n. berger, ère.
pecorella [peko'rɛlla] f. PR. e FIG. brebis. | *pecorella smarrita,* brebis égarée. || FIG. mouton m. | *cielo a pecorelle,* ciel moutonné, pommelé.
pecorino [peko'rino] agg. de mouton, de brebis. ◆ m. fromage de brebis.
peculato [peku'lato] m. détournement de deniers publics, péculat, concussion f.
peculiare [peku'ljare] agg. (di) particulier (à), caractéristique (de).
peculio [pe'kuljo] m. pécule.
pecuniario [peku'njarjo] agg. pécuniaire.
pedaggio [pe'daddʒo] m. péage.
pedagogia [pedago'dʒia] f. pédagogie.
pedagogo [peda'gɔgo] (**-a** f. ; **-ghi** pl.) n. pédagogue.
pedalare [peda'lare] v. intr. pédaler.
pedale [pe'dale] m. pédale f. || [attrezzo dei calzolai] tire-pied. || [dell'albero] pied, souche f.
pedana [pe'dana] f. estrade. || SP. tremplin m. || [striscia di panno] bordure ; [di pantaloni] talonnette.
pedante [pe'dante] agg. e n. pédant.
pedanteria [pedante'ria] f. pédantisme m., pédanterie.
pedata [pe'data] f. coup (m.) de pied. || [orma] trace, empreinte de pied. || TECN. [di scalino] giron m.
pederasta [pede'rasta] (**-i** pl.) m. pédéraste.
pedestre [pe'dɛstre] agg. terre à terre, médiocre.
pediatria [pedja'tria] f. pédiatrie.
pedicure [pedi'kure] n. pédicure.
pediluvio [pedi'luvjo] m. bain de pieds.
pedina [pe'dina] f. pion m. || FIG. *essere una pedina nelle mani di qlcu.,* être l'instrument de qn.
pedinamento [pedina'mento] m. filature f.
pedinare [pedi'nare] v. tr. filer, prendre en filature.
pedonale [pedo'nale] agg. piéton, piétonnier, pour piétons.
pedone [pe'done] m. piéton. || GIOCHI pion. || MIL. fantassin.
peggio ['pɛddʒo] [comp. di « male »] plus mal, moins bien, pis. | *la cosa è finita peggio del previsto,* la chose s'est terminée moins bien que prévu, plus mal que prévu. || LOC. *lui sta, è messo peggio di noi,* il est dans une situation plus mauvaise, pire que la nôtre. | *gli affari vanno di male in peggio, sempre peggio,* les affaires vont de mal en pis. | *non poteva andare peggio,* cela ne pou-

vait pas aller plus mal, ne pouvait pas être pire. || [superl.] *la società peggio organizzata che si possa immaginare,* la société la plus mal organisée qu'on puisse imaginer. ◆ agg. inv. pire. | *il rimedio è peggio del male,* le remède est pire que le mal. || Loc. *non c'è niente di peggio,* il n'y a rien de pire. || [con valore neutro] pire, pis. | *sarebbe peggio tacere,* se taire serait pire. || [con valore di pron.] pire. | *è il peggio dei due,* c'est le pire des deux. | *averla peggio,* avoir le dessous. | *alla (meno) peggio,* tant bien que mal, à la diable. ◆ m. pire. | *il peggio è che,* le pire, c'est que. || V. anche PEGGIORE.

peggioramento [peddʒora'mento] m. aggravation f.

peggiorare [peddʒo'rare] v. tr. aggraver, empirer. ◆ v. intr. empirer, s'aggraver v. rifl. | *la situazione peggiora,* la situation s'aggrave.

peggiorativo [peddʒora'tivo] agg. péjoratif.

peggiore [ped'dʒore] agg. [comp. di «cattivo»] plus mauvais, moins bon, pire. || [attributo] *non conosco un autista peggiore,* je ne connais pas de plus mauvais conducteur. | *non poteva succedere in un momento peggiore,* cela ne pouvait pas tomber plus mal. | *non c'è cosa peggiore di,* il n'y a rien de pire que. || [predicato] *la situazione è assai peggiore di quanto pensassimo,* la situation est bien plus mauvaise que nous ne le pensions. || [superl.] *il mio peggiore nemico,* mon pire ennemi. | *nella peggiore delle ipotesi, nel peggiore dei casi,* dans le pire des cas. || [più malvagio] plus mauvais, plus méchant, pire. | *non è peggiore di te,* il n'est pas plus mauvais, pas plus méchant que toi. || [superl.] le plus mauvais. ◆ m. *i peggiori,* les plus mauvais, les pires individus. || [con valore neutro] *il peggiore,* le pire ; ce qu'il y a de plus mauvais. || V. anche PEGGIO.

pegno ['peɲɲo] m. PR. e FIG. gage.

pelame [pe'lame] m. pelage.

pelandrone [pelan'drone] (**-a** f.) n. fainéant, paresseux.

pelare [pe'lare] v. tr. [tosare] tondre. || [asportare le penne] plumer. || [sbucciare] peler, éplucher. || FIG. [essere troppo caldo] brûler ; [essere troppo freddo] glacer ; [spillare denaro] plumer. || Loc. *avere una bella gatta da pelare,* être dans un beau pétrin.

pelato [pe'lato] agg. pelé, épluché. ◆ m. pl. tomates (f.) pelées (en conserve).

pellame [pel'lame] m. peaux f. pl.

pelle ['pɛlle] f. [dell'uomo] peau. || Loc. *essere pelle ed ossa,* n'avoir que la peau sur les os. || FIG., FAM. [vita] peau. | *salvare la pelle,* sauver sa peau. || [per esprimere intensità] *sono amici per la pelle,* ils sont amis à la vie à la mort. || [degli animali] peau ; [particolarmente dura] cuir m. || [buccia] peau.

pellegrinaggio [pellegri'naddʒo] m. pèlerinage.

pellegrino [pelle'grino] (**-a** f.) n. pèlerin m.

pelletteria [pellette'ria] f. maroquinerie.

pellicano [pelli'kano] m. pélican.

pellicceria [pellittʃe'ria] f. pelleterie. || [negozio] magasin (m.) de fourrures. | *in pellicceria,* chez le fourreur.

pelliccia [pel'littʃa] f. fourrure. || [mantello] manteau (m.) de fourrure.

pellicola [pel'likola] f. pellicule. || CIN., FOT. pellicule. || [opera cinematografica] film m.

pelo ['pelo] m. poil. || FIG. *è mancato un pelo,* ça n'a tenu qu'à un cheveu. | *a un pelo da,* à deux doigts, à un doigt de. | *non aver peli sulla lingua,* ne pas mâcher ses mots. | *il pelo dell'acqua,* la surface de l'eau. || [collettivo] poil. | *cane dal pelo lungo, corto,* chien à poil long, court. || [pelliccia o fibra tessile] poil. | *pelo di cammello,* poil de chameau. || BOT. poil.

peloso [pe'loso] agg. poilu ; [stoffa] pelucheux. || BOT. velu, villeux.

peltro ['peltro] m. étain.

peluria [pe'lurja] f. duvet m.

pena ['pena] f. [castigo] peine. | *casa di pena,* prison. || FIG. *essere un'anima in pena,* être comme une âme en peine. || [sofferenza spirituale] peine, chagrin m., souffrance. | *pene d'amore,* peines de cœur, chagrins d'amour. || [compassione] pitié, peine. || PEGG. pitié. | *ha scritto un articolo che fa pena,* il a écrit un article qui fait pitié, un article lamentable. || [preoccupazione] inquiétude. | *stare, essere in pena per qlcu.,* être inquiet pour qn. || [fatica] peine. | *non ne vale la pena,* cela n'en vaut pas la peine. | *a mala pena,* [con difficoltà] péniblement ; [appena] à peine.

penale [pe'nale] agg. pénal. | *certificato, fedina penale,* extrait (m.) de casier judiciaire. ◆ f. pénalité.

penalista [pena'lista] (**-i** pl.) n. criminaliste.

penare [pe'nare] v. intr. souffrir. || PER EST. peiner, avoir du mal, se donner de la peine.

pendente [pen'dɛnte] agg. pendant, qui pend ; [inclinato] penché. || FIG. pendant, en souffrance, en suspens. ◆ m. pendentif. || [orecchino] pendant d'oreille, pendeloque f.

pendenza [pen'dɛntsa] f. inclinaison ; [di terreno] pente. | *la strada ha una forte pendenza,* la route est très en pente. || FIG. [vertenza] différend m., désaccord m. ; [conto non liquidato] compte (m.) en suspens.

pendere ['pɛndere] v. intr. pendre, être suspendu, être accroché. || FIG. peser (sur), menacer v. tr. | *una minaccia pende loro sul capo,* une menace pèse sur eux. || [essere inclinato] PR. e FIG. pencher. | *la bilancia pende dalla sua parte,* la balance penche en sa faveur. || [essere risolto] être en suspens.

pendice [pen'ditʃe] f. flanc m., pente, côte.

pendio [pen'dio] m. pente f., déclivité f., côte f.

pendola ['pɛndola] f. pendule.

1. pendolare [pendo'lare] v. intr. osciller. || MAR., MIL. patrouiller.

2. pendolare agg. pendulaire. || FIG. qui habite loin de son lieu de travail, d'études.

pendolo ['pɛndolo] m. pendule. || [orologio] pendule f.

pene ['pɛne] m. pénis.

penetrare [pene'trare] v. intr. e tr. PR. e FIG. pénétrer.

penetrazione [penetrat'tsjone] f. PR. e FIG. pénétration.

penicillina [penitʃil'lina] f. pénicilline.

penisola [pe'nizola] f. péninsule.

penitente [peni'tente] agg. e n. pénitent.

penitenza [peni'tɛntsa] f. pénitence, punition.

penitenziario [peniten'tsjarjo] agg. pénitentiaire. ◆ m. pénitencier.

penna ['penna] f. plume. || LOC. *rimetterci le penne,* [subire un danno] y laisser des plumes ; [morire] y laisser sa peau. || [per scrivere] plume. | *disegno a penna,* dessin à la plume. | *penna a sfera,* stylo (m.) à bille. || FIG. *non sa tenere la penna in mano,* il ne sait pas écrire. || MAR. penne. || MUS. plectre m. || TECN. [di martello] panne.

pennacchio [pen'nakkjo] m. panache.

pennellatura [pennella'tura] f. badigeonnage m.

pennello [pen'nɛllo] m. pinceau. | *pennello da pittore,* brosse f. | *pennello per la barba,* blaireau. || LOC. *a pennello,* parfaitement.

pennino [pen'nino] m. plume f.

pennone [pen'none] m. hampe f., mât. || MAR. vergue f., antenne f.

penombra [pe'nombra] f. PR. e FIG. pénombre.

penoso [pe'noso] agg. pénible. || [che ispira pietà] pitoyable, navrant. || [imbarazzato] pénible.

pensabile [pen'sabile] agg. imaginable. | *non è neppure pensabile,* c'est parfaitement impensable.

pensare [pen'sare] v. intr. penser. || [meditare, riflettere] réfléchir, penser. | *pensarci su,* réfléchir à la question. || [avere in mente] penser, songer. | *pensa solo al denaro,* il ne pense qu'à l'argent. || [far piani] songer, penser. | *non ci penso nemmeno,* il n'en est pas question. || [provvedere] s'occuper (de), se charger (de), penser. | *ci penso io !,* je m'en occupe ! | *pensa ai fatti tuoi,* occupe-toi de tes affaires. || [giudicare] penser (anche tr.). | *pensare male di qlcu.,* penser du mal de qn. ◆ v. tr. [interessarsi di] penser (à), réfléchir (à), songer (à). | *cosa stai pensando ?,* à quoi penses-tu ? || [ricordarsi] penser (à). | *lo penso giorno e notte,* je pense à lui jour et nuit. || [architettare] inventer, trouver. | *una ne fa, cento ne pensa,* il fait une sottise après l'autre. || [immaginare] penser, croire, imaginer. | *chi l'avrebbe pensato ?,* qui l'aurait cru ? | *e pensare che ...,* et dire que ... || [giudicare] penser, croire, trouver. | *penso di si,* je crois, je pense que oui. | *non la penso in questo modo,* ce n'est pas mon avis. || [progettare] penser (à), songer (à). | *penso di portarglielo,* je pense que je vais le lui apporter.

pensierino [pensje'rino] m. petite rédaction f. || LOC. *farci un pensierino,* y penser.

pensiero [pen'sjɛro] m. pensée f. | *riandare col pensiero al passato,* repenser au passé, évoquer le passé. || [modo di pensare] pensée. | *travisare il pensiero di qlcu.,* déformer la pensée de qn. || [contenuto mentale] pensée ; [idea] idée f. | *assorto nei propri pensieri,* perdu dans ses pensées. || LOC. *essere sopra pensiero,* être distrait, être pensif. || [riflessione, massima] pensée. || [ansia] souci. | *stare in pensiero,* être inquiet, se faire du souci. || [cura] attention f., gentillesse f. | *grazie del pensiero,* merci de votre, de ta gentillesse.

pensieroso [pensje'roso] agg. préoccupé, soucieux, pensif.

pensile ['pɛnsile] agg. suspendu.

pensilina [pensi'lina] f. auvent m. ; [a vetri] marquise.

pensionamento [pensjona'mento] m. mise (f.) à la retraite.

pensionato [pensjo'nato] agg. e n. pensionné ; [per anzianità] retraité. ◆ m. [per studenti] pensionnat, pension f. || [per altre persone] pension f.

pensione [pen'sjone] f. pension, retraite ; [stato di chi non lavora più] retraite. | *andare in pensione,* prendre sa retraite. || [prestazione di vitto ed alloggio] pension. | *mezza pensione, pensione completa,* demi-pension, pension complète. || [somma pagata] pension.

pensoso [pen'soso] agg. pensif, songeur.

pentagono [pen'tagono] m. GEOM. pentagone.

pentecoste [pente'kɔste] f. Pentecôte.

pentimento [penti'mento] m. repentir. || PER EST. changement d'opinion.

pentirsi [pen'tirsi] v. rifl. se repentir. || [rimpiangere] regretter v. tr. | *se ne pentirà !,* il le regrettera ! || [cambiare opinione] changer d'avis.

pentola ['pentola] f. marmite ; faitout m., cocotte ; [con un manico lungo] casserole. | *pentola a pressione,* Cocotte-Minute, autocuiseur m. || FIG. *ciò che bolle in pentola,* ce qui se mijote.

penultimo [pe'nultimo] agg. e n. avant-dernier.

penuria [pe'nurja] f. pénurie.

penzolare [pendzo'lare] v. intr. pendre ; pendiller.

penzoloni [pendzo'loni] o **penzolone** [pendzo'lone] avv. pendant agg., ballant agg.

peonia [pe'ɔnja] f. pivoine.

pepare [pe'pare] v. tr. poivrer.

pepato [pe'pato] agg. poivré. || *pan pepato,* pain d'épices. || FIG. mordant, piquant ; [di prezzo] salé.

pepe ['pepe] m. [pianta] poivrier. || [spezie] poivre.

peperoncino [peperon'tʃino] m. piment.

peperone [pepe'rone] m. poivron, piment doux.

pepita [pe'pita] f. pépite.

per [per] prep. 1. [moto per luogo] par. | *entrare per la porta,* entrer par la porte. || [in un luogo circoscritto] dans, par, à travers. | *per mare e per terra,* PR. sur terre et sur mer ; FIG. par monts et par vaux. || [direzione del movimento] *andare su per le scale,* monter l'escalier. || [moto a luogo] pour. | *il treno per Napoli,* le train de, qui va à Naples. || [stato in luogo] dans, par, sur. | *per tutta la terra,* sur, par toute la terre. || FIG. *ha la testa per aria,* il est dans les nuages. 2. [durata continuata] pendant. | *ci ho lavorato per anni,* j'y ai travaillé (pendant) des années. || [tempo determinato] pour. | *sarà pronto per mercoledì,* ce sera prêt pour mercredi. || [per un certo tempo] pour. | *per ora,* pour le moment. 3. [causa] à cause de, en raison de, pour ; par ; de. | *non potemmo proseguire per la pioggia,* nous n'avons pas pu continuer à cause de la pluie. | *condannare per furto,* condamner pour vol. | *lo ha fatto per rabbia,* il l'a fait par colère. | *gridare per il dolore,* crier de douleur. || [mezzo, modo] par. | *per via aerea,* par avion. | *per scherzo,* par plaisanterie, pour rire. || [misura ed estensione] sur, pendant. | *per lungo tratto,* sur une longue distance. || [fine, scopo] pour. | *tanto peggio per lui,* tant pis pour lui. | *combattere per la libertà,* combattre pour la liberté. | *non fa per me,* cela ne me convient pas. || [nei compl. predicativi] pour. | *avere per amico,* avoir pour ami. || [valore sostitutivo] pour, à la place de. | *ho capito una cosa per un'altra,* j'ai compris tout de travers. || [valore limitativo] par ; en. | *per quanto mi riguarda,* en ce qui me concerne. || [valore distributivo o iterativo] par. | *dividere per categorie,* diviser en, par catégories. | *giorno per giorno,* jour après jour. || [percentuale] pour. | *dieci per cento,* dix pour cent. || MAT. par. | *dividere per due,* diviser par deux. 4. [con valore consecutivo, finale, causale, concessivo] pour. | *troppo piccolo per capire,* trop petit pour comprendre. 5. [in proposizioni concessive] *per ... che* (+ congiunt.), si ... que (+ congiunt.), quelque ... que (+ congiunt.). | *per poco che sia, è meglio di niente,* si peu que ce soit, c'est mieux que rien. 6. [in formazioni perifrastiche verbali] *stare, essere per* (+ infin.), aller (+ infin.). | *sta per arrivare,* il va arriver. 7. LOC. *per l'appunto,* justement. | *su per giù,* en gros. | *per lungo,* en long. | *per tempo,* à temps.

pera ['pera] f. BOT. e FIG. poire.

peraltro [pe'raltro] avv. du reste, d'ailleurs. || [con valore avversativo] cependant.

perbacco [per'bakko] interiez. bon sang ! ; [stupore] mince (alors) !

perbene [per'bɛne] agg. inv. o avv. comme il faut ; bien.

percalle [per'kalle] m. percale f.

percentuale [pertʃentu'ale] f. pourcentage m. ◆ agg. en pour-cent ; pour cent, sur cent.

percepire [pertʃe'pire] v. tr. [sentire] percevoir. || [riscuotere] percevoir, toucher.

percettibile [pertʃet'tibile] agg. perceptible.

percettivo [pertʃet'tivo] agg. perceptif.

percezione [pertʃet'tsjone] f. perception.

perché [per'ke] avv. pourquoi. | *perché piangi ?,* pourquoi pleures-tu ? | *non so perché,* je ne sais pas pourquoi. | *gli domandò perche lo avesse fatto,* il lui demanda pourquoi il l'avait fait. ◆ cong. parce que. | *hai sbagliato perché non hai fatto attenzione,* tu t'es trompé parce que tu n'as pas fait attention. | *«perché?», «perché sì»*, «pourquoi?», «parce que». || [nelle proposizioni finali] pour que, afin que. | *l'avevo nascosto perché egli non lo vedesse*, je l'avais caché pour qu'il ne le voie pas. || [nelle proposizioni consecutive] pour que. | *basta poco perché si arrabbi*, il suffit de peu pour qu'il se mette en colère. ◆ m. inv. pourquoi, raison f. | *il perché ed il percome*, le pourquoi et le comment.

perciò [per'tʃɔ] cong. donc ; par conséquent ; c'est pourquoi ; c'est pour cela que. | *non sapeva come si fa, perciò ha sbagliato*, il ne savait pas comment on fait, et il s'est trompé, c'est pour cela qu'il s'est trompé.

percorrere [per'korrere] v. tr. parcourir. || [attraversare] traverser.

percorso [per'korso] part. pass. e agg. parcouru. ◆ m. parcours, trajet. | *a metà percorso*, à mi-chemin.

percossa [per'kɔssa] f. coup m.

percuotere [per'kwɔtere] v. tr. frapper, battre. || FIG. frapper.

percussione [perkus'sjone] f. percussion.

perdere ['pɛrdere] v. tr. perdre. | *perdere il posto*, perdre sa place. | *perdere i sensi*, perdre connaissance. | *perdere di vista*, perdre de vue. || [lasciar uscire] perdre ; fuir v. intr. | *il serbatoio perde (acqua)*, le réservoir fuit, le réservoir perd. || [sciupare] perdre. | *perdere tempo*, perdre du temps. || [non riuscire a prendere] manquer, rater (fam.). | *perdere una lezione*, manquer un cours. || [essere inferiore] perdre. | *perdere una scommessa*, perdre un pari. || [rovinare] perdre. | *il suo orgoglio lo perderà*, son orgueil le perdra. || FAM. *lasciar perdere*, laisser tomber. ◆ v. intr. perdre v. tr. | *perdere di autorità*, perdre de l'autorité. ◆ v. rifl. PR. e FIG. se perdre. | *perdersi d'animo*, se décourager.

perdigiorno [perdi'dʒorno] n. inv. fainéant, e.

perdita ['pɛrdita] f. perte. || LOC. *a perdita d'occhio*, à perte de vue. || ECON. *in perdita*, à perte. || [fuoriuscita] fuite, perte.

perdizione [perdit'tsjone] f. perdition.

perdonare [perdo'nare] v. tr. pardonner. || [risparmiare] épargner v. tr. || [condonare] remettre. ◆ v. intr. *una malattia che non perdona*, une maladie qui ne pardonne pas. || [condonare] remettre.

perdono [per'dono] m. pardon.

perdurare [perdu'rare] v. intr. persister.

peregrinare [peregri'nare] v. intr. errer.

peregrino [pere'grino] agg. recherché, raffiné, précieux. || [strambo] bizarre, extravagant.

perenne [pe'rɛnne] agg. éternel.

perentorio [peren'tɔrjo] agg. péremptoire, catégorique.

perequazione [perekwat'tsjone] f. péréquation.

perfetto [per'fɛtto] agg. parfait. ◆ m. GR. parfait.

perfezionabile [perfettsjo'nabile] agg. améliorable, perfectible.

perfezionare [perfettsjo'nare] v. tr. perfectionner. ◆ v. rifl. se perfectionner. || se spécialiser.

perfidia [per'fidja] f. perfidie.

perfido ['perfido] agg. perfide. || FAM. [pessimo] infect.

perfino [per'fino] avv. même, jusqu'à ; [con comp.] encore. | *perfino sua madre dice che ha torto*, même sa mère dit qu'il a tort. | *è perfino più bello*, il est encore plus beau.

perforare [perfo'rare] v. tr. perforer. || [il terreno] forer. || [fare un tunnel] percer.

perforazione [perforat'tsjone] f. forage m. || CIN., MED. perforation.

pergamena [perga'mɛna] f. parchemin m.

pergola ['pɛrgola] f. pergola.

pergolato [pergo'lato] m. berceau, pergola f., tonnelle f.

pericardio [peri'kardjo] m. péricarde.

pericolante [periko'lante] agg. qui menace de s'écrouler ; branlant. || FIG. en danger.

pericolo [pe'rikolo] m. danger ; péril (lett.). | *fuori pericolo*, hors de danger.

periferia [perife'ria] f. périphérie. || [quartieri esterni] banlieue ; faubourgs m. pl.

perifrasi [pe'rifrazi] f. périphrase.

perimetro [pe'rimetro] m. périmètre.

periodare [perio'dare] v. intr. faire des phrases. ◆ m. tournure (f.) de phrase.

periodico [pe'rjɔdiko] (**-ci** pl.) agg. e m. périodique.

periodo [pe'riodo] m. période f. ; [momento] époque f. | *per un certo periodo*, pendant un certain temps. | *in questo periodo dell'anno*, à cette époque-ci de l'année. || LOC. *andare a periodi*, avoir des hauts et des bas. || [nel linguaggio scientifico] période. || LING. phrase f. ; période. || MUS. période.

peripezia [peripet'tsia] f. péripétie.

periplo ['pɛriplo] m. périple ; tour.

perire [pe'rire] v. intr. périr (lett.), mourir. || [andare distrutto] être détruit, disparaître.

peritarsi [peri'tarsi] v. rifl. (**a, di**) LETT. hésiter (à) (L.C.).

perito [pe'rito] m. expert. || [titolo professionale] titulaire d'un diplôme, diplômé. | *perito industriale,* diplômé d'une école industrielle ; techni 'en de l'industrie. ◆ agg. expert.

peritoneo [perito'nεo] m. péritoine.

perizia [pe'rittsja] f. habileté, adresse. || [esame] expertise.

perizoma [perid'dzɔma] (**-i** pl.) m. pagne.

perla ['pεrla] f. PR. e FIG. perle.

perlato [per'lato] agg. perlé. || [colore] (couleur) perle.

perlomeno [perlo'meno] avv. au moins, du moins. | *perlomeno trecento,* au moins trois cents.

perlopiù [perlo'pju] avv. en général, le plus souvent.

perlustrare [perlus'trare] v. tr. explorer, battre, fouiller.

permaloso [perma'loso] agg. susceptible, chatouilleux.

permanente [perma'nεnte] agg. permanent. ◆ f. [capelli] permanente.

permanenza [perma'nεntsa] f. permanence ; persistance. || [il trattenersi in un luogo] séjour m.

permanere [perma'nere] v. intr. demeurer, rester. | *la situazione permane critica,* la situation reste critique. || FIG. persister. | *permanere nell'opinione che,* persister à croire que.

permeabilità [permeabili'ta] f. perméabilité.

1. permesso [per'messo] part. pass. e agg. permis. | *(è) permesso ?,* peut-on entrer ?

2. permesso m. permission f., autorisation f. | *con permesso, (chiedo) permesso,* vous permettez ? || [per passare davanti a qlcu.] pardon ; [per prendere congedo] veuillez m'excuser. || [autorizzazione di assentarsi] congé. || MIL. permission f. || [documento che autorizza a qlco.] permis.

permettere [per'mettere] v. tr. permettre. ◆ v. rifl. [prendersi la libertà di] se permettre, oser, prendre la liberté (de). | *come si permette di entrare qua ?,* comment osez-vous entrer ici ?

permuta ['pεrmuta] f. GIUR. contrat (m.) d'échange ; échange m.

permutare [permu'tare] v. tr. échanger. || [invertire] permuter.

pernice [per'nitʃe] f. perdrix.

pernicioso [perni'tʃoso] agg. LETT. e MED. pernicieux.

perno ['pεrno] m. pivot ; [asticciola che tiene unite due parti fisse] cheville f. || FIG. pivot, base f., centre. | *far perno su,* se baser sur, se fonder sur.

pernottare [pernot'tare] v. intr. passer la nuit ; coucher, dormir.

però [pe'rɔ] cong. mais, cependant, pourtant. | *a patto però che,* mais à condition que. | *ma però,* mais (pourtant).

pero ['pero] m. poirier.

perone [pe'rone] m. péroné.

perorare [pero'rare] v. tr. e intr. plaider.

perorazione [perorat'tsjone] f. plaidoirie. || RET. péroraison.

perpendicolare [perpendiko'lare] agg. e f. perpendiculaire.

perpetrare [perpe'trare] v. tr. perpétrer.

perpetua [per'pεtua] f. servante de curé.

perpetuare [perpetu'are] v. tr. perpétuer. ◆ v. rifl. se perpétuer.

perpetuo [per'pεtuo] agg. perpétuel. | *ricordo perpetuo,* souvenir éternel.

perplesso [per'plεsso] agg. perplexe.

perquisire [perkwi'zire] v. tr. fouiller. || [una casa] perquisitionner v. intr.

persecuzione [persekut'tsjone] f. persécution.

perseguire [perse'gwire] v. tr. poursuivre.

perseguitare [persegwi'tare] v. tr. persécuter. || [non dare pace] persécuter, harceler, poursuivre. | *sono perseguitato dalla sorte,* la malchance me poursuit.

perseverare [perseve'rare] v. intr. persévérer.

persiana [per'sjana] f. persienne.

persiano [per'sjano] (**-a** f.) agg. e n. [dell'antica Persia] perse ; [della Persia dopo il VII secolo] persan ; [del moderno Iran] iranien. ◆ m. [lingua] persan, iranien. || [pelliccia] astrakan.

persico ['pεrsiko] (**-ci** pl.) m. ZOOL. perche f.

persino [per'sino] avv. = PERFINO.

persistere [per'sistere] v. intr. persister.

persona [per'sona] f. personne ; [al pl. con valore generale] gens. | *alcune persone,* quelques personnes. | *certe persone,* certaines gens, certaines personnes. || [con attributo] *una persona per bene,* quelqu'un de bien. || *di persona,* moi-même, toi-même, ecc. | *pagare di persona,* payer de sa personne. || [il corpo] personne, corps m. | *tutta la persona,* tout le corps. || [la personalità] personne. | *la persona del ministro,* la personne du ministre. || GIUR., GR. personne.

1. personale [perso'nale] agg. personnel. || [del corpo] du corps, corporel. | *biancheria personale,* linge de corps.

2. personale m. physique, corps ; [figura] silhouette f. || [complesso di dipendenti] personnel. ◆ f. exposition (personnelle).

personalità [personali'ta] f. personnalité.
personalizzare [personalid'dzare] v. tr. personnaliser.
personificare [personifi'kare] v. tr. personnifier.
perspicace [perspi'katʃe] agg. perspicace.
persuadere [persua'dere] v. tr. persuader, convaincre. | *non mi ha persuaso,* il ne m'a pas convaincu. | *questo tipo mi persuade poco,* ce type ne me plaît guère, ne m'inspire pas confiance. ◆ v. rifl. se persuader.
persuasione [persua'zjone] f. persuasion. || [convinzione] conviction.
pertanto [per'tanto] cong. donc, par conséquent, c'est pourquoi.
pertica ['pɛrtika] f. perche ; [per bacchiare] gaule. || FIG., FAM. [persona] perche, échalas m. || [antica misura] perche.
pertinace [perti'natʃe] agg. tenace, obstiné, entêté.
pertinente [perti'nɛnte] agg. pertinent. || [che riguarda] concernant.
pertinenza [perti'nɛntsa] f. pertinence. || [competenza] compétence.
pertosse [per'tosse] f. MED. coqueluche.
pertugio [per'tudʒo] m. trou, fente f., ouverture f.
perturbare [pertur'bare] v. tr. troubler ; [impedire il funzionamento] perturber. ◆ v. rifl. se troubler.
pervadere [per'vadere] v. tr. se répandre v. rifl. (dans), envahir.
pervenire [perve'nire] v. intr. parvenir, arriver.
perverso [per'vɛrso] agg. pervers.
pervertimento [perverti'mento] m. perversion f., pervertissement (lett.).
pervertire [perver'tire] v. tr. pervertir. ◆ v. rifl. se pervertir.
pervicace [pervi'katʃe] agg. LETT. opiniâtre, obstiné (L.C.).
pervinca [per'vinka] f. pervenche.
pesa ['pesa] f. pesée, pesage m. || [impianto per pesare] bascule.
pesalettere [pesa'lɛttere] m. inv. pèse-lettre.
pesante [pe'sante] agg. lourd, pesant. | *pesante fardello,* lourd fardeau. | *aver la testa pesante,* avoir la tête lourde. | *aria pesante,* air lourd. | *passo pesante,* pas pesant, lourd. || [di indumenti] gros, chaud. | *maglia pesante,* gros pull-over. || [di mezzi o attività] lourd. | *industria pesante,* industrie lourde. | FIG. lourd, pesant. | *pesante responsabilità,* lourde responsabilité. || [che domanda uno sforzo] pénible, difficile. | *lavoro pesante,* travail pénible, dur. || [maldestro] lourd, pesant.
pesantezza [pesan'tettsa] f. PR. e FIG. pesanteur, lourdeur.
pesare [pe'sare] v. tr. PR. e FIG. peser. | *pesare le parole,* peser ses mots. ◆ v. intr. peser. | *pesare poco,* être léger, peser peu. | *una minaccia pesa su di lui,* une menace pèse sur lui.
pesatura [pesa'tura] f. pesée, pesage m.
1. pesca ['peska] f. pêche. || PER EST. [lotteria] loterie.
2. pesca ['pɛska] f. BOT. pêche.
pescare [pes'kare] v. tr. pêcher. || FIG. [estrarre a caso] tirer ; [trovare] trouver ; [sorprendere] prendre, pincer (fam.). || MAR. caler.
pesce ['peʃʃe] m. poisson. || LOC. *è sano come un pesce,* il se porte comme un charme. | *non sapere che pesci pigliare,* ne pas savoir quelle décision prendre. ◆ pl. ASTR. *i Pesci,* les Poissons.
pescecane [peʃʃe'kane] m. ZOOL. e FIG. requin.
peschereccio [peske'rettʃo] agg. pêcheur, de pêche. ◆ m. bateau de pêche.
pescheria [peske'ria] f. poissonnerie.
pescivendolo [peʃʃi'vendolo] (**-a** f.) n. poissonnier, ère.
pesco ['pɛsko] (**-chi** pl.) m. pêcher.
pesista [pe'sista] (**-i** pl.) m. haltérophile.
peso ['peso] m. poids. | *peso lordo,* poids brut. || LOC. *sollevare di peso,* soulever à bout de bras. || PR. e FIG. poids, charge f. | *portare un grosso peso,* porter un lourd fardeau. | *essere di peso,* peser, ennuyer, gêner, être un poids. || [importanza] importance f., poids. | *dare peso a qlco.,* attacher de l'importance à qch.
pessimismo [pessi'mizmo] m. pessimisme.
pessimo ['pɛssimo] agg. très mauvais, exécrable.
pestare [pes'tare] v. tr. écraser, broyer, piler. | *pestare la carne,* battre la viande. || PER EST. écraser. | *pestarsi un dito col martello,* s'écraser un doigt avec le marteau. || [calpestare] marcher (sur), écraser. || PR. e FIG. *pestare i piedi a qlcu.,* marcher sur les pieds de qn. || [picchiare] frapper, tabasser (pop.).
peste ['pɛste] f. PR. e FIG. peste. || [odore sgradevole] pestilence, puanteur. || LOC. *dir peste (e corna) di qlcu.,* dire pis que pendre de qn.
pestello [pes'tɛllo] m. pilon.
pestifero [pes'tifero] agg. pestilentiel. || IPERB. insupportable.
pesto ['pesto] agg. broyé, pilé, écrasé. || LOC. *era buio pesto,* il faisait noir comme dans un four. | *occhi pesti,* yeux cernés. ◆ m. CULIN. hachis.

petalo ['pεtalo] m. pétale.
petardo [pe'tardo] m. pétard.
petizione [petit'tsjone] f. pétition.
petroliera [petro'ljεra] f. pétrolier m.
petrolifero [petro'lifero] agg. pétrolifère. || [del, di petrolio] pétrolier. | *industria petrolifera,* industrie pétrolière.
petrolio [pe'trɔljo] (**-i** pl.) m. pétrole.
pettegolare [pettego'lare] v. intr. cancaner, potiner (fam.), jaser.
pettegolezzo [pettego'leddzo] m. cancan, commérage, bavardage.
pettinare [petti'nare] v. tr. peigner ; coiffer. || TESS. peigner.
pettinatura [pettina'tura] f. coiffure. || TESS. peignage m.
pettine ['pεttine] m. peigne.
pettirosso [petti'rosso] m. rouge-gorge.
petto ['pεtto] m. poitrine f. | *stringersi al petto qlcu.,* serrer qn sur sa poitrine, contre son cœur. || LOC. *battersi il petto,* se frapper la poitrine, battre sa coulpe. | *prendere qlco. di petto,* prendre qch. de front. || [delle donne] poitrine f., seins pl. ; [riferito all'allattamento] sein. || [di animali] poitrine f. ; [del cavallo] poitrail. || CULIN. poitrine ; [di pollo o altro uccello] blanc. || [parte di vestito] devant. | *giacca ad un petto,* veste droite.
pettorale [petto'rale] agg. pectoral. ◆ m. [parte dei finimenti] poitrail, bricole f.
petulanza [petu'lantsa] f. impertinence, indiscrétion.
pezza ['pεttsa] f. linge m. ; [straccio] chiffon m. || [toppa] pièce. | *mettere una pezza ad un vestito,* mettre une pièce à un vêtement. || [pannolino] lange m. || [macchia sul mantello di animali] tache. || [documento] pièce.
pezzato [pet'tsato] agg. [di cavallo] pie. || [di altra superficie] tacheté.
pezzente [pet'tsεnte] n. miséreux, euse, misérable.
pezzo ['pεttso] m. morceau, bout. | *pezzo di legno,* bout, morceau de bois. | *pezzo di terra,* bout de terrain, lopin de terre. | *fare a pezzi,* mettre en pièces ; casser. || FIG. *essere tutto d'un pezzo,* être tout d'une pièce. || PER EST. *da un pezzo,* depuis un (bon) bout de temps, depuis un bon moment. || [parte di un insieme] pièce f. | *pezzi di ricambio,* pièces de rechange. | *un abito a due pezzi,* un (costume) deux-pièces. || [moneta] pièce. || [passo di un'opera musicale o letteraria] passage, morceau, extrait ; [opera intera] morceau. || GIORN. article. || MIL. *pezzo d'artiglieria,* pièce d'artillerie. || LOC. *pezzo grosso,* grosse légume (pop.), huile f. (pop.). | PEGG. *pezzo d'asino !,* espèce d'âne !
pezzuola [pet'tswɔla] f. linge m. || [fazzoletto] mouchoir m.
piacente [pja'tʃεnte] agg. avenant, agréable, qui plaît.
1. piacere [pja'tʃere] v. intr. plaire. | *mi piace ...,* j'aime ... | *fai come più ti piace,* fais comme tu préfères. | *ricevo chi mi piace,* je reçois qui je veux. || [con infin. o che + congiunt.] *mi piace ...,* j'aime ...
2. piacere m. plaisir. | *mi fa piacere,* cela me fait plaisir. || [nelle presentazioni] *piacere !,* enchanté ! || [cosa che dà piacere] plaisir. | *viaggio di piacere,* voyage d'agrément. || [servizio] service ; [cortesia] plaisir. | *chiedere, fare un piacere,* demander, rendre un service. | *per piacere,* s'il vous plaît. || [volontà] *a piacere,* à volonté.
piacevole [pja'tʃevole] agg. agréable.
piacimento [pjatʃi'mento] m. goût. | *non è di suo piacimento,* ce n'est pas à son goût. | *vino a piacimento,* vin à volonté.
piaga ['pjaga] f. plaie. || FIG. plaie, blessure. | *mettere il dito sulla piaga,* toucher un point délicat.
piagare [pja'gare] v. tr. PR. e FIG. blesser.
piagnucolare [pjaɲɲuko'lare] v. intr. pleurnicher (fam.), geindre (fam.), larmoyer.
pialla ['pjalla] f. rabot m.
piallare [pjal'lare] v. tr. raboter.
piana ['pjana] f. plaine.
pianeggiante [pjaned'dʒante] agg. plat, de plaine.
pianella [pja'nεlla] f. pantoufle, mule.
pianerottolo [pjane'rɔttolo] m. palier. || [in una parete rocciosa] plate-forme f.
1. pianeta [pja'neta] (**-i** pl.) m. planète f. || FIG. destin. | *pianeta della fortuna,* horoscope.
2. pianeta f. REL. chasuble.
piangere ['pjandʒere] v. intr. pleurer. || FIG. *parla un inglese che fa piangere,* il parle un anglais abominable. | *mi piange il cuore,* cela me fait mal au cœur, cela me fend le cœur. || [gocciolare] goutter. || [di albero] pleurer. | *la vite piange,* la vigne pleure. || [di suoni] pleurer. ◆ v. tr. pleurer. || LOC. *piangere miseria,* pleurer misère.
pianificare [pjanifi'kare] v. tr. planifier.
pianista [pja'nista] (**-i** pl.) n. pianiste.
1. piano ['pjano] agg. plat, plan, uni. | *superficie piana,* surface plane. || GEOM. plan. || MUS. *canto piano,* plain-chant m. || FIG. simple, clair ; facile. | *percorso piano,* parcours facile. ◆ avv. [lentamente] doucement, lentement ; [con cautela] doucement. | *vacci piano !,* (vas-y) doucement ! | *pian*

piano, pian pianino, tout doucement. ◆ avv. e m. MUS. [didascalia] piano.

2. piano m. plan, surface (f.) plane. | *piano inclinato,* plan incliné. || PARTICOL. *piano stradale,* chaussée f. || [terreno pianeggiante] plaine f. || ARTI plan. | *in primo piano,* au premier plan. || COSTR. étage. | *secondo piano,* deuxième étage. || FIG. *mettere sullo stesso piano,* mettre sur le même plan. || GEOM. plan.

3. piano m. [progetto] plan. | *piano regolatore,* plan d'urbanisme.

4. piano m. = PIANOFORTE.

pianoforte [pjano'fɔrte] m. piano.

pianoterra [pjano'tɛrra] m. inv. rez-de-chaussée.

pianta ['pjanta] f. plante ; [albero] arbre m. || AMM. *impiegato in pianta stabile,* employé titulaire. || ANAT. [del piede] plante. || [grafica] plan m. | *pianta di Roma,* plan de Rome. ◆ loc. avv. *di sana pianta,* entièrement, complètement.

piantagione [pjanta'dʒone] f. plantation.

piantare [pjan'tare] v. tr. planter. || POP. *piantare grane,* faire des histoires (L.C.), embêter le monde. || FIG. plaquer (pop.), laisser tomber (fam.). | *piantare lì, piantare in asso,* planter là, laisser en plan. | *piantarla,* cesser, arrêter, finir. ◆ v. rifl. se planter.

pianterreno [pjanter'reno] m. rez-de-chaussée inv.

pianto ['pjanto] m. larmes f. pl. || [dolore] douleur f., deuil.

piantonare [pjanto'nare] v. tr. surveiller.

pianura [pja'nura] f. plaine.

1. piastra ['pjastra] f. plaque. || ELETTR. électrode. | *piastra di terra,* prise de terre. || [di giradischi] platine.

2. piastra f. [moneta] piastre.

piastrella [pjas'trɛlla] f. [mattonella] carreau m. || GIOCHI palet m.

piattaforma [pjatta'forma] f. PR. e FIG. plate-forme.

piattello [pjat'tɛllo] m. disque. || SP. *tiro al piattello,* tir au pigeon d'argile.

piattino [pjat'tino] m. petite assiette f. || [da caffè] soucoupe f.

piatto ['pjatto] agg. PR. e FIG. plat. ◆ m. assiette f. ; [di portata] plat. | *piatto liscio, fondo,* assiette plate, creuse. || *piatto forte,* PR. plat de résistance ; FIG. clou. || PER EST. plat, plateau. | *il piatto del giradischi,* le plateau du tourne-disque. || MUS. *i piatti,* les cymbales f. || [parte piatta] plat. | *il piatto di una lama,* le plat d'une lame.

piattola ['pjattola] f. pou m., morpion m. (pop.). || [scarafaggio] cafard m., blatte. || FIG., FAM. casse-pieds n. inv.

piazza ['pjattsa] f. place ; [mercato] marché m. | *piazza del duomo,* place de la cathédrale. | *fare la spesa in piazza,* faire les courses au marché. || LOC. *autista di piazza,* chauffeur de taxi. || [la gente] peuple m., place publique ; [in quanto suscettibile di sollevarsi] rue. | *sollevare la piazza,* soulever le peuple, la rue. || [posto, luogo] place. | *far piazza pulita di,* éliminer, faire place nette (de). || COMM. place. | *conosciutto nella piazza,* connu sur la place.

piazzaforte [pjattsa'forte] f. place forte.

piazzale [pjat'tsale] m. place f., esplanade f.

piazzare [pjat'tsare] v. tr. placer. || COMM. placer. ◆ v. rifl. se placer. || SP. se classer.

piazzista [pjat'tsista] (**-i** pl.) m. COMM. placier.

picca ['pikka] f. [arma] pique. || GIOCHI [carte] pique m. || LOC. *rispondere picche (a),* envoyer promener.

piccante [pik'kante] agg. piquant. || FIG. mordant. || [licenzioso] salé.

piccarsi [pik'karsi] v. rifl. se piquer. || [ostinarsi] s'obstiner.

picchetto [pik'ketto] m. piquet. || NEOL. [di scioperanti] piquet de grève.

picchiare [pik'kjare] v. tr. battre, frapper ; cogner. | *picchiare sodo,* cogner dur. | *picchiare tre colpi alla porta,* frapper trois coups à la porte. ◆ v. intr. frapper. || AV. piquer. || MECC. [di motore] cogner. ◆ v. recipr. se battre, se taper dessus (fam.).

picchiettare [pikkjet'tare] v. tr. e intr. tapoter, tambouriner. || [tingere a macchioline] piqueter, moucheter. || MUS. piquer.

1. picchio ['pikkjo] m. coup.

2. picchio m. ZOOL. pic.

piccino [pit'tʃino] agg. petit. || FIG. mesquin. ◆ m. enfant, petit. || [di animale] petit.

picciolo [pit'tʃɔlo] m. pétiole.

piccionaia [pittʃo'naja] f. pigeonnier m., colombier m. || FIG. [loggione] poulailler m.

piccione [pit'tʃone] (**-a** f.) n. ZOOL. pigeon, pigeonne f. || [taglio di manzo] tranche grasse.

picco ['pikko] m. pic. || LOC. *a picco,* à pic.

piccolezza [pikko'lettsa] f. petitesse. || FIG. mesquinerie. || [inezia] bagatelle.

piccolo ['pikkolo] agg. petit. | *piccolissimo,* tout petit, très petit. | *fare le ore piccole,* rester debout jusqu'au petit matin. || [giovane] petit, jeune. | *fin da piccolo,* dès l'enfance. || [di poca entità] petit, léger. || [meschino] petit, bas, étroit, mesquin. ◆ n. [bambino] petit, enfant. || [di animale] petit, jeune.

piccone [pik'kone] m. pioche f.

piccozza [pik'kɔttsa] f. pioche, pic m. || [da alpinista] piolet m.

pidocchio [pi'dɔkkjo] m. pou. || FIG. pingre, avare.

piè ['pje] m. pied. || FIG. *saltare a piè pari qlco.*, sauter qch. | *a piè (di) pagina,* au bas de la page.

piede ['pjɛde] m. [in tutti i significati] pied. | *a piede libero,* en liberté (provisoire). | *in piedi,* debout. || PR. e FIG. *non muovere piede da un luogo,* ne pas bouger d'un lieu. | *mettere un piede in fallo,* faire un faux pas. | *pestare i piedi a qlcu.,* marcher sur les pieds de qn. | *puntare i piedi,* PR. s'immobiliser ; FIG. s'obstiner. || FIG. *su due piedi,* [senza preparazione] au pied levé ; [improvvisamente] à l'improviste. | *andare coi piedi di piombo,* être très prudent. | *darsi la zappa sui piedi,* se nuire à soi-même. || VOLG. *togliti dai piedi !,* fiche le camp ! | *fatto con i piedi,* mal fait.

piedistallo [pjedis'tallo] m. PR. e FIG. piédestal.

piega ['pjɛga] f. pli m. | *gonna a pieghe,* jupe à plis, jupe plissée. || LOC. *messa in piega,* mise en plis. || FIG. tournure, tendance. | *prendere una cattiva piega,* [di avvenimenti] prendre une mauvaise tournure ; [di persona] mal tourner.

piegare [pje'gare] v. tr. plier. || [curvare] plier, courber. | *piegare la testa,* baisser, courber la tête. || FIG. soumettre. ◆ v. intr. tourner. | *piegare a destra,* tourner à droite. ◆ v. rifl. plier v. intr. || FIG. plier, céder v. intr. ; [sottomettersi a] se plier (à), céder (à).

piegatura [pjega'tura] f. pliage m. || [segno] pliure.

pieghettare [pjeget'tare] v. tr. plisser.

pieghevole [pje'gevole] agg. pliable. || [articolato] pliant. || FIG. souple. ◆ m. dépliant.

piena ['pjɛna] f. crue. || FIG. foule. || [impeto] impétuosité.

pienezza [pje'nettsa] f. PR. e FIG. plénitude.

pieno ['pjɛno] agg. plein. | *pieno zeppo,* plein à craquer, archiplein. || FAM. [sazio] repu (L.C.), rassasié (L.C.). || FIG. *essere pieno di sè,* être plein de soi(-même). || [che contiene gran numero o quantità di qlco.] plein, rempli. | *pieno di errori,* plein, rempli d'erreurs. || FIG. *ero pieno di sonno,* je tombais de sommeil. | *occhi pieni di sonno,* yeux lourds de sommeil. || [compatto] plein. | *ruote piene,* roues pleines. || [completo] plein. | *pieni poteri,* pleins pouvoirs. | *a pieni voti,* avec le maximum des voix. || [totale] plein, tout. | *in piena buona fede,* en toute bonne foi. || [momento o punto centrale] plein. | *era giorno pieno,* il faisait grand jour. || LOC. *a pieno, in pieno,* [pienamente] à plein, en plein, pleinement, complètement ; [benissimo] parfaitement. | *centrare in pieno la questione,* mettre le doigt sur la question. ◆ m. [parte piena] plein. || [colmo] plénitude f. ; [momento culminante] cœur. | *il pieno dell'inverno,* le cœur de l'hiver. || [il carico completo] plein. | *fare il pieno di benzina,* faire le plein d'essence.

pietà [pje'ta] f. pitié. || IPERB. *un compito che fa pietà,* un devoir lamentable. || [devozione, affetto] piété.

pietanza [pje'tantsa] f. plat m., mets m. || [seconda portata] plat de résistance.

pietoso [pje'toso] agg. compatissant, qui a pitié. || [che suscita pietà] pitoyable, navrant. | *spettacolo pietoso,* spectacle navrant. || IPERB. piteux, lamentable, minable. | *ha fatto una figura pietosa,* il a fait piètre figure. || [fatto per pietà] pieux. | *bugia pietosa,* pieux mensonge.

pietra ['pjɛtra] f. pierre. | *età della pietra,* âge de la pierre. || FIG. *pietra di paragone,* pierre de touche. | *farsi di pietra,* se pétrifier, se figer. || LOC. *mettiamoci una pietra sopra,* n'en parlons plus, n'y pensons plus.

pietraia [pje'traja] f. tas (m.) de pierres. || [terreno pietroso] terrain pierreux.

pietrificare [pjetrifi'kare] v. tr. PR. e FIG. pétrifier. ◆ v. rifl. se pétrifier. || FIG. se figer.

pievano [pje'vano] m. curé.

pieve ['pjɛve] f. église paroissiale. || PER EST. paroisse, cure.

piffero ['piffero] m. fifre, pipeau.

pigiama [pi'dʒama] (**-i** o **-a** pl.) m. pyjama.

pigiare [pi'dʒare] v. tr. presser, fouler, tasser. || [persone] serrer, pousser. || [calcare] appuyer (sur). || [ammucchiare] entasser.

pigiatura [pidʒa'tura] f. foulage m.

pigione [pi'dʒone] f. location. | *dare, prendere a pigione,* donner, prendre en location. || [canone] loyer m.

pigliare [piʎ'ʎare] v. tr. prendre.

1. piglio ['piʎʎo] m. prise f. || LOC. *dare di piglio (a),* se saisir de.

2. piglio m. air, aspect. | *con piglio minaccioso,* d'un air menaçant.

pigmento [pig'mento] m. pigment.

pigna ['piɲɲa] f. ARCHIT. pignon m. || BOT. pomme de pin, pigne. || TECN. crépine.

pignatta [piɲ'ɲatta] f. marmite, casserole. || [mattone] brique creuse.

pignone [piɲ'ɲone] m. pignon.
pignoramento [piɲɲora'mento] m. GIUR. saisie f.
pignorare [piɲɲo'rare] v. tr. GIUR. saisir.
pigolare [pigo'lare] v. intr. pépier, piauler, piailler. || FIG. criailler.
pigrizia [pi'grittsja] f. paresse, fainéantise.
pigro ['pigro] agg. paresseux, fainéant. || [molto lento] lent. || [ottuso] engourdi. ◆ n. paresseux, euse ; fainéant, e.
1. pila ['pila] f. [di ponte] pile. || [mucchio] pile. || ELETTR. pile.
2. pila f. bassin m., cuve, bac m. || [abbeveratoio] auge.
pilastro [pi'lastro] m. pilier ; [incastrato] pilastre. || FIG. pilier.
pilifero [pi'lifero] agg. pileux. || BOT. pilifère.
pillola ['pillola] f. pilule.
pilone [pi'lone] m. pile f., pilier. || [sostegno di fili elettrici] pylône.
pilota [pi'lɔta] (**-i** pl.) m. pilote. || *nave pilota,* bateau-pilote.
pilotare [pilo'tare] v. tr. piloter.
piluccare [pilu'kare] v. tr. picorer, grapiller ; grignoter.
pimento [pi'mento] m. PR. e FIG. piment.
pinacoteca [pinako'tɛka] f. pinacothèque, musée m.
pineta [pi'neta] f. pinède.
pingue ['pingwe] agg. gras, corpulent, gros. || PER EST. fertile, gras. || [ricco] gros, riche.
pinguedine [pin'gwɛdine] f. embonpoint m.
pinguino [pin'gwino] m. ZOOL. pingouin. || FIG. [gelato] esquimau.
pinna ['pinna] f. nageoire. || [per i nuotatori] palme.
pinnacolo [pin'nakolo] m. pinacle.
pino ['pino] m. pin.
pinta ['pinta] f. pinte.
pinza ['pintsa] f. pince.
pio ['pio] agg. pieux. || [di beneficenza] de charité, de bienfaisance. | *opere pie,* œuvres de bienfaisance. || [caritatevole] charitable, compatissant, pieux. | *pia menzogna,* pieux mensonge.
pioggia ['pjɔddʒa] f. PR. e FIG. pluie.
piolo ['pjɔlo] m. pieu, piquet ; [dell'attaccapanni] patère f. ; [di scala] barreau, échelon. || [colonnino di pietra] borne f.
piombare [pjom'bare] v. intr. tomber (sur). || [giungere all'improvviso] tomber ; arriver à l'improviste. || FIG. sombrer (dans). ◆ v. tr. [far cadere] faire tomber. || [rivestire o riempire di piombo] plomber.
piombatura [pjomba'tura] f. plombage m. ; [dente] obturation.
piombo ['pjombo] m. plomb. || FIG. *una cappa di piombo,* un poids accablant. || [oggetto di piombo] plomb. || LOC. *a piombo,* à plomb, d'aplomb. || [proiettile] balle f. || TIP. plomb.
pioniere [pjo'njɛre] m. PR. e FIG. pionnier.
pioppo ['pjɔppo] m. peuplier.
1. piovano [pjo'vano] m. = PIEVANO.
2. piovano agg. de pluie, pluvial.
piovere ['pjɔvere] v. intr. impers. pleuvoir. ◆ v. intr. [cadere] pleuvoir v. impers. o pers. || FIG. *piovono le proteste,* les protestations pleuvent. | *piovono i turisti,* les touristes affluent.
piovigginoso [pjoviddʒi'noso] agg. pluvieux.
piovra ['pjɔvra] f. ZOOL. e FIG. pieuvre.
pipa ['pipa] f. pipe.
pipì [pi'pi] f. pipi m. (fam.). | *fare la pipì,* faire pipi.
pipistrello [pipis'trɛllo] m. ZOOL. chauve-souris f.
piramide [pi'ramide] f. pyramide.
pirata [pi'rata] (**-i** pl.) m. pirate. ◆ agg. PR. e FIG. pirate.
pirateria [pirate'ria] f. PR. e FIG. piraterie.
pirite [pi'rite] f. pyrite.
piroettare [piroet'tare] v. intr. pirouetter.
pirofila [pi'rɔfila] f. (verre m.) Pyrex m. || [tegame] plat (m.) en Pyrex.
piroga [pi'rɔga] f. pirogue.
pirografia [pirogra'fia] f. pyrogravure.
piromania [piroma'nia] f. pyromanie.
piroscafo [piros'kafo] m. bateau à vapeur ; paquebot ; cargo.
pirotecnico [piro'tɛkniko] (**-ci** pl.) agg. pyrotechnique. | *spettacolo pirotecnico,* feux d'artifice. ◆ m. pyrotechnicien.
pisciacane [piʃʃa'kane] m. BOT. pissenlit.
pisciare [piʃ'ʃare] v. intr. POP. pisser.
piscicoltura [piʃʃikol'tura] f. pisciculture.
piscina [piʃ'ʃina] f. piscine. || [peschiera] vivier m.
pisello [pi'sɛllo] m. [pianta] pois. || [frutto] (petit) pois.
pisolo ['pizolo] o **pisolino** [pizo'lino] m. (petit) somme.
pisside ['pisside] f. ciboire m. || BOT. pyxide.
pista ['pista] f. piste.
pistacchio [pis'takkjo] m. [albero] pistachier. || [seme] pistache f.
pistillo [pis'tillo] m. pistil.
pistola [pis'tɔla] f. pistolet m.
pistone [pis'tone] m. piston. || [antica arma] tromblon.
pitagoreo [pitago'rɛo] o **pitagorico** [pita'gɔriko] (**-ci** pl.) agg. pythagori-

cien, pythagorique. || MAT. *tavola pitagorica,* table de multiplication.

pitale [pi'tale] m. pot de chambre.

pitocco [pi'tɔkko] (**-a** f.) n. PEGG. grippe-sou, avare. || [povero] misérable.

pitone [pi'tone] m. ZOOL. python.

pittima ['pittima] f. FIG. [noioso] raseur m. ; [persona che si lamenta sempre] pleurnicheur m.

pittore [pit'tore] (**-trice** f.) n. PR. e FIG. peintre m. || [imbianchino] peintre (en bâtiment).

pittorico [pit'tɔriko] (**-ci** pl.) agg. pictural.

pittura [pit'tura] f. PR. e FIG. peinture. || PER EST. peinture ; tableau m.

pitturare [pittu'rare] v. tr. peindre. || SCHERZ. farder. ◆ v. rifl. SCHERZ. se farder.

più ['pju] avv. 1. [comp.] plus. | *più tardi,* plus tard. | *ha due anni più di me,* il a deux ans de plus que moi. || [superl. rel.] *la statua più grande del mondo,* la statue la plus grande du monde. | *quello che lavora più in fretta,* celui qui travaille le plus rapidement. || *più che* + agg. o avv. [valore di superl. ass.] plus que, parfaitement, extrêmement, au plus haut point. | *sono più che commosso,* je suis ému au plus haut point. 2. [comp. senza compl.] *(di) più,* davantage, plus. | *cerca di dormire di più,* essaie de dormir davantage, plus. || [comp. con compl.] plus. | *lo amo più di ogni altra cosa,* je l'aime plus que tout. | *più di così è impossibile,* on ne peut pas faire plus. || [superl.] le plus. | *ciò che più importa,* ce qui importe le plus. 3. [piuttosto] plus, plutôt. | *più che parlare gridava,* il criait plus qu'il ne parlait. 4. [in correlazione con più o meno] plus. | *più ci penso e meno capisco,* plus j'y pense, moins je comprends. 5. MAT. plus. | *due più due,* deux plus deux, deux et deux. || PER EST. *tutta la famiglia più i vicini,* toute la famille plus les voisins. 6. [in frasi negative] plus. | *non ne posso più,* je n'en peux plus. 7. LOC. *un po' più,* un peu plus. | *sempre più difficile,* de plus en plus difficile. | *non posso descriverlo, tanto più che l'ho appena intravisto,* je ne peux pas le décrire, d'autant plus que je ne l'ai qu'entrevu. | *né più né meno,* ni plus ni moins ; exactement. | *due volte di più,* deux fois plus. ◆ agg. inv. [in numero o quantità maggiore] plus de, davantage de. | *oggi c'è più gente ancora,* aujourd'hui il y a encore plus de monde. || [con n. senza art.] plus. | *ho più caldo di prima,* j'ai plus chaud qu'avant. || [predicativo] *(di) più,* plus ; [con sogg. al pl. : più numerosi] plus nombreux. | *l'anno scorso i clienti erano di più,* l'an dernier il y avait plus, davantage de clients. || [parecchi] plusieurs. | *da più giorni,* depuis plusieurs jours. ◆ sostant. *di più, più,* [assol.] plus, davantage ; [con compl.] plus. | *chiedere di più,* demander plus, davantage. | *ne ho più del necessario,* j'en ai plus qu'il n'en faut. || *il più è fatto,* le plus gros est fait. || *i più,* la majorité, la plupart (des gens), le plus grand nombre. | *l'opinione dei più,* l'opinion du plus grand nombre. || MAT. *il segno del più,* le signe plus. || LOC. *per di più,* de plus, en plus, en outre. | *per lo più,* généralement, dans la plupart des cas. | *niente più,* rien de plus, rien d'autre. | *mille lire in più,* mille lires de trop.

piuma ['pjuma] f. plume. || PER EST. plumage m.

piumato [pju'mato] agg. à plume(s).

piumino [pju'mino] m. ZOOL. duvet. || [coperta imbottita] édredon. || [per la cipria] houpette f. || [per la pulizia dei mobili] plumeau.

piuttosto [pjut'tɔsto] avv. plutôt. || [alquanto] plutôt, assez. | *è piuttosto bellina,* elle est plutôt jolie. | *piuttosto spesso,* assez souvent.

pivello [pi'vɛllo] m. blanc-bec (fam.).

pizza ['pittsa] f. pizza (it.). || GERG., CIN. (boîte contenant une) bobine de film. || FIG., FAM. barbe.

pizzicagnolo [pittsi'kaɲɲolo] n. épicier, ère. || [che vende solo salumi] charcutier, ère.

pizzicare [pittsi'kare] v. tr. pincer. || PER EST. piquer. || FIG., FAM. [prendere] pincer. ◆ v. intr. démanger, piquer, gratter. | *mi sento pizzicare la mano,* la main me démange.

pizzico ['pittsiko] m. pinçon. || PER EST. pincée f. || FIG. grain, brin, atome.

pizzicotto [pittsi'kɔtto] m. pinçon.

pizzo ['pittso] m. dentelle f. || [barba] bouc. || [cima aguzza] pic.

placare [pla'kare] v. tr. apaiser, calmer. ◆ v. rifl. s'apaiser, se calmer.

placca ['plakka] f. plaque.

placcare [plak'kare] v. tr. [rivestire] plaquer. || SP. plaquer.

placido ['platʃido] agg. placide, paisible.

placito ['platʃito] m. STOR. [sentenza] sentence f. ; [assemblea] plaid.

plafoniera [plafo'njɛra] f. plafonnier m.

plagiare [pla'dʒare] v. tr. plagier. || [assogettare] mettre dans la dépendance.

plagio ['pladʒo] m. plagiat.

planare [pla'nare] v. intr. planer.

plancia ['plantʃa] f. MAR. passerelle.

planetario [plane'tarjo] agg. planétaire. ◆ m. planétarium. ‖ MECC. planétaire.
planisfero [planis'fɛro] m. planisphère.
plasma ['plazma] (**-i** pl.) m. ANAT., FIS. plasma.
plasmare [plaz'mare] v. tr. modeler. ‖ FIG. modeler, façonner.
plastica ['plastika] f. [arte] plastique. ‖ [materiale] matière plastique, plastique m. ‖ CHIR. opération plastique.
plasticità [plastitʃi'ta] f. PR. e FIG. plasticité. ‖ [nelle arti figurative] beauté plastique.
plastico ['plastiko] (**-ci** pl.) agg. plastique. ◆ m. maquette f. ‖ [esplosivo] plastic.
plastilina [plasti'lina] f. pâte à modeler.
platano ['platano] m. platane.
platea [pla'tɛa] f. TEAT. parterre m. ‖ [pubblico] public m.
plateale [plate'ale] agg. grossier, vulgaire.
platinare [plati'nare] v. tr. platiner.
platino ['platino] m. platine.
platonico [pla'tɔniko] (**-ci** pl.) agg. FILOS. platonicien. ‖ FIG. platonique. ◆ m. platonicien.
plausibile [plau'zibile] agg. plausible.
plebaglia [ple'baλλa] f. PEGG. populace.
plebe ['plɛbe] f. plèbe. ‖ FIG., POET. multitude.
plebeo [ple'bɛo] agg. plébéien, populaire. ◆ n. STOR. plébéien.
plebiscito [plebiʃ'ʃito] m. plébiscite.
pleiade ['plɛjade] f. pléiade.
plenario [ple'narjo] agg. plénier.
plenilunio [pleni'lunjo] m. pleine lune.
plenipotenziario [plenipoten'tsjarjo] (**-i** pl.) agg. e m. plénipotentiaire.
pleonasmo [pleo'nazmo] m. pléonasme.
plesso ['plɛsso] m. plexus.
pletorico [ple'tɔriko] (**-ci** pl.) agg. pléthorique.
pleura ['plɛura] f. plèvre.
pleurico ['plɛuriko] (**-ci** pl.) agg. pleural.
pleurite [pleu'rite] f. pleurésie.
plico ['pliko] m. pli.
plinto ['plinto] m. plinthe f.
plotone [plo'tone] m. MIL. section f. ‖ [di carabinieri] peloton. ‖ SP. peloton.
plumbeo ['plumbeo] agg. (couleur) de plomb ; plombé. ‖ FIG. pesant, lourd.
plurale [plu'rale] m. GR. pluriel. ◆ agg. pluriel ; au, du pluriel.
pluralità [plurali'ta] f. pluralité.
pluriennale [plurien'nale] agg. qui dure plusieurs années.
plurilaterale [plurilate'rale] agg. multilatéral.
plurimo ['plurimo] agg. multiple. ‖ [di voto] plural.
plurinazionale [plurinattsjo'nale] agg. multinational.
plurisecolare [pluriseko'lare] agg. vieux de plusieurs siècles.
plusvalore [plusva'lore] m. ECON. plus-value f.
plutone [plu'tone] m. GEOL. pluton.
pluviale [plu'vjale] agg. pluvial.
pluviometro [plu'vjɔmetro] m. pluviomètre.
pneumatico [pneu'matiko] (**-ci** pl.) agg. pneumatique. ◆ m. pneu.
po' [pɔ] V. POCO.
pochezza [po'kettsa] f. peu m., manque m., insuffisance. | *la pochezza del raccolto,* l'insuffisance de la récolte.
pochino [po'kino] agg. indef. un peu, bien peu, maigre. ◆ pron. indef. très peu, assez peu. | *di soldi, ne ho pochini,* j'ai très peu d'argent. ‖ [seguito da sostant.] un petit peu de. | *un pochino di pazienza,* un petit peu de patience. ‖ [in forme ellittiche] un petit peu. | *aspetta un pochino,* attends un petit peu. ◆ avv. un petit peu. | *sta un pochino meglio,* il se porte un petit peu mieux. ‖ très peu, trop peu. | *lavora pochino,* il travaille très peu.
poco ['pɔko] (**-chi** m. pl.) o **po'** [pɔ] agg. indef. peu de ; [con il sostant. al pl.] peu de, quelques. | *ha poca esperienza,* il a peu d'expérience. | *in poche parole,* en quelques mots. ‖ [come predicato] peu de chose ; insuffisant, peu nombreux. | *gli spettatori sono pochi,* les spectateurs sont peu nombreux. ◆ pron. indef. peu. | *di soldi, ne ho pochi,* j'ai peu d'argent. ‖ [riferito a persone] peu, peu de gens. | *voi e pochi altri,* vous et quelques autres. | *è uno dei pochi che,* c'est un des rares qui. ‖ [poca cosa, poche cose] peu, peu de chose. | *mangia veramente poco,* il mange vraiment peu. | *a dir poco,* au bas mot. ‖ LOC. *per poco non ha avuto un incidente,* il a failli avoir un accident. | *un affare da poco,* une affaire sans importance. | *arriveranno tra poco,* ils vont arriver, ils arriveront bientôt, tout à l'heure. ‖ *un poco di, un po' di,* un peu de ; [seguito da n. pl.] quelques. | *un po' di silenzio,* un peu de silence. | *tra un po' di giorni,* dans quelques jours. ◆ avv. peu. | *sono poco numerosi,* ils sont peu nombreux. | *è di poco maggiore di me,* il est mon aîné de peu. | *non poco,* beaucoup. ‖ *un poco, un po',* un peu. | *un poco meglio,* un peu mieux. | *« guarda un po' »,* « regarde un peu ». ◆ m. peu. | *il poco che ho,* le peu que je possède. | *un poco di buono,* un pas-grand-chose inv., un mauvais sujet.

podere [po'dere] m. propriété f., fonds, terre f.
poderoso [pode'roso] agg. puissant, vigoureux.
podestà [podes'ta] m. STOR. [nel Medioevo] podestat. || [nell'epoca fascista] maire.
podio ['pɔdjo] (**-di** pl.) m. estrade f., tribune f. || STOR. podium.
podismo [po'dizmo] m. SP. marche f., course (f.) à pied.
poema [po'ɛma] (**-i** pl.) m. poème.
poesia [poe'zia] f. poésie. || LETT. [componimento poetico] poème m.
poeta [po'ɛta] (**-i** pl.) m. poète.
poetessa [poe'tessa] f. femme poète, poétesse.
poetico [po'ɛtiko] (**-ci** m. pl.) agg. poétique.
poggiare [pod'dʒare] v. tr. appuyer. || [deporre] déposer. | *poggia là le valigie,* dépose là tes valises. || V. APPOGGIARE. ◆ v. intr. PR. e FIG. reposer, être basé, être fondé. || MIL. appuyer. | *poggiare a sinistra,* appuyer à gauche, sur la gauche.
poggio ['pɔddʒo] m. coteau, colline f.
poggiolo [pod'dʒɔlo] m. petite terrasse, balcon.
poh ! [phɔ] interiez. bah !, peuh !
poi ['pɔi] avv. après, ensuite, puis, plus tard. | *studiate la lezione, poi andrete a giocare con gli amici,* étudiez votre leçon, ensuite vous irez jouer avec vos amis. | *e poi dopo ?,* et puis après ? | *d'ora in poi,* dorénavant. | *prima o poi, lo vedremo,* tôt ou tard, nous le verrons. | *da allora in poi,* depuis lors. | *da domani in poi,* à partir de demain. || [d'altronde] et puis, d'ailleurs, au reste, du reste. | *non posso andarci, e poi non devo giustificarmi con nessuno,* je ne peux pas y aller, au reste, je n'ai à me justifier devant personne. || [con valore avversativo] mais ; après tout, en somme, en définitive. | *non voglio darti altri consigli, e poi è denaro tuo,* je ne veux pas te donner d'autres conseils, après tout, c'est ton argent. || [con valore rafforzativo] *questa poi !,* ça, par exemple ! | *questo poi è troppo !,* ça, alors, c'est trop ! | *tu poi,* quant à toi, toi par exemple. | *no e poi no,* non, non et non. ◆ m. *il poi,* le futur, l'avenir, le lendemain.
poiché [poi'ke] cong. puisque, car ; [solo all' inizio della frase] comme. | *poiché bisogna, facciamolo,* puisqu'il le faut, faisons-le. | *poiché abbiamo perso l'autobus,* puisque, comme nous avons manqué l'autobus.
poker ['pɔker] m. GIOCHI poker.
polare [po'lare] agg. ASTR., GEOGR. polaire.
polarità [polari'ta] f. polarité.
polarizzare [polarid'dzare] v. tr. FIS. e FIG. polariser. ◆ v. rifl. CHIM., FIS., FIG. se polariser (sur).
polemica [po'lɛmika] f. polémique.
polemizzare [polemid'dzare] v. intr. polémiquer.
poliambulatorio [poliambula'tɔrjo] m. dispensaire.
policlinico [poli'kliniko] m. policlinique f.
policromatico [polikro'matiko] (**-ci** m. pl.) agg. polychrome.
poliedro [poli'ɛdro] m. polyèdre.
polifonia [polifo'nia] f. MUS. polyphonie.
poligamia [poliga'mia] f. polygamie.
poliglotta [poli'glɔtta] (**-i** m. pl.) agg. e n. polyglotte.
poligono [po'ligono] m. polygone.
poligrafare [poligra'fare] v. tr. polycopier.
poligrafico [poli'grafiko] (**-ci** m. pl.) agg. polygraphique. | *Istituto poligrafico dello Stato,* Imprimerie nationale. ◆ m. pl. *i poligrafici,* les typographes, les imprimeurs.
polinesiano [poline'zjano] agg. e n. polynésien, enne.
poliomielite [poljomie'lite] f. poliomyélite.
polipo ['pɔlipo] m. MED., ZOOL. polype.
polisillabo [poli'sillabo] agg. polysyllabe, polysyllabique. ◆ m. polysyllabe.
polistirolo [polisti'rɔlo] m. polystyrolène, polystyrène.
politecnico [poli'tɛkniko] (**-ci** m. pl.) agg. polytechnique.
politeismo [polite'izmo] m. REL. polythéisme.
politica [po'litika] f. politique.
politico [po'litiko] (**-ci** m. pl.) agg. e m. politique.
polizia [polit'tsia] f. police.
poliziesco [polit'tsjesko] agg. policier.
poliziotto [polit'tsjɔtto] m. agent de police, policier. | *poliziotto privato,* détective privé.
polizza ['pɔlittsa] f. AMM. reçu m., police. | *polizza d'assicurazione,* police d'assurance.
polla ['polla] f. source (d'eau).
pollaio [pol'lajo] m. poulailler. || PER EST. volaille f.
pollame [pol'lame] m. volaille f.
pollastra [pol'lastra] f. poularde. || FIG., FAM. [ragazza] poulette.
pollastro [pol'lastro] m. poulet. || FIG. [sempliciotto] pigeon.
pollice ['pɔllitʃe] m. ANAT. pouce ; [del piede] gros orteil. || [misura] pouce.
polline ['pɔlline] m. pollen.
pollo ['pollo] m. poulet. | *pollo ruspante,* poulet de ferme.

pollone [pol'lone] m. BOT. bourgeon ; [getto radicale] pousse f.
polluzione [pollut'tsjone] f. pollution.
polmonare [polmo'nare] agg. pulmonaire.
polmone [pol'mone] m. poumon.
polmonite [polmo'nite] f. pneumonie.
polo ['pɔlo] m. [in tutti i significati] pôle.
polpa ['polpa] f. ZOOL. pulpe m. || CULIN. chair, viande. | *polpa di vitello,* viande de veau. || [di frutta] chair, pulpe. || FIG. substance.
polpaccio [pol'pattʃo] (**-ci** pl.) m. ANAT. mollet.
polpastrello [polpas'trɛllo] m. ANAT. bout du doigt.
polpetta [pol'petta] f. CULIN. boulette, croquette.
polpettone [polpet'tone] m. CULIN. rôti de viande hachée. || FIG. [scritto] salmigondis ; [film] navet.
polposo [pol'poso] adj. pulpeux.
polputo [pol'puto] adj. charnu.
polsino [pol'sino] m. [di camicia] manchette f. ; [di altri indumenti] poignet.
polso ['polso] m. poignet. | *orologio da polso,* montre-bracelet f., bracelet-montre. || FIG. *avere polso,* avoir de la poigne. || MED. pouls.
poltiglia [pol'tiʎʎa] f. bouillie. || FIG. *ridurre in poltiglia,* réduire en bouillie. || [fanghiglia] boue.
poltrire [pol'trire] v. intr. paresser, fainéanter.
poltrona [pol'trona] f. fauteuil m.
poltrone [pol'trone] (**-a** f.) n. fainéant, paresseux. || [vile] poltron, lâche.
polvere ['polvere] f. poussière. || FIG. *ridurre in polvere,* réduire en poussière. || [prodotta artificialmente] poudre. | *latte in polvere,* lait en poudre. || [da sparo] poudre.
polveriera [polve'rjɛra] f. poudrière.
polverizzare [polverid'dzare] v. tr. pulvériser. || [coprire di polvere] saupoudrer.
polverone [polve'rone] m. nuage de poussière.
polveroso [polve'roso] agg. couvert de poussière, poussiéreux.
pomata [po'mata] f. FARM. pommade.
pomeridiano [pomeri'djano] agg. de l'après-midi.
pomeriggio [pome'riddʒo] m. après-midi m. o f. inv. | *nel primo pomeriggio,* l'après-midi de bonne heure.
pomice ['pomitʃe] f. ponce. | *pietra pomice,* pierre ponce.
pomiciare [pomi'tʃare] v. tr. poncer. ◆ v. intr. POP. peloter.
pomo ['pomo] m. BOT. [di rosacee] fruit. || REG. [mela] pomme f. ; [melo] pommier. || FIG. *pomo della discordia,* pomme de discorde. || PER EST. pommeau. | *pomo di bastone,* pomme de canne.
pomodoro [pomo'dɔro] (**pomodori** o **pomidoro** pl.) m. tomate f.
1. pompa ['pompa] f. TECN. pompe.
2. pompa f. pompe, faste m. || PEGG. étalage m. || [servizi funebri] *pompe funebri,* pompes funèbres.
pompare [pom'pare] v. tr. pomper. || FIG. grossir, monter.
pompelmo [pom'pɛlmo] m. pamplemoussier, pamplemousse.
pompiere [pom'pjɛre] m. pompier, sapeur-pompier.
pomposo [pom'poso] agg. pompeux.
ponce ['pɔntʃ] m. punch (ingl.).
ponderabile [ponde'rabile] agg. pondérable.
ponderare [ponde'rare] v. tr. peser, examiner, considérer. ◆ v. intr. réfléchir.
ponderato [ponde'rato] agg. pondéré, réfléchi, équilibré.
ponderoso [ponde'roso] agg. lourd, pondéreux.
ponente [po'nɛnte] m. couchant, occident, ouest.
ponte ['ponte] m. pont. | *ponte levatoio,* pont-levis. || AUT. *ponte anteriore, posteriore,* pont avant, arrière. || GIOCHI *gioco del ponte,* bridge. || MAR. pont. | *ponte di comando,* pont passerelle. || [odontoiatria] pont, bridge. || MIL. *ponte aereo,* pont aérien.
pontefice [pon'tefitʃe] m. pontife.
ponteggio [pon'teddʒo] m. ARCHIT. échafaudage.
ponticello [ponti'tʃɛllo] m. petit pont, passerelle f. || [di violino] chevalet.
pontificare [pontifi'kare] v. intr. pontifier.
pontificato [pontifi'kato] m. pontificat.
pontificio [pontifitʃo] agg. du pape. | *Stato pontificio,* État pontifical.
pontile [pon'tile] m. MAR. embarcadère, débarcadère.
pontone [pon'tone] m. MAR. ponton.
poplite ['pɔplite] m. muscle poplité ; jarret.
popolano [popo'lano] agg. populaire. ◆ n. homme, femme du peuple.
1. popolare [popo'lare] agg. populaire. | *case popolari,* habitations à loyer modéré (abbr. H. L. M.). | *giudice popolare,* juré.
2. popolare v. tr. peupler. ◆ v. rifl. se peupler ; se remplir.
popolarità [popolari'ta] f. popularité.
popolarizzare [popolarid'dzare] v. tr. populariser.
popolazione [popolat'tsjone] f. population.

popolino [popo'lino] m. PEGG. bas peuple, menu peuple.
popolo ['pɔpolo] m. peuple. | *il popolo italiano,* le peuple italien. || [categoria sociale] peuple. | *uomo del popolo,* homme du peuple. || [moltitudine] foule f.
popoloso [popo'loso] agg. populeux.
popone [po'pone] m. BOT. melon.
1. poppa ['poppa] f. MAR. poupe, arrière m. || PR. e FIG. *avere il vento in poppa,* avoir le vent en poupe.
2. poppa f. mamelle, sein m.
poppante [pop'pante] n. enfant (m.) à la mamelle, nourrisson m.
poppare [pop'pare] v. tr. téter.
poppatoio [poppa'tojo] m. biberon.
populismo [popu'lizmo] m. populisme.
porcaio [por'kajo] o **porcaro** [por'karo] m. porcher.
porcellana [portʃel'lana] f. porcelaine.
porcellino [portʃel'lino] m. cochon de lait, porcelet, goret. || FIG., SCHERZ. petit cochon.
porcheria [porke'ria] f. saleté. || FIG., FAM. cochonnerie ; [tiro birbone] vacherie ; [cosa preparata male] saloperie (pop.).
porcile [por'tʃile] m. PR. e FIG. porcherie f., bauge f.
porcino [por'tʃino] agg. porcin, de porc. ◆ m. BOT. bolet, cèpe.
porco ['pɔrko] (**-ci** pl.) m. PR. e FIG. porc, cochon, pourceau. ◆ agg. VOLG. *porco mondo !, porca miseria !, porco cane !,* bon Dieu !, nom d'un chien !
porcospino [porkos'pino] m. ZOOL. e FIG. porc-épic.
porfido ['pɔrfido] m. porphyre.
porgere ['pɔrdʒere] v. tr. offrir, tendre, présenter. | *porgere la mano,* tendre la main. | *porgere il braccio,* offrir le bras. || FIG. *porgere i propri saluti,* présenter ses salutations. | *porgere aiuto,* prêter secours, aider.
pornografia [pornogra'fia] f. pornographie.
poro ['pɔro] m. ANAT. pore.
poroso [po'roso] agg. poreux.
porpora ['porpora] f. pourpre.
porporato [porpo'rato] agg. revêtu de pourpre. ◆ m. REL. cardinal.
porporino [porpo'rino] agg. pourpre, pourpré.
porre ['porre] v. tr. mettre ; poser ; [collocare] placer. | *porre sotto chiave,* mettre sous clé. | *porre in pericolo,* mettre en danger. | *porre ordine,* mettre bon ordre. | *porre mano a,* mettre la main à. | *porre la propria candidatura,* poser sa candidature. | *porre al comando di,* placer à la tête de. || [supporre] supposer, admettre. | *poniamo che abbiate vinto,* supposons, admettons que vous ayez gagné. || LOC. *porre a confronto,* comparer. | *porre fine,* finir, mettre fin. | *porre mente,* faire attention à, prendre garde à. ◆ v. rifl. se mettre, se poser. | *porsi al riparo,* se mettre à l'abri. | *porsi a sedere,* s'asseoir.
porro ['pɔrro] m. BOT. poireau. || [verruca] verrue f.
porta ['pɔrta] f. porte. || LOC. *andare di porta in porta,* faire du porte-à-porte. || FIG. *il denaro apre tutte le porte,* l'argent ouvre toutes les portes. | *sfondare delle porte aperte,* enfoncer des portes ouvertes. || GIUR. *processo a porte chiuse,* procès à huis clos. || [calcio] but m. ; [sci] porte. ◆ agg. inv. ANAT. *vena porta,* veine porte.
portabagagli [portaba'gaʎʎi] m. inv. [facchino] porteur m. ; [di veicoli] porte-bagages.
portabandiera [portaban'djɛra] m. inv. porte-drapeau m., enseigne m.
portacenere [porta'tʃenere] m. inv. cendrier m.
portaerei [porta'ɛrei] f. inv. MAR. porte-avions m. inv.
portafogli [porta'fɔʎʎi] m. inv. o **portafoglio** [porta'fɔʎʎo] m. [in tutti gli usi] portefeuille m.
portafortuna [portafor'tuna] m. inv. porte-bonheur.
portalampada [porta'lampada] m. inv. ELETTR. douille f.
portale [por'tale] m. portail.
portalettere [porta'lɛttere] n. inv. facteur m. ; préposé n.
portamento [porta'mento] m. port, allure f., maintien ; [modo di incedere] démarche f.
portamonete [portamo'nete] m. inv. porte-monnaie.
portantina [portan'tina] f. chaise à porteurs. || PER EST. brancard m.
portaombrelli [portaom'brɛlli] m. inv. porte-parapluies.
portare [por'tare] v. tr. 1. [sostenere] porter, supporter (un poids). | *porta una valigia,* il porte une valise. || [avere su di sé] *porta un cappello,* il porte un chapeau. | *«che numero di scarpe porta ?»,* «quelle pointure faites-vous ?». | *portare il lutto,* porter le deuil. || [modo di atteggiare il corpo] *portare la testa alta, bassa,* porter la tête haute, basse. || [presentare] *il testo non porta correzioni,* le texte ne porte aucune correction. || FIG. *portare un nome,* porter un nom. | *portare qlcu. in palma di mano,* tenir qn en grande estime. | *il treno porta ritardo,* le train a du retard. 2. [trasportare] porter, apporter. | *abbiamo portato del denaro in banca,* nous avons porté de l'argent

à la banque. || [farsi portare] apporter. | *portami un piatto,* apporte-moi une assiette. || [portare con sé] apporter, prendre. | *abbiamo portato solo due panini,* nous n'avons apporté que deux sandwichs. || [accostare] porter. | *portare una mano alla fronte,* porter une main à son front. || [accompagnare] mener, emmener, accompagner. | *portare un ragazzo a scuola,* mener, accompagner un garçon à l'école. || FIG. apporter, fournir. | *portare delle prove,* apporter des preuves. || [dare] porter. | *la notte porta consiglio,* la nuit porte conseil. || [appuntare] porter. | *portare il proprio sguardo su,* porter son regard sur. || [incitare] porter, pousser. | *tutto mi porta a pensare,* tout me porte, me pousse à penser. || [provare] porter, avoir. | *portare invidia a qlcu.,* porter envie à qn. || [trasferire] porter. | *portare la lotta sul piano politico,* porter la lutte sur le plan politique. || [trasmettere] porter, apporter. | *portare una notizia,* porter, apporter une nouvelle. || AUT. conduire. | *porta bene la macchina,* il conduit bien. || MAT. retenir. | *scrivo 5 e porto 1,* j'écris 5 et je retiens 1. || POL. [sostenere] *portare un candidato,* soutenir un candidat. 3. [con avv.] *portare avanti,* (faire) avancer, poursuivre. | *portare avanti il proprio lavoro,* poursuivre son travail. || *portare giù, da basso,* descendre. || *portare indietro,* (faire) reculer. || *portare su,* monter. || *portare via,* [portare con sé] emporter ; [condurre via] emporter, emmener ; [strappare con forza] emporter, arracher; [far morire] emporter, enlever. ◆ v. intr. mener, conduire. | *questo sentiero porta in paese,* ce chemin mène, conduit au village. || [sostenere] porter. ◆ v. rifl. aller, se rendre ; [di veicolo] se déplacer. | *si sono portati sul luogo dell' incidente,* ils se sont rendus sur le lieu de l'accident. || [comportarsi] se conduire. | *si è portato bene,* il s'est bien conduit. || [presentarsi] se porter, se présenter. | *si è portato candidato,* il s'est présenté comme candidat. || [di salute] se porter.

portata [por'tata] f. charge ; [di gru] force ; [di balancia] force. || ARCHIT. portée, charge. | *la portata di un ponte,* la portée d'un pont. || CULIN. service m., plat m. | *prima portata,* entrée. || MAR. port m., portée. | *portata lorda,* port, portée en lourd. || MIL. portée. | *cannone a lunga portata,* canon à longue portée. || PER ANAL. *a portata di voce,* à portée de (la) voix. || FIG. [possibilità] portée. | *è alla mia portata,* c'est à ma portée. || GEOGR. débit m.

portatile [por'tatile] agg. portatif.

portato [por'tato] agg. [di vestito] usagé. || [dotato] doué. | *è portato per il disegno,* il est doué pour le dessin.

portauovo [porta'wɔvo] m. inv. coquetier m.

portavoce [porta'votʃe] m. inv. porte-voix. || FIG. porte-parole.

portentoso [porten'toso] agg. prodigieux.

porticato [porti'kato] m. portique, arcades f. pl. ◆ agg. à arcades.

portico ['pɔrtiko] (**-ci** pl.) m. ARCHIT. portique ; [di chiesa] porche ; [di casa colonica] hangar. ◆ pl. [di piazze] arcades f. pl.

portiera [por'tjɛra] f. portière.

portiere [por'tjɛre] m. concierge ; portier. || SP. gardien de but.

portinaio [porti'najo] (**-a** f.) n. concierge.

1. porto ['pɔrto] m. [autorizzazione a portare armi] port m. || TR. port. | *porto pagato,* port payé.

2. porto m. MAR. port. || FIG. *condurre in porto,* mener à bien. | *la sua casa è un porto di mare,* on entre chez lui comme dans un moulin.

portone [por'tone] m. porte f. (d'entrée) ; porte cochère.

portuale [portu'ale] agg. portuaire.

porzione [por'tsjone] f. portion, part.

posa ['pɔsa] f. répit m., arrêt m. | *non dare posa,* ne pas donner de répit. || [collocazione] pose. | *posa di un cavo,* pose d'un câble ; [in mare] *posa di mine,* mouillage de mines. || [in fotografia e pittura] pose. || FIG. pose, air m. | *è una posa,* c'est de la pose.

posamine [posa'mine] f. inv. MAR. mouilleur (m.) de mines.

posare [po'sare] v. tr. poser ; déposer. || FIG. *posare lo sguardo su qlcu.,* poser son regard sur qn. ◆ v. intr. PR. e FIG. [poggiare] reposer. || [stare in posa] poser. || FIG. poser, jouer. || [di liquido] déposer. ◆ v. rifl. [fermarsi] PR. e FIG. se poser.

posata [po'sata] f. [cucchiaio, forchetta, coltello] couvert m.

posateria [posate'ria] f. couverts m. pl.

posatezza [posa'tettsa] f. calme m.

posato [po'sato] agg. posé, calme.

posdomani [pozdo'mani] avv. après-demain.

positiva [pozi'tiva] f. FOT. positif m.

positivo [pozi'tivo] agg. positif.

posizione [pozit'tsjone] f. [in tutti i significati] position. | *farsi una posizione,* se faire une position. | *luci di posizione,* feux de position. | *posizione di combattimento,* position de combat. | *guerra di posizione,* guerre de position. | *posizione sdraiata,* position couchée. | *una presa di posizione,* une prise de position.

posporre [posˈporre] v. tr. placer, mettre après.

possedere [posseˈdere] v. tr. posséder.

possedimento [possediˈmento] m. propriété f. || POL., STOR. [colonia] possession f., établissement.

possente [posˈsɛnte] agg. puissant.

possesso [posˈsɛsso] m. possession f. || FIG. *in possesso di tutte le sue facoltà,* jouissant de toutes ses facultés. || [proprietà] possession, propriété f.

possibile [posˈsibile] agg. possible. | *è possibilissimo,* c'est fort possible. ◆ m. possible. | *fare il possibile,* faire tout son possible.

possibilità [possibiliˈta] f. possibilité. ◆ pl. [mezzi finanziari] moyens m. ; [risorse] possibilités, ressources.

possibilmente [possibilˈmente] avv. si (cela est) possible.

possidente [possiˈdɛnte] n. propriétaire.

posta [ˈpɔsta] f. poste. | *posta aerea,* poste aérienne. || [ufficio] poste. | *fermo posta,* poste restante. || [corrispondenza] courrier m. | *c'è posta ?,* y a-t-il du courrier ? || STOR. [servizio di corriera] poste. || [caccia] affût m. || GIOCHI mise ; [di scommessa] enjeu m. | *raddoppiare la posta,* doubler la mise. || LOC. *a bella posta,* tout exprès, à dessein.

postagiro [postaˈdʒiro] m. virement postal.

postale [posˈtale] agg. postal.

postazione [postatˈtsjone] f. MIL. emplacement m.

posteggiare [postedˈdʒare] v. tr. parquer, garer.

posteggiatore [posteddʒaˈtore] (**-trice** f.) n. gardien de parking. || [suonatore ambulante] musicien ambulant.

posteggio [posˈteddʒo] m. parking (ingl.), parc de stationnement. || [dei taxi] station.

posteriore [posteˈrjore] agg. postérieur.

posteriormente [posterjorˈmente] avv. [nel tempo] postérieurement ; [nello spazio] dans la partie postérieure.

posterità [posteriˈta] f. postérité.

postero [ˈpɔstero] m. (spec. pl.) descendant.

posticipare [postitʃiˈpare] v. tr. retarder, différer.

postiglione [postiʎˈʎone] m. postillon.

postilla [posˈtilla] f. annotation, note, renvoi m. || GIUR. apostille.

postino [posˈtino] m. facteur.

posto [ˈposto] m. place f., espace. | *fare economia di posto,* faire économie de place. | *trovare posto,* trouver de la place. | *posto a sedere,* place assise. | *prenotazione dei posti,* réservation des places. || LOC. *è una proposta fuori posto,* c'est une proposition déplacée. | *in qualsiasi posto,* n'importe où. | *in nessun altro posto,* nulle part ailleurs. | *al posto di lavorare, si chiacchiera,* au lieu de travailler, on bavarde. || [impiego] place f., emploi, poste. | *posto di fiducia,* place, poste de confiance. | *cercare un posto,* chercher un emploi, une place. || [sito] endroit, lieu, site. | *posto di villeggiatura,* lieu de villégiature. | *la gente del posto,* les gens du pays. || [con riferimento a particolari funzioni] *posto di frontiera,* poste-frontière. | *posto di blocco,* barrage de police. || MED. *posto di pronto soccorso,* poste de secours. ◆ loc. *a posto,* rangé, arrangé, en ordre. | *il meccanico m'ha messo a posto la macchina,* le garagiste a réparé ma voiture. | *essere a posto con sé stesso,* être tranquille. | *mettere la testa a posto,* se ranger. | *è una persona a posto,* c'est une personne comme il faut. | *è tutto a posto,* tout est en ordre.

postribolo [posˈtribolo] m. LETT. bordel (L.C.), lupanar.

postulare [postuˈlare] v. tr. postuler.

postumo [ˈpɔstumo] agg. posthume. ◆ m. pl. conséquences f. pl. || MED. séquelles f. pl.

potabile [poˈtabile] agg. potable.

potare [poˈtare] v. tr. AGR. tailler, émonder, élaguer.

potassio [poˈtassjo] m. potassium.

potatura [potaˈtura] f. émondage m., élagage m., taille. || [i rami potati] émondes pl.

potente [poˈtɛnte] agg. e n. puissant.

potenza [poˈtɛntsa] f. [in tutti i significati] puissance.

potenziale [potenˈtsjale] agg. e m. potentiel.

potenzialmente [potentsjalˈmente] avv. potentiellement, en puissance.

potenziare [potenˈtsjare] v. tr. augmenter la puissance (de), mettre en valeur.

1. potere [poˈtere] v. intr. pouvoir. | *ci posso andare,* je peux y aller. | *posso chiedervi una cosa ?,* puis-je vous demander une chose ? | *dove possono essere ?,* où peuvent-ils être ? | *potranno essere le cinque,* il doit être cinq heures. | *può darsi che venga,* il se peut, il est possible qu'il vienne. || ASSOL. pouvoir. | *farai come meglio potrai,* tu feras de ton mieux, tu feras tout ton possible. | *non appena potete,* dès que vous pourrez. | *lei può molto su tutti noi,* vous avez une grande influence sur nous tous. | *gridare a più non*

posso, crier à tue-tête. | *piovere a più non posso,* pleuvoir à verse.
2. potere m. pouvoir.
potestà [potes'ta] f. puissance, pouvoir m. || GIUR. *patria potestà,* puissance paternelle.
povero ['pɔvero] agg. pauvre. | *suolo povero,* sol pauvre. | *povero me!,* pauvre de moi! || PER EST. défunt, feu.
povertà [pover'ta] f. pauvreté, indigence, misère.
pozione [pot'tsjone] f. potion.
pozza ['pottsa] f. flaque, mare.
pozzanghera [pot'tsangera] f. flaque.
pozzo ['pottso] m. PR. e FIG. puits.
prammatica [pram'matika] f. règle, usage m. | *è di prammatica,* c'est la règle.
pranzare [pran'dzare] v. intr. déjeuner; [alla sera] dîner.
pranzo [pran'dzo] m. déjeuner; [alla sera] dîner. | *pranzo di nozze,* repas de noces.
prassi ['prassi] f. pratique, usage m. || FILOS. praxis.
prataiolo [prata'jɔlo] agg. des prés.
prateria [prate'ria] f. prairie.
pratica ['pratika] f. pratique, expérience. | *avere una lunga pratica degli affari,* avoir une longue pratique, une longue expérience des affaires. || [tirocinio] apprentissage m., stage m. | *far pratica del proprio mestiere,* faire l'apprentissage de son métier. || [relazione] rapport m., relation. || [usanza] usage m., habitude, exercice m. | *pratica della carità,* exercice de la charité. | *pratiche illecite,* pratiques illicites. || AMM. affaire; [documenti] dossier m.; démarche. | *studiare, consultare una pratica,* étudier, consulter un dossier. | *fare le pratiche necessarie,* faire les démarches nécessaires. ◆ loc. avv. *in pratica,* en pratique, pratiquement, en fait.
praticare [prati'kare] v. tr. pratiquer, appliquer, suivre, faire. | *praticare una professione,* pratiquer une profession. || [effettuare] pratiquer, faire. | *praticare un foro,* pratiquer une ouverture. || [frequentare] pratiquer, fréquenter. | *praticare una casa,* fréquenter une maison. || COMM. accorder, faire. | *praticare uno sconto,* accorder une réduction.
praticità [pratitʃi'ta] f. avantages (m. pl.) pratiques; capacité.
pratico ['pratiko] (**-ci** m. pl.) agg. [contrario di «teorico»] pratique. || [positivo] pratique, concret, positif. | *senso pratico,* sens pratique, positif. || [di tutti i giorni] pratique, quotidien. || [comodo] pratique, commode. || [esperto] expert, expérimenté, habile. | *è pratico di meccanica,* il est expert en mécanique.
praticone [prati'kone] (**-a** f.) n. PEGG. guérisseur, euse; rebouteur, rebouteux, euse.
prato ['prato] m. pré; [terreno erboso] gazon, pelouse f.
pratolina [prato'lina] f. pâquerette.
preannunziare [preannun'tsjare] v. tr. annoncer (à l'avance).
preavvisare [preavvi'zare] v. tr. préaviser.
precario [pre'karjo] agg. précaire.
precauzione [prekaut'tsjone] f. précaution.
precedente [pretʃe'dɛnte] agg. précédent; [part. pres. con valore verbale] précédant (qch.). ◆ m. précédent. | *senza precedenti,* sans précédent. ◆ pl. GIUR. antécédents.
precedenza [pretʃe'dɛntsa] f. priorité, préséance. || AUT. priorité. ◆ loc. avv. *in precedenza,* précédemment.
precedere [pre'tʃɛdere] v. tr. précéder, devancer.
precettare [pretʃet'tare] v. tr. MIL. rappeler sous les drapeaux.
precetto [pre'tʃɛtto] m. précepte, commandement, règle f. || GIUR. injonction f., sommation f. || MIL. *cartolina precetto,* ordre d'appel. || REL. *festa di precetto,* fête d'obligation f.
precettore [pretʃet'tore] (**-trice** f.) n. précepteur, trice.
precipitare [pretʃipi'tare] v. tr. précipiter. ◆ v. intr. [cadere] tomber; [crollare] s'écrouler. || [accelerarsi] se précipiter. | *gli avvenimenti precipitano,* les événements se précipitent. ◆ v. rifl. se précipiter.
precipitoso [pretʃipi'toso] agg. impétueux. || FIG. précipité, hâtif, inconsidéré.
precipizio [pretʃi'pittsjo] m. précipice. ◆ loc. avv. *a precipizio,* précipitamment.
precisare [pretʃi'zare] v. tr. préciser.
precisazione [pretʃizat'tsjone] f. éclaircissement m., explication.
precisione [pretʃi'zjone] f. précision, justesse.
preciso [pre'tʃizo] agg. précis, exact. | *alle tre precise,* à trois heures précises. || [esattamente corrispondente] identique.
precludere [pre'kludere] v. tr. barrer, fermer, couper.
precoce [pre'kɔtʃe] agg. précoce, prématuré.
precompresso [prekom'prɛsso] agg. TECN. précontraint. ◆ m. béton précontraint.
preconcetto [prekon'tʃɛtto] agg. préconçu. ◆ m. préjugé; opinion préconçue.
preconizzare [prekonid'dzare] v. tr. [predire] prédire. || préconiser.

precorrere [pre'korrere] v. tr. devancer, prévenir.
precostituire [prekostitu'ire] v. tr. constituer à l'avance.
precursore [prekur'sore] agg. e m. précurseur.
preda ['prɛda] f. proie. || MAR. *diritto di preda,* droit de prise.
predare [pre'dare] v. tr. piller.
predatore [preda'tore] (**-trice** f.) agg. e m. pillard, prédateur, trice. | *uccello predatore,* oiseau de proie.
predecessore [predetʃes'sore] m. prédécesseur, devancier.
predica ['prɛdika] f. sermon m. ; [dei protestanti] prêche m. || FAM. semonce.
predicare [predi'kare] v. tr. prêcher.
prediligere [predi'lidʒere] v. tr. chérir, préférer, avoir une prédilection (pour).
predire [pre'dire] v. tr. prédire.
predisporre [predis'porre] v. tr. prédisposer, préparer. ◆ v. rifl. se préparer.
predisposizione [predispozit'tsjone] f. prédisposition, disposition.
predizione [predit'tsjone] f. prédiction.
predominare [predomi'nare] v. intr. prédominer, prévaloir, l'emporter.
predominio [predo'minjo] m. supériorité f., suprématie f.
predone [pre'done] m. pillard, brigand.
prefazione [prefat'tsjone] f. préface, avant-propos m.
preferenza [prefe'rɛntsa] f. préférence.
preferire [prefe'rire] v. tr. préférer, aimer mieux.
prefettizio [prefet'tittsjo] agg. préfectoral.
prefetto [pre'fɛtto] m. préfet.
prefettura [prefet'tura] f. préfecture.
prefiggere [pre'fiddʒere] v. tr. fixer d'avance. || GR. préfixer. ◆ v. rifl. se fixer, se proposer.
prefisso [pre'fisso] agg. établi, déterminé, fixé. ◆ m. ZOOL. préfixe. || TEL. [telefono] indicatif.
pregare [pre'gare] v. tr. prier. || [chiedere con cortesia] prier.
pregevole [pre'dʒevole] agg. estimable. || [di cose] précieux, de valeur.
preghiera [pre'gjɛra] f. prière.
pregiato [pre'dʒato] agg. précieux, de prix, de valeur. || FIN. *valuta pregiata,* devise forte. || [nel linguaggio burocratico] *pregiato Signore,* Monsieur.
pregio ['prɛdʒo] m. qualité f., mérite. | *ha il pregio di,* il a le mérite de. || [valore] valeur f., prix. | *oggetto di pregio,* objet de valeur. || [stima] estime f., considération f.
pregiudicare [predʒudi'kare] v. tr. compromettre, nuire (à), porter préjudice, atteinte (à).
pregiudicato [predʒudi'kato] agg. compromis. ◆ n. GIUR. repris (m.) de justice.
pregiudizio [predʒu'dittsjo] m. préjugé, jugement préconçu. || [danno] préjudice, détriment. | *recar pregiudizio,* porter préjudice.
pregno ['preɲɲo] agg. gravide. || PER EST. imprégné, imbibé. || FIG. chargé.
prego ['prɛgo] interiez. je vous en prie. | *grazie !, prego !,* merci ! ; (il n'y a) pas de quoi !, || [quando non si è capito qlco.] vous dites ?, plaît-il ?
pregustare [pregus'tare] v. tr. goûter d'avance.
preistoria [preis'tɔrja] f. préhistoire.
prelato [pre'lato] m. prélat.
prelevare [prele'vare] v. tr. prélever, retirer. || [arrestare] arrêter.
prelibato [preli'bato] agg. exquis, excellent, délicieux.
prelievo [pre'ljɛvo] m. COMM., FIN. prélèvement, retrait. || MED. prélèvement.
preliminare [prelimi'nare] agg. préliminaire.
preludere [pre'ludere] v. intr. annoncer, préluder (à).
preludio [pre'ludjo] m. MUS. e FIG. prélude.
prematrimoniale [prematrimo'njale] agg. prénuptial.
prematuro [prema'turo] agg. e n. prématuré.
premeditare [premedi'tare] v. tr. préméditer.
premere ['prɛmere] v. tr. appuyer (sur), presser (sur). | *premere un pulsante,* appuyer sur un bouton. || [strizzare] presser, pressurer. ◆ v. intr. appuyer, peser. | *premere su una leva,* appuyer sur un levier. || FIG. presser. | *niente preme,* rien ne presse. || [importare] tenir (à), importer (de). | *mi preme (di) convincervi,* je tiens à vous convaincre.
premessa [pre'messa] f. préambule m., préliminaire m. || [presupposto] prémisse, base. | *porre le premesse,* jeter les bases. || [di un libro] préface, avant-propos m. || FILOS. prémisse.
premettere [pre'mettere] v. tr. déclarer, dire d'abord.
premiare [pre'mjare] v. tr. récompenser. || [dare un premio] accorder, décerner, donner un prix ; [ad un animale] primer.
premiazione [premjat'tsjone] f. distribution des prix.
preminente [premi'nɛnte] agg. prééminent.

premio [ˈprɛmjo] m. prix. || COMM. prime f. | *premio di assicurazione,* prime d'assurance. || [lotteria] lot. || MIL. prime. || UNIV. prix.

premolare [premoˈlare] agg. prémolaire.

premonitore [premoniˈtore] o **premonitorio** [premoniˈtɔrjo] agg. prémonitoire.

premunire [premuˈnire] v. tr. fortifier. || FIG. prémunir.

premura [preˈmura] f. hâte. | *far premura a qlcu.,* hâter, presser, solliciter qn. || [sollecitudine] égard m., sollicitude.

premuroso [premuˈroso] agg. empressé, obligeant, prévenant.

prendere [ˈprɛndere] v. tr. 1. [afferrare] prendre, saisir. | *prendere a piene mani,* prendre à pleines mains. | *prendere per le spalle,* saisir aux épaules. || FIG. *prendere in mano un affare,* prendre une affaire en main. | *prendere la palla al balzo,* saisir la balle au bond. 2. [impossessarsi] prendre, emporter, acheter. | *prendere delle provviste con sé,* emporter des provisions. | *prendere posto,* prendre place. || [con l'astuzia, con la forza] prendre, attraper, s'emparer, voler. | *gli hanno preso l'orologio,* on lui a volé, on lui a pris sa montre. | *prendere in trappola,* prendre au piège. 3. [utilizzare] prendre, utiliser. | *prendere l'aereo,* prendre l'avion. 4. [sorprendere, arrestare] prendre, surprendre, arrêter, capturer. | *prendere qlcu. alla sprovvista,* prendre qn au dépourvu. | *è stato preso dalla polizia,* il s'est fait arrêter par la police. 5. *andare a prendere,* aller chercher. 6. [con valore incoativo] prendre, commencer à. | *prendere a parlare,* commencer à parler. | *prendere contatto con qlcu.,* prendre contact avec qn. | *prendere sonno,* s'endormir. 7. [ricevere] prendre, accepter. | *prendere le cose ridendo,* prendre les choses en riant. 8. [buscare] prendre, contracter, attraper. | *prendere un raffreddore,* attraper un rhume. | *prendere un ceffone,* recevoir une gifle. 9. [assumere] prendre, assumer ; [alle proprie dipendenze] embaucher, engager, employer. | *prendere un incarico,* prendre, assumer une charge. | *prendere qlcu. a servizio,* prendre qn à son service. 10. [ingerire] prendre, absorber. | *prendere il caffè,* prendre son café. 11. [scegliere] prendre. | *prendere una strada,* prendre, emprunter une route. 12. [considerare] prendre, considérer, traiter. | *prendere a cuore,* prendre à cœur. | *prendere in parola,* prendre au mot. 13. [confondere] prendre, confondre. | *per chi mi prendi ?,* pour qui me prends-tu ? | *prendere per oro colato,* prendre pour argent comptant. 14. [richiedere] prendre, demander. | *prendere tremila lire all'ora,* prendre, demander trois mille lires l'heure. ◆ v. intr. tourner. | *prendere a destra, a sinistra,* tourner, prendre à droite, à gauche. || [prendere fuoco] prendre. || [rapprendersi] prendre. || [assomigliare] tenir (de), ressembler (à). | *ha preso da sua madre,* il tient de sa mère. || BOT. [attecchire] prendre. ◆ v. rifl. [afferrarsi] s'agripper. || FIG. *prendersi di passione,* se prendre de passion. || LOC. *prendersela,* s'en faire, se fâcher. | *prendersela comoda,* prendre son temps. ◆ v. rifl. recipr. se prendre. | *prendersi per la mano, per i capelli,* se prendre par la main, se prendre aux cheveux.

prendisole [prendiˈsole] m. inv. bain-de-soleil m.

prenome [preˈnome] m. prénom.

prenominato [prenomiˈnato] agg. susnommé.

prenotare [prenoˈtare] v. tr. retenir, réserver, louer. ◆ v. rifl. s'inscrire.

prenotazione [prenotaˈtsjone] f. réservation.

preoccupare [preokkuˈpare] v. tr. préoccuper, inquiéter. ◆ v. rifl. se préoccuper, s'inquiéter, se faire du souci, s'en faire (fam.).

preparare [prepaˈrare] v. tr. préparer. ◆ v. rifl. se préparer.

preparativo [preparaˈtivo] m. préparatif.

preparato [prepaˈrato] agg. préparé, prêt. || [competente] compétent. ◆ m. préparation f. || FARM. préparation, remède.

preponderante [prepondeˈrante] agg. prépondérant.

preponderare [prepondeˈrare] v. intr. (su) prévaloir (sur), l'emporter (sur).

preporre [preˈporre] v. tr. mettre, placer avant, faire précéder. || FIG. mettre à la tête, préposer. || [preferire] préférer.

preposizione [prepozitˈtsjone] f. préposition.

prepotente [prepoˈtɛnte] agg. tyrannique, autoritaire, violent. || [irresistibile] irrésistible. ◆ m. despote, tyran, violent.

prepotenza [prepoˈtɛntsa] f. violence. || [sopruso] abus m., vexation.

prerogativa [prerogaˈtiva] f. prérogative. || [diritto, privilegio] droit m., privilège m. || [qualità] vertu, qualité.

presa [ˈpresa] f. [in tutti i significati] prise. || FIG. *presa in giro,* raillerie, moquerie. | *venire alle prese con qlcu.,* en venir aux mains avec qn. || [impugnatura] poignée. || [pizzico] pincée. | *una presa di pepe,* une pincée de poivre. || CIN. *macchina da presa,* caméra. || ELETTR. *presa di corrente,* prise de courant. || GIOCHI [carte] levée ; [scacchi] prise.

presagio [pre'zadʒo] m. présage, augure. || [presentimento] pressentiment, prémonition f.

presagire [preza'dʒire] v. tr. pressentir, prévoir. || [annunciare] annoncer, présager.

presalario [presa'larjo] m. présalaire.

presbite ['prɛzbite] agg. e n. presbyte.

prescelto [preʃ'ʃelto] part. pass. e agg. choisi, élu. ◆ n. élu.

prescienza [preʃ'ʃɛntsa] f. prescience.

prescindere [preʃ'ʃindere] v. intr. faire abstraction (de). || LOC. *a prescindere da,* indépendamment de. | *a prescindere dal fatto che,* sans compter que.

prescrivere [pres'krivere] v. tr. prescrire. ◆ v. rifl. GIUR. [andare in prescrizione] se prescrire.

presentare [prezen'tare] v. tr. présenter. ◆ v. rifl. se présenter.

presentazione [prezentat'tsjone] f. présentation. | *lettera di presentazione,* lettre d'introduction.

1. presente [pre'zɛnte] agg. présent. | *sono tutti presenti,* ils sont tous présents. | *far presente una cosa,* faire remarquer une chose. | *non ho più presenti i termini del problema,* je ne me souviens plus des termes du problème. || FIG. présent, actuel. | *nelle presenti circostanze,* dans les circonstances actuelles. | *la presenta lettera,* cette lettre. ◆ interiez. présent ! ◆ m. présent. || LOC. *al presente,* pour le moment, dans l'immédiat. ◆ f. COMM. *con la presente,* par la présente.

2. presente m. présent, cadeau.

presentemente [prezente'mente] avv. présentement, à présent.

presentire [presen'tire] v. tr. pressentir.

presenza [pre'zɛntsa] f. présence. || FIG. *presenza di spirito,* présence d'esprit. || [aspetto] aspect m. | *è di buona presenza,* il présente bien.

presenziare [prezen'tsjare] v. intr. être présent (à), assister (à).

presepio [pre'zɛpjo] o **presepe** [pre'zɛpe] m. REL. crèche f.

preservare [preser'vare] v. tr. préserver.

preside ['prɛside] m. [di liceo] proviseur. || [di facoltà universitaria] doyen. ◆ f. directrice.

presidente [presi'dɛnte] m. président.

presidenza [presi'dɛntsa] f. présidence.

presidiare [presi'djare] v. tr. MIL. doter d'une garnison. || [essere di presidio] être de garnison à.

presiedere [pre'sjɛdere] v. tr. e intr. présider.

pressa ['prɛssa] f. MECC. presse. || ARC. [premura] presse (L.C.).

pressante [pres'sante] agg. pressant, urgent.

pressappoco [pressa'ppɔko] avv. à peu près, environ. ◆ m. à-peu-près inv.

pressare [pres'sare] v. tr. [comprimere] presser. || FIG. presser, solliciter.

pressi ['prɛssi] m. pl. environs, alentours, abords. | *nei pressi della città,* aux alentours de la ville.

pressione [pressi'one] f. pression.

presso ['prɛsso] avv. près. ◆ loc. avv. *da presso,* de près. || *a un di presso,* à peu (de chose) près. ◆ prep. près de, auprès de. | *lo troverai presso l'uscita,* tu le trouveras près de la sortie. || FIG. *fare dei passi presso le autorità,* faire des démarches auprès des autorités. || [in casa di] chez ; [in un luogo] dans. | *lavora presso un vicino,* il travaille chez un voisin. || FIG. *ambasciatore presso la Santa Sede,* ambassadeur près le Saint-Siège. ◆ loc. prep. *presso a,* près de.

pressoché [presso'ke] avv. [quasi] presque. || [all' incirca] environ, à peu près.

prestabilire [prestabi'lire] v. tr. préétablir, prévoir.

prestanome [presta'nome] m. prête-nom.

prestanza [pres'tantsa] f. prestance.

prestare [pres'tare] v. tr. [in tutti gli usi] prêter. | *prestare fede,* ajouter foi. | *prestare servizio da qlcu.,* travailler chez qn. ◆ v. rifl. [adoperarsi] se prêter. ◆ v. medio intr. *prestarsi a un compromesso,* se prêter à un compromis.

prestazione [prestat'tsjone] f. [di macchina, di atleta] performance. || GIUR. prestation. ◆ f. pl. [di medico] soins (m.) médicaux ; [di avvocato] assistance f. sing.

prestidigiatore [prestididʒa'tore] (**-trice** f.) o **prestigiatore** [prestidʒa'tore] (**-trice** f.) n. prestidigitateur, trice ; illusionniste.

prestigio [pres'tidʒo] m. prestige, réputation f. || [prestidigitazione] prestidigitation f.

prestito ['prɛstito] m. prêt. | *accordare un prestito,* accorder un prêt. || [il prestito accordato o da accordare] emprunt. | *prendere in prestito qlco. da qlcu.,* emprunter qch. à qn.

presto ['prɛsto] avv. vite. | *si fa presto a dirlo,* c'est facile à dire. || [fra poco] bientôt, sous peu, vite. | *presto o tardi,* tôt ou tard. || [di buonora] de bonne heure, tôt. | *alzarsi presto,* se lever de bonne heure, tôt. || [prima del tempo prefissato] tôt.

presumere [pre'zumere] v. tr. présumer, supposer.

presumibile [prezu'mibile] agg. présumable, probable, vraisemblable.

presunto [pre'zunto] agg. présumé.

presuntuoso [prezuntu'oso] agg. e n. présomptueux.

presunzione [prezun'tsjone] f. présomption.

presupporre [presup'porre] v. tr. supposer. || [immaginare] imaginer, supposer.

presupposto [presup'posto] part. pass. e agg. V. PRESUPPORRE. ◆ m. prémisse f., condition (f.) nécessaire.

prete ['prɛte] m. prêtre. || [scaldaletto] moine.

pretendere [pre'tɛndere] v. tr. prétendre, affirmer. | *pretende di essere onesto,* il prétend qu'il est honnête. || [esigere] exiger, prétendre. | *che pretendete da me?,* qu'exigez-vous de moi ? ◆ v. intr. (a) [aspirare] prétendre (à).

pretenzione [preten'sjone] f. prétention.

preterintenzionale [preterintentsjo'nale] agg. GIUR. sans préméditation.

pretesa [pre'tesa] f. prétention. | *senza pretese,* sans prétentions.

pretesto [pre'tɛsto] m. prétexte. | *addurre a pretesto,* prendre comme prétexte.

pretore [pre'tore] m. GIUR. juge de première instance. || STOR. préteur.

prettamente [pretta'mente] avv. typiquement, purement.

pretura [pre'tura] f. GIUR. tribunal (m.) de première instance. || STOR. préture.

prevalente [preva'lɛnte] agg. prédominant, supérieur.

prevalentemente [prevalente'mente] avv. [per la maggior parte] pour la plupart, en majorité. || [soprattutto] surtout. || [il più delle volte] le plus souvent.

prevalenza [preva'lɛntsa] f. priorité, majorité, prépondérance, supériorité. ◆ loc. avv. *in prevalenza,* en majorité, pour la plupart.

prevalere [preva'lere] v. intr. (su) prévaloir, prédominer, l'emporter (sur). || [essere in numero superiore] être en majorité. ◆ v. rifl. [approfittare] (di) se prévaloir, profiter (de).

prevaricare [prevari'kare] v. intr. prévariquer.

prevedere [preve'dere] v. tr. prévoir.

prevedibile [preve'dibile] agg. prévisible.

preveggenza [preved'dʒɛntsa] f. LETT. prévoyance.

prevenire [preve'nire] v. tr. devancer, précéder. || [i danni, lo scandalo] prévenir (les dégâts, le scandale). || *prevenire qlcu. di un pericolo,* prévenir qn d'un danger.

preventivare [preventi'vare] v. tr. COMM., FIN. fixer d'avance, calculer à l'avance. || [stanziare in bilancio] inscrire au budget. || [fare un preventivo] établir un devis.

preventivo [preven'tivo] agg. préventif. ◆ m. COMM. devis.

prevenuto [preve'nuto] agg. prévenu. ◆ m. GIUR. prévenu.

previdente [previ'dɛnte] agg. prévoyant.

previdenza [previ'dɛntsa] f. prévoyance.

previo ['prɛvjo] agg. préalable. ◆ prep. *previo accordo,* après accord préalable.

previsione [previ'zjone] f. prévision.

previsto [pre'visto] agg. e m. prévu.

prezioso [pret'tsjoso] agg. précieux. ◆ m. bijou.

prezzemolo [pret'tsemolo] m. persil.

prezzo ['prɛttso] m. PR. e FIG. prix. | *prezzo lordo,* prix brut. | *prezzo da convenirsi,* prix à débattre. || [alla Borsa] *prezzi di apertura, di chiusura,* cours d'ouverture, de clôture. | *comperare a buon prezzo,* acheter à bon marché, à bas prix. | *contrattare il prezzo,* débattre le prix.

prezzolare [prettso'lare] v. tr. soudoyer.

prigione [pri'dʒone] f. prison.

prigionia [pridʒo'nia] f. captivité, emprisonnement m., internement m.

prigioniero [pridʒo'njɛro] agg. e n. PR. e FIG. prisonnier, ère.

1. prima ['prima] avv. auparavant, avant. | *molto prima,* longtemps avant. | *la sera prima,* la veille. || [in correlazione con « poi, dopo »] d'abord, en premier lieu. || LOC. *sulle prime,* au premier abord, de prime abord. || [più presto] plus tôt. | *tre ore prima,* trois heures plus tôt. | *quanto prima,* au plus tôt. || [un tempo] auparavant, avant, autrefois. | *prima lavorava a Torino,* auparavant il travaillait à Turin. ◆ loc. prep. *prima di,* avant. | *prima di me,* avant moi. | *prima delle cinque,* avant cinq heures. || [davanti al v. all'infin.] avant de ; [con valore di « piuttosto »] plutôt que (de). ◆ loc. cong. *prima che,* avant que.

2. prima f. AUT. *mettere la prima,* passer la première. || CIN., TEAT. première. || SP. [alpinismo] première ; [scherma] prime.

primario [pri'marjo] agg. primaire. || [importante] premier. | *questioni di pri-*

maria importanza, questions de première importance. ◆ m. médecin chef.
primato [pri'mato] m. primauté f., suprématie f. || SP. record. | *a tempo di primato,* en un temps record.
primavera [prima'vɛra] f. printemps m.
primaverile [primave'rile] agg. printanier.
primeggiare [primed'dʒare] v. intr. (in, su) exceller (en), l'emporter (sur), occuper la première place (en).
primitivo [primi'tivo] agg. e n. primitif.
primizia [pri'mittsja] f. primeur. ◆ pl. REL. [offerte sacrali] prémices.
primo ['primo] agg. num. ord. premier. | *primo piano,* premier (étage). || [principale] premier. | *materie prime,* matières premières. || [prossimo] prochain, premier. | *scenderà alla prima fermata,* il descendra au prochain arrêt. || CIN., FOT. *primo piano,* premier plan, gros plan. || CULIN. *prima colazione,* petit déjeuner. | *prima portata,* entrée. || MAT. *numero primo,* nombre premier. || POL. *primo ministro,* Premier ministre. || TEAT. *fare il primo attore,* jouer le premier rôle. || UNIV. *insegnamento di primo grado,* enseignement du premier degré. || LOC. *a prima vista,* à première vue. | *di prima mano,* de première main. | *di prima necessità,* de première nécessité. | *in prima fila,* au premier rang. | *in un primo tempo,* tout d'abord. ◆ agg. e n. premier, ère. | *il primo della classe,* le premier de la classe. ◆ m. [minuto] minute f. || CULIN. entrée f. ◆ avv. premièrement, primo. ◆ loc. avv. *a tutta prima, sulle prime,* tout d'abord.
primogenito [primo'dʒɛnito] agg. e n. aîné, premier-né.
primordiale [primor'djale] agg. primordial.
primordio [pri'mɔrdjo] m. début, principe, origine f.
primula ['primula] f. primevère.
principale [printʃi'pale] agg. principal. ◆ m. propriétaire ; [datore di lavoro] patron ; [capufficio] chef.
principato [printʃi'pato] m. [Stato indipendente] principauté f. || STOR. principat. ◆ pl. REL. principautés.
principe ['printʃipe] m. prince. ◆ agg. TIP. princeps. | *edizione principe,* édition princeps.
principessa [printʃi'pessa] f. princesse.
principiante [printʃi'pjante] n. débutant, e.
principiare [printʃi'pjare] v. tr. commencer. ◆ v. intr. commencer. | *principia a piovere,* il commence à pleuvoir.
principio [prin'tʃipjo] m. commencement, début. | *al, sul principio dell' estate,* au début, au commencement de l'été. | *aver principio,* commencer. | *da principio,* tout d'abord. || [origine] commencement, début, origine f. || [norma] principe. | *è una questione di principio,* c'est une question de principe.
priore [pri'ore] (**-a** f.) n. REL. prieur, e.
priorità [priori'ta] f. priorité.
prisma ['prizma] (**-i** pl.) m. FIS., MAT. prisme.
privare [pri'vare] v. tr. (di) priver (de). ◆ v. rifl. (di) se priver (de).
privatamente [privata'mente] avv. [in privato] en privé ; [a titolo privato] à titre privé ; [nell'intimità] dans l'intimité.
privato [pri'vato] agg. privé ; [riservato] particulier. | *insegnamento privato,* enseignement libre. | *proprietà privata,* propriété privée. | *vita privata,* vie privée. | *lezioni private,* leçons particulières. || GIUR. *diritto privato,* droit privé. || LOC. *in forma privata,* dans le privé, dans l'intimité. ◆ m. particulier.
privazione [privat'tsjone] f. privation.
privilegiare [privile'dʒare] v. tr. privilégier.
privo ['privo] agg. privé ; [sprovvisto] dénué, dépourvu ; [mancante di] manquant de, sans. | *privo di interesse,* dépourvu d'intérêt.
1. pro [pro] m. inv. profit m. | *a che pro ?,* à quoi bon ? | *è tutto a nostro, vostro pro,* c'est tout à notre, votre profit.
2. pro prep. (lat.) pour, en faveur de. | *offerta pro terremotati,* offre en faveur des victimes du tremblement de terre. ◆ m. inv. pour. | *il pro e il contro,* le pour et le contre.
probabilità [probabili'ta] f. probabilité. | *con ogni probabilità,* selon toute probabilité. || [possibilità] chance. | *non ha nessuna probabilità di riuscita,* il n'a aucune chance de réussir.
probità [probi'ta] f. probité, honnêteté, intégrité.
probiviri [probi'viri] m. pl. prud'hommes.
problema [pro'blɛma] (**-i** pl.) m. problème.
problematico [proble'matiko] (**-ci** pl. m.) agg. problématique, douteux, incertain.
proboscide [pro'bɔʃʃide] f. ZOOL. trompe.
procacciare [prokat'tʃare] v. tr. procurer, obtenir. ◆ v. rifl. se procurer, trouver.
procace [pro'katʃe] agg. provocant.
procacia [pro'katʃja] o **procacità** [prokatʃi'ta] f. effronterie, impudence.

procedere [pro'tʃɛdere] v. intr. avancer, aller. | *procedere lentamente,* avancer lentement. || [continuare] avancer, procéder. | *procedere nel tempo,* avancer dans le temps. | *procedere nel lavoro,* avancer dans le travail. || [agire] agir. | *modo di procedere,* façon d'agir. || [dare inizio] procéder à. || GIUR. *sentenza di non luogo a procedere,* ordonnance de non-lieu. || [derivare] procéder, provenir.
procedimento [protʃedi'mento] m. procédé, méthode f. || [modo di comportarsi] procédé, conduite f. || [corso] cours, déroulement. || GIUR. procès, procédure f. | *procedimento penale,* procès criminel.
procedura [protʃe'dura] f. procédure.
processare [protʃes'sare] v. tr. poursuivre en justice. || [giudicare] juger.
processione [protʃes'sjone] f. REL. procession.
processo [pro'tʃɛsso] m. GIUR. procès. | *fare il processo a qlcu.,* faire le procès de qn. || [evoluzione] processus. | *processo biologico,* processus biologique. | *processo economico,* processus économique. || TECN. [procedimento] procédé.
processuale [protʃessu'ale] agg. GIUR. de procès, de justice.
procinto [pro'tʃinto] m. LOC. *in procinto di,* sur le point de.
proclama [pro'klama] (**-i** pl.) m. manifeste, proclamation f.
proclamare [prokla'mare] v. tr. proclamer.
procrastinare [prokrasti'nare] v. tr. différer, ajourner, renvoyer.
procreare [prokre'are] v. tr. procréer.
procura [pro'kura] f. GIUR. procuration. || [ufficio] parquet m.
procurare [proku'rare] v. tr. procurer. || [fare in modo di] faire en sorte de, tâcher de. ◆ v. rifl. se procurer.
procuratore [prokura'tore] m. COMM. fondé de pouvoir. || GIUR. procureur. || SP. manager (ingl.). || STOR. [a Venezia] procurateur.
proda ['prɔda] f. rivage m. ; [di fiume] rive, berge. || [margine di campo] lisière, bordure.
prodezza [pro'dettsa] f. courage m., vaillance. || [atto di valore] prouesse, exploit m.
prodigalmente [prodigal'mente] o **prodigamente** [prodiga'mente] avv. avec prodigalité.
prodigare [prodi'gare] v. tr. prodiguer. ◆ v. rifl. se prodiguer, se dépenser.
prodigio [pro'didʒo] m. prodige.
prodigo ['prɔdigo] agg. prodigue.
proditorio [prodi'torjo] agg. traître.
prodotto [pro'dotto] m. [in tutti i significati] produit.
produrre [pro'durre] v. tr. PR. e FIG. produire. ◆ v. rifl. se produire.
produttore [produt'tore] (**-trice** f.) agg. producteur, trice. ◆ m. producteur. || [di una compagnia di assicurazione] agent d'assurances, courtier. || CIN. producteur.
profanare [profa'nare] v. tr. profaner.
profano [pro'fano] agg. e n. profane.
proferire [profe'rire] v. tr. proférer. || [pronunciare] prononcer.
professare [profes'sare] v. tr. professer, déclarer. || [esercitare] exercer. | *professare la medicina,* exercer la médecine, ◆ v. rifl. se déclarer, faire profession. | *professarsi ateo,* se déclarer athée.
professione [profes'sjone] f. profession. || [dichiarazione] profession.
professionista [professjo'nista] (**-i** pl. m.) n. professionnel, elle. | *è un lavoro da professionista,* c'est un travail de professionnel. | *è un libero professionista,* il exerce une profession libérale.
professore [profes'sore] m. professeur.
professoressa [professo'ressa] f. professeur m.
profeta [pro'fɛta] (**-i** pl.) m. prophète.
profetare [profe'tare] v. tr. prophétiser.
profetizzare [profetid'dzare] v. tr. prophétiser.
profezia [profet'tsia] f. prophétie.
proficuo [pro'fikuo] agg. profitable, fructueux, avantageux.
profilare [profi'lare] v. tr. profiler. || FIG. esquisser. ◆ v. rifl. se profiler, se découper, se dessiner.
profilo [pro'filo] m. profil.
profittare [profit'tare] v. intr. profiter, tirer profit.
profitto [pro'fitto] m. profit, avantage. || COMM., FIN. profit, revenu, bénéfice.
profondere [pro'fondere] v. tr. prodiguer. ◆ v. rifl. se confondre.
profondità [profondi'ta] f. profondeur.
profondo [pro'fondo] agg. profond. || MUS. *basso profondo,* basse noble, contre. ◆ m. profondeur f. || FIG. profond. | *nel profondo della notte,* au cœur de la nuit. || PSIC. profondeur.
profugo ['prɔfugo] m. réfugié, exilé.
profumare [profu'mare] v. tr. parfumer, embaumer. ◆ v. intr. sentir ; [avere un buon odore] sentir bon. ◆ v. rifl. se parfumer.
profumatamente [profumata'mente] avv. IRON. très cher, grassement.
profumeria [profume'ria] f. parfumerie.

profumo [pro'fumo] m. parfum, senteur f. || [di cibi] fumet. || [di vino] bouquet.
profuso [pro'fuzo] agg. prolixe, diffus.
progenie [pro'dʒɛnje] f. descendants m. pl., lignée, génération.
progenitore [prodʒeni'tore] (**-trice** f.) n. ancêtre ; [fondatore di una famiglia] fondateur, trice.
progettare [prodʒet'tare] v. tr. projeter.
progetto [pro'dʒɛtto] m. projet, plan, étude f.
prognosi ['prɔɲɲozi] f. MED. pronostic m.
programma [pro'gramma] m. programme.
programmare [program'mare] v. tr. programmer.
progredire [progre'dire] v. intr. progresser, avancer. | *il male progredisce,* le mal progresse. || [migliorare] progresser, faire des progrès.
progressivo [progres'sivo] agg. progressif.
progresso [pro'grɛsso] m. progrès.
proibire [proi'bire] v. tr. interdire, défendre, empêcher. | *è proibito l'accesso,* il est interdit, défendu d'entrer. || [sbarrare] empêcher, barrer. || GIUR. prohiber.
proibitivo [proibi'tivo] agg. prohibitif.
proibizione [proibi'tsjone] f. défense, interdiction. || GIUR. prohibition.
proiettare [projet'tare] v. tr. projeter. ◆ v. rifl. se projeter.
proiettile [pro'jɛttile] m. projectile ; [di fucile] balle f. ; [di cannone] obus.
proiettore [projet'tore] m. projecteur. || CIN. appareil de projection, projecteur.
proiezione [projet'tsjone] f. projection.
prole ['prɔle] f. enfants m. pl. || [progenie] descendance, progéniture.
proletariato [proleta'rjato] m. prolétariat.
proletario [prole'tarjo] agg. prolétarien, enne. ◆ n. prolétaire.
proliferare [prolife'rare] v. intr. BIOL. proliférer. || FIG. proliférer, foisonner, pulluler.
prolificare [prolifi'kare] v. intr. proliférer. || BOT. bourgeonner. || FIG. se répandre.
prolificazione [prolifikat'tsjone] f. prolifération. || FIG. multiplication.
prolifico [pro'lifiko] (**-ci** pl. m.) agg. PR. e FIG. prolifique.
prolisso [pro'lisso] agg. prolixe.
pro loco [prɔ'lɔko] f. (lat.) syndicat (m.) d'initiative.
prologo ['prɔlogo] m. prologue.
prolunga [pro'lunga] f. prolonge, allonge, rallonge.
prolungamento [prolunga'mento] m. [di spazio] prolongement. || [di tempo] prolongation f.
prolungare [prolun'gare] v. tr. prolonger, allonger. ◆ v. rifl. se prolonger. || [dilungarsi] s'étendre.
prolusione [prolu'zjone] f. discours (m.) inaugural.
promessa [pro'messa] f. promesse, engagement m. || FIG. espoir m.
promesso [pro'messo] agg. promis. ◆ n. fiancé, e.
promettente [promet'tɛnte] agg. prometteur, qui promet.
promettere [pro'mettere] v. tr. promettre. ◆ v. intr. *il tempo promette bene,* le temps promet d'être beau.
prominente [promi'nɛnte] agg. proéminent, saillant.
promiscuità [promiskui'ta] f. promiscuité.
promiscuo [pro'miskuo] agg. [misto] mixte.
promontorio [promon'tɔrjo] m. promontoire.
promosso [pro'mɔsso] agg. e n. reçu.
promozione [promot'tsjone] f. promotion. || UNIV. passage m.
promulgare [promul'gare] v. tr. promulguer.
promuovere [pro'mwɔvere] v. tr. promouvoir. || [organizzare] organiser. || GIUR. *promuovere una azione legale,* agir en justice. || [conferire un grado superiore] promouvoir, nommer.
pronipote [proni'pote] n. [di bisnonno] arrière-petit-fils, arrière-petite-fille ; [di prozio] arrière-neveu, petit-neveu, arrière-nièce, petite-nièce.
pronome [pro'nome] m. pronom.
pronosticare [pronosti'kare] v. tr. pronostiquer, prédire.
prontezza [pron'tettsa] f. promptitude, rapidité.
pronto ['pronto] agg. prêt. | *star pronto,* se tenir prêt. || [rapido] prompt, rapide. | *una pronta guarigione,* une guérison rapide, ◆ interiez. [al telefono] *pronto !,* allô !
prontuario [prontu'arjo] m. précis, manuel.
pronuncia [pro'nuntʃa] f. e deriv. V. PRONUNZIA e deriv.
pronunzia [pro'nuntsja] f. prononciation. || [accento] accent m.
pronunziare [pronun'tsjare] v. tr. prononcer. ◆ v. rifl. se prononcer.
pronunziato [pronun'tsjato] agg. PR. e FIG. prononcé, marqué, accentué. ◆ m. GIUR. arrêt.
propaganda [propa'ganda] f. propagande. || COMM. publicité.
propagandare [propagan'dare] v. tr. propager, diffuser. || COMM. faire de la publicité.

propagare [propa'gare] v. tr. propager. ‖ [diffondere] diffuser, répandre. ◆ v. rifl. se propager, se répandre.
propaggine [pro'paddʒine] f. AGR. marcotte ; [di vite] provin m. ‖ [di montagne] contrefort m. ‖ FIG. ramification, subdivision, embranchement m.
propalare [propa'lare] v. tr. divulguer, ébruiter, répandre. | *propalare delle voci,* répandre des bruits.
propendere [pro'pɛndere] v. intr. incliner, pencher. | *propendere a pensare,* incliner à penser.
propensione [propen'sjone] f. inclination, penchant m. ‖ ECON. propension.
propenso [pro'pɛnso] part. pass. e agg. enclin, porté.
propinare [propi'nare] v. tr. administrer. | *propinare un veleno,* administrer un poison. ‖ FIG. débiter.
propiziare [propit'tsjare] v. tr. rendre propice, favorable.
propizio [pro'pittsjo] agg. propice, favorable.
proponimento [proponi'mento] m. résolution f., intention f.
proporre [pro'porre] v. tr. proposer. ◆ v. rifl. se proposer.
proporzionale [proportsjo'nale] agg. proportionnel.
proporzionare [proportjo'nare] v. tr. proportionner.
proporzione [propor'tsjone] f. proportion. ◆ loc. prep. *in proporzione a,* en proportion à, à proportion de.
proposito [pro'pɔzito] m. [ferma intenzione] résolution f. ‖ [progetto] projet, dessein, intention f. | *avere in proposito di fare qlco.,* former le propos de faire qch. | *di proposito,* délibérément, exprès. ‖ [argomento] propos. | *a questo proposito,* à ce propos. | *capitare a proposito,* arriver à propos, tomber bien.
proposizione [propozit'tsjone] f. GR., FILOS., MAT. proposition.
proposta [pro'posta] f. proposition.
propriamente [proprja'mente] avv. exactement, précisément. ‖ [nel senso proprio] proprement. | *propriamente parlando,* à proprement parler.
proprietà [prɔprje'ta] f. [possedimento, qualità, correttezza] propriété.
proprietario [proprje'tarjo] n. propriétaire.
proprio ['prɔprjo] (**-ri** m. pl.) agg. [suo] son (propre) ; [loro] leur (propre). | *l'ha visto con i propri occhi,* il l'a vu de ses yeux. | *fare del proprio meglio,* faire de son mieux. ‖ [rafforzativo dell' agg. poss.] propre. | *di sua propria iniziativa,* de sa propre initiative. ‖ [caratteristico] propre (à). | *malanni propri a la vecchiaià,* les infirmités propres à la vieillesse. ‖ [appropriato] propre. | *significato proprio,* sens propre. ‖ [rafforzativo di «vero»] véritable. | *è un amico vero e proprio,* c'est un ami véritable. ◆ pron. poss. [il suo] le sien ; [il loro] le leur. ◆ m. le sien. | *metterci del proprio,* y mettre du sien. | *lavorare in proprio,* travailler à son compte. ◆ avv. [esattamente] exactement, précisément, juste. | *è proprio il contrario,* c'est juste, exactement le contraire. ‖ [veramente] vraiment. | *non ho proprio fame,* je n'ai vraiment pas faim.
propugnare [propuɲ'ɲare] v. tr. défendre, soutenir, combattre pour.
prora ['prɔra] f. MAR. proue, avant m.
proroga ['prɔroga] f. prorogation, ajournement m., délai m.
prorogare [proro'gare] v. tr. proroger, ajourner.
prorompente [prorom'pɛnte] agg. impétueux, débordant, violent.
prorompere [pro'rompere] v. intr. déborder, jaillir, éclater. | *prorompere in singhiozzi,* éclater en sanglots.
prosa ['prɔza] f. prose. | *teatro di prosa,* théâtre. ‖ FIG. prosaïsme m., monotonie, platitude.
prosaico [pro'zaiko] (**-ci** pl.) agg. prosaïque.
proscenio [proʃ'ʃɛnjo] m. TEAT. avant-scène f.
prosciogliere [proʃ'ʃɔʎʎere] v. tr. GIUR. acquitter, absoudre, décharger. ‖ [liberare da un obbligo morale] délier, décharger.
proscioglimento [proʃʃoʎʎi'mento] m. [da un obbligo] dégagement. ‖ GIUR. acquittement, absolution f.
prosciugare [proʃʃu'gare] v. tr. assécher, dessécher. ◆ v. rifl. se dessécher.
prosciutto [proʃ'ʃutto] m. jambon.
proscrivere [pros'krivere] v. tr. proscrire, bannir, exiler.
prosecuzione [prosekut'tsjone] f. continuation. ‖ [seguito] suite.
proseguimento [prosegwi'mento] m. continuation f. ; suite f.
proseguire [prose'gwire] v. tr. continuer, poursuivre. ◆ v. intr. continuer, avancer. | *non possiamo più proseguire,* nous ne pouvons plus continuer. | *il lavoro prosegue,* le travail avance. ‖ [di lettera] *far proseguire,* faire suivre.
proselitismo [prozeli'tizmo] m. prosélytisme.
prosperare [prospe'rare] v. intr. prospérer.
prospero ['prɔspero] agg. prospère, florissant, favorable.
prospettare [prospet'tare] v. tr. FIG. exposer, représenter, envisager. | *prospettare i pericoli di un'impresa,* représenter les dangers d'une entreprise. ‖ [dare su] donner (sur). | *la finestra*

prospetta il cortile, la fenêtre donne sur la cour. ◆ v. intr. [dare su] donner (sur). ◆ v. rifl. FIG. s'annoncer, se présenter.

prospettiva [prospet'tiva] f. PR. e FIG. perspective.

prospetto [pros'pεtto] m. [tabella riassuntiva] aperçu. ‖ [foglietto pubblicitario] prospectus. ‖ [veduta] vue f. ‖ [fronte] façade f. | *prospetto di una chiesa,* façade d'une église. ‖ GEOM. perspective f.

prospezione [prospet'tsjone] f. GEOL. prospection.

prospiciente [prospi'tʃεnte] agg. qui regarde ; donnant sur.

prosseneta [prosse'nεta] (-**i** pl.) m. proxénète.

prossimità [prossimi'ta] f. [nello spazio] proximité, voisinage m. ; [nel tempo] proximité, imminence, approche. ◆ loc. prep. *in prossimità di,* [spazio] à proximité de, près de ; [tempo] à l'approche de.

prossimo ['prɔssimo] agg. [tempo e spazio] proche. | *l'inverno è prossimo,* l'hiver est proche. | *il suo paese è prossimo al mio,* son village est proche du mien. | *essere prossimo alla sessantina,* approcher de la soixantaine. ‖ [che segue nel tempo e nello spazio] prochain. | *sabato prossimo,* samedi prochain. | *la prossima fermata,* le prochain arrêt, la prochaine station. ‖ GR. *passato prossimo,* passé composé. | *trapassato prossimo,* plus-que-parfait. ◆ m. prochain. | *amare il prossimo,* aimer son prochain.

prostata ['prɔstata] f. prostate.

prosternare [proster'nare] v. tr. prosterner. ◆ v. rifl. se prosterner.

prostituire [prostitu'ire] v. tr. prostituer. ◆ v. rifl. se prostituer.

prostituta [prosti'tuta] f. prostituée.

prostrare [pros'trare] v. tr. abattre, accabler. ◆ v. rifl. se prosterner.

prostrazione [prostrat'tsjone] f. prostration, accablement m.

proteggere [pro'tεddʒere] v. tr. protéger. ◆ v. rifl. se protéger.

proteina [prote'ina] f. protéine.

protendere [pro'tεndere] v. tr. tendre. | *protendere le braccia,* tendre les bras. ◆ v. rifl. se pencher ; [avanzarsi] s'avancer.

protervia [pro'tεrvja] f. LETT. insolence (L.C.), arrogance (L.C.). ‖ [ostinazione] opiniâtreté.

protesi ['prɔtezi] f. prothèse.

protesta [pro'tεsta] f. protestation.

protestantesimo [protestan'tezimo] m. protestantisme.

protestare [protes'tare] v. intr. protester. ◆ v. tr. protester de. | *protestare la propria stima,* protester de son estime. ‖ COMM. *protestare una cambiale,* protester une lettre de change.

protettivo [protet'tivo] agg. protecteur.

protetto [pro'tεtto] agg. e n. protégé.

protettorato [protetto'rato] m. protectorat.

protettore [protet'tore] (-**trice** f.) agg. e n. protecteur, trice. ‖ REL. *santo protettore,* patron.

protezione [protet'tsjone] f. protection.

proto ['prɔto] m. prote.

protocollo [proto'kɔllo] m. AMM. registre. | *numero di protocollo,* numéro d'enregistrement. | *carta protocollo,* papier ministre. ‖ [cerimoniale] protocole. ‖ [documento] protocole.

prototipo [pro'tɔtipo] m. prototype.

protozoi [protod'dzɔi] m. pl. protozoaires.

protrarre [pro'trarre] v. tr. prolonger ; [differire] différer ; [prorogare] proroger. | *protrarre la propria assenza,* prolonger son absence. ◆ v. rifl. se prolonger, traîner en longueur.

prova ['prɔva] f. preuve. | *ha fatto le sue prove,* il a fait ses preuves. ‖ GIUR. *assolto per insufficienza di prove,* acquitté faute de preuves. ‖ MAT. preuve. | *prova del nove,* preuve par 9. ‖ [esperienza] épreuve, essai m. | *fare la prova di qlco.,* faire l'épreuve, l'essai de qch. ‖ FIG. *subire delle dure prove,* subir de rudes épreuves. ‖ MED. *prova del sangue,* analyse, examen (m.) du sang. ‖ MODA essayage m. ‖ SP. *prove eliminatorie,* épreuves éliminatoires. | *prova su strada,* essai sur route. ‖ UNIV. *prove scritte, orali,* épreuves écrites, orales. ‖ LOC. *l'ho visto alla prova,* je l'ai vu à l'œuvre. | *mettere qlcu. in prova,* mettre qn à l'essai.

provare [pro'vare] v. tr. essayer. | *provare una macchina,* essayer une auto. ‖ TEAT. répéter, faire la répétition de. ‖ [tentare] essayer (de), tenter (de), tâcher (de). | *ho provato a chiamarlo,* j'ai tenté de l'appeler. | *prova e riprova, ce l'ha fatta,* à force d'essayer, il a réussi. ‖ [costatare] éprouver, connaître. | *provare delle difficoltà,* éprouver des difficultés. ‖ [sentire dei sentimenti] éprouver, ressentir ; [delle sensazioni] ressentir. | *provare simpatia per qlcu.,* éprouver de la sympathie pour qn. | *provare dei dolori,* ressentir des douleurs. ‖ [mettere alla prova] éprouver, mettre à l'épreuve. ‖ [dimostrare] prouver. ◆ v. rifl. s'essayer (à), essayer (de). | *provarsi a fare qlco.,* s'essayer à faire qch. ‖ [gareggiare] se mesurer, se battre.

provato [pro'vato] agg. éprouvé, sûr. || [che ha sofferto] éprouvé. || [dimostrato] prouvé.
provenienza [prove'njɛntsa] f. provenance.
provenire [prove'nire] v. tr. venir, provenir. || [essere originato] provenir, dériver.
provento [pro'vɛnto] m. gain, bénéfice.
proverbio [pro'vɛrbjo] m. proverbe.
provetta [pro'vetta] f. CHIM. éprouvette.
provetto [pro'vɛtto] agg. expérimenté, expert, exercé.
provincia [pro'vintʃa] f. province. || [paese, regione] pays m., région.
provinciale [provin'tʃale] agg. e n. provincial. ◆ f. [strada] route départementale.
provino [pro'vino] m. CHIM. éprouvette f. || CIN. bout d'essai.
provocare [provo'kare] v. tr. provoquer.
provocatorio [provoka'tɔrjo] agg. provocateur.
provocazione [provokat'tsjone] f. provocation.
provvedere [provve'dere] v. tr. pourvoir, fournir. ◆ v. intr. pourvoir. | *provvedere alle spese,* pourvoir aux dépenses. || [occuparsi di] s'occuper de. | *provvedere ai propri affari,* s'occuper de ses affaires. || [prendersi cura] veiller, prendre soin. | *provvedere a che tutti arrivino in tempo,* veiller à ce que tout le monde arrive à temps. ◆ v. rifl. se pourvoir, se munir.
provvedimento [provvedi'mento] m. mesure f., disposition f. | *prendere dei provvedimenti,* prendre des mesures, des dispositions.
provveditorato [provvedito'rato] m. inspection f. || UNIV. *provveditorato agli studi,* inspection d'académie.
provvidenza [provvi'dɛntsa] f. providence. || [provvedimento] mesure.
provvido ['prɔvvido] agg. LETT. prévoyant (L.C.).
provvigione [provvi'dʒone] f. COMM. commission.
provvisorio [provvi'zɔrjo] agg. provisoire.
provvista [prov'vista] f. provision.
provvisto [prov'visto] agg. pourvu, fourni.
prozia [prot'tsia] f. grand-tante.
prozio [prot'tsio] m. grand-oncle.
prua ['prua] f. = PRORA.
prudenza [pru'dɛntsa] f. prudence.
prudere ['prudere] v. intr. démanger.
prugna ['pruɲɲa] f. BOT. prune.
pruno ['pruno] m. BOT. ronce f. || [spina] épine f.
prurigine [pru'ridʒine] f. démangeaison. || MED. prurigo m.
prurito [pru'rito] m. prurit. || PR. e FIG. démangeaison f.
pseudonimo [pseu'dɔnimo] agg. e m. pseudonyme.
psicanalisi [psika'nalizi] f. psychanalyse.
psichiatra [psi'kjatra] (**-i** pl. m.) n. psychiatre.
psicologia [psikolo'dʒia] f. psychologie.
psicologo [psi'kɔlogo] (**-gi** pl. m.) n. psychologue.
psicopatico [psiko'patiko] (**-ci** pl. m.) agg. psychopathique. ◆ n. psychopathe.
psicosi [psi'kɔzi] f. psychose.
psicotecnico [psiko'tekniko] (**-ci** pl. m.) agg. psychotechnique. ◆ m. psychotechnicien.
puah [pwah] interiez. pouah !
pubblicare [pubbli'kare] v. tr. publier ; [un libro] publier, éditer, faire paraître. || PER EST. divulguer.
pubblicazione [pubblikat'tsjone] f. publication. || LOC. *pubblicazioni di matrimonio,* bans (m.) de mariage.
pubblicità [pubblitʃi'ta] f. publicité, réclame. | *piccola pubblicità,* petites annonces. || [diffusione] publicité. || [il fatto di essere pubblico] publicité. | *pubblicità delle udienze,* publicité des audiences.
pubblico ['pubbliko] (**-ci** pl. m.) agg. e m. public. ◆ loc. avv. *in pubblico,* en public.
pube ['pube] m. pubis.
pubertà [puber'ta] f. puberté.
pudico [pu'diko] agg. pudique.
pudore [pu'dore] m. pudeur f.
puericoltura [puerikol'tura] o **puericultura** [puerikul'tura] f. puériculture.
puerile [pue'rile] agg. puéril, enfantin.
puerpera [pu'ɛrpera] f. accouchée.
pugilato [pudʒi'lato] m. SP. boxe f. || PER EST. pugilat.
pugilatore [pudʒila'tore] o **pugile** ['pudʒile] m. SP. boxeur, pugiliste.
pugnalare [puɲɲa'lare] v. tr. poignarder.
pugnalata [puɲɲa'lata] f. coup (m.) de poignard.
pugnale [puɲ'ɲale] m. poignard.
pugno ['puɲɲo] m. poing. | *minacciare col pugno,* menacer du poing. || PER EST. *di proprio pugno,* de sa main. | *tenere in pugno,* tenir en main. || [colpo inferto col pugno] coup de poing. | *fare a pugni,* se battre à coups de poing. || FIG. *questi due colori fanno a pugni,* ces deux couleurs jurent, hurlent. || [manciata] poignée f. || LOC. *restare con un pugno di mosche,* se retrouver les mains vides.

pula ['pula] f. BOT. bal(l)e.
pulce ['pultʃe] f. ZOOL. puce.
pulcinella [pultʃi'nɛlla] m. polichinelle.
pulcino [pul'tʃino] m. ZOOL. poussin.
puledra [pu'ledra] f. ZOOL. pouliche.
puledro [pu'ledro] m. ZOOL. poulain.
puleggia [pu'leddʒa] f. MECC. poulie.
pulire [pu'lire] v. tr. nettoyer. | *far pulire un vestito,* faire nettoyer un costume. || [con uno straccio] essuyer, astiquer.
pulita [pu'lita] f. nettoyage m. | *dare una pulita,* nettoyer, donner un coup de chiffon (de brosse, de balai, etc.). | *darsi una pulita,* faire un brin de toilette.
pulito [pu'lito] agg. PR. e FIG. propre, net. | *far piazza pulita,* faire place nette. ◆ avv. *parlare pulito,* parler convenablement.
pulitura [puli'tura] f. nettoyage m. | *pulitura del camino,* ramonage m. || AGR. vannage m. || MECC. polissage m. ; [di pietre dure] égrisage m.
pulizia [pulit'tsia] f. PR. e FIG. propreté, netteté. || [l'azione di pulire] nettoyage m. | *fare le pulizie,* faire le ménage. || FIG. *fare pulizia,* faire place nette.
pullman ['pulman] m. [corriera] autocar, car. || [vagone ferroviario] pullman (ingl.).
pullulare [pullu'lare] v. intr. pulluler.
pulpito ['pulpito] m. chaire f. | *dall'alto del pulpito,* du haut de la chaire.
pulsante [pul'sante] m. poussoir, bouton. | *premere il pulsante,* appuyer sur le bouton.
pulsare [pul'sare] v. intr. battre, palpiter.
pulviscolo [pul'viskolo] m. poussière f. | *pulviscolo atmosferico,* poussières atmosphériques.
pungente [pun'dʒɛnte] agg. PR. e FIG. piquant. | *freddo pungente,* froid piquant, pénétrant.
pungere ['pundʒere] v. tr. PR. e FIG. piquer. ◆ v. rifl. se piquer.
pungiglione [pundʒiʎ'ʎone] m. aiguillon.
pungolo ['pungolo] m. PR. e FIG. aiguillon.
punire [pu'nire] v. tr. punir.
punitivo [puni'tivo] agg. punitif.
punizione [punit'tsjone] f. punition.
1. punta ['punta] f. pointe, bout m. | *scarpe a punta,* souliers pointus. | *camminare in punta di piedi,* marcher sur la pointe des pieds. || [pizzico] pointe. || FIG. *una punta di malizia,* une pointe de malice. || LOC. *ora di punta,* heure de pointe. | *mettersi di punta,* s'y mettre. | *prendere qlcu. di punta,* prendre qn de front. || TECN. pointe, foret m. | *punta di trapano,* foret.
2. punta f. [di cani] arrêt m.
puntale [pun'tale] m. [di ombrello] embout ; [di spada] bouterolle f. ; [di stringhe] ferret. || MAR. épontille f.
puntare [pun'tare] v. tr. [appoggiare con forza] appuyer, planter. | *puntare i piedi,* PR. s'arc-bouter ; FIG. s'entêter, s'obstiner. || [dirigere] pointer, braquer. | *puntare un cannone su qlco.,* pointer, braquer un canon sur qch. | *puntare il dito su qlcu.,* montrer qn du doigt. || [scommettere] miser. | *puntare sul numero perdente,* miser sur le mauvais numéro. || [di cani] tomber en arrêt. ◆ v. intr. se diriger. | *puntare su Roma,* se diriger vers Rome. ◆ v. rifl. s'arc-bouter. || FIG. s'entêter, s'obstiner.
1. puntata [pun'tata] f. coup (m.) de pointe. || [breve visita] pointe. | *fare una puntata fino a Milano,* pousser une pointe jusqu'à Milan. || GIOCHI mise. || MIL. incursion.
2. puntata f. épisode m., fascicule m. | *romanzo a puntate,* roman-feuilleton m.
punteggiare [punted'dʒare] v. tr. pointiller. || [picchiettare] moucheter. || GR. ponctuer.
punteggio [pun'teddʒo] m. ARTI point. || SP. score.
puntellare [puntel'lare] v. tr. étayer, étançonner.
puntello [pun'tɛllo] m. étai, étançon. || FIG. soutien, aide f. | *è il puntello della famiglia,* c'est le soutien de la famille.
punteruolo [punte'rwɔlo] m. poinçon ; [per cuoio] alêne f.
puntiglio [pun'tiʎʎo] m. obstination f., entêtement. || [amor proprio] amour-propre.
puntiglioso [puntiʎ'ʎoso] agg. chatouilleux, susceptible. || [ostinato] obstiné.
puntina [pun'tina] f. [da disegno] punaise. || [da grammofono] aiguille. || AUT. *puntine platinate,* vis platinées.
punto ['punto] m. PR. e FIG. [intutti i significati] point. || [con un agg.] *punto finale,* point final. | *punto strategico,* point stratégique. || [con un compl.] *punto di contatto,* point de contact. | *punto d'onore,* point d'honneur. | *punto di riferimento,* point de repère. | *sotto tutti i punti di vista,* à tout point de vue. || [compl. di un v.] *dare dei punti a qlcu.,* en remontrer à qn, être supérieur à qn. | *a che punto sei ?,* où en es-tu ? | *venire al punto,* venir à l'essentiel. ◆ avv. guère, point. | *poco o punto,* peu ou point. ◆ loc. avv. *punto per punto,* point par point, entièrement. || *a punto,* au point. || *a tal punto,* tellement. || *di punto in bianco,*

de but en blanc. || *di tutti punto,* complètement. || *in punto : alle cinque in punto,* à cinq heures précises.
puntuale [puntu'ale] agg. ponctuel, exact, à l'heure. || FIG. précis, exact. || FIS., MAT. ponctuel.
puntualizzare [puntualid'dzare] v. tr. faire le point (de).
puntura [pun'tura] f. piqûre, morsure. || [fitta] élancement m., douleur aiguë.
puntuto [pun'tuto] agg. pointu, aigu.
punzecchiare [puntsek'kjare] v. tr. piquer. || FIG. taquiner. ◆ v. recipr. se taquiner.
punzonare [puntso'nare] v. tr. poinçonner.
pupa ['pupa] f. [bambola] poupée.
pupazzo [pu'pattso] m. marionnette f. | *pupazzo di neve,* bonhomme de neige. || FIG. pantin, fantoche.
pupilla [pu'pilla] f. ANAT. pupille.
pupillo [pu'pillo] n. GIUR. pupille.
pupo ['pupo] m. [bambino] poupon.
purché [pur'ke] cong. [con valore avversativo] pourvu que, à condition que. || [con valore ottativo] pourvu que.
pure ['pure] avv. [rafforzativo] vraiment, bien ; [dopo un imper.] donc. | *era pur vero,* c'était bien vrai. | *mangiate pure !,* mangez donc ! || [anche] aussi ; [perfino] même ; [in frasi negative] non plus. | *pure suo fratello,* son frère aussi. | *pure i bambini sono tristi,* même les enfants sont tristes. | *pure mio padre non è voluto andarci,* mon père non plus n'a pas voulu y aller. ◆ cong. [sebbene] tout en (+ part. pres.), bien que (+ congiunt.), quoique (+ congiunt.) ; [anche] même si (+ indic.). | *pur lavorando molto, guadagna pochissimo,* quoiqu'il travaille beaucoup, il gagne très peu. | *dovessi pure lavorare tutta la notte, lo finirò,* même si je dois travailler toute la nuit, je le finirai. | *fosse pure mio fratello, non lo aiuterei,* même si c'était mon frère, je ne l'aiderais pas. || [con valore avversativo] mais, cependant, néanmoins, pourtant. | *lo aspettavo, pure non è venuto,* je l'attendais, mais il n'est pas venu. ◆ loc. cong. *quando pure,* quand même (+ cond.). || *pur se, se pur,* même si (+ indic.). || *pur di,* pour. | *pur di aiutarti, venderei la mia casa,* pour t'aider, je vendrais ma maison.
purè [pu'rɛ] m. CULIN. purée f.
purezza [pu'rettsa] f. pureté.
purga ['purga] f. purge. || MED. purgatif m., purge.
purgare [pur'gare] v. tr. purger. || FIG. *purgare un libro,* expurger un livre. || MED. *purgare una ferita,* nettoyer une blessure. ◆ v. rifl. se purger.
purificare [purifi'kare] v. tr. purifier. ◆ v. rifl. se purifier.
puritano [puri'tano] agg. e m. REL. e FIG. puritain.
puro ['puro] agg. e m. pur.
purpureo [pur'pureo] agg. pourpre, pourpré.
purtroppo [pur'trɔppo] avv. malheureusement.
purulento [puru'lɛnto] agg. MED. purulent.
pus [pus] m. pus.
pusillanime [puzil'lanime] agg. e n. pusillanime, lâche, poltron.
pustola ['pustola] f. MED. pustule, bouton m.
putacaso [puta'kazo] avv. éventuellement, si par hasard, au cas où.
putativo [puta'tivo] agg. putatif.
putiferio [puti'fɛrjo] m. vacarme ; esclandre.
putrefare [putre'fare] v. intr., **putrefarsi** v. rifl. pourrir, se putréfier.
putrefazione [putrefat'tsjone] f. putréfaction. || FIG. corruption.
putrella [pu'trɛlla] f. poutrelle.
putrido ['putrido] agg. putride. || FIG. corrompu. ◆ m. pourri. || FIG. louche.
putridume [putri'dume] m. pourriture f.
puttana [put'tana] f. VOLG. putain, grue.
puzzare [put'tsare] v. intr. puer, sentir mauvais. | *puzzare di bruciato,* sentir le brûlé.
puzzo ['puttso] m. puanteur f., relent, mauvaise odeur f. || LOC. *avere il puzzo sotto il naso,* faire le dégoûté.
puzzola ['puttsola] f. ZOOL. putois m.

q

q [ku] m. o f. q m.
qua [kwa] avv. ici, là. | *è qua che bisogna firmare,* c'est ici qu'il faut signer. | *sono qua,* je suis là. || [moto] ici. | *venite qua,* venez ici. | *qua la mano,* donne-moi la main. | *ma guarda qua !,* mais regarde-moi ça ! || [preceduto da prep.] *di qua,* d'ici. | *fuori di qua !,* sortez d'ici !, hors d'ici ! || FIG. *essere più di là che di qua,* avoir un pied dans la tombe. || *(per) di qua,* par ici. || *in qua,* de ce côté. | *sta guardando in qua,* il est en train de regarder par ici, de ce côté. || [con valore temporale] *da quando in*

qua ?, depuis quand ? || [rafforzativo di «questo»] -ci. | *dammi questo libro qua,* donne-moi ce livre-ci. || [rafforzativo di «ecco»] voilà, voici. | *eccolo qua,* le voilà, le voici. || [in correlazione con «là»] ici. | *qua e là,* ici et là, çà et là. || [premesso a avv.] *qua dentro,* ici dedans. | *qua vicino,* près d'ici.

quaderno [kwa'dɛrno] m. cahier. || AGR. carré, planche f. || COMM. *quaderno di cassa,* livre de caisse.

quadragenario [kwadradʒe'narjo] (**-ri** m. pl.) agg. e n. quadragénaire.

quadrangolo [kwa'drangolo] agg. quadrangulaire. ◆ m. GEOM. quadrilatère.

quadrante [kwa'drante] m. [di orologio] cadran. || [di bussola] quartier. || ASTR., GEOM. quadrant.

quadrare [kwa'drare] v. tr. [ridurre ad un quadrato] carrer. || GEOM. réduire au carré équivalent. || MAT. élever au carré. ◆ v. intr. cadrer, s'accorder. | *le mie idee non quadrano con le tue,* mes idées ne s'accordent pas, ne cadrent pas avec les tiennes. | *c'è qualcosa che non quadra,* il y a quelque chose qui ne va pas, qui cloche (fam.). | *fare quadrare il bilancio,* équilibrer son budget.

1. quadrato [kwa'drato] agg. carré. || FIG. solide, ferme, équilibré.

2. quadrato m. carré. [pannolino per neonati] couche f. || [recinto per bambini] parc. || TIP. cadrat.

quadrettare [kwadret'tare] v. tr. quadriller.

quadricromia [kwadrikro'mia] f. FOT., TIP. quadrichromie.

quadriennio [kwadri'ɛnnjo] m. (espace de) quatre ans.

quadrifoglio [kwadri'fɔʎʎo] agg. à quatre feuilles. ◆ m. trèfle à quatre feuilles.

quadriga [kwa'driga] f. quadrige m.

quadrigemino [kwadri'dʒɛmino] agg. *parto quadrigemino,* accouchement de quadruplé(e)s.

quadriglia [kwa'driʎʎa] f. quadrille m.

quadrilatero [kwadri'latero] agg. quadrilatéral, quadrilatère. ◆ m. quadrilatère.

quadrilione [kwadri'ljone] m. quatrillion, quadrillion.

quadrimestrale [kwadrimɛs'trale] agg. de quatre mois. || [di rivista] qui sort tous les quatre mois.

quadrimestre [kwadri'mɛstre] m. quadrimestre.

quadripartito [kwadripar'tito] agg. [diviso in quattro] quadriparti, quadripartite. ◆ m. gouvernement quadripartite.

quadrisillabo [kwadri'sillabo] agg. quadrisyllabique. ◆ m. quadrisyllabe.

quadrivio [kwadri'vio] m. carrefour. || STOR. UNIV. quadrivium.

1. quadro ['kwadro] agg. PR. e FIG. carré.

2. quadro m. carré. | *tessuto a quadri,* tissu à carreaux. || [tabella] tableau. || CIN., FOT. *fuori quadro,* hors cadre. | *quadro !,* image ! || TEAT. tableau. || TECN. tableau ; [pannello] panneau ; [telaio] cadre. || [pittura] tableau. | *appendere un quadro,* accrocher un tableau. || FIG. tableau. | *il quadro della situazione,* le tableau de la situation. | *nel quadro del programma,* dans le cadre du programme. ◆ pl. [dirigenti] cadres. || GIOCHI [carte] carreau sing.

quadrupede [kwadru'pede] agg. e m. ZOOL. quadrupède.

quadruplicare [kwadrupli'kare] v. tr. e rifl. quadrupler.

quaggiù [kwad'dʒu] avv. ici. | *le cose di quaggiù,* les choses d'ici-bas.

quaglia ['kwaʎʎa] f. ZOOL. caille.

qualche ['kwalke] agg. indef. m. e f. [al sing.] un, quelque. | *puoi darlo a qualche persona che conosci,* tu peux le donner à quelqu'un que tu connais. | *da qualche parte, in qualche luogo,* quelque part. | *qualche tempo dopo,* quelque temps après. || [un certo] certain. | *un fatto di qualche interesse,* un fait d'un certain intérêt. || [seguito da agg. poss.] *qualche mio amico,* quelqu'un de mes amis. || [con valore di pl.] quelques pl. | *dite qualche parola,* dites quelques mots. | *ci rivedremo tra qualche ora,* nous nous reverrons dans quelques heures. ◆ loc. avv. *qualche volta,* quelquefois. || *in qualche modo,* d'une façon ou d'une autre.

qualcosa [kwal'kosa] pron. indef. quelque chose. | *c'è qualcosa che lo preoccupa,* il y a quelque chose qui l'inquiète. | *bevete qualcosa ?,* vous prenez quelque chose ? | *accade qualcosa di strano,* il se passe quelque chose d'étrange. | *costare qualcosa più, qualcosa meno,* coûter un peu plus, un peu moins (cher). | *sono le due e qualcosa,* il est deux heures passées. || *qualcos'altro,* autre chose, quelque chose d'autre. ◆ m. quelque chose. | *si crede qualcosa,* il se croit quelque chose, quelqu'un.

qualcuno [kwal'kuno] pron. indef. quelqu'un. | *conosco qualcuno che sarà contento,* je connais quelqu'un, j'en connais un qui va être content. | *c'è qualcuno ?,* y a-t-il quelqu'un ? || [con valore di pl.] quelques-uns, certains. | *qualcuno di loro se ne andò,* quelques-uns, certains d'entre eux s'en allèrent. || [seguito da agg.] *qualcuno intelligente,* quelqu'un d'intelligent. || *qualcun'altro,* quelqu'un d'autre ; [al pl.] quelques autres, d'autres. || Loc. *essere, diventare qualcuno,* devenir quelqu'un. | *ne hai fatte qualcune delle tue!,* tu as encore fait des tiennes !

quale ['kwale] agg. m. e f. [interr. dir. o ind.] quel, quelle. | *qual è il più piccolo dei due?,* quel est le plus petit des deux ? | *da quale parte andate?,* de quel côté allez-vous ? || [esclam.] *quale disgrazia!,* quel malheur ! || [equivalente di « come »] tel, telle que. | *alcuni paesi quali l'Italia e la Spagna,* certains pays tels que l'Italie et l'Espagne. || [in correlazione] *tale (e) quale,* tel quel, exactement comme, tout à fait comme. | *è suo fratello tale e quale,* c'est exactement son frère, c'est son frère tout craché (fam.). || [nelle similitudini] *quale ..., tale ...,* tel ..., tel ... | *quale padre tale figlio,* tel père tel fils. || [uso pleonastico] *in un certo qual modo ha ragione,* dans un certain sens il a raison. || [indeterminato] quel que. | *quali che siano i tuoi progetti,* quels que soient tes projets. ◆ pron. m. e f. [interr.] lequel. | *quale dei due hai visto?,* laquelle des deux as-tu vue ? ◆ pron. rel. *il, la quale,* [sogg.] qui. || *del quale,* dont, duquel ; de qui. | *i fatti dei quali si parlava,* les faits dont on parlait, desquels on parlait. || *al quale,* auquel ; à qui. || *dal quale,* dont, duquel ; de qui. | *la persona dalla quale ho avuto questa notizia,* la personne de qui je tiens cette nouvelle. || [luogo] d'où ; où ; chez qui, chez lequel. | *la città dalla quale siamo partiti,* la ville d'où, de laquelle nous sommes partis. | *l'avvocato dal quale sono andato,* l'avocat chez qui je suis allé. || [compl. di agente] par lequel ; par qui. | *le persone dalle quali sono stato aiutato,* les personnes par lesquelles, par qui j'ai été aidé. || [preceduto da altre prep.] lequel ; qui. || [nelle determinazioni di luogo e tempo] *nel quale,* où. ◆ avv. [in qualità di] en tant que, à titre de, comme. | *quale parente,* en qualité de parent.

qualifica [kwa'lifika] f. qualification ; [titolo] titre m. || [giudizio] appréciation générale.

qualificare [kwalifi'kare] v. tr. qualifier ; [definire] définir. | *non so come qualificare il suo gesto,* je ne sais comment qualifier son geste. ◆ v. rifl. se présenter comme ; se faire passer pour, se dire. || [in un lavoro] se qualifier.

qualificato [kwalifi'kato] agg. qualifié ; [competente] compétent.

qualità [kwali'ta] f. qualité. || [specie] sorte, espèce. | *d'ogni qualità,* de toutes sortes ; [di persone] de tout rang, de toute condition. ◆ loc. prep. *in qualità di,* en qualité de, à titre de.

qualora [kwa'lora] cong. si [+ indic.] ; au cas où, dans le cas où [+ cond.]. | *qualora non venisse,* s'il ne venait pas.

qualsiasi [kwal'siasi] agg. indef. m. e f. n'importe quel, quelle ; [posposto] quelconque ; quelque ... que ce soit. | *puoi venire in qualsiasi momento,* tu peux venir à n'importe quel moment, à quelque moment que ce soit. || [preceduto da un art. indef.] quelconque ; n'importe lequel, laquelle. | *comprami un libro qualsiasi,* achète-moi n'importe quel livre. || *qualsiasi cosa,* n'importe quoi, quoi que. | *qualsiasi cosa faccia,* quoi qu'il fasse.

qualunque [kwa'lunkwe] agg. indef. n'importe quel ; quelque ... que ce soit. | *puoi venire a qualunque ora,* tu peux venir à n'importe quelle heure, à quelque heure que ce soit. | *a qualunque costo,* à n'importe quel prix, à tout prix. | *in qualunque modo,* de n'importe quelle façon, d'une façon ou d'une autre. || [preceduto da un art. indef.] quelconque, n'importe lequel. | *scegline uno qualunque,* choisis-en un, n'importe lequel.

quando ['kwando] avv. [interr.] quand. || [preceduto da prep.] *da quando,* depuis quand. | *da quando in qua?,* depuis quand ? || *fino a quando,* jusqu'à quand. || *a quando,* à quand. | *a quando la partenza?,* à quand le départ ? || Loc. *quando ..., quando ...,* tantôt ..., tantôt ... | *di quando in quando,* de temps en temps, de temps à autre ; [riferito a luogo] de loin en loin. ◆ cong. quand, lorsque. | *quando meno ci se l'aspetta,* quand, au moment où l'on s'y attend le moins. || [preceduto da prep.] *da quando,* depuis que. || *fino a quando,* [fino al momento in cui] jusqu'au moment où, jusqu'à ce que ; [per tutto il tempo che] tant que. | *fino a quando pioverà rimarremo qui,* tant qu'il pleuvra nous resterons ici. || [causale] puisque ; [dato che] quand. | *quando vi dico che non lo so,* puisque je vous dis que je l'ignore. | *quand'è così,* puisqu'il en est ainsi, puisque c'est comme ça. || [avversativo] alors que, tandis que. || [con valore cond.] si. | *quando accadesse questo,* si cela arrivait, au cas où cela arriverait. || *quand'anche ; quando pure,* quand même, quand bien même (+ cond.) ; même si (+ indic.). ◆ m. *il come e il quando,* quand et comment, le pourquoi et le comment.

quantità [kwanti'ta] f. quantité.

quantitativo [kwantita'tivo] agg. quantitatif. ◆ m. quantité f.

1. quanto ['kwanto] avv. [interr.] combien ; [fino a che punto] à quel point, dans quelle mesure. || [esclam.]

que, comme, combien. | *quanto sei cambiato !,* que tu as changé !, combien tu as changé ! || [in correlazione con «tanto»] aussi ... que [con agg., avv. e part. pass.) ; autant que (con il v.) ; comme (nei compl. di paragone). | *tanto bello quanto buono,* aussi beau que bon. | *studia quanto te,* il étudie autant que toi. || LOC. *tanto o quanto,* tant soit peu. | *né tanto né quanto,* rien ; pas du tout. | *quanto meno ..., tanto meno ...,* moins ..., moins ... || [per ciò che riguarda] quant. | *(in) quanto a me, a te,* quant à moi, à toi. || *per quanto :* [davanti ad agg. o avv.] quelque ... que, si ... que ; tout ... que ; [sebbene] quoique, bien que. | *per quanto intelligente sia,* quelque, si intelligent qu'il soit, tout intelligent qu'il est. | *per quanto io non ti abbia visto,* bien que je ne t'aie pas vu. || LOC. *quanto prima,* au plus tôt, le plus tôt possible, sous peu. | *quanto meno,* au moins. | *quanto mai,* extrêmement ; on ne peut plus. | *in quanto che,* car, puisque, comme. ◆ agg. interr. combien de. | *quanto tempo rimani ?,* combien de temps restes-tu ? | *quanti anni hai ?,* quel âge as-tu ? || [tempo, denaro, distanza] combien ? | *quanto costa questo libro ?,* combien coûte ce livre ? | *quant'è ?,* c'est combien ?, ça fait combien ?, combien cela coûte-t-il ? || [esclam.] que de, combien de. | *quanto tempo sprecato !,* que de temps perdu ! | *quante gliene ho dette !,* je lui en ai dit de toutes les couleurs !, qu'est-ce que je ne lui ai pas dit ! (fam.). || [in correlazione con «tanto»] autant de ... que (de) ... | *ho tanti fratelli quante sorelle,* j'ai autant de frères que de sœurs. || *per quanto,* quelque ... qui (sogg.) ; quelque ... que (ogg.). | *per quanti sforzi faccia,* quelques efforts qu'il fasse. || *tutto quanto,* tout, tout entier. | *tutte quante le volte che ...,* toutes les fois que ... || *tutti quanti,* tous; tout le monde. ◆ pron. [interr.] combien. | *quanti ne vedi ?,* combien en vois-tu ? | *quanto c'è di vero ?,* qu'y a-t-il de vrai ? || [esclam.] combien. | *quanto ne hai preso !,* combien tu en as pris ! || [rel.] tout ce qui (sogg.) ; tout ce que (ogg.). | *ti dirò quanto è capitato,* je te dirai tout ce qui est arrivé. | *è quanto di meglio tu possa trovare,* c'est tout ce que tu peux trouver de mieux. | *da quanto mi è stato detto,* d'après ce qu'on m'a dit. || [tutti quelli che] tous ceux qui (sogg.) ; tous ceux que (ogg.). | *ringrazio quanti sono venuti,* je remercie tous ceux qui sont venus. || [nelle proposizioni comp.] *è meno ricco di quanto si creda,* il est moins riche qu'on ne le croit. || *per quanto,* [davanti a v.] quoi que ; (pour) autant que. | *per quanto tu dica,* quoi que tu dises. | *per quanto si ricorda,* autant qu'il s'en souvienne. | *per quanto riguarda,* en ce qui concerne ..., pour ce qui est de ...

2. quanto m. FIS. quantum.

quantunque [kwan'tunkwe] cong. quoique, bien que.

quaranta [kwa'ranta] agg. num. card. e m. quarante.

quarantena [kwaran'tεna] f. PR. e FIG. quarantaine.

quarantenne [kwaran'tεnne] agg. (âgé) de quarante ans ; quadragénaire. ◆ n. quadragénaire.

quarantesimo [kwaran'tεsimo] agg. num. ord. e m. quarantième.

quarantotto [kwarant'otto] agg. num. card. e m. quarante-huit. || LOC. *fare un quarantotto,* faire le diable à quatre.

quaresima [kwa'resima] f. REL. carême m.

quarta ['kwarta] f. [scuola] *quarta elementare,* cours moyen première année. || ASTR. quart m. || AUT. quatrième (vitesse). || FIG. *partire in quarta,* partir à toute vitesse, se lancer à fond. || GIUR. quarte. || MAR. aire de vent, quart m. || MUS., SP. quarte.

quartetto [kwar'tetto] m. MUS. e FIG. quatuor, quartette.

quartiere [kwar'tjεre] m. quartier. | *i quartieri alti,* les beaux quartiers. || [appartamento] appartement. || ARALD. quartier. || MAR. *quartiere di poppa,* phare de l'arrière. | *gran quartiere,* panneau (d'écoutille). || MIL. quartier. || LOC. *lotta senza quartiere,* lutte sans merci.

quartina [kwar'tina] f. POET. quatrain m. || MUS. quartolet m.

quarto ['kwarto] agg. num. ord. quatrième. | *il quarto piano,* le quatrième étage. | *Enrico IV,* Henri IV (quatre). | *il quarto atto,* l'acte quatre. ◆ m. [quarta parte] quart. | *un quarto di farina,* un quart de farine. | *un quarto d'ora,* un quart d'heure. | *le otto e tre quarti,* huit heures trois quarts. || ARALD. quartier. || ASTR. quartier. || AUT. jante f. || MAR. quart. || MODA *un cappotto tre quarti,* un (manteau) trois-quarts. || SP. *i quarti di finale,* les quarts de finale. || TIP. *in quarto,* in-quarto. ◆ avv. quatrièmement ; quarto (lat.).

quartultimo [kwart'ultimo] agg. e n. quatrième avant le dernier.

quarzo ['kwartso] m. MINER. quartz.

quasi ['kwazi] avv. presque; à peu près ; [circa] environ. | *siamo quasi arrivati,* nous sommes presque arrivés. | *quasi mai,* presque jamais. || [ripetuto] *quasi quasi lo faccio,* j'ai presque envie de le faire. || [con valore attenuativo] *direi quasi che,* je dirais presque que. || [con un v., con significato di « manca, mancava, mancò poco che »] *quasi cadeva,* pour un peu il tombait. ◆ cong. *quasi (che),* comme si.

quassù [kwas'su] avv. ici (en haut). | *da quassù si vede tutta la valle,* d'ici on voit toute la vallée.

quatto ['kwatto] agg. blotti, accroupi. | *quatto quatto,* en douce, en tapinois, en catimini.

quattordicenne [kwattordi'tʃɛnne] agg. (âgé) de quatorze ans. ◆ n. garçon, fille [âgé(e)] de quatorze ans.

quattordicesimo [kwattordi'tʃɛzimo] agg. num. ord. quatorzième. | *Luigi XIV,* Louis XIV (quatorze). ◆ n. quatorzième.

quattordici [kwat'torditʃi] agg. num. card. e m. quatorze.

quattrino [kwat'trino] m. sou. | *sono rimasto senza un quattrino,* je suis resté sans le sou. || [al pl.] argent sing. | *far quattrini a palate,* gagner un argent fou. || [antica moneta] quatrin.

quattro ['kwattro] agg. num. card. e m. quatre. | *oggi ne abbiamo quattro,* aujourd'hui nous sommes le quatre. | *sono le quattro,* il est quatre heures. || Loc. *fare quattro passi,* faire deux pas, quelques pas. | *fare quattro chiacchiere,* faire un brin de causette, échanger deux mots. | *dirne quattro a qlcu.,* dire à qn ses quatre vérités, son fait. | *in quattro e quattr'otto,* en moins de deux (fam.). | *c'erano quattro gatti,* il y avait quatre pelés et un tondu (fam.).

quattrocento [kwattro'tʃɛnto] agg. num. card. quatre cents. ◆ m. *il Quattrocento,* le quinzième siècle ; [arte e lett. it.] le Quattrocento.

quegli ['kweʎʎi] pron. dim. m. sing. Lett. celui-là (L.C.).

quello ['kwello] agg. dim. ce ; [davanti a voc. o h muta] cet. | *parlo di quel libro, non di questo,* je parle de ce livre-là, non de celui-ci. | *quell'albero,* cet arbre. | *quella ragazza,* cette jeune fille. || [con valore di art. det.] le ; f. la ; m. e f. pl. les. | *quella persona di cui ti ho parlato,* la personne dont je t'ai parlé. | *quel poco che hai,* le peu que tu possèdes. || [seguito da agg. poss.] *quei suoi amici,* les amis qu'il a, ses amis. || [in espressioni ellitt.] *ne ha fatte di quelle !,* il en a fait de belles ! || [con valore enf.] *abbiamo avuto una di quelle paure !,* nous avons eu une de ces peurs ! || [in espressioni temporali] *in, a quel tempo,* en ce temps-là. | *in quello stesso medesimo momento,* à ce moment-là, à ce moment même. | *quelle poche volte che ...,* le peu de fois que ..., les quelques fois que ... ◆ pron. dim. celui-là. | *voglio quella,* je veux celle-là. || [seguito da proposizione rel. o dalla prep. « di »] celui. | *quelli che lo conoscono,* ceux qui le connaissent. | *quello di ieri era più interessante,* celui d'hier était plus intéressant. || [seguito da agg.] le. | *ha scelto quello rosso,* il a choisi le rouge. | *quello del gas,* l'employé du gaz. | *quelli del popolo,* les gens du peuple. || [seguito da part. pass.] celui. | *quello venduto ieri,* celui qui a été vendu hier. || [col v. « essere »] *era quella la mia intenzione,* c'était là mon intention. | *quello si chiama vivere,* voilà qui est vivre. || *questo ..., quello ...,* l'un ..., l'autre ... || [con valore di « egli, ella »] il. | *e quella disse,* et elle dit. || [con valore di « lo stesso »] le même. | *non è più quella,* ce n'est plus la même. || [con valore di « ciò »] cela ; ça (fam.) ; [seguito da pron. rel.] ce. | *ti darò quello che vuoi,* je te donnerai ce que tu veux. || [con valore di « quanto »] *per quel che ne so,* pour autant que je sache. || Loc. *in quel di ...,* dans la région de ..., aux environs de ...

quercia ['kwertʃja] f. chêne m.

querela [kwe'rɛla] f. Giur. plainte.

querelare [kwere'lare] v. tr. Giur. porter plainte (contre qn).

quesito [kwe'zito] m. question f., demande f. || [problema] problème.

questi ['kwesti] pron. dim. m. sing. celui-ci.

questionare [kwestjo'nare] v. intr. discuter. || [litigare] se disputer.

questionario [kwestjo'nario] (**-ri** pl.) m. questionnaire.

questione [kwes'tjone] f. question ; [problema] problème m. | *è una questione di fiducia,* c'est une question de confiance. | *non farne una questione,* n'en fais pas un problème. | *è questione di un'ora,* c'est l'affaire d'une heure. | *è questione di gusti,* c'est une affaire de goûts. || [discussione] discussion. | *venire a questione,* se disputer. || [tortura] question.

questo ['kwesto] agg. dim. ce ; [davanti a voc. o h muta] cet. | *questo quaderno,* ce cahier. | *quest'albero,* cet arbre. | *questi due libri,* ces deux livres. || [seguito da una proposizione rel.] le. | *questo ragazzo che vedi laggiù,* le garçon que tu vois là-bas. || [seguito da agg. poss.] *questo tuo libro,* ton livre. || [espressioni ellitt.] *questa non me l'aspettavo,* je ne m'attendais pas à ça. | *questa è grossa,* c'est un peu trop fort. || [espressioni temporali] *uno di questi giorni,* un de ces jours. ◆ pron. dim. celui-ci. | *nessuno di questi,* aucun de ceux-ci. || [seguito da proposizione rel.] celui. | *questi che vedi,* ceux que tu vois. || [seguito da agg.] le. | *questo rosso,* le rouge. || [seguito da part.

pass.] celui. | *vi daremo anche queste trovate ieri,* nous vous donnerons même celles que nous avons trouvées hier. || [con il v. « essere »] *questo sì che è vino,* voilà ce qui s'appelle du vin. || Loc. *questo ..., quello ...,* l'un ..., l'autre ... | *parlare di questo e di quello,* parler de choses et d'autres. || [con valore di « egli, ella »] il. | *e questo disse,* et il dit. || [con valore di « ciò »] ceci, cela, ça (fam.) ; [seguito da pron. rel.] ce. | *questo mi preoccupa,* cela me préoccupe. | *questo è quanto dissero,* voilà ce qu'ils dirent. | *questo è quanto !,* voilà tout !, c'est tout ! | *e con questo ?,* et alors ? | *questa poi !,* ça alors !, ça par exemple !

questore [kwes'tore] m. commissaire de police ; [a Parigi] préfet de police. || [al Parlamento] questeur. || Stor. questeur.

questua [kwes'tua] f. quête.

questura [kwes'tura] f. [a Parigi] préfecture de police; [commissariato] commissariat (m.) de police. || [servizio di polizia] police. || Pol., Stor. questure.

questurino [kwestu'rino] m. agent de police; flic (pop.).

qui [kwi] avv. ici, là. | *vieni qui,* viens ici. | *stai qui,* reste ici. | *so che sei qui,* je sais que tu es là. | *qui e lì,* çà et là. | [preceduto da prep.] *di qui, da qui,* d'ici. || *fin qui,* jusqu'ici, jusque-là. || *(per) di qui,* par ici. | *di, da qui in avanti,* dorénavant. | *di qui a poco,* d'ici peu, sous peu. || *di qui,* [di questo luogo] d'ici. || [seguito da avv.] *qui dentro,* ici dedans. | *qui vicino,* près d'ici. || [rafforzativo di « questo »] -ci. | *prenderò questo libro qui,* je prendrai ce livre-ci. || [rafforzativo di « ecco »] voici, voilà. | *eccoti qui,* te voilà. || Fig. ici, là. | *qui comincia il bello,* c'est là que commence le plus beau. || Comm. *qui accluso,* ci-inclus. | *qui allegato,* ci-joint.

quietanza [kwje'tantsa] f. quittance, acquit m.

quietare [kwje'tare] v. tr. calmer, apaiser, tranquilliser.

quiete ['kwjɛte] f. calme m., tranquillité, paix.

quieto ['kwjɛto] agg. calme, tranquille, paisible. | *ama il quieto vivere,* il aime la vie tranquille. || *stare quieto,* [di un bambino] être sage.

quindi ['kwindi] cong. donc, par conséquent, c'est pourquoi. ◆ avv. puis, ensuite, après. | *mangiò in fretta, quindi uscì,* il mangea vite, puis il sortit.

quindicenne [kwindi'tʃɛnne] agg. (âgé) de quinze ans. ◆ n. garçon, fille [âgé(e)] de quinze ans.

quindicesimo [kwindi'tʃɛzimo] agg. num. ord. quinzième. | *Luigi XV,* Louis XV (quinze).

quindici ['kwinditʃi] agg. num. card. e m. quinze. | *oggi a quindici,* (d')aujourd'hui en quinze, dans quinze jours.

quindicina [kwindi'tʃina] f. quinzaine.

quinta ['kwinta] f. [scuola] *la quinta elementare,* la septième, la seconde année du cours moyen. || Mus. quinte. || Teat. coulisse.

quintale [kwin'tale] m. quintal.

quintetto [kwin'tetto] m. Mus. quintette.

quinto ['kwinto] agg. num. ord. cinquième. | *Carlo V,* [di Francia] Charles V (cinq) ; [di Spagna] Charles Quint. ◆ m. cinquième. || Mar. couple. ◆ avv. cinquièmement.

quintuplicare [kwintupli'kare] v. tr. quintupler. ◆ v. rifl. quintupler v. intr.

quisquilia [kwis'kwilja] f. bagatelle, vétille, futilité.

quota ['kwɔta] f. quote-part. || [partecipazione ad un'associazione] cotisation. | *quota d'iscrizione,* droits (m. pl.) d'inscription. || [parte] part. | *dividere in cinque quote,* partager en cinq parts. || [contingente] quota m. | *quota d'immigrazione,* quota d'immigration. || [ippica e topografia] cote. || [altitudine] altitude. || [livello] niveau m. || Av. *volo ad alta quota,* vol de hauteur. || Fin. cote. || Fig. *essere a quota zero,* être à zéro, au point de départ.

quotare [kwo'tare] v. tr. cotiser. || [topografia] coter. || Comm., Fin. coter. || Fig. apprécier. ◆ v. rifl. se cotiser.

quotato [kwo'tato] agg. coté.

quotazione [kwota'tsjone] f. Fin. cote. || [atto del quotare] cotation.

quotidiano [kwoti'djano] agg. quotidien. | *la vita quotidiana,* la vie quotidienne, de tous les jours. ◆ m. [giornale] quotidien, journal.

quoziente [kwot'tsjɛnte] m. quotient.

r ['ɛrre] f. o m. r m. | *avere la r moscia,* grasseyer.

rabarbaro [ra'barbaro] m. rhubarbe f.

rabberciare [rabber'tʃare] v. tr. rapetasser (fam.) ; rapiécer. || [riparare grossolanamente] retaper.

rabbia ['rabbja] f. PR. e FIG. rage. | *che rabbia!,* c'est rageant! (fam.). | *sfogare la propria rabbia su qlcu.,* passer sa rage sur qn.
rabbino [rab'bino] m. rabbin.
rabbioso [rab'bjoso] agg. enragé. || FIG. furieux, en colère ; rageur.
rabbonire [rabbo'nire] v. tr. amadouer. || [rendere meno rude] (r)adoucir. ◆ v. rifl. se radoucir, se calmer, s'apaiser.
rabbrividire [rabbrivi'dire] v. intr. PR. et FIG. frissonner. | *rabbrividire di spavento,* frémir d'effroi.
rabbuffare [rabbuf'fare] v. tr. rabrouer || [di capelli] ébouriffer. || [di penne, di peli] hérisser.
rabbuiarsi [rabbu'jarsi] v. rifl. PR. e FIG. se rembrunir, s'obscurcir, s'assombrir.
rabdomante [rabdo'mante] n. rhabdomancien, enne. || [scopritore di sorgenti] sourcier, ère.
raccapezzare [rakkappet'tsare] v. tr. [capire] comprendre. ◆ v. rifl. y voir clair, s'y retrouver, s'y reconnaître.
raccapricciante [rakkaprit'tʃante] agg. affreux, effroyable, épouvantable, horrible, à faire frémir.
raccapricciare [rakkaprit'tʃare] v. intr. FIG. frémir (d'horreur) ; frissonner.
raccapriccio [rakka'prittʃo] m. effroi, horreur f., répulsion f.
raccattare [rakkat'tare] v. tr. PR. e FIG. ramasser. || [di maglie] rattraper. || [di spighe e fig.] glaner.
racchetta [rak'ketta] f. SP. raquette.
racchio ['rakkjo] agg. e n. POP. e DIAL. laideron m. ; moche agg.
racchiudere [rak'kjudere] v. tr. PR. e FIG. renfermer, contenir. || [custodire gelosamente] renfermer, cacher. || [tenere prigioniero] enfermer.
raccogliere [rak'kɔʎʎere] v. tr. ramasser. || [radunare] recueillir, rallier, rassembler, réunir. | *raccogliere le forze,* rassembler ses forces. || [di prodotti della terra] récolter, cueillir, recueillir. || [riunire in una collezione] collectionner. || FIG. *raccogliere una allusione perfida, un'offesa,* relever une allusion perfide, une offense. ◆ v. rifl. se ramasser. || [di persone] se rassembler, se rallier. || FIG. se recueillir.
raccoglimento [rakkoʎʎi'mento] m. recueillement.
raccoglitore [rakkoʎʎi'tore] (**-trice** f.) n. ramasseur, euse. || [collezionista] collectionneur, euse. || [colui che raccoglie denaro] collecteur, trice. ◆ m. [cartella] classeur.
raccolta [rak'kɔlta] f. rassemblement m. || [di prodotti della terra] récolte, ramassage m. ; [di frutti] cueillette. || [collezione] collection. || [di scritti] recueil m. || FIG. récolte. || [per portare via] enlèvement m. | *raccolta delle immondizie,* enlèvement des ordures. || MIL. e FIG. *chiamare a raccolta,* battre le rappel.
raccolto [rak'kɔlto] agg. blotti, pelotonné. || FIG. recueilli, contenu. || [intimo] intime. ◆ m. [di prodotti della terra] récolte f.
raccomandare [rakkoman'dare] v. tr. recommander. || [affidare all' altrui attenzione] confier, recommander, patronner, pistonner (fam.). || [consigliare] conseiller. | *mi hanno raccomandato questa scuola,* on m'a conseillé cette école. ◆ v. rifl. se recommander.
raccomandata [rakkoman'data] f. lettre recommandée. | *spedizione per raccomandata,* envoi en recommandé.
raccontare [rakkon'tare] v. tr. raconter, conter.
racconto [rak'konto] m. récit, histoire f. || [immaginario] conte, nouvelle f.
raccordo [rak'kɔrdo] m. raccordement. || [di pezzo metallico] raccord.
raccozzare [rakkot'tsare] v. tr. rassembler.
rachitismo [raki'tizmo] m. rachitisme.
racimolare [ratʃimo'lare] v. tr. PR. e FIG. grappiller, rassembler. | *racimolare denaro,* rassembler de l'argent.
rada ['rada] f. rade.
raddobbo [rad'dɔbbo] m. radoub.
raddolcire [raddol'tʃire] v. tr. PR. e FIG. radoucir, adoucir. ◆ v. rifl. se radoucir, s'adoucir.
raddoppiare [raddop'pjare] v. tr. (re)doubler. | *raddoppiare gli sforzi,* redoubler ses efforts. ◆ v. intr. (re)doubler.
raddrizzare [raddrit'tsare] v. tr. PR. e FIG. redresser. ◆ v. rifl. se redresser.
radente [ra'dɛnte] agg. rasant. || AV. *volo radente,* vol en rase-mottes.
radere ['radere] v. tr. PR. e FIG. raser. | *radere a zero,* couper à ras. ◆ v. rifl. se raser.
radiale [ra'djale] agg. e f. radial.
radiante [ra'djante] agg. radiant, rayonnant. ◆ m. ASTR. radiant. || MAT. radian.
radiare [ra'djare] v. tr. radier, rayer, éliminer, exclure.
radiatore [radja'tore] m. radiateur.
radiazione [radjat'tsjone] f. [in tutti i significati] radiation.
radica ['radika] f. [di erica] bruyère. | *pipa di radica,* pipe de bruyère.
radicale [radi'kale] agg. e m. [in tutti i significati] radical.

radicare [radi'kare] v. intr. PR. e FIG. enraciner. ◆ v. rifl. PR. e FIG. s'enraciner, prendre racine.
radice [ra'ditʃe] f. PR. e FIG. racine.
1. radio ['radjo] f. radio ; [apparecchio] poste (m.) de radio. | *radio ricetrasmittente,* poste récepteur-émetteur.
2. radio m. ANAT. radius. || CHIM. radium.
radioattività [radjoattivi'ta] f. radioactivité.
radiocronaca [radjo'krɔnaka] f. radioreportage m.
radiodiffusione [radjodiffu'zjone] f. radiodiffusion.
radioestesia [radjoeste'zia] f. radiesthésie.
radiofonico [radjo'fɔniko] agg. radiophonique.
radiografare [radjogra'fare] v. tr. radiographier.
radiologia [radjolo'dʒia] f. MED. radiologie.
radiologo [ra'djɔlogo] m. radiologue, radiologiste.
radioscopia [radjosko'pia] f. radioscopie.
radioso [ra'djoso] agg. radieux, éclatant. || LOC. *diventare radioso,* s'épanouir.
radiotecnico [radjo'tɛkniko] agg. radiotechnique. ◆ m. radiotechnicien.
radiotelecomando [radjoteleko'mando] m. radioguidage.
radiotelegramma [radjotele'gramma] m. radiogramme.
radiotelevisivo [radjotelevi'zivo] agg. radiotélévisé.
radioterapia [radjotera'pia] f. radiothérapie.
radiotrasmettere [radjotraz'mettere] v. tr. radiodiffuser. || [di messaggio indirizzato a pochi] envoyer par radio.
rado ['rado] agg. [poco denso] clair, rare. || [sparso] clairsemé. || [poco frequente] rare. || LOC. *di rado,* rarement avv.
radunare [radu'nare] v. tr. rassembler, ramasser. || [accumulare] amasser. || [di persone] réunir, rassembler, rallier. ◆ v. rifl. se rassembler, se réunir.
radura [ra'dura] f. clairière, éclaircie.
raffazzonare [raffattso'nare] v. tr. retaper, rabibocher (fam.). || FIG., FAM. rafistoler.
raffermare [raffer'mare] v. tr. confirmer, donner confirmation (de qch.). || [rinnovare] renouveler. ◆ v. rifl. MIL. se rengager. || [di pane] rassir.
raffica ['raffika] f. rafale.
raffigurare [raffigu'rare] v. tr. représenter.
raffinare [raffi'nare] v. tr. PR. e FIG. (r)affiner. ◆ v. rifl. s'affiner, se raffiner.
raffinatezza [raffina'tettsa] f. raffinement m. || [eleganza] chic.
raffineria [raffine'ria] f. raffinerie.
rafforzare [raffor'tsare] v. tr. PR. e FIG. renforcer, fortifier. || [rendere più solido] raffermir.
raffreddamento [raffredda'mento] m. PR. e FIG. refroidissement.
raffreddare [raffred'dare] v. tr. PR. e FIG. refroidir. ◆ v. rifl. (se) refroidir (anche fig.). || [prendere il raffreddore] s'enrhumer.
raffreddore [raffred'dore] m. rhume.
raffrontare [raffron'tare] v. tr. confronter, comparer, rapprocher. || [di testi] collationner.
raffronto [raf'fronto] m. comparaison f., rapprochement, confrontation f. || [di testi] collation f.
rafia ['rafja] f. raphia m.
raganella [raga'nɛlla] f. MUS. crécelle. || ZOOL. rainette.
ragazza [ra'gattsa] f. (jeune) fille. | *quand'ero ragazza,* lorsque j'étais célibataire. || [amica] petite amie.
ragazzo [ra'gattso] m. jeune homme, garçon, gars (fam.). | *restare ragazzo,* rester garçon, célibataire. || [innamorato] petit ami. || [figlio] enfant, fils ; pl. [per maschi e femmine] enfants. || [aiutante, garzone] garçon.
raggiante [rad'dʒante] agg. rayonnant, radieux. || FIS. radiant.
raggiera [rad'dʒɛra] f. [disposizione] éventail m. || [cerchio luminoso] halo m., auréole.
raggio ['raddʒo] m. PR. e FIG. rayon. | *raggio di speranza,* lueur (f.) d'espérance, d'espoir. || [di ruota] rayon, rai.
raggirare [raddʒi'rare] v. tr. attraper, duper, rouler (fam.).
raggiro [rad'dʒiro] m. manigance f., tromperie f., ruse f.
raggiungere [rad'dʒundʒere] v. tr. rattraper, rejoindre, atteindre, retrouver. || [un luogo] arriver (à), gagner, rejoindre, atteindre, toucher ; [con sforzo] atteindre à. | *raggiungere una meta, uno scopo,* atteindre un but. | *questa strada raggiunge la città,* cette route conduit à la ville. || FIG. égaler, atteindre. ◆ v. recipr. se rejoindre.
raggiustare [raddʒus'tare] v. tr. PR. e FIG. arranger, raccommoder, réparer, rapetasser (fam.), rafistoler (fam.), retaper. || [mettere in una giusta posizione] rajuster, arranger. ◆ v. rifl. [rimettersi in ordine] se rajuster, s'arranger. ◆ v. rifl. recipr. se réconcilier.
raggomitolare [raggomito'lare] v. tr. peloter, pelotonner ; mettre, rouler en pelote. ◆ v. rifl. se pelotonner, se blottir, se ramasser, se recroqueviller.

raggranellare [raggranel'lare] v. tr. PR. e FIG. ramasser (péniblement, par-ci par-là), grappiller.

raggrinzare [raggrin'tsare] o **raggrinzire** [raggrin'tsire] v. tr. crisper, rider, plisser. || [di stoffa] froisser, plisser, friper, chiffonner. ◆ v. rifl. se rider, se crisper. || [di vestito] se froisser, se chiffonner. || [di foglie] se flétrir.

raggrumarsi [raggru'marsi] v. rifl. faire des grumeaux. || [di sangue] (se) coaguler, se figer.

raggruppamento [raggruppa'mento] m. (re)groupement, groupe.

raggruppare [raggru'pare] v. tr. grouper, rassembler, réunir. ◆ v. rifl. se grouper, se réunir, se rassembler.

ragguagliare [raggwaʎ'ʎare] v. tr. niveler, égaliser, équilibrer. || [informare] donner des renseignements (à qn), informer. || [raffrontare] comparer, confronter, rapprocher. ◆ v. rifl. prendre des renseignements, se renseigner, s'informer.

ragguaglio [rag'gwaʎʎo] m. comparaison f. || [livellamento] égalisation f. || [informazione] information f., renseignement.

ragguardevole [raggwar'devole] agg. remarquable, considérable, important.

ragia ['radʒa] f. térébenthine. | *acqua ragia,* (essence de) térébenthine.

ragià [ra'dʒa] m. raja(h), radjah.

ragionamento [radʒona'mento] m. raisonnement.

ragionare [radʒo'nare] v. intr. raisonner. || LETT. (tosc.) parler, discuter.

ragione [ra'dʒone] f. [facoltà di pensare] raison. | *riportar qlcu. alla ragione,* ramener qn à la raison. || [opposta a « torto »] raison. | *a torto o a ragione,* à tort ou à raison. || [motivo] raison. | *ho le mie ragioni,* j'ai mes raisons. | *far valere le proprie ragioni,* faire valoir ses droits. | [causa] raison, cause. | *la ragione di un fenomeno,* la cause d'un phénomène. || [giustificazione] raison, compte m. | *render ragione di qlco. a qlcu.,* rendre raison, compte de qch. à qn. || COMM. *ragione sociale,* raison sociale. || GIUR., POL. raison, droit m. | *ragioni di fatto, di diritto,* raisons de fait, de droit. || MAT. [rapporto] raison. || LOC. *aver ragione di qlco., di qlcu.,* avoir raison de qch., de qn. | *picchiare qlcu. di santa ragione,* battre qn comme plâtre (fam.).

ragioneria [radʒone'ria] f. comptabilité. || [corso di studi] études (f. pl.) de commerce.

ragionevole [radʒo'nevole] agg. raisonnable. || [prezzo] raisonnable, abordable.

ragioniere [radʒo'njɛre] (**-a** f.) n. expert-comptable m.

ragliare [raʎ'ʎare] v. intr. PR. e FIG. braire.

ragnatela [raɲɲa'tela] f. toile d'araignée.

ragno ['raɲɲo] m. araignée f. || FIG., FAM. *non cavare un ragno dal buco,* n'aboutir à rien (L.C.).

rallegramenti [rallegra'menti] m. pl. félicitations f. pl. | *vi faccio i miei rallegramenti per il vostro matrimonio,* je vous offre mes vœux à l'occasion de votre mariage.

rallegrare [ralle'grare] v. tr. réjouir, égayer. ◆ v. rifl. [provare gioia] se dérider, se réjouir, s'égayer. | *rallegratevi,* réjouissez-vous. | *un viso che si rallegra,* un visage qui s'épanouit. || [congratularsi con qlcu.] féliciter (qn de qch.). || [con sé stesso] se féliciter (de).

rallentamento [rallenta'mento] m. PR. e FIG. ralentissement.

rallentare [rallen'tare] v. tr. PR. e FIG. ralentir. || [diminuire la frequenza] espacer. | *rallentare le visite,* espacer ses visites. || [diminuire la tensione] relâcher. ◆ v. intr. ralentir. ◆ v. rifl. se ralentir.

rallentatore [rallenta'tore] m. ralenti. || CIN. *con il rallentatore,* au ralenti. || TECN. ralentisseur.

ramaiolo [rama'jɔlo] o **ramaiuolo** [rama'jwɔlo] m. (tosc.) louche f., cuiller (f.) à pot.

ramanzina [raman'dzina] f. semonce, reproche m., savon m. (fam.).

ramare [ra'mare] v. tr. cuivrer. || [irrorare con solfato di rame] sulfater.

ramatura [rama'tura] f. cuivrage m. || AGR. sulfatage m. || [insieme dei rami] branchage m.

rame ['rame] m. cuivre.

ramificare [ramifi'kare] v. intr. PR. e FIG. se ramifier v. rifl.

ramingo [ra'mingo] agg. errant.

1. ramino [ra'mino] m. bouilloire (f.) en cuivre.

2. ramino m. [gioco a carte] rami.

rammagliare [rammaʎ'ʎare] v. tr. remailler.

rammaricare [rammari'kare] v. tr. attrister. ◆ v. rifl. regretter v. tr. || [lamentarsi] se plaindre.

rammarico [ram'mariko] m. regret.

rammendare [rammen'dare] v. tr. raccommoder, repriser, ravauder.

rammendo [ram'mendo] m. reprise f., stoppage, raccommodage, ravaudage. | *rammendo invisibile,* stoppage.

rammentare [rammen'tare] v. tr. rappeler, remémorer. ◆ v. rifl. se souvenir (de), se rappeler, se remémorer.

rammollire [rammol'lire] v. tr. ramollir. || FIG. amollir. ◆ v. rifl. se ramollir. || FIG. s'amollir.

rammorbidire [rammorbi'dire] v. tr. PR. e FIG. assouplir. ◆ v. rifl. PR. e FIG. s'assouplir.
ramo ['ramo] m. PR. e FIG. branche f. || [di strada, canale, tubo] branche, embranchement, rameau. || FIG. brin, grain. | *in tutti c'è un ramo di pazzia,* tout le monde a un brin, un grain de folie. || ANAT. branche, ramification f., rameau. || MIN. rameau.
ramoscello [ramoʃ'ʃɛllo] m. rameau, petite branche || [ramo nuovo] pousse f., rejet, surgeon.
rampa ['rampa] f. rampe.
rampicante [rampi'kante] agg. grimpant. ◆ m. BOT. plante grimpante. ◆ m. pl. ZOOL. grimpeurs.
rampollo [ram'pollo] m. FIG. [discendente] rejeton.
rampone [ram'pone] m. crampon. || MAR. harpon.
rana ['rana] f. grenouille. || SP. *(nuoto a) rana,* brasse.
rancido ['rantʃido] agg. rance ; [irrancidito] ranci. || FIG. vieilli, dépassé. ◆ m. rance.
rancio ['rantʃo] m. MIL. ordinaire, soupe f.
rancore [ran'kore] m. rancune f., rancœur f.
randagio [ran'dadʒo] agg. errant, vagabond. | *cane randagio,* chien errant.
randello [ran'dɛllo] m. matraque f., rondin.
rango ['rango] m. PR. e FIG. rang.
rannicchiarsi [rannik'kjarsi] v. rifl. se blottir, se recroqueviller, se pelotonner.
rannodare [ranno'dare] v. tr. PR. e FIG. renouer.
rannuvolarsi [rannuvo'larsi] v. rifl. PR. e FIG. s'assombrir, se rembrunir.
ranocchia [ra'nɔkkja] f. o **ranocchio** [ra'nɔkkjo] m. ZOOL. grenouille f.
rantolare [ranto'lare] v. intr. râler.
rantolo ['rantolo] m. râle, râlement.
ranuncolo [ra'nunkolo] m. renoncule f.
rapa ['rapa] f. BOT. rave, navet m. | *cime di rapa,* pousses de navet. || LOC. *avere una testa di rapa,* avoir une petite tête, être un idiot.
rapace [ra'patʃe] (-**i** pl.) agg. PR. e FIG. rapace. ◆ m. pl. ZOOL. rapaces.
rapare [ra'pare] v. tr. tondre, couper les cheveux ras. ◆ v. rifl. se (faire) couper les cheveux ras.
rapida ['rapida] f. [di fiume] rapide m.
rapido ['rapido] agg. PR. e FIG. rapide. ◆ m. [treno] rapide.
rapimento [rapi'mento] m. enlèvement, rapt. || FIG. enchantement, ravissement.
rapina [ra'pina] f. rapine, vol m.
rapinare [rapi'nare] v. tr. voler, dévaliser, cambrioler, détrousser.
rapire [ra'pire] v. tr. enlever. || FIG. enchanter, charmer, ravir.
rappacificare [rappatʃifi'kare] v. tr. raccommoder, réconcilier. ◆ v. rifl. e recipr. se raccommoder, se réconcilier.
rappezzare [rappet'tsare] v. tr. rapiécer, rapetasser (fam.). || FIG. rapetasser (pegg.).
rapportare [rappor'tare] v. tr. comparer, rapporter. || [riprodurre con ugual rapporto] rapporter. ◆ v. rifl. [riferirsi] se rapporter, se référer.
rapporto [rap'pɔrto] m. rapport. | *in quali rapporti siete con lei?,* en quels termes êtes-vous avec elle ? || [resoconto] rapport. || MAT., SP. rapport. || MECC. [per cambio di velocità] braquet, multiplication f. ◆ loc. prep. *in rapporto a,* par rapport à.
rapprendere [rap'prɛndere] v. tr. e intr. [di latte] cailler, coaguler ; [di sangue] coaguler, figer ; [di liquidi] figer. ◆ v. rifl. [di latte] se cailler, se coaguler ; [di sangue] se coaguler, se figer ; [di liquidi] se figer ; [di crema] prendre v. intr.
rappresaglia [rappre'saʎʎa] f. représailles pl.
rappresentante [rapprezen'tante] n. représentant.
rappresentanza [rapprezen'tantsa] f. représentation. || [delegazione] délégation.
rappresentare [rapprezen'tare] v. tr. [in tutti i significati] représenter.
rappresentazione [rapprezentat'tsjone] f. représentation, figuration.
rarefare [rare'fare] v. tr. raréfier. ◆ v. rifl. se raréfier.
rarità [rari'ta] f. rareté.
raro ['raro] agg. rare. | *rare volte,* de rares fois ; rarement avv. || [poco comune] rare. | *un caso più unico che raro,* un cas à peu près unique, un cas rarissime. || [poco compatto] rare, clairsemé.
rasare [ra'zare] v. tr. raser. | *rasare l'erba,* tondre le gazon. ◆ v. rifl. se raser.
raschiamento [raskja'mento] m. raclage, raclement. || MED. curetage ; [di osso] raclage.
raschiare [ras'kjare] v. tr. racler, gratter. || PR. e FIG. décaper. || MED. cureter ; [di ossa] racler. ◆ v. rifl. *raschiarsi la gola,* se racler la gorge.
raschietto [ras'kjetto] o **raschino** [ras'kino] m. racloir, grattoir, raclette f. ; [per carta] grattoir ; [per scarpe] décrottoir, grattoir. || MED. curette f. || METALL. ébarboir.
rasciugare [raʃʃu'gare] v. tr. essuyer.

rasentare [razen'tare] v. tr. PR. frôler, raser. || FIG. friser, frôler. | *ciò rasenta il ridicolo,* cela frise le ridicule.
raso ['razo] agg. PR. e FIG. ras. | *dal pelo raso,* au poil ras. | *bicchiere raso,* verre plein à ras bords. | *far tabula rasa di,* faire table rase de. ◆ prep. *raso terra,* à ras de terre, au ras du sol. || AV. *volo raso terra,* vol en rase-mottes. ◆ m. [tessuto] satin.
rasoio [ra'zojo] m. rasoir. || FIG. *camminare sul filo del rasoio,* marcher sur la corde raide.
raspa ['raspa] f. TECN. râpe.
raspare [ras'pare] v. tr. râper. || [irritare] racler, râper. || [di tessuto contro la pelle] gratter, piquer. || FIG., POP. [rubare] barboter, chiper ◆ v. intr. [di animali] gratter. || [cercare disordinatamente] farfouiller (fam.), fourgonner (fam.), fourrager (fam.).
rassegna [ras'seɲɲa] f. revue, compte rendu m. || [mostra] exposition. || MIL. revue. | *passare in rassegna,* PR. e FIG. passer en revue.
rassegnare [rasseɲ'ɲare] v. tr. résigner (lett.)., démissionner v. intr., donner sa démission. ◆ v. rifl. se résigner (à).
rasserenare [rassere'nare] v. tr. PR. e FIG. rasséréner. ◆ v. rifl. PR. e FIG. se rasséréner.
rassettare [rasset'tare] v. tr. ranger, mettre en ordre. || PR. e FIG. arranger, raccommoder, réparer. ◆ v. rifl. s'arranger.
rassicurare [rassiku'rare] v. tr. rassurer. ◆ v. rifl. se rassurer.
rassicurazione [rassikurat'tsjone] f. assurance.
rassodare [rasso'dare] v. tr. raffermir. || TECN. damer. || FIG. consolider, fortifier. ◆ v. rifl. se raffermir. || FIG. se consolider.
rassomigliare [rassomiʎ'ʎare] v. intr. ressembler. ◆ v. recipr. se ressembler.
rastrellare [rastrel'lare] v. tr. râteler. || [pulire con rastrello, spianare] ratisser. || MIL. ratisser, nettoyer. || [per la ricerca di mine] draguer.
rastrelliera [rastrel'ljɛra] f. râtelier m. || [per stoviglie] égouttoir m.
rastrello [ras'trɛllo] m. râteau ; [di legno] fauchet. || [di fortezze] herse f.
rata ['rata] f. versement (m.) échelonné, échéance, acompte m. | *rata mensile,* mensualité, versement mensuel. | *pagare a rate,* payer par acomptes.
rateale [rate'ale] agg. à tempérament. | *pagamento rateale,* paiement par échéances.
ratificare [ratifi'kare] v. tr. GIUR. ratifier.
1. ratto ['ratto] m. enlèvement, rapt.
2. ratto m. ZOOL. rat.
rattoppare [rattop'pare] v. tr. rapiécer. || FIG. raccommoder, arranger.
rattrappire [rattrap'pire] v. tr. déformer. || [intorpidire] engourdir. || MED. rétracter, contracter. ◆ v. rifl. [di membra] se déformer, se recroqueviller. || [intorpidirsi] s'engourdir. || MED. se rétracter, se contracter.
rattristare [rattris'tare] v. tr. chagriner, attrister, causer du chagrin (à). ◆ v. rifl. se chagriner, s'attrister.
raucedine [rau'tʃɛdine] f. enrouement m.
rauco ['rauko] agg. [di persona] enroué ; [di voce] rauque.
ravanello [rava'nɛllo] BOT. radis.
ravvedersi [ravve'dersi] v. rifl. revenir de son erreur, se repentir.
ravviare [ravvi'are] v. tr. mettre en ordre, arranger. || [il fuoco] attiser. ◆ v. rifl. [rimettersi in ordine] s'arranger. || [i capelli] se donner un coup de peigne.
ravvicinare [ravvitʃi'nare] v. tr. PR. e FIG. rapprocher. || [confrontare] rapprocher. ◆ v. rifl. se rapprocher (de). ◆ v. recipr. se rapprocher.
ravvisare [ravvi'zare] v. tr. reconnaître.
ravvivare [ravvi'vare] v. tr. raviver, ranimer, aviver. ◆ v. rifl. PR. e FIG. se ranimer. || FIG. se raviver.
ravvolgere [rav'vɔldʒere] v. tr. envelopper, enrouler. ◆ v. rifl. s'enrouler, s'envelopper.
raziocinare [rattsjotʃi'nare] v. intr. ratiociner (lett.).
raziocinio [rattsjo'tʃinjo] m. faculté (f.) de raisonner. || [buon senso] jugement, bon sens.
razionare [rattsjo'nare] v. tr. rationner.
razione [rat'tsjone] f. ration, portion. || FIG. ration, quote-part.
1. razza ['rattsa] f. race. || LOC. *di razza,* de race, racé (agg.). | *animale da razza,* animal destiné à la reproduction, étalon m. || [famiglia, origine] souche. || [insieme dei discendenti] lignée. || PEGG. espèce, sorte. | *che razza d'imbecille!,* quelle espèce d'imbécile! | *merci di ogni razza,* toutes sortes de marchandises. | *che razza d'avventura!,* quelle drôle d'aventure!
2. razza ['raddza] f. [di ruota] rai m., rayon m.
3. razza ['raddza] ZOOL. raie.
razziale [rat'tsjale] agg. racial.
razziare [rat'tsjare] v. tr. razzier, piller, faire main basse (sur).
razzo ['raddzo] m. fusée f. || LOC. *veloce come un razzo,* rapide comme l'éclair.

razzolare [rattso'lare] v. intr. [nella terra] gratter. || [rovistare] fouiller. || Loc. *predicar bene e razzolare male,* être du genre : faites ce que je dis, pas ce que je fais.

1. re [rɛ] m. invar. roi m. || Fig. *parola di re,* parole d'honneur. || Rel. *i re Magi,* les Rois mages.

2. re [rɛ] m. Mus. ré.

reagente [rea'dʒente] agg. e m. réactif.

reagire [rea'dʒire] v. intr. réagir.

1. reale [re'ale] agg. e m. le réel.

2. reale agg. royal. | *palazzo reale,* palais royal. ◆ m. pl. *i reali,* les souverains, la famille royale.

1. realista [rea'lista] (**-i** pl. m.) n. Arti, Filos., Lett. réaliste.

2. realista (**-i** pl. m.) n. Pol. royaliste. | *essere più realista del re,* être plus royaliste que le roi.

realizzare [realid'dzare] v. tr. réaliser. ◆ v. rifl. se réaliser.

realtà [real'ta] f. réalité. | *in realtà,* en réalité.

reame [re'ame] m. Lett. royaume (L.C.).

reato [re'ato] m. délit. || [con pena afflittiva] crime. || [con pena di polizia] contravention f. || Loc. *il fatto non costituisce reato,* le fait n'est pas puni par la loi.

reattivo [reat'tivo] agg. réactif. ◆ m. Chim. réactif. || Psic. test (psychologique).

reattore [reat'tore] m. Elettr., Fis. réacteur.

reazionario [reattsjo'narjo] (**-ri** pl. m.) agg. e n. réactionnaire.

reazione [reat'tsjone] f. [in tutti i significati] réaction.

recapitare [rekapi'tare] v. tr. remettre ; faire parvenir. | *recapitare a domicilio,* livrer à domicile.

recapito [re'kapito] m. adresse f. | *avere recapito presso qlcu.,* avoir son adresse chez qn. || [il recapitare] distribution f., livraison f. | *recapito a domicilio,* livraison (f.) à domicile.

recare [re'kare] v. tr. apporter. | *recare una notizia,* apporter une nouvelle. || [mostrare] porter. | *il tuo viso reca i segni della sofferenza,* ton visage porte les signes de la souffrance. || [causare] causer. | *recare danno,* porter préjudice. | *recare disturbo a qlcu.,* déranger qn. ◆ v. rifl. se rendre ; aller v. intr. | *recarsi da qlcu.,* se rendre, aller chez qn.

recedere [re'tʃɛdere] v. intr. reculer. || Fig. renoncer (à), revenir (sur), abandonner v. tr. | *recedere da una decisione,* revenir sur une décision.

recensione [retʃen'sjone] f. [di un libro] compte rendu m., critique. || Filol. recension.

recente [re'tʃɛnte] agg. récent. ◆ loc. avv. *di recente,* récemment.

recentissime [retʃen'tisime] f. pl. dernières nouvelles.

recessione [retʃes'sjone] f. Astr., Econ. récession. || Giur. [di querela] désistement m. ; [di contratto] résiliation.

recesso [re'tʃɛsso] m. Fig. recoin, repli. | *i recessi della coscienza,* les replis de la conscience. || [movimento a ritroso] recul. | *il recesso dell'onda,* le reflux de la vague. || Anat. repli. || Giur. renonciation f., désistement ; [ritiro] retrait.

recidere [re'tʃidere] v. tr. couper ; [con un taglio netto] trancher. || Chir. amputer.

recidiva [retʃi'diva] f. Giur., Med. récidive.

recidivo [retʃi'divo] agg. e n. Giur. récidiviste.

recingere [re'tʃindʒere] v. tr. entourer, ceindre.

recinto [ret'ʃinto] m. enclos, enceinte f. || [quanto serve a recingere] clôture f., enceinte f. | *recinto per i bambini,* parc.

recipiente [retʃi'pjɛnte] m. récipient.

reciprocità [retʃiprotʃi'ta] f. réciprocité.

recisamente [retʃiza'mente] avv. nettement, carrément.

recisione [retʃi'zjone] f. [di alberi] taille ; [di capelli] coupe. || Chir. excision ; [amputazione] amputation.

reciso [re'tʃizo] agg. coupé, tranché. || Fig. tranchant, sec, net. || Chir. excisé.

recita ['rɛtʃita] f. récitation. || Teat. spectacle m., représentation.

recitare [retʃi'tare] v. tr. réciter. | *recitare le preghiere,* dire ses prières. || Teat. jouer. | *recitare a soggetto,* improviser (sur un thème).

recitazione [retʃita'tsjone] f. récitation, diction. | *scuola di recitazione,* cours d'art dramatique.

reclamare [rekla'mare] v. tr. e intr. réclamer.

reclamo [re'klamo] m. réclamation f. | *ufficio reclami,* bureau des réclamations.

reclinare [rekli'nare] v. tr. baisser, incliner, pencher. | *reclinare il capo,* baisser la tête.

reclusione [reklu'zjone] f. réclusion, prison, isolement m.

recluso [re'kluzo] agg. e n. reclus.

reclusorio [reklu'zɔrjo] (**-ri** pl.) m. pénitencier.

recluta ['rɛkluta] f. Mil., Sp. e Fig. recrue.

reclutare [reklu'tare] v. tr. recruter, engager.

recondito [re'kɔndito] agg. écarté. ‖ PR. e FIG. [nascosto] caché ; [segreto] secret. | *senza scopi reconditi,* sans arrière-pensées.
recriminare [rekrimi'nare] v. intr. récriminer.
recrudescenza [rekrudeʃ'ʃɛntsa] f. PR. e FIG. recrudescence.
recto ['rɛkto] m. [di foglio] recto (lat.).
redarguire [redar'gwire] v. tr. réprimander, gronder.
redattore [redat'tore] (**-trice** f.) n. rédacteur, trice.
redazione [redat'tsjone] f. rédaction. ‖ [insieme di redattori] rédaction. ‖ FILOL. version.
redditizio [reddi'tittsjo] agg. rentable ; [fruttuoso] fructueux.
reddito ['rɛddito] m. revenu. | *reddito lordo, netto,* revenu brut, net. | *fonte di reddito,* source (f.) de revenus. | *vivere di redditi,* vivre de ses rentes.
redento [re'dɛnto] agg. racheté, libéré, délivré. ◆ m. pl. *i redenti,* ceux qui ont été rachetés.
redentore [reden'tore] agg. e n. (**-trice** f.) rédempteur, trice. ◆ m. *il Redentore,* le Rédempteur.
redigere [re'didʒere] v. tr. rédiger.
redimere [re'dimere] v. tr. racheter. ‖ [liberare] délivrer. ‖ [affrancare] affranchir. ‖ COMM. *redimere un'ipoteca,* racheter une hypothèque. ◆ v. rifl. se racheter.
redini ['rɛdini] f. pl. PR. e FIG. rênes. | *con le redini sul collo,* la bride sur le cou.
redivivo [redi'vivo] agg. ressuscité.
reduce ['rɛdutʃe] agg. de retour. ◆ m. rescapé ; vétéran ; ancien combattant. | *i reduci dei campi di concentramento,* les rescapés des camps de concentration.
referenza [refe'rɛntsa] f. référence.
referto [re'fɛrto] m. rapport.
refettorio [refet'tɔrjo] (**-ri** pl.) m. réfectoire.
refezione [refet'tsjone] f. collation ; repas léger.
refrattario [refrat'tarjo] (**-ri** pl. m.) agg. TECN. réfractaire. ‖ FIG. insensible. ◆ m. COSTR. réfractaire.
refrigerante [refridʒe'rante] agg. rafraîchissant. ‖ TECN. réfrigérant. | *cella refrigerante,* chambre froide. ◆ m. CHIM. condensateur.
refrigerare [refridʒe'rare] v. tr. rafraîchir. ‖ TECN. réfrigérer, congeler.
refrigeratore [refridʒera'tore] m. réfrigérateur.
refrigerio [refri'dʒɛrjo] (**-ri** pl.) m. fraîcheur f. ‖ FIG. soulagement.
refurtiva [refur'tiva] f. butin m.
refuso [re'fuzo] m. TIP. coquille f.
regalare [rega'lare] v. tr. offrir, faire cadeau de. ‖ [dare] donner.
regale [re'gale] agg. PR. e FIG. royal.
regalia [rega'lia] f. [donazione] gratification. ◆ f. pl. dons m. pl.
regalità [regali'ta] f. royauté.
regalo [re'galo] m. cadeau, présent. ‖ FIG. plaisir. | *fammi questo regalo,* fais-moi ce plaisir.
regata [re'gata] f. SP. régate.
reggente [re'dʒɛnte] agg. régent. ‖ GR. principal. ◆ n. *il, la Reggente,* le Régent, la Régente.
reggere ['rɛddʒere] v. tr. soutenir, supporter. ‖ [tenere] tenir. | *lo reggeva per il braccio,* elle le tenait par le bras. ‖ [portare] porter. ‖ [resistere] résister, supporter, tenir. | *reggere una prova,* résister à, soutenir une épreuve. ‖ [guidare] diriger, gouverner ; être à la tête de. | *reggere un'azienda,* diriger une entreprise. ‖ GR. régir. ◆ v. intr. résister, supporter. | *non reggere al confronto con qlcu.,* ne pas soutenir la comparaison avec qn. ‖ [durare] se maintenir, durer. | *questa situazione regge da mesi,* cette situation dure depuis des mois. ◆ v. rifl. se tenir. | *reggersi in piedi,* se tenir debout. | [autogovernarsi] se gouverner. ‖ FIG. *sa bene come reggersi,* il sait bien à quoi s'en tenir.
reggia ['rɛddʒa] (**-ge** pl.) f. palais m. (royal). ‖ [corte] cour.
reggicalze [reddʒi'kaltse] m. inv. porte-jarretelles.
reggimento [reddʒi'mento] m. régiment. ‖ FIG. ribambelle f. (fam.), foule f.
reggipetto [reddʒi'pɛtto] m. soutien-gorge.
regia [re'dʒia] f. [monopolio] régie. | *regia dei tabacchi,* régie des tabacs. ‖ CIN., TEAT., TV mise en scène.
regime [re'dʒime] m. [in tutti i significati] régime.
regina [re'dʒina] f. reine. ‖ GIOCHI [carte] *regina di fiori,* dame de trèfle.
regio ['redʒo] (**-gie** pl. f.) agg. royal.
regionale ['redʒo'nale] agg. régional.
regione [re'dʒone] f. région.
regista [re'dʒista] (**-i** pl. m.) n. CIN., TEAT., TV e FIG. metteur (m.) en scène.
registrare [redʒis'trare] v. tr. enregistrer. | *registrare un pagamento,* enregistrer un paiement. | *registrare un veicolo,* immatriculer un véhicule. ‖ [segnalare] enregistrer. ‖ MECC. *registrare le punterie,* régler les poussoirs. ‖ MUS. *registrare uno strumento,* accorder un instrument. ‖ TECN. *registrare un orologio,* régler une montre.
registratore [redʒistra'tore] m. enregistreur. ‖ [magnetofono] magnétophone.

registro [re'dʒistro] m. registre. || AMM. *(ufficio del) registro,* bureau de l'enregistrement. || COMM. *registro di cassa,* livre de caisse. || MAR. *registro di bordo,* journal de bord. || MUS. *registro dell'organo,* registre de l'orgue. || TECN. registre. || FIG. *cambiar registro,* changer de ton.

regnare [reɲ'ɲare] v. intr. PR. e FIG. régner.

regno ['reɲɲo] m. PR. e FIG. royaume. || [durata del regno] règne. | *sotto il regno di Luigi XIV,* sous le règne de Louis XIV. || [autorità e dignità di re] royauté f. || [nella natura] *regno animale,* règne animal.

regola ['rɛgola] f. règle. | *contravvenire a una regola,* enfreindre une règle. || LOC. *avere le carte in regola,* PR. avoir ses papiers en règle ; FIG. avoir tous les atouts (en main). | *per tua norma e regola,* pour ta gouverne. || [moderazione] mesure, modération. | *non avere regola,* ne pas avoir de mesure.

1. regolamentare [regolamen'tare] agg. réglementaire.

2. regolamentare v. tr. réglementer.

regolamento [regola'mento] m. règlement. | *regolamento di polizia,* règlement de police. || [il regolare] régularisation f. || COMM. règlement.

1. regolare [rego'lare] agg. [in tutti i significati] régulier.

2. regolare v. tr. PR. e FIG. régler. | *regolare un conto,* régler un compte. || [rendere regolare] régulariser. | *regolare il traffico,* régulariser le trafic. || [governare] régir. | *le leggi che regolano la vita del paese,* les lois qui régissent la vie du pays. || MECC., TECN. régler. ◆ v. rifl. se modérer. | *regolarsi nelle spese,* modérer ses dépenses. || [comportarsi] se comporter, se conduire. | *regolarsi con giudizio,* agir avec bon sens. || [prendere esempio] se régler (sur).

regolarità [regolari'ta] f. [in tutti i significati] régularité.

regolarizzare [regolarid'dzare] v. tr. régulariser.

regolatore [regola'tore] (**-trice** f.) agg. e n. régulateur, trice.

regolo ['rɛgolo] m. règle f. | *regolo calcolatore,* règle à calcul. || TECN. [di finestra] meneau ; [di cancello] barreau, montant.

regresso [re'grɛsso] m. régression f., recul ; retour en arrière. || FIN., GIUR. recours. || MAR. recul.

reietto [re'jɛtto] agg. repoussé, rejeté, renié. ◆ m. paria.

reintegrare [reinte'grare] v. tr. rétablir, reconstituer. || AMM. réintégrer. || [risarcire] indemniser, dédommager.

reiterare [reite'rare] v. tr. réitérer ; [ripetere] répéter.

relativo [rela'tivo] agg. (a) relatif (à). || [contrario di « assoluto »] *valore relativo,* valeur relative. || [corrispondente] relatif, qui concerne. || GR. *pronome relativo,* pronom relatif. || MAT. *numeri relativi,* nombres relatifs.

relazione [relat'tsjone] f. relation, rapport m., exposé m. | *relazione orale, scritta,* rapport oral, écrit. || [rapporto] relation, rapport. | *essere in relazione con qlco.,* être en relation avec qch. ◆ pl. *relazioni umane,* relations humaines. ◆ loc. prep. *in relazione a,* par rapport à.

relegare [rele'gare] v. tr. reléguer.

religione [reli'dʒone] f. religion. || FIG. *la religione della famiglia,* le culte de la famille.

religiosa [reli'dʒosa] f. religieuse, sœur.

religioso [reli'dʒoso] agg. religieux. ◆ m. religieux ; [frate] frère ; [monaco] moine.

reliquia [re'likwja] f. relique.

reliquiario [reli'kwjarjo] (**-ri** pl.) m. reliquaire.

relitto [re'litto] m. PR. e FIG. épave f. || [terreno] enclave f.

remare [re'mare] v. intr. ramer.

reminiscenza [reminiʃ'ʃɛntsa] f. réminiscence.

remissione [remis'sjone] f. rémission, pardon m. || COMM. remise. || GIUR. désistement m. || MED. rémission.

remissivo [remis'sivo] agg. soumis, accommodant.

remo ['rɛmo] m. rame f. ; [per canottaggio] aviron. || FIG. *tirare i remi in barca,* tirer son épingle du jeu.

remora ['rɛmora] f. LETT. [indugio] délai m. (L.C.). || [freno] frein m. (L.C.). | *porre una remora a,* mettre un frein à.

remoto [re'mɔto] agg. lointain, reculé. || [nello spazio] lointain, éloigné. || GR. *passato remoto,* passé simple.

rena ['rena] f. sable m.

renale [re'nale] agg. rénal. | *colica renale,* colique néphrétique.

rendere ['rɛndere] v. tr. rendre, redonner, restituer. | *rendere un libro,* rendre un livre. || [contraccambiare] rendre. | *rendere il saluto,* rendre un salut, répondre au salut (de qn). || [produrre] rendre, rapporter. || [esprimere] rendre, exprimer. | *ha saputo rendere il senso della frase,* il a su rendre le sens de la phrase. || LOC. *rendere testimonianza,* rendre témoignage. | *rendere visita,* rendre visite. | *rendere l'ultimo respiro,* rendre le dernier soupir. | *rendere felice,* rendre heureux. ◆ v. intr. [produrre] rendre, rapporter. | *questo motore non rende,* ce moteur ne rend

pas. ◆ v. rifl. [diventare] se rendre, devenir. | *rendersi simpatico,* se rendre sympathique.
rendiconto [rendi'konto] m. compte rendu. || [presentazione] reddition f. || COMM. bilan.
rendimento [rendi'mento] m. rendement. || [il rendere] reddition f. | *rendimento di conti,* reddition de comptes.
rendita ['rɛndita] f. rente.
rene ['rɛne] m. ANAT. rein.
renetta [re'netta] f. BOT. reinette.
renitente [reni'tɛnte] agg. réfractaire, rétif. ◆ m. MIL. *renitente alla leva,* insoumis.
renitenza [reni'tɛntsa] f. refus m., résistance. || MED. rénitence. || MIL. insoumission.
renna ['rɛnna] f. ZOOL. renne m. || [pelle] daim m.
reo ['rɛo] agg. e n. coupable. | *è reo confesso,* il s'est reconnu coupable.
reparto [re'parto] m. atelier. | *reparto di montaggio,* atelier de montage. || [in un grande magazzino] rayon. || [in un ospedale] service, pavillon. || MIL. subdivision f., unité f. ; [distaccamento] détachement.
repellente [repel'lɛnte] agg. FIS. répulsif. || FIG. repoussant, répugnant.
repentaglio [repen'taʎʎo] m. danger, risque. | *mettere a repentaglio la propria vita,* mettre sa vie en danger ; risquer sa vie.
repentino [repen'tino] agg. subit, soudain. | *un cambiamento repentino,* un brusque changement.
reperire [repe'rire] v. tr. trouver, retrouver.
repertorio [reper'tɔrjo] (**-ri** pl.) m. répertoire.
replica ['rɛplika] f. réponse, réplique. || [ripetizione] répétition. || TEAT. représentation ; [ripetizione di un brano] bis m. (lat.).
replicare [repli'kare] v. tr. répliquer, répondre, ajouter. | *non c'è nulla da replicare,* il n'y a rien à ajouter. || [ripetere] répéter, redire. || TEAT. rejouer, reprendre.
repressione [repres'sjone] f. répression.
represso [re'prɛsso] agg. réprimé, retenu, étouffé. || PSIC. refoulé.
reprimere [re'primere] v. tr. réprimer, contenir, étouffer. ◆ v. rifl. se maîtriser, se contenir.
reprobo ['rɛprobo] agg. e n. réprouvé.
repubblica [re'pubblika] f. république.
repubblicano [repubbli'kano] agg. e n. républicain.
repulisti [repu'listi] m. (lat.) nettoyage. || FIG. *fare un repulisti,* faire main basse (sur) ; nettoyer ; rafler (fam.).
repulsione [repul'sjone] f. PR. e FIG. répulsion.
reputare [repu'tare] v. tr. considérer. | *reputo necessario che tu venga,* je considère qu'il est nécessaire que tu viennes. || [pensare] penser, croire. | *la reputavo onesta,* je la croyais honnête. || [stimare] estimer. ◆ v. rifl. se croire, se considérer, s'estimer. | *reputati fortunato,* estime-toi heureux.
requie ['rekwje] f. tranquillité, repos m. || [tregua] répit m. | *senza requie,* sans répit, sans relâche.
requisire [rekwi'zire] v. tr. réquisitionner.
requisito [rekwi'zito] agg. réquisitionné, requis. ◆ m. condition f. | *ha tutti i requisiti,* il a toutes les qualités requises.
requisitoria [rekwizi'tɔrja] f. GIUR. e FIG. réquisitoire.
resa ['resa] f. rendement m. || COMM. [di merce invenduta] retour m., restitution ; [invenduti] invendus m. pl. || LOC. *resa dei conti,* reddition de comptes. || MIL. reddition, capitulation.
rescindere [reʃ'ʃindere] v. tr. GIUR. rescinder ; [di sentenze] casser, annuler.
residente [resi'dɛnte] agg. résidant. ◆ m. résident. | *residente generale,* résident général.
residenza [resi'dɛntsa] f. résidence.
residuare [residu'are] v. intr. COMM. rester (en surplus).
residuo [re'siduo] agg. restant. ◆ m. reste. || CHIM. résidu. || COMM. reliquat. ◆ m. pl. AGR. déchets. || MED. séquelles f.
resina ['rɛzina] f. résine.
resinoso [rezi'noso] agg. résineux.
resipiscente [rezipiʃ'ʃɛnte] agg. LETT. repentant, repenti (L.C.).
resistente [resis'tɛnte] agg. résistant, solide. ◆ n. résistant.
resistenza [resis'tɛntsa] f. PR. e FIG. résistance. || [capacità di sopportare] endurance. || SP. *gara di resistenza,* épreuve d'endurance. || STOR. *la Resistenza,* la Résistance.
resistere [re'sistere] v. intr. résister, endurer, tenir (bon). || [sopportare] supporter. | *queste piante non hanno resistito al calore,* ces plantes n'ont pas supporté la chaleur.
reso ['rɛzo] m. ZOOL. rhésus.
resoconto [reso'konto] m. compte rendu, relation f., rapport.
respingente [respin'dʒɛnte] m. [ferrovie] tampon.
respingere [res'pindʒere] v. tr. repousser, éloigner. | *respingere un'accusa,* repousser une accusation. || [restituire] renvoyer. | *la lettera è stata respinta al mittente,* la lettre a été retournée à l'expéditeur. || [agli esami]

recaler, renvoyer. || [non accogliere] rejeter. ◆ v. recipr. se repousser.

respinto [res'pinto] agg. repoussé, rejeté, refusé. ◆ agg. e n. UNIV. recalé, refusé.

respirare [respi'rare] v. intr. respirer. || FIG. *lascialo respirare,* laisse-le souffler. ◆ v. tr. respirer.

respirazione [respirat'tsjone] f. respiration.

respiro [res'piro] m. respiration f. ; [fiato] souffle, haleine f. | *riprendere respiro,* reprendre son souffle. | *mozzare il respiro,* couper le souffle. || FIG. répit, repos. | *un minuto di respiro,* un moment de répit. | *un'opera di ampio respiro,* une œuvre de longue haleine.

responsabile [respon'sabile] agg. responsable ; [colpevole] coupable. || [d'un giornale] *direttore responsabile,* gérant. ◆ n. responsable.

responsabilità [responsabili'ta] f. responsabilité.

responso [res'pɔnso] m. réponse f. || [verdetto] verdict.

ressa ['rɛssa] f. foule, cohue. | *far ressa intorno a,* se presser autour de.

restare [res'tare] v. intr. rester. | *sono restati amici,* ils sont restés amis. | *ci restano pochi chilometri da fare,* il nous reste peu de kilomètres à faire. || LOC. *restare a bocca aperta,* rester bouche bée. | *restare male,* être déçu. | *restare intesi,* se mettre, être d'accord. | *restarci sul colpo,* mourir sur le coup. | *restate comodi,* ne vous dérangez pas. | *resta da vedere se,* (il) reste à savoir si. || [fermarsi] s'arrêter. || [trovarsi] se trouver, être.

restaurare [restau'rare] v. tr. restaurer ; remettre en état. || [ripristinare] rétablir. | *restaurare l'ordine,* rétablir l'ordre.

restauratore [restaura'tore] (**-trice** f.) n. restaurateur, trice.

restauro [res'tauro] m. restauration f., remise (f.) en état.

restio [res'tio] agg. rétif, rebelle. | *essere restio a lavorare,* être peu porté à travailler.

restituire [restitu'ire] v. tr. rendre, redonner. | *restituire alla vita,* ramener à la vie. || [contraccambiare] *restituire una visita a qlcu.,* rendre sa visite à qn. || [cose prese ingiustamente] restituer.

resto ['rɛsto] m. reste, restant. | *il resto della giornata,* le reste, le restant de la journée. || [denaro di resto] monnaie f. | *dare il resto,* rendre la monnaie. || LOC. *del resto,* du reste, au demeurant. ◆ pl. restes. | *i resti mortali,* la dépouille mortelle.

restringere [res'trindʒere] v. tr. rétrécir. | *devo restringere questa gonna,* je dois rétrécir cette jupe. || FIG. limiter, diminuer. | *restringere le spese,* limiter les dépenses. ◆ v. rifl. se resserrer, (se) rétrécir. || [stringersi] se serrer. || FIG. se borner.

restringimento [restrindʒi'mento] m. rétrécissement.

restrittivo [restrit'tivo] agg. restrictif.

restrizione [restrit'tsjone] f. [in tutti i significati] restriction.

retaggio [re'taddʒo] m. LETT. héritage (L.C.). || FIG. lot, apanage.

retata [re'tata] f. coup (m.) de filet. || FIG. rafle.

rete ['rete] f. filet m. | *rete del letto,* sommier m. | *rete metallica,* clôture métallique. | *pescare con la rete,* pêcher au filet. || [insieme di linee] réseau m. | *rete ferroviaria,* réseau ferroviaire. | *rete di vendita,* réseau de vente. || CULIN. *rete di vitello,* fraise, crépine. || [calcio] but m. | *segnare una rete,* marquer un but. || [pallavolo, tennis] filet.

reticente [retit'tʃɛnte] agg. réticent.

reticolare [retiko'lare] agg. réticulaire.

reticolato [retiko'lato] agg. réticulé. ◆ m. grillage, grille f. || [tracciato di linee] réseau. ◆ m. pl. barbelés.

reticolo [re'tikolo] m. réseau. || MED. réticulum. || OTT. réticule.

retina ['rɛtina] f. ANAT. rétine.

retore ['rɛtore] m. rhéteur.

retorica [re'tɔrika] f. rhétorique.

retorico [re'tɔriko] (**-ci** pl. m.) agg. de (la) rhétorique. || PEGG. académique, emphatique.

retrattile [re'trattile] agg. rétractile.

retribuire [retribu'ire] v. tr. rétribuer.

retrivo [re'trivo] agg. rétrograde.

retro ['rɛtro] avv. LETT. derrière (L.C.). | *vedi retro,* voir au verso. ◆ m. derrière ; [rovescio : della medaglia] revers. | *sul retro della casa,* derrière la maison.

retroattivo [retroat'tivo] agg. rétroactif.

retrobottega [retrobot'tega] m. e f. arrière-boutique f.

retrocedere [retro'tʃɛdere] v. intr. reculer ; retourner, revenir en arrière. || GIUR. *retrocedere da un contratto,* dénoncer un contrat. ◆ v. tr. COMM. rembourser. || GIUR. rétrocéder. || MIL., SP. rétrograder.

retrodatare [retroda'tare] v. tr. antidater.

retrogrado [re'trɔgrado] agg. rétrograde. || FIG. arriéré. ◆ m. rétrograde. || POL. réactionnaire.

retroguardia [retro'gwardja] f. arrière-garde.

retromarcia [retro'martʃa] (**-ce** pl.) f. AUT. marche arrière.

retroscena [retroʃ'ʃɛna] f. inv. TEAT. arrière-scène f. ◆ m. FIG. dessous ; côté caché ; coulisses f. pl.
retrospettivo [retrospet'tivo] agg. rétrospectif.
retroterra [retro'tɛrra] m. arrière-pays.
retrovie [retro'vie] f. pl. MIL. arrière m. sing. | *nelle retrovie,* à l'arrière.
retrovisore [retrovi'zore] m. rétroviseur.
1. retta ['rɛtta] f. [convitto] pension. | *retta mensile,* pension mensuelle.
2. retta f. GEOM. (ligne) droite.
3. retta f. *dare retta a,* écouter, suivre les conseils de ; obéir à.
rettale [ret'tale] agg. rectal.
rettangolo [ret'tangolo] agg. e m. GEOM. rectangle.
rettificare [rettifi'kare] v. tr. rectifier.
rettifilo [retti'filo] m. ligne droite.
rettile ['rɛttile] m. PR. e FIG. reptile.
rettilineo [retti'lineo] agg. PR. e FIG. rectiligne. ◆ m. ligne droite.
rettitudine [retti'tudine] f. droiture, rectitude.
retto ['rɛtto] agg. droit, honnête. || [esatto] juste, exact, convenable. || GEOM. *angolo retto,* angle droit. || GR. *caso retto,* cas sujet. ◆ m. juste. || ANAT. rectum.
rettorato [retto'rato] m. REL., UNIV. rectorat.
rettore [ret'tore] m. REL. recteur. || UNIV. président ; [di seminario] directeur ; [di collegio] proviseur.
reuma ['rɛuma] (**-i** pl.) m. rhumatisme.
reumatico [reu'matiko] (**-ci** pl.) agg. rhumatismal. | *dolori reumatici,* rhumatismes.
reumatismo [reuma'tizmo] m. rhumatisme.
reverendo [reve'rɛndo] agg. REL. révérend. ◆ m. abbé ; [parroco] curé ; [vicario] vicaire ; [nelle apostrofi] Monsieur l'abbé.
reversibile [rever'sibile] agg. réversible.
revisionare [revizjo'nare] v. tr. réviser.
revisione [revi'zjone] f. révision.
revoca ['rɛvoka] f. abrogation, révocation.
revocare [revo'kare] v. tr. révoquer, abroger, casser.
revolver [re'vɔlver] m. (ingl.) revolver.
revulsivo [revul'sivo] agg. e m. révulsif.
riabilitare [riabili'tare] v. tr. réintégrer. || GIUR. e FIG. réhabiliter. ◆ v. rifl. se réhabiliter.
riabituare [riabitu'are] v. tr. réhabituer, réaccoutumer. ◆ v. rifl. se réhabituer, se réaccoutumer.
riaccendere [riat'tʃɛndere] v. tr. PR. e FIG. rallumer. ◆ v. rifl. PR. e FIG. se rallumer.
riaccompagnare [riakkompaɲ'ɲare] v. tr. raccompagner, reconduire.
riacquistare [riakkwis'tare] v. tr. racheter. || FIG. recouvrer, regagner. | *riacquistare l'amicizia di qlcu.,* regagner l'amitié de qn.
riacquisto [riak'kwisto] m. rachat. || FIG. recouvrement.
riadattare [riadat'tare] v. tr. réadapter. ◆ v. rifl. se réadapter.
riaddormentare [riaddormen'tare] v. tr. rendormir. ◆ v. rifl. se rendormir.
riaffermare [riaffer'mare] v. tr. réaffirmer. ◆ v. rifl. s'imposer de nouveau.
riagganciare [riaggan'tʃare] v. tr. raccrocher. || [un vestito] ragrafer. || [il telefono] raccrocher. ◆ v. rifl. se raccrocher. || FIG. se rattacher.
riallacciare [riallat'tʃare] v. tr. relacer ; [riabbottonare] reboutonner. || FIG. *riallacciare rapporti,* renouer des rapports. ◆ v. rifl. [ricollegarsi] se rattacher. || [riferirsi] se référer, se rapporter (à).
rialto [ri'alto] m. [altura] hauteur f., butte f., tertre. || [rilievo] relief.
rialzare [rial'tsare] v. tr. relever, rehausser, soulever. || PR. e FIG. *rialzare la testa,* relever la tête. || [rendere più alto] relever, (re)hausser. | *rialzare un muro,* exhausser un mur. ◆ v. intr. remonter. ◆ v. rifl. PR. et FIG. se relever.
rialzato [rial'tsato] agg. relevé. | *piano rialzato,* rez-de-chaussée surélevé.
rialzo [ri'altso] m. élévation f., hauteur f., tertre. || [di scarpa] talonnette f. || COMM., FIN. hausse f., relèvement, élévation f. | *rialzo dei prezzi,* hausse des prix. || TECN. support.
riammettere [riam'mettere] v. tr. réadmettre, admettre de nouveau.
rianimare [riani'mare] v. tr. ranimer. || FIG. redonner du courage, réconforter, remonter. ◆ v. rifl. se ranimer. || FIG. reprendre courage.
rianimazione [rianimat'tsjone] f. réanimation.
riannodare [rianno'dare] v. tr. PR. e FIG. renouer. ◆ v. rifl. se rattacher.
riapertura [riaper'tura] f. réouverture. || POL., UNIV. rentrée.
riapparire [riappa'rire] v. intr. réapparaître, reparaître.
riaprire [ria'prire] v. tr. rouvrir. ◆ v. rifl. rouvrir v. intr.
riarmare [riar'mare] v. tr. [armare di nuovo] réarmer. ◆ v. rifl. se réarmer.
riarmo [ri'armo] m. réarmement.
riassestare [riasses'tare] v. tr. redresser. || FIG. renflouer.

riassorbire [riassor'bire] v. tr. réabsorber. || FIG. résorber. ◆ v. rifl. PR. e MED. se résorber.
riassumere [rias'sumere] v. tr. reprendre ; [une carica] assumer de nouveau. | *riassumere il potere,* reprendre le pouvoir. || [in rapporti di lavoro] reprendre à son service ; rengager ; réembaucher. || [ricapitolare] résumer. | *riassumere un discorso,* résumer un discours.
riassunto [rias'sunto] agg. rengagé, réembauché, repris. || [riepilogato] résumé. ◆ m. résumé, abrégé.
riattivare [riatti'vare] v. tr. réactiver, remettre en service.
riavere [ria'vere] v. tr. avoir de nouveau. || [riacquistare] recouvrer. || [avere indietro] récupérer, ravoir. ◆ v. rifl. se remettre, se rétablir. | *riaversi dalla malattia,* relever de maladie. || [tornare in sé] revenir à soi, reprendre ses esprits.
riavvicinare [riavvitʃi'nare] v. tr. rapprocher. || FIG. réconcilier. ◆ v. rifl. se rapprocher.
ribadire [riba'dire] v. tr. TECN. river. || PR. e FIG. *ribadire le catene,* serrer la vis. || FIG. répéter, confirmer.
ribaldo [ri'baldo] m. scélérat, canaille f.
ribalta [ri'balta] f. [botola] trappe ; [di scrivania] abattant m. | *letto a ribalta,* lit pliant. || TEAT. rampe. || FIG. *essere alla ribalta,* être sous les feux de la rampe.
ribaltare [ribal'tare] v. tr. renverser, culbuter, basculer. || MAT. rabattre. ◆ v. rifl. se renverser. || [di auto] capoter v. intr.
ribassare [ribas'sare] v. tr. rabaisser, diminuer, baisser. ◆ v. intr. baisser. | *i prezzi ribassano,* les prix baissent.
ribasso [ri'basso] m. baisse f., diminution f. ; [sconto] rabais, remise f. || [alla Borsa] *giocare al ribasso,* jouer à la baisse. || PR. e FIG. *essere in ribasso,* être en baisse ; baisser.
ribattere [ri'battere] v. tr. rebattre, refrapper. || MUS. *ribattere una nota,* répéter une note. || [a caccia] rabattre. || [sartoria] rabattre. || [respingere] repousser. || FIG. réfuter. | *ribattere un'accusa,* repousser une accusation. ◆ v. intr. [alla porta] frapper de nouveau. || [insistere] *batti e ribatti,* à force d'insister. || [replicare] répliquer.
ribattino [ribat'tino] m. rivet.
ribellarsi [ribel'larsi] v. rifl. se révolter, se rebeller, se soulever, s'insurger.
ribelle [ri'bɛlle] agg. e n. rebelle, révolté, insoumis.
ribellione [ribel'ljone] f. PR. e FIG. rébellion, révolte.
ribes ['ribes] m. [pianta] groseillier ; [frutto] groseille f. | *ribes nero,* cassis.
ribollire [ribol'lire] v. intr. [bollire forte] bouillonner ; [fermentare] fermenter. || FIG. bouillonner, bouillir.
ribrezzo [ri'breddzo] m. dégoût, horreur f.
ributtante [ribut'tante] agg. dégoûtant, repoussant, révoltant.
ributtare [ribut'tare] v. tr. renvoyer. | *ributtare la palla,* renvoyer la balle. || [buttar fuori] rejeter. || [vomitare] vomir, rendre. || [respingere] rejeter, repousser. ◆ v. intr. FIG. [ripugnare] répugner, dégoûter. || AGR. rebourgeonner. ◆ v. rifl. se jeter à nouveau.
ricacciare [rikat'tʃare] v. tr. chasser de nouveau. || [respingere indietro] repousser, refouler. || [rimettere con forza] remettre. | *ricacciarsi il cappello in testa,* renfoncer son chapeau.
ricadere [rika'dere] v. intr. PR. e FIG. retomber.
ricaduta [rika'duta] f. PR. e FIG. rechute.
ricalcare [rikal'kare] v. tr. décalquer. || [imitare] calquer, reproduire, imiter. || [spingere in giù] renfoncer. || TECN. refouler, marteler.
ricalcitrante [rikaltʃi'trante] agg. récalcitrant.
ricalcitrare [rikaltʃi'trare] v. intr. ruer, regimber. || FIG. regimber.
ricalco [ri'kalko] (**-chi** pl.) m. décalquage, décalque.
ricamare [rika'mare] v. tr. FIG. broder.
ricambiare [rikam'bjare] v. tr. rechanger. || [restituire in cambio] échanger. || [sostituire] changer. || FIG. rendre, échanger. | *ricambiare il saluto, la visita,* rendre le salut, la visite.
ricambio [ri'kambjo] m. [nei rapporti umani] échange. || [sostituzione] *ruota di ricambio,* roue de secours. || MED. *malattie del ricambio,* maladies de la nutrition. || LOC. *in ricambio,* en échange ; [in compenso] en revanche.
ricamo [ri'kamo] m. broderie f. || FIG. dentelle.
ricapitare [rikapi'tare] v. intr. [accadere di nuovo] arriver de nouveau. || [ritornare] revenir. || FIG. retomber. | *ricapitare nelle mani di qlcu.,* retomber entre les mains de qn.
ricapitolare [rikapito'lare] v. tr. récapituler, résumer.
ricaricare [rikari'kare] v. tr. recharger ; [di orologio] remonter. ◆ v. rifl. se recharger.
ricascare [rikas'kare] v. intr. = RICADERE.
ricattare [rikat'tare] v. tr. faire chanter ; pratiquer un chantage sur. ◆ v. rifl. se venger.
ricattatore [rikatta'tore] (**-trice** f.) n. maître-chanteur m.
ricatto [ri'katto] m. chantage.

ricavare [rika'vare] v. tr. tirer, extraire. || [dedurre] déduire, tirer. | *ricavare delle conclusioni,* tirer des conclusions. || [guadagnare] gagner ; tirer profit. || [incassare] toucher.

ricavato [rika'vato] agg. gagné, obtenu. ◆ m. produit, profit. || FIG. fruit.

ricavo [ri'kavo] m. produit, profit.

ricchezza [rik'kettsa] f. [in tutti gli usi] richesse. || [di abito] ampleur. || FIN. *ricchezza mobile,* revenus (m. pl.) mobiliers.

1. riccio ['rittʃo] (**-ce** pl. f.) agg. frisé, bouclé. ◆ m. boucle f. || [di legno] copeau.

2. riccio m. [di castagna] bogue f. || [di burro] coquille f. || [di violino] volute f., crosse f. || ZOOL. hérisson. | *riccio di mare,* oursin.

ricciuto [rit'tʃuto] agg. bouclé, frisé.

ricco ['rikko] (**-chi** pl. m.) agg. riche. || [abbondante] riche (en). | *ricco di ingegno, di fantasia,* qui est plein de talent, d'imagination. | *un ricco pasto,* un repas plantureux. || [di grande valore] riche, précieux, important. | *un ricco compenso,* une généreuse rétribution. || [di abiti] ample, large, étoffé. ◆ n. riche.

ricerca [ri'tʃerka] f. recherche. || COMM. *ricerca di mercato,* étude, analyse de marché.

ricercare [ritʃer'kare] v. tr. rechercher, chercher. | *ricercare le parole,* choisir ses mots. || LOC. *cerca e ricerca,* à force de chercher.

ricercatore [ritʃerka'tore] (**-trice** f.) n. chercheur, euse. ◆ m. TECN. détecteur.

ricetta [rit'ʃɛtta] f. MED. ordonnance. || [rimedio] recette. || CULIN. recette.

ricettacolo [ritʃet'takolo] m. repaire, nid.

ricettare [ritʃet'tare] v. tr. receler.

ricettatore [ritʃetta'tore] (**-trice** f.) n. receleur, euse.

ricettazione [ritʃettat'tsjone] f. recel m.

ricettivo [ritʃet'tivo] agg. PR. e FIG. réceptif.

ricevente [ritʃe'vɛnte] agg. e n. récepteur, trice. || COMM. destinataire.

ricevere [ri'tʃevere] v. tr. recevoir. | *ricevere in prestito,* se faire prêter ; emprunter. | *ricevere qlcu. a braccia aperte,* accueillir qn à bras ouverts. || ASSOL. *riceve molto,* il reçoit beaucoup.

ricevimento [ritʃevi'mento] m. réception f. | *avviso di ricevimento,* avis de réception. || [trattenimento] réception. | *dare un ricevimento,* donner une réception. || [accoglienza] accueil.

ricevitore [ritʃevi'tore] (**-trice** f.) n. [persona che riscuote somme] receveur, euse. ◆ m. [del telefono] récepteur. || RAD. écouteur.

ricevitoria [ritʃevito'ria] f. recette ; bureau (m.) du receveur.

ricevuta [ritʃe'vuta] f. reçu m. ; [di pagamento] quittance ; [di documenti] récépissé m. | *ricevuta di ritorno,* accusé (m.) de réception. | *dietro ricevuta,* contre quittance.

richiamare [rikja'mare] v. tr. rappeler. | *ti richiamerò domani,* je te rappellerai demain. || [far tornare] rappeler ; faire revenir. || FIG. *richiamare qlcu. al dovere,* rappeler qn à son devoir. || [attrarre] *richiamare l'attenzione,* attirer l'attention. || [rimproverare] réprimander, gronder. || [citare] citer. ◆ v. rifl. [riferirsi] se référer, se rapporter.

richiamato [rikja'mato] agg. e m. rappelé. || MIL. [in tempo di guerra] mobilisé.

richiamo [ri'kjamo] m. PR. e FIG. rappel. || [grido, gesto] appel. || [attrazione] attrait. | *un richiamo irresistibile,* un attrait irrésistible. || [segno di rimando] renvoi.

richiedente [rikje'dɛnte] n. GIUR. requérant ; demandeur, eresse.

richiedere [ri'kjɛdere] v. tr. redemander. || [sollecitare la restituzione] demander, réclamer. || [esigere] demander, exiger. | *è un lavoro che richiede attenzione,* c'est un travail qui demande de l'attention. | *se le circostanze lo richiedono,* si les circonstances l'exigent. || [chiedere] demander. | *richiedere il passaporto,* faire une demande de passeport. || [ricercare] demander. | *è un articolo poco richiesto,* c'est un produit peu demandé. || GIUR. requérir.

richiesta [ri'kjɛsta] f. demande, sollicitation. | *richiesta di matrimonio, di lavoro,* demande en mariage, d'emploi. | *fermata a richiesta,* arrêt (m.) facultatif. || [linguaggio burocratico] requête.

richiesto [ri'kjɛsto] agg. demandé, requis, exigé. | *condizioni richieste,* conditions requises.

richiudere [ri'kjudere] v. tr. refermer. ◆ v. rifl. se refermer.

ricino ['ritʃino] m. BOT. ricin.

ricognizione [rikoɲɲit'tsione] f. [in tutti gli usi] reconnaissance.

ricollegare [rikolle'gare] v. tr. rattacher ; relier (fig.) ; [riunire] réunir. || TECN. raccorder. ◆ v. rifl. se rattacher, se relier.

ricolmare [rikol'mare] v. tr. remplir à ras bords. || FIG. combler.

ricominciare [rikomin'tʃare] v. tr. e intr. recommencer.

ricomparire [rikompa'rire] v. intr. réapparaître, reparaître.
ricomparsa [rikom'parsa] f. réapparition.
ricompensa [rikom'pɛnsa] f. récompense, prix m.
ricompensare [rikompen'sare] v. tr. récompenser.
ricomporre [rikom'porre] v. tr. recomposer. || [riordinare] remettre en ordre. || [rimettere insieme] réunir, rassembler. ◆ v. rifl. reprendre son calme.
ricomprare [rikom'prare] v. tr. racheter.
riconciliare [rikontʃi'ljare] v. tr. réconcilier, raccommoder (fam.). || [procurare di nuovo] regagner. | ◆ v. recipr. se réconcilier.
ricondurre [rikon'durre] v. tr. reconduire. || [condurre indietro] ramener, raccompagner. || FIG. [ristabilire] ramener, rétablir. | *ricondurre l'ordine,* rétablir l'ordre.
riconferma [rikon'ferma] f. confirmation. | *avere la riconferma,* avoir confirmation.
riconfermare [rikonfer'mare] v. tr. confirmer. | *riconfermare qlcu. nell'incarico,* confirmer qn dans ses fonctions.
ricongiungere [rikon'dʒundʒere] v. tr. rejoindre. || [riunire] réunir. ◆ v. rifl. se rejoindre. | *ricongiungersi alla famiglia,* rejoindre sa famille. || [riunirsi] se réunir.
riconoscente [rikonoʃ'ʃɛnte] agg. reconnaissant. | *essere riconoscente a qlcu. di qlco.,* savoir gré à qn de qch.
riconoscenza [rikonoʃ'ʃɛntsa] f. reconnaissance, gratitude.
riconoscere [riko'noʃʃere] v. tr. reconnaître. | *farsi riconoscere,* se faire reconnaître. || [distinguere] distinguer, discerner. || [ammettere] reconnaître, avouer. | *riconosco che hai ragione,* j'admets que tu as raison. || [accettare come legittimo] reconnaître. | *riconoscere l'autorità di qlcu.,* reconnaître l'autorité de qn. ◆ v. rifl. se reconnaître, s'avouer.
riconoscimento [rikonoʃʃi'mento] m. reconnaissance f., identification f. | *riconoscimento di un figlio naturale,* reconnaissance d'un enfant naturel. | *documento di riconoscimento,* pièce d'identité. || COMM. *riconoscimento di debito,* reconnaissance de dette.
riconquistare [rikonkwis'tare] v. tr. reconquérir.
riconsegna [rikon'seɲɲa] f. restitution. || COMM. nouvelle remise.
riconsegnare [rikonseɲ'ɲare] v. tr. rendre, restituer. || [una persona] remettre, livrer.
ricontare [rikon'tare] v. tr. recompter.
ricopiare [riko'pjare] v. tr. recopier.
ricoprire [riko'prire] v. tr. recouvrir. || [colmare] couvrir, combler. || [occupare] occuper, remplir. | *ricoprire una carica,* occuper, remplir une charge. || [nascondere] cacher, couvrir, dissimuler. || [proteggere] couvrir, protéger, défendre. ◆ v. rifl. se recouvrir ; se rhabiller.
ricordare [rikor'dare] v. tr. se souvenir de, se rappeler. | *per quanto ricordo,* autant qu'il m'en souvienne. || [richiamare alla memoria] rappeler. || [menzionare] mentionner, citer. ◆ v. rifl. se souvenir de, se rappeler. | *non me ne ricordo,* je ne me le rappelle pas.
ricordino [rikor'dino] m. petit souvenir.
ricordo [ri'kordo] m. souvenir. ◆ pl. vestiges.
ricoricare [rikori'kare] v. tr. recoucher. ◆ v. rifl. se recoucher.
ricorrente [rikor'rɛnte] agg. MAT. *serie ricorrente,* série récurrente.
ricorrenza [rikor'rɛntsa] f. [ritorno periodico] répétition. || [festa che ritorna] anniversaire m., fête. | *la ricorrenza del 2 novembre,* la commémoration des morts.
ricorrere [ri'korrere] v. intr. [tornare indietro] retourner, revenir. || [rivolgersi] (a) recourir, avoir recours (à). | *ricorrere al medico,* avoir recours au médecin. | *ricorrere alla forza,* recourir à la force. || GIUR. *ricorrere contro una sentenza,* introduire un recours contre un jugement. || [ripetersi periodicamente] se répéter, revenir ; [di festa] avoir lieu, tomber. | *quest'anno ricorre il centenario di,* cette année on célèbre le centenaire de.
ricorso [ri'korso] m. recours. | *fare ricorso a qlcu., a qlco.,* avoir recours à qn, à qch. || [ritorno periodico] retour. || GIUR. *ricorso in grazia,* recours en grâce.
ricostituente [rikostitu'ɛnte] agg. e m. reconstituant, fortifiant.
ricostituire [rikostitu'ire] v. tr. reconstituer. ◆ v. rifl. se reconstituer, se reformer.
ricostruire [rikostru'ire] v. tr. reconstruire, rebâtir. || FIG. reconstituer.
ricotta [ri'kɔtta] f. [formaggio] caillé m.
ricoverare [rikove'rare] v. tr. abriter, héberger ; offrir asile à. || [in ospedale] hospitaliser. ◆ v. rifl. s'abriter, se réfugier.
ricovero [ri'kovero] m. abri, refuge. || [in ospedale] hospitalisation f. ; [in un ospedale psichiatrico] internement. || [ospizio] hospice ; maison (f.) de retraite.
ricreare [rikre'are] v. tr. recréer. || FIG. récréer. ◆ v. rifl. se récréer, se détendre.

ricreazione [rikreat'tsjone] f. détente, repos m. || [a scuola] récréation.
ricredersi [rikre'dɛrsi] v. rifl. revenir sur son opinion, changer d'avis, se détromper.
ricrescere [ri'kreʃʃere] v. intr. [di barba, foglie] repousser.
ricucire [riku'tʃire] v. tr. Pr. et Fig. recoudre.
ricuocere [ri'kwɔtʃere] v. tr. recuire.
ricuperare [rikupe'rare] v. tr. récupérer. || [nell'acqua] repêcher. | *ricuperare un naufrago,* sauver un naufragé. || Fig. *ricuperare la vista,* recouvrer la vue. | *ricuperare il tempo perduto,* rattraper le temps perdu.
ricupero [ri'kupero] m. récupération f., recouvrement. || [di naufraghi] sauvetage. || [di rottame nell'acqua] repêchage.
ricurvo [ri'kurvo] agg. [di persona] voûté ; [di cosa] courbé, recourbé.
ricusa [ri'kuza] f. refus m. || Giur. récusation.
ricusare [riku'zare] v. tr. refuser. || Giur. récuser. ◆ v. rifl. se refuser (à). || Giur. se récuser.
ridacchiare [ridak'kjare] v. intr. ricaner.
ridare [ri'dare] v. tr. redonner ; [restituire] rendre. | *ridare coraggio,* redonner du courage.
ridda ['ridda] f. ronde. || Fig. flot m. ; tourbillon m. (pr. e fig.).
ridere ['ridere] v. intr. rire. | *non c'è da ridere,* il n'y a pas de quoi rire. ◆ v. rifl. [beffarsi] (se) rire de, se moquer de ; prendre à la légère.
ridestare [rides'tare] v. tr. Pr. e Fig. réveiller, ranimer, rallumer. ◆ v. rifl. se réveiller.
ridicolizzare [ridikolid'dzare] v. tr. ridiculiser.
ridicolo [ri'dikolo] agg. e m. ridicule.
ridipingere [ridi'pindʒere] v. tr. repeindre.
ridire [ri'dire] v. tr. redire ; [riferire] répéter. | *se non ha nulla da ridire,* si vous n'y voyez pas d'inconvénient.
ridivenire [ridive'nire] o **ridiventare** [ridiven'tare] v. intr. redevenir.
ridomandare [ridoman'dare] v. tr. redemander.
ridondanza [ridon'dantsa] f. redondance. || Per Est. exubérance.
ridosso [ri'dɔsso] m. abri. ◆ loc. avv. e prep. *a ridosso (di),* à l'abri (de). | *la chiesa è a ridosso della montagna,* l'église est adossée à la montagne.
1. ridotto [ri'dotto] agg. réduit. | *formato ridotto,* petit format. || Fig. *essere mal ridotto,* être mal en point.
2. ridotto m. club (ingl.), cercle. || [riunione] réunion f. || Mil. redoute f. || Teat. foyer.
ridurre [ri'durre] v. tr. réduire, diminuer. | *ridurre le proprie spese,* réduire ses dépenses. || [trasformare] *ridurre in polvere,* réduire en poussière. | *ridurre per lo schermo,* adapter à l'écran. || [costringere] *lo ridusse al silenzio,* il le réduisit au silence. || [ricondurre] ramener. | *ridurre alla ragione,* ramener à la raison. ◆ v. rifl. se réduire ; [di persona] en être réduit (à). | *non voleva ridursi a questo,* il ne voulait pas en arriver là.
riduzione [ridut'tsjone] f. réduction, diminution. || [adattamento] adaptation. || Comm. remise, rabais m.
riecco [ri'ɛkko] avv. revoici, revoilà.
riedificare [riedifi'kare] v. tr. réédifier, rebâtir, reconstruire.
rieducare [riedu'kare] v. tr. rééduquer.
rieleggere [rie'lɛddʒere] v. tr. réélire.
riemergere [rie'mɛrdʒere] v. intr. [di sommergibile] faire surface.
riempire [riem'pire] v. tr. remplir. ◆ v. rifl. se remplir.
rientrare [rien'trare] v. intr. rentrer. || [far parte] entrer, être compris (dans), s'inscrire. | *rientrare in una categoria,* rentrer dans une catégorie. || [presentare una concavità] être en retrait. ◆ v. tr. (raro) [rimettere dentro] rentrer (L.C.).
rientro [ri'entro] m. rentrée f. || [ritorno] retour. || [di muro] retrait.
riepilogare [riepilo'gare] v. tr. récapituler, résumer.
riesaminare [riezami'nare] v. tr. réexaminer.
riessere [ri'ɛssere] v. intr. Fam. *ci risiamo !,* nous y revoilà !
riesumare [riezu'mare] v. tr. Pr. e Fig. exhumer, déterrer.
rievocare [rievo'kare] v. tr. évoquer. || [ricordare] rappeler. || [commemorare] commémorer.
rifacimento [rifatʃi'mento] m. [di uno scritto] remaniement. || [di costruzione] réfection f.
rifare [ri'fare] v. tr. refaire, recommencer ; [ripetere] refaire, répéter. | *è tutto da rifare,* tout est à recommencer, à refaire. | *rifaccio lo stesso discorso,* je répète la même chose. || [imitare] imiter, contrefaire. | *rifare il verso a qlcu.,* singer qn. || [riparare] refaire, réparer, arranger. ◆ v. rifl. [farsi nuovamente] se refaire. || [ridiventare] redevenir, recommencer. || [rimettersi] se remettre (sur pied), se rétablir. || [ricuperare] se remettre (d'une perte), se rattraper, se venger. || [richiamarsi] (a) remonter (à). | *bisogna rifarsi all'ultima guerra,* il faut remonter à la dernière guerre.
riferimento [riferi'mento] m. référence f., allusion f. | *punto di riferimento,* point de repère.

riferire [rife'rire] v. tr. rapporter, répéter, dire ; [raccontare] raconter. | *ci viene riferito che,* on nous informe que. || [mettere in relazione] rapporter, ramener ; mettre en rapport. ◆ v. intr. [fare una relazione] faire un rapport. || GIUR. en référer. ◆ v. rifl. (a) se référer (à). || [alludere] (a) faire allusion (à). || [essere in relazione] (a) se rapporter (à). | *il relativo si riferisce al suo antecedente,* le relatif se rapporte à son antécédent.

rifilare [rifi'lare] v. tr. ébarber, rogner.

rifinire [rifi'nire] v. tr. mettre la dernière main à ; achever, finir avec soin ; [perfezionare] parachever.

rifiorire [rifjo'rire] v. intr. PR. e FIG. refleurir.

rifioritura [rifjori'tura] f. refleurissement m. || FIG. renouvellement m., renaissance. || [di macchia] réapparition. || [ornamento] fioriture, enjolivure.

rifiutare [rifju'tare] v. tr. refuser. | *rifiutare un invito,* décliner une invitation. | *rifiutare una proposta,* repousser une proposition. ◆ v. rifl. se refuser (à), refuser (de).

rifiuto [ri'fjuto] m. refus. | *esporsi a un rifiuto,* s'exposer à un refus. || [scarto] déchet, rebut. || [immondizie] ordures f. pl.

riflessione [rifles'sjone] f. réflexion.

riflessivo [rifles'sivo] agg. réfléchi.

1. riflesso [ri'flɛsso] m. reflet. || [riverbero] réverbération f. || [in uno specchio] image f. || LOC. *di riflesso,* par réflexion ; FIG. indirectement, par ricochet. || FISIOL. réflexe.

2. riflesso agg. réfléchi. || FIG. *brillare di luce riflessa,* briller d'un éclat emprunté.

riflettere [ri'flɛttere] v. tr. réfléchir ; [di luce] refléter. || FIG. refléter. ◆ v. intr. réfléchir. ◆ v. rifl. se réfléchir ; [di luce] se refléter. || [ripercuotersi] se répercuter. || FIG. se refléter.

rifluire [riflu'ire] v. intr. couler de nouveau ; [affluire di nuovo] affluer de nouveau. || [fluire indietro] refluer. | *far rifluire,* refouler.

riflusso [ri'flusso] m. reflux.

rifocillare [rifotʃil'lare] v. tr. restaurer, remonter. ◆ v. rifl. se restaurer.

rifondere [ri'fondere] v. tr. refondre. || FIG. remanier, refaire. || [rimborsare] rembourser.

riforma [ri'forma] f. réforme.

riformare [rifor'mare] v. tr. [formare di nuovo] reformer. || [sottoporre a riforma] réformer. || MIL. réformer. ◆ v. rifl. [formarsi di nuovo] se reformer. || [correggersi] se réformer.

riformato [rifor'mato] agg. [in tutti i significati] réformé.

rifornimento [riforni'mento] m. ravitaillement, approvisionnement.

rifornire [rifor'nire] v. tr. [provvedere] ravitailler, fournir ; [di viveri, di benzina] ravitailler, approvisionner. ◆ v. rifl. s'approvisionner (en), se ravitailler (en), se pourvoir (de), se fournir (en).

rifrangere [ri'frandʒere] v. tr. FIS. réfracter. ◆ v. rifl. [infrangersi] se briser. || [di luce] se réfracter ; [di suono] se répercuter.

rifreddo [ri'freddo] m. CULIN. plat froid.

rifriggere [ri'friddʒere] v. tr. faire frire de nouveau. || FIG., FAM. rabâcher, ressasser (L.C.).

rifuggire [rifud'dʒire] v. intr. fuir de nouveau. || FIG. avoir horreur de, éviter. | *rifugge dalla violenza,* il a horreur de la violence.

rifugiarsi [rifu'dʒarsi] v. rifl. PR. e FIG. se réfugier.

rifugio [ri'fudʒo] m. PR. e FIG. abri, refuge.

rifusione [rifu'zjone] f. [rimborso] remboursement m. ; [risarcimento] dédommagement m., indemnisation. || METALL. refonte.

riga ['riga] f. [strumento] règle. || [linea] ligne. | *scrivimi due righe,* écris-moi deux mots. || [di tessuto] rayure. || [scriminatura] raie. || [fila] rang m., rangée. || MUS. portée. ◆ pl. [nella segnaletica stradale] passage clouté, pour piétons.

rigagnolo [ri'gaɲɲolo] m. petit ruisseau. || [in città] rigole f., caniveau.

rigare [ri'gare] v. tr. rayer. || [con la riga] tirer des lignes (sur), régler. ◆ v. intr. FIG. *rigare diritto,* marcher droit, filer doux.

rigato [ri'gato] agg. rayé. || FIG. *viso rigato di lacrime,* visage sillonné de larmes.

rigattiere [rigat'tjɛre] m. brocanteur. || [di abiti] fripier.

rigenerare [ridʒene'rare] v. tr. régénérer. || [riparare] réparer. | *rigenerare un pneumatico,* rechaper un pneu. ◆ v. rifl. PR. e FIG. se régénérer.

rigettare [ridʒet'tare] v. tr. rejeter. || [vomitare] rejeter, vomir. || FIG. rejeter, repousser, refuser. || BOT. repousser.

rigetto [ri'dʒɛtto] m. PR. e FIG. rejet. ◆ pl. [rifiuti] rebuts.

rigidità [ridʒidi'ta] f. PR. e FIG. rigidité, raideur. || FIG. sévérité. || [clima] rigueur.

rigido ['ridʒido] agg. PR. e FIG. rigide, sévère. || [irrigidito] raide. || FIG. inflexible, opiniâtre. || [di clima] dur, rigoureux.

rigirare [ridʒi'rare] v. tr. [girare di nuovo] retourner. || LOC. *si è fatto rigirare,* il s'est fait avoir (fam.). ◆ v. intr.

tourner ; aller et venir. ‖ Loc. Fig. *gira e rigira,* à force de. ◆ v. rifl. se retourner.

rigiro [ri'dʒiro] m. Pr. e Fig. détour, crochet. ‖ [raggiro] manœuvre f., manigance f., tromperie f.

rigo ['rigo] (**-ghi** pl.) m. ligne f. ‖ Mus. portée f.

rigoglio [ri'goʎʎo] m. [di vegetazione] luxuriance f., exubérance f. ‖ Fig. épanouissement, vigueur f.

rigoglioso [rigoʎ'ʎoso] agg. [di vegetazione] luxuriant. ‖ Fig. vigoureux, fort, exubérant.

rigonfiamento [rigonfja'mento] m. renflement.

rigonfiare [rigon'fjare] v. tr. e intr. regonfler. ◆ v. rifl. se regonfler.

rigonfio [ri'gonfjo] agg. renflé. ‖ Fig. enflé. ◆ m. renflement.

rigore [ri'gore] m. [in tutti i significati] rigueur f.

rigoroso [rigo'roso] agg. rigoureux. ‖ [severo] sévère. ‖ [esatto] précis.

rigovernare [rigover'nare] v. tr. laver, faire la vaisselle. ‖ [di animali] panser, étriller.

rigovernatura [rigoverna'tura] f. lavage (m.) de la vaisselle. ‖ [acqua sporca] eau de vaisselle.

riguadagnare [rigwadaɲ'ɲare] v. tr. regagner.

riguardare [rigwar'dare] v. tr. regarder de nouveau, contrôler, revoir, vérifier. | *riguardare i conti,* vérifier les comptes. ‖ [concernere] regarder, concerner. ‖ Loc. *per quanto riguarda,* quant à, pour ce qui est de. ‖ [trattare con riguardo] prendre soin de, soigner. ‖ [considerare] considérer. ◆ v. rifl. se préserver, se ménager, se soigner. | *deve riguardarsi di più,* elle doit se ménager davantage. ‖ [stare in guardia] (da) prendre garde (à), se méfier (de).

riguardo [ri'gwardo] m. précaution f., attention f. ‖ [cura] soin, ménagement. | *agire con riguardo,* agir avec précaution. | *spendere senza riguardo,* dépenser sans compter. ‖ [rispetto] égard, considération f., respect, attention f. | *non avere riguardi,* ne pas se gêner. | *una persona di riguardo,* une personne importante. ‖ [relazione] égard, rapport, sujet. | *è stato ingiusto nei miei riguardi,* il a été injuste à mon égard. | *riguardo a quella storia,* à propos de cette histoire. ‖ Tip. garde f.

rigurgitare [rigurdʒi'tare] v. intr. déborder. ‖ [di acqua] rejaillir. ‖ Fig. (di) regorger (de) ; [brulicare] grouiller, pulluler. ◆ v. tr. rendre, rejeter.

rilanciare [rilan'tʃare] v. tr. Pr. e Fig. relancer.

rilancio [ri'lantʃo] m. Pr. e Fig. relance f.

rilasciare [rilaʃ'ʃare] v. tr. relâcher, remettre en liberté. | *rilasciare un prigioniero,* relâcher un prisonnier. ‖ [consegnare] délivrer, accorder. | *rilasciare un passaporto,* délivrer un passeport. ‖ Med. relâcher, relaxer. ◆ v. rifl. se relâcher.

rilascio [ri'laʃʃo] m. relâchement, mise (f.) en liberté. ‖ [consegna] délivrance f., remise f. ‖ Giur. relaxe f. ‖ Mar. relâche f.

rilassamento [rilassa'mento] m. Med. relâchement, relaxation f., décontraction f. ‖ Fig. relâchement, détente f.

rilassare [rilas'sare] v. tr. relaxer, détendre, décontracter. ◆ v. rifl. se relaxer, se détendre, se décontracter. ‖ Fig. se relâcher.

rilegare [rile'gare] v. tr. attacher, lier, ficeler de nouveau. ‖ [fare la rilegatura] relier, remboîter. ‖ [incastonare] monter, sertir.

rilento (a) [arri'lɛnto] loc. avv. au ralenti, lentement.

rilettura [rilɛt'tura] f. relecture, seconde lecture.

rilevante [rile'vante] agg. considérable, important.

rilevare [rile'vare] v. tr. relever, faire ressortir ; [notare] remarquer. | *rilevare un errore,* relever, remarquer une faute. ‖ [andare a prendere] aller, passer chercher. ‖ [acquistare] reprendre, relever, acheter. ‖ [accollarsi] prendre à sa charge. | *rilevare un negozio,* relever un fonds de commerce. ‖ [prendere] prendre. | *rilevare le impronte digitali,* prendre les empreintes digitales. ‖ [ricavare] tirer. ‖ Fig. *rilevare qlcu.,* relayer, relever qn. ‖ Mar. faire un relèvement, le point. ‖ Mil. relever. ‖ Tecn. lever, relever, faire le levé de. ◆ v. intr. [stagliarsi] se détacher, ressortir ; [sporgere] saillir. ‖ Fig. [importare] importer.

rilievo [ri'ljevo] m. relief. | *caratteri in rilievo,* caractères en relief. ‖ Fig. importance f. | *di poco rilievo,* peu important. | *occupare una posizione di rilievo,* occuper une position de premier plan. | *mettere in rilievo,* mettre en évidence, faire ressortir. ‖ [osservazione] remarque f., observation f. ‖ [topografia] levé, relèvement. ‖ Comm. reprise f.

rilucente [rilu'tʃɛnte] agg. luisant, reluisant.

riluttante [rilut'tante] agg. réticent.

riluttanza [rilut'tantsa] f. réticence, hésitation.

rima ['rima] f. rime. ◆ pl. [versi] rimes. ‖ Fig. *rispondere per le rime,* riposter comme il faut, renvoyer la balle, river son clou à qn (fam.).

rimandare [riman'dare] v. tr. [restituire] renvoyer. || [differire] renvoyer, remettre, ajourner. | *rimandare una decisione,* renvoyer une décision. || [a un esame] refuser, recaler (fam.), coller (fam.). || [fare riferimento] renvoyer. | *rimandare a un'altra pagina,* renvoyer à une autre page. || MIL. réformer.

rimando [ri'mando] m. renvoi. || LOC. *di rimando,* en retour. || [rinvio] délai.

rimaneggiamento [rimanedʒia'mento] m. remaniement. || [di una commedia] adaptation f.

rimaneggiare [rimaned'dʒiare] v. tr. remanier.

rimanente [rima'nente] agg. restant. | *con i soldi rimanenti,* avec l'argent qu'il nous restait. ◆ m. reste, restant. ◆ n. pl. *i rimanenti non possono entrare,* les autres ne peuvent pas entrer.

rimanenza [rima'nentsa] f. reste m. | *rimanenze di cassa,* fonds (m.) de caisse.

rimanere [rima'nere] v. intr. rester. || [in un luogo] *rimango a casa,* je reste à la maison. | *rimanere a cena,* rester (pour) dîner. || [in una condizione] *rimanere in carica,* rester en fonction. || [divenire] rester. | *rimanere vedovo,* rester veuf. || [avere] avoir. | *non ti rimane che andare via,* tu n'as plus qu'à partir. || [essere situato] se trouver. | *l'uscita rimane a destra,* la sortie est à droite. || [durare] rester. | *il pericolo rimane,* il y a encore du danger. || [restare] rester. | *mi rimane un solo libro,* il ne me reste qu'un livre. || FAM. [morire] y rester. || MAT. rester. || LOC. *rimanere al verde, all'asciutto,* rester sans le sou. | *rimanere in asso,* rester en plan, en panne. | *rimanere in forse,* rester en suspens. | *rimanere male,* rester confus.

rimangiare [riman'dʒiare] v. tr. remanger. ◆ v. rifl. FIG. rétracter, revenir (sur), retirer.

rimarcare [rimar'kare] v. tr. remarquer.

rimare [ri'mare] v. tr. rimer. ◆ v. intr. rimer (avec).

rimarginare [rimardʒi'nare] v. tr. cicatriser. ◆ v. intr. e rifl. (se) cicatriser.

rimasticare [rimasti'kare] v. tr. remâcher. || FIG. ressasser, rabâcher (fam.).

rimasto [ri'masto] agg. restant.

rimasuglio [rima'suʎʎo] m. reste, résidu.

rimbalzare [rimbal'dsare] v. intr. rebondir ; [di proiettile] ricocher. || FIG. se répercuter.

rimbalzo [rim'baldso] m. rebond, rebondissement, rejaillissement. || LOC. *di rimbalzo,* par ricochet, par contrecoup.

rimbambire [rimbam'bire] v. intr. devenir gâteux, retomber en enfance.

rimbeccare [rimbek'kare] v. tr. riposter à. ◆ v. recipr. se prendre de bec.

rimbecco [rim'bekko] (**-chi** pl.) m. riposte f., repartie f. || LOC. *di rimbecco,* du tac au tac.

rimbecillire [rimbɛtʃil'lire] v. tr. abêtir. ◆ v. intr. s'abêtir.

rimboccare [rimbok'kare] v. tr. [il letto] border. || [maniche, pantaloni] retrousser.

rimbombante [rimbom'bante] agg. retentissant. || FIG. ronflant.

rimbombare [rimbom'bare] v. intr. gronder, tonner. || [risuonare] résonner, retentir.

rimborsare [rimbor'sare] v. tr. rembourser.

rimborso [rim'borso] m. remboursement. || GIUR. désintéressement.

rimboscamento [rimboska'mento] o **rimboschimento** [rimboski'mento] m. reboisement.

rimboscare [rimbos'kare] o **rimboschire** [rimbos'kire] v. tr. reboiser. ◆ v. intr. se recouvrir de forêts.

rimbrottare [rimbrot'tare] v. tr. gronder, rabrouer, réprimander.

rimediare [rime'djare] v. intr. remédier (à), réparer v. tr. | *tutto si rimedia,* il y a remède à tout. | *come si può rimediare ?,* comment peut-on faire ? ◆ v. tr. FAM. trouver (L.C.), se procurer (L.C.). | *rimediare un invito,* se faire inviter.

rimedio [ri'mɛdjo] m. PR. e FIG. remède.

rimescolamento [rimeskola'mento] m. mélange, brassage. || FIG. trouble, bouleversement.

rimescolare [rimesko'lare] v. tr. mélanger de nouveau. || [mescolare energicamente] mélanger, remuer, brasser. || FIG. troubler, bouleverser. ◆ v. rifl. se troubler.

rimessa [ri'messa] f. remise. | *rimessa a posto,* remise en place. || [deposito di autoveicoli] remise, garage m. ; [per aerei] hangar m. || AGR. récolte. || BOT. rejeton m., pousse. || COMM. livraison ; [invio di denaro] remise ; [perdita] perte. | *vendere a rimessa,* vendre à perte.

rimesso [ri'messo] agg. [messo di nuovo] remis. || [ristabilito] rétabli. || [perdonato] *debito rimesso,* dette remise. ◆ m. ourlet.

rimettere [ri'mettere] v. tr. remettre. | *rimettere qlco. in tasca,* remettre qch. dans sa poche. || LOC. *rimettere a nuovo,* remettre à neuf ; retaper (fam.). || FIG. *rimettere in discussione,* remettre en discussion. | *rimettere in salute, in sesto,* rétablir, remettre d'aplomb. || [dare] remettre. | *rimettere l'anima a Dio,* remettre, rendre son âme à Dieu. || [perdonare] remettre. || [rinviare] remettre, renvoyer. || [vomitare] rendre, rejeter, vomir. || FAM. *rimetterci,* y perdre. | *rimetterci denaro,* en être de sa poche. | *rimetterci il posto,* perdre sa place. ◆ v. rifl. [ricominciare] se remettre. | *si rimette a piovere,* il recommence à pleuvoir. || [guarire] se remettre, reprendre ses sens. || [appellarsi] s'en rapporter. | *mi rimetto a voi,* je m'en remets à vous.

rimirare [rimi'rare] v. tr. regarder avec admiration. || [con stupore] regarder avec étonnement. ◆ v. rifl. s'admirer, se regarder avec complaisance.

rimodernare [rimoder'nare] v. tr. moderniser.

rimontare [rimon'tare] v. tr. e intr. [in tutti i significati] remonter.

rimorchiare [rimor'kjare] v. tr. remorquer, prendre en remorque. || FIG. entraîner ; draguer (pop.).

rimorchiatore [rimorkja'tore] m. e agg. MAR. remorqueur.

rimorchio [ri'morkjo] m. remorquage. || PR. e FIG. *essere a rimorchio,* se faire remorquer. || [veicolo] remorque f. | *rimorchio di un camion,* remorque d'un camion.

rimordere [ri'mɔrdere] v. tr. remordre. || FIG. tourmenter, tenailler.

rimorso [ri'mɔrso] m. remords.

rimostranza [rimos'trantsa] f. remontrance.

1. rimostrare [rimos'trare] v. tr. remontrer.

2. rimostrare v. intr. faire des remontrances, des observations. || STOR. remontrer.

rimozione [rimo'tsjone] f. déplacement m. | *rimozione della spazzatura,* enlèvement des ordures. || [destituzione] destitution. || GIUR. levée. | *rimozione dei sigilli,* levée des scellés. || PSIC. refoulement m. || TECN. dépose.

rimpagliare [rimpaʎ'ʎare] v. tr. rempailler. || [di animale] empailler de nouveau.

rimpastare [rimpas'tare] v. tr. repétrir. || FIG. remanier, refaire. | *rimpastare un ministero,* remanier un ministère.

rimpatriare [rimpa'trjare] v. tr. rapatrier. ◆ v. intr. revenir dans son pays.

rimpiangere [rim'pjandʒere] v. tr. regretter.

rimpiattare [rimpjat'tare] v. tr. cacher. ◆ v. rifl. se cacher.

rimpiazzare [rimpjat'tsare] v. tr. remplacer.

rimpicciolire [rimpittʃjo'lire] o **rimpiccolire** [rimpikko'lire] v. tr. e intr. rapetisser.

rimpinzare [rimpin'tsare] v. tr. PR. e FIG. bourrer, gaver, gorger. ◆ v. rifl. se gaver, se bourrer, se gorger ; s'empiffrer (fam.).

rimpolpare [rimpol'pare] v. tr. engraisser. || FIG. enrichir, étoffer. ◆ v. rifl. se remplumer (fam.).

rimproverare [rimprove'rare] v. tr. reprocher ; [sgridare] gronder ; [ammonire] réprimander ; [biasimare] blâmer. ◆ v. rifl. se reprocher.

rimprovero [rim'prɔvero] m. reproche, remontrance f. || MIL. réprimande f.

rimuginare [rimudʒi'nare] v. tr. FIG. ruminer, remâcher.

rimunerare [rimune'rare] v. tr. rémunérer. || [ricompensare] récompenser.

rimuovere [ri'mwɔvere] v. tr. déplacer ; [togliere] enlever, supprimer, ôter, écarter. || FIG. supprimer, surmonter, écarter. || [distogliere] détourner. | *non riuscirai a rimuoverlo,* tu n'arriveras pas à le faire changer d'avis. || [destituire] destituer. || PSIC. refouler.

rinascere [ri'naʃʃere] v. intr. PR. e FIG. renaître. | *si sentì rinascere,* il se sentit renaître, revivre.

rinascimento [rinaʃʃi'mento] m. ARTI, LETT. Renaissance.

rincalzare [rinkal'tsare] v. tr. renforcer, caler. | *rincalzare un muro,* renforcer un mur. || LOC. *rincalzare il letto,* border le lit.

rincalzo [rin'kaltso] m. cale f., renforcement. || [sostegno] appui, soutien.

rincantucciare [rinkantutʃ'ʃjare] v. tr. pousser dans un coin. ◆ v. rifl. se rencogner (fam.). || [nascondersi] se cacher, se tapir.

rincarare [rinka'rare] v. tr. renchérir ; [di prezzo] augmenter, hausser. | *rincarare l'affitto,* augmenter le loyer. ◆ v. intr. augmenter.

rincaro [rin'karo] m. [di prezzo] hausse f., augmentation f. || COMM. renchérissement.

rincasare [rinka'sare] v. intr. rentrer chez soi, à la maison.

rinchiudere [rin'kjudere] v. tr. enfermer, mettre sous clef. || [una persona] enfermer ; boucler (fam.). || [in un monastero] cloîtrer. ◆ v. rifl. s'enfermer. || [in un monastero] se cloîtrer. || FIG. *rinchiudersi in sé stesso,* se renfermer en soi-même.

rinchiuso [rin'kjuso] agg. enfermé. ◆ m. *puzzare di rinchiuso,* sentir le renfermé. || [recinto] enclos, enceinte f.

rincontrare [rinkon'trare] v. tr. rencontrer de nouveau. ◆ v. recipr. se rencontrer de nouveau.

rincorare [rinko'rare] v. tr. encourager, redonner du courage (à). ◆ v. rifl. reprendre courage.
rincorrere [rin'korrere] v. tr. poursuivre, courir après. ◆ v. recipr. se poursuivre.
rincorsa [rin'korsa] f. élan m.
rincrescere [rin'kreʃʃere] v. intr. regretter (de), avoir le regret de. || [far dispiacere] *mi rincresce di non averlo visto,* je regrette de ne pas l'avoir vu. || [in formule di cortesia] ennuyer, déranger. | *ti rincresce aprire la porta ?,* est-ce que cela te dérange d'ouvrir la porte ?
rincrescimento [rinkreʃʃi'mento] m. regret.
rincrudire [rinkru'dire] v. tr. FIG. envenimer, exaspérer. ◆ v. intr. e rifl. [di tempo] devenir plus froid, plus âpre. || [di malattia] s'aggraver, empirer.
rinculare [rinku'lare] v. intr. reculer.
rinculo [rin'kulo] m. [artiglieria] recul.
rinfacciare [rinfat'tʃare] v. tr. reprocher ; jeter à la figure.
rinfocolare [rinfoko'lare] v. tr. FIG. rallumer, ranimer.
rinfoderare [rinfode'rare] v. tr. PR. e FIG. rengainer.
rinforzare [rinfor'tsare] v. tr. renforcer. || [rimettere in forze] fortifier. ◆ v. rifl. se renforcer, se fortifier.
rinforzo [rin'fortso] m. renforcement, consolidation f. || [ciò che rinforza] renfort. || FIG. aide f., soutien, appui, secours.
rinfrancare [rinfran'kare] v. tr. rassurer. || [il corpo, lo spirito] fortifier, raffermir. ◆ v. rifl. reprendre courage. || [di forze] se fortifier.
rinfrescare [rinfres'kare] v. tr. rafraîchir. ◆ v. intr. se rafraîchir. || MAR. *il vento rinfresca,* le vent fraîchit. ◆ v. rifl. se rafraîchir.
rinfrescata [rinfres'kata] f. rafraîchissement m.
rinfresco [rin'fresco] (**-chi** pl.) m. rafraîchissements pl., boissons f. pl. || [ricevimento] réception f., cocktail (ingl.).
rinfusa (alla) ['allarin'fuza] loc. avv. pêle-mêle, sens dessus dessous. || COMM. en vrac.
ringhiare [rin'gjare] v. intr. PR. e FIG. gronder, grogner ; montrer les dents.
ringhiera [rin'gjɛra] f. balustrade, garde-fou m. || [di scala] rampe.
ringiovanire [rindʒova'nire] v. tr. e intr. rajeunir.
ringraziamento [ringrattsja'mento] m. remerciement.
ringraziare [ringra'ttsjare] v. tr. remercier.
ringuainare [ringwai'nare] v. tr. rengainer.
rinite [ri'nite] f. rhinite.
rinnegamento [rinnega'mento] m. reniement.
rinnegare [rinne'gare] v. tr. renier.
rinnegato [rinne'gato] agg. renié, désavoué. ◆ m. renégat.
rinnovamento [rinnova'mento] m. renouvellement, rénovation f. || [rinascita] renouveau.
rinnovare [rinno'vare] v. tr. renouveler. | *rinnovare una proposta,* renouveler une proposition. ◆ v. rifl. se renouveler, se répéter.
rinnovo [rin'novo] m. renouvellement. | *rinnovo di un passaporto,* renouvellement d'un passeport.
rinoceronte [rinotʃe'ronte] m. rhinocéros.
rinomato [rino'mato] agg. renommé.
rinsavire [rinsa'vire] v. intr. s'assagir ; revenir à la raison. ◆ v. tr. ramener à la raison.
rinserrare [rinser'rare] v. tr. refermer, renfermer. ◆ v. rifl. se renfermer.
rintanarsi [rinta'narsi] v. rifl. rentrer dans sa tanière, se terrer. || FIG. se cloîtrer ; [nascondersi] se cacher.
rinterrare [rinter'rare] v. tr. [riempire di terra] combler. || AGR. remblayer ; [fioricoltura] rempoter. ◆ v. rifl. s'ensabler.
rintoccare [rintok'kare] v. intr. [di orologio] sonner ; [di campana] tinter, sonner.
rintocco [rin'tokko] (**-chi** pl.) m. [di orologio] coup ; [di campana] tintement. | *rintocco funebre,* glas.
rintontire [rinton'tire] v. tr. abrutir, rendre stupide. || [assordare] abasourdir. ◆ v. rifl. s'abrutir.
rintracciare [rintrat'tʃare] v. tr. (re)trouver. | *devo rintracciarlo immediatamente,* je dois le (re)trouver immédiatement. || [cercare] rechercher. || [caccia] dépister.
rintronare [rintro'nare] v. tr. assourdir ; [stordire] étourdir. | *rintronare il cervello,* marteler le cerveau. ◆ v. intr. retentir, résonner, gronder.
rintuzzare [rintut'tsare] v. tr. réfuter, riposter (à). || [reprimere] rabattre, rabaisser, réprimer, contenir. | *rintuzzare l'orgoglio di qlcu.,* rabaisser, rabattre l'orgueil de qn.
rinunzia [ri'nuntsja] f. renoncement m. || [ad un diritto] renonciation. || [sacrificio] renoncement m., privations pl. || GIUR. désistement m.
rinunziare [rinun'tsjare] v. intr. renoncer. || GIUR. se désister.
rinunziatario [rinuntsja'tario] (**-ri** pl. m.) agg. défaitiste. ◆ n. défaitiste. || GIUR. renonciataire.
rinvenire [rinve'nire] v. tr. [ritrovare] retrouver, trouver. || [scoprire] décou-

vrir. ◆ v. intr. [riprendere i sensi] revenir à soi, reprendre ses esprits. || [di piante] reprendre ; [di cose secche] (se) gonfler.

rinverdire [rinver'dire] v. tr. e intr. PR. e FIG. reverdir.

rinviare [rin'vjare] v. tr. renvoyer. || [differire] remettre, ajourner, différer.

rinvigorire [rinvigo'rire] v. tr. redonner des forces (à). || [rendere più forte] fortifier, ragaillardir (fam.). || FIG. raffermir. ◆ v. intr. e rifl. reprendre ses forces. || FIG. se fortifier, se ranimer.

rinvio [rin'vio] m. renvoi. || [il differire] renvoi, ajournement. || MIL. sursis.

rio ['rio] m. ruisseau. || [a Venezia] canal.

rioccupare [riokku'pare] v. tr. réoccuper. ◆ v. rifl. s'occuper de nouveau.

rionale [rio'nale] agg. du quartier. | *cinema rionale,* cinéma de quartier.

rione [ri'one] m. quartier.

riordinamento [riordina'mento] m. remise (f.) en ordre ; rangement. || [riorganizzazione] réorganisation f., réforme f. | *riordinamento della scuola,* réforme de l'instruction publique.

riordinare [riordi'nare] v. tr. PR. e FIG. ranger, mettre de l'ordre (dans). || [riorganizzare] réorganiser. || COMM. passer une nouvelle commande de. ◆ v. rifl. se remettre en ordre, s'arranger.

riorganizzare [riorganid'dzare] v. tr. réorganiser. ◆ v. rifl. se réorganiser.

riottoso [riot'toso] agg. LETT. récalcitrant (L.C.), rétif (L.C.). ◆ m. frondeur.

ripa ['ripa] f. LETT. rive (L.C.), rivage m. (L.C.), bord m. (L.C.), berge (L.C.). || [del mare] rivage m. (L.C.). || [dirupo] talus m., escarpement m.

ripagare [ripa'gare] v. tr. repayer. || [indennizzare] payer. || FIG. payer, récompenser. | *il successo l'ha ripagato dei suoi sforzi,* son succès l'a payé de ses efforts.

riparare [ripa'rare] v. tr. protéger. | *riparare dal freddo,* protéger du, contre le froid. || [aggiustare] remettre en état, réparer ; [rammendare] raccommoder. || [rimediare] *riparare un'ingiustizia, un torto,* réparer une injustice, un tort. ◆ v. intr. remédier à. || [rifugiarsi] se réfugier ; chercher refuge, abri. ◆ v. rifl. [proteggersi] se protéger, se défendre, s'abriter.

riparazione [riparat'tsjone] f. réparation. || FIG. réparation, dédommagement m. | *esami di riparazione,* examens de passage m.

riparlare [ripar'lare] v. intr. reparler. ◆ v. recipr. se reparler.

riparo [ri'paro] m. abri. |*al riparo da,* à l'abri de. || [rimedio] remède. | *porre, metter riparo a qlco.,* porter remède à qch.

1. ripartire [ripar'tire] v. tr. répartir, partager.

2. ripartire v. intr. [partire di nuovo] repartir.

ripassare [ripas'sare] v. tr. repasser. | *ripassare un fiume,* repasser un fleuve. || [ridare] repasser, redonner, rendre. | *ripassami quel piatto,* repasse-moi ce plat. || [rivedere] revoir, repasser. || [controllare] vérifier, contrôler. || [di motore] réviser. ◆ v. intr. repasser.

ripassata [ripas'sata] o **ripassatina** [ripassa'tina] f. *dare una ripassata alla lezione,* repasser sa leçon. | *dare una ripassata in una stanza,* passer un coup de balai dans une chambre. | *dare una ripassata al motore di una macchina,* réviser le moteur d'une voiture.

ripensare [ripen'sare] v. intr. (a) repenser (à), réfléchir (à). | *ora che ci ripenso,* maintenant que j'y pense. || [cambiar idea] changer d'avis. || [tornare con il pensiero] repenser (à), se rappeler v. tr.

ripercuotere [riper'kwɔtere] v. tr. frapper de nouveau. || [di luci] refléter ; [di suoni] renvoyer, répercuter. ◆ v. rifl. PR. e FIG. se répercuter.

ripercussione [riperkus'sjone] f. PR. répercussion. || FIG. contre-coup m., incidence.

ripescare [ripes'kare] v. tr. PR. e FIG. repêcher.

ripetente [ripe'tɛnte] agg. e n. redoublant.

ripetere [ri'pɛtere] v. tr. répéter. | *ripetere una domanda,* répéter une question. || [rifare] répéter. | *ripetere un'esperienza,* répéter une expérience. || [a scuola] redoubler. || TEAT. rejouer. ◆ v. rifl. se répéter. ◆ m. *il ripetersi,* la répétition.

ripetitore [ripeti'tore] (**-trice** f.) agg. répétiteur, trice. ◆ n. [insegnante] répétiteur, trice. ◆ m. RAD., TEL. *ripetitore televisivo,* relais de télévision.

ripetizione [ripeti'tsjone] f. répétition. || [lezione privata] leçon particulière. | *andare a ripetizione,* prendre des leçons particulières.

ripetutamente [ripetuta'mente] avv. plusieurs fois, maintes fois.

ripiano [ri'pjano] m. palier. || [scaffale] rayon, étagère f. || AGR. terrasse f. | *terreno coltivato a ripiani,* terrain cultivé en terrasses. || GEOGR. plateau.

ripicco [ri'pikko] m. *per ripicco,* par dépit. | *di ripicco,* en retour, en revanche.

ripido ['ripido] agg. raide, abrupt, escarpé.

ripiegamento [ripjega'mento] m. PR. e FIG. repliement. || GEOL. repli.

ripiegare [ripje'gare] v. tr. replier. ◆ v. intr. se replier. || FIG. se rabattre. | *ripiegare su una soluzione più semplice,* se rabattre sur une solution plus simple. ◆ v. rifl. se replier.

ripiego [ri'pjɛgo] (**-ghi** pl.) m. expédient, remède. | *una soluzione di ripiego,* un pis-aller. || LOC. *di ripiego,* de remplacement.

ripieno [ri'pjɛno] agg. rempli, plein. || CULIN. farci, fourré. ◆ m. rembourrage. || CULIN. farce f. || MUS. remplissage.

ripigliare [ripiʎ'ʎare] v. tr. reprendre. ◆ v. rifl. se reprendre.

ripopolare [ripopo'lare] v. tr. repeupler. || [di pesci] rempoissonner. ◆ v. rifl. se repeupler.

riporre [ri'porre] v. tr. remettre à sa place. || [nascondere] mettre à l'écart, cacher. || FIG. *riporre la propria fiducia in qlcu.,* donner sa confiance à qn. || [porre di nuovo] reposer. | *ripongo la mia candidatura,* je représente ma candidature.

riportare [ripor'tare] v. tr. 1. [ricreare lo stato precedente] porter de nouveau, reporter. | *riportare una commedia sulla scena,* représenter de nouveau une pièce de théâtre. || [portare indietro] rapporter, ramener. | *mi ha riportato la macchina,* il m'a ramené la voiture. || [ricondurre] ramener, reconduire. | *lo riportò a casa,* il le reconduisit chez lui. || [rimettere] remettre. || LOC. *riportare dentro, fuori,* rentrer, sortir. | *riportare su,* monter. 2. SIGNIFICATI DERIV. [indossare di nuovo] remettre. || [citare] rapporter. | *ti riporto le sue parole,* je te rapporte ses paroles. || [conseguire] remporter, s'adjuger. | *riportare un trionfo,* remporter un grand succès. || [subire] subir. | *riportare un danno,* subir un dommage. || [ricevere] recevoir. | *riportare una buona impressione,* rapporter une bonne impression. || [riprodurre] rapporter, reproduire. || MAT. retenir. || [contabilità] reporter. ◆ v. rifl. [portarsi di nuovo] se remettre, revenir v. intr. || [riferirsi] se rapporter, se référer.

riporto [ri'pɔrto] m. COMM., FIN. report. || COSTR. *materiale da riporto,* remblai, remblayage. || MAT. retenue f. || [caccia] *cane da riporto,* chien d'arrêt. || MODA application f. || TECN. pièce (f.) de rapport.

riposare [ripo'sare] v. tr. reposer. || [posare di nuovo] remettre. | *riposa il piatto sul tavolo,* remets le plat sur la table. ◆ v. intr. (se) reposer, prendre du repos. || PR. e FIG. [poggiarsi] reposer, s'appuyer (sur). ◆ v. rifl. se reposer.

riposo [ri'pɔso] m. repos. | *non avere un attimo di riposo,* ne pas avoir un moment de répit. || [pensione] retraite f. | *andare a riposo,* prendre sa retraite. || AGR. friche f., jachère f. || MIL. repos. || TEAT. relâche f.

ripostiglio [ripos'tiʎʎo] m. débarras.

riposto [ri'posto] part. pass. e agg. rangé, placé. || FIG. *fiducia mal riposta,* confiance mal placée. || [nascosto] caché, secret.

riprendere [ri'prɛndere] v. tr. reprendre. | *riprendere fiato,* reprendre haleine, son souffle. | *riprendere il mare,* reprendre la mer. | *riprendere moglie, marito,* se remarier. | *riprendere i sensi,* reprendre ses esprits. || [prendere indietro] reprendre, récupérer. || [ricominciare] *riprendere gli studi,* reprendre ses études. || [rimproverare] gronder, réprimander. || [fotografare] prendre ; [filmare] tourner. ◆ v. intr. [riavere vigore] reprendre, se remettre. || [ricominciare] reprendre, se remettre (à), recommencer (à). | *il fuoco ha ripreso,* le feu a repris. ◆ v. rifl. [riaversi] se remettre, se reprendre, se relever. || [correggersi] se reprendre.

ripresa [ri'presa] f. reprise. | *ripresa delle lezioni,* reprise des cours. || LOC. *a più riprese,* à plusieurs reprises. || CIN., RAD., TV *ripresa diretta,* émission en direct. | *macchina da ripresa,* caméra. || MUS., POES. reprise.

ripresentare [ripresen'tare] v. tr. représenter. ◆ v. rifl. se représenter.

ripristinare [ripristi'nare] v. tr. rétablir. | *ripristinare l'ordine,* rétablir l'ordre.

riprodurre [ripro'durre] v. tr. reproduire. ◆ v. rifl. se reproduire.

riproduttore [riprodut'tore] (**-trice** f.) agg. reproducteur, trice. ◆ m. [animale] reproducteur, raceur. || MECC. reproducteur.

riproduzione [riprodu'tsjone] f. [in tutti i significati] reproduction.

ripromettere [ripro'mettere] v. tr. promettre de nouveau. ◆ v. rifl. se promettre, se proposer, compter. | *ripromettersi di partire all'alba,* compter partir à l'aube. || [aspettarsi] attendre.

riprova [ri'prova] f. nouvelle preuve. || LOC. *a riprova di,* pour prouver, en confirmation de.

1. riprovare [ripro'vare] v. tr. essayer de nouveau. || [sentire di nuovo] ressentir. | *riprovare le stesse sensazioni,* ressentir les mêmes sensations. || LOC. *provando e riprovando,* à force d'essayer.

2. riprovare v. tr. [biasimare] réprouver. || [bocciare] refuser, recaler (fam.).

riprovazione [riprova'tsjone] f. réprobation.

riprovevole [ripro'vevole] agg. répréhensible, blâmable.

ripudiare [ripu'djare] v. tr. répudier. || PER EST. renier. | *ripudiare la propria fede,* renier sa foi.

ripugnante [ripuɲ'ɲante] agg. répugnant, repoussant, dégoûtant.

ripugnare [ripuɲ'ɲare] v. intr. répugner, dégoûter.

ripulire [ripu'lire] v. tr. nettoyer de nouveau. || PER EST., IRON. *ripulire qlcu.,* nettoyer, ratisser, plumer qn. || FIG. polir, affiner. ◆ v. rifl. se nettoyer. || FIG. s'affiner.

ripulita [ripu'lita] f. nettoyage m.

ripulitura [ripuli'tura] f. nettoyage m. || [residuo di pulitura] détritus m. || TECN. finissage m.

ripulsa [ri'pulsa] f. refus (m.) tranchant.

ripulsione [ripul'sjone] f. répulsion, aversion.

riputare [ripu'tare] v. tr. = REPUTARE.

riquadrare [rikwa'drare] v. tr. PR. équarrir.

riquadro [ri'kwadro] m. carré, compartiment, panneau. || [riquadratura] bordure f. ; [cornice] cadre.

risacca [ri'sakka] f. ressac m.

risaia [ri'saja] f. rizière.

risalire [risa'lire] v. tr. remonter. ◆ v. intr. remonter. || [aumentare] monter, augmenter. | *il prezzo del pane è risalito,* le prix du pain a augmenté. || [nel tempo] remonter (à), dater (de). || LOC. *risalire ad Adamo ed Eva,* remonter au Déluge (fam.).

risalita [risa'lita] f. remontée. || [di un corso d'acqua] remonte.

risaltare [risal'tare] v. tr. ressauter, sauter de nouveau. ◆ v. intr. ressortir, se détacher, trancher. | *un fatto che risalta,* un fait saillant. || [distinguersi] se distinguer, briller. | *fare risaltare qlco.,* mettre qch. en évidence, faire ressortir qch.

risalto [ri'salto] m. relief, éclat, évidence f. || ARCHIT. ressaut, saillie f., rebord. || [alpinismo] saillie f.

risanamento [risana'mento] m. guérison f. || [di terreni] assainissement. || FIN. assainissement, redressement.

risanare [risa'nare] v. tr. guérir. || [rendere salubre] assainir. || COMM. *risanare un bilancio,* assainir un bilan.

risapere [risa'pere] v. tr. savoir, apprendre.

risaputo [risa'puto] part. pass. e agg. connu. | *è un fatto risaputo che,* tout le monde sait que.

risarcimento [risartʃi'mento] m. dédommagement, indemnisation f. || [rimborso] remboursement ; [pagamento] paiement. | *chiedere il risarcimento delle spese,* demander le remboursement des frais.

risarcire [risar'tʃire] v. tr. dédommager, indemniser. || PER EST. réparer. | *risarcire un'offesa,* réparer une offense.

risata [ri'sata] f. éclat (m.) de rire, rire m.

riscaldamento [riskalda'mento] m. échauffement. || [apparecchio] chauffage. | *riscaldamento centrale,* chauffage central. || MED. échauffement.

riscaldare [riskal'dare] v. tr. [scaldare (di nuovo)] (ré)chauffer. || FIG. échauffer, enflammer, exciter. | *riscaldare l'immaginazione,* exciter l'imagination. || [di cibi] échauffer. ◆ v. rifl. se (ré)chauffer. || MED. s'échauffer. || FIG. s'échauffer, s'emporter.

riscattare [riskat'tare] v. tr. racheter. || GIUR. *riscattare un'ipoteca,* racheter, éteindre une hypothèque. ◆ v. rifl. se racheter, se délivrer, se libérer.

riscatto [ris'katto] m. rachat. | *vendere con diritto di riscatto,* vendre avec faculté de rachat. || [prezzo] rançon f. | *pagare un riscatto,* payer une rançon. || GIUR. réméré.

rischiarare [riskja'rare] v. tr. PR. e FIG. éclairer. | *la gioia gli rischiarava il volto,* la joie éclairait son visage. || [schiarire] éclaircir. | *rischiarare la voce,* éclaircir sa voix. || [di liquidi] clarifier. ◆ v. intr. s'éclairer. ◆ v. rifl. s'éclaircir. || FIG. s'éclairer. || [di liquidi] se clarifier.

rischiare [ris'kjare] v. tr. risquer. ◆ v. intr. risquer. | *ha rischiato di cadere,* il a failli, manqué tomber.

rischio ['riskjo] m. risque. ◆ loc. prep. *col rischio di,* au risque de. || *a rischio di,* quitte à.

rischioso [ris'kjoso] agg. risqué, hasardeux, dangereux.

risciacquare [riʃʃa'kware] v. tr. rincer. ◆ v. rifl. se rincer.

risciacquata [riʃʃa'kwata] f. rinçage m. || FIG., POP. *dare una risciacquata a qlcu.,* passer un savon à qn.

riscio [riʃ'ʃo] m. pousse-pousse inv.

riscontrare [riskon'trare] v. tr. relever. | *riscontrare un errore,* relever une faute. || [controllare] vérifier, contrôler. || [confrontare] comparer. ◆ v. intr. [corrispondere] correspondre.

riscontro [ris'kontro] m. contrôle, vérification f. || [confronto] confrontation f., comparaison f. | *dal riscontro di questi due fatti,* de la confrontation de ces deux faits. || [simmetrico] pendant. | *fare riscontro,* faire pendant. || [corrente d'aria] courant d'air. || [scontrino] récépissé. || COMM. *fare il riscontro di cassa,* faire la vérification de caisse. | *in attesa di riscontro,* en attendant votre réponse. || TECN. assemblage. || LOC. *senza riscontro,* sans précédent, sans égal.

riscoprire [risko'prire] v. tr. redécouvrir, découvrir de nouveau.

riscossa [ris'kɔssa] f. rescousse. || PER EST. révolte, insurrection.

riscossione [riskos'sjone] f. FIN. recouvrement m. || [di imposta] perception, levée.

riscrivere [ris'krivere] v. tr. e intr. ré(é)crire.

riscuotere [ris'kwɔtere] v. tr. secouer de nouveau. || [destare] secouer, réveiller. || [ricevere denaro] toucher, percevoir, recouvrer, encaisser ; [di tassa] percevoir, lever. || [ottenere] recevoir. | *riscuotere un premio,* recevoir un prix. ◆ v. rifl. [destarsi] se réveiller, tressaillir. | *riscuotersi dal torpore,* secouer sa torpeur.

riseminare [risemi'nare] v. tr. ressemer, réensemencer.

risentimento [risenti'mento] m. ressentiment, rancune f. || MED. séquelle f.

risentire [risen'tire] v. tr. réentendre ; entendre de nouveau. || [provare] ressentir, éprouver, subir. ◆ v. intr. se ressentir. ◆ v. rifl. [offendersi] se vexer, se fâcher.

risentito [risen'tito] part. pass. e agg. entendu de nouveau. || [offeso] irrité, vexé, fâché. | *con tono risentito,* d'un ton irrité. || MED. *polso risentito,* pouls rapide.

riserbo [ri'sɛrbo] m. réserve f., discrétion f. ; [ritegno] retenue f.

riserva [ri'sɛrva] f. COMM., ECON. réserve, stock m. | *fondo di riserva,* fonds (m. pl.) de réserve. || LOC. *pezzi di riserva,* pièces de rechange. || [con un veicolo] *essere in riserva,* rouler sur la réserve. || [territorio] réserve. | *riserva di pesca,* réserve de pêche. || [limitazione] réserve. | *fatte le debite riserve,* toutes réserves faites. || MIL. réserve. | *ufficiale della riserva,* officier de réserve. || FIG. *riserva mentale,* restriction mentale.

riservare [riser'vare] v. tr. [tenere in serbo] garder, réserver. || FIG. réserver. ◆ v. rifl. se réserver. || [ripromettersi] se proposer (de). | *mi riservo di fartelo vedere domani,* je me propose de te le montrer demain.

riservatezza [riserva'tettsa] f. discrétion. | *massima riservatezza,* discrétion assurée. || [segretezza] *la riservatezza della notizia,* le caractère confidentiel de la nouvelle. || [moderazione] retenue, sobriété.

riservato [riser'vato] agg. réservé. | *proprietà riservata,* propriété réservée. || [discreto] réservé. || MED. *prognosi riservata,* pronostic réservé.

risibile [ri'sibile] agg. risible.

risicoltura [risikol'tura] o **risicultura** [risikul'tura] f. riziculture.

risiedere [ri'sjɛdere] v. intr. PR. e FIG. résider.

risma ['rizma] f. [carta] rame. || FIG. espèce, sorte, acabit m. | *gente d'ogni risma,* des gens de toute sorte.

1. riso ['riso] m. BOT. riz. || [lavoro a maglia] *punto riso,* point de riz. || LOC. *carta di riso,* papier de Chine.

2. riso (**-a** pl. f.) m. rire. | *scoppiare dalle risa,* éclater de rire. | *mettere tutto in riso,* rire de tout. || POES. sourire.

risolare [riso'lare] v. tr. ressemeler.

risolatura [risola'tura] f. ressemelage m.

risolutivo [risolu'tivo] agg. décisif. || GIUR. résolutoire.

risoluto [riso'luto] agg. résolu, décidé.

risoluzione [risolu'tsjone] f. résolution, solution. || [decisione] résolution, décision. || GIUR. résolution, résiliation.

risolvente [risol'vente] agg. MED. résolutif. ◆ f. MAT. résolvante.

risolvere [ri'sɔlvere] v. tr. résoudre. || [decidere] résoudre, décider. || CHIM., FIS. décomposer. || GIUR. résoudre, résilier. ◆ v. rifl. PR. e FIG. se résoudre. | *risolversi in nulla,* n'aboutir à rien, finir en queue de poisson (fam.). || [decidersi] se résoudre (à), se décider (à). || [di malattia] guérir.

risolvibile [risol'vibile] agg. résoluble.

risonanza [riso'nantsa] f. résonance, sonorité. || FIG. retentissement m., écho m.

risonare [riso'nare] v. intr. sonner de nouveau. || [rimbombare] résonner, retentir. ◆ v. tr. sonner de nouveau. || MUS. rejouer.

risorgere [ri'sordʒere] v. intr. PR. [di astro] se lever. || [tornare in vita] ressusciter. || FIG. renaître, se relever. | *risorgere dopo una crisi,* se relever d'une crise. | *far risorgere un desiderio,* réveiller un désir.

risorgimento [risordʒi'mento] m. renaissance f. || STOR. *il Risorgimento,* le Risorgimento.

risorgiva [risor'dʒiva] f. source résurgente.

risorsa [ri'sorsa] f. PR. e FIG. ressource.

risotto [ri'sɔtto] m. risotto.

risparmiare [rispar'mjare] v. tr. économiser, épargner. || FIG. ménager, épargner. || LOC. *se non lo vuoi, tanto di risparmiato,* si tu ne le veux pas, c'est autant de gagné. || [evitare] épargner, éviter. | *risparmiami tutta quella storia,* épargne-moi toute cette histoire. ||

[di persone] ménager, épargner. | *risparmiare la vita a qlcu.*, faire grâce de la vie à qn. ◆ v. intr. faire des économies. ◆ v. rifl. se ménager. | *risparmiatevi,* ménagez-vous.

risparmio [ris'parmjo] m. économie f., épargne f. | *libretto di risparmio,* livret d'épargne. || LOC. *a risparmio di spese,* pour éviter les frais. || FIG. économie f., gain. | *lavorare senza risparmio,* travailler sans se ménager.

rispecchiare [rispek'kjare] v. tr. PR. e FIG. refléter. ◆ v. rifl. se refléter.

rispedire [rispe'dire] v. tr. réexpédier. || [spedire indietro] renvoyer. | *rispedisco il pacco,* je renvoie le colis. || [far proseguire] faire suivre.

rispettabile [rispet'tabile] agg. respectable. || PER EST. considérable. | *un'età rispettabile,* un âge respectable.

rispettare [rispet'tare] v. tr. respecter ; [onorare] honorer. | *rispettare la tradizione,* respecter la tradition. | *rispettare una cambiale,* honorer une traite. ◆ v. rifl. se respecter.

rispettivo [rispet'tivo] agg. respectif.

rispetto [ris'pɛtto] m. respect, considération f., égard. | *rispetto dei diritti,* respect des droits. || LOC. *inspirare, incutere rispetto,* inspirer, imposer le respect. | *non l'abbiamo detto per rispetto alla tua famiglia,* nous ne l'avons pas dit par égard envers ta famille. || [in espressioni di cortesia] *i miei rispetti,* mes respects ; [ad una donna] mes hommages. || [riguardo] égard, rapport. | *sotto ogni rispetto,* sous tous les rapports, à tous égards. ◆ loc. prep. *rispetto a,* [in confronto a] par rapport à, en comparaison de ; [in relazione a] quant à, en ce qui concerne.

rispettoso [rispet'toso] agg. respectueux.

risplendere [ris'plɛndere] v. intr. PR. e FIG. resplendir, briller.

rispondente [rispon'dɛnte] agg. qui répond (à), en accord avec. || [corrispondente] qui correspond (à).

rispondere [ris'pondere] v. tr. répondre. | *rispondere picche,* refuser net, carrément. ◆ v. intr. PR. e FIG. répondre. | *rispondere per le rime,* répondre du tac au tac. || [al telefono] *questo numero non risponde,* ce numero ne répond pas. || LOC. *rispondere a voce,* répondre oralement. || [corrispondere] *rispondere a,* répondre à, être en accord avec. | *rispondere all'attesa di qlcu.,* répondre à l'attente de qn. || [garantire per] *non rispondo di lui,* je ne réponds pas de lui. || [essere esposto] donner (sur). || AUT. *i freni non rispondono,* les freins ne répondent pas. ◆ v. recipr. se répondre.

risposare [rispo'sare] v. tr. remarier. ◆ v. rifl. se remarier.

risposta [ris'posta] f. réponse. | *avere la risposta pronta,* avoir la riposte prompte. | *trovare una risposta a tutto,* avoir réponse à tout. || LOC. *parlare a botta e risposta,* se répondre du tac au tac.

risputare [rispu'tare] v. tr. e intr. recracher.

rissa ['rissa] f. rixe, bagarre.

rissoso [ris'soso] agg. bagarreur, querelleur.

ristabilire [ristabi'lire] v. tr. rétablir. ◆ v. rifl. se rétablir, se remettre.

ristagnare [ristaɲ'ɲare] v. intr. [di acque] stagner ; [di fiume] cesser de couler. || FIG. stagner, languir.

ristagno [ris'taɲɲo] m. PR. e FIG. stagnation f. || [degli affari] marasme.

ristampa [ris'tampa] f. réimpression ; [edizione] nouvelle édition.

ristampare [ristam'pare] v. tr. réimprimer ; rééditer.

ristorante [risto'rante] m. restaurant ; [di stazione] buffet.

ristorare [risto'rare] v. tr. PR. e FIG. restaurer, remonter, redonner des forces. ◆ v. rifl. se restaurer.

ristoratore [ristora'tore] (**-trice** f.) agg. réparateur, trice.

ristoro [ris'tɔro] m. récupération f., détente f., soulagement. | *dare ristoro,* restaurer. | *ristoro ad ogni ora,* cassecroûte (fam.) à toute heure.

ristrettezza [ristret'tettsa] f. [di spazio] étroitesse. || FIG. manque m., pénurie, insuffisance. || PER EST. étroitesse. | *ristrettezza di mente,* étroitesse d'esprit.

ristretto [ris'tretto] part. pass. e agg. serré. || [limitato] restreint, limité, étroit. || FIG. borné, étroit. | *una persona ristretta di mente,* une personne à l'esprit étroit, borné. || [concentrato] *caffè ristretto,* café fort.

risucchio [ri'sukkjo] m. [acqua] remous, tourbillon. || LOC. *risucchio d'aria,* appel d'air.

risultare [risul'tare] v. intr. résulter. | *ne risulta che,* il en résulte que, il s'ensuit que. | *a quanto risulta,* à ce qu'il semble. || [rivelarsi] se révéler. | *tutto quello che ho fatto è risultato inutile,* tout ce que j'ai fait s'est révélé inutile.

risultato [risul'tato] m. résultat.

risurrezione [risurret'tsjone] f. PR. e FIG. résurrection.

risuscitare [risuʃʃi'tare] v. tr. ressusciter. ◆ v. intr. PR. ressusciter. || FIG. revivre, se ranimer.

risvegliare [risveʎ'ʎare] v. tr. réveiller. || PER EST. éveiller, réveiller. | *risvegliare la curiosità,* éveiller, exciter la

curiosité. ◆ v. rifl. PR. e FIG. se réveiller. | *la natura si risveglia in primavera,* la nature se réveille au printemps.
risveglio [ris'veλλo] m. PR. e FIG. réveil, éveil.
risvolto [ris'vɔlto] m. [di abito] revers. || TIP. rabat, volet.
ritagliare [ritaλ'λare] v. tr. découper. | *ritagliare figurine,* faire du découpage. || [tagliare di nuovo] recouper.
ritaglio [ri'taλλo] m. coupure f. (de journal, de presse). || [di stoffa] chutes f. pl. || [di lamiera] rognures f. pl. || [di carne] déchets pl. || FIG. *ritagli di tempo,* des moments perdus, de liberté.
ritardare [ritar'dare] v. intr. tarder, être en retard, avoir du retard. | *perchè hai ritardato?,* pourquoi as-tu tardé?, pourquoi es-tu en retard? ◆ v. tr. [differire] retarder. || [far giungere in ritardo] retarder. | *mi hai fatto ritardare,* tu m'as mis en retard.
ritardo [ri'tardo] m. retard. | *essere in ritardo,* être en retard. | *senza ritardo,* sans délai.
ritegno [ri'teɲɲo] m. [comportamento] retenue f. || LOC. *ha parlato senza ritegno,* il a parlé franchement, sans détours. | *spendere senza ritegno,* dépenser sans compter. | *avere ritegno a,* avoir honte de.
ritemprare [ritem'prare] v. tr. [di metallo] retremper. || FIG. fortifier. ◆ v. rifl. FIG. se retremper, reprendre des forces.
ritenere [rite'nere] v. tr. penser, croire, estimer; [considerare] considérer, compter. | *lo riteniamo necessario,* nous pensons que c'est nécessaire. | *lo ritenevo onesto,* je le croyais honnête. | *ritenere opportuno,* juger opportun. || [trattenere] retenir; [cibo, medicina] garder. | *ritenere le lacrime,* retenir ses larmes. || [prenotare] retenir, réserver. || [ricordare] retenir. | *è facile da ritenere,* c'est facile à retenir. || [una somma] retenir. ◆ v. rifl. se croire, se considérer, s'estimer; se prendre pour. | *ritieniti felice,* estime-toi heureux. | *si ritiene un genio,* il se prend pour un génie. || [trattenersi] se retenir, se contenir. | *ritenersi dal ridere,* se retenir de rire.
ritenuta [rite'nuta] f. retenue, prélèvement m.
ritingere [ri'tindʒere] v. tr. reteindre. || TECN. biser.
ritirare [riti'rare] v. tr. retirer. | *ritirare la mano,* retirer sa main. || [tirare su, dentro] enlever. || FIG. retirer. | *ritiro quello che ho detto,* je retire ce que j'ai dit. || [togliere] retirer. | *ritirare la patente,* retirer le permis de conduire. || [riscuotere] *ritirare lo stipendio,* toucher son traitement. || [sparare] tirer de nouveau. || [lanciare] relancer. ◆ v. rifl. PR. e FIG. se retirer. | *si è ritirato dagli affari,* il s'est retiré des affaires. || [restringersi : di stoffa] (se) rétrécir.
ritirata [riti'rata] f. MIL. e FIG. retraite. || [latrina] toilettes pl.
ritiro [ri'tiro] m. retrait, prélèvement. || [il ritirarsi] *ritiro di una candidatura,* retrait d'une candidature. || [di metallo] retrait. || [di acque] recul. || [luogo appartato] retraite f., lieu retiré. || SP. défection f.
ritmare [rit'mare] v. tr. rythmer.
ritmo ['ritmo] m. rythme. | *ritmo lento,* rythme lent. | *lavorare a pieno ritmo,* travailler à plein rendement. || ARCHIT. harmonie f. || MUS. musique f.
rito ['rito] m. rite, cérémonie f. | *sposarsi con rito civile,* faire un mariage civil. || FIG. usage.
ritoccare [ritok'kare] v. tr. [toccare di nuovo] retoucher. || FIG. *ritoccare un argomento,* revenir sur un sujet. | *mi è ritoccato ascoltare la sua storia,* j'ai dû écouter de nouveau son histoire. || [correggere] retoucher. || LOC. *ritoccarsi il viso,* se remaquiller.
ritoccata [ritok'kata] f. retouche. | *dare una ritoccata a un vestito,* retoucher, reprendre une robe.
ritocco [ri'tokko] (**-chi** pl.) m. retouche f.
ritorcere [ri'tɔrtʃere] v. tr. retordre. || FIG. retourner. | *ritorcere un'accusa,* retourner une accusation. ◆ v. rifl. FIG. se retourner.
ritornare [ritor'nare] v. intr. être de retour, revenir. | *quando pensi di ritornare?,* quand penses-tu revenir, être de retour? | *ritornare alla carica,* revenir à la charge. || [andare di nuovo] retourner. | *devo ritornare dal medico,* il faut que je retourne chez le médecin. | *ritornare sui propri passi,* revenir sur ses pas. || FIG. *ritornare su una decisione,* revenir sur une décision. | *ritornare in ballo,* revenir sur le tapis. || [accadere di nuovo] revenir. || [ridiventare] redevenir. | *ritornare giovane,* redevenir jeune, rajeunir. ◆ v. tr. [restituire] rendre. ◆ v. rifl. *ritornarsene,* s'en revenir, s'en retourner.
ritornello [ritor'nɛllo] m. MUS., POES. refrain. || FIG. rengaine f. (fam.).
ritorno [ri'torno] m. retour. | *viaggio di ritorno,* voyage de retour. || COMM. *ricevuta di ritorno,* accusé de réception.
ritorsione [ritor'sjone] f. rétorsion. || TESS. retordage m., retordement m.
ritorto [ri'tɔrto] part. pass. e agg. tordu. || TESS. retors. | *seta ritorta,* soie retorse. ◆ m. TESS. retors.
ritrarre [ri'trarre] v. tr. [indietro] retirer. | *ritrarre le unghie,* PR. e FIG. rentrer ses griffes || [ricavare] tirer. |

ritrarre un insegnamento da qlco., tirer une leçon de qch. || [rappresentare] représenter, reproduire. | *ritrarre dal vero*, représenter d'après nature. || [in fotografia] photographier une personne. ◆ v. intr. [assomigliare] ressembler (à), tenir (de). ◆ v. rifl. PR. se retirer, reculer. || FIG. reculer, se dérober.

ritrattare [ritrat'tare] v. tr. [disdire] rétracter. ◆ v. rifl. se rétracter.

ritrattazione [ritrattat'tsjone] f. rétractation, désaveu m.

ritrattista [ritrat'tista] (**-i** m. pl.) n. portraitiste.

ritratto [ritrat'to] part. pass. e agg. retiré. || [rappresentato] représenté, peint. ◆ m. portrait. | *ritratto di famiglia*, portrait de famille.

ritrito [ri'trito] agg. FIG. rebattu, ressassé.

ritroso [ri'troso] agg. timide, sauvage. || [avverso] contraire (à), peu enclin (à), peu disposé (à). || LOC. *a ritroso*, à reculons, à rebours.

ritrovamento [ritrova'mento] m. [scoperta] découverte f.

ritrovare [ritro'vare] v. tr. retrouver. | *ritrovare la strada*, retrouver son chemin. || [ricuperare] recouvrer, retrouver. | *ritrovare le forze*, recouvrer ses forces. || [scoprire] trouver, découvrir. || [riconoscere] retrouver, reconnaître. ◆ v. rifl. se (re)trouver. | *ritrovarsi solo*, se retrouver seul. || [raccapezzarsi] se reconnaître, se retrouver. | *non mi ci ritrovo più*, je ne m'y retrouve plus. ◆ v. recipr. se retrouver.

ritrovo [ri'trɔvo] m. réunion f., rencontre f., rendez-vous. || [locale] *ritrovo pubblico*, établissement public.

ritto ['ritto] agg. droit ; dressé. | *star ritto*, se tenir droit. | *a coda ritta*, la queue en l'air. || [in piedi] debout.

rituale [ritu'ale] agg. rituel.

riunione [riu'njone] f. réunion.

riunire [riu'nire] v. tr. réunir. || [raccogliere] rassembler. || [riconciliare] réconcilier, rapprocher. ◆ v. rifl. se réunir. || MIL. se rallier.

riuscire [riuʃ'ʃire] v. intr. réussir. | *l'affare non è riuscito*, l'affaire a échoué, raté. | *riuscire male in fotografia*, ne pas être photogénique. || [essere capace] réussir, arriver, parvenir. | *non riesco a capirlo*, je n'arrive pas à le comprendre. | *non mi riesce di*, je n'arrive pas à. || [risultare] être. | *riuscire simpatico*, être sympathique. | *questo fatto mi riesce nuovo*, cela est tout à fait nouveau pour moi. | *mi riesce strano (che)*, je trouve étrange (que), il me paraît étrange (que). || [sboccare] déboucher, aboutir. || [uscire di nuovo] ressortir.

riuscita [riuʃ'ʃita] f. réussite ; issue, aboutissement m. | *questo vestito ha fatto una buona riuscita*, cette robe a duré longtemps.

riva ['riva] f. rivage m., bord m. | *in riva al mare*, au bord de la mer. || [lago, fiume] bord m., rive ; [di canale] berge. || [lungo fiume] quai m. | *le rive della Senna*, les quais de la Seine.

rivale [ri'vale] agg. e n. rival.

rivaleggiare [rivaled'dʒare] v. intr. rivaliser.

rivalersi [riva'lersi] v. rifl. se rattraper, se refaire. | *rivalersi su qlcu.*, se refaire aux dépens de qn. || [valersi di nuovo] se servir de nouveau (de).

rivalità [rivali'ta] f. rivalité, compétition.

rivalsa [ri'valsa] f. compensation, dédommagement m. || [rivincita] revanche. | *prendersi la rivalsa su qlcu.*, prendre sa revanche sur qn. || COMM. retraite. || GIUR. recours m.

rivalutare [rivalu'tare] v. tr. réévaluer. || PER EST. revaloriser.

rivalutazione [rivalutat'tsjone] f. réévaluation. || [nuovo valore] revalorisation.

rivangare [rivan'gare] v. tr. AGR. bêcher de nouveau. || FIG. revenir (sur), remâcher, ressasser. ◆ v. intr. FIG. fouiller.

rivedere [rive'dere] v. tr. revoir. || [correggere] corriger, vérifier, réviser. || [ripassare] répéter, repasser, réviser. ◆ v. recipr. se revoir. | *a rivederci !, arrivederci !*, au revoir !

rivelare [rive'lare] v. tr. révéler, dévoiler, confier. || REL. révéler. || TECN. détecter. ◆ v. rifl. se révéler, se montrer.

rivelatore [rivela'tore] (**-trice** f.) agg. révélateur, trice. ◆ m. FIS. détecteur.

rivendere [ri'vendere] v. tr. revendre. || FIG. surclasser.

rivendicare [rivendi'kare] v. tr. revendiquer, réclamer. ◆ v. rifl. se venger de nouveau.

rivendita [ri'vendita] f. (re)vente. || [negozio] débit m. | *rivendita di tabacchi*, bureau de tabac.

rivenditore [rivendi'tore] (**-trice** f.) n. revendeur, euse. || [al minuto] détaillant.

rivenire [rive'nire] v. intr. revenir.

riverberare [riverbe'rare] v. tr. [la luce] réverbérer. || [suono] réfléchir. ◆ v. rifl. PR. se réverbérer. || FIG. se refléter, rejaillir.

riverbero [ri'vɛrbero] m. réverbération f. || [suono] réflexion f. || LOC. *di riverbero*, indirectement.

riverente [rive'rɛnte] agg. respectueux, euse ; déférent. | *un riverente silenzio*, un silence respectueux.

riverenza [rive'rɛntsa] f. respect m. | *con riverenza,* avec respect. || [inchino] révérence.

riverire [rive'rire] v. tr. révérer. || [salutare con rispetto] présenter ses respects (à). | *la riverisco !,* (je vous présente) mes respects !

riversare [river'sare] v. tr. Pr. verser de nouveau, reverser. || Fig. déverser, rejeter. | *riversare la colpa su qlcu.,* rejeter la faute sur qn. ◆ v. rifl. se répandre. || Fig. se déverser.

riverso [ri'vɛrso] agg. renversé. | *cader riverso,* tomber à la renverse. ◆ m. [rovescio] *colpire di riverso,* frapper de revers.

rivestimento [rivesti'mento] m. revêtement. || [di stanza] boiseries f. pl. ; [di galleria] boisage. || [di piastrelle] carrelage. || [di stucco] lambris.

rivestire [rives'tire] v. tr. rhabiller. || [indossare] revêtir, endosser. | *rivestire l'uniforme,* endosser l'uniforme. || Per Anal. (re)couvrir. | *rivestire le pareti,* tapisser. || Fig. *avvenimento che riveste grande importanza,* événement qui revêt une grande importance. ◆ v. rifl. se rhabiller. || Fig. se revêtir.

riviera [ri'vjɛra] f. bord (m.) de la mer. || Geogr. *la Riviera di Levante,* la Riviera (ital.) du Levant.

rivierasco [rivje'rasko] (**-chi** pl.) agg. e n. riverain, e.

rivincita [ri'vintʃita] f. revanche.

rivista [ri'vista] f. [il rivedere] coup (m.) d'œil. | *dare una rivista alla lezione,* revoir sa leçon. || [pubblicazione] revue. | *rivista illustrata,* illustré m., magazine m. || Mil. revue. || Fig. *passare in rivista diverse possibilità,* passer en revue plusieurs possibilités. || Teat. revue.

rivivere [ri'vivere] v. tr. revivre. ◆ v. intr. Pr. e Fig. revivre.

rivolgere [ri'vɔldʒere] v. tr. tourner. | *rivolgere gli occhi al cielo,* tourner les yeux vers le ciel. || Fig. adresser. | *rivolgere la parola a qlcu.,* adresser la parole à qn. | *rivolgere una domanda a qlcu.,* poser une question à qn. || [rovesciare] renverser. ◆ v. rifl. Pr. e Fig. s'adresser. | *mi rivolgerò a lui,* je m'adresserai à lui.

rivolgimento [rivoldʒi'mento] m. Pr. e Fig. bouleversement.

rivolo ['rivolo] m. petit ruisseau ; [ai lati della strada] rigole f.

rivolta [ri'vɔlta] f. révolte.

rivoltare [rivol'tare] v. tr. retourner. | *rivoltare le maniche,* [piegarle] retrousser ses manches ; [roversciarle] retourner les manches. || [ripugnare] écœurer. || Fig. *il suo egoismo mi ha rivoltato,* son égoïsme m'a écœuré. ◆ v. rifl. se retourner. || [ribellarsi] se révolter.

rivoltella [rivol'tɛlla] f. revolver m. (ingl.).

rivolto [ri'vɔlto] part. pass. e agg. tourné. | *rivolto indietro,* tourné en arrière. ◆ m. Mus. renversement.

rivoltoso [rivol'toso] agg. e n. rebelle, révolté.

rivoluzionario [rivolutsjo'narjo] agg. e n. révolutionnaire.

rivoluzione [rivolu'tsjone] f. Pr. e Fig. révolution. | *mettere rivoluzione dappertutto,* tout bouleverser, tout chambarder (fam.).

rizzare [rit'tsare] v. tr. dresser. | *rizzare una scala contro il muro,* dresser une échelle contre le mur. | *rizzare le orecchie,* dresser les oreilles ; dresser l'oreille (fig.). || [erigere] élever, dresser. || Mar. *rizzare una vela,* hisser une voile. ◆ v. rifl. se lever, se dresser. || [di capelli] se hérisser.

roba ['rɔba] f. 1. [cose personali] affaires pl. | *è venuto a cercare la sua roba,* il est venu chercher ses affaires. || [ogetti] objets m. pl., choses pl. | *roba di valore,* objets de valeur. || [fortuna] bien m., biens pl. | *la roba altrui,* le bien d'autrui. 2. [altri significati] [abiti] vêtements m. pl., affaires pl. || [stoffa] étoffe, tissu m. | *roba di lana, di cotone,* étoffe de laine, de coton. | *roba da lavare, da stirare,* linge (m.) à laver, à repasser. || [merce] articles m. pl., marchandise. | *roba scadente,* marchandise de mauvaise qualité. || [cibi] vivres m. pl. | *la roba salata non mi piace,* je n'aime pas le salé, les choses salées. || Loc. Fam. *cos'è questa roba ?,* qu'est-ce que c'est que ça ? | *è roba mia,* c'est à moi. | *bella roba !,* c'est du propre !, c'est du joli ! | *è roba del passato,* c'est du passé.

robinia [ro'binja] f. Bot. robinier m.

robustezza [robus'tettsa] f. Pr. e Fig. force, vigueur.

robusto [ro'busto] agg. robuste, fort, vigoureux. || [di cose] solide.

1. rocca ['rɔkka] f. citadelle, château fort. || [rupe] rocher m. || Anat. rocher. || Geol. roche. | *cristallo di rocca,* cristal de roche.

2. rocca ['rokka] f. [conocchia] quenouille.

roccaforte [rokka'fɔrte] f. forteresse, citadelle, château fort m.

rocchetto [rok'ketto] m. Tess. bobine f. ; [per la seta] rochet ; [di macchina da cucire] canette f. || Cin., Elettr. bobine. || Mecc. pignon, couronne f.

roccia ['rɔttʃa] (**-ce** pl.) f. rocher m., roc m. || Geol. roche.

roccioso [rot'tʃoso] agg. rocheux.

rocco ['rɔkko] (**-chi** pl.) m. [torre degli scacchi] tour f.

roco ['rɔko] (**-chi** pl. m.) agg. rauque, enroué.

rodaggio [ro'daddʒo] m. PR. e FIG. rodage.

rodare [ro'dare] v. tr. PR. e FIG. roder.

rodere ['rodere] v. tr. PR. e FIG. ronger. | *rodersi il fegato,* se faire du mauvais sang. ◆ v. rifl. FIG. se ronger.

rodimento [rodi'mento] m. rongement ; [erosione] érosion f. || FIG. tourment, préoccupation f.

roditore [rodi'tore] (**-trice** f.) agg. rongeur, euse. ◆ m. ZOOL. rongeur.

rododendro [rodo'dɛndro] m. rhododendron.

rogare [ro'gare] v. tr. GIUR. rédiger (un acte notarié).

rogatoria [roga'tɔrja] f. GIUR. commission rogatoire.

rogito ['rɔdʒito] m. acte notarié.

rogna ['roɲɲa] f. [scabbia] gale ; [delle piante] teigne. || FIG., FAM. embêtement m. | *cercare rogne,* chercher noise, querelle.

rognone [roɲ'ɲone] m. rognon.

rogo ['rogo] (**-ghi** pl.) m. bûcher. || PER EST. brasier.

rollare [rol'lare] v. intr. MAR. rouler.

rollio [rol'lio] m. MAR. roulis.

romanesco [roma'nesko] (**-chi** m. pl.) agg. romain. ◆ m. dialecte romain.

romanico [ro'maniko] (**-ci** m. pl.) agg. ARTI roman.

romano [ro'mano] agg. romain. || LOC. *pagare alla romana,* payer chacun sa part. ◆ n. Romain.

romanticismo [romanti'tʃismo] m. romantisme.

romantico [ro'mantiko] (**-ci** pl. m.) agg. STOR. LETT. romantique. || FIG. romantique, romanesque. ◆ m. romantique.

romanza [ro'mantsa] f. MUS., POES. romance.

romanzare [roman'dzare] v. tr. romancer.

romanzesco [roman'dzesko] (**-chi** pl. m.) agg. e m. romanesque.

romanziere [roman'dzjɛre] m. romancier.

1. romanzo [ro'mandzo] m. roman.

2. romanzo agg. roman. | *lingua romanza,* langue romane. || GEOGR. *Svizzera Romanza,* Suisse romande.

rombare [rom'bare] v. intr. [cannone] gronder [motore] vrombir.

1. rombo ['rombo] m. GEOM. losange. || MAR. r(h)umb.

2. rombo m. ZOOL. turbot.

3. rombo m. [cannone] grondement. || [motore] vrombissement.

romitaggio [romi'taddʒo] m. ermitage. || PER EST. lieu solitaire.

romito [ro'mito] agg. LETT. solitaire (L.C.), retiré (L.C.). ◆ m. ARC. o POP. ermite (L.C.).

rompere ['rompere] v. tr. casser. | *ho rotto l'orologio,* j'ai cassé ma montre. || LOC. *rompersi la testa,* PR. e FIG. se casser la tête. | *rompere gli indugi,* se décider. | *rompere l'anima, le scatole,* casser les pieds. || [spezzare] rompre ; [mandare in pezzi] briser. | *rompere il ghiaccio,* PR. e FIG. rompre la glace. | *rompere un patto,* rompre un pacte. | *rompere i ponti con qlcu.,* se brouiller, se fâcher avec qn. | *rompere il sonno,* interrompre, troubler le sommeil. || [strappare] déchirer. | *rompere le calze,* déchirer ses bas. || MIL. rompre. ◆ v. intr. *rompere in pianto,* fondre en larmes. || [interrompere rapporti] *rompere con qlcu.,* rompre avec qn. || MAR. faire naufrage. ◆ v. rifl. se casser, se rompre. | *il filo si è rotto,* le fil s'est cassé. || [andare in pezzi] se casser, se briser.

rompicapo [rompi'kapo] m. inv. ennui m., embêtement m. (fam.). || [indovinello] casse-tête (chinois).

rompicollo [rompi'kollo] m. inv. casse-cou, casse-gueule (fam.). || LOC. *a rompicollo,* à bride abattue, à tombeau ouvert.

rompighiaccio [rompi'gjattʃo] m. inv. brise-glace.

rompiscatole [rompis'katole] n. inv. FAM. casse-pieds.

roncola ['ronkola] f. serpe.

ronda ['ronda] f. MIL. ronde.

rondella [ron'dɛlla] f. TECN. rondelle.

rondine ['rondine] f. hirondelle. || LOC. *abito a coda di rondine,* habit, queue-de-morue f. (fam.), queue-de-pie (fam.). || TECN. *incastro a coda di rondine,* queue d'aronde.

1. rondo ['rondo] m. rond-point.

2. rondo [ron'dɔ] m. MUS., POES. rondeau, rondel.

ronfare [ron'fare] v. intr. FAM. ronfler (L.C.). || [gatto] ronronner.

ronzare [ron'dzare] v. intr. [insetto] bourdonner ; [motore] ronfler. || FIG. *cosa ti ronza per il capo ?,* qu'est-ce qui te passe par la tête ? || [aggirarsi] rôder. | *ronzare intorno a qlcu.,* tourner autour de qn.

ronzino [ron'dzino] m. PEGG. bidet, rosse f., haridelle f., canasson.

ronzio [ron'dzio] m. [insetto] bourdonnement ; [motore] ronflement. | *ho un ronzio alle orecchie,* j'ai des bourdonnements d'oreilles.

1. rosa ['rɔza] f. [fiore] rose ; [pianta] rosier m. | *rosa selvatica, canina,* églantine. | *rosa delle Alpi,* rhododendron m. | *legno di rosa,* bois de rose. || LOC. *non sono tutte rose,* ce n'est pas tout rose. ||

FIG. groupe m. | *la rosa dei candidati*, le groupe des candidats. || [gioielleria] rose, rosette. || ARCHIT. rose, rosace. || GEOGR. *la rosa dei venti*, la rose des vents.

2. rosa agg. e m. rose.

rosario [ro'zarjo] m. REL. e FIG. chapelet ; [di quindici decine] rosaire.

rosato [ro'zato] agg. rose. | *vino rosato*, vin rosé. || [con essenza di rose] rosat. ◆ m. [vino] rosé.

roseo ['rɔzeo] agg. PR. e FIG. rose. | *prospettive rosee*, perspectives souriantes.

roseto [ro'zeto] m. roseraie f.

rosetta [ro'zetta] f. [decorazione] rosette. || [gioielleria] rose, rosette. || BOT. rosette. || TECN. rondelle.

rosicare [rosi'kare] v. tr. ronger ; [mangiucchiare] grignoter. || PROV. *chi non risica non rosica*, qui ne risque rien n'a rien.

rosicchiare [rosik'kjare] v. tr. *rosicchiare un pezzo di pane*, grignoter un morceau de pain.

rosmarino [rozma'rino] m. romarin.

rosolare [rozo'lare] v. tr. CULIN. rissoler, dorer. ◆ v. rifl. se rissoler, roussir.

rosolia [rozo'lia] f. rubéole.

rosolio [ro'zɔljo] m. rossolis.

rosone [ro'zone] m. ARCHIT. rosace f.

rospo ['rɔspo] m. ZOOL. crapaud. || FIG. *ingoiare un rospo*, avaler des couleuvres. || [pesce] *coda di rospo*, baudroie f. ; lotte (f.) de mer.

rosseggiare [rossed'dʒare] v. intr. rougeoyer, tirer sur le rouge.

rossetto [ros'setto] m. rouge (à lèvres) ; [bastoncino] bâton de rouge.

rossiccio [ro'sittʃo] agg. rougeâtre. || [di capelli, di pelo] roussâtre, roux.

rosso ['rosso] agg. rouge. | *vino rosso*, vin rouge. | *semaforo rosso*, feu rouge. | *Croce rossa*, Croix-Rouge. || [di capelli, di pelo] roux. || POL. [comunista] *una regione rossa*, une région rouge. ◆ m. *rosso per labbra*, rouge à lèvres. | *rosso d'uovo*, jaune d'œuf. || FIG. *veder rosso*, voir rouge. || [colore rossiccio] roux. || [vino] rouge. || POL. *i rossi*, les rouges. ◆ n. roux, rousse ; rouquin, rouquine.

rossore [ros'sore] m. rougeur f., rouge. | *lo disse senza rossore*, il le dit sans rougir.

rosticceria [rostittʃe'ria] f. rôtisserie ; grill-room m. (ingl.).

rotaia [ro'taja] f. rail m. || PR. e FIG. *uscire dalle rotaie*, dérailler. || [solco lasciato dalla ruota] ornière.

rotare [ro'tare] v. intr. tourner. ◆ v. tr. tourner. | *rotare gli occhi*, rouler les yeux.

rotativa [rota'tiva] f. TIP. rotative.

rotatorio [rota'tɔrjo] agg. rotatoire, giratoire. | *senso rotatorio*, sens giratoire.

rotazione [rotat'tsjone] f. rotation. | *asse di rotazione*, axe de rotation. || PER EST. roulement m. | *rotazione dei turni*, roulement des équipes de travail. || AGR. assolement m., rotation des cultures.

roteare [rote'are] v. tr. [bastone] tourner. || [occhi] rouler. ◆ v. intr. tournoyer.

rotella [ro'tɛlla] f. petite roue, roulette. | *poltrona a rotelle*, fauteuil roulant. || ANAT. rotule. || FIG., FAM. *gli manca una rotella*, il a une case de vide.

rotocalco [roto'kalko] (**-chi** pl.) m. magazine, illustré, revue f. || TIP. rotogravure f.

rotolare [roto'lare] v. tr. rouler. | *rotolare un tronco d'albero*, (faire) rouler un tronc d'arbre. ◆ v. intr. rouler. ◆ v. rifl. PR. e FIG. se rouler. | *rotolarsi nel fango*, se vautrer dans la boue.

rotolo ['rɔtolo] m. rouleau. || LOC. *a rotoli*, à vau-l'eau.

rotolone [roto'lone] m. roulade f. || [caduta] dégringolade f., culbute f.

rotonda [ro'tonda] f. ARCHIT. rotonde. || [terrazza rotonda] terrasse. || [spartitraffico] rond-point m.

rotondezza [roton'dettsa] o **rotondità** [rotondi'tà] f. PR. e FIG. rondeur. | *la rotondità della Terra*, la rotondité de la Terre.

rotondo [ro'tondo] agg. rond. | *mento rotondo*, menton arrondi. | *scrittura rotonda*, écriture ronde.

1. rotta f. [rottura] rupture, brèche. || [disfatta] défaite, débâcle ; [fuga] déroute. | *mettere in rotta un esercito*, mettre une armée en déroute. || LOC. *essere in rotta con qlcu.*, être brouillé avec qn. | *a rotta di collo*, à toute vitesse.

2. rotta f. AV., MAR. route. | *giornale di rotta*, journal de bord (m.). | *cambiar rotta*, changer de direction, de cap.

rottame [rot'tame] m. débris pl. ; [di ferro] ferraille f. || FIG. *essere ridotto un rottame*, être une épave.

rotto ['rotto] part. pass. e agg. cassé, brisé. | *una gamba rotta*, une jambe cassée. || FIG. *voce rotta*, voix brisée, cassée. | *sentirsi le ossa rotte dalla stanchezza*, être rompu, moulu de fatigue. || [abituato] rompu. ◆ m. pl. *mille lire e rotti*, mille et quelques lires.

rottura [rot'tura] f. PR. e FIG. rupture. | *la rottura di una diga*, la rupture d'une digue. || VOLG. *rottura di scatole*, embêtement m. (fam.).

rotula ['rɔtula] f. ANAT. rotule.

rovente [ro'vɛnte] agg. PR. e FIG. brûlant. | *ferro rovente*, fer rouge.

rovere ['rovere] m. Bot. rouvre.
rovesciare [roveʃ'ʃare] v. tr. retourner. || Pr. e Fig. renverser. | *rovesciare una situazione,* renverser une situation. || [di imbarcazione] faire chavirer. || Fig. *rovesciare il sacco,* vider son sac. ◆ v. rifl. se renverser; [di imbarcazione] chavirer. || [di pioggia] s'abattre. || [di folla] se déverser, affluer.
rovescio [ro'vɛʃʃo] agg. renversé. | *a man rovescia,* à gauche. || [nei lavori a maglia] *punto rovescio,* maille à l'envers. ◆ m. [opposto a « diritto »] revers; [di stoffa] envers. || [pioggia] averse f. || Fig. *un rovescio di ingiurie,* une bordée d'injures. || [infortunio economico] revers. || [contrario] contraire. || [tennis] revers. ◆ loc. avv. *a rovescio, alla rovescia,* à l'envers; Fig. de travers. | *capisce tutto a rovescio,* il comprend tout de travers. | *conto alla rovescia,* compte à rebours.
roveto [ro'veto] m. ronceraie f.
rovina [ro'vina] f. Pr. e Fig. ruine. || [di cosa] tomber en ruine, se délabrer; [di persona] tomber dans la misère, se ruiner. | *mandare in rovina qlcu.,* causer la perte de qn. || [crollo] écroulement m. ◆ pl. ruines; décombres m.
rovinare [rovi'nare] v. tr. ruiner. || [danneggiare, sciupare] abîmer. | *rovinare un vestito,* abîmer une robe. || Fig. *mi hai rovinato la giornata,* tu as gâché ma journée. ◆ v. intr. crouler, s'écrouler, s'abattre. ◆ v. rifl. se ruiner. || [danneggiarsi] s'abîmer.
rovinoso [rovi'noso] agg. ruineux. || [che arreca danni] désastreux, catastrophique. || [violento] violent, impétueux. | *un torrente rovinoso,* un torrent furieux.
rovistare [rovis'tare] v. tr. e intr. Pr. e Fig. fouiller.
rovo ['rovo] m. ronce f.
rozzezza [rod'dzettsa] f. grossièreté, rudesse.
rozzo ['roddzo] agg. brut. | *tela rozza,* toile écrue. || Fig. fruste, grossier; [di persona] mal dégrossi, grossier.
ruba ['ruba] f. Loc. *questo prodotto va a ruba,* ce produit est très demandé, se vend comme des petits pains (fam.).
rubacchiare [rubak'kjare] v. tr. faire de petits vols, chaparder (fam.). || [prodotti della campagna] marauder.
rubare [ru'bare] v. tr. voler. | *rubare sul peso,* voler sur le poids, ne pas donner le poids. | *mi hai rubato la parola di bocca,* j'allais le dire. ◆ v. recipr. s'arracher.
ruberia [rube'ria] f. vol m. | *è una ruberia,* c'est du vol, c'est un vol manifeste.
rubinetto [rubi'netto] m. robinet.
rubino [ru'bino] m. Min. rubis.
rublo ['rublo] m. rouble.
rubrica [ru'brika] f. [quaderno] répertoire m. | *mettere a rubrica,* répertorier. || [in un giornale] rubrique.
rude ['rude] agg. rude, dur; [severo] sévère.
rudimentale [rudimen'tale] agg. rudimentaire.
rudimento [rudi'mento] m. [in tutti i significati] rudiment.
ruffiana [ruf'fjana] f. Volg. entremetteuse, maquerelle.
ruffiano [ruf'fjano] m. Volg. entremetteur, maquereau.
ruga ['ruga] f. ride.
ruggine ['ruddʒine] f. rouille. || Fig. rancune. | *c'è una vecchia ruggine tra loro,* il y a de vieilles rancunes entre eux.
ruggire [rud'dʒire] v. intr. Pr. e Fig. rugir.
ruggito [rud'dʒito] m. Pr. e Fig. rugissement.
rugiada [ru'dʒada] f. rosée.
rugoso [ru'goso] agg. rugueux. || [di viso] ridé.
rullare [rul'lare] v. intr. rouler. || Mar. bourlinguer. ◆ v. tr. Tecn. rouler.
rullio [rul'lio] m. roulement. || Mar. roulis.
rullo ['rullo] m. [di tamburo] roulement. || Fot. *rullo di pellicola,* rouleau de pellicule. || Tecn. rouleau.
rum [rum] m. rhum.
ruminante [rumi'nante] agg. ruminant. ◆ m. pl. les ruminants.
ruminare [rumi'nare] v. tr. Pr. e Fig. ruminer.
rumore [ru'more] m. bruit; [forte] tapage, vacarme. || [confuso] rumeur f. || Cin., Rad., TV bruitage.
rumoreggiare [rumored'dʒare] v. intr. gronder. || [di persone] chahuter.
rumoroso [rumo'roso] agg. bruyant. | *una risata rumorosa,* un rire sonore.
ruolo ['rwɔlo] m. [elenco] rôle. | *ruolo dei contribuenti,* rôle des contribuables. | *mettere a ruolo,* inscrire au rôle. || Amm. cadre. | *passaggio in ruolo,* titularisation f. | *impiegato fuori ruolo,* employé hors-cadre. || Teat. rôle. || Fig. *un ruolo di primo piano,* un rôle de premier plan.
ruota ['rwɔta] f. Pr. e Fig. roue. | *ruota di scorta,* roue de secours. | *fare la ruota,* faire la roue. || [nei conventi] tour m. || Moda *gonna a ruota,* jupe cloche. || Loc. *ungere le ruote,* graisser la patte. | *seguire a ruota,* suivre de près.
ruotare [rwo'tare] v. intr. e tr. = rotare.
rupe ['rupe] f. rocher m., roc m.
rupia ['rupja] f. [moneta] roupie.

rurale [ru'rale] agg. rural. | *Cassa rurale,* Caisse agricole, des agriculteurs. ◆ n. rural. | *i rurali,* les ruraux, les gens de la campagne.
ruscello [ruʃ'ʃɛllo] m. ruisseau.
ruspa ['ruspa] f. scraper m. (ingl.).
russare [rus'sare] v. intr. ronfler.
russo ['russo] agg. russe. ◆ m. [lingua] russe. ◆ n. [abitante] Russe.
rustichezza [rusti'kettsa] o **rusticità** [rustitʃi'ta] f. rusticité.
rustico ['rustiko] (**-ci** pl. m.) agg. rustique, campagnard, de la campagne. | *casa rustica,* maison campagnarde. | *mobili rustici,* meubles rustiques. || FIG. *modi rustici,* manières frustes. ◆ m. COSTR. hourdis, hourdage. || [locale] remise f., hangar.
ruta ['ruta] f. BOT. rue.
ruttare [rut'tare] v. intr. VOLG. roter.
ruttore [rut'tore] m. interrupteur (automatique).
ruvidezza [ruvi'dettsa] o **ruvidità** [ruvidi'ta] f. rugosité, aspérité. || FIG. rudesse, brusquerie.
ruvido ['ruvido] agg. rêche, râpeux. | *mani ruvide,* des mains rêches. || FIG. rude, brusque.
ruzzare [rud'dzare] v. intr. s'ébattre, folâtrer.
ruzzolare [ruttso'lare] v. tr. rouler. ◆ v. intr. dévaler, rouler ; [cadere rotolando] dégringoler.
ruzzolata [ruttso'lata] f., **ruzzolio** [ruttso'lio] m. o **ruzzolone** [ruttso'lone] m. dégringolade f. (fam.), chute f., culbute f. | *fare un ruzzolone,* dégringoler, prendre une bûche (fam.).

S

s ['ɛsse] f. o m. s m. || LOC. *curva a S,* virage en S.
sabato ['sabato] m. samedi.
sabaudo [sa'baudo] agg. de la maison de Savoie.
sabba ['sabba] m. sabbat.
sabbia ['sabbja] f. sable m.
sabbiare [sab'bjare] v. tr. TECN. sabler.
sabbiatura [sabbja'tura] f. TECN. sablage m. || MED. bain (m.) de sable.
sabbione [sab'bjone] m. (étendue f. de) gros sable.
sabbioso [sab'bjoso] agg. sablonneux, sableux.
sabotaggio [sabo'taddʒo] m. PR. e FIG. sabotage.
sabotare [sabo'tare] v. tr. PR. e FIG. saboter.
sacca ['sakka] f. sac m. || [bisaccia] besace. || PER ANAL. anse. || AV. trou (m.) d'air. || BOT. sac m. || MIL. poche.
saccarina [sakka'rina] f. saccharine.
saccente [sat'tʃɛnte] agg. e m. pédant. ◆ f. pédante, bas-bleu m.
saccheggiare [sakked'dʒare] v. tr. piller, mettre à sac. || PER EST. cambrioler, dévaliser.
saccheggio [sak'keddʒo] m. pillage, sac. || PER EST. vol, cambriolage.
sacchetto [sak'ketto] m. sachet.
sacco ['sakko] m. sac. | *sacco postale,* sac postal. || [tela] toile à sac. || PER EST. *sacco a pelo,* duvet ; sac de couchage. || [saccheggio] sac. || FIG. tas, masse f. (fam.). | *guadagna un sacco di soldi,* il gagne un tas d'argent. | *volere un sacco di bene,* aimer énormément. || GERG. [biglietto da mille lire] sac. || ANAT., BOT. sac. || LOC. *mettere qlcu. nel sacco,* rouler qn, avoir qn (fam.). | *non è farina del tuo sacco,* ce n'est pas de ton cru.
saccone [sak'kone] m. paillasse f.
sacello [sa'tʃɛllo] m. chapelle f.
sacerdote [satʃer'dɔte] (**-essa** f.) n. prêtre, esse.
sacerdozio [satʃer'dɔttsjo] m. PR. e FIG. sacerdoce. || REL. prêtrise f.
sacramentale [sakramen'tale] agg. REL. sacramentel. ◆ m. sacramental.
sacramentare [sakramen'tare] v. tr. jurer. || POP. [bestemmiare] jurer (L.C.), sacrer.
sacramento [sakra'mento] m. REL. sacrement. || ARC. o LETT. [giuramento] serment (L.C.).
sacrario [sa'krarjo] m. REL. sanctuaire. || PER EST. monument.
sacrificare [sakrifi'kare] v. tr. sacrifier. || ASSOL., REL. célébrer le saint sacrifice. ◆ v. rifl. se sacrifier.
sacrificato [sakrifi'kato] agg. sacrifié.
sacrificio [sakri'fitʃo] m. PR. c FIG. sacrifice.
sacrilegio [sakri'lɛdʒo] m. PR. e FIG. sacrilège.
sacro ['sakro] agg. sacré. || REL. *Sacra Famiglia,* Sainte Famille. | *Sacra Scrittura,* Écriture sainte. || STOR. *Sacro Romano Impero,* Saint Empire romain. ◆ m. sacré.
sacro ['sakro] m. ANAT. sacrum.
sadismo [sa'dizmo] m. sadisme.
saetta [sa'etta] f. LETT. trait m. (antiq.), flèche (L.C.). || FIG. rayon (m.) de soleil (L.C.). || [fulmine] foudre.
saettare [saet'tare] v. tr. [colpire col fulmine] frapper de la foudre. || PER

EST. darder, lancer. || SP. shooter. ◆ v. impers. *saetta,* il y a des éclairs.
sagacia [sa'gatʃa] o **sagacità** [sagatʃi'ta] f. sagacité.
saggezza [sad'dʒɛttsa] f. sagesse.
saggiamente [saddʒa'mente] avv. sagement.
saggiare [sad'dʒare] v. tr. essayer. || FIG. essayer, éprouver.
saggina [sad'dʒina] f. sorgho m.
1. saggio ['saddʒo] agg. e n. sage.
2. saggio m. essai. || [campione] échantillon. || [libro] *copia di saggio,* spécimen. || FIG. aperçu, idée f., preuve f. || [prova scolastica] épreuve f. || ECON. *saggio d'interesse,* taux d'intérêt.
saggista [sad'dʒista] (**-i** pl.) n. LETT. essayiste.
saggistica [sad'dʒistika] f. LETT. essais m. pl.
sagittario [sadʒit'tarjo] m. ARC. archer. || ASTR. Sagittaire.
sagoma ['sagoma] f. [modello] gabarit m., forme. || [profilo di un oggetto] profil m., forme, ligne, contour m. || PER EST. silhouette. || FAM. numéro m., phénomène m. | *è proprio una sagoma!,* quel numéro!
sagomare [sago'mare] v. tr. donner une forme (à), façonner.
sagra ['sagra] f. fête (populaire), kermesse.
sagrato [sa'grato] m. parvis.
sagrestano [sagres'tano] (**-a** f.) n. sacristain m., sacristine f.
sagrestia [sagres'tia] f. sacristie.
saia ['saja] f. serge.
saio ['sajo] m. [dei monaci] froc. || STOR. saie f.
sala ['sala] f. salle. | *sala per riunioni,* salle de réunions. || MAR. *sala macchine,* chambre des machines, machinerie.
salace [sa'latʃe] agg. LETT. salace, lascif (L.C.), lubrique (L.C.). || [piccante] grivois, salé.
salagione [sala'dʒone] f. salaison.
salame [sa'lame] m. saucisson. || FIG. cornichon (fam.), nouille f. (fam.), andouille f. (pop.).
salamoia [sala'mɔja] f. saumure.
salare [sa'lare] v. tr. saler.
salariato [sala'rjato] agg. e n. salarié.
salario [sa'larjo] m. salaire.
salassare [salas'sare] v. tr. saigner. || FIG. tondre, estamper (fam.). ◆ v. rifl. FIG. se saigner aux quatre veines.
salatino [sala'tino] m. biscuit salé.
salato [sa'lato] agg. salé. || [caro] salé. || LOC. *farla pagare salata,* le faire payer cher. || [arguto] mordant, cinglant. ◆ m. produit de charcuterie.
salciccia [sal'tʃittʃa] f. = SALSICCIA.
saldamente [salda'mente] avv. solidement.
saldare [sal'dare] v. tr. souder. || FIG. lier. || [pagare] solder, régler. ◆ v. rifl. se souder.
saldatore [salda'tore] m. fer à souder. || [persona] soudeur.
saldatura [salda'tura] f. soudure. || MIL. jonction.
saldezza [sal'dettsa] f. solidité. || FIG. fermeté.
1. saldo ['saldo] agg. PR. e FIG. solide. || PER EST. ferme, constant. | *saldo nei suoi principi,* ferme dans ses principes.
2. saldo m. solde, règlement. | *a saldo,* pour solde. || [liquidazione] solde.
sale ['sale] m. sel. || FIG. sel, esprit. | *fai un discorso senza sale,* tu dis des choses sans intérêt.
salice ['salitʃe] m. BOT. saule.
salicilato [salitʃi'lato] m. salicylate.
saliente [sa'ljɛnte] agg. saillant. || FIG. remarquable, important. ◆ m. [sporgenza] saillie f. || ARCHIT. MIL. saillant.
saliera [sa'ljɛra] f. salière.
salina [sa'lina] f. marais (m.) salant, saline. || [miniera] mine de sel.
salire [sa'lire] v. intr. monter. | *salire sul treno,* monter dans le train. || FIG. monter, s'élever. || [cose] monter, s'élever. | *strada che sale,* route qui monte. || [aumentare] monter, s'élever, augmenter. | *i prezzi salgono,* les prix montent. ◆ v. tr. monter. | *salire le scale,* monter l'escalier.
saliscendi [saliʃ'ʃendi] m. inv. loquet m. || [susseguirsi di salite e discese] montées (f. pl.) et descentes (f. pl.).
salita [sa'lita] f. [azione] montée. || [tratto di terreno che sale] montée, côte.
saliva [sa'liva] f. salive.
salma ['salma] f. dépouille (mortelle) [lett.], corps m., cadavre m.
salmastro [sal'mastro] agg. saumâtre. ◆ m. odeur f., goût saumâtre.
salmì [sal'mi] m. civet, salmis.
salmista [sal'mista] (**-i** pl.) m. psalmiste.
salmistrare [salmis'trare] v. tr. CULIN. saler. | *lingua salmistrata,* langue saumurée.
salmo ['salmo] m. MUS., REL. psaume.
salmodiare [salmo'djare] v. intr. psalmodier.
salmone [sal'mone] m. ZOOL. saumon. ◆ agg. e m. saumon.
salnitro [sal'nitro] m. salpêtre, nitrate de potassium.
salone [sa'lone] m. salon. || [mostra] salon.
salotto [sa'lotto] m. salon. | *tenere salotto,* recevoir.

salpare [sal'pare] v. intr. lever l'ancre, appareiller, démarrer. ◆ v. tr. lever.
salsa ['salsa] f. sauce.
salsedine [sal'sedine] f. salinité, salure. ‖ [sale] sel m.
salsiccia [sal'sittʃa] f. saucisse.
salsiera [sal'sjɛra] f. saucière.
saltare [sal'tare] v. intr. sauter, bondir. | *saltare giù dal letto,* sauter du lit. ‖ [cose] sauter. | *le valvole sono saltate,* les plombs ont sauté. ‖ [esplodere] sauter, exploser, éclater. ‖ LOC. *saltare in aria,* sauter, exploser, éclater. ‖ FIG. passer, sauter. | *salto a pagina 20,* je passe à la page 20. ‖ LOC. *saltare fuori,* PR. sortir ; FIG. [farsi avanti] intervenir. | *da dove salti fuori ?,* d'où sors-tu ? | *la verità salterà fuori un giorno,* on finira par découvrir la vérité. | *bisogna far saltare fuori questo denaro,* il faut trouver cet argent. | *saltare su (a dire),* intervenir pour dire. | *saltare di palo in frasca,* passer du coq à l'âne. | *che ti salta (in mente) ?,* qu'est-ce qui te prend ? ◆ v. tr. sauter. | *saltare una pagina,* sauter une page. | *saltare la corda,* sauter à la corde. ‖ CULIN. faire sauter.
saltellare [saltel'lare] v. intr. sautiller.
saltello [sal'tɛllo] m. petit saut. | *a saltelli,* en sautillant.
salterellare [salterel'lare] v. intr. sautiller.
saltimbocca [saltim'bokka] m. inv. escalope (f.) farcie de jambon.
salto ['salto] m. saut, bond. ‖ PER EST. *fare un salto a Roma,* faire un saut à Rome. ‖ FAM. *fare quattro salti,* organiser une petite sauterie ‖ [caduta] saut, chute f., plongeon. ‖ [di acqua] chute f., cascade f. | *la cascata fa un salto pauroso,* la cascade a une hauteur vertigineuse. ‖ FIG. différence f. ; [in bene] progrès ; [in male] chute f. | *salto di qualità,* différence de qualité. | *i prezzi hanno fatto un salto,* les prix ont fait un bond. ‖ [omissione] vide, lacune f. ‖ LOC. *in un salto,* [in poco tempo] en un instant, en une minute. | *in un salto arrivo,* j'arrive dans une minute. | *fare i salti mortali,* faire des pieds et des mains.
saltuariamente [saltuarja'mente] avv. de temps en temps, de temps à autre, par intermittence.
saltuario [saltu'arjo] agg. irrégulier, intermittent, discontinu.
salubre [sa'lubre] agg. salubre.
salume [sa'lume] m. charcuterie f. ◆ pl. charcuterie f. sing.
salumeria [salume'ria] f. charcuterie.
salumiere [salu'mjɛre] (**-a** f.) n. charcutier, ère.
1. salutare [salu'tare] agg. PR. e FIG. salutaire.
2. salutare v. tr. saluer. ‖ [in occasione dell'incontro] dire bonjour. ‖ [in occasione del commiato] dire au revoir. | *ti saluto !,* au revoir !, salut ! ‖ [(far) trasmettere saluti] *salutamelo (tanto),* dis-lui (bien) bonjour de ma part. ‖ [nelle lettere] *distintamente vi salutiamo,* veuillez agréer nos salutations distinguées. ◆ v. recipr. se saluer ; se dire bonjour, au revoir.
salute [sa'lute] f. santé. ‖ FAM. *salute !,* [saluto] salut ! ; [ammirazione] chapeau ! ; [a chi starnutisce] à tes, à vos souhaits !
saluto [sa'luto] m. salut, salutation f. ◆ pl. [in formule di cortesia] bonjour sing.
salva ['salva] f. PR. e FIG. salve. ‖ LOC. *sparare a salva,* tirer à blanc.
salvabile [sal'vabile] agg. qui peut être sauvé, qu'on peut sauver.
salvacondotto [salvakon'dotto] m. sauf-conduit, laissez-passer inv.
salvadanaio [salvada'najo] m. tirelire f.
salvagente [salva'dʒɛnte] m. inv. bouée (f.) de sauvetage ; [panciotto] gilet de sauvetage. ‖ [marciapiede] refuge.
salvagocce [salva'gottʃe] m. inv. bouchon (m.) verseur.
salvaguardare [salvagwar'dare] v. tr. sauvegarder.
salvare [sal'vare] v. tr. sauver. ‖ [preservare] préserver, protéger, sauver. | *salvare i vestiti dalle tarme,* protéger les vêtements des mites. ◆ v. rifl. ASSOL. en réchapper, (s')en sortir (vivant, indemne). ‖ [sottrarsi ad un danno] s'en tirer, se tirer d'affaire. ‖ [essere accettabile] *questo film si salva appena,* ce film est à peine passable. ‖ *salvarsi da,* échapper à, se sauver de, réchapper. ‖ [ripararsi] s'abriter. ‖ [evitare] échapper. ‖ [difendersi] se protéger.
salvataggio [salva'taddʒo] m. PR. e FIG. sauvetage.
salvatore [salva'tore] (**-trice** f.) n. sauveur m. ‖ [chi compie un salvataggio] sauveteur. ‖ REL. Sauveur.
1. salve ['salve] f. inv. = SALVA.
2. salve interiez. salut !
salvezza [sal'vettsa] f. salut m.
salvia ['salvja] f. sauge.
salvietta [sal'vjetta] f. serviette.
salvo ['salvo] agg. sain et sauf, sauvé. | *il malato è salvo,* le malade est sauvé. | *l'onore è salvo,* l'honneur est sauf. ‖ LOC. *salvo restando il principio di,* tout en maintenant le principe de. | *a man salva,* impunément. | *in salvo,* en lieu sûr, à l'abri. ◆ prep. sauf, excepté, à part, à l'exception de. | *tutti salvo due,* tous sauf deux. | *salvo parere contra-*

rio, sauf avis contraire. ◆ loc. prep. *salvo a,* quitte à. ◆ loc. cong. *salvo che* (+ indic.), sauf que, à moins que, sauf si.
sambuca [sam'buka] f. anisette.
sambuco [sam'buko] m. sureau.
sanabile [sa'nabile] agg. guérissable, curable. || FIG. réparable.
sanare [sa'nare] v. tr. PR. e FIG. guérir. || PER EST. assainir. || [porre rimedio] remédier (à). || GIUR. régulariser, valider.
sanatorio [sana'tɔrjo] m. sanatorium, sana (fam.).
sancire [san'tʃire] v. tr. sanctionner.
sandalino [sanda'lino] m. périssoire f.
1. sandalo ['sandalo] m. [scarpa] sandale f.
2. sandalo m. [legno] santal.
3. sandalo m. MAR. barque (f.) à fond plat.
sangallo [san'gallo] m. broderie (f.) anglaise.
sangue ['sangwe] m. sang. || [valore simbolico] *duello all'ultimo sangue,* duel à mort. || [parentela] sang. | *vincoli del sangue,* liens du sang. || CULIN. *bistecca al sangue,* bifteck saignant. || LOC. *a sangue freddo,* de sang-froid. | *sudare, sputare sangue,* suer sang et eau. | *gli si rimescolò il sangue,* son sang ne fit qu'un tour.
sanguigno [san'gwiɲɲo] agg. PR. e FIG. sanguin. || [misto di sangue] sanguinolent.
sanguinaccio [sangwi'nattʃo] m. CULIN. boudin.
sanguinare [sangwi'nare] v. intr. PR. e FIG. saigner.
sanguinoso [sangwi'noso] agg. ensanglanté. || PER EST. sanglant.
sanguisuga [sangwi'suga] f. ZOOL. e FIG. sangsue.
sanità [sani'ta] f. PR. e FIG. santé. | *reparto sanità,* service de santé. || [salubrità] salubrité.
sanitario [sani'tarjo] agg. sanitaire. || [di salute] de santé. | *stato sanitario,* état de santé. || [medico] médical. | *controllo sanitario,* visite médicale. ◆ m. médecin.
sano ['sano] agg. sain. || [che non è ammalato] bien portant, qui se porte bien. | *conservarsi sano,* rester en bonne santé. || [di organo] en bon état, sain. | *denti sani,* dents en bon état. || [che giova alla salute] sain. || [di oggetti] entier. || LOC. *di sana pianta,* complètement, entièrement.
sansa ['sansa] f. marc (m.) d'olives.
santerellina [santerel'lina] o **santarellina** [santarel'lina] f. sainte nitouche.
santerello [sante'rɛllo] m. tartuf(f)e.
santificare [santifi'kare] v. tr. REL. sanctifier. || [canonizzare] canoniser. ◆ v. rif. se sanctifier.
santino [san'tino] m. REL. image (f.) pieuse.
santità [santi'ta] f. sainteté. || [titolo] *Sua, Vostra Santità,* Sa, Votre Sainteté.
santo ['santo] agg. saint. | *acqua santa,* eau bénite. | *olio santo,* saintes huiles. || [davanti a n. di persona] saint. | *chiesa di Santa Lucia,* église Sainte-Lucie. || FIG. salutaire. | *parole sante !,* sages paroles !, bien dit ! || LOC. *darle di santa ragione,* rosser d'importance. | *fatemi il santo piacere di,* faites-moi le plaisir de. ◆ interiez. *Dio santo !, santo cielo !, Madonna santa !,* bonté divine !, grand Dieu ! ◆ n. PR. e FIG. saint. || POP. *non c'è santi (che tengano),* il n'y a rien à faire.
santolo ['santolo] (**-a** f.) n. DIAL. parrain m., marraine f.
santone [san'tone] m. REL. ascète.
santuario [santu'arjo] m. PR. e FIG. sanctuaire.
sanzionare [santsjo'nare] v. tr. sanctionner.
sapere [sa'pere] v. tr. savoir, connaître. | *sapere il tedesco,* savoir, connaître l'allemand. || [venire a conoscenza di] apprendre. | *ho saputo che hai cambiato casa,* j'ai appris que tu as déménagé. | *hai saputo del Mario ?,* tu sais, tu as appris ce qui est arrivé à Mario ? || [essere capace] savoir. | *sapere guidare,* savoir conduire. || LOC. *venire a sapere,* apprendre. || *far sapere,* informer (de qch.), faire savoir. | *sappimi dire se vieni o no,* fais-moi savoir si tu viens ou non. | *non volerne sapere di qlcu., di qlco.,* ne pas vouloir entendre parler de qn, de qch. | *può anche darsi, chi (lo) sa ?,* c'est possible, qui sait ? | *ci sa fare, sa il fatto suo,* il sait s'y prendre, il connaît son affaire. ◆ v. intr. [aver sapore] avoir un goût (de). | *non sapere di nulla,* ne pas avoir de goût, n'avoir aucun goût. || [aver odore] sentir, faire penser (à), avoir l'air (de). | *queste parole sanno di ricatto,* ces paroles ont l'air d'un chantage. ◆ v. impers. *mi sa che,* j'ai l'impression que. ◆ m. savoir. | *il sapere vivere,* le savoir-vivre.
sapido ['sapido] agg. savoureux.
sapiente [sa'pjɛnte] agg. savant. || [competente] compétent, habile. || [saggio] sage. ◆ n. sage.
sapienza [sa'pjɛntsa] f. savoir m., science. || [saggezza] sagesse.
saponata [sapo'nata] f. eau savonneuse.
sapone [sa'pone] m. savon. || LOC. *finire in bolla di sapone,* finir en queue de poisson.

saponetta [sapo'netta] f. savonnette.
sapore [sa'pore] m. goût, saveur f. || FIG. saveur. || [interesse] intérêt.
saporitamente [saporita'mente] avv. avec délice, avec délectation.
saporito [sapo'rito] agg. savoureux. || [salato] un peu salé.
saputo [sa'puto] agg. e m. pédant.
sarabanda [sara'banda] f. PR. e FIG. sarabande.
saraceno [sara'tʃɛno] agg. e m. sarrasin. | *grano saraceno,* sarrasin m.
saracinesca [saratʃi'neska] f. rideau (m.) de fer. || TECN. vanne.
sarcasmo [sar'kazmo] m. sarcasme.
sarchiare [sar'kjare] v. tr. biner, sarcler.
sarchiatura [sarkja'tura] f. binage m., sarclage m.
sarchio ['sarkjo] m. sarcloir.
sarcofago [sar'kɔfago] (**-gi** o **-ghi** pl.) m. sarcophage.
sarcoma [sar'kɔma] (**-i** pl.) m. MED. sarcome.
sardella [sar'dɛlla] f. ZOOL. sardine.
sardina [sar'dina] f. ZOOL. sardine.
sardo ['sardo] agg. e n. sarde.
sardonico [sar'dɔniko] (**-ci** pl.) agg. sardonique.
sarmento [sar'mento] m. sarment.
sarta ['sarta] f. couturière.
sarto ['sarto] m. tailleur. || [direttore di casa di moda] couturier.
sartoria [sarto'ria] f. atelier (m.) de couturière, de tailleur. || [casa di moda] maison de couture. || [lavoro del sarto] couture. || [produzione dei grandi sarti] haute couture.
sassaia [sas'saja] f. terrain (m.) pierreux, caillouteux ; rocaille. || [argine] levée, remblai (m.) de pierres.
sassata [sas'sata] f. coup (m.) de pierre. | *prendere a sassate,* poursuivre à coups de pierres.
sasso ['sasso] m. [materia] pierre f. || [masso] pierre, roc, rocher. || [frammento] pierre, caillou. || LOC. *rimanere di sasso,* rester pétrifié, médusé, cloué sur place.
sassofono [sas'sɔfono] m. saxophone.
satanasso [sata'nasso] m. POP. satan (L.C.). || FIG. démon.
satellite [sa'tɛllite] m. e agg. [ogni senso] satellite.
satinare [sati'nare] v. tr. satiner.
satira ['satira] f. LETT. e PER EST. satire.
satiro ['satiro] m. MIT. e FIG. satyre.
satrapo ['satrapo] m. satrape.
saturare [satu'rare] v. tr. CHIM. e FIG. saturer. || [saziare] bourrer, remplir.
saturazione [saturat'tsjone] f. PR. e FIG. saturation. | *sono giunto a saturazione,* je n'en peux plus.
saturo ['saturo] agg. PR. e FIG. saturé. || [pieno] plein, chargé. | *parole sature di odio,* paroles pleines de haine.
sauro ['sauro] agg. e m. alezan.
savana [sa'vana] f. savane.
savio ['savjo] agg. e n. sage.
savoiardo [savo'jardo] agg. e n. savoyard. ◆ m. CULIN. biscuit à la cuiller.
saziare [sat'tsjare] v. tr. rassasier. | *saziare la sete,* étancher la soif. || FIG. assouvir, combler. || [annoiare] lasser. ◆ v. rifl. se rassasier.
sazietà [sattsje'ta] f. PR. e FIG. satiété.
sazio ['sattsjo] agg. rassasié, repu. || [stanco] las.
sbacellare [zbatʃel'lare] v. tr. écosser.
sbaciucchiare [zbatʃuk'kjare] v. tr. bécoter (fam.). ◆ v. recipr. se bécoter.
sbadato [zba'dato] agg. étourdi, distrait.
sbadigliare [zbadiʎ'ʎare] v. intr. bâiller.
sbadiglio [zba'diʎʎo] m. bâillement.
sbafare [zba'fare] v. tr. FAM. écornifler, carotter. || [mangiare con ingordigia] bâfrer (pop.).
sbafo (a) [a'zbafo] loc. avv. à l'œil (fam.), sans payer.
sbagliare [zbaʎ'ʎare] v. tr. se tromper (dans). | *sbagliare i calcoli,* se tromper dans les calculs. | *sbaglia tutto,* il fait tout à l'envers. || [fare confusione] se tromper (de). | *sbagliare porta,* se tromper de porte. || [non raggiungere un obiettivo] manquer, rater. | *sbagliare il bersaglio,* manquer le but. ◆ v. intr. o rifl. se tromper, faire erreur. || [agire in modo ingiusto] avoir tort, mal faire, se tromper. | *hai sbagliato a non ascoltarlo,* tu as eu tort de ne pas l'écouter.
sbagliato [zbaʎ'ʎato] agg. faux, inexact, erroné, mauvais. | *calcolo sbagliato,* calcul inexact, erroné ; FIG. mauvais calcul.
sbaglio ['zbaʎʎo] m. erreur f., faute f.
sbalestrare [zbales'trare] v. tr. FIG. [persone] secouer, bouleverser. || [cose] bouleverser, chambouler (fam.). ◆ v. rifl. se démonter.
sbalestrato [zbales'trato] agg. désaxé, détraqué (fam.). || [disorientato] perdu, désorienté.
sballare [zbal'lare] v. tr. déballer. || FIG. sortir (fam.), débiter, conter, raconter. ◆ v. intr. [carte] perdre (en dépassant le maximum des points).
sballato [zbal'lato] agg. déballé. || FIG. qui ne tient pas debout. || [inattuabile] voué à l'échec.
sballotare [zballot'tare] v. tr. ballotter, secouer, remuer ; [solo di veicolo] cahoter. || [persone] déplacer, ballotter.

sbalordimento [zbalordi'mento] m. stupéfaction f., stupeur f., ébahissement. || [stordimento] étourdissement.
sbalordire [zbalor'dire] v. tr. étourdir, abasourdir, ahurir. || [stupire] stupéfier, ébahir, épater (fam.). ◆ v. intr. être stupéfait, ahuri.
sbalorditivo [zbalordi'tivo] agg. stupéfiant, ahurissant. || [eccessivo] exorbitant.
sbalzare [zbal'tsare] v. intr. bondir. || [salire di colpo] faire un bond. || [sobbalzare] sursauter. ◆ v. tr. jeter, projeter. || TECN. repousser, bosseler, emboutir.
sbalzo ['zbaltso] m. bond. || FIG. [cambiamento] écart. | *sbalzo di temperatura,* écart, saute (f.) de température. || LOC. *di sbalzo,* de but en blanc, d'un seul coup. || ARCHIT. encorbellement. || TECN. repoussé, bosselage.
sbandare [zban'dare] v. intr. faire une embardée, un écart. || [slittare] déraper. || FIG. dévier. || MAR. donner de la bande.
sbandarsi [zban'darsi] v. rifl. se débander. || FIG. se disperser.
sbandata [zban'data] f. embardée.
sbandato [zban'dato] agg. e n. isolé. || FIG. désaxé.
sbandierare [sbandje'rare] v. tr. agiter des drapeaux. || FIG. étaler ; faire étalage (de).
sbaraglio [zba'raλλo] m. *andare allo sbaraglio,* courir à sa ruine. | *gettarsi allo sbaraglio,* risquer le tout pour le tout.
sbarazzare [zbarat'tsare] v. tr. débarrasser, dégager. ◆ v. rifl. PR. e FIG. se débarrasser.
sbarbare [zbar'bare] v. tr. PR. e FIG. déraciner. || [rasare] raser. ◆ v. rifl. se raser.
sbarcare [zbar'kare] v. tr. [persone] débarquer ; [cose] décharger. || LOC. *sbarcare il lunario,* joindre les deux bouts. ◆ v. intr. débarquer.
sbarco ['zbarko] m. débarquement.
sbarra ['zbarra] f. barre. || [di finestra] barreau m. || [di passaggio a livello] barrière.
sbarramento [zbarra'mento] m. barrage.
sbarrare [zbar'rare] v. tr. barricader ; fermer avec une barre. || PER EST. barrer, bloquer. || [segnare con righe trasversali] barrer. || LOC. *sbarrare gli occhi,* écarquiller les yeux.
sbatacchiare [zbatak'kjare] v. tr. faire claquer, faire battre. || [una persona] envoyer, flanquer (fam.). || PER ANAL. *sbatacchiare le ali,* battre des ailes. ◆ v. intr. claquer, battre.
sbattere ['zbattere] v. tr. battre. || [la porta] claquer. || [urtare] (se) cogner, (se) heurter. || LOC. *non saper dove sbattere la testa,* ne pas savoir où donner de la tête. || [gettare] jeter. || [trasferire] expédier. | *mi hanno sbattuto qui,* ils m'ont expédié ici. || FAM. [mettere] flanquer, fiche(r), foutre (pop.). ◆ v. intr. battre, claquer. || [urtare] se cogner (dans), se jeter (dans).
sbattimento [zbatti'mento] m. battement. || [azione di percuotere ripetutamente] battage.
sbattuto [zbat'tuto] agg. battu. || [scosso] ballotté. || [stanco] abattu. || [del viso] défait.
sbavare [zba'vare] v. intr. baver. || TIP. bavocher. ◆ v. tr. baver (sur). || TECN. ébarber, ébavurer.
sbavatura [zbava'tura] f. bave. || [di inchiostro] bavure. || FIG. [lungaggine] longueur. || LOC. *senza sbavature,* sans bavures (fam.). || [operazione di distaccare le bave] ébarbage m.
sbeffeggiare [zbeffed'dʒare] v. tr. bafouer, railler.
sberla ['zbɛrla] f. REG. baffe (pop.), gifle, claque.
sbiadire [zbja'dire] v. intr. pâlir, perdre son éclat ; se décolorer v. rifl. ◆ v. tr. décolorer, faner.
sbiadito [zbja'dito] agg. passé, fané, éteint, décoloré. || FIG. terne, incolore.
sbiancare [zbjan'kare] v. tr. blanchir. ◆ v. intr. blanchir, pâlir.
sbieco ['zbjɛko] agg. oblique. || LOC. *di sbieco,* de biais, en oblique, de travers. ◆ m. [cucito] biais.
sbigottimento [zbigotti'mento] m. émotion (f.) violente. || [spavento] frayeur f. || [stupore] stupeur f.
sbigottire [zbigot'tire] v. tr. troubler. || [spavento] affoler, effrayer. || [stupore] stupéfier. ◆ v. intr. être bouleversé ; s'affoler, être terrifié ; [stupore] être stupéfié.
sbilanciare [zbilan'tʃare] v. tr. PR. e FIG. déséquilibrer. ◆ v. intr. pencher. || [perdere l'equilibrio] perdre l'équilibre. ◆ v. rifl. se compromettre.
sbilancio [zbi'lantʃo] m. déséquilibre. || FIN. déficit.
sbilenco [zbi'lenko] agg. PR. e FIG. bancal, boiteux.
sbirciare [zbir'tʃare] v. tr. lorgner, regarder en coulisse.
sbirciata [zbir'tʃata] f. regard (m.) en coin ; coup d'œil furtif.
sbirro ['zbirro] m. PEGG. flic (pop.), cogne (pop.).
sbizzarrirsi [zbiddzar'rirsi] v. rifl. s'en donner à cœur joie, donner libre cours à sa fantaisie.
sbloccare [zblok'kare] v. intr. débloquer, dégager. || FIN. débloquer, dégeler.
sboccare [zbok'kare] v. intr. [corso d'acqua] se jeter (dans). || PR. e FIG.

aboutir (à), déboucher (sur). ◆ v. tr. ébrécher.

sboccato [zbok'kato] agg. grossier, mal embouché, vulgaire.

sbocciare [zbot'tʃare] v. intr. éclore, s'épanouir. ‖ FIG. éclore. ◆ m. éclosion f.

sbocco ['zbokko] m. débouché. ‖ [di fiume] embouchure f. ‖ [apertura] ouverture f., issue f. ‖ MED. *sbocco di sangue,* crachement de sang.

sbocconcellare [zbokkontʃel'lare] v. tr. grignoter.

sbollire [zbol'lire] v. intr. FIG. s'apaiser, se calmer, tomber.

sbolognare [zboloɲ'ɲare] v. tr. FAM. refiler (pop.), coller. ‖ [senza compl. di attribuzione] se débarrasser (de) (L.C.). ‖ [da un posto] balancer, virer, vider.

sbornia ['zbɔrnja] f. POP. cuite.

sborsare [zbor'sare] v. tr. débourser.

sboscamento [zboska'mento] m. déboisement.

sbottare [zbot'tare] v. intr. éclater. | *sbottare a piangere,* éclater en sanglots. ‖ ASSOL. éclater, exploser (fam.).

sbottonare [zbotto'nare] v. tr. déboutonner. ◆ v. rifl. FIG., FAM. se déboutonner.

sbracare [zbra'kare] v. rifl. se débrailler (fam.), se mettre à l'aise.

sbracato [zbra'kato] agg. débraillé. ‖ FIG. grossier, vulgaire.

sbraitare [zbrai'tare] v. intr. brailler, beugler (fam.), gueuler (pop.).

sbranare [zbra'nare] v. tr. déchiqueter, mettre en pièces. ‖ FIG. déchirer. ‖ ◆ v. recipr. FIG. s'entre-déchirer.

sbrattare [zbrat'tare] v. tr. débarrasser. ‖ [riordinare] ranger ; mettre en ordre. ‖ [pulire] nettoyer.

sbreccare [zbrek'kare] v. tr. ébrécher.

sbriciolare [zbritʃo'lare] v. tr. émietter. ‖ PER EST. pulvériser. ◆ v. rifl. s'émietter.

sbrigare [zbri'gare] v. tr. faire (rapidement), expédier. | *sbrigare un affare,* expédier une affaire. ‖ [per liberarsi] *questo medico sbriga i pazienti in due minuti,* ce médecin expédie ses malades en deux minutes. ‖ LOC. *sbrigarsela,* régler une question ; [arrangiarsi] se débrouiller (fam.). | *me la sbrigo in un attimo,* je vais régler ça en un instant. ◆ v. rifl. se dépêcher, se hâter, se presser. ‖ [liberarsi] (da) se débarrasser (de).

sbrigativo [zbriga'tivo] agg. expéditif. ‖ [brusco] brusque.

sbrinare [zbri'nare] v. tr. dégivrer.

sbrindellato [zbrindel'lato] agg. en lambeaux. ‖ [di persona] loqueteux, déguenillé.

sbrodolare [zbrodo'lare] v. tr. salir, tacher. ‖ FIG. [discorso, idea] délayer. ◆ v. rifl. se salir, se tacher.

sbrogliare [zbroʎ'ʎare] v. tr. démêler, débrouiller. | *sbrogliare una matassa,* débrouiller (les fils d')un écheveau. ‖ PER EST. [tavola, cassetto] débarrasser. ‖ LOC. *sbrogliare la matassa,* tirer l'affaire au clair. ◆ v. rifl. (da) se dépêtrer (de). ‖ LOC. *sbrogliarsela,* se tirer d'affaire.

sbronzarsi [zbron'dzarsi] v. rifl. FAM. prendre une cuite, se soûler.

sbruffare [zbruf'fare] v. tr. éclabousser. ‖ FIG. se vanter.

sbruffone [zbruf'fone] (**-a** f.) n. fanfaron, onne ; vantard.

sbucare [zbu'kare] v. intr. sortir, déboucher.

sbucciare [zbut'tʃare] v. tr. éplucher. ‖ PER EST. écorcher, érafler, ‖ [liberare da un involucro] ouvrir. ◆ v. rifl. [rettili] muer. ‖ [prodursi un'escoriazione] s'écorcher, s'érafler.

sbudellare [zbudel'lare] v. tr. étriper. ‖ [ferire al ventre] éventrer. ◆ v. rifl. FIG. *sbudellarsi dalle risa,* se tordre (de rire).

sbuffare [zbuf'fare] v. intr. souffler (comme un phoque), haleter. ‖ [per noia] soupirer. ‖ [animali] renâcler ; [cavalli] s'ébrouer. ‖ [locomotiva] lancer des jets de fumée.

sbuffo ['zbuffo] m. bouffée f., souffle. ‖ [lo sbuffare] soupir. ‖ [di cavallo] ébrouement. ‖ MODA bouillon. | *manica a sbuffo,* manche ballon.

sbugiardare [zbudʒar'dare] v. tr. confondre, démasquer.

scabbia ['skabbja] f. MED. gale.

scabro ['skabro] agg. rugueux, raboteux, râpeux. ‖ PER EST. inégal. ‖ FIG. rude.

scabrosità [skabrosi'ta] f. aspérité. ‖ FIG. caractère scabreux. ‖ [difficoltà] complexité, difficulté. ‖ [di stile] rudesse.

scabroso [ska'broso] agg. FIG. scabreux. ‖ [difficile] épineux.

scacchiera [skak'kjɛra] f. échiquier m. ; [per giocare a dama] damier m. ‖ FIG. *sciopero a scacchiera,* grève tournante.

scacchiere [skak'kjɛre] m. échiquier.

scacchista [skak'kista] (**-i** pl.) n. joueur, joueuse d'échecs.

scacciacani [skattʃa'kani] m. e f. pistolet (m.) factice.

scacciare [skat'tʃare] v. tr. chasser, renvoyer.

scacco ['skakko] m. [pezzo] pièce (f.) d'échecs. ‖ [mossa] échec. | *dare scacco,* faire échec. ‖ [quadretto della scacchiera] case f. ◆ pl. échecs. | *giocare a*

scacchi, jouer aux échecs. ◆ loc. avv. *a scacchi,* à carreaux, en damier.
scadente [ska'dɛnte] agg. de mauvaise qualité. | *voto scadente,* note insuffisante. || COMM. [che scade] échéant.
scadenza [ska'dɛntsa] f. échéance. || [fine della validità di qlco.] expiration. || PER EST. délai m. || LOC. *a breve scadenza,* à court terme, à brève échéance.
scadere [ska'dere] v. intr. arriver à échéance, échoir. || [per un limite di validità] expirer. | *ho lasciato scadere il passaporto,* j'ai laissé périmer mon passeport. || [perdere di qualità] baisser, se dégrader. | *è scaduto nella mia stima,* il a baissé dans mon estime. | *scadere di valore,* perdre de sa valeur.
scadimento [skadi'mento] m. déclin, déchéance f., décadence f.
scaduto [ska'duto] agg. périmé. || [persona] déchu. || COMM. échu. || [di contratto] expiré.
scafandro [ska'fandro] m. scaphandre. || [di aviatore] combinaison f.
scaffale [skaf'fale] m. étagère f., rayon, rayonnage.
scafo ['skafo] m. coque f.
scagionare [skadʒo'nare] v. tr. disculper, innocenter, blanchir. ◆ v. rifl. (da) se disculper (de).
scaglia ['skaʎʎa] f. écaille. || [legno] copeau m. || [vetro] éclat m. || [sapone] paillette. || [forfora] pellicule.
1. scagliare [skaʎ'ʎare] v. tr. PR. e FIG. jeter, lancer. ◆ v. rifl. (contro) se jeter (sur), foncer (sur). || FIG. invectiver.
2. scagliare v. tr. écailler. ◆ v. rifl. s'écailler.
scaglionare [skaʎʎo'nare] v. tr. échelonner. ◆ v. rifl. s'échelonner.
scaglione [skaʎ'ʎone] m. gradin, terrasse f. || AMM. échelon. || FIN. *imposta a scaglioni,* impôt progressif. || PER EST. groupe. | *a scaglioni,* par groupes.
scagnozzo [skaɲ'ɲɔttso] m. PEGG. homme de main. || [persona priva di capacità] nullité f.
scala ['skala] f. escalier m. || [a pioli] échelle. || FIG. échelle. | *scala dei valori,* échelle des valeurs. | *una scala di colori,* une gamme de couleurs. || [nella cartografia] échelle. | *su vasta scala,* sur une grande échelle. || [serie di divisioni] échelle, graduation. || MUS. gamme.
1. scalare [ska'lare] agg. COMM., ECON. dégressif. || MAT. scalaire. || FIG. graduel, progressif.
2. scalare v. tr. escalader. || [disporre in scala] échelonner. | *scalare i colori,* dégrader les couleurs. || [diminuire] diminuer. || [sottrarre] déduire, soustraire.
scalata [ska'lata] f. escalade. || FIG. *dar la scalata al titolo mondiale,* ambitionner le titre mondial.
scalatore [skala'tore] (**-trice** f.) n. grimpeur, euse.
scalcagnato [skalkaɲ'ɲato] agg. éculé. || [di persona] débraillé. || [di cosa] déglingué (fam.).
scalciare [skal'tʃare] v. intr. ruer.
scalcinato [skaltʃi'nato] agg. décrépi. || [di persona] débraillé. || [di cosa] délabré.
scaldare [skal'dare] v. tr. chauffer ; [riscaldare] réchauffer. || FIG. échauffer, enflammer. ◆ v. intr. chauffer. ◆ v. rifl. se (ré)chauffer. || FIG. s'animer, s'exalter.
scaldino [skal'dino] m. chaufferette f.
scalea [ska'lɛa] f. escalier monumental.
scalfire [skal'fire] v. tr. rayer, égratigner.
scalfittura [skalfit'tura] f. rayure, éraflure, égratignure.
scalinata [skali'nata] f. escalier m.
scalino [ska'lino] m. marche f. || FIG. degré, échelon.
scalmanarsi [skalma'narsi] v. rifl. se mettre en nage. || PER EST. se donner du mal. || [parlare in maniera concitata] s'exciter.
scalo ['skalo] m. escale f. || [parte di porto] embarcadère. | *scalo merci,* quai de chargement. || MAR. cale f.
scalogna [ska'loɲɲa] f. malchance, guigne (fam.), déveine (fam.).
scalone [ska'lone] m. escalier monumental.
scaloppa [ska'lɔppa] f. escalope.
scalpellare [skalpel'lare] v. tr. tailler, sculpter. || CHIR. faire une incision au scalpel.
scalpellino [skalpel'lino] m. tailleur de pierres.
scalpello [skal'pɛllo] m. TECN. ciseau, burin. || CHIR. scalpel ; [per incidere gli ossi] trépan. || MIN. trépan, foreuse f.
scalpicciare [skalpit'tʃare] v. tr. e intr. piétiner.
scalpiccio [skalpit'tʃio] m. piétinement. || [rumore di passi] bruit de pas.
scalpitare [skalpi'tare] v. intr. piaffer.
scalpo ['skalpo] m. scalp.
scalpore [skal'pore] m. PR. e FIG. bruit, tapage.
scaltrezza [skal'trettsa] f. adresse, habileté, ruse.
scaltrire [skal'trire] v. tr. dégourdir. || [rendere più capace] perfectionner. ◆ v. rifl. se dégourdir. || [divenire più abile] se perfectionner.
scaltro ['skaltro] agg. rusé, astucieux, dégourdi.
scalzare [skal'tsare] v. tr. déchausser. || [muro] saper. || FIG. saper, miner.

|| [soppiantare] évincer. ◆ v. rifl. se déchausser.
scalzo ['skaltso] agg. déchaussé ; pieds nus, nu-pieds.
scambiare [skam'bjare] v. tr. échanger, changer. | *scambiare due parole con qlcu.*, échanger quelques mots avec qn. || FIN. changer. || [confondere] confondre. | *scambiare una persona per un'altra,* prendre une personne pour une autre. ◆ v. recipr. échanger v. tr. | *scambiarsi impressioni,* échanger des impressions.
scambievole [skam'bjevole] agg. réciproque, mutuel.
scambio ['skambjo] m. échange. || [errore] confusion f., erreur f. || TR. aiguillage, aiguille f.
scamosciare [skamoʃ'ʃare] v. tr. chamoiser.
scampagnata [skampaɲ'ɲata] f. partie de campagne, excursion.
scampanare [skampa'nare] v. intr. carillonner, sonner à toute volée.
scampanato [skampa'nato] agg. évasé.
scampanellare [skampanel'lare] v. intr. carillonner, sonner bruyamment, avec insistance.
scampare [skam'pare] v. intr. échapper. | *scampare a una malattia,* réchapper d'une maladie. ◆ v. tr. [evitare] échapper (à). || [salvare] sauver. || LOC. *scamparla,* s'en tirer (fam.). | *l'ha scampata bella,* il l'a échappé belle.
scampato [skam'pato] agg. rescapé, survivant. || [evitato] évité, écarté. ◆ m. rescapé, survivant.
1. scampo ['skampo] m. salut. | *cercare scampo in un luogo,* chercher refuge en un lieu. || [il modo per scampare] issue f. ; moyen d'en sortir. | *non c'è scampo,* il n'y a pas d'issue. || [scappatoia] échappatoire f.
2. scampo m. langoustine f.
scampolo ['skampolo] m. coupon.
scanalato [skana'lato] agg. cannelé.
scanalatura [skanala'tura] f. ARCHIT. cannelure. || [in legno o metallo] rainure. || [dove si inserisce un pezzo] feuillure, coulisse.
scandagliare [skandaʎ'ʎare] v. tr. PR. e FIG. sonder.
scandalistico [skanda'listiko] (**-ci** pl.) agg. à scandale, à sensation.
scandalizzare [skandalid'dzare] v. tr. scandaliser. ◆ v. rifl. se scandaliser.
scandalo ['skandalo] m. scandale. || [in senso attenuato] esclandre, éclat.
scandire [skan'dire] v. tr. scander. | *scandire il tempo,* battre la mesure. || TV balayer.
1. scannare [skan'nare] v. tr. égorger ; massacrer. || FIG. assassiner, écorcher.
2. scannare v. tr. TESS. dévider.
scanno ['skanno] m. siège. || [in una chiesa] stalle f.
scansare [skan'sare] v. tr. déplacer. || PR. e FIG. éviter. | *scansare un colpo,* esquiver un coup. ◆ v. rifl. s'écarter. | *scansatevi !,* écartez-vous ! ; ôtez-vous de là !
scansia [skan'sia] f. étagère.
scanso ['skanso] m. *a scanso di,* pour éviter, pour prévenir.
scantinato [skanti'nato] m. sous-sol, cave f.
scantonare [skanto'nare] v. intr. tourner au coin de la rue. || PER EST. s'esquiver. || FIG. s'écarter du sujet.
scanzonato [skantso'nato] agg. désinvolte, décontracté.
scapaccione [skapat'tʃone] m. claque f., calotte f. (fam.), taloche f. (fam.).
scapestrato [skapes'trato] agg. e n. dissolu, dissipé, débauché ; voyou m.
scapigliato [skapiʎ'ʎato] agg. échevelé, ébouriffé. || FIG. dissolu, dissipé. ◆ agg. e n. FIG. bohème.
scapito [s'kapito] m. perte f. || FIG. désavantage, préjudice. || LOC. *a scapito di,* au détriment de.
scapola [s'kapola] f. omoplate.
scapolo ['skapolo] agg. e m. célibataire.
scappamento [skappa'mento] m. échappement.
scappare [skap'pare] v. intr. se sauver v. rifl., s'enfuir v. rifl., fuir. | *scappare di prigione,* s'échapper de prison, s'évader. || FIG. *di qui non si scappa,* on ne sort pas de là. || PER EST. courir, se sauver. || [sfuggire] échapper. | *non lasciarti scappare l'occasione,* ne laisse pas échapper l'occasion. | *mi è scappato di mente,* cela m'est sorti de la tête ; je l'ai oublié. | *far scappare la pazienza,* faire perdre patience. || [fuoriuscire] sortir. | *di dove scappi fuori ?,* d'où sors-tu ? || [di stimoli fisiologici] *mi scappava da ridere,* j'avais envie de rire.
scappata [skap'pata] f. saut m. | *fare una scappata a Parigi,* faire un saut à Paris. || [battuta] sortie. || [errore] incartade, écart m. || [nei fuochi artificiali] bouquet final.
scappatoia [skappa'toja] f. échappatoire.
scappellotto [skappel'lɔtto] m. claque f., calotte f. (fam.), taloche f. (fam.).
scarabeo [skara'bɛo] m. scarabée.
scarabocchiare [skarabok'kjare] v. tr. gribouiller, griffonner.
scarabocchiatura [skarabokkja'tura] f. o. **scarabocchio** [skara'bɔkkjo] m. gribouillis m., griffonnage m. || FIG. [di persona] avorton m.
scarafaggio [skara'faddʒo] m. cafard, blatte f., cancrelat.

scaramanzia [skaraman'tsia] f. exorcisme m. | *fare qlco. per scaramanzia,* faire qch. pour éloigner le mauvais sort.
scaramuccia [skara'muttʃa] f. escarmouche.
scaraventare [skaraven'tare] v. tr. envoyer, lancer, jeter. || FIG. expédier. ◆ v. rifl. se ruer, se jeter, se précipiter.
scarcerare [skartʃe'rare] v. tr. (re)mettre en liberté, relâcher.
scardinare [skardi'nare] v. tr. faire sortir de ses gonds.
scarica ['skarika] f. décharge. || PER EST. *scarica di botte,* volée de coups. || FIG. *scarica di insulti,* bordée d'injures. || [feci] évacuation. || ELETTR. décharge.
scaricare [skari'kare] v. tr. décharger. || [svuotare di un contenuto] déverser ; décharger. || FIG. (se) décharger. | *scarica le responsabilità sugli altri,* il se décharge sur les autres des responsabilités. || [sfogare] exhaler, épancher, déverser. ◆ v. rifl. PR. e FIG. se décharger. || [acqua] se déverser ; [fiumi] se jeter. || [fulmine] tomber.
scaricatore [skarika'tore] m. débardeur. | *scaricatore di porto,* docker. || [idraulica] conduit d'évacuation.
1. scarico ['skariko] agg. déchargé ; [vuoto] vide ; [sgombro] dégagé. || [orologio] arrêté. || [accumulatore elettrico] déchargé, à plat. || FIG. libre.
2. scarico (**-chi** pl.) m. déchargement. || [per lo scarico dei rifiuti] décharge (f.) publique, dépôt d'ordures. || [rifiuti] ordures f. pl. || [di acque] écoulement, évacuation f., déversement. || [nei motori a scoppio] échappement. || FIG. décharge. | *testimoni a scarico,* témoins à décharge.
scarlattina [skarlat'tina] f. scarlatine.
scarlatto [skar'latto] agg. e m. écarlate f.
scarnificato [skarnifi'kato] agg. décharné. || FIG. dépouillé.
scarno ['skarno] agg. décharné, émacié. || FIG. pauvre, maigre. || [in senso positivo] sobre, dépouillé.
scarogna [ska'roɲɲa] f. = SCALOGNA.
scarpa ['skarpa] f. chaussure, soulier m. || LOC. FAM. *fare le scarpe a qlcu.,* agir en sous-main contre qn. || [scarpata] talus m., escarpement m. || [cuneo] cale.
scarpata [skar'pata] f. escarpement m., talus m., berge. || ARCHIT. fruit m.
scarpone [skar'pone] m. gros soulier, brodequin.
scarrozzare [skarrot'tsare] v. tr. promener en voiture. ◆ v. intr. se promener en voiture.
scarsamente [skarsa'mente] avv. peu, médiocrement, insuffisamment.
scarseggiare [skarsed'dʒare] v. intr. manquer, être rare, faire défaut. || [divenire scarso] commencer à manquer ; se faire rare.
scarsezza [skar'settsa] o **scarsità** [skarsi'ta] f. manque m., pénurie, rareté, insuffisance.
scarso ['skarso] agg. insuffisant, maigre, médiocre. | *raccolto scarso,* maigre récolte. || peu nombreux. | *scarso pubblico,* public peu nombreux. || [leggermente inferiore ad una data misura] *tre chili scarsi,* trois petits kilos, à peine trois kilos. || [poco] *ha scarso entusiasmo,* il a peu d'enthousiasme. || faible, médiocre. | *intelligenza scarsa,* intelligence médiocre.
scartabellare [skartabel'lare] v. tr. feuilleter, compulser.
scartamento [skarta'mento] m. écartement, écart.
1. scartare [skar'tare] v. tr. [un pacco] défaire. || [il contenuto] déballer, dépaqueter. || [eliminare] écarter, rejeter. | *scartare un progetto,* rejeter un projet. || [buttare via] jeter.
2. scartare v. intr. faire un écart, une embardée. || SP. [calcio] dribbler.
1. scarto ['skarto] m. élimination f. || [cosa scartata] rebut m., déchets m. pl. || FIG. [persona] bon à rien ; [carte] écart.
2. scarto m. écart. || [anticipo] avance f.
scartoffia [skar'tɔffja] f. paperasse.
1. scassare [skas'sare] v. tr. décaisser, déballer.
2. scassare v. tr. AGR. défoncer. || POP. bousiller, esquinter. ◆ v. rifl. FIG., POP. se bousiller, s'esquinter.
scassinare [skassi'nare] v. tr. crocheter, fracturer.
scassinatore [skassina'tore] (**-trice** f.) n. cambrioleur, euse.
scassinatura [skassina'tura] f. effraction.
scasso ['skasso] m. effraction f. || AGR. défonçage, défoncement.
scatenare [skate'nare] v. tr. FIG. déchaîner. ◆ v. rifl. se déchaîner.
scatola ['skatola] f. boîte. || LOC. *scritto a lettere di scatola,* écrit en lettres énormes. || VOLG. *rompere le scatole,* emmerder, casser les pieds (fam.).
scatolame [skato'lame] m. boîtes f. pl. || [cibi in scatola] boîtes de conserve.
scatoletta [skato'letta] f. boîte (de conserve).
scattante [skat'tante] agg. agile.
scattare [skat'tare] v. intr. [di molla] se détendre. || [di pezzi meccanici] se déclencher ; [funzionare] fonctionner, jouer. || [di persona] sauter, bondir, s'élancer. | *scattare in piedi,* sauter sur ses pieds. || FIG. s'emporter, s'énerver.

|| AMM. avoir de l'avancement. ◆ v. tr. *scattare una fotografia,* prendre une photo.

scatto [ˈskatto] m. déclenchement. || [di molla] détente f. || [congegno che scatta] déclencheur, déclic. || [pulsante] bouton. || [di persona] mouvement brusque, sursaut. || LOC. *di scatto,* brusquement. | *a scatti,* par saccades, par à-coups. || FIG. accès, mouvement. | *scatto di malumore,* accès de mauvaise humeur. || AMM. [del personale] avancement, promotion f. ; [degli stipendi] augmentation f. || SP. détente f ; [nella corsa] démarrage.

scaturire [skatuˈrire] v. intr. jaillir, s'échapper. || [di sorgente] naître. || [di corso d'acqua] prendre sa source. || FIG. dériver, découler.

scavalcare [skavalˈkare] v. tr. enjamber ; [saltando] sauter. || PR. e FIG. dépasser. | *scavalcare un superiore,* passer par-dessus la tête d'un supérieur. || [sbalzare di sella] désarçonner.

scavare [skaˈvare] v. tr. creuser. || [in cerca di qlco.] fouiller. || MODA échancrer. || FIG. approfondir. || [dissotterrare] déterrer.

scavo [ˈskavo] m. creusement, creusage. || [risultato] creux, excavation f. || MODA échancrure f. ◆ pl. [per il reperimento di oggetti] fouilles f. pl.

scegliere [ˈʃeʎʎere] v. tr. choisir. | *c'è poco da scegliere,* je n'ai, tu n'as, il n'a pas le choix. || [separare il migliore] trier, sélectionner.

scellerato [ʃelleˈrato] agg. criminel, infâme, odieux, mauvais. ◆ n. scélérat (lett.), criminel.

scelta [ˈʃelta] f. choix m. | *a scelta,* au choix. || [cose scelte] choix, sélection.

scelto [ˈʃelto] agg. choisi. | *pubblico scelto,* public choisi. || [di merce] de premier choix. || [bene addestrato] d'élite.

scemare [ʃeˈmare] v. intr. baisser, diminuer, décliner. || [perdere forza] faiblir, s'affaiblir. ◆ v. tr. diminuer.

scemenza [ʃeˈmɛntsa] f. bêtise, imbécillité, idiotie, stupidité.

scemo [ˈʃemo] agg. bête, idiot, stupide, imbécile. || [che si riduce] décroissant. ◆ n. idiot, imbécile.

1. scempio [ˈʃempjo] agg. simple. || FIG. sot, niais, idiot.

2. scempio [ˈʃempjo] m. massacre.

scena [ˈʃɛna] f. TEAT. scène. | *portare in scena una commedia,* jouer, représenter une comédie. || FIG. *la scena politica,* la scène politique. || [ambiente] scène, décor m. | *cambiamento di scena,* PR. e FIG. changement de décor. || [agire dei personaggi] *scena muta,* scène muette. || FIG. *far scena muta,* ne pas savoir répondre ; sécher. || [divisione] scène. | *colpo di scena,* PR. e FIG. coup de théâtre. || [manifestazione esagerata] scène, histoire. | *far la scena,* jouer la comédie.

scenario [ʃeˈnarjo] m. PR. e FIG. décor. || [nella commedia dell'arte] canevas. || CIN. scénario.

scenata [ʃeˈnata] f. scène, esclandre m.

scendere [ˈʃendere] v. intr. descendre. | *scende la notte,* la nuit tombe. || [ricadere] descendre, tomber. || [calare] baisser, diminuer, tomber. || FIG. descendre, tomber. | *come hai potuto scendere così in basso ?,* comment as-tu pu tomber si bas ? || LOC. *scendere in piazza,* descendre dans la rue. | *scendere a patti,* transiger. | *scendere a vie di fatto,* en venir aux mains. ◆ v. tr. descendre. | *scendere le scale,* descendre l'escalier.

sceneggiatore [ʃeneddʒaˈtore] (**-trice** f.) n. CIN. scénariste.

sceneggiatura [ʃeneddʒaˈtura] f. CIN. découpage m. ; [risultato] scénario m. || adaptation théâtrale, radiophonique, pour la télévision.

scenografia [ʃenograˈfia] f. [arte] scénographie, scénologie. || [oggetti] décors m. pl.

scenografo [ʃeˈnɔgrafo] m. décorateur.

scervellarsi [ʃervelˈlarsi] v. rifl. FAM. se creuser la cervelle, se casser la tête.

scervellato [ʃervelˈlato] agg. écervelé.

scetticismo [ʃettiˈtʃizmo] m. scepticisme.

scettro [ˈʃɛttro] m. PR. e FIG. sceptre.

scevro [ˈʃevro] agg. LETT. exempt (L.C.), dépourvu (L.C.).

scheda [ˈskɛda] f. fiche. || AMM. *scheda elettorale,* bulletin (m.) de vote. || *scheda telefonica,* carte de téléphone.

schedare [skeˈdare] v. tr. ficher, mettre sur fiches.

schedario [skeˈdarjo] m. fichier.

scheggia [ˈskeddʒa] f. éclat m. ; [di legno] écharde.

scheggiare [skedˈdʒare] v. tr. ébrécher. ◆ v. rifl. s'ébrécher.

scheletrico [skeˈlɛtriko] (**-ci** pl.) agg. PR. e FIG. squelettique.

scheletro [ˈskɛletro] m. PR. e FIG. squelette.

schema [ˈskɛma] (**-i** pl.) m. schéma. || [abbozzo] plan, canevas. || [progetto] projet. | *schema di legge,* projet de loi. || [elemento normativo] règle f.

schematizzare [skematidˈdzare] v. tr. schématiser.

scherma [ˈskerma] f. escrime.

schermaglia [skerˈmaʎʎa] f. duel m. || FIG. joute (oratoire).

schermare [skerˈmare] v. tr. [una luce] voiler, masquer. || ELETTR. isoler. || RAD. antiparasiter.

schermo ['skermo] m. PR. e FIG. écran. || RAD. (dispositif) antiparasite. || FIG. abri, protection f.
schermografia [skermogra'fia] f. radiographie.
schernire [sker'nire] v. tr. railler, tourner en dérision.
scherno ['skerno] m. moquerie f. | *farsi scherno,* tourner en dérision, bafouer.
scherzare [sker'tsare] v. intr. plaisanter, blaguer (fam.). | *ma vuole scherzare?,* vous plaisantez!, vous voulez rire! | *non scherzare con la tua salute,* ne joue pas avec ta santé.
scherzo ['skertso] m. plaisanterie f., blague f. (fam.). | *scherzi a parte, senza scherzi,* sans rire, blague à part. || [cosa fatta o detta per scherzo] farce f., blague (fam.), tour. | *brutto scherzo,* sale tour. || [cosa facile] plaisanterie, jeu. | *per lui è uno scherzo,* c'est un jeu pour lui. || IPERB. *scherzo di natura,* caprice de la nature. || MUS. scherzo (it.). ◆ pl. [effetti] jeux. | *scherzi d'acqua,* jeux d'eau.
schettinare [sketti'nare] v. intr. faire du patin à roulettes.
schiacciamento [skjattʃa'mento] m. écrasement. || [appiattimento] aplatissement.
schiaccianoci [skjattʃa'notʃi] m. inv. casse-noix, casse-noisettes.
schiacciante [skjat'tʃante] agg. écrasant. || FIG. accablant.
schiacciapatate [skjattʃapa'tate] m. inv. presse-purée.
schiacciare [skjat'tʃare] v. tr. écraser. || [rompere] casser. || FIG. accabler. ◆ v. rifl. s'écraser.
schiacciato [skjat'tʃato] agg. écrasé. || [appiattito] aplati.
schiaffare [skjaf'fare] v. tr. FAM. fourrer, coller, flanquer, fiche(r).
schiaffeggiare [skjaffed'dʒare] v. tr. gifler, claquer.
schiaffo ['skjaffo] m. gifle f., claque f. || FIG. gifle f., soufflet. | *schiaffo morale,* humiliation f.
schiamazzare [skjamat'tsare] v. intr. crier. || [galline] caqueter. || FIG. brailler, faire du tapage.
schiantare [skjan'tare] v. tr. abattre. || PER EST. fracasser, casser, briser. || [far scoppiare] faire éclater, crever. ◆ v. intr. FAM. claquer, crever. ◆ v. rifl. [albero] s'abattre; [altri oggetti] s'écraser, se fracasser. || [scoppiare] éclater, crever.
schianto ['skjanto] m. rupture f. || [scoppio] éclatement. || [rumore] fracas. || FIG. déchirement. ◆ loc. avv. *di schianto,* tout d'un coup, soudainement.
schiappa ['skjappa] f. nullité, incapable n.
schiarire [skja'rire] v. tr. PR. e FIG. éclaircir. ◆ v. intr. s'éclaircir, devenir plus clair. || [di colore] passer, pâlir. ◆ v. rifl. s'éclaircir. ◆ v. impers. commencer à faire jour.
schiarita [skja'rita] f. éclaircie, embellie.
schiavitù [skjavi'tu] f. PR. e FIG. esclavage m.
schiavo ['skjavo] (**-a** f.) n. PR. e FIG. esclave. ◆ agg. esclave.
schiena ['skjɛna] f. dos m. || FIG. *rompersi la schiena,* s'échiner (fam.).
schienale [skje'nale] m. dossier. || [macelleria] échine f.
schiera ['skjɛra] f. troupe, foule, multitude, armée, régiment m.
schieramento [skjera'mento] m. MIL. disposition f.; [in fila] alignement. || [spiegamento] déploiement. || [composizione] composition f. || FIG. forces f. pl., bloc, coalition f.
schierare [skje'rare] v. tr. disposer, ranger; aligner. || [spiegare] déployer. ◆ v. rifl. MIL. se ranger; s'aligner; se déployer. || [aderire] se rallier, rejoindre v. tr.
schiettezza [skjet'tettsa] f. franchise, sincérité.
schietto ['skjetto] agg. pur. | *oro schietto,* or pur. || FIG. franc, sincère.
schifare [ski'fare] v. tr. PR. e FIG. dégoûter. ◆ v. rifl. se dégoûter, prendre (v. tr.) en dégoût.
schifezza [ski'fettsa] f. aspect (m.) répugnant. || [concreto] horreur, saloperie (pop.).
schifo ['skifo] m. dégoût, répugnance f. | *la nostra squadra ha fatto schifo,* notre équipe a été lamentable.
schifoso [ski'foso] agg. dégoûtant, répugnant, écœurant. || [qualitativamente scadente] lamentable, affreux. || [inconcepibile] écœurant, incroyable.
schioccare [skjok'kare] v. intr. claquer. ◆ v. tr. faire claquer.
schiocco ['skjɔkko] m. claquement.
schiodare [skjo'dare] v. tr. déclouer.
schioppettata [skjoppet'tata] f. coup (m.) de fusil.
schioppo ['skjɔppo] m. fusil (de chasse).
schiudere ['skjudere] v. tr. [porta, finestra] entrouvrir; entrebâiller. || FIG. ouvrir. ◆ v. rifl. s'entrouvrir. || PER EST. [uova] éclore v. intr., s'ouvrir. || [sorgere] naître.
schiuma ['skjuma] f. écume, mousse. || FIG. lie, écume.
schiumare [skju'mare] v. tr. écumer. ◆ v. intr. écumer, mousser.
schiumarola [skjuma'rɔla] f. écumoire.

schiuso ['skjuso] agg. entrouvert.
schivare [ski'vare] v. tr. esquiver, éviter. || FIG. éluder.
schivo ['skivo] agg. qui fuit, se dérobe. || [ritroso] réservé.
schizzare [skit'tsare] v. intr. gicler, jaillir. || PER EST. sauter, bondir. | *schizzare via,* partir comme une flèche. || [scappare] se sauver ; glisser entre les doigts. ◆ v. tr. éclabousser ; faire gicler. || [abbozzare] esquisser, ébaucher.
schizzinoso [skittsi'noso] agg. e n. délicat, dégoûté, difficile.
sci [ʃi] m. inv. ski m.
scia ['ʃia] f. sillage m. || FIG. *seguire la scia di qlcu.,* suivre la trace de qn, marcher sur les traces de qn.
scià [ʃa] m. chāh, shāh.
sciabola ['ʃabola] f. sabre m.
sciabolare ['ʃabo'lare] v. tr. sabrer.
sciacallo [ʃa'kallo] m. chacal. || [saccheggiatore di rovine] pillard.
sciacquare [ʃak'kware] v. tr. rincer.
sciacquata [ʃak'kwata] f. rinçage (m.) rapide. | *dare una sciacquata,* passer à l'eau, rincer.
sciacquo ['ʃakkwo] m. rinçage (de bouche).
sciacquone [ʃak'kwone] m. chasse (f.) d'eau.
sciagura [ʃa'gura] f. catastrophe, désastre m., malheur m.
sciagurato [ʃagu'rato] agg. malheureux. || [malvagio] mauvais, méchant. ◆ n. malheureux, misérable
scialacquare [ʃalak'kware] v. tr. gaspiller.
scialbo ['ʃalbo] agg. pâle, fade.
scialle ['ʃalle] m. châle.
scialo ['ʃalo] m. gaspillage, prodigalité f. || PER EST. luxe.
scialuppa [ʃa'luppa] f. chaloupe, canot m.
sciamano [ʃa'mano] m. REL. chaman.
sciamare [ʃa'mare] v. intr. PR. e FIG. essaimer.
sciame ['ʃame] m. PR. e FIG. essaim.
sciampagna [ʃam'paɲɲa] m. inv. champagne m.
sciampo ['ʃampo] m. shampooing.
sciancato [ʃan'kato] agg. e n. boiteux, euse ; bancal, estropié.
sciarada [ʃa'rada] f. charade. || FIG. énigme, devinette.
sciare [ʃi'are] v. intr. skier.
sciarpa ['ʃarpa] f. écharpe.
sciatica ['ʃatika] f. sciatique.
sciatore [ʃia'tore] (**-trice** f.) n. skieur, euse.
sciatteria [ʃatte'ria] f. négligence, laisser-aller m. inv.
sciatto ['ʃatto] agg. négligé ; débraillé.
scientemente [ʃente'mente] avv. sciemment, consciemment.
scientificità ['ʃentifitʃi'ta] f. scientificité.
scienza ['ʃɛntsa] f. science.
scienziato [ʃen'tsjato] m. savant.
scimmia ['ʃimmja] f. singe m. ; [femmina] guenon.
scimmiottare [ʃimmjot'tare] v. tr. singer.
scimpanzé [ʃimpan'tse] m. chimpanzé.
scimunito [ʃimu'nito] agg. e n. imbécile, idiot.
scindere ['ʃindere] v. tr. diviser. ◆ v. rifl. se scinder, se diviser.
scintilla [ʃin'tilla] f. PR. e FIG. étincelle.
scintillare [ʃintil'lare] v. intr. scintiller, étinceler.
scioccamente [ʃokka'mente] avv. bêtement, sottement.
scioccare [ʃok'kare] v. tr. PSIC. choquer, traumatiser.
sciocchezza [ʃok'kettsa] f. bêtise, sottise, stupidité. || [cosa da nulla] bêtise, bagatelle. | *costare una sciocchezza,* coûter deux fois rien.
sciocco ['ʃɔkko] agg. e n. sot, idiot, imbécile.
sciogliere ['ʃɔλλere] v. tr. faire fondre. || [slegare] défaire, délier, dénouer. | *sciogliere un nodo,* défaire un nœud. || [liberare] PR. e FIG. délivrer, libérer. || SP. *sciogliere i muscoli,* s'échauffer. || LOC. *sciogliere la lingua a qlcu.,* délier la langue à qn. || [adempiere] accomplir, s'acquitter (de). || [licenziare] dissoudre ; mettre fin (à). | *sciogliere la seduta,* lever la séance. || [disperdere] disperser. | *sciogliere un assembramento,* disperser un rassemblement. || [risolvere] résoudre. | *sciogliere un dubbio,* dissiper un doute. ◆ v. rifl. [ghiaccio] fondre v. intr. || FIG. *sciogliersi in lacrime,* fondre en larmes. | *nodo che si scioglie,* nœud qui se défait. || [liberarsi] se libérer. || [finire] se terminer.
scioglimento [ʃoλλi'mento] m. fonte f. || [il porre fine] dissolution f. | *scioglimento di un contratto,* résiliation (f.) d'un contrat.
sciolina [ʃio'lina] f. fart m.
scioltezza [ʃol'tettsa] f. souplesse, agilité. || FIG. aisance, facilité.
sciolto ['ʃɔlto] agg. fondu. || [disciolto] dissous. || [non legato] délié, dénoué, détaché. || [detto dei movimenti] souple, aisé, dégagé. || [non confezionato] en vrac. || FIG. aisé, désinvolte. || [libero] libre, délivré, libéré. || POES. *verso sciolto,* vers blanc.
scioperante [ʃope'rante] agg. e n. gréviste.
scioperare [ʃope'rare] v. intr. faire grève, débrayer (fam.).
scioperato [ʃope'rato] agg. e n. fainéant, paresseux.

sciopero ['ʃɔpero] m. grève f.
sciorinare [ʃori'nare] v. tr. étendre. || FIG. faire étalage (de). || [continuare a ripetere] débiter.
sciovia [ʃio'via] f. remonte-pente m.
scipito [ʃi'pito] agg. PR. e FIG. fade, insipide.
scippare [ʃip'pare] v. tr. voler à l'arraché.
scippo ['ʃippo] m. *(furto con) scippo,* vol à l'arraché.
scirocco [ʃi'rɔkko] m. sirocco.
sciroppare [ʃirop'pare] v. tr. mettre dans du sirop.
sciroppo [ʃi'rɔppo] m. sirop.
scisma ['ʃizma] (**-i** pl.) m. schisme.
scissione [ʃis'sjone] f. PR. e FIG. scission.
scisso ['ʃisso] agg. divisé, scindé.
scisto ['ʃisto] m. schiste.
sciupare [ʃu'pare] v. tr. abîmer ; user ; [sgualcire] froisser, friper. || PER EST. abîmer. | *sciuparsi la salute,* détruire sa santé. || [usare male] gâcher, gâter, gaspiller, perdre. ◆ v. rifl. [di oggetti] s'abîmer. || [sgualcirsi] se froisser. || [perdere i colori] se faner. || [rovinarsi la salute] détruire sa santé.
sciuscià [ʃuʃ'ʃa] m. gamin des rues.
scivolare [ʃivo'lare] v. intr. glisser. || FIG. *scivolar via,* s'esquiver.
scivolata [ʃivo'lata] f. glissade.
scivoloso [ʃivo'loso] agg. glissant. || FIG. visqueux, répugnant.
sclerosare [sklero'zare] v. tr. MED. provoquer la sclérose (de). ◆ v. rifl. se scléroser.
sclerosi [skle'rozi] f. sclérose.
scoccare [skok'kare] v. tr. décocher. | *scoccare una freccia,* décocher une flèche. || [suonare] sonner. ◆ v. intr. [di ore] sonner. || [guizzare] jaillir.
scocciante [skot'tʃante] agg. FAM. embêtant, empoisonnant, barbant.
scocciare [skot'tʃare] v. tr. FAM. embêter, assommer. ◆ v. rifl. s'embêter, se raser.
scocciato [skot'tʃato] agg. FAM. embêté.
scocciatura [skottʃa'tura] f. FAM. embêtement m.
scodella [sko'dɛlla] f. assiette creuse. || [ciotola] bol m.
scodellare [skodel'lare] v. tr. verser (dans les assiettes), servir.
scodinzolare [skodintso'lare] v. intr. remuer la queue. || FIG. faire des manières.
scogliera [skoʎ'ʎɛra] f. récif m., écueil m. || [accumulo di massi] rochers m. pl.
scoglio ['skɔʎʎo] m. PR. e FIG. écueil.
scoiare [sko'jare] v. tr. dépouiller, écorcher, dépiauter (fam.).
scoiattolo [sko'jattolo] m. écureuil.
scolapiatti [skola'pjatti] m. inv. égouttoir m.
1. scolare [sko'lare] agg. *età scolare,* âge scolaire.
2. scolare v. tr. égoutter. || [vuotare] vider. ◆ v. intr. (s')égoutter.
scolaresca [skola'reska] f. élèves m. e f. pl.
scolaro [sko'laro] (**-a** f.) n. [di scuola elementare] écolier, ère ; [di qualsiasi scuola] élève. || [discepolo] élève.
scolastica [sko'lastika] f. FILOS. scolastique.
scolastico [sko'lastiko] (**-ci** pl.) agg. [della scuola] scolaire. | *obbligo scolastico,* scolarité obligatoire. || FILOS. e FIG. scolastique. ◆ m. scolastique.
scolatoio [skola'tojo] m. égouttoir.
scoliosi [sko'ljɔzi] f. scoliose.
scollacciato [skollat'tʃato] agg. trop décolleté. || FIG. leste, licencieux.
scollamento [skolla'mento] m. décollement, décollage. || MED. décollement.
1. scollare [skol'lare] v. tr. décolleter, échancrer. ◆ v. rifl. se décolleter.
2. scollare v. tr. décoller. ◆ v. rifl. se décoller.
scollegare [skolle'gare] v. tr. séparer.
scolo ['skolo] m. écoulement.
scolorare [skolo'rare] v. tr. e rifl. = SCOLORIRE.
scolorire [skolo'rire] v. tr. décolorer. || FIG. atténuer, ◆ v. rifl. se décolorer. || FIG. pâlir.
scolpire [skol'pire] v. tr. sculpter. || [incidere] graver. || FIG. graver.
scombinare [skombi'nare] v. tr. déranger, bouleverser.
scombinato [skombi'nato] agg. manqué, raté. || [di persone] brouillon. ◆ n. brouillon, onne.
scombro ['skombro] m. ZOOL. maquereau.
scombussolare [skombusso'lare] v. tr. PR. e FIG. bouleverser, mettre sens dessus dessous, retourner (fam.). | *scombussolare le idee,* troubler les idées.
scommessa [skom'messa] f. pari m. || [posta] enjeu m.
scommettere [skom'mettere] v. tr. parier.
scomodare [skomo'dare] v. tr. déranger. ◆ v. rifl. se déranger.
scomodità [skomodi'ta] f. inconfort m., incommodité.
scomodo ['skɔmodo] agg. inconfortable, incommode. | *si sta scomodi su questa sedia,* on n'est pas bien sur cette chaise. || [che si usa con difficoltà : attrezzo, ecc.] peu commode, peu pratique. || [che non risponde alle esigenze] gênant, désagréable. ◆ m. dérangement.

scompaginare [skompadʒi'nare] v. tr. disloquer. || [guastare l'equilibrio] ébranler, bouleverser, troubler. || TIP. défaire la mise en pages.
scompagnare [skompaɲ'ɲare] v. tr. dépareiller, désassortir.
scomparire [skompa'rire] v. intr. disparaître.
scomparsa [skom'parsa] f. disparition.
scompartimento [skomparti'mento] m. compartiment.
scomparto [skom'parto] m. compartiment, case f.
scompenso [skom'pɛnso] m. insuffisance f., déséquilibre.
scompigliare [skompiʎ'ʎare] v. tr. PR. e FIG. bouleverser, mettre sens dessus dessous, déranger.
scompigliato [skompiʎ'ʎato] agg. en désordre. || [arruffato] PR. e FIG. embrouillé ; FIG. confus. || [dei capelli] ébouriffé. || [concitato] agité.
scompiglio [skom'piʎʎo] m. bouleversement. || [disordine] pagaille f. (fam.), désordre. || [agitazione] agitation f., trouble.
scomponibile [skompo'nibile] agg. décomposable. || [smontabile] démontable.
scomporre [skom'porre] v. tr. décomposer. || [smontare] démonter. || [scompigliare] déranger. || TIP. distribuer. ◆ v. rifl. se troubler, se démonter, perdre contenance.
scompostamente [skomposta'mente] avv. de façon désordonnée. || [in modo poco corretto] de façon inconvenante.
scomposto [skom'posto] agg. décomposé. || [disordinato] en désordre || [dei capelli] décoiffé. || [poco decente] incorrect, inconvenant. | *stare scomposto,* se tenir mal.
scomunicare [skomuni'kare] v. tr. REL. excommunier.
sconcertare [skontʃer'tare] v. tr. déconcerter, dérouter, démonter. || [disturbare] déranger, bouleverser. ◆ v. rifl. se décontenancer, se démonter.
sconcezza [skon'tʃettsa] f. obscénité, saleté, grossièreté.
sconcio ['skontʃo] agg. obscène, grossier. || [fisicamente repellente] dégoûtant. ◆ m. honte f. || [cosa malfatta] horreur f.
sconclusionato [skonkluzjo'nato] agg. incohérent, décousu. || [di persona] inconséquent.
scondito [skon'dito] agg. non assaisonné, nature.
sconfessare [skonfes'sare] v. tr. désavouer.
sconfiggere [skon'fiddʒere] v. tr. battre, défaire (lett.), vaincre.
sconfinare [skonfi'nare] v. intr. franchir les limites (de), la frontière (de). || FIG. déborder v. tr., s'écarter (de).
sconfinato [skonfi'nato] agg. PR. e FIG. immense, infini, illimité.
sconfitta [skon'fitta] f. défaite.
sconfitto [skon'fitto] agg. vaincu, battu. ◆ n. vaincu.
sconfortare [skonfor'tare] v. tr. décourager, démoraliser, abattre. ◆ v. rifl. se décourager, se démoraliser, se laisser abattre.
sconforto [skon'fɔrto] m. découragement, abattement.
scongiurare [skondʒu'rare] v. tr. conjurer. || [supplicare] conjurer, implorer.
scongiuro [skon'dʒuro] m. [esorcismo] conjuration f., exorcisme.
sconnessamente [skonnessa'mente] avv. de façon incohérente.
sconnesso [skon'nesso] agg. disjoint. || FIG. incohérent, décousu, sans suite.
sconosciuto [skonoʃ'ʃuto] agg. e n. inconnu.
sconquassamento [skonkwassa'mento] m. dislocation f., rupture f.
sconquassare [skonkwas'sare] v. tr. fracasser, démolir, casser. || PER EST. éreinter, épuiser. ◆ v. rifl. se fracasser.
sconquasso [skon'kwasso] m. fracas. || FIG. désastre. || [confusione] bouleversement.
sconsacrare [skonsa'krare] v. tr. désaffecter.
sconsideratamente [skonsiderata'mente] avv. à la légère.
sconsiderato [skonside'rato] agg. irréfléchi. || [di cosa] inconsidéré. ◆ m. étourdi, inconscient.
sconsigliare [skonsiʎ'ʎare] v. tr. déconseiller.
sconsolante [skonso'lante] agg. désespérant, décourageant.
sconsolato [skonso'lato] agg. désespéré, inconsolable, accablé.
scontare [skon'tare] v. tr. FIN. escompter. || [detrarre] déduire, décompter. || [una colpa] expier ; [una pena] purger. || [subire le conseguenze] payer.
scontato [skon'tato] agg. prévu. || [di colpa] expié ; [di pena] purgé. || COMM. réduit. || FIN. escompté.
scontentare [skonten'tare] v. tr. mécontenter.
scontento [skon'tɛnto] agg. mécontent. ◆ m. mécontentement.
sconto ['skonto] m. COMM. remise f., rabais, réduction f. || FIN. escompte, déduction f. || LOC. *a sconto di,* PR. en paiement de.
scontrarsi [skon'trarsi] v. rifl. se battre (contre). || [urtare] entrer en collision (avec), heurter v. tr. ◆ v. recipr. [urtarsi] entrer en collision. || [combat-

tere] se battre, s'affronter. || FIG. entrer en conflit, se heurter.
scontrino [skon'trino] m. ticket, bulletin. || [ricevuta] reçu, récépissé.
scontro ['skontro] m. collision f., heurt. || [combattimento] combat, engagement, accrochage. || FIG. heurt, accrochage.
scontroso [skon'troso] agg. maussade, revêche. || [poco socievole] sauvage.
sconveniente [skonve'njɛnte] agg. inconvenant, déplacé. || [non vantaggioso] désavantageux.
sconvolgente [skonvol'dʒɛnte] agg. bouleversant.
sconvolgere [skon'vɔldʒere] v. tr. bouleverser, mettre sens dessus dessous, chambouler (fam.). || [devastare] ravager, dévaster. || FIG. bouleverser, troubler.
1. scopa ['skopa] f. balai m.
2. scopa f. BOT. bruyère.
scopare [sko'pare] v. tr. balayer.
scoperchiare [skoper'kjare] v. tr. découvrir, ôter le couvercle (de). || [togliere il tetto] arracher le toit (de).
scoperta [sko'pɛrta] f. découverte. || MIL. reconnaissance.
scoperto [sko'pɛrto] agg. découvert. ◆ m. COMM. découvert.
scopiazzare [skopjat'tsare] v. tr. [a scuola] copier (sottement). || [di autore] piller.
scopo ['skɔpo] m. but. || LOC. *a che scopo?,* pour quoi faire? | *non c'è scopo,* c'est inutile, cela ne sert à rien. ◆ loc. prep. *allo scopo di,* afin de, pour.
scoppiare [skop'pjare] v. intr. PR. e FIG. éclater, crever, exploser.
scoppiettare [skoppjet'tare] v. intr. crépiter, pétiller. || FIG. fuser, jaillir. || [schioccare] claquer.
scoppio ['skɔppjo] m. éclatement. explosion f. || [rumore] bruit. | *scoppio del fulmine,* bruit de la foudre. || FIG. début, déclenchement. | *allo scoppio della guerra,* quand la guerre éclata. || PER EST. explosion f. | *scoppio di risa,* éclat de rire.
scoprire [sko'prire] v. tr. découvrir. || [palesare] dévoiler, révéler. ◆ v. rifl. PR. e FIG. se découvrir.
scoraggiante [skorad'dʒante] agg. décourageant, démoralisant.
scoraggiare [skorad'dʒare] v. tr. décourager, démoraliser. ◆ v. rifl. se décourager, se laisser abattre.
scorbutico [skor'butiko] (**-ci** pl.) agg. MED. scorbutique. || FIG. hargneux, inabordable.
scorciatoia [skortʃa'toja] f. raccourci m. || FIG. biais m.
scorcio ['skortʃo] m. [periodo finale] fin f. | *sullo scorcio dell'estate,* vers la fin de l'été. || ARTI, LETT. raccourci.
1. scordare [skor'dare] v. tr. o **scordarsi** [skor'darsi] v. rifl. oublier v. tr. || LOC. FAM. *puoi scordartene,* tu peux en faire ton deuil.
2. scordare v. tr. MUS. désaccorder. ◆ v. rifl. se désaccorder.
scorgere ['skɔrdʒere] v. tr. PR. e FIG. apercevoir ; distinguer. || [vedere] voir. | *farsi scorgere,* être vu.
scoria ['skɔrja] f. (spec. pl.) PR. e FIG. scorie, déchet m.
scornare [skor'nare] v. tr. décorner. || FIG. ridiculiser, railler. ◆ v. rifl. se casser une corne. || FIG. se casser le nez.
scorno ['skɔrno] m. humiliation f., honte f., ridicule.
scorpione [skor'pjone] m. ZOOL. scorpion. || ASTR. Scorpion.
scorrazzare [skorat'tsare] v. intr. courir çà et là. || [percorrere] parcourir v. tr. ◆ v. tr. parcourir.
scorrere ['skorrere] v. intr. couler. || [di corpo solido] glisser. | *penna che non scorre,* plume qui gratte. || [del tempo] s'écouler, passer. || [sfilare] défiler. || [vagare] errer, vagabonder. ◆ v. tr. parcourir. | *scorrere il giornale,* parcourir le journal.
scorrettezza [skorret'tettsa] f. incorrection, faute, erreur.
scorretto [skor'rɛtto] agg. incorrect.
scorrevole [skor'revole] agg. [su rulli] roulant. || [lungo guide] coulissant. || FIG. qui glisse facilement, fluide, aisé. ◆ m. coulant.
scorribanda [skorri'banda] f. PR. e FIG. incursion.
scorsa ['skorsa] f. coup (m.) d'œil. | *dare una scorsa ad un libro,* parcourir un livre.
scorso ['skorso] agg. dernier. | *l'anno scorso,* l'an dernier.
scorsoio [skor'sojo] agg. coulant. | *nodo scorsoio,* nœud coulant.
scorta ['skɔrta] f. escorte. || [provvista] réserve, provision, stock m. || AUT. *ruota di scorta,* roue de secours.
scortare [skor'tare] v. tr. escorter. || MIL. convoyer, escorter.
scortese [skor'teze] agg. impoli, discourtois.
scorticare [skorti'kare] v. tr. écorcher, dépouiller, dépiauter (fam.). || PR. e FIG. écorcher, égratigner.
scorza ['skɔrtsa] f. écorce. || [di animali] peau. || FIG. apparence, écorce.
scorzare [skor'tsare] v. tr. écorcer.
scosceso [skoʃ'ʃeso] agg. escarpé, abrupt.
scossa ['skɔssa] f. secousse. | *scossa elettrica,* décharge électrique. || FIG. secousse, choc m.
scosso ['skɔsso] part. pass. e agg. secoué, ébranlé.

scossone [skos'sone] m. forte secousse f., choc violent. || [di veicolo] cahot.
scostante [skos'tante] agg. distant, peu aimable.
scostare [skos'tare] v. tr. écarter, éloigner. ◆ v. rifl. PR. e FIG. s'écarter, s'éloigner. || MAR. déborder v. intr.
scostumato [skostu'mato] agg. e n. débauché, dévergondé.
scotennare [skoten'nare] v. tr. [un animale] écorcher, dépouiller. || [il lardo] enlever la couenne. || [scalpare] scalper.
scottante [skot'tante] agg. PR. e FIG. brûlant.
scottare [skot'tare] v. tr. brûler. || FIG. blesser, piquer au vif. || CULIN. ébouillanter ; [di verdure] blanchir. ◆ v. intr. brûler, être brûlant. ◆ v. rifl. se brûler. || FIG. se faire échauder.
scottatura [skotta'tura] f. brûlure. || FIG. mésaventure, déception.
1. scotto ['skɔtto] agg. trop cuit.
2. scotto m. LOC. *pagare lo scotto,* expier, payer, subir les conséquences (de).
scovare [sko'vare] v. tr. débusquer. || FIG. dénicher, découvrir.
scozzese [skot'tsese] agg. e n. écossais.
screanzato [screan'tsato] agg. mal élevé ; impoli.
screditare [skredi'tare] v. tr. discréditer, déconsidérer. ◆ v. rifl. se discréditer, se déconsidérer.
scremare [skre'mare] v. tr. écrémer.
screpolare [skrepo'lare] v. tr. fendiller, craqueler, crevasser, fissurer. || [la pelle] gercer, crevasser. ◆ v. rifl. se fendiller, se crevasser, se fissurer. || [pelle] se gercer, se crevasser.
screziato [skret'tsjato] agg. bigarré, bariolé, multicolore, diapré ; [di tessuto] chiné.
screzio ['skrɛttsjo] m. désaccord, différend, mésentente f.
scribacchiare [skribak'kjare] v. tr. griffonner. | *scribacchiare un articolo,* bâcler un article. || écrivasser v. intr. (fam.).
scricchiolare [skrikkjo'lare] v. intr. craquer, crisser. || [ripetutamente] craqueter.
scricchiolio [skrikkjo'lio] m. craquement, crissement.
scrigno ['skriɲɲo] m. coffret, écrin.
scriminatura [skrimina'tura] f. raie.
scritta ['skritta] f. inscription. || [contratto] contrat m.
scritto ['skritto] agg. écrit.
scrittoio [skrit'tojo] m. bureau.
scrittore [skrit'tore] m. écrivain, auteur.
scrittrice [skrit'tritʃe] f. (femme) écrivain, auteur.
scrittura [skrit'tura] f. écriture. || [testo scritto] écrit m. || AMM. écritures pl. || CIN., TEAT. engagement m. || GIUR. écriture.
scritturare [skrittu'rare] v. tr. CIN., TEAT. engager.
scrivania [skriva'nia] f. bureau m.
scrivano [skri'vano] m. copiste. || [impiegato di ufficio] employé de bureau ; [da un notaio] clerc.
scrivente [skri'vɛnte] agg. qui écrit. ◆ n. celui, celle qui écrit. | *lo scrivente dichiara ...,* je soussigné déclare ...
scrivere ['skrivere] v. tr. écrire. | *macchina da scrivere,* machine à écrire. | *scrivere una sonata,* écrire une sonate. | *scrivere bene,* bien écrire.
scroccare [skrok'kare] v. tr. FAM. escroquer (L.C.), extorquer (L.C.), soutirer (L.C.) ; [denaro] taper (de).
scrocchio ['skrɔkkjo] m. craquement.
scroccone [skrok'kone] (**-a** f.) n. carotteur, euse ; parasite.
scrofa ['skrɔfa] f. ZOOL. truie.
scrollamento [skrolla'mento] m. ébranlement, secousse f. || LOC. *scrollamento di capo,* hochement de tête.
scrollare [skrol'lare] v. tr. secouer. | *scrollare le spalle,* hausser les épaules. ◆ v. rifl. s'ébrouer. || FIG. se secouer, réagir.
scrollata [skrol'lata] f. secousse ; hochement m.
scrosciante [skroʃ'ʃante] agg. sonore, bruyant. | *pioggia scrosciante,* pluie battante.
scrosciare [skroʃ'ʃare] v. intr. [della pioggia] tomber à verse, à torrents. || [di cascata] gronder. || [crepitare] crépiter. || [con un rumore sordo] gronder.
scrostare [skros'tare] v. tr. enlever la croûte (de). || PER EST. écailler ; [di muro] décrépir. ◆ v. rifl. perdre sa croûte. || PER EST. s'écailler ; [di muro] se décrépir.
scrupolo ['skrupolo] m. scrupule. || [in senso attenuato] peur f., hésitation f., doute. | *non si faccia scrupolo di telefonarmi,* n'hésitez pas à me téléphoner.
scrutare [skru'tare] v. tr. scruter.
scrutinare [skruti'nare] v. tr. dépouiller le scrutin. || [nella scuola] faire les moyennes.
scrutinio [skru'tinjo] m. AMM. scrutin. || UNIV. [nella scuola] délibération f. || [determinazione dei voti] calcul des moyennes.
scucire [sku'tʃire] v. tr. découdre. || FIG., SCHERZ. débourser. ◆ v. rifl. se découdre.
scuderia [skude'ria] f. écurie.
scudetto [sku'detto] m. écusson. || SP. [calcio] titre de champion (d'Italie).
scudiero [sku'djɛro] m. écuyer.

scudisciare [skudiʃ'ʃare] v. tr. cravacher.

scudo ['skudo] m. bouclier. || FIG. rempart, protection f. || [moneta] écu.

sculacciare [skulat'tʃare] v. tr. fesser, donner une fessée (à).

sculacciata [skulat'tʃata] f. fessée.

scultore [skul'tore] m. sculpteur.

scultrice [skul'triʃe] f. (femme) sculpteur.

scultura [skul'tura] f. sculpture.

scuocere ['skwɔtʃere] v. intr. o **scuocersi** ['skwɔtʃersi] v. rifl. trop cuire, cuire trop longtemps.

scuola ['skwɔla] f. [stabilimento] école ; [struttura educativa] enseignement m. | *scuola dell' obbligo,* scolarité obligatoire. || [attività educativa] enseignement, classe, cours m., école. | *far scuola,* faire la classe, faire un cours. | *scuola serale,* cours du soir. || [strutture educative di un paese] enseignement. | *la scuola italiana,* l'enseignement italien. || [orientamento pedagogico] enseignement, pédagogie. || [personale ed alunni] école. | *andare in gita con la scuola,* aller en excursion avec l'école. || FIG. école. | *è stato a una dura scuola,* il a été à rude école.

scuotere ['skwɔtere] v. tr. secouer ; [far tremare, vibrare] ébranler. || FIG. secouer, réveiller. || [turbare] remuer, bouleverser. ◆ v. rifl. s'ébrouer. || [sobbalzare] sursauter. || FIG. se secouer.

scure ['skure] f. hache.

scurire [sku'rire] v. tr. foncer. || [la pelle] brunir. ◆ v. intr. foncer. || [del cielo] s'assombrir. ◆ v. impers. *scurisce,* la nuit tombe.

scuro ['skuro] agg. foncé, sombre. | *notte scura,* nuit noire. || FIG. sombre. || [difficilmente comprensibile] obscur. || [funesto] triste, sombre, malheureux. | *tempi scuri,* triste époque. ◆ m. obscurité f. || LOC. *essere allo scuro di qlco.,* ignorer qch., ne rien savoir de qch. || [imposta] volet.

scurrile [skur'rile] agg. obscène, grossier.

scusa ['skuza] f. excuse. | *chiedo scusa,* pardon ! | *con la scusa che,* sous prétexte que.

scusante [sku'zante] f. excuse.

scusare [sku'zare] v. tr. excuser, justifier. | *non cercare di scusarlo,* n'essaie pas de l'excuser. | *scusate il mio errore,* pardonnez mon erreur. || [formule di cortesia] *scusi, ma lei si sbaglia,* je vous demande pardon, mais vous faites erreur. || [per far ripetere qlco.] *scusa ?,* pardon ? ◆ v. rifl. s'excuser, présenter ses excuses, demander pardon.

sdebitare [zdebi'tare] v. rifl. PR. e FIG. s'acquitter.

sdegnato [zdeɲ'ɲato] agg. indigné, outré.

sdegno ['zdeɲɲo] m. indignation f. || [in senso attenuato] irritation f. || [disprezzo] dédain.

sdegnoso [zdeɲ'ɲoso] agg. dédaigneux, méprisant. || [altero] hautain.

sdentato [zden'tato] agg. édenté.

sdoganare [zdoga'nare] v. tr. dédouaner.

sdolcinato [zdoltʃi'nato] agg. douceâtre. || [con idea di ipocrisia] doucereux. | *poesia sdolcinata,* poésie mièvre, à l'eau de rose.

sdoppiare [zdop'pjare] v. tr. dédoubler. ◆ v. rifl. se dédoubler.

sdraia ['zdraja] f. chaise longue, transatlantique m., transat m. (fam.).

sdraiare [zdra'jare] v. tr. étendre, coucher. ◆ v. rifl. s'allonger, s'étendre, se coucher.

sdrammatizzare [zdrammatid'dzare] v. tr. ramener à ses justes proportions ; dédramatiser.

sdrucciolare [zdruttʃo'lare] v. intr. PR. e FIG. glisser.

sdrucciolevole [zdruttʃo'levole] agg. PR. e FIG. glissant.

sdrucciolone [zdruttʃo'lone] m. glissade f., chute f.

1. se [se] cong. 1. CONDIZIONE : si (+ indic.). | *se lo avessi saputo, te lo avrei detto,* si je l'avais su, je te l'aurais dit. || [rafforzato da avv.] *se mai,* V. SEMMAI. | *se non,* si ce n'est, sauf. | *se non che,* V. SENNONCHÉ. | *se non altro,* V. ALTRO. | *se no, sennò,* sinon, autrement, ou. || [valore attenuato] *se Dio vuole,* finalement ; Dieu merci. | *se vogliamo,* si on veut ; au fond. || [valore enf.] *se sapeste !,* si vous saviez ! | *se ti prendo !,* si je t'attrape ! | *se lo dici tu,* si c'est toi qui le dis. || *come se,* comme si. | *come se non avessi altro da fare !,* comme si je n'avais rien d'autre à faire ! || [valore causale] puisque, si. || [valore concessivo] si, s'il est vrai que. || *se anche, se pure, seppure,* même si (+ indic.) ; quand bien même (+ cond.). 2. DUBBIO : si (+ indic.). | *non so se sia arrivato,* je ne sais pas s'il est arrivé. || [valore enf.] *se è vero ?,* (tu me demandes) si c'est vrai ? || [equivale a « quanto », « come »] si, comme, combien. | *so io se è difficile !,* je sais combien c'est difficile ! ◆ m. *lui e i suoi « se » !,* lui, avec ses « si » !

2. se pron. pers. m. e f. 3ª pers. sing. e pl. [variante di SI, V. anche SI] se. | *se lo è fatto fare da un amico,* il se l'est fait faire par un ami. | *se ne andarono,* ils s'en allèrent.

sé [se] pron. pers. rifl. m. e f. 3ª pers. sing. e pl. 1. RAPPRESENTA UNA PERSONA O UN ANIMALE. [un sogg. det.] lui m. sing., eux m. pl., elle f. sing., elles f. pl. ; [se l'uso di « lui, eux, elles » può generare confusione] soi m. e f. sing. lui-même m. sing., eux-mêmes m. pl., elle-même f. sing., elles-mêmes f. pl. | *guardano davanti a sé,* ils regardent devant eux. | *è soddisfatto di sé,* il est content de soi, de lui, de lui-même. || [un sogg. indef.] soi(-même) sing. | *attirare a sé,* attirer à soi. | *ingannare sé stesso,* se tromper soi-même. || LOC. *uscire di sé,* sortir de ses gonds. || *da sé,* soi-même, tout seul. | *fanno tutto da sé,* ils font tout eux-mêmes. 2. RAPPRESENTA UNA COSA. soi ; lui(-même), elle(-même), eux(-mêmes), elles(-mêmes). | *la virtù porta in sé la ricompensa,* la vertu porte en soi, en elle-même sa récompense. || LOC. *la vita in sé è bella,* la vie est belle par elle-même. | *la cosa in sé non avrebbe importanza,* la chose n'aurait pas d'importance par elle-même. || *a sé,* à part ; particulier agg. | *un caso a sé,* un cas particulier. | *a sé stante,* indépendant agg. || *da sé,* tout seul. | *va da sé che,* il va de soi que.

sebbene [seb'bɛne] cong. bien que, quoique.

secca ['sekka] f. bas-fond m., haut-fond m., banc m. || LOC. *trovarsi nelle secche,* être en difficulté, avoir des ennuis. || [siccità] sécheresse. | *il torrente è in secca,* le torrent est à sec.

seccante [sek'kante] agg. ennuyeux, embêtant (fam.) || [solo di cosa] fâcheux.

seccare [sek'kare] v. tr. sécher, dessécher. || FIG. ennuyer, déranger. ◆ v. intr. sécher. ◆ v. rifl. sécher, se dessécher. || FIG. se fâcher, s'irriter.

seccatore [sekka'tore] (**-trice** f.) n. casse-pieds inv. (fam.), raseur, euse (fam.).

seccatura [sekka'tura] f. embêtement m. (fam.), ennui m.

secchio ['sekkjo] m. seau.

secco ['sekko] agg. sec. | *carne secca,* viande séchée. | *pane secco,* pain rassis. || [magro] maigre, sec. || FIG. sec. | *curva secca,* virage brusque. || LOC. POP. *restarci secco,* mourir sur le coup (L.C.) ; y rester (fam.). ◆ m. sécheresse f. || [luogo secco] endroit sec. || MAR. *mettere la nave in secco,* mettre un navire en cale sèche. || FIG. *rimanere in secco,* être à sec (fam.), être fauché (fam.). | PR. e FIG. *a secco,* à sec. ◆ avv. sèchement.

secentesimo [setʃen'tɛzimo] agg. six centième.

secernere [se'tʃɛrnere] v. tr. sécréter.

secessione [setʃes'sjone] f. sécession.

seco ['seko] pron. LETT. V. SÉ (CON SÉ).

secolare [seko'lare] agg. séculaire. || [laico] séculier. ◆ m. séculier.

secolo ['sɛkolo] m. siècle. || [lungo periodo] *nella notte dei secoli,* dans la nuit des temps.

seconda [se'konda] f. seconde, deuxième. || AUT. seconde. | *mettere la seconda,* passer en seconde. || TR. seconde (classe), deuxième (classe). ◆ loc. avv. [comandante] *in seconda,* en second. ◆ loc. prep. *a seconda di,* suivant, selon. | *a seconda dei casi,* suivant le cas.

secondariamente [sekondarja'mente] avv. [in modo secondario] secondairement. || [in secondo luogo] deuxièmement, secondement.

secondino [sekon'dino] m. gardien de prison.

1. secondo [se'kondo] agg. deuxième, second. | *in secondo luogo,* en second lieu ; deuxièmement. | *minuto secondo,* seconde f. || [sovrani e papi ; capitolo, tomo] deux, II. | *secondo capitolo,* chapitre deux. || [inferiore] deuxième, second. | *di seconda scelta,* de deuxième choix. | *passare in seconda linea,* passer au second plan. || [altro] autre, second, deuxième. | *avere un secondo fine,* avoir une idée derrière la tête, une arrière-pensée. || [nuovo] nouveau, second, deuxième. ◆ m. deuxième, second. || [minuto secondo] seconde f. || [seconda portata di vivande] plat principal, de résistance. || [assistente] second. || MAR. second.

2. secondo prep. selon, suivant ; conformément à. | *parlare secondo coscienza,* parler selon, suivant sa conscience. || [stando a] d'après, selon, suivant. | *secondo l'opinione dei medici,* d'après les médecins, selon l'avis des médecins. || [dipende da] suivant, selon ; cela, ça (fam.) dépend (de). | *« accetti ? » — « secondo »,* « tu acceptes ? » — « ça dépend ».

secrezione [sekret'tsjone] f. sécrétion.

sedano ['sɛdano] m. céleri.

sedare [se'dare] v. tr. calmer, apaiser.

sedativo [seda'tivo] agg. e m. sédatif, calmant.

sede ['sɛde] f. PR. e FIG. siège m. | *sede d'esame,* centre d'examen. || [dove un funzionario esercita le sue funzioni] poste m. | *raggiungere la sede,* rejoindre son poste. || FIG. lieu m., moment m. | *in altra sede,* en un autre lieu, ailleurs. || LOC. *in sede (di),* [al momento di] pendant, au moment (de) ; [dal punto di vista] du point de vue (de). || COMM. établissement m., filiale. || GIUR. domicile m. | *in separata sede,* séparément, à part ; FIG. [privatamente] en tête à tête, entre quatre yeux (fam.).

1. sedere [se'dere] v. intr. s'asseoir. | *mettersi a sedere,* s'asseoir. | *posti a*

sedere, places assises. || [stare seduto] être assis. || [avere seggio ; tenere seduta] siéger. || Loc. *sedere in cattedra,* être titulaire d'une chaire.
2. sedere m. derrière, postérieur (fam.).
sedia [ˈsɛdja] f. chaise. | *sedia a dondolo,* fauteuil (m.) à bascule.
sedicenne [sediˈtʃɛnne] agg. (âgé) de seize ans.
sedicente [sediˈtʃɛnte] agg. soi-disant inv.
sedicesimo [sediˈtʃɛzimo] agg. num. ord. seizième. | *Luigi sedicesimo,* Louis XVI (seize). ◆ m. seizième.
sedici [ˈseditʃi] agg. num. card. e m. seize. ◆ f. pl. *alle sedici,* à seize heures, à quatre heures de l'après-midi.
sedile [seˈdile] m. siège. || [per più di una persona] banquette f., banc.
sedimentare [sedimenˈtare] v. intr. [di liquido] déposer.
sedizione [seditˈtsjone] f. sédition.
seducente [seduˈtʃɛnte] agg. séduisant.
sedurre [seˈdurre] v. tr. séduire.
seduta [seˈduta] f. séance.
sega [ˈsega] f. scie.
segala [ˈsegala] o **segale** [ˈsegale] f. seigle m. | *segala cornuta,* seigle ergoté, blé cornu.
segare [seˈgare] v. tr. scier. || Reg. [mietere] moissonner.
segatura [segaˈtura] f. sciage m. || [residui] sciure.
seggio [ˈsɛddʒo] m. fauteuil, siège. || [carica] siège. | *seggio episcopale,* siège épiscopal. || Pol. siège. || Loc. *seggio elettorale,* bureau de vote.
seggiola [ˈsɛddʒola] f. chaise.
seggiolone [seddʒoˈlone] m. chaise (f.) haute ; chaise d'enfant.
seggiovia [seddʒoˈvia] f. télésiège m.
segheria [segeˈria] f. scierie.
seghettare [segetˈtare] v. tr. denteler.
segmentare [segmenˈtare] v. tr. segmenter. || Fig. subdiviser, fractionner.
segmento [segˈmento] m. segment.
segnalare [seɲɲaˈlare] v. tr. signaler. ◆ v. intr. Mar. faire des signaux. ◆ v. rifl. se distinguer, se signaler.
segnalazione [seɲɲalatˈtsjone] f. information, renseignement m., communication. | [messaggio trasmesso] signal m. | *segnalazioni ottiche,* signaux optiques. || [mezzo con cui si segnala qlco.] signalisation. || [richiamo sul merito di una persona] mention.
segnale [seɲˈɲale] m. signal.
segnaletica [seɲɲaˈlɛtika] f. signalisation.
segnare [seɲˈɲare] v. tr. [distinguere con un segno] marquer. || [delineare un tracciato] tracer. | *segnare una strada,* tracer une route. || [annotare] noter, inscrire, écrire. || Giochi *segnare i punti,* marquer les points. || [provocare un'alterazione] marquer, laisser une trace. || [indicare] marquer, indiquer. | *il termometro segna quattro gradi,* le thermomètre marque 4 °C. || Loc. *segnare a dito,* montrer du doigt. ◆ v. rifl. se signer.
segnatamente [seɲɲataˈmente] avv. Lett. notamment (L.C.), particulièrement (L.C.), surtout (L.C.).
segnato [seɲˈɲato] agg. marqué. || [deciso] décidé.
segno [ˈseɲɲo] m. signe. | *brutto segno !,* c'est mauvais signe ! || [prova] marque f. | *segno di stima,* marque d'estime. || [gesto] signe, geste. | *esprimersi a segni,* s'exprimer par signes, par gestes. || [simbolo] signe. | *segni dello zodiaco,* signes du zodiaque. || [traccia visibile] marque, trace f. | *lasciare il segno,* Pr. e Fig. laisser des traces. || [per riconoscere una cosa] signe, marque. | *segno di riconoscimento,* signe de reconnaissance. || [bersaglio] cible f., but. | *tiro a segno,* tir à la cible. | *colpire nel segno, andare a segno,* Pr. e Fig. faire mouche, mettre dans le mille. || [punto] point. | *a tal segno che,* au point que, à tel point que. || Loc. *per filo e per segno,* par le menu, en détail.
sego [ˈsego] m. suif.
segregare [segreˈgare] v. tr. isoler. ◆ v. rifl. s'isoler.
segretario [segreˈtarjo] (**-a** f.) n. secrétaire.
segreteria [segreteˈria] f. secrétariat m. || *segreteria telefonica,* répondeur m.
1. segreto [seˈgreto] agg. secret. || [di persona, discreto] réservé.
2. segreto m. secret. | *in segreto,* en secret.
seguace [seˈgwatʃe] m. partisan, adepte, tenant. || Filos., Rel. disciple. ◆ pl. [persone che seguono] suite f. sing.
seguente [seˈgwɛnte] agg. suivant.
segugio [seˈgudʒo] m. Pr. e Fig. limier.
seguire [seˈgwire] v. tr. suivre. ◆ v. intr. suivre. || *seguire a,* suivre v. tr. || [continuare] *segue a pagina 5,* suite page 5. ◆ v. impers. *ne segue che,* il s'ensuit que.
seguitare [segwiˈtare] v. tr. continuer. ◆ v. intr. continuer.
seguito [ˈsegwito] m. [gruppo di persone] suite f. || [adesione] succès. | *un' idea che ha trovato molto seguito,* une idée qui a eu beaucoup de succès. || [sostenitori] partisans pl. || [continuazione] suite. || [risultato] suites pl. | *l'affare non dovrebbe avere seguito,* l'affaire ne devrait pas avoir de sui-

tes. || [successione] suite. | *un seguito di menzogne,* une suite de mensonges. || COMM. *far seguito a,* donner suite à. ◆ loc. avv. *di seguito,* de suite, d'affilée.

sei ['sɛi] agg. num. card. e m. inv. six. ◆ f. pl. *le sei,* six heures.

seicento [sei'tʃɛnto] agg. num. card. e m. inv. six cents. | *il Seicento,* le dix-septième siècle.

seimila [sei'mila] agg. num. card. e m. inv. six mille.

selciare [sel'tʃare] v. tr. paver.

selciato [sel'tʃato] agg. e n. pavé.

selettivo [selet'tivo] agg. sélectif. || CHIM., RAD. sélectif.

selezionare [selettsjo'nare] v. tr. sélectionner.

selezione [selet'tsjone] f. sélection.

sella ['sɛlla] f. selle. | *cavallo da sella,* cheval de selle. || [valico] col m. || ARCHEOL. siège m. || TECN. selle, chevalet m.

sellare [sel'lare] v. tr. seller.

sellino [sel'lino] m. selle f.

selva ['selva] f. PR. e FIG. forêt. || [grande quantità] masse.

selvaggina [selvad'dʒina] f. gibier m.

selvaggio [sel'vaddʒo] agg. e n. sauvage. || [primitivo] primitif.

selvatico [sel'vatiko] (**-ci** pl.) agg. e n. sauvage.

selvicoltura [selvikol'tura] f. sylviculture.

semaforo [se'maforo] m. [stradale] feu (tricolore), feu rouge. || MAR., TR. sémaphore.

sembrare [sem'brare] v. intr. sembler, paraître, avoir l'air. | *mi sembra difficile,* cela me semble difficile. ◆ v. impers. sembler. | *fate come meglio vi sembra,* faites comme vous jugerez bon. | *sembra di essere in Italia,* on se croirait en Italie. || [per indicare opinione diffusa] paraître. | *sembra che abbiano già scelto il nuovo direttore,* il paraît que le nouveau directeur a déjà été choisi.

seme ['seme] m. BOT. graine f. || [dell'uva, ecc.] pépin. || [nocciolo] noyau. || [contenuto nel nocciolo] amande f. || [semente] semence f. || FIG. source f., germe, semence. || PER EST. [sperma] semence. || GIOCHI [carte] couleur f.

semente [se'mente] f. AGR. semence.

semestrale [semes'trale] agg. semestriel.

semestre [se'mɛstre] m. semestre.

semiaperto [semia'pɛrto] agg. entrouvert.

semiasse [semi'asse] m. AUT. demi-essieu. || GEOM. demi-droite f.

semibreve [semi'brɛve] f. MUS. ronde.

semicerchio [semi'tʃerkjo] m. demi-cercle.

semichiuso [semi'kjuso] agg. entrouvert.

semicirconferenza [semitʃirkonfe'rentsa] f. GEOM. demi-circonférence.

semiconvitto [semikon'vitto] m. demi-pension f.

semicotto [semi'kɔtto] agg. à moitié cuit.

semicrudo [semi'krudo] agg. à moitié cru.

semidio [semi'dio] m. demi-dieu.

semifinale [semifi'nale] f. SP. demi-finale.

semifluido [semi'fluido] agg. presque fluide.

semifreddo [semi'freddo] m. crème glacée.

semilavorato [semilavo'rato] agg. semi-ouvré. ◆ m. demi-produit, produit semi-fini.

semina ['semina] f. semailles pl. ; [in orticoltura] semis m. || [della terra] ensemencement m.

seminagione [semina'dʒone] f. LETT. = SEMINA.

seminare [semi'nare] v. tr. semer ; [un terreno] ensemencer. || FIG. semer.

seminario [semi'narjo] m. séminaire.

seminarista [semina'rista] (**-i** pl.) m. séminariste.

seminato [semi'nato] agg. ensemencé. || FIG. semé, plein. ◆ m. terrain semé. || LOC., FIG. *uscire dal seminato,* s'écarter du sujet.

seminfermo [semin'fermo] agg. e n. partiellement infirme.

seminterrato [seminter'rato] m. sous-sol.

semiopaco [semio'pako] agg. translucide ; [di vetro] dépoli.

semioscurità [semioskuri'ta] f. pénombre, demi-obscurité.

semipieno [semi'pjɛno] agg. à moitié plein.

semiretta [semi'rɛtta] f. GEOM. demi-droite.

semirigido [semi'ridʒido] agg. semi-rigide.

semiserio [semi'sɛrjo] agg. entre le sérieux et le plaisant ; mi-figue, mi-raisin.

semisfera [semis'fɛra] f. hémisphère m.

semispento [semis'pento] agg. à demi éteint, à moitié éteint.

semita [se'mita] (**-i** pl.) n. Sémite. ◆ agg. sémite, sémitique.

semitono [semi'tɔno] m. MUS. demi-ton.

semiufficiale [semiuffi'tʃale] agg. presque officiel.

semmai [sem'mai] cong. si par hasard, si jamais. || [con v. sottinteso] au besoin, si nécessaire, le cas échéant, éventuellement. | *semmai ti chiamerò,* au besoin je t'appellerai. || [nel senso di tutt'al più] à la rigueur, tout au plus. | *sono io semmai che ho bisogno d'aiuto,* s'il y a quelqu'un qui a besoin d'aide, c'est moi.
semola ['semola] f. [crusca] son m. || FIG., POP. tache de son, de rousseur (L.C.). || [farina granulosa] semoule.
semolino [semo'lino] m. semoule f.
semovente [semo'vɛnte] agg. automoteur, automobile. ◆ m. MIL. autocanon.
semplice ['semplitʃe] agg. [in tutti i significati] simple. | *corpi semplici,* corps simples. | *una semplice supposizione,* une simple supposition. | *è abbastanza semplice per crederci,* il est assez naïf pour y croire. | *soldato semplice,* simple soldat. ◆ m. pl. FARM. simples.
semplicione [sempli'tʃone] (**-a** f.) n. e agg. naïf, ïve. ◆ agg. naïf, crédule.
sempliciotto [sempli'tʃɔtto] agg. e m. innocent, niais, nigaud, benêt.
semplificare [semplifi'kare] v. tr. simplifier. ◆ v. rifl. se simplifier.
sempre ['sɛmpre] avv. toujours. || [con comp., più, meno] *sempre più difficile,* de plus en plus difficile, toujours plus difficile. | *sempre meglio,* de mieux en mieux. || LOC. *di sempre,* habituel, de toujours. | *è quello di sempre,* il est toujours le même. ◆ loc. cong. *sempre che,* à condition que, pourvu que ; [ammesso che] si toutefois ; en admettant que, si on admet que ; [ogni qualvolta] chaque fois que.
senape ['sɛnape] f. moutarde.
senato [se'nato] m. POL., STOR. sénat. || UNIV. *senato accademico,* conseil des doyens (d'une université).
senatore [sena'tore] (**-trice** f.) n. POL., STOR. sénateur m.
senile [se'nile] agg. sénile.
sennò [sen'nɔ] o **se no** [se'nɔ] cong. sinon, ou autrement.
senno ['senno] m. bon sens, jugement, discernement. || [ragione] raison f. | *perdere il senno, uscire di senno,* perdre la raison.
sennonché [sennon'ke] cong. mais. || [eccettuativo] sauf que, excepté que. || [con infinito] sauf, excepté, sinon, à part.
seno ['seno] m. sein, poitrine f. | *allattare al seno,* nourrir au sein. | *seno scoperto,* poitrine découverte. || FAM. (pl.) [mammelle] seins (L.C.). || FIG. [parte interna] sein (lett.), profondeurs f. pl. | *il seno della terra,* le sein, les profondeurs de la terre. || PR. e FIG. *in seno a, nel seno di,* dans le sein de, au sein de. | *in seno alla famiglia,* au sein de sa famille. || GEOGR. [insenatura] crique f., anse f. || MAT. sinus.
senonché [senon'ke] cong. = SENNONCHÉ.
sensale [sen'sale] m. COMM. intermédiaire, courtier.
sensatamente [sensata'mente] avv. d'une manière sensée, raisonnablement.
sensato [sen'sato] agg. sensé.
sensazione [sensat'tsjone] f. sensation. || LOC. *far sensazione,* faire sensation.
sensibile [sen'sibile] agg. sensible. ◆ f. MUS. sensible.
sensibilizzare [sensibilid'dzare] v. tr. PR. e FIG. sensibiliser.
sensitività [sensitivi'ta] f. sensibilité.
sensitivo [sensi'tivo] agg. sensitif, sensoriel. || [sensibile] sensible. ◆ n. [persona sensibile] émotif. || [medium] médium.
senso ['sɛnso] m. sens. | *riprendere i sensi,* reprendre connaissance. || [capacità di sentire] sens. | *senso dell'orientamento,* sens de l'orientation. || [sensazione] sensation f., impression f. | *senso di vuoto,* sensation de vide. || [sentimento] sentiment, impression. || LOC. *far senso,* [suscitare repulsione] répugner, dégoûter ; [fare impressione] impressionner. || [nell'uso epistolare] *coi sensi del mio profondo rispetto,* avec l'expression de mon profond respect. || [significato] sens. | *frasi prive di senso,* phrases dénuées de sens. || [modo] sens, manière f., façon f. | *agiremo in questo senso,* nous agirons dans ce sens. || [direzione] sens.
sensualità [sensuali'ta] f. sensualité.
sentenza [sen'tɛntsa] f. sentence, jugement m. || [massima] maxime, adage m.
sentenziare [senten'tsjare] v. tr. décider, décréter, juger. ◆ v. intr. FIG. pontifier.
sentiero [sen'tjɛro] m. sentier, chemin.
sentimentale [sentimen'tale] agg. sentimental.
sentimento [senti'mento] m. sentiment. || [consapevolezza] sens. | *sentimento del dovere,* sens du devoir. || [coscienza] conscience f. | *sentimento di sè,* conscience de soi.
sentinella [senti'nɛlla] f. sentinelle. | *essere di sentinella,* être de faction.
sentire [sen'tire] v. tr. sentir, percevoir. | *sentire freddo, sonno, fame, male,* avoir froid, sommeil, faim, mal. || [assaggiare] goûter. || [tastare] tâter, toucher. | *sentire il polso,* tâter le pouls. || [riconoscere] reconnaître. || [udire] entendre. | *non ci sente bene, ci sente male,* il entend mal, il est dur d'oreille.

|| [ascoltare] écouter. | *stammi a sentire,* écoute-moi (bien). || [consultare] consulter. | *dovresti sentire un medico,* tu devrais (aller) voir un médecin. || [venire informato] apprendre, entendre, savoir. | *va a sentire che cosa vuole,* va voir ce qu'il veut. | *avete sentito la notizia?,* vous avez appris la nouvelle? | *vorrei sentire il tuo parere,* je voudrais savoir ton avis. || [provare] éprouver, ressentir, sentir. | *sentire pietà,* ressentir, éprouver de la pitié. || ASSOL. être sensible. ◆ v. intr. (raro) avoir une odeur, un goût de ◆ v. rifl. se sentir. | *sentirsi male,* se sentir mal. || LOC. *sentirsela,* avoir le courage, se sentir capable; [aver voglia] avoir envie.

sentitamente [sentita'mente] avv. vivement.

sentito [sen'tito] agg. entendu. | *per sentito dire,* par ouï-dire. || [sincero] sincère.

sentore [sen'tore] m. bruit. || LOC. *avere sentore di qlco.,* avoir vent de qch.

senza ['sɛntsa] prep. sans. | *senza di te,* sans toi. | *senza volere,* sans le vouloir. || LOC. *senza indugio,* sans attendre. | *senza confronto,* sans pareil. | *senza dubbio,* sans aucun doute. | *siamo rimasti senza zucchero,* nous n'avons plus, il n'y a plus de sucre. | *senza complimenti,* avec simplicité. ◆ loc. cong. *senza che,* sans que.

senzatetto [sentsa'tetto] n. inv. sans-abri, sans-logis.

separare [sepa'rare] v. tr. séparer. || [distinguere] distinguer, isoler. ◆ v. rifl. e recipr. se séparer.

separato [sepa'rato] agg. séparé.

separazione [separat'tsjone] f. séparation.

sepolcrale [sepol'krale] agg. funéraire. || FIG. sépulcral, funèbre.

sepolcro [se'polkro] m. sépulcre (lett.), tombeau. || LOC. *essere con un piede nel sepolcro,* avoir un pied dans la tombe.

sepolto [se'polto] agg. enterré, enseveli (lett.). | *morto e sepolto,* mort et enterré. || FIG. enseveli.

sepoltura [sepol'tura] f. inhumation, enterrement m. || [luogo] sépulture.

seppellire [seppel'lire] v. tr. enterrer, inhumer, ensevelir (lett.). || [ricoprire] ensevelir. || FIG. enterrer. ◆ v. rifl. s'enterrer, s'ensevelir.

seppia ['seppja] f. ZOOL. seiche. || [colore] sépia. ◆ agg. inv. couleur sépia.

seppure [sep'pure] cong. [anche se] même si (+ indic.), quand (même) (+ cond.), quand bien même (+ cond.). | *seppure fosse vero,* même si c'était vrai, quand bien même ce serait vrai. || [ammesso che] en admettant que (+ congiunt.).

sequela [se'kwɛla] f. suite, série, kyrielle.

sequenza [se'kwɛntsa] f. suite, série. || CIN., MUS., REL., GIOCHI séquence. || ELETTR., TECN. série.

sequestrare [sekwes'trare] v. tr. GIUR. saisir; placer sous séquestre. || PER EST. confisquer. || [una persona] séquestrer.

sequestro [se'kwɛstro] m. séquestre, saisie f. || [di persona] séquestration f.

sera ['sera] f. soir m. | *sul fare della sera,* à la tombée du soir, de la nuit. | *tutta la sera,* toute la soirée. | *questa sera,* ce soir.

serafico [se'rafiko] (**-ci** pl.) agg. REL. e FIG. séraphique. || FIG. impassible.

serale [se'rale] agg. du soir.

serata [se'rata] f. soirée.

serbare [ser'bare] v. tr. PR. e FIG. garder, conserver. || [mantenere] tenir. ◆ v. rifl. se garder. | *serbarsi giovane,* rester jeune.

serbatoio [serba'tojo] m. réservoir. || [per una città] château d'eau.

serbo ['sɛrbo] m. LOC. *mettere in serbo,* mettre de côté.

serenata [sere'nata] f. sérénade. || PER EST. charivari m., chahut m. (fam.).

serenità [sereni'ta] f. [del cielo] clarté, limpidité. || FIG. sérénité.

sereno [se'reno] agg. [del cielo] serein (lett.), limpide. || FIG. serein.

sergente [ser'dʒɛnte] m. MIL. sergent. | *sergente maggiore,* sergent-chef. || [nella cavalleria, l'artiglieria] maréchal des logis.

seriamente [serja'mente] avv. sérieusement.

seriare [se'rjare] v. tr. sérier.

1. serico ['sɛriko] (**-ci** pl.) agg. LETT. de la soie. || [di seta] de soie.

2. serico (**-ci** pl.) agg. [del siero] sérique.

sericoltura [serikol'tura] f. sériciculture.

serie ['sɛrje] f. inv. série f. || [assortimento] jeu m. || [calcio] division. | *serie A, serie B,* première, deuxième division.

serietà [serje'ta] f. sérieux m. || [gravità] gravité.

serio ['sɛrjo] agg. [di persona] sérieux; [severo] grave; [preoccupato] soucieux. | *farsi serio,* devenir grave. || [di cosa] sérieux; [preoccupante] grave. | *la situazione si fa seria,* la situation devient grave. ◆ m. sérieux. | *sul serio,* [con serietà] avec sérieux, sérieusement; [davvero] vraiment, pour de bon.

sermone [ser'mone] m. Pr. e Fig. sermon. || [discorso prolisso] verbiage.
serpe ['sɛrpe] f. serpent m. || Fig. serpent, vipère.
serpeggiamento [serpeddʒa'mento] m. serpentement, ondulation f.
serpeggiante [serped'dʒante] agg. sinueux, tortueux, onduleux.
serpeggiare [serped'dʒare] v. intr. serpenter. || Fig. [insinuarsi] se répandre, se propager.
serpente [ser'pɛnte] m. serpent.
serpentina [serpen'tina] f. zigzag m. | *a serpentina,* en zigzag. || [tubo a spirale] serpentin m.
serra ['sɛrra] f. serre. || [nelle costruzioni idrauliche] barrage m.
serradadi [serra'dadi] m. clé anglaise.
1. serraglio [ser'raʎʎo] m. ménagerie f. || Fig. cirque.
2. serraglio m. [del sultano] sérail.
serramanico [serra'maniko] m. *coltello a serramanico,* couteau à cran d'arrêt.
serranda [ser'randa] f. [di negozio] rideau m. (de fer). || [di finestra] persienne.
serrare [ser'rare] v. tr. fermer. || [stringere] serrer. || [affrettare] presser. | *serrare l'andatura,* presser le pas. ◆ v. intr. fermer.
serrata [ser'rata] f. lock-out m. inv. (ingl.).
serrato [ser'rato] agg. fermé. || [compatto] serré. || Fig. [rapido] soutenu. || [rigoroso] serré. | *ragionamento serrato,* raisonnement rigoureux.
serratura [serra'tura] f. serrure.
serva ['sɛrva] f. servante, bonne.
servibile [ser'vibile] agg. utilisable.
servilità [servili'ta] f. servilité, obséquiosité.
servire [ser'vire] v. tr. [espletare un obbligo] servir. | *servire Dio, la patria,* servir Dieu, la patrie. || [essere domestico] servir. || [dar da mangiare] servir. | *servire a tavola,* servir à table. || [occuparsi di un cliente] servir, s'occuper (de). || [avere come cliente] être le fournisseur (de). || [essere di utilità] servir, être utile (à). | *in che posso servirla ?,* que puis-je faire pour vous ?, en quoi puis-je vous être utile ? || [di un servizio] desservir. | *l'autobus che serve la nostra via,* l'autobus qui dessert notre rue. || Assol., Sp. [tennis] servir (la balle). || Loc. Scherz. *ora lo servo io !,* je vais lui apprendre à vivre ! ◆ v. intr. servir. || [occorrere] *mi serve qlco.,* j'ai besoin de qch., il me faut qch. ◆ v. rifl. se servir. || [essere cliente abituale] se fournir. || *servirsi di,* se servir de, utiliser v. tr., employer v. tr.
servitù [servi'tu] f. Pr. e Fig. esclavage m., servitude. || [riferito ad animali] captivité. || [complesso dei domestici] domestiques m. pl., domesticité. || Giur. servitude.
servizievole [servit'tsjevole] agg. serviable.
servizio [ser'vittsjo] m. [in tutti i significati] service. | *donna a mezzo servizio,* femme de ménage. | *servizio (militare),* service (militaire). || Iron. *gli hai fatto un bel servizio davvero !,* tu lui as rendu un bien mauvais service ! || *il servizio postale,* le service des postes. || [insieme di oggetti] service. | *servizio da tè,* service à thé. || Loc. *tre stanze e servizi,* trois pièces avec cuisine et salle de bains. || [sulle autostrade] *area di servizio,* aire (f.) de service. || [funzionamento] service, usage. | *fuori servizio,* hors service, hors d'usage. || Giorn. reportage.
servo ['sɛrvo] m. Pr. e Fig. esclave. || Stor. *servo della gleba,* serf. || [domestico] serviteur. || [in formule di cortesia] *servo vostro,* (je suis votre) serviteur (arc.). ◆ agg. esclave. || [servile] servile.
sesamo ['sɛzamo] m. Bot. sésame.
sessagesimo [sessa'dʒɛsimo] agg. Lett. = sessantesimo.
sessanta [ses'santa] agg. num. card. inv. e m. inv. soixante.
sessantenario [sessante'narjo] m. soixantième anniversaire.
sessantenne [sessan'tɛnne] agg. e n. sexagénaire.
sessantesimo [sessan'tɛzimo] agg. num. ord. e m. soixantième. | *capitolo sessantesimo,* chapitre soixante.
sessione [ses'sjone] f. session.
sesso ['sɛsso] m. sexe. | *d'ambo i sessi,* des deux sexes.
sessualità [sessuali'ta] f. sexualité.
sesta ['sɛsta] f. Rel. sexte. || Mus. sixte.
sestante [ses'tante] m. sextant.
sestiere [ses'tjɛre] m. quartier.
1. sesto ['sɛsto] agg. num. ord. e m. sixième ; [papi e sovrani ; atto, libro] six.
2. sesto m. ordre, disposition f. || Loc. *rimettersi in sesto,* [economicamente] remettre de l'ordre dans ses affaires ; [fisicamente] se remettre ; [i vestiti] rajuster sa toilette. || Archit. cintre. | *arco a tutto sesto,* arc en plein cintre. || Tip. format.
seta ['seta] f. soie.
setacciare [setat'tʃare] v. tr. tamiser ; passer au crible.
setaccio [se'tattʃo] m. tamis, crible.
sete ['sete] f. soif. | *far venir sete,* donner soif.
setola ['setola] f. Bot., Zool. soie. || [spazzola] brosse.
setta ['sɛtta] f. secte.

settanta [set'tanta] agg. num. card. inv. e m. inv. soixante-dix.
settantenne [settan'tɛnne] agg. e n. septuagénaire.
settantesimo [settan'tɛzimo] agg. num. ord. e m. soixante-dixième. | *capitolo settantesimo,* chapitre soixante-dix.
settario [set'tarjo] agg. e n. sectaire.
sette ['sɛtte] agg. num. card. e m. inv. sept. ◆ f. pl. *sono le sette,* il est sept heures.
settebello [sette'bɛllo] m. [carte] sept de carreau.
settecentesimo [settetʃen'tɛzimo] agg. num. ord. e m. sept centième.
settecento [sette'tʃɛnto] agg. num. card. inv. e m. inv. sept cents. | *il Settecento,* le dix-huitième siècle.
settembre [set'tɛmbre] m. septembre.
settennale [setten'nale] agg. septennal.
settenne [set'tɛnne] agg. (âgé) de sept ans. || [che dura sette anni] septennal. ◆ n. enfant de sept ans.
settentrionale [settentrjo'nale] agg. du Nord, septentrional ; nord inv. | *Africa settentrionale,* Afrique du Nord. ◆ n. personne du Nord.
settico ['sɛttiko] (**-ci** pl.) agg. septique.
settima ['sɛttima] f. MUS. septième.
settimana [setti'mana] f. semaine. || GIOCHI marelle.
settimanale [settima'nale] agg. hebdomadaire. || [della settimana] de la semaine. ◆ m. hebdomadaire.
settimino [setti'mino] agg. né à sept mois, prématuré. ◆ n. enfant né à sept mois. || MUS. septuor.
settimo ['sɛttimo] agg. num. ord. e m. septième. | *Carlo settimo,* Charles VII (sept).
setto ['sɛtto] m. ANAT., BOT. cloison f.
settore [set'tore] m. PR. e FIG. secteur.
settoriale [setto'rjale] agg. sectoriel.
settuagesimo [settua'dʒɛzimo] agg. LETT. = SETTANTESIMO.
severità [severi'ta] f. sévérité.
severo [se'vɛro] agg. sévère.
sevizia [se'vittsja] f. sévices m. pl.
seviziare [sevit'tsjare] v. tr. torturer. || [violentare] violer.
sezionare [settsjo'nare] v. tr. sectionner. || ANAT. disséquer.
sezione [set'tsjone] f. [suddivisione] section. || GEOM. section. || [nel disegno] section, coupe. || MAT. *sezione aurea,* nombre d'or.
sfaccendare [sfattʃen'dare] v. intr. travailler avec ardeur, trimer, besogner.
sfaccendato [sfattʃen'dato] agg. e n. désœuvré, oisif.
sfaccettare [sfattʃet'tare] v. tr. facetter, tailler à facettes. || FIG. examiner tous les aspects (de).
sfacchinare [sfakki'nare] v. intr. trimer, peiner.
sfacchinata [sfakki'nata] f. tâche épuisante ; travail éreintant, tuant.
sfacciataggine [sfattʃa'taddʒine] f. impudence, aplomb m.
sfacciato [sfat'tʃato] agg. impudent, insolent. || [di colore] criard, voyant. ◆ m. effronté, impudent.
sfacelo [sfa'tʃɛlo] m. délabrement. || FIG. écroulement, décomposition f., désagrégation f. || [rovina] ruine f.
sfaldare [sfal'dare] v. tr. cliver, déliter, exfolier. ◆ v. rifl. se cliver, s'exfolier. || [di vernice] s'écailler.
sfamare [sfa'mare] v. tr. rassasier. || [nutrire] nourrir. ◆ v. rifl. se rassasier, manger à sa faim. || [mangiare] se nourrir, manger.
sfare ['sfare] v. tr. = DISFARE.
sfarfallamento [sfarfalla'mento] m. éclosion f. || FIG. papillonnement. || [di luce] papillotement.
sfarfallare [sfarfal'lare] v. intr. sortir du cocon, éclore. || [svolazzare] voleter, voltiger, papillonner. || FAM. faire des bourdes. || [di luce] papilloter.
sfarzo ['sfartso] m. faste, éclat, pompe f. (antiq. o lett.).
sfarzoso [sfar'tsoso] agg. fastueux, somptueux, luxueux.
sfasamento [sfaza'mento] m. FIS. déphasage. || FIG. décalage. || [mancanza di coerenza] incohérence f.
sfasare [sfa'zare] v. tr. déphaser. || FIG. désorienter, troubler.
1. sfasciare [sfaʃ'ʃare] v. tr. débander ; enlever, ôter le pansement, les bandes (de). || [un bambino] démailloter.
2. sfasciare v. tr. démolir, casser. ◆ v. rifl. se casser, se disloquer ; [sotto un peso] s'effondrer ; [contro un ostacolo] s'écraser. || FIG. se désagréger.
sfatare [sfa'tare] v. tr. démythifier, démystifier.
sfaticato [sfati'kato] agg. e n. fainéant.
sfatto ['sfatto] agg. PR. e FIG. défait. || [guasto] pourri, gâté.
sfavillare [sfavil'lare] v. intr. PR. e FIG. étinceler.
sfavore [sfa'vore] m. défaveur f. || [svantaggio] désavantage.
sfavorire [sfavo'rire] v. tr. défavoriser, desservir, désavantager.
sfebbrare [sfeb'brare] v. intr. guérir de la fièvre.
sfera ['sfɛra] f. sphère, globe m., boule. | *cuscinetto a sfere,* roulement à billes. || [lancetta] aiguille. || FIG. sphère, milieu m., domaine m.
sferragliare [sferraʎ'ʎare] v. intr. faire un bruit de ferraille.

sferrare [sfer'rare] v. tr. déferrer. || FIG. déclencher. ◆ medio intr. se déferrer. || FIG. s'élancer.

sferruzzare [sferrut'tsare] v. intr. tricoter.

sferza ['sfɛrtsa] f. fouet m. || FIG. *la sferza del gelo,* la morsure du gel.

sferzante [sfer'tsante] agg. cinglant.

sferzare [sfer'tsare] v. tr. fouetter, cingler.

sfiancare [sfjan'kare] v. tr. éreinter, harasser, épuiser. || briser, faire éclater ; [una nave] ouvrir une voie d'eau (dans). || [in sartoria] ajuster à la taille.

sfiatare [sfja'tare] v. intr. fuir, perdre. | *tubazione che sfiata,* tuyau qui fuit. || [uscire] fuir, s'échapper. ◆ v. rifl. FIG. s'époumoner, s'égosiller.

sfibbiare [sfib'bjare] v. tr. déboucler, dégrafer.

sfibrare [sfi'brare] v. tr. épuiser, exténuer.

sfida ['sfida] f. défi m.

sfidare [sfi'dare] v. tr. défier. || LOC. FAM. *sfido (io)!,* je crois, je pense bien !

sfiducia [sfi'dutʃa] f. découragement m. ; manque (m.) de confiance. || [diffidenza] méfiance, défiance. || POL. *dare il voto di sfiducia,* refuser la confiance.

sfiduciare [sfidu'tʃare] v. tr. décourager. ◆ v. rifl. se décourager, se laisser abattre.

sfigurare [sfigu'rare] v. tr. défigurer. ◆ v. intr. faire piètre, triste figure. || [stonare] détonner.

sfilacciare [sfilat'tʃare] v. tr. effilocher, effiler. || TECN. défiler. ◆ v. rifl. s'effilocher, s'effiler.

1. sfilare [sfi'lare] v. tr. [ago] désenfiler. || [vestiti] enlever, ôter. | *sfilarsi le scarpe,* enlever ses chaussures. || [togliere i fili] effiler, défiler. || [la carne] dénerver. ◆ v. rifl. [ago] se désenfiler ; [altri oggetti] s'enlever, glisser. || [sfilacciarsi] s'effilocher. || [smagliarsi] *mi si è sfilata una calza,* j'ai une maille qui file.

2. sfilare v. intr. PR. e FIG. défiler.

sfilata [sfi'lata] f. défilé m. || [fila] file, rangée. || [serie] série.

sfilza ['sfiltsa] f. (longue) file. || [gran quantità] masse, tas m.

sfinge ['sfindʒe] f. MIT., ZOOL. e FIG. sphinx.

sfinimento [sfini'mento] m. épuisement.

sfinire [sfi'nire] v. tr. épuiser, exténuer, harasser. ◆ v. rifl. s'épuiser.

sfinito [sfi'nito] agg. épuisé, exténué.

sfiorare [sfjo'rare] v. tr. effleurer, frôler, raser. || FIG. *sfiorare la morte,* voir la mort de près.

sfiorire [sfjo'rire] v. intr. PR. e FIG. se faner, se flétrir. | *far sfiorire,* faner, flétrir.

sfittare [sfit'tare] v. tr. laisser libre, libérer. ◆ v. rifl. devenir libre.

sfitto ['sfitto] agg. libre, non loué.

sfocato [sfo'kato] agg. FOT. e FIG. flou, voilé.

sfociare [sfo'tʃare] v. intr. [di corso d'acqua] se jeter (dans) ; [di via] déboucher (sur), aboutir (à). || FIG. entraîner v. tr., aboutir (à).

sfoderare [sfode'rare] v. tr. dégainer. || FIG. révéler ; faire montre (de). | *sfoderare una grande abilità,* faire montre, faire preuve d'une grande habileté. || [dare fondo] avoir recours (à), faire appel (à). || [ostentare] étaler, exhiber.

sfoderato [sfode'rato] agg. non doublé, sans doublure.

sfogare [sfo'gare] v. tr. donner libre cours (à), épancher. | *sfogare la rabbia su qlcu.,* passer sa colère sur qn. ◆ v. intr. sortir, s'échapper. || FIG. éclater. ◆ v. rifl. s'épancher. | *sfogarsi con un amico,* se confier à un ami. || LOC. *sfogarsi contro qlcu.,* dire tout ce qu'on a contre qn. || ASSOL. se soulager, se laisser aller, se défouler.

sfoggiare [sfod'dʒare] v. intr. faire étalage (de), étaler v. tr. ◆ v. tr. arborer. || [ostentare] exhiber, étaler, afficher.

sfoglia ['sfɔʎʎa] f. feuille. || CULIN. abaisse. | *pasta sfoglia,* pâte feuilletée.

1. sfogliare [sfoʎ'ʎare] v. tr. [fiori] effeuiller. ◆ v. rifl. s'effeuiller.

2. sfogliare v. tr. [libro] feuilleter. ◆ v. rifl. s'effriter.

sfogliata [sfoʎ'ʎata] f. [dolce] tarte (en pâte feuilletée).

sfogo ['sfogo] m. [fuoriuscita] sortie f., expulsion f., évacuation f., échappement. || [apertura] ouverture f., issue f. || PER EST. débouché. || FIG. épanchement. || [sollievo] soulagement. || [eruzione cutanea] éruption f.

sfolgorare [sfolgo'rare] v. intr. étinceler, resplendir, fulgurer.

sfollagente [sfolla'dʒɛnte] m. inv. matraque f.

sfollamento [sfolla'mento] m. évacuation f. || [in selvicultura] éclaircissage.

sfollare [sfol'lare] v. intr. quitter v. tr., partir (de), s'en aller (de). || ASSOL. se disperser ; [in tempo di guerra] quitter les centres habités. || [in massa] évacuer v. tr. ◆ v. tr. quitter, partir (de), s'en aller (de). || [in massa] évacuer. ◆ v. rifl. se vider.

sfollato [sfol'lato] agg. e n. évacué, réfugié.

sfoltire [sfol'tire] v. tr. éclaircir.

sfondare [sfon'dare] v. tr. défoncer, enfoncer. ◆ v. intr. FIG. percer. | *non è ancora riuscito a sfondare,* il n'a pas encore réussi à percer. ◆ v. rifl. se défoncer, se percer.
sfondato [sfon'dato] agg. défoncé, enfoncé. || FIG. *ricco sfondato,* riche comme Crésus, riche à millions.
sfondo ['sfondo] m. [pittura] fond ; arrière-plan. || TEAT. (toile f. de) fond. || PER EST. e FIG. toile de fond. | *a sfondo sentimentale,* d'inspiration sentimentale.
sforbiciare [sforbi'tʃare] v. tr. couper (avec des ciseaux).
sformare [sfor'mare] v. tr. déformer. || [togliere dalla forma] démouler. ◆ v. rifl. se déformer.
sformato [sfor'mato] m. CULIN. gâteau (moulé) ; flan.
sfornare [sfor'nare] v. tr. retirer du four. || TECN. défourner. || FIG. pondre (fam.), produire.
sfornito [sfor'nito] agg. dépourvu.
sfortuna [sfor'tuna] f. malchance, déveine (fam.). || [disgrazia] malheur m.
sfortunato [sfortu'nato] agg. malchanceux, malheureux. || [di cose] malheureux. | *periodo sfortunato,* mauvaise période.
sforzare [sfor'tsare] v. tr. forcer. ◆ v. rifl. s'efforcer.
sforzato [sfor'tsato] agg. contraint, forcé.
sforzatura [sfortsa'tura] f. déformation.
sforzo ['sfɔrtso] m. effort.
sfottere ['sfottere] v. tr. POP. se foutre, se fiche (de). ◆ v. recipr. se taquiner (L.C.).
sfracellare [sfratʃel'lare] v. tr. fracasser, écraser. ◆ v. rifl. se fracasser.
sfratarsi [sfra'tarsi] v. rifl. se défroquer.
sfrattare [sfrat'tare] v. tr. expulser. ◆ v. intr. vider les lieux.
sfratto ['sfratto] m. expulsion f.
sfrecciare [sfret'tʃare] v. intr. filer.
sfregare [sfre'gare] v. tr. frotter. || [strisciare] rayer.
sfregiare [sfre'dʒare] v. tr. balafrer. ◆ v. rifl. se faire une estafilade.
sfregio ['sfrɛdʒo] m. balafre f., estafilade f. || [su un oggetto] rayure f., éraflure f. || FIG. affront.
sfrenato [sfre'nato] agg. effréné.
sfrondare [sfron'dare] v. tr. PR. e FIG. élaguer. ◆ v. rifl. se dégarnir.
sfrondatura [sfronda'tura] f. élagage m.
sfrontato [sfron'tato] agg. effronté, impudent. || [di cose] éhonté. ◆ n. effronté, impudent.
sfruttamento [sfrutta'mento] m. exploitation f.
sfruttare [sfrut'tare] v. tr. PR. e FIG. exploiter. || [utilizzare] (bien) utiliser. || [trarre vantaggio] tirer profit (de). | *sfruttare l'occasione,* profiter de l'occasion.
sfruttatore [sfrutta'tore] (**-trice** f.) n. exploiteur, euse. ◆ agg. qui exploite, exploiteur.
sfuggente [sfud'dʒɛnte] agg. fuyant.
sfuggire [sfud'dʒire] v. intr. PR. e FIG. échapper. || [a obbligo] se dérober (à). || LOC. *mi era sfuggito che,* je n'avais pas remarqué que. ◆ v. tr. éviter.
sfuggita [sfud'dʒita] f. saut m. || LOC. *di sfuggita,* fugitivement, en passant.
sfumare [sfu'mare] v. intr. se dissiper, s'évaporer. || FIG. s'en aller en fumée. || [di colore] se dégrader. || [perdere la nitidezza dei contorni] s'estomper. || [di suono] s'évanouir. ◆ v. tr. [colori] dégrader, nuancer. || [disegno] estomper. || FIG., LETT. nuancer (L.C.).
sfumatura [sfuma'tura] f. PR. e FIG. nuance. || [nel disegno] estompage m. || [dei capelli] *avere la sfumatura alta,* avoir les cheveux coupés courts (sur la nuque).
sfuriata [sfu'rjata] f. (crise de) colère ; explosion de colère.
sfuso ['sfuzo] agg. fondu. || COMM. en vrac.
sgabello [zga'bɛllo] m. tabouret, escabeau.
sgabuzzino [zgabut'tsino] m. cagibi (fam.) ; débarras.
sgambettare [zgambet'tare] v. intr. gigoter. || PER EST. trottiner. ◆ v. tr. faire un croc-en-jambe, un croche-pied (à).
sganciare [zgan'tʃare] v. tr. décrocher, détacher. || [vestiti] dégrafer. || [bombe] lâcher, larguer. || FIG. débourser, casquer (fam.). ◆ v. rifl. se décrocher, se détacher. || FIG. se débarrasser (de). || MIL. décrocher v. intr.
sgangherato [zgange'rato] agg. sorti de ses gonds. || [che sta appena insieme] démantibulé (fam.) ; branlant. || FIG. boiteux. || [scomposto] grossier, vulgaire.
sgarbato [zgar'bato] agg. impoli, incivil, grossier. ◆ n. impoli, malappris ; grossier personnage.
sgarbo ['zgarbo] m. impolitesse f. || LOC. *non fatemi lo sgarbo di rifiutare,* ne me faites pas l'affront de refuser.
sgargiante [zgar'dʒante] agg. voyant.
sgarrare [zgar'rare] v. intr. se tromper, dévier, s'écarter.
sgarro ['zgarro] m. négligence f.
sgattaiolare [zgattajo'lare] v. intr. se glisser, se faufiler. | *sgattaiolare via,* s'esquiver, s'éclipser.
sgelare [zdʒe'lare] v. tr. dégeler. ◆ v. intr. o rifl. (se) dégeler.

sghembo ['zgembo] agg. oblique, biais, penché.
sghiacciare [zgjat'tʃare] v. tr. dégeler. ◆ v. rifl. se dégeler.
sghignazzare [zgiɲɲat'tsare] v. intr. ricaner.
sgobbare [zgob'bare] v. intr. FAM. trimer, boulonner. || [studio] bûcher, piocher.
sgobbata [zgob'bata] f. FAM. *fare une sgobatta,* donner un coup de collier.
sgobbone [zgob'bone] (**-a** f.) n. [lavoro] bûcheur, euse.
sgocciolare [zgottʃo'lare] v. intr. goutter, dégouliner, couler. | *mettere i piatti a sgocciolare,* mettre la vaisselle à égoutter. ◆ v. tr. [per asciugare] égoutter.
sgocciolo ['zgottʃolo] m. dernières gouttes. || LOC. *essere agli sgoccioli,* toucher à sa fin.
sgolarsi [zgo'larsi] v. rifl. s'égosiller.
sgomberare [zgombe'rare] v. tr. = SGOMBRARE.
sgombero ['zgombero] m. déménagement. || [evacuazione] évacuation f.
sgombrare [zgom'brare] v. tr. [oggetti] débarrasser, déblayer. || [persone] évacuer. || ASSOL. déménager. || SCHERZ. vider les lieux. | *sgombrare !,* dehors !
1. sgombro ['zgombro] agg. vide. || FIG. libre. ◆ m. [di persone] évacuation f. || [di oggetti] déblaiement, déblayage.
2. sgombro m. ZOOL. e POP. maquereau.
sgomentare [zgomen'tare] v. tr. effrayer, affoler. ◆ v. rifl. s'affoler, s'effrayer, avoir peur.
sgomento [zgo'mento] agg. affolé, effaré, effrayé. ◆ m. affolement, effroi, frayeur f.
sgominare [zgomi'nare] v. tr. mettre en déroute. || [in una competizione] battre.
sgonfiare [zgon'fjare] v. tr. dégonfler. || FAM. embêter, casser les pieds (à). ◆ v. intr. désenfler. ◆ v. rifl. se dégonfler. || PER EST. désenfler v. intr. || [perdere la presunzione] en rabattre. || FAM. [perdere la baldanza iniziale] se dégonfler.
sgonfio ['zgonfjo] agg. dégonflé. || [di parte del corpo] désenflé.
sgorbio ['zgɔrbjo] m. tache f. (d'encre). || [scarabocchio] gribouillis, griffonnage. || FIG. avorton, monstre.
sgorgare [zgor'gare] v. intr. jaillir.
sgozzare [zgot'tsare] v. tr. égorger. || FIG. étrangler.
sgradevole [zgra'devole] agg. désagréable.
sgradito [zgra'dito] agg. désagréable, importun, peu apprécié.
sgraffio ['zgraffjo] m. égratignure f., éraflure f., griffure f.
sgrammaticato [zgrammati'kato] agg. [di persona] qui fait des fautes (de grammaire). || [di testo] plein de fautes (de grammaire).
sgranare [zgra'nare] v. tr. écosser ; [granturco] égrener. || LOC. *sgranare il rosario,* égrener son chapelet. | *sgranare gli occhi,* écarquiller les yeux.
sgranchire [zgran'kire] v. tr. dégourdir, dérouiller. | *sgranchirsi le gambe,* se dégourdir les jambes.
sgranocchiare [zgranok'kjare] v. tr. croquer, grignoter.
sgrassare [zgras'sare] v. tr. dégraisser. || TESS. dessuinter.
sgravare [zgra'vare] v. tr. décharger. || [alleggerire] alléger. || FIG. décharger, libérer. || FIN. dégrever. ◆ v. rifl. PR. e FIG. se décharger. || accoucher ; [animale] mettre bas.
sgraziato [zgrat'tsjato] agg. disgracieux ; [di voce] désagréable ; [goffo] gauche.
sgretolare [zgreto'lare] v. tr. PR. e FIG. désagréger, effriter. ◆ v. rifl. se désagréger, s'effriter.
sgridare [zgri'dare] v. tr. gronder, attraper.
sgrondare [zgron'dare] v. tr. égoutter. ◆ v. intr. s'égoutter. || [dell'acqua nelle grondaie] s'écouler.
sgrossare [zgros'sare] v. tr. dégrossir, ébaucher. || FIG. dégrossir. ◆ v. rifl. se dégrossir.
sgrovigliare [zgroviʎ'ʎare] v. tr. PR. e FIG. démêler, débrouiller.
sguaiato [zgwa'jato] agg. [ineducato] grossier ; [volgare] vulgaire. ◆ n. grossier personnage.
sguainare [zgwai'nare] v. tr. dégainer.
sgualcire [zgwal'tʃire] v. tr. froisser, chiffonner, friper. ◆ v. rifl. se froisser, se chiffonner.
sgualdrina [zgwal'drina] f. garce (pop.), poule (pop.), cocotte (fam.).
sguardo ['zgwardo] m. regard ; [occhiata] coup d'œil. | *dare uno sguardo ad un libro,* jeter un coup d'œil sur un livre. || [occhi] yeux pl. || [capacità visiva] vue f.
sguarnire [zgwar'nire] v. tr. dégarnir.
sguattera ['zgwattera] f. plongeuse ; fille de cuisine.
sguattero ['zgwattero] m. marmiton ; [lavapiatti] plongeur.
sguazzare [zgwat'tsare] v. intr. barboter ; patauger. || FIG. [trovarsi a proprio agio] se trouver à son aise (dans). || [disporre di grandi quantità] *sguazzare nel benessere,* nager dans l'opulence.
sguinzagliare [zgwintsaʎ'ʎare] v. tr. lâcher. | *sguinzagliare i cani,* lâcher les chiens.

1. sgusciare [zguʃ'ʃare] v. intr. glisser.
2. sgusciare v. tr. éplucher ; [legumi] écosser ; [noci] décortiquer ◆ v. intr. REG. éclore.
shampoo [ʃaem'pu:] m. (ingl.) shampooing.
shock [ʃɔk] m. (ingl.) choc.
1. sì [si] avv. oui ; [per rispondere ad una domanda negativa] si. || [rinforza un'affermazione] vraiment. | *questa sì che è bella !,* [divertimento] elle est vraiment bien bonne ! ; [indignazione] c'est (vraiment) du propre, du joli ! || [contrapposto a « no »] *sì e no,* oui et non ; [circa] peut-être, environ, à peu près. | *ci sarò andato sì e no quattro volte,* j'y suis peut-être allé quatre fois. || [corrisponde ad una prop.] *dire di sì,* [accettare] dire oui ; [dire che è così] dire que oui. | *speriamo di sì,* espérons que oui, espérons-le. || LOC. *e sì che,* et pourtant, et dire que. ◆ m. inv. oui. || LOC. *stare tra il sì e il no,* hésiter.
2. sì avv. ARC. così. ◆ loc. cong. *sì che,* de sorte que. (V. SICCHÉ.) | *far sì che,* faire en sorte que.
1. si [si] pron. pers. rifl. m. e f. 3ª pers. sing. e pl. [con v. rifl., recipr. o di costruzione pron.] se. | *si amano,* ils s'aiment. || [con valore di poss.] se. | *ornarsi lo spirito,* s'orner l'esprit. || [se il compl. è un ogg. si usa il poss.] *levarsi le scarpe,* enlever ses chaussures. || [con un infin., se è sogg. dell'infin.] se. | *si lasciò morire,* il se laissa mourir. || [se è compl. ogg. dell'infin.] le m. sing., la f. sing., les m. o f. pl. | *si sentì chiamare,* il entendit qu'on l'appelait. || [in funzione di dativo] lui m. e f. sing., leur m. e f. pl. | *la bestia si vide sfuggire la preda,* la bête vit sa proie lui échapper. || [compl. preceduto da prep.] lui m. sing., elle f. sing., eux m. pl., elles f. pl. | *si erano mascosti la droga addosso,* ils avaient caché la drogue sur eux. || [si passivante] *così si puniscono i traditori,* c'est ainsi qu'on punit les traîtres. || LOC. *affittasi, vendesi,* à louer, à vendre. || [particella impers.] on. | *non ci si capisce niente,* on n'y comprend rien. || [dativo etico] *si è goduto le sue vacanze,* il a bien profité de ses vacances.
2. si m. inv. MUS. si.
sia ['sia] cong. aussi bien ... que ; (et ...,) et ; comme. | *aperto sia di giorno sia di notte, sia di giorno che di notte,* ouvert jour et nuit, de jour comme de nuit. || [ripetuto o in correlazione con o] soit ... soit ; (ou ...) ou. | *sia oggi o domani, sia oggi sia domani,* soit aujourd'hui soit demain, (ou) aujourd'hui ou demain. || *sia che ... o che ... ; sia che ... sia che,* que ... ou que ; soit que ... soit que ... ◆ avv. soit, bien. | *e sia, faremo quello che volete,* soit, nous ferons ce que vous voulez.
sibilare [sibi'lare] v. intr. siffler.
sibilla [si'billa] f. STOR. sibylle.
sibilo ['sibilo] m. sifflement.
sicario [si'karjo] m. tueur à gages, homme de main.
sicché [sik'ke] cong. de sorte que, si bien que ; [perciò] c'est pourquoi. || [con valore conclusivo] donc. | *sicché non ti sei ancora deciso !,* donc, tu ne t'es pas encore décidé ! || [con valore interr.] alors.
siccità [sittʃi'ta] f. sécheresse.
siccome [sik'kome] cong. comme, étant donné que ; [per insistere sulla incontestabilità del rapporto di causa ad effetto] puisque, du moment que. | *siccome insisti, accetto,* puisque tu insistes, j'accepte.
sicofante [siko'fante] m. STOR. sycophante. || FIG. délateur, mouchard.
sicura [si'kura] f. dispositif (m.) de sécurité. || [di arma da fuoco] cran (m.) d'arrêt, de sûreté.
sicurezza [siku'rettsa] f. sécurité. | *la sicurezza dello impiego,* la sécurité de l'emploi. | *agenti di pubblica sicurezza,* agents de police. || LOC. *per maggiore sicurezza,* pour plus de sûreté. | *di sicurezza,* de sûreté, de sécurité. || PER EST. assurance, sûreté. | *sicurezza di sé,* confiance en soi, assurance. || PER ANAL. certitude, confiance.
sicuro [si'kuro] agg. sûr. | *in un posto sicuro,* en lieu sûr. || [che non corre pericolo] en sécurité, à l'abri, en sûreté. || [che si realizzerà immancabilmente] certain, sûr. | *è sicuro che,* il est certain que. || [che dà affidamento] sûr. | *amico sicuro,* ami sûr. || [che è sicuro di sè] assuré, sûr (de soi), qui a de l'assurance. ◆ avv. sûrement. || [nelle risposte] bien sûr ! ◆ m. sécurité f., sûreté f. | *camminare, andare sul sicuro,* ne pas courir de risque.
sidro ['sidro] m. cidre.
siepe ['sjɛpe] f. PR. e FIG. haie.
siero ['sjɛro] m. [del sangue] sérum. || [del latte] petit-lait.
sierra ['sjɛrra] f. sierra.
siesta ['sjɛsta] f. sieste.
siffatto [sif'fatto] agg. pareil, tel.
sifilide [si'filide] f. syphilis.
sifone [si'fone] m. siphon.
sigaretta [siga'retta] f. cigarette. || TECN. bobine, fusette.
sigaro ['sigaro] m. cigare.
sigillare [sidʒil'lare] v. tr. cacheter, sceller. || PER EST. fermer hermétiquement.
sigillo [si'dʒillo] m. cachet ; [di carattere ufficiale] sceau. || PER EST. (pl.)

scellés. | *rimozione dei sigilli,* levée des scellés.

sigla ['sigla] f. sigle m. || [firma] paraphe m. || RAD., TV *sigla musicale,* indicatif m.

siglare [si'glare] v. tr. parafer, parapher.

significante [siɲɲifi'kante] agg. significatif. || [importante] important. ◆ m. LING. signifiant.

significare [siɲɲifi'kare] v. tr. signifier ; vouloir dire.

significato [siɲɲifi'kato] m. sens, signification f. || [valore] valeur f. || [importanza] importance f. || LING. signifié.

signora [siɲ'ɲora] f. madame. | *la signora desidera ?,* vous désirez, Madame ?, Madame désire ? | *la signora Rossi,* madame Rossi. | *sì signora maestra,* oui Madame. || [in una lettera] *gentile signora,* Madame. || [donna] dame. | *chi è questa signora,* qui est cette dame ? || [donna benestante] (grande) dame. || [padrona di casa] Madame. || [padrona] patronne. || [moglie] femme, épouse. || [per annunciarla] Madame. | *il signor Rossi e signora,* Monsieur et Madame Rossi. || FIG. reine, maîtresse. || REL. *Nostra Signora,* Notre-Dame.

signore [siɲ'ɲore] m. monsieur. | *credetemi signori !,* croyez-moi, Messieurs ! | *il suo signore padre,* Monsieur votre père. || MIL. *signor tenente,* mon lieutenant. || [uomo] monsieur. | *il signore che è venuto,* le monsieur qui est venu. || [uomo raffinato] gentleman (ingl.) ; grand seigneur. || [uomo benestante] riche ; grand seigneur. || [padrone di casa] Monsieur. || REL. Seigneur. || STOR. seigneur. ◆ pl. [ad un gruppo di persone dei due sessi] Mesdames et Messieurs.

signoria [siɲɲo'ria] f. [dominio] domination. || STOR. seigneurie. || AMM. *la Signoria Vostra è pregata di presentarsi,* vous êtes prié de vous présenter.

signorile [siɲɲo'rile] agg. distingué, aristocratique. || [elegante] de grand standing. | *zona signorile,* quartier résidentiel.

signorina [siɲɲo'rina] f. mademoiselle. | *la signorina Bianchi,* mademoiselle Bianchi. || [ragazza] jeune fille ; [cortese o iron.] demoiselle. || LOC. *le signorine del telefono,* les demoiselles du téléphone. | *è rimasta signorina,* elle est restée demoiselle. || [figlia della casa] Mademoiselle.

signorino [siɲɲo'rino] m. [appellativo] Monsieur.

silenzio [si'lɛntsjo] m. silence. | *fate silenzio !,* taisez-vous ! || FIG. oubli.

silenzioso [silen'tsjoso] agg. silencieux.

silice ['silitʃe] f. silice.

sillaba ['sillaba] f. syllabe. || LOC. *non capire una sillaba,* ne pas comprendre un (traître) mot.

sillabare [silla'bare] v. tr. diviser en syllabes. || PER EST. articuler.

sillogismo [sillo'dʒizmo] m. syllogisme.

silo ['silo] m. silo.

silografia [silogra'fia] f. xylographie.

siluramento [silura'mento] m. PR. e FIG. torpillage. || [rimozione da un incarico] limogeage.

silurare [silu'rare] v. tr. PR. e FIG. torpiller. || [rimuovere] limoger.

siluro [si'luro] m. torpille f.

silvestre [sil'vɛstre] agg. des bois, sylvestre. || PER EST. sauvage.

simboleggiare [simboled'dʒare] v. tr. symboliser.

simbolico [sim'bɔliko] (**-ci** pl.) agg. symbolique.

simbolismo [simbo'lizmo] m. symbolisme.

simbolizzare [simbolid'dzare] v. tr. interpréter symboliquement.

simbolo ['simbolo] m. symbole.

similare [simi'lare] agg. similaire.

simile ['simile] agg. (a) qui ressemble (à) ; semblable (à), pareil (à). | *hanno una voce simile,* leurs voix se ressemblent ; ils ont presque la même voix. | *ho già assistito a una scena simile,* j'ai déjà assisté à une scène de ce genre. || [paragone] semblable, pareil. || [siffatto] pareil, tel. | *ad un'ora simile !,* à une heure pareille ! || GEOM. semblable. ◆ m. semblable. | *i nostri simili,* nos semblables. ◆ m. pl. choses du même genre ; [prodotti industriali] produits similaires.

similmente [simil'mente] avv. de même ; de la même façon.

simmetria [simme'tria] f. symétrie.

simpatia [simpa'tia] f. sympathie.

simpatico [sim'patiko] (**-ci** pl.) agg. sympathique || PER EST. gentil, chic (fam.). | *non è simpatico da parte sua,* ce n'est pas gentil de sa part. || [piacevole : serata, ecc.] agréable, sympathique. || [bello] gentil, gracieux. ◆ m. ANAT. (grand) sympathique.

simpatizzare [simpatid'dzare] v. intr. sympathiser.

simulare [simu'lare] v. tr. simuler, feindre.

simulazione [simulat'tsjone] f. simulation.

simultaneo [simul'taneo] agg. simultané.

sinagoga [sina'goga] f. synagogue.

sincerarsi [sintʃe'rarsi] v. rifl. s'assurer.

sincerità [sintʃeri'ta] f. sincérité. || [genuinità] authenticité.

sincero [sin'tʃɛro] agg. sincère. || [genuino] pur, naturel.
sinché [sin'ke] cong. = FINCHÉ.
sincope ['sinkope] f. LING., MED., MUS. syncope.
sincronia [sinkro'nia] f. synchronisme m.
sincronizzare [sinkronid'dzare] v. tr. synchroniser.
sindacabile [sinda'kabile] agg. contrôlable. || [criticabile] critiquable, discutable.
sindacale [sinda'kale] agg. syndical.
sindacalista [sindaka'lista] (**-i** pl.) n. syndicaliste.
sindacare [sinda'kare] v. tr. contrôler. || [criticare] critiquer.
sindacato [sinda'kato] m. syndicat.
sindaco ['sindako] m. maire. || COMM., ECON. commissaire.
sindrome ['sindrome] f. syndrome m.
sinfonia [sinfo'nia] f. MUS. symphonie ; [nell'opera lirica] ouverture. || FIG. symphonie.
singhiozzare [singjot'tsare] v. intr. sangloter. || PER EST. avoir le hoquet, hoqueter.
singhiozzo [sin'gjottso] m. hoquet. || [nel pianto] sanglot. || FIG. *a singhiozzo, a singhiozzi,* par secousses, par à-coups.
singolare [singo'lare] agg. [unico] singulier. || [straordinario] singulier, rare, curieux. ◆ m. GR. singulier. || [tennis] simple.
singolarmente [singolar'mente] avv. individuellement. || [particolarmente] particulièrement, surtout.
singolo ['singolo] agg. [considerato individualmente] chaque (sempre sing.). | *studiare le singole possibilità,* étudier chaque possibilité. || [isolato] particulier, isolé. | *caso singolo,* cas isolé. || [unico] seul, unique. || [per una sola persona] individuel. | *letto singolo,* lit à une place. ◆ m. individu. | *la libertà del singolo,* la liberté de l'individu. || (spec. pl.) [ciascuno] chacun (sing.) en particulier. || [tennis] simple.
sinistra [si'nistra] f. gauche. | *voltare a sinistra,* tourner à gauche. || [mano sinistra] *scrivere con la sinistra,* écrire de la main gauche. || POL. gauche.
sinistrato [sinis'trato] agg. endommagé ; détruit. || [da catastrofe naturale] sinistré. ◆ n. sinistré.
sinistro [si'nistro] agg. gauche. || FIG. sinistre. ◆ m. [catastrofe naturale] sinistre, catastrophe naturelle.
sino ['sino] prep. e avv. = FINO.
sinodo ['sinodo] m. synode.
sinonimo [si'nɔnimo] agg. e m. synonyme.
sinora [si'nora] avv. = FINORA.
sinottico [si'nɔttiko] (**-ci** pl.) agg. synoptique.
sintassi [sin'tassi] f. syntaxe.
sintesi ['sintezi] f. synthèse. || LOC. *in sintesi,* en résumé.
sintetico [sin'tɛtiko] (**-ci** pl.) agg. synthétique. || PER EST. concis.
sintetizzare [sintetid'dzare] v. tr. synthétiser.
sintomatico [sinto'matiko] (**-ci** pl.) agg. symptomatique. || FIG. significatif.
sintomo ['sintomo] m. symptôme.
sintonia [sinto'nia] f. syntonie. || FIG. accord m., harmonie.
sinuoso [sinu'oso] agg. sinueux.
sinusite [sinu'zite] f. sinusite.
sionista [sio'nista] (**-i** pl.) n. sioniste.
sipario [si'parjo] m. TEAT. rideau.
sirena [si'rɛna] f. MIT., FIG. [anche segnale sonoro] sirène.
siringa [si'ringa] f. BOT. seringa m. || MED. seringue.
siringare [sirin'gare] v. tr. introduire une sonde.
sisma ['siasma] (**-i** pl.) m. = SISMO.
sismico ['sizmiko] (**-ci** pl.) agg. s(é)ismique.
sismo ['sizmo] m. séisme.
sissignore [sissiɲ'ɲore] loc. avv. oui, Monsieur.
sistema [sis'tɛma] (**-i** pl.) m. système. | *sistema solare,* système solaire. || [insieme di mezzi] système, méthode f. | *il nostro sistema di lavoro,* notre méthode de travail. || [modo] manière f., façon f. | *non è con questo sistema che ti farai degli amici,* ce n'est pas en agissant ainsi que tu te feras des amis. || LOC. *per sistema,* systématiquement.
sistemare [siste'mare] v. tr. [disporre in un certo modo] arranger, aménager, installer. || [mettere in ordine] ranger, mettre en ordre. | *sistemare delle carte,* ranger des papiers. || [piazzare] placer. || [risolvere] régler, arranger. | *abbiamo sistemato tutto,* nous avons tout arrangé. || [una persona] installer. || [trovare un lavoro a qlcu.] placer, caser (fam.). || FAM. [punire] corriger, donner une leçon (à). ◆ v. rifl. [mettersi a posto] s'installer. || [trovare alloggio] s'installer, s'établir. || [trovare lavoro] trouver du travail. || [sposarsi] se marier.
sistemazione [sistemat'tsjone] f. [disposizione] aménagement m., agencement m., disposition. || [il mettere in ordine] rangement m. || [composizione] règlement m., arrangement m. || [organizzazione] organisation. || [il sistemarsi in un luogo] installation ; [il luogo dove ci si sistema] logement m., endroit m. || [lavoro] situation,

emploi m., place. || [collocazione matrimoniale] mariage m.
situato [situ'ato] agg. situé, placé.
situazione [situat'tsjone] f. situation. || [documento] état m. || FIN. situation.
ski lift ['skialift] m. (ingl.) remonte-pente, téléski.
slabbrare [zlab'brare] v. tr. ébrécher. || [una ferita] débrider. ◆ v. rifl. s'ébrécher. || [di ferita] s'ouvrir.
slacciare [zlat'tʃare] v. tr. délacer, détacher, dénouer, délier. || PER EST. ouvrir, défaire ; [bottoni] déboutonner ; [ganci] dégrafer.
slanciare [zlan'tʃare] v. rifl. PR. e FIG. s'élancer.
slanciato [zlan'tʃato] agg. PR. e FIG. élancé.
slancio ['zlantʃo] m. PR. e FIG. élan. || [salto] bond.
slargare [zlar'gare] v. tr. élargir. ◆ v. rifl. s'élargir.
slattare [zlat'tare] v. tr. sevrer.
slavato [zla'vato] agg. délavé. || FIG. fade ; [inespressivo] inexpressif.
slavina [zla'vina] f. avalanche.
slavo ['zlavo] agg. e m. slave.
sleale [zle'ale] agg. déloyal.
slegare [zle'gare] v. tr. délier, détacher ; [animali] lâcher ; [un nodo] défaire. ◆ v. rifl. se délier, se détacher ; [nodo] se défaire.
slegato [zle'gato] agg. délié, détaché ; [animale] lâché ; [nodo] défait. || FIG. décousu, incohérent.
slitta ['zlitta] f. traîneau m. ; [per la legna] schlitte. || SP. luge. || MECC. chariot m.
slittare [zlit'tare] v. intr. glisser ; [di veicolo] déraper ; [di ruota che gira a vuoto] patiner. || [andare in slitta] aller en traîneau ; [su uno slittino] faire de la luge. || FIG. glisser. || FIN. baisser, perdre de sa valeur.
slittino [zlit'tino] m. luge f.
slogare [zlo'gare] v. tr. démettre, déboîter, fouler ; luxer. ◆ v. rifl. *gli si è slogato il piede,* il s'est démis le pied.
sloggiare [zlod'dʒare] v. tr. déloger, chasser, expulser. ◆ v. intr. vider les lieux ; décamper.
smaccato [zmak'kato] agg. exagéré, outré. | *fortuna smaccata,* chance incroyable.
smacchiare [zmak'kjare] v. tr. détacher ; [togliere macchie di grasso] dégraisser.
smacco ['zmakko] m. humiliation f. ; [offesa] affront ; [scacco] échec.
smagliante [zmaλ'λante] agg. éclatant, étincelant, éblouissant.
smagliare [zmaλ'λare] v. tr. démailler. ◆ v. rifl. se démailler. || [calza] filer intr. || MED. avoir des vergetures.
smaliziare [zmalit'tsjare] v. tr. dégourdir, dessaler (fam.). ◆ v. rifl. se dégourdir, se dessaler (fam.).
smaltare [zmal'tare] v. tr. émailler. || [le unghie] mettre du vernis (sur). || [fotografie, ceramica] glacer.
smaltire [zmal'tire] v. tr. digérer, faire passer. || LOC. *smaltire la rabbia,* faire passer sa colère. || [di acqua] évacuer, faire écouler. || COMM. écouler. || [nel lavoro] en finir (avec), liquider (fam.).
smalto ['zmalto] m. émail. | *smalto per le unghie,* vernis à ongles.
smanceria [zmantʃe'ria] f. [spec. pl.] manières pl., chichis m. pl. (fam.).
smania ['zmanja] f. agitation, énervement m., frénésie. || [desiderio intenso] fureur, rage ; désir (m.) ardent, manie.
smaniare [zma'njare] v. intr. s'agiter. || [desiderare] brûler d'envie (de), désirer ardemment v. tr.
smanioso [zma'njoso] agg. agité. || [con infin.] impatient de. || [che causa smania] angoissant.
smantellare [zmantel'lare] v. tr. démanteler, démolir. || MAR. désemparer.
smarrimento [zmarri'mento] m. perte f. || FIG. défaillance f. || [confusione] désarroi, trouble.
smarrire [zmar'rire] v. tr. perdre. ◆ v. rifl. se perdre, s'égarer. || FIG. se troubler.
smascherare [zmaske'rare] v. tr. PR. e FIG. démasquer. ◆ v. rifl. PR. e FIG. se démasquer.
smembrare [zmem'brare] v. tr. FIG. démembrer, disloquer.
smemorato [zmemo'rato] agg. [disattento] distrait, étourdi. || MED. amnésique.
smentire [zmen'tire] v. tr. démentir. || [una persona] contredire. || [ritrattare] rétracter (lett.), retirer. ◆ v. rifl. se démentir.
smentita [zmen'tita] f. démenti m.
smeraldo [zme'raldo] m. émeraude f.
smerciare [zmer'tʃare] v. tr. vendre, écouler.
smercio ['zmɛrtʃo] m. écoulement, vente f. ; [con vendita al minuto] débit.
smerigliare [zmeriλ'λare] v. tr. polir (à l'émeri). || [di vetro] dépolir.
smeriglio [zme'riλλo] m. émeri.
smerlatura [zmerla'tura] f. feston m.
smesso ['zmesso] agg. qu'on ne porte plus, qu'on ne met plus.
smettere ['zmettere] v. intr. cesser, arrêter. | *smettetela !,* cessez !, arrêtez ! ◆ v. tr. cesser, arrêter. || [di indumento] ne plus mettre.
smidollato [zmidol'lato] agg. PR. sans moelle. || FIG. ramolli, mollasse (pegg.). ◆ n. mollasson (fam.), lavette f. (fam.).

smilitarizzare [zmilitarid'dzare] v. tr. démilitariser.
smilzo ['zmiltso] agg. fluet, mince. || FIG. maigre, pauvre.
sminuire [zminu'ire] v. tr. PR. e FIG. diminuer, amoindrir. || FIG. rabaisser.
sminuzzare [zminut'tsare] v. tr. couper en petits morceaux ; [tritare] hacher. ◆ v. rifl. s'émietter.
smistamento [zmista'mento] m. tri, triage. | *stazione di smistamento,* gare de triage. || [calcio] passe f.
smisurato [zmizu'rato] agg. démesuré, immense, incommensurable.
smitizzare [zmitid'dzare] v. tr. démythifier.
smobilitare [zmobili'tare] v. tr. démobiliser.
smoccolare [zmokko'lare] v. tr. moucher.
smodato [zmo'dato] agg. immodéré, démesuré, excessif, outré.
smoderato [zmode'rato] agg. [di persona] qui manque de modération, de mesure, intempérant. || [di cose] excessif, démesuré.
smontabile [zmon'tabile] agg. démontable.
smontare [zmon'tare] v. tr. PR. e FIG. démonter. || [da un veicolo] faire descendre. ◆ v. intr. descendre. || [finire il turno] finir son service. || MIL. [della guardia] être relevé. || [di colori] passer. ◆ v. rifl. se démonter.
smorfia ['zmɔrfja] f. grimace. || FIG. mine, simagrée.
smorto ['zmɔrto] agg. blême, pâle. || FIG. pâle, terne, fade.
smorzare [zmor'tsare] v. tr. [i suoni] amortir, étouffer ; [la luce, i colori] affaiblir. || [spegnere] éteindre. || FIG. apaiser.
smosso ['zmɔsso] agg. déplacé, remué.
smottare [zmot'tare] v. intr. s'ébouler.
smozzicato [zmottsi'kato] agg. en petits morceaux, en miettes. || [sbriciolato] émietté. || FIG. haché.
smunto ['zmunto] agg. hâve, livide, émacié, décharné.
smuovere ['zmwɔvere] v. tr. déplacer, remuer. | *smuovere la terra,* remuer la terre. || FIG. *nessuno è riuscito a smuoverlo,* personne n'a réussi à l'ébranler. ◆ v. rifl. se déplacer ; bouger v. intr. || FIG. changer d'avis, être ébranlé.
smussare [zmus'sare] v. tr. [angoli] arrondir ; [oggetti taglienti] émousser. || FIG. adoucir, atténuer. ◆ v. rifl. s'émousser.
snaturare [znatu'rare] v. tr. dénaturer. || [una persona] pervertir.
snaturato [znatu'rato] agg. dénaturé. ◆ n. dégénéré.
snebbiare [zneb'bjare] v. tr. FIG. éclaircir, clarifier.
snellimento [znelli'mento] m. assouplissement. || [il rendere più rapido] accélération f.
snellire [znel'lire] v. tr. amincir. || FIG. assouplir ; [rendere più scorrevole] accélérer, rendre plus fluide. ◆ v. rifl. s'amincir. || FIG. s'assouplir ; [divenire più rapido] s'accélérer, devenir plus rapide.
snello ['znɛllo] agg. svelte. || [agile] souple. || FIG. souple, vif.
snervante [zner'vante] agg. déprimant, épuisant. || [che fa venire i nervi] énervant, agaçant.
snidare [zni'dare] v. tr. débusquer, déloger, dénicher.
snobbare [znob'bare] v. tr. snober.
snocciolare [znottʃo'lare] v. tr. dénoyauter. || FIG. raconter ; débiter.
snodabile [zno'dabile] agg. articulé.
snodare [zno'dare] v. tr. dénouer. || PER EST. assouplir. || [rendere articolato] articuler.
snodo ['znɔdo] m. TECN. rotule f.
soave [so'ave] agg. suave, doux.
sobbalzare [sobbal'tsare] v. intr. [veicolo] cahoter, tressauter. || [persona] sursauter, tressaillir.
sobbalzo [sob'baltso] m. cahot, secousse f. | *avanzare a sobbalzi,* avancer par à-coups.
sobbarcarsi [sobbar'karsi] v. rifl. se charger (de) ; prendre sur soi, supporter.
sobborgo [sob'borgo] m. faubourg. ◆ pl. banlieue f. sing.
sobillare [sobil'lare] v. tr. exciter, pousser, inciter. || [contro qn] dresser, monter (contre). || [un gruppo di persone] inciter à la révolte.
sobillatore [sobilla'tore] (**-trice** f.) n. agitateur, trice.
sobrio ['sɔbrjo] agg. PR. e FIG. sobre.
socchiudere [sok'kjudere] v. tr. entrouvrir. || [porta] entrebâiller.
soccombere [sok'kombere] v. intr. succomber.
soccorrere [sok'korrere] v. tr. secourir, aider, assister.
soccorritore [sokkorri'tore] m. sauveteur. ◆ agg. secourable.
soccorso [sok'korso] m. secours. | *dare soccorso,* porter secours. ◆ pl. [mezzi di soccorso] secours.
sociale [so'tʃale] agg. social. || PER EST. sociable.
socialismo [sotʃa'lizmo] m. socialisme.
socialità [sotʃali'ta] f. caractère social. || PER EST. sociabilité.
socializzare [sotʃalid'dzare] v. tr. socialiser.
società [sotʃe'ta] f. société. | *l'alta società,* la haute société. || PER EST. société, association. || ECON., GIUR. société, compagnie. | *società di naviga-*

zione, compagnie de navigation. || LOC. *mettersi in società con qlcu.,* s'associer à, avec qn.

socievole [so'tʃevole] agg. sociable.

socio ['sɔtʃo] n. associé. || [di circolo] membre. || FIN. actionnaire. || TEAT. sociétaire.

sociologo [so'tʃɔlogo] (**-gi** pl. ; **-ghi** pl. pop.) n. sociologue.

soda ['sɔda] f. CHIM. soude. || [bevanda] soda m.

sodalizio [soda'littsjo] m. association f. || [confraternita] confrérie f. || [amicizia] amitié f.

soddisfare [soddis'fare] v. tr. satisfaire. || [adempiere] remplir, accomplir. || [riparare] réparer. ◆ v. intr. (a) satisfaire (à), répondre (à). | *soddisfare a una promessa,* s'acquitter d'une promesse.

soddisfatto [soddis'fatto] agg. satisfait. || [pagato] réglé, payé. || [adempiuto] rempli, accompli.

soddisfazione [soddisfat'tsjone] f. satisfaction.

sodio ['sɔdjo] m. CHIM. sodium.

sodo ['sɔdo] agg. ferme ; dur. || [denso] épais. || FIG. solide. ◆ m. terrain solide. || FIG. concret. || LOC. *venire al sodo,* en venir au fait. ◆ avv. [lavorare, picchiare] dur (fam.), ferme. | *tener sodo,* tenir bon.

sofferente [soffe'rɛnte] agg. souffrant, malade. || [che esprime sofferenza] douloureux.

sofferenza [soffe'rɛntsa] f. souffrance.

soffermare [soffer'mare] v. tr. arrêter, suspendre. || FIG. arrêter, fixer. | *soffermare l'attenzione su qlco.,* arrêter son attention sur qch. ◆ v. rifl. PR. e FIG. s'arrêter (un instant).

sofferto [sof'fɛrto] agg. enduré. || FIG. senti.

soffiare [sof'fjare] v. intr. souffler. ◆ v. tr. souffler. || PARTICOL. *soffiarsi il naso,* se moucher.

soffice ['sɔffitʃe] agg. moelleux, mou, tendre. || [al tatto] doux. | *pelle soffice,* peau douce.

soffio ['soffjo] m. PR. e MED. souffle. || LOC. *d'un soffio,* en un clin d'œil.

soffitta [sof'fitta] f. grenier m. || [stanza abitabile] mansarde.

soffitto [sof'fitto] m. plafond.

soffocante [soffo'kante] agg. PR. e FIG. étouffant, suffocant.

soffocare [soffo'kare] v. tr. étouffer. || PER EST. suffoquer. || FIG. étouffer. ◆ v. intr. étouffer.

soffribile [sof'fribile] agg. endurable, supportable.

soffriggere [sof'friddʒere] v. tr. CULIN. faire revenir à feu doux.

soffrire [sof'frire] v. tr. endurer, supporter, souffrir. || [privazioni, sacrifici] souffrir (de). | *soffrire la fame,* souffrir de la faim. || [essere particolarmente sensibile a] ne pas (bien) supporter. || [andare soggetto a] être sujet (à). | *soffrire il mal di mare,* être sujet au mal de mer. || LOC. *non poter soffrire che,* ne pas pouvoir supporter que. ◆ v. intr. souffrir. | *soffre di fegato,* il est malade du foie.

sofisticare [sofisti'kare] v. tr. frelater, altérer. ◆ v. intr. ergoter, user de sophismes.

soggettivo [soddʒet'tivo] agg. subjectif. || GR. *proposizione soggettiva,* proposition sujet.

1. soggetto [sod'dʒɛtto] agg. soumis. || [sottoposto a obblighi] astreint, obligé. || [passibile] passible. || [esposto] sujet. || [di cose] exposé.

2. soggetto m. [argomento] sujet. || CIN. scénario. || GR., MUS. sujet. || TEAT. canevas.

soggezione [soddʒet'tsjone] f. soumission, sujétion. || [timidezza] gêne, embarras m. | *mettere soggezione a,* intimider.

sogghignare [soggiɲ'ɲare] v. intr. ricaner.

soggiogare [soddʒo'gare] v. tr. asservir, soumettre. || FIG. dominer.

soggiornare [soddʒor'nare] v. intr. séjourner.

soggiorno [sod'dʒorno] m. séjour. | *azienda di soggiorno,* syndicat d'initiative. || [stanza] (salle (f.) de) séjour.

soglia ['sɔʎʎa] f. PR. e FIG. seuil m.

soglio ['sɔʎʎo] m. LETT. trône (L.C.). || *Soglio pontificio,* Saint-Siège.

sogliola ['sɔʎʎola] f. ZOOL. sole.

sognare [soɲ'ɲare] v. tr. e intr. rêver (de). | *sognare strani sogni,* faire de drôles de rêves. || [immaginare] imaginer v. tr., penser v. tr., rêver v. intr. | *non me lo sarei mai sognato,* je ne l'aurais jamais pensé, imaginé.

sognatore [soɲɲa'tore] (**-trice** f.) agg. e n. rêveur, euse.

sogno ['soɲɲo] m. PR. e FIG. rêve ; songe (lett.).

soia ['sɔja] f. soja m., soya m.

sol [sɔl] m. inv. MUS. sol.

solaio [so'lajo] m. grenier. || [piano orizzontale] plancher.

solamente [sola'mente] avv. seulement. || = SOLO avv.

solare [so'lare] agg. solaire. || FIG. évident, manifeste, lumineux.

solcare [sol'kare] v. tr. labourer. || FIG. fendre, sillonner.

solco ['solko] m. sillon. || PER EST. ornière f. || [di disco] sillon. || [scia] sillage. || [ruga] ride f. || FIG. trace f.

soldatino [solda'tino] m. [giocattolo] soldat de plomb.

soldato [sol'dato] m. PR. e FIG. soldat.

soldo ['sɔldo] m. sou. ◆ pl. [denaro] argent sing., fric sing. (pop.). | *da pochi soldi,* bon marché. || MIL. solde f.

sole ['sole] m. soleil. || LOC. *alla luce del sole,* au grand jour, ouvertement.

soleggiato [soled'dʒato] agg. ensoleillé.

solenne [so'lɛnne] agg. solennel. || FIG. formidable, extraordinaire.

solere [so'lere] v. intr. avoir l'habitude (de), coutume (de). | *come si suol dire,* comme on dit.

solerte [so'lɛrte] agg. consciencieux, actif.

solerzia [so'lɛrtsja] f. soin m., zèle m. ; diligence (lett.).

soletta [so'letta] f. semelle. || COSTR. dalle.

solfara [sol'fara] f. soufrière.

solfato [sol'fato] m. CHIM. sulfate.

solfeggio [sol'feddʒo] m. MUS. solfège.

solforare [solfo'rare] v. tr. AGR. soufrer, sulfater, sulfurer.

solidale [soli'dale] agg. solidaire.

solidamente [solida'mente] avv. solidement.

solidarietà [solidarje'ta] f. solidarité.

solidarizzare [solidarid'dzare] v. intr. se solidariser v. rifl.

solidificare [solidifi'kare] v. tr. solidifier. ◆ v. rifl. se solidifier.

solido ['sɔlido] agg. PR. e FIG. solide. ◆ m. solide.

solista [so'lista] (**-i** pl.) agg. e n. soliste.

solitamente [solita'mente] avv. habituellement.

solitario [soli'tarjo] agg. solitaire. ◆ m. solitaire. || GIOCHI [carte] réussite f.

solito ['solito] agg. habituel, accoutumé. | *è la solita storia,* c'est toujours la même histoire. || LOC. *essere solito,* être habitué (à). ◆ n. *sei il solito,* tu es toujours le même. | *siamo alle solite,* nous y revoilà. ◆ m. LOC. *come il solito, come al solito,* comme d'habitude.

solitudine [soli'tudine] f. solitude.

sollazzare [sollat'tsare] v. tr. amuser, divertir, réjouir. ◆ v. rifl. s'amuser, se divertir, se distraire.

sollecitamente [solletʃita'mente] avv. rapidement.

sollecitare [solletʃi'tare] v. tr. insister (auprès de), relancer. | *sollecitare i debitori,* presser, relancer ses débiteurs. || [cosa] réclamer (avec insistance). | *sollecitare il pagamento,* insister pour obtenir le paiement. || [accelerare] activer, presser, hâter. | *sollecitare i lavori,* activer les travaux. || [chiedere la concessione di qlco.] solliciter. | *sollecitare un incarico,* solliciter un emploi. || [stimolare] stimuler, exciter. | *sollecitare la curiosità,* exciter la curiosité.

sollecitazione [solletʃitatsjone] f. sollicitation, requête. || [richiamo] insistance. || MECC. tension.

sollecito [sol'letʃito] agg. rapide, prompt. || [diligente] empressé, zélé. || [preoccupato di] soucieux (de). ◆ m. COMM. rappel.

solleone [solle'one] m. canicule f.

solleticare [solleti'kare] v. tr. chatouiller. || FIG. exciter.

solletico [sol'letiko] m. chatouillement. || FIG. aiguillon, stimulant.

sollevamento [solleva'mento] m. soulèvement, élévation f. || TECN. levage.

sollevare [solle'vare] v. tr. soulever, lever. | *sollevare il bicchiere,* lever son verre. || FIG. sauver, sortir, tirer. || [da un peso] décharger, soulager. || [destituire] relever. | *è stato sollevato dall'incarico,* il a été relevé de ses fonctions. || [da un'oppressione fisica o morale] soulager. || [provocare] soulever. ◆ v. rifl. se lever ; [alzarsi appena] se soulever ; [cose] s'élever. || FIG. s'élever. || [riprendersi] se remettre. || [insorgere] se soulever, se révolter.

sollievo [sol'ljɛvo] m. soulagement. || [conforto] réconfort.

1. solo ['solo] agg. seul. | *solo soletto,* tout seul. | *da solo,* (tout) seul. | *parlare da solo,* parler tout seul. || [unico] seul. | *ad una sola voce,* d'une seule voix. || [equivale a « soltanto »] seul ; ne ... que. | *sono io sola a saperlo,* je suis la seule à le savoir. | *ci sono stato due sole volte,* je n'y suis allé que deux fois. ◆ m. *il solo,* le seul. || MUS. solo (it.). | *solo di violino,* solo de violon.

2. solo avv. ne ... que ; seulement. | *gli ho solo detto di stare attento,* je lui ai seulement dit de faire attention. | *se solo ...,* si seulement ... || LOC. *ci mancava solo questo,* il ne manquait plus que ça. || [con un pron. sogg.] seul agg., seulement, ne ... que. ◆ loc. cong. *solo che,* mais. || [basta che] que ... seulement ; ne ... que. | *solo che si muova ...,* qu'il bouge seulement ..., il n'a qu'à bouger ...

soltanto [sol'tanto] avv. = SOLO avv.

solubile [so'lubile] agg. soluble. || FIG. soluble, résoluble.

soluzione [solut'tsjone] f. solution. || [scioglimento] dissolution.

solvibile [sol'vibile] agg. solvable.

soma ['sɔma] f. fardeau m., charge.

somaro [so'maro] (**-a** f.) n. âne, ânesse. || FIG. âne, idiot.

somigliare [somiʎ'ʎare] v. intr. ressembler. ◆ v. recipr. se ressembler.

somma ['somma] f. somme. || LOC. *tirare le somme,* PR. faire le total ; FIG. tirer les conclusions. || PER EST. total m., somme.

sommamente [somma'mente] avv. extrêmement, plus que tout.
sommare [som'mare] v. tr. additionner, totaliser. || [aggiungere] ajouter. || FIG. peser, considérer. || LOC. *tutto sommato*, tout compte fait, somme toute. ◆ v. intr. monter.
sommario [som'marjo] agg. sommaire. ◆ m. résumé, sommaire.
sommergere [som'mɛrdʒere] v. tr. submerger, inonder, noyer. || [mandare a fondo] engloutir. ◆ v. rifl. couler.
sommergibile [sommer'dʒibile] agg. e m. submersible.
sommessamente [sommessa'mente] avv. doucement, à voix basse.
sommesso [som'messo] agg. bas, léger, étouffé.
somministrare [somminis'trare] v. tr. administrer.
sommità [sommi'ta] f. PR. e FIG. sommet m., faîte m., haut m.
sommo ['sommo] agg. le plus haut. || FIG. le plus grand, le plus haut ; [eccellente] supérieur ; [massimo] extrême. | *il sommo poeta*, le plus grand poète. | *sommo ingegno*, intelligence supérieure. | *questione di somma importanza*, question de la plus haute importance. || LOC. *sommo pontefice*, souverain pontife. | *in sommo grado*, au plus haut point. | *per sommi capi*, dans les grandes lignes ; en gros.
sommossa [som'mɔssa] f. émeute, soulèvement m., insurrection.
sommozzatore [sommottsa'tore] m. plongeur.
sommuovere [som'mwɔvere] v. tr. remuer, agiter. || FIG. bouleverser. || [istigare alla ribellione] soulever, ameuter.
sonaglio [so'naʎʎo] m. grelot.
sonare [so'nare] v. tr. MUS. jouer (de), sonner (de). | *sonare il corno*, sonner du cor. || [eseguire] jouer, interpréter, exécuter. || [azionare dispositivo acustico] sonner. | *sonare una campana, l'allarme*, sonner une cloche, l'alarme. || FAM. *sonarle a qlcu.*, [picchiare] flanquer une raclée à qn ; [giocare un tiro] rouler qn ; [rimproverare] sonner (les cloches à) qn. ◆ v. intr. [strumento musicale o acustico] sonner ; jouer. || PR. e FIG. *sonare falso*, sonner faux. || [produrre un' impressione soggettiva] faire l'effet de. | *questo nome non mi suona nuovo*, ce nom me rappelle quelque chose.
sonato [so'nato] agg. sonné. | *sono le tre sonate*, il est trois heures sonnées, passées. || [persona stramba] cinglé (fam.).
sonatore [sona'tore] (**-trice** f.) n. musicien. | *sonatore di*, joueur de.
sonda ['sonda] f. sonde.
sondare [son'dare] v. tr. PR. et FIG. sonder.
soneria [sone'ria] f. sonnerie.
sonetto [so'netto] m. sonnet.
sonnambulo [son'nambulo] (**-a** f.) agg. e n. somnambule.
sonnecchiare [sonnek'kjare] v. intr. PR. e FIG. sommeiller.
sonnellino [sonel'lino] m. (petit) somme.
sonnifero [son'nifero] agg. soporifique. ◆ m. somnifère, soporifique.
sonno ['sonno] m. sommeil, somme. | *ho fatto tutto un sonno*, je n'ai fait qu'un somme. || [desiderio di dormire] sommeil. | *mi viene sonno*, je commence à avoir sommeil. || FIG. sommeil.
sonorità [sonori'ta] f. sonorité.
sonorizzare [sonorid'dzare] v. tr. sonoriser.
sonoro [so'nɔro] agg. sonore. || FON. sonore. || FIG. sonore, éclatant, bruyant. || [intenso] bon, fort, vif. | *sonora lezione*, bonne leçon. || [altisonante] ronflant.
sontuoso [sontu'oso] agg. somptueux, magnifique.
sopire [so'pire] v. tr. apaiser.
soporifero [sopo'rifero] agg. soporifique.
soppalco [sop'palko] m. soupente f.
soppesare [soppe'sare] v. tr. soupeser. || FIG. peser.
soppiantare [soppjan'tare] v. tr. supplanter.
sopportabile [soppor'tabile] agg. supportable ; [possibile] possible.
sopportare [soppor'tare] v. tr. supporter, endurer. || [tollerare] tolérer.
sopportazione [sopportat'tsjone] f. patience. || [sufficienza] suffisance, condescendance.
soppressione [soppres'sjone] f. suppression. || [uccisione] élimination.
sopprimere [sop'primere] v. tr. supprimer. || [uccidere] supprimer, tuer.
sopra ['sopra] prep. [riferito a cose che sono a contatto] sur. | V. anche SU. || [con le particelle avv. « ci », « vi »] dessus avv. ; [con i pron. pers.] dessus avv., sur. || [riferito a cose sovrastanti ma non a contatto tra di loro] au-dessus de. | *abita sopra di noi*, il habite au-dessus de chez nous. || FIG. sur. | *passar sopra a qlco.*, passer sur qch. || [oltre] au-dessus de. | *sopra (lo) zero*, au-dessus de zéro. || [più che] par-dessus, plus que. || [riguardo a] sur. | *sopra quella questione*, sur cette question. ◆ avv. [riferito a cose che sono a contatto] dessus ; [quando non c'è contatto] au-dessus ; en haut. || [riferito a cosa precedentemente citata] ci-dessus, plus haut. || [al piano superiore] en haut, au-des-

sus. | *abita di sopra,* il habite au-dessus, en haut. | *vado di sopra,* je monte. ◆ loc. avv. e prep. PR. e FIG. *al di sopra (di),* au-dessus (de). ◆ loc. agg. du dessus, au-dessus ; précédent agg. ◆ m. *il (di) sopra,* le dessus.

soprabito [so'prabito] m. [da uomo] pardessus ; [da donna] manteau (de demi-saison).

sopracciglio [soprat'tʃiʎʎo] m. sourcil.

sopraccoperta [soprakko'pɛrta] f. dessus-de-lit m. || [di libro] jaquette. || MAR. *andare sopraccoperta,* aller sur le pont.

sopraddetto [soprad'detto] agg. susdit.

sopraddote [soprad'dɔte] f. GIUR. douaire m.

sopraffare [sopraf'fare] v. tr. écraser, accabler.

sopraffazione [sopraffat'tsjone] f. abus m., injustice.

sopraffino [sopraf'fino] agg. surfin. || FIG., SCHERZ. raffiné.

sopraggiungere [soprad'dʒundʒere] v. intr. survenir.

sopraggiunta [soprad'dʒunta] f. surcroît m.

sopralluogo [sopral'lwɔgo] m. inspection f. || GIUR. descente (f.) de justice.

soprammercato [soprammer'kato] m. LOC. *per soprammercato,* par-dessus le marché.

soprammobile [sopram'mɔbile] m. bibelot.

soprannaturale [soprannatu'rale] agg. e m. surnaturel.

soprannome [sopran'nome] m. surnom.

soprannominato [soprannomi'nato] agg. surnommé. || [precedentemente nominato] susnommé.

soprannumero [sopran'numero] m. *in sopprannumero,* en surnombre.

soprappensiero [soprappen'sjɛro] avv. distraitement, sans réfléchir. ◆ agg. distrait. || préoccupé, soucieux.

soprappiù [soprap'pju] m. supplément, surplus, surcroît.

soprapprezzo [soprap'prɛttso] m. majoration (f.) de prix.

soprascarpa [sopras'karpa] f. caoutchouc m.

soprasensibile [soprasen'sibile] agg. suprasensible.

soprassalto [sopras'salto] m. sursaut.

soprassedere [soprasse'dere] v. intr. surseoir, remettre (à plus tard), différer (v. tr.).

soprattassa [soprat'tassa] f. surtaxe.

soprattutto [soprat'tutto] avv. surtout.

sopravalore [soprava'lore] m. ECON. plus-value f.

sopravvalutare [sopravvalu'tare] v. tr. surestimer.

sopravvenire [sopravve'nire] v. intr. survenir, intervenir.

sopravvento [soprav'vɛnto] m. supériorité f., avantage. | *avere il sopravvento su qlcu.,* l'emporter sur qn. ◆ avv. MAR. au vent.

sopravvivenza [sopravvi'vɛntsa] f. survie, survivance.

sopravvivere [soprav'vivere] v. intr. survivre.

soprelevare [soprele'vare] v. tr. surélever, exhausser. ◆ v. rifl. s'élever.

soprintendenza [soprinten'dɛntsa] f. direction (générale). | *soprintendenza alle belle arti,* direction générale des beaux-arts.

soprintendere [soprin'tɛndere] v. intr. diriger v. tr.

sopruso [so'pruzo] m. abus, injustice f., vexation f. | *fare un sopruso,* faire un abus.

soqquadro [sok'kwadro] m. bouleversement, désordre. || LOC. *mettere a soqquadro,* bouleverser, mettre sens dessus dessous.

sor [sor] m. FAM. m'sieur, monsieur. || V. SIGNORE.

sora ['sora] f. FAM. madame. || V. SIGNORA.

sorbire [sor'bire] v. tr. déguster, siroter (fam.) ; [un uovo] gober. || FIG. subir, supporter.

sorcio ['sortʃo] m. souris f.

sordamente [sorda'mente] avv. sourdement.

sordido ['sɔrdido] agg. PR. e FIG. sordide. || [avaro] mesquin.

sordina [sor'dina] f. MUS. sourdine. || LOC. *in sordina,* PR. e FIG. en sourdine.

sordità [sordi'ta] f. surdité.

sordo ['sordo] agg. e n. PR. e FIG. sourd. ◆ agg. [di cose] sourd. | *sordo rancore,* sourde rancune.

sorella [so'rɛlla] f. sœur. || [monaca] sœur.

sorellastra [sorel'lastra] f. demi-sœur.

1. sorgente [sor'dʒɛnte] agg. naissant, levant.

2. sorgente f. PR. e FIG. source.

sorgere ['sordʒere] v. intr. [uomini ; astri] se lever. || FIG. acquérir v. tr. | *sorgere a gran fama,* parvenir à une grande célébrité. || [cose] s'élever. | *la montagna sorge all' orizzonte,* la montagne se dresse à l'horizon. || PER EST. s'élever. | *sorsero grida,* des cris s'élevèrent. || [acque] sourdre. | *l'acqua sorgeva dalla roccia,* l'eau jaillissait de la roche. || [di fiume] prendre sa source. || FIG. dériver, découler. || [apparire] surgir, naître, apparaître. | *sorge un dubbio,* il me vient un doute.

sorgivo [sor'dʒivo] agg. de source.

soriano [so'rjano] agg. tigré. ◆ m. chat tigré.

sormontare [sormon'tare] v. tr. dépasser. || FIG. surmonter.

sornione [sor'njone] agg. e n. sournois.

sorpassare [sorpas'sare] v. tr. PR. e FIG. dépasser. || [veicolo] dépasser, doubler.

sorpassato [sorpas'sato] agg. dépassé, démodé.

sorprendere [sor'prɛndere] v. tr. surprendre. || [meravigliare] surprendre, étonner. ◆ v. impers. *mi sorprende che,* je suis surpris que. ◆ v. rifl. [meravigliarsi] s'étonner, être surpris.

sorpresa [sor'presa] f. surprise. || [stupore] étonnement m.

sorreggere [sor'reddʒere] v. tr. soutenir. || FIG. encourager.

sorridente [sorri'dɛnte] agg. souriant. || FIG. riant.

sorridere [sor'ridere] v. intr. PR. e FIG. sourire.

sorriso [sor'riso] m. sourire.

sorsata [sor'sata] f. gorgée ; lampée (fam.).

sorseggiare [sorsed'dʒare] v. tr. siroter (fam.) ; boire à petits coups.

sorso ['sorso] m. gorgée f., coup. | *in un* sorso, d'un trait, d'un coup. || [piccola quantità] goutte f.

sorta ['sɔrta] f. sorte.

sorte ['sɔrte] f. sort m., destin m., fortune (lett.). | *tentare la sorte,* tenter sa chance. | *per cattiva sorte,* par malheur. || [condizione] sort, destin, destinée. || [risultato] issue, résultat m., sort. || LOC. *avere in sorte,* avoir, recevoir en partage. | *reggere le sorti di un paese,* présider aux destinées d'un pays. || [caso] hasard m. ; [fortuna] chance. | *per sorte,* par hasard.

sorteggiare [sorted'dʒare] v. tr. tirer au sort.

sortilegio [sorti'lɛdʒo] m. sortilège. || [divinazione] divination f.

sortire [sor'tire] v. tr. [ottenere, produrre] obtenir, produire.

sortita [sor'tita] f. MIL. sortie. || TEAT. entrée en scène. || FIG. boutade, plaisanterie.

sorvegliante [sorveʎ'ʎante] n. surveillant.

sorvegliare [sorveʎ'ʎare] v. tr. surveiller.

sorvolare [sorvo'lare] v. tr. survoler. ◆ v. tr. o intr. FIG. survoler v. tr., passer, glisser (sur).

sospendere [sos'pɛndere] v. tr. suspendre, interrompre. | *sospendere la seduta, i pagamenti,* suspendre la séance, les paiements. || [differire] remettre, différer. || [una persona] suspendre.

sospensione [sospen'sjone] f. [in tutti i significati] suspension.

sospeso [sos'peso] agg. suspendu. || [revocato] suspendu. || LOC. *col fiato sospeso,* en retenant son souffle. | *in sospeso,* en suspens. || [nell'incertezza] irrésolu. | *stare con l'animo sospeso,* être dans l'incertitude.

sospettare [sospet'tare] v. tr. soupçonner. | *nessuno lo sospetta,* personne ne le soupçonne. || [intuire una cosa spiacevole] craindre, soupçonner, pressentir. ◆ v. intr. [di qlcu. o qlco.] se méfier (de).

1. sospetto [sos'pɛtto] agg. suspect, douteux. ◆ n. suspect.

2. sospetto m. soupçon. || [dubbio] doute. | *ho il vago sospetto che voglia imbrogliarmi,* j'ai comme l'impression qu'il veut me duper. || [diffidenza] suspicion f. | *guardare qlcu. con sospetto,* considérer qn avec méfiance. || [piccola quantità] soupçon.

sospettoso [sospet'toso] agg. soupçonneux, méfiant.

sospingere [sos'pindʒere] v. tr. PR. e FIG. pousser.

sospirare [sospi'rare] v. intr. soupirer. ◆ v. tr. attendre avec impatience, désirer.

sospiro [sos'piro] m. soupir.

sosta ['sɔsta] f. arrêt m., halte. | *senza una sosta,* sans s'arrêter. || [di un veicolo] stationnement m. || [interruzione] pause ; [di cosa difficile] répit m., trêve.

sostantivo [sostan'tivo] agg. e m. GR. substantif.

sostanza [sos'tantsa] f. substance, essentiel m. | *la sostanza della discussione,* l'essentiel de la discussion. || [materia] substance, matière. || [beni posseduti] fortune, avoir m., bien m. || LOC. *in sostanza,* [nelle grandi linee] en substance ; [insomma] en conclusion, en fin de compte.

sostanziale [sostan'tsjale] agg. FILOS. substantiel. || [essenziale] essentiel, principal.

sostanzioso [sostan'tsjoso] agg. PR. e FIG. substantiel.

sostare [sos'tare] v. intr. s'arrêter, faire (une) halte. || [di veicoli] stationner.

sostegno [sos'teɲɲo] m. soutien, appui. || [per le piante] tuteur.

sostenere [soste'nere] v. tr. soutenir. || [rinvigorire] soutenir, remonter. || [aiutare] réconforter. || [asserire] maintenir, affirmer. || [assolvere ad un impegno] supporter. | *sostenere una spesa,* faire face à une dépense. || [resistere a] soutenir, supporter. | *sostenere un esame,* passer un examen. ◆ v. rifl. se soutenir. || [reggere] tenir, résister. || [essere convincente] être vraisemblable, tenir debout.

sostenibile [soste'nibile] agg. soutenable.

sostenimento [sosteni'mento] m. subsistance f.

sostenitore [sosteni'tore] (**-trice** f.) n. partisan m., défenseur m. || SP. supporter (ingl.). ◆ agg. *socio sostenitore,* membre bienfaiteur.

sostentamento [sostenta'mento] m. subsistance f., entretien.

sostentare [sosten'tare] v. tr. entretenir, subvenir aux besoins (de). || PER EST. nourrir. ◆ v. rifl. se nourrir.

sostenuto [soste'nuto] agg. [stile] soutenu. || [persona] réservé, froid ; hautain. || [di prezzi] élevé.

sostituibile [sostitu'ibile] agg. remplaçable.

sostituire [sostitu'ire] v. tr. remplacer, substituer, changer. ◆ v. rifl. se substituer (à).

sostituto [sosti'tuto] n. remplaçant. || GIUR. substitut m.

sostituzione [sostitut'tsjone] f. remplacement m. || CHIM., GIUR., MAT. substitution.

sottaceto [sotta'tʃeto] agg. au vinaigre. | *cetrioli sottaceto,* cornichons (confits) au vinaigre. ◆ m. pl. pickles (ingl.).

sottana [sot'tana] f. jupe. || [sottoveste] combinaison. || LOC. *correre dietro alle sottane,* courir le jupon. || [veste talare] soutane.

sotterfugio [sotter'fudʒo] m. subterfuge, détour.

sotterranea [sotter'ranea] f. métropolitain m. ; métro m.

sotterraneo [sotter'raneo] agg. e m. souterrain.

sotterrare [sotter'rare] v. tr. enterrer, enfouir, ensevelir.

sotteso [sot'teso] agg. GEOM. e FIG. sous-tendu.

sottigliezza [sottiʎ'ʎettsa] f. finesse, minceur. || FIG. finesse, subtilité.

sottile [sot'tile] agg. mince, fin. || [di suono] grêle, léger. || [di odore] subtil, pénétrant. || [di facoltà sensoriale] sensible. || [manifestazione intellettuale] subtil, fin. | *sottile ironia,* fine ironie. ◆ m. *non guardare troppo per il sottile,* ne pas y regarder de trop près.

sottilizzare [sottilid'dzare] v. intr. raffiner, ergoter.

sottintendere [sottin'tɛndere] v. tr. sous-entendre. | *è sottinteso che,* il va sans dire que.

sottinteso [sottin'teso] agg. e m. sous-entendu.

sotto ['sotto] prep. [rapporto di contatto] sous. | *sott'acqua,* sous l'eau. || LOC. *lo tengo sott'occhio,* je l'ai à l'œil (fam.), je le surveille. || [con le particelle « ci », « vi »] (en) dessous. | *mettici sotto un pezzo di legno,* mets un morceau de bois en dessous. || [al piano inferiore ; più giù di ; al di sotto di un certo limite] au-dessous de. | *sotto la media,* au-dessous de la moyenne. || [imminenza] vers, à l'époque de. | *sotto Natale,* vers Noël. || FIG. sous. | *sotto (la guida di) un buon maestro,* sous la direction d'un bon maître. | *sotto vigilanza,* sous surveillance. | *essere sotto accusa,* PR. être inculpé ; FIG. être en cause. ◆ avv. [rapporto di contatto] dessous. || LOC. *qui sotto, lì sotto,* là-dessous. || [giù] en bas, au-dessous. | *più sotto,* plus bas. | *guardare di sotto in su,* regarder de bas en haut. || [al piano inferiore] en bas, au-dessous. | *abita di sotto,* il habite au-dessous. | *vado di sotto,* je descends. || [in uno scritto] ci-dessous, ci-après. | *vedi sotto,* voir ci-dessous, plus bas. || *sotto sotto,* PR. tout en bas ; FIG. [in fondo] au fond ; [di nascosto] en cachette, sans en avoir l'air. || [ellitt.] *sotto a chi tocca !,* au suivant ! | *mettersi sotto,* s'y mettre, se mettre au travail. ◆ loc. avv. e prep. *al di sotto (di),* au-dessous (de). ◆ m. *il (di) sotto,* le dessous.

sottobanco [sotto'banko] avv. sous le manteau, en sous-main.

sottobosco [sotto'bɔsko] m. sous-bois.

sottobraccio [sotto'brattʃo] avv. bras dessus, bras dessous.

sottocapo [sotto'kapo] m. sous-chef ; sous-directeur.

sottocchio [sot'tɔkkjo] avv. sous les yeux. | *tenere sottocchio i bambini,* surveiller les enfants.

sottocoperta [sottoko'pɛrta] avv. dans l'entrepont.

sottocoppa [sotto'koppa] f. soucoupe. || AUT. carter m.

sottocosto [sotto'kɔsto] avv. au-dessous du prix coûtant.

sottocutaneo [sottoku'taneo] agg. sous-cutané.

sottofondo [sotto'fondo] m. PR. e FIG. fond. || [musica] fond sonore.

sottogamba [sotto'gamba] avv. FIG. par-dessous la jambe, avec désinvolture.

sottolineare [sottoline'are] v. tr. souligner.

sott'olio o **sottolio** [sot'tɔljo] avv. e agg. inv. à l'huile.

sottomano [sotto'mano] avv. sous la main. || FIG. en sous-main, en cachette. ◆ m. sous-main.

sottomarino [sottoma'rino] agg. e m. sous-marin.

sottomettere [sotto'mettere] v. tr. soumettre. || [posporre] subordonner.

sottomissione [sottomis'sjone] f. soumission. || [stato di chi subisce il dominio altrui] sujétion. || [docilità] docilité.
sottopassaggio [sottopas'saddʒo] m. [per i pedoni] passage souterrain ; [per i veicoli] tunnel.
sottoporre [sotto'porre] v. tr. soumettre. ◆ v. rifl. se soumettre.
sottoportico [sotto'pɔrtiko] m. portique, galerie f. (à arcades).
sottoposto [sotto'posto] agg. soumis (à). ◆ m. subordonné.
sottoprefettura [sottoprefet'tura] f. sous-préfecture.
sottoprezzo [sotto'prɛttso] avv. à bas prix.
sottordine [sot'tordine] m. BIOL. sous-ordre. || LOC. *in sottordine,* d'une importance secondaire.
sottoscala [sottos'kala] m. inv. soupente f., réduit.
sottoscritto [sottos'kritto] n. soussigné. | *il sottoscritto dichiara,* je soussigné déclare.
sottoscrittore [sottoskrit'tore] (**-trice** f.) n. [di un manifesto] signataire. || [di iniziativa finanziaria] souscripteur, trice.
sottoscrivere [sottos'krivere] v. tr. [impegnarsi a pagare una somma] souscrire (à), s'engager à verser. || [aderire] souscrire (à).
sottosopra [sotto'sopra] avv. sens dessus dessous. ◆ agg. inv. *era ancora sottosopra,* il était encore tout bouleversé. ◆ m. désordre.
sottostante [sottos'tante] agg. situé au-dessous (de). || FIG. subordonné.
sottostare [sottos'tare] v. intr. FIG. être soumis (à), dépendre (de) ; [piegarsi] se soumettre, se plier, obéir. | *sottostare a un esame,* se soumettre à un examen.
sottosuolo [sotto'swɔlo] m. sous-sol.
sottosviluppo [sottozvi'luppo] m. sous-développement.
sottotenente [sottote'nɛnte] m. MIL. sous-lieutenant.
sottoterra [sotto'tɛrra] avv. sous (la) terre, dans la terre.
sottotetto [sotto'tetto] m. grenier ; combles pl.
sottovalutare [sottovalu'tare] v. tr. sous-estimer.
sottoveste [sotto'vɛste] f. combinaison ; jupon m.
sottovoce [sotto'votʃe] avv. à voix basse, doucement.
sottrarre [sot'trarre] v. tr. soustraire, retrancher. || [di denaro] détourner, voler. ◆ v. rifl. se soustraire, se dérober.
sottrazione [sottrat'tsjone] f. détournement m., vol m. || MAT. soustraction.
sottufficiale [sottuffi'tʃale] m. sous-officier.
sovente [so'vɛnte] avv. souvent.
soverchiamente [soverkja'mente] avv. excessivement, trop.
soverchiare [sover'kjare] v. tr. dépasser. || FIG. surpasser. || [sopraffare] accabler, écraser.
sovrabbondare [sovrabbon'dare] v. intr. surabonder. | *sovrabbondare di,* regorger de.
sovraccaricare [sovrakkari'kare] v. tr. surcharger. || FIG. accabler.
sovraccarico [sovrak'kariko] agg. surchargé. || FIG. accablé, écrasé. ◆ m. surcharge f. || FIG. excès.
sovraffollato [sovraffol'lato] agg. plein de monde, surpeuplé ; [di veicolo o stanza] bondé, comble.
sovrana [so'vrana] f. [moneta] souverain m. ◆ f. e agg. [persona] souveraine.
sovranità [sovrani'ta] f. souveraineté. || FIG. supériorité.
sovrannaturale [sovrannatu'rale] agg. surnaturel.
sovrano [so'vrano] m. e agg. souverain.
sovrappiù [sovrap'pju] m. = SOPRAPPIÙ.
sovrapponibile [sovrappo'nibile] agg. superposable.
sovrappopolato [sovrappopo'lato] agg. surpeuplé.
sovrapporre [sovrap'porre] v. tr. superposer. || FIG. faire prévaloir, faire passer avant. ◆ v. rifl. se superposer. || FIG. s'ajouter.
sovrapprezzo [sovrap'prɛttso] m. = SOPRAPPREZZO.
sovrapproduzione [sovrapprodut'tsjone] f. surproduction.
sovrastante [sovras'tante] agg. situé au-dessus. || FIG. imminent, menaçant.
sovrastare [sovras'tare] v. intr. o tr. dominer v. tr., surplomber v. tr. || FIG. être supérieur (à), surpasser v. tr. || [incombere] menacer.
sovrastruttura [sovrastrut'tura] f. PR. e FIG. superstructure.
sovreccitare [sovrettʃi'tare] v. tr. surexciter.
sovrimposta [sovrim'pɔsta] f. surimposition. || PARTICOL. centimes additionnels.
sovrimpressione [sovrimpres'sjone] f. FOT. surimpression.
sovrumano [sovru'mano] agg. surhumain.
sovvenzionare [sovventsjo'nare] v. tr. subventionner.
sovversivo [sovver'sivo] agg. e n. subversif.
sovvertimento [sovverti'mento] m. subversion f. || [rovesciamento] renversement.

sovvertire [sovver'tire] v. tr. renverser, bouleverser.
sozzo ['sottso] agg. crasseux, dégoûtant, sale. | *è sozzo di fango,* il est couvert de boue, || PER EST. e FIG. répugnant, abject.
spaccamento [spakka'mento] m. éclatement, rupture f.
spaccare [spak'kare] v. tr. fendre, casser, couper. | *spaccare legna,* casser, couper du bois. || FAM. *ti spacco il muso,* je vais te casser la figure. || LOC. *orologio che spacca il minuto,* montre d'une précision absolue. ◆ v. rifl. se fendre, (se) casser, se briser.
spaccatamente [spakkata'mente] avv. clairement, nettement.
spaccato [spak'kato] agg. fendu, cassé. || FIG. véritable, vrai ; [solo in male] fieffé. | *bugiardo spaccato,* fieffé, parfait menteur. || [molto somigliante] tout craché (fam.). ◆ m. coupe f.
spaccatura [spakka'tura] f. [risultato] fente, crevasse, fissure. || [della pelle] crevasse, gerçure.
spacciare [spat'tʃare] v. tr. écouler. | *spacciare droga,* vendre de la drogue. || FIG. répandre, diffuser, propager. || PER EST. *spacciare qlco. per,* vendre qch. pour ; faire passer qch. pour. ◆ v. rifl. se faire passer (pour).
spacciato [spat'tʃato] agg. perdu, fichu (fam.), foutu (pop.).
spacciatore [spattʃa'tore] (**-trice** f.) n. trafiquant. | *spacciatore di notizie false,* personne qui répand de fausses nouvelles.
spaccio ['spattʃo] m. COMM. écoulement, vente f. || LOC. *spaccio di moneta falsa,* mise (f.) en circulation de fausse monnaie. || [negozio] magasin ; [di tabacchi, di bevande] débit.
spacco ['spakko] m. fente f. | *gonna a spacco,* jupe fendue. || [strappo] accroc, déchirure f.
spacconata [spakko'nata] f. vantardise, fanfaronnade.
spaccone [spak'kone] (**-a** f.) n. vantard, fanfaron ; hâbleur.
spada ['spada] f. épée. | *la spada della giustizia,* le glaive de la justice. | *una buona spada,* une fine lame.
spadroneggiare [spadroned'dʒare] v. intr. faire la loi, agir en maître.
spaesato [spae'zato] agg. dépaysé.
spaghetto [spa'getto] m. DIM. V. SPAGO. ◆ pl. spaghetti (it.).
spagliato [spaʎ'ʎato] agg. dépaillé.
spagnoletta [spaɲɲo'letta] f. espagnolette. || [mantiglia] mantille. || [rocchetto] fusette, bobine. || [nocciolina americana] cacahouète.
spago ['spago] m. ficelle f. || LOC. *dare spago a qlcu.,* laisser faire, laisser dire qn.
spaiato [spa'jato] agg. dépareillé. || [solo] isolé.
spalancare [spalan'kare] v. tr. ouvrir tout grand. | *spalancare la finestra,* ouvrir la fenêtre toute grande. || LOC. *spalancare gli occhi,* ouvrir de grands yeux. ◆ v. rifl. s'ouvrir (tout grand).
spalancato [spalan'kato] agg. grand ouvert.
spalare [spa'lare] v. tr. déblayer, pelleter.
spalata [spa'lata] f. coup (m.) de pelle.
spalla ['spalla] f. ANAT. épaule ; [schiena] dos m. | *alzare le spalle, stringersi nelle spalle,* hausser les épaules. || [di una montagna] flanc m., versant m. ; [contrafforte montuoso] contrefort m. ; [di argine] talus m. || [di ponte] butée, culée. || MIL. (spec. pl.) arrières m. pl. | *proteggere le spalle,* protéger ses arrières. || MODA épaule. | *giacca stretta di spalle,* veste étroite de carrure. || TEAT. faire-valoir m., compère m. || LOC. *aver buone spalle,* avoir les reins solides. | *campare alle spalle di qlcu.,* vivre aux crochets de qn. | *far da spalla a qlcu.,* épauler qn. | *alle spalle,* derrière, par-derrière. | *colpire alle spalle,* frapper par-derrière, dans le dos. | *lasciarsi alle spalle,* laisser derrière soi.
spallata [spal'lata] f. coup (m.) d'épaule. || [alzata di spalla] haussement (m.) d'épaules.
spalleggiare [spalled'dʒare] v. tr. épauler, appuyer, aider, soutenir.
spalliera [spal'ljɛra] f. dossier m. || [sponda del letto dalla parte della testa] tête ; [dalla parte dei piedi] pied m. || AGR. espalier m.
spallina [spal'lina] f. MIL. épaulette. || MODA bretelle ; épaulette.
spalmare [spal'mare] v. tr. enduire ; étendre, étaler sur. | *spalmare il burro sul pane,* étendre, tartiner du beurre sur du pain.
spanare [spa'nare] v. tr. abîmer, fausser un pas de vis.
spanciare [span'tʃare] v. intr. [di tuffatore] faire un plat (fam.). ◆ v. rifl. *spanciarsi dalle risa,* crever de rire.
spandere ['spandere] v. tr. étendre, étaler ; répandre. || [liquido] répandre, verser ; renverser. | *spandere lacrime,* verser des larmes. || ASSOL., FAM. *il rubinetto spande,* le robinet fuit (L.C.). || [diffondere] répandre, diffuser. ◆ v. rifl. se répandre. || [allargarsi] s'élargir, s'étendre.
spanna ['spanna] f. empan m. || FIG. (petit) bout, (petit) morceau.
spappolamento [spappola'mento] m. écrasement.

spappolare [spappo'lare] v. tr. écraser ; réduire en bouillie. ◆ v. rifl. s'écraser ; être réduit en bouillie.

sparare [spa'rare] v. tr. tirer. || [azionare un'arma] tirer. | *sparare il fucile,* tirer au fusil. || PER EST. envoyer, lancer, décocher. || FIG. raconter, dire. | *spararle grosse,* raconter des énormités. ◆ v. intr. tirer ; faire feu. | *sparare alle gambe, alla testa,* tirer dans les jambes, à la tête. || LOC. *sparare a zero su qlcu.,* se déchaîner contre qn. ◆ v. rifl. *si è sparato un colpo di pistola,* il s'est tué d'un coup de pistolet.

sparata [spa'rata] f. FIG. vantardise, fanfaronnade.

sparato [spa'rato] agg. à toute vitesse loc. avv.

sparatoria [spara'torja] f. coups (m. pl.) de feu ; fusillade.

sparecchiare [sparek'kjare] v. tr. desservir, débarrasser.

spareggio [spa'reddʒo] m. déficit. || SP. (match de) barrage.

spargere ['spardʒere] v. tr. répandre sur ; parsemer. || [di polvere] saupoudrer. || [di persone] disséminer, disperser, répartir. || [di liquidi] répandre, verser. || [diffondere] répandre, diffuser. || FIG. répandre, propager, divulguer. ◆ v. rifl. [di persone] se disperser, s'éparpiller, se disséminer. || [di cose] se répandre, se propager.

spargimento [spardʒi'mento] m. *spargimento di sangue,* effusion (f.) de sang.

sparire [spa'rire] v. intr. disparaître.

sparlare [spar'lare] v. intr. médire (de), dire du mal (de). || [parlare male] être grossier ; dire des gros mots. || [parlare a sproposito] bavarder (à tort et à travers).

sparo ['sparo] m. coup de feu, détonation f. || [azione di sparare] décharge f.

sparpagliare [sparpaʎ'ʎare] v. tr. éparpiller, disperser, disséminer. ◆ v. rifl. s'éparpiller, se disperser ; [solo di persone] s'égailler.

sparso ['sparso] agg. éparpillé, dispersé, disséminé. || [dei capelli] dénoué. || [versato] répandu, versé.

spartiacque [sparti'akkwe] m. inv. ligne (f.) de partage des eaux.

spartineve [sparti'neve] m. inv. chasse-neige.

spartire [spar'tire] v. tr. partager, répartir. || LOC. *non aver nulla da spartire con qlcu.,* n'avoir rien de commun avec qn. || [separare] séparer, diviser.

spartito [spar'tito] m. MUS. partition f.

spartitraffico [sparti'traffiko] m. inv. [in muratura] terre-plein central ; [salvagente] refuge. || PER EST. bande (f.) médiane.

sparuto [spa'ruto] agg. maigre, fluet ; [viso] émacié. || FIG. restreint, infime. | *uno sparuto gruppo,* un tout petit groupe.

spasimante [spazi'mante] m. SCHERZ. soupirant.

spasimare [spazi'mare] v. intr. souffrir (atrocement), être torturé, tourmenté. || FIG. brûler (de), aspirer (à), languir (après).

spasimo ['spazimo] m. (atroce) souffrance f., torture f., martyre (solo sing.). || [morale] tourment.

spasmo ['spazmo] m. MED. spasme, convulsion f.

spassare [spas'sare] v. tr. amuser, divertir. ◆ v. rifl. s'amuser, se divertir.

spassionato [spassjo'nato] agg. objectif, impartial.

spasso ['spasso] m. amusement, divertissement, distraction f. | *prendersi spasso di qlcu.,* rire de qn, se moquer de qn. | *è uno spasso sentirlo,* c'est un vrai plaisir de l'entendre. || [passeggiata] promenade f. || LOC. *mandare a spasso qlcu.,* envoyer promener qn. || PARTICOL. *essere a spasso,* être en chômage.

spassoso [spas'soso] agg. amusant, drôle.

spastico ['spastiko] (**-ci** pl.) agg. spasmodique. || LOC. *bambini spastici,* enfants handicapés. ◆ n. handicapé.

spatola ['spatola] f. spatule.

spauracchio [spau'rakkjo] m. épouvantail.

spaurire [spau'rire] v. tr. effrayer, faire peur (à). ◆ v. rifl. s'effrayer.

spavaldo [spa'valdo] agg. effronté, impudent, arrogant. ◆ n. fanfaron, crâneur (fam.).

spaventapasseri [spaventa'passeri] m. inv. PR. e FIG. épouvantail.

spaventare [spaven'tare] v. tr. effrayer ; faire peur (à). ◆ v. rifl. s'effrayer, avoir peur. | *si è spaventato,* il a eu peur.

spavento [spa'vento] m. peur f., frayeur f. || LOC. *essere uno spavento,* être laid à faire peur.

spaventoso [spaven'toso] agg. terrible, effroyable, épouvantable.

spaziare [spat'tsjare] v. intr. [uccelli] planer librement. || FIG. embrasser v. tr., se mouvoir (à travers). ◆ v. tr. espacer.

spaziatura [spattsja'tura] f. espacement m.

spazientire [spattsjen'tire] v. tr. impatienter. ◆ v. rifl. o intr. s'impatienter.

spazio ['spattsjo] m. espace. || [estensione limitata] espace, place f. | *per mancanza di spazio,* faute de place. || [tra le lettere] espacement. || [tempo]

espace, laps (de temps). || MUS. interligne.
spazioso [spat'tsjoso] agg. spacieux, vaste, grand.
spazzacamino [spattsaka'mino] m. ramoneur.
spazzamine [spattsa'mine] m. inv. dragueur (m.) de mines.
spazzaneve [spattsa'neve] m. inv. chasse-neige.
spazzare [spat'tsare] v. tr. balayer. || PARTICOL. *spazzare il camino,* ramoner la cheminée. || PER ANAL. *il vento spazza via le nuvole,* le vent chasse les nuages.
spazzatura [spattsa'tura] f. ordures pl. || [ciò che si raccoglie con la scopa] balayures pl. || FIG. ordure. || [lo spazzare] balayage m.
spazzino [spat'tsino] m. balayeur ; éboueur ; boueux (fam.).
spazzola ['spattsola] f. brosse. || ELETTR. balai m.
spazzolare [spattso'lare] v. tr. brosser.
spazzolino [spattso'lino] m. brosse f. | *spazzolino da denti,* brosse à dents.
spazzolone [spattso'lone] m. balai-brosse.
specchiarsi [spek'kjarsi] v. rifl. se regarder (dans une glace). || [di cose] se refléter. || FIG. prendre pour modèle.
specchiato [spek'kjato] agg. exemplaire.
specchiera [spek'kjɛra] f. [specchio] glace. || [mobile] coiffeuse.
specchio ['spɛkkjo] m. glace f., miroir. | *guardarsi allo specchio,* se regarder dans une glace. || LOC. *uno specchio di virtù,* un modèle de vertu. | *specchio d'acqua,* nappe (f.) d'eau. || [prospetto] tableau.
speciale [spe'tʃale] agg. spécial. || LOC. *in special modo,* en particulier, spécialement.
specialista [spetʃa'lista] (**-i** pl.) n. spécialiste.
specializzare [spetʃalid'dzare] v. tr. spécialiser. ◆ v. rifl. se spécialiser.
specialmente [spetʃal'mente] avv. spécialement, surtout.
specie ['spɛtʃe] f. inv. espèce. f. || PER EST. espèce, sorte f., genre m. | *gente di ogni specie,* des gens de toutes sortes. || LOC. *una specie di,* une sorte de. | *mi fa specie,* je suis surpris, étonné. ◆ avv. en particulier, surtout.
specificare [spetʃifi'kare] v. tr. spécifier, préciser.
specificatamente [spetʃifikata'mente] avv. en détail.
specifico [spe'tʃifiko] (**-ci** pl.) agg. spécifique. || [particolare] particulier, spécial. | *competenza specifica,* compétence particulière. || [determinato] précis, déterminé. | *accuse specifiche,* accusations précises. ◆ m. remède spécifique.
specola ['spɛkola] f. observatoire m.
1. speculare [speku'lare] agg. spéculaire.
2. speculare v. intr. [in tutti i significati] spéculer.
spedire [spe'dire] v. tr. envoyer, expédier.
speditamente [spedita'mente] avv. rapidement, promptement. || [con facilità] avec aisance.
spedito [spe'dito] agg. rapide, prompt ; agile, leste. ◆ avv. V. SPEDITAMENTE.
spedizione [spedit'tsjone] f. expédition, envoi m. || [trasporto] expédition, transport m. || MIL., TECN., expédition.
spegnere ['spɛɲɲere] v. tr. éteindre. | *spegnere il motore,* arrêter le moteur. || [calmare] calmer, apaiser, éteindre ; [distruggere] effacer, détruire ; [attenuare] affaiblir, diminuer. | *spegnere l'entusiasmo,* refroidir l'enthousiasme. ◆ v. rifl. s'éteindre, s'affaiblir. || [morire] s'éteindre.
spelacchiato [spelak'kjato] agg. pelé. || [di tappeto] élimé.
spelare [spe'lare] v. tr. arracher les poils (de). || TECN. peler. ◆ v. rifl. perdre ses poils.
speleologo [spele'ɔlogo] (**-gi** pl. ; **-ghi** pl. pop.) n. spéléologue.
spellare [spel'lare] v. tr. écorcher, dépouiller. || FIG., SCHERZ. écorcher, plumer. ◆ v. rifl. [di persone] peler v. intr. || [prodursi un'escoriazione] s'écorcher.
spelonca [spe'lonka] f. caverne, grotte. || FIG. taudis m.
spendere ['spɛndere] v. tr. dépenser. || LOC. *quanto spendo ?,* ça fait combien ? | *spendere e spandere,* jeter l'argent par les fenêtres. || [impiegare] employer. || [sprecare] gaspiller, perdre. | *sta spendendo tempo per niente,* il perd son temps. || FIG. *spendere una parola per qlcu.,* dire un mot en faveur de qn.
spennacchiato [spennak'kjato] agg. déplumé.
spennare [spen'nare] v. tr. PR. e FIG. plumer. ◆ v. rifl. se déplumer.
spennellare [spennel'lare] v. tr. badigeonner.
spensieratamente [spensjerata'mente] avv. de façon insouciante ; sans s'en faire (fam.).
spensierato [spensje'rato] agg. insouciant, léger.
spento ['spento] agg. PR. e FIG. éteint. || [di motore] arrêté.
speranza [spe'rantsa] f. espoir m. | *contro ogni speranza,* contre toute espérance, toute attente. || [con compl.]

espoir m. ; [possibilità] chance. | *ho una mezza speranza di farcela,* j'ai encore une chance d'y arriver. || [concreto] espoir m. | *sei la mia unica speranza,* tu es mon seul espoir.

sperare [spe'rare] v. tr. espérer. || Loc. *spero di sì,* je l'espère. | *speriamo bene,* espérons que tout ira bien. ◆ v. intr. espérer.

sperduto [sper'duto] agg. [persona] perdu, dépaysé. || [luogo] perdu, isolé.

sperequazione [sperekwat'tsjone] f. inégalité, répartition inégale. || [squilibrio] disproportion.

spergiurare [sperdʒu'rare] v. tr. jurer faussement. ◆ v. intr. se parjurer.

spergiuro [sper'dʒuro] agg., m. e n. parjure.

spericolato [speriko'lato] agg. e n. téméraire, imprudent.

sperimentare [sperimen'tare] v. tr. expérimenter. || [persona, sentimento] éprouver, mettre à l'épreuve. || [provare su di sé] faire l'expérience (de), expérimenter.

sperma ['spɛrma] (**-i** pl.) m. sperme.

speronare [spero'nare] v. tr. Mar. éperonner.

sperone [spe'rone] m. [in tutti i significati] éperon.

sperperare [sperpe'rare] v. tr. dissiper, gaspiller, dilapider.

sperpero ['spɛrpero] m. gaspillage, dilapidation f.

sperso ['spɛrso] agg. perdu. || [disorientato] dépaysé, perdu.

spersonalizzare [spersonalid'dzare] v. tr. dépersonnaliser. ◆ v. rifl. se dépersonnaliser.

sperticato [sperti'kato] agg. démesuré. || Fig. outré, excessif.

spesa ['spesa] f. dépense ; frais m. pl. | *sarebbe una spesa eccessiva,* cela coûterait trop cher. | *dividere la spesa,* partager les frais. | *spese pubbliche,* dépenses publiques. | *spese di rappresentanza,* frais de représentation. || Loc. *non badare a spese,* Pr. ne pas regarder à la dépense ; Fig. employer tous les moyens. | *a spese di,* Pr. aux frais de, à la charge de ; Fig. aux dépens de. || [acquisto] achat m., dépense. | *fare delle spese,* faire des achats. || [acquisto giornaliero] courses pl., commissions pl., marché m. ; provisions pl.

spesare [spe'sare] v. tr. défrayer, décharger des frais. || [in contabilità] enregistrer.

1. spesso ['spesso] agg. épais, gros. | *tela spessa,* grosse toile. || [denso] épais, dense. | *nebbia spessa,* brouillard épais, dense. || Loc. *spesse volte,* souvent.

2. spesso avv. souvent.

spessore [spes'sore] m. épaisseur f.

spettabile [spet'tabile] agg. Comm. *spettabile Signore,* Monsieur. | *alla spettabile Direzione,* à la Direction.

spettacolare [spettako'lare] agg. spectaculaire.

spettacolo [spet'takolo] m. spectacle. || [vista] spectacle. | *spettacolo terrificante,* spectacle terrifiant.

spettacoloso [spettako'loso] agg. spectaculaire.

spettanza [spet'tantsa] f. compétence. || [quanto è dovuto] dû m. ; [per le prestazioni di un professionista] honoraires m. pl.

spettare [spet'tare] v. intr. être, appartenir. | *spetta a voi decidere,* il vous appartient de décider. || [essere della competenza di] être du ressort (de), être de la compétence (de). || [appartenere per diritto] revenir, être dû.

spettatore [spetta'tore] (**-trice** f.) n. spectateur, trice.

spettegolare [spettego'lare] v. intr. potiner, cancaner, faire des commérages.

spettinare [spetti'nare] v. tr. dépeigner, décoiffer. ◆ v. rifl. se dépeigner, se décoiffer.

spettro ['spɛttro] m. [in tutti gli usi] spectre.

spezie ['spɛttsje] f. pl. épices.

spezzare [spet'tsare] v. tr. casser, briser. | *spezzare il pane,* rompre le pain. || Fig. *spezzare il cuore,* briser le cœur. || [interrompere] interrompre, couper.

spezzatino [spettsa'tino] m. Culin. ragoût.

spezzato [spet'tsato] agg. cassé. || Fig. *orario di lavoro spezzato,* horaire de travail non continu. ◆ m. [abito] costume sport.

spezzettare [spettset'tare] v. tr. fragmenter, morceler, diviser ; [il legno] débiter ; [ridurre in briciole] émietter.

spia ['spia] f. espion m., espionne. || [pagata dalla polizia] indicateur. | *fare la spia,* [osservare] espionner ; [riferire] dénoncer, rapporter. || Fig. indice m. || Tecn. voyant m. | *spia dell'olio,* voyant d'huile. || [dispositivo acustico] signal (m.) sonore. || [apertura] judas m. ; [con una lente] œil m., espion m.

spiaccicare [spjattʃik'kare] v. tr. écraser. ◆ v. rifl. s'écraser.

spiacente [spja'tʃɛnte] agg. désolé, fâché.

spiacere [spja'tʃere] v. intr. [causare rammarico, contrarietà] *mi spiace che* (congiunt.), *mi spiace* (infin.), je regrette, je suis désolé (que + congiunt., de + infin.). || [con un sostant. come sogg.] déplaire. | *mi spiace il suo modo di fare,* je n'aime pas sa façon de faire. || [disturbare] ennuyer, déranger.

| *ti spiace prestarmi questo libro?,* est-ce que tu veux bien me prêter ce livre? || [causare delusione] être désolant, regrettable.

spiacevole [spja'tʃevole] agg. déplaisant, désagréable. || [noioso] ennuyeux, fâcheux.

spiaggia ['spjaddʒa] f. plage. || [riva di fiume, di lago] rive, grève.

spianare [spja'nare] v. tr. aplanir, niveler, égaliser. || FIG. *spianare le difficoltà,* aplanir les difficultés. || PER EST. aplatir. || [di arma] braquer. || [radere al suolo] raser.

spianata [spja'nata] f. aplanissement m.; aplatissement m. || [spazio piano] esplanade.

spiano ['spjano] m. *a tutto spiano,* le plus possible, énormément. | *correre a tutto spiano,* courir à toute vitesse.

spiantare [spjan'tare] v. tr. déplanter, arracher. || PER EST. détruire. || FIG. ruiner. ◆ v. rifl. se ruiner.

spiare [spi'are] v. tr. épier, espionner. | *spiare i movimenti del nemico,* surveiller les mouvements de l'ennemi. | *spiare l'occasione,* guetter l'occasion.

spiata [spi'ata] f. cafardage m. (fam.), mouchardage m. (fam.), délation.

spiazzo ['spjattso] m. terrain nu, esplanade f. || [radura] clairière f.

spiccare [spik'kare] v. tr. détacher, séparer. || [di movimento] *spiccare un salto, un balzo,* faire un saut, un bond. || [emettere] émettre, lancer. | *spiccare un mandato di cattura,* lancer un mandat d'arrêt. ◆ v. intr. ressortir, se détacher, trancher, se remarquer. ◆ v. rifl. se détacher.

spiccatamente [spikkata'mente] avv. distinctement. || [in modo caratteristico] typiquement.

spiccato [spik'kato] agg. net, clair, tranché. || [forte] *gusto spiccato per qlco.,* goût (très) prononcé pour qch. || [non comune] *spiccata intelligenza,* intelligence remarquable.

spicchio ['spikkjo] m. [degli agrumi e per est. di altri frutti] quartier; [di aglio] gousse f. || [di torta] tranche f.

spicciare [spit'tʃare] v. tr. [con ogg. di persona] s'occuper (de). ◆ v. rifl. se dépêcher.

spiccicare [spittʃi'kare] v. tr. décoller, détacher. | *non spiccicare parola,* ne pas prononcer un mot. ◆ v. rifl. se décoller, se détacher.

spiccio ['spittʃo] agg. expéditif; [svelto] rapide. | *spero che sia una cosa spiccia,* j'espère que ce sera vite fait. || *denaro spiccio,* monnaie f. ◆ m. pl. monnaie f. sing.

spicciolare [spittʃo'lare] v. tr. faire la monnaie (de).

spicciolo ['spittʃolo] agg. en monnaie. | *denaro spicciolo,* monnaie f. || [semplice] simple, ordinaire, commun. || [di poco valore] à bon marché. ◆ m. monnaie f.

spicco ['spikko] m. *far spicco,* trancher, ressortir; [persona] se distinguer, se faire remarquer.

spidocchiare [spidok'kjare] v. tr. épouiller. ◆ v. rifl. s'épouiller.

spiedo ['spjɛdo] m. broche f. | *allo spiedo,* à la broche.

spiegamento [spjega'mento] m. déploiement.

spiegare [spje'gare] v. tr. déployer, déplier, étendre; [srotolare] dérouler. || LOC. *spiegare il volo,* prendre son vol. || [disporre] déployer. | *spiegare truppe,* déployer des troupes. || [far comprendere] expliquer. ◆ v. rifl. s'expliquer. | *mi sono spiegato?,* c'est compris? ◆ v. recipr. s'expliquer.

spiegazione [spjegat'tsjone] f. explication.

spiegazzare [spjegat'tsare] v. tr. froisser, chiffonner.

spietatamente [spjetata'mente] avv. impitoyablement, sans pitié.

spietato [spje'tato] agg. impitoyable, inflexible, implacable.

spifferare [spiffe'rare] v. tr. raconter, colporter, rapporter. || [dire apertamente] dire franchement, carrément. ◆ v. intr. s'infiltrer, pénétrer.

spiffero ['spiffero] m. filet, courant d'air.

spiga ['spiga] f. épi m.

spigato [spi'gato] agg. à chevrons.

spigliato [spiʎ'ʎato] agg. plein d'aisance, dégagé, sûr de soi.

spigolare [spigo'lare] v. tr. PR. e FIG. glaner.

spigolo ['spigolo] m. coin, angle. | *lo spigolo del tavolo,* le coin de la table. || FIG. aspérité f., angle. | *smussare gli spigoli,* arrondir les angles. || GEOM. arête f., angle.

spilla ['spilla] f. broche, clip m., agrafe, épingle.

1. spillare [spil'lare] v. tr. épingler.

2. spillare v. tr. [una botte] mettre en perce. || [vino] tirer. || FIG. soutirer. ◆ v. intr. couler goutte à goutte.

spillo ['spillo] m. épingle f. || PER EST. *tacchi a spillo,* talons aiguilles. || [ornamento] V. SPILLA.

spilorceria [spilortʃe'ria] f. pingrerie, avarice.

spilungone [spilun'gone] (**-a** f.) n. (grande) perche (fam.).

spina ['spina] f. épine. || FIG. souci m., tourment m. | *avere una spina nel cuore,* avoir un gros souci. | *stare sulle spine,* être sur des charbons ardents. || [di animali] piquant m., épine; [lisca]

arête. ‖ Loc. *a spina di pesce,* [motivo ornamentale] à chevrons ; [disposizione di mattoni] en épi. ‖ [cannella di botte] cannelle, robinet m. | *birra alla spina,* bière (à la) pression. ‖ Elettr. fiche.

spinacio [spi'natʃo] m. épinard.

spinato [spi'nato] agg. *filo spinato,* fil de fer barbelé.

spinetta [spi'netta] f. épinette.

spingere ['spindʒere] v. tr. *pousser.* | *spingere fuori qlcu.,* pousser qn dehors. ‖ [far penetrare] appuyer (sur), presser. | *spingere l'acceleratore,* appuyer sur l'accélérateur. ‖ Fig. [andare fino a ; incitare] pousser. ◆ v. rifl. aller v. intr., pousser v. intr. ; [inoltrarsi] pénétrer. | *spingersi nel bosco,* pénétrer dans le bois. ‖ Fig. aller. | *le cose si sono spinte al punto che,* les choses en sont arrivées au point que. ◆ v. recipr. se pousser, se bousculer.

spino ['spino] m. [prugno selvatico] prunellier ; [moro selvatico] ronce f., mûrier sauvage. ◆ agg. *uva spina,* groseille.

spinoso [spi'noso] agg. Pr. e Fig. épineux.

spinta ['spinta] f. poussée. | *dare una spinta a qlcu.,* pousser qn. ‖ [impulso] élan m. ‖ Fig. impulsion, encouragement m. | *avrebbe bisogno di una spinta,* il aurait besoin d'un encouragement. ‖ [raccomandazione] coup (m.) de pouce ; piston m. (fam.).

spinterogeno [spinte'rɔdʒeno] m. Mecc. allumeur, Delco, distributeur d'allumage.

spinto ['spinto] agg. disposé (à), enclin (à). ‖ [estremistico] extrémiste. ‖ [scabroso] osé, scabreux. ‖ [di motore] poussé.

spionaggio [spio'naddʒo] m. espionnage.

spiovente [spjo'vɛnte] agg. tombant, pendant. ‖ [inclinato] incliné. | *tetto spiovente,* toit en pente. ◆ m. [di tetto] pente f. ‖ [di monte] versant.

spiovere ['spjɔvere] v. intr. couler. | *l'acqua spiove dal tetto,* l'eau coule du toit. ‖ Fig. (re)tomber. ◆ v. impers. cesser de pleuvoir.

spira ['spira] f. spire, spirale. | *a spire,* en spirale.

spiraglio [spi'raʎʎo] m. ouverture f., fente f. ‖ Loc. *spiraglio di luce,* rayon de lumière. ‖ Fig. lueur f.

spirale [spi'rale] f. spirale. ‖ Loc. *a spirale,* en spirale ; [di scala] en colimaçon. ‖ Av. en vrille.

spirare [spi'rare] v. intr. souffler. | *non spira un alito di vento,* il n'y a pas un souffle de vent. ‖ [esalare] monter, émaner. ‖ [morire] expirer. ‖ Per Est. expirer, se terminer, finir. | *il termine spira domani,* le délai expire demain. ◆ v. tr. ‖ [emanare] exhaler. ‖ Fig. *un volto che spira dolcezza,* un visage qui respire la douceur.

spiritato [spiri'tato] agg. e n. possédé. ‖ Fig. *viso spiritato,* visage altéré, bouleversé.

spiritismo [spiri'tizmo] m. spiritisme.

spirito ['spirito] m. esprit. | *spirito umano,* esprit humain. ‖ Loc. *in spirito,* en esprit. ‖ [disposizione] esprit. | *condizioni di spirito,* état d'esprit. | *risollevare lo spirito,* remonter le moral. | *spirito di parte,* partialité f. | *spirito di corpo,* esprit de corps. ‖ [ingegno pronto] esprit, intelligence f. ‖ [arguzia] esprit, humour. | *battuta di spirito,* mot d'esprit. ‖ alcool. | *ciliege sotto spirito,* cerises à l'eau-de-vie.

spiritoso [spiri'toso] agg. spirituel. ◆ n. *fare lo spiritoso,* faire le malin, vouloir faire de l'esprit.

spirituale [spiritu'ale] agg. [ispirato] spirituel.

spiritualità [spirituali'ta] f. spiritualité.

spiumare [spju'mare] v. tr. Pr. e Fig. plumer.

splendere ['splɛndere] v. intr. resplendir, étinceler, briller.

splendido ['splɛndido] agg. splendide, magnifique.

splendore [splen'dore] m. splendeur f., éclat.

spodestare [spodes'tare] v. tr. évincer. | *spodestare un re,* détrôner, déposer un roi. ‖ [privare di un bene] déposséder.

spoglia ['spɔʎʎa] f. enveloppe. ‖ [pelle di animale] dépouille. ◆ pl. [salma] dépouille (mortelle). ‖ [armatura di nemico vinto, trofeo] dépouilles.

spogliare [spoʎ'ʎare] v. tr. déshabiller, dévêtir. ‖ Per Est. dépouiller, dégarnir. | *il vento spoglia gli alberi (delle foglie),* le vent dépouille les arbres (de leurs feuilles). ◆ v. rifl. [svestirsi] se déshabiller, se dévêtir. ‖ [perdere] se dépouiller ‖ Fig. renoncer (à).

spogliarello [spoʎʎa'rɛllo] m. striptease inv. (ingl.).

spogliatoio [spoʎʎa'tojo] m. vestiaire. ‖ [in una casa privata] penderie f.

1. spoglio ['spɔʎʎo] agg. dépouillé, nu. ‖ Fig. dépouillé.

2. spoglio m. dépouillement. ‖ Giur. spoliation f.

spola ['spɔla] f. Tecn. navette. ‖ [di macchina da cucire] canette. ‖ Loc. Fig. *fare la spola,* faire la navette.

spolpare [spol'pare] v. tr. [un osso] ôter la viande (de) ; [un frutto] ôter la pulpe (de). ‖ Fig. dépouiller ; plumer (fam.).

spolpato [spol'pato] agg. Pr. e Fig. décharné.

spolverare [spolve'rare] v. tr. épousseter. || FIG. faire disparaître. || [cospargere] saupoudrer.
spolverata [spolve'rata] f. coup (m.) de chiffon, de brosse. || FIG. *dare una spolverata alle proprie cognizioni,* rafraîchir ses connaissances.
sponda ['sponda] f. bord m., rive, rivage m. | *le sponde del mare,* les bords de la mer. || [margine] bord m., rebord m. | *sponde del letto,* bords du lit.
spontaneo [spon'taneo] agg. spontané.
spopolamento [spopola'mento] m. dépeuplement, dépopulation f.
spopolare [spopo'lare] v. tr. dépeupler. ◆ v. rifl. se dépeupler.
sporcaccione [sporkat'tʃone] (**-a** f.) agg. e n. dégoûtant, sale, malpropre. || [moralmente] salaud (pop.).
sporcare [spor'kare] v. tr. PR. e FIG. salir. ◆ v. rifl. se salir. || FIG. se déshonorer, s'abaisser.
sporcizia [spor'tʃittsja] f. saleté, malpropreté. || FIG. obscénité.
sporco ['spɔrko] agg. sale, malpropre. || LOC. *avere la fedina penale sporca,* avoir un casier judiciaire chargé. || FIG. sale, dégoûtant ; [licenzioso] obscène, cochon (fam.). ◆ m. saleté f., crasse f., || FIG. saleté f., ordure f.
sporgente [spor'dʒɛnte] agg. saillant, proéminent.
sporgenza [spor'dʒɛntsa] f. aspérité, saillie, protubérance.
sporgere ['spɔrdʒere] v. tr. avancer, allonger, tendre. | *sporgere la mano,* tendre la main. || FIG. *sporgere querela,* porter plainte. ◆ v. intr. dépasser, faire saillie, avancer. ◆ v. rifl. se pencher. | *sporgersi dalla finestra,* se pencher par la fenêtre.
sport ['spɔrt] m. inv. (ingl.) sport.
sporta ['spɔrta] f. panier m. ; [di tela] sac m. ; [di qualsiasi materiale] cabas m.
sportello [spor'tɛllo] m. [di armadio] porte f. ; [di vagone ferroviario] portière f. ; [imposta] volet. || [per le comunicazioni tra impiegati e pubblico] guichet.
sportivo [spor'tivo] agg. sportif. || de sport. | *campo sportivo,* terrain de sport. || [di indumenti, di scarpe] sport. ◆ n. sportif, ive.
sposa ['spɔza] f. mariée. | *vestito da sposa,* robe de mariée. || [moglie] épouse, femme. | *promessa sposa,* fiancée.
sposalizio [spoza'littsjo] m. mariage, noces f. pl.
sposare [spo'zare] v. tr. épouser ; se marier (avec). || [unire] marier. || FIG. [sostenere] épouser, embrasser. ◆ v. rifl. e recipr. se marier.
sposo ['spɔzo] m. marié. || [marito] époux, mari. ◆ pl. *gli sposi,* [novelli] les jeunes mariés ; [i coniugi] les époux.
spossamento [spossa'mento] m. épuisement, éreintement.
spossare [spos'sare] v. tr. épuiser, éreinter, exténuer. ◆ v. rifl. s'éreinter, s'exténuer.
spossessare [sposses'sare] v. tr. déposséder.
spostare [spos'tare] v. tr. déplacer, changer de place. || [nel tempo] changer ; [differire] remettre. ◆ v. rifl. se déplacer ; [con compl. di luogo] se rendre, aller v. intr.
spostato [spos'tato] agg. déplacé. || FIG. déséquilibré, déphasé.
spranga ['spranga] f. barre.
sprangare [spran'gare] v. tr. barricader, barrer.
sprazzo ['sprattso] m. [di acqua] jet, gerbe f. ; [di luce, di sole] rayon. || FIG. *sprazzo d'ingegno,* éclair de génie.
sprecare [spre'kare] v. tr. gaspiller, gâcher, perdre. | *sprecare un'occasione,* rater une occasion. ◆ v. rifl. perdre sa peine, son temps.
spreco ['sprɛko] m. gaspillage.
spregevole [spre'dʒevole] agg. méprisable.
spregiativo [spredʒa'tivo] agg. méprisant. || [di parola, espressione] péjoratif.
spregio ['spredʒo] m. affront.
spregiudicatamente [spredʒudikata'mente] avv. sans préjugé(s).
spregiudicato [spredʒudi'kato] agg. non conformiste, sans préjugés. || [senza scrupoli] sans scrupules.
spremere ['sprɛmere] v. tr. presser. || FIG. *spremere qlcu.,* exploiter qn. || LOC. *spremersi il cervello,* se creuser la cervelle.
spremuta [spre'muta] f. jus m. (de fruits).
spretato [spre'tato] agg. e m. défroqué.
sprezzante [spret'tsante] agg. méprisant, dédaigneux.
sprezzo ['sprettso] m. mépris.
sprigionare [spridʒo'nare] v. tr. FIG. dégager. ◆ v. rifl. se dégager.
sprizzare [sprit'tsare] v. intr. gicler, jaillir. ◆ v. tr. faire gicler, faire jaillir. | *sprizzare scintille*, faire des étincelles. || FIG. *sprizzare salute da tutti i pori,* respirer la santé.
sprofondamento [sprofonda'mento] m. effondrement. || [parte sprofondata] dépression f.
sprofondare [sprofon'dare] v. intr. s'effondrer. || [affondare] s'enfoncer ; [inabissarsi] sombrer. || FIG. sombrer. ◆ v. rifl. s'affaler, se laisser tomber. || FIG. se plonger, s'absorber. ◆ v. tr. précipiter.

sproloquio [spro'lɔkwjo] m. verbiage ; laïus (fam.).
spronare [spro'nare] v. tr. éperonner. || FIG. pousser, encourager, stimuler, aiguillonner.
sprone ['sprone] m. éperon. || FIG. encouragement.
sproporzionato [sproportsjo'nato] agg. disproportionné.
spropositatamente [spropozitata'mente] avv. démesurément.
spropositato [spropozi'tato] agg. plein d'erreurs. || [troppo grande] démesuré.
sproposito [spro'pɔzito] m. bêtise f., sottise f. ; [errore] erreur f., faute f. | *non dire spropositi,* ne dis pas de bêtises. || FAM. [quantità eccessiva] *ne ha comperato uno sproposito,* il en a acheté des tonnes. | *spendere uno sproposito,* dépenser un argent fou. ◆ loc. avv. *a sproposito,* mal à propos, hors de propos.
sprovvedutezza [sprovvedu'tettsa] f. ignorance, inexpérience. || [ingenuità] naïveté.
sprovveduto [sprovve'duto] agg. peu averti, inexpérimenté ; [ingenuo] naïf ; [di scarse doti intellettuali] pas très malin.
sprovvisto [sprov'visto] agg. dépourvu (de). ◆ loc. avv. *alla sprovvista,* au dépourvu.
spruzzare [sprut'tsare] v. tr. asperger ; [inzaccherare] éclabousser ; [cospargere di una polvere] saupoudrer ; [proiettare con spruzzatore] pulvériser, vaporiser.
spruzzata [sprut'tsata] f. jet m., giclée, éclaboussure. || [pioggia] petite pluie, bruine. || LOC. *darsi una spruzzata d'acqua sul viso,* se passer de l'eau sur le visage.
spruzzatore [spruttsa'tore] m. pulvérisateur, vaporisateur.
spruzzo ['spruttso] m. jet, giclée f. | *verniciatura a spruzzo,* peinture au pistolet. || [traccia] éclaboussure f.
spudorato [spudo'rato] agg. e n. effronté, impudent ; [impudico] dévergondé.
spugna ['spuɲɲa] f. éponge. || LOC. *gettare la spugna,* renoncer. || PER EST. *asciugamano di spugna,* serviette-éponge.
spugnoso [spuɲ'ɲoso] agg. spongieux.
spulciare [spul'tʃare] v. tr. épucer. || FIG. passer au peigne fin.
spuma ['spuma] f. écume, mousse.
spumante [spu'mante] agg. e m. mousseux.
spumeggiante [spumed'dʒante] agg. mousseux ; [distesa di acqua] écumeux. || FIG. [vaporoso] vaporeux ; [vivace] pétillant.
spumiglia [spu'miʎʎa] f. o **spumino** [spu'mino] m. meringue f.
spumoso [spu'moso] agg. [bevanda] mousseux ; [mare] écumeux. || [soffice] moelleux.
1. spuntare [spun'tare] v. tr. épointer, émousser. || PER EST. couper le bout (de), raccourcir. | *spuntare i capelli,* raccourcir, rafraîchir les cheveux. || FIG. triompher (de), vaincre, surmonter. || LOC. *spuntarla,* l'emporter, y arriver. ◆ v. rifl. perdre sa pointe. || FIG. s'émousser. ◆ v. intr. [di piante] pousser ; [uscire di terra] lever. || [capelli, denti] pousser. || [sorgere] se lever. | *spunta il sole,* le soleil se lève. | *spunta il giorno, l'alba,* le jour, l'aube point. || [apparire] sortir, se montrer, paraître.
2. spuntare v. tr. pointer.
spuntino [spun'tino] m. casse-croûte inv. (fam.), en-cas inv.
spunto ['spunto] m. TEAT. premiers mots d'une réplique. || PER EST. idée f., inspiration f., occasion f., prétexte. || [trovata] trouvaille f. | *spunti comici,* trouvailles comiques. || SP. sprint. || [acidità] acidité. | *il vino ha lo spunto,* le vin est piqué.
spuntone [spun'tone] m. pointe f. || [arma] pique f. || [sporgenza di roccia] saillie f.
spurgare [spur'gare] v. tr. curer, nettoyer ; [stasare] dégorger ; [scaricare] vidanger. || [espellere dalla bocca] expectorer. ◆ v. rifl. expectorer v. tr. e intr.
spurgo ['spurgo] m. curage, nettoyage ; [svuotamento] vidange f. || [il fatto di vuotarsi] dégorgement. || MED. évacuation f. ; expectoration f.
sputacchio [spu'takkjo] m. crachat.
sputare [spu'tare] v. intr. cracher. ◆ v. tr. PR. e FIG. cracher. | *sputare veleno,* cracher, jeter son venin. | *sputare sentenze,* pontifier. || LOC. *sputare l'osso,* [restituire] rendre ce qu'on a pris ; [confessare] manger le morceau (fam.), avouer. | *sputare il rospo,* dire ce qu'on a sur le cœur.
sputo ['sputo] m. crachat, salive f. ; [azione] crachement.
sputtanare [sputta'nare] v. tr. VOLG. couvrir de honte (L.C.), déshonorer (L.C.). ◆ v. rifl. VOLG. se couvrir de honte (L.C.), se déshonorer (L.C.).
squadra ['skwadra] f. équerre. || [quantità di persone] équipe. || [nella polizia] *squadra mobile,* police secours. || MAR. escadre. || MIL. groupe m., escouade.
squadrare [skwa'drare] v. tr. vérifier à l'équerre. || PER EST. équarrir. || [misurare] mesurer. || FIG. dévisager ; toiser.

squadriglia [skwa'driʎʎa] f. AV., MAR. escadrille.
squadrismo [skwa'drizmo] m. violence (f.) fasciste.
squadrone [skwa'drone] m. MIL. escadron.
squagliare [skwaʎ'ʎare] v. tr. faire fondre. ◆ v. rifl. fondre v. intr. || FIG. *squagliarsi, squagliarsela,* s'esquiver, filer à l'anglaise (fam.), s'éclipser (fam.).
squalificare [skwalifi'kare] v. tr. disqualifier. ◆ v. rifl. se disqualifier.
squalificato [skwalifi'kato] agg. disqualifié. || FIG. discrédité.
squallido ['skwallido] agg. lugubre, triste ; [misero] misérable ; [desolato] désolé. | *periferia squallida,* banlieue morne, sinistre. | *nella più squallida miseria,* dans la misère la plus noire. || [moralmente ripugnante] sordide, abject.
squallore [skwal'lore] m. tristesse f. || [miseria] misère f., dénuement.
squalo ['skwalo] m. squale.
squamare [skwa'mare] v. tr. écailler. ◆ v. rifl. MED. se desquamer, peler v. intr.
squarciagola (a) [askwartʃa'gola] loc. avv. à tue-tête. | *chiamare qlcu. a squarciagola,* appeler qn à grands cris.
squarciare [skwar'tʃare] v. tr. PR. e FIG. déchirer, lacérer.
squarcio ['skwartʃo] m. déchirure f. || [ferita] blessure f.
squartare [skwar'tare] v. tr. dépecer. || [supplizio] écarteler.
squarto ['skwarto] m. équarrissage.
squattrinato [skwattri'nato] agg. e n. sans le sou, fauché (fam.).
squilibrare [skwili'brare] v. tr. déséquilibrer. ◆ v. rifl. perdre l'équilibre.
squilibrato [skwili'brato] agg. e n. PR. e FIG. déséquilibré.
squillante [skwil'lante] agg. éclatant, claironnant. || [colore] vif.
squillare [skwil'lare] v. intr. retentir, résonner ; [campanello] sonner ; [campane] tinter.
squillo ['skwillo] m. sonnerie f. ; [campanello] coup de sonnette. || LOC. *ragazza squillo,* call-girl f. (ingl.).
squinternato [skwinter'nato] agg. défait, démantibulé (fam.). || FIG. dérangé, détraqué, bizarre.
squisitamente [skwizita'mente] avv. délicieusement. || [particolarmente] spécifiquement, typiquement.
squisito [skwi'zito] agg. exquis, délicieux, délicat.
squittire [skwit'tire] v. intr. crier ; pousser de petits cris. || [di cani] japper.
sradicare [zradi'kare] v. tr. PR. e FIG. déraciner, arracher.
sragionare [zradʒo'nare] v. intr. déraisonner, divaguer.
sregolatezza [zregola'tettsa] f. dérèglement m. || [azione] excès m.
sregolato [zrego'lato] agg. déréglé, dissolu.
srotolare [zroto'lare] v. tr. dérouler.
st ! [st] interiez. chut !
stabbio ['stabbjo] m. [per bestiame] parc. || [sterco] fumier.
stabile ['stabile] agg. stable, solide. || LOC. *beni stabili,* biens immobiliers. || FIG. stable, ferme, durable. | *pace stabile,* paix durable. || [permanente] fixe, permanent. | *in pianta stabile,* en permanence. ◆ m. immeuble.
stabilimento [stabili'mento] m. [edificio] établissement. || [fabbrica] établissement, usine f. || [installazione] établissement, installation f.
stabilire [stabi'lire] v. tr. établir. || [fissare] fixer, déterminer. | *stabilire le condizioni,* fixer les conditions. || [decidere] décider, arrêter. ◆ v. rifl. s'établir, se fixer, s'installer, s'implanter.
stabilito [stabi'lito] agg. établi, fixé. | *in un luogo stabilito,* en un lieu donné.
stabilizzare [stabilid'dzare] v. tr. PR. e FIG. stabiliser. ◆ v. rifl. se stabiliser.
stabilmente [stabil'mente] avv. d'une manière stable, durable.
staccabile [stak'kabile] agg. détachable, amovible.
staccare [stak'kare] v. intr. détacher. || [di animali] dételer. || [scostare] éloigner. | *staccare un mobile dalla parete,* éloigner un meuble du mur. || [separare] séparer. || SP. distancer, lâcher. ◆ v. intr. [risaltare] trancher, ressortir. || FAM. [cessare da un turno di lavoro] débrayer, décrocher. ◆ v. rifl. PR. e FIG. se détacher.
stacciare [stat'tʃare] v. tr. sasser, tamiser. || FIG. passer au crible.
staccionata [stattʃo'nata] f. palissade. || SP. [ippica] haie.
stacco ['stakko] m. détachement. || [intervallo] espace. || [risalto] contraste. || CIN. découpage.
stadera [sta'dɛra] f. (balance) romaine.
stadia ['stadja] f. stadia, mire.
stadio ['stadjo] m. stade. || FIG. stade, degré. | *a uno stadio avanzato,* dans une phase avancée. || ASTR. étage.
staffa ['staffa] f. étrier m. || [sottopiede] sous-pied m. || [parte delle calze] talon m. || TECN. étrier. || LOC. *perdere le staffe,* FIG. sortir de ses gonds.
staffetta [staf'fetta] f. estafette ; agent (m.) de liaison. || SP. relais m.
staffilare [staffi'lare] v. tr. fouetter. || FIG. cingler.
stagionale [stadʒo'nale] agg. e n. saisonnier, ère.

stagionare [stadʒo'nare] v. tr. [formaggio] affiner, faire mûrir. || [vino] faire, laisser vieillir. || [legna] faire sécher.
stagionato [stadʒo'nato] agg. [formaggio] fait. || [vino] vieux. || [legname] sec. || FIG., SCHERZ. fait ; d'un certain âge.
stagione [sta'dʒone] f. saison.
stagliare [staʎ'ʎare] v. tr. coupailler. ◆ v. rifl. se découper (sur), se détacher (sur).
stagnante [staɲ'ɲante] agg. stagnant, croupissant. || PER EST. *aria stagnante,* air confiné.
1. stagnare [staɲ'ɲare] v. intr. PR. e FIG. stagner. ◆ v. tr. MED. étancher.
2. stagnare v. tr. (ré)tamer. || PER EST. rendre étanche.
stagnato [staɲ'ɲato] agg. étamé.
stagnazione [staɲɲat'tsjone] f. stagnation.
stagnino [staɲ'ɲino] m. (ré)tameur.
1. stagno ['staɲɲo] agg. étanche.
2. stagno m. étang.
3. stagno m. étain.
stagnola [staɲ'ɲɔla] f. papier (m.) d'étain. || REG. bidon m.
stalagmite [stalag'mite] f. stalagmite.
stalattite [stalat'tite] f. stalactite.
stalla ['stalla] f. étable ; [per cavalli] écurie.
stalliere [stal'ljɛre] m. garçon d'écurie, palefrenier.
1. stallo ['stallo] m. [in chiesa] stalle f. || [in parlamento] banc, siège. || GIOCHI [scacchi] pat.
2. stallo m. AV. perte (f.) de vitesse.
stallone [stal'lone] m. ZOOL. étalon.
stamane [sta'mane], **stamani** [sta'mani] o **stamattina** [stamat'tina] avv. ce matin.
stamberga [stam'bɛrga] f. taudis m., masure, galetas m.
stampa ['stampa] f. [arte] imprimerie. || [atto e risultato] impression. | *in corso di stampa,* sous presse. | *dare un libro alle stampe,* faire imprimer un livre. || ARTI estampe, gravure. | *stampa a colori,* gravure en couleurs. || FOT. tirage m. || [stampo] moule m. || GIORN. presse. | *ufficio stampa,* service de presse. || [stampato] imprimé m. || TESS. impression. || FIG. trempe, qualité.
stampare [stam'pare] v. tr. imprimer. || [pubblicare] imprimer, publier, éditer. || ARTI estamper. || FOT. tirer. | *stampare una copia,* tirer une épreuve. || [lasciare un'impronta] imprimer, graver. || FIG. graver.
stampatello [stampa'tɛllo] m. *scrivere in, scrivere a stampatello,* écrire en caractères d'imprimerie.
stampella [stam'pɛlla] f. béquille.
stamperia [stampe'ria] f. imprimerie.
stampiglia [stam'piʎʎa] f. estampille, griffe.
stampino [stam'pino] m. pochoir. || [per fare buchi nel cuoio] poinçon.
stampo ['stampo] m. CULIN., TECN. moule, forme f. | *di tipi simili se ne è perso lo stampo,* des gens comme ça, on n'en fait plus. || FIG. catégorie f., espèce f. ; PEGG. acabit, calibre (fam.). | *dello stesso stampo,* du même acabit. || TECN. estampe f., étampe f.
stanare [sta'nare] v. tr. débusquer, débucher. || FIG. dénicher.
stanca ['stanka] f. étale m.
stancamente [stanka'mente] avv. péniblement.
stancare [stan'kare] v. tr. PR. e FIG. fatiguer, lasser. ◆ v. rifl. se fatiguer, se lasser.
stanchezza [stan'kettsa] f. fatigue, lassitude.
stanco ['stanko] agg. fatigué, las. || [privo di vitalità] épuisé.
standard ['standard] agg. inv. e m. inv. (ingl.) standard. | *misura standard,* étalon m.
stanga ['stanga] f. barre. || [per chiudere l'uscio] bâcle. || [del carro] brancard m. || FIG., POP. grande perche (fam.).
stangare [stan'gare] v. tr. bâcler, barricader. || [colpire] donner des coups de barre (à). || FIG. étriller, estamper (fam.), faire payer des prix fous (à).
stangata [stan'gata] f. coup (m.) de barre. || FIG. coup de fusil. || GERG. UNIV. *prendere una stangata,* ramasser une veste.
stanotte [sta'nɔtte] avv. cette nuit.
stante ['stante] agg. *seduta stante,* séance tenante, illico avv. (fam.). | *a sé stante,* indépendant. ◆ prep. vu ; à cause de, en raison de. | *stante le numerose richieste,* vu les nombreuses demandes.
stantio [stan'tio] agg. rance. || FIG. dépassé, vieilli, suranné.
stantuffo [stan'tuffo] m. MECC. piston.
stanza ['stantsa] f. pièce. || [sala] salle. | *stanza da bagno,* salle de bains. || [camera] chambre. | *stanza da letto,* chambre à coucher. || MIL. garnison. | *essere di stanza a,* être en garnison à. || LETT. stance.
stanziamento [stantsja'mento] m. FIN. affectation f. ; [somma stanziata] allocation f. ; somme allouée, affectée ; crédit. || ECON. inscription (f.) au budget.
stanziare [stan'tsjare] v. tr. FIN. affecter, allouer. || ECON. inscrire au budget. ◆ v. rifl. s'établir, s'installer, se fixer.
stanzino [stan'tsino] m. cabinet. || [ripostiglio] débarras.
stappare [stap'pare] v. tr. déboucher.

stare ['stare] v. intr. 1. rester, se tenir. | *stare fermo,* se tenir tranquille. | *sta'dove sei,* reste où tu es. 2. [indugiare] tarder. | *starà poco a tornare,* il ne va pas tarder à revenir. 3. [essere] être. | *sta'buono,* sois sage. | *stare seduto,* être assis. || REG. *sta scritto qui,* c'est écrit ici. 4. [essere situato] être situé, se trouver. 5. [abitare] habiter, demeurer, loger. | *sto a Parigi,* j'habite à Paris. 6. [resistere] résister, rester. | *stare digiuno,* rester à jeun. 7. [attenersi] s'en tenir. | *stando ai fatti,* si l'on s'en tient aux faits. 8. *stare a* (con v. all'infin.), *staremo a vedere,* nous verrons (bien)! | *ora stammi a sentire,* écoute-moi maintenant. | 9. *stare per* (con v. all'infin.), être sur le point (de). | *stava per partire,* il allait partir. 10. [con v. al ger.] être en train (de). | *il malato sta morendo,* le malade est en train de mourir. 11. *starci,* tenir, contenir. | *ci si sta in sei in questa macchina,* on tient à six dans cette voiture. 12. *lasciar stare,* [non toccare] ne pas toucher (à); [abbandonare] *lascia stare, non importa,* laisse tomber (fam.), ça n'a pas d'importance. 13. LOC. *fatto sta che,* le fait est que. | *ecco come stanno le cose,* voici ce qu'il en est. | *non c'è da stare allegri,* il n'y a pas de quoi rire. | *sta'attento!,* prends garde! | *stare sulle sue,* se tenir sur la réserve. | *stare alla larga,* éviter (qn, qch.). 14. [riferito alla salute] *come sta?,* comment allez-vous? || [riferito a vestiario] *stare bene,* aller, s'accorder, s'adapter. || [convenienze] *non sta bene (fare questo),* ça ne se fait pas. | *ben gli sta; gli sta bene,* c'est bien fait (pour lui). 15. [consistere] *tutto sta nel vedere se,* le tout est de savoir si. || [spettare] *sta in, sta a lui decidere,* c'est à lui de décider. || [parteggiare] *stare per qlcu.,* tenir pour qn. | *stare a cuore,* tenir à cœur. ◆ v. rifl. rester. | *starsene appartato,* se tenir à l'écart.

starnutare [starnu'tare] o **starnutire** v. intr. éternuer.

starnuto [star'nuto] m. éternuement.

starter ['startə] m. (ingl.) SP. starter. || AUT. starter.

stasare [sta'zare] v. tr. déboucher, désengorger, désobstruer.

stasera [sta'sera] avv. ce soir.

stasi ['stazi] f. stagnation, marasme m. || MED. stase.

statale [sta'tale] agg. d'État, national. | *strada statale,* route nationale. ◆ n. fonctionnaire.

statalizzare [statalid'dzare] v. tr. étatiser, nationaliser.

staticità [statitʃi'ta] f. statisme m. || FIG. immobilisme m.

statista [sta'tista] m. homme d'État.

statistica [sta'tistika] f. statistique.

stato ['stato] m. état. | *stato d'animo,* état d'âme. | *stato d'emergenza,* état d'urgence. | *in cattivo stato,* en mauvais état, mal en point. || [condizione] état, situation f. | *stato civile,* état civil. || CHIM., FIS. état. || COMM. état, situation. | *stato fallimentare,* situation de faillite. || POL. État. | *colpo di stato,* coup d'État.

statua ['statua] f. statue.

statuario [statu'arjo] agg. statuaire. | *bellezza statuaria,* beauté sculpturale. ◆ m. statuaire.

statura [sta'tura] f. taille, stature. || FIG. stature, élévation.

statuto [sta'tuto] m. POL. statut. || [regolamento] statuts pl.

stavolta [sta'vɔlta] avv. FAM. cette fois-ci (L.C.).

stazionamento [stattsjona'mento] m. stationnement.

stazionare [stattsjo'nare] v. intr. stationner.

stazionario [stattsjo'narjo] agg. stationnaire.

stazione [stat'tsjone] f. gare. | *stazione ferroviaria,* gare de chemin de fer. || [per un determinato servizio] poste m., station. | *stazione dei carabinieri,* gendarmerie. || [luogo di soggiorno] station. | *stazione termale,* station thermale. || [posizione del corpo] station.

stazza ['stattsa] f. MAR. jauge.

stazzo ['stattso] m. enclos, parc.

stearina [stea'rina] f. stéarine.

stecca ['stekka] f. baguette. | *stecca di ombrello,* baleine de parapluie. || [per scultori] ébauchoir m. || CHIR. éclisse, attelle. || [biliardo] queue. || FIG. fausse note, couac m. (fam.) || PER EST. [di sigarette] cartouche. || *stecca di cioccolata,* barre de chocolat.

steccare [stek'kare] v. tr. clôturer. || CHIR. mettre entre deux attelles. || CULIN. larder. ◆ v. intr. FIG. chanter faux. || [suonando uno strumento] faire une fausse note.

steccato [stek'kato] m. barrière f., palissade f. || [spazzo recintato] lice f., enclos, enceinte f.

stecchino [stek'kino] m. cure-dents.

stecchire [stek'kire] v. tr. dessécher. || [uccidere sul colpo] tuer sur le coup. ◆ v. intr. e rifl. se dessécher.

stecchito [stek'kito] agg. desséché. || [estremamente magro] sec, décharné. || *morto stecchito,* mort sur le coup. || FIG. abasourdi, stupéfié.

stecco ['stekko] m. brindille f. || [fuscello appuntito] palis, broche f. || FIG. *magro come uno stecco,* maigre comme un clou.

stecconata [stekko'nata] f. o **stecconato** [stekko'nato] m. palissade f., palis m., clôture f.

stele ['stεle] f. stèle.

stella ['stella] f. étoile. || Loc. *portare qlcu. alle stelle,* porter qn aux nues. | *vedere le stelle,* (en) voir trente-six chandelles. || [di prezzi] *andare, salire, alle stelle,* monter d'une façon vertigineuse.

1. stellare [stel'lare] agg. stellaire. || [simile a una stella] en étoile.

2. stellare v. tr. étoiler. ◆ v. rifl. se couvrir d'étoiles.

stellato [stel'lato] agg. étoilé ; parsemé d'étoiles. || Per Est. étoilé, en étoile.

stelo ['stεlo] m. tige f.

stemma ['stεmma] (**-i** pl.) m. blason, armoiries f. pl., armes f. pl.

stemperare [stempe'rare] v. tr. Pr. e Fig. délayer. || Arti, Tecn. détremper. ◆ v. rifl. se détremper.

stemperato [stempe'rato] agg. fondu, délayé. || [di metalli] détrempé. || [privo di punta] épointé.

stempiarsi [stem'pjarsi] v. rifl. se dégarnir, devenir chauve.

stendardo [sten'dardo] m. étendard, bannière f.

stendere ['stεndere] v. tr. étendre, étaler. | *stendere la biancheria,* étendre le linge. | *stendere le gambe,* étendre, allonger les jambes. || Per Est. *con un pugno solo lo stese,* il l'étala d'un seul coup de poing. || Fig. rédiger ; coucher qch. par écrit. ◆ v. rifl. s'étendre, s'allonger, se coucher. || [estendersi] s'étaler. | *uno splendido paesaggio si stendeva ai nostri piedi,* un paysage splendide se déroulait à nos pieds.

stenditoio [stendi'tojo] m. étendoir, séchoir.

stenografare [stenogra'fare] v. tr. sténographier.

stenotipia [stenoti'pia] f. sténotypie.

stentare [sten'tare] v. intr. avoir du mal (à), des difficultés (à). | *stento a crederlo,* j'ai (de la) peine à le croire. ◆ v. tr. être dans la gêne.

stentatamente [stentata'mente] avv. péniblement, avec peine.

stentato [sten'tato] agg. difficile, pénible. | *ottenere una promozione stentata,* être reçu de justesse. || [non naturale] forcé. | *sorriso stentato,* sourire forcé. || [venuto su a stento] rabougri, chétif, grêle. || [contrassegnato da privazioni] de misère.

stento ['stεnto] m. privation f., gêne f. || [sforzo continuato] peine f., difficulté f. ◆ loc. avv. *a stento,* à grand-peine, difficilement.

steppa ['steppa] f. steppe.

sterco ['stεrko] m. excrément. || [equino] crottin. || [bovino] bouse f. || [di uccelli] fiente f.

stereoscopio [stereos'kɔpjo] m. stéréoscope.

stereotipia [stereoti'pia] f. stéréotypie. || [lastra] stéréotype m.

sterile ['stεrile] agg. Pr. e Fig. stérile.

sterilità [sterili'ta] f. Pr. e Fig. stérilité.

sterilizzare [sterilid'dzare] v. tr. stériliser, aseptiser.

sterlina [ster'lina] f. livre sterling.

sterminare [stermi'nare] v. tr. exterminer, détruire.

sterminatamente [sterminata'mente] avv. à l'infini, à perte de vue.

sterminato [stermi'nato] agg. infini, immense. || Fig. démesuré.

sterminio [ster'minjo] m. extermination f. || Fig., Fam. [quantità enorme] tas.

sterno ['stεrno] m. Anat. sternum. || [di uccelli] bréchet.

stero ['stεro] m. stère.

sterpaglia [ster'paλλa] f. broussailles pl. || [terreno] brousse.

sterpo ['stεrpo] m. brindille f. || [ramoscello spinoso] ronce f.

sterramento [sterra'mento] m. déblaiement.

sterrare [ster'rare] v. tr. déblayer, terrasser.

sterzare [ster'tsare] v. tr. Aut. braquer. | *sterzare a destra,* tourner à droite. || Fig. donner un coup de barre.

sterzo ['stεrtso] m. Aut. volant, direction f. || [di bicicletta] guidon.

steso ['steso] agg. étendu, étalé.

stesso ['stesso] agg. même. | *nello stesso modo,* de la même façon. || [sostant.] *siamo sempre alle stesse !,* c'est toujours la même histoire ! || [rafforzativo] même. | *egli stesso me lo disse,* lui-même me l'a dit. | *oggi stesso,* aujourd'hui même. || [in persona] même, en personne. | *ne rispondo io stesso,* j'en réponds personnellement. ◆ pron. le même, la même, les mêmes. || [neutro] la même chose. | *fa lo stesso, è lo stesso,* c'est la même chose, cela revient au même.

stesura [ste'sura] f. rédaction ; [ciascuna delle redazioni] version.

stia ['stia] f. cage à poules, mue. || [per pulcini] poussinière.

stigma ['stigma] (**-i** pl.) m. Pr. e Fig. stigmate.

stigmatizzare [stigmatid'dzare] v. tr. Pr. e Fig. stigmatiser.

stilare [sti'lare] v. tr. [contratto, documento] rédiger, dresser, formuler.

stile ['stile] m. Arti, Gr., Lett. style. || [caratteristica personale] cachet. || Sp. *stile libero,* nage (f.) libre ; crawl.

stilettata [stilet'tata] f. coup (m.) de stylet, de poignard. || FIG. [dolore acuto] élancement m.
stiletto [sti'letto] m. stylet.
stilizzare [stilid'dzare] v. tr. styliser.
stilla ['stilla] f. LETT. goutte (L.C.).
stillare [stil'lare] v. intr. suinter. || [di piante] pleurer. ◆ v. tr. FIG., FAM. *stillarsi il cervello,* se creuser la cervelle.
stillicidio [stilli'tʃidjo] m. stillation f., suintement. || FIG. [di critiche, di visite] succession f., suite f.
stilografica [stilo'grafika] f. stylo m.
stima ['stima] f. estime. | *godere di molta stima,* jouir d'un grand crédit. || [determinazione del valore] estimation, évaluation.
stimare [sti'mare] v. tr. estimer, évaluer, expertiser. || [tenere in buona considerazione] estimer. || [ritenere] juger, estimer. ◆ v. rifl. s'estimer.
stimmate ['stimmate] f. pl. stigmates m. pl.
stimolante [stimo'lante] agg. e m. PR. e FIG. stimulant.
stimolare [stimo'lare] v. tr. aiguillonner. || FIG. stimuler, exciter, encourager.
stimolo ['stimolo] m. stimulant, aiguillon, coup de fouet. || [impulso] impulsion f.
stinco ['stinko] m. tibia. || FIG. *non è uno stinco di santo,* ce n'est pas un petit saint.
stingere ['stindʒere] v. tr. déteindre. ◆ v. intr. e rifl. déteindre, se décolorer.
stipa ['stipa] f. petit bois sec, brindilles pl. || FIG. entassement m.
stipare [sti'pare] v. tr. entasser. ◆ v. rifl. s'entasser, s'amasser.
stipato [sti'pato] agg. entassé, serré. || [zeppo] bondé.
stipendiare [stipen'djare] v. tr. engager. || [corrispondere uno stipendio] rétribuer, payer.
stipendio [sti'pɛndjo] m. appointements pl. || [di impiegati] traitement. || [di pubblico ufficiale] émoluments pl.
stipite ['stipite] m. COSTR. chambranle, montant, jambage. || BOT. stipe.
stipsi ['stipsi] f. constipation.
stipulare [stipu'lare] v. tr. stipuler.
stiracchiamento [stirakkja'mento] m. étirement. || FIG. marchandage.
stiracchiare [stirak'kjare] v. tr. étirer. || FIG., FAM. rogner sur les dépenses. || [discutere su un prezzo] marchander. || [forzare il significato] forcer. ◆ v. rifl. s'étirer.
stiracchiato [stirak'kjato] agg. forcé ; tiré par les cheveux.
stiramento [stira'mento] m. étirement. || MED., SP. élongation f., claquage.
stirare [sti'rare] v. tr. étirer, allonger. || [col ferro da stiro] repasser.
stiratura [stira'tura] f. [dei panni] repassage m. || MED. élongation.
stireria [stire'ria] f. blanchisserie.
stiro ['stiro] m. LOC. *ferro da stiro,* fer à repasser.
stirpe ['stirpe] f. origine, souche. | *di antica stirpe,* de vieille souche. || [discendenza] lignée.
stitichezza [stiti'kettsa] f. constipation. || FIG. avarice.
stiva ['stiva] f. MAR. cale.
stivale [sti'vale] m. botte f. | *mettersi gli stivali,* mettre ses bottes.
stivaletto [stiva'letto] m. bottillon, bottine f., botte f.
stivare [sti'vare] v. tr. MAR. arrimer.
stizza ['stittsa] f. dépit m., colère.
stizzire [stit'tsire] v. tr. dépiter, irriter, agacer. ◆ v. rifl. s'emporter, s'irriter.
stizzoso [stit'tsoso] agg. hargneux, irritable, emporté, grincheux.
stoccafisso [stokka'fisso] m. stockfisch, merluche f. || FIG., FAM. grande perche, échalas.
stoccaggio [stok'kaddʒo] m. stockage.
stoccata [stok'kata] f. estocade, coup (m.) d'épée. || SP. [calcio] shoot m. (ingl.).
stoffa ['stɔffa] f. étoffe, tissu m.
stoico ['stɔiko] (**-ci** pl.) agg. FILOS. stoïcien. || FIG. stoïque. ◆ m. PR. e FIG. stoïcien.
stoino [sto'ino] m. paillasson. || [da finestra] store.
stola ['stɔla] f. étole.
stolido ['stɔlido] agg. = STOLTO.
stoltamente [stolta'mente] avv. sottement, stupidement.
stolto ['stolto] agg. sot, imbécile.
stomacare [stoma'kare] v. tr. PR. e FIG. écœurer, dégoûter.
stomaco ['stɔmako] m. estomac. || FIG. *mi sta sullo stomaco,* je ne peux pas le souffrir. || FAM. estomac, courage.
stonare [sto'nare] v. intr. MUS. détonner ; chanter, jouer faux. || [contrastare] détonner, jurer.
stonato [sto'nato] agg. MUS. faux. | *pianoforte stonato,* piano désaccordé. | *cantante stonato,* chanteur qui chante faux. || FIG. déplacé. | *un discorso stonato,* des propos déplacés.
stop [stɔp] m. stop. || [calcio] blocage.
stoppa ['stoppa] f. étoupe. || PER EST. filasse.
stoppia ['stoppja] f. chaume m., éteule.
stoppino [stop'pino] m. [di candela] mèche f. || MIL. étoupille f.
stopposo [stop'poso] agg. *capelli stopposi,* cheveux filasse. || [frutta] fibreux, cotonneux. || [carne] fibreux, filandreux.
storcere ['stɔrtʃere] v. tr. tordre. | *storcere un chiodo,* tordre un clou. | FIG. *storcere il naso, la bocca,* ne pas apprécier, faire la grimace. || [alterare il

senso] forcer, fausser. ◆ v. rifl. se tordre.
storcimento [stortʃi'mento] m. gauchissement, torsion f.
stordire [stor'dire] v. tr. assommer, étourdir. || [intontire] étourdir, assourdir. || [di vino] monter à la tête. ◆ v. rifl. s'étourdir.
storia ['stɔrja] f. [in tutti i significati] histoire. | *la storia di Francia,* l'histoire de France. | *è una lunga storia,* c'est toute une histoire. | *quante storie !,* en voilà des histoires ! | *son tutte storie !,* ce sont des histoires !, ce ne sont que des prétextes !
storico ['stɔriko] (**-ci** pl.) agg. historique. ◆ n. historien, enne.
storiella [sto'rjɛlla] f. historiette. || [barzelletta] histoire drôle. || [fandonia] blague.
stormo ['stormo] m. [di uccelli] vol, bande f. || [di ragazzi] bande f. || Av. groupe. || Loc. *suonare a stormo,* sonner le tocsin.
stornare [stor'nare] v. tr. éloigner, écarter. || [dissuadere] détourner. || Comm. ristourner, résilier. || [trasferire] virer.
stornello [stor'nɛllo] m. refrain.
storno ['storno] m. [assicurazioni] ristourne f. || Amm. détournement.
storpiare [stor'pjare] v. tr. Pr. e Fig. estropier. ◆ v. rifl. s'estropier.
storpiatura [storpja'tura] f. Pr. e Fig. déformation.
storta ['stɔrta] f. torsion. || Med. entorse, foulure.
storto ['stɔrto] agg. tordu. | *gambe storte,* jambes torses. || [di traverso] *guardar storto,* regarder de travers. || Fig. faux.
stortura [stor'tura] f. déformation.
stoviglie [sto'viʎʎe] f. pl. vaisselle sing.
strabenedire [strabene'dire] v. tr. Pop. maudire (L.C.).
strabico ['strabiko] (**-ci** pl.) agg. e n. strabique. | *è strabico,* il louche.
strabiliante [strabi'ljante] agg. extraordinaire, étourdissant.
strabiliare [strabi'ljare] v. intr. être stupéfait. ◆ v. tr. stupéfier, ébahir.
strabiliato [strabi'ljato] agg. ébahi, stupéfait, éberlué (fam.).
strabismo [stra'bizmo] m. strabisme, loucherie f.
strabocchevole [strabok'kevole] agg. débordant, regorgeant.
strabuzzare [strabut'tsare] v. tr. Loc. *strabuzzare gli occhi,* rouler les yeux.
stracarico [stra'kariko] agg. surchargé.
stracciare [strat'tʃare] v. tr. déchirer, lacérer. ◆ v. rifl. se déchirer.
stracciato [strat'tʃato] agg. déchiré. || [di chi usa abiti laceri] dépenaillé.
1. straccio ['strattʃo] agg. déchiré, en loques, en lambeaux. | *carta straccia,* vieux papiers m. pl.
2. straccio m. chiffon, guenille f., lambeau. | *straccio per la polvere,* chiffon à poussière. || Loc. *non ho nemmeno uno straccio di vestito,* je n'ai plus rien à me mettre. ◆ pl. [vestiti logori] haillons, guenilles f.
straccione [strat'tʃone] (**-a** f.) n. va-nu-pieds inv., loqueteux.
straccivendolo [strattʃi'vendolo] (**-a** f.) n. chiffonnier, ère.
stracco ['strakko] agg. fatigué, épuisé, éreinté, fourbu.
stracolmo [stra'kolmo] agg. archicomble.
stracotto [stra'kɔtto] agg. trop cuit. || Fam. [innamorato] mordu, fou. ◆ m. Culin. (bœuf en) daube f.
strada ['strada] f. route. | *strada statale,* route nationale. | *strada ferrata,* voie ferrée, rail m. | *strada senza uscita,* voie sans issue, cul-de-sac m. || [in città] rue. | *in strada, per strada,* dans la rue. || Fig. *mettere qlcu. in mezzo alla strada,* mettre qn sur le pavé. || [direzione, itinerario] chemin m., route. | *sapere la strada,* connaître le chemin. | *che strada fai ?,* quelle route prends-tu ? | *essere sulla strada giusta,* être dans la bonne voie. | *c'è ancora molta strada ?,* est-ce encore loin ? | *fare molta strada,* faire du chemin. || [varco] Pr. e Fig. chemin m. | *aprirsi una strada,* se frayer un chemin. || [modo di comportarsi] voie. | *trovare la propria strada,* trouver sa voie. || Loc. *mettere fuori strada,* induire en erreur, fourvoyer. || [mezzo] moyen. | *tentare ogni strada,* tout essayer, recourir à tous les moyens.
stradale [stra'dale] agg. routier. | *rete stradale,* réseau routier. | *codice stradale,* Code de la route. | *fondo stradale,* chaussée f. ◆ f. police de la route.
stradone [stra'dɔne] m. grand-route f.
strafare [stra'fare] v. intr. en faire trop, faire du zèle.
strafatto [stra'fatto] agg. blet.
straforo (di) [distra'foro] loc. avv. à la dérobée, en cachette. | *sapere di straforo,* savoir indirectement.
strafottenza [strafot'tɛntsa] f. insolence.
strafottersi [stra'fottersi] v. rifl. Volg. se foutre ; se ficher.
strage ['stradʒe] f. massacre m., carnage m. || [di epidemia] *fare strage,* faire des ravages. || Fig. hécatombe. || Pop. grande quantité, tas m.
stragrande [stra'grande] agg. très grand, immense.

stralciare [stral'tʃare] v. tr. supprimer. || [separare] extraire. || [liquidare] liquider. || AGR. tailler.
stralcio ['straltʃo] m. extrait. | *legge stralcio,* loi provisoire. || COMM. liquidation f.
stralunare [stralu'nare] v. tr. LOC. *stralunare gli occhi,* rouler les yeux.
stralunato [stralu'nato] agg. hagard. | *un'aria stralunato,* un air égaré.
stramazzare [stramat'tsare] v. intr. s'abattre, s'écrouler. ◆ v. tr. abattre, terrasser.
stramberia [strambe'ria] f. bizarrerie, extravagance.
strambo ['strambo] agg. bizarre, saugrenu. | *un tipo strambo,* un drôle de type.
strampalato [strampa'lato] agg. farfelu, extravagant. || [di idee] saugrenu.
stranezza [stra'nettsa] f. étrangeté, bizarrerie, excentricité.
strangolamento [strangola'mento] m. étranglement. || MED. strangulation f.
strangolare [strango'lare] v. tr. PR. e FIG. étrangler.
straniare [stra'njare] v. tr. écarter, éloigner, détourner. ◆ v. rifl. s'écarter, s'éloigner, se détourner.
stranito [stra'nito] agg. égaré, hagard, inquiet.
strano ['strano] agg. étrange, bizarre, curieux, drôle.
straordinario [straordi'narjo] agg. extraordinaire. | *treno straordinario,* train supplémentaire. | *edizione straordinaria,* édition spéciale. || [insolito] extraordinaire, étonnant, formidable. | *non ha niente di straordinario,* ça ne casse rien (fam.). ◆ m. extra. | *pagare uno straordinario,* payer un extra.
strapazzamento [strapattsa'mento] m. rudoiement. || [lo strapazzarsi] surmenage.
strapazzare [strapat'tsare] v. tr. rudoyer, malmener, maltraiter. || [rimproverare] rabrouer, enguirlander (fam.). || [sciupare] abîmer. ◆ v. rifl. se surmener, se fatiguer.
strapazzata [strapat'tsata] f. réprimande, semonce. || [affaticamento] surmenage m.
strapazzato [strapat'tsato] agg. en mauvais état. || [affaticato] mal en point. || CULIN. *uova strapazzate,* œufs brouillés.
strapazzo [stra'pattso] m. surmenage. || LOC. *da strapazzo,* de quatre sous, de rien du tout.
strapieno [stra'pjɛno] agg. plein à craquer, bondé, bourré.
strapiombare [strapjom'bare] v. intr. surplomber.
strapotente [strapo'tɛnte] agg. tout-puissant, extrêmement puissant.
strappare [strap'pare] v. tr. PR. e FIG. arracher. *strappare un segreto,* arracher, un secret. || [lacerare] déchirer. | *è tutto strappato,* il est tout déchiré. || AUT. *la frizione strappa,* l'embrayage broute. ◆ v. rifl. s'arracher, se déchirer.
strappo ['strappo] m. coup sec, secousse f. || [lacerazione] accroc, déchirure f. || MED. *farsi uno strappo muscolare,* se claquer, se froisser un muscle. || FIG. entorse f., infraction f. | *fare uno strappo alla dieta,* faire un écart de régime.
strapunto [stra'punto] m. paillasse f. || [coperta] courtepointe f.
straripare [strari'pare] v. intr. déborder.
strascicare [straʃʃi'kare] v. tr. e intr. traîner. || [protrarre a lungo] faire traîner.
strascicato [straʃʃi'kato] agg. traînant.
strascico ['straʃʃiko] m. [scia] traînée f. || [abbigliamento] traîne f. || FIG. conséquence f., suite f., séquelle f., répercussion f.
strass [stras] m. strass.
stratagemma [strata'dʒɛmma] m. stratagème, ruse (f.) de guerre.
strategia [strate'dʒia] f. PR. e FIG. stratégie.
stratificare [stratifi'kare] v. tr. stratifier. ◆ v. rifl. se stratifier.
strato ['strato] m. couche f. | *strato di foglie,* lit, jonchée (f.) de feuilles. || GEOL. couche f., strate f. || METEOR. stratus. | *gli strati atmosferici,* les couches atmosphériques. || FIG. couche. | *gli strati sociali,* les couches sociales.
strattone [strat'tone] m. secousse f., à-coup.
stravaccarsi [stravak'karsi] v. rifl. se vautrer.
stravagante [strava'gante] agg. extravagant, excentrique. | *un tipo stravagante,* un type invraisemblable. ◆ n. extravagant, excentrique.
stravedere [strave'dere] v. tr. [sbagliare] voir mal. || [travedere] *stravedere per qlcu.,* être en adoration devant qn.
stravincere [stra'vintʃere] v. tr. battre à plate couture, remporter une victoire écrasante.
stravizio [stra'vittsjo] m. débauche f., excès.
stravolgere [stra'vɔldʒere] v. tr. altérer. || [sconvolgere] bouleverser. || [modificare] dénaturer, fausser. | *stravolgere la verità,* déformer la vérité. ◆ v. rifl. se tordre.
stravolto [stra'vɔlto] agg. bouleversé, chaviré, hagard.

straziante [strat'tsjante] agg. déchirant, poignant, navrant.
straziare [strat'tsjare] v. tr. torturer, martyriser. || [morale] torturer, déchirer. || FIG. massacrer. | *straziare un lavoro,* massacrer un travail.
strazio ['strattsjo] m. martyre, supplice, torture f. || FIG. déchirement, arrachement. || LOC. *fare strazio di,* [sciupare] gaspiller ; [musica] massacrer.
strega ['strega] f. sorcière.
stregare [stre'gare] v. tr. ensorceler. || FIG. ensorceler, envoûter.
stregone [stre'gone] m. sorcier. || PER EST. guérisseur ; rebouteux.
stregoneria [stregone'ria] f. sorcellerie.
stregua ['stregwa] f. *alla stregua di,* comme ; à la manière de.
stremare [stre'mare] v. tr. épuiser.
stremo ['strɛmo] m. *essere ridotti allo stremo,* être à bout de forces.
strenna ['strɛnna] f. étrennes pl.
strenuo ['strɛnuo] agg. vaillant, brave. || PER EST. infatigable.
strepitare [strepi'tare] v. intr. faire du vacarme. || PER EST. pester, tempêter, crier.
strepitoso [strepi'toso] agg. bruyant. || FIG. éclatant, retentissant, fracassant.
stretta ['stretta] f. étreinte, serrement m. | *stretta di mano,* poignée de main. || [abbraccio] étreinte, enlacement m. || [fitta] serrement m. | *stretta al cuore,* serrement de cœur. || [calca] presse. || [momento culminante] point culminant. | *giungere alla stretta finale,* arriver à la fin. || LOC. *essere alle strette,* être aux abois. || GEOGR. défilé m.
strettamente [stretta'mente] avv. étroitement. || [rigorosamente] strictement.
1. stretto ['stretto] agg. étroit. | *vicolo stretto,* rue étroite. | *di stretta misura,* de justesse. || [serrato] serré. | *tienti stretto,* tiens-toi bien. || LOC. *a denti stretti,* PR. les dents serrées ; FIG. du bout des lèvres, à contrecœur. || [molto vicino] serré, pressé. | *tenere qlcu. stretto a sé,* serrer qn contre soi. || PER EST. proche, intime. | *parenti stretti,* proches parents. || FIG. strict, rigoureux. | *lo stretto indispensabile,* le strict nécessaire.
2. stretto m. GEOGR. détroit. || MAR. chenal.
strettoia [stret'toja] f. chaussée rétrécie. || FIG. mauvaise passe.
striare [stri'are] v. tr. strier, rayer.
stridente [stri'dɛnte] agg. strident. || FIG. discordant, criard, grinçant. | *contrasto stridente,* contraste frappant.
stridere ['stridere] v. intr. grincer. || [di sabbia] crisser. || FIG. détonner, jurer, hurler.
stridore [stri'dore] m. grincement.
stridulo ['stridulo] agg. strident, perçant, criard.
strigliare [striʎ'ʎare] v. tr. étriller. || FIG. réprimander. ◆ v. rifl. SCHERZ. s'étriller.
strigliata [striʎ'ʎata] f. coup (m.) d'étrille. || FIG., FAM. savon m.
strillare [stril'lare] v. intr. crier, brailler, criailler. ◆ v. tr. crier.
strillo ['strillo] m. cri aigu, perçant.
strillone [stril'lone] m. FAM. braillard. || [venditore ambulante di giornali] crieur de journaux.
striminzire [strimin'tsire] v. tr. rétrécir. ◆ v. rifl. se serrer, se comprimer. || [diventare troppo magro] s'amaigrir.
strimpellare [strimpel'lare] v. tr. [strumenti a corda] racler. || [strumenti a tastiera] tapoter, taper (sur) ; [pianoforte] pianoter.
stringa ['stringa] f. lacet m.
stringare [strin'gare] v. tr. serrer ; [con lacci] lacer. || FIG. condenser.
stringato [strin'gato] agg. concis.
stringere ['strindʒere] v. tr. serrer. | *stringere la mano a qlcu.,* serrer la main à qn. || FIG. *mi stringe il cuore,* cela me serre le cœur. || LOC. *stringi stringi,* en fin de compte. || ASSOL. *stringere a destra,* serrer à droite. || [incalzare] presser v. tr. e intr. | *il tempo stringe,* le temps presse. || [rendere più breve] abréger. | *stringi !,* abrège !, au fait ! || [restringere] rétrécir. || [stipulare] conclure. | *stringere un patto,* conclure, faire un pacte. ◆ v. rifl. e recipr. se serrer.
striscia ['striʃʃa] f. bande. | *striscia di stoffa,* bande de tissu. || [su qlco.] rayure, raie. || LOC. *striscia di luce,* rayon (m.) de lumière. || [nella segnaletica stradale] *striscia continua,* ligne continue.
strisciamento [striʃʃa'mento] m. reptation f. || FIG. bassesse f.
strisciare [striʃ'ʃare] v. intr. [rettile] ramper. || [scivolare] glisser. || FIG. ramper. || [passare rasente a qlco.] raser v. tr., frôler v. tr. | *strisciare contro il muro,* raser le mur. || [entrare in attrito] racler v. tr., frotter (contre). ◆ v. tr. traîner. || [rasentare] raser, frôler. || [produrre un segno] érafler. ◆ v. rifl. se frotter (contre). || FIG. ramper (devant qn), s'abaisser (devant qn).
striscione [striʃ'ʃone] m. banderole f.
stritolare [strito'lare] v. tr. broyer, écraser. || FIG. pulvériser.

strizzare [strit'tsare] v. tr. [frutti] presser ; [biancheria] essorer. || LOC. *strizzare l'occhio,* cligner de l'œil.

strofa ['strɔfa] o **strofe** ['strɔfe] f. POES. strophe. || [di canzone] couplet m.

strofinaccio [strofi'nattʃo] m. torchon ; [per spolverare] chiffon ; [per i pavimenti] serpillière f.

strofinare [strofi'nare] v. tr. frotter. ◆ v. rifl. se frotter.

strombazzare [strombat'tsare] v. tr. FIG. claironner, trompeter, crier sur les toits. ◆ v. intr. [suonare il clacson] klaxonner, corner.

strombettio [strombet'tio] m. beuglements (pl.) d'une trompette ; coups (pl.) de Klaxon.

stroncare [stron'kare] v. tr. casser, briser. | *questo peso mi ha stroncato le braccia,* ce poids m'a coupé les bras. || FIG. éreinter, épuiser ; accabler. || [interrompere brutalmente] briser, réprimer. || LOC. *è stato stroncato* [da una malattia], il a été emporté (par une maladie). || [criticare spietatamente] démolir, éreinter.

stroncatura [stronka'tura] f. [critica negativa] éreintement m.

stronzo ['strontso] m. crotte f., étron.

stropicciare [stropit'tʃare] v. tr. frotter. || [sgualcire] froisser, chiffonner.

strozzamento ['strottsa'mento] m. strangulation f. || [soffocamento] étouffement. || [restringimento] étranglement.

strozzare [strot'tsare] v. tr. étrangler. || [di cibo difficile da inghiottire] étouffer. || [restringere] resserrer ; [ostruire] obstruer. || FIG. écorcher, étrangler. ◆ v. rifl. s'étrangler. || [restringersi] se rétrécir.

strozzino [strot'tsino] n. usurier. || FIG. écorcheur ; voleur.

struccare [struk'kare] v. tr. démaquiller. ◆ v. rifl. se démaquiller.

struggente [strud'dʒɛnte] agg. torturant, déchirant, poignant.

struggere ['struddʒere] v. tr. fondre. || FIG. consumer (lett.) ; [far soffrire] tourmenter, torturer. ◆ v. rifl. [sciogliersi] fondre v. intr. || FIG. se consumer, dépérir ; [ardere] brûler (de) ; [soffrire] être tourmenté (par).

struggimento [struddʒi'mento] m. passion f. || [tormento] tourment, déchirement.

strumentalizzare [strumentalid'dzare] v. tr. MUS. orchestrer. || FIG. exploiter, se servir (de).

strumentalizzazione [strumentaliddzat'tsjone] f. NEOL. exploitation.

strumentista [strumen'tista] (**-i** pl.) n. instrumentaliste.

strumento [stru'mento] m. instrument.

strusciare [struʃ'ʃare] v. tr. traîner. || [strofinare] frotter.

struscio [struʃ'ʃio] m. frottement.

strutto ['strutto] m. saindoux.

struttura [strut'tura] f. structure.

strutturale [struttu'rale] agg. structural.

strutturare [struttu'rare] v. tr. structurer.

struzzo ['struttso] m. ZOOL. autruche f.

1. stuccare [stuk'kare] v. tr. [chiudere con lo stucco] mastiquer. || [decorare con stucchi] orner de stucs.

2. stuccare v. tr. écœurer. || FIG. lasser, ennuyer.

stucchevole [stuk'kevole] agg. écœurant. || FIG. lassant, ennuyeux.

stucco ['stukko] m. mastic. || [per ornamenti in rilievo] stuc. || LOC. *restare di stucco,* en rester stupéfait.

studente [stu'dɛnte] (**-tessa** f.) n. [universitario] étudiant, e ; [liceale] lycéen, enne ; élève.

studiare [stu'djare] v. tr. étudier ; [imparare] apprendre ; [esercitarsi] travailler. | *studiare a memoria,* apprendre par cœur. || [seguire un corso di studi] faire des études (de). | *studia poco,* il ne travaille pas assez. || [cercare di capire, esaminare] étudier. || [controllare] étudier, composer. | *studiare il proprio atteggiamento,* composer son attitude. ◆ v. rifl. [sforzarsi di] s'efforcer (de). || [osservarsi] s'étudier.

studiatamente [studjata'mente] avv. avec affectation, d'une façon étudiée. || [di proposito] exprès.

studio ['studjo] m. étude f. | *allo studio,* à l'étude. || [opera] étude f., essai. || [rappresentazione grafica] étude. || MUS. étude. || [stanza] bureau. || [di medico, avvocato] cabinet ; [di notaio] étude ; [di artista] atelier, studio.

studioso [stu'djoso] agg. studieux. ◆ n. savant ; chercheur. | *studioso di,* spécialiste de, en.

stufa ['stufa] f. poêle m. || [radiatore] radiateur m.

stufare [stu'fare] v. tr. FAM. embêter, raser, barber, assommer. || CULIN. cuire à l'étouffée. ◆ v. rifl. se lasser.

stufato [stu'fato] m. daube f. | *stufato di manzo,* bœuf en daube.

stuoia ['stwɔja] f. natte. || [usata come tenda] store m.

stuolo ['stwɔlo] m. foule f., multitude f. || [di animali] bande f., horde f.

stupefacente [stupefa'tʃɛnte] agg. e m. stupéfiant.

stupefare [stupe'fare] v. tr. stupéfier.

stupendo [stu'pɛndo] agg. superbe, splendide, magnifique.

stupidaggine [stupi'daddʒine] f. stupidité, bêtise.

stupido ['stupido] agg. stupide. ◆ n. bête, idiot, imbécile.
stupire [stu'pire] v. tr. étonner, surprendre. ◆ v. rifl. s'étonner.
stupore [stu'pore] m. stupeur f., étonnement.
stuprare [stu'prare] v. tr. violer.
sturare [stu'rare] v. tr. déboucher.
stuzzicadenti [stuttsika'dɛnti] m. inv. cure-dents.
stuzzicante [stuttsi'kante] agg. stimulant ; [interessante] intéressant. || [irritante] agaçant. || [appetitoso] appétissant.
stuzzicare [stuttsi'kare] v. tr. piquer, chatouiller. || FIG. [punzecchiare] taquiner, faire enrager. || FIG. exciter, piquer ; [l'appetito] aiguiser.
su [su] prep. 1. [valore locale senza movimento] sur. | *scritto sulla porta,* écrit sur la porte. || [riferito a cose non in contatto] sur, au-dessus de. | *un ponte sul fiume,* un pont sur la rivière. || [immediata vicinanza] près de. | *una casa sul mare,* une maison au bord de la mer. || [astratto] *la minaccia che incombe su di te,* la menace qui pèse sur toi. 2. [valore locale con movimento] sur. | *cadere sui sassi,* tomber sur les cailloux. | *puntare su,* miser sur. 3. [idea di base] sur. | *su richiesta,* sur demande. 4. [concetto di superiorità] sur. | *regnare su,* régner sur. 5. [compl. di argomento] sur, de, à propos. | *ha parlato sul libro,* il a parlé du livre. 6. [espressioni di tempo] vers, sur. | *sull' imbrunire,* vers le soir ; à la tombée de la nuit. 7. [espressioni di quantità e di età] environ, à peu près. | *è sui cinquanta (anni),* il a dans les cinquante ans. ◆ avv. 1. [sopra] dessus. 2. [in alto, verso l'alto] haut, en haut. | *un po' più (in) su,* un peu plus haut. | *su su nel cielo,* tout là-haut dans le ciel. 3. [contrapposto a « giù »] *andare su e giù,* marcher de long en large. LOC. *andare su,* PR. e FIG. monter. | *i prezzi vanno su,* les prix montent, augmentent. | *è venuto su dal nulla,* il est parti de rien. | *saltò su a dire,* tout d'un coup, il dit. | *sei figli da tirar su,* six enfants à élever. | *tirarsi su,* se relever ; [salute] se remettre ; [condizioni economiche] se relever ; [morale] reprendre courage. | *mettere su l'acqua,* mettre l'eau à chauffer. | *metter su casa,* s'installer ; monter son ménage. | *ti ha messo su contro di me,* il t'a monté contre moi. | *star su,* [in piedi] tenir debout ; [di persona] se tenir droit. | *rimanere su,* [sveglio] rester debout, veiller. ◆ m. *un su e giù continuo,* un va-et-vient continuel. ◆ loc. avv. *su per giù,* à peu près, plus ou moins, environ.
suaccennato [suattʃen'nato] agg. susdit, susmentionné.
suadente [sua'dɛnte] agg. LETT. persuasif (L.C.).
sub [sub] m. pêcheur sous-marin.
subaffittare [subaffit'tare] v. tr. souslouer.
subaffitto [subaf'fitto] m. sous-location f.
subalpino [subal'pino] agg. subalpin.
subalterno [subal'tɛrno] agg. e n. subalterne.
subappaltare [subappal'tare] v. tr. sous-traiter.
subbuglio [sub'buʎʎo] m. émoi (lett.), effervescence f., remue-ménage, agitation f. || *mettere in subbuglio,* mettre sens dessus dessous (fam.).
subconscio [sub'kɔnʃo] o **subcosciente** [subkoʃ'ʃɛnte] agg. e m. subconscient.
subdolo ['subdolo] agg. sournois.
subentrare [suben'trare] v. intr. remplacer v. tr. ; succéder (à).
subinquilino [subinkwi'lino] n. souslocataire.
subire [su'bire] v. tr. subir.
subissare [subis'sare] v. tr. anéantir, détruire. || FIG. couvrir.
subitaneamente [subitanea'mente] avv. soudainement, subitement.
subitaneo [subi'taneo] agg. soudain, brusque, subit.
subito ['subito] avv. tout de suite, immédiatement. || *subito (dopo),* aussitôt ; tout de suite après, juste après. || *subito prima,* juste avant, tout de suite avant. || [in poco tempo] vite, rapidement. | *è subito fatto,* c'est vite fait.
sublimare [subli'mare] v. tr. élever. || CHIM., PSICAN. sublimer. ◆ v. rifl. s'élever. || PSICAN. se sublimer.
sublime [su'blime] agg. sublime.
sublocazione [sublokat'tsjone] f. souslocation.
subnormale [subnor'male] agg. arriéré, attardé, anormal.
subodorare [subodo'rare] v. tr. pressentir, soupçonner.
subordinare [subordi'nare] v. tr. subordonner.
subordinato [subordi'nato] agg. e n. subordonné.
subordine [su'bordine] m. *essere, trovarsi in subordine,* être subordonné (à), dépendre (de). ◆ loc. prep. *in subordine a,* suivant.
subornare [subor'nare] v. tr. suborner, corrompre.
suburbio [su'burbjo] m. faubourg, banlieue f.
succedaneo [suttʃe'daneo] agg. e m. succédané.
succedere [sut'tʃɛdere] v. intr. succéder. || [accadere] arriver ; [senza compl.

di termine] se produire, se passer. | *gli è successo qlco.,* il lui est arrivé qch. | *è successo ieri,* cela s'est passé hier. | *è successo che mi sono ammalato,* je suis tombé malade. ◆ v. recipr. se succéder.
successione [suttʃes'sjone] f. succession. || [serie] suite.
successivamente [suttʃessiva'mente] avv. ensuite, par la suite, plus tard.
successivo [suttʃes'sivo] agg. suivant. | *la domenica successiva,* le dimanche suivant. || [che si sussegue] successif. | *due tentativi successivi,* deux tentatives successives.
successo [sut'tʃɛsso] m. succès.
successore [suttʃes'sore] m. successeur.
succhiare [suk'kjare] v. tr. sucer. | *succhiare il latte,* téter.
succhiata [suk'kjata] f. succion.
succhiello [suk'kjɛllo] m. vrille f.
succintamente [suttʃinta'mente] avv. succinctement, brièvement.
succinto [sut'tʃinto] agg. succinct, bref. || [di vestito] très court ; très décolleté.
succitato [suttʃi'tato] agg. susmentionné, susnommé.
succo ['sukko] m. jus. || BIOL. suc. || FIG. suc, substance f.
succoso [suk'koso] agg. juteux. || FIG. substantiel. || [gustoso] savoureux, succulent.
succube ['sukkube] n. esclave, jouet m. | *è succube di suo marito,* elle est esclave, le jouet de son mari.
succursale [sukkur'sale] f. succursale.
sud [sud] m. sud. ◆ agg. *la parte sud,* la partie sud.
sudare [su'dare] v. intr. transpirer, suer. | *sudare freddo,* avoir des sueurs froides. || FIG. suer, peiner, trimer. ◆ v. tr. suer, transpirer. || LOC. *sudare sangue, sudare sette camicie,* suer sang et eau. || [guadagnare con fatica] gagner durement.
sudario [su'darjo] m. suaire.
sudata [su'data] f. suée (fam.). || [sforzo] effort m., boulot m. (fam.).
sudato [su'dato] agg. en sueur, en nage. || FIG. gagné à la sueur de son front. || [che è costato fatica] qui a coûté bien des efforts.
suddetto [sud'detto] agg. susdit, susnommé.
sudditanza [suddi'tantsa] f. sujétion.
suddito ['suddito] n. sujet ; [all'estero] ressortissant.
suddividere [suddi'videre] v. tr. subdiviser. || [ripartire] répartir, partager. ◆ v. rifl. se subdiviser. ◆ v. recipr. se partager.
sud-est [su'dɛst] m. sud-est.
sudicio ['suditʃo] agg. sale. || FIG. dégoûtant. ◆ m. saleté f.
sudiciume [sudi'tʃume] m. PR. e FIG. saleté f., crasse f.
sudore [su'dore] m. sueur f. || FIG. effort, travail.
sud-ovest [su'dɔvest] m. sud-ouest.
sufficiente [suffi'tʃɛnte] agg. suffisant (pour), assez grand (pour). | *essere sufficiente,* suffire (pour, à) ; être suffisant (pour). || [attributo con pl. o partitivo] assez de, suffisamment de, suffisant. || [attributo con sing. non partitivo] suffisant ; assez important, assez grand. || UNIV. moyen. | *questo compito è appena sufficiente,* ce devoir est à peine moyen. || FIG. suffisant, vaniteux. ◆ m. *il sufficiente,* le nécessaire, ce qu'il faut.
sufficientemente [suffitʃente'mente] avv. suffisamment, assez.
suffisso [suf'fisso] m. suffixe.
suffragare [suffra'gare] v. tr. appuyer, étayer, soutenir. | *suffragare una tesi con un esempio,* appuyer une thèse sur un exemple.
suffragio [suf'fradʒo] m. suffrage. || [voto] voix f. || REL. *messa in suffragio di,* messe pour (le repos de) l'âme de.
suggellare [suddʒel'lare] v. tr. sceller, cacheter. || FIG. sceller.
suggello [sud'dʒɛllo] m. sceau.
suggerimento [suddʒeri'mento] m. suggestion f.
suggerire [suddʒe'rire] v. tr. suggérer. || [a teatro] souffler.
suggeritore [suddʒeri'tore] (**-trice** f.) n. TEAT. souffleur.
suggestionabile [suddʒestjo'nabile] agg. influençable.
suggestionare [suddʒestjo'nare] v. tr. suggestionner, influencer. ◆ v. rifl. se suggestionner.
suggestivamente [suddʒestiva'mente] avv. d'une manière suggestive.
suggestivo [suddʒes'tivo] agg. suggestif, évocateur.
sughero ['sugero] m. chêne-liège. || [sostanza] liège.
sugo ['sugo] (**-ghi** pl.) m. jus. | *sugo di carne,* jus de viande. || [salsa] sauce f. | *sugo di pomodoro,* sauce tomate. || FIG. suc, substance f. ; essentiel. || [piacere] plaisir, intérêt. | *non c'è sugo ad andarci da solo,* il n'y a aucun intérêt à y aller seul.
sugoso [su'goso] agg. juteux. || FIG. substantiel.
suicida [sui'tʃida] n. suicidé. ◆ agg. suicidaire.
suicidarsi [suitʃi'darsi] v. rifl. se suicider.
suicidio [sui'tʃidjo] m. suicide.
suino [su'ino] m. [maiale] porc, cochon ; [carne] porc. ◆ agg. de porc, porcin.

sulfamidico [sulfa'midiko] (**-ci** pl.) agg. e m. sulfamide.
sultana [sul'tana] f. sultane.
sultano [sul'tano] m. sultan.
sunnominato [sunnomi'nato] agg. susnommé.
sunto ['sunto] m. résumé, abrégé.
suntuario [suntu'arjo] agg. somptuaire.
suo ['suo] agg. poss. di 3ª pers. m. sing. (**sua** f. sing. ; **suoi** m. pl. ; **sue** f. pl.) 1. [uso generale] son m. sing. ; [davanti a cons.] sa f. sing. ; [davanti a voc. o h muta] son f. sing. ; ses m. e f. pl. | *sua zia,* sa tante. | *la sua idea,* son idée. | *per amor suo,* pour lui, pour elle ; pour lui faire plaisir. 2. [preceduto da art. indef., agg. num. o agg. indef.] à lui, à elle ; de lui, d'elle. | *sarà qualche suo capriccio,* c'est sans doute un de ses caprices. | *ha un modo tutto suo di,* il a une façon bien à lui de. | *ho letto un suo libro,* j'ai lu un livre de lui, d'elle. 3. [con « essere »] à lui, à elle ; de lui, d'elle. | *questo libro è suo,* [gli appartiene] ce livre est à lui ; [l'ha scritto lui] ce livre est de lui. 4. [preceduto da « di »] à lui, à elle ; de lui, d'elle ; personnel. | *egli non ha niente di suo,* il n'a rien à lui, il ne possède rien. 5. [in frasi ellittiche] *ha voluto dire la sua (opinione),* il a voulu placer son mot, dire son avis. | *ne ha fatta un'altra delle sue,* il en a encore fait de belles. | *star sulle sue,* être réservé, se tenir sur la réserve. 6. [forma di cortesia] votre m. e f. sing. ; vos m. e f. pl. ; [preceduto da art. indef. ; col v. « essere » ; preceduto da « di »] à vous ; de vous. | *suo figlio,* votre fils. ◆ pron. poss. le sien m. sing. ; la sienne f. sing. ; les siens m. pl. ; les siennes f. pl. ‖ [forma di cortesia] le vôtre m. sing. ; la vôtre f. sing. ; les vôtres m. e f. pl. ◆ n. [uso generale] *ha pagato del suo,* il a payé de sa poche (fam.). | *dare ad ognuno il suo,* donner à chacun son dû. ‖ *i suoi,* [genitori] ses parents ; [parenti, amici] les siens. ‖ [forma di cortesia] vos parents, les vôtres.
suocera ['swɔtʃera] f. belle-mère.
suocero ['swɔtʃero] m. beau-père. ◆ pl. beaux-parents.
suola ['swɔla] f. semelle.
suolo ['swɔlo] m. sol. ‖ [terreno] sol, terrain, terre f. ‖ [paese] sol, territoire, terre f.
suonare [swo'nare] e deriv. V. SONARE e deriv.
suono ['swɔno] m. son.
suora ['swɔra] f. REL. sœur. | *si è fatta suora,* elle a pris le voile.
super ['super] agg. FAM. super. ◆ f. FAM. [benzina] super m.
superabile [supe'rabile] agg. surmontable.
superalcolico [superal'kɔliko] (**-ci** pl.) agg. e m. spiritueux.
superalimentazione [superalimentat'tsjone] f. suralimentation.
superamento [supera'mento] m. franchissement, passage. ‖ [sorpasso] dépassement. ‖ FIG. abandon.
superare [supe'rare] v. tr. dépasser. | *superare qlco. in larghezza,* être plus large que qch., dépasser qch. en largeur. ‖ [andare oltre] franchir, passer. ‖ [sorpassare un veicolo] dépasser, doubler. ‖ [percorrere] parcourir, traverser. | *superare grandi distanze,* franchir de longues distances. ‖ [eccedere] dépasser, passer. | *superare ogni limite,* passer les bornes. ‖ [essere più valente] surpasser, dépasser. ‖ [dominare] surmonter, dominer. | *superare la paura,* surmonter sa peur. ‖ [affrontare vittoriosamente] surmonter, vaincre. | *superare un periodo critico,* sortir d'une période critique.
superbia [su'pɛrbja] f. orgueil m., superbe (lett.).
superbo [su'pɛrbo] agg. orgueilleux, vaniteux. ‖ [arrogante] hautain. ‖ [giustamente orgoglioso] fier, orgueilleux. | *andar superbo di,* être fier de, s'enorgueillir de. ‖ [splendido] superbe, splendide.
superficiale [superfi'tʃale] agg. PR. e FIG. superficiel.
superficie [super'fitʃe] f. surface, superficie. ‖ FIG. surface, extérieur m., apparence.
superfluo [su'pɛrfluo] agg. e m. superflu.
super-io ['super'io] m. PSICAN. surmoi.
superiore [supe'rjore] agg. supérieur ; [con punto di riferimento] au-dessus (de) ; supérieur (à). | *la parte superiore della pagina,* le haut de la page. ‖ [più grande] *temperatura superiore allo zero,* température au-dessus de zéro. ‖ FIG. *un lavoro superiore alle mie forze,* un travail au-dessus de mes forces. ‖ [riferimento al valore] *è superiore a questi pettegolezzi,* il est au-dessus de ces bavardages. | *qualità superiore,* qualité supérieure. ‖ UNIV. *scuola media superiore,* deuxième cycle d'enseignement secondaire ; lycée. ◆ m. supérieur.
superlativo [superla'tivo] agg. extrême, exceptionnel. ◆ m. GR. superlatif.
superlavoro [superla'voro] m. surmenage.
supermercato [supermer'kato] o **supermarket** [super'market] m. (ingl.) supermarché.
superstite [su'pɛrstite] agg. survivant. ‖ [cosa] qui a résisté. ◆ n. survivant.

superstizioso [superstit'tsjoso] agg. e n. superstitieux, euse.

superstrada [super'strada] f. route à quatre voies.

supervisione [supervi'zjone] f. supervision.

supinamente [supina'mente] avv. servilement.

supino [su'pino] agg. (couché) sur le dos. | *dormire supino,* dormir sur le dos. || FIG. [passivo] passif ; [servile] servile.

suppellettili [suppel'lɛttili] f. pl. [mobili] mobilier m. sing. ; [utensili] ustensiles m. pl. ; [ninnoli] bibelots m. pl.

suppergiù [supper'dʒu] avv. à peu près, environ.

supplementare [supplemen'tare] agg. supplémentaire.

supplemento [supple'mento] m. supplément.

supplente [sup'plɛnte] agg. e n. remplaçant ; suppléant.

supplica ['supplika] f. supplication, prière. || [scritto o parole] supplique.

supplicare [suppli'kare] v. tr. supplier, implorer, conjurer.

supplire [sup'plire] v. intr. suppléer. ◆ v. tr. remplacer.

suppliziare [supplit'tsjare] v. tr. supplicier.

supplizio [sup'plittsjo] m. PR. e FIG. supplice.

supporre [sup'porre] v. tr. supposer, admettre (+ congiunt.). || [congetturare] imaginer, penser, croire (+ indic. nelle frasi affermative, + congiunt. nelle frasi interrogative o negative). | *supponevo che avrebbe protestato,* je pensais bien qu'il protesterait. | *supponi che sia già arrivato ?,* crois-tu qu'il soit déjà arrivé ?

supporto [sup'pɔrto] m. support. || MECC. palier.

supposta [sup'posta] f. suppositoire m.

supposto [sup'posto] agg. supposé, présumé. ◆ loc. cong. *supposto che,* supposé que.

suppurare [suppu'rare] v. intr. suppurer.

suppurazione [suppurat'tsjone] f. suppuration.

supremazia [supremat'tsia] f. suprématie.

supremo [su'prɛmo] agg. suprême, souverain. || [grandissimo] immense, suprême. | *supremo disprezzo,* souverain mépris. || [ultimo] suprême.

surgelato [surdʒe'lato] agg. surgelé.

surreale [surre'ale] agg. surréel.

surrettizio [surret'tittsjo] agg. GIUR. subreptice.

surriscaldare [surriskal'dare] v. tr. surchauffer. ◆ v. rifl. (trop) chauffer v. intr.

surrogare [surro'gare] v. tr. remplacer (par), substituer (à). || GIUR. subroger. || [subentrare] prendre la place (de).

surrogato [surro'gato] agg. succédané. ◆ m. PR. e FIG. succédané, ersatz.

suscettibile [suʃʃet'tibile] agg. susceptible, ombrageux.

suscitare [suʃʃi'tare] v. tr. provoquer, susciter. | *suscitare la curiosità,* éveiller la curiosité. | *suscitare proteste,* soulever des protestations.

susina [su'zina] f. prune.

suspicione [suspi'tʃone] f. suspicion ; doute, méfiance.

susseguente [susse'gwɛnte] agg. suivant.

susseguire [susse'gwire] v. intr. succéder, suivre v. tr. ◆ v. tr. suivre. ◆ v. rifl. se suivre, se succéder. ◆ m. *un susseguirsi di,* une succession, une suite de.

sussidiario [sussi'djarjo] agg. subsidiaire, auxiliaire, supplémentaire. ◆ m. [a scuola] manuel.

sussidio [sus'sidjo] m. subside, subvention f. || [aiuto] aide f., secours. | *sussidi didattici,* matériel didactique. ◆ pl. MIL. Renforts.

sussiego [sus'sjɛgo] m. dignité f., réserve f. ; [alterigia] hauteur f., condescendance f., suffisance f.

sussistente [sussis'tɛnte] agg. existant. || [valido] valable.

sussistenza [sussis'tɛntsa] f. subsistance. || [esistenza] existence. || [persistenza] persistance.

sussistere [sus'sistere] v. intr. exister. | *non sussistono prove,* il n'y a pas de preuves. || [perdurare] subsister, persister. || [avere fondamento] être valable.

sussultare [sussul'tare] v. intr. sursauter, tressaillir. || [di cose] trembler.

sussulto [sus'sulto] m. sursaut. || [scossa] secousse f.

sussurrare [sussur'rare] v. tr. susurrer, chuchoter. ◆ v. intr. chuchoter, susurrer. || [protestare] murmurer.

suvvia [suv'via] interiez. allons !, allez !

suzione [sut'tsjone] f. succion.

svagare [zva'gare] v. tr. distraire, divertir. ◆ v. rifl. se distraire, se détendre.

svagato [zva'gato] agg. distrait.

svago ['zvago] m. distraction f., détente f. || [ciò che svaga] divertissement, passe-temps.

svaligiare [zvali'dʒare] v. tr. cambrioler, dévaliser.

svalutare [zvalu'tare] v. tr. déprécier, dévaloriser. || [moneta] dévaloriser ; [legalmente] dévaluer. || [persone, opere] déprécier, mésestimer, rabaisser. ◆ v. rifl. [merci, moneta] se déprécier, se dévaloriser. || [deprezzare se stesso] se déprécier, se rabaisser.

svanire [zva'nire] v. intr. [immagini] disparaître, s'évanouir, s'effacer. || [fumo, nebbia] se dissiper. || [rumori] s'éteindre. || [sentimenti] s'effacer. || [facoltà] s'affaiblir, diminuer.

svanito [zva'nito] agg. [di vino] éventé. || [indebolito] affaibli. || [scomparso] évanoui. || FIG. gâteux. || [scervellato] écervelé.

svantaggio [zvan'taddʒo] m. désavantage. | *comportare svantaggi,* présenter des inconvénients. || SP. retard.

svariato [zva'rjato] agg. varié. ◆ pl. différents, divers.

svasato [zva'zato] agg. évasé.

svasatura [zvaza'tura] f. évasement m. || MODA ampleur.

svecchiare [zvek'kjare] v. tr. rajeunir, renouveler, moderniser.

sveglia ['zveʎʎa] f. réveil m. | *la sveglia è alle sei,* le réveil est à six heures. || [orologio] réveil ; réveille-matin.

svegliare [zveʎ'ʎare] v. tr. réveiller, éveiller. || FIG. réveiller, secouer. || [scaltrire] dégourdir. || [stimolare] éveiller, exciter. | *svegliare la curiosità,* éveiller la curiosité. ◆ v. rifl. se réveiller, s'éveiller. || FIG. se secouer. || [scaltrirsi] se dégourdir. || [manifestarsi] se manifester.

sveglio ['zveʎʎo] agg. éveillé ; [che non dorme più] réveillé. || FIG. éveillé, dégourdi, vif.

svelare [zve'lare] v. tr. FIG. dévoiler, découvrir, révéler. ◆ v. rifl. se révéler.

sveltezza [zvel'tettsa] f. [rapidità] rapidité ; [agilità] agilité ; [snellezza] sveltesse. || FIG. vivacité (d'esprit).

sveltire [zvel'tire] v. tr. activer, accélérer. || [rendere più disinvolto] dégourdir. || [rendere snello] amincir. ◆ v. rifl. [divenire più rapido] devenir plus rapide. || [più disinvolto] se dégourdir. || [più snello] s'amincir, mincir intr.

svelto ['zvɛlto] agg. [pronto] rapide ; [agile] leste, alerte, agile. || [snello] svelte, mince. || [di mente] rapide, agile, vif, éveillé. || [disinvolto] dégourdi. || LOC. *alla svelta,* en vitesse, à la hâte.

svenare [zve'nare] v. tr. ouvrir les veines (à). || FIG. saigner. ◆ v. rifl. s'ouvrir les veines. || FIG. se saigner aux quatre veines.

svendere ['zvendere] v. tr. brader, solder ; vendre à perte.

svendita ['zvendita] f. vente au rabais, liquidation, soldes m. pl.

svenevole [zve'nevole] agg. maniéré. || [sdolcinato] mièvre.

svenevolezza [zvenevo'lettsa] f. affectation ; mièvrerie.

svenimento [zveni'mento] m. évanouissement, défaillance f.

svenire [zve'nire] v. intr. s'évanouir, se trouver mal.

sventagliare [zventaʎ'ʎare] v. tr. éventer. ◆ v. rifl. s'éventer.

sventare [zven'tare] v. tr. [far fallire] déjouer ; [scoprire] éventer ; [evitare] conjurer, éviter, écarter.

sventato [zven'tato] agg. étourdi, irréfléchi, léger, écervelé.

sventola ['zvɛntola] f. éventail m. || PER EST. gifle, claque.

sventolare [zvento'lare] v. tr. agiter. || [far vento] éventer. ◆ v. intr. flotter (au vent). ◆ v. rifl. s'éventer.

sventolio [zvento'lio] m. flottement.

sventrare [zven'trare] v. tr. étriper, éventrer. || [uccidere] éventrer. || [demolire] démolir, abattre.

sventura [zven'tura] f. malheur m., malchance, infortune.

sventurato [zventu'rato] agg. malheureux, malchanceux. ◆ n. malheureux, euse.

svergognare [zvergoɲ'ɲare] v. tr. couvrir de honte. || [smascherare] démasquer.

svergognato [zvergoɲ'ɲato] agg. effronté, impudent, éhonté. || [dissoluto] dévergondé.

svernare [zver'nare] v. intr. hiverner. || BIOL. hiberner.

svestire [zves'tire] v. tr. déshabiller, dévêtir. || FIG. débarrasser, dépouiller. ◆ v. rifl. se déshabiller. || FIG. se dépouiller.

svezzare [zvet'tsare] v. tr. désaccoutumer, déshabituer. || [un lattante] sevrer.

sviare [zvi'are] v. tr. détourner, (faire) dévier. | *sviare l'attenzione,* détourner l'attention. ◆ v. rifl. s'égarer, se perdre, se fourvoyer.

svicolare [zviko'lare] v. intr. s'esquiver ; prendre la tangente (fam.).

svignarsela [zviɲ'ɲarsela] v. intr. FAM. filer à l'anglaise.

svilire [zvi'lire] v. tr. PR. e FIG. dévaloriser, déprécier.

sviluppare [zvilup'pare] v. tr. développer. || [provocare] provoquer. || [sprigionare] dégager, produire. || FOT.

développer. ◆ v. rifl. se développer. || [formarsi] se former. || [estendersi] se propager, s'étendre. || [prodursi] se produire, se déclarer. || [sprigionarsi] se dégager.

sviluppo [zvi'luppo] m. BIOL. développement, croissance f. || [espansione] croissance f., progrès. | *in pieno sviluppo,* en plein essor. || CHIM., FIS. dégagement. || MAT., MUS. développement.

svincolare [zvinko'lare] v. tr. dégager. || [ritirare] retirer. || [sdoganare] dédouaner. ◆ v. rifl. se dégager, se libérer.

svincolo ['zvinkolo] m. dégagement. || [sdoganamento] dédouanement. || [traffico stradale] échangeur, voie (f.) de raccordement.

sviscerare [zviʃʃe'rare] v. tr. étudier à fond, approfondir, creuser.

svisceratamente [zviʃʃerata'mente] avv. passionnément.

sviscerato [zviʃʃe'rato] agg. passionné. || [eccessivo] outré, exagéré.

svista ['zvista] f. erreur, méprise.

svitare [zvi'tare] v. tr. dévisser.

svitato [zvi'tato] agg. dévissé. || FIG. timbré (fam.), cinglé (fam.).

svizzera ['zvittsera] f. NEOL. bifteck haché.

svogliatamente [zvoʎʎata'mente] avv. sans enthousiasme. || [pigramente] paresseusement.

svogliato [zvoʎ'ʎato] agg. nonchalant. || [pigro] paresseux.

svolazzare [zvolat'tsare] v. intr. [uccelli, insetti] voleter, voltiger. || [essere agitato dal vento] flotter. || FIG. voltiger, papillonner.

svolgere ['zvɔldʒere] v. tr. dérouler. || [togliere l'involucro] défaire. || FIG. développer ; [trattare] traiter. || UNIV. *svolgere un tema,* faire une rédaction. || [attuare] exécuter, réaliser. | *svolgere un programma,* réaliser un programme. || [condurre] mener, faire. | *svolgere un'indagine,* faire une enquête. || [esercitare] exercer. | *svolgere una professione,* exercer une profession. || [adempiere] s'acquitter (de). ◆ v. rifl. se dérouler ; [da un involucro] se défaire. || FIG. se dérouler, défiler. || [svilupparsi] se développer. || [compiersi] s'effectuer, s'accomplir, se faire. || [avvenire] se passer, se produire. | *come si sono svolti i fatti,* comment les choses se sont passées. || [trascorrere] se dérouler, s'écouler.

svolta ['zvɔlta] f. virage m. || FIG. virage, tournant m.

svoltare [zvol'tare] v. intr. tourner.

svuotare [zvwo'tare] v. tr. PR. e FIG. vider. || [di un serbatoio] vidanger.

t

t [ti] m. e f. t m. | *ferro a T, a doppia T,* fer en T, à double T.

tabaccaio [tabak'kajo] (**-ai** pl.) n. buraliste.

tabacchiera [tabak'kjɛra] f. tabatière.

tabacco [ta'bakko] (**-chi** pl.) m. tabac. | *rivendita di sali e tabacchi,* (bureau de) tabac. ◆ agg. inv. *color tabacco,* couleur tabac.

tabarin [taba'rɛ̃] m. (fr.) boîte (f.) de nuit.

tabarro [ta'barro] m. manteau (d'homme).

tabella [ta'bɛlla] f. tableau m., panneau m. | *tabella dei prezzi,* barème (m.) des prix. || COMM. état m.

tabellare [tabel'lare] agg. tabulaire. || TIP. tabellaire.

tabellone [tabel'lone] m. tableau, panneau. | *tabellone elettorale,* panneau électoral.

tabernacolo [taber'nakolo] m. tabernacle. || PER EST. [nicchia per immagini sacre] petite chapelle.

tabù [ta'bu] agg. e m. inv. PR. e FIG. tabou.

tacca ['takka] (**-che** pl.) f. tache. || [intaccatura] entaille, encoche, coche. || [difetto morale] défaut m. || MIL. *tacca di mira,* cran (m.) de mire. || [alpinismo] col m. || TIP. cran m. || LOC. *persone della stessa tacca,* gens du même acabit (fam.), du même genre.

taccagneria [takkaɲɲe'ria] f. avarice, pingrerie.

taccagno [tak'kaɲɲo] agg. e n. avare radin (fam.).

taccheggiare [takked'dʒare] v. tr. e intr. voler à l'étalage, chaparder (fam.).

tacchete ['takkete] onomat. pan !

tacchino [tak'kino] (**-a** f.) n. ZOOL. dindon, dinde.

tacciare [tat'tʃare] v. tr. taxer. | *tacciare qlcu. di avarizia,* taxer qn d'avarice.

tacco ['takko] (**-chi** pl.) m. talon.

taccuino [takku'ino] m. calepin, carnet.

tacere [ta'tʃere] v. intr. se taire v. rifl. | *mettere a tacere qlcu., qlco.,* réduire qn au silence, étouffer qch. ◆ v. tr. taire, cacher, celer.

tachicardia [takikar'dia] f. tachycardie.

tachimetro [ta'kimetro] m. tachymètre. || AUT. compteur de vitesse.

tacitare [tatʃi'tare] v. tr. GIUR. désintéresser.

tacito ['tatʃito] agg. silencieux. || [senza parole] tacite.

taciturno [tatʃi'turno] agg. taciturne.

tafano [ta'fano] m. ZOOL. taon.

tafferuglio [taffe'ruʎʎo] (**-gli** pl.) m. bagarre f., échauffourée f.

taglia ['taʎʎa] f. taille. | *di mezza taglia,* de taille moyenne. || [ricompensa] prix m. | *mettere una taglia su qlcu.,* mettre à prix la tête de qn. || STOR. rançon.

tagliacarte [taʎʎa'karte] m. inv. coupe-papier.

taglialegna [taʎʎa'leɲɲa] m. inv. abatteur m., bûcheron m.

tagliando [taʎ'ʎando] m. coupon.

tagliapietre [taʎʎa'pjɛtre] m. inv. tailleur (m.) de pierre(s).

tagliare [taʎ'ʎare] v. intr. [essere tagliente] couper. || [passare direttamente] couper. ◆ v. tr. couper. | *tagliare un articolo da un giornale,* découper un article dans un journal. || [lavorare con uno strumento tagliente] tailler. || FIG. *nebbia da tagliare con il coltello,* brouillard à couper au couteau. || [passare in mezzo] couper, traverser. | *strada che ne taglia un'altra,* route qui en coupe une autre. || [interrompere] couper, interrompre. | *tagliare le comunicazioni,* couper les communications. || [abbreviare] couper, abréger, retrancher. || [mescolare due liquidi] couper. || GIOCHI [carte] couper. || [tennis, Ping-Pong] *tagliare la palla, la pallina,* couper une balle. || [di traguardo] franchir, passer. || TECN. découper. || [con cesoie o trancia] cisailler. || [legno] débiter. || LOC. FAM. *tagliare la corda,* prendre la clef des champs. | *tagliare i panni addosso a qlcu.,* casser du sucre sur le dos de qn. | *tagliare la testa al toro,* trancher le nœud de la question. ◆ v. rifl. se taillader, s'entailler, se couper.

tagliatelle [taʎʎa'tɛlle] f. pl. nouilles ; tagliatelle (it.).

tagliato [taʎ'ʎato] agg. coupé. || FIG. *ero tagliato per questo lavoro,* j'étais fait pour ce métier.

taglieggiare [taʎʎed'dʒare] v. tr. *taglieggiare un paese,* mettre un pays en coupe réglée. || STOR. rançonner.

tagliente [taʎ'ʎɛnte] agg. tranchant, acéré, coupant. ◆ m. tranchant, fil, coupant. || TECN. taillant.

tagliere [taʎ'ʎɛre] m. hachoir.

taglierina [taʎʎe'rina] f. TECN. massicot m., coupeuse.

taglio ['taʎʎo] (**-gli** pl.) m. coupe f. | *abito di buon taglio,* vêtement de bonne coupe. | *taglio di stoffa in svendita,* coupe d'étoffe en solde. || [soppressione] coupure f., retranchement. || FIG. *dare un taglio a una discussione,* trancher une discussion. || [intaglio] entaille f., coupure f. || [filo di lama] tranchant, coupant, fil. || [di pietre preziose] taille f. || LOC. *a doppio taglio,* PR. e FIG. à double tranchant. || [di libro] tranche f. || COSTR. *pietra da taglio,* pierre de taille. || FIN. *banconota di piccolo taglio, grosso taglio,* petite, grosse coupure. || GIOCHI [carte] coupe f. || MED. coupure f., entaille f. | *taglio cesareo,* césarienne f. || TECN. découpage, découpure f.

tagliola [taʎ'ʎɔla] f. traquenard m.

taglione [taʎ'ʎone] m. talion.

tagliuzzare [taʎʎut'tsare] v. tr. taillader. || [ridurre in piccole parti] coupailler.

talaltro [ta'laltro] pron. indef. m. sing. d'autres pl. | *taluno preferisce il mare, talaltro la montagna,* certains préfèrent la mer, d'autres la montagne. | *talvolta ..., talaltra,* parfois ..., parfois.

talamo ['talamo] m. LETT. couche (f.) nuptiale.

talare [ta'lare] agg. *abito, veste talare,* soutane f.

talco ['talko] m. talc.

tale ['tale] agg. tel, pareil. | *tali episodi non si devono ripetere,* des épisodes pareils ne doivent pas se répéter. | *tale il padre, tale il figlio,* tel père, tel fils. || [questo] ce. || IRON., FAM. *tale quale !,* textuel ! || [intensità] tel. | *a tal punto, a tal segno,* à tel point. || [conseguenza] *tale ... che, da,* tel ... que. || [rafforzativo] *e quel tal viaggio che dovevi fare ?,* et le voyage que tu devais faire ? ◆ agg. indef. tel. | *tal legge o talaltra,* telle ou telle loi. ◆ pron. indef. *il tal dei tali,* Un tel. | *vai da quel tale,* va chez cet homme.

talea [ta'lɛa] f. bouture.

1. talento [ta'lɛnto] m. [moneta] talent.

2. talento m. talent, capacité f., aptitude f., don.

talismano [taliz'mano] m. PR. e FIG. talisman.

tallonare [tallo'nare] v. tr. SP. e FIG. talonner. ◆ v. intr. MAR. talonner.

talloncino [tallon'tʃino] m. talon, coupon.

tallone [tal'lone] m. ANAT. talon. || FIN. étalon.

talmente [tal'mente] avv. tellement ; [davanti ad agg. e avv.] si. | *era talmente felice !,* il était si heureux ! || [consecutivo] *talmente ... da, che,* tellement ... que.

talora [ta'lora] avv. parfois, quelquefois.

talpa ['talpa] f. ZOOL. taupe.

taluno [ta'luno] pron. indef. quelqu'un, certains pl. ◆ agg. pl. certains, quelques.

talvolta [tal'vɔlta] avv. parfois, quelquefois. | *talvolta ..., talaltra,* parfois ..., parfois.
tamarindo [tama'rindo] m. [albero] tamarinier. || [frutto] tamarin.
tamarisco [tama'risko] (**-chi** pl.) m. tamaris.
tamburato [tambu'rato] agg. [falegnameria] en contreplaqué.
tamburеggiare [tambured'dʒare] v. intr. tambouriner. || MIL. crépiter.
tamburello [tambu'rɛllo] m. tambourin, tambour de basque. || [per ricamo] tambour.
tamburo [tam'buro] m. MUS. tambour. || [suonatore] tambour. || ARCHIT. tambour. || AUT. *freno a tamburo,* frein à tambour.
tamponamento [tampona'mento] m. bouchage, colmatage. || AUT. collision f. || MED., TR. tamponnement.
tamponare [tampo'nare] v. tr. PR. e FIG. boucher, colmater. || AUT. télescoper, tamponner. || MED. tamponner. ◆ v. rifl. se tamponner, se télescoper.
tampone [tam'pone] m. [in tutti i significati] tampon.
tana ['tana] f. tanière, repaire m. ; [di lepre] gîte m. ; [a galleria] terrier m. || FIG. nid m., repaire. || PER EST. taudis m.
tandem ['tandem] m. PR. e FIG. tandem.
tanfo ['tanfo] m. relent, mauvaise odeur.
1. tangente [tan'dʒɛnte] agg. GEOM. tangent. ◆ f. tangente.
2. tangente f. [quota] cote. || COMM. pourcentage m.
tanghero ['tangero] m. malotru, butor, lourdaud.
tangibile [tan'dʒibile] agg. PR. e FIG. tangible.
tango ['tango] (**-ghi** pl.) m. tango. ◆ agg. inv. [colore] tango.
tank [tæŋk] m. (ingl.) MIL. tank.
tannino [tan'nino] m. tan(n)in.
tantino [tan'tino] pron. indef. tout petit peu. | *un tantino di salsa,* un tantinet de sauce.
tanto ['tanto] agg. [molto : davanti ad agg. e avv.] très avv., fort avv., fortement avv., bien avv.. || [davanti a sostant.] beaucoup (avv.) de, bien (avv.) de | *non ha tanti soldi,* il n'a pas beaucoup d'argent. | *tante grazie,* merci beaucoup. || [intensità : davanti ad agg. e avv.] *tanto ... (da, che),* si ... que, tellement ... (que). | *era tanto buono !,* il était si bon ! || [davanti a sostant.] *tanto ... (da, che),* tant, tellement de ... (que). | *c'era tanta (di quella) gente !,* il y avait tant de monde ! || [in frasi negative] assez (avv.) ... pour. || [comp. : davanti ad agg. e avv.] aussi avv. ; [in frasi negative] si avv. | *tanto bella quanto cattiva,* aussi belle que méchante. || [davanti a sostant.] autant de ; [in frasi negative] tant de. || [altrettanto] *tanto (... tanto),* autant de (... autant de) loc. avv. ◆ avv. beaucoup. | *mi è costato tanto,* cela m'a coûté beaucoup. || [troppo] trop. | *non dargliene tanto !,* ne lui en donne pas trop ! || [intensità e in frase consecutiva] *tanto ... (da, che),* tellement, si ..., tant ... (que). | *morirono tutti, tanto lo scontro fu violento,* ils moururent tous tant la collision fut violente. | *fare tanto che,* faire tant et si bien que. || [in frasi negative] assez ... pour. | *non è nevicato tanto da poter sciare,* il n'a pas assez neigé pour qu'on puisse skier. || [comp.] *tanto ... quanto,* autant ... que ; [in frasi negative] tant ... que. || *tanto più ..., quanto,* d'autant plus ... que. || *quanto più ..., tanto più,* plus ..., plus ... | *quanto più osservi, tanto più impari,* plus tu observes, plus tu apprends. || [coord.] *tanto di giorno quanto di notte,* tant de jour que de nuit. || LOC. *tanto meglio, tanto peggio per te,* tant mieux, tant pis pour toi. | *tanto più che,* d'autant plus que. | *tanto per ridere,* histoire de rire. | *ogni tanto,* de temps en temps. | *tanto vale partire subito,* autant partir tout de suite. | *una volta tanto,* pour une fois. ◆ pron. beaucoup, tant. | *avrà cinquant'anni, a dire tanto,* il peut avoir cinquante ans tout au plus. || FAM. *gliene ho dette tante !* je lui ai dit ses quatre vérités. || [tante persone] beaucoup (de gens). | *tanti non lo riconoscono più,* beaucoup ne le reconnaissent plus. ◆ m. *sono pagato un tanto alla settimana,* je suis payé (à) tant par semaine. | *un tanto per cento,* tant pour cent.
tapioca [ta'pjɔka] f. tapioca m.
tappa ['tappa] f. halte. || [luogo] halte, étape. || [percorso] étape, traite. | *in tre tappe,* en trois étapes. || FIG. étape. | *bruciare le tappe,* brûler les étapes.
tappare [tap'pare] v. tr. boucher, obturer. || FIG., FAM. *tappare la bocca a qlcu.,* fermer la bouche à qn. ◆ v. rifl. se boucher, s'obstruer. || FIG. se boucher, se calfeutrer, se cloîtrer.
tapparella [tappa'rɛlla] f. ARCHIT. jalousie, persienne.
tappeto [tap'peto] m. PR. e FIG. tapis. || MIL. *bombardamento a tappeto,* pilonnage.
tappezzare [tappet'tsare] v. tr. PR. e FIG. tapisser.
tappezzeria [tappettse'ria] f. tapisserie.
tappo ['tappo] m. bouchon.
tara ['tara] f. COMM., MED. tare.

tarare [ta'rare] v. tr. COMM. tarer. || FIS. étalonner, graduer.
tarchiato [tar'kjato] agg. [persona] râblé, trapu, ramassé.
tardare [tar'dare] v. intr. tarder. | *non tardare !,* ne tarde pas ! | *ho tardato per causa sua,* je me suis mis en retard à cause de lui. ◆ v. tr. retarder.
tardi ['tardi] avv. tard. | *non fare tardi,* [ritornare a casa] ne rentre pas tard ; [andare a letto] ne te couche pas tard ; [a un appuntamento] ne sois pas en retard. ◆ m. *sul tardi,* tard dans l'après-midi. | *al più tardi,* au plus tard.
tardivo [tar'divo] agg. tardif. || FIG. [ritardato] retardé.
tardo ['tardo] agg. *nel tardo pomeriggio,* tard dans l'après-midi. || [più avanzato nel tempo] bas. | *tardo impero,* bas empire. || [tardivo] tardif. || FIG. retardé. | *è tardo nell' imparare,* il est lent à apprendre.
targa ['targa] (**-ghe** pl.) f. plaque. || AUT. plaque d'immatriculation.
tariffa [ta'riffa] f. tarif m.
tarlarsi [tar'larsi] v. rifl. se vermouler.
tarlo ['tarlo] m. ZOOL. ver rongeur. || FIG. *roso dal tarlo di,* rongé par.
tarma ['tarma] f. ZOOL. mite.
tarmarsi [tar'marsi] v. rifl. se miter.
tarmicida [tarmi'tʃida] (**-i** pl.) m. e agg. antimite.
tarocco [ta'rɔkko] (**-chi** pl.) m. GIOCHI tarot.
tartagliare [tartaʎ'ʎare] v. intr. bégayer, bafouiller (fam.). ◆ v. tr. bredouiller, marmonner.
1. tartaro ['tartaro] agg. CULIN. *salsa tartara,* sauce tartare.
2. tartaro m. tartre.
tartaruga [tarta'ruga] (**-ghe** pl.) f. ZOOL. e FIG. tortue. || [materiale] écaille.
tartassare [tartas'sare] v. tr. FAM. harceler, malmener.
tartufo [tar'tufo] m. BOT. truffe f. || FIG. tartuf(f)e.
tasca ['taska] (**-che** pl.) f. poche. | *rimettere in tasca,* rempocher. || LOC. *pagare di tasca (propria),* payer de sa poche. || FAM. *ne ho piene le tasche !,* j'en ai plein le dos ! || ANAT., CULIN., ZOOL. poche.
tascabile [tas'kabile] agg. *(libro) tascabile,* livre de poche.
tascapane [taska'pane] m. inv. musette f.
taschino [tas'kino] m. [di gilet] gousset. || [di giacca] poche f.
tassa ['tassa] f. FIN. taxe, droit m. | *tassa d'iscrizione,* droit d'inscription. | *tassa di soggiorno,* taxe de séjour. || [imposta] impôt m., contribution. | *pagare le tasse,* payer ses impôts.
tassabile [tas'sabile] agg. FIN. imposable.
tassametro [tas'sametro] m. taximètre. | *tassametro di parcheggio,* parc(o)mètre.
tassare [tas'sare] v. tr. FIN. taxer, imposer ; frapper d'impôts.
tassativamente [tassativa'mente] avv. formellement.
tassativo [tassa'tivo] agg. péremptoire.
tassello [tas'sɛllo] m. TECN. tampon ; [di pietra o legno] goujon.
tassì [tas'si] m. inv. TAXI.
tassista [tas'sista] (**-i** pl. m.) n. chauffeur de taxi.
1. tasso ['tasso] m. BOT. if.
2. tasso m. ZOOL. blaireau.
3. tasso m. taux. | *tasso di sconto,* taux d'escompte. | *tasso di natalità,* taux de natalité.
tastare [tas'tare] v. tr. tâter, palper. || FIG. *tastare il terreno,* tâter le terrain. || [assaggiare] tâter (de), goûter. | *tastare un vino,* tâter d'un vin. ◆ v. rifl. PR. e FIG. se tâter.
tastiera [tas'tjera] f. MUS. clavier m. || [di violino] touche. || [di macchina da scrivere] clavier.
tasto ['tasto] m. touche f. || FIG. *è un tasto delicato,* c'est un sujet délicat. || TV bouton. || [tatto] toucher. | *morbido al tasto,* souple au toucher. || [prelievo di materiale] échantillon.
tastoni (a) [atas'toni] loc. avv. à tâtons. | *andare a tastoni,* tâtonner.
tattica ['tattika] (**-che** pl.) f. PR. e FIG. tactique. || FAM. [diplomazia] doigté m., diplomatie.
tattile ['tattile] agg. tactile.
tatto ['tatto] m. toucher. || FIG. tact, doigté.
tatuaggio [tatu'addʒo] (**-gi** pl.) m. tatouage.
tatuare [tatu'are] v. tr. tatouer.
taumaturgo [tauma'turgo] (**-gi** pl.) m. thaumaturge.
tauromachia [tauroma'kia] f. tauromachie.
taverna [ta'vɛrna] f. taverne, cabaret m.
tavola ['tavola] f. table. | *apparecchiare, sparecchiare la tavola,* mettre la table, desservir (la table). | *a capo tavola,* au haut bout de la table. || [riunione] *tavola rotonda,* table ronde. || LOC. *fare tavola rasa,* faire table rase. || [cibo] table, chère. | *gli piace la buona tavola,* il aime la bonne chère. || [pezzo di legno piatto] planche. || FIG. *tavola di salvezza,* planche de salut. || [tabella] table, tableau m., panneau m. | *tavola pitagorica,* table de multiplication, de Pythagore. || [pagina di libro illustrata] planche. | *tavole fuori testo,* planches en hors texte. || CHIR. *tavola opera-*

toria, table d'opération. || MUS. *tavola armonica,* table d'harmonie. || REL. *Tavole della Legge,* Tables de la Loi.
tavolata [tavo'lata] f. tablée.
tavolato [tavo'lato] m. plancher. || [tramezzo] cloison f. || GEOL. plateau.
tavoletta [tavo'letta] f. tablette, planchette ; étagère. || PER EST. *tavoletta di cioccolato,* tablette de chocolat.
tavolino [tavo'lino] m. table f. | *tavolino da caffè,* table de café. | *mettersi a tavolino,* s'asseoir à sa table de travail.
tavolo ['tavolo] m. [in tutti gli usi] table f.
tavolozza [tavo'lɔttsa] f. palette.
taxi ['taksi] m. inv. taxi.
tazza ['tattsa] f. tasse. | *tazza da caffè,* tasse à café. || [vaso di latrina] cuvette de cabinet. || ARCHIT. [vasca] bassin m.
te [te] pron. pers. 2ª pers. sing. [preceduto da prep. ; non dipendente da v.] toi. | *si parla di te,* on parle de toi. | *se fossi (in) te,* si j'étais toi. || [a te] te. | *parli a te stesso ?,* est-ce que tu te parles à toi-même ? || [ogg.] *voglio te,* c'est toi que je veux. || [da solo] tout seul. | *fallo da te,* fais-le tout seul. || [forma atona] te. | *te l'ho portato,* je te l'ai apporté. | *vattene !,* va-t'en !
tè [te] m. théier. || [riunione] *tè danzante,* thé dansant.
teak [tiak] m. (ingl.) [albero e legno] te(c)k.
teatro [te'atro] m. PR. e FIG. théâtre. || [pubblico] salle f. || CIN. *teatro di posa,* studio.
teca ['tɛka] (**-che** pl.) f. [astuccio] étui m. || REL. custode.
tecnica ['tɛknika] (**-che** pl.) f. technique.
tecnico ['tɛkniko] (**-ci** pl. m.) agg. technique. ◆ m. technicien.
tecnologia [teknolo'dʒia] f. technologie.
teco ['teko] pron. pers. 2ª pers. sing. avec toi.
teda ['tɛda] f. flambeau m.
tedesco [te'desko] (**-chi** pl. m.) agg. e m. allemand.
tediare [te'djare] v. tr. ennuyer, lasser.
tedio ['tɛdjo] m. ennui, lassitude f.
tegame [te'game] m. poêle f., poêlon, plat creux.
teglia ['teʎʎa] f. tourtière, moule (m.) à tarte.
tegola ['tegola] f. tuile.
teiera [te'jɛra] f. théière.
tela ['tela] f. TESS. toile. | *tela (in)cerata,* toile cirée. | *tela carta,* papier-toile m. || PER EST. *tela di ragno,* toile d'araignée. || [sipario] rideau m. || FIG. trame. || ARTI toile, tableau m.
telaio [te'lajo] (**-ai** pl.) m. métier (à tisser). || [di porta, finestra] châssis, croisée f. || [di quadro] châssis. || [di bicicletta] cadre. || AUT. châssis.
telecabina [teleka'bina] f. télébenne, télécabine.
telecamera [tele'kamera] f. caméra de télévision.
telecomandare [telekoman'dare] v. tr. télécommander.
telecomunicazione [telekomunikat'tsjone] f. télécommunication.
telecronaca [tele'krɔnaka] (**-che** pl.) f. téléreportage m.
telecronista [telekro'nista] (**-i** pl. m.) m. reporter (ingl.) de la télévision.
teleferica [tele'fɛrika] (**-che** pl.) f. téléphérique m.
telefilm [tele'film] m. téléfilm.
telefonare [telefo'nare] v. tr. e intr. téléphoner. ◆ v. rifl. recipr. se téléphoner.
telefonata [telefo'nata] f. coup (m.) de téléphone. | *dammi, fammi una telefonata,* donne-moi, passe-moi un coup de fil (fam.). || [chiamata] appel (m.) téléphonique. || [conversazione] *costo della telefonata,* prix de la communication.
telefonico [tele'fɔnico] agg. téléphonique.
telefono [te'lɛfono] m. téléphone. || [apparecchio] *il telefono è guasto,* l'appareil est en dérangement.
telegiornale [teledʒor'nale] m. journal télévisé.
telegrafare [telegra'fare] v. tr. e intr. télégraphier. || [per cavo sottomarino] câbler.
telegraficamente [telegrafika'mente] avv. télégraphiquement, par dépêche.
telegrafo [te'lɛgrafo] m. [dispositivo e ufficio] télégraphe.
telegramma [tele'gramma] (**-i** pl.) m. télégramme, dépêche f. || [per cavo sottomarino] câble.
teleguidare [telegwi'dare] v. tr. téléguider.
teleobbiettivo [teleobbjet'tivo] m. téléobjectif.
telepatia [telepa'tia] f. télépathie.
teleria [tele'ria] f. toilerie.
telericevente [teleritʃe'vɛnte] agg. RAD., TV de réception. ◆ f. poste (m.) de réception.
teleschermo [teles'kermo] m. (petit) écran.
telescopio [teles'kɔpjo] m. télescope.
telescrivente [teleskri'vɛnte] f. téléscripteur m., télétype m.
telestesia [teleste'zia] f. télesthésie.
teletrasmettere [teletraz'mettere] v. tr. téléviser, émettre.
teletrasmittente [teletrazmit'tɛnte] agg. d'émission. ◆ f. station émettrice.
televisione [televi'zjone] f. télévision. || FAM. [apparecchio] télé.
televisore [televi'zore] m. téléviseur.

tellurico [tel'luriko] (**-ci** pl.) agg. tellurique, tellurien.

telo ['telo] m. MODA lé. | *gonna a sei teli,* jupe à six lés. || [pezzo di tela] toile f. | *telo da tenda,* toile de tente. || [di copertura] bâche f.

telone [te'lone] m. bâche f. || [sipario] rideau.

tema ['tɛma] (**-i** pl.) m. thème, sujet. || UNIV. [compito] devoir, composition (française) ; [a livello elementare] rédaction f. ; [a livello superiore] dissertation f.

tematica [te'matika] f. thématique.

temerario [teme'rarjo] agg. téméraire.

temere [te'mere] v. tr. craindre, redouter, appréhender. | *non temere di fare qlco.,* ne pas se gêner pour faire qch. | *temo che abbia ragione,* je crains qu'il n'ait raison. ◆ v. intr. craindre, avoir peur. | *non temere, ti aiuterà,* ne crains rien, il va t'aider. || [dubitare] douter.

temibile [te'mibile] agg. redoutable.

tempaccio [tem'pattʃo] m. FAM. sale temps, fichu temps.

tempera ['tɛmpera] f. ARTI détrempe.

temperalapis [tempera'lapis] o **temperamatite** [temperama'tite] m. inv. taille-crayon(s).

temperamento [tempera'mento] m. caractère, tempérament, naturel, nature f. || [originalità] tempérament, caractère. | *è un uomo pieno di temperamento,* c'est un tempérament. || FIG. adoucissement. || MUS. tempérament.

temperanza [tempe'rantsa] f. tempérance. || PER EST. modération, mesure.

temperare [tempe'rare] v. tr. modérer, adoucir, affaiblir. | *temperare le proprie esigenze,* mettre de l'eau dans son vin (fam.). || [affilare una punta] tailler. || [di vino] couper. || ARTI détremper. || FIS. tremper. || MUS. accorder. ◆ v. rifl. se tempérer, se modérer.

temperatura [tempera'tura] f. température.

temperino [tempe'rino] m. canif.

tempesta [tem'pɛsta] f. tempête, orage m. | *mare, cielo in tempesta,* mer orageuse, ciel orageux. || FIG. bouillonnement m., tumulte m. || LOC. *c'è aria di tempesta,* il y a de l'orage dans l'air.

tempestare [tempes'tare] v. intr. impers. FIG. s'agiter. | *tempestare contro,* tempêter contre. ◆ v. tr. (di) harceler (de), accabler (de), cribler (de).

tempestato [tempes'tato] agg. accablé, harcelé, criblé. | *tempestato dalle domande,* harcelé de questions. || [ornato] *tempestato di diamanti, di lustrini,* diamanté, pailleté.

tempestivamente [tempestiva'mente] avv. en temps utile, au moment opportun.

tempestoso [tempes'toso] agg. orageux. || FIG. orageux, houleux.

tempia ['tɛmpja] f. ANAT. tempe.

tempio ['tɛmpjo] (**-i** o **templi** pl.) m. temple.

tempismo [tem'pizmo] m. *agire con tempismo,* agir au bon moment, au moment opportun.

tempo ['tɛmpo] m. [durata] temps. | *il tempo stringe,* le temps presse. | *ingannare, ammazzare il tempo,* tuer le temps. | *dar tempo al tempo,* laisser le temps faire son œuvre. | *il tempo non mi passa mai,* je trouve le temps long. || [tempo libero o sufficiente] loisir. | *non avrà il tempo di capirlo,* il n'aura pas le loisir de le comprendre. || SP. [parte di gara] mi-temps f. || LOC. *ad un tempo,* à la fois, en même temps. | *molto tempo fa,* il y a longtemps. | *con l'andar del tempo,* à la longue. || MUS. temps, mesure f ; [ritmo] cadence f. ; [movimento] tempo (it.). || TECN. temps. | *motore a due tempi,* (moteur à) deux temps. || [epoca] temps, époque f. | *in, a quei tempi,* à cette époque(-là). | *ai miei tempi,* de mon temps. | *un tempo,* jadis. || [momento preciso] temps, moment. | *in tempo,* en temps voulu, à temps. | *i tempi non sono maturi,* le temps n'est pas encore venu. || METEOR. temps. || LOC. *fare il bello e il brutto tempo,* faire la pluie et le beau temps. || GR. temps.

1. temporale [tempo'rale] agg. FILOS., GR., REL. temporel.

2. temporale agg. ANAT. temporal.

3. temporale m. orage.

temporaneo [tempo'raneo] agg. temporaire.

temporeggiare [tempored'dʒare] v. intr. temporiser. ◆ m. temporisation f.

tempra ['tɛmpra] f. PR. e FIG. trempe. || [di voce] timbre m. || [filo] aiguisage m.

temprare [tem'prare] v. tr. PR. e FIG. tremper. | *temprare l'acciaio,* tremper l'acier. ◆ v. medio intr. se fortifier, s'endurcir.

tenace [te'natʃe] agg. PR. e FIG. tenace.

tenacia [te'natʃa] f. ténacité, acharnement m.

tenaglie [te'naʎʎe] f. pl. tenailles. || ZOOL. pinces f. pl.

tenda ['tɛnda] f. [da finestra] rideau m. || [da negozio] banne, store m. || [camping] tente. || MED. *tenda a ossigeno,* tente à oxygène. || LOC. *levar le tende,* plier bagage, décamper.

tendaggio [ten'daddʒo] m. tenture f.

tendenza [ten'dɛntsa] f. tendance. || FIG. tendance, inclination.
tendenzialmente [tendentsjal'mente] avv. fondamentalement.
tendenzioso [tenden'tsjoso] agg. tendancieux.
tendere ['tɛndere] v. tr. tendre. | *tendere la mano,* PR. tendre la main ; FIG. tendre la perche. || [caccia] *tendere lacci,* colleter v. intr. || [pesca] *tendere le reti,* tendre les filets. ◆ v. intr. tendre (à, vers), viser (à). | *tendere alla perfezione,* tendre à la perfection. || [colori] tirer sur. | *tendere al giallo,* tirer sur le jaune. || [modificarsi] tendre à. | *il barometro tende al bello,* le baromètre tend au beau. || [aver tendenza] avoir tendance (à). || POL. *tendere a sinistra,* être à gauche. ◆ v. rifl. se tendre. || [distendersi] s'allonger. || [irritarsi] s'irriter.
tendina [ten'dina] f. rideau m.
tendine ['tɛndine] m. tendon.
tendone [ten'done] m. banne f., bâche f. || PER EST. chapiteau (de cirque).
tendopoli [ten'dɔpoli] f. inv. NEOL. village (m.) de toile.
tenebre ['tɛnebre] f. pl. PR. e FIG. ténèbres.
tenebroso [tene'broso] agg. PR. e FIG. ténébreux.
tenente [te'nɛnte] m. MAR., MIL. lieutenant.
teneramente [tenera'mente] avv. tendrement, affectueusement.
tenere [te'nere] v. tr. tenir. | *tienimi questo un momento,* tiens-moi ça un instant. || MAR. *tenere il mare,* tenir la mer. || [mantenere] garder, tenir. | *tenere il cappello,* garder son chapeau. | *tenere fede alla parola data,* tenir sa parole. | *tenere una cosa nascosta, segreta,* cacher qch. | *tenere le distanze,* garder ses distances. || MUS. *tenere una nota,* tenir une note. || [essere padrone di] tenir. | *macchina che tiene la strada,* voiture qui tient la route. | *tenere testa a,* tenir tête à. || FIG. *tenere il proprio rango,* tenir son rang. || [gestire] tenir. | *tenere la cassa,* tenir la caisse. || LOC. *tenere conto di,* tenir compte de, faire état de. | *tenere in serbo,* garder. | *tenere insieme,* (ré)unir. || [fare] *tenere una conferenza,* faire une conférence. || [reputare] considérer (comme), tenir (pour), juger. ◆ v. intr. [cose : essere solido] tenir. | *questo nodo tiene,* ce nœud tient. || FIG., FAM. *non c'è scusa che tenga,* il n'y a pas de raison qui tienne. || [persone : resistere] *tenere duro, saldo,* tenir bon, ferme. || [importare] tenir à. | *non ci tengo,* je n'y tiens pas. ◆ v. medio intr. [stare] *tenersi in disparte,* rester, se tenir à l'écart. | *tenersi pronto,* se tenir prêt. ◆ v. rifl. [appoggiarsi] se tenir. || FIG. *tenersi onorato per qlco.,* être honoré de qch. ◆ v. recipr. *tenersi per mano,* se tenir par la main.
tenerezza [tene'rettsa] f. tendreté. || FIG. tendresse.
tenero ['tɛnero] agg. tendre, mou. | *carne tenera,* viande tendre. || PER EST. *verde tenero,* vert tendre. | *tenera età,* jeune âge. || FIG. tendre, affectueux. ◆ m. FAM. *c'è del tenero tra quei due,* il y a du tendre entre ces deux-là.
tennis ['tɛnnis] m. inv. tennis.
tenore [te'nore] m. teneur f. || GIUR. *a tenore di,* aux termes de. || [livello di vita] *tenore di vita,* train, niveau de vie. || MUS. ténor.
tensione [ten'sjone] f. PR. e FIG. tension. | *tensione di una corda,* raideur d'une corde. | *tensione internazionale,* tension internationale. || ELETTR., FIS., MED. tension. | *avere la tensione alta,* avoir de la tension.
tentacolare [tentako'lare] agg. ZOOL. e FIG. tentaculaire.
tentacolo [ten'takolo] m. ZOOL. e FIG. tentacule.
tentare [ten'tare] v. tr. tenter, essayer. | *le ha tentate tutte,* il a tout essayé. || [indurre in tentazione] tenter, éprouver. || [allettare] tenter, séduire, allécher. || FAM. *tentare di,* tenter (de), essayer (de), chercher (à).
tentativo [tenta'tivo] m. tentative f., essai, démarche f.
tentato [ten'tato] agg. GIUR. *tentato furto, tentato omicidio,* tentative (f.) de vol, de meurtre.
tentazione [tentat'tsjone] f. tentation. || FIG. tentation, désir m., envie.
tentennamento [tentenna'mento] m. hésitation f.
tentennare [tenten'nare] v. intr. branler, osciller, vaciller. || FIG. hésiter. | *senza tentennare,* sans hésitation.
tentone [ten'tone] o **tentoni** [ten'toni] avv. à tâtons.
tenue ['tɛnue] agg. mince, fin, ténu. || FIG. mince, faible, frêle.
tenuta [te'nuta] f. étanchéité. || [capacità] capacité. || [modo di tenere] *tenuta dei libri,* tenue des livres. || [di macchina] *tenuta di strada,* tenue de route. || [abbigliamento] tenue. || [proprietà] propriété, domaine m. || [resistenza] tenue.
tenutario [tenu'tarjo] (**-a** f.) n. tenancier.
tenuto [te'nuto] agg. tenu (à, de), obligé (à, de). || [conservato] tenu, conservé. || AGR. *campo tenuto a,* champ planté de.
teologia [teolo'dʒia] f. théologie.
teologo [te'ɔlogo] m. théologien.

teorema [teo'rɛma] (**-i** pl.) m. MAT. théorème.
teoretica [teo'rɛtika] f. théorétique.
1. teoria [teo'ria] f. théorie. | *in teoria,* en théorie.
2. teoria f. [sfilata] théorie.
teorico [te'ɔriko] (**-ci** pl.) agg. théorique. ◆ n. théoricien.
teosofia [teozo'fia] f. théosophie.
tepido ['tɛpido] agg. = TIEPIDO.
tepore [te'pore] m. tiédeur f.
teppa ['teppa] o **teppaglia** [tep'paλλa] f. pègre, racaille.
teppista [tep'pista] (**-i** pl.) m. voyou, truand.
terapeutico [tera'pɛutiko] (**-ci** pl.) agg. thérapeutique.
terapia [tera'pia] f. thérapie, thérapeutique.
terebentina [tereben'tina] f. térébenthine.
tergere ['tɛrdʒere] v. tr. LETT. essuyer, éponger (L.C.).
tergicristallo [terdʒikris'tallo] m. AUT. essuie-glace.
tergiversare [terdʒiver'sare] v. intr. tergiverser, louvoyer.
tergo ['tɛrgo] (**-ghi** pl.) m. verso (lat.). | *a tergo,* au verso. || [di medaglia] revers.
terital ['tɛrital] m. TESS. Tergal.
termale [ter'male] agg. thermal. | *città termale,* ville d'eaux.
terme ['tɛrme] f. pl. thermes m. pl.
termico ['tɛrmiko] (**-ci** pl.) agg. thermique.
terminale [termi'nale] agg. terminal. ◆ m. ELETTR. borne f.
terminare [termi'nare] v. tr. terminer, achever, finir ; mener à terme. ◆ v. intr. finir, s'achever, se terminer. | *terminare con,* finir, s'achever, se terminer par.
termine ['tɛrmine] m. fin f., limite f., terme, bout. | *por termine a,* mettre fin à, mettre un terme à. | *al termine della strada,* au bout de la route. | *condurre a termine qlco.,* mener à terme qch., achever qch. || [tempo accertato] terme, délai. | *entro i termini prescritti,* dans les délais. || COMM. délai, terme, échéance f. | *rispettare i termini,* respecter les échéances. || FIN. terme. || GIUR. terme. || [confine] borne f. || [parola] terme. | *in altri termini,* en d'autres termes, autrement dit. | *a' termini di, della legge,* aux termes de la loi. | *senza mezzi termini,* sans demi-mesures. | *moderare i termini,* modérer son langage. || PER EST. *essere in buoni termini con qlcu.,* être en bons termes avec qn. || FIG. *termine di paragone,* pierre (f.) de touche.
terminologia [terminolo'dʒia] f. terminologie.
termitaio [termi'tajo] m. termitière f.
termite ['tɛrmite] f. termite m.
termogeno [ter'mɔdʒeno] agg. thermogène.
termometro [ter'mɔmetro] m. PR. e FIG. thermomètre.
termonucleare [termonukle'are] agg. FIS. thermonucléaire.
termos ['tɛrmos] m. inv. Thermos m. o f.
termosifone [termosi'fone] m. TECN. thermosiphon. || PER EST. radiateur (de chauffage central), calorifère.
termostato [ter'mɔstato] m. thermostat.
terna ['tɛrna] f. groupe (m.) de trois (éléments). || ELETTR. terne m.
ternario [ter'narjo] agg. ternaire.
terno ['tɛrno] m. GIOCHI terne. || FIG. *ha vinto un terno al lotto,* il a gagné le gros lot.
terra ['tɛrra] f. terre. || [suolo] sol m., terre. | *sulla (nuda) terra,* à même le sol. | *terra battuta,* terre battue. || PER EST. *la terra natale,* le pays, le sol natal. || GEOGR., REL. Terre. || LOC. *storie che non stanno né in cielo né in terra,* histoires qui ne tiennent pas debout. || AUT. *avere una gomma a terra,* avoir un pneu à plat. || FIS. masse, terre. || MIL. *forze di terra,* forces terrestres. || [humus] sol m., terre, terrain m., humus m. || [proprietà] terre, terrain, domaine m., propriété. || [materia prima] terre. | *terra da porcellana,* terre à porcelaine. || [colorante] terre.
terracotta [terra'kɔtta] f. terre cuite. || PER EST. [manufatto] poterie.
terraferma [terra'ferma] f. GEOGR. terre ferme.
terraglia [ter'raλλa] f. poterie vernissée. ◆ pl. vaisselle f. sing.
terranova [terra'nɔva] m. inv. [cane] terre-neuve.
terrapieno [terra'pjɛno] m. terre-plein.
terrazza [ter'rattsa] f. terrasse. || AGR. *disposizione a terrazze,* étagement m. ; culture en terrasses. || GEOL. terrasse.
terrazziere [terrat'tsjere] m. terrassier.
terrazzino [terrat'tsino] m. balcon.
terrazzo [ter'rattso] m. terrasse f. || [terrazzino] balcon.
terremotato [terremo'tato] agg. dévasté par un tremblement de terre. ◆ n. victime (f.) d'un tremblement de terre.
terremoto [terre'mɔto] m. tremblement de terre.
1. terreno [ter'reno] agg. terrestre. || LOC. *piano terreno,* rez-de-chaussée m.
2. terreno [ter'reno] m. sol, terrain. | *terreno calcareo,* sol calcaire. || [pezzo di terra] terrain, terre f. | *vendere un*

(pezzo di) terreno, vendre une (pièce de) terre. || PR. e FIG. *studiare, sondare, tastare il terreno,* reconnaître, sonder, tâter le terrain. || BIOL., GEOGR., GEOL. terrain.

terreo ['tɛrreo] agg. terreux. | *farsi terreo,* devenir blême.

terribile [ter'ribile] agg. terrible, effrayant. || [eccezionale] formidable.

terriccio [ter'rittʃo] m. terreau.

terriero [ter'rjɛro] agg. *proprietario terriero,* propriétaire terrien.

terrificante [terrifi'kante] agg. terrifiant, horrifiant.

terrina [ter'rina] f. terrine.

territoriale [territo'rjale] agg. territorial.

territorio [terri'tɔrjo] m. territoire.

terrore [ter'rore] m. terreur f., épouvante f., effroi, horreur f.

terrorismo [terro'rizmo] m. terrorisme.

terrorizzare [terrorid'dzare] v. tr. terroriser, terrifier.

terroso [ter'roso] agg. terreux.

terso ['tɛrso] agg. limpide, transparent, clair. | *cielo terso,* ciel pur.

terza ['tɛrtsa] f. troisième. || GIOCHI, MUS., REL., SP. tierce.

terzana [ter'tsana] agg. e f. MED. *(febbre) terzana,* fièvre tierce.

terzetto [ter'tsetto] m. MUS. e FIG. trio. || POES. tercet.

terziario [ter'tsjarjo] agg. ECON., GEOL., MED. tertiaire. ◆ n. REL. tertiaire.

terzina [ter'tsina] f. POES. tercet m. || MUS. triolet m.

terzino [ter'tsino] m. SP. [calcio] arrière.

terzo ['tɛrtso] agg. num. ord. [in una serie] troisième, tiers (lett.). | *terzo centenario,* tricentenaire m. | *una terza persona,* une tierce personne. | *come terzo amico, socio,* en tiers. | *in terzo luogo,* tertio avv. (lat.), troisièmement avv. || [papi e sovrani ; libro, atto] trois. ◆ pron. troisième. ◆ m. tiers. | *sentire il parere di un terzo,* écouter l'avis d'un tiers, d'une tierce personne. || [frazione] tiers. | *per due terzi,* aux deux tiers. ◆ avv. tertio, troisièmement.

terzogenito [tertso'dʒɛnito] agg. né le troisième. ◆ n. troisième.

terzultimo [ter'tsultimo] agg. troisième avant le dernier. || GR. antépénultième.

tesa ['tesa] f. [reti] tendue. || [di cappello] bord m. || [misura] toise.

tesaurizzare [tezaurid'dzare] v. tr. e intr. thésauriser.

teschio ['tɛskjo] m. tête (f.) de mort. || ANAT. crâne (de squelette).

tesi ['tɛzi] f. thèse.

teso ['teso] agg. PR. e FIG. tendu.

tesoreria [tezore'ria] f. trésorerie. | *disavanzo, deficit di tesoreria,* déficit de trésorerie.

tesoro [te'zɔro] m. PR. e FIG. trésor. || FAM. [termine affettuoso] *tesoro mio,* mon trésor, mon (petit) chou. || LOC. *far tesoro di qlco.,* faire son profit de qch.

tessera ['tɛssera] f. carte. | *formato tessera,* format carte d'identité.

tesseramento [tessera'mento] m. inscription f. || [razionamento] rationnement.

tesserare [tesse'rare] v. tr. inscrire. || [razionare] rationner. ◆ v. rifl. s'inscrire.

tesserato [tesse'rato] m. [di un partito] membre.

tessere ['tɛssere] v. tr. PR. e FIG. tisser. || [di ragno] filer.

tessile ['tɛssile] agg. e m. textile.

tessitore [tessi'tore] (**-trice** f. ; **-tora** f. pop.) n. tisseur, euse ; [su telaio a mano] tisserand. || ZOOL. tisserin.

tessitura [tessi'tura] f. tissage m. || [risultato] tissu m. || FIG. structure, texture, contexture. || MUS. tessiture.

tessuto [tes'suto] m. TESS. tissu, étoffe f.

testa ['tɛsta] f. tête. | *dalla testa ai piedi,* de la tête aux pieds, de pied en cap. || FIG. *colpo di testa,* coup de tête. || LOC. *tagliare la testa al toro,* trancher une question. | *rompersi la testa,* se creuser le cerveau, la tête. | *giocare, fare a testa e croce,* jouer à pile ou face. || [misura] *essere più alto di una testa,* dépasser d'une tête. || [sede del raziocinio] tête, cerveau m., cervelle (fam.). | *ha poca testa,* il n'a pas de tête. | *testa matta,* cerveau brûlé. || [sede degli stati psichici] tête, cerveau. | *testa dura,* tête dure, tête de mule. | *far di testa propria,* n'en faire qu'à sa tête. | *dare alla testa,* entêter, étourdir. || [persona] *testa coronata,* tête couronnée. || [unità] *tanto a testa,* tant par tête. || ANAT. *testa del femore,* tête du fémur. || AUT. [di cilindro] tête. | *il motore batte in testa,* le moteur cogne. || GIOCHI [biliardo] *colpire di testa,* masser v. tr. || [parte anteriore] *testa di treno, di corteo,* tête de train, de cortège. || MIL. tête. | *testa di ponte, di sbarco,* tête de pont. || PER EST. *essere alla testa di un'azienda,* être à la tête d'une entreprise.

testamento [testa'mento] m. testament.

testardaggine [testar'daddʒine] f. entêtement m., opiniâtreté.

testardo [tes'tardo] agg. e n. entêté, têtu.

testare [tes'tare] v. intr. GIUR. tester.

testata [tes'tata] f. coup (m.) de tête. || [parte del letto] tête de lit. || ARCHIT.

testata di ponte, culée. || AUT. culasse. || AV. nez m. || MAR. [di diga] musoir m. || MIL. *testata di missile,* tête, ogive de missile. || TIP. en-tête m.

teste ['tɛste] n. GIUR. témoin m.

testicolo [tes'tikolo] m. testicule.

testimone [testi'mɔne] n. témoin m. | *fare da testimone,* servir de témoin.

testimonianza [testimo'njantsa] f. GIUR. témoignage m., déposition. | *falsa testimonianza,* faux témoignage. || [prova] preuve, gage m. | *come testimonianza di,* en témoignage de.

testimoniare [testimo'njare] v. tr. GIUR. *testimoniare che,* témoigner que. || ASSOL. témoigner, déposer. ◆ v. tr. e intr. témoigner (de).

testimonio [testi'mɔnjo] m. = TESTIMONE.

testina [tes'tina] f. jolie petite tête. || [di modista] marotte, tête. || TECN. tête.

testo ['tɛsto] m. texte. || UNIV. *testi scolastici, libri di testo,* manuels scolaires. || LOC. *far testo,* faire autorité.

testuale [testu'ale] agg. textuel.

testuggine [tes'tuddʒine] f. tortue.

tetanico [te'taniko] (**-ci** pl.) agg. tétanique.

tetano ['tɛtano] m. MED. tétanos.

tetraggine [te'traddʒine] f. obscurité. || FIG. tristesse.

tetragono [te'tragono] agg. GEOM. quadrangulaire. || FIG. inébranlable. ◆ m. GEOM. quadrangle.

tetro ['tɛtro] agg. sombre. || FIG. sombre, morne, chagrin, maussade, morose.

tetta ['tetta] f. FAM. téton m.

tettarella [tetta'rɛlla] f. tétine.

tetto ['tetto] m. PR. e FIG. toit. | *i senza tetto,* les sans-logis. || COSTR. toiture f.

tettoia [tet'toja] f. hangar m. ; [appoggiata a un muro] appentis m. ; [sopra una porta] marquise, auvent m. || TR. halle.

tettonico [tet'tɔniko] (**-ci** pl.) agg. tectonique.

teutonico [teu'tɔniko] (**-ci** pl.) agg. STOR. e PEGG. teuton, teutonique.

the [tɛ] m. = TÈ.

ti [ti] pron. pers. compl. 2ª pers. m. e f. sing. te (prima del v.). | *ti ci porto,* je t'y amène. | *eccoti,* te voilà. || [imper. affermativo] toi. | *lavati !,* lave-toi ! || [uso pleonastico] *ti fumi una sigaretta,* tu fumes une cigarette.

tiara ['tjara] f. tiare.

tibia ['tibja] f. ANAT. tibia m.

tic [tik] onomat. clac. ◆ m. MED. tic.

ticchettare [tikket'tare] v. intr. [di oggetti metallici] cliqueter ; [di orologio] faire tic-tac, tictaquer ; [di pioggia] crépiter.

ticchio ['tikkjo] m. caprice, fantaisie f. | *se gli salta il ticchio di,* s'il lui vient le caprice de. || VETER. tic.

tiepido ['tjɛpido] agg. PR. e FIG. tiède.

tifare [ti'fare] v. intr. *tifare per,* tenir pour, soutenir v. tr.

tifo ['tifo] m. typhus (exanthématique). | *tifo addominale,* typhoïde f. || FIG., FAM. *fare il tifo per,* être un fana(tique) de.

tifoide [ti'fɔide] agg. *febbre tifoide,* fièvre typhoïde.

tifone [ti'fone] m. typhon.

tifoso [ti'foso] agg. typhoïde. || SP. *essere tifoso di,* être un supporter, un fana(tique) de. ◆ m. typhique. || SP. supporter, fana(tique).

tiglio ['tiλλo] m. BOT. tilleul. || TESS. teille f., tille f. || PER EST. fibre f.

tiglioso [tiλ'λoso] agg. fibreux ; [di carne] tendineux.

tigna ['tiɲɲa] f. MED., VETER. teigne. || FIG., FAM. ennui m., embêtement m.

tignola [tiɲ'ɲɔla] f. ZOOL. teigne, mite.

tigrato [ti'grato] agg. tigré.

tigre ['tigre] f. ZOOL. tigre m., tigresse f.

timballo [tim'ballo] m. CULIN., MUS. timbale f.

timbrare [tim'brare] v. tr. timbrer. || [perforare] composter.

timbro ['timbro] m. timbre, cachet, tampon. | *timbro postale,* cachet de la poste. || [di una voce] timbre. || FIG. [di opera letteraria] ton.

timidezza [timi'dettsa] o **timidità** [timidi'ta] (lett.) f. timidité (L.C.).

1. timo ['timo] m. ANAT. thymus.

2. timo m. BOT. thym.

timone [ti'mone] m. [di carro] timon, flèche f. || [di aratro] flèche f., age. || MAR. barre f., gouvernail. || PR. e FIG. *essere al timone,* tenir la barre, le gouvernail.

timoniere [timo'njɛre] m. MAR. timonier, barreur.

timorato [timo'rato] agg. timoré.

timore [ti'more] m. crainte f., peur f. | *non abbiate timore, verrà,* n'ayez crainte, il viendra. || LOC. *per timore di,* de crainte de. || [rispetto] crainte f. | *timore reverenziale,* crainte révérencielle.

timoroso [timo'roso] agg. craintif, timoré.

timpano ['timpano] m. ANAT., ARCHIT. tympan. || MUS. timbale f. || LOC. FAM. *rompere i timpani a qlcu.,* casser les oreilles à qn.

tinca ['tinka] f. ZOOL. tanche.

tinello [ti'nɛllo] m. cuveau. || [stanza da pranzo] petite salle à manger.

tingere ['tindʒere] v. tr. teindre. || [colorare] colorer, teinter. || [macchiare] déteindre (sur) v. intr. ◆ v. rifl. se teindre. || [di trucco] se maquiller.

tino ['tino] cuve f. | *contenuto di un tino,* cuvée f.
tinozza [ti'nɔttsa] f. [per uva] baquet m., cuveau m. || [per il bucato] bac m., cuve. || [per escrementi] tinette. || [vasca da bagno] baignoire.
tinta ['tinta] f. [colore ottenuto con la tintura] teint m. | *tinta solida,* bon teint, grand teint. || [colorazione] teinte, couleur. | *vestito dalle tinte vivaci,* robe aux teintes vives. || [pittura] teinte, couleur, m., coloris m. || PR. e FIG. *a forti tinte,* en couleurs. || FIG. couleur, nuance. || [sostanza colorante] couleur, peinture. | *dare la tinta alle pareti,* peindre les murs.
tintarella [tinta'rɛlla] f. FAM. bronzage m.
tinteggiare [tinted'dʒare] v. tr. peindre. | *tinteggiare a nuovo una facciata,* repeindre une façade.
tintinnare [tintin'nare] v. intr. tinter. ◆ m. tintement, bruit.
tintinnio [tintin'nio] m. [di campanello] tintement. || [di vetri, armi] tintement, bruit. | *tintinnio di bicchieri,* cliquetis de verres.
tinto ['tinto] agg. teint. | *lana tinta,* laine teinte. || [colorato] teinté. || [macchiato] taché, souillé.
tintoria [tinto'ria] f. teinturerie.
tintura [tin'tura] f. teinture. || FARM. *tintura di iodio,* teinture d'iode.
tipicità [tipitʃi'ta] f. caractéristique.
tipico ['tipiko] (**-ci** pl.) agg. typique, caractéristique.
tipizzare [tipid'dzare] v. tr. caractériser. || [unificare] normaliser, standardiser. || LETT. typer.
tipo ['tipo] m. [esempio, modello] type. | *famiglia tipo,* famille standard, type. || [genere] genre, sorte f. | *abbiamo qualsiasi tipo di vino,* nous avons toutes sortes de vins. || FAM. [originale] *è un bel tipo,* c'est un beau numéro. || [individuo] type, individu. | *chi è quel tipo ?,* qui est ce type ? | *non è tipo da tacere,* il n'est pas homme à se taire. || TECN. [moneta, carattere di stampa] type.
tipografia [tipogra'fia] f. typographie. || [arte e stabilimento] imprimerie.
tipografo [ti'pɔgrafo] m. typo(graphe), imprimeur.
tip tap [tiptap] onomat. tip tap. || [danza] claquettes f. pl.
tiraggio [ti'raddʒo] m. tirage.
tiralinee [tira'linee] m. inv. tire-ligne m.
tiranneggiare [tiranned'dʒare] v. tr. PR. e FIG. tyranniser.
tirannia [tiran'nia] f. PR. e FIG. tyrannie.
tirannico [ti'ranniko] (**-ci** pl.) agg. PR. e FIG. tyrannique.
tiranno [ti'ranno] m. PR. e FIG. tyran.
tirante [ti'rante] m. [di stivale] tirant. || AUT. *tirante di sterzo,* barre (f.) de direction. | *tirante di comando,* tringle (f.) de commande. || MECC. tirant. || TECN. entretoise ; [di antenna] hauban.
tirapiedi [tira'pjɛdi] m. inv. sous-fifre (fam.).
tirare [ti'rare] v. tr. 1. tirer. | *tirare il campanello d'allarme,* tirer la sonnette d'alarme. | *tirare indietro le braccia,* ramener les bras en arrière. || [trascinare] traîner, entraîner. | *una disgrazia tira l'altra,* un malheur ne vient jamais seul. || LOC. *tirare in lungo, per le lunghe,* faire traîner en longueur. | *tirare in ballo un problema,* soulever un problème. | *tirare il fiato,* reprendre haleine. | *tirare l'acqua al proprio mulino,* tirer la couverture à soi. | *tirare la cinghia,* se serrer la ceinture. || 2. [ricavare] *tirare le somme,* faire le point. 3. [lanciare] jeter, lancer, envoyer, décocher. | *tirare una pietra contro qlco.,* lancer une pierre contre qch. || [di armi da fuoco] tirer. | *tirare un colpo di fucile,* tirer un coup de fusil. || SP. *tirare un pallone in rete,* envoyer un ballon au but. 4. [tracciare] *tirare una linea,* tracer une ligne. 5. TIP. tirer. 6. [con prep.] (a) *tirare a cera,* cirer. || GIOCHI *tirare a sorte,* tirer au sort. || (addosso) *tirarsi addosso dei guai,* s'attirer des ennuis. || (avanti) *tirare avanti la baracca,* faire bouillir la marmite. || (dietro) lancer. | *tirarsi dietro qlcu.,* remorquer qn. || (fuori) *tirare fuori il portafogli,* sortir son portefeuille. | *tirare fuori scuse,* alléguer des prétextes. || (giù) FAM. *tirare giù un bicchiere di vino,* avaler un verre de vin. || (su) *tirare su le maniche,* retrousser ses manches. | *tirare su le spalle,* hausser les épaules. | FIG., FAM. *tirare su il morale a qlcu.,* remonter le moral à qn. || (via) *tirare via un lavoro,* bâcler un travail. ◆ v. intr. 1. [di auto] tirer. 2. [stringere] tirer, serrer. 3. [spirare] *tira vento,* il fait du vent. | FAM. *con l'aria che tira,* par les temps qui courent. 4. [di armi da fuoco] tirer. 5. [con prep.] (a) *macchina che tira a destra,* voiture qui tire à droite. | FAM. *tirare a indovinare,* tâcher de. | *tirare a campare,* vivoter. || (avanti) *bisogna pure tirare avanti,* il faut bien vivre. || (di) *tirare di coltello,* jouer du couteau. || (dritto) [senza voltarsi] aller droit devant soi ; [non curvare] aller tout droit ; [passare oltre] passer son chemin. || (su) *tirare sul prezzo, sul conto,* marchander. ◆ v. rifl. *tirarsi da parte, in disparte,* se mettre de côté, s'effacer. || FIG. *tirarsi indietro,* se dérober. || FAM.

tirarsi su, [di salute] se remplumer ; [di morale] se remonter.

tirassegno [tiras'seɲɲo] m. SP. tir à la cible. || [luogo] stand, tir forain.

tirata [ti'rata] f. *dare una tirata a,* tirer. || [di sigaretta] bouffée. || TECN. tirage m. || [senza soste] *fare tutta una tirata (di sonno),* dormir à poings fermés. || TEAT. couplet m., tirade.

tirato [ti'rato] agg. *sorriso tirato,* sourire contraint. || FAM. *sei molto tirato in volto,* tu as un air fatigué. || [avaro] chiche.

tiratore [tira'tore] (**-trice** f.) n. tireur, euse.

tiratura [tira'tura] f. TIP. tirage m., édition.

tirchieria [tirkje'ria] f. ladrerie, avarice.

tirchio ['tirkjo] agg. e n. FAM. rapiat, radin, grippe-sou.

tiremmolla [tirem'mɔlla] m. tergiversation f., atermoiement. ◆ n. FIG. indécis.

tiritera [tiri'tɛra] f. FAM., litanie, rabâchage m.

tiro ['tiro] m. [trazione] trait. | *cavallo da tiro,* cheval de trait. || [di armi] tir. | *tiro a segno,* tir à la cible. || [biliardo] coup. || [calcio] *tiro in porta,* tir au but. || LOC. *a un tiro di schioppo,* à un tir de fusil. || FAM. [burla] tour. | *giocare un brutto tiro a qlcu.,* jouer un sale tour à qn.

tirocinio [tiro'tʃinjo] m. apprentissage ; [di professione] stage.

tiroide [ti'rɔide] f. thyroïde.

tirolese [tiro'lese] agg. e n. tyrolien. | *cantare alla Tirolese,* jodler. ◆ f. [danza] tyrolienne.

tirrenico [tir'rɛniko] (**-ci** pl.) o **tirreno** [tir'rɛno] agg. tyrrhénien. ◆ m. [mare] mer Tyrrhénienne f.

tisana [ti'zana] f. tisane.

tisi ['tizi] f. pthisie.

titanico [ti'taniko] (**-ci** pl.) agg. FIG. titanesque.

titillare [titil'lare] v. tr. PR. e FIG. chatouiller (légèrement), titiller.

titolare [tito'lare] agg. GIUR., REL. titulaire. ◆ n. GIUR., UNIV. titulaire. || [padrone] propriétaire.

titolo ['titolo] m. titre, intitulé. || [dignità] titre. || CIN. *titoli di testa,* générique sing. || [qualifica] titre, qualification f. | *a titolo di cittadino italiano,* en qualité de citoyen italien. || PEGG. épithète f. || CHIM., GIUR., SP. titre. || UNIV. titre. || [requisito] qualité requise. | *non ha i titoli per occupare quel posto,* il n'a pas les qualités requises pour ce poste. || [di moneta] titre, aloi (antiq.). || COMM., FIN. titre. | *titolo di credito,* titre de crédit. | *titoli di Stato,* valeurs d'État.

titubante [titu'bante] agg. hésitant, flottant.

titubare [titu'bare] v. intr. hésiter, flotter.

tizio ['tittsjo] m. type (fam.), mec (pop.).

tizzone [tit'tsone] m. tison.

to' [to] interiez. tiens, tenez. | *to' eccoli !,* tiens, les voilà !

toccare [tok'kare] v. tr. 1. PR. e FIG. toucher ; [senza riferimento alla sensazione del tatto] toucher (à). | *toccare con mano,* toucher de la main. | *toccare il fondo,* PR. e FIG. toucher le fond ; ASSOL. avoir pied. || PER EST. *la strada tocca molti paesi,* la route traverse beaucoup de villages. | *non vuole toccare il suo capitale,* il ne veut pas entamer son capital. || FIG. *toccare un argomento,* aborder un sujet. | *toccare il cielo con un dito,* être au septième ciel, être aux anges. 2. [commuovere] toucher, émouvoir. || [ferire] affecter. 3. [concernere] toucher, concerner, regarder. | *è un affare che non mi tocca,* c'est une affaire qui ne me regarde pas. ◆ v. intr. échoir (en partage). | *gli è toccato il pezzo migliore,* il lui est échu le meilleur morceau. || [capitare] arriver. | *mi è toccata una disgrazia,* il m'est arrivé un malheur. || [di diritto] avoir droit. | *tocca a lei, signore,* c'est votre tour, monsieur. || GIOCHI *tocca a te,* c'est à toi de jouer. ◆ v. impers. devoir, être contraint, forcé, obligé (à, de). | *gli toccò pagare e tacere,* il dut payer et se taire. ◆ v. rifl. se toucher.

toccasana [tokka'sana] m. inv. remède sûr, panacée f.

toccata [tok'kata] f. touche. || MUS. toccata (it.).

toccato [tok'kato] agg. SP. [scherma] touché. || FIG., FAM. toqué, cinglé.

toccatutto [tokka'tutto] m. inv. FAM. touche-à-tout.

1. tocco ['tokko] agg. FAM. toqué, sonné, timbré, cinglé, dingue.

2. tocco (**-chi** pl.) m. [pressione] coup. | *con un tocco di penna,* d'un trait de plume. || PER EST. *dare l'ultimo tocco a qlco.,* mettre la dernière main à qch. || ARTI e FIG. touche f. || MUS. toucher, doigté.

3. tocco ['tɔkko] m. [pezzo] morceau.

4. tocco m. MODA toque f.

toga ['tɔga] f. toge, robe.

togliere ['tɔʎʎere] v. tr. enlever, ôter, retirer. | *togliere il pane di bocca a qlcu.,* retirer à qn le pain de la bouche. | *togliersi le scarpe, il cappello,* se déchausser, ôter son chapeau. | *togliersi i vestiti,* se déshabiller. || [per strappo] enlever, arracher. | *farsi togliere un dente,* se faire arracher une dent. || [portar via] *togliere di mezzo,* écarter. || FIG. *non gli toglie gli occhi di dosso,* elle ne le quitte pas des yeux. || [interrompere] enlever, lever. | *togliere la seduta,* lever la séance. | *togliere la corrente,* couper le courant. || [far scomparire] enlever, éliminer. | *togliere una macchia,* enlever une tache. || FIG. *togliersi un capriccio,* se passer une fantaisie. || [sottrarre] enlever, ôter, soustraire. | *togline la metà,* ôtes-en la moitié. || [impedire] *ciò non toglie che,* (cela) n'empêche (pas) que. ◆ v. rifl. FAM. *togliti dai piedi!,* fiche le camp d'ici !

toletta [to'lɛtta] f. [in tutti i significati] toilette.

tollerabilità [tollerabili'ta] f. [a un farmaco] tolérance.

tolleranza [tolle'rantsa] f. tolérance.

tollerare [tolle'rare] v. tr. tolérer, endurer, supporter, accepter.

tolto ['tɔlto] m. *il mal tolto,* le bien mal acquis. ◆ avv. sauf, excepté. | *tolto ciò,* à part cela.

tomaia [to'maja] (**-a** o **-e** pl.) o **tomaio** [to'majo] (**-ai** pl.) m. empeigne f.

tomba ['tomba] f. tombe. || [monumento] tombeau m. || [sotterranea] caveau m.

tombino [tom'bino] m. bouche (f.) d'égout. || [di fogna] tampon.

1. tombola ['tombola] f. loto m., tombola.

2. tombola f. FAM. culbute.

1. tomo ['tomo] m. tome.

2. tomo m. FIG., FAM. type. | *chi è quel tomo?,* qui est ce type ?

tonaca ['tɔnaka] f. REL. froc m. || PER EST. soutane.

tonare [to'nare] v. impers. tonner. ◆ v. intr. [tuono, cannone] tonner, gronder. || FIG. tonner, tonitruer (lett.).

tondeggiante [tonded'dʒante] agg. arrondi.

tondello [ton'dɛllo] m. [di legna da ardere] rondin. || [di zecca] flan. || ARCHIT. rond à béton.

tondino [ton'dino] m. ARCHIT. baguette f.

tondo ['tondo] agg. arrondi, rond. || PER EST. *cifra tonda,* chiffre rond. ◆ m. rond, cercle. || [scultura] *tutto tondo,* ronde-bosse f. || TIP. *in tondo,* en caractère romain. || LOC. *parlare chiaro e tondo,* parler clair et net.

tonfo ['tonfo] m. bruit sourd.

tonico ['tɔniko] (**-ci** pl.) agg. FARM., LING., MUS. tonique. ◆ m. FARM. tonique.

tonificare [tonifi'kare] v. tr. tonifier.

tonnato [ton'nato] agg. CULIN. *vitello tonnato,* veau au thon.

tonnellaggio [tonnel'laddʒo] m. MAR. tonnage.

tonnellata [tonnel'lata] f. [misura] tonne. || MAR. *tonnellata di stazza,* tonneau m.

tonno ['tonno] m. ZOOL. thon.

tono ['tɔno] m. [della voce] ton. | *abbassare il tono,* baisser le ton. || [intonazione] ton, intonation f. || FIG. ton. | *se la prendi su questo tono,* si tu le prends sur ce ton. || [di uno scritto] ton, style. || [colore] ton, nuance f., teinte f. || MED. tonus, tonicité f. || MUS. ton. || FIG. *darsi un tono,* se donner un genre. || FAM. *non rispondere a tono,* ne pas répondre à propos.

tonsilla [ton'silla] f. amygdale.

tonsillite [tonsil'lite] f. amygdalite.

tonsura [ton'sura] f. tonsure.

tonto ['tonto] agg. FAM. nigaud, bêta, benêt. ◆ n. niais, nigaud. | *fare il finto tonto,* faire le niais, prendre un air innocent (iron.).

topaia [to'paja] f. [tana per topi] nid (m.) de rats. || FIG. masure.

topazio [to'pattsjo] m. MINER. topaze f.

topicida [topi'tʃida] (**-i** pl.) agg. qui tue les rats. ◆ m. mort-aux-rats f.

topo ['topo] m. rat ; [più piccolo] souris f. || FIG. *topo d'albergo, di biblioteca,* rat d'hôtel, de bibliothèque. ◆ agg. *grigio topo,* gris souris.

topografia [topogra'fia] f. topographie.

topolino [topo'lino] m. souriceau. || FAM. [termine affettuoso] *topolino mio,* mon chou.

toppa ['tɔppa] f. serrure. || [rattoppo] pièce. | *mettere una toppa a,* PR. rapiécer ; FIG. remédier à.

torace [to'ratʃe] m. ANAT. thorax.

torba ['torba] f. tourbe, bousin m.

torbido ['torbido] agg. trouble, louche. | *sguardo torbido,* regard louche. ◆ m. louche. || LOC. *pescare nel torbido,* pêcher en eau trouble. ◆ m. pl. [sommossa] troubles.

torcere ['tɔrtʃere] v. tr. tordre. | *torcere la biancheria,* essorer le linge. || [curvare] tordre, gauchir. || FIG. *torcere il naso,* faire la grimace ; [in materia di gusto] faire le difficile. || LOC. *dare del filo da torcere a qlcu.,* donner du fil à retordre à qn. ◆ v. rifl. [dolore, risa] se tordre.

torchiare [tor'kjare] v. tr. AGR. pressurer. || FIG., FAM. [agli esami] cuisiner.

torchio ['tɔrkjo] m. AGR. pressoir. || TIP. presse f. || LOC. *tenere sotto (il) torchio,* tenir sur la sellette.

torcia ['tɔrtʃa] f. torche. | *torcia elettrica,* torche électrique. || [cero] cierge m.

torcicollo [tortʃi'kɔllo] m. torticolis.

torciglione [tortʃiʎ'ʎone] m. tortillon. || [torcinaso] tord-nez inv.

torcitura [tortʃi'tura] f. [di fune] câblage m. || TESS. tordage m.

tordo ['tordo] m. ZOOL. grive f. || FIG. benêt, niais.

toreador [torea'dor] m. (sp.) toréador, torero.

torero [to'rɛro] m. (sp.) torero.

torma ['torma] f. horde, bande. || [di animali] bande.

tormenta [tor'menta] f. tourmente.

tormentare [tormen'tare] v. tr. [dolore fisico] martyriser, lanciner, tenailler. || [dolore morale] tourmenter, lanciner, tracasser, ronger. || [infastidire] tourmenter, tracasser. | *tormentare qlcu.,* faire enrager qn. ◆ v. rifl. se tourmenter, se tracasser, s'inquiéter, se faire du souci.

tormentato [tormen'tato] agg. PR. e FIG. tourmenté.

tormento [tor'mento] m. [dolore fisico] souffrance f. || [pena morale] tourment, torture f. || [cruccio] souci, tracas, peine f. || FAM. [fastidio] ennui, embêtement.

tornaconto [torna'konto] m. intérêt, profit, avantage.

tornado [tor'nado] m. inv. tornade f.

tornante [tor'nante] m. lacet, virage.

tornare [tor'nare] v. intr. 1. retourner, revenir, regagner v. tr. | *tornare al proprio posto,* regagner sa place, revenir à sa place. | *tornare sui propri passi,* PR. e FIG. revenir sur ses pas. | *torno subito!,* je reviens dans un instant, tout de suite! || [andare di nuovo] retourner. | *non ci tornerò più,* je n'y remettrai plus les pieds. || [farsi di nuovo] *è tornato il bel tempo,* le beau temps est revenu. 2. [+ agg. o sostant.] redevenir. | *tornare triste,* redevenir triste. || LOC. *tornare utile,* être utile. | *non è un discorso che mi torna nuovo,* ce discours n'est pas nouveau pour moi. 3. (a) [+ infin.] recommencer à, se remettre à. | *torno a dire che,* je repète que. || [+ sostant.] *tornare a vantaggio di qlcu.,* tourner au profit de qn. | *tornare a galla,* PR. e FIG. revenir à la surface. || (in) *tornare in sé,* reprendre ses esprits, revenir à soi. || (su) revenir sur, retourner sur. | *ci torneremo su,* nous reviendrons là-dessus. 4. FAM. être juste. | *i conti non tornano,* les comptes ne sont pas justes. || FIG., FAM. aller, plaire. | *quel tipo non mi torna,* ce type ne me revient pas.

tornasole [torna'sole] m. CHIM. tournesol.

torneo [tor'nɛo] m. tournoi.

tornio ['tornjo] m. TECN. tour.

tornire [tor'nire] v. tr. TECN. dresser (au tour); [fabbricare] faire au tour. || LETT. polir.

torno ['torno] m. FAM. *levati di torno!,* fiche-moi le camp!

toro ['tɔro] m. ZOOL. taureau. || FIG. *tagliare la testa al toro,* trancher le nœud de la question.

torpedine [tor'pɛdine] f. MIL., ZOOL. torpille.

torpediniera [torpedi'njɛra] f. MIL. [nave] torpilleur m.

torpedo [tor'pɛdo] f. torpédo.

torpedone [torpe'done] m. [per gita] (auto)car.

torpore [tor'pore] m. PR. e FIG. torpeur f., engourdissement.

torre ['torre] f. tour. | *torre campanaria,* clocher m.

torrefare [torre'fare] v. tr. torréfier, griller.

torrefazione [torrefast'tsjone] f. torréfaction. | *torrefazione di caffè,* brûlerie (de café). || [locale] maison de café.

torrente [tor'rɛnte] m. PR. e FIG. torrent.

torrenziale [torren'tsjale] agg. torrentiel. | *pioggia torrenziale,* trombe d'eau.

torrido ['tɔrrido] agg. torride.

torrione [tor'rjone] m. donjon.

torrone [tor'rone] m. nougat.

torsione [tor'sjone] f. torsion. || TESS. tors m.

torso ['torso] m. [torsolo] trognon. || ANAT. torse.

torsolo ['torsolo] m. trognon.

torta ['torta] f. tarte, gâteau m. || [di carne, di pesce] tourte.

tortiera [tor'tjɛra] f. moule (m.) à tarte, tourtière.

tortiglione [tortiʎ'ʎone] m. tortillon. || ARCHIT. torsade f. || VETER. tord-nez.

1. torto ['tɔrto] agg. tors. | *filo torto,* fil tors. | *seta torta,* soie torse. || [storto] tordu, tors. ◆ m. TESS. fil tors.

2. torto m. tort, injustice f. | *è accusato a torto,* il est accusé à faux. || [errore] tort. | *ho il solo torto di; il mio unico torto è di,* mon seul tort est de.

tortora ['tortora] f. tourterelle.

tortorella [torto'rɛlla] f. ZOOL. e FIG. tourtereau m.

tortuoso [tortu'oso] agg. PR. e FIG. tortueux. || FIG. entortillé, compliqué; [di animo] sournois, ambigu.

tortura [tor'tura] f. PR. e FIG. torture.

torturare [tortu'rare] v. tr. torturer. || [dolore fisico o morale] tourmenter, martyriser. ◆ v. rifl. se torturer, se tourmenter.

torvo ['torvo] agg. torve.

tosare [to'zare] v. tr. tondre. || *tosare una siepe,* tailler une haie.

tosatura [toza'tura] f. tonte, tondage m. || SCHERZ. coupe (de cheveux).

tosse ['tosse] f. toux. | *accesso, attacco di tosse,* quinte (f.) de toux.

tossico ['tɔssiko] (**-ci** pl.) agg. e m. toxique.
tossicologo [tossi'kɔlogo] m. toxicologue.
tossicomane [tossi'kɔmane] n. toxicomane.
tossina [tos'sina] f. toxine.
tossire [tos'sire] v. intr. tousser.
tostapane [tosta'pane] m. inv. grille-pain.
tostare [tos'tare] v. tr. [caffè] torréfier, griller. || [pane] griller.
1. tosto ['tɔsto] agg. PEGG. *faccia tosta,* toupet m., culot m. | *ha una bella faccia tosta,* il ne doute de rien.
2. tosto avv. ANTIQ. tout de suite (L.C.). || LOC. *tosto o tardi,* tôt ou tard.
3. tosto m. CULIN. toast (ingl.).
tot ['tɔt] agg. indef. *spendere una somma tot,* dépenser une somme *x.* ◆ m. tant. | *ricevere un tot alla settimana,* recevoir un tant par semaine.
totale [to'tale] agg. PR. e FIG. total, entier. | *importo totale,* montant total. || FIG. complet, inconditionnel. ◆ m. total, montant, somme f. | *in totale,* au total.
totalità [totali'ta] f. PR. e FIG. totalité, ensemble m.
totalitario [totali'tarjo] agg. totalitaire.
totalizzare [totalid'dzare] v. tr. totaliser.
totip [to'tip] m. GIOCHI tiercé.
tovaglia [to'vaʎʎa] f. nappe.
tovagliolo [tovaʎ'ʎɔlo] m. serviette f.
1. tozzo ['tɔttso] agg. trapu, ramassé; [di persona anche] râblé, boulot.
2. tozzo m. morceau. | *tozzo di pane,* quignon.
tra [tra] prep. 1. parmi, au milieu de, dans. | *si è seduto tra di noi,* il s'est assis parmi nous, à côté de nous. 2. [intervallo di spazio e di tempo] entre. | *tra le dieci e le undici,* entre dix et onze heures. | *il periodo tra le due guerre,* l'entre-deux-guerres. || LOC. *leggere tra le righe,* lire entre les lignes. 3. [rapporto di reciprocità tra due o più gruppi] entre. | *che cosa c'è tra di voi?,* qu'est-ce qu'il y a entre vous? | *dicevo tra me e me che,* je me disais que. | *sia detto tra noi,* entre nous soit dit. 4. [dipendente da un superl. rel.] d'entre, de. | *tra le tante soluzioni ha scelto la più facile,* des nombreuses solutions il a choisi la plus facile. 5. [riferito al fut.] dans. | *tra un mese* dans un mois. 6. [insieme] *tra tutti noi, abbiamo costruito una barca,* à nous tous, nous avons construit une barque.
traballante [trabal'lante] agg. [persona] chancelant, titubant. || [cosa] branlant, bancal, boiteux. || PER ANAL. *luce traballante,* lumière clignotante. || FIG. instable, chancelant.
traballare [trabal'lare] v. intr. [persona] chanceler, tituber; [cosa] branler. || FIG. chanceler, hésiter.
trabiccolo [tra'bikkolo] m. FAM. [vecchia auto] guimbarde f., tacot; [vecchio aereo] coucou, zinc; [vecchia bicicletta] clou; [vecchia nave] rafiot.
traboccare [trabok'kare] v. intr. [liquido] déborder. || [pullulare] foisonner. || FIG. déborder. || [di bilancia] pencher.
trabocchetto [trabok'ketto] m. traquenard, piège, trappe f.
trabocchevole [trabok'kevole] agg. PR. e FIG. débordant.
trabocco [tra'bokko] m. débordement. || [di bilancia] trébuchet.
tracannare [trakan'nare] v. tr. avaler, engloutir.
traccia ['trattʃa] f. trace, empreinte, piste. | *far perdere le tracce a,* faire perdre la trace à; dépister. || [caccia] trace, passée. || FIG. trace, reste m., vestige m. | *non resta più traccia di,* il ne reste plus trace de. || [schema] schéma m., plan m., canevas m.
tracciare [trat'tʃare] v. tr. tracer.
tracciato [trat'tʃato] m. tracé.
trachea [tra'kɛa] f. ANAT., BOT., ZOOL. trachée, trachée-artère.
tracheite [trake'ite] f. trachéite.
tracolla [tra'kɔlla] f. bandoulière. | *a tracolla,* en bandoulière, en écharpe. || [di fucile] bretelle.
tracollo [tra'kɔllo] m. krach; débâcle (financière). || FIG. effondrement.
tracoma [tra'koma] m. trachome.
tracotante [trako'tante] agg. outrecuidant, insolent, effronté.
tradimento [tradi'mento] m. trahison f. || [atto sleale] traîtrise f. || LOC. *attaccare qlcu. a tradimento,* attaquer qn en traître.
tradire [tra'dire] v. tr. trahir. | *le forze lo hanno tradito,* ses forces l'ont lâché. | *se la memoria non mi tradisce,* si ma mémoire ne me trahit pas. | *tradire il pensiero di qlcu.,* dénaturer la pensée de qn. || FIG. trahir, révéler. ◆ v. rifl. se trahir.
tradizionale [tradittsjo'nale] agg. traditionnel. || FAM. [abituale] habituel, usuel.
tradizione [tradit'tsjone] f. tradition. || FAM. [consuetudine] tradition, coutume, habitude, usage m.
tradotta [tra'dotta] f. convoi (m.) militaire.
tradurre [tra'durre] v. tr. traduire. || FIG. traduire, rendre, exprimer. || GIUR. traduire.
traduzione [tradut'tsjone] f. traduction; [in lingua materna] version; [in

lingua straniera] thème m. || GIUR. transfert m.
trafelato [trafe'lato] agg. hors d'haleine, haletant, essoufflé.
trafficare [traffi'kare] v. intr. PEGG. *trafficare in,* trafiquer de, faire trafic de. || FAM. *che cosa traffichi ?,* qu'est-ce que tu trafiques ?
traffico ['traffiko] m. [movimento di merci e persone] trafic. | *traffico aereo,* trafic aérien. || [circolazione stradale] circulation f., trafic. || GIUR. *traffico d'influenza,* trafic d'influence. || FAM. *traffici elettorali,* magouilles électorales.
trafiggere [tra'fiddʒere] v. tr. [trapassare] enfiler, transpercer, embrocher (fam.).
trafila [tra'fila] f. filière.
trafilato [trafi'lato] agg. *oro trafilato,* or trait.
trafilatura [trafila'tura] f. TECN. tréfilage m., étirage m.
trafiletto [trafi'letto] m. entrefilet.
trafitta [tra'fitta] o **trafittura** [trafit'tura] f. [ferita] blessure. || [fitta] élancement m.
traforare [trafo'rare] v. tr. percer. || [con una sega] découper, chantourner. || [ricamare] ajourer. || TECN. évider.
traforo [tra'foro] m. [scavo di galleria] percement. || PER EST. tunnel. || [su legno] découpage, chantournage. || [ricamo] *ricamo a traforo,* broderie (f.) à jour.
trafugare [trafu'gare] v. tr. voler, dérober. || GIUR. soustraire.
tragedia [tra'dʒɛdja] f. PR. e FIG. tragédie.
traghettare [traget'tare] v. tr. passer en bac, traverser.
traghetto [tra'getto] m. [azione] passage. | *(nave) traghetto,* ferry-boat m. (ingl.). | *barca di traghetto,* bac m., bachot m., barque traversière.
tragico ['tradʒiko] (**-ci** pl.) agg. PR. e FIG. tragique. ◆ m. (auteur) tragique ; [attore] tragédien. || FIG., FAM. *prendere sul tragico,* dramatiser.
tragitto [tra'dʒitto] m. trajet, parcours, chemin, voyage.
traguardo [tra'gwardo] m. SP. (ligne) d'arrivée f. || [ippica] poteau. || FIG. *giungere al traguardo dei settant'anni,* atteindre soixante-dix ans.
traiettoria [trajet'tɔrja] f. trajectoire.
trainare [trai'nare] v. tr. traîner, tirer ; [rimorchiare] remorquer.
traino ['traino] m. tirage, traînage. | *cavallo da traino,* cheval de trait. || [mezzo di trazione] traction f. | *traino a motore,* traction à moteur. || [veicolo con pattini] traîneau. || [carico] charge f.
tralasciare [tralaʃ'ʃare] v. tr. oublier, négliger. || [interrompere] interrompre, suspendre. ◆ v. intr. *tralasciare di dire, di fare,* négliger de dire, de faire.
tralcio ['traltʃo] m. sarment.
traliccio [tra'littʃo] m. TESS. coutil, treillis. || [graticcio] treillis, treillage. || ELETTR. pylône.
tralice [tra'litʃe] loc. avv. *in, di tralice,* en, de biais.
tram [tram] m. (ingl.) tram(way).
trama ['trama] f. TEL., TESS. trame. || [complotto] intrigue, complot m. || FIG. intrigue. || [schema] canevas m.
tramandare [traman'dare] v. tr. léguer, transmettre.
tramare [tra'mare] v. tr. e intr. FIG. comploter, conjurer v. tr.
trambusto [tram'busto] m. remue-ménage, bouleversement.
tramestio [trames'tio] m. remue-ménage.
tramezzare [tramed'dzare] v. tr. cloisonner. || FIG. intercaler. ◆ m. cloisonnage, cloisonnement.
tramezzino [tramed'dzino] m. sandwich (ingl.). || [persona] homme-sandwich.
tramezzo [tra'mɛddzo] m. cloison f. || [ricamo] entre-deux.
tramite ['tramite] m. PR. e FIG. intermédiaire. | *(per il) tramite (di),* par le truchement, le canal de ; au moyen de. || [sbocco] débouché m.
tramontana [tramon'tana] f. bise, vent (m.) du nord. || LOC. FAM. *perdere la tramontana,* perdre la boussole.
tramontare [tramon'tare] v. intr. ASTR. décliner, baisser ; [sole] se coucher. || FIG. *mode che tramontano presto,* modes qui passent vite.
tramonto [tra'monto] m. ASTR. déclin ; [sole] coucher de soleil. || FIG. déclin.
tramortire [tramor'tire] v. tr. étourdir, assommer. ◆ v. intr. s'évanouir.
trampolino [tranpo'lino] m. SP. e FIG. tremplin.
trampolo ['trampolo] m. échasse f.
tramutare [tramu'tare] v. tr. [spostare] déplacer. || [cambiare] changer, transformer. || [travasare] transvaser. || [trapiantare] transplanter. ◆ v. intr. (in) se changer (en), se transformer (en).
trance ['tra:ns] f. (ingl.) PSIC. transe.
trancia ['trantʃa] f. TECN. cisaille ; [carta] coupeuse. || [fetta] tranche.
tranciare [tran'tʃare] v. tr. trancher, cisailler. | *tranciare a stampo,* découper.
tranello [tra'nɛllo] m. piège, embûche f., embuscade f., guet-apens. | *cadere in un tranello,* tomber dans un piège.
trangugiare [trangu'dʒare] v. tr. PR. e FIG. avaler, engloutir.

tranne ['tranne] prep. excepté, sauf, à l'exception de, à l'exclusion de. ◆ loc. cong. *tranne che,* si ce n'est que, sauf que. || [a meno che] à moins que.
tranquillamente [trankwilla'mente] avv. tranquillement.
tranquillante [trankwil'lante] m. FARM. calmant.
tranquillità [trankwilli'ta] f. tranquillité, calme m., quiétude.
tranquillizzare [trankwillid'dzare] v. tr. tranquilliser. ◆ v. rifl. se tranquilliser.
tranquillo [tran'kwillo] agg. tranquille, calme.
transatlantico [transa'tlantiko] agg. Av., MAR. transatlantique, long-courrier. ◆ m. MAR. paquebot, transatlantique.
transazione [transat'tsjone] f. transaction, accommodement m.
transenna [tran'sɛnna] f. ARCHIT. transenne. || [struttura mobile] barrière.
transetto [tran'sɛtto] m. ARCHIT. transept, croisillon.
transigere [tran'sidʒere] v. intr. PR. e FIG. transiger. || FIG. pactiser, composer.
transitabile [transi'tabile] agg. (a) praticable (pour). | *transitabile con catene,* chaînes obligatoires. || [aperto] ouvert.
transitabilità [transitabili'ta] f. viabilité.
transitare [transi'tare] v. intr. transiter.
transitivo [transi'tivo] agg. transitif.
transito ['transito] m. *vietato il transito,* défense de circuler. || COMM. transit.
transitorietà [transitorje'ta] f. caractère (m.) transitoire.
transitorio [transi'tɔrjo] agg. transitoire, provisoire. || FIG. fugitif.
transizione [transit'tsjone] f. transition, passage m.
translucido [trans'lutʃido] agg. translucide.
tran tran, trantran [tran'tran] m. train-train inv.
tranvai [tran'vai] m. tram(way) (ingl.).
tranviere [tran'vjɛre] m. traminot. || [conduttore] conducteur.
trapanare [trapa'nare] v. tr. CHIR. trépaner. || [dentista] fraiser. || TECN. forer, percer.
trapanazione [trapanat'tsjone] f. trépanation. || [dentista] fraisure.
trapano ['trapano] m. CHIR. trépan ; [di dentista] fraise f., roulette f. || TECN. foreuse f., perceuse f. ; [per rocce] trépan ; [per orologiaio] drille f.
trapassare [trapas'sare] v. tr. transpercer, perforer. || PER ANAL. *trapassare i limiti,* dépasser les limites. || ASSOL., LETT. trépasser, passer de vie à trépas.
trapasso [tra'passo] m. [passaggio] passage. || LETT. [morte] trépas. || FIG. transition f. || GIUR. transfert.
trapelare [trape'lare] v. intr. filtrer, suinter. || PER ANAL. filtrer, transpirer, s'ébruiter.
trapezio [tra'pɛttsjo] m. ANAT., GEOM., SP. trapèze.
trapiantare [trapjan'tare] v. tr. AGR. transplanter, repiquer. || CHIR. [organo] transplanter ; [tessuto] greffer. || FIG. transplanter. ◆ v. rifl. se transplanter.
trapianto [tra'pjanto] m. AGR. transplantation f., repiquage. || CHIR. *trapianto osseo,* greffe osseuse.
trappa ['trappa] f. REL. trappe.
trappola ['trappola] f. chausse-trappe, piège m. ; [per animali nocivi] traquenard m. | *trappola per topi,* ratière, souricière. || FIG. piège, traquenard, embûche. || FAM. [cianfrusaglia] pacotille, camelote.
trapunta [tra'punta] f. courtepointe.
trapuntare [trapun'tare] v. tr. matelasser, piquer. || [ricamare] broder.
trarre ['trarre] v. tr. tirer. || FIG. *trarre vantaggio,* tirer profit. | *trarre in inganno,* induire en erreur, tromper. | *trarre d'impaccio,* dépêtrer, tirer d'embarras. || [estrarre] extraire. || [ricevere] devoir à, emprunter. ◆ v. rifl. *trarsi d'impaccio,* se tirer d'embarras.
trasalire [trasa'lire] v. intr. tressaillir.
trasandato [trazan'dato] agg. négligé, débraillé.
trasbordare [trazbor'dare] v. tr. transborder.
trasbordo [traz'bordo] m. transbordement.
trascendentale [traʃʃenden'tale] agg. FILOS., MUS. sublime.
trascendere [traʃ'ʃendere] v. tr. FILOS. transcender. || [superare] dépasser. || ASSOL. dépasser les bornes.
trascinare [traʃʃi'nare] v. tr. traîner. || [condurre] traîner, entraîner. || FIG. entraîner. | *lasciarsi trascinare dall'entusiasmo,* se laisser entraîner par l'enthousiasme. ◆ v. medio intr. se traîner.
trascorrere [tras'korrere] v. tr. passer. || [leggere rapidamente] parcourir. ◆ v. intr. s'écouler, passer. | *sono trascorsi parecchi anni (da allora),* il y a plusieurs années de cela.
trascorso [tras'korso] m. erreur. f.
trascrivere [tras'krivere] v. tr. transcrire.
trascurabile [trasku'rabile] agg. négligeable.
trascurare [trasku'rare] v. tr. négliger, délaisser, abandonner, se désintéresser (de). | *ha trascurato tutti i miei consi-*

gli, il a dédaigné tous mes conseils. || [omettere] omettre. ◆ v. rifl. se négliger, se laisser aller (fam.).

trascuratezza [traskura'tettsa] f. négligé m., débraillé m., laisser-aller m. || FIG. négligence, omission, oubli m.

trasecolare [traseko'lare] v. intr. s'ébahir, s'émerveiller, être ahuri.

trasferire [trasfe'rire] v. tr. déplacer, transférer. || [funzionari] muter. || [prigionieri] transporter. || ECON., GIUR. transférer, transporter. ◆ v. rifl. se transférer, se transporter. || [andare ad abitare] aller s'établir.

trasferta [tras'fɛrta] f. AMM. déplacement m. || [indennità] frais (m. pl.) de déplacement ; indemnité de transport.

trasfigurare [trasfigu'rare] v. tr. transfigurer. ◆ v. rifl. se transfigurer.

trasformare [trasfor'mare] v. tr. transformer, changer, modifier. || PR. e FIG. *trasformare (in),* transformer (en), convertir (en). || MAT. convertir. ◆ v. rifl. se transformer, se modifier.

trasformatore [trasforma'tore] (**-trice** f.) agg. e m. transformateur.

trasfusione [trasfu'zjone] f. MED. transfusion, perfusion.

trasgredire [trazgre'dire] v. tr. e intr. (a) transgresser v. tr., enfreindre v. tr., contrevenir (à).

trasgressione [trazgres'sjone] f. transgression, infraction.

traslatare [trazla'tare] v. tr. LETT. transférer (L.C.).

traslazione [trazlat'tsjone] f. translation. || GIUR., PSICAN. transfert m.

traslocare [trazlo'kare] v. tr. [mobili] déplacer. || [personale] déplacer, transférer. ◆ v. intr. déménager. ◆ v. rifl. déménager v. intr. || [cambiare sede] se transférer.

trasloco [traz'lɔko] m. [personale] déplacement. || [abitazione] déménagement. | *fare il trasloco,* déménager v. intr.

trasmettere [traz'mettere] v. tr. transmettre, communiquer. || GIUR. e FIG. léguer. || TEL. diffuser. || RAD., TV émettre. ◆ v. rifl. se communiquer, se transmettre.

trasmettitore [trazmetti'tore] m. MAR., TEL. transmetteur. || RAD. émetteur. ◆ (**-trice** f.) agg. qui transmet.

trasmigrare [trazmi'grare] v. intr. émigrer.

trasmissione [trazmis'sjone] f. transmission. | *trasmissione dei poteri,* passation des pouvoirs. || ELETTR., FIS., MECC., TEL. transmission. | *albero di trasmissione,* arbre d'entraînement m. || RAD., TV émission. ◆ pl. MIL. transmissions.

trasmutare [trazmu'tare] v. tr. CHIM., FILOS., FIS. transmu(t)er. ◆ v. rifl. se transmu(t)er.

trasognato [trasoɲ'ɲato] agg. rêveur, absorbé. || [sbalordito] ahuri, ébahi, éberlué.

trasparente [traspa'rɛnte] agg. ◆ m. transparent.

trasparire [traspa'rire] v. intr. PR. e FIG. transparaître.

traspirare [traspi'rare] v. tr. transpirer. || FIG. exprimer, traduire. || ASSOL. suer, éliminer.

trasporre [tras'porre] v. tr. transposer, intervertir.

trasportare [traspor'tare] v. tr. PR. e FIG. transporter. || [procastinare] remettre, ajourner, retarder. || FIG. entraîner, emporter. | *lasciarsi trasportare dall' ira,* s'emporter v. rifl. || MAT., MUS. transposer. ◆ v. rifl. *trasportarsi nel passato,* se transporter dans le passé.

trasporto [tras'pɔrto] m. transport. | *mezzi di trasporto,* transports m. pl. || [carro] *trasporto funebre,* convoi funèbre. || COMM. *trasporto a domicilio, in consegna,* factage. || ELETTR. transport. || FIG. enthousiasme, élan. | *amare con trasporto,* aimer avec passion. || MUS. transposition f.

trastullare [trastul'lare] v. tr. amuser. || FIG. flatter. ◆ v. rifl. PR. e FIG. s'amuser. ◆ m. amusement.

trastullo [tras'tullo] m. amusement, jeu. || PER EST. passe-temps, divertissement. || FIG. jouet.

trasudare [trasu'dare] v. intr. suinter, suer ; transsuder. ◆ m. transsudation f. ◆ v. tr. PR. e FIG. suinter, suer, exsuder.

trasudato [trasu'dato] agg. baigné de sueur.

trasversale [trazver'sale] agg. transversal. ◆ f. MAT. transversale.

trasvolare [trazvo'lare] v. tr. PR. e FIG. survoler, passer (sur). ◆ v. intr. FIG. passer.

trasvolata [trazvo'lata] f. traversée en avion.

tratta ['tratta] f. COMM. traite ; lettre de change. || [traffico] *tratta dei negri,* traite des Noirs.

trattabile [trat'tabile] agg. [cose] traitable. || [prezzo] à marchander. || FIG. [persona] accommodant.

trattabilità [trattabili'ta] f. FIG. affabilité.

trattamento [tratta'mento] m. traitement. | *godere di un trattamento di favore,* jouir d'un traitement de faveur. || [di albergo] service. || [remunerazione] traitement ; appointements m. pl. || MED. traitement, soin(s), cure f. || TECN. traitement.

trattare [trat'tare] v. tr. traiter. | *trattare bene, male,* bien traiter, mal traiter. || [maneggiare] manier. | *saper trattare il pennello,* savoir manier le pinceau. || FIG. traiter (de). | *trattare un affare,* traiter une affaire. || AGR. *trattare un terreno con concimi artificiali,* engraisser un terrain. || COMM. *non trattiamo questo articolo,* nous ne faisons pas cet article. || MED. soigner, traiter. ◆ v. intr. (di) parler (de), traiter (de), avoir pour objet. | *articolo che tratta di politica,* article qui parle de politique. || [negoziare] traiter, négocier. || [discutere] discuter. ◆ v. rifl. [cibo] *trattarsi bene,* se régaler. ◆ v. recipr. (da) *si sono trattati da ladri,* ils se sont traités de voleurs. ◆ v. impers. (di) s'agir (de), être question (de). | *di che si tratta?,* de quoi est-il question ?

trattativa [tratta'tiva] f. négociation, pourparlers m. pl., tractation.

tratteggiare [tratted'dʒare] v. tr. [disegnare a tratti] hachurer. || [abbozzare] brosser, ébaucher. || FIG. esquisser.

trattenere [tratte'nere] v. tr. retenir. | *non ti trattengo,* je ne te retiens pas. || [fermare] retenir. | *sarebbe caduto se non lo avessi trattenuto,* il serait tombé si je ne l'avais pas retenu. || [tenere per sé] garder. | *trattenga pure il resto,* gardez la monnaie. || FIG. retenir, réprimer, contenir. | *trattenere le lacrime,* comprimer ses larmes. || FIN. retenir, prélever. | *trattenere una somma sul salario di uno,* retrancher une somme sur le salaire de qn. ◆ v. medio intr. rester. | *ti trattieni a colazione con noi oggi?,* est-ce que tu restes déjeuner chez nous aujourd'hui ? ◆ v. rifl. [dominarsi] se retenir, se contenir. || (da) se retenir (de).

trattenimento [tratteni'mento] m. [festa] réception f. ; [serata] soirée f.

trattenuta [tratte'nuta] f. FIN. retenue, précompte m.

trattino [trat'tino] m. TIP. tiret ; trait d'union.

1. tratto ['tratto] agg. PR. e FIG. tiré. || COMM. tiré. || LOC. *il dado è tratto,* le sort en est jeté. | *a spada tratta,* FIG. résolument.

2. tratto m. trait, ligne f. | *a grandi tratti,* à grands traits. || [segmento] bout, segment, tronçon. | *percorrere il tratto Milano Torino in un'ora,* parcourir la distance Milan-Turin en une heure. | *a tratti,* par endroits. || [periodo] *tacere per un lungo tratto,* se taire longtemps. || [modo di comportarsi] manière f. || LING., MUS., REL., TIP. trait. ◆ pl. [di volto] traits, physionomie f. sing. || [caratteristiche] traits. ◆ loc. avv. *tutt'a un tratto,* tout à coup, soudain, soudainement. || *a tratti; di tratto in tratto,* de temps à autre, par instants.

1. trattore [trat'tore] m. AGR. tracteur.

2. trattore m. [oste] traiteur.

trattoria [tratto'ria] f. petit restaurant.

trauma ['trauma] (**-i** pl.) m. MED., PSIC. trauma, traumatisme.

traumatizzare [traumatid'dzare] v. tr. MED., PSIC. traumatiser ; PSIC. commotionner.

traumatologia [traumatolo'dʒia] f. MED. traumatologie.

travagliare [travaʎ'ʎare] v. tr. tourmenter, tracasser, préoccuper. ◆ v. rifl. se préoccuper, se tracasser.

travagliato [travaʎ'ʎato] agg. tourmenté. | *travagliato dall'ambizione,* travaillé par l'ambition. | *ha avuto una vita molto travagliata,* il a eu une vie pleine de revers, d'épreuves.

travaglio [tra'vaʎʎo] (**-gli** pl.) m. labeur, tourment. | *travaglio del parto,* douleurs (f. pl.) de l'enfantement.

travalicare [travali'kare] v. tr. franchir. || FIG. dépasser, excéder. ◆ v. intr. FIG. dépasser les bornes.

travasare [trava'zare] v. tr. transvaser. || FIG. déverser, répandre. ◆ v. medio intr. se répandre.

travata [tra'vata] o **travatura** [trava'tura] f. TECN. poutrage m., poutraison.

trave ['trave] f. ARCHIT., TECN. poutre. || [di ferro] longeron m.

travedere [trave'dere] v. intr. se méprendre. || FIG. *travede per il figlio,* elle est en admiration devant son fils. ◆ v. tr. PR. e FIG. entrevoir.

traversa [tra'vɛrsa] f. [sbarra] traverse. || [di croce, finestra] croisillon m. ; [di sedia] barreau m. || [lenzuolo piegato] alaise, alèze. || ARCHIT. entretoise. || [strada] (chemin m. de) traverse.

traversare [traver'sare] v. tr. traverser.

traversie [traver'sie] f. pl. FIG. adversité sing., tribulations.

traverso [tra'vɛrso] agg. transversal. | *strada traversa,* chemin de traverse. || FIG. *per vie traverse,* par des voies détournées. || MUS. *flauto traverso,* flûte traversière. || ARCHIT. traverse f. ◆ loc. avv. *di traverso, per traverso, in traverso,* PR. e FIG. de travers. | *avere la luna di traverso,* être mal luné (fam.).

travestimento [travesti'mento] m. PR. e FIG. déguisement. || FIG. camouflage.

travestire [traves'tire] v. tr. (da) costumer (en), déguiser (en). || LETT. travestir. ◆ v. rifl. se travestir, se costumer, se déguiser.

traviare [travi'are] v. tr. FIG. dévoyer, détourner (du droit chemin). ◆ v. medio intr. se dévoyer, se débaucher.
travisare [travi'zare] v. tr. PR. e FIG. déformer, estropier, défigurer. | *hai travisato il mio pensiero,* tu as défiguré ma pensée.
travolgente [travol'dʒɛnte] agg. impétueux, irrésistible.
travolgere [tra'vɔldʒere] v. tr. emporter, balayer, arracher, entraîner. || PER ANAL. écraser, culbuter ; renverser, heurter. || FIG. [sentimenti] bouleverser. || [tempo] détruire.
trazione [trat'tsjone] f. FIS., MECC., MED. traction.
tre [tre] agg. num. card. inv. e m. inv. trois. | *pagina tre,* page trois. | *essere in tre,* être trois. || [indicazione dell'ora] *le tre e un quarto,* trois heures et quart. || [da eseguire] *tre volte,* ter. || LOC. *e tre!,* et de trois !
trealberi [tre'alberi] m. inv. trois-mâts.
trebbia ['trebbja] f. AGR. batteuse.
trebbiare [treb'bjare] v. tr. AGR. battre.
treccia ['trettʃa] (**-ce** pl.) f. [cordone] tresse. || [di capelli] tresse, natte. || PER ANAL. *una treccia di cipolle,* un chapelet d'oignons.
trecento [tre'tʃɛnto] agg. num. card. inv. e m. inv. trois cents. | *nel trecento,* au quatorzième siècle.
tredicenne [tredi'tʃɛnne] agg. (âgé) de treize ans. ◆ n. garçon, fillette de treize ans.
tredicesimo [tredi'tʃɛzimo] agg. num. ord. e m. treizième ; [papi e sovrani ; libro, atto] treize. | *Luigi tredicesimo,* Louis XIII (treize).
tredici ['treditʃi] agg. num. card. inv. e m. inv. treize. || [indicazione dell'ora] *sono le tredici,* il est treize heures.
tregua ['tregwa] f. PR. e FIG. trêve. || FIG. accalmie, répit m. | *senza un momento di tregua,* sans relâche. ◆ loc. avv. *senza tregua,* sans arrêt, sans cesse, continuellement.
tremare [tre'mare] v. intr. PR. e FIG. trembler. || [di freddo, paura] grelotter, frissonner. || [di debolezza] flageoler. || PER ANAL. *voce che trema,* voix chevrotante. | *scrittura che trema,* écriture tremblée. | *far tremare,* ébranler.
tremarella [trema'rɛlla] f. FAM. trac m., tremblote, frousse (pop.).
tremendamente [tremenda'mente] avv. terriblement, affreusement, horriblement.
tremendo [tre'mɛndo] agg. terrible, terrifiant. || [spaventoso] effroyable, horrible, horrifiant. | *che tempo tremendo!,* quel temps épouvantable ! || FAM. atroce, affreux. | *fa un caldo tremendo,* la chaleur est insupportable.
tremila [tre'mila] agg. num. card. inv. e m. inv. trois mille.
tremito ['trɛmito] m. tremblement ; [di freddo, di paura] frisson. | *tremito delle foglie,* frémissement des feuilles.
tremolare [tremo'lare] v. intr. trembler, trembloter.
tremolìo [tremo'lio] m. tremblement, tremblotement. | *tremolìo della voce,* trémolo de la voix.
tremore [tre'more] m. tremblement. || FIG. crainte f., agitation f., appréhension f.
1. tremulo ['trɛmulo] agg. tremblant, tremblotant.
2. tremulo m. BOT. tremble.
treno ['trɛno] m. TR. train ; [di metropolitana] rame f. | *(treno) direttissimo,* (train) express. || AUT. *treno di gomme,* train de pneus. || FIS. *treno d'onde,* train d'ondes. || MECC. *treno dentato,* train d'engrenages. || MIL. train, affût. || PER EST. *treno di vita,* train de vie. || AUT. *treno anteriore, posteriore,* train avant, arrière. || AV. *treno di atterraggio,* train d'atterrissage.
trenta ['trenta] agg. num. card. inv. e m. inv. trente.
trentennale [trenten'nale] agg. trentenaire, tricennal.
trentennio [tren'tɛnnjo] (**-ni** pl.) m. espace de trente ans.
trentesimo [tren'tɛzimo] agg. num. ord. e m. trentième. | *capitolo trentesimo,* chapitre trente.
trentina [tren'tina] f. trentaine. | *essere sulla trentina,* avoir la trentaine.
trepidante [trepi'dante] agg. inquiet, anxieux.
trepidare [trepi'dare] v. intr. (per) trembler (pour).
trepidazione [trepidat'tsjone] f. anxiété, inquiétude, appréhension. | *stare in trepidazione per uno,* trembler pour qn.
treppiede [trep'pjɛde] o **treppiedi** [trep'pjɛdi] m. inv. trépied.
tresca ['treska] (**-che** pl.) f. intrigue, machination, menée. || [legame amoroso] liaison.
triangolo [tri'angolo] m. GEOM., LING., MUS. triangle.
tribale [tri'bale] agg. tribal.
tribolare [tribo'lare] v. intr. souffrir, peiner. ◆ v. tr. tourmenter.
tribordo [tri'bordo] m. tribord.
tribù [tri'bu] f. STOR. tribu. || SCHERZ. tribu, smala(h).
tribuna [tri'buna] f. tribune.
tribunale [tribu'nale] m. GIUR., REL. e FIG. tribunal. || GIUR. palais de justice.
tributare [tribu'tare] v. tr. rendre. | *tributare onori a qlcu.,* rendre les honneurs à qn.

tributario [tribu'tarjo] (**-ri** m. pl.) agg. [fiscale] fiscal. | *sistema tributario,* système fiscal. || GEOGR., STOR. e FIG. tributaire.
tributo [tri'buto] m. [imposta] contribution f., impôt. || STOR. e FIG. tribut.
triciclo [tri'tʃiklo] m. tricycle. || [veicolo da trasporto] triporteur.
tricolore [triko'lore] agg. tricolore. ◆ m. drapeau tricolore.
tricoma [tri'kɔma] m. MED. trichome, trichoma.
tricorno [tri'kɔrno] m. tricorne. || [di prete] barrette f.
tridattilo [tri'dattilo] agg. tridactyle.
tridente [tri'dɛnte] m. trident.
triduo ['triduo] m. REL. triduum.
trielina [trie'lina] f. CHIM. trichloréthylène m.
triennale [trien'nale] agg. [che dura tre anni] triennal. || [che ha luogo ogni tre anni] triennal, trisannuel. ◆ f. triennale.
triennio [tri'ɛnnjo] (**-ni** pl.) m. durée de trois ans.
trifase [tri'faze] agg. triphasé.
trifogliato [trifoʎ'ʎato] agg. BOT. trifoliolé, trifolié. || ARALD. *croce trifogliata,* croix tréflée.
trifoglio [tri'fɔʎʎo] (**-gli** pl.) m. BOT. trèfle.
trifolato [trifo'lato] agg. CULIN. *zucchine trifolate,* courgettes sautées persillées.
trifora ['trifora] f. ARCHIT. fenêtre trilobée, triplet m.
trigemino [tri'dʒɛmino] agg. trigémellaire. | *parto trigemino,* triple accouchement. ◆ agg. e m. ANAT. *(nervo) trigemino,* nerf trifacial, trijumeau.
trigesimo [tri'dʒɛzimo] agg. num. ord. LETT. trentième. ◆ m. *nel trigesimo della morte,* trente jours après la mort.
triglia ['triʎʎa] f. ZOOL. rouget m., grondin m., trigle.
trigonometria [trigonome'tria] f. trigonométrie.
trilaterale [trilate'rale] agg. trilatéral.
trilingue [tri'lingwe] agg. trilingue.
trillare [tril'lare] v. intr. gazouiller ; [dell'allodola] grisoller. || [telefono] sonner.
trillo ['trillo] m. MUS. trille. || [di uccelli] gazouillement. || [di campanello] tintement.
trilobo ['trilobo] agg. ARCHIT., BOT. trilobé. || ARCHIT. tréflé.
trilogia [trilo'dʒia] f. trilogie.
trimestrale [trimes'trale] agg. trimestriel.
trimestre [tri'mɛstre] m. trimestre.
trimotore [trimo'tore] m. AV. trimoteur.
trina ['trina] f. TESS. guipure, dentelle ; [in pezzo] laize.
trincare [trin'kare] v. tr. FAM. trinquer. || ASSOL. boire sec.
trincea [trin'tʃɛa] f. tranchée.
trinceramento [trintʃera'mento] m. retranchement.
trincerare [trintʃe'rare] v. tr. MIL. retrancher. ◆ v. medio intr. PR. e FIG. (in, dietro) se retrancher (dans, derrière).
trincetto [trin'tʃetto] m. TECN. tranchet.
trinchetto [trin'ketto] m. MAR. *(albero di) trinchetto,* mât de misaine f. ; [di navi con vela latina] trinquet.
trinciapollo [trintʃa'pollo] m. CULIN. sécateur (à volailles).
trinciare [trin'tʃare] v. tr. hacher. || CULIN. découper. || LOC. *trinciare sentenze,* trancher sur tout. ◆ v. medio intr. se déchirer.
trinità [trini'ta] f. trinité, triade.
trino ['trino] agg. REL. trin. | *Dio uno e trino,* Dieu en trois personnes.
trio ['trio] m. MUS. e FIG. trio.
trionfale [trion'fale] agg. triomphal.
trionfante [trion'fante] agg. triomphant. | *aria trionfante,* air de triomphe.
trionfare [trion'fare] v. intr. PR. e FIG. triompher. | *trionfare su,* triompher de, l'emporter sur.
trionfo [tri'onfo] m. PR. e FIG. triomphe.
tripartitico [tripar'titiko] (**-ci** m. pl.) agg. triparti, tripartite.
tripartito [tripar'tito] agg. triparti, tripartite. ◆ m. POL. gouvernement tripartite.
triplicare [tripli'kare] v. tr. e intr. tripler. ◆ m. triplement.
triplice ['triplitʃe] agg. triple. | *in triplice copia,* en trois exemplaires.
triplo ['triplo] agg. triple.
trippa ['trippa] f. CULIN. tripes pl. || FIG., POP. [pancia] panse.
tripudiare [tripu'djare] v. intr. exulter, jubiler, être en liesse.
tripudio [tri'pudjo] (**-di** pl.) m. allégresse f., liesse f., exultation f. || FIG. fête f.
triregno [tri'reɲɲo] m. REL. tirègne ; tiare (f.) pontificale.
trireme [tri'rɛme] f. STOR. MAR. trière, trirème.
tris [tris] m. GIOCHI [carte] brelan. || [ippica] tiercé.
trisavolo [tri'zavolo] (**-a** f.) n. trisaïeul.
triste ['triste] agg. triste, affligé. || [penoso] pénible.
tristo ['tristo] agg. triste, cruel, méchant. | *tristo figuro,* triste individu, triste sire. || [di cose] mauvais. || [meschino] piètre. | *ha fatto una trista figura,* il a fait une piètre figure.

tritacarne [trita'karne] m. inv. hache-viande, hachoir m.
tritaghiaccio [trita'gjattʃo] m. inv. appareil à broyer la glace.
tritare [tri'tare] v. tr. hacher. || [in un mortaio] broyer, piler.
tritato [tri'tato] agg. haché. | *carne tritata,* hachis (de viande). || [in un mortaio] broyé, pilé.
tritaverdure [tritaver'dure] m. inv. coupe-légumes.
trito ['trito] agg. haché. || [in un mortaio] broyé, pilé. || FIG. banal, éculé. | *sono argomenti triti,* ce sont des sujets rebattus.
tritolo [tri'tolo] m. CHIM. tolite f., trinitrotoluène.
trittico ['trittiko] (**-ci** pl.) m. ARTI, LETT. triptyque.
tritume [tri'tume] m. [residui] débris pl. || [briciole] miettes f. pl.
triturare [tritu'rare] v. tr. hacher (menu). || [spappolare] broyer, triturer.
triumviro [tri'umviro] o **triunviro** [tri'unviro] m. STOR. triumvir.
trivella [tri'vɛlla] f. TECN. vrille. || MIN. tarière, sonde, foreuse.
trivellare [trivel'lare] v. tr. MIN. forer.
trivellatura [trivella'tura] f. MIN. forage m.
triviale [tri'viale] agg. trivial, grossier.
trivio ['trivjo] (**-vi** pl.) m. carrefour.
trofeo [tro'fɛo] m. trophée.
trofico ['trɔfiko] (**-ci** m. pl.) agg. BIOL. trophique.
troglodita [troglo'dita] (**-i** pl. m.) n. troglodyte. || FIG. rustre, butor.
trogolo ['trɔgolo] m. [vasca] bassin. || [per maiali] auge f.
troia ['trɔja] f. ZOOL. truie.
troiaio [tro'jajo] (**-ai** pl.) m. FIG., VOLG. bordel.
troica ['trɔika] (**-che** pl.) f. troïka.
tromba ['tromba] f. MUS. trompe, trompette. || [trombettista] trompette m., trompettiste n. || MIL. [strumento, musicista] clairon m. || ANAT. trompe. || ARCHIT. *tromba delle scale,* cage d'escalier. || LOC. *partire in tromba,* partir en trombe (fam.). || METEOR. *tromba d'aria,* trombe d'air. || TECN. *tromba ad acqua,* trompe à eau.
trombare [trom'bare] v. tr. e intr. transvaser. || FIG., VOLG. [possedere] se taper. || GERG. [bocciare agli esami] coller, blackbouler ; [alle elezioni] blackbouler.
1. trombetta [trom'betta] f. MUS. trompette. || BOT. *trombetta dei morti,* trompette-de-la-mort.
2. trombetta (**-i** pl.) m. [persona] MIL. clairon ; MUS. trompette.
trombettiere [trombet'tjɛre] m. MIL. clairon ; MUS. trompette.
trombone [trom'bone] m. MIL. tromblon. || MUS. trombone. || [musicista] trombone, tromboniste.
trombosi [trom'bɔzi] f. thrombose.
troncare [tron'kare] v. tr. PR. e FIG. couper, tronquer, trancher, rompre. || FIG. interrompre. | *troncare una conversazione,* couper court à une conversation. || LOC. *quella notizia gli ha troncato le gambe,* cette nouvelle lui a coupé bras et jambes. || GR. retrancher.
1. tronco ['tronko] (**-chi** pl.) agg. [mutilo] tronqué. || [tagliato] coupé. || GR. *parola tronca,* mot accentué sur la dernière syllabe. ◆ loc. avv. *in tronco,* inachevé agg., en plan (fam.). || FAM. *licenziare in tronco,* congédier sur-le-champ.
2. tronco (**-chi** pl.) m. ANAT., ARCHIT., BOT., GEOM. tronc. | *tronco di colonna,* tronçon. || [di strada] tronçon. || FIG. tronc, souche f.
troncone [tron'kone] m. tronçon. || ANAT. moignon. || [di albero] chicot.
troneggiare [troned'dʒare] v. intr. trôner.
tronfio ['tronfjo] (**-fi** m. pl.) agg. bouffi d'orgueil ; plein de morgue. || FIG. *stile tronfio,* style boursouflé.
trono ['trɔno] m. trône.
tropicale [tropi'kale] agg. GEOGR. tropical.
tropico ['trɔpiko] (**-ci** pl.) agg. e m. tropique.
troppo ['trɔppo] avv. [con agg., v., avv.] trop. | *(un po') troppo tardi,* (un peu) trop tard. | *parla troppo !,* il parle trop. || [davanti ad agg.] trop. | *troppo gentile !,* vous êtes trop aimable ! || [davanti a n.] trop de. | *troppa gente,* trop de monde. ◆ pron. trop. | *hai speso troppo,* tu as trop dépensé. || LOC. *di troppo,* de trop, en trop. | *non troppo,* pas trop. ◆ m. trop.
trota ['trɔta] f. truite.
trottare [trot'tare] v. intr. trotter.
trotterellare [trotterel'lare] v. intr. PR. e FIG. trottiner. ◆ m. trottinement.
trotto ['trɔtto] m. trot.
trottola ['trɔttola] f. toupie.
troupe [trup] f. [fr.] CIN., TEAT. troupe.
trousse [trus] f. (fr.) [astuccio] trousse.
trovadore [trova'dore] m. = TROVATORE.
trovare [tro'vare] v. tr. trouver. | *trovare un impiego, una sistemazione,* trouver un emploi. || PER EST. *dove posso trovarlo ?,* où puis-je le joindre ? || [far visita a] voir, trouver. || [inventare] trouver, imaginer. | *trovare un pretesto,* inventer un prétexte. || PER ANAL. *trovare da ridire su tutto,* trouver à redire à tout. || [costatare] trouver, estimer,

juger. | *la trovo stanca,* je vous trouve fatiguée. || Loc. *ha trovato pane per i suoi denti,* il a affaire à forte partie. ◆ v. medio intr. se trouver, être. | *in quel tempo mi trovavo a Milano,* à cette époque j'étais à Milan. || Fig. *trovarsi nei pasticci,* être dans le pétrin (fam.). | *mi trovo bene con te,* je suis bien avec toi. ◆ v. recipr. se retrouver. || [per caso] se rencontrer. | *trovarsi d'accordo,* tomber d'accord.

trovata [tro'vata] f. idée, trouvaille. || Cin., Teat. gag m. (ingl.).

trovatello [trova'tɛllo] (**-a** f.) n. enfant trouvé.

trovatore [trova'tore] m. troubadour.

truccare [truk'kare] v. tr. maquiller, farder. || [travestire] déguiser. || [falsificare] maquiller, falsifier. | *truccare un motore,* trafiquer un moteur. || Cin., Teat. grimer, farder. ◆ v. rifl. se maquiller. || Cin., Teat. se grimer.

trucco ['trukko] (**-chi** pl.) m. maquillage, fard. | *trucco leggero,* maquillage léger. || Cin., Teat. maquillage, grimage. || Fig. truc, astuce f. | *conoscere i trucchi del mestiere,* connaître les ficelles du métier. || Cin. truquage.

truce ['trutʃe] agg. farouche, cruel.

trucidare [trutʃi'dare] v. tr. massacrer, égorger ; trucider (fam.).

truciolo ['trutʃolo] m. copeau. | *trucioli di metallo,* rognures f. pl.

truffa ['truffa] f. escroquerie, filoutage m.

truffare [truf'fare] v. tr. escroquer ; [denaro] soutirer, carotter.

truppa ['truppa] f. [di persone] troupe, groupe m., bande. | *in truppa,* en troupeau (scherz.).

tu [tu] pron. pers. sogg. 2ª pers. sing. [davanti al v.] tu. | *hai torto,* tu as tort. || [con funzione rafforzativa] toi. | *e tu, lo hai visto ?,* et toi, est-ce que tu l'as vu ? | *partirai anche tu,* tu partiras toi aussi. | *sei tu ?,* est-ce toi ? || Loc. *darsi del tu,* se tutoyer. | *a tu per tu,* face à face.

tuba ['tuba] f. [cappello] haut-de-forme m. || Mus. tuba m. || Anat. trompe. || Gerg. Mil. bleu m.

tubare [tu'bare] v. intr. Pr. e Fig. roucouler.

tubatura [tuba'tura] f. tuyauterie, canalisation. || [tubo] conduite.

tubercolo [tu'bɛrkolo] m. Anat., Bot., Med. tubercule.

tubercolosario [tuberkolo'sarjo] (**-ri** pl.) m. sanatorium.

tubercolosi [tuberko'lɔzi] f. tuberculose.

tubero ['tubero] m. Bot. tubercule.

tubetto [tu'betto] m. tube. | *tubetto di aspirina, di dentifricio,* tube d'aspirine, de dentifrice.

tubino [tu'bino] m. chapeau melon. || [abito stretto] fourreau.

tubo ['tubo] m. tube. | *tubo digerente,* tube digestif. || Aut. *tubo di scappamento,* tuyau d'échappement. || Tecn. tube, tuyau. | *tubo di scarico,* [acque di rifiuto] tuyau de descente ; [di canale, diga] tuyau de décharge.

tubolare [tubo'lare] agg. Tecn. tubulaire. ◆ m. [pneumatico] boyau.

tucùl [tu'kul] m. paillote f.

tuffare [tuf'fare] v. tr. plonger, immerger. || Fig. plonger. ◆ v. rifl. plonger v. intr. || Fig. se plonger, s'enfoncer.

tuffatore [tuffa'tore] (**-trice** f.) n. Sp. plongeur, euse.

tuffo ['tuffo] m. plongeon. || Av. piqué. | *bombardamento a tuffo,* bombardement en piqué. || Sp. [calcio] plongeon. || Fig. *tuffo al cuore,* coup au cœur.

tufo ['tufo] m. Geol. tuf.

tugurio [tu'gurjo] (**-ri** pl.) m. masure f., taudis, bouge.

tuia ['tuja] f. thuya m.

tulipano [tuli'pano] m. tulipe f.

tulle ['tulle] m. tulle.

tumefare [tume'fare] v. tr. tuméfier, boursoufler. ◆ v. medio intr. se tuméfier.

tumido ['tumido] agg. tumescent, boursouflé. | *labbra tumide,* lèvres lippues. || Fig. boursouflé.

tumore [tu'more] m. tumeur f., grosseur f.

tumulare [tumu'lare] v. tr. ensevelir.

tumulo ['tumulo] m. tombeau. || Archeol. tertre (funéraire), tumulus.

tumulto [tu'multo] m. tumulte ; [sommossa] émeute f. || Fig. agitation f., trouble.

tumultuoso [tumultu'oso] agg. Pr. e Fig. tumultueux.

tundra ['tundra] f. toundra.

tunica ['tunika] (**-che** pl.) f. [in tutti i significati] tunique.

tunnel ['tunnel] m. tunnel.

tuo ['tuo] agg. poss. 2ª pers. sing. ton, ta, tes. | *il tuo passaporto,* ton passeport. | *la tua macchina,* ta voiture. | *un tuo impiegato,* un de tes employés. | *a casa tua,* chez toi. | *c'è qlco. di tuo in quella valigia,* il y a qch. qui t'appartient dans cette valise. ◆ pron. poss. le tien, la tienne, les tiens, les tiennes. | *i tuoi sono questi,* voilà les tiens. ◆ m. [avere] *il tuo è tuo,* ce qui t'appartient est à toi. ◆ pl. *tanti saluti ai tuoi,* bien des choses aux tiens. ◆ f. [lettera] *con la tua del 12 marzo,* par ta lettre du 12 mars. || Loc. *sei riuscito a tirarlo dalla tua,* tu as réussi à le gagner à ta cause.

tuonare [two'nare] v. intr. = TONARE.

tuono ['twɔno] m. tonnerre. || [cannone] grondement.

tuorlo ['twɔrlo] m. jaune d'œuf.
turabuchi [tura'buki] m. inv. bouche-trou m.
turacciolo [tu'rattʃolo] m. bouchon.
turare [tu'rare] v. tr. boucher. | *turare le fessure di una porta, di una finestra,* calfeutrer une porte, une fenêtre. | *turare una falla,* colmater une voie d'eau. | *turarsi le orecchie,* se boucher les oreilles.
1. turba ['turba] f. foule, multitude. || PEGG. *turba di politicanti,* ramassis (m.) de politicards.
2. turba f. MED. trouble m.
turbamento [turba'mento] m. perturbation f. || FIG. embarras, trouble. | *nascondere il proprio turbamento,* cacher son émotion.
turbante [tur'bante] m. turban.
turbare [tur'bare] v. tr. troubler. | *turbare un colloquio,* troubler un entretien. || [agitare] troubler, déconcerter, embarrasser. | *nulla può turbare la sua sicurezza,* rien ne peut ébranler son assurance. | *la notizia lo ha turbato profondamente,* la nouvelle l'a bouleversé. ◆ v. medio intr. [tempo] se gâter. || FIG. se troubler, s'émouvoir.
turbina [tur'bina] f. turbine.
turbinare [turbi'nare] v. intr. PR. e FIG. tourbillonner, tournoyer.
turbine ['turbine] m. PR. e FIG. tourbillon. || [nugolo] nuée f.
turbocisterna [turbotʃis'tɛrna] f. MAR. pétrolier (m.) à turbines.
turbodinamo [turbo'dinamo] f. inv. MECC. turbodynamo f.
turboelica [turbo'ɛlika] (**-che** pl.) m. AV. turbopropulseur.
turbogetto [turbo'dʒɛtto] m. AV. turboréacteur.
turbolento [turbo'lɛnto] agg. turbulent.
turbonave [turbo'nave] f. MAR. navire (m.) à turbines.
turbopropulsore [turbopropul'sore] m. AV. turboréacteur ; turbopropulseur.
turchese [tur'kese] f. MINER. turquoise. ◆ agg. inv. e m. bleu turquoise.
turchino [tur'kino] agg. bleu turquoise.
turco ['turko] (**-chi** pl.) agg. e n. turc, turque f. | *caffè turco,* café turc. || FIG. *essere in un bagno turco,* être (comme) dans une étuve. || FAM. *fumare come un Turco,* fumer comme une locomotive. ◆ m. LING. turc.
turgidezza [turdʒi'dettsa] f. BIOL., BOT. turgescence.
turibolo [tu'ribolo] m. REL. encensoir.
turismo [tu'rizmo] m. tourisme.
turistico [tu'ristiko] (**-ci** pl. m.) agg. touristique. | *agenzia turistica, ufficio turistico,* agence, bureau de tourisme.
turlupinare [turlupi'nare] v. tr. duper, rouler, gruger.
turlupinatura [turlupina'tura] f. duperie, tromperie.
turno ['turno] m. roulement. | *lavorare a turno,* travailler par roulement. || [periodo di tempo] service. | *medico, farmacia di turno,* médecin, pharmacie de garde. || MAR. *essere di turno,* être de quart. || TR. *primo, secondo turno,* premier, second service. || LOC. *a turno,* à tour de rôle, tour à tour.
turpe ['turpe] agg. ignoble, honteux ; inavouable, déshonorant. | *è un turpe ricatto,* c'est un chantage abject.
turpiloquio [turpi'lɔkwjo] (**-qui** pl.) m. langage grossier.
turpitudine [turpi'tudine] f. turpitude, indécence, scélératesse.
tuta ['tuta] f. salopette, bleu (m.) de travail, combinaison. || MIL. *tuta da lavoro,* treillis m. | *tuta mimetica,* tenue léopard.
tutela [tu'tɛla] f. GIUR. tutelle. | *essere sotto tutela,* être en tutelle. || PER EST. protection, sauvegarde. || LOC. *a tutela di,* pour la défense de.
1. tutelare [tute'lare] agg. tutélaire.
2. tutelare v. tr. protéger, sauvegarder, défendre. ◆ v. medio intr. (contro) se prémunir, se défendre, se protéger (contre).
tutore [tu'tore] (**-trice** f.) n. GIUR. tuteur, trice. || PER EST. *i tutori dell'ordine,* les gardiens de la paix. || AGR. tuteur, échalas.
tutt'al più ['tuttal'pju] loc. avv. (tout) au plus.
tuttavia [tutta'via] cong. mais, cependant, toutefois, pourtant, néanmoins avv. | *ha dovuto sottomettersi, tuttavia aveva ragione lui,* il a dû se soumettre, n'empêche que c'était lui qui avait raison.
tutto ['tutto] agg. 1. [intero] tout, toute, tous, toutes. | *tutto il mio lavoro,* tout mon travail. | *tutta la serata,* toute la soirée. | *la casa tremò tutta,* toute la maison trembla. || FAM. *metticela tutta !,* fonce ! || LOC. *con tutta l'anima,* du fond de l'âme. | *spendere a tutto spiano,* dépenser sans calculer. 2. [apposizione] *era tutta dedita al suo lavoro,* elle était toute à son travail. 3. [seguito da « altro »] *è caro ? — tutt'altro !,* est-ce cher ? — pas du tout ! | *è tutt'altra cosa,* c'est une tout autre chose. 4. LOC. *tutti e cinque,* tous les cinq. | *e tutti quanti,* et tutti quanti (it.), et tous les autres, et tout le tremblement (fam.). | *tutto quello che, tutto quanto,* tout ce qui, ce que. | *in tutti i casi,* en tout cas. | *tutte le volte che,* chaque fois que. | *a tutti i costi,* coûte que coûte. ◆ pron. indef. [persone] *tutti,* tout le monde ; tous. | [cose] *tutto,* tout. | *ci siamo tutti ?,* sommes-nous au

complet ? | *fermi tutti !,* ne bougez pas ! | *interesse di tutti,* intérêt général. | *tutti sanno che,* tout le monde sait que. | *abbiamo tutti i nostri difetti,* nous avons chacun nos défauts. | *questo è tutto,* voilà tout, c'est tout. | *fare di tutto per,* faire tout son possible pour, ne rien épargner pour. | *tutto sta a,* le tout est de. | *tutto sommato,* PR. e FIG. tout compte fait ; FIG. au bout du compte. | *è tutt'uno,* c'est la même chose. | *con tutto che,* bien que. ◆ m. inv. tout. | *rischiare il tutto per il tutto,* risquer le tout pour le tout. ◆ avv. *(tutto) intero,* tout entier. | *non è tutta lana,* ce n'est pas tout laine. | *essere tutt' occhi, tutt' orecchi,* être tout yeux, tout oreilles. ◆ loc. avv. *del tutto,* tout à fait. || *in tutto,* en tout. || *in tutto e per tutto,* tout à fait. || *tutt'a un tratto,* tout d'un coup, soudain(ement).

tuttofare [tutto'fare] loc. inv. *persona tuttofare,* factotum m. | *una domestica tuttofare,* une bonne à tout faire.

tuttora [tut'tora] avv. encore, toujours.

tuttotondo [tutto'tondo] m. ARTI ronde-bosse f.

tutù [tu'tu] m. tutu.

u

u [u] f. o m. u m.

ubbia [ub'bia] f. lubie, fantaisie.

ubbidienza [ubbi'djɛntsa] f. obéissance. ◆ loc. avv. *in ubbidienza a,* conformément à.

ubbidire [ubbi'dire] v. intr. obéir. | *ubbidire agli ordini,* obéir aux ordres. || [seguire] écouter, suivre.

ubertoso [uber'toso] agg. LETT. fécond (L.C.), fertile (L.C.). || [donna] plantureux (fam.).

ubicato [ubi'kato] agg. situé. || GIUR. sis.

ubicazione [ubikat'tsjone] f. emplacement m., position.

ubiquità [ubikwi'ta] f. ubiquité.

ubriacare [ubria'kare] v. tr. PR. e FIG. enivrer, soûler (fam.). | *la velocità lo ubriaca,* la vitesse le grise. ◆ v. rifl. PR. e FIG. s'enivrer, se soûler, se griser.

ubriacatura [ubriaka'tura] f. cuite (fam.). || FIG. enivrement m., ivresse, griserie, exaltation.

ubriachezza [ubria'kettsa] f. ivresse, griserie. || [stile amministrativo] ébriété.

ubriaco [ubri'ako] (**-chi** pl.) agg. ivre, soûl (fam.). || FIG. ivre, grisé.

uccelliera [uttʃel'ljɛra] f. volière.

uccellino [uttʃel'lino] m. oisillon.

uccello [ut'tʃɛllo] m. oiseau. || VOLG. [pene] bite f. || LOC. *farsi uccel di bosco,* prendre la clé des champs. | *a volo d'uccello,* à vol d'oiseau ; [superficialmente] dans les grandes lignes, en gros.

uccidere [ut'tʃidere] v. tr. tuer. | *fu ucciso dal colera,* il est mort du choléra. || [animali] tuer, abattre. || [distruggere] tuer, détruire. || [fiaccare] *questo caldo mi uccide,* cette chaleur me tue, m'accable. ◆ v. rifl. se tuer, se suicider. ◆ v. recipr. s'entretuer.

uccisione [uttʃi'zjone] f. meurtre m., assassinat m. || [massacro] massacre m. || [esecuzione] exécution. || [animali] abattage m.

ucciso [ut'tʃizo] agg. tué. || [animali] abattu. ◆ n. victime f.

uccisore [uttʃi'zore] m. meurtrier.

udibile [u'dibile] agg. audible.

udienza [u'djɛntsa] f. audience.

udire [u'dire] v. tr. entendre. || [sentir dire] entendre dire. || [venire a sapere] apprendre. | *ho udito del matrimonio di tuo figlio,* j'ai appris le mariage de ton fils. || [ascoltare] écouter. | *udite !,* écoutez ! || [esaudire] écouter.

udito [u'dito] m. ouïe f.

uditore [udi'tore] (**-trice** f.) n. auditeur, trice.

uditorio [udi'tɔrjo] m. auditoire.

uff o **uffa** ['uff(a)] interiez. [soffocamento ; impazienza] ouf !

1. ufficiale [uffi'tʃale] agg. officiel.

2. ufficiale m. officier. | *ufficiale di stato civile,* officier d'état civil. || [titolo onorifico] officier. || GIUR. *ufficiale giudiziario,* huissier. || AV., MAR., MIL. officier. | *ufficiale di complemento,* officier de réserve | *ufficiale medico,* médecin-major.

ufficio [uf'fitʃo] m. devoir, rôle. | *è ufficio dei genitori educare i figli,* les parents ont le devoir d'élever leurs enfants. || [funzione, carica] fonction f., charge f., office. || LOC. *far l'ufficio di,* faire office de, faire fonction de. || [organismo, servizio pubblico] bureau, service, office. | *ufficio delle imposte,* bureau des contributions. | *ufficio commerciale,* office commercial. | *ufficio postale,* bureau de poste. || [locale] bureau. | *andare in ufficio,* aller au bureau. || REL. office. || LOC. *buoni uffici,* bons offices. ◆ loc. avv. *d'ufficio,* d'office.

uffizio [uf'fittsjo] m. REL. office. || STOR. *il Sant'Uffizio,* le Saint-Office. || [Firenze] *la Galleria degli Uffizi,* les Offices.

uggia ['uddʒa] f. ennui m. || LOC. *venir in uggia,* ennuyer.

uggiolare [uddʒo'lare] v. intr. japper.

uggioso [ud'dʒoso] agg. maussade, ennuyeux. || [di umore] maussade, morose. || [di discorsi] ennuyeux, rébarbatif.

ugnatura [uɲɲa'tura] f. biseau m. | *a ugnatura,* en biseau.

ugola ['ugola] f. luette. || FIG. *un'ugola d'oro,* une voix d'or. || SCHERZ. *bagnarsi, rinfrescarsi l'ugola,* s'humecter le gosier.

uguaglianza [ugwaʎ'ʎantsa] f. égalité. || [di un terreno] régularité.

uguagliare [ugwaʎ'ʎare] v. tr. PR. e FIG. [livellare] égaliser. || [riferito a persone] rendre égal. || FIG. égaler. | *lo scolaro ha uguagliato il maestro,* l'élève a égalé son maître. || FIG. [paragonare] comparer. ◆ v. rifl. PR. être de la même hauteur, longueur, largeur. || FIG. être aussi (+ agg.) l'un que l'autre ; avoir autant de (+ sostant.) l'un que l'autre ; être égal ; se valoir | *per coraggio, si uguagliano,* ils sont aussi courageux l'un que l'autre.

uguale [u'gwale] agg. [pari] égal. || [simile, lo stesso] pareil, égal, identique. | *la mia macchina è uguale alla tua,* j'ai la même voiture que toi, ma voiture est pareille à la tienne. | *un uomo sempre uguale a sé stesso,* un homme toujours égal à lui-même. || [uniforme] égal, uniforme, régulier. | *parlava con voce uguale,* il parlait d'une voix égale. || MAT. égal. ◆ n. [pari] égal. | *trattare qlcu. da uguale a uguale,* traiter qn d'égal à égal. || LOC. *senza uguali,* sans égal. || [indifferente] égal. | *se non vuoi andarci, per me è uguale,* si tu ne veux pas y aller, ça m'est égal. || [con valore avv.] *sono alti uguale,* ils sont de la même taille.

ugualmente [ugwal'mente] avv. également. || [con agg.] aussi... l'un que l'autre. | *sono due romanzi ugualmente interessanti,* ce sont deux romans aussi intéressants l'un que l'autre. || [nello stesso modo] de la même manière, façon. || [lo stesso] quand même. | *lo farò ugualmente,* je le ferai quand même.

uh [u] interiez. [dolore] ouïe !, ouille ! ; [fastidio] hou !

uhm [m] interiez. [reticenza] hum ! ; [dubbio] heu !

ulcera ['ultʃera] f. MED. ulcère m. ; chancre m.

ulcerare [ultʃe'rare] v. tr. MED. ulcérer. ◆ v. rifl. s'ulcérer.

ulteriore [ulte'rjore] agg. ultérieur, postérieur. || [aggiuntivo] autre, supplémentaire, nouveau. | *attendere un'ulteriore comunicazione,* attendre un nouvel avis. || LOC. *senza ulteriore perdita di tempo,* sans plus tarder.

ultimamente [ultima'mente] avv. dernièrement ; ces derniers temps. | *l'ho visto poco, ultimamente,* je l'ai peu vu, ces derniers temps. || ARC. [infine] enfin (L.C.).

ultimare [ulti'mare] v. tr. achever, terminer, finir.

ultimissima [ulti'missima] f. GIORN. dernière édition, dernières nouvelles pl.

ultimo ['ultimo] agg. [nello spazio] le plus lointain, le plus éloigné, le plus reculé ; [estremo] extrême. | *le ultime propaggini delle Alpi,* les derniers contreforts des Alpes. || [nel tempo] dernier. | *la vostra lettera del 10 giugno ultimo scorso,* votre lettre du 10 juin dernier. || [più lontano nel passato] premier. | *l'ultima origine della decadenza della città,* l'origine première de la décadence de la ville. || [più lontano nel futuro] dernier. | *fino alle ultime generazioni,* jusqu'aux dernières générations. || [estremo] dernier, ultime. | *gli ultimi addii,* les derniers adieux. || [finale di una serie] dernier. | *l'ultimo arrivato,* le dernier arrivé. || LOC. *dare l'ultima mano,* PR. passer la dernière couche ; FIG. mettre la dernière main. || [inferiore] dernier. *è tra gli ultimi della classe,* il est dans les derniers de la classe. | *è l'ultimo dei miei pensieri,* c'est le cadet de mes soucis. || [usato come litote] le, la moindre. | *non è il suo ultimo difetto,* ce n'est pas son moindre défaut. || [di sommo valore] le plus haut, extrême. | *l'ultimo grado del sapere,* le plus haut degré du savoir. ◆ m. dernier. ◆ loc. avv. *in ultimo, da ultimo, all'ultimo,* enfin, à la fin. | *da ultimo si seppe la verità,* enfin on apprit la vérité. | *fino all'ultimo,* jusqu'au bout, jusqu'à la fin.

ultimogenito [ultimo'dʒɛnito] agg. (le) plus jeune, (le) plus petit, benjamin. ◆ n. dernier-né, dernière-née ; benjamin, ine.

ultrasonico [ultra'sɔniko] agg. FIS. ultrasonique. || [riferito alla velocità] supersonique.

ultraterreno [ultrater'reno] agg. supraterrestre, de l'au-delà.

ululare [ulu'lare] v. intr. [di uccelli notturni] (h)ululer. || [di cani e lupi] hurler. || [del vento] hurler.

ululato [ulu'lato] m. PR. e FIG. hurlement.

umanistico [uma'nistiko] (**-ci** m. pl.) agg. humaniste. | *studi umanistici,* humanités f. pl.

umanità [umani'ta] f. PR. e FIG. humanité.

umanizzare [umanid'dzare] v. tr. humaniser. ◆ v. rifl. s'humaniser.

umano [u'mano] agg. humain. ◆ m. pl. [uomini] humains.

umettare [umet'tare] v. tr. humecter.
umidità [umidi'ta] f. humidité.
umido ['umido] agg. humide. ◆ m. humidité f. || CULIN. ragoût. | *in umido,* en sauce.
umile ['umile] agg. humble, modeste.
umiliare [umi'ljare] v. tr. humilier, rabaisser. ◆ v. rifl. s'humilier, s'abaisser.
umiliazione [umiljat'tsjone] f. humiliation. || [affronto] camouflet m.
umiltà [umil'ta] f. humilité.
umore [u'more] m. ANAT. e FIG. humeur f.
umorismo [umo'rizmo] m. humour.
un ['un] agg., art., pron. V. UNO.
unanime [u'nanime] agg. unanime. || LOC. *con voto unanime,* à l'unanimité.
uncinare [untʃi'nare] v. tr. accrocher. || [nella pesca] ferrer, harponner.
uncinato [untʃi'nato] agg. crochu. || BOT. unciné. || LOC. *croce uncinata,* croix gammée.
uncinetto [untʃi'netto] m. crochet. | *lavorare all'uncinetto,* faire du crochet.
uncino [un'tʃino] m. croc, crochet. || FIG. [cavillo] prétexte.
undicesimo [undi'tʃɛzimo] agg. num. ord. e m. onzième ; [papi e sovrani ; atto, libro] onze. | *undicesimo capitolo,* chapitre onze, onzième chapitre.
undici ['unditʃi] agg. num. card. inv. e m. inv. onze.
ungere ['undʒere] v. tr. graisser ; [con olio] huiler. || [sporcare] graisser. || FIG. *ungere le ruote,* graisser la patte (à qn). || REL. oindre. ◆ v. rifl. [spalmarsi] se mettre de la crème, de l'huile. || [sporcarsi] se graisser.
unghia ['ungja] f. ongle m. | *dipingersi le unghie,* se mettre du vernis à ongles. || LOC. *cadere sotto le unghie di qlcu.,* tomber sous la griffe de qn. || [di animali] griffe, ongle ; [di rapaci] serre ; [di equini e bovini] sabot m. || FIG. [piccola quantità] brin m., once, grain m. | *ci manca un'unghia,* il s'en faut d'un cheveu.
unguento [un'gwɛnto] m. onguent, crème f., pommade f.
unicamente [unika'mente] avv. uniquement, seulement.
unico ['uniko] (**-ci** m. pl.) agg. unique. | *via a senso unico,* rue à sens unique. || [equivalente di solo] seul, unique. | *è l'unica via d'uscita,* c'est le seul moyen de s'en sortir. || [incomparabile] unique. | *è un artista unico,* c'est un artiste d'exception. || LOC. *è un tipo più unico che raro,* c'est un merle blanc. ◆ f. *l'unica,* la seule chose, le mieux. | *è l'unica !,* c'est la seule chose à faire !
unificare [unifi'kare] v. tr. unifier, normaliser. || [nell'industria] standardiser.
uniformare [unifor'mare] v. tr. uniformiser. || [adattare] adapter, conformer. ◆ v. rifl. se conformer, s'adapter.
1. uniforme [uni'forme] agg. uniforme.
2. uniforme f. uniforme m., tenue.
unigenito [uni'dʒɛnito] agg. *figlio unigenito,* fils unique.
unilaterale [unilate'rale] agg. unilatéral.
unione [u'njone] f. PR. e FIG. union. || [associazione] union. | *Unione sovietica,* Union soviétique. || TECN. assemblage m., jonction.
unire [u'nire] v. tr. joindre, unir. | *unire il gesto alla parola,* joindre le geste à la parole. || [in matrimonio] unir, joindre par les liens du mariage. || [fissare] assembler. | *unire due assi,* assembler deux planches. || [avvicinare] réunir, rapprocher. || FIG. *la sventura unisce gli uomini,* le malheur rapproche les hommes. || [collegare cose distanti] relier, joindre, unir. || [allegare] joindre. | *unire un documento ad una domanda,* joindre un document à une demande. ◆ v. rifl. se joindre, s'unir (à). || [collegarsi] se relier. ◆ v. recipr. s'unir. | *unitevi e vincerete !,* unissez-vous et vous vaincrez ! | *unirsi in matrimonio,* se marier. || [collegarsi] se joindre.
unisono [u'nisono] agg. PR. e FIG. à l'unisson loc. avv.
unità [uni'ta] f. [in tutti i significati] unité.
unitamente [unita'mente] avv. ensemble. || FIG. d'un commun accord. || [congiuntamente] *unitamente a,* en même temps que.
unitario [uni'tarjo] (**-i** m. pl.) agg. unitaire.
unito [u'nito] agg. [in tutti i significati] uni. || [accluso] joint.
universale [univer'sale] agg. universel. | *il giudizio universale,* le jugement dernier. ◆ m. universel. ◆ pl. FILOS. *gli universali,* les universaux.
universalità [universali'ta] f. universalité.
università [universi'ta] f. université.
universitario [universi'tarjo] (**-ri** pl. m.) agg. universitaire. ◆ n. [studente] étudiant. || [docente] universitaire, professeur de faculté.
universo [uni'vɛrso] m. univers.
univoco [u'nivoko] (**-ci** pl. m.) agg. univoque.
1. uno ['uno] agg. num. card. un. | *un metro,* un mètre. | *una volta sì ed una no,* une fois sur deux. || LOC. *essere tutt'uno con qlcu., qlco.,* [essere molto uniti] ne faire qu'un avec qn, qch. || [in funzione di num. ord.] un. | *alle ore una, all'una,* à une heure. ◆ agg. [un

unico] un, un seul. ◆ n. un. | *ne riceveranno uno a testa,* ils en recevront chacun un, un par personne. | *vuoi sentirne una ?,* tu veux savoir la dernière ? | *più d'uno,* plus d'un. | *basterebbe una parola per,* il suffirait d'un (seul) mot pour. | *a un tempo,* en même temps.

2. uno art. indef. solo sing. un. | *un albero,* un arbre. | *un giorno,* un jour. || [in espressioni enfatiche] *ho una sete !,* j'ai une de ces soifs ! | *ma è un bambino, non può capire !,* mais ce n'est qu'un enfant, il ne peut pas comprendre ! || [seguito da agg. poss.] un, une de mes (tes, ses). | *un tuo parente,* un de tes parents, un parent à toi. || [con valore avv.] environ, à peu près. | *costa un diecimila lire,* ça coûte environ dix mille lires, dans les dix mille lires.

3. uno pron. indef. un. | *uno di loro,* (l')un d'(entre) eux. || [un certo, un tale] quelqu'un, une personne. | *ho parlato con uno che ti conosce bene,*j'ai parlé avec quelqu'un qui te connaît ien. || [ciascuno] chacun, l'un, l'unité, la pièce. | *costano venti lire l'uno,* ils coûtent chacun vingt lires. || *l'uno l'altro,* l'un l'autre. | *gli uni e gli altri,* les uns et les autres. || [con valore impers.] quelqu'un, on. | *quando uno dice solo sciocchezze, è meglio che stia zitto,* quand on n'ouvre la bouche que pour dire des bêtises, il vaudrait mieux se taire.

1. unto ['unto] agg. huilé. || [sporco] graisseux. || REL. oint.

2. unto ['unto] m. graisse f. || [sporcizia] crasse f. || REL. oint.

untuoso [untu'oso] agg. onctueux, huileux. || FIG. onctueux, mielleux, doucereux.

unzione [un'tsjone] f. REL. onction. | *estrema unzione,* extrême-onction. || FIG. manières onctueuses.

uomo ['wɔmo] (**uomini** pl.) m. [in tutti gli usi] homme. | *un pover' uomo,* un pauvre homme. | *uomo d'affari,* homme d'affaires. | *uomo di parola,* homme de parole. | *un pezzo d'uomo,* un grand gaillard. | *non è uomo da tollerare un affronto,* il n'est pas homme à souffrir un affront. | *a memoria d'uomo,* de mémoire d'homme. | *è l'uomo che fa per noi !,* voilà notre homme ! || POP. [marito, amante] homme. || [essere umano] homme. | *il primo uomo,* le premier homme. || [persona addetta ad un servizio] employé, garçon. | *uomo del gas,* employé du gaz.

uopo ['wɔpo] m. LETT. besoin (L.C.).

uovo ['wɔvo] (**uova** pl. f.) m. œuf. | *chiara d'uovo,* blanc d'œuf. | *uova al tegame, all'occhio di bue,* œufs sur le plat. || LOC. FAM. *pieno come un uovo,* plein comme un œuf, plein à craquer. | *è come bere un uovo,* c'est simple comme bonjour. | *cercare il pelo nell'uovo,* chercher la petite bête. | *rompere le uova nel paniere,* faire rater l'affaire.

uragano [ura'gano] m. ouragan. || FIG. tempête f.

uranio [u'ranjo] m. CHIM. uranium.

urbanistica [urba'nistika] f. urbanisme m.

urbanità [urbani'ta] f. urbanité. | *con urbanità,* avec courtoisie.

urbanizzare [urbanid'dzare] v. tr. urbaniser. || [incivilire] civiliser.

urbano [ur'bano] agg. urbain. | *nettezza urbana,* voirie urbaine. || [educato] poli, courtois.

urea [u'rɛa] f. CHIM. urée.

uremia [ure'mia] f. MED. urémie.

uretere [ure'tɛre] m. uretère.

uretra [u'rɛtra] f. urètre m.

urgente [ur'dʒɛnte] agg. urgent. || [di malati] *un caso urgente,* une urgente.

urgenza [ur'dʒɛnta] f. urgence. | *non c'è urgenza,* ça ne presse pas.

urgere ['urdʒere] v. intr. être urgent. || ASSOL. se presser.

urico ['riko] (**-ci** pl. m.) agg. urique.

urina [u'rina] f. urine.

urinare [uri'nare] v. intr. uriner.

urlare [ur'lare] v. intr. hurler. || [gridare forte] crier, brailler (fam.). ◆ v. tr. hurler, crier, brailler.

urlo ['urlo] (**-i** pl. ; **-a** pl. f. [con valore collettivo]) m. hurlement, cri. | *un urlo di dolore, di gioia,* un cri de douleur, de joie. || FIG. *urlo di una sirena,* hurlement, mugissement d'une sirène.

urna ['urna] f. urne. | *andare alle urne,* aller aux urnes, aller voter.

urologo [u'rɔlogo] (**-gi** pl.) m. urologue.

urtare [ur'tare] v. tr. heurter ; bousculer. || FIG. heurter, choquer. | *urtare la suscettibiità di qlcu.,* froisser la susceptibilité de qn. ◆ v. intr. [cozzare contro] se heurter (contre, à), se cogner (à). ◆ v. rifl. se fâcher. ◆ v. recipr. se heurter, se bousculer. || FIG. se brouiller.

urto ['urto] m. heurt, choc. || MED. *dose d'urto,* dose de choc. || FIG. [contrasto, dissenso] heurt, conflit, contracte. || LOC. *essere in urto con qlcu.,* être mal avec qn.

usanza [u'zantsa] f. coutume, usage m. | *c'è l'usanza di ...,* il est d'usage de ... || [abitudine] habitude.

usare [u'zare] v. tr. employer, utiliser, se servir de. | *usare ogni mezzo,* employer tous les moyens. | *posso usare la tua macchina ?,* est-ce que je peux me servir de ta voiture ? || [con compl. ogg. astratto] user (de). | *usare* *pazienza,* user de patience. | *usare violenza ad una donna,* abuser d'une femme. | *verresti usargli una cortesia ?,* est-ce que tu voudrais bien lui rendre un service ? ◆ v. intr. user (de), faire usage (de), se servir (de). | *usure di un diritto,* user d'un droit. || [con l'infin.] avoir l'habitude, avoir coutume de. | *usa coricarsi molto presto,* il a l'habitude de se coucher très tôt. || Assol. *questo non si usa più,* cela ne se fait plus. || [essere di moda] être à la mode. || [essere adoperato] *sono formule che non (s')usano più,* ce sont des formules qui ne s'emploient plus.

usato [u'zato] agg. usagé. | *vestiti usati,* vêtements usagés. || [d'occasione] d'occasion. | *libri usati,* livres d'occasion. ◆ m. habitude f. || Comm. occasions f. pl. | *il mercato dell'usto,* le marché des occasions.

uscente [uʃ'ʃɛnte] agg. *segretario uscente,* secrétaire sortant.

usciere [ut'ʃɛre] m. huissier.

uscio ['uʃʃo] m. porte f. | *sbattere l'uscio,* claquer la porte.

uscire [uʃ'ʃire] v. intr. 1. sortir. | *uscire di casa,* sortir de chez soi. | *uscire dalla finestra,* sortir par la fenêtre. || Fig. *uscire dall'inverno,* sortir de l'hiver. | *uscire dal proprio guscio,* sortir de sa coquille. || Fam. *gli occhi gli escono dalla testa,* les yeux lui sortent de la tête. 2. [andar fuori] sortir. | *uscire all'aperto,* sortir au grand air. | *uscire a passeggio,* aller se promener. | *uscine a fare la spesa,* sortir faire des courses. 3. [uscire per distrarsi] sortir. | *noi usciamo molto spesso la sera,* nous sortons très souvent le soir. 4. [deviare] sortir. | *fiume che esce dal proprio alveo,* rivière qui sort de son lit. || Loc. Fig. *uscire dal seminato,* sortir du sujet, battre la campagne (fam.). || [di strade, fiumi] déboucher. 5. [apparire all'esterno] sortir. | *piante che escono da terra,* plantes qui sortent de terre. || [di pubblicazione] sortir, paraître. | *far uscire un libro,* publier un livre. 6. [cessare di essere in una determinata condizione] sortir. | *uscire dal riserbo,* sortir de sa réserve. 7. [scampare a] sortir ; échapper (à). | *uscire illeso da un incidente,* sortir indemne d'un accident. || [cavarsela] s'en tirer, s'en sortir. 8. [provenire risultare] sortir. | *non ne uscirà niente di buono,* il n'en sortira rien de bon. || Ling. [di parole] se terminer par.

uscita [iʃ'ʃita] f. sortie. | *libera uscita,* jour de sortie ; Mil. quartier (m.) libre. | Fig. *via d'uscita,* issue, échappatoire. || [luogo] sortie, issue. | *uscita di sicurezza,* sortie de secours. || [spesa] sortie, dépense. || [battuta imprevedibile] sortie. | *ha avuto una delle sue uscite,* il en a dit une bien bonne. || Ling. terminaison.

usignolo [uziɲ'ɲɔlo] m. rossignol.

1. uso ['uzo] agg. Lett. habitué (L.C.). | *uso alla fatica,* habitué à l'effort.

2. uso m. 1. emploi, usage. | *con questo tempo è necessario l'uso delle catene,* par ce temps-là, il faut se servir des chaînes. 2. [capicità di usare qlco.] usage. | *l'uso della ragione,* l'usage de la raison. 3. Giur. usage. | *diritto d'uso,* droit d'usage. | *camera con uso di cucina,* pièce avec jouissance (f.) de la cuisine. 4. Ling. usage. | *voce entrata nell'uso,* terme en usage. 5. [tradizione] coutume f., tradition f., habitude f. | *usi e costumi,* les us et coutumes. | *l'uso vuole che si faccia così,* la tradition veut que l'on fasse ainsi. | *d'uso,* [conforme all'uso] d'usage ; [abitualmente] d'habitude, de coutume. ◆ loc. prep., agg. e avv. *(a) uso (di),* à l'usage de. | *locali (ad) uso abitazione,* locaux à usage d'habitation. || *per (l')uso,* à usage de. | *medicine per uso esterno,* médicaments à usage externe. || *in uso,* en usage. | *questo libro non è più in uso,* ce livre n'est plus employé. || *d'uso (corrente),* d'emploi courant. || *fuori uso,* hors d'usage. | *tecniche fuori uso,* techniques qui n'ont plus cours. || *con l'uso,* [con l'adoperare] à l'usage ; [con l'esercizio] par l'usage, par la pratique. ◆ loc. verbale *far uso di,* employer ; faire usage (de), se servir (de). | *far cattivo uso delle proprie ricchezze,* faire mauvais usage de ses richesses. || *far molto uso di,* (adoperare] employer, se servir de ; [consumare] consommer. | *fanno molto uso di latte,* ils consomment beaucoup de lait.

ustione [us'tjone] f. brûlure.

ustorio [us'tɔrjo] (**-ri** pl. m.) agg. *specchio ustorio,* miroir ardent.

usuale [uzu'ale] agg. usuel. || [médiocre] ordinaire.

usualmente [uzual'mente] avv. usuellement, d'ordinaire.

usufrutto [uzu'frutto] m. Giur. usufruit.

usufruttuario [uzufruttu'arjo] (**-ri** pl. m.) n. e agg. usufruitier, ère.

1. usura [u'zura] f. usure. | *prestare a usura,* prêter à usure.

2. usura f. [logorio] usure.

usuraio [uzu'rajo] m. usurier. ◆ agg. usuraire.

usurpare [uzur'pare] v. tr. usurper.

utensile [uten'sile] m. outil. | *utensili di cucina,* ustensiles de cuisine.

utente [u'tɛnte] m. usager.

utero ['utero] m. utérus.

1. utile ['utile] agg. utile. | *oggetti, regali utili,* objets, cadeaux utiles. ||

GIUR. *tempo utile, giorni utili,* temps utile, jours utiles. || [proficuo] utile, bon. | *esercizio utile per la salute,* exercice utile à la santé. || [con valore neutro] utile, bon. | *è utile a sapersi,* c'est bon à savoir. || [di persona] utile, précieux. | *rendersi utile a qlcu.*, se rendre utile à qn.
2. utile m. utile. | *unire l'utile al dilettevole,* joindre l'utile à l'agréable. || [vantaggio] avantage, profit. | *a noi non ne verrà nessun utile,* nous n'en tirerons aucun avantage. || ECON. bénéfice, profit.
utilità [utili'ta] f. utilité.
utilitaria [utili'tarja] f. AUT. voiture utilitaire.
utilizzare [utilid'dzare] v. tr. utiliser.
utilizzo [uti'liddzo] m. COMM. utilisation f.
utopia [uto'pia] f. utopie.
uva ['uva] f. raisin m.
uvetta [u'vetta] f. raisin sec.

V

v [vu] f. o m. v m. | *scollatura a V,* décolleté en V.
va' [va] interiez. tiens !
vacante [va'kante] agg. vacant.
vacanza [va'kantsa] f. congé m. | *fare un giorno di vacanza,* prendre un jour de congé. || [mancanza del titolare] vacance. ◆ pl. vacances. | *vacanze estive,* grandes vacances.
vacare [va'kare] v. intr. être vacant, vaquer.
vacca ['vakka] f. vache. || [in espressioni ingiuriose] garce (volg.).
vaccaio [vak'kajo] o **vaccaro** [vak'karo] m. vacher.
vaccinare [vattʃi'nare] v. tr. PR. e FIG. vacciner.
vaccinazione [vattʃinat'tsjone] f. vaccination.
1. vaccino [vat'tʃino] agg. bovin, de vache. ◆ m. VETER. vaccine f.
2. vaccino m. vaccin.
vacillare [vatʃil'lare] v. intr. vaciller ; [persona] chanceler.
vacuità [vakui'ta] f. PR. e FIG. vacuité.
vacuo ['vakuo] agg. LETT., PR. e FIG. vide (L.C.). || [vano] vain. ◆ m. vide.
vafer ['vafer] m. gaufrette f.
vagabondare [vagabon'dare] v. intr. PR. e FIG. vagabonder, errer.
vagabondo [vaga'bondo] agg. vagabond, errant. ◆ n. vagabond, e ; clochard, e. || [fannullone] fainéant.
vagare [va'gare] v. intr. PR. e FIG. errer.
vagheggiare [vaged'dʒare] v. tr. contempler. || [corteggiare] courtiser. || [desiderare] rêver (de).
vagina [va'dʒina] f. vagin m.
vagire [va'dʒire] v. intr. vagir.
vagito [va'dʒito] m. vagissement.
vaglia ['vaλλa] m. inv. mandat m. | *vaglia postale,* mandat postal, mandat-poste.
vagliare [vaλ'λare] v. tr. vanner, cribler. || FIG. passer au crible, examiner en détail, peser.
vaglio ['vaλλo] m. crible ; [per il grano] van. || FIG. examen.
vago ['vago] agg. vague. || [attraente] charmant, gracieux. ◆ m. vague.
vagone [va'gone] m. wagon. | *vagone letto,* voiture-lit f.
vaiolo [va'jɔlo] m. variole f., petite vérole.
val [val] f. = VALLE.
valanga [va'langa] f. PR. e FIG. avalanche.
valente [va'lɛnte] agg. de valeur, de (grand) mérite, éminent, remarquable, habile.
valere [va'lere] v. intr. 1. valoir ; avoir de la valeur ; [nell'ambito professionale] être bon, être habile ; [avere importanza] avoir de l'importance, compter. | *vale più di me,* il vaut plus, il vaut mieux que moi. | *qui lui non vale nulla,* ici il ne compte pas. || [cose] avoir de l'intérêt, être remarquable ; valoir. | *poesia che vale (molto),* poésie (très) intéressante, valable. 2. [costare] valoir, coûter. || FIG. valoir. | *non valere un'acca, un fico secco,* ne pas valoir un clou. 3. [equivalere a] valoir. | *uno vale l'altro,* [persone] ils se valent ; [cose] c'est la même chose ; ça se vaut (fam.) ; [non importa] cela n'a pas d'importance. || [sul piano espressivo] équivaloir (à), signifier. | *questo silenzio vale un rifiuto,* ce silence équivaut à un refus. || LOC. *valere la pena,* valoir la peine. | *tanto vale,* autant (vaut). | *vale a dire,* c'est-à-dire, autrement dit. 4. [aver efficacia] compter. | *partita che vale per il campionato,* partie qui compte pour le championnat. || [essere valido] être valable. || [servire] servir. | *le nostre proteste non valsero (a nulla),* nos protestations ne servirent à rien. ◆ v. tr. valoir. ◆ v. rifl. (di) se servir (de), profiter (de).
valevole [va'levole] agg. valable.
valicare [vali'kare] v. tr. franchir, passer.

valico ['valiko] m. col. ‖ [il valicare] passage, franchissement.
valido ['valido] agg. [fondato] valable. ‖ [efficace] efficace, valable. | *valido aiuto,* aide efficace. ‖ [in regola] valable, valide. ‖ [che ha valore] intéressant, remarquable. ‖ [vigoroso] valide, robuste, vigoureux. | *vecchio ancora valido,* vieillard encore vert.
valigia [va'lidʒa] f. valise.
vallata [val'lata] f. vallée.
valle ['valle] f. vallée, val m. | *per monti e per valli,* par monts et par vaux. ‖ [depressione paludosa] lagune. ‖ [di onda] creux m. ◆ loc. avv. *a valle,* en bas, vers le bas. ◆ loc. prep. *a valle di,* en aval de.
valore [va'lore] m. valeur f. | *di valore,* de valeur. ‖ [validità] valeur, validité f. ‖ [significato] valeur. | *con valore di,* qui équivaut à. ‖ [ciò che è vero, buono, bello] valeur. | *valori morali,* valeurs morales. ‖ [coraggio] bravoure f. | *medaglia al valore militare,* médaille militaire. ◆ pl. FIN. [titoli] valeurs. ‖ [oggetti preziosi] objets de valeur.
valorizzare [valorid'dzare] v. tr. mettre en valeur. ‖ ECON. valoriser.
valoroso [valo'roso] agg. valeureux (lett.), vaillant (lett.), brave. ‖ [abile] bon, habile.
valuta [va'luta] f. espèces pl., monnaie. | *valuta estera,* devise (spec. al pl.). ‖ [valore della moneta] cours m.
valutare [valu'tare] v. tr. estimer, évaluer. | *valutare una distanza,* évaluer une distance. ‖ FIG. apprécier, estimer. ‖ [tener conto ai fini di un calcolo] compter. ‖ FIG. tenir compte (de) ; [vagliare] peser.
valutario [valu'tarjo] agg. monétaire ; des devises.
valutazione [valutat'tsjone] f. évaluation, estimation. ‖ [ai fini di un giudizio] appréciation.
valva ['valva] f. BOT., ZOOL. valve.
valvola ['valvola] f. soupape ; [nelle camere d'aria] valve. ‖ AUT. *valvola a farfalla,* papillon (m.) des gaz. ‖ ELETTR. fusible m. ‖ RAD., TV lampe. ‖ ANAT. valvule.
vampa ['vampa] f. flamme. ‖ [ondata di calore] bouffée d'air chaud. ‖ FIG. ardeur, feu m., fièvre.
vampata [vam'pata] f. jet (m.) de flammes, hautes flammes. ‖ [ondata di aria calda] bouffée d'air brûlant. | *vampata di rossore,* rougeur subite. ‖ FIG. explosion.
vanagloria [vana'glɔrja] f. vanité, gloriole.
vandalo ['vandalo] m. PR. e FIG. vandale.
vaneggiare [vaned'dʒare] v. intr. délirer, divaguer, radoter.
vanesio [va'nɛzjo] agg. vaniteux, fat.
vanga ['vanga] f. bêche.
vangare [van'gare] v. tr. bêcher.
vangelo [van'dʒɛlo] m. REL. e FIG. évangile.
vaniglia [va'niʎʎa] f. [pianta] vanillier m. ‖ [frutto, essenza] vanille.
vanigliato [vaniʎ'ʎato] agg. vanillé.
vaniloquio [vani'lokwjo] m. radotage.
vanità [vani'ta] f. vanité. ‖ [inutilità] inutilité.
1. vano ['vano] agg. vain, inutile, infructueux. | *vane fatiche,* vains efforts. ‖ [irrealizzabile] vain, chimérique, illusoire. | *vane speranze,* vains espoirs. ‖ [di persona] léger, frivole.
2. vano m. ouverture f. ; [di porta, finestra] embrasure f., baie f. ; [in un muro] enfoncement, niche f. ; [delle scale] cage f. (d'escalier). ‖ [stanza] pièce f.
vantaggio [van'taddʒo] m. avantage. ‖ [distacco spaziale o temporale] avance f. | *avere due punti di vantaggio,* avoir deux points d'avance.
vantare [van'tare] v. tr. vanter, exalter. ‖ [andar fiero] s'enorgueillir (de), se glorifier (de), se vanter (de). ◆ v. rifl. se vanter.
vanto ['vanto] m. vantardise f. | *menar vanto,* se vanter. ‖ [pregio] mérite. | *ha il vanto di,* il a le mérite de.
vanvera (a) [a'vanvera] loc. avv. sans réfléchir, à la légère.
vapore [va'pore] m. vapeur f. | *cuocere al vapore,* cuire à la vapeur. ‖ [vapore condensato] buée f. ‖ LOC. FAM. *a tutto vapore,* à toute vapeur, à toute pompe. ‖ [nebbia] vapeur f., brume f. ‖ [qualsiasi esalazione] fumée f., exhalaison f.
vaporetto [vapo'retto] m. (bateau à) vapeur. ‖ [sulla Senna] bateau-mouche.
vaporizzare [vaporid'dzare] v. tr. vaporiser. ◆ v. intr. s'évaporer.
vaporoso [vapo'roso] agg. vaporeux. ‖ FIG. vague, imprécis.
varare [va'rare] v. tr. MAR. lancer ; mettre à l'eau. ‖ FIG. *varare un'impresa,* lancer une entreprise. | *varare una legge,* approuver une loi.
varcare [var'kare] v. tr. franchir, passer. ‖ FIG. dépasser. | *varcare i limiti,* dépasser les limites.
varco ['varko] **(-chi** pl.) m. passage. | *aprirsi un varco tra la folla,* se frayer un chemin dans la foule. ‖ LOC. *aspettare qlcu. al varco,* attendre qn au tournant. ‖ [valico] col.
varechina [vare'kina] f. eau de Javel.
variabile [va'rjabile] agg. variable. | *umore variabile,* humeur changeante. ◆ f. MAT. variable.

variamente [varja'mente] avv. diversement.
variante [va'rjante] f. LING., MUS. variante. || [modifica] changement m., modification.
variare [va'rjare] v. tr. varier. || [cambiare] changer. | *mi piace variare,* j'aime le changement. ◆ v. intr. varier ; changer.
variazione [varjat'tsjone] f. changement m., variation.
varice [va'ritʃe] f. varice.
varicella [vari'tʃɛlla] f. varicelle.
varicoso [vari'koso] agg. variqueux. | *vene varicose,* varices.
variegato [varje'gato] agg. bariolé, bigarré, multicolore.
1. varietà [varje'ta] f. [in tutti i sensi] variété.
2. varietà m. [spettacolo] variétés f. pl.
vario ['varjo] agg. varié. | *programma vario,* programme varié. || [molteplice] différent, divers. | *oggetti di vario genere,* objets de toutes sortes. ◆ pl. différents, divers. | *varie volte,* plusieurs fois. | *varie specie di,* différentes, diverses sortes de. ◆ m. variété f. ◆ f. pl. [miscellance] variétés f. pl. ◆ pron. pl. divers, plusieurs.
variopinto [varjo'pinto] agg. bariolé, bigarré.
vasaio [va'zajo] m. potier.
vasca ['vaska] f. bassin m. ; [fontana ornamentale] vasque. || [per il nuoto] bassin, piscine. || IND. cuve, bac m. || PARTICOL. *vasca (da bagno),* baignoire.
vascello [vaʃ'ʃɛllo] m. vaisseau. | *sottotenente di vascello,* enseigne de vaisseau.
vascolare [vasko'lare] agg. ANAT., BOT. vasculaire.
vaselina [vaze'lina] f. vaseline.
vasellame [vazel'lame] m. vaisselle f.
vasetto [va'zetto] m. (petit) vase ; [per creme, conserve] (petit) pot.
vaso ['vazo] m. vase. || [che si riempie di terra] pot (de fleurs). || [barattolo] pot. || ANAT., BOT. vaisseau. || ARCHIT. corbeille f.
vassallo [vas'sallo] m. PR. e FIG. vassal.
vassoio [vas'sojo] m. plateau. || [da muratore] taloche f.
vastità [vasti'ta] f. immensité ; étendue. || FIG. étendue, ampleur.
vasto ['vasto] agg. PR. e FIG. vaste, étendu, ample, large, grand. | *di vaste proporzioni,* de grandes proportions.
vattelapesca [vattela'peska] loc. FAM. va savoir ! ; allez savoir ! ; Dieu sait quoi, où.
ve [ve] pr. pers. 2ª pers. pl. vous. | *ve lo dico,* je vous le dis. ◆ avv. y. | *ve ne sono,* il y en a.
vecchiaia [vek'kjaja] f. vieillesse.
vecchio ['vɛkkjo] agg. vieux ; âgé. | *uomo vecchio,* vieil homme, homme âgé. || [con valore relativo] âgé, vieux. | *sono più vecchia di te,* je suis plus âgée que toi. || [posposto ad un nome illustre] ancien. | *Catone il Vecchio,* Caton l'Ancien. || [contrapposto a « nuovo »] vieux. | *la città vecchia,* la vieille ville. || [che ha perso ogni interesse] vieux, usé. | *scherzo vecchio,* plaisanterie usée. | *procedimento vecchio,* procédé dépassé. || [stagionato] vieux. | *vino vecchio,* vin vieux. || [indica familiarità] vieux. | *vecchio amico,* vieil ami. || [precedente] ancien, vieux, précédent. | *la mia nuova macchina è peggio della vecchia,* ma nouvelle voiture ne vaut pas la vieille. ◆ m. *il vecchio ed il nuovo,* le vieux et le neuf. ◆ n. vieillard, vieux. || FAM. [genitore] *i miei vecchi,* mes vieux.
vecchiume [vek'kjume] m. vieilleries f. pl.
veccia ['vettʃa] f. vesce.
vece ['vetʃe] f. fonction. | *fare le veci di,* remplacer, faire fonction de, tenir lieu de. ◆ loc. prep. *in vece di,* à la place de, en guise de.
vedere [ve'dere] v. tr. 1. voir. | *far vedere,* faire voir ; montrer. | *vedessi com'è cambiato,* tu devrais voir comme il a changé. || [soggetto di cosa] *il paese che lo vide bambino,* le pays où il passa son enfance. 2. [intenzionalmente] voir, visiter. | *vedere una mostra,* visiter une exposition. || [esaminare per controllare] voir, examiner, vérifier. | *vedere i conti,* vérifier les comptes. || [con tono di sfida] *vuoi vedere che ...,* tu veux parier que ... 3. [comprendere, giudicare] voir, comprendre. | *si vide perso,* il comprit qu'il était perdu, il se vit perdu. || [decidere] *vedi un pó, vedi tu,* fais à ton idée. || [cercare] essayer. | *vedrò di darti un aiuto,* j'essaierai de t'aider. || LOC. *chi s'è visto s'è visto,* ni vu ni connu. | *vedere la luce,* voir le jour, venir au jour. | *vedersela brutta,* être en mauvaise posture. | *non vedo l'ora di,* il me tarde de, j'ai hâte de. | *avere a che vedere con,* avoir un rapport avec. | *dare da vedere,* faire croire. | *non poter vedere qlcu.,* ne pas pouvoir voir, supporter qn. | *modo di vedere,* façon de voir. || [nei rinvii] *vedi sopra, sotto,* voir plus haut, plus bas. ◆ v. rifl. se voir. | *vedersi costretto a,* se voir contraint à. ◆ v. recipr. se voir. | *ci vediamo !,* à bientôt ! ◆ m. vue f. || [opinione] avis, opinion f. ◆ loc. cong. *visto che,* puisque ; étant donné que.
vedetta [ve'detta] f. PR. e FIG. vedette.
vedova ['vedova] f. veuve. || ZOOL. veuve.

vedovanza [vedo'vantsa] f. veuvage m.
vedovo ['vedovo] agg. e m. veuf.
veduta [ve'duta] f. vue. | *veduta di Venezia,* vue de Venise. || FIG. vue, façon de penser. | *larghezza di vedute,* largeur d'esprit.
veduto [ve'duto] agg. *a ragion veduta,* après réflexion.
veemente [vee'mɛnte] agg. violent, impétueux. || [di sentimenti] passionné, véhément.
vegetale [vedʒe'tale] agg. e m. végétal.
vegetare [vedʒe'tare] v. intr. [di pianta] pousser. || FIG. [di persona] végéter.
vegetarianismo [vedʒetarja'nizmo] m. végétarisme.
vegetazione [vedʒetat'tsjone] f. végétation.
vegeto ['vɛdʒeto] agg. vigoureux.
veggente [ved'dʒɛnte] n. [chi non è cieco] voyant. || FIG. prophète. || [indovino] voyant.
veglia ['veʎʎa] f. veille. || [il fatto di vegliare un morto, un malato] veillée. || [serata] soirée.
vegliare [veʎ'ʎare] v. tr. e intr. veiller.
veglione [veʎ'ʎone] m. bal. | *veglione di capodanno,* réveillon du jour de l'an.
veicolo [ve'ikolo] m. véhicule. || MED. agent de transmission.
vela ['vela] f. voile. | *a gonfie vele,* toutes voiles dehors.
velame [ve'lame] m. MAR. voilure f.
1. velare [ve'lare] v. tr. voiler. || [rendere meno visibile] estomper, cacher. || [un suono] étouffer, assourdir. ◆ v. rifl. PR. e FIG. se voiler.
2. velare agg. du voile du palais. ◆ agg. e f. LING. vélaire.
velatamente [velata'mente] avv. à mots couverts, de façon voilée.
1. velatura [vela'tura] f. voile m. || ARTI glacis m.
2. velatura f. MAR. [vele] voilure.
veleno [ve'leno] m. poison. [prodotto da animali] venin. || FIG. fiel, poison, venin. | *mangiare, masticare veleno,* étouffer de rage.
velenosamente [velenosa'mente] avv. venimeusement.
velenosità [velenosi'ta] f. toxicité, nocivité. || FIG. aigreur, acidité ; [pericolosità] nocivité.
velenoso [vele'noso] agg. toxique, nocif ; [avvelenato] empoisonné ; [di animali] venimeux ; [di piante] vénéneux. || FIG. nocif, pernicieux, néfaste ; [pieno di odio] venimeux, empoisonné.
veletta [ve'letta] f. voilette.
veliero [ve'ljɛro] m. voilier.
velina [ve'lina] f. double m. (sur papier de soie).
velino [ve'lino] agg. papier vélin ; [per copie, imballaggi] papier de soie. ◆ m. vélin.
velivolo [ve'livolo] m. [aereo] avion ; [idrovolante] hydravion.
velleità [vellei'ta] f. velléité.
vello ['vɛllo] m. toison f.
vellutato [vellu'tato] agg. velouté.
velluto [vel'luto] m. velours. | *velluto a coste,* velours côtelé.
velo ['velo] m. voile. || LOC. *prendere il velo,* prendre le voile. || [lieve strato] pellicule f., (fine) couche, voile. | *un velo di cipria,* un soupçon de poudre de riz. | *zucchero a velo,* sucre glace. || FIG. voile. | *è caduto il velo,* le voile a été levé. | *gli è caduto il velo dagli occhi,* les écailles lui sont tombées des yeux. || ANAT., BOT. voile.
veloce [ve'lotʃe] agg. rapide. | *i giorni scorrono veloci,* les jours passent vite.
velocità [velotʃi'ta] f. vitesse.
vena ['vena] f. ANAT. veine. || [di acqua] *vena d'acqua,* rivière, nappe d'eau souterraine. || BOT. veine, nervure. || GEOL. veine. || FIG. *essere, sentirsi in vena,* être en forme. | *essere in vena di,* avoir envie de, être en veine de.
venale [ve'nale] agg. *prezzo, merce venale,* prix de vente, marchandise à vendre. || ECON. *valore venale,* valeur vénale. || PEGG. vénal.
venato [ve'nato] agg. veiné. || FIG. teinté, voilé.
venatorio [vena'tɔrjo] (**-i** pl.) agg. de (la) chasse.
venatura [vena'tura] f. veines pl. || FIG. teinte, ombre, pointe.
vendemmia [ven'demmja] f. vendange. || [raccolto] vendange.
vendemmiaio [vendem'mjajo] m. STOR. vendémiaire.
vendemmiare [vendem'mjare] v. tr. vendanger.
vendemmiatore [vendemmja'tore] (**-trice** f.) n. vendangeur, euse.
vendere ['vendere] v. tr. vendre. | *per quanto lo vendi ?,* (à) combien le vends-tu ? || [tradire] vendre, trahir, donner. || LOC. *sa vendere bene la sua merce,* il sait se faire valoir. | *vendere fumo,* raconter des histoires. ◆ v. rifl. se vendre.
vendetta [ven'detta] f. vengeance. | *far vendetta di un'offesa,* se venger d'un affront. || LOC. *gridar vendetta,* PR. crier vengeance ; FIG., SCHERZ. [riferito a cose mal fatte] être abominable, épouvantable.
vendicare [vendi'kare] v. tr. venger. ◆ v. rifl. se venger.
vendita ['vendita] f. vente. | *c'è poca vendita oggi,* les affaires ne vont pas fort aujourd'hui. || [bottega] magasin m.

venditore [vendi'tore] (**-trice** f.) n. vendeur, euse. || [chi possiede o gestisce un negozio] marchand. | *venditore ambulante,* marchand, vendeur ambulant.

venefico [ve'nɛfiko] (**-ci** pl.) agg. toxique ; [di piante] vénéneux. || FIG. néfaste, pernicieux, nocif.

venerabile [vene'rabile] agg. vénérable.

venerabilità [venerabili'ta] f. respectabilité.

venerando [vene'rando] agg. vénérable.

venerare [vene'rare] v. tr. vénérer.

venerdì [vener'di] m. vendredi. || LOC. SCHERZ. *gli manca qualche venerdì,* il lui manque une case.

venereo [ve'nɛreo] agg. vénérien.

veneziana [venet'tsjana] f. [persiana] store (m.) vénitien.

veneziano [venet'tsjano] (**-a** f.) agg. e n. vénitien. | *alla veneziana,* à la vénitienne.

veniale [ve'njale] agg. véniel, excusable.

venire [ve'nire] v. intr. 1. venir. | *sono venuto a piedi,* je suis venu à pied. | *far venire,* PR. faire venir ; FIG. [provocare] donner. || [con avv. o prep.] *venir giù,* descendre. || *venir via,* partir. || *vienimi dietro,* suis-moi. || *venir meno,* PR. s'évanouir ; FIG. manquer, faillir. 2. [origine] venir, arriver ; [solo di cose] provenir. | *viene da Napoli,* il vient, il arrive de Naples. || FIG. *da dove le viene tanto coraggio ?,* d'où lui vient tout ce courage ? | *da qui viene che,* c'est pourquoi ; il en résulte que. 3. [senso temporale] venir, arriver. | *è venuto il momento,* le moment est venu, est arrivé. || [fenomeni naturali] *venne la pioggia,* il se mit à pleuvoir. || [fatti storici] *poi venne la guerra,* puis il y eut la guerre. || [ricorrere] tomber. | *Natale viene di sabato,* Noël tombe un samedi. || [esprime uno sviluppo logico] venir. | *venire al fatto, al dunque,* venir au fait. || [arrivare ad una certa conclusione] en venir, (en) arriver. | *venire a patti,* composer, transiger. || LOC. *venire al mondo, alla luce,* [nascere] venir au monde, voir le jour ; PR. e FIG. [essere scoperto] être découvert. | *venire a noia,* ennuyer. | *venire a capo di qlco.,* venir à bout de qch. | *venire a proposito, a pennello,* bien tomber. 4. [manifestarsi] venir. | *ma che ti è venuto in mente ?,* mais qu'est-ce qui t'a pris ? || FAM. *non mi viene,* ça ne me revient pas, je n'arrive pas à me rappeler. || [malattie] *gli è venuto un infarto,* il a eu un infarctus. || [impers.] *mi viene da,* j'ai envie de. 5. [crescere] pousser, venir. | *venir su,* [di pianta] pousser ; [di bambino] grandir. || [riuscire] *venir bene, male,* être réussi, raté. || LOC. *come viene, viene,* ça donnera ce que ça pourra. || [ottenere come risultato] faire, donner. | *mi viene 3 250,* cela fait 3 250. || FAM. [costare] coûter (L.C.). | *quanto viene ?,* combien ça fait ?, c'est combien ? 6. AUS. [con gerundio] *veniva dicendo che,* il répétait que. || [con part. pass.] *verrà punito,* il sera puni. || LOC. *sul momento mi venne da dire di no,* ma première réaction fut de répondre non. 7. *venirsene,* arriver. | *venirsene a casa,* rentrer à la maison. ◆ m. *un continuo andare e venire,* des allées et venues continuelles.

venoso [ve'noso] agg. veineux.

ventagliarsi [ventaʎ'ʎarsi] v. rifl. s'éventer.

ventaglio [ven'taʎʎo] m. éventail.

ventata [ven'tata] f. coup (m.) de vent. || FIG. vague.

ventennale [venten'nale] agg. qui dure vingt ans, de vingt ans. || [che ricorre ogni vent'anni] qui revient tous les vingt ans. ◆ m. vingtième anniversaire.

ventenne [ven'tɛnne] agg. (âgé) de vingt ans, qui a vingt ans.

ventennio [ven'tɛnnjo] m. période (f.) de vingt ans. | *il ventennio (fascista),* la période fasciste.

ventesimo [ven'tɛzimo] agg. num. ord. vingtième ; [sovrani e papi ; atto, libro] vingt. | *capitolo ventesimo,* chapitre vingt, vingtième chapitre. ◆ m. *un ventesimo,* un vingtième.

venti ['venti] agg. num. card. inv. e m. inv. vingt. | *oggi ne abbiamo venti,* aujourd'hui nous sommes le vingt. ◆ f. *le venti,* vingt heures.

venticello [venti'tʃɛllo] m. brise f.

ventilare [venti'lare] v. tr. aérer, ventiler. || AGR. vanner. || FIG. proposer, lancer ; [esaminare] discuter, débattre.

ventilatore [ventila'tore] m. ventilateur.

ventina [ven'tina] f. vingtaine.

ventiquattr'ore [ventikwat'trore] f. inv. [valigetta] attaché-case m. || SP. *la ventiquattr'ore di Le Mans,* les Vingt-Quatre Heures du Mans.

ventisette [venti'sɛtte] agg. num. card. inv. vingt-sept. ◆ m. le jour de la paye.

ventitré [venti'tre] agg. num. card. inv. vingt-trois. || LOC. *cappello sulle ventitré,* chapeau (incliné) sur l'oreille.

vento ['vɛnto] m. vent. | *tira vento,* il fait du vent. || GEOGR. *rosa dei venti,* rose des vents. || MODA *giacca a vento,* anorak. || LOC. *avere il vento in poppa,* avoir le vent en poupe. | *gridare a tutti i venti,* crier sur les toits. | *secondo*

il vento che tira, suivant les circonstances.
ventola ['vɛntola] f. [schermo] écran m. || [di ventilatore] hélice. || [di motore] rotor m. || LOC. *orecchie a ventola,* oreilles en feuille de chou.
ventosa [ven'tosa] f. ventouse.
ventoso [ven'toso] agg. venteux. ◆ m. STOR. ventôse.
ventre ['vɛntre] m. ANAT. ventre. | *ho mal di ventre,* j'ai mal au ventre. || FIG. ventre, panse f. || FIS. ventre.
ventresca [ven'treska] f. CULIN. thon (blanc) à l'huile. || [pancetta] lard m.
ventricolo [ven'trikolo] m. ANAT., ZOOL. ventricule.
ventriloquo [ven'trilokwo] (**-a** f.) n. e agg. ventriloque.
ventuno [ven'tuno] agg. num. card. e m. vingt et un.
ventura [ven'tura] f. sort m., fortune (lett.) ; [caso] hasard m. | *per ventura,* par hasard. || ASSOL. [fortuna] chance. || LOC. MIL. *soldato di ventura,* mercenaire. | *capitano di ventura,* condottiere (it.).
venturo [ven'turo] agg. à venir. || [prossimo] prochain. | *mercoledì venturo,* mercredi prochain. || [che segue il prossimo] d'après, suivant.
venuta [ve'nuta] f. venue, arrivée.
venuto [ve'nuto] agg. e n. *il primo venuto,* le premier venu.
vera ['vera] f. (sett.) alliance. || [di pozzo] margelle.
verace [ve'ratʃe] agg. LETT. vrai (L.C.). || [reale] réel. || [veritiero] véridique.
veramente [vera'mente] avv. vraiment. || [per esprimere riserva] à vrai dire, en réalité.
veranda [ve'randa] f. véranda.
verbale [ver'bale] agg. verbal. ◆ m. procès-verbal. | *redigere un verbale,* dresser un procès-verbal, verbaliser.
verbalizzare [verbalid'dzare] v. tr. mettre dans le procès-verbal. || ASSOL. verbaliser v. intr.
verbo ['vɛrbo] m. GR. verbe. || REL. Verbe.
verde ['verde] agg. vert. || [non maturo, non secco] vert. | *legno verde,* bois vert. ◆ m. vert. | *vestito di verde,* vêtu, habillé de vert. || [del semaforo] feu vert. || [vegetazione] verdure f., végétation f. || [di una città] espace vert. || LOC. *essere al verde,* être fauché (comme les blés) (fam.). || FIG. verdeur f., vigueur f. ◆ avv. FAM. *ridere verde,* rire jaune.
verdeggiare [verded'dʒare] v. intr. verdoyer.
verderame [verde'rame] m. inv. vert-de-gris.
verdetto [ver'detto] m. GIUR. e FIG. verdict.
verdognolo [ver'doɲɲolo] agg. verdâtre.
verdolino [verdo'lino] agg. vert tendre. ◆ m. ZOOL. serin.
verdone [ver'done] agg. vert foncé. ◆ m. ZOOL. verdier.
verdura [ver'dura] f. [ortaggi] légumes verts m. pl. | *zuppa di verdura,* soupe de légumes.
verga ['verga] f. baguette ; [per picchiare] verge ; [bastone] bâton m. || [di metallo] barre. | *verga d'oro,* lingot (m.) d'or. || ANAT. verge.
vergare [ver'gare] v. tr. [scrivere] écrire (à la main). || [segnare carta con strisce] rayer.
vergatino [verga'tino] agg. *carta vergatina,* papier vergé. ◆ m. tissu rayé.
vergatura [verga'tura] f. vergeures pl.
vergere ['vɛrdʒere] v. intr. LETT. se tourner (L.C.).
vergine ['verdʒine] agg. vierge. | *foresta vergine,* forêt vierge. ◆ f. vierge. || REL. *la Vergine,* la (Sainte) Vierge. || ASTR. *Vergine,* Vierge.
vergogna [ver'goɲɲa] f. honte. | *pieno di vergogna,* tout honteux. | *è una vergogna !,* c'est une honte ! || [con significato attenuato] gêne, timidité. | *ho vergogna di chiederglielo,* cela me gêne de le lui demander. ◆ pl. POP. *le vergogne,* les parties (honteuses, génitales).
vergognarsi [vergoɲ'ɲarsi] v. rifl. avoir honte, être honteux. || [con significato attenuato] être gêné, être intimidé.
vergognoso [vergoɲ'ɲoso] agg. honteux. || [timido] timide.
veridico [ve'ridiko] (**-ci** pl.) agg. véridique.
verifica [ve'rifika] f. vérification, contrôle m.
verificare [verifi'kare] v. tr. vérifier, contrôler. ◆ v. rifl. se vérifier ; s'avérer exact, se révéler. || [accadere] se produire, arriver. | *si è verificato un incidente,* un accident s'est produit.
veristico [ve'ristiko] (**-ci** pl.) agg. vériste.
verità [veri'ta] f. vérité. || LOC. *in verità,* [con funzione attenuativa] à la vérité ; [con funzione rafforzativa] en vérité.
veritiero [veri'tjɛro] agg. véridique.
verme ['vɛrme] m. ver. || FIG. individu méprisable, misérable. || LOC. *mi sentivo un verme,* j'aurais voulu rentrer sous terre.
vermifugo [ver'mifugo] (**-ghi** pl.) agg. e m. vermifuge.
vermiglio [ver'miʎʎo] agg. (rouge) vermeil ; [rosso scarlatto] vermillon. ◆ m. rouge vermeil ; vermillon.

vernacolo [ver'nakolo] agg. vernaculaire ; [dialettale] dialectal. ◆ m. dialecte.
vernice [ver'nitʃe] f. vernis m. ; [colore] peinture. | *la porta ha bisogno di una mano di vernice,* la porte a besoin d'une couche de peinture. || [pelle lucida] cuir verni. | *scarpe di vernice,* chaussures vernies. || FIG. vernis m. || ARTI [inaugurazione] vernissage m.
verniciare [verni'tʃare] v. tr. vernir ; [ceramica] vernisser ; [dare il colore] peindre.
verniciatura [vernitʃa'tura] f. vernissage m. ; [applicazione del colore] peinture. | *verniciatura a spruzzo,* peinture au pistolet. || FIG. vernis m.
vero ['vero] agg. vrai, véritable. | *il suo vero nome,* son vrai nom. | *non mi par vero !,* c'est trop beau pour être vrai ! | *è vero ?, non è vero ?, vero ?,* n'est-ce pas ? | *tant'è vero che ...,* la preuve en est que ..., c'est si vrai que ... || [genuino, autentico] vrai, véritable. | *perle vere,* perles véritables. | *un mascalzone vero (e proprio),* une véritable canaille. ◆ m. vrai, vérité f. | *il vero ed il falso,* le vrai et le faux. || LOC. *dipingere dal vero,* peindre d'après nature. | *a dire il vero, ad onor del vero,* à vrai dire.
verosimile [vero'simile] agg. e m. vraisemblable.
verruca [ver'ruka] f. MED. verrue.
versaccio [ver'sattʃo] m. grimace f.
versamento [versa'mento] m. [il versarsi] écoulement. || [di denaro] versement. || MED. épanchement.
1. versante [ver'sante] n. [chi fa un deposito] déposant.
2. versante m. GEOGR. versant.
versare [ver'sare] v. tr. verser. | *versare vino nel bicchiere,* verser du vin dans le verre. || [per sbaglio] renverser, répandre, faire tomber. || [riversare] déverser, répandre. | *il canale versa la sua acqua in un bacino,* l'eau du canal se déverse dans un bassin. || FIG. épancher, confier. || LOC. *versare fiumi d'inchiostro,* noircir des tonnes de papier, répandre des flots d'encre. || COMM. verser. ◆ v. intr. être, se trouver. | *versare in pessime condizioni,* être dans de très mauvaises conditions. ◆ v. rifl. se renverser, se répandre. || [di corso d'acqua] se jeter.
versatile [ver'satile] agg. qui a de nombreuses aptitudes.
versato [ver'sato] agg. versé (dans), fort (en).
versione [ver'sjone] f. [traduzione] traduction. || [di un testo antico] version. || [nell' ambito scolastico] traduction ; [nella lingua materna] version ; [dalla lingua materna] thème m. || [modo di narrare un fatto] version. | *versione originale (di un film),* version originale (d'un film). || [di un oggetto] variante, modèle m.
1. verso ['vɛrso] prep. [in direzione di] vers. | *guardare verso sinistra,* regarder à gauche. || [nei pressi di] du côté de ; aux environs de ; vers. | *abitava verso Torino,* il habitait du côté de Turin, aux environs de Turin. || [in espressioni temporali] vers, aux environs de. | *verso le dieci,* vers dix heures, || [riguardo a] envers, pour, à l'égard de. | *la sua diffidenza verso gli amici,* sa méfiance à l'égard de ses amis.
2. verso m. POES. vers. | *raccolta di versi,* recueil de poèmes. || [grido di animale] cri. | *verso del cane,* cri du chien. || [riferito all'uomo : particolare inflessione o cadenza] accent ; [suono inarticolato] bruit, grognement. || LOC. *rifare il verso a qlcu.,* singer qn, imiter qn. || [senso] côté, direction f., sens. | *per l'altro verso,* dans l'autre sens, de l'autre côté. | *non si sa per che verso prenderlo,* on ne sait pas par quel bout le prendre. | *la cosa procede per il suo verso,* l'affaire suit son cours. || FIG. moyen. | *non c'è verso di,* il n'y a pas moyen de. || FIS., MAT. sens.
3. verso m. [di foglio] verso. || [di medaglia, moneta] revers.
vertebra ['vɛrtebra] f. vertèbre.
vertenza [ver'tɛntsa] f. différend m., litige m., controverse.
vertere ['vɛrtere] v. intr. porter (sur), avoir pour objet, avoir trait (à).
verticale [verti'kale] agg. PR. e FIG. vertical. ◆ f. verticale.
vertice ['vɛrtitʃe] m. PR. e FIG. sommet.
vertigine [ver'tidʒine] f. PR. e FIG. [spec. pl.] vertige m. | *mi vengono le vertigini,* j'ai le vertige.
verza ['verdza] f. chou (m.) de Milan, chou frisé.
vescica [veʃ'ʃika] f. ANAT. vessie. | *vescica biliare,* vésicule biliaire. || [della pelle] ampoule, cloque.
vescicola [veʃ'ʃikola] f. ANAT. vésicule.
vescovado [vesko'vado] o **vescovato** [vesko'vato] m. évêché. || [dignità, durata] épiscopat.
vescovo ['veskovo] m. évêque.
vespa ['vɛspa] f. guêpe. || [motoscooter] Vespa.
vespaio [ves'pajo] m. guêpier. || LOC. *suscitare un vespaio,* provoquer de vives réactions.
vespero ['vɛspero] m. = VESPRO.
vespro ['vɛspro] m. soir, crépuscule. || REL. vêpres f. pl.
vessare [ves'sare] v. tr. maltraiter, tourmenter, brimer.
vessatorio [vessa'tɔrjo] (-**i** pl.) agg. vexatoire.

vessillo [ves'sillo] m. MIL. drapeau. ‖ FIG. bannière f.
vestaglia [ves'taʎʎa] f. robe de chambre ; peignoir m.
veste ['vɛste] f. vêtement m. | *veste talare,* soutane. ‖ [abito femminile] robe. ‖ PER EST. revêtement m. ; [di fiasco] paille, clisse. ‖ PARTICOL. *veste tipografica,* présentation typographique. ‖ LOC. *in veste di,* en qualité de ; à titre (de) ; [in modo ingannevole] sous l'apparence de.
vestiario [ves'tjarjo] m. garde-robe f. ; [assortimento di vestiti] vêtements pl. | *capo di vestiario,* vêtement.
vestigio [ves'tidʒo] (**-i** pl. m. ; **-gia** pl. f.) m. trace f. ‖ [resto] vestige, reste.
vestire [ves'tire] v. tr. habiller, vêtir (lett.). ‖ [avere addosso] porter ; [mettersi] mettre, revêtir, endosser. ‖ FIG. recouvrir, envelopper. ‖ [ornare] orner. ◆ v. intr. être habillé, vêtu ; s'habiller. | *vestire bene,* être bien habillé ; [abitualmente] bien s'habiller. ◆ v. rifl. s'habiller. | *vestirsi da festa,* mettre ses habits de fête. ‖ FIG. se couvrir.
1. vestito [ves'tito] agg. habillé, vêtu. ‖ FIG. couvert, recouvert.
2. vestito m. vêtement. | *i vestiti,* les vêtements, les habits. ‖ [da donna] robe f. ‖ [da uomo] complet, costume.
vestizione [vestit'tsjone] f. REL. prise d'habit, prise de voile.
veterano [vete'rano] m. PR. e FIG. vétéran.
veterinario [veteri'narjo] agg. e m. vétérinaire.
vetraio [ve'trajo] m. verrier. ‖ [chi vende vetro] vitrier.
vetrario [ve'trarjo] agg. du verre, verrier.
vetrata [ve'trata] f. [decorata] vitrail m. ‖ [di grandi dimensioni] verrière ; [grande finestra] baie vitrée ; [porta a vetri] porte vitrée. ‖ [insieme dei vetri di un edificio] vitrage m.
vetrato [ve'trato] agg. vitré. | *carta vetrata,* papier de verre. ◆ m. verglas.
vetrificare [vetrifi'kare] v. tr. vitrifier. ◆ v. rifl. o intr. se vitrifier.
vetrina [ve'trina] f. vitrine, devanture, étalage m. ‖ [mobile a vetri] vitrine.
vetrinista [vetri'nista] (**-i** pl. m.) n. étalagiste.
vetrino [ve'trino] m. [di microscopio] lamelle f. ‖ [di orologio] verre (de montre).
vetriolo [vetri'ɔlo] m. vitriol.
vetro ['vetro] m. verre. ‖ [oggetto in vetro] objet en verre, verrerie f. ‖ [lastra di vetro di finestra] vitre f., carreau. ‖ [di una carrozza ferroviaria] glace f. ‖ PER EST. (al pl.) fenêtre f. sing. ‖ [frammento di vetro] morceau, bout de verre.
vetta ['vetta] f. sommet m., cime, faîte m. ‖ [ramoscello] branchette. ‖ [estremità di un ramo] bout m., extrémité.
vettovaglia [vetto'vaʎʎa] f. (spec. al pl.) vivres m. pl., provisions pl., ravitaillement m.
vettura [vet'tura] f. voiture ; [automobile] voiture, auto ; [di treno] voiture, wagon m. | *vettura di piazza,* [a cavalli] fiacre m. ; [automobile] taxi m.
vetturino [vettu'rino] m. cocher.
vetusto [ve'tusto] agg. antique, ancien.
vezzo ['vettso] m. habitude f. ‖ [atto affettuoso] câlinerie f., caresse f. ‖ [collana] collier. ◆ pl. PEGG. manières f., mines f. ‖ [grazia] grâce f. sing., charme sing.
vezzoso [vet'tsoso] agg. gracieux, charmant. ‖ [carezzevole] caressant. ‖ [lezioso] affecté.
vi [vi] pron. pers. 2ª pers. pl. m. e f. vous. | *vestitevi,* habillez-vous. ‖ [con valore di pron. dim.] y. | *non vi capisco nulla,* je n'y comprends rien. ◆ avv. [moto a luogo] y. | *vi ritorno subito,* j'y retourne tout de suite. ‖ [moto per luogo] par là ; y. | *vi sono passato tante volte,* je suis passé par là souvent. ‖ LOC. *esservi,* V. ESSERE. | V. anche VE, CI.
1. via ['via] f. 1. [in centro abitato] rue ; [extra-urbana] route ; [nel linguaggio amministrativo] voie. | *abitare in via Verdi,* habiter rue Verdi. | *via nazionale,* route nationale. ‖ [passaggio] voie, chemin m., passage m. | *via libera !,* PR. e FIG. la voie est libre ! 2. [percorso] ligne, voie. | *vie aeree, marittime,* lignes aériennes, maritimes. ‖ [stile burocratico] *per via gerarchica,* par la voie hiérarchique. 3. [cammino, viaggio] route, chemin. | *essere, mettersi per via,* être, se mettre en route. 4. FIG. voie, chemin m. | *trovare la propria via,* trouver sa voie. 5. [mezzo] moyen m., voie. | *non vedo altra via,* je ne vois pas d'autre moyen. | *via di scampo, via d'uscita,* issue ; moyen de s'en sortir. | *via di mezzo,* compromis m. 6. ANAT. voie. ‖ ASTR. *via lattea,* Voie lactée. ‖ GIUR. *vie di fatto,* voie (sing.) de fait. ◆ loc. prep. *per via di,* [a causa di] à cause de ; [in seguito a] à la suite de ; [per mezzo di] au moyen de.
2. via avv. [usato con v. di moto : V. il v.] *andare via,* s'en aller, partir. | *buttar via,* jeter. | *dar via,* donner, faire cadeau (de). | *tirar via,* enlever ; [fare in fretta] se dépêcher ; [far male] bâcler (fam.). ‖ ASSOL. [con v. sottinteso] *via di corsa !,* sauvons-nous, filons vite ! ‖ [segnale di partenza] partez. | *pronti, via !,* prêts, partez ! ‖ [incitamento]

allons, voyons, allez. | *un po' di coraggio, via !,* allons, un peu de courage ! || Loc. *e così via ; e via di questo passo,* et ainsi de suite ; et cætera (lat.). ◆ m. (signal du) départ. | *dare il via ai lavori,* commencer les travaux. ◆ loc. avv. *via via,* de plus en plus. ◆ loc. cong. *via via che,* (au fur et) à mesure que.

viabilità [viabili'ta] f. viabilité. || [rete stradale] réseau (m.) routier.

viadotto [via'dotto] m. viaduc.

viaggiare [viad'dʒare] v. intr. voyager. | *il treno viaggia con trenta minuti di ritardo,* le train a trente minutes de retard.

viaggiatore [viaddʒa'tore] (**-trice** f.) n. voyageur, euse.

viaggio [vi'addʒo] m. voyage.

viale [vi'ale] m. boulevard, avenue f. || [in un parco] allée f.

viandante [vian'dante] n. passant, e ; [vagabondo] vagabond.

viatico [vi'atiko] m. Pr. e Fig. viatique.

viavai [via'vai] m. inv. va-et-vient, allées et venues f. pl.

vibrare [vi'brare] v. intr. Pr. e Fig. vibrer. ◆ v. tr. [dare] donner ; [scagliare] lancer, envoyer. | *vibrare una coltellata,* donner un coup de couteau.

vicario [vi'karjo] m. vicaire.

vice- ['vitʃe] pref. vice-. || [usato come m.] adjoint.

vicecommissario [vitʃekommis'sarjo] m. commissaire adjoint.

viceconsole [vitʃe'kɔnsole] m. vice-consul.

vicedirettore [vitʃediret'tore] m. sous-directeur, directeur adjoint.

vicenda [vi'tʃɛnda] f. alternance, suite. || [evento] événement m. || Loc. *(alterne) vicende,* vicissitudes. ◆ loc. avv. *a vicenda,* réciproquement ; [a turno] alternativement, tour à tour.

vicendevole [vitʃen'devole] agg. mutuel, réciproque.

viceparroco [vitʃe'parroko] m. vicaire (paroissial).

viceprefetto [vitʃepre'fɛtto] m. sous-préfet.

vicepreside [vitʃe'prɛside] n. sous-directeur, trice.

vicesegretario [vitʃesegre'tarjo] (**-i** pl.) m. sous-secrétaire.

vicesindaco [vitʃe'sindako] m. adjoint au maire.

viceversa [vitʃe'vɛrsa] avv. viceversa. | *fare viceversa,* changer, faire le contraire. || Fam. [e invece] mais.

vicinanza [vitʃi'nantsa] f. proximité, voisinage m. | *in vicinanza di,* à proximité de, près de. || [nel tempo] approche, proximité. ◆ pl. environs m., alentours m., voisinage m. sing.

vicino [vi'tʃino] agg. voisin, proche. | *la casa vicina,* la maison voisine. || [con compl.] près de. | *la loro casa è vicina alla ferrovia,* leur maison est près du chemin de fer. || [nel tempo] proche. | *la notte è vicina,* la nuit est proche. | *lo spettacolo è vicino alla fine,* le spectacle touche à sa fin. || Fig. proche. | *parenti vicini,* proches parents. || [idea di partecipazione] *mi è stato molto vicino in questo frangente,* il m'a beaucoup aidé dans ces moments difficiles. || [idea di somiglianza] proche. | *colore vicino al verde,* couleur proche du vert. ◆ m. voisin. ◆ avv. (tout) près. | *qui vicino, lì vicino,* (tout) près d'ici, (tout) près de là. | *da vicino,* de près. ◆ loc. prep. *vicino a,* près de, à côté de.

vicissitudine [vitʃissi'tudine] f. événement m., accident m. ◆ pl. vicissitudes.

vicolo ['vikolo] m. ruelle f. || Pr. e Fig. *vicolo cieco,* impasse f., cul-de-sac.

vidimare [vidi'mare] v. tr. [autenticare] vidimer. || [apporre un timbro] viser.

viella [vi'ɛlla] f. vielle.

vietare [vje'tare] v. tr. défendre, interdire. || [impedire] empêcher.

vietato [vje'tato] agg. interdit, défendu. | *senso vietato,* sens interdit. | *(è) vietato fumare,* défense de fumer.

vigere ['vidʒere] v. intr. être en vigueur ; [di usanza] être en usage ; exister. | *vigevano leggi molto severe,* les lois étaient très sévères.

vigilanza [vidʒi'lantsa] f. vigilance, surveillance.

vigilare [vidʒi'lare] v. intr. veiller. | *vigilare che nessuno esca,* veiller à ce que personne ne sorte. ◆ v. tr. surveiller.

vigile ['vidʒile] agg. vigilant. ◆ m. *vigile (urbano),* agent (de police). || *vigile del fuoco,* (sapeur-)pompier.

vigilia [vi'dʒilja] f. veille. || Rel. vigile. || [digiuno] jeûne m.

vigliacco [viʎ'ʎakko] (**-chi** pl.) agg. e m. lâche ; [pauroso] poltron, peureux.

vigna ['viɲɲa] f. vigne, vignoble m.

vignaiolo [viɲɲa'jɔlo] m. vigneron.

vigneto [viɲ'ɲeto] m. vignoble.

vignetta [viɲ'ɲetta] f. [motivo ornamentale] vignette. || [illustrazione] illustration, dessin m.. | *vignetta umoristica,* dessin humoristique.

vigore [vi'gore] m. vigueur f., force f., énergie f. || Amm. *in vigore,* en vigueur.

vigoroso [vigo'roso] agg. vigoureux, fort. || Fig. énergique, ferme.

vile ['vile] agg. lâche. || [spregevole] vil. || [di scarso valore] vil, sans valeur. || [di umile nascita] de basse condition.

vilipendio [vili'pɛndjo] m. mépris. || [infamia] infamie f., honte f. || GIUR. outrage, injure f.
villa ['villa] f. villa. || [dimora signorile di campagna] maison de campagne. || ARC. [campagna] campagne ; [podere] domaine rural (L.C.).
villaggio [vil'laddʒo] m. village.
villanamente [villana'mente] avv. grossièrement, impoliment.
villano [vil'lano] (**-a** f.) n. mufle, goujat. || ARC. [nel Medioevo] vilain, aine. ◆ agg. grossier, mal élevé, impoli.
villeggiante [villed'dʒante] n. vacancier. || [d'estate] estivant.
villeggiare [villed'dʒare] v. intr. passer ses vacances.
villeggiatura [villeddʒa'tura] f. vacances pl. || [luogo] villégiature, lieu (m.) des vacances.
villino [vil'lino] m. pavillon, villa f., maisonnette f.
villoso [vil'loso] agg. velu, poilu. || BOT. villeux, velu.
viltà [vil'ta] f. [carattere] lâcheté. || [azione] bassesse.
vimine ['vimine] m. sing. o pl. osier. | *cesta di vimini,* panier en, d'osier.
vinaccia [vi'nattʃa] (**-ce** pl.) f. marc m. (de raisin). || *acquavite di vinaccia,* marc.
vinaio [vi'najo] m. marchand de vin.
vincente [vin'tʃɛnte] agg. e m. gagnant.
vincere ['vintʃere] v. tr. [essere vincitore] gagner. || [ottenere] gagner, remporter. | *vincere il campionato,* remporter le championnat. || [sopraffare in competizioni] battre, l'emporter (sur). | *vincere un avversario a scacchi,* battre un adversaire aux échecs. || [prevalere] l'emporter, prévaloir (lett.). | *ha vinto il mio parere,* c'est mon avis qui l'a emporté. || FIG. [superare un ostacolo] vaincre, surmonter, triompher (de). | *vincere mille difficoltà,* surmonter mille difficultés. || [dominare] vaincre, dominer, triompher (de). | *vincere la propria timidezza,* dominer sa timidité ; triompher de sa timidité. || [di cosa, spec. astratta] vaincre, avoir raison (de), gagner. | *la stanchezza lo vinse e si addormentò,* vaincu par la fatigue, il s'endormit. || LOC. *lasciarsi vincere dallo sconforto,* céder, se laisser aller au découragement. ◆ v. rifl. se dominer, se vaincre, se maîtriser.
vincita ['vintʃita] f. gain m. | *fare una grossa vincita,* gagner une grosse somme.
vincitore [vintʃi'tore] (**-trice** f.) n. [in guerra] vainqueur m. || [in competizioni, giochi] gagnant, vainqueur. ◆ agg. [in guerra] victorieux, euse. || [in competizioni, giochi] gagnant.
vinco ['vinko] m. BOT. osier.
vincolante [vinko'lante] agg. qui engage, qui lie.
vincolare [vinko'lare] v. tr. entraver, gêner. || FIG. lier, engager, obliger. | *il contratto ci vincola a,* le contrat nous oblige à. || FIN. bloquer. | *vincolare un capitale,* bloquer un capital. ◆ v. rifl. s'engager, se lier.
vincolo ['vinkolo] m. PR. e FIG. lien. || LOC. *essere sotto il vincolo di un giuramento,* être lié par un serment. || [obbligo] obligation f. || MECC. frein.
vinificare [vinifi'kare] v. tr. vinifier.
vinilico [vi'niliko] (**-ci** pl.) agg. vinylique.
vino ['vino] m. vin.
vinto ['vinto] agg. vaincu. || [in gioco, competizione] battu. || [portato a compimento con successo] gagné. | *causa vinta,* procès gagné. ◆ n. vaincu.
1. viola [vi'ɔla] f. MUS. [oggi] alto m. ; [strumento antico] viole.
2. viola f. BOT. *viola (mammola),* violette. ◆ m. inv. [colore] violet m. ◆ agg. inv. violet, ette.
violare [vio'lare] v. tr. violer. || [trasgredire] violer, enfreindre.
violentare [violen'tare] v. tr. [una donna] violer, violenter. || [costringere qlcu. a qlco.] faire violence (à).
violento [vio'lɛnto] agg. e n. violent.
violino [vio'lino] m. MUS. violon.
violoncello [violon'tʃɛllo] m. violoncelle.
viottola [vi'ɔttola] f. o **viottolo** [vi'ɔttolo] m. sentier m.
vipera ['vipera] f. ZOOL. e FIG. vipère.
virale [vi'rale] agg. viral.
virare [vi'rare] v. intr. AV., MAR., CHIM., FOT. virer. ◆ v. tr. MAR. virer.
virata [vi'rata] f. AV., MAR. virage m. ; MAR. virement m.
virgola ['virgola] f. virgule. | *punto e virgola,* point-virgule m.
virgoletta [virgo'letta] f. guillemet m.
virile [vi'rile] agg. PR. e FIG. viril.
virilità [virili'ta] f. virilité.
virtù [vir'tu] f. vertu. || [pregio] qualité, vertu. || [potere attivo] vertu (lett.), pouvoir m., propriété. | *virtù terapeutiche,* vertus thérapeutiques. || LOC. *per virtù di, in virtù di,* [per il potere di] en vertu de ; [per merito di] a] grâce à. | *in virtù della legge,* en vertu de la loi.
virtuale [virtu'ale] agg. virtuel.
virtuoso [virtu'oso] agg. vertueux. ◆ m. virtuose.
virulento [viru'lɛnto] agg. virulent. || FIG. violent, âpre.
virus ['virus] m. virus.
viscerale [viʃʃe'rale] agg. PR. e FIG. viscéral.
viscere ['viʃʃere] (**-i** pl. m. PR. ; **-e** pl. f. PR. e FIG.) m. viscère. ◆ f. pl.

[organi interni dell'addome] entrailles. || FIG. entrailles.

vischio ['viskjo] m. BOT. gui. || [pania] glu f.

vischioso [vis'kjoso] agg. visqueux, gluant.

viscido ['viʃʃido] agg. gluant, visqueux. || FIG. répugnant.

visconte [vis'konte] m. vicomte.

viscosità [viskosi'ta] f. FIS. viscosité.

visibile [vi'zibile] agg. visible. || [manifesto] évident, manifeste, flagrant. || [che si può vedere] *film visibile solo per adulti,* film réservé aux adultes.

visibilio [vizi'biljo] m. masse f., foule f. || LOC. *andare in visibilio,* être aux anges, s'extasier.

visibilità [vizibili'ta] f. visibilité.

visiera [vi'zjɛra] f. visière. || [maschera da scherma] masque m.

visionario [vizjo'narjo] (**-i** pl.) agg. e n. visionnaire, illuminé.

visione [vi'zjone] f. vision. || LOC. *prendere visione di un documento,* prendre connaissance d'un document. || CIN. *film in prima visione,* film en première exclusivité. || [allucinazione] vision. || [spettacolo] spectacle m.

visita ['vizita] f. visite. | *visita di cortesia,* visite de politesse. || [persona] visite, visiteur m. || [esame medico] examen m. || [in un ospedale o in una collettività] visite (médicale). || MIL. *marcar visita,* se faire porter malade. || [di un luogo ; ispezione] visite.

visitare [vizi'tare] v. tr. rendre visite (à). || MED. [esaminare un paziente] examiner ; [andare a casa del paziente] visiter. || [un luogo] visiter. || [ispezionare] visiter. | *visitare i bagagli,* visiter les bagages.

visivo [vi'zivo] agg. visuel.

viso ['vizo] m. visage, figure f. | *guardare in viso,* regarder en face. || LOC. *far buon viso a cattivo gioco,* faire contre mauvaise fortune bon cœur.

visone [vi'zone] m. ZOOL. vison.

vispo ['vispo] agg. vif ; plein d'entrain, de vivacité. | *occhi vispi,* yeux vifs.

vissuto [vis'suto] agg. vécu ; [riferito a persone] qui a vécu. | *aria vissuta,* air blasé. ◆ m. vécu ; expérience vécue.

vista ['vista] f. vue. | *a quella vista impallidì,* à cette vue, il pâlit. || [occhiata] coup (m.) d'œil, regard m. || LOC. *far vista di,* faire semblant de. | *far bella vista,* être d'un bel effet. | *punto di vista,* PR. e FIG. point de vue. | *a vista d'occhio,* PR. [per quanto l'occhio può spaziare] à perte de vue ; FIG. [rapidamente] à vue d'œil.

vistare [vis'tare] v. tr. viser.

visto ['visto] agg. vu. | *mai visto,* jamais vu, incroyable. | *viste le difficoltà,* vu (prep.) les difficultés. ◆ loc. cong. *visto che,* étant donné que. ◆ m. visa.

vistoso [vis'toso] agg. voyant, tapageur. || [rilevante] important. | *errore vistoso,* grossière erreur.

visuale [vizu'ale] agg. visuel. ◆ f. vue, perspective. || FIG. point (m.) de vue. || OTT. axe (m.) visuel.

visualizzare [vizualid'dzare] v. tr. visualiser.

1. vita ['vita] f. vie. | *essere in fin di vita,* être mourant. | *pena la vita,* sous peine de mort. || [di organismo vegetale o animale] vie. | *vita vegetativa,* vie végétative. || [di cose] *dar vita ad un partito,* créer un parti. || [la durata della vita] vie, existence. || [riferito a cose] *aver vita lunga,* durer longtemps. || [avvenimenti della vita] vie, existence. | *mi rendi la vita difficile,* tu me compliques la vie, l'existence. | *su con la vita !,* courage ! || LOC. *ragazzi di vita,* jeunes dévoyés. || [biografia] vie. || [attività] vie. | *vita economica,* vie économique. || [vitalità] vie, vitalité. | *città piena di vita,* ville très animée. || [mezzi di sostentamento] vie. | *guadagnarsi la vita,* gagner sa vie.

2. vita f. taille. | *giro di vita,* tour de taille.

vitale [vi'tale] agg. PR. e FIG. vital. || [capace di vivere] viable.

vitalizio [vita'littsjo] agg. viager. ◆ m. viager ; rente (f.) viagère.

vitamina [vita'mina] f. vitamine.

vitaminico [vita'miniko] (**-ci** pl.) agg. vitaminique. || [che contiene vitamine] vitaminé.

1. vite ['vite] f. vigne. | *vite del Canada,* vigne vierge.

2. vite f. vis. | *a vite,* à vis. || AV. vrille.

vitella [vi'tɛlla] f. génisse. || [carne] veau m.

vitello [vi'tɛllo] m. ZOOL. veau.

viticcio [vi'tittʃo] m. vrille f. || [motivo ornamentale] volute f.

vitigno [vi'tiɲɲo] m. cépage.

vitreo ['vitreo] agg. [di vetro] de verre. || [simile al vetro] vitreux. || ANAT. vitré.

vittima ['vittima] f. PR. e FIG. victime.

vitto ['vitto] m. nourriture f. | *il vitto e l'alloggio,* le vivre et le couvert.

vittoria [vit'tɔrja] f. victoire.

vituperare [vitupe'rare] v. tr. vitupérer (contre) (lett.), blâmer.

vituperevole [vitupe'revole] agg. blâmable.

vituperio [vitu'pɛrjo] (**-i** pl.) m. injure f., insulte f. || [persona, cosa che arreca vergogna] honte f., déshonneur.

viuzza [vi'uttsa] f. ruelle.

viva ['viva] interiez. vive. | *viva i lavoratori !,* vive(nt) les travailleurs !

vivace [vi'vatʃe] agg. vif, vivant. || [brioso] vif, alerte. | *stile vivace,* style alerte. || [risentito] vif. | *discussione vivace,* discussion vive. || [intenso] vif. | *colori vivaci,* couleurs vives. || [di piante] vivace.
vivaio [vi'vajo] m. vivier. || AGR. e FIG. pépinière f.
vivanda [vi'vanda] f. plat m., mets m.
vivente [vi'vɛnte] agg. e n. vivant.
vivere ['vivere] v. intr. vivre. | *lasciarsi vivere,* se laisser vivre. | *questo non è vivere,* ce n'est pas une vie. || TIP. *vive,* bon. ◆ v. tr. vivre. ◆ m. vie f.
viveri ['viveri] m. pl. vivres, nourriture f. sing., aliments.
vivido ['vivido] agg. vif.
vivificare [vivifi'kare] v. tr. PR. e FIG. vivifier. || [conferire maggiore interesse o efficacia] rendre (plus) vivant ; animer, stimuler.
viviparo [vi'viparo] (**-a** f.) agg. e n. vivipare.
vivisezione [viviset'tsjone] f. vivisection.
vivo ['vivo] agg. vivant ; en vie. | *finché sono vivo,* tant que je vivrai ; de mon vivant. | *lui vivo,* de son vivant. || LOC. *farsi vivo (con qlcu.),* donner de ses nouvelles (à qn) ; [andar a trovare qlcu.] aller voir (qn). || [iperb.] | *non c'è anima viva,* il n'y a personne, il n'y a pas âme qui vive. || [di cosa] *roccia viva,* pierre vive. || [che appartiene ad un essere vivente] *a viva voce,* de vive voix. || [che dura ancora] *lingua viva,* langue vivante. || FIS. *forza viva,* force vive. || [vivace] vif, vivant, plein de vivacité. | *vivo ingegno,* vive intelligence. || [intenso] vif, grand, fort. | *a fuoco vivo,* à feu vif. | *vivi rallegramenti,* vives félicitations. ◆ m. [persona viva] vivant. || [con valore neutro] *la lama penetrò nel vivo della carne,* la lame pénétra en pleine chair. || FIG. *entrare nel vivo della questione,* entrer dans le vif du sujet.
viziare [vit'tsjare] v. tr. [di persona] gâter. || PER EST. corrompre. || CHIM., GIUR. e FIG. vicier.
vizio ['vittsjo] m. vice. | *essere carico di vizi,* être pourri de vices. || [abitudine riprovevole] mauvaise habitude f., défaut. | *prendere un vizio,* prendre une mauvaise habitude. || [imperfezione fisica] malformation f., défaut. || [in un oggetto] défaut. | *vizio di lavorazione,* défaut de fabrication. || GIUR. vice.
vizioso [vit'tsjoso] agg. corrompu, dépravé. || [difettoso] vicieux.
vocabolario [vokabo'larjo] (**-i** pl.) m. vocabulaire. || [libro] dictionnaire.
vocabolo [vo'kabolo] m. mot, terme, vocable.
1. vocale [vo'kale] agg. vocal.
2. vocale f. voyelle.
vocalizzare [vokalid'dzare] v. tr. LING. vocaliser. ◆ v. intr. MUS. vocaliser. ◆ v. rifl. LING. se vocaliser.
vocazione [vokat'tsjone] f. vocation.
voce ['votʃe] f. voix. | *a mezza voce,* à mi-voix. || FIG. voix. | *la voce della ragione,* la voix de la raison. || [insegnamento] conseil m., avis m. || LOC. *a voce,* oralement | *a gran voce,* à cor et à cri. | *sotto voce,* à voix basse. | *voce !,* plus fort ! ; [al cinema] le son ! | *dar sulla voce a qlcu.,* contredire qn. || FAM. *darsi voce,* se donner le mot. || [di animali] cri m., voix. || [notizia] bruit m. | *corrono strane voci,* on raconte de drôles de choses. || [parola] mot m., terme m. || [elemento] article m. | *una voce dell'Enciclopedia,* un article de l'Encyclopédie. || [uso burocratico] *le voci del bilancio,* les articles du budget. || GR. forme. || MUS. voix.
vociare [vo'tʃare] v. intr. crier, hurler.
vociferare [votʃife'rare] v. tr. faire courir le bruit (que, de). ◆ v. intr. crier, vociférer.
vocio [vo'tʃio] m. brouhaha.
1. voga ['voga] f. nage.
2. voga f. ardeur, enthousiasme m. || [successo] *in voga,* en vogue, à la mode.
vogare [vo'gare] v. intr. MAR. nager, ramer.
vogata [vo'gata] f. coup (m.) de rame. | *fare una vogata,* ramer.
voglia ['vɔλλa] f. envie. | *mi è passata la voglia,* je n'en ai plus envie. || [buona o cattiva disposizione] *fare qlco. di buona voglia,* faire qch. de bon cœur, volontiers. || MED. envie.
voi ['voi] pr. pers. 2ª pers. pl. m. e f. vous. || [sogg.] *questo lo dite voi,* c'est vous qui le dites. | *voi ci andate ?,* vous y allez, vous ? | *da voi,* chez vous. || [valore impers.] on, vous. || [forma di cortesia] vous. | *dare del voi,* vouvoyer qn, dire vous (à qn).
voialtri [vo'jaltri] (**-e** f.) pron. m. pl. vous (autres).
volano [vo'lano] m. GIOCHI, MECC., TECN. volant.
1. volante [vo'lante] agg. volant. ◆ f. police secours.
2. volante m. AUT., MECC. volant.
volantinaggio [volanti'naddʒo] m. distribution (f.) de tracts.
volantino [volan'tino] m. tract. || [pubblicitario] prospectus.
volare [vo'lare] v. intr. voler. | *volare via,* s'envoler v. rifl. || [persone] *è la prima volta che volo,* c'est la première fois que je prends l'avion. || [di cose leggere] voler, flotter. || [essere lanciato] voler, être projeté. | *volarono pugni,*

des coups de poing furent échangés. ‖ FIG. courir, filer, voler. | *volò alla stazione,* il courut, il fila à la gare.

volata [vo'lata] f. [stormo] volée, vol m. ‖ [corsa rapida] *di volata,* en courant. ‖ SP. [tennis] volée. ‖ TECN. volée.

volatile [vo'latile] agg. CHIM. volatil, e. ◆ m. oiseau, volatile.

volatilizzare [volatilid'dʒare] v. tr. volatiliser. ◆ v. rifl. PR. e FIG. se volatiliser, s'évaporer.

volente [vo'lɛnte] agg. *volente o nolente,* de gré ou de force, bon gré mal gré.

volentieri [volen'tjɛri] avv. volontiers, avec plaisir. | *spesso e volentieri,* très souvent.

1. volere [vo'lere] v. tr. 1. vouloir. | *non voglio nessuno,* je ne veux voir personne. | *come vuoi,* comme tu veux. ‖ [chiedere di una persona] demander ; vouloir voir, parler (à). | *La vogliono al telefono,* on vous demande au téléphone. ‖ [essere disposto ad accettare] vouloir (de). | *nessuno mi vuole,* personne ne veut de moi. ‖ [senso indebolito] *non volevo credere ai miei occhi,* je n'en croyais pas mes yeux. | *vogliamo andare?,* on y va?, on s'en va? ‖ LOC. *neanche a volere,* même exprès, même si on (le) voulait. | *vorrei vedere te!,* je voudrais t'y voir! | *voler piuttosto,* préférer. | *volevo ben dire!,* je me disais bien, aussi! 2. [con sogg. di cosa] vouloir. | *il caso volle che,* le hasard a voulu que. ‖ [imminenza] aller. | *vuole piovere,* il va pleuvoir. 3. [permettere] vouloir (bien), permettre. | *se tua mamma vuole,* si ta mère le permet. ‖ [per esprimere un ordine] *volete smettere!,* voulez-vous cesser! 4. [esigere] vouloir, demander, exiger. | *cosa vuole da me?,* que me voulez-vous?, que voulez-vous de moi? ‖ [aver bisogno] avoir besoin. | *pianta che vuole molta luce,* plante qui a besoin de beaucoup de lumière. ‖ LOC. *volerci,* falloir. | *quel che ci vuole ci vuole,* il faut ce qu'il faut. | *questo non ci voleva,* ça tombe mal ; on n'avait pas besoin de ça. | *voler bene,* aimer. | *volerne a qlcu.,* en vouloir à qn. | *volendo,* si on veut, si on le désire.

2. volere [vo'lere] m. volonté f. | *buon volere,* bonne volonté. ‖ LOC. *a tuo volere,* à ton gré.

volgare [vol'gare] agg. vulgaire, populaire. ‖ [comune] banal, quelconque. ‖ [grossolano] grossier. ◆ m. langue (f.) vulgaire.

volgarizzare [volgarid'dzare] v. tr. vulgariser.

volgere ['vɔldʒere] v. tr. tourner, diriger. | *volgere i passi verso,* tourner ses pas vers, se diriger vers. | *volgere la mente a qlco.,* appliquer son esprit à qch. ‖ [determinare un cambiamento] tourner, transformer. | *volgere in ridicolo,* tourner en ridicule. ‖ [tradurre] traduire. ◆ v. intr. tourner ; [essere orientato] être (orienté). | *la strada volge a sinistra,* la route tourne à droite. ‖ [avvicinarsi, evolvere] approcher (de), tourner (à). | *il lavoro volge alla fine,* le travail approche de, touche à sa fin. | *il tempo volge al bello,* le temps tourne au beau. ◆ m. *col volgere degli anni,* avec le temps. ◆ v. rifl. se tourner. | *volgersi indietro,* se retourner.

voliera [vo'ljɛra] f. volière.

volitivo [voli'tivo] agg. [che ha volontà] volontaire. ‖ [relativo alla volontà] volitif.

volo ['volo] m. [uccello, insetto] vol. ‖ AV. *alzarsi in volo,* décoller. ‖ [caduta] chute f. ‖ [spostamento rapido] saut. ‖ [lo spaziare liberamente] élan, essor, envolée f. ‖ LOC. *a volo d'uccello,* [dall'alto] d'en haut ; [in linea diritta] à vol d'oiseau ; [per sommi capi] dans les grandes lignes.

volontà [volon'ta] f. volonté. | *avere forza di volontà,* avoir de la volonté. | *di mia volontà,* de mon plein gré.

volontariato [volonta'rjato] m. service volontaire. ‖ [formazione professionale] stage (non rétribué). ‖ MIL. volontariat.

volonteroso [volonte'roso] agg. plein de bonne volonté.

volontieri [volon'tjɛri] avv. = VOLENTIERI.

volpe ['volpe] f. ZOOL. renard m., renarde f. ‖ FIG. *vecchia volpe,* vieux renard. ‖ AGR. nielle. ‖ MED. pelade.

1. volta ['vɔlta] f. fois. | *due volte al dì,* deux fois par jour. | *tante volte,* souvent, bien des fois. | *poche volte,* rarement. | *certe volte, alle volte, delle volte* (fam.), parfois, quelquefois, des fois (pop.). | *se a volte, se alle volte,* si jamais. | *una volta ero felice,* autrefois j'étais heureux. ‖ [distributivo] *volta per volta,* chaque fois. | *tutto in una volta,* tout à la fois, en même temps. ‖ [turno] tour m. | *è la tua volta,* c'est ton tour. ‖ [direzione] direction. ‖ LOC. *gli ha dato di volta il cervello,* il a perdu l'esprit. ‖ TIP. verso m. ◆ loc. cong. *una volta che,* [dopo che] une fois que ; [giacché] du moment que, puisque. ◆ loc. prep. *alla volta di,* vers, dans la direction de.

2. volta f. voûte. | *volta celeste,* voûte céleste. ‖ ANAT. *volta cranica,* voûte crânienne.

voltafaccia [volta'fattʃa] m. inv. PR. e FIG. volte-face f. inv., demi-tour m.

voltagabbana [voltagab'bana] m. e f. inv. PR. e FIG. girouette f.
voltaggio [vol'taddʒo] m. ELETTR. voltage, tension.
voltare [vol'tare] v. tr. tourner. | *voltare la testa, gli occhi,* tourner la tête, les yeux. | *voltare le spalle,* PR. e FIG. tourner le dos. || [dirigere] diriger (vers). || [muovere una cosa in modo che presenti il lato opposto] retourner, tourner. | *voltare le pagine,* tourner les pages. || [girare] tourner. | *voltare l'angolo,* tourner le coin. ◆ v. intr. tourner. | *voltare a destra,* tourner à droite. ◆ v. rifl. se tourner, se retourner. || FIG. *non so più dove voltarmi,* je ne sais plus à quel saint me vouer.
voltastomaco [voltas'tɔmako] m. inv. PR. e FIG. nausée f. | *avere il voltastomaco,* avoir mal au cœur.
voltata [vol'tata] f. action de tourner, de retourner. || [curva di una strada] virage m., tournant m.
volteggiare [volted'dʒare] v. intr. [uccelli] voltiger. || [a cavallo] volter. ◆ v. tr. [equitazione] faire volter.
volto ['volto] m. PR. e FIG. visage.
voltura [vol'tura] f. AMM. inscription au cadastre d'un changement de propriété. || [del telefono] communication du changement d'utilisateur.
volubile [vo'lubile] agg. variable, changeant, inconstant. || BOT. volubile.
volubilità [volubili'ta] f. inconstance.
volume [vo'lume] m. volume. || [spazio occupato] volume, place f. || [massa] *il volume della produzione,* le volume de la production. || [libro] volume, livre. tome.
voluminoso [volumi'noso] agg. volumineux, encombrant.
voluta [vo'luta] f. volute.
volutamente [voluta'mente] avv. exprès, intentionnellement.
voluttà [volut'ta] f. volupté.
voluttuoso [voluttu'oso] agg. voluptueux.
vomere ['vɔmere] m. soc. || ANAT. vomer.
vomico ['vɔmiko] (**-ci** pl.) agg. vomitif. | *noce vomica,* [frutto] noix vomique ; [albero] vomiquier.
vomitare [vomi'tare] v. tr. vomir, rendre. || FIG. cracher. | *il vulcano vomita lava,* le volcan crache, vomit de la lave.
vomito ['vɔmito] m. vomissement. | *conati di vomito,* haut-le-cœur. || FIG. *mi fa venire il vomito,* cela m'écœure. || [materiale vomitato] vomissure f.
vongola ['vongola] f. coque, palourde, clovisse.
vorace [vo'ratʃe] agg. PR. e FIG. vorace.
voragine [vo'radʒine] f. PR. e FIG. gouffre m.
vortice ['vɔrtitʃe] m. PR. e FIG. tourbillon.
vorticosamente [vortikosa'mente] avv. en tourbillonnant.
vorticoso [vorti'koso] agg. tourbillonnant. || FIG. frénétique.
vostro ['vɔstro] agg. poss. di 2ª pers. pl. votre m. e f. sing. ; vos m. e f. pl. | *al vostro arrivo,* à votre arrivée. | *per amor vostro,* pour vous (faire plaisir). | *in casa vostra, a casa vostra,* chez vous. || [con art. indef.] *un vostro libro,* [che vi appartiene] un de vos livres ; [scritto da voi] un livre de vous. || [senza art., con agg. dim. o indef.] *qualche vostro amico,* quelques-uns de vos amis ; [uno] un de vos amis. || [senza art. col v. « essere »] *questa macchina è vostra ?,* cette voiture est à vous ? || [ellitt.] *la vostra del tre febbraio,* votre lettre du trois février. ◆ m. *il vostro,* ce qui vous appartient, votre bien, votre argent. ◆ m. pl. *i vostri,* les vôtres ; [genitori] vos parents. ◆ pron. poss. *il vostro,* le vôtre. | *la vostra,* la vôtre. | *i vostri, le vostre,* les vôtres. || [compl. di un pron. indef.] *qui non c'è nulla di vostro,* il n'y a rien ici qui vous appartienne. | *non ci avete messo molto di vostro,* vous n'y avez pas mis grand-chose de personnel.
votante [vo'tante] agg. e n. votant.
votare [vo'tare] v. intr. voter. ◆ v. tr. [approvare] voter. || [consacrare] vouer, consacrer. ◆ v. rifl. se vouer.
votazione [votat'tsjone] f. vote m. ; [con riferimento al sistema adottato] vote, scrutin m.
votivo [vo'tivo] agg. votif.
voto ['voto] m. vœu. | *pronunciare i voti,* prononcer ses vœux, entrer en religion. || FIG. vœu. | *formulare voti per,* former des vœux pour. || [votazione] vote. | *diritto di voto,* droit de vote. || [ogni singolo suffragio] voix f. | *dare il proprio voto ad un candidato,* donner sa voix à un candidat. || [diritto di esprimere la propria volontà] voix. | *voto consultivo,* voix consultative. || [valutazione di un merito] note f. | *brutti voti, voti scadenti,* mauvaises notes.
vulcanico [vul'kaniko] (**-ci** pl.) agg. PR. e FIG. volcanique.
vulcanizzare [vulkanid'dzare] v. tr. CHIM. vulcaniser.
vulcano [vul'kano] m. PR. e FIG. volcan.
vulgata [vul'gata] f. vulgate.
vulnerabile [vulne'rabile] agg. PR. e FIG. vulnérable.
vulva ['vulva] f. ANAT. vulve.
vuotacessi [vwota'tʃɛssi] m. inv. vidangeur m.

vuotare [vwo'tare] v. tr. vider. ◆ v. rifl. se vider.

vuoto ['vwɔto] agg. vide. | *venire a mani vuote,* venir les mains vides. || [libero] vide, inoccupé. | *parole vuote di senso,* paroles vides de sens. ◆ m. vide. || [cavità] creux, cavité f. || [recipiente vuoto] récipient vide, bouteille vide. || FILOS., FIS. e FIG. vide. ◆ loc. avv. *a vuoto,* à vide. || FIG. *andare a vuoto,* échouer. | *assegno a vuoto,* chèque sans provision.

w x y

w [vud'doppjo] f. o m. w m.

wafer ['vafer] m. inv. [cialda] gaufrette f.

watt [vat] m. inv. watt m.

week-end ['wi:kend] m. (ingl.) week-end.

western ['westən] m. inv. (ingl.) western m.

whisky ['wiski] m. inv. (ingl.) whisky m.

würstel ['vyrstəl] m. inv. (ted.) saucisse (f.) de Francfort.

x [iks] f. o m. x m.

xenofobia [ksenofo'bia] f. xénophobie.

xenofobo [kse'nɔfobo] agg. xénophobe.

xeres ['ksɛres] m. xérès.

xerografia [kserogra'fia] f. Xérographie.

xilofago [ksi'lɔfago] agg. xylophage.

xilofono [ksi'lɔfono] m. xylophone.

xilografia [ksilogra'fia] f. xylographie.

y ['ipsilon] f. o m. y m.

yacht [jɔt] m. (ingl.) yacht.

yak [jæk] m. (ingl.) ya(c)k.

yen [jen] m. inv. yen m.

yiddish ['jidiʃ] m. inv. e agg. inv. yiddisch.

yoga ['jɔga] m. inv. yoga. ◆ agg. inv. *esercizi yoga,* exercices de yoga.

Z

z ['dzɛta] f. o m. z m. | *dall' A alla Z,* de A à Z, depuis A jusqu'à Z.

zabaione [dzaba'jone] m. CULIN. sabayon.

zac [dzak] interiez. clac!

zacchera ['tsakkera] f. éclaboussure.

zaccherone [tsakke'rone] (**-a** f.) n. malpropre, sale.

zacchete ['dzakkete] interiez. pan!

zaffata [tsaf'fata] f. relent m. || [getto] jet m.

zafferano [dzaffe'rano] m. BOT. e CULIN. [colore] safran.

zaffiro [dzaf'firo] m. saphir.

zaffo ['tsaffo] m. [di botte] bonde f. || [batuffolo] tampon.

zagaglia [dza'gaλλa] f. sagaie.

zaino ['dzaino] m. sac. || [di escursionista] sac à dos. || [di soldato] havresac.

zampa ['tsampa] f. patte. | *zampe anteriori, posteriori,* pattes de devant, de derrière. || FIG. *zampe di gallina,* [scrittura illeggibile] pattes de mouche; [ruga] pattes-d'oie. || [di mobile] pied m.

zampettare [tsampet'tare] v. intr. trottiner.

zampillare [tsampil'lare] v. intr. jaillir, gicler.

zampillo [tsam'pillo] m. jet.

zampino [tsam'pino] m. petite patte f. || LOC. *mettere lo zampino in una faccenda,* s'immiscer, s'ingérer dans une affaire.

zampirone [dzampi'rone] m. fumigène (contre les moustiques). || SCHERZ. cigarette (f.) de mauvaise qualité.

zampogna [tsam'poɲɲa] f. cornemuse. || [in Bretagna] biniou m.

zanna ['tsanna] f. [di elefante] défense. || [dente canino] croc m.

zannata [tsan'nata] f. coup (m.) de croc.

zanzara [dzan'dzara] f. moustique m.

zanzariera [dzandza'rjɛra] f. moustiquaire.

zappa ['tsappa] f. pioche, houe. || LOC. *darsi la zappa sui piedi,* se nuire à soi-même.

zappare [tsap'pare] v. tr. piocher, houer.

zappettare [tsappet'tare] v. tr. biner.

zar [dzar] m. inv. tsar, tzar.

zattera ['dzattera] f. radeau m. || [nella fluitazione del legname] train (m.) de flottage.

zatterone [dzatte'rone] m. radeau de débarquement.
zavorra [dza'vɔrra] f. AV., MAR. lest m. || FIG. *quanta zavorra in quest'ufficio!*, que de choses inutiles dans ce bureau! || [merce senza valore] pacotille, camelote.
zavorrare [dzavor'rare] v. tr. AV., MAR. e FIG. lester.
zazzera ['tsattsera] f. longue chevelure ; PEGG. tignasse.
zebra ['dzɛbra] f. ZOOL. zèbre m. || [passaggio pedonale] passage (m.) clouté, pour piétons.
1. zecca ['tsekka] f. inv. tique.
2. zecca f. hôtel (m.) de la Monnaie. || FIG. *nuovo di zecca*, flambant neuf.
zecchino [tsek'kino] m. sequin. | *oro zecchino*, or pur.
zefiro ['dzɛfiro] o **zeffiro** ['dzɛffiro] m. LETT. zéphyr.
zelante [dze'lante] agg. zélé, diligent.
zelo ['dzɛlo] m. zèle.
zenit ['dzɛnit] m. ASTR. zénith.
zenzero ['dzendzero] m. BOT. gingembre.
zeppa ['tseppa] f. cale, coin m. | *mettere una zeppa ad un mobile*, caler un meuble. || MECC. cale.
zeppo ['tseppo] agg. bourré, plein. | *pieno zeppo*, bondé, comble, plein à craquer.
zerbino [dzer'bino] m. paillasson.
zero ['dzɛro] m. zéro. | *dieci gradi sotto zero*, dix degrés au-dessous de zéro. || FIG. *è uno zero*, c'est un zéro. | *tagliare a zero i capelli a qlcu.*, raser le crâne à qn, tondre qn.
zeta ['dzɛta] (le **zete,** le **zeta,** gli **zeta** pl.) f. o m. z m. || [nell'alfabeto greco] zêta m.
zia ['tsia] f. tante.
zibellino [dzibel'lino] m. ZOOL. zibeline f.
zibibbo [dzi'bibbo] m. raisin de Damas.
zigano [tsi'gano] agg. e m. tzigane, tsigane.
zigomo ['dzigomo] m. ANAT. zygoma ; [pomello] pommette f.
zigrinato [dzigri'nato] agg. TECN. [di pelli, carta] chagriné ; [di moneta] crénelé.
zigrino [dzi'grino] m. chagrin. || [strumento] outil qui sert à chagriner.
zigzagare [dzidza'gare] v. intr. zigzaguer.
zimbellare [dzimbel'lare] v. tr. [caccia] piper. || FIG. leurrer.
zimbello [dzim'bɛllo] m. [uccello] appeau. || FIG. appât. || [oggetto di scherno] souffre-douleur inv., tête (f.) de Turc.
zincare [dzin'kare] v. tr. zinguer.
zinco ['dzinko] m. zinc.
zingaro ['tsingaro] (**-a** f.) n. bohémien ; gitan ; romanichel.
zio ['tsio] m. oncle.
zitella [tsi'tɛlla] f. vieille fille.
zittire [tsit'tire] v. tr. faire taire.
zitto ['tsitto] agg. silencieux. | *restare zitto*, se taire, garder le silence. || [non farsi notare] *avvicinarsi zitto zitto*, s'approcher en douce. || [nelle esclamazioni] *zitti!*, silence!, taisez-vous! || FIG. motus!
zizzania [dzid'dzanja] f. BOT. ivraie. || FIG. [discordia] zizanie.
zoccolo ['tsɔkkolo] m. sabot. || [persona rozza] rustaud. || [di animali] sabot. || [basamento di colonna] socle. || [di muro] plinthe f. || [di lampada] culot. || GEOGR., GEOL. socle.
zodiaco [dzo'diako] m. zodiaque.
zolfanello [tsolfa'nɛllo] m. allumette f.
zolfo ['tsolfo] m. soufre.
zolla ['dzɔlla] f. motte. || [di zucchero] morceau m.
zona ['dzɔna] f. [in tutti gli usi] zone. | *zona d'ombra*, zone d'ombre. | *zona montagnosa*, zone, région montagneuse. || [in agglomerato urbano] *zona industriale*, zone industrielle.
zonzo (a) [a'dzondzo] loc. avv. *andare a zonzo*, se balader, flâner.
zoo ['dzɔo] m. inv. zoo m.
zoofilo [dzo'ɔfilo] agg. protecteur des animaux.
zoologo [dzo'ɔlogo] (**-a** f., **-gi** pl.) n. zoologiste.
zoom [zuam] m. (ingl.) zoom.
zootecnia [dzootek'nia] f. zootechnie.
zoppicante [tsoppi'kante] agg. PR. e FIG. boiteux.
zoppicare [tsoppi'kare] v. intr. boiter. || [di mobili] être boiteux. || FIG. clocher, être boiteux. | *nel tuo ragionamento c'è qlco. che zoppica*, il y a qch. qui cloche dans ton raisonnement.
zoppo [t'sɔppo] agg. boiteux.
zotico ['dzɔtiko] (**-ci** pl.) agg. e m. rustre, lourdaud.
zoticone [dzoti'kone] m. rustre, rustaud.
zuavo [dzu'avo] m. MIL. zouave. || LOC. *calzoni alla zuava*, culotte de golf, pantalon de golf.
zucca ['tsukka] f. courge, citrouille, potiron m. || SCHERZ., FAM. [testa] caboche, cafetière (pop.). | *ha battuto la zucca*, il s'est cogné la caboche. || LOC. *non ha sale in zucca*, il n'a pas un brin de jugeote.
zuccherare [tsukke'rare] v. tr. sucrer.
zuccheriera [tsukke'rjɛra] f. sucrier m.
zuccherificio [tsukkeri'fitʃo] m. sucrerie f.

1. zuccherino [tsukke'rino] agg. [di sapore dolce] sucré.
2. zuccherino m. (morceau de) sucre, sucrerie f., bonbon. || FIG. *per dargli uno zuccherino lo hanno nominato socio onorario,* comme (prix de) consolation on l'a nommé membre honoraire.
zucchero ['tsukkero] m. sucre. || FIG. [di carattere mite] bonne pâte (fam.). || [eccesso di amabilità] *era tutto zucchero e miele,* il était tout sucre tout miel.
zucchetto [tsuk'ketto] m. calotte f.
zucchina [tsuk'kina] f. o **zucchino** [tsuk'kino] m. courgette f.
zuccone [tsuk'kone] (**-a** f.) n. têtu, cabochard.
zuffa ['tsuffa] f. bagarre, mêlée ; accrochage m.
zufolamento [tsufola'mento] m. sifflement.
zufolare [tsufo'lare] v. intr. jouer du pipeau. ◆ v. intr. e tr. [fischiare] siffler, siffloter.
zufolo ['tsufolo] m. pipeau.
zulù [dzu'lu] agg. e n. zoulou.
zumata [dzu'mata] f. CIN., TV prise de vues avec le zoom.
zuppa ['tsuppa] f. soupe. | *zuppa di verdura,* soupe de légumes. || [dolce] *zuppa inglese,* charlotte russe. || FIG. [miscuglio] mélange m., gâchis m. || [cosa noiosa] *che zuppa !,* quelle barbe !
zuppiera [tsup'pjɛra] f. soupière.
zuppo ['tsuppo] agg. trempé.

Achevé d'imprimer par l'Imprimerie
Maury-Eurolivres à Manchecourt
N° de projet 10071929 - 0SB 60° - 35 000
Dépôt légal : novembre 1999 - N° d'imprimeur : 75292

Imprimé en France - (Printed in France)